DEUTSCHES LERNWÖRTERBUCH

Duden / Langenscheidt

Deutsches Lernwörterbuch

Herausgegeben und bearbeitet
von Wolfgang Müller
unter Mitwirkung von
Wolfgang Eckey, Jürgen Folz,
Heribert Hartmann, Rudolf Köster,
Dieter Mang, Charlotte Schrupp,
Marion Trunk-Nußbaumer

LANGENSCHEIDT

BERLIN · MÜNCHEN · WIEN · ZÜRICH · NEW YORK

Lizenzausgabe von „Schülerduden, Bedeutungswörterbuch", 2. Auflage 1986
Alle Rechte vorbehalten. Nachdruck, auch auszugsweise, verboten
© Bibliographisches Institut, Mannheim 1986
Satz: Bibliographisches Institut (DIACOS Siemens) und
Mannheimer Morgen Großdruckerei und Verlag GmbH (Digiset 40T30)
Druck: Klambt-Druck GmbH, Speyer

Printed in Germany · ISBN 3-468-96101-4

Vorwort

Dieses *Wörterbuch* hat sich zum Ziel gesetzt, einen ausgewählten Wortschatz durch genaue Bedeutungsangaben zu erklären und den Gebrauch der Wörter durch Beispiele zu verdeutlichen.

Es ist aber nicht nur ein Wörterbuch, in dem der Benutzer nachschlagen kann, wenn er sich über ein Wort – seine Bedeutung, seinen Gebrauch, seine Aussprache usw. – informieren will, es ist auch ein *Arbeits- und Lernwörterbuch:* So sind in den alphabetischen Teil alle wichtigen Wortbildungsmittel der deutschen Sprache eingearbeitet worden; sie sind die Bausteine, mit denen Sprache eigenständig und phantasievoll gestaltet und weiterentwickelt werden kann. Da gibt es zum einen die Vor- und Nachsilben wie *er-* (z. B. *sich eine Goldmedaille erschwimmen*), *ent-* (z. B. *entschwefeln*), *-bar* (z. B. *maschinenlesbar*), *-haft* (z. B. *modellhaft*) und zum anderen selbständige Wörter, die in verblaßter Bedeutung schon fast wie Vor- und Nachsilben gebraucht werden, wie *Bomben-* (z. B. *Bombenerfolg*), *Klasse-* (z. B. *Klassefahrrad*), *-muffel* (z. B. *Sportmuffel*), *-verdächtig* (z. B. *hitverdächtig*). Mit Hilfe der Wortbildungsmittel kann sich der Lernende einerseits Bildungen, die ihm unbekannt sind, inhaltlich erschließen, andererseits kann er selbst neue Wörter bilden und seine sprachliche Ausdrucksfähigkeit weiterentwickeln.

Zur Erweiterung der sprachlichen Fähigkeiten trägt auch der Ergänzungswortschatz bei. Bei vielen Stichwörtern oder Bedeutungen werden sinn- und sachverwandte und zusammengesetzte Wörter (mit dem Stichwort als Grundwort) angegeben. So finden sich beispielsweise bei *Auto* sinn- oder sachverwandte Wörter wie *Wagen, Oldtimer, Straßenkreuzer, Jeep, Brummi* und Zusammensetzungen wie *Flucht-, Katalysator-, Renn-, Post-, Umweltauto.*

Das Buch enthält darüber hinaus eine Reihe von Bildern, die zur Veranschaulichung der Bedeutungsangaben beitragen sollen. Mit den Bildern werden Unterschiede zwischen sachverwandten Wörtern sichtbar gemacht (z. B. Bild Getreide: Hafer, Weizen,

Gerste, Roggen) oder verschiedene bzw. übertragene Bedeutungen verdeutlicht (z. B. Bild Kamm: 1. zum Kämmen. 2. beim Hahn. 3. beim Gebirge).

Mit diesem Wörterbuch erhält der Lernende einen Einblick in die Vielfalt und Lebendigkeit der deutschen Sprache. Er kann seinen Wortschatz erweitern und Ausdrucksmängel beseitigen.

DER WISSENSCHAFTLICHE RAT
DER DUDENREDAKTION

Die Behandlung der Stichwörter

A. Allgemeines

1. Die Stichwörter und die festen Wendungen sind im Druck hervorgehoben **(halbfett)**, die Bedeutungsangaben oder -hinweise sind *kursiv* gedruckt. Die Silbentrennung wird durch einen senkrechten Strich gekennzeichnet. Wörter mit -ck- haben keine Trennungsangabe erhalten. -ck- wird bei der Trennung immer in -k/k- aufgelöst. Grammatische Angaben stehen in spitzen Klammern ⟨⟩:

> **acht|ge|ben,** gibt acht, gab acht, hat achtgegeben ⟨itr.⟩: ↑*aufpassen:* auf die Kinder, Koffer gut a.
>
> **Acker** (getrennt: Ak-ker).

2. Zur Untergliederung eines Stichwortes mit verschiedenen Bedeutungen werden je nach dem Grad der Zusammengehörigkeit der einzelnen Bedeutungen römische Ziffern (I.), arabische Ziffern (1.) und kleine Buchstaben (a) verwendet:

> **an|sprin|gen,** sprang an, hat/ist angesprungen: **1.** ⟨itr.⟩ *in Gang kommen:* der Motor ist nicht gleich angesprungen ... **2.** ⟨in der Fügung⟩ angesprungen kommen: *springend herbeieilen:* als die Mutter rief, kamen die Kinder alle angesprungen ... **3.** ⟨tr.⟩ **a)** *(an jmdm.) hochspringen:* der Hund hat ihn vor Freude angesprungen. **b)** *sich mit einem Sprung (auf jmdn./etwas) stürzen:* der Tiger hat den Dompteur angesprungen ...

Die römischen Ziffern werden nur in besonderen Fällen zur Gliederung verwendet,

a) wenn verschiedene Wortarten vorliegen:

> **al|bern:** I. ⟨Adj.⟩ *von unernst-einfältiger, oft kindisch wirkender Art* ... II. ⟨itr.⟩ *sich albern benehmen* ...
>
> **ab:** I. ⟨Präp. mit Dativ ...⟩ ... II. ⟨Adverb⟩ ...

b) wenn die einzelnen Bedeutungen inhaltlich ganz verschieden sind:

> **Ball,** der; -[e]s, Bälle: I. **a)** *gewöhnlich mit Luft gefüllter Gegenstand zum Spielen* ... II. *festliche Veranstaltung, bei der getanzt wird* ...

c) wenn es sich um Wörter handelt, die gleich geschrieben, aber nicht gleich gesprochen werden (Homographe):

> **Te|nor:** I. Tenor ... II. Tenor ...

d) wenn es sich um Wörter handelt, die sich im Plural, im Genus oder in der Konjugation unterscheiden (Homonyme):

> **Bank:** I. die; -, Bänke ... II. die; -, Banken ...
>
> **Band:** I. Band, das -[e]s, Bänder ... II. Band, der; -[e]s, Bände ... III. Band [bɛnt], die; -, -s ...
>
> **durch|lau|fen:** I. **durchlaufen,** läuft durch, lief durch, ist durchgelaufen ... II. **durchlaufen,** durchläuft, durchlief, hat durchlaufen ...
>
> **hän|gen:** I. hing, hat gehangen ... II. hängte, hat gehängt ...

3. Zwischen schrägen Strichen // stehen allgemeinere Angaben, Bedeutungserläuterungen, Gegensatzwörter u. ä.: abmelden ... /Ggs. anmelden/ ...

4. Zum Gebrauch und Stil werden folgende Angaben gemacht:

geh. (gehoben)	=	nicht alltägliche, gewählt anmutende Ausdrucksweise, z. B. Antlitz.
ugs. (umgangssprachlich)	=	zwanglose, alltagssprachliche Ausdrucksweise; meist in der gesprochenen Sprache, z. B. pumpen (leihen).
derb	=	grobe Ausdrucksweise, z. B. Sau.
abwertend	=	Aussage, die das ablehnende Urteil, die persönliche Kritik des Sprechers enthält, z. B. Bulle.
emotional	=	Ausdrucksweise, die das innere Beteiligtsein, die persönliche Einschätzung widerspiegelt, z. B. schuften.
Jargon	=	in einer bestimmten sozialen oder Berufsgruppe übliche umgangssprachliche Ausdrucksweise, z. B. abschmieren (= abstürzen).

5. In eckigen Klammern [] stehen die Ausspracheangaben (siehe unter Aussprache!) und Buchstaben, Silben oder Wörter, die weggelassen werden können:

Bein, das; -[e]s, -e ...

6. Am Ende der Artikel bzw. der einzelnen Wortbedeutungen finden sich in der Regel zwei Gruppen von Wörtern, die unter „**sinnv.**" und unter „**Zus.**" zusammengefaßt sind. Unter **sinnv.** werden sowohl sinnähnliche als auch sachverwandte Wörter – gelegentlich auch anderer Wortart – genannt. Dabei handelt es sich um Wörter, die begrifflich oder assoziativ mit dem Stichwort in Verbindung gebracht werden können; es sind also nicht nur synonyme Wörter im strengen Sinn, z. B.

Fach|mann ... **sinnv.:** As, Autorität, Eingeweihter, Experte, Kenner, Könner, Kundiger, Meister, Praktiker, Profi, Sachkenner, Sachkundiger, Sachverständiger, Spezialist.

be|liebt ... **sinnv.:** angebetet, geliebt, gern gesehen, umschwärmt, vergöttert, wohlgelitten.

Unter **Zus.** werden Wörter aufgeführt, deren zweiter Bestandteil dem Stichwort entspricht; es handelt sich dabei nicht nur um Zusammensetzungen, sondern beispielsweise auch um Ableitungen, z. B.

faul ... **Zus.:** mund-, schreib-, stinkfaul.

las|sen ... **Zus.:** ablassen, bleibenlassen, unterlassen.

7. Produktive Wortbildungsmittel, also Vorsilben, Nachsilben und auch Wörter, mit denen Reihen neuer Wörter gebildet werden, stehen als selbständige Stichwörter in der alphabetischen Abfolge, z. B.

aus- (auszementieren usw.), be- (begrünen usw.), Hobby- (Hobbygärtner usw.), -in (Designerin usw.), -müde (kinomüde usw.), -muffel (Gurtmuffel usw.).

B. Die einzelnen Wortarten

I. Substantive

1. Bei den Substantiven stehen der Artikel, der Genitiv Singular und der Plural. Der dabei verwendete Strich (-) vertritt das Stichwort:

Mann, der; -[e]s, Männer:

2. Hat ein Substantiv keinen Plural, dann steht nur der Genitiv Singular:

Hun|ger, der; -s:

3. Substantive, die nur im Plural vorkommen, erhalten den Zusatz ⟨Plural⟩:

    Fe|ri|en, die ⟨Plural⟩:

4. Hat ein Substantiv in bestimmten Bedeutungen keinen Plural, dann wird dies durch den Zusatz ⟨ohne Plural⟩ gekennzeichnet:

    An|dacht, die; -, -en: **1.** ⟨ohne Plural⟩ *Zustand, in dem sich jmd. befindet, wenn er sich in etwas versenkt* ... **2.** *kurzer Gottesdienst* ...

5. Bei substantivierten Adjektiven und Partizipien werden zunächst die schwachen Flexionsformen angegeben, die beim Gebrauch mit bestimmtem Artikel auftreten. In spitzen Klammern ⟨ ⟩ stehen dann die starken Flexionsformen, wie sie u. a. bei alleinstehendem Gebrauch üblich sind:

    An|ge|stell|te, der u. die; -n, -n ⟨aber: [ein] Angestellter, Plural: [viele] Angestellte⟩:

6. Wenn zur [übertragenen] Bedeutung eines Substantivs ein erläuterndes [Genitiv]attribut gehört, das die Beziehung angibt, dann wird der erste Buchstabe des Stichworts + Attribut in ⟨ ⟩ gesetzt:

    Freund ..., Freun|din ... 2. ⟨F. + Attribut⟩ *männliche bzw. weibliche Person, die etwas besonders schätzt, die für etwas besonderes Interesse hat:* er ist ein Freund der Oper ...

II. Verben

1. Verben, deren Konjugationsformen regelmäßig sind, erhalten keine weiteren Angaben. Als regelmäßig gelten die schwachen Verben, bei denen keine Trennung von Vorsilben erfolgt, die im Präteritum in der 3. Person Singular auf -te enden und die im Perfekt nur mit „haben" verbunden werden und auf -t enden, z. B.

aas/en, aas/te, hat geaas/t,
absolvier/en, absolvier/te, hat absolvier/t,
beherrsch/en, beherrsch/te, hat beherrsch/t,
niesel/n, niesel/te, hat geniesel/t,
opfer/n, opfer/te, hat geopfer/t.

Bei Verben, die davon abweichende Formen haben, wird die 3. Person Präteritum und die 3. Person Perfekt angegeben. Die 3. Person Präsens wird dann aufgeführt, wenn eine zusätzliche lautliche und/oder rechtschreibliche Abweichung auftritt (fallen, fällt, fiel, ist gefallen; messen, mißt, maß, hat gemessen). Die Formen werden also in folgenden Fällen angegeben:

a) starke Verben: beißen, biß, hat gebissen

b) schwache Verben mit trennbarer Vorsilbe: aufsuchen, suchte auf, hat aufgesucht

c) schwache Verben, die im Infinitiv mit -ss- geschrieben werden, das in manchen Konjugationsformen als ß geschrieben wird: fassen, faßt, faßte, hat gefaßt

d) schwache Verben, bei denen noch ein -e- vor die Endungen -te bzw. -t tritt: fast/en, fast/ete, hat gefast/et

e) schwache Verben, die im Perfekt mit „sein" verbunden werden oder verbunden werden können: faulen, faulte, ist gefault, schweben, schwebte, hat/ist geschwebt.

2. Verben, die eine Ergänzung im Akkusativ haben und ein persönliches Passiv bilden können, erhalten die Kennzeichnung ⟨tr.⟩ = transitiv. Es gibt Verben, die mit einem Akkusativobjekt verbunden werden, die aber trotzdem nicht als transitiv gelten, z. B. bekommen (er bekommt das Buch; nicht ins Passiv übertragbar; also nicht: das Buch wurde von ihm bekommen). Verben mit dem

reflexiven oder reziproken Prono-
men erhalten die Kennzeichnung
⟨sich ...⟩, alle übrigen die Kennzeich-
nung ⟨itr.⟩ = intransitiv.

3. Mit der Bezeichnung Funktionsverb
werden Verben dann versehen,
wenn sie neben ihrem Gebrauch als
Vollverb in bestimmten Verbindun-
gen mit Substantiven auftreten, in
denen ihr eigentlicher Inhalt ver-
blaßt ist und in denen sie dann nur
Teil eines festen Gefüges sind, z. B.
gelangen in den Fügungen „zur Auf-
führung gelangen" (= aufgeführt
werden).

III. Adjektive

1. a) Adjektive können als nähere Be-
stimmung bei einem Substantiv
stehen:

    die schöne Rose

    Man sagt dann, das Adjektiv
    wird *attributiv* gebraucht.

   b) Adjektive können in Verbindung
mit Verben auftreten, und zwar in
Verbindung mit „sein":

    Die Rose ist schön.

    Man sagt dann, das Adjektiv
    wird *prädikativ* gebraucht.

   c) Adjektive können ein Verb näher
bestimmen:

    Die Rose blüht schön.

    Man sagt dann, das Adjektiv
    wird *adverbial* gebraucht.

d) Ist die Verwendung eines Adjek-
tivs eingeschränkt, dann wird
dies in wichtigen Fällen angege-
ben:

    täg|lich ⟨Adj.; nicht prädikativ⟩ ...

2. Vergleichsformen werden nur dann
angegeben, wenn sie unregelmäßig
sind oder wenn ein Umlaut auftritt:

    gut, besser, beste
    groß, größer, größte

C. Aussprache

1. Eine Ausspracheangabe steht nur
hinter den Wörtern, deren Ausspra-
che von der üblichen abweicht, und
zwar in eckigen Klammern. Die da-
bei verwendeten Zeichen sind die
der Internationalen Lautschrift (vgl.
hierzu die Übersicht auf S. 12).

    cam|pen ['kɛmpn̩] ...

2. Bei allen übrigen Stichwörtern wur-
de nur der betonte Vokal gekenn-
zeichnet. Ist der betonte Vokal kurz,
dann steht darunter ein Punkt: ba̱k-
ken.

    Ist der betonte Vokal lang oder ist
ein Diphthong betont, dann steht
darunter ein Strich: ba̱den; Bäcke-
rei̱.

    Einige Wörter haben zwei betonte
Vokale: blu̱tju̱ng.

Im Wörterbuch verwendete Abkürzungen

Adj.	Adjektiv	jmds.	jemandes
Akk.	Akkusativ	kath.	katholisch
Amtsspr.	Amtssprache	Konj.	Konjunktion
Attr.	Attribut	landsch.	landschaftlich
bayr.	bayrisch	mitteld.	mitteldeutsch
bes.	besonders	Nom.	Nominativ
bildl.	bildlich	nordd.	norddeutsch
BRD	Bundesrepublik	nordostd.	nordostdeutsch
	Deutschland	o. ä.	oder ähnliche[s]
bzw.	beziehungsweise	österr.	österreichisch
DDR	Deutsche	Präp.	Präposition
	Demokratische	Rel.	Religion
	Republik	scherzh.	scherzhaft
dgl.	dergleichen	schweiz.	schweizerisch
dicht.	dichterisch	sinnv.	sinnverwandt
ev.	evangelisch		(s. S. 8)
fachspr.	fachsprachlich	südd.	süddeutsch
fam.	familiär	südwestd.	südwestdeutsch
geh.	gehoben	tr.	transitiv
Gen.	Genitiv	u. a.	und andere[s]
Ggs.	Gegensatz	u. ä.	und ähnliche[s]
hist.	historisch	ugs.	umgangssprachlich
Inf.	Infinitiv		(s. S. 8)
Interj.	Interjektion	usw.	und so weiter
iron.	ironisch	veralt.	veraltet
itr.	intransitiv	westd.	westdeutsch
jmd.	jemand	z. B.	zum Beispiel
jmdm.	jemandem	Zus.	Zusammensetzung
jmdn.	jemanden		(s. S. 8)

Im Wörterbuch verwendete Zeichen

· Der Punkt auf Mitte soll das oder die danach folgenden Wörter von den vorhergehenden abheben. Er dient zur Gliederung des Erweiterungswortschatzes innerhalb einer Wortart (**Über|sicht ... sinnv.:** Beschreibung, Querschnitt, Überblick, Überschau, Zusammenfassung, Zusammenstellung · Diagramm, Graphik ...).

* Das Sternchen kennzeichnet feste Verbindungen und Wendungen (*** etwas auf sich beruhen lassen**).

† Mit dem Pfeil wird auf ein Wort verwiesen, unter dem man die Bedeutungserklärung für das jeweilige Stichwort findet (**auf|ste|hen ...** 2. (ugs.) † offenstehen ...).

Übersicht über die im Wörterbuch verwendeten Zeichen der Internationalen Lautschrift

ɐ	-er	Punker ['paŋkɐ]	
ɐ̯	-r	Deserteur [dezɛr'tø:ɐ̯]	
ã	nasales a	Chanson [ʃã'sõ:]	
æ	sehr offenes ä	Jazz [dʒæz]	
au̯	au-Diphthong	Couch [kau̯tʃ]	
dʒ	dsch-Laut („weich")	Job [dʒɔp]	
ɛ	offenes e	Deserteur [dezɛr'tø:ɐ̯]	
ɛ̃	nasales [ɛ]	Cousin [ku'zɛ̃:]	
ə	Murmellaut	Garage [ga'ra:ʒə]	
ɪ	offenes i	Vanille [va'nɪl(j)ə]	
ŋ	ng-Laut	Balkon [bal'kɔŋ]	
õ	nasales o	Bonbon [bõ'bõ:]	
ɔ	offenes o	Komfort [kɔm'fo:ɐ̯]	
ø	geschlossenes ö	Chauffeur [ʃɔ'fø:ɐ̯]	
œ	offenes ö	flirten ['flœrtn̩]	
s	ß-Laut („scharf")	City ['sɪti]	
ʃ	sch-Laut	Chance ['ʃã:s(ə)]	

ts	z-Laut	WC [ve:'tse:]	
tʃ	tsch-Laut	chartern ['tʃartɐn]	
ʊ	offenes u	Tournee [tʊr'ne:]	
v	w-Laut	Vanille [va'nɪl(j)ə]	
y	ü-Laut	Jury [ʒy'ri:]	
z	s-Laut („weich")	Saison [zɛ'zõ:]	
ʒ	sch-Laut („weich")	Genie [ʒe'ni:]	
:	Längezeichen	Garage [ga'ra:ʒə]	
'	Hauptbetonung, steht unmittelbar vor der betonten Silbe, wird nicht gesetzt bei einsilbigen Wörtern.	Chaussee [ʃɔ'se:]	
‿ ‿	Halbkreis, über- oder untergesetzt, bezeichnet unsilbischen Vokal	Nuance ['nỹã:sə], Atelier [atə'lie:]	

Liste der Wortbildungsmittel, die innerhalb der alphabetischen Abfolge als Stichwörter erscheinen

ab-	-bezogen	ent-	-frei/-los
-abhängig	blitz-, Blitz-	entgegen-	-fremd
an-	blut-	er-	-freudig
-anfällig	bomben-, Bomben-	-er	-freundlich
-ant	brand-	-[er]ei	-frisch
anti-, Anti-	bullen-, Bullen-	erz-, Erz-	-fritze
-arm	Chef-	-eur	Ge-[e]
-artig	-chen	-euse	-gebunden
-ation/-ierung	-chinesisch	Ex-	Gegen-
auf-	co-, Co-	extra-	-geil
aus-	-denken	Extra-	-gemäß
außer-	durch-	-fähig	general-, General-
-bar	Durchschnitts-	fehl-, Fehl-	-gerecht
-bar/-lich	-durstig	-feindlich	-geschehen
be-	-ebene	-fern	-getreu
-bedingt	-echt	-fertig	grund-
-bedürftig	Eck-	-fest	Grund-
-bereit	-ei	-förmig	-gut
-berg	-eigen	fort-	-haft
-bewußt	ein-	-frei	-halber

-haltig
Haupt-
Heiden-
heim-
-heini
-heit/-ung
her-
herab-
heran-
herauf-
heraus-
herbei-
herein-
herum-
herunter-
hervor-
hin-
hinab-
hinauf-
hinaus-
hinein-
hinter-
hinunter-
hinzu-
Hobby-
hoch-
Hoch-
Höllen-
hunde-, Hunde-
-hungrig
-i
-ieren
-ierung/-ation
-ig
-igkeit
-ig/-lich
il-
im-
in-
-in
inner-
-intensiv
inter-, Inter-
-ion
ir-
-isch
-isch/-

-isch/-lich
-isieren
-isierung
-ismus
-itis
-iv
-iv/-orisch
-jahr
Jahrhundert-
-jährig
-keit
Klasse-
ko-, Ko-
-kräftig
kreuz-
Kult-
Kunst-
-lawine
-leer
-leicht
-lein
-ler
-leute
-leute/-männer
-lich
-lich/-bar
-lich/-ig
-lich/-isch
Lieblings-
-ling
los-
-los
-los/-frei
-mann
-männer/-leute
Massen-
-maßen
-mäßig
-material
Meister-
Mini-
misch-, Misch-
miß-
mit-
Mit-
Möchtegern-
-monatig

Monster-
mords-, Mords-
-müde
-muffel
nach-
-nah
nieder-
Null-
Nullachtfünfzehn-
-o
ober-, Ober-
Öko-
-orisch
-pflichtig
Polit-
-politisch
ran-
rauf-
raus-
-reich
-reif
rein-
Riesen-
rüber-
rück-, Rück-
rum-
runter-
-sache
-sam
sau-, Sau-
-schaft
scheiß-, Scheiß-
-schwach
schwarz-, Schwarz-
-schwemme
-schwer
Selbst-
-selig
-sicher
Sonder-
Sonntags-
Spitzen-
-stark
stein-
-stel
stink-
stock-

-süchtig
super-, Super-
-täter
-technisch
-tel
tief-
tod-
top-, Top-
-trächtig
-träger
-treu
-tüchtig
-tum
über-
Über-
um-
umher-
un-
Un-
-ung/-heit
unter-
Unter-
ur-, Ur-
ver-
-verdächtig
-verhalten
Video-
Vize-
voll-, Voll-
-voll
vor-, Vor-
Wahnsinns-
weg-
-weise
-welle
-werk
-wert
-wesen
-widrig ·
-willig
-wirksam
-würdig
zer-
zu-
zurück-
zusammen-

A

Aal, der; -[e]s, -e: *in Flüssen lebender, schlangenförmiger, als Nahrung dienender Fisch mit glattglitschiger Haut.* **Zus.:** Fluß-, Räucheraal.

aa|len, sich: *sich wohlig strecken, sich behaglich ausgestreckt ausruhen:* er aalte sich in der Sonne.

Aas, das; -es, -e: *[verwesender] toter Körper eines Tieres, Kadaver.*

aa|sen ⟨itr.⟩ (ugs.): *verschwenderisch umgehen:* mit dem Geld a. **sinnv.:** verschwenden; durchbringen.

ab: **I.** ⟨Präp. mit Dativ; bei einer Angabe zur Zeit, Reihenfolge o. ä. auch mit Akk.⟩ *von ... an, von:* ab [unserem] Werk, ab Hamburg; ab erstem/ ersten Mai; Jugendliche ab 18 Jahren/Jahre; ab kommendem/kommenden Montag; ab nächster/ nächste Ausgabe. **II.** ⟨Adverb⟩ **1. a)** *weg, fort, entfernt:* rechts ab von der Station; keine drei Schritte ab. **b)** (ugs.) *hinweg, fort:* ab nach Hause! **2.** /elliptisch/ *herunter, hinunter:* Mützen ab! *(absetzen!).*

ab- ⟨trennbares, betontes verbales Präfix⟩: **1.** *weg:* abbröckeln, abbürsten, abfeuern, abmalen, abreisen, abschalten. **2. a)** *zu Ende, ganz und gar:* abblühen, abebben, abklappern, (die Zeit) absitzen. **b)** *die im Basiswort genannte Sportart zum letztenmal im Jahr ausüben* /Ggs. an-/: abrudern, absurfen. **3.** *nach unten* **a)** /räumlich/ abtauchen. **b)** /in der Anzahl weniger/ abrüsten. **4.** *ein wenig:* abändern, abwandeln. **5.** *rückgängig machen:* abbestellen, absagen. **6.** *versehen mit:* abpolstern. **7.** /verstärkend/ abisolieren.

ab|ar|bei|ten, arbeitete ab, hat abgearbeitet /vgl. abgearbeitet/ ⟨tr.⟩: *durch Arbeit tilgen, wieder ausgleichen:* das Essen a.

ab|ar|tig ⟨Adj.⟩: *[in sexueller Hinsicht] von der als normal geltenden Art abweichend:* abartige Veranlagung. **sinnv.:** pervers, widernatürlich; anormal.

ab|bau|en, baute ab, hat abgebaut: **1.** ⟨tr.⟩ **a)** *(Aufgebautes) in seine Bestandteile zerlegen [und wegbringen]* /Ggs. aufbauen/: ein Gerüst, Zelt a. **sinnv.:** abbrechen. **b)** *allmählich beseitigen:* Zölle a. **sinnv.:** senken. **2.** ⟨tr.⟩ (verhüllend) *in der Personenzahl verringern:* die Verwaltung, Beamte a. **sinnv.:** entlassen. **3.** ⟨tr.⟩ *(Erze, Mineralien) fördern, gewinnen:* Kohle a. **4.** ⟨itr.⟩ (ugs.) *in der Leistung schwächer werden:* im Alter körperlich und geistig a. **sinnv.:** nachlassen.

ab|be|kom|men, bekam ab, hat abbekommen ⟨itr.⟩: **1.** *(einen Teil von etwas) bekommen:* viel [von dem Vermögen], sein[en] Teil a. **sinnv.:** für jmdn. abfallen, abkriegen, erhalten · jmdm. zufallen. **2.** *bei einem Geschehen o. ä. von etwas in Mitleidenschaft gezogen werden:* einen Schlag a. **sinnv.:** davontragen. **3.** *(etw. Festhaftendes, -sitzendes) lösen, entfernen können:* den Rost [vom Messer], den Deckel a. **sinnv.:** abkriegen · entfernen.

ab|be|stel|len, bestellte ab, hat abbestellt ⟨tr.⟩: *etwas, was man bestellt, abonniert hat, rückgängig machen:* die Zeitung a. **sinnv.:** abmelden · annullieren, stornieren.

ab|bie|gen, bog ab, hat/ist abgebogen: **1.** ⟨itr.⟩ *eine andere Richtung – seitlich von der ursprünglichen – nehmen:* er ist falsch, [nach] links abgebogen. **sinnv.:** abschwenken · abdrehen · abzweigen · schwenken; sich gabeln. **2.** ⟨tr.⟩ (ugs.) *einer unangenehmen Sache [geschickt] eine andere Wendung geben und sie auf diese Weise verhindern:* unangenehme Fragen a. **sinnv.:** verhindern.

ab|bil|den, bildete ab, hat abgebildet ⟨tr.⟩: *bildlich darstellen:* auf der Ansichtskarte war eine Burg abgebildet. **sinnv.:** fotografieren; darstellen.

ab|bin|den, band ab, hat abgebunden ⟨tr.⟩: **1.** *etwas, was um- oder angebunden worden ist, wieder abnehmen, losbinden:* die Krawatte, Schürze, das Kopftuch a. **sinnv.:** ausziehen; entfernen. **2.** *abschnüren:* ein Bein [mit einem Tuch] a., damit das Blut nicht aus der Wunde rinnt. **sinnv.:** abklemmen.

ab|bit|ten, bat ab, hat abgebeten ⟨tr.⟩: *weil einem etwas, was man dem anderen angetan hat, leid tut, bitten und wünschen, daß der Betroffene einem verzeiht:* ich habe ihr viel abzubitten. **sinnv.:** sich entschuldigen.

ab|bla|sen, bläst ab, blies ab, hat abgeblasen ⟨tr.⟩ (ugs.): *etwas, was angekündigt war, absagen und die Vorbereitungen dazu einstellen:* das Fest ist abgeblasen worden. **sinnv.:** ausfallen.

ab|blit|zen, blitzte ab, hat abgeblitzt ⟨itr.⟩ (ugs.): *bei jmdm. mit etwas keine Gegenliebe finden:* er ist [bei ihr] mit seinem Vorschlag abgeblitzt.

ab|bre|chen, bricht ab, brach ab, hat/ist abgebrochen: **1.** ⟨tr.⟩ *durch Brechen von etwas entfernen:* er hat den Ast [vom Baum] abgebrochen. **sinnv.:** abmachen, abtrennen. ⟨itr.⟩ *brechen und sich dabei von dem übrigen trennen [und dadurch nicht mehr richtig zu gebrauchen sein]:* die Spitze vom Bleistift, der Griff, der Stiel ist abgebrochen. **sinnv.:** entzweigehen. **2.** ⟨tr.⟩ **a)** *niederreißen:* sie hatten das Haus abgebrochen. **b)** *(etwas Aufgebautes) abbauen:* sie haben die Zelte abgebrochen. **sinnv.:** abbauen, demontieren. **4.** ⟨tr.⟩ *unvermittelt beenden, mit etwas aufhören:* er hat das Studium abgebrochen. **sinnv.:** beenden, Schluß machen mit. **5.** ⟨itr.⟩ *(in einer Tätigkeit, mit etwas) plötzlich aufhören:* er hatte mitten im Satz abgebrochen. **sinnv.:** aussetzen.

ab|dan|ken, dankte ab, hat abgedankt ⟨itr.⟩: *von einem Amt, Posten zurücktreten:* der König dankte ab. **sinnv.:** ausscheiden.

ab|drän|gen, drängte ab, hat abgedrängt ⟨tr.⟩: *von einer Stelle weg [und woandershin] drängen:* die Polizei drängte die Demonstranten [in eine andere Straße] ab. **sinnv.:** verdrängen.

ab|dre|hen, drehte ab, hat/ist abgedreht: **1.** ⟨tr.⟩ *(durch Drehen an einem Knopf, Schalter o. ä.) abstellen, abschalten* /Ggs. andrehen/: das Wasser, Licht, Gas a.; er hat das Radio abgedreht. **sinnv.:** ausschalten. **2.** ⟨tr.⟩ *durch Drehen (von etwas) trennen:* vor Nervosität hat er den Knopf [von seiner Jacke] abgedreht. **sinnv.:** abtrennen. **3.** ⟨tr.⟩ *(in bezug auf einen Kinofilm) zu Ende drehen:* wir haben den Film abgedreht. **sinnv.:** fertigstellen. **4.** ⟨itr.⟩ *(von einem in Bewegung befindlichen Flugzeug, Schiff) eine andere Richtung einschlagen:* das Flugzeug hat/ist abgedreht. **sinnv.:** abbiegen, den Kurs ändern.

ab|drucken, druckte ab, hat abgedruckt ⟨tr.⟩: *in einer Zeitung o. ä. gedruckt erscheinen lassen:* einen Roman [in Fortsetzungen] a. **sinnv.:** veröffentlichen.

ab|drücken, drückte ab, hat abgedrückt: **1.** ⟨tr./itr.⟩ *einen Schuß (an einer Handfeuerwaffe) auslösen:* er drückte [den Revolver] ab. **sinnv.:** schießen. **2.** ⟨tr.⟩ *[heftig] liebkosen, an sich drücken und küssen:* die Mutter drückte das gerettete Kind ab.

abend ⟨Adverb; in Verbindung mit der Angabe eines bestimmten Tages⟩: *am Abend* /Ggs. morgen/: heute, Dienstag a.

Abend, der; -s, -e: **1.** *Tageszeit zwischen Nachmittag und Nacht* /Ggs. Morgen/: der heutige A.; eines Abends *(an einem nicht näher bestimmten Abend);* guten A.! /Grußformel/; zu A. essen *(die Abendmahlzeit einnehmen).* **Zus.:** Feier-, Lebens-, Sommer-, Weihnachtsabend. **2.** *gesellschaftliche Veranstaltung am Abend:* ein anregender A.; ein literarischer A. **Zus.:** Eltern-, Tanzabend.

Abend|brot, das; -[e]s (bes. nordd.): *abends eingenommenes einfacheres Essen, meist mit Brot.* **sinnv.:** Essen.

Abend|es|sen, das; -s, -: *abends eingenommene Mahlzeit.* **sinnv.:** Essen.

Abend|land, das; -[e]s: *Europa (in bezug auf die Kultur).*

abends ⟨Adverb⟩: *jeden Abend, am Abend* /Ggs. morgens/: a. [um] 8 Uhr; von morgens bis a.

Aben|teu|er, das; -s, -: *nicht alltägliches, spannendes [nicht ganz gefahrloses] Unternehmen, Erleben, Geschehen [dessen Ausgang zuerst noch nicht abzusehen ist]:* ein A. suchen, erleben. **Zus.:** Liebes-, Reiseabenteuer.

aben|teu|er|lich ⟨Adj.⟩: *einem Abenteuer ähnlich:* eine abenteuerliche Reise; das klingt höchst a. **sinnv.:** gefährlich.

aber: **I.** ⟨Konj.⟩ *dagegen; jedoch, doch, allerdings:* die Mutter bereitete das Frühstück, der Vater a./a. der Vater lag noch im Bett; er ist streng, a. gerecht; er hat zwar Zeit zum Reisen, a. kein Geld. **sinnv.:** dagegen, doch, indes[sen], jedoch; dennoch. **II.** ⟨Partikel⟩ **1.** */als Verstärkung/:* a. ja; a. gern. **2.** */kennzeichnet eine gefühlsmäßige Anteilnahme/:* du hast a. viel Bücher!; der ist a. groß!; a., a.! *(nicht doch!).* **III.** ⟨Adverb⟩ ⟨gewöhnlich in bestimmten Fügungen⟩ *wiederum, noch einmal:* tausend und a. tausend.

Aber|glau|be, der; -ns: *als irrig angesehener Glaube, daß überirdische Kräfte in bestimmten Menschen und Dingen wirksam sind:* es ist ein A., daß die Dreizehn eine Unglückszahl ist.

aber|gläu|bisch ⟨Adj.⟩: **a)** *im Aberglauben befangen:* er ist a. **b)** *aus Aberglauben entstanden:* abergläubische Vorstellungen.

ab|er|ken|nen, erkannte ab, hat aberkannt ⟨tr.⟩: *durch einen [Gerichts]beschluß absprechen:* jmdm. die bürgerlichen Ehrenrechte a. **sinnv.:** entziehen.

aber|mals ⟨Adverb⟩: *vorher, früher schon einmal und nun wieder, ein weiteres Mal:* er siegte, klopfte a.

ab|fah|ren, fährt ab, fuhr ab, hat/ist abgefahren: **1.** ⟨itr.⟩ *einen Ort fahrend verlassen* /Ggs. ankommen/: er ist mit dem letzten Zug abgefahren. **sinnv.:** abreisen. **2.** ⟨itr.⟩ *auf Skiern den Berg hinunterfahren:* er ist glänzend abgefahren. **3.** ⟨itr.⟩ *(oft in Verbindung mit lassen):* er ist bei ihr ganz schön abgefahren. **4.** ⟨tr.⟩ *mit einem Fahrzeug abtransportieren:* sie hatten Schutt, Müll abgefahren. **5.** ⟨tr.⟩ *zur Kontrolle entlangfahren:* er hat/ist die Front abgefahren. **6.** ⟨tr.⟩ *mit dem Fahrzeug aufsuchen:* er hatte/war einige Dörfer abgefahren. **7.** ⟨tr.⟩ *durch Überfahren abtrennen:* der Zug hatte ihm beide Beine abgefahren. **8. a)** ⟨tr.⟩ *durch Fahren abnutzen:* er hat die Reifen schnell abgefahren. **b)** ⟨sich a.⟩ *durch Fahren abgenutzt werden:* die Hinterreifen haben sich schnell abgefahren. **9.** ⟨tr.⟩ (ugs.) *(den Anspruch, mit einem Verkehrsmittel o. ä. befördert zu werden) ganz ausnutzen:* er hatte seinen Fahrschein abgefahren. **10.** ⟨itr.⟩ (ugs.) *auf jmdn./etwas (spontan) sehr ansprechen; von jmdm./einer Sache angetan sein:* auf diese Musik bin ich voll abgefahren.

Ab|fahrt, die; -, -en: **1.** *Beginn der Fahrt* /Ggs. Ankunft/: die A. [des Zuges] erfolgt um 8 Uhr. **sinnv.:** Abreise. **2.** (Skisport) **a)** *Fahrt den Berg hinunter:* eine rasende A. **b)** *Hang (zum Abfahren):* eine steile A. **sinnv.:** Piste. **3.** *Ausfahrt von einer Autobahn:* die A. führt nach Köln.

Ab|fall, der; -s, Abfälle: **1.** *Reste, die bei der Zubereitung oder Herstellung von etwas übrigbleiben und nicht mehr weiter zu verwerten sind, weggeworfen werden:* der A. vom Gemüse. **sinnv.:** Müll, Unrat. **2.** ⟨ohne Plural⟩ *das Sichlösen aus einem Bündnis o. ä.:* der A. von Gott.

ab|fal|len, fällt ab, fiel ab, ist abgefallen ⟨itr.⟩: **1.** *sich lösen und herunterfallen:* Blüten, Früchte fallen ab. **2.** *für jmdn. als Gewinn, Vorteil bei etwas übrigbleiben:* mancher gute Bissen fällt dabei ab. **3.** *jmdm./einer Sache abtrünnig, untreu werden:* von Gott, vom Glauben a. **sinnv.:** sich lossagen. **4.** *schräg nach unten verlaufen, sich neigen:* der Berg fällt steil, sanft ab. **5. a)** *(im Vergleich zu jmdm./etwas) schlechter sein oder werden:* die Sängerin fiel [gegen die Sänger, neben den Sängern, am Ende des zweiten Aktes] stark ab. **b)** *an Kraft, Intensität abnehmen, nachlassen, weniger werden:* die [Strom]spannung, der Druck des Wassers fällt rasch ab.

ab|fäl|lig ⟨Adj.⟩: *von Verächtlichkeit und Ablehnung zeugend:* eine abfällige Kritik, Geste; sich a. [über jmdn./etwas] äußern. **sinnv.:** abschätzig.

ab|fan|gen, fängt ab, fing ab, hat abgefangen ⟨tr.⟩: **1. a)** *machen, daß etwas/jmd. nicht ans Ziel gelangt:* einen Brief, einen Kurier a. **b)** *verhindern, daß etwas, was sich auf etwas hin bewegt, weiter, an den Zielpunkt gelangt:* einen Stoß, Schlag, den Regen, die Gefahr a.; er fing die ausholende Hand ab. **sinnv.:** auffangen. **c)** *unter Kontrolle bringen, in die Gewalt bekommen:* einen schleudernden Wagen a. **2.** *jmdn., der irgendwo-*

hin unterwegs ist und auf den man gewartet hat, aufhalten, weil man etwas von ihm will: das Mädchen hatte den Brieträger auf der Treppe abgefangen.

ab|fer|ti|gen, fertigte ab, hat abgefertigt ⟨tr.⟩: **1.** *machen, daß jmd./etwas nach den entsprechenden Formalitäten usw. weitergeleitet, -befördert werden kann, daß er weitergehen kann:* Reisende [am Gepäckschalter], Pakete, Waren a. **sinnv.:** bedienen, erledigen. **2.** ugs. *jmdn., der ein Anliegen hat, unfreundlich behandeln:* einen Bettler kurz, schroff a. **sinnv.:** abblitzen/abfahren lassen, abweisen, abwimmeln, einen Korb geben, die kalte Schulter zeigen, zurückweisen.

ab|fin|den, fand ab, hat abgefunden: **1.** ⟨tr.⟩ *durch eine einmalige Zahlung, Sachleistung für etwas entschädigen:* er bekam das Grundstück, und seine Schwester wurde abgefunden. **sinnv.:** entschädigen. **2.** ⟨sich a.⟩ *sich in etwas fügen:* sich mit seinem Schicksal a.

Ab|fin|dung, die; -, -en: **a)** *das Abfinden* (z. B. mit Geld): die A. der Gläubiger. **b)** *das zur Abfindung Bestimmte:* eine A. zahlen. **sinnv.:** Entschädigung.

ab|flau|en, flaute ab, ist abgeflaut ⟨itr.⟩: *allmählich in der Intensität schwächer werden:* der Wind, Lärm flaute ab. **sinnv.:** nachlassen.

ab|flie|gen, flog ab, hat/ist abgeflogen: **1.** ⟨itr.⟩ **a)** *weg-, davonfliegen:* die Singvögel sind schon abgeflogen. **b)** *(in bezug auf ein Flugzeug) den Ort verlassen* /Ggs. ankommen/: das Flugzeug ist um 9 Uhr abgeflogen. **sinnv.:** abheben. **2.** ⟨tr.⟩ *zur Kontrolle überfliegen:* er hat/ist das Gelände abgeflogen.

ab|flie|ßen, floß ab, ist abgeflossen ⟨itr.⟩: **a)** *sich fließend entfernen, wegfließen:* das Wasser fließt schlecht ab. **b)** *sich leeren (indem etwas daraus herausfließt):* die Badewanne fließt gut ab. **sinnv.:** ablaufen.

Ab|flug, der; -[e]s, Abflüge: *Start des Flugzeugs, Beginn des Fluges* /Ggs. Ankunft/: der A. hat sich verzögert. **sinnv.:** Start.

Ab|fluß, der; Abflusses, Abflüsse: **1.** ⟨ohne Plural⟩ *das Ab-, Wegfließen:* für A. sorgen. **2.** *Stelle (Öffnung, Rohr), wo etwas abfließt:* der A. [der Badewanne] ist verstopft. **sinnv.:** Ausfluß.

ab|fra|gen, fragte ab, hat abgefragt ⟨tr.⟩: *(jmds. Kenntnisse) durch Einzelfragen überprüfen:* der Lehrer fragte [den/dem Schüler] die Vokabeln ab; den Schüler a. **sinnv.:** abhören.

ab|füh|ren, führte ab, hat abgeführt: **1.** ⟨tr.⟩ *jmdn., den man ergriffen, festgenommen hat, wegführen, in polizeilichen Gewahrsam bringen:* jmdn. gefesselt a. **sinnv.:** verhaften. **2.** ⟨tr.⟩ *vom Geld, das man eingenommen hat, besitzt, einen Teil an jmdn./eine Institution zahlen:* Steuern [ans Finanzamt] a. **sinnv.:** abliefern. **3.** ⟨itr.⟩ *für Stuhlgang sorgen:* Rhabarber führt ab.

Ab|ga|be, die; -, -n: **1.** ⟨ohne Plural⟩ *das Abgeben:* gegen A. des Coupons a. **2.** ⟨Plural⟩ *einmalige oder laufende Geldleistung an ein Gemeinwesen:* hohe Abgaben. **sinnv.:** Steuer.

Ab|gang, der; -[e]s, Abgänge: **1.** ⟨ohne Plural⟩ *das Verlassen eines Wirkungskreises, Schauplatzes:* sein A. von der Schule. **2.** *jmd., der aus einem Lebens-, Tätigkeitsbereich ausscheidet:* im Krankenhaus gab es heute 20 Zugänge und 11 Abgänge.

ab|ge|ar|bei|tet ⟨Adj.⟩: **a)** *durch vieles Arbeiten erschöpft:* eine hagere, abgearbeitete Frau; er kam a. nach Hause. **b)** *deutlich starke, von körperlicher Arbeit herrührende Spuren aufweisend:* abgearbeitete Hände.

ab|ge|ben, gibt ab, gab ab, hat abgegeben: **1.** ⟨tr.⟩ *dem zuständigen Empfänger [oder jmdm., der es an den Empfänger weiterleitet] geben:* einen Brief bei der Sekretärin a. **sinnv.:** abliefern, übergeben. **2.** ⟨tr.⟩ *zur Aufbewahrung geben:* den Mantel an der Garderobe a. **3.** ⟨tr.⟩ **a)** *von einer Sache jmdm. einen Teil abtreten:* er hat mir etwas [von seinem Gewinn] abgegeben. **sinnv.:** überlassen; abtreten. **b)** *sich von etwas/jmdm. trennen, es nicht mehr weiter haben wollen, sollen:* den Vorsitz, die Leitung a. **4.** ⟨tr.⟩ *(in bezug auf eine persönliche Meinungsäußerung) verlauten lassen, von sich geben:* ein Versprechen, eine Erklärung, ein Urteil a. **5.** ⟨tr.⟩ *etwas, was man nicht [mehr] für sich selbst braucht, einem anderen gegen Bezahlung geben, überlassen:* Erdbeeren billig a. **sinnv.:** verkaufen. **6.** ⟨tr./itr.⟩ *(den Ball o. ä.) an einen Mitspieler geben:* der Verteidiger gab [den Ball] ab und stürmte vor. **sinnv.:** zuspielen. **7.** ⟨tr.⟩ *(ein Geschoß) abfeuern:* einen Schuß a. **8.** ⟨tr.⟩ *aus seiner Substanz freisetzen, nach draußen gelangen lassen:* der Ofen gibt nur mäßig Wärme ab. **9.** ⟨tr.⟩ *geeignet sein, (jmd. oder etwas) zu sein:* er gibt einen guten Redner ab. **10.** ⟨sich a.⟩ (ugs.) *Interesse für jmdn./etwas zeigen, Zeit dafür aufwenden und sich mit dem Betreffenden beschäftigen:* mit solchen Kleinigkeiten gibt er sich nicht ab. **sinnv.:** sich befassen.

ab|ge|brannt ⟨Adj.⟩ (ugs.): *kein Geld mehr habend (weil man alles ausgegeben, verbraucht hat):* ich bin a. **sinnv.:** bankrott.

ab|ge|brüht ⟨Adj.⟩ (ugs.): *seelisch unempfindlich:* ein abgebrühter Bursche.

ab|ge|dro|schen ⟨Adj.⟩ (ugs.): *(als Wort o. ä.) so oft gebraucht, daß es inhaltlich leer ist, keine Aussagekraft mehr hat:* eine abgedroschene Redensart. **sinnv.:** alt, banal.

ab|ge|hen, ging ab, ist/hat abgegangen: **1.** ⟨itr.⟩ *seinen bisherigen Wirkungsbereich (bes. die Schule) verlassen:* er ist [von der Schule] abgegangen. **sinnv.:** ausscheiden. **2.** ⟨itr.⟩ *(beim Turnen) ein Gerät mit einem Schwung, Sprung verlassen und damit die Übung beenden:* er ist mit einer Grätsche [vom Reck] abgegangen. **3.** ⟨itr.⟩ *sich loslösen:* hier ist die Farbe, der Putz abgegangen. **sinnv.:** sich ablösen. **4.** ⟨itr.⟩ *jmdm. fehlen, mangeln:* ihm ist Taktgefühl schon immer abgegangen. **sinnv.:** entbehren. **5.** ⟨itr.⟩ *in einer bestimmten Weise ablaufen, vonstatten gehen:* ohne Geschrei geht es nie ab. **sinnv.:** verlaufen.

ab|ge|le|gen ⟨Adj.⟩: *recht weit vom allgemeinen Verkehr o. ä. entfernt gelegen:* ein abgelegener Ort. **sinnv.:** abseits.

ab|ge|neigt ⟨Adj.⟩: *nicht geneigt* /üblich in bestimmten Verbindungen/: er war einem Kompromiß nicht a. *(stand ihm positiv gegenüber).* **sinnv.:** ablehnen.

Ab|ge|ord|ne|te, der u. die; -n, -n ⟨aber: [ein] Abgeordneter, Plural: [viele] Abgeordnete⟩: *gewähltes Mitglied eines Parlaments.* **sinnv.:** Parlamentarier, Volksvertreter.

ab|ge|ris|sen ⟨Adj.⟩: **1.** *(in bezug auf Kleidung) durch vieles Tragen zum Teil zerrissen und daher*

schäbig-ungepflegt aussehend: er läuft sehr a. her-
um. **2.** *unzusammenhängend:* abgerissene Sätze.
Ab|ge|sand|te, der u. die; -n, -n 〈aber: [ein] Ab-
gesandter, Plural: [viele] Abgesandte〉: *männliche
bzw. weibliche Person, die mit einem bestimmten
Auftrag an jmdn. geschickt wird:* sie sind A. des
Königs. **sinnv.:** Bevollmächtigter.
ab|ge|spannt 〈Adj.〉: *nach größerer Anstrengung
müde, erschöpft:* a. aussehen, sein.
ab|ge|wöh|nen, gewöhnte ab, hat abgewöhnt
〈tr.〉: *(jmdn./sich) dazu bringen, eine [schlechte]
Gewohnheit abzulegen:* ich habe ihm diese Unart,
mir das Rauchen abgewöhnt.
ab|gra|sen, graste ab, hat abgegrast 〈tr.〉 (ugs.):
*in einem bestimmten Bereich an allen dafür in Fra-
ge kommenden Stellen etwas oder jmd. Bestimmtes
systematisch suchen, sich dort erkundigen, nach-
fragen:* er hat alle Buchläden nach einer alten
Ausgabe abgegrast. **sinnv.:** abklappern.
Ab|grund, der; -[e]s, Abgründe: *große [gefährli-
che] Tiefe (z. B. einer Schlucht):* in den A. stürzen.
ab|grün|dig 〈Adj.〉 (geh.): **1.** *von rätselhafter, ge-
heimnisvoller Unergründlichkeit:* ein abgründiges
Lächeln. **2.** 〈verstärkend bei Adjektiven〉 *sehr:* a.
tief, gemein.
ab|ha|ken, hakte ab, hat abgehakt 〈tr.〉: *zum Zei-
chen des Erledigtseins mit einem Haken, Häkchen
versehen:* die Namen auf der Liste a.
ab|hal|ten, hält ab, hielt ab, hat abgehalten 〈tr.〉:
1. *nicht durchdringen, herankommen lassen:* die
Wände halten den Lärm ab. **2.** *(von etwas) zurück-
halten; (jmdn.) daran hindern, etwas zu tun:* er
hielt ihn von der Arbeit ab. **3.** *eine Veranstaltung,
Zusammenkunft stattfinden lassen, durchführen:*
die Versammlung wurde am Mittwoch abgehal-
ten. **4.** *(ein kleines Kind) ein wenig hochhalten und
seine kleine Notdurft verrichten lassen:* sie mußte
den kleinen Jungen a.
ab|han|den 〈in der Verbindung〉 a. kommen:
verlorengehen: meine Brieftasche ist [mir] a. ge-
kommen.
Ab|hand|lung, die; -, -en: *schriftliche [wissen-
schaftliche] Darlegung, längerer Aufsatz:* eine um-
fangreiche A. **sinnv.:** Artikel, Aufsatz.
Ab|hang, der; -[e]s, Abhänge: *schräge Fläche im
Gelände:* ein bewaldeter A.
ab|hän|gen: I. hing ab, hat abgehangen 〈itr.〉:
durch längeres Hängen mürbe werden: das Fleisch
muß noch a.; 〈häufig im 2. Partizip〉 gut abgehan-
genes Fleisch. **2. a)** *(durch jmdn./etwas) bedingt
sein:* das hängt letztlich von ihm, vom Wetter ab;
für mich hängt viel davon ab *(für mich ist es sehr
wichtig).* **sinnv.:** abhängig sein von. **b)** *(von jmdm./
etwas) abhängig sein:* von seinen Eltern a. **sinnv.:**
angewiesen sein. **II.** hängte ab, hat abgehängt
〈tr.〉: **1.** *von einem Haken, Nagel an der Wand ab-,
herunternehmen:* ein Bild a. **2.** *von der Kupplung
trennen* /Ggs. anhängen/: einen Eisenbahnwagen
a. **3.** (ugs.) *hinter sich lassen:* den Gegner beim
Wettlauf klar a.
ab|hän|gig 〈Adj.〉: **1.** *nicht selbständig:* in abhän-
giger Stellung sein. **2. *a. von jmdm./etwas sein: a)**
*durch jmdn./etwas (als Möglichkeit erst) zustande
kommen, bedingt sein:* der Ausflug ist vom Wetter
a.; vgl. -abhängig (1). **b)** *auf jmdn./etwas angewie-
sen sein:* er ist finanziell von den Eltern a.; vgl.
-abhängig (2).
-ab|hän|gig 〈adjektivisches Suffixoid〉: **1.** *durch

*das im substantivischen Basiswort Genannte be-
dingt, darauf beruhend, darauf zurückzuführen:*
temperatur-, verbrauchs-, zeitabhängig. **2.** *von
dem im substantivischen Basiswort Genannten psy-
chisch abhängend, davon in seinem Verhalten be-
stimmt, geprägt:* alkohol-, drogen-, lohnabhän-
gig.
ab|här|ten, härtete ab, hat abgehärtet 〈tr./itr.〉:
gegen Infekte o. ä. widerstandsfähig machen: er
härtete seinen Körper, sich frühzeitig ab; kalte
Duschen härten ab.
ab|hau|en, haute/hieb ab, hat/ist abgehauen: **1.**
〈tr.; Prät.: haute ab/veraltend: hieb ab〉 *durch
Schlagen entfernen, trennen von etwas:* er hat ei-
nen Ast vom Baum abgehauen. **sinnv.:** abtren-
nen. **2.** 〈itr.; Prät.: haute ab〉 (ugs.) *sich entfernen:*
er haute heimlich ab; seine Frau ist ihm abgehau-
en. **sinnv.:** fliehen, weggehen.
ab|he|ben, hob ab, hat abgehoben: **1.** 〈tr.〉 *anhe-
ben und abnehmen:* den Deckel, den Hörer des
Telefons a. **2.** 〈itr.〉 *(bes. von Flugzeugen) sich in die
Luft erheben, sich von dem Ausgangspunkt lösen
und in Bewegung setzen:* die Maschine hebt
schnell ab. **sinnv.:** abfliegen, starten. **3.** 〈tr.〉 *sich
(Geld vom Konto) auszahlen lassen* /Ggs. einzah-
len/: 100 Mark a. **4.** 〈sich a.〉 *sich abzeichnen; in
den Umrissen o. ä. im Kontrast zum Hintergrund,
Untergrund erkennbar sein:* die Türme hoben sich
vom/gegen den Himmel ab. **5.** 〈itr.〉 *etwas zum
Zielpunkt einer Erörterung machen, auf etwas als
etwas Bemerkenswertes hinweisen:* er hob darauf
ab, daß ...
ab|ho|len, holte ab, hat abgeholt 〈tr.〉: **1.** *an eine
bestimmte Stelle gehen und etwas, was dort bereit-
liegt, in Empfang nehmen, sich geben lassen:* ein
Paket [von der Post]. **sinnv.:** holen; beschaffen. **2.**
*an einen [vereinbarten] Ort, wo sich der Betreffen-
de befindet, gehen und mit ihm weggehen:* jmdn.
am Bahnhof a.
ab|hö|ren, hörte ab, hat abgehört 〈tr.〉: **1.** *etwas
Gelerntes ohne Vorlage aufsagen lassen, um fest-
zustellen, ob der Betreffende es beherrscht:* die
Mutter hörte [ihn/ihm] die Vokabeln ab; den
Schüler a. **sinnv.:** abfragen. **2.** *untersuchen, indem
man die Körpergeräusche mit dem Gehör oder
Hörrohr prüft:* das Herz, den Patienten a. **3.** *heim-
lich zur Überwachung mithören:* Telefone a.
sinnv.: horchen; spionieren. **4.** *(etwas Gesproche-
nes usw.) [zur Überprüfung, Information oder zum
Vergnügen] sich anhören:* ein Tonband a.
Ab|itur, das; -s, -e: *Reifeprüfung:* das A. ma-
chen. **sinnv.:** Prüfung.
Ab|itu|ri|ent, der; -en, -en, **Ab|itu|ri|en|tin,**
die; -, -nen: **a)** *Schüler bzw. Schülerin, der/die eine
Reifeprüfung abgelegt hat.* **b)** *Schüler bzw. Schüle-
rin der letzten Klasse an einer höheren Schule.*
ab|kap|seln, sich; kapselte sich ab, hat sich ab-
gekapselt: *sich isolieren und den Kontakt mit an-
deren meiden:* **sinnv.:** absondern, sich verkrie-
chen.
ab|kau|fen, kaufte ab, hat abgekauft 〈tr.〉: **1.** *von
jmdm. etwas [was angeboten hat] kaufen:* er
kaufte dem kleinen Mädchen einen Strauß ab.
sinnv.: kaufen. **2.** (ugs.) *dem, was jmd. sagt, kei-
nen Glauben schenken, es nicht glauben* /meist
verneint/: das, diese Geschichte kauft dir nie-
mand ab.
ab|klap|pern, klapperte ab, hat abgeklappert

⟨tr.⟩ (ugs.): *auf der Suche nach etwas/jmdm. nacheinander dafür in Frage kommende Stellen aufsuchen und sich dort danach erkundigen, danach fragen:* er klapperte die ganze Gegend nach Kartoffeln ab. **sinnv.:** absuchen.

ab|klin|gen, klang ab, ist abgeklungen ⟨itr.⟩ (geh.): **a)** *(in der Lautstärke) abnehmen, immer leiser werden:* der Lärm klingt ab. **b)** *(in der Intensität) nachlassen, schwächer werden:* der Sturm, die Krankheit, die Begeisterung ist abgeklungen.

ab|klop|fen, klopfte ab, hat abgeklopft: **1.** ⟨tr.⟩ **a)** *durch Klopfen entfernen:* Staub [von der Jacke] a. **sinnv.:** abschütteln. **b)** *durch Klopfen von etwas befreien:* das Kind, sich, die Jacke a. **sinnv.:** abschütteln; säubern. **2.** ⟨tr.⟩ *durch Klopfen untersuchen, prüfen:* die Wand, den Boden a.; einen Kranken a. **3.** ⟨tr./itr.⟩ *durch Klopfen mit dem Taktstock unterbrechen:* der Dirigent klopfte [das Konzert] ab.

ab|kom|men, kam ab, ist abgekommen ⟨itr.⟩: **a)** *sich ungewollt (von einer eingeschlagenen Richtung) entfernen:* vom Weg, Kurs a. **sinnv.:** abweichen. **b)** *etwas, was man früher, ursprünglich als Ziel, Aufgabe gehabt hat, nicht mehr tun, wollen, anstreben:* von einem Plan a. **sinnv.:** aufgeben.

Ab|kom|men, das; -s, -: *Vereinbarung (bes. zwischen Institutionen):* ein geheimes A. **sinnv.:** Abmachung. **Zus.:** Handels-, Kulturabkommen.

ab|kömm|lich ⟨Adj.⟩: *bei etwas nicht dringend erforderlich und frei für anderes:* er ist nicht a. **sinnv.:** überflüssig.

ab|kür|zen, kürzte ab, hat abgekürzt ⟨tr.⟩: **a)** *(ein Wort, einen Namen) nicht in seiner ganzen Länge schreiben:* einen Namen a. **b)** *(indem man einen kürzeren Weg nimmt) weniger Zeit für einen Weg brauchen:* den Weg a.

ab|la|den, lädt ab, lud ab, hat abgeladen ⟨tr.⟩: **a)** *von einem Transportmittel herunternehmen* /Ggs. aufladen/: Holz, Steine a. **sinnv.:** ausladen. **b)** *durch Herunternehmen der Ladung leer machen:* ein Lastauto a. **c)** *machen, daß etwas (eine Last o. ä.) woandershin, zu jmd. anderem gelangt:* Arbeit auf jmdn. a.; seinen Kummer bei ihr a.

ab|la|gern, lagerte ab, hat abgelagert: **1.** ⟨tr.⟩ *sich absetzen, ansammeln lassen, anschwemmen:* der Fluß lagert Schlamm ab. **2.** ⟨itr.⟩ *durch Lagern reifen:* der Wein muß noch a.

ab|las|sen, läßt ab, ließ ab, hat abgelassen: **1.** ⟨tr.⟩ **a)** *herauslaufen, ausströmen lassen:* Wasser aus der Badewanne, Gas a. **b)** *durch Herauslaufenlassen der Flüssigkeit leer machen:* die Badewanne a. **2.** ⟨tr.⟩ *auf Wunsch verkaufen, abtreten:* er ließ es ihm für zehn Mark ab. **sinnv.:** abgeben. **3.** ⟨tr.⟩ *einen Rabatt gewähren:* der Verlag läßt [der Agentur] 15% ab. **sinnv.:** ermäßigen. **4.** ⟨itr.⟩ (geh.) **a)** *(von etwas) Abstand nehmen, (etwas) aufgeben, nicht weiter verfolgen:* von einem Plan, der Verfolgung a.; sie ließen nicht ab *(sie hörten nicht auf)* zu feuern. **sinnv.:** absehen; aufgeben. **b)** *jmdn. nicht mehr bedrängen, verfolgen:* von dem Fliehenden a.

Ab|lauf, der; -s, Abläufe: **1.** *[vom Anfang bis zum Ende geregelter, organisierter] Verlauf:* der A. der Ereignisse. **sinnv.:** Reihenfolge. **Zus.:** Arbeits-, Tages-, Zeitablauf. **2. *vor A.** (vor Abschluß, Beendigung):* vor A. der Frist.

ab|lau|fen, läuft ab, lief ab, hat/ist abgelaufen: **1.** ⟨itr.⟩ *abfließen:* das **2.** ⟨itr.⟩ **a)** *herunterfließen:* das

Wasser ist von den Tellern abgelaufen. **b)** *durch Abfließen trocken werden:* die Teller sind abgelaufen. **3.** ⟨tr.⟩ **a)** *zur Kontrolle entlanglaufen, besichtigen:* er hat/ist die Strecke abgelaufen. **sinnv.:** absuchen. **b)** *der Reihe nach, einen nach dem andern aufsuchen:* er hat/ist alle Geschäfte abgelaufen. **4.** ⟨tr.⟩ *durch vieles Gehen abnutzen:* er hat die Schuhe abgelaufen. **5.** ⟨itr.⟩ *mechanisch zu Ende laufen und dann stehenbleiben:* die Uhr ist abgelaufen. **6.** ⟨itr.⟩ *in bestimmter Weise vonstatten, vor sich gehen:* die Diskussion ist glatt abgelaufen. **sinnv.:** geschehen. **7.** ⟨itr.⟩ *zu Ende gehen; zu bestehen, zu gelten aufhören:* die Frist ist abgelaufen. **sinnv.:** auslaufen, verfallen.

ab|le|gen, legte ab, hat abgelegt: **1.** ⟨tr.⟩ **a)** *fort-, niederlegen, irgendwohin legen:* eine Last a.; den Hörer a. **b)** *etwas (Post o. ä.), was bearbeitet ist, nicht mehr benötigt wird, zur Aufbewahrung weglegen:* Briefe a. **2.** ⟨tr.⟩ *(ein Kleidungsstück o. ä.) ausziehen:* die Jacke a.; ⟨auch itr.⟩ legen Sie bitte ab! **sinnv.:** ausziehen. **3.** ⟨tr.⟩ **a)** *nicht mehr tragen:* der Trauerkleidung a.; ⟨häufig im 2. Partizip⟩ er trägt abgelegte Schuhe *(Schuhe, die ein anderer schon getragen hat, der sie aber nicht mehr weiter tragen will).* **b)** *sich von etwas frei machen:* eine Gewohnheit, seine Scheu a. **4.** ⟨tr.⟩ *(auf schriftliche oder mündliche Weise etwas, was von dem Betreffenden als Beweis für etwas gefordert wird) machen:* eine Prüfung a.; einen Eid a. *(schwören).* **sinnv.:** absolvieren. **5.** ⟨itr.⟩ *(in bezug auf ein Schiff) von der Anlegestelle wieder wegfahren* /Ggs. anlegen/: das Schiff hatte abgelegt.

ab|leh|nen, lehnte ab, hat abgelehnt ⟨tr.⟩: **a)** *(etwas Angebotenes) nicht haben wollen, nicht entgegennehmen* /Ggs. annehmen/: eine Einladung, ein Geschenk a. **sinnv.:** ausschlagen, zurückweisen. **b)** *einer Forderung o. ä. nicht nachgeben; nicht genehmigen* /Ggs. annehmen/: einen Antrag a. **sinnv.:** abschlagen, abweisen, versagen. **c)** *(mit jmdm./etwas) nicht einverstanden sein:* einen Vorschlag a. **sinnv.:** abwehren, mißbilligen, verwerfen. **d)** *von sich weisen; nicht anerkennen:* eine Anklage a.; einen Richter als parteiisch a. **sinnv.:** abweisen. **e)** *sich weigern, etwas zu tun:* die Zahlung von etwas a.; er lehnte es ab, daran mitzuwirken. **sinnv.:** verweigern, vorenthalten.

ab|lei|ten, leitete ab, hat abgeleitet: **1.** ⟨tr.⟩ *in eine andere Richtung leiten:* den Fluß a. **sinnv.:** ablenken. **2. a)** ⟨tr.⟩ *herleiten, entwickeln:* eine Formel aus Versuchen a. **b)** ⟨sich a.⟩ *sich ergeben, folgen:* das eine leitet sich aus dem anderen ab. **3. a)** ⟨tr.⟩ *auf seinen Ursprung zurückführen:* seine Herkunft von den Arabern a. **sinnv.:** herleiten. **b)** ⟨sich a.⟩ *aus etwas stammen:* das Wort leitet sich aus dem Niederländischen ab. **sinnv.:** abstammen.

ab|len|ken, lenkte ab, hat abgelenkt: **1.** ⟨tr.⟩ *in eine andere Richtung bringen, lenken:* Lichtstrahlen a. **sinnv.:** ableiten. **2. a)** ⟨tr.⟩ *auf andere Gedanken bringen, zerstreuen:* jmdn., sich durch Musik ein wenig a. **b)** ⟨itr.⟩ *dazu bringen, vorübergehend etwas aufzugeben, von etwas abzugehen:* jmdn. [von der Arbeit] a. **c)** ⟨itr.⟩ *das Gesprächsthema wechseln:* er lenkte schnell ab.

ab|leug|nen, leugnete ab, hat abgeleugnet ⟨tr.⟩: *mit Nachdruck leugnen, nicht zugeben:* seine Schuld, ein Verbrechen a. **sinnv.:** abstreiten.

ab|lie|fern, lieferte ab, hat abgeliefert ⟨tr.⟩: *nach*

Vorschrift übergeben, aushändigen: den Rest des Geldes lieferte sie der Mutter ab. **sinnv.:** abgeben; abführen.

ab|lö|sen, löste ab, hat abgelöst: **1. a)** ⟨tr.⟩ *vorsichtig von seinem Untergrund lösen, entfernen:* Briefmarken a. **sinnv.:** abmachen; abtrennen. **b)** ⟨sich a.⟩ *sich an der Oberfläche von etwas loslösen:* die Farbe, Haut löst sich ab. **sinnv.:** abgehen, sich lösen. **2. a)** ⟨tr.⟩ *die Tätigkeit, die Arbeit (von jmdm.) übernehmen, an jmds. Stelle treten:* einen Kollegen a. **b)** ⟨sich a.⟩ *sich abwechseln, miteinander wechseln:* die Ärzte lösen sich/einander ab; Ebbe und Flut lösen sich ab.

ab|ma|chen, machte ab, hat abgemacht ⟨tr.⟩: **1.** *loslösen und entfernen* /Ggs. anmachen/: ein Schild von der Tür a. **sinnv.:** ablösen; entfernen. **2. a)** *vereinbaren:* wir hatten das so abgemacht; abgemacht! *(einverstanden!).* **b)** *erledigen:* die Sache war schnell abgemacht.

ab|mel|den, meldete ab, hat abgemeldet ⟨tr.⟩: *einer offiziellen Stelle den Ab-, Weggang, das Ausscheiden o. ä. mitteilen* /Ggs. anmelden/: ein Kind in der Schule, sich polizeilich a.

Ab|mes|sung, die; -, -en: *Maß:* der Herd hat die vorgeschriebenen Abmessungen. **sinnv.:** Ausmaß.

ab|mü|hen, sich; mühte sich ab, hat sich abgemüht: *sich sehr, bis zur Erschöpfung anstrengen, sich große Mühe geben:* vergeblich mühte er sich damit ab, sein Auto zu reparieren. **sinnv.:** sich abplagen, sich mühen, sich anstrengen.

ab|neh|men, nimmt ab, nahm ab, hat abgenommen: **1.** ⟨tr.⟩ **a)** *von einer Stelle weg-, herunternehmen:* das Tischtuch, den Hut a. **sinnv.:** absetzen, abziehen. **b)** *amputieren.* **2.** ⟨tr.⟩ **a)** *(jmdm.) aus der Hand nehmen und selbst tragen:* einer alten Frau den Koffer a. **b)** *(eine Mühe o. ä.) an jmds. Stelle übernehmen:* jmdm. eine Arbeit, einen Weg a.; **sinnv.:** entlasten; helfen. **3.** ⟨tr.⟩ *entgegennehmen:* da sie nicht zu Hause war, hat ihre Nachbarin das Paket abgenommen. **4.** ⟨tr.⟩ *nach Fertigstellung prüfend begutachten:* eine Brücke a. **sinnv.:** kontrollieren. **5.** ⟨tr.⟩ *von jmdm. drohend oder auf Grund von Kompetenz fordern und in seinen Besitz bringen:* jmdm. die Brieftasche, den Führerschein a. **sinnv.:** verlangen. **6.** ⟨tr.⟩ (ugs.) *[abverlangen und] von jmdm. nehmen:* er hat mir dafür 20 Mark abgenommen. **7.** ⟨tr.⟩ *abkaufen:* jmdm. eine Ware a. **8.** ⟨tr.⟩ (ugs.) *glauben (was ein anderer sagt, erzählt); für wahr halten [und jmdm. zutrauen]:* diese Geschichte nimmt uns niemand ab. **sinnv.:** glauben. **9.** ⟨tr.⟩ *von einem Original abnehmen, nachbilden:* die Fingerabdrücke, die Totenmaske a. **10.** ⟨itr.⟩ **a)** *an Gewicht verlieren* /Ggs. zunehmen/: sie hat sehr viel, drei Pfund abgenommen. **sinnv.:** abmagern. **b)** *an Größe, Substanz, Stärke o. ä. verlieren; kleiner, geringer werden* /Ggs. zunehmen/: seine Kräfte nehmen ab. **sinnv.:** schwinden, sich verkleinern.

Ab|nei|gung, die; -, -en: *bewußte Empfindung, jmdn./etwas nicht zu mögen* /Ggs. Zuneigung/: eine große A. gegen jmdn./etwas haben. **sinnv.:** Antipathie, Widerwille; Abscheu.

ab|norm ⟨Adj.⟩: *von dem Üblichen abweichend; nicht normal.* **sinnv.:** abartig, anormal.

ab|nut|zen, nutzte ab, hat abgenutzt: **a)** ⟨tr.⟩ *durch Gebrauch in Wert und Brauchbarkeit mindern:* die Möbel sind schon sehr abgenutzt.

sinnv.: verbrauchen, verschleißen. **b)** ⟨sich a.⟩ *durch Gebrauch an Wert und Brauchbarkeit verlieren:* die Messer haben sich im Laufe der Zeit abgenutzt.

ab|nüt|zen, nützte ab, hat abgenützt (bes. südd.): *abnutzen.*

abon|nie|ren ⟨tr.⟩: *zum fortlaufenden Bezug bestellen:* eine Zeitung a. **sinnv.:** bestellen.

ab|ord|nen, ordnete ab, hat abgeordnet ⟨tr.⟩: *dienstlich entsenden:* jmdn. zu einer Versammlung a. **sinnv.:** delegieren, entsenden, schicken.

Ab|ord|nung, die; -, -en: **1.** *dienstliche Entsendung.* **2.** *Gruppe von abgeordneten Personen:* eine A. schicken. **sinnv.:** Delegation.

Ab|ort, der; -[e]s, -e (veraltend): ↑ *Toilette.*

ab|pa|cken, packte ab, hat abgepackt ⟨tr.⟩: *für den Verbrauch in bestimmte kleinere Mengen aufteilen [und in etwas packen]:* Zucker, Flugblätter a. **sinnv.:** einpacken.

ab|pral|len, prallte ab, ist abgeprallt ⟨itr.⟩: *federnd zurückspringen:* die Kugel prallte von/an der Wand ab. **sinnv.:** federn.

ab|ra|ten, rät ab, riet ab, hat abgeraten ⟨itr.⟩: *empfehlen, etwas nicht zu tun* /Ggs. zuraten/: ich habe ihm von der Reise dringend abgeraten. **sinnv.:** ausreden, warnen vor.

ab|räu|men, räumte ab, hat abgeräumt ⟨tr.⟩: **a)** *(von einer Oberfläche) wegnehmen:* die Teller a.; ⟨auch itr.⟩ er räumte ab. **b)** *durch Wegnehmen von etwas leer, frei machen:* den Tisch a.

ab|rech|nen, rechnete ab, hat abgerechnet: **1.** ⟨tr.⟩ *abziehen:* die Unkosten vom Gewinn a. **2.** ⟨itr.⟩ **a)** *die Schlußrechnung aufstellen:* am Ende des Tages wird im Geschäft abgerechnet. **b)** *Rechenschaft über die Ausgaben ablegen; Schulden und Forderungen verrechnen:* ich muß nachher noch mit dir a. **3.** ⟨itr.⟩ *(jmdn.) zur Rechenschaft ziehen:* mit seinen Gegnern a. **sinnv.:** bestrafen.

Ab|rei|se, die; -, -n: *das Abreisen:* die A. ist für Sonntag geplant. **sinnv.:** Abfahrt.

ab|rei|sen, reiste ab, ist abgereist ⟨itr.⟩: **1.** *eine Reise antreten:* er ist überstürzt nach Paris abgereist. **sinnv.:** abfahren. **2.** *die Rückreise antreten:* er mußte plötzlich a. **sinnv.:** zurückfahren.

ab|rei|ßen, riß ab, hat/ist abgerissen /vgl. abgerissen/: **1.** ⟨tr.⟩ *mit einem Ruck von etwas lösen:* er hat ein Kalenderblatt abgerissen. **sinnv.:** abtrennen. **2.** ⟨tr.⟩ *niederreißen:* sie haben die Brücke abgerissen. **sinnv.:** abbrechen. **3.** ⟨itr.⟩ *durch stärkere Beanspruchung, einen Ruck o. ä. abgehen:* der Knopf ist abgerissen. **4.** ⟨itr.⟩ *plötzlich unterbrochen werden, aufhören:* die Funkverbindung ist abgerissen.

ab|rich|ten, richtete ab, hat abgerichtet ⟨tr.⟩: *ein Tier bestimmte Fertigkeiten lehren:* den Hund als Blindenführer a. **sinnv.:** ausbilden, dressieren.

ab|rie|geln, riegelte ab, hat abgeriegelt ⟨tr.⟩: **1.** *einen Riegel in eine solche Stellung bringen, daß dadurch etwas geschlossen wird:* das Zimmer, die Tür a. **sinnv.:** abschließen. **2.** *den Zugang (zu etwas) unmöglich machen:* die Polizei hat die Straße abgeriegelt. **sinnv.:** sperren.

Ab|riß, der; Abrisses, Abrisse: **1.** *das Niederreißen eines Bauwerks:* der A. dauert einen Monat. **2.** *knappe Übersicht, Darstellung:* ein A. der deutschen Grammatik. **sinnv.:** Zusammenfassung.

ab|ru|fen, rief ab, hat abgerufen ⟨tr.⟩: **1.** *(jmdn.) veranlassen, auffordern, von einem Ort, einer Stel-*

le wegzugehen (und sich woandershin zu begeben): jmdn. aus einer Sitzung, von der Arbeit a. **2.** *(Bereitstehendes, für einen bestimmten Zweck Vorbereitetes o. ä.) anfordern, sich geben, liefern lassen:* den Rest einer Ware a.; gespeicherte Daten a.

ab|rupt ⟨Adj.⟩: *ohne Übergang, Zusammenhang, ohne daß damit zu rechnen war, eintretend, erfolgend:* ein abruptes Ende; er brach das Gespräch a. ab. **sinnv.:** plötzlich.

ab|rü|sten, rüstete ab, hat abgerüstet ⟨itr.⟩: *die Rüstung einschränken* /Ggs. aufrüsten/: die Großmächte sollten beginnen abzurüsten. **sinnv.:** entmilitarisieren.

Ab|sa|ge, die; -, -n: *ablehnender Bescheid* /Ggs. Zusage/: er bekam eine A. auf seine Bewerbung.

ab|sa|gen, sagte ab, hat abgesagt: **1.** ⟨tr.⟩ *stattfinden lassen:* ein Fest a. **sinnv.:** absetzen. **2.** ⟨tr./itr.⟩ *eine Zusage, etwas Vereinbartes rückgängig machen* /Ggs. zusagen/: er sagte [seinen Besuch] ab. **sinnv.:** widerrufen. **3.** ⟨itr.⟩ (geh.) *entsagen.* **sinnv.:** aufgeben.

Ab|satz, der; -es, Absätze: **1.** *unter der Ferse befindlicher Teil des Schuhs:* hohe Absätze. **Zus.:** Leder-, Stiefelabsatz. **2.** *kleinere Fläche, die die Fortführung einer Treppe unterbricht.* **Zus.:** Treppenabsatz. **3. a)** *mit einer neuen Zeile beginnende Unterbrechung in einem sonst fortlaufenden Text:* einen A. machen. **b)** *einer von mehreren Abschnitten eines Textes auf einer Seite:* er las den vorletzte A. **sinnv.:** Abschnitt. **4.** ⟨ohne Plural⟩ *das Verkauft-, Abgesetztwerden:* der A. der Waren stockte. **sinnv.:** Umsatz, Vertrieb.

ab|schaf|fen, schaffte ab, hat abgeschafft ⟨tr.⟩: *dafür sorgen oder machen, daß etwas, was bisher üblich war, keine Gültigkeit mehr hat, nicht mehr stattfindet oder gemacht wird:* die Todesstrafe, einen Brauch a. **sinnv.:** beseitigen.

ab|schal|ten, schaltete ab, hat abgeschaltet: **1.** ⟨tr.⟩ **a)** *durch Betätigung eines Schalters unterbrechen:* der Strom wurde [drei Stunden lang] abgeschaltet. **b)** *ausschalten:* den Motor, den Fernsehapparat a. **2.** ⟨itr.⟩ (ugs.) *den Vorgängen um sich herum nicht folgen; seiner Umgebung keine Aufmerksamkeit mehr schenken, sie kaum noch wahrnehmen:* einige Zuhörer hatten bereits abgeschaltet.

ab|schät|zig ⟨Adj.⟩: *von Geringschätzung, Abwertung, Ablehnung zeugend:* a. von jmdm. sprechen. **sinnv.:** abfällig, verächtlich.

Ab|scheu, der; -s, seltener die; -: **a)** *physisches Angeekeltsein:* A. vor Knoblauch, vor Spinnen. **sinnv.:** Ekel, Widerwille. **b)** *mit Empörung, Unwillen o. ä. verbundene starke Abneigung, Ablehnung:* A. empfinden vor jmdm., gegen jmdn., gegen jmds. Tat; bei/in jmdm. A. erregen. **sinnv.:** Abneigung.

ab|scheu|lich ⟨Adj.⟩: **1. a)** *ekelhaft:* ein abscheulicher Geruch. **b)** *wegen seiner Niederträchtigkeit, Schändlichkeit o. ä. Empörung, Abscheu erregend:* eine abscheuliche Tat. **sinnv.:** gemein. **2.** (ugs.) **a)** *sehr groß, stark, heftig:* eine abscheuliche Kälte; die Kälte ist a. **b)** ⟨verstärkend bei Adjektiven und Verben⟩ *sehr:* es ist a. kalt; jmdn. a. quälen.

ab|schicken, schickte ab, hat abgeschickt ⟨tr.⟩: **a)** *zur weiteren Beförderung abgeben und das Schicken, Übersenden an einen Empfänger veranlassen:* einen Brief, das Geld a. **sinnv.:** absenden.

b) *veranlassen, sich mit einem bestimmten Auftrag irgendwohin zu begeben:* einen Boten a. **sinnv.:** abordnen.

Ab|schied, der; -[e]s, -e: *das Sichtrennen [und Sichverabschieden] von jmdm./etwas:* ein tränenreicher A.; der A. von den Eltern, von zu Hause. **sinnv.:** Trennung, Weggang.

ab|schie|ßen, schoß ab, hat abgeschossen ⟨tr.⟩: **1. a)** *schießend, durch einen Schuß in schnelle Bewegung versetzen:* Raketen, Torpedos a. **b)** *(eine Schußwaffe) auslösen, betätigen:* eine Pistole a. **2. a)** *[ohne Skrupel] durch Schießen töten, erledigen:* Vögel, Wild a.; jmdn. aus dem Hinterhalt a. **sinnv.:** töten. **b)** *durch Schießen kampfunfähig machen, zerstören:* einen Panzer, ein Flugzeug a. **3.** *mit einem Schuß wegreißen:* im Krieg wurden ihm beide Beine abgeschossen. **4.** (ugs.) *mit gezielten Angriffen gegen jmdn. dessen Entfernung aus seinem Amt bewirken:* man versuchte mit dieser Kampagne, den Minister abzuschießen.

ab|schir|men, schirmte ab, hat abgeschirmt ⟨tr.⟩: *durch schützende, sichernde o. ä. Maßnahmen vor jmdm./etwas bewahren:* die Sicherheitsbeamten schirmten den Politiker gegen Übergriffe, vor Demonstranten ab. **sinnv.:** behüten.

ab|schla|gen, schlägt ab, schlug ab, hat abgeschlagen ⟨tr.⟩: **1.** *durch Schlagen von etwas trennen, lösen:* den Ast a. **sinnv.:** abspalten, abtrennen. **2.** *nicht gewähren, verweigern:* eine Bitte a. **sinnv.:** ablehnen. **3.** *abwehren:* einen Angriff, den Feind a.

ab|schlä|gig ⟨Adj.⟩ (Amtsspr.): *(einer Bitte, einem Gesuch) eine Absage erteilend:* er bekam eine abschlägige Antwort. **sinnv.:** negativ.

Ab|schlepp|dienst, der; -[e]s, -e: *Unternehmen zum Abschleppen, Abtransportieren beschädigter, nicht mehr fahrbereiter Autos.*

ab|schlep|pen, schleppte ab, hat abgeschleppt: **1.** ⟨tr.⟩ *ziehend fortbewegen:* ein falsch geparktes Auto a. **sinnv.:** ziehen. **2.** ⟨sich a.⟩ (ugs.) *über einige Zeit hin mit deutlicher Anstrengung schleppen:* er hat sich mit dem Koffer abgeschleppt. **sinnv.:** sich abmühen.

ab|schlie|ßen, schloß ab, hat abgeschlossen: **1.** ⟨tr.⟩ *(einen Raum o. ä.) mit einem Schlüssel versperren, zuschließen:* das Zimmer, den Koffer a. **sinnv.:** verschließen. **2.** ⟨sich a.⟩ *sich absondern:* sich von der Umwelt a. **3.** ⟨tr.⟩ *zum Abschluß bringen, zu Ende führen:* eine Untersuchung a.; ein abgeschlossenes Studium. **sinnv.:** beenden. **4.** ⟨itr.⟩ *seinen Abschluß, sein Ende finden, aufhören:* das Fest hat mit einem Feuerwerk abgeschlossen. **sinnv.:** enden. **5.** ⟨tr.⟩ *durch Vertrag o. ä. eine Vereinbarung treffen:* ein Geschäft, Bündnis a. **sinnv.:** vereinbaren.

Ab|schluß, der; Abschlusses: *Beendigung, das Abschließen:* nach A. der Verhandlungen. **sinnv.:** Ende.

ab|schmecken, schmeckte ab, hat abgeschmeckt ⟨tr.⟩: *den Geschmack einer zubereiteten Speise prüfen und danach würzen:* die Soße, den Salat a. **sinnv.:** würzen.

ab|schmie|ren, schmierte ab, hat/ist abgeschmiert: **1.** ⟨tr.⟩ *[an den dafür vorgesehenen Stellen] mit Fett versehen, einreiben:* er hat den Wagen abgeschmiert. **sinnv.:** ölen, schmieren. **2.** ⟨itr.⟩ (Jargon) *abstürzen:* das Flugzeug ist abgeschmiert.

ab|schnei|den, schnitt ab, hat abgeschnitten:

1. ⟨tr.⟩ **a)** *durch Schneiden von etwas trennen, lösen:* Rosen a. **sinnv.:** abtrennen. **b)** *(bis zum Ansatzpunkt o. ä.) durch Schneiden entfernen, beseitigen:* sie hat sich die Zöpfe a. lassen. **sinnv.:** kürzen, schneiden, stutzen. **2.** ⟨tr.⟩ **a)** *abkürzen:* den Weg a. **b)** *durch Versperren, Behindern o. ä. das Weitergehen, Fliehen o. ä. unmöglich machen, verhindern:* er schnitt dem Verbrecher den Weg ab. **3.** ⟨tr.⟩ *völlig von jmdm./etwas trennen:* das Dorf war durch die Überschwemmung eine Woche lang von der Umwelt abgeschnitten. **4.** ⟨itr.⟩ (ugs.) *(in bezug auf einen angestrebten Erfolg) ein bestimmtes Ergebnis haben:* sie hat bei der Prüfung gut, schlecht abgeschnitten.

Ab|schnitt, der; -[e]s, -e: **1.** *[durch Absätze kenntlich gemachter] Teil von etwas Geschriebenem oder Gedrucktem:* der erste A. des Textes. **sinnv.:** Absatz, Artikel, Kapitel. **2.** *in sich abgegrenzter Teil einer zeitlichen Erstreckung:* ein entscheidender A. im Leben. **sinnv.:** Etappe. **Zus.:** Arbeits-, Zeitabschnitt. **3.** *abtrennbarer Teil eines Formulars, einer Eintrittskarte o. ä.:* der A. der Postanweisung. **sinnv.:** Kupon. **Zus.:** Kontrollabschnitt.

ab|schnü|ren, schnürte ab, hat abgeschnürt ⟨tr.⟩: *durch festes Zusammenziehen einer Schnur, eines Fadens eine Verbindung unterbrechen:* den Finger a.; jmdm. die Luft a. *(ihm keine Möglichkeit mehr zum Atmen lassen).* **sinnv.:** einengen, einschnüren.

ab|schrei|ben, schrieb ab, hat abgeschrieben: **1. a)** ⟨tr.⟩ *(etwas, was bereits schriftlich oder gedruckt vorliegt) noch einmal schreiben:* eine Stelle aus einem Buch a. **sinnv.:** eine Abschrift machen. **b)** ⟨tr./itr.⟩ *etwas, was ein anderer schon schriftlich oder gedruckt formuliert hat, von ihm übernehmen, es auch schreiben (und es als etwas Eigenes ausgeben):* der Schüler hat von seinem Nachbarn abgeschrieben. **2.** ⟨itr.⟩ *schriftlich absagen:* sie wurde von ihm eingeladen, aber sie mußte ihm a. **3.** ⟨tr.⟩ *(einen Betrag) streichen, abziehen:* 500 Mark für die Abnutzung der Maschine a. **sinnv.:** absetzen. **4.** ⟨tr.⟩ *für verloren halten, mit jmdm./etwas nicht mehr rechnen:* sie hatten ihn, das Geld schon abgeschrieben. **sinnv.:** aufgeben. **5. a)** ⟨tr.⟩ *durch Schreiben abnutzen:* einen Bleistift a. **b)** ⟨sich a.⟩ *durch Schreiben abgenutzt werden:* der Bleistift schreibt sich schnell ab.

Ab|schrift, die; -, -en: *etwas Abgeschriebenes, abgeschriebener Text:* eine beglaubigte A.; eine A. anfertigen, machen. **sinnv.:** Doppel, Duplikat, Durchschlag, Durchschrift, Kopie, Zweitschrift. **Zus.:** Zeugnisabschrift.

Ab|schuß, der; Abschusses, Abschüsse: **1.** *das Abschießen:* der A. der Raketen. **2.** *das Zerstören, Töten durch Schießen, durch Beschuß:* der A. eines Rehbocks; der A. von Flugzeugen.

ab|schüs|sig ⟨Adj.⟩: *ein starkes Gefälle aufweisend:* eine abschüssige Straße. **sinnv.:** steil.

ab|schwä|chen, schwächte ab, hat abgeschwächt: **1.** ⟨tr.⟩ *schwächer machen:* den Einfluß, einen Eindruck a. **sinnv.:** dämpfen, mäßigen, mildern. **2.** ⟨sich a.⟩ *schwächer werden:* das Wetter wird schlechter, denn das Hoch schwächt sich ab. **sinnv.:** nachlassen, sich verringern; schwinden.

ab|schwei|fen, schweifte ab, ist abgeschweift ⟨itr.⟩: *vorübergehend [vom eigentlichen Ziel] abwei-*

chen: der Redner schweifte oft vom Thema ab. **sinnv.:** abweichen.

ab|se|hen, sieht ab, sah ab, hat abgesehen: **1.** ⟨tr.⟩ *durch genaues Beobachten lernen:* er hat ihm diesen Trick abgesehen. **sinnv.:** abgucken. **2.** ⟨itr.⟩ *voraussehen:* das Ende ist nicht abzusehen. **3.** ⟨itr.⟩ *(auf etwas) verzichten; (etwas) nicht tun, was man tun wollte:* von einem Besuch, einer Strafe a. **sinnv.:** Abstand nehmen, verzichten. **4.** ⟨itr.⟩ *außer Betracht lassen:* wenn man von der Entfernung absieht; abgesehen von der Entfernung. **sinnv.:** außer acht lassen, nicht in Betracht ziehen. **5.** ⟨tr.⟩ *begierig sein (auf etwas), (etwas) sehr gern haben wollen:* sie hat es nur auf sein Geld abgesehen.

ab|sei|tig ⟨Adj.⟩: **a)** *dem allgemein Üblichen nicht entsprechend:* abseitige Interessen. **sinnv.:** ausgefallen. **b)** *in den Bereich der Perversion gehörend:* abseitige Neigungen haben. **sinnv.:** abartig.

ab|seits: *(ein wenig) entfernt (vom allgemeinen Verkehr, von Ansiedlungen o. ä.):* **I.** ⟨Präp. mit Gen.⟩: a. des Weges steht ein Haus. **II.** ⟨Adverb⟩: der Hof liegt a. vom Dorf. **sinnv.:** abgelegen.

ab|sen|den, sandte/sendete ab, hat abgesandt/ abgesendet ⟨tr.⟩: *abschicken.*

Ab|sen|der, der; -s, -: **1.** *jmd., der etwas abschickt* /Ggs. Empfänger/: er ist der A. des Briefes. **sinnv.:** Briefwechsel. **2.** *Name und Adresse des Absendenden:* A. nicht vergessen!

ab|set|zen, setzte ab, hat abgesetzt: **1.** ⟨tr.⟩ *(etwas auf dem Kopf oder der Nase Getragenes) herunternehmen:* die Brille a. **sinnv.:** abnehmen. **2.** ⟨tr.⟩ *etwas [Schweres] auf den Boden an eine Stelle setzen:* das Gepäck a. **sinnv.:** abstellen. **3.** ⟨tr.⟩ *(jmdn.) bis an eine bestimmte Stelle fahren und dann aussteigen lassen:* ich setze ihn am Bahnhof ab. **4.** ⟨tr.⟩ *von einer Stelle wegnehmen und dadurch eine Tätigkeit beenden:* er trank, ohne das Glas vom Mund abzusetzen; ⟨auch itr.⟩ sie trank, ohne abzusetzen. **5. a)** ⟨tr.⟩ *[langsam] sinken lassen und sich lagern, niederschlagen lassen:* der Fluß setzt Sand ab. **sinnv.:** ablagern. **b)** ⟨sich a.⟩ *[langsam] sinken und sich lagern, sich niederschlagen:* Schlamm setzt sich ab. **6.** ⟨tr.⟩ *verfügen, beschließen, daß jmd., der für die Leitung, Führung von etwas zuständig ist, dieses Amt aufgeben, verlassen muß:* den Präsidenten a. **sinnv.:** ablösen, entlassen. **7.** ⟨tr.⟩ *(eine größere Anzahl von etwas) an an dem Angebotenen Interessierte verkaufen:* dieses Sonderangebot wurde glänzend abgesetzt. **8.** ⟨tr.⟩ *(etwas Angekündigtes o. ä.) nicht stattfinden lassen, streichen, nicht mehr auf dem Programm stehenlassen:* das Theaterstück ist abgesetzt worden. **9.** ⟨tr.⟩ *für die Berechnung der Minderung einer Summe geltend machen:* die Kosten für etwas [von der Steuer] a. **sinnv.:** abschreiben **10.** ⟨sich a.⟩ (ugs.) *sich [heimlich, unauffällig] woanders hin begeben, entfernen:* er hat sich rechtzeitig ins Ausland abgesetzt. **sinnv.:** weggehen.

Ab|sicht, die; -, -en: *fest beabsichtigtes Wollen:* er hat die A. zu kommen. **sinnv.:** Plan, Ziel.

ab|sicht|lich [auch: absichtlich] ⟨Adj.⟩: *mit Absicht, mit Willen:* das hast du a. getan. **sinnv.:** mutwillig, vorsätzlich.

ab|sit|zen, saß ab, hat/ist abgesessen: **1.** ⟨itr.⟩ *vom Pferd steigen* /Ggs. aufsitzen/: er ist im Hof abgesessen. **sinnv.:** absteigen. **2.** ⟨tr.⟩ (ugs.) **a)** *(eine Zeit als Strafe) im Gefängnis verbringen:* er hat

drei Monate abgesessen. **b)** *widerwillig, nur durch sein Anwesendsein (eine bestimmte Zeit) hinter sich bringen:* er hat 8 Stunden im Büro abgesessen.
ab|so|lut: I. ⟨Adj.⟩ **1.** *in höchster Weise ideal, ohne Trübung, Einschränkung; uneingeschränkt, ungestört:* absolute Glaubensfreiheit. **2.** *nicht mehr steigerbar, nicht mehr zu überbieten:* der absolute Rekord dieses Tages. **sinnv.:** unüberbietbar. **3.** *allein herrschend, souverän:* ein absoluter Monarch. **II.** ⟨Adverb⟩ *ganz und gar:* das ist a. unmöglich.
Ab|so|lu|tis|mus, der; -: *Form der Regierung, bei der die ganze Macht in der Hand des Monarchen liegt.*
ab|sol|vie|ren ⟨tr.⟩: **a)** *bis zum Abschluß durchlaufen, erfolgreich beenden:* einen Lehrgang a. **b)** *erledigen:* ein Pensum a. **c)** *bestehen:* sein Examen a.
ab|son|dern, sonderte ab, hat abgesondert: **1. a)** ⟨tr.⟩ *von andern fernhalten:* die kranken Tiere von den gesunden a. **sinnv.:** isolieren, trennen. **b)** ⟨sich a.⟩ *für sich bleiben; den Kontakt mit andern meiden:* sich von den andern a. **2.** ⟨tr.⟩ *ausscheiden:* die Pflanze sondert einen dunklen Saft ab; Schweiß a. *(schwitzen, transpirieren).*
ab|spen|stig: (in der Fügung) jmdm. jmdn. a. machen: *jmdn. einem anderen wegnehmen und für sich gewinnen:* jmdm. die Freundin, die Kunden a. machen. **sinnv.:** ausspannen · abwerben.
ab|sper|ren, sperrte ab, hat abgesperrt ⟨tr.⟩: **1.** *durch eine Sperre unzugänglich machen:* die Straße a. **2.** (bes. südd.) *abschließen:* das Haus, die Schublade a.
Ab|spra|che, die; -, -n: *Vereinbarung:* eine geheime A. treffen.
ab|spre|chen, spricht ab, sprach ab, hat abgesprochen ⟨tr.⟩: **1.** *vereinbaren:* sie hatten ein Zusammentreffen abgesprochen. **2.** *erklären, daß jmd. etwas nicht hat:* jmdm. alles Talent a. **sinnv.:** bestreiten · aberkennen.
ab|stam|men, stammte ab ⟨2. Partizip unüblich; itr.⟩: *seinen Ursprung herleiten, haben:* der Mensch soll vom Affen a. **sinnv.:** stammen, herstammen.
Ab|stam|mung, die; -, -en: *Eigenschaft, von bestimmten Vorfahren abzustammen:* von vornehmer A. **sinnv.:** Abkunft, Herkunft.
Ab|stand, der; -[e]s, Abstände: **1.** *Entfernung zwischen zwei Punkten:* **a)** /räumlich/: die Autos hielten weiten A. **sinnv.:** Entfernung. **Zus.:** Sicherheits-, Zeilenabstand. **b)** /zeitlich/: sie starteten in einem A. von zwei Stunden. **sinnv.:** Zwischenraum · Intervall. **Zus.:** Alters-, Zeitabstand. **2.** ⟨ohne Plural⟩ *Abfindung:* für die übernommenen Möbel zahlte er einen A. von 1 000 DM. **sinnv.:** Entschädigung.
ab|stat|ten, stattete ab, hat abgestattet: ⟨in den Wendungen⟩ **jmdm. seinen Dank** a. *(jmdm. [förmlich] danken);* **jmdm. einen Besuch** a. *(jmdn. besuchen).*
ab|stau|ben, staubte ab, hat abgestaubt ⟨tr.⟩: **1.** *vom Staub befreien:* ein Bild a. **sinnv.:** abwischen · säubern. **2.** (ugs.) *sich so nebenher, beiläufig in den Besitz von etwas bringen:* im Park einige Blumen a. **sinnv.:** stehlen.
ab|ste|chen, sticht ab, stach ab, hat abgestochen ⟨itr.⟩: *einen Kontrast bilden:* die beiden Farben stechen sehr voneinander ab. **sinnv.:** abweichen; kontrastieren.

Ab|ste|cher, der; -s, -: *kleiner Ausflug (bei einer Reise):* ein A. nach München. **sinnv.:** Ausflug.
ab|ste|hen, stand ab, hat abgestanden ⟨itr.⟩: **1.** *in einem bestimmten Abstand von etwas stehen:* der Schrank steht zu weit von der Wand ab. **2.** *vom Ansatzpunkt wegstehen, nicht anliegen:* die Zöpfe stehen steif ab; abstehende Ohren.
ab|stei|gen, stieg ab, ist abgestiegen ⟨itr.⟩: **1.** *(von etwas) heruntersteigen; nach unten steigen* /Ggs. aufsteigen/: vom Fahrrad, Pferd a. **sinnv.:** absitzen. **2.** *Quartier nehmen, vorübergehend wohnen:* in einem Hotel a. **sinnv.:** sich einmieten, übernachten. **3.** *in eine niedrigere Klasse eingestuft werden* /Ggs. aufsteigen/: diese Fußballmannschaft wird a.
ab|stel|len, stellte ab, hat abgestellt ⟨tr.⟩: **1. a)** *(etwas, was man trägt) für kürzere Zeit irgendwo hinstellen:* eine Tasche a. **sinnv.:** absetzen. **b)** *vorübergehend an einen geeigneten Platz stellen:* das Fahrrad im Hof a. **sinnv.:** parken. **c)** *(etwas, was man nicht [mehr] benutzt) in einen entsprechenden Raum stellen:* alte Möbel im Keller a. **sinnv.:** lagern, unterstellen. **2.** *ausschalten* /Ggs. anstellen/: den Motor, das Radio, die Heizung a. **3.** *(Störendes) unterbinden, beheben:* einen Mißbrauch a. **sinnv.:** beseitigen. **4.** *einstellen; ausrichten (nach jmdm./etwas):* alles nur auf den äußeren Eindruck a. **sinnv.:** abstimmen.
ab|ster|ben, stirbt ab, starb ab, ist abgestorben ⟨itr.⟩: **1.** *allmählich aufhören zu leben (von Teilen eines Organismus):* das Gewebe, die Haut stirbt ab; abgestorbene Bäume, Äste. **2.** *durch Einwirkung von Kälte o. ä. gefühllos werden:* meine Füße sind [vor Kälte] abgestorben. **sinnv.:** taub werden.
Ab|stieg, der; -[e]s, -e: **a)** *das Abwärtssteigen* /Ggs. Aufstieg/: den A. vom Berge beginnen. **sinnv.:** hinuntergehen, -steigen. **b)** *abwärts führender Weg* /Ggs. Aufstieg/: ein steiler A.
ab|stim|men, stimmte ab, hat abgestimmt: **1.** ⟨itr.⟩ *durch Abgeben der Stimmen eine Entscheidung herbeiführen:* die Abgeordneten stimmten über das neue Gesetz ab. **sinnv.:** wählen. **2.** ⟨tr.⟩ *in Einklang bringen:* verschiedene Interessen aufeinander a. **sinnv.:** koordinieren · anpassen.
ab|sti|nent ⟨Adj.⟩: *enthaltsam:* er lebt a.
ab|sto|ßen, stößt ab, stieß ab, hat abgestoßen ⟨tr.⟩: **1. a)** *mit einem kräftigen Stoß wegbewegen:* er hat das Boot vom Ufer abgestoßen. **sinnv.:** wegstoßen. **b)** *eine bestimmte Kraft, Wirkung ausüben u. dadurch etwas von sich wegbewegen, fernhalten* /Ggs. anziehen/: der Stoff stößt Wasser ab. **2.** *nicht mehr behalten wollen/können und daher verkaufen:* sie haben alle Aktien abgestoßen. **sinnv.:** verkaufen. **3.** *(jmdm.) unsympathisch, widerwärtig sein:* dieser Mensch stößt mich ab. **sinnv.:** anwidern.
ab|stot|tern, stotterte ab, hat abgestottert ⟨tr.⟩ (ugs.): *in kleineren Beträgen abzahlen:* seine Möbel a.; er hat von seinen Schulden tausend Mark abgestottert. **sinnv.:** abzahlen.
ab|strakt ⟨Adj.⟩: *nicht greifbar; nur gedacht:* abstraktes Denken; abstrakte *(gegenstandslose)* Malerei. **sinnv.:** ungegenständlich · gedanklich.
ab|strei|ten, stritt ab, hat abgestritten ⟨tr.⟩: *sagen, daß man etwas, was einem vorgeworfen, zur Last gelegt wird, nicht getan hat, und es mit Nachdruck von sich weisen:* eine Tat, seine Schuld a. **sinnv.:** ableugnen, bestreiten, zurückweisen.

ab|stump|fen, stumpfte ab, hat/ist abgestumpft: **1.** ⟨tr.⟩ *stumpf machen:* er hat die Kanten abgestumpft. **2. a)** ⟨tr./itr.⟩ *gefühllos, teilnahmslos, gleichgültig machen:* diese Arbeit hat abgestumpft. **b)** ⟨itr.⟩ *gefühllos, teilnahmslos, gleichgültig werden:* er ist durch Gewöhnung abgestumpft.

Ab|sturz, der; -es, Abstürze: *Sturz aus großer Höhe:* beim A. des Flugzeugs kamen 20 Menschen ums Leben. **sinnv.:** Fall. **Zus.:** Flugzeugabsturz.

ab|stür|zen, stürzte ab, ist abgestürzt ⟨itr.⟩: *aus großer Höhe herunterstürzen:* das Flugzeug stürzte ab. **sinnv.:** [herunter]fallen.

ab|surd ⟨Adj.⟩: *der Vernunft widersprechend:* ein absurder Gedanke. **sinnv.:** sinnlos, widersinnig.

Ab|szeß, der; Abszesses, Abszesse: *eitriges Geschwür.*

ab|tau|en, taute ab, hat/ist abgetaut: **a)** ⟨tr.⟩ *von Eis befreien:* sie hat den Kühlschrank abgetaut. **sinnv.:** auftauen. **b)** ⟨itr.⟩ *von Eis frei werden:* die Fenster sind abgetaut. **sinnv.:** auftauen.

Ab|teil, das; -s, -e: *abgeteilter Raum in einem Wagen der Eisenbahn:* ein A. für Raucher. **sinnv.:** Coupé. **Zus.:** Schlafwagen-, Zugabteil.

ab|tra|gen, trägt ab, trug ab, hat abgetragen ⟨tr.⟩: **1.** *vom Eßtisch wegtragen* /Ggs. auftragen/: die Speisen, Teller a. **sinnv.:** abräumen. **2.** *machen, daß etwas [nach und nach] beseitigt wird, nicht mehr da ist:* einen Hügel, Ruinen a.; eine Schuld a. **3.** *(ein Kleidungsstück) so lange tragen, bis es unansehnlich, nicht mehr brauchbar ist:* abgetragene Schuhe. **sinnv.:** auftragen · abnutzen.

ab|träg|lich /Ggs. zuträglich/: ⟨in der Fügung⟩ etwas ist jmdm./einer Sache a.: *etwas ist für jmdn./etwas nachteilig, schädlich:* diese Äußerung war seinem Ansehen a. **sinnv.:** unangenehm.

ab|trans|por|tie|ren, transportierte ab, hat abtransportiert ⟨tr.⟩: *mit einem Fahrzeug wegbringen:* einen Kranken [im Auto] a.; Möbel a. **sinnv.:** wegbringen.

ab|trei|ben, trieb ab, hat/ist abgetrieben: **1. a)** ⟨tr.⟩ *in eine andere, nicht gewünschte Richtung bringen; von der Bahn abbringen:* die Strömung hat das Schiff abgetrieben. **b)** ⟨itr.⟩ *in eine andere, nicht gewünschte Richtung geraten; von der Bahn abkommen:* der Ballon ist langsam abgetrieben. **2.** ⟨tr./itr.⟩ *eine Fehlgeburt herbeiführen:* sie hat [ihr Kind] abgetrieben.

Ab|trei|bung, die; -, -en: *das Herbeiführen einer Fehlgeburt.* **sinnv.:** Schwangerschaftsabbruch.

ab|tren|nen, trennte ab, hat abgetrennt ⟨tr.⟩: *durch Trennen von etwas entfernen [und es selbständig für sich bestehen lassen]:* einen Knopf, Zettel a. **sinnv.:** ablösen, abmachen.

ab|tre|ten, tritt ab, trat ab, hat/ist abgetreten: **1.** ⟨itr.⟩ *die Stelle, wo man steht, verlassen:* der Schauspieler ist [von der Bühne] abgetreten. **sinnv.:** ausscheiden · wegtreten. **2.** ⟨itr.⟩ *durch festes Auftreten (mit dem Fuß) beseitigen:* er hat den Schnee von den Schuhen abgetreten. **sinnv.:** säubern. **3.** ⟨tr.⟩ *(auf jmdn.) übertragen:* er hat seine Rechte an uns abgetreten. **sinnv.:** abgeben · überschreiben.

ab|trock|nen, trocknete ab, hat/ist abgetrocknet: **1. a)** ⟨tr.⟩ *trocken machen:* die Mutter hat dem Kind das Gesicht abgetrocknet. **sinnv.:** abtupfen, frottieren. **b)** ⟨tr./itr.⟩ *mit dem Handtuch das Wasser von gespültem Geschirr entfernen:* er hat [das

Geschirr] abgetrocknet. **2.** ⟨itr.⟩ *(in bezug auf eine flächenhafte Ausdehnung) wieder trocken werden:* die Fahrbahn ist abgetrocknet.

ab|trün|nig ⟨Adj.⟩ (geh.): *(von jmdm./etwas) abgefallen* (3): ein abtrünniger Verbündeter; jmdm. a. werden *(von jmdm. abfallen).* **sinnv.:** untreu.

ab|tun, tat ab, hat abgetan ⟨tr.⟩: *als unwichtig ansehen und beiseite schieben:* einen Einwand mit einer Handbewegung a. **sinnv.:** erledigen; ablehnen.

ab|wä|gen, wog /(auch:) wägte ab, hat abgewogen/ (auch:) abgewägt ⟨tr.⟩: *genau, prüfend bedenken:* etwas kritisch a. **sinnv.:** überlegen.

ab|wäl|zen, wälzte ab, hat abgewälzt ⟨tr.⟩: *(etwas Lästiges, Unangenehmes) von sich schieben und einen andern damit belasten:* seine Pflichten, die Verantwortung für etwas auf einen andern a. **sinnv.:** abschieben; aufbürden.

ab|war|ten, wartete ab, hat abgewartet: **a)** ⟨tr./itr.⟩ *(auf das Eintreffen, Eintreten von jmdm./etwas) warten:* er hat das Ende des Spiels nicht mehr abgewartet und ist gegangen; ⟨häufig im 1. Partizip⟩ eine abwartende Haltung. **b)** ⟨tr.⟩ *auf das Ende (von etwas) warten:* den Regen a.

ab|wärts ⟨Adverb⟩: *nach unten* /Ggs. aufwärts/: [den Weg] a. gehen. **sinnv.:** bergab, herunter, hinunter. **Zus.:** flußabwärts.

ab|wa|schen, wäscht ab, wusch ab, hat abgewaschen: **a)** ⟨tr./itr.⟩ *mit Hilfe von Wasser säubern:* wir müssen noch [das Geschirr] a. **sinnv.:** spülen; säubern. **b)** ⟨tr.⟩ *mit Hilfe von Wasser [und Seife] beseitigen:* Schmutz [vom Auto] a. **sinnv.:** abwischen · entfernen.

Ab|was|ser, das; -s, Abwässer: *durch Gebrauch verschmutztes abfließendes Wasser:* die Abwässer der Stadt fließen in den See.

ab|wech|seln, wechselte ab, hat abgewechselt ⟨itr./tr.⟩: **a)** *(etwas Tätigkeit im gegenseitigen Wechsel ausführen:* sie wechselten [sich] bei der Arbeit ab. **sinnv.:** sich ablösen, wechseln.

Ab|wechs|lung, die; -, -en: *unterhaltsame, angenehme Unterbrechung (im sonst gleichförmigen Ablauf):* der Theaterbesuch war eine schöne A.; ich brauche A. **sinnv.:** Unterhaltung.

ab|we|gig ⟨Adj.⟩: *sich von der eigentlich zur Diskussion stehenden Sache weg, entfernt befindend, gar nicht mehr dazu passend, gehörend:* ein abwegiger Gedanke; ich finde diesen Plan a. **sinnv.:** ausgefallen · unsinnig.

ab|weh|ren, wehrte ab, hat abgewehrt: **1.** ⟨tr.⟩ *sich mit Erfolg gegen etwas wehren, so daß die Gefahr o. ä. nicht mehr besteht, vorhanden ist, nicht an den Betreffenden herankommt:* einen Verdacht, Vorwurf, eine Gefahr a. **sinnv.:** sich verteidigen; abweisen. **2.** ⟨tr.⟩ *ablehnend reagieren:* erschrocken wehrte er ab, als man ihm diese Aufgabe übertragen wollte. **sinnv.:** ablehnen.

ab|wei|chen, wich ab, ist abgewichen ⟨itr.⟩: **a)** *sich (von seinem Weg, seiner Richtung) entfernen:* vom Weg, von einer Gewohnheit a. **sinnv.:** [vom Kurs] abkommen, abschweifen. **b)** *sich in bestimmten Punkten (voneinander) unterscheiden:* unsere Ansichten weichen voneinander ab. **sinnv.:** differieren, sich unterscheiden.

ab|wei|sen, wies ab, hat abgewiesen ⟨tr.⟩: **a)** *nicht zu sich lassen, nicht vorlassen, von sich weisen:* einen Bettler a. **sinnv.:** abwehren, zurückweisen. **b)** *ablehnen:* jmds. Angebot, einen Antrag a.

ab|wen|den ⟨tr.⟩: **1.** ⟨wandte/wendete ab, hat abgewandt/abgewendet⟩: *von etwas/jmdm. weg-, nach der Seite wenden:* den Blick von jmdm. a.; ⟨auch: sich a.⟩ bei diesem Anblick wandte sie sich schnell ab. **sinnv.:** abkehren, wegwenden. **2.** ⟨wendete ab, hat abgewendet⟩ *(etwas Schlimmes von jmdm.) fernhalten:* ein Unglück a.; er wendete die Gefahr von uns ab. **sinnv.:** abwehren, verhindern.

ab|wer|fen, wirft ab, warf ab, hat abgeworfen: **1.** ⟨tr.⟩ *aus größerer Höhe herabfallen lassen:* die Flugzeuge warfen Bomben [auf die Stadt] ab. **sinnv.:** werfen auf. **2.** ⟨tr.⟩ *(etwas, was als lästig empfunden wird) von sich werfen:* das Pferd warf den Reiter ab. **sinnv.:** sich befreien von. **3.** ⟨itr.⟩ (ugs.) *Gewinn bringen:* das Geschäft wirft viel ab. **sinnv.:** sich auszahlen, einbringen, sich lohnen, rentieren.

ab|wer|ten, wertete ab, hat abgewertet ⟨tr.⟩: *in seinem Wert herabsetzen* /Ggs. aufwerten/: den Dollar a. **sinnv.:** entwerten.

ab|we|send ⟨Adj.⟩: **1.** *(in bezug auf einen bestimmten Ort) nicht da* /Ggs. anwesend/: er ist schon länger a. **sinnv.:** fort, weg. **2.** *geistig nicht bei der Sache; in Gedanken mit etwas anderem beschäftigt:* er war ganz a. **sinnv.:** abgelenkt, zerstreut. **Zus.:** geistesabwesend.

Ab|we|sen|heit, die; -: *das Abwesendsein* /Ggs. Anwesenheit/: das wurde in seiner A. besprochen. **Zus.:** Geistesabwesenheit.

ab|wickeln, wickelte ab, hat abgewickelt ⟨tr.⟩: **1.** *von einer Rolle wickeln* /Ggs. aufwickeln/: er hat den Draht [von der Rolle] abgewickelt. **sinnv.:** abrollen, abspulen. **2.** *in einer von der Sache her gegebenen Abfolge erledigen:* Aufträge, Geschäfte [rasch, ordnungsgemäß] a. **sinnv.:** verwirklichen.

ab|wie|gen, wog ab, hat abgewogen ⟨tr.⟩: *so viel von einer größeren Menge wiegen, bis man die gewünschte Menge hat:* das Mehl für den Kuchen a.

ab|wim|meln, wimmelte ab, hat abgewimmelt ⟨tr.⟩ (ugs.): *(etwas Lästiges, jmdn., der einem lästig ist) mit Beredsamkeit, durch Vorwände, Ausreden o. ä. abweisen:* einen Auftrag a.; einen Vertreter a. **sinnv.:** abweisen.

ab|wür|gen, würgte ab, hat abgewürgt ⟨tr.⟩ (ugs.): *im Entstehen unterdrücken:* die Kritik a.; den Motor a. *(durch ungeschicktes, falsches Bedienen zum Stillstand bringen).*

ab|zah|len, zahlte ab, hat abgezahlt ⟨tr.⟩: **a)** *in Raten zurückzahlen, bis es bezahlt ist:* ein Darlehen a. **sinnv.:** [ab]bezahlen. **b)** *die Raten für etwas zahlen:* das Auto a.

ab|zäh|len, zählte ab, hat abgezählt ⟨tr.⟩: *durch Zählen die Anzahl (von etwas) bestimmen:* er zählte ab, wieviel Personen gekommen waren; das Fahrgeld abgezählt *(passend)* in der Hand halten.

Ab|zei|chen, das; -s, -: *etwas, was als Kennzeichen für die Zugehörigkeit zu einer Partei oder einem Verein, für eine Leistung o. ä. (an der Kleidung) angesteckt werden kann:* ein A. tragen. **sinnv.:** Button, Orden, Plakette. **Zus.:** Partei-, Sportabzeichen.

ab|zeich|nen, zeichnete ab, hat abgezeichnet: **1.** ⟨tr.⟩ *zeichnend genau wiedergeben, genau nach einer Vorlage zeichnen:* ein Bild a. **sinnv.:** abbilden, abmalen. **2.** ⟨tr.⟩ *mit dem [abgekürzten] Namen versehen; als gesehen kennzeichnen:* ein Protokoll a. **sinnv.:** unterschreiben. **3.** ⟨sich a.⟩ *sich*

abheben; in den Umrissen [deutlich] erkennbar sein: in der Ferne zeichnet sich der Gipfel des Berges ab. **sinnv.:** sich andeuten.

ab|zie|hen, zog ab, hat/ist abgezogen: **1.** ⟨tr.⟩ **a)** *weg-, herunterziehen und so entfernen:* sie hat den Ring vom Finger abgezogen; die Bettwäsche a. **sinnv.:** abnehmen. **b)** *durch Weg-, Herunterziehen von etwas befreien:* einen Hasen a. *(sein Fell entfernen);* sie hat die Betten abgezogen *(die Bezüge von den Betten entfernt).* **2. a)** ⟨itr.⟩ *sich wieder entfernen:* das Gewitter ist abgezogen. **sinnv.:** wegziehen. **b)** ⟨tr.⟩ *zurückziehen:* sie haben die Truppen aus der Stadt abgezogen. **sinnv.:** abkommandieren. **3.** ⟨tr.⟩ *aus etwas ziehend entfernen:* er hat den Zündschlüssel abgezogen. **4.** ⟨tr.⟩ *(einen Teil von einer Summe oder einem Betrag) in einem rechnerischen Vorgang wegnehmen:* sie hatten fünf Mark abgezogen. **sinnv.:** subtrahieren.

Ab|zug, der; -[e]s, Abzüge: **1.** ⟨ohne Plural⟩ *das Abziehen* (2 a): der A. der Truppen aus dem besetzten Land. **sinnv.:** Abmarsch. **2.** *Öffnung, durch die etwas abziehen, entweichen kann:* ein A. über dem Herd. **Zus.:** Rauchabzug. **3.** *das Abziehen* (4): der A. von Steuern. **sinnv.:** Rabatt. **Zus.:** Gehalts-, Lohnabzug. **4.** ⟨Plural⟩ *etwas, was von Einnahmen, vom Gehalt usw. [z. B. als Steuer] abgezogen wird:* monatliche, einmalige Abzüge. **5.** *Hebel zum Auslösen eines Schusses:* den Finger am A. halten. **6.** *Bild von einem entwickelten Film:* weitere Abzüge von einer Aufnahme machen lassen.

ab|zwei|gen, zweigte ab, hat/ist abgezweigt: **1.** ⟨itr.⟩ *von einer bestimmten Stelle an seitlich abgehen, nach der Seite hin weiterverlaufen:* der Weg ist dann 100 Meter nach rechts abgezweigt. **sinnv.:** abbiegen, abgehen. **2.** ⟨tr.⟩ *von einer zur Verfügung stehenden Menge einen Teil für jmdn./etwas Bestimmtes nehmen:* er hat von seinem Gehalt jeden Monat 200 Mark für das Auto abgezweigt. **sinnv.:** absparen.

Ach|se, die; -, -n: **1.** *Teil einer Maschine, eines Wagens o. ä., an dessen Enden Räder sitzen:* der Wagen hat zwei Achsen; die A. ist gebrochen. **Zus.:** Radachse. **2.** *[gedachte] Linie in der Mitte von etwas:* die Erde dreht sich um ihre A. **Zus.:** Erdachse, Symmetrieachse.

Ach|sel, die; -, -n: **1.** *Schulter:* er zuckte mit den Achseln (um zu zeigen, daß er ratlos war oder daß er es nicht wußte). **2.** *Stelle unterhalb des Schultergelenks, dort, wo Oberarm und Oberkörper eine Art Grube bilden:* das Fieber in/unter der A. messen. **sinnv.:** Achselhöhle.

acht: **I.** ⟨Kardinalzahl⟩ 8: a. Personen. **II.** ⟨in bestimmten Fügungen⟩ *etwas außer a.* **lassen:** *etwas nicht beachten.* **sinnv.:** von etwas absehen, mißachten, übersehen; *etwas in a.* **nehmen:** *etwas sorgsam, vorsichtig behandeln;* *sich in a.* **nehmen:** *vorsichtig sein, sich vorsehen.*

acht... ⟨Ordinalzahl⟩: 8.: der achte Mann.

ach|ten, achtete, hat geachtet: **1.** ⟨tr.⟩ *jmdm. gegenüber Achtung empfinden:* ich achte ihn sehr wegen seiner Toleranz. **sinnv.:** anerkennen, bewundern, [ver]ehren. **2.** ⟨tr.⟩ *Rücksicht auf etwas nehmen:* jmds. Gefühle a. **3.** ⟨tr.⟩ *sich nach etwas, was befolgt werden soll, richten:* das Gesetz a. **4.** ⟨itr.⟩ **a)** *(einer Sache) Beachtung, Aufmerksamkeit schenken:* er achtete nicht auf ihre Worte. **sinnv.:** achtgeben, berücksichtigen. **b)** *aufpassen:* auf das

Kind a. **c)** *auf etwas Wert, Gewicht legen; zu halten, einzuhalten streben:* auf Sauberkeit a. **sinnv.:** bedacht sein auf.

acht|ge|ben, gibt acht, gab acht, hat achtgegeben ⟨itr.⟩: *aufpassen:* auf die Kinder, Koffer gut a. **sinnv.:** aufpassen.

acht|los ⟨Adj.⟩: *ohne jmdm., einer Sache Beachtung zu schenken:* sie ließ die Blumen a. liegen. **sinnv.:** gleichgültig, unaufmerksam.

Ach|tung, die; -: **1.** *hohe Meinung, die man von jmdm./etwas hat:* mit A. von jmdm. sprechen. **sinnv.:** Anerkennung, Bewunderung, Respekt. **Zus.:** Hoch-, Nicht-, Selbstachtung. **2.** */Warn-, Aufforderungsruf, warnende Aufschrift/:* A. (Vorsicht), Stufen! **sinnv.:** Aufmerksamkeit.

äch|zen ⟨itr.⟩: *(bei Schmerz, Anstrengung) ausatmend einen kehlig-gepreßten, wie „ach" klingenden Laut von sich geben:* er ächzte, als er die Treppe hinaufging. **sinnv.:** stöhnen.

Acker, der; -s, Äcker: *für den Anbau genutztes Stück Land:* fruchtbare Äcker; /als Maßangabe/: zehn A. Land. **sinnv.:** Feld. **Zus.:** Kartoffel-, Rübenacker.

ad|die|ren ⟨tr.⟩: *zusammenzählen, hinzufügen* /Ggs. subtrahieren/: Zahlen a. **sinnv.:** zusammenziehen; summieren.

Ad|di|ti|on, die; -, -en: *das Addieren, Zusammenzählen* /Ggs. Subtraktion/.

Adel, der; -s: **1.** *(früher auf Grund der Geburt oder durch Verleihung) mit besonderen Rechten ausgestatteter Stand der Gesellschaft:* bei dieser Hochzeit war der ganze A. des Landes anwesend. **sinnv.:** Aristokratie. **Zus.:** Geld-, Hoch-, Landadel. **2.** *vornehme Würde:* der A. des Herzens. **sinnv.:** Vornehmheit, Würde.

Ader, die; -, -n: *etwas, was den Körper, ein Organ bahnen-, röhrenartig durchzieht und in dem das Blut weiterbefördert wird:* die Adern schwellen an. **sinnv.:** Arterie · Vene. **Zus.:** Krampf-, Schlag-, Zorn[es]ader.

Ad|ler, der; -s, -: *großer Greifvogel mit kräftigem Hakenschnabel u. starken Krallen.* **sinnv.:** Aar. **Zus.:** Seeadler.

ad|lig ⟨Adj.⟩: *dem Adel angehörend:* er ist a.: Er heißt „von Oven". **sinnv.:** von Adel, aristokratisch.

ad|op|tie|ren ⟨tr.⟩: *als eigenes Kind, an Kindes Statt annehmen:* sie haben das Mädchen vor zwei Jahren adoptiert. **sinnv.:** annehmen.

Adres|sat, der; -en, -en, **Adres|sa|tin,** die; -, -nen: *männliche bzw. weibliche Person, an die etwas gerichtet, für die etwas bestimmt ist (z. B. Post)* /Ggs. Absender/. **sinnv.:** Empfänger[in].

Adres|se, die; -, -n: **1.** *Anschrift:* sich jmds. A. aufschreiben; Aufenthaltsort; Wohnungsangabe. **Zus.:** Heimat-, Privatadresse. **2.** *Schreiben einer Gruppe an hochgestellte Persönlichkeiten, politische Institutionen o. ä., das ein politisches Ziel, einen Glückwunsch, Dank o. ä. zum Inhalt hat:* eine A. an die Regierung richten. **sinnv.:** Bittschrift, Mitteilung. **Zus.:** Glückwunsch-, Grußadresse.

adrett ⟨Adj.⟩: *(in bezug auf das Äußere) in Wohlgefallen auslösender Weise frisch-gepflegt:* sie ist immer a. gekleidet. **sinnv.:** geschmackvoll, ordentlich.

Ad|vent, der; -[e]s, -e: **a)** *die vier Sonntage einschließende Zeit vor Weihnachten.* **sinnv.:** Vorweihnachtszeit. **b)** *einer der vier Sonntage in der Zeit vor Weihnachten:* erster, zweiter A. **sinnv.:** Adventssonntag.

Af|fä|re, die; -, -n: **1.** *[kritische] Beachtung hervorrufende Angelegenheit:* sie konnte die peinliche A. nicht so schnell vergessen. **sinnv.:** Ereignis. **Zus.:** Bestechungs-, Staatsaffäre. **2.** *Liebesbeziehung:* hattest du mit ihm eine A.? **sinnv.:** Liebelei. **Zus.:** Liebesaffäre.

Af|fe, der; -n, -n: **a)** *menschenähnliches Säugetier, das in den Tropen vorwiegend auf Bäumen lebt.* **Zus.:** Halb-, Menschenaffe. **b)** */als Schimpfwort/* (derb): blöder A.! **sinnv.:** Geck.

Af|fekt, der; -[e]s, -e: *als Reaktion auf etwas entstandener Zustand außerordentlicher seelischer Erregung, die Kritik, Urteilskraft und Selbstbeherrschung mindert oder ganz ausschaltet:* im A. handeln. **sinnv.:** Erregung.

af|fek|tiert ⟨Adj.⟩: *(in bezug auf die Art der Äußerungsform) geziert, gekünstelt:* a. lachen; sich a. benehmen.

af|fig ⟨Adj.⟩ (ugs.): *[eitel und] geziert:* ein affiges Mädchen.

Af|ter, der; -s, -: *Ende, Ausgang des Darms.*

Agent, der; -en, -en, **Agen|tin,** die; -, -nen: **1.** *männliche bzw. weibliche Person, die im geheimen Auftrag einer Regierung, einer militärischen oder politischen Organisation bestimmte, meist illegale Aufträge ausführen soll.* **Zus.:** Geheimagent. **2.** *Geschäftsvermittler[in],* *[Handels]vertreter[in].* **sinnv.:** Reisender. **b)** *männliche bzw. weibliche Person, die berufsmäßig Künstlern Engagements vermittelt.* **sinnv.:** Betreuer, Funktionär.

Ag|gres|si|on, die; -, -en: **1.** *Angriff, Überfall auf einen fremden Staat.* **2.** *aggressives Handeln, Verhalten:* Aggressionen entspringen einem neurotischen Selbstbestätigungsdrang.

ag|gres|siv ⟨Adj.⟩: *geneigt, bereit, andere anzugreifen, seine Absichten direkt und ohne Rücksicht auf andere zu verfolgen; gegen andere gerichtet:* durch den Lärm wurde er ganz a. **sinnv.:** streitsüchtig.

ahn|den, ahndete, hat geahndet ⟨tr.⟩ (geh.): *(begangenes Unrecht) bestrafen:* ein Vergehen [streng] a. **sinnv.:** bestrafen, vergelten.

äh|neln ⟨itr.⟩: *Ähnlichkeit mit jmdm./etwas haben:* er ähnelt seinem Bruder; die beiden Kinder ähneln sich/einander sehr. **sinnv.:** wie jmd./etwas aussehen, gleichen.

ah|nen ⟨tr.⟩: *gefühlsmäßig mit etwas rechnen, etwas erwarten, was geschehen, eintreten wird:* das Unglück a.; ich konnte ja nicht a. (wissen), daß es so schnell gehen würde. **sinnv.:** spüren, vermuten.

ähn|lich: I. ⟨Adj.⟩ *zum Teil übereinstimmend, annähernd gleich:* ähnliche Bilder; er sieht seinem Bruder ä. (gleicht ihm sehr). **sinnv.:** gleich[artig], verwandt. **II.** (in Funktion einer Präp. mit dem Dativ) *dem nachfolgend Genannten vergleichbar:* ä. dem Vorbild Thomas Mann.

Ah|nung, die; -, -en: *gefühlsmäßige Erwartung (in bezug auf etwas, was geschehen, eintreten wird):* meine A. hat mich nicht getrogen. **sinnv.:** Gefühl, Vermutung, Vision · Todesahnung.

ah|nungs|los ⟨Adj.⟩: *nichts [Böses] ahnend:* er ist völlig a. **sinnv.:** nichtsahnend, unvorbereitet, unwissend.

Ahorn, der; -s, -e: *Laubbaum mit meist gelappten Blättern und zweigeteilten geflügelten Früchten* (siehe Bildleiste „Blätter"). **sinnv.:** Baum.

Äh|re, die; -, -n: *Teil des Getreidehalms, der die Samen trägt* (siehe Bildleiste „Getreide"). **sinnv.:** Blütenstand. **Zus.:** Weizenähre.

aka|de|misch ⟨Adj.⟩: **1.** *auf die Universität, Hochschule zurückgehend, bezogen:* akademische Bildung; akademischer Grad. **sinnv.:** gebildet, gelehrt. **2.** *unlebendig-abstrakt:* der Vortrag war sehr a. **sinnv.:** langweilig, theoretisch, trocken.

ak|kli|ma|ti|sie|ren, sich: *sich (an eine neue Umwelt) gewöhnen, anpassen:* er hatte sich nach einigen Tagen [in der fremden Umgebung] bereits akklimatisiert.

Ak|kord, der; -[e]s, -e: **1.** *Zusammenklang von mindestens drei verschiedenen Tönen:* einen A. auf dem Klavier anschlagen. **sinnv.:** Dreiklang. **2.** *Bezahlung nach Stückzahl, nach der Menge der in einer bestimmten Zeit hergestellten Produkte bzw. Einzelteile; Leistungslohn (im Unterschied zum Zeitlohn):* im A. arbeiten. **sinnv.:** Arbeit.

Ak|kor|de|on, das; -s, -s: *Musikinstrument, bei dem die Töne durch einen über Metallplättchen geführten Luftstrom hervorgerufen werden, der bei Betätigung von Tasten und Knöpfen bei gleichzeitigem Auseinanderziehen und Zusammendrücken eines Balges entsteht* (siehe Bild): auf dem A. spielen. **sinnv.:** Ziehharmonika.

Akkordeon

ak|ku|rat ⟨Adj.⟩: *auf ordentliches Aussehen von etwas bedacht und daher besonders sorgfältig, genau:* ein akkurater Mensch; sie näht sehr a. **sinnv.:** gewissenhaft.

Akro|bat, der; -en, -en, **Akro|ba|tin,** die; -, -nen: *männliche bzw. weibliche Person, die (z. B. im Zirkus oder Varieté) mit besonderem körperlichem Können Kunststücke, Übungen ausführt, die sich durch Schwierigkeit, Einmaligkeit, Gefährlichkeit auszeichnen.* **sinnv.:** Artist.

Akt, der; -[e]s, -e: **1.** *durch bestimmte Umstände gekennzeichnete, hervorgehobene Handlung:* sein Selbstmord war ein A. der Verzweiflung. **sinnv.:** Tat. **Zus.:** Kraftakt. **2.** *größerer Abschnitt eines Schauspiels, einer Oper o. ä.:* Pause nach dem zweiten A. **sinnv.:** Aufzug. **3.** *künstlerische Darstellung eines nackten menschlichen Körpers:* der Maler arbeitete an einem weiblichen A. **sinnv.:** Bildnis.

Ak|te, die; -, -n: *[Sammlung von] Unterlagen zu einem geschäftlichen oder gerichtlichen Vorgang:* eine A. anlegen. **sinnv.:** Urkunde.

Ak|ten|ta|sche, die; -, -n: *größere Tasche mit Griff zum Tragen.*

Ak|ti|on, die; -, -en: *häufig unter Beteiligung mehrerer Personen nach Plan durchgeführte Unter-*

nehmung: eine gemeinsame A. zur Unterstützung der Arbeitslosen. **sinnv.:** Kampagne, Unternehmung, Vorgehen. **Zus.:** Nacht-und-Nebel-Aktion.

ak|tiv ⟨Adj.⟩: **1.** *sich (für etwas Bestimmtes) tatkräftig einsetzend, rege dafür tätig:* er ist [politisch] sehr a. **sinnv.:** rührig, unternehmungslustig. **2.** *selbst ausführend und nicht nur geschehen lassend* /Ggs. passiv/: er war an diesem Verbrechen a. beteiligt. **sinnv.:** selbsttätig. **3.** *(in bezug auf einen Verein o. ä.) an den Aktivitäten teilnehmend, nicht nur nominell dazugehörend* /Ggs. passiv/: ein aktives Mitglied des Sportvereins.

ak|tu|ell ⟨Adj.⟩: *der gegenwärtigen Situation o. ä. entsprechend, sie widerspiegelnd:* ein aktuelles Thema. **sinnv.:** gegenwartsnah, zeitgemäß.

aku|stisch ⟨Adj.⟩: *den Ton, Klang, die Akustik betreffend:* die akustischen Verhältnisse dieses Saales sind gut.

akut ⟨Adj.⟩: *im Augenblick herrschend, unmittelbar anstehend:* eine akute /Ggs. chronische/ Gastritis; eine akute Gefahr bekämpfen. **sinnv.:** brisant, vordringlich.

Ak|zent, der; -[e]s, -e: **1. a)** *Betonung einer Silbe, eines Wortes, eines Satzes:* der A. liegt auf der zweiten Silbe; die zweite Silbe trägt den A. **b)** *Zeichen über einem Buchstaben, das Aussprache oder Betonung angibt.* **sinnv.:** Betonungszeichen. **2.** *bestimmte Art des Artikulierens, Betonens o. ä.:* mit ausländischem A. sprechen. **sinnv.:** Tonfall.

ak|zep|ta|bel ⟨Adj.⟩: *annehmbar:* akzeptable Vorschläge.

ak|zep|tie|ren ⟨tr.⟩: **a)** *mit etwas so, wie es vorgeschlagen, angeboten o. ä. wird, einverstanden sein:* einen Vorschlag, einen Preis, eine Entscheidung a. **sinnv.:** billigen. **b)** *jmdn. in seiner persönlich geprägten Art gelten lassen, anerkennen:* jmdn. als Vorgesetzten a.

Alarm, der; -[e]s, -e: **1.** *[akustisches] Zeichen, das eine Gefahr signalisiert:* der A. kam zu spät. **sinnv.:** Warnung, Warnzeichen. **Zus.:** Feuer-, Probealarm. **2.** *Zeit der Gefahr, vom Signal bis zur Entwarnung:* der A. hat nur 10 Minuten gedauert.

alar|mie|ren ⟨tr.⟩: **1.** *zum Einsatz, zu Hilfe rufen:* die Polizei, die Feuerwehr a. **2.** *in große Unruhe, Sorge versetzen und warnend wirken:* der Vorfall hatte uns alarmiert; alarmierende Nachrichten. **sinnv.:** beunruhigen, erregen.

al|bern I. ⟨Adj.⟩ *von unernst-einfältiger, oft kindisch wirkender Art:* ein albernes Benehmen; du bist heute a. **sinnv.:** einfältig, kindisch. **II.** ⟨itr.⟩ *sich albern benehmen:* sie alberten schon drei Stunden. **sinnv.:** Dummheiten/Späße machen. **Zus.:** herumalbern.

Al|bum, das; -s, Alben: *buchähnlicher Gegenstand mit leeren Blättern zum Sammeln von Briefmarken, Fotografien o. ä.:* Bilder in ein A. einkleben. **Zus.:** Briefmarken-, Foto-, Poesiealbum.

Al|ko|hol, der; -s: **1.** *flüssiger, farbloser Stoff, der in bestimmter Konzentration wesentlicher Bestandteil der alkoholischen Getränke ist:* der Schnaps enthält 45 Prozent A. **sinnv.:** Spiritus. **2.** *Getränk, das Weingeist enthält:* er trinkt keinen A. **sinnv.:** Spirituosen.

al|ko|ho|lisch ⟨Adj.⟩: *Alkohol enthaltend:* alkoholische Getränke. **sinnv.:** geistig.

all ⟨Indefinitpronomen und unbestimmtes Zahlwort⟩: **I. 1.** ⟨Singular⟩ **aller, alle, alles;** /unflektiert/ **all** /bezeichnet eine Gesamtheit, etwas in seinem ganzen Umfang/: aller erwiesene Respekt; alles Fremde; die Überwindung alles Trennenden; trotz alles/allen guten Willens; trotz allem guten Willen; alles, was; all[e] seine Habe; alles in Ordnung. **2.** 〈Plural〉 **alle** /unflektiert **all** /bezieht sich auf eine Gesamtheit von einzelnen Gliedern, auf die einzelnen Glieder einer Gesamtheit/: alle schönen Mädchen; all[e] seine Hoffnungen; alle beide; sie alle; alle miteinander; alle in den Süden reisenden/(seltener:) reisende Urlauber; ein Kampf aller gegen alle; für alle Magenkranken/(seltener:) Magenkranke; alle waren da, bloß du nicht; wir gehen jetzt alle nach Hause. **sinnv.:** jeder[mann], sämtliche. **3.** (ugs.) 〈Neutrum Singular〉 **alles** (alle [Anwesenden]): alles aussteigen! **II.** 〈alle + Zeit- oder Maßangabe〉 /bezeichnet eine bestimmte regelmäßige Wiederholung/: alle fünf Minuten (jede fünfte Minute) fährt ein Bus; alle vier Schritte steht ein Pfahl.

al|le 〈Adverb〉 (ugs.): aufgebraucht, zu Ende [gegangen, gebraucht]: der Schnaps ist, wird a. **sinnv.:** fertig.

Al|lee, die; -, Alleen: breite Straße, breiter Weg mit Bäumen zu beiden Seiten (siehe Bild). **sinnv.:** Straße.

Allee

al|lein: I. 〈Adj.〉 **a)** ohne die Anwesenheit eines anderen, ohne Gesellschaft: a. reisen. **sinnv.:** für sich, solo. **b)** einsam: in der Großstadt kann man sich sehr a. fühlen. **c)** ohne Hilfe, ohne fremdes Zutun: er will [ganz] a. damit fertig werden. **sinnv.:** selbständig. **II.** 〈Adverb〉 **a)** kein anderer, nichts anderes als: a. er, a. dieser Umstand ist schuld. **sinnv.:** ausschließlich, nur. **b)** von allem anderen abgesehen, anderes nicht mitgerechnet: der Gedanke a. ist schrecklich. **sinnv.:** bereits, schon. **III.** 〈Konj.〉 (geh.) aber, jedoch, indes: er rief um Hilfe, a. es war zu spät.

al|lei|nig 〈Adj.〉: allein vorhanden, berechtigt, geltend o. ä.: der alleinige Vertreter, Erbe. **sinnv.:** ausschließlich.

al|le|mal 〈Adverb〉: **1.** (ugs.) auf jeden Fall: das Geld reicht a. **sinnv.:** bestimmt, sicherlich. **2.** *ein für a. (für immer)*: ich verbiete es dir ein für a.

al|len|falls 〈Adverb〉: **a)** im besten Fall; gerade noch: das reicht a. für zwei Personen. **sinnv.:** bestenfalls. **b)** gegebenenfalls: wir müssen sehen, was a. noch zu tun ist. **sinnv.:** vielleicht.

al|lent|hal|ben 〈Adverb〉 (veraltend): überall: man sprach a. von dieser Sache.

al|ler|dings 〈Adverb〉: **1.** /drückt eine Einschränkung aus/: diese Frage konnte er a. nicht beantworten. **sinnv.:** indes[sen], jedoch. **2.** aber gewiß, natürlich: „Hast du das gewußt?" – „Allerdings habe ich das gewußt!" **sinnv.:** ja.

al|ler|gisch 〈Adj.〉: **a)** an einer überempfindlichen Reaktion des Organismus leidend, auf ihr beruhend, von ihr herrührend: allergische Krankheiten; er reagiert a. auf Erdbeeren. **b)** sehr empfindlich und mit Ablehnung, Widerstreben auf etwas reagierend: gegen Übertreibungen ist er a. **sinnv.:** überempfindlich.

al|ler|hand: 1. 〈unbestimmtes Zahlwort〉: ziemlich viel: a. Bücher lagen auf dem Tisch. **sinnv.:** vielerlei. **2.** *(ugs.)* das ist a.! (das ist unerhört!).

al|ler|lei 〈unbestimmtes Zahlwort〉: mancherlei, so manches, so manche: a. Gutes; a. Dinge. **sinnv.:** vielerlei.

all|ge|mein 〈Adj.〉: **1. a)** allen gemeinsam, überall verbreitet: die allgemeine Meinung; im allgemeinen Sprachgebrauch. **sinnv.:** generell. **b)** bei allen, von allen: a. beliebt sein; so wird a. erzählt. **sinnv.:** überall. **2. a)** alle angehend; für alle geltend: das allgemeine Wohl; die allgemeine Wehrpflicht. **b)** von allen ausgehend: der allgemeine Aufbruch. **sinnv.:** gemeinsam. **3. a)** nicht speziell; nicht auf Einzelheiten eingehend und daher oft zu unbestimmt, unverbindlich: allgemeine Redensarten; etwas ganz a. schildern. **sinnv.:** pauschal. **b)** [alles] umfassend: eine allgemeine Bildung. **sinnv.:** allseitig, universal.

All|ge|mein|heit, die; -, -en: **1.** 〈ohne Plural〉 die anderen (die auch an etwas teilhaben, davon Nutzen haben sollen): damit diente er der A. am besten. **sinnv.:** Gesamtheit. **2.** 〈ohne Plural〉 das Unbestimmt-, Ungenau-, Unverbindlichsein: Erklärungen von [zu] großer A. **3.** 〈Plural〉 allgemeine, oberflächliche Redensarten, Bemerkungen: seine Rede erschöpfte sich in Allgemeinheiten. **sinnv.:** Gemeinplatz; Redensart.

Al|li|anz, die; -, -en: Bündnis, bes. zwischen zwei oder mehreren Staaten. **sinnv.:** Bund.

all|mäch|tig 〈Adj.〉: höchste Macht, Macht über alles besitzend: der allmächtige Gott. **sinnv.:** mächtig.

all|mäh|lich 〈Adj.〉: **1.** langsam erfolgend, sich vollziehend: der allmähliche Übergang. **sinnv.:** langsam, schrittweise. **2.** [erst] nach einer gewissen Zeit: sich a. beruhigen.

All|tag, der; -[e]s, -e: **1.** Werktag: sie trug das Kleid nur am A. **2.** 〈ohne Plural〉 gleichförmiges tägliches Einerlei: der graue A.; nach den Ferien in den A. zurückkehren.

all|täg|lich 〈Adj.〉: **1.** [alltäglich] nichts Besonderes aufweisend, ohne Besonderheiten: alltägliche Ereignisse; ein alltäglicher Mensch. **sinnv.:** durchschnittlich, gewöhnlich. **2.** [alltäglich] jeden Tag [wiederkehrend]: sein alltäglicher Spaziergang.

all|wis|send 〈Adj.〉: alles wissend: ich bin auch nicht a.

all|zu 〈Adverb〉: 〈vor Adjektiven und Adverbien〉 (emotional verstärkend) zu: der a. frühe Tod des Dichters; er war a. geschäftig. **sinnv.:** sehr.

Alm, die; -, -en: Wiese in den Bergen, hochgelegener Weideplatz: im Frühsommer treibt man die Kühe auf die A. **sinnv.:** Wiese.

Al|pha|bet, das; -[e]s, -e: in einer festgelegten

Reihenfolge angeordnete Buchstaben einer Schrift: das deutsche A. hat 26 Buchstaben.

als ⟨Konj.⟩: **I.** ⟨temporal, in Gliedsätzen⟩ */drückt die Vor-, Gleich- oder Nachzeitigkeit aus/:* a. *(nachdem)* die Polizei ihn eingekreist hatte, erschoß er sich selbst; a. *(während)* sie in der Küche saß, klopfte es an die Tür; in Verbindung mit einer näher erläuternden Zeitangabe: damals, a. ...; zu der Zeit, a. ... **sinnv.:** da **II.** ⟨modal, in Satzteilen und Gliedsätzen⟩ **1.** */drückt Ungleichheit aus/* **a)** */nach einem Komparativ/:* mehr rechts a. links; er ist geschickter a. sein Bruder; das ist mehr a. traurig. **b)** */nach ander[s], nichts, kein o. ä./:* das ist nichts a. Unsinn *(nur Unsinn);* das ist alles andere a. schön *(es ist nicht schön).* **2.** */drückt Gleichheit aus, in Vergleichssätzen/:* er tat, a. habe er nichts gehört; er tat, a. ob/wenn er hier bleiben wollte. **3.** */schließt eine nähere Erläuterung an/:* er fühlt sich a. Held; ich rate dir a. guter Freund dazu; er war a. Schriftsteller erfolgreich; ihm a. leitendem Arzt; das Wirken dieses Herrn a. Führer der Opposition, a. des eigentlichen Führers der Opposition; etwas a. angenehm empfinden. **4.** /in bestimmten Verbindungen oder Korrelationen/: so schnell a. *(wie)* möglich; soviel a. *(wie)* ein Eid; doppelt so groß a. *(wie);* sowohl ... a. [auch]; der Gedanke ist zu schwierig, a. daß man ihn in einem Satz ausdrücken könnte; diese Reise nach China ist für ihn insofern problematisch, a. er die Sprache nicht beherrscht; dieser Tag war um so geeigneter für den Ausflug, a. das Wetter gut war. **5.** (geh.) */dient der Einleitung einer Aufzählung/:* seine Werke, a. [da sind] Gedichte, Erzählungen, Romane.

al|so: **I.** ⟨Adverb⟩ */drückt eine Folgerung aus/:* ihr habt keine Fragen mehr, a. habt ihr alles verstanden. **sinnv.:** demnach, folglich, infolgedessen, somit. **II.** ⟨Partikel⟩ **1.** */faßt Vorausgegangenes zusammen, führt es weiter, dient der Fortführung eines unterbrochenen Gedankens/:* er verkauft alte Möbel, a. Schränke, Tische und Stühle. **2.** */wirkt verstärkend bei gefühlsbetonten Aussagen, Fragen, Ausrufen/:* a. schön; na a.! *(warum nicht gleich so!).*

alt, älter, älteste ⟨Adj.⟩: **1. a)** *in vorgerücktem Alter, bejahrt* /Ggs. jung/: ein altes Mütterchen; ein alter Baum; ein älterer *(nicht mehr junger)* Herr. **b)** *Merkmale des Alters aufweisend:* ihre alten, zittrigen Hände. **sinnv.:** betagt, greis. **Zus.:** stein-, uralt. **2.** *ein bestimmtes Alter habend:* wie a. ist er?; ein drei Jahre altes Auto. **3.** *nicht mehr neu, schon längere Zeit benutzt o. ä.* /Ggs. neu/: alte Kleider, Häuser; er hat das Auto a. *(gebraucht)* gekauft. **sinnv.:** abgenutzt, gebraucht. **4. a)** *seit längerer Zeit vorhanden, hergestellt o. ä. und daher nicht mehr frisch* /Ggs. frisch/: altes *(altbackenes)* Brot; eine alte Spur. **b)** *vom letzten Jahr stammend* /Ggs. neu/: die alte Ernte; die alten Kartoffeln. **5. a)** *seit langem vorhanden, bekannt:* eine alte Tradition, Erfahrung; ein alter *(langjähriger, bewährter, erfahrener)* Mitarbeiter. **sinnv.:** langjährig. **b)** *schon lange überall bekannt und daher langweilig, überholt:* ein alter Witz; ein altes Thema. **sinnv.:** abgedroschen. **6. a)** *einer früheren Zeit angehörend; eine vergangene Zeit betreffend:* eine alte Chronik; alte Meister. **b)** *durch Alter wertvoll geworden:* alte Münzen, Drucke, Bücher. **sinnv.:** antik, antiquarisch. **7. a)** *unverändert, schon [von*

früher] bekannt, vertraut [und daher liebgeworden]: es bot sich ihnen das alte Bild; es geht alles seinen alten Gang. **b)** *schon früher in der gleichen Eigenschaft, Funktion o. ä. für jmdn. vorhanden:* die alten Plätze wieder einnehmen; seine alten Schüler besuchen. **sinnv.:** ehemalig, einstig, früher, vorherig. **8. a)** */in vertraulicher Anrede/:* mein alter Junge. **b)** */verstärkend bei abwertenden Personenbezeichnungen/:* ein alter Schwätzer.

Alt, der; -s: **1.** *Stimme in der tiefen Lage* /von einer Sängerin, einem Knaben/: sie hat eine weichen A. **2.** *Sängerin, Knabe mit einer Stimme in der tiefen Lage:* das Lied wurde von einem A. gesungen.

Al|ter, das; -s: **1. a)** *Zustand des Altseins; letzter Abschnitt des Lebens* /Ggs. Jugend/: das A. macht sich bemerkbar; viele Dinge begreift man erst im A. *(wenn man alt ist).* **b)** *lange Dauer des Bestehens, Vorhandenseins:* man sieht diesem Mantel sein A. nicht an *(er sieht noch recht neu aus).* **2. a)** *bestimmter Abschnitt des Lebens:* im kindlichen, im mittleren A. sein. **b)** *Zeit, Anzahl der Jahre des Lebens, des Bestehens, Vorhandenseins:* im A. von 60 Jahren; das A. eines Gebäudes schätzen. **3.** *alte Leute* /Ggs. Jugend/: Ehrfurcht vor dem A. haben.

al|ter|na|tiv ⟨Adj.⟩: **1.** *sich in bewußtem Gegensatz zu etwas anderem, aber Ähnlichem befindend, eine Alternative dazu darstellend:* alternative Energien, Verlage. **2.** *wahlweise; zwischen zwei Möglichkeiten die Wahl lassend:* er machte a. zwei Vorschläge.

Al|ter|na|ti|ve, die; -, -n: **1.** *andere Möglichkeit; Möglichkeit des Wählens zwischen zwei mehreren Dingen:* das ist eine echte A.; dazu bietet sich keine A. an. **2.** *freie, aber nicht zu vermeidende Entscheidung zwischen zwei Möglichkeiten:* er wurde vor eine A. gestellt.

al|ter|tüm|lich ⟨Adj.⟩: *aus früherer Zeit stammend (was sich in Art und Aussehen ausdrückt):* ein altertümliches Gebäude; eine altertümliche Sprache. **sinnv.:** alt; altmodisch.

alt|klug ⟨Adj.⟩ (kritisch-mißbilligend): *(als Kind, Jugendlicher in seinen Äußerungen) sich erfahren gebend, klug tuend:* er ist gut erzogen, aber sehr a. **sinnv.:** frühreif, vorlaut.

ält|lich ⟨Adj.⟩: *schon etwas alt aussehend:* eine ältliche Dame. **sinnv.:** alt.

alt|mo|disch ⟨Adj.⟩: *nicht mehr der herrschenden Mode, dem augenblicklichen Geschmack entsprechend; einer früheren Zeit zugehörend, damals zeitgemäß* /Ggs. modern/: ein altmodisches Kleid; seine Ansichten sind a. **sinnv.:** altertümlich, antiquiert, überholt, unmodern, veraltet.

am ⟨Verschmelzung von an + dem⟩: **1.** *an dem* **a)** */die Verschmelzung kann aufgelöst werden/:* am Berg; das Haus liegt am Ende der Straße. **b)** */die Verschmelzung kann nicht aufgelöst werden/:* mit seinen Kräften am Ende sein. **2.** (mit folgendem Superlativ) */die Verschmelzung kann nicht aufgelöst werden; drückt den höchsten Grad aus/:* dieser ist am schnellsten. **3.** (ugs.) /in Verbindung mit *sein* und einem substantivierten Infinitiv/ */die Verschmelzung kann nicht aufgelöst werden; bildet die Verlaufsform/:* sie ist am Putzen *(putzt gerade).*

Ama|teur [ama'tø:ɐ] der; -s, -e: *jmd., der auf einem Gebiet (z. B. Kunst, Sport) tätig, aktiv ist,* *ohne daß es sein Beruf ist:* dieses Bild wurde von einem A. gemalt. **sinnv.:** Laie, Nichtfachmann, kein Profi.

Am|boß, der; Ambosses, Ambosse: *eiserner Block, auf dem das Eisen geschmiedet wird.*

am|bu|lant ⟨Adj.⟩: **1.** *nicht an einen festen Ort gebunden; umherziehend, wandernd:* ambulanter Handel; ein Gewerbe a. betreiben. **2.** *nicht stationär:* einen Verletzten, Kranken a. behandeln.

Amei|se, die; -, -n: *kleines, rotbraunes bis schwärzliches, meist in Nadelwäldern vorkommendes Insekt, das in Staaten lebt und dessen Bau oft die Form eines Haufens hat:* er ist fleißig wie eine A.

Amne|stie, die; -, Amnestien: *Gesetz, das vorsieht, daß bestimmte Strafen den (z. B. aus politischen Gründen) Verurteilten oder zu Verurteilenden erlassen werden:* eine A. fordern, erlassen; unter die A. fallen. **sinnv.:** Begnadigung.

Amok: ⟨in Verbindungen wie⟩ A. laufen: *in einem Anfall von Geistesgestörtheit [mit einer Waffe] umherlaufen und töten:* er hat/ist A. gelaufen; A. fahren: *in einem Anfall krankhafter Verwirrung wild umherfahren und Zerstörungen anrichten.* **sinnv.:** rasen, toben, wüten.

Am|pel, die; -, -n: **1.** *Verkehrsampel* (siehe Bildleiste „Lampen"). **2.** *[schalenförmige, kleinere] Hängelampe.*

am|pu|tie|ren ⟨tr.⟩: *durch eine Operation vom Körper trennen:* nach dem Unfall mußte ihm ein Bein amputiert werden. **sinnv.:** abnehmen, operativ entfernen.

Am|sel, die; -, -n: *größerer Singvogel (mit beim Männchen schwarzem Gefieder und gelbem Schnabel und beim Weibchen dunkelbraunem Gefieder und braunem Schnabel).*

Amt, das; -[e]s, Ämter: **1. a)** *offizielle Stellung (in Staat, Gemeinde, Kirche o. ä.):* ein hohes, weltliches A. bekleiden; das A. des Bürgermeisters übernehmen. **Zus.:** Ehren-, Lehramt. **b)** ⟨ohne Plural⟩ *Tätigkeit, zu der jmd. verpflichtet ist, zu der sich jmd. verpflichtet hat:* in dieser Woche war es sein A., Kaffee für alle zu kochen. **sinnv.:** Aufgabe. **2.** *offizielle amtliche Stelle:* A. für Statistik; Auswärtiges A. *(Ministerium für auswärtige Politik).* **sinnv:** Behörde, Verwaltung. **Zus.:** Arbeits-, Einwohnermelde-, Finanz-, Gesundheits-, Post-, Standesamt.

amt|lich ⟨Adj.⟩: *von einem Amt, einer Behörde stammend [und daher zuverlässig, glaubwürdig]:* ein amtlicher Bericht; eine amtliche Genehmigung; ist das a.? **sinnv.:** behördlich, offiziell, offiziös. **Zus.:** halbamtlich.

Amu|lett, das; -[e]s, -e: *kleiner, oft als Anhänger getragener Gegenstand, der Unheil abwenden und Glück bringen soll.* **sinnv.:** Talisman.

amü|sant ⟨Adj.⟩: *belustigend-heiter, Vergnügen bereitend:* ein amüsanter Abend; amüsante Geschichten erzählen. **sinnv.:** lustig, unterhaltend, unterhaltsam, vergnüglich.

amü|sie|ren: 1. ⟨sich a.⟩ *sich auf angenehme, unterhaltsame Weise die Zeit vertreiben:* das Publikum hat sich dabei großartig amüsiert. **sinnv.:** sich vergnügen. **2. a)** ⟨tr.⟩ *vergnügt machen, heiter stimmen, angenehm unterhalten:* seine Neugier amüsierte uns; er hörte amüsiert zu. **sinnv.:** belustigen, erheitern. **b)** ⟨sich a.⟩ *belustigt sein:* sie amüsieren sich über die Antwort des Kindes.

an: I. ⟨Präp. mit Dativ oder Akkusativ⟩ **1.** /räumlich/ **a)** ⟨mit Dativ; Frage: wo?⟩ */drückt aus, daß etwas ganz in der Nähe von etwas ist, etwas berührt/:* die Leiter lehnt an der Wand; Trier liegt an der Mosel; ⟨in der Verbindung: an ... vorbei⟩ an den Schülern vorbei unterrichten, am Markt vorbei studieren *(etwas studieren, was nicht gebraucht wird).* **b)** ⟨mit Akkusativ; Frage: wohin?⟩ */drückt eine Bewegung auf etwas zu, in eine bestimmte Richtung aus/:* die Leiter an die Wand stellen; er trat ans Fenster. **c)** ⟨als Verbindung zwischen zwei gleichen Substantiven⟩ */drückt die Vielzahl oder die Regelmäßigkeit aus/:* sie standen Kopf an Kopf *(dicht gedrängt);* sie wohnen Tür an Tür *(unmittelbar nebeneinander);* in dem Lokal stand Spielautomat an Spielautomat. **2.** ⟨mit Dativ; Frage: wann?⟩ */bezeichnet einen Zeitpunkt/:* an Ostern; Klaus ist an einem Sonntag geboren. **3.** ⟨mit Dativ und Akk.⟩ */in Abhängigkeit von bestimmten Wörtern/:* an einer unheilbaren Krankheit sterben; Zweifel an einer Entscheidung; etwas an sich bringen. **4. a)** /in Verbindung mit einem Personalpronomen in Konkurrenz zu *daran;* bezogen auf eine Sache (ugs.)/: hier ist der neue Schreibtisch. Man kann an ihm (statt: daran) viel besser arbeiten. **b)** /in Verbindung mit „was" in Konkurrenz zu *woran;* bezogen auf eine Sache (ugs.)/: /in Fragen/ an was (statt: woran) könnte sie sich erfreuen?; /in relativer Verbindung/ ich weiß nicht mehr, an was (statt: woran) ich gerade gedacht habe. **II.** ⟨Adverb⟩ **1.** *nahezu, annähernd, nicht ganz:* er hat an [die] 40 Mark verloren. **sinnv.:** ungefähr. **2.** /elliptisch als Teil eines Verbs/: Licht an! *(andrehen!, anschalten!);* (ugs.) ohne etwas an *(etwas angezogen zu haben, nackt, unbekleidet).*

an-: ⟨trennbares, betontes verbales Präfix⟩ **1.** /drückt Annäherung aus/ *auf das Objekt hin/zu:* **a)** *auf/gegen jmdn./etwas gerichtet sein* /vom Sprecher weg/: anbrüllen, angrinsen, anhupen, anleuchten, anlügen, ansehen. **b)** *einen Zielpunkt durch eine bestimmte Art der Fortbewegung zu erreichen suchen:* (eine Stadt) anfahren, anstreben. **c)** *durch ein Tun Widerstand gegen jmdn./etwas leisten:* ankämpfen, ansingen, anstürmen gegen jmdn. **d)** *die Oberfläche von jmdm./etwas berühren:* anfühlen, antippen. **e)** *auf jmdn./etwas auftreffen:* (jmdn.) anfahren, anprallen. **f)** /drückt eine Intensivierung aus/: anhäufen, anliefern, anmieten, ansammeln. **2.** /drückt Annäherung aus/ *an jmdn./etwas heran* /zum Sprecher hin/: **a)** ankommen, anmarschieren, anrollen. **b)** anekeln *(etwas ekelt mich an),* ankotzen, anwidern. **c)** anfordern, anwerben. **d)** *durch das im Basiswort genannte Tun das als Bezugswort Genannte bekommen:* sich einen Bauch anfressen; sich jmdn. anlachen; sich großes Wissen anlesen, Muskeln antrainieren. **e)** *durch das im Basiswort genannte Tun etwas jmdm. zuschreiben, zuordnen:* andichten. **3.** /drückt aus, daß Kontakt, eine feste Verbindung hergestellt wird/: **a)** anbauen, anbinden, ankleben, anknöpfen, anwachsen. **b)** anrühren (eine Farbe). **4. a)** *jmdn. in einen bestimmten Zustand versetzen:* (das Publikum) anmachen, jmdn. anstecken, antörnen. **b)** *mit etwas versehen:* anfeuchten, ankreuzen. **5.** /drückt einen Beginn aus/: **a)** *mit einer bestimmten Tätigkeit beginnen:* anfahren (das Auto fährt an), ein Lied anstimnen. **b)** *durch ein bestimmtes Tun etwas in Gang setzen:* andrehen (Licht), anfachen (Glut), anmachen (Radio). **c)** *durch das im Basiswort genannte Tun etwas beginnen lassen:* anpfeifen (ein Spiel). **l)** *die im Basiswort genannte Sportart erstmals im Jahr ausüben* /Ggs. ab-/: anrudern, ansurfen. **e)** *durch ein Tun jmds. Willen zu etwas steigern:* anfeuern, anspornen, antreiben. **6.** *nur ein wenig:* anbeißen, anbraten, andiskutieren, anlesen (Buch), ansägen. **7.** /*über eine gewisse Zeit hin*/: anbehalten (den Mantel), andauern (Lärm), mdn. anhören, sich ein Bild ansehen *(betrachten)*. **8.** /*in die Höhe*/: anheben, ansteigen. **II.** ⟨in Verbindung mit Formen des Partizips II⟩ *ein wenig:* angegammelt, angegraut *(ein wenig graue Haare haben)*, angeschimmelt *(mit etwas Schimmel auf etwas)*, angeschrägt *(ein wenig schräg)*, angestaubt *(mit etwas Staub auf etwas)*, antaillierter Mantel.

ana|log: **I.** ⟨Adj.⟩ *sich (mit etwas Entsprechendem) vergleichen lassend; in/vo gleicher, ähnlicher Art vor sich gehend:* eine analoge Erscheinung; a. zu diesem Fall. **sinnv.:** ähnlich. **II.** ⟨Präp. mit Dativ⟩ *in Entsprechung zu, entsprechend:* analog diesem Fall. **sinnv.:** gemäß.

An|al|pha|bet, der; -en, -en, **An|al|pha|be|tin,** die; -, -nen: *männliche bzw. weibliche Person, die nicht lesen und schreiben kann.*

ana|ly|sie|ren ⟨tr.⟩: *sehr genau, auf seine Merkmale hin betrachten und so in seiner Beschaffenheit, Zusammensetzung o. ä. zu erkennen suchen:* die Lage, eine Beziehung, einen Satz a. **sinnv.:** prüfen, untersuchen, zerlegen.

Ana|nas, die; -, - und -se: *große, zapfenförmige, gelbe bis orangefarbene Frucht einer tropischen Pflanze mit saftigem, süß-säuerlich schmeckendem, hellgelbem Fruchtfleisch (siehe Bild).*

An|ar|chist, der; -en, -en: *jmd., der die Gewalt des Staates und jeden gesetzlichen Zwang ablehnt.* **innv.:** Revolutionär.

Ana|to|mie, die; -: **a)** *Lehre, Wissenschaft von Form und Aufbau des Körpers:* A. studieren. **b)** *Aufbau, Struktur des Körpers:* die A. des menschlichen Körpers.

an|bah|nen, bahnte an, hat angebahnt: **1.** ⟨sich ..⟩ *sich zu entwickeln beginnen:* zwischen den beiden bahnte sich eine Freundschaft an. **sinnv.:** entstehen. **2.** ⟨tr.⟩ *in die Wege leiten, vorbereitend dafür tätig sein, daß etwas zustande, in Gang kommt:* eine Verständigung a. **sinnv.:** einleiten, vorbereiten.

an|bän|deln, bändelte an, hat angebändelt ⟨itr.⟩ (ugs.): *mit jmdm., den man erotisch anziehend findet, in Kontakt kommen; Annäherungsversuche machen:* er versuchte, an der Haltestelle mit ihr anzubändeln. **sinnv.:** flirten, schäkern.

An|bau, der; -s, -ten: **1.** ⟨ohne Plural⟩ *das Anbauen:*der A. eines Stalles war nötig geworden. **2.** *Gebäude, das an ein größeres angebaut ist:* der häßliche A. stört. **sinnv.:** Gebäude.

an|bau|en, baute an, hat angebaut: **1. a)** ⟨tr.⟩ *(etwas) an etwas bauen:*eine Garage [ans Haus] a. **b)** ⟨itr.⟩ *ein Gebäude durch einen Anbau erweitern:* wir müssen in diesem Jahr a. **sinnv.:** ausbauen, vergrößern. **2.** ⟨tr.⟩ *systematisch, auf großen Flächen anpflanzen:* Gemüse, Wein a. **sinnv.:** bebauen.

an|bei ⟨Adverb⟩: *(einer Briefsendung) beigelegt,*

beigefügt: a. [schicken wir Ihnen] das gewünschte Foto; Porto a. **sinnv.:** anliegend.

an|bei|ßen, biß an, hat angebissen: **1.** ⟨tr.⟩ *(in etwas) beißen [und das erste Stück davon abbeißen]:* einen Apfel a. **sinnv.:** anknabbern, annagen. **2.** ⟨itr.⟩ *an den an der Angel befestigten Köder beißen [und auf diese Weise gefangen werden]; dem Angler an die Angel gehen:* heute beißt kein Fisch an.

an|be|rau|men, beraumte an, hat anberaumt ⟨tr.⟩: *(für etwas) einen Termin, Ort bestimmen:*eine Versammlung für 16 Uhr a. **sinnv.:** ansetzen.

an|be|ten, betete an, hat angebetet ⟨tr.⟩: **a)** *betend verehren:* die Götter a. **b)** *übertrieben verehren:* sie betet ihren Mann an.

An|be|tracht: ⟨in der Fügung⟩ in A. ⟨mit Gen.⟩: *weil man ... berücksichtigen muß:* in A. der schwierigen Lage muß man die Pläne ändern. **sinnv.:** angesichts.

an|bie|dern, sich; biederte sich an, hat sich angebiedert: *sich (durch entsprechendes, leicht devot anmutendes Verhalten) beliebt machen wollen:* er biederte sich mit kleinen Geschenken bei ihr an. **sinnv.:** sich einschmeicheln.

an|bie|ten, bot an, hat angeboten: **1. a)** ⟨tr.⟩ *zur Verfügung stellen:*jmdm. einen Platz, [seine] Hilfe a.; jmdm. ein Getränk a. *(zum Trinken reichen):* jmdm. Zigaretten a. *(zum Zugreifen reichen).* **sinnv.:** bereitstellen; bieten. **b)** ⟨sich a.⟩ *sich zu etwas bereit erklären:* er bot sich an, die Summe zu bezahlen. **sinnv.:** sich erbieten. **2.** ⟨tr.⟩ **a)** *als Möglichkeit, Anregung, Angebot unterbreiten:* jmdm. den Posten eines Ministers a. **sinnv.:** antragen, bieten. **b)** *zum Kauf, Tausch vorschlagen, vorlegen:* eine neue Kollektion Mäntel a. **sinnv.:** anpreisen, offerieren. **3.** ⟨sich a.⟩ *(als Sache) in Betracht kommen, zu etwas geeignet sein:* eine Lösung bietet sich an; der Ort bietet sich dafür geradezu an. **sinnv.:** naheliegen.

An|blick, der; -[e]s, -e: *etwas, was sich dem Auge darbietet:* sie erschrak beim A. der Schlange.

an|bre|chen, bricht an, brach an, hat/ist angebrochen: **1.** ⟨tr.⟩ *zum Verbrauch öffnen; zu verbrauchen, zu verwenden beginnen:* er hat die Schachtel Zigaretten bereits angebrochen. **2.** ⟨itr.⟩ (geh.) *(von einem Zeitabschnitt) seinen Anfang nehmen:* eine neue Epoche ist angebrochen. **sinnv.:** anfangen, beginnen.

an|bren|nen, brannte an, hat/ist angebrannt: **1. a)** ⟨tr.⟩ *anzünden:* er hat die Kerzen angebrannt. **b)** ⟨itr.⟩ *anfangen zu brennen:* das nasse Holz ist schlecht angebrannt. **c)** ⟨itr.⟩ *sich beim Kochen oder Braten im Topf ansetzen und zu dunkel werden, schwarz werden:*die Suppe ist angebrannt.

an|brin|gen, brachte an, hat angebracht ⟨tr.⟩: **1.** (ugs.) *von irgendwoher hier an diese Stelle bringen:* die Kinder brachten ihr Spielzeug an. **sinnv.:** herbeibringen. **2.** *an einer bestimmten Stelle festmachen:*eine Lampe an der Wand a. **sinnv.:** befestigen, installieren. **3.** *bei entsprechend sich bietender Gelegenheit etwas, was man gern sagen, zur Sprache bringen möchte, äußern:* eine Beschwerde bei jmdm. a. **sinnv.:** vorbringen.

An|bruch, der; -[e]s (geh.): *(von einem Zeitabschnitt) das Anbrechen:* bei/mit/vor A. des Tages, der Dunkelheit.

An|dacht, die; -, -en: **1.** ⟨ohne Plural⟩ *Zustand, in dem sich jmd. befindet, wenn er sich in etwas ver-*

senkt, in einen Anblick o. ä. versunken ist: sie stand voller A. vor dem Gemälde; in tiefer A. standen sie vor dem Altar. **sinnv.:** Gebet; Aufmerksamkeit. **2.** *kurzer Gottesdienst:* die A. beginnt um fünf Uhr. **sinnv.:** Gottesdienst. **Zus.:** Abend-, Morgenandacht.

an|dau|ern, dauerte an, hat angedauert ⟨itr.⟩ /vgl. andauernd/: *noch nicht aufgehört haben:* die Stille, das schöne Wetter dauert an. **sinnv.:** anhalten, fortdauern.

an|dau|ernd ⟨Adj.⟩: *ohne Unterbrechung, ständig wiederkehrend, immer wieder:* die andauernden Störungen ärgerten ihn. **sinnv.:** unaufhörlich.

An|den|ken, das; -s, -: **1.** ⟨ohne Plural⟩ *Gedanken des Sicherinnerns an jmdn./etwas:* jmdn. in freundlichem A. behalten. **sinnv.:** Erinnerung, Gedenken. **2.** *Gegenstand, Geschenk zur Erinnerung:* er brachte von der Reise ein A. mit. **sinnv.:** Souvenir. **Zus.:** Reiseandenken.

an|der... ⟨Indefinitpronomen und unbestimmtes Zahlwort⟩ /vgl. anders/: **1. a)** *der zweite, weitere; nicht diese Person oder Sache, sondern eine davon verschiedene:* der eine kommt, der and[e]re geht; alles and[e]re (übrige) später. **b)** *der nächste, folgende, vorausgehende:* von einem Tag zum and[e]ren. **2.** *nicht gleich:* er war anderer Meinung.

an|de|ren|falls, an|dern|falls ⟨Adverb⟩: *wenn dies nicht der Fall ist:* er bat mich, ihm zu helfen, weil er a. zu spät komme. **sinnv.:** ansonsten, sonst.

an|de|rer|seits, and|rer|seits ⟨Adverb⟩: *von der anderen Seite aus gesehen:* es kränkte ihn, a. machte es ihn hochmütig; ⟨oft in Verbindung mit *einerseits*⟩ einerseits machte es ihm Freude, a. Angst. **sinnv.:** aber.

an|der|mal: ⟨in der Fügung⟩ ein a.: *bei einer anderen Gelegenheit; nicht jetzt, sondern später:* diese Arbeit machen wir lieber ein a.

än|dern: 1. ⟨tr.⟩ **a)** *durch Hinzufügen, Wegnehmen, Streichen, Verschiebung von Details o. ä. Veränderungen bei etwas bewirken:* den Mantel ä.; seine Pläne ä. **sinnv.:** modifizieren, umändern, verändern; abwandeln. **b)** *eine andere Art, Form o. ä. für etwas wählen, dazu übergehen:* den Kurs, die Richtung, den Ton, seine Meinung ä. **sinnv.:** wechseln. **2. a)** ⟨tr.⟩ *anders machen; bei jmdm./etwas einen Wandel herbeiführen:* das ändert die Sache; einen alten Menschen kann man nicht mehr ä. **sinnv.:** umwandeln, verwandeln. **b)** ⟨sich ä.⟩ *anders werden:* das Wetter ändert sich; er hat sich sehr geändert (in seinen Anschauungen, in seinem Benehmen). **sinnv.:** sich wandeln.

an|dern|falls: ↑ anderenfalls.

an|ders ⟨Adverb⟩: **1.** *(im Vergleich zu jmd./etwas anderem) nicht so, sondern darin abweichend (in Aussehen, Gestalt usw.):* er sieht a. aus als sein Vater; hier muß vieles a. werden *(muß sich vieles ändern);* gut gewürzt schmeckt die Suppe gleich a. *(besser).* **sinnv.:** verschieden. **2.** *sonst:* wer a. als er könnte das getan haben?

an|ders|ar|tig ⟨Adj.⟩: *von anderer Art:* er hat jetzt eine ganz andersartige Beschäftigung. **sinnv.:** verschieden.

an|der|wei|tig ⟨Adj.⟩: **1.** *auf andere Weise:* anderweitige Verpflichtung; a. verwenden. **sinnv.:** sonstig. **2.** *an anderer Stelle erfolgend:* sich a. mit etwas versorgen. **sinnv.:** sonstwo, woanders.

an|deu|ten, deutete an, hat angedeutet: **1.** ⟨tr.⟩ **a)** *in wenigen Grundzügen darstellen, nicht ausführen; nur flüchtig kennzeichnen:* mit ein paar Strichen eine Figur a.; er deutete mit ein paar Worten an, worum es ging. **sinnv.:** erwähnen. **b)** *durch einen Hinweis, vorsichtig zu verstehen geben:* sie deutete ihm an, er könne gehen. **sinnv.:** auf etwas anspielen, jmdm. etwas zu verstehen geben. **2.** ⟨sich a.⟩ *(als Sache) sichtbar, spürbar, erkennbar werden:* eine Wendung zum Besseren deutete sich an. **sinnv.:** sich abzeichnen, sich ankündigen.

An|drang, der; -[e]s: *Gedränge an einer bestimmten Stelle, das durch eine Menge von Menschen entsteht:* es war, herrschte großer A. an der Kasse des Theaters. **sinnv.:** Ansturm, Zustrom. **Zus.:** Besucher-, Massenandrang.

an|dre|hen, drehte an, hat angedreht ⟨tr.⟩: **1.** *(durch Drehen an einem Knopf, Schalter o. ä.) machen, daß etwas zu fließen, hervorzutreten beginnt/* Ggs. abdrehen/: er hat das Licht, das Radio angedreht. **sinnv.:** anstellen. **2.** (ugs.) *erreichen, daß jmd. etwas (oft qualitativ weniger Gutes) erwirbt, nimmt, was seinen eigentlichen Absichten, Vorstellungen nicht entspricht:* jmdm. Schund, gefälschte Goldbarren a.; er hat ihm ein mieses Zimmer in der Altstadt angedreht; im Basar wollte man ihm einen Teppich a. **sinnv.:** aufschwatzen; betrügen.

and|rer|seits: ↑ andererseits.

an|dro|hen, drohte an, hat angedroht ⟨tr.⟩: *(mit etwas, was in naher Zukunft jmdn. treffen wird, als Strafe, Gegenmaßnahme) drohen; drohend ankündigen:* jmdm. Schläge, eine Strafe a.

an|ecken, eckte an, ist angeeckt ⟨itr.⟩ (ugs.): *Mißfallen, Anstoß erregen:* mit seinem Benehmen eckte er überall, bei vielen an.

an|eig|nen, sich, eignete sich an, hat sich angeeignet: **1.** *zu eigen machen:* ich habe mir diese Kenntnisse angeeignet. **sinnv.:** lernen. **2.** *unrechtmäßig in Besitz nehmen:* du hast dir das Buch einfach angeeignet. **sinnv.:** an sich nehmen, wegnehmen.

an|ein|an|der ⟨Adverb⟩: **a)** *einer an den andern.* a. denken. **b)** *einer am andern:* sie hängen a.

an|ein|an|der|ge|ra|ten, gerät aneinander, geriet aneinander, ist aneinandergeraten ⟨itr.⟩: *in Streit geraten:* sie sind wegen des Erbes aneinandergeraten; mit jmdm. a. **sinnv.:** sich streiten.

An|ek|do|te, die; -, -n: *kurze, oft witzige Geschichte, die eine Persönlichkeit, eine Epoche o. ä. charakterisiert:* über diesen Künstler werden viele Anekdoten erzählt. **sinnv.:** Erzählung.

an|er|ken|nen, erkannte an/ (auch:) anerkannte, hat anerkannt ⟨tr.⟩: **1.** *für rechtmäßig, gültig erklären:* eine neue Regierung, einen Anspruch a. **sinnv.:** bestätigen, legitimieren. **2.** *lobend bestätigen, hervorheben:* jmds. Fleiß, Hilfsbereitschaft a. **sinnv.:** loben, würdigen.

an|fah|ren, fährt an, fuhr an, hat/ist angefahren: **1.** ⟨itr.⟩ *zu fahren beginnen:* das Auto ist langsam angefahren. **sinnv.:** anrollen, losfahren. **2.** ⟨in der Fügung⟩ angefahren kommen (ugs.): *mit einem Fahrzeug heran-, ankommen:* er kam in großem Tempo angefahren. **3.** ⟨tr.⟩ *mit einem Fahrzeug heranbringen:* jmdn. Steine, Holz angefahren. **4.** ⟨tr.⟩ *beim Fahren auf jmdn./etwas auftreffen:* er hat die Frau angefahren. **sinnv.:** überfahren; zusammenstoßen. **5.** ⟨tr.⟩ *in Richtung (auf ein bestimmtes Ziel) fahren:* zunächst hat er Paris gefahren. **sinnv.:** ansteuern. **6.** ⟨tr.⟩ *in heftigem Ton zurechtweisen:* er hat ihn grob angefahren. **sinnv.:** schelten.

An|fahrt, die; -, -en: **1.** *das Heranfahren, Herankommen mit einem Fahrzeug:* die A. dauerte lange. **sinnv.:** Anreise. **2.** *kürzeres Stück einer Straße, eines Weges, auf dem man mit einem Fahrzeug zu einem Gebäude gelangt:* die A. zum Haus war versperrt.

An|fall, der; -[e]s, Anfälle: *plötzliches, heftiges Auftreten einer Krankheit o. ä.:* einen schweren A. bekommen; ein A. von Fieber. **sinnv.:** Kolik, Kollaps. **Zus.:** Herz-, Schlag-, Wutanfall.

an|fal|len, fällt an, fiel an, hat/ist angefallen: **1.** ⟨tr.⟩ *plötzlich, in einem Überfall gewaltsam vorgehen (gegen jmdn.):* ein Unbekannter hatte ihn angefallen. **sinnv.:** angreifen. **2.** ⟨itr.⟩ *in der Folge von etwas entstehen:* in der letzten Zeit ist hier viel Arbeit angefallen. **sinnv.:** auftreten, sich ergeben.

an|fäl|lig ⟨Adj.⟩: *zum Krankwerden neigend, in bezug auf Krankheiten nicht widerstandsfähig:* er ist sehr a. für Erkältungen. **sinnv.:** empfindlich, labil, schwächlich.

-an|fäl|lig ⟨adjektivisches Suffixoid⟩: **a)** *leicht von dem im Basiswort Genannten (in seinem Funktionieren o. ä.) beeinträchtigt:* frost-, konjunktur-, krisen-, streßanfällig. **b)** *in nachteiliger Weise zu dem im Basiswort Genannten neigend:* fehler- (fehleranfällige Computersysteme), reparatur-, stör[ungs]anfällig.

An|fang, der; -[e]s, Anfänge: *das erste, der erste Teil, das erste Stadium von etwas* /Ggs. Ende/: der A. eines Romans; am/zu A. *(anfangs)*; A. Februar *(in den ersten Tagen des Monats Februar);* er kam über die Anfänge *(ersten Versuche)* nicht hinaus. **sinnv.:** Ausgangspunkt, Beginn, Start.

an|fan|gen, fängt an, fing an, hat angefangen: **1. a)** ⟨tr.⟩ *mit einer Handlung, einem Vorgang einsetzen* /Ggs. beenden/: eine Arbeit, einen Brief, ein Gespräch a.; ⟨auch itr.⟩ mit dem Gespräch a.; er fing wieder an zu singen/zu singen an. **sinnv.:** beginnen, darangehen, sich daranmachen, ans Werk gehen. **b)** ⟨itr.⟩ *seinen Anfang nehmen:* hier hat früher der Wald angefangen; morgen fängt die Schule an. **sinnv.:** beginnen, einsetzen, losgehen, starten. **2. a)** ⟨tr.⟩ *[in bestimmter Weise] in Angriff nehmen, machen, handhaben:* eine Sache richtig a. **sinnv.:** bewerkstelligen; verwirklichen. **b)** ⟨itr.⟩ *zu etwas gebrauchen:* ich kann mit dem Buch nichts a. *(es interessiert mich nicht).*

An|fän|ger, der; -s, -, **An|fän|ge|rin,** die; -, nen: *männliche bzw. weibliche Person, die mit einer ihr neuen Tätigkeit, Beschäftigung beginnt:* Anfänger und Fortgeschrittene; er ist kein Anfänger mehr. **sinnv.:** Debütant, Greenhorn, Neuling.

an|fäng|lich ⟨Adj.⟩: *am Anfang, zu Beginn noch vorhanden:* sein anfänglicher Erfolg.

an|fangs ⟨Adverb⟩: *am Anfang:* ich glaubte es a. nicht. **sinnv.:** eingangs, zunächst.

an|fas|sen, faßte an, hat angefaßt: **1.** ⟨tr.⟩ **a)** *mit den Fingern, mit der Hand an jmdn./etwas fassen, etwas ergreifen:* sie ließ sich nicht a.; sie faßte das Buch vorsichtig an. **sinnv.:** anpacken; anrühren. ⟨ **b)** *bei der Hand nehmen:* sie faßte das Kind an und ging über die Straße. **2.** ⟨itr.⟩ **a)** *bei etwas zupackend helfen:* der Korb ist schwer, faß doch mal [mit] an. **b)** *[in bestimmter Weise] in Angriff*

nehmen, handhaben: eine Arbeit geschickt a. **sinnv.:** bewerkstelligen; verwirklichen. **3.** ⟨tr.⟩ *auf bestimmte Art und Weise behandeln:* jmdn. verständnisvoll, zart, grob a. **sinnv.:** mit jmdm. umgehen.

an|fer|ti|gen, fertigte an, hat angefertigt ⟨tr.⟩: *kunst-, sachgerecht, bestimmten Plänen o. ä. entsprechend, planvoll Arbeit entstehen lassen:* ein Protokoll, eine Zeichnung a.; sich ein Kleid a. lassen. **sinnv.:** arbeiten, gestalten, herstellen, produzieren.

an|feu|ern, feuerte an, hat angefeuert ⟨tr.⟩: *durch Zurufe o. ä. zur Steigerung, zu höherer Leistung o. ä. treiben, zu treiben suchen:* die Zuschauer feuerten die Spieler [zu immer größeren Leistungen] an. **sinnv.:** anregen, anstacheln.

an|fle|hen, flehte an, hat angefleht ⟨tr.⟩: *sich flehend (an jmdn.) wenden:* sie flehte ihn [weinend] um Hilfe an. **sinnv.:** bitten.

an|flie|gen, flog an, hat angeflogen: **1.** ⟨in der Fügung⟩ angeflogen kommen: *fliegend herankommen; heranfliegen:* ein Flugzeug, in Vogel, ein Ball kam angeflogen. **2.** ⟨tr.⟩ *in Richtung (auf ein bestimmtes Ziel) fliegen:* die Flugzeuge haben die Stadt angeflogen. **sinnv.:** ansteuern.

An|flug, der; -[e]s, Anflüge: **1. a)** *Annäherung im Flug, das Heranfliegen:* beim ersten A. glückte die Landung. **b)** *Weg, der beim Heranfliegen an ein Ziel zurückgelegt werden muß:* ein weiter A. **2.** ⟨ohne Plural⟩ *nur leicht sichtbares, spürbares Vorhandensein von etwas:* ein A. von Röte im Gesicht. **sinnv.:** Andeutung, Schimmer, Spur.

an|for|dern, forderte an, hat angefordert ⟨tr.⟩: *mitteilen, daß man jmdn./etwas Bestimmtes, was man benötigt, geschickt, geliefert, zugewiesen haben möchte:* einen Katalog, ein Gutachten a.; Arbeitskräfte zum Aufräumen a. **sinnv.:** bestellen.

An|for|de|rung, die; -, -en: **1.** *das Anfordern:* die A. von Prospekten. **sinnv.:** Bestellung. **2.** ⟨meist Plural⟩ *das, was man von jmdm. als [Arbeits]leistung erwartet, von ihm verlangt:* den Anforderungen entsprechen, nicht genügen; die an ihn gestellten Anforderungen waren zu hoch. **sinnv.:** Anspruch, Beanspruchung.

An|fra|ge, die; -, -n: *Bitte um Auskunft oder Aufklärung:* eine A. an jmdn. richten. **sinnv.:** Erkundigung, Nachfrage.

an|fra|gen, fragte an, hat angefragt ⟨itr.⟩: *um Auskunft bitten:* er hat höflich bei ihm angefragt, ob er kommen könne. **sinnv.:** sich erkundigen, nachfragen, rückfragen.

an|füh|ren, führte an, hat angeführt ⟨tr.⟩: **1.** *einer Gruppe o. ä. führend vorangehen, sie leiten:* einen Festzug, eine Mannschaft a. **sinnv.:** führen. **2. a)** *wörtlich wiedergeben:* eine Stelle aus einem Buch a. **sinnv.:** zitieren. **b)** *als Argument, Meinung, Grund, Beispiel o. ä. jmdm. gegenüber äußern, zum Ausdruck bringen:* etwas zu seiner Entschuldigung a. **sinnv.:** angeben, vorbringen. **3.** (ugs.) *[zum Scherz] irreführen:* sie haben ihn schön angeführt. **sinnv.:** foppen, nasführen, verkohlen.

An|füh|rer, der; -s, -: **1.** *jmd., der anführt* (1): wer ist denn der A. dieser Delegation? **2.** *jmd., der andere zu etwas anstiftet:* der A. einer Verbrecherbande. **sinnv.:** Bandenführer, Rädelsführer.

An|ga|be, die; -, -n: **1.** *Mitteilung über einen bestimmten Sachverhalt:* genaue, wichtige Angaben zu/über etwas machen; ich richte mich nach seinen Angaben. **sinnv.:** Auskunft, Aussage. **2.** (ohne Plural) *das Angeben* (2): diese Geschichte ist reine A. **sinnv.:** Übertreibung.

an|ge|ben, gibt an, gab an, hat angegeben: **1.** ⟨tr.⟩ **a)** *Mitteilungen über einen bestimmten Sachverhalt machen, Auskunft über etwas geben:* seine Adresse a.; etwas als Grund a.; den Preis für eine Ware a. **sinnv.:** anführen; erwähnen. **b)** *als maßgebend festlegen:* das Tempo, den Takt a. **sinnv.:** anordnen, bestimmen. **2.** ⟨itr.⟩ (ugs.) *sich durch entsprechendes Verhalten (Reden, Tun) den Anschein von Bedeutsamkeit, Wichtigkeit zu geben versuchen:* sie gaben an, um den Mädchen zu imponieren; gib doch nicht so an!; der gibt aber an mit seinem neuen Auto! **sinnv.:** prahlen.

An|ge|ber, der; -s, -, **An|ge|be|rin,** die; -, -nen: *männliche bzw. weibliche Person, die angibt* (2). **sinnv.:** Aufschneider, Großtuer, Prahlhans.

an|geb|lich ⟨Adj.⟩: *wie behauptet wird:* er soll a. das Geld gestohlen haben. **sinnv.:** scheinbar.

an|ge|bo|ren ⟨Adj.⟩: *von Geburt an vorhanden:* angeborene Eigenschaften. **sinnv.:** angestammt, erblich.

An|ge|bot, das; -[e]s, -e: **1. a)** *das Anbieten von etwas:* er machte mir das A., während der Ferien in seinem Landhaus zu wohnen. **sinnv.:** Vorschlag. **Zus.:** Friedens-, Heiratsangebot. **b)** *Bedingungen, die für etwas angeboten, vorgeschlagen werden:* als ich sein Haus kaufen wollte, machte er mir ein großzügiges A.! **Zus.:** Kauf-, Verhandlungsangebot. **2.** *etwas, was zum Kauf oder Tausch angeboten wird:* ein großes A. an Obst; A. und Nachfrage. **sinnv.:** Sortiment. **Zus.:** Billig-, Sonder-, Warenangebot.

an|ge|bracht ⟨Adj.⟩: *für einen bestimmten Fall passend:* eine nicht angebrachte Bemerkung; das ist, halte ich für a. **sinnv.:** zweckmäßig.

an|ge|hei|tert ⟨Adj.⟩: *durch Genuß von Alkohol beschwingt, in gehobene Stimmung versetzt:* in angeheitertem Zustand. **sinnv.:** betrunken.

an|ge|hen, ging an, hat/ist angegangen /vgl. angehend/: **1.** ⟨tr.⟩ *sich mit einer Bitte an jmdn. wenden:* er hat seinen Vater um Geld angegangen. **sinnv.:** bitten. **2.** ⟨itr.⟩ *sich auf jmdn./etwas beziehen, jmds. Sache sein:* diese Frage ist uns alle angegangen; das geht dich nichts an. **sinnv.:** betreffen. **3.** ⟨itr.⟩ (ugs.) *zu brennen, zu leuchten beginnen* /Ggs. ausgehen/: die Lampe, das Feuer war angegangen. **4.** ⟨itr.⟩ *in anderer Erde Wurzeln schlagen und zu wachsen beginnen:* die Ableger, Pflanzen sind alle angegangen. **sinnv.:** anwachsen.

an|ge|hend ⟨Adj.⟩: *(in bezug auf eine sich entwickelnde, noch in der Ausbildung befindliche oder bald in eine bestimmte Position gelangende Person) künftig:* ein angehender Arzt.

an|ge|hö|ren, gehörte an, hat angehört ⟨itr.⟩: *als Glied, Bestandteil zu etwas (einer Gruppe o. ä.) gehören:* einem Verein a.

An|ge|hö|ri|ge, der u. die; -n, -n ⟨aber: [ein] Angehöriger, Plural: [viele] Angehörige⟩: **1.** *jmd., der dem engsten Kreis der Familie angehört; nächster Verwandter.* **Zus.:** Familienangehöriger. **2.** *jmd., der einer bestimmten Gruppe angehört:* der A. einer Firma. **sinnv.:** Anhänger, Mitarbeiter, Mitglied. **Zus.:** Betriebs-, Staatsangehöriger.

An|ge|klag|te, der u. die; -n, -n ⟨aber: [ein] Angeklagter, Plural: [viele] Angeklagte⟩: *jmd., der vor Gericht angeklagt ist:* der A. wurde freigesprochen. **sinnv.:** Beklagter, Beschuldigter.

An|gel, die; -, -n: **1.** *Gerät zum Fangen von Fischen, das aus einem langen, biegsamen Stock besteht, an dem eine Schnur mit einem Haken befe stigt ist:* die A. auswerfen. **2.** *Zapfen, an dem eine Tür, ein Fenster o. ä. beweglich aufgehängt ist.*

An|ge|le|gen|heit, die; -, -en: *etwas, womit sich jmd. befaßt, befassen muß:* eine wichtige A.; sich in jmds. Angelegenheiten mischen.

an|geln ⟨tr./itr.⟩: *mit der Angel fangen, zu fangen suchen:* ich gehe [Forellen] a. **sinnv.:** fischen.

an|ge|mes|sen ⟨Adj.⟩: *den gegebenen Umständen entsprechend:* eine [dem Alter] angemessene Bezahlung. **sinnv.:** adäquat, gebührend.

an|ge|nehm ⟨Adj.⟩: *eine positive Empfindung auslösend:* ein angenehmer Geruch; eine angenehme Nachricht; eine angenehme Abwechslung; ein angenehmer Mensch. **sinnv.:** erfreulich, günstig, schön, wohltuend.

an|ge|regt ⟨Adj.⟩: *(bes. von Gesprächen o. ä.) durch Lebhaftigkeit gekennzeichnet:* eine angeregte Diskussion; sich a. unterhalten. **sinnv.:** lebhaft munter.

an|ge|se|hen ⟨Adj.⟩: *Ansehen genießend:* er ist ein angesehener Mann, ist im Dorf sehr a. **sinnv.:** anerkannt, geachtet, geschätzt, populär.

an|ge|sichts ⟨Präp. mit Gen.⟩: **a)** *beim, im Anblick:* a. des Todes, der Bergwelt. **b)** *bei Betrachtung, Berücksichtigung von:* a. dieser Situation **sinnv.:** in Anbetracht, bei, im Hinblick auf.

An|ge|stell|te, der u. die; -n, -n ⟨aber: [ein] Angestellter, Plural: [viele] Angestellte⟩: *jmd., der in einem Betrieb, bei einer Behörde angestellt ist und Gehalt bezieht.* **sinnv.:** Arbeitnehmer.

an|ge|trun|ken ⟨Adj.⟩: *schon leicht unter der Wirkung von Alkohol stehend:* sie waren alle a. **sinnv.:** betrunken.

an|ge|wie|sen ⟨in der Verbindung⟩ auf jmdn./ etwas a. sein: *nicht selbständig, unabhängig, sondern an andere gebunden sein; jmdn., jmds. Hilfe Unterstützung o. ä. brauchen:* sie ist auf dich, deine Hilfe a. **sinnv.:** abhängig sein von.

an|ge|wöh|nen, gewöhnte an, hat angewöhnt **a)** ⟨sich etwas a.⟩ *bestimmte Fähigkeiten, Verhaltensweisen, Gewohnheiten (durch selbständige Lernen oder Nachahmen) erwerben, sich zu eiger machen:* ich habe mir das Rauchen angewöhnt **b)** ⟨tr.⟩ *bei jmdm. durch entsprechende Einflußnah me bewirken, daß er sich eine bestimmte Verhal tensweise zu seiner Gewohnheit macht:* er hat sei nen Kindern früh Pünktlichkeit angewöhnt/früh angewöhnt, pünktlich zu sein. **sinnv.:** anerziehen

An|ge|wohn|heit, die; -, -en: *erworbene Verhal tensweise meist komischer, lächerlicher oder an stoßerregender Art:* er hatte die A., die Briefe vo anderen zu lesen, sich auf dem Kopf zu kratzen **sinnv.:** Eigenart, Eigentümlichkeit; Spleen.

an|glei|chen, glich an, hat angeglichen ⟨tr./sich a.⟩: *anpassen* (1).

Ang|ler, der; -s, -, **Ang|le|rin,** die; -, -nen: *männliche bzw. weibliche Person, die angelt.*

an|grei|fen, griff an, hat angegriffen ⟨tr.⟩: **1.** *a in feindlicher Absicht vorgehen (gegen jmdn./et was):* den Feind a.; ⟨auch itr.⟩ die feindlicher Truppen griffen plötzlich an. **sinnv.:** attackieren überfallen, überrumpeln. **b)** *im sportlichen Wettkampf die Initiative ergreifen gegenüber dem Gegner:* erst auf den letzten dreihundert Metern griff der favorisierte Läufer [seine Konkurrenten] an. **c)** *zu widerlegen suchen, heftig kritisieren:* jmdn. öffentlich a. **2.** *mit dem Verbrauch von etwas, was man bis jetzt nicht angerührt, sondern als Reserve o. ä. angesehen hat, beginnen:* ich mußte schon meine Vorräte a. **3. a)** *schädlich auf jmdn. wirken:* diese Arbeit wird ihre Gesundheit sehr a. **b)** *durch Zersetzung o. ä. beschädigen:* die Säure greift den Stoff, die Haut an. **4.** *berühren.*

Anlgriff, der; -[e]s, -e: **1. a)** *das Angreifen (1a):* einen A. abwehren. **sinnv.:** Anschlag, Attacke, Überfall. **Zus.:** Sturmangriff. **b)** *das Ergreifen der Initiative im sportlichen Wettkampf, um dem Gegner Vorteile abzugewinnen:* einen A. starten. **2.** *heftige, aggressive Kritik:* persönliche Angriffe gegen jmdn. richten. **sinnv.:** Attacke, Feindseligkeit. **3.** **etwas in A. nehmen (mit etwas beginnen):* eine Arbeit in A. nehmen.

angst: *(in bestimmten Wendungen)* **jmdm. ist/ wird [es] a. [und bange]** *(jmd. fürchtet sich, hat/bekommt Angst);* **jmdm. a. [und bange] machen** *(jmdn. in Angst versetzen).*

Angst, die; -, Ängste: *beklemmendes, banges Gefühl, bedroht zu sein:* das Kind hat A. vor dem Hund; in A. um jmdn. sein. **sinnv.:** Furchtsamkeit, Panik. **Zus.:** Prüfungs-, Schwellenangst.

ängstlich ⟨Adj.⟩: **1.** *von einem Gefühl der Angst, Unsicherheit, Besorgnis erfüllt:* ein ängstliches Gesicht machen; sie blickte sich ä. in dem dunklen Raum um. **sinnv.:** angstvoll, bang, furchtsam, verängstigt. **2.** *übertrieben genau, gewissenhaft:* sie war ä. darauf bedacht, keinen Fehler zu machen.

anlgucken, guckte an, hat angeguckt ⟨tr./ ugs.⟩: *ansehen (1):* jmdn. von der Seite a. **sinnv.:** betrachten.

anlgurten, sich; gurtete sich an, hat sich angegurtet: *sich mit einem Sicherheitsgurt am Sitz eines Autos, Flugzeugs festschnallen.* **sinnv.:** anschnallen.

anlhalben, hat an, hatte an, hat angehabt ⟨tr.⟩: **1.** (ugs.) *(ein Kleidungsstück) auf dem Körper tragen, angezogen haben:* einen Mantel, ein Kleid a. **2.** **jmdm./einer Sache nichts a. können (gegen jmdn./etwas nichts machen können, was ihm schaden oder Schaden zufügen kann):* er hat keine Beweise und kann dir nichts a.

anlhaften, haftete an, hat angehaftet ⟨itr.⟩: *(als Unangenehmes, Negatives, Belastendes) an jmdm., einer Sache haften:* ihm haftet kein guter Ruf an. **sinnv.:** anhängen, lasten auf.

anlhalten, hält an, hielt an, hat angehalten: **1. a)** ⟨tr.⟩ *zum Stehen, Stillstand bringen:* einen Wagen a.; den Atem a. (zurückhalten). **b)** ⟨itr.⟩ *stehenbleiben, zum Stillstand kommen:* das Auto hielt an der Ekke an. **sinnv.:** haltmachen, stoppen. **2.** ⟨itr.⟩ *andauern:* der Winter hielt noch lange an. **3.** ⟨tr.⟩ *jmdn. wiederholt auf etwas hinweisen und dadurch bewirken, daß er sich in einer bestimmten Weise verhält:* jmdn. zur Ordnung, Arbeit a. **sinnv.:** anleiten, [er]mahnen.

Anlhalter, der; -s, -; **Anlhalterin,** die; -, -nen: **1.** *männliche bzw. weibliche Person, die durch Winken o. ä. ein Auto anhält, um umsonst mitgenommen zu werden:* er nahm eine Anhalte-

rin mit. **sinnv.:** Tramper. **2.** **per A. (als Anhalter):* sie reisten per A. durch Süddeutschland. **sinnv.:** mitfahren.

Anlhaltslpunkt, der; -[e]s, -e: *etwas, worauf man sich zur Begründung einer Vermutung, einer Ansicht stützen kann:* es gibt keinen A. dafür, daß er der Täter war. **sinnv.:** Anzeichen, Hinweis.

an Hand, anlhand: *mit Hilfe von etwas (was man als Unterlage, Anleitung, zur Information, als geistiges Hilfsmittel benutzt):* an Hand eines Buches lernen; Materialien, an Hand deren ...; er wurde an Hand von Beweisen überführt.

Anlhang, der; -[e]s, Anhänge: *etwas, was ergänzend an ein Buch, an ein Schriftstück o. ä. angefügt ist:* die Anmerkungen stehen in diesem Buch im A.; der A. zu einem Vertrag. **sinnv.:** Anlage, Ergänzung, Nachtrag, Zusatz.

anlhänlgen: **I.** hängte an, hat angehängt ⟨tr.⟩: **1.** *an etwas hängen:* einen Zettel [an ein Paket] a. **sinnv.:** befestigen. **2.** *ein Fahrzeug an ein anderes hängen /Ggs. abhängen/:* einen Anhänger, einen Eisenbahnwagen a. **3.** *am Schluß, Ende anfügen:* ein Kapitel, ein Nachwort a. **sinnv.:** anschließen, hinzufügen. **4.** (ugs.) *(jmdm. Übles) nachsagen, zuschreiben:* er hat seinem Nachbarn allerlei Schlechtes angehängt. **sinnv.:** schlechtmachen. **II.** hing an, hat angehangen ⟨itr.⟩: **1.** *ergeben sein, Anhänger sein (von jmdm./etwas):* er hing ihm treu an; einer Lehre a. **sinnv.:** sich verbunden fühlen. **2.** *als etwas, was das Ansehen des Betreffenden beeinträchtigt, mit jmdm. verknüpft sein:* eine Vergangenheit hängt ihm an.

Anlhänlger, der; -s, -: **1.** *Wagen, der an einen anderen angehängt wird, der ihn mitzieht:* Lastkraftwagen mit A. **Zus.:** Wohnwagenanhänger. **2.** *Schmuckstück, das an einer Kette, einem Band getragen wird.* **3.** *mit Namen oder Nummer versehenes Schild, das an einem Gepäckstück befestigt wird.* **Zus.:** Gepäckanhänger. **4.** *jmd., der jmdm. ergeben ist, einer Lehre oder Anschauung folgt:* die Anhänger der Partei, Regierung. **sinnv.:** Fan, Gefolgschaft, Sympathisant, Verehrer.

Anlhänlgerin, die; -, -nen: vgl. Anhänger (4).

anlhänglich ⟨Adj.⟩: *jmdm. zugetan und gern dessen Nähe suchend:* Hunde sind anhängliche Tiere. **sinnv.:** treu.

anlhäulfen, häufte an, hat angehäuft: **a)** ⟨tr.⟩ *in Mengen zusammentragen, sammeln und aufbewahren:* Vorräte, Geld a. **sinnv.:** horten. **b)** ⟨sich a.⟩ *immer mehr werden, sich ansammeln:* die Vorräte häufen sich im Lager an. **sinnv.:** zusammenkommen.

anlheilzen, heizte an, hat angeheizt ⟨tr.⟩ (ugs.): *durch entsprechendes Tun weiter steigern, verstärken, zu einem Höhepunkt treiben:* die Jazzkapelle heizte die Stimmung im Saal rasch an. **sinnv.:** ankurbeln, steigern.

Anlhieb: *(in der Fügung)* auf A.: *gleich zu Beginn, beim ersten Versuch:* etwas glückt auf A. **sinnv.:** gleich.

anlhölren, hörte an, hat angehört: **1.** ⟨tr.⟩ **a)** *(etwas) aufmerksam bis zu Ende hören:* du mußt dir das Konzert a.; sich jmds. Wünsche a. **b)** *bereitwillig, aufmerksam dem zuhören, was jmd. als Anliegen o. ä. vorträgt:* der Vorgesetzte hörte ihn geduldig an. **sinnv.:** Gehör schenken. **c)** *zufällig, unfreiwillig [mit]hören:* er hat das Gespräch der beiden Männer mit angehört. **sinnv.:** aufschnappen.

2. ⟨sich a.⟩ *bei einem Hörer einen bestimmten Eindruck hervorrufen:* dein Vorschlag hört sich gut an. **sinnv.:** klingen, wirken.

an|kämp|fen, kämpfte an, hat angekämpft ⟨itr.⟩: *(einer Sache) Widerstand entgegensetzen:* gegen Wind und Regen a.; er kämpfte vergeblich gegen den Schlaf an. **sinnv.:** bekämpfen, entgegenwirken, kämpfen gegen.

An|ker, der; -s, -: *schweres eisernes Gerät, das vom Schiff an Kette oder Tau auf den Grund eines Gewässers hinabgelassen wird und das Schiff an seinem Platz festhält* (siehe Bild). **Zus.:** Rettungsanker.

an|kla|gen, klagte an, hat angeklagt ⟨tr.⟩: *vor Gericht zur Verantwortung ziehen, beschuldigen:* jmdn. [des Diebstahls, wegen Diebstahls] a. **sinnv.:** verdächtigen.

An|klä|ger, der; -s, -: *jmd., der vor Gericht Anklage erhebt.* **sinnv.:** Kläger · Staatsanwalt.

an|klam|mern, klammerte an, hat angeklammert: **1.** ⟨sich a.⟩ *sich mit klammerndem Griff festhalten:* ängstlich klammerte sie sich [an die Mutter] an. **2.** ⟨tr.⟩ *mit Klammern festmachen:* die Wäsche a.

an|kle|ben, klebte an, hat/ist angeklebt: **1.** ⟨tr.⟩ *mit Klebstoff (an etwas) befestigen:* er hat die Plakate angeklebt. **2.** ⟨itr.⟩ *an etwas festkleben, haften:* das Pflaster ist an der Wunde angeklebt.

an|klop|fen, klopfte an, hat angeklopft ⟨itr.⟩: *an die Tür klopfen (damit jmd. öffnet):* er klopfte laut [an die/an der Tür] an.

an|knüp|fen, knüpfte an, hat angeknüpft: **1.** ⟨itr.⟩ *(etwas als Ausgangspunkt benutzen:* er knüpfte in seiner Rede an die Worte seines Kollegen an. **sinnv.:** anschließen, sich beziehen auf. **2.** ⟨tr.⟩ *(Kontakt zu jmdm.) aufnehmen, herstellen:* geschäftliche Beziehungen a. **sinnv.:** anfangen, einfädeln.

an|kom|men, kam an, ist angekommen ⟨itr.⟩: **1.** *einen Ort erreichen:* sie kamen gegen 14 Uhr [in Berlin] an. **a)** *bezogen auf Fahrzeuge* /Ggs. abfahren/. **sinnv.:** einlaufen, eintreffen. **b)** *bezogen auf Flugzeuge* /Ggs. abfliegen/. **sinnv.:** landen. **2.** *sich fahrend, laufend nähern:* das Auto kam in/mit großem Tempo an. **sinnv.:** [heran]kommen. **3.** (ugs.) *Erfolg haben, Anklang, Widerhall finden:* die Schauspielerin kam [mit dem ersten Film] gut beim Publikum an; mit seiner Bitte kam er bei ihr nicht an. **4.** *sich (gegen jmdn./etwas) durchsetzen [können], jmdm./einer Sache beikommen:* sie kam gegen die Vorurteile nicht an. **sinnv.:** ankönnen. **5. a)** *wichtig, von Bedeutung sein (für jmdn.):* es kommt [ihr] auf die gute Behandlung an. **b)** ↑ *abhängen (von jmdm./etwas):* es kommt aufs Wetter an, ob wir morgen abreisen können; es kommt allein auf dich an.

an|krei|den, kreidete an, hat angekreidet ⟨tr.⟩ (ugs.): *(jmdm. etwas) übelnehmen und als nachteilig anrechnen:* jmdm. ein Versäumnis a. **sinnv.:** anlasten.

an|kreu|zen, kreuzte an, hat angekreuzt ⟨tr.⟩: *(in einem Text o. ä.) durch ein Kreuz hervorheben:* einen Namen in einer Liste, eine Stelle in einem Buch a. **sinnv.:** anstreichen, markieren.

an|kün|di|gen, kündigte an, hat angekündigt: **a)** ⟨tr.⟩ *das Kommen, Stattfinden, Erscheinen o. ä. (von etwas) im voraus mitteilen:* eine Veranstaltung, ein neues Buch a.; jmdm. seinen Besuch a.

sinnv.: anzeigen, bekanntgeben. **b)** ⟨sich a.⟩ *(als Sache) durch bestimmte Anzeichen das Herannahen erkennen lassen:* ein Verhängnis, Unheil kündigt sich an. **sinnv.:** sich abzeichnen, sich andeuten, seine Schatten vorauswerfen.

An|kün|di|gung, die; -, -en: *das Ankündigen.* **sinnv.:** Mitteilung, Nachricht.

An|kunft, die; -, Ankünfte: *das Eintreffen, Ankommen am Ziel:* **a)** *eines Fahrzeugs, mit einem Fahrzeug* /Ggs. Abfahrt/: die A. des Zuges erwarten. **sinnv.:** Eintreffen. **b)** *eines Flugzeugs, mit einem Flugzeug* /Ggs. Abflug/. **sinnv.:** Landung.

an|kur|beln, kurbelte an, hat angekurbelt ⟨tr.⟩ (ugs.): *(etwas) in seinem Ablauf beleben; in Schwung bringen:* die Industrie, die Wirtschaft a. **sinnv.:** beleben, vorantreiben.

An|la|ge, die; -, -n: **1.** ⟨ohne Plural⟩ *das Anlegen, das Schaffen und Gestalten:* die A. des Sportplatzes dauerte längere Zeit. **2. a)** *öffentliche Grünfläche mit Blumen, Sträuchern o. ä.:* städtische Anlagen; die Anlagen am Ufer des Sees. **sinnv.:** Park. **Zus.:** Grün-, Parkanlage. **b)** *nach einem Plan für einen bestimmten Zweck angelegte Flächen, Bauten o. ä.:* militärische Anlagen; die Anlagen der Fabrik. **sinnv.:** Bau. **Zus.:** Gleis-, Hafen-, Industrie-, Sportanlage. **c)** *Vorrichtung, Einrichtung:* eine komplizierte A. bedienen. **sinnv.:** Apparatur. **Zus.:** Alarm-, Bewässerungs-, Heizungs-, Klär-, Klima-, Waschanlage. **3.** ⟨ohne Plural⟩ *Plan, Aufbau:* die A. eines Romans. **sinnv.:** Gliederung, Struktur. **4.** *Veranlagung, Begabung:* das Kind hat gute Anlagen; er hat eine A. zu dieser Krankheit. **sinnv.:** Empfänglichkeit, Neigung. **5.** *Beilage zu einem Schreiben.*

An|laß, der; Anlasses, Anlässe: *etwas, wodurch eine Handlung ausgelöst wird:* ein festlicher A.; du hast keinen A., auf deine Arbeit besonders stolz zu sein. **sinnv.:** Motiv.

an|las|sen, läßt an, ließ an, hat angelassen: **1.** ⟨tr.⟩ *(einen Motor) in Gang setzen:* den Motor, Wagen a. **sinnv.:** ankurbeln, anstellen, starten. **2.** ⟨sich a.⟩ (ugs.) *sich gleich zu Beginn in bestimmter Weise entwickeln, erweisen:* das Geschäft läßt sich gut an. **3.** ⟨tr.⟩ (ugs.) *anbehalten, nicht ausziehen:* seinen Mantel, die Schuhe a. **4.** ⟨tr.⟩ (ugs.) *eingeschaltet, brennen lassen:* das Radio, die Lampe a.

An|las|ser, der; -s, -: *Vorrichtung zum Anlassen eines Motors.*

An|lauf, der; -s, Anläufe: *das Anlaufen; Lauf, der einen Sprung einleitet:* beim A. ist er zu langsam.

an|lau|fen, läuft an, lief an, hat/ist angelaufen **1.** ⟨itr.⟩ *in Gang kommen, zu laufen beginnen:* die Maschine ist angelaufen. **sinnv.:** anspringen. **2.** ⟨tr.⟩ *ansteuern und einfahren (in etwas)* /von Schiffen/: das Schiff hat den Hafen angelaufen. **3.** ⟨itr.⟩ **a)** *(z. B. von Fensterscheiben) sich mit einer dünnen Schicht überziehen:* die Fenster sind angelaufen. **b)** *eine bestimmte (vorübergehende) Färbung annehmen:* das Silber ist angelaufen; er ist vor Wut rot angelaufen *(rot geworden).* **sinnv.:** sich verfärben. **4.** ⟨itr.⟩ *zunehmen, sich steigern:* die Kosten sind beträchtlich angelaufen.

an|le|gen, legte an, hat angelegt: **1.** ⟨tr.⟩ *an etwas legen:* er legte das Lineal an; das Pferd legt die Ohren an *(legt die Ohren an den Kopf).* **sinnv.:** anlehnen. **2.** ⟨itr.⟩ *festmachen, landen* /Ggs. ablegen/: das Schiff legte am Kai an. **sinnv.:** ankern

3. ⟨tr.⟩ **a)** *(etwas) um den Körper, um einen Körperteil legen (so daß es anliegt):* jmdm. einen Verband, Fesseln a. **b)** (geh.) *anziehen; sich (mit etwas) schmücken:* eine Uniform, ein festliches Gewand a.; Schmuck a. **4.** ⟨tr.⟩ *planvoll erstellen, gestalten:* einen Spielplatz a.; ein Verzeichnis a. **sinnv.:** errichten, schaffen. **5.** ⟨tr.⟩ **a)** *von vorhandenem Kapital, Vermögen bestimmte Werte erwerben, die als sicher vor Wertverlust oder als gewinnbringend gelten:* sein Geld in Aktien, Schmuck a. **sinnv.:** festlegen, investieren. **b)** *(weil es als angebracht, lohnend o.ä. angesehen wird, einen – im Verhältnis – größeren Betrag für etwas) bezahlen:* für solch eine Reise muß man schon 5 000 Mark a.: bezahlen.

an|leh|nen, lehnte an, hat angelehnt: **1.** ⟨tr./ auch: sich a.⟩ *lehnen (an etwas/jmdn.):* er lehnte das Fahrrad [an die Wand] an; das Kind lehnte sich an sie an. **sinnv.:** anlegen, anstellen · sich anschmiegen. **2.** ⟨sich a.⟩ *zum Vorbild nehmen; sich beziehen (auf etwas):* er lehnte sich in seiner Rede eng an den Aufsatz von Herrn Müller an. **sinnv.:** sich richten nach, sich stützen auf. **3.** ⟨tr.⟩ *nicht ganz schließen, einen Spalt offenlassen:* das Fenster, die Tür nur a.

an|lei|ten, leitete an, hat angeleitet ⟨tr.⟩: **a)** *in eine Arbeit einführen; unterweisen:* Lehrlinge a. **sinnv.:** anlernen, einweisen, lehren, vertraut machen mit. **b)** *(zu etwas) anhalten:* Kinder zur Selbständigkeit a.

An|lei|tung, die; -, -en: **1.** *Anweisung, Unterweisung:* etwas unter [der] A. eines anderen tun. **sinnv.:** Einführung, Einweisung. **2.** *der Anleitung dienendes Schriftstück:* die beiliegende A. lesen. **sinnv.:** Bedienungs-, Benutzungsvorschrift. **Zus.:** Arbeits-, Gebrauchs-, Montage-, Waschanleitung.

an|ler|nen, lernte an, hat angelernt ⟨tr.⟩: *für eine bestimmte berufliche Tätigkeit ausbilden:* einen Lehrling a. **sinnv.:** anleiten.

an|lie|gen, lag an, hat angelegen ⟨itr.⟩: *dicht am Körper liegen:* das Trikot lag eng [am Körper] an. **sinnv.:** sich anschmiegen.

An|lie|gen, das; -s, -: *etwas, von dem man sich wünscht, daß es in anderer dafür etwas tut, daß er es erfüllt:* sein A. war, ein Visum zu bekommen; sich mit einem A. an jmdn. wenden. **sinnv.:** Bitte, Wunsch.

An|lie|ger, der; -s, -: *jmd., dessen Besitz an etwas grenzt:* die Straße darf nur von den Anliegern benutzt werden. **sinnv.:** Anwohner.

an|ma|chen, machte an, hat angemacht ⟨tr.⟩ (ugs.): **1.** *an etwas befestigen, anbringen* /Ggs. abmachen/: Gardinen a. **2.** *anschalten* /Ggs. ausmachen/: das Licht, Radio a. **sinnv.:** anstellen. **3.** *mischend zubereiten, anrühren:* Salat a. **4. a)** *ansprechen und unmißverständlich zeigen, daß man [sexuelles] Interesse an jmdm. hat:* ein Mädchen a. **b)** *zum Mitmachen animieren, mitreißen.* **sinnv.:** reizen; anstacheln.

an|ma|ßend ⟨Adj.⟩: *auf herausfordernde und verletzende Weise [vermeintliche] Überlegenheit zum Ausdruck bringend:* er ist sehr a. **sinnv.:** unbescheiden, vermessen; dünkelhaft.

an|mel|den, meldete an, hat angemeldet ⟨tr.⟩: **1. a)** *jmds. Kommen ankündigen:* sich beim Arzt a. **sinnv.:** ankündigen, ansagen. **b)** *bei einer zuständigen Stelle melden, registrieren lassen* /Ggs. ab-

melden/: sein Radio a.; sich polizeilich a.; das Kind in der Schule a. **sinnv.:** anzeigen, mitteilen. **2.** *vorbringen; geltend machen:* seine Bedenken, seine Ansprüche a.

an|mer|ken, merkte an, hat angemerkt ⟨tr.⟩: **1.** *(etwas) an jmdm./einer Sache feststellen, spüren:* jmdm. die Anstrengung a.; er ließ sich seinen Ärger nicht a. *(zeigte ihn nicht).* **2.** *(etwas) zu einer Sache äußern:* dazu möchte ich folgendes a. **sinnv.:** bemerken, sagen.

An|mer|kung, die; -, -en: *erläuternde, ergänzende Bemerkung [zu einem Text]:* einen Text mit Anmerkungen versehen. **sinnv.:** Fußnote, Randbemerkung.

An|mut, die; -: *zarte natürliche Schönheit der Gestalt, Bewegung, Haltung:* sie bewegte sich mit natürlicher A. **sinnv.:** Charme, Grazie, Lieblreiz.

an|mu|ten, mutete an, hat angemutet ⟨itr.⟩: *auf jmdn. einen bestimmten Eindruck machen, in bestimmter Weise wirken:* sein Verhalten mutete [mich] höchst merkwürdig an. **sinnv.:** [er]scheinen, vorkommen.

an|mu|tig ⟨Adj.⟩: *voll Anmut:* eine anmutige Erscheinung; sie lächelte a. **sinnv.:** hübsch.

an|nä|hen, nähte an, hat angenäht ⟨tr.⟩: *(etwas) an etwas nähen:* sie nähte einen Knopf an.

An|nah|me, die; -, -n: **1.** ⟨ohne Plural⟩ **a)** *das Annehmen* (1 a): er hat die A. des Pakets verweigert. **sinnv.:** Entgegennahme. **b)** *Schalter, an dem etwas angenommen wird:* ein Paket an der A. abgeben. **Zus.:** Gepäck-, Paketannahme. **2.** *das Annehmen* (1 b): die A. eines Vorschlags von etwas abhängig machen. **3.** *das Annehmen* (2): die A., daß er bereits abgereist sei, war falsch. **sinnv.:** Behauptung.

an|neh|men, nimmt an, nahm an, hat angenommen: **1.** ⟨tr.⟩ **a)** *in Empfang nehmen:* ein Paket, ein Geschenk a. **b)** *auf etwas (z. B. ein Angebot) eingehen, davon Gebrauch machen* /Ggs. ablehnen/: einen Vorschlag a. **sinnv.:** ablehnen/: der Antrag wurde einstimmig angenommen. **c)** *seine Zustimmung geben, billigen* /Ggs. ablehnen/: der Antrag wurde einstimmig angenommen. **2.** ⟨tr.⟩ **a)** *für möglich, wahrscheinlich halten:* ich nahm an, daß ihr mitkommen wolltet. **sinnv.:** meinen, vermuten. **b)** *voraussetzen:* wir nehmen an, daß seine Angaben stimmen. **3.** ⟨tr.⟩ *(jmdn.) in einen bestimmten Bereich, Kreis, in den er aufgenommen werden wollte, nehmen:* er wurde am Gymnasium angenommen; sie haben ihn bei der Firma angenommen; ein Kind. *(adoptieren).* **4.** ⟨sich a.; mit Gen.⟩ *sich um jmdn./etwas kümmern:* sie nahm sich der kranken Kinder an. **sinnv.:** eintreten für. **5.** ⟨tr.⟩ *(als Sache) in sich aufnehmen, eindringen lassen* /oft verneint/: das Papier nimmt keine Tinte, kein Wasser an. **sinnv.:** aufnehmen.

An|nehm|lich|keit, die; -, -en: *angenehme Gegebenheit; etwas, was Wohlbefinden und Behaglichkeit verbreitet:* das Leben in der Stadt hat viele Annehmlichkeiten.

An|non|ce [a'nõːsə], die; -, -n: *Anzeige in einer Zeitung oder Zeitschrift.* **sinnv.:** Inserat. **Zus.:** Heirats-, Zeitungsannonce.

an|onym ⟨Adj.⟩: *nur in bestimmten Verwendungen⟩:* ein anonymer Brief *(Brief, dessen Verfasser seinen Namen nicht nennt);* das Buch ist a. *(ohne Nennung des Verfassers)* erschienen; der Spender möchte a. bleiben *(möchte nicht genannt werden).* **sinnv.:** inkognito, ungenannt.

an|ord|nen, ordnete an, hat angeordnet ⟨tr.⟩: **1.** *bestimmen, daß etwas durchgeführt, gemacht werden soll:* eine Untersuchung a. **sinnv.:** befehlen, bestimmen, erlassen, veranlassen, verordnen, vorschreiben. **2.** *in eine bestimmte Folge bringen; nach einem bestimmten Plan zusammenstellen:* die Bücher neu a. **sinnv.:** gliedern, gruppieren, ordnen.

An|ord|nung, die; -, -en: **1.** *Äußerung, mittels deren etwas angeordnet, verfügt wird.* **sinnv.:** Weisung. **2.** *das Anordnen* (2). **sinnv.:** Aufbau, Gruppierung, Zusammenstellung; Gliederung.

an|pas|sen, paßte an, hat angepaßt: **1.** ⟨sich a.⟩ *sich angleichen; sich (nach jmdm./etwas) richten:* sich der Zeit, den Umständen a.; er ist sehr angepaßt *(vermeidet eigenes abweichendes Verhalten, um dem allgemeinen Erwartungen zu entsprechen).* **sinnv.:** sich einfügen, sich richten nach, sich umstellen. **2.** ⟨tr.⟩ *(etwas) den Umständen, Gegebenheiten entsprechend wählen, darauf abstimmen:* die Kleidung der Jahreszeit a. **sinnv.:** abstimmen, angleichen.

an|pö|beln, pöbelte an, hat angepöbelt ⟨tr.⟩ (ugs.): *in pöbelhafter (roher, gemeiner, beleidigender) Art und Weise zu jmdm. sprechen:* er pöbelte ihn auf der Straße an.

an|pran|gern, prangerte an, hat angeprangert ⟨tr.⟩: *auf jmdn., sein unwürdiges o. ä. Verhalten oder auf etwas, was als Unrecht o. ä. angesehen wird, öffentlich in scharfen Worten hinweisen:* Mißstände a.; jmdn. als Verräter a. **sinnv.:** brandmarken.

an|prei|sen, pries an, hat angepriesen ⟨tr.⟩: *mit beredten Worten als gut, nützlich usw. hinstellen und [zum Kauf] empfehlen:* der Händler preist seine Waren an. **sinnv.:** anbieten.

An|pro|be, die; -, -n: *das Anprobieren eines [in Arbeit befindlichen] Kleidungsstückes.*

an|pro|bie|ren, probierte an, hat anprobiert ⟨tr.⟩: *(ein Kleidungsstück o. ä.) anziehen, um zu sehen, ob es paßt:* die Schuhe, den Mantel a.

an|pum|pen, pumpte an, hat angepumpt ⟨tr.⟩ (ugs.): *sich (von jmdm.) Geld leihen:* wenn er kein Geld mehr hat, pumpt er seine Freunde an. **sinnv.:** leihen.

an|rech|nen, rechnete an, hat angerechnet ⟨tr.⟩: *[bei einem zu bezahlenden Betrag] mit berücksichtigen:* diesen Calvados rechne ich nicht an *(er braucht nicht bezahlt zu werden).* **sinnv.:** berechnen, berücksichtigen.

An|recht, das; -[e]s, -e: *Recht, Anspruch auf etwas (was einem zusteht):* er hat ein A. auf Unterstützung.

An|re|de, die; -, -n: *Bezeichnung, mit der jmd. angeredet wird.*

an|re|den, redete an, hat angeredet ⟨tr.⟩: *in einer bestimmten Form, mit einer bestimmten Bezeichnung ansprechen:* jmdn. mit seinem Titel a.

an|re|gen, regte an, hat angeregt /vgl. angeregt/ ⟨tr.⟩: **1.** *(als Sache) bewirken, daß jmd. Lust zu etwas bekommt, anfängt, sich mit etwas zu beschäftigen:* etwas regt jmdn. zur Nachahmung an. **sinnv.:** animieren, anspornen, ermuntern, reizen zu, stimulieren. **2.** *den Anstoß (zu etwas) geben:* eine Arbeit a. **sinnv.:** veranlassen; vorschlagen. **3.** *(als Sache) bewirken, daß eine organische o. ä. Funktion stärker in Tätigkeit gesetzt wird:* etwas regt den Appetit an; ⟨auch itr.⟩ Kaffee regt an;

⟨im 1. Partizip⟩ der Vortrag war anregend. **sinnv.:** aktivieren, aufputschen, beleben, stimulieren · dopen.

An|rei|se, die; -, -n: *Hinfahrt zu einem bestimmten Ziel:* die A. dauert 3 Tage.

an|rei|sen, reiste an, hat/ist angereist: **1.** ⟨itr.⟩ *hier reisend ankommen, eintreffen:* die Teilnehmer waren aus allen Teilen Deutschlands angereist; ⟨häufig in der Fügung⟩ angereist kommen: auf diese Nachricht hin kam sie sofort angereist. **2.** ⟨tr.⟩ *in Richtung auf ein bestimmtes Ziel reisen:* Frankreich will er per Bus a.

An|reiz, der; -es, -e: *etwas, was jmds. Interesse erregt, ihn motiviert, etwas zu tun:* einen A. zum Kauf bieten. **sinnv.:** Anregung · Reiz.

an|rei|zen, reizte an, hat angereizt ⟨tr.⟩: *den Anreiz zu etwas geben:* die bunte Reklame reizte viele zum Kauf an. **sinnv.:** anregen, reizen.

an|rem|peln, rempelte an, hat angerempelt ⟨tr.⟩ (ugs.): *im Vorübergehen [mit Absicht] heftig anstoßen:* die Passanten a.

an|rich|ten, richtete an, hat angerichtet ⟨tr.⟩: **1.** *zum Essen fertigmachen:* das Mittagessen a. **sinnv.:** kochen, zubereiten. **2.** *(etwas Übles) [ohne Absicht] verursachen:* Unheil a.; das Gewitter hat große Schäden angerichtet. **sinnv.:** verursachen.

an|rü|chig ⟨Adj.⟩: *in schlechtem Ruf stehend, von sehr zweifelhaftem Ruf:* ein anrüchiges Lokal. **sinnv.:** berüchtigt, fragwürdig, halbseiden, verrufen · anstößig · gewöhnlich.

An|ruf, der; -[e]s, -e: **1.** *Zuruf, der eine Aufforderung enthält:* er blieb auf den A. der Wache nicht stehen. **2.** *das Anrufen* (1): einen A. erwarten. **Zus.:** Telefonanruf.

an|ru|fen, rief an, hat angerufen: **1.** ⟨tr./itr.⟩ *mit jmdm. telefonisch Verbindung aufnehmen:* einen Freund a.; ich muß noch [bei ihm] a. **sinnv.:** telefonieren. **2.** ⟨tr.⟩ *jmdn. bitten, vermittelnd, helfend einzugreifen:* die Götter, ein höheres Gericht a. **sinnv.:** herantreten an; bitten.

an|rüh|ren, rührte an, hat angerührt ⟨tr.⟩: **1.** *leicht berühren, anfassen:* du darfst hier nichts a.; sie haben das Essen nicht angerührt *(sie haben nichts davon gegessen).* **sinnv.:** berühren, ergreifen. **2.** *(verschiedene Bestandteile) durch Rühren, Verrühren zu etwas Bestimmtem machen:* einen Teig a.; Farben a. **sinnv.:** mischen; rühren.

An|sa|ge, die; -, -n: *das Ansagen* (a): auf die A. der Ergebnisse des Länderkampfes warten; die A. einer Sendung im Radio. **sinnv.:** Mitteilung. **Zus.:** Kampf-, Zeitansage.

an|sa|gen, sagte an, hat angesagt ⟨tr.⟩: **a)** *(etwas, was als Ergebnis vorliegt oder als Darbietung o. ä. in Kürze zu erwarten ist) mitteilen:* den Punktstand, das Programm a. **sinnv.:** ankündigen, mitteilen, moderieren. **b)** *(seinen Besuch) ankündigen:* seinen Besuch bei jmdm. a.; ⟨auch sich a.⟩ er sagte sich bei ihm [zu Besuch, für morgen] an. **sinnv.:** anmelden.

An|sa|ger, der; -s, -, **An|sa|ge|rin,** die; -, -nen: *männliche bzw. weibliche Person, die beim Rundfunk oder im Fernsehen die Sendungen ansagt.* **sinnv.:** Entertainer, Moderator, Sprecher. **Zus.:** Fernseh-, Rundfunkansager.

an|sam|meln, sich; sammelte sich an, hat sich angesammelt: **a)** *(als Sache) immer mehr werden, in großen Mengen zusammenkommen und sich anhäufen:* in dem Lager haben sich die Vorräte angesammelt. **b)** *nach und nach an einer bestimmten Stelle zusammenkommen:* viele Neugierige sammelten sich an der Unglücksstelle an.

an|säs|sig: (in der Verbindung) **a.** sein: *an einem bestimmten Ort dauernd wohnen, seinen Wohnsitz haben:* in München a. sein. **sinnv.:** einheimisch. **Zus.:** ortsansässig.

An|satz, der; -es, Ansätze: **1. a)** *etwas, was andeutungsweise zu bemerken, sichtbar ist; erstes Zeichen (von etwas):* an den Bäumen zeigten sich Ansätze von zartem Grün. **b)** *zugrundegelegter Gedanke, angesetzte Formel als Ausgangspunkt für weitere Überlegungen, Rechnungen o. ä.* **sinnv.:** These. **2.** *Stelle, an der ein Körperteil o. ä. ansetzt:* der A. des Halses. **Zus.:** Haaransatz.

an|schaf|fen, schaffte an, hat angeschafft ⟨tr.⟩: */für längere Dauer) käuflich erwerben:* hast du dir neue Möbel angeschafft? **sinnv.:** kaufen.

an|schal|ten, schaltete an, hat angeschaltet ⟨tr.⟩: *(Licht, Radio, eine Maschine o. ä.) durch Betätigen eines Hebels, Schalters in Betrieb setzen:* das Radio, das Licht a. **sinnv.:** anstellen.

an|schau|en, schaute an, hat angeschaut ⟨tr.⟩: **a)** *jmdn. sprechend, ausdrucksvoll) ansehen:* mdn. nachdenklich a. **b)** *aufmerksam, interessiert, beurteilend betrachten:* willst du dir noch das Schloß a.?

an|schau|lich ⟨Adj.⟩: *so beschaffen, von der Art, daß man sich eine Vorstellung von dem Genannten machen kann:* eine anschauliche Darstellung; a. erzählen. **sinnv.:** verständlich, wirklichkeitsnah; bildlich.

An|schau|ung, die; -, -en: *subjektive Ansicht, Meinung:* zu einer bestimmten A. gelangen; ich kenne seine politischen Anschauungen nicht. **sinnv.:** Ansicht. **Zus.:** Weltanschauung.

An|schein, der; -[e]s: *Art und Weise, wie etwas aussieht, zu sein scheint:* mit einem A. von Ernst; allem A. nach ist er verreist; es hat den A., als wollte es regnen; er erweckt den A. *(den Eindruck),* als wäre ihm die Sache gleichgültig. **sinnv.:** Augenschein, Aussehen, Schein.

an|schei|nend ⟨Adverb⟩: *wie es scheint:* er hat ich a. verspätet. **sinnv.:** höchstwahrscheinlich, offensichtlich, vermutlich, voraussichtlich, wohl; cheinbar; vielleicht.

an|schie|ßen, schoß an, hat angeschossen ⟨tr.⟩: *. durch einen Schuß verletzen:* ein Tier a. **2.** (ugs.) *heftig kritisieren:* man hat in der Versammlung den Bürgermeister angeschossen. **sinnv.:** attakieren.

An|schlag, der; -[e]s, Anschläge: **1. a)** ⟨ohne Plural) *das Anschlagen:* der weiche A. des Pianisten; der A. des Schwimmers am Rand des Beckens. **b)** *das einzelne Anschlagen, Niederdrücken einer Taste (auf der Schreib- oder Rechenmaschine):* sie schreibt 300 Anschläge in der Minute. **2.** *gewalttätiger Angriff (auf jmdn./etwas):* der A. ist gelungen, mißglückt. **sinnv.:** Überfall. **Zus.:** Bomben-, Mordanschlag. **3.** *Bekanntmachung, die irgendwo öffentlich angeschlagen, ausgehängt ist:* die Anschläge an der Litfaßsäule lesen; etwas durch [einen] A. bekanntgeben. **sinnv.:** Aushang, nfo, Plakat. **4.** ⟨ohne Plural) *Stelle, bis zu der ein Teil einer Maschine o. ä. bewegt werden kann:* einen Hebel bis zum A. niederdrücken.

an|schla|gen, schlägt an, schlug an, hat/ist angeschlagen: **1.** ⟨itr./tr.⟩ *gegen etwas stoßen [und*

---

sich dabei verletzen]: ich bin mit dem Kopf [an die Wand] angeschlagen; ich habe mir das Knie angeschlagen. **sinnv.:** anstoßen; sich verletzen. **2.** ⟨tr.⟩ *durch Anstoßen beschädigen:* beim Spülen des Geschirrs hat er einen Teller angeschlagen. **sinnv.:** beschädigen. **3.** ⟨tr.⟩ **a)** *(die Tasten einer Schreibmaschine o. ä.) durch Druck nach unten betätigen:* sie hat die Tasten der Schreibmaschine kräftig angeschlagen. **b)** *durch Tastendruck auf einem Klavier, Cembalo o. ä. erklingen lassen:* er hatte einen Akkord [auf dem Klavier] angeschlagen. **sinnv.:** anstimmen, intonieren. **4.** ⟨tr.⟩ *(als Bekanntmachung, Ankündigung, Inserat o. ä.) zur allgemeinen Kenntnisnahme irgendwo anbringen, aushängen:* er hat eine Bekanntmachung, ein Plakat angeschlagen. **sinnv.:** annageln · befestigen. **5.** ⟨itr.⟩ *einen bestimmten Erfolg haben, [s]eine Wirkung zeigen:* das Medikament hat bei ihm gut angeschlagen. **sinnv.:** wirken.

an|schlie|ßen, schloß an, hat angeschlossen: **1.** ⟨tr.⟩ *an etwas anbringen und dadurch eine Verbindung herstellen:* einen Schlauch [an die/der Leitung] a. **sinnv.:** installieren; befestigen. **2. a)** ⟨tr.⟩ *folgen lassen:* er schloß [an seine Rede] einige Worte des Dankes an. **sinnv.:** anhängen. **b)** ⟨sich a.⟩ *(auf etwas) unmittelbar folgen:* an die Fahrt schloß sich ein Besuch im Museum an. **sinnv.:** sich anreihen, [nach]folgen. **3.** ⟨itr.⟩ *unmittelbar danebenliegen:* die Terrasse schließt an die Veranda an. **sinnv.:** angrenzen. **4.** ⟨sich a.⟩ **a)** *(zu jmdn.) in engere Beziehung treten:* er hat sich in letzter Zeit wieder mehr seinen alten Freunden, an seine alten Freunde angeschlossen. **sinnv.:** sich verbünden. **b)** *einer Meinung o. ä. zustimmen:* willst du dich nicht seinem Vorschlag a.? **sinnv.:** billigen. **c)** *sich (an einem Unternehmen) beteiligen; (mit jmdm.) mitgehen:* sich einem Streik a.; darf ich mich Ihnen a.?; sich einer Partei a. *(Mitglied einer Partei werden).* **sinnv.:** sich anhängen, begleiten · beitreten, teilnehmen.

an|schlie|ßend ⟨Adverb⟩: *(in bezug auf eine zeitliche Abfolge) danach:* wir waren im Theater und gingen a. essen. **sinnv.:** hinterher.

An|schluß, der; Anschlusses, Anschlüsse: **1.** *Verbindung (mit etwas) /in bezug auf Strom, Gas, Wasser, Telefon/:* das Dorf hat keinen A. an Strom und Wasser; einen A. für den Telefonapparat legen lassen. **Zus.:** Fernsprech-, Gas-, Gleis-, Telefonanschluß. **2.** *Möglichkeit, eine Reise [ohne Unterbrechung] mit einem anderen Zug o. ä.] fortzusetzen:* in Köln mußte ich eine Stunde auf den A. warten. **sinnv.:** Verbindung. **3. a)** ⟨ohne Plural) *Kontakt (mit etwas), Beziehung, Verbindung (zu etwas):* den A. an das tägliche Leben finden; in neuer Umgebung suchte er sofort A. **b)** **im A. an (unmittelbar nach):* im A. an den Vortrag findet eine Diskussion statt. **sinnv.:** hinterher. **Zus.:** Familienanschluß.

an|schnal|len, schnallte an, hat angeschnallt ⟨tr.⟩: *mit Riemen, Gurten o. ä. festmachen:* die Skier a.; ⟨auch: sich a.⟩ im Flugzeug mußten sie sich a. **sinnv.:** angurten, festschnallen.

an|schnei|den, schnitt an, hat angeschnitten ⟨tr.⟩: **1.** *zu verbrauchen beginnen, indem man das erste Stück abschneidet:* den Kuchen a. **sinnv.:** anbrechen. **2.** *(über etwas) zu sprechen beginnen; zur Sprache bringen:* ein Problem, eine Frage a. **sinnv.:** erwähnen.

an|schrei|ben, schrieb an, hat angeschrieben ⟨tr.⟩: **1.** *für alle sichtbar auf eine senkrechte Fläche schreiben:* welcher Schüler schreibt den Satz [an die Tafel] an? **2.** *bis zur späteren Bezahlung notieren:* schreiben Sie den Betrag bitte an! **sinnv.:** leihen. **3.** *sich schriftlich wenden (an jmdn./etwas):* er hat verschiedene Hotels angeschrieben, aber noch keine Antwort bekommen. **sinnv.:** herantreten.

an|schrei|en, schrie an, hat angeschrie[e]n ⟨tr.⟩: *(jmdn.) wütend und mit lauter Stimme beschimpfen:* der Chef hat den Lehrling angeschrieen. **sinnv.:** anbrüllen, schelten.

An|schrift, die; -, -en: *Angabe [des Namens und] der Wohnung einer Person.* **sinnv.:** Adresse. **Zus.:** Privat-, Urlaubsanschrift.

an|schwel|len, schwillt an, schwoll an, ist angeschwollen ⟨itr.⟩: **1.** *(als Folge eines nicht normalen organischen Prozesses) dick werden:* sein Fuß ist nach dem Unfall stark angeschwollen. **sinnv.:** sich ausdehnen, quellen, sich verdicken. **2.** *in der Intensität o. ä. stärker werden* /Ggs. abebben/: der Lärm schwoll immer mehr an. **sinnv.:** [an]steigen, anwachsen; zunehmen.

an|schwin|deln, schwindelte an, hat angeschwindelt ⟨tr.⟩ (ugs.): *anlügen.* **sinnv.:** lügen.

an|se|hen, sieht an, sah an, hat angesehen ⟨tr.⟩ /vgl. angesehen/: **1. a)** *den Blick richten (auf jmdn./etwas):* sie sah ihn an und lächelte. **sinnv.:** anschauen, einen Blick werfen auf, fixieren; blicken. **b)** *aufmerksam, interessiert, beurteilend betrachten:* der Arzt sah sich (Dativ) den Patienten lange an; wir haben uns alte Kirchen angesehen. **c)** *als Besucher, Zuschauer etwas sehen:* sie haben sich (Dativ) den neuen Film angesehen. **sinnv.:** angucken · besuchen. **d)** **jmdm. etwas a. (an jmds. Äußerem dessen Stimmung o. ä. ablesen, erkennen):* man sieht ihm den Kummer an. **sinnv.:** bemerken. **2.** *persönlich der Ansicht sein, daß jmd./etwas das Genannte ist:* jmdn. als seinen Freund a.; etwas als seine Pflicht a. **sinnv.:** betrachten als, einschätzen als, halten für. **3.** *ein bestimmtes Urteil über etwas haben:* er sieht den Fall ganz anders an als du. **sinnv.:** begutachten.

An|se|hen, das; -s: **1.** *hohe Meinung, die man von jmdm./etwas hat:* sein A. in der Bevölkerung ist groß; das A. der Partei ist gesunken. **sinnv.:** Bedeutung, Einfluß, Geltung, Image, Ruf, Wichtigkeit. **2.** **jmdn. nur vom A. kennen (jmdn. nur vom Sehen, nicht persönlich bzw. mit Namen kennen).* **sinnv.:** Aussehen.

an|sehn|lich ⟨Adj.⟩: *so beschaffen, daß es sich (auf Grund seines guten Aussehens, seines Wertes o. ä.) sehen lassen kann, schon in beeindruckender Weise auffällt:* Marburg ist eine ansehnliche Stadt; sie hat ein ansehnliches Vermögen. **sinnv.:** außergewöhnlich · ansprechend, beachtlich, stattlich; groß, schön.

an|set|zen, setzte an, hat angesetzt: **1.** ⟨tr.⟩ *zur Verlängerung o. ä. an etwas anbringen:* einen Streifen Stoff an einen Rock a.; wir müssen hier noch ein Stück Rohr a. **sinnv.:** annähen, anstükkeln. **2.** ⟨tr.⟩ *(etwas) zu einem bestimmten Zweck an eine bestimmte Stelle bringen:* du mußt den Hebel genau an diesem Punkt a.; er setzte das Glas an (führte es an den Mund) und trank es aus. **3.** ⟨tr.⟩ *mit etwas, was zu machen ist, beauftragen:* jmdn. als Bearbeiter an ein neues Projekt a. **4.** ⟨itr.⟩ *sich*

anschicken, *etwas zu tun:* zum Sprung a.; de Redner setzte noch einmal [zum Sprechen] an. **5** ⟨tr.⟩ **a)** *(für eine bestimmte Zeit) anordnen, (auf en ne bestimmte Zeit) festsetzen:* eine Verhandlung [auf neun Uhr] a. **sinnv.:** anberaumen, einberu fen, vorsehen. **b)** *(eine bestimmte Zahl, Summe an aufzuwendende Zeit, Kosten für etwas) veranschlag gen:* die Kosten für etwas auf 200 Mark a.; fü diese Arbeit muß man drei Tage a. **sinnv.:** schätt zen. **6.** ⟨tr.⟩ *so wachsen, sich entwickeln, daß sic etwas daran bildet, daran entsteht:* die Pflanzer setzen Knospen an; Fett a. *(dick werden):* ⟨aucl itr.⟩ die Bäume setzen schon an *(bekommen Kno: pen).* **7. a)** ⟨itr.⟩ *eine Schicht, die sich allmählich bi det, bekommen:* die Geräte haben bereits Rost an gesetzt. **sinnv.:** bilden, entwickeln. **b)** ⟨sich a.⟩ *a Schicht an etwas entstehen:* an den Wänden de Gefäßes hat sich Kalk angesetzt. **sinnv.:** sich bil den, entstehen. **8.** ⟨tr.⟩ *bei der Zubereitung (vo etwas) bestimmte Zutaten vorbereitend mischer:* eine Bowle, den Teig a. **sinnv.:** anrühren, zuberei ten.

An|sicht, die; -, -en: **1.** *persönliche Meinung:* e hat seine A. über ihn geändert; nach meiner A. meiner A. nach hat er nicht recht. **sinnv.:** Mei nung, Standpunkt, Urteil, Vorstellung. **Zus.:** Le bens-, Privatansicht. **2.** *Bild, Abbildung eine Landschaft u. a.:* er zeigte ihr einige Ansichter von Berlin. **Zus.:** Stadtansicht. **3.** *Bild, das etwa von einer bestimmten Seite aus bietet; sichtbare Teil:* die hintere A. des Schlosses. **sinnv.:** Front Seite. **Zus.:** Gesamt-, Seiten-, Vorderansicht.

an|sie|deln, siedelte an, hat angesiedelt: **1.** ⟨sicl a.⟩ *einen Ort, Platz als ständigen Wohnort wähle und da zu wohnen, sich siedeln beginnen:* sich i München a. **sinnv.:** sich niederlassen, seine Wohnsitz nehmen. **2.** ⟨tr.⟩ *an einem Ort ansässi machen:* man versuchte, diese Tiere in Europ anzusiedeln.

an|spie|len, spielte an, hat angespielt: **1.** ⟨tr jmdn. den Ball, die Scheibe zuspielen:* einen Stür mer a. **2.** ⟨itr.⟩ *auf etwas einen versteckten, verhül ten Hinweis geben:* auf jmds. Alter, auf den Vor fall von gestern a.

An|spie|lung, die; -, -en: *versteckter, verhüllte Hinweis:* eine zweideutige, freche A. machen überhören. **sinnv.:** Hinweis.

An|sporn, der; -[e]s: *etwas, was jmdn. reizt, mo tiviert, anspornt, etwas zu tun:* die Belohnung soll te ein A. für seine weitere Arbeit sein. **sinnv.:** Ar regung.

An|spra|che, die; -, -n: *meist kürzere Rede:* e hielt aus Anlaß des Jubiläums eine A. vor de Gästen. **sinnv.:** Rede. **Zus.:** Begrüßungs-, Festan sprache.

an|spre|chen, spricht an, sprach an, hat ange sprochen: **1.** ⟨tr.⟩ **a)** *das Wort an jmdn. richten* jmdn. auf der Straße a. und ihn nach einer Straß fragen. **sinnv.:** anreden, ein Gespräch beginnen anmachen, anpöbeln. **b)** *in bestimmter Weise, mi einer bestimmten Anrede das Wort an jmdn. rich ten:* jmdn. in der dritten Person, mit seinem Na men a. **sinnv.:** anreden. **2.** ⟨tr.⟩ *sich mit einer Frag in einer bestimmten Angelegenheit an jmdn. wer den:* jmdn. um Hilfe a.; er sprach ihn auf de Vorfall von gestern an. **3.** ⟨tr.⟩ *zur Sprache brin gen, behandeln:* ein Thema, die Schwierigkeiter a. **sinnv.:** erwähnen. **4.** ⟨tr.⟩ *von jmdm./etwas an* *einer Person oder Sache sprechen, die einer be-stimmten Vorstellung entspricht, einen bestimmten Anspruch erfüllt:* jmdn. als seinen Freund a.; die-se Bilder kann man nicht als Kunstwerke a. **sinnv.:** ansehen als, bezeichnen als, halten für. ⟨itr.⟩ *eine bestimmte Wirkung, Reaktion zeigen:* der Patient sprach auf das Medikament nicht an. **sinnv.:** reagieren. **6.** ⟨tr.⟩ *(vor allem von künstlerischen Gegenständen) auf jmdn. in besonders positiver Weise wirken:* das Bild sprach ihn nicht besonders an. **sinnv.:** gefallen.

an|sprin|gen, sprang an, hat/ist angesprungen: **1.** ⟨itr.⟩ *in Gang kommen:* der Motor ist nicht gleich angesprungen. **2.** ⟨in der Fügung⟩ *angesprungen kommen: [springend] herbeieilen:* als die Mutter rief, kamen die Kinder alle angesprungen. **sinnv.:** kommen. **3.** ⟨tr.⟩ **a)** *(an jmdn.) hochspringen:* der Hund hat ihn vor Freude angesprungen. **b)** *sich mit einem Sprung (auf jmdn./etwas) stürzen:* der Tiger hat den Dompteur angesprungen. **sinnv.:** angreifen.

An|spruch, der; -s, Ansprüche: **1.** *etwas, was jmd. [für sich] beansprucht, fordert:* große Ansprüche an das Leben stellen. **sinnv.:** [An]forderung; Bitte. **2.** ↑ *Anrecht:* er hat den A. auf das Haus verloren. **Zus.:** Besitz-, Rechtsanspruch.

an|spruchs|los ⟨Adj.⟩: **a)** *keine großen Ansprüche stellend:* er ist ein anspruchsloser Mensch. **sinnv.:** bescheiden. **b)** *schlichten, nur geringen Ansprüchen genügend:* anspruchslose Lektüre. **sinnv.:** einfach.

an|spruchs|voll ⟨Adj.⟩: *große Ansprüche stellend:* sie ist eine sehr anspruchsvolle Frau; ein anspruchsvolles *(kritisches)* Publikum. **sinnv.:** unbescheiden, wählerisch.

an|sta|cheln, stachelte an, hat angestachelt ⟨tr.⟩: *zur Steigerung, zu einer höheren Leistung treiben, zu treiben suchen:* jmds. Eifer, Ehrgeiz durch Lob a. **sinnv.:** anregen, anspornen, beflügeln; reizen.

An|stalt, die; -, -en: *öffentliche Einrichtung, Institution o. ä., die der Ausbildung, Erziehung, Heilung o. ä. dient:* er kam in eine A. für schwererziehbare Kinder; der Trinker wurde in eine A. gebracht. **sinnv.:** Institut. **Zus.:** Bade-, Bedürfnis-, Irren-, Kranken-, Lehr-, Straf[vollzugs]-, Versuchsanstalt.

An|stand, der; -[e]s: *gutes Benehmen, gute Sitten:* er hat keinen A., kein Gefühl für A. **sinnv.:** Benehmen; Takt.

an|stän|dig ⟨Adj.⟩: **1.** *dem Anstand, der Sitte entsprechend:* er ist ein anständiger Mensch; sich a. benehmen. **sinnv.:** ehrenhaft, fair, korrekt, rücksichtsvoll, sittsam, unverdorben, züchtig. **2.** (ugs.) *durchaus genügend:* sie spricht ein anständiges Englisch. **sinnv.:** ordentlich, zufriedenstellend. **3.** (ugs.) *ziemlich groß, viel:* sie haben eine ganz anständige Summe verdient. **sinnv.:** beachtlich; gehörig.

an|stands|los ⟨Adverb⟩ (ugs.): *ohne Schwierigkeiten zu machen, ohne zu zögern:* sie haben mir das Kleid a. umgetauscht. **sinnv.:** ohne weiteres, widerspruchslos.

an|statt: **I.** ⟨Konj.⟩ *und nicht:* er schenkte ihr ein Buch a. Blumen; du solltest lieber arbeiten, a. zu jammern. **sinnv.:** an Stelle/anstelle von, statt. **II.** Präp. mit Gen.⟩ *an der Stelle (einer anderen Person, Sache, Handlung, eines anderen Sachver-*

halts): a. des Geldes gab sie ihm ihren Schmuck; (im Plural mit Dativ, wenn der Gen. nicht erkennbar ist) a. Worten will ich endlich Taten sehen. **sinnv.:** für, statt.

an|stecken, steckte an, hat angesteckt: **1.** ⟨tr.⟩ **a)** *mit einer Nadel o. ä. an etwas stecken:* sie steckte ihm eine Blume an. **sinnv.:** befestigen **b)** *an den Finger stecken:* er steckte ihr einen Ring an. **2.** ⟨tr.⟩ ↑ *anzünden:* eine Kerze a.; du steckst dir eine Zigarette nach der anderen an. **3. a)** ⟨tr.⟩ *eine Krankheit (auf jmdn.) übertragen:* er hat mich [mit seinem Schnupfen] angesteckt. **sinnv.:** infizieren. **b)** ⟨sich a.⟩ *durch Kontakt (mit einem Kranken) selbst krank werden:* er hat sich bei ihm, in der Schule angesteckt. **sinnv.:** erkranken. **c)** ⟨itr.⟩ *sich auf jmdn. übertragen:* diese Krankheit steckt nicht an; ⟨häufig im 1. Partizip⟩ ansteckende Krankheiten.

an|ste|hen, stand an, hat angestanden ⟨itr.⟩: **1.** *in einer Schlange warten, bis man an die Reihe kommt:* sie hat lange nach den Karten für diese Vorstellung angestanden. **sinnv.:** warten. **2.** (geh.) *angemessen sein; zu einer Person od. Sache in bestimmter Weise passen:* Bescheidenheit stünde ihr gut an. **3.** *auf Erledigung warten:* diese Arbeit steht noch an.

an|stei|gen, stieg an, ist angestiegen ⟨itr.⟩: **1.** *aufwärts führen:* die Straße, das Gelände steigt an. **2. a)** *höher werden:* das Wasser steigt an; ansteigende Temperaturen, Preise. **sinnv.:** sich verteuern. **b)** *immer größer, umfangreicher werden:* die Zahl der Besucher ist im letzten Jahr stark angestiegen. **sinnv.:** zunehmen.

an Stel|le, an|stel|le *statt; stellvertretend (für jmdn./etwas):* sie fuhr an Stelle ihrer Schwester mit; an Stelle von Reden werden Taten erwartet. **sinnv.:** anstatt.

an|stel|len, stellte an, hat angestellt: **1.** ⟨tr.⟩ *an etwas stellen:* eine Leiter [an die Wand] a. **sinnv.:** anlehnen. **2.** ⟨sich a.⟩ *sich einer wartenden Reihe von Personen anschließen:* sich an der Kasse des Theaters a. **sinnv.:** sich anreihen. **3.** ⟨tr.⟩ /Ggs. abstellen/ **a)** *zum Fließen, Strömen bringen:* das Gas, Wasser a. **b)** *durch Schalten in Betrieb setzen:* die Maschine, das Radio a. **sinnv.:** einschalten; anlassen. **4.** ⟨tr.⟩ **a)** *durch einen Vertrag in ein Arbeitsverhältnis aufnehmen; als Arbeitskraft verpflichten:* jmdn. als Verkäufer a.; er ist bei einer Behörde angestellt. **sinn.:** anheuern; einstellen. **b)** (ugs.) *mit einer Arbeit beauftragen:* jmdn. zum Schuhputzen a. **5.** ⟨tr.⟩ **a)** *zu machen versuchen:* er hat schon alles mögliche angestellt, aber nichts hat gegen diese Krankheit geholfen. **b)** *anrichten:* was hast du da wieder angestellt? **c)** *in bestimmter Weise machen, einrichten, handhaben:* das hat er wieder geschickt angestellt. **sinnv.:** bewerkstelligen. **6.** ⟨sich a.⟩ *sich bei etwas in bestimmter Weise verhalten:* sich bei einer Arbeit dumm, geschickt a. **sinnv.:** sich zieren. **7.** ⟨als Funktionsverb⟩ Überlegungen a. *(überlegen);* Beobachtungen a. *(beobachten);* mit jmdm. ein Verhör a. *(jmdn. verhören).*

An|stel|lung, die; -, -en: **a)** *das Aufnehmen in ein Arbeitsverhältnis; das Anstellen:* die A. weiterer Mitarbeiter. **b)** *Platz, den jmd. beruflich einnimmt:* eine feste A. haben, suchen. **sinnv.:** Posten, Stelle, Stellung.

An|stieg, der; -[e]s, -e: **1.** *das Ansteigen, Aufwärtsführen:* der A. der Straße. **sinnv.:** Steigung.

2. *das Größer-, Umfangreicher-, Höherwerden:* der A. der Temperaturen; ein A. der Kosten. **sinnv.:** Zunahme. **Zus.:** Temperaturanstieg. **3.** *das Hinaufsteigen:* ein beschwerlicher A. **sinnv.:** Aufstieg.

an|stif|ten, stiftete an, hat angestiftet ⟨tr.⟩: **1.** *(etwas Übles) veranlassen, ins Werk setzen:* Unfug, Intrigen a. **2.** *verleiten; (zu etwas Üblem) überreden:* jmdn. zu einem Betrug a. **sinnv.:** anstacheln.

an|stim|men, stimmte an, hat angestimmt ⟨tr.⟩: *zu singen beginnen:* ein Lied, einen Choral a.

An|stoß, der; -es, Anstöße: *auslösende Wirkung:* er hat den A. zu dieser Sammlung gegeben. **sinnv.:** Anregung. **Zus.:** Denkanstoß.

an|sto|ßen, stößt an, stieß an, hat/ist angestoßen: **1. a)** ⟨tr.⟩ *einen kleinen Stoß geben:* er hat mich beim Schreiben versehentlich angestoßen; jmdn. freundschaftlich a. **sinnv.:** anrempeln, anschubsen. **b)** ⟨itr.⟩ *in der Bewegung gegen, an etwas stoßen:* das Kind ist mit dem Kopf an den Tisch angestoßen. **sinnv.:** prallen an/gegen, schlagen; zusammenstoßen. **2.** ⟨itr.⟩ *die Gläser aneinanderstoßen, um auf etwas zu trinken:* sie haben auf seine Gesundheit, auf den Erfolg des Buches angestoßen. **3.** ⟨itr.⟩ *(jmds.) Unwillen hervorrufen; Anstoß erregen:* er ist bei seinem Chef angestoßen. **sinnv.:** anecken, ins Fettnäpfchen treten.

an|stö|ßig ⟨Adj.⟩: *Anstoß erregend:* sie sangen anstößige Lieder. **sinnv.:** obszön; unanständig.

an|strei|chen, strich an, hat angestrichen ⟨tr.⟩: **1.** *Farbe streichend an eine Fläche bringen:* ein Haus a. **sinnv.:** anmalen. **2.** *durch einen Strich [am Rand] hervorheben, kenntlich machen:* er hat in deinem Aufsatz fünf Fehler angestrichen. **sinnv.:** ankreuzen; anmerken; markieren.

an|stren|gen, strengte an, hat angestrengt: **1. a)** ⟨sich a.⟩ *seine Kräfte mehr als gewöhnlich einsetzen; sich große Mühe geben:* du mußt dich in der Schule mehr a. **sinnv.:** sich bemühen, sich fordern, sich strapazieren; sich abmühen. **b)** ⟨tr.⟩ *zu besonderer Leistung steigern:* seinen Verstand, seine Stimme a. **2.** ⟨tr.⟩ *übermäßig beanspruchen; eine Belastung, Strapaze sein:* das viele Sprechen strengte den Kranken sehr an; ⟨auch itr.⟩ Turnen strengt an; eine anstrengende Arbeit. **sinnv.:** erschöpfen, mitnehmen, schlauchen, strapazieren.

An|sturm, der; -[e]s, Anstürme: *großer Andrang:* es begann ein großer A. auf die Kasse des Theaters. **sinnv.:** Andrang. **Zus.:** Massenansturm.

-ant, der; -en, -en ⟨Suffix⟩: *besagt, daß das im Basiswort Genannte von dem so Bezeichneten ausgeführt, ausgeübt wird:* aktivische Bedeutung; /Basiswort ist meist ein Verb auf -ieren/ (Ggs. -and): **a)** ⟨verbale Basis⟩ Informant (der Informierende); jmd., den Gewährsmann für etwas ist); Praktikant, Sympathisant. **b)** ⟨substantivische Basis⟩ Asylant *(jmd., der um Asyl nachsucht).* **sinnv.:** -ator, -end, -er, -ling, -or.

An|teil, der; -[e]s, -e: *Teil eines Ganzen, der jmdm. gehört oder zukommt:* er verzichtete auf seinen A. an der Erbschaft. **sinnv.:** Teil. **Zus.:** Haupt-, Löwen-, Marktanteil.

An|teil|nah|me, die; -: *inneres, gefühlsmäßiges Beteiligtsein:* ein Ereignis mit lebhafter A. verfolgen; jmdm. seine A. aussprechen. **sinnv.:** Beileid; Mitgefühl.

An|ten|ne, die; -, -n: *Vorrichtung zum Ausstrahlen oder Empfangen von Sendungen des Rundfunks, Fernsehens o.ä.:* eine A. auf dem Dach anbringen. **Zus.:** Auto-, Fernseh-, Zimmerantenne.

an|ti-, An|ti- ⟨adjektivisches und substantivisches Präfix⟩: **I.** *gegen, wider:* **1.** /drückt einen ausschließenden Gegensatz, eine gegnerische Einstellung zu dem im Basiswort Genannten aus/: **a)** ⟨adjektivisch⟩: antiamerikanisch (Ggs. proamerikanisch), -autoritär; *(antibakteriell.* **b)** ⟨substantivisch⟩: Antialkoholiker *(Gegner des Alkohols),* -semitismus. **2.** /drückt aus, daß dem im Basiswort Genannten entgegengewirkt wird, daß es verhindert wird/: **a)** ⟨adjektivisch⟩: antibakteriell. **b)** ⟨substantivisch⟩ /oft dreigliedrig, wobei das dritte Glied in Verbindung mit Anti- das als zweites Glied Genannte verhindern o.ä. soll/: Antibabypille *(Pille, die verhindern soll, daß ein Baby kommt),* -drogensong *(Song gegen Drogen),* -Hitler-Koalition, -inflationspolitik *(Politik, die einer Inflation entgegenwirken soll).* **3.** /bildet einen komplementären, ergänzenden Gegensatz, stellt den Widerpart im Basiswort Genannten, etwas Entgegengesetztes dar; z.B.: eine Antirakete ist auch eine Rakete; eine Antikritik ist eine Kritik gegen eine Kritik/: Antimaterie, -theater, -waffe. **II.** *eigentlich nicht* /drückt aus, daß jmd./etwas als alles andere oder ganz anders ist als das, was man mit dem Basiswort üblicherweise inhaltlich verbindet/: Antiheld, -künstler, -star, -typ. **sinnv.:** a-, in-, nicht-, pseudo-, un-.

An|ti|pa|thie, die; -, Antipathien: *dem Gefühl entsprungene Abneigung gegen jmdn./etwas* /Ggs. Sympathie/: er hat eine A. gegen alles, was mit Militär zusammenhängt. **sinnv.:** Abneigung.

an|tip|pen, tippte an, hat angetippt ⟨tr.⟩: **1.** *leicht und kurz berühren:* er tippte seinen Nachbarn an und flüsterte ihm etwas ins Ohr. **sinnv.:** berühren. **2. a)** *vorsichtig auf etwas zu sprechen kommen:* ein heikles Thema a. **sinnv.:** erwähnen. **b)** *vorsichtig anfragen:* ich werde bei ihm einmal [deswegen] a. **sinnv.:** fragen.

an|ti|qua|risch ⟨Adj.⟩: *gebraucht, alt [und wertvoll]* /von Büchern o.ä./. **sinnv.:** alt.

an|ti|quiert ⟨Adj.⟩: *nicht aktuell, nicht mehr den zeitgemäßen, modernen Vorstellungen, Gegebenheiten entsprechend, veraltet [und daher nicht mehr ernst zu nehmen]:* eine antiquierte Sprache. **sinnv.:** altmodisch.

Ant|litz, das; -es, -e (geh.): *Gesicht:* das A. des Toten.

An|trag, der; -[e]s, Anträge: **1.** *an eine Behörde gerichtete schriftliche Bitte:* einen A. auf Gewährung eines Zuschusses stellen; sein A. wurde abgelehnt. **sinnv.:** Gesuch. **2.** *zur Abstimmung eingereichter Entwurf:* gegen einen A. stimmen. **sinnv.:** Vorschlag. **Zus.:** Strafantrag.

an|tref|fen, trifft an, traf an, hat angetroffen ⟨tr.⟩: *an einem bestimmten Ort, in einem bestimmten Zustand treffen, finden:* ich habe ihn nicht zu Hause angetroffen. **sinnv.:** [vor]finden.

an|trei|ben, trieb an, hat/ist angetrieben: **1.** ⟨tr.⟩ *zu rascherer Fortbewegung veranlassen:* weil es schon spät geworden war, hatte er die Pferde angetrieben. **sinnv.:** vorwärts treiben. **2.** ⟨tr.⟩ *zu höherer Leistung drängen, treiben:* der Chef hat uns zur Eile angetrieben; der Ehrgeiz hat ihn [dazu] angetrieben. **sinnv.:** anstacheln. **3.** ⟨tr.⟩ *durch*

Dampf, einen Motor o. ä. in Gang setzen und in Bewegung halten: früher hat der Wind die Mühle angetrieben. **4. a)** ⟨tr.⟩ *ans Ufer treiben:* die Wellen haben den Toten [ans Ufer] angetrieben. **sinnv.:** anspülen. **b)** ⟨itr.⟩ *ans Ufer getrieben werden:* das leere Boot ist erst nach Wochen an der/an die Küste angetrieben.

an|tre|ten, tritt an, trat an, hat/ist angetreten: **1.** ⟨itr.⟩ *sich in einer bestimmten Ordnung hinstellen:* die Schüler waren der Größe nach angetreten. **sinnv.:** sich aufstellen. **2.** ⟨itr.⟩ **a)** *sich (einem Gegner) zu einem Wettkampf stellen:* er ist gegen den Weltmeister angetreten. **b)** *sich zu etwas an einem bestimmten Ort einfinden:* sie sind pünktlich zum Dienst angetreten. **sinnv.:** kommen. **3.** ⟨tr.⟩ *mit etwas (z. B. einer Reise, dienstlichen Tätigkeit) beginnen:* er hat eine Reise angetreten; seinen Dienst a.

An|trieb, der; -[e]s, -e: **1.** *innere Kraft, die jmdn. zu einem bestimmten Verhalten treibt:* Ehrgeiz und Egoismus waren die Antriebe seines Handelns. **sinnv.:** Anlaß; [An]reiz; Impuls. **2.** *Kraft, die eine Maschine in Gang bringt und in Bewegung hält:* ein Motor mit elektrischem A. **Zus.:** Düsen-, Raketenantrieb.

an|tun, tat an, hat angetan ⟨tr.⟩: **a)** *zuteil werden lassen:* jmdm. etwas Gutes, eine Ehre a. **sinnv.:** erweisen. **b)** *(jmdm. etwas) Nachteiliges, Unangenehmes zufügen:* jmdm. Unrecht, Schande, etwas Böses, Gewalt a. **sinnv.:** schaden.

Ant|wort, die; -, -en: *Äußerung, die auf die Frage oder die Äußerung eines andern folgt:* er bekam [auf seine Frage] nur eine kurze A. **sinnv.:** Beantwortung, Entgegnung.

ant|wor|ten, antwortete, hat geantwortet ⟨itr.⟩: *sich auf eine Frage hin äußern; eine Antwort, Auskunft geben:* er antwortete [mir] höflich auf meine Frage; er wußte nicht, was er darauf a. sollte. **sinnv.:** erwidern.

an|ver|trau|en, vertraute an, hat anvertraut: **1.** ⟨tr.⟩ *vertrauensvoll in die Obhut, Fürsorge eines anderen geben:* während seiner Reise vertraute er die Kinder seiner Schwester an; jmdm. ein Amt, sein Vermögen a. **sinnv.:** überantworten, überlassen, übertragen. **2. a)** ⟨tr.⟩ *jmdm. im Vertrauen wissen lassen:* jmdm. seine Pläne, ein Geheimnis a. **sinnv.:** mitteilen. **b)** ⟨sich a.⟩ *sich im Vertrauen an jmdn. wenden und ihm Persönliches mitteilen:* er hat sich nur seinem Freund anvertraut. **sinnv.:** sich aussprechen, sich offenbaren.

An|walt, der; -[e]s, Anwälte, **An|wäl|tin,** die; -, -nen: **1.** *männliche bzw. weibliche Person, die jmdn. in rechtlichen Angelegenheiten berät oder (z. B. bei Prozessen) vertritt.* **sinnv.:** Jurist, Rechtsbeistand, -berater, Verteidiger. **Zus.:** Patent-, Rechtsanwalt. **2.** ⟨A. + Attribut⟩ *männliche bzw. weibliche Person, die etwas verficht, für jmdn./etwas eintritt:* als Anwalt einer guten Sache auftreten. **sinnv.:** Fürsprecher[in].

An|wand|lung, die; -, -en: *plötzlich auftretendes Gefühl:* sie folgte einer [plötzlichen] A. und reiste ab; eine A. von Heimweh. **sinnv.:** Laune.

An|wär|ter, der; -s, -, **An|wär|te|rin,** die; -, -nen: *männliche bzw. weibliche Person, die einen Anspruch, die Aussicht auf etwas hat:* er ist einer der Anwärter auf dieses Amt. **sinnv.:** Aspirant, Bewerber, Kandidat. **Zus.:** Amts-, Offiziersanwärter.

an|wei|sen, wies an, hat angewiesen ⟨tr.⟩ /vgl. angewiesen/: **1.** *etwas für jmdn. heraussuchen, bestimmen, festlegen und es ihm zeigen:* jmdm. einen Platz, ein Zimmer a. **sinnv.:** zuteilen, zuweisen. **2.** *(jmdm.) einen bestimmten Auftrag erteilen, (jmdm.) etwas befehlen:* ich habe ihn angewiesen, sofort den Chef zu benachrichtigen; er war angewiesen, nicht darüber zu sprechen. **sinnv.:** anordnen; beauftragen. **3.** *die Auszahlung (von etwas) veranlassen:* den Angestellten das Gehalt a. **sinnv.:** überweisen.

an|wen|den, wandte/wendete an, hat angewandt/angewendet ⟨tr.⟩: **1.** *etwas Bestimmtes verwenden, gebrauchen, um damit etwas zu erreichen:* bei einer Arbeit ein bestimmtes Verfahren, eine bestimmte Technik a.; er mußte eine List a. **sinnv.:** einsetzen, gebrauchen, verwenden. **2.** *etwas Allgemeineres auf etwas Bestimmtes beziehen und in diesem bestimmten Fall verwenden:* einen Paragraphen auf einen Fall a.

an|wer|ben, wirbt an, warb an, hat angeworben ⟨tr.⟩: *für eine bestimmte Arbeit, einen Dienst werben:* er versuchte noch einige Leute anzuwerben, die ihm helfen sollten; Truppen a. **sinnv.:** anheuern, einstellen.

An|we|sen, das; -s, - (geh.): *[größeres] Grundstück mit Haus, Gebäude.*

an|we|send ⟨Adj.⟩: *sich an einem bestimmten Ort befindend, aufhaltend* /Ggs. abwesend/: alle anwesenden Personen waren einverstanden; als dies beschlossen wurde, war er nicht a. **sinnv.:** dabei, zugegen.

An|we|sen|heit, die; -: *das Anwesendsein* /Ggs. Abwesenheit/: man darf in seiner A. nicht davon sprechen. **sinnv.:** Gegenwart, Zugegensein.

an|wi|dern, widerte an, hat angewidert ⟨tr.⟩: *Ekel bei jmdm. hervorrufen:* dieser Mensch, sein Benehmen widert mich an; er fühlte sich von dem Gestank angewidert. **sinnv.:** anekeln.

An|woh|ner, der; -s, -: *jmd., der nahe an etwas wohnt:* die Anwohner der Straße. **sinnv.:** Anlieger · Nachbar.

An|zahl, die; -: *vorhandene Zahl; gewisse Menge:* eine größere A. Gäste war nicht gekommen. **sinnv.:** Menge.

an|zah|len, zahlte an, hat angezahlt ⟨tr.⟩: *beim Kauf als ersten Teil des ganzen Betrags zahlen:* 300 Mark a.

An|zei|chen, das; -s, -: *Zeichen, Merkmal, das etwas Vorhandenes oder Kommendes anzeigt, erkennen läßt:* sie waren nach den langen Marsch ohne jedes A. von Erschöpfung; die A. eines drohenden Krieges. **sinnv.:** Anhaltspunkt, Hinweis, Merkmal, [Vor]zeichen.

An|zei|ge, die; -, -n: **1.** *private, geschäftliche, amtliche Mitteilung in einer Zeitung, Zeitschrift:* auf die A. hin meldeten sich fünf Bewerber. **sinnv.:** Annonce, Inserat. **Zus.:** Geburts-, Heirats-, Todes-, Verlust-, Zeitungsanzeige. **2.** *offizielle Meldung bes. einer strafbaren Handlung an die Polizei oder an eine entsprechende Behörde:* jmdm. mit einer A. drohen; gegen jmdn. A. bei der Polizei erstatten (jmdn. anzeigen). **sinnv.:** Denunziation, Meldung. **Zus.:** Strafanzeige.

an|zei|gen, zeigte an, hat angezeigt ⟨tr.⟩: **1.** *dem Betrachter den Stand von etwas angeben:* das Barometer zeigt schönes Wetter an. **sinnv.:** ankündigen, signalisieren, zeigen. **2.** *[durch eine Anzeige]* *bekanntgeben, wissen lassen, ankündigen o. ä.:* die Geburt eines Kindes in der Zeitung a.; jmdm. seinen Besuch a. **sinnv.:** annoncieren, inserieren; ankündigen. **3.** *der Polizei oder einer entsprechenden Behörde melden:* jmdn. wegen Betrugs, eines Diebstahls a. **sinnv.:** anmelden; verraten.

an|zet|teln, zettelte an, hat angezettelt ⟨tr.⟩: *durch entsprechendes Handeln (z. B. aggressive Beeinflussung) bewirken, daß etwas (Negatives, woran meist eine Anzahl von Personen beteiligt ist) geschieht:* eine Verschwörung, einen Krieg a. **sinnv.:** anstacheln.

an|zie|hen, zog an, hat angezogen: **1.** ⟨tr.⟩ **a)** *den Körper mit etwas bekleiden* /Ggs. ausziehen/: die Mutter zog sich, die Kinder rasch an; eine gut angezogene *(gekleidete)* Frau. **sinnv.:** ankleiden, bekleiden. **b)** *(ein Kleidungsstück) überziehen, überstreifen* /Ggs. ausziehen/: einen Mantel, Handschuhe a. **sinnv.:** (den Hut) aufsetzen; schlüpfen in, streifen auf/über, umlegen. **2.** ⟨tr.⟩ **a)** *Anziehungskraft (auf etwas) ausüben und an sich heranziehen* /Ggs. abstoßen/: der Magnet zieht Eisen an. **b)** *viel Anziehungskraft haben und zum Kommen veranlassen; in seinen Bann ziehen:* die Ausstellung zog viele Besucher an. **sinnv.:** anlocken. **3.** ⟨tr.⟩ *an den Körper ziehen:* ein Bein a. **sinnv.:** anwinkeln. **4.** ⟨tr.⟩ *straffer spannen; durch Ziehen, Drehen fester machen:* das Seil, die Schraube a. **sinnv.:** spannen. **5.** ⟨itr.⟩ *[im Preis] höher werden, steigen:* die Preise haben stark angezogen; die Kartoffeln ziehen auch wieder an. **sinnv.:** sich verteuern.

An|zug, der; -[e]s, Anzüge: **1.** *aus Jacke [Weste] und Hose bestehende Kleidung:* er trug einen dunklen A. **Zus.:** Arbeits-, Bade-, Cord-, Sommer-, Strampel-, Straßen-, Trainingsanzug. **2. *im A. sein** *(herankommen, bevorstehen, sich nähern):* ein Gewitter ist im A. **sinnv.:** aufziehen.

an|züg|lich ⟨Adj.⟩: *auf etwas Peinliches anspielend:* eine anzügliche Bemerkung machen. **sinnv.:** spöttisch.

an|zün|den, zündete an, hat angezündet ⟨tr.⟩: *zum Brennen bringen:* eine Kerze, ein Streichholz a.; darf ich dir die Zigarette a.? **sinnv.:** anmachen, anstecken, in Brand setzen/stecken.

apart ⟨Adj.⟩: *durch seine Besonderheit angenehm auffallend; ungewöhnlich, nicht alltäglich und dadurch reizvoll:* eine aparte Dame; dieser Hut ist besonders a. **sinnv.:** elegant, geschmackvoll, reizvoll.

Ap|fel, der; -s, Äpfel: *rundliche, aromatische Frucht mit hellem, festem Fleisch und einem Kerngehäuse.* **Zus.:** Brat-, Granat-, Pferde-, Zankapfel.

Ap|fel|si|ne, die; -, -n: *rötlichgelbe, runde Zitrusfrucht mit saftigem, wohlschmeckendem Fruchtfleisch und dicker Schale:* Apfelsinen schälen, auspressen. **sinnv.:** Mandarine, Orange, Pomeranze. **Zus.:** Blutapfelsine.

Apo|the|ke, die; -, -n: *Geschäft, in dem Medikamente verkauft, auch hergestellt werden.*

Apo|the|ker, der; -s, -, **Apo|the|ke|rin,** die; -, -nen: *männliche bzw. weibliche Person, die die Berechtigung zur Leitung einer Apotheke erworben hat.*

Ap|pa|rat, der; -[e]s, -e: **1.** *[kompliziertes] aus mehreren Teilen zusammengesetztes technisches Gerät, das eine bestimmte Arbeit leistet:* er mußte

den A. auseinandernehmen, weil er nicht mehr funktionierte. **sinnv.:** Apparatur, Gerät, Vorrichtung; Telefon. **Zus.:** Fernseh-, Radio-, Rasierapparat. **2.** *Gesamtheit der Personen und Hilfsmittel, die für eine bestimmte größere Aufgabe benötigt werden:* der riesige A. der Verwaltung. **Zus.:** Beamten-, Regierungs-, Verwaltungsapparat.

Ap|pa|ra|tur, die; -, -en: *gesamte Anlage von Apparaten und Instrumenten, die einer bestimmten Aufgabe dient:* allein die A. kostete ein Vermögen. **sinnv.:** Anlage, Einrichtung; Apparat.

ap|pel|lie|ren ⟨itr.⟩: *sich nachdrücklich mit einer Aufforderung oder Mahnung (an jmdn.) wenden:* er appellierte an die Bewohner, Ruhe zu bewahren; an jmds. Einsicht a. **sinnv.:** auffordern, mahnen.

Ap|pe|tit, der; -[e]s: *Lust, Verlangen [etwas Bestimmtes] zu essen:* er bekam auf einmal großen A. auf Fisch. **sinnv.:** Eßlust, Hunger.

ap|pe|tit|lich ⟨Adj.⟩: **a)** *(durch die Art der Zubereitung, durch das Aussehen) den Appetit anregend:* die Brötchen sehen sehr a. aus. **sinnv.:** köstlich, schmackhaft, wohlschmeckend. **b)** *hygienisch einwandfrei und dadurch ansprechend:* etwas ist a. verpackt.

ap|plau|die|ren ⟨itr.⟩: *Beifall spenden und so sein Gefallen an etwas kundtun:* nach seiner Rede applaudierten die Zuhörer besonders lebhaft. **sinnv.:** klatschen.

Ap|plaus, der; -es: *Beifall, der sich durch Klatschen, Zurufe o. ä. äußert:* nach dem Konzert setzte ununterbrochen ein A. ein. **sinnv.:** Beifall.

Apri|ko|se, die; -, -n: *rundliche, samtig behaarte, gelbe bis orangefarbene, oft rotwangige Frucht mit [saftigem] wohlschmeckendem Fruchtfleisch und glattem, scharfkantigem Stein.*

April, der; -[s]: *vierter Monat des Jahres.* **sinnv.:** Ostermonat, -mond.

Ar|beit, die; -, -en: **1.** *körperliches oder geistiges Tätigsein mit einzelnen Verrichtungen; Ausführung eines Auftrags:* eine neue, interessante A. beginnen; er hat als Lehrling jeden Tag bestimmte Arbeiten zu verrichten. **sinnv.:** Beschäftigung, Dienst, Tätigkeit. **Zus.:** Akkord-, Büro-, Garten-, Gelegenheits-, Hand-, Haus-, Kurz-, Nacht-, Öffentlichkeits-, [Teil]zeitarbeit; Bergungsarbeiten. **2.** ⟨ohne Plural⟩ **a)** *das Beschäftigtsein mit etwas:* du störst mich bei der A.; er hat viel A. *(hat viel zu tun).* **sinnv.:** das Arbeiten. **Zus.:** Zusammenarbeit. **b)** *anstrengendes, beschwerliches, mühevolles Tätigsein:* es war eine ziemliche A., die Bücher neu zu ordnen; du hast dir viel A. gemacht mit der Vorbereitung des Festes. **sinnv.:** Anstrengung. **c)** *berufliche Tätigkeit, Ausübung des Berufs:* er sucht eine neue A.; er hat zur Zeit keine A. *(ist arbeitslos).* **sinnv.:** Beruf. **3. a)** *als Ergebnis einer Betätigung entstandenes Erzeugnis, Produkt:* die Künstler stellten ihre Arbeiten aus; eine wissenschaftliche A. *(Abhandlung)* veröffentlichen. **sinnv.:** Werk. **Zus.:** Häkel-, Klassen-, Schul-, Webarbeit. **b)** *Gestaltung, Art der Ausführung:* dieser Schrank ist eine alte, solide A. **Zus.:** Maßarbeit.

ar|bei|ten, arbeitete, hat gearbeitet: **1.** ⟨itr.⟩ **a)** *Arbeit leisten, verrichten; tätig sein:* körperlich, geistig, gewissenhaft, fleißig, am Schreibtisch a.; er arbeitet an einem Roman, über den Expressionismus. **sinnv.:** sich betätigen, schaffen, wirken;

sich befassen. **b)** *beruflich tätig, beschäftigt sein:* halbtags, auf dem Bau a.; er arbeitet bei einer Behörde, für eine andere Firma. **sinnv.:** erwerbstätig sein · (einen Beruf) ausüben, (einer Beschäftigung o. ä.) nachgehen. **c)** ‹sich a.› *durch Arbeit in einen bestimmten Zustand gelangen:* sich müde a. **2.** ‹itr.› *in Tätigkeit, in Betrieb, in Funktion sein:* die Maschine arbeitet Tag und Nacht; sein Herz arbeitet wieder normal. **sinnv.:** funktionieren. **3.** ‹tr.› *in einer bestimmten Art oder Gestaltung, Ausführung anfertigen:* wer hat diesen Anzug gearbeitet? **sinnv.:** anfertigen. **4.** ‹sich a.› *einen bestimmten Weg mühevoll zurücklegen:* es dauerte einige Zeit, bis er sich durch den Schnee gearbeitet hatte. **sinnv.:** sich kämpfen.

Ar|bei|ter, der; -s, -, **Ar|bei|te|rin,** die; -, -nen: **a)** *männliche bzw. weibliche Person, die arbeitet, [geistig oder] körperlich tätig ist:* er ist ein gewissenhafter Arbeiter. **sinnv.:** [Arbeits]kraft. **b)** *männliche bzw. weibliche Person, die gegen Lohn körperliche Arbeit verrichtet:* er ist ein gelernter Arbeiter. **sinnv.:** Arbeitnehmer. **Zus.:** Akkord-, Bau-, Fach-, Gast-, Hafen-, Hilfs-, Metall-, Schwarz-, Straßenarbeiter.

Ar|beit|ge|ber, der; -s, -, **Ar|beit|ge|be|rin,** die; -, -nen: *männliche Person (oder Betrieb) bzw. weibliche Person, die andere gegen regelmäßige Bezahlung beschäftigt* /Ggs. Arbeitnehmer/: er hat einen verständnisvollen Arbeitgeber. **sinnv.:** Brötchengeber, Dienstherr; Unternehmer.

Ar|beit|neh|mer, der; -s, -, **Ar|beit|neh|me|rin,** die; -, -nen: *männliche bzw. weibliche Person, die nicht selbständig ist, sondern bei einem anderen gegen Bezahlung arbeitet, von einem Arbeitgeber beschäftigt wird* /Ggs. Arbeitgeber/. **sinnv.:** Angestellter, Arbeiter, Bediensteter, Lohnabhängiger.

Ar|beits|kraft, die; -, Arbeitskräfte: **1.** (ohne Plural) *Fähigkeit, etwas zu leisten, zu arbeiten:* die menschliche A. durch Maschinen ersetzen. **sinnv.:** Kraft, Leistungsfähigkeit, Leistungskraft. **2.** *Arbeit leistender Mensch:* der Betrieb hat neue Arbeitskräfte eingestellt. **sinnv.:** Arbeiter.

ar|beits|los ‹Adj.›: *keinen Arbeitsplatz habend:* er ist schon seit einem halben Jahr a. **sinnv.:** beschäftigungslos, erwerbslos, stellenlos, stellungslos.

Ar|beits|lo|se, der u. die; -n, -n ‹aber: [ein] Arbeitsloser, Plural: [viele] Arbeitslose›: *männliche bzw. weibliche Person, die arbeitslos ist.* **sinnv.:** Erwerbsloser, Stellungsloser.

Ar|beits|platz, der; -es, Arbeitsplätze: **1.** *Platz, an dem jmd. seine berufliche Arbeit verrichtet:* er hat einen schönen, sonnigen A. **2.** *berufliche Tätigkeit, Beschäftigung:* seinen A. wechseln, verlieren. **sinnv.:** Anstellung; Beruf.

arg, ärger, ärgste ‹Adj.› (ugs.): **a)** *sehr groß, heftig, stark:* arge Schmerzen; eine arge Enttäuschung. **sinnv.:** schrecklich. **b)** ‹verstärkend bei Adjektiven und Verben› *sehr:* der Koffer ist a. schwer; er hat a. gespottet.

Är|ger, der; -s: **1.** *durch Mißfallen an etwas, durch Unzufriedenheit, Enttäuschung o. ä. hervorgerufenes Gefühl des Unwillens:* etwas erregt jmds. Ä.; sein Ä. verflog. **sinnv.:** Empörung, Erbitterung, Grimm, Ingrimm, Jähzorn, Rage, Unmut, Unwille, Verärgerung, Verstimmung, Wut, Zorn. **2.** *etwas, worüber man sich ärgert:* heute gab es im Büro wieder [viel] Ä. **sinnv.:** Unannehmlichkeit.

är|ger|lich ‹Adj.›: **1.** *voll Ärger, Verdruß:* etwas in ärgerlichem Ton sagen; er war sehr ä. über die Störung. **sinnv.:** aufgebracht, böse, empört, entrüstet, erbittert, erbost, ergrimmt, erzürnt, gereizt, mißmutig, sauer, ungehalten, unwillig, unwirsch, verärgert, wütend, zornig. **2.** *Ärger, Verdruß verursachend:* eine ärgerliche Angelegenheit. **sinnv.:** unerfreulich.

är|gern: 1. ‹tr.› **a)** *(jmdm.) Ärger, Verdruß bereiten:* er hat sie mit seiner Bemerkung geärgert; es ärgerte sie, daß er alles falsch gemacht hatte. **sinnv.:** aufbringen, aufregen, erbosen, erzürnen, nerven, jmdn. auf die Palme/in Rage bringen, rasend/wütend machen, reizen, schaffen, schokken, schockieren, verärgern, verdrießen, verstimmen, in Wut bringen. **b)** *aufziehen:* er hat es darauf abgesehen, sie zu ä. **2.** ‹sich ä.› *Ärger, Verdruß empfinden:* hast du dich über ihn geärgert? **sinnv.:** sich aufregen, sich empören, sich erregen, sich erzürnen, explodieren, sich fuchsen, sich giften, geladen/sauer sein.

Är|ger|nis, das; -ses, -se: *etwas, worüber sich jmd. ärgert, woran jmd. Anstoß nimmt:* seine häufige Abwesenheit war ein Ä. für den Chef. **sinnv.:** Skandal; Unannehmlichkeit.

arg|los ‹Adj.›: **a)** *nichts Böses vorhabend, ohne böse Absicht:* eine arglose Bemerkung. **sinnv.:** harmlos, unschuldig, unschuldsvoll. **b)** *nichts Böses ahnend, ohne Argwohn:* er ging a. darauf ein. **sinnv.:** blauäugig, einfältig, gutgläubig, harmlos, leichtgläubig, naiv, treuherzig, unkritisch, vertrauensselig, vertrauensvoll.

Ar|gu|ment, das; -[e]s, -e: *etwas, was zur Rechtfertigung, Begründung oder als Beweis vorgebracht wird.* **sinnv.:** Beweisgrund, Erklärung, Grund. **Zus.:** Gegen-, Hauptargument.

Arg|wohn, der; -s: *das Zweifeln an der redlichen Absicht, der Vertrauenswürdigkeit eines andern:* A. hegen, schöpfen; etwas mit A. betrachten. **sinnv.:** Mißtrauen, Skepsis, Verdacht.

arg|wöh|nisch ‹Adj.›: *voll Argwohn, Mißtrauen:* ein argwöhnischer Mensch; jmdn. a. beobachten. **sinnv.:** mit Argusaugen, kritisch, mißtrauisch.

arm, ärmer, ärmste ‹Adj.›: *nur sehr wenig Geld zum Leben habend* /Ggs. reich/: seine Eltern waren a. und konnten ihn nicht studieren lassen. **sinnv.:** bedürftig, einkommensschwach, finanzschwach, mittellos, notleidend, unbemittelt, unvermögend, verarmt. **Zus.:** bettelarm. **2.** *Mitleid erregend:* der arme Mann hat nur ein Bein. **sinnv.:** bedauernswert.

-arm ‹adjektivisches Suffixoid› **1.** *kaum etwas, wenig von dem im substantivischen Basiswort Genannten habend* /kann sowohl einen Mangel als auch einen Vorzug kennzeichnen/: alkohol-, fett-, kalorien-, regen-, vitaminarm. **2.** *kaum etwas, wenig von dem im substantivischen Basiswort Genannten entwickelnd, verursachend* /kennzeichnet einen Vorzug/: abgas-, geräusch- (Gerät), wartungsarm (Schaltung). **3.** *kaum, nur wenig das im verbalen Basiswort Genannte tun* /kennzeichnet einen Vorzug/: **a)** ‹aktivisch› knitter-, rauscharm (Verstärker) *(knittert, rauscht kaum, nur wenig).* **b)** ‹passivisch› bügel-, pflegearm.

Arm, der; -[e]s, -e: **1.** *der Teil des menschlichen Körpers, der von der Schulter bis zur Hand reicht:* kräftige Arme; die Arme aufstützen; jmdn. im A., in den Armen halten; den Mantel über den A. nehmen. **sinnv.**: Gliedmaße. **Zus.**: Ober-, Unterarm. **2.** *armartiger abzweigender Teil:* der Fluß teilt sich in drei Arme. **Zus.**: Fluß-, Haupt-, Hebel-, Meeres-, Wasserarm. **3.** ↑*Ärmel.*

Ar|mee, die; -, Armeen: a) *Gesamtheit der Soldaten oder Truppen eines Staates.* **sinnv.**: Heer, Militär, Streitkräfte. b) *Abteilung eines Heeres:* die zweite A. **sinnv.**: Bataillon, Division, Einheit, Kompanie, Regiment, Truppe[nteil], Verband.

Är|mel, der; -s, -: *Teil eines Kleidungsstückes, der den Arm bedeckt.* **sinnv.**: Arm.

ärm|lich ⟨Adj.⟩: *[im Äußeren] von Armut zeugend:* ärmliche Kleidung; er lebt sehr ä. **sinnv.**: arm; armselig; elend.

arm|se|lig ⟨Adj.⟩: a) (emotional) *sehr, in Mitleid erregender Weise arm:* armselige Kleider, Wohnungen; er war a. angezogen. **sinnv.**: ärmlich, dürftig, kärglich, kümmerlich. b) *als zu wenig, als wertlos, unzulänglich o.ä. empfunden:* ein armseliger Stümper; eine armselige Spende. **sinnv.**: erbärmlich, jämmerlich, kläglich.

Ar|mut, die; -: *das Armsein, materielle Not:* in dieser Familie herrschte bitterste A. **sinnv.**: Bedürftigkeit, Elend, Geldmangel, Geldnot, Mangel, Mittellosigkeit, Not.

Aro|ma, das; -s, Aromen und Aromas: a) *angenehmer, stärker ausgeprägter Geschmack:* die Erdbeeren haben ein starkes A. **sinnv.**: Geschmack. b) *würziger Duft, Wohlgeruch:* die Zigarre hat ein besonderes A. **sinnv.**: Geruch.

ar|ran|gie|ren [arã'ʒi:rən]: **1.** ⟨tr.⟩ *für das Zustandekommen, die Gestaltung, Durchführung, den Ablauf von etwas sorgen:* ein Fest, eine Reise a. **sinnv.**: bewerkstelligen, veranstalten, verwirklichen. **2.** ⟨sich a.⟩ *sich [mit jmdm.] verständigen und eine Lösung für etwas finden:* du mußt dich [mit ihm] a. **sinnv.**: übereinkommen.

Arsch, der; -[e]s, Ärsche (derb): ↑*Gesäß.*

Art, die; -, -en: **1.** ⟨ohne Plural⟩ *angeborene, innewohnende Eigenart, Beschaffenheit:* ihre frische A. gefiel allen; das entspricht nicht seiner A. **sinnv.**: Wesen. **Zus.**: Gemüts-, Sinnes-, Wesensart. **2.** ⟨ohne Plural⟩ *Weise des Sichverhaltens:* auf diese A. kommst du nie ans Ziel. **sinnv.**: Benehmen; Manier. **Zus.**: Lebensart. **3.** *durch bestimmte Merkmale, Eigenschaften gekennzeichnete Qualität, Beschaffenheit, durch die sich jmd./etwas von anderen gleicher Gattung, Sorte unterscheidet:* jede A. von Gewalt ablehnen; ein Verbrechen übelster A. **sinnv.**: Gattung, Kaliber, Kategorie, Marke, Prägung, Sorte, Spezies. **Zus.**: Mach-, Sport-, Unter-, Wortart.

ar|tig ⟨Adj.⟩: *sich so gut benehmend, verhaltend, wie es Erwachsene von einem Kind erwarten:* ein artiges Kind. **sinnv.**: brav; gehorsam.

-ar|tig ⟨adjektivisches Suffix⟩: *in der Art (z.B. Aussehen, Beschaffenheit) wie das im Basiswort Genannte, damit vergleichbar; so wie das im Basiswort Genannte:* blitz-, flucht-, gummi-, hemd-, holz-, hütten-, katzen-, lawinen-, panik-, ruck-, schlag-, überfall-, wolkenbruchartig. **sinnv.**: -ähnlich, -al/-ell, -esk, -haft, -ig.

Ar|ti|kel, der; -s, -: **1.** *schriftlicher Beitrag, Aufsatz in einer Zeitung o.ä.* **sinnv.**: Abhandlung; Aufsatz. **Zus.**: Leit-, Zeitungsartikel. **2.** *in sich abgeschlossener Abschnitt innerhalb eines Textes:* das steht in A. 3 der Verfassung. **sinnv.**: Ab-

schnitt. **Zus.**: Gesetzesartikel. **3.** *als Ware gehandelter Gegenstand:* dieser A. ist im Augenblick nicht vorhanden. **sinnv.**: Ware. **Zus.**: Export-, Geschenk-, Marken-, Scherz-, Sportartikel. **4.** *Wortart, die bes. der Kennzeichnung des grammatischen Geschlechts eines Substantivs dient.* **sinnv.**: Geschlechtswort.

Ar|tist, der; -en, -en, **Ar|ti|stin,** die; -, -nen: *Künstler bzw. Künstlerin im Zirkus oder Varieté.* **sinnv.**: Akrobat, Clown, Gaukler, Jongleur, Komiker, Zauberkünstler.

Arz|nei, die; -, -en (veraltend): *[flüssiges] Heilmittel.* **sinnv.**: Medikament.

Arzt, der; -es, Ärzte, **Ärz|tin,** die; -, -nen: *männliche bzw. weibliche Person, die Medizin studiert hat und die staatliche Erlaubnis hat, Kranke zu behandeln.* **sinnv.**: Doktor, Heilkundiger, Humanmediziner, Kurpfuscher, Medikus, Mediziner, Medizinmann, Therapeut. **Zus.**: Amts-, Assistenz-, Augen-, Fach-, Frauenarzt, Hals-Nasen-Ohren-Arzt, Haus-, Haut-, Kinder-, Nerven-, Ober-, Sport-, Tier-, Vertrauens-, Zahnarzt.

ärzt|lich ⟨Adj.⟩: a) *zum Arzt gehörend:* die ärztliche Praxis. b) *vom Arzt [ausgehend]:* eine ärztliche Untersuchung; sich ä. behandeln lassen.

As, das; Asses, Asse: **1.** *Spielkarte mit dem höchsten Wert (siehe Bildleiste „Spielkarten").* **Zus.**: Herz-, Karo-, Kreuz-, Pik-, Trumpfas.

Asche, die; -, -n: *das, was von verbranntem Material in Form von Pulver übrigbleibt.* **Zus.**: Flug-, Zigarettenasche.

Aschen|be|cher, der; -s, -: *schalenförmiger Gegenstand für die Asche von Zigaretten o.ä.* **sinnv.**: Ascher.

äsen ⟨itr.⟩: *(von bestimmtem Wild) Nahrung aufnehmen:* Rehe äsen. **sinnv.**: fressen.

Ast, der; -[e]s, Äste: *stärkerer Zweig eines Baumes.* **sinnv.**: Zweig.

Aster, die; -, -n: *(von Sommer bis Herbst) in verschiedenen Farben blühende Pflanze, deren Blüte strahlenförmig angeordnete, schmale, längliche Blätter aufweist.* **Zus.**: Herbst-, Sommer-, Winteraster.

Astro|naut, der; -en, -en, **Astro|nau|tin,** die; -, -nen: *Teilnehmer bzw. Teilnehmerin an einer [amerikanischen] Weltraumfahrt.* **sinnv.**: Kosmonaut, Raumfahrer, Weltraumfahrer.

Astro|no|mie, die; -: *Wissenschaft von den Himmelskörpern.* **sinnv.**: Himmels-, Sternkunde.

Asyl, das; -s, -e: **1.** *Unterkunft vor allem für obdachlose Menschen.* **Zus.**: Nacht-, Obdachlosenasyl. **2.** *Aufnahme und Schutz (bes. für politisch Verfolgte in einem anderen Land):* um politisches A. bitten; jmdm. A. zusichern, bieten, gewähren. **sinnv.**: Zuflucht.

Asy|lant, der; -en, -en, **Asy|lan|tin,** die; -, -nen: *männliche bzw. weibliche Person, die sich um politisches Asyl bewirbt.*

Ate|lier [atə'lje:], das; -s, -s: *Raum für künstlerische o.ä. Arbeiten.* **sinnv.**: Werkstatt. **Zus.**: Filmatelier.

Atem, der; -s: **1.** *das Atmen:* der A. setzte aus. **2.** *Luft, die ein- oder ausgeatmet wird:* A. holen; er ist außer A. **sinnv.**: Luft, Puste.

Ath|let, der; -en, -en: **1.** *muskulöser, kräftiger Mann.* **2.** *jmd., der an einem sportlichen Wettkampf teilnimmt.* **sinnv.**: Sportler.

Ath|le|tin, die; -, -nen: vgl. Athlet (2).

ath|le|tisch ⟨Adj.⟩: *wie ein Athlet gebaut, sehr*

muskulös und stark: ein athletischer Körper, Typ. **sinnv.:** kräftig, muskulös; sportlich, stramm.

-a|ti|on/-ie|rung, die; -, -en: oftmals konkurrierende Suffixe von Substantiven, die von Verben auf ...ieren abgeleitet sind. Oft stehen beide Bildungen ohne Bedeutungsunterschied nebeneinander: Isolation/Isolierung, Kombination/Kombinierung, Konfrontation/Konfrontierung, doch zeichnen sich insofern Bedeutungsnuancen ab, als die Wörter auf ...ation stärker das Ergebnis einer Handlung bezeichnen, während die Parallelbildung auf ...ierung mehr das Geschehen, die Handlung betont, wofür jedoch auch die Bildung auf ...ation gebraucht wird. **sinnv.:** -heit.

At|las, der; - und -ses, Atlanten: *zu einer Art Buch zusammengefaßte geographische, historische o. ä. Karten.*

at|men, atmete, hat geatmet: **1.** ⟨itr.⟩ *Luft einziehen [und ausstoßen]:* durch die Nase a.; tief a. **sinnv.:** ausatmen, einatmen, hecheln, japsen, keuchen, Luft/Atem holen, röcheln, schnauben, schnaufen. **Zus.:** durchatmen. **2.** ⟨tr.⟩ ↑*einatmen:* frische Luft a.

At|mo|sphä|re, die; -: **1.** *Luft, die die Erde als Hülle umgibt:* der Satellit verglüht beim Eintritt in die A. **sinnv.:** Luft. **Zus.:** Erdatmosphäre. **2. a)** *von bestimmten Gefühlen, Emotionen, bestimmten Umständen, Gegebenheiten geprägte Art und Weise des Zusammenseins, -lebens von Menschen:* es herrschte eine gespannte A.; eine A. von Behaglichkeit schaffen. **sinnv.:** Klima, Stimmung. **Zus.:** Arbeitsatmosphäre. **b)** *in einer bestimmten Umgebung, einem Milieu vorhandenes, durch die gegebenen Umstände bestimmtes, durch bestimmte Faktoren beeinflußtes eigenes Gepräge, das auf jmdn. in bestimmter Weise wirkt:* die A. einer Stadt. **sinnv.:** Ambiente, Ausstrahlung, Flair, Fluidum, Kolorit.

Atom, das; -s, -e: *kleinstes, mit chemischen Mitteln nicht weiter zerlegbares Teilchen eines chemischen Grundstoffes.* **Zus.:** Wasserstoffatom.

ato|mar ⟨Adj.⟩: *die Ausrüstung mit Kernwaffen betreffend, mit Kernwaffen durchgeführt:* der atomare Holocaust; eine Armee a. bewaffnen.

Atom|bom|be, die; -, -n: *mit einem atomaren oder thermonuklearen Sprengsatz ausgerüstete, höchste Vernichtung bewirkende Bombe.* **sinnv.:** Kernwaffen.

At|ten|tat, das; -[e]s, -e: *Versuch, eine im öffentlichen Leben stehende Person zu töten:* das A. auf den Präsidenten mißglückte. **sinnv.:** Anschlag. **Zus.:** Bomben-, Sprengstoffattentat.

At|test, das; -[e]s, -e: *ärztliche Bescheinigung bes. über jmds. Gesundheitszustand:* jmdm. ein A. ausstellen; ein A. beibringen, vorlegen. **sinnv.:** Bescheinigung. **Zus.:** Gesundheitsattest.

At|trak|ti|on, die; -, -en: *etwas, was durch seine besondere, außerordentliche Art das Interesse auf sich zieht:* der Fernsehturm ist eine besondere A. **sinnv.:** Sehenswürdigkeit.

at|trak|tiv ⟨Adj.⟩: **a)** *anziehend durch besondere Vorteile oder Gegebenheiten; einen Anreiz bietend:* der Dienst in der Verwaltung ist noch immer a. **sinnv.:** begehrenswert, begehrt, erstrebenswert, erwünscht, gefragt, gesucht, zugkräftig. **b)** *anziehend auf Grund eines ansprechenden Äußeren:* eine attraktive Frau. **sinnv.:** anziehend; hübsch, vorzeigbar.

At|tri|but, das; -[e]s, -e: *etwas, was zu jmdm./etwas (zufälliger- oder charakteristischerweise) gehört:* die Attribute der Heiligen; ein Adjektiv steht oft als A. beim Substantiv. **sinnv.:** Merkmal.

auch: **I.** ⟨Adverb⟩ **1.** */drückt aus, daß sich etwas in gleicher Weise verhält, daß Gleiches Geltung hat/:* alle schwiegen, a. ich war still; sämtliche Mitglieder, a. die Vorsitzenden waren anwesend; /in Wortpaaren/ sowohl ... als/wie a.; nicht nur ..., sondern a. **sinnv.:** desgleichen, ebenfalls, ebenso, genauso, geradeso, gleichermaßen, gleichfalls. **2.** */drückt aus, daß zusätzlich noch etwas der Fall ist, zu etwas Genanntem etwas Weiteres hinzutritt/:* ich kann nicht, ich will a. nicht; nun muß ich a. noch die Kosten tragen. **sinnv.:** außerdem, darüber hinaus, obendrein, überdies, überhaupt, im übrigen; und. **3.** */drückt eine Verstärkung aus, unterstreicht eine Aussage/:* das war a. mir zuviel; a. die kleinste Gabe hilft den Armen; auf diese Weise wirst du a. nicht eine Mark sparen. **sinnv.:** selbst, sogar. **II.** ⟨Partikel⟩ **1.** */bekräftigt oder begründet eine vorausgegangene Aussage/:* ich glaubte, er sei verreist, und er war es a.; ich gehe jetzt, es ist a. schon spät. **sinnv.:** ja, schließlich, tatsächlich, wirklich. **2.** */drückt gefühlsmäßige Anteilnahme, Ärger, Verwunderung o. ä. aus/:* du bist [aber] a. eigensinnig; der ist a. überall dabei; a. das noch; warum kommst du a. so spät. **3.** */drückt im Fragesatz einen Zweifel, Unsicherheit o. ä. aus/:* darf er das a. tun?; hast du dir das a. überlegt? **sinnv.:** denn, eigentlich, überhaupt. **4. a)** */wirkt verallgemeinernd in Verbindung mit Interrogativpronomen/:* wer a. immer *(jeder, der)*; was a. [immer] geschieht *(alles, was geschieht)*; wie dem a. sei ... *(ob es falsch oder richtig ist).* **b)** */wirkt einräumend in Verbindung mit „wenn", „so" oder „wie"/:* es meldete sich niemand, soviel a. anrief; wenn a.! *(ugs.; das macht doch nichts!).*

auf: **I.** ⟨Präp. mit Dativ oder Akkusativ⟩ **A.** /räumlich:/ **1.** ⟨Lage; mit Dativ; Frage: wo?⟩ **a)** */kennzeichnet die Berührung von oben/:* das Buch liegt a. dem Tisch. **b)** */gibt den Aufenthalt in einem Raum, [öffentlichen] Gebäude usw. oder einen Seins-, Geschehens-, Tätigkeitsbereich an/:* er ist a. (in) seinem Zimmer; er arbeitet a. (in, bei) der Post; a. dem Gymnasium sein; a. dem Bau arbeiten. **c)** */gibt der Teilnahme an etwas, das Sichaufhalten bei einer Tätigkeit an/:* a. dem Parteitag; a. einer Hochzeit, a. Urlaub sein. **2.** ⟨Richtung; mit Akkusativ; Frage: wohin?⟩ **a)** */bezieht sich auf eine Stelle, Oberfläche, auf einen Erstreckungsbereich, einen Zielpunkt/:* er legte das Buch a. den Tisch. **b)** */bezeichnet den Gang zu einem/in einen Raum, zu einem/in ein [öffentliches] Gebäude, gibt die Richtung in einen Seins-, Geschehens-, Tätigkeitsbereich an/:* er geht a. sein Zimmer; sie schickte den Jungen a. die Post; sie geht a. die Universität *(sie studiert).* **c)** */gibt die Hinwendung zur Teilnahme an etwas, den Beginn einer Handlung, den Antritt von etwas an/:* a. einen Ball gehen; a. Urlaub gehen. **B.** /zeitlich:/ **1.** ⟨mit Akkusativ⟩ **a)** */Dauer/:* a. zwei Jahre ins Ausland gehen. **b)** */zeitliches Nacheinander/:* a. Regen folgt Sonnenschein. **c)** */in Verbindung mit zwei gleichen Substantiven zur Angabe der Wiederholung, der direkten Aufeinanderfolge/:* Welle a. Welle; Schlag a. Schlag. **C.** /Art und Weise; mit Akkusativ/: a.

elegante Art; sich a. deutsch unterhalten. **D.** /vor dem Superlativ; mit Akkusativ/: jmdn. a. das/ aufs herzlichste begrüßen. **E.** /in Abhängigkeit von bestimmten Wörtern/: trinken auf etwas; Hoffnung auf etwas; auf Veranlassung von. **II. 1.** /in Verbindung mit einem Personalpronomen in Konkurrenz zu *darauf*: bezogen auf eine Sache (ugs.)/: uns liegt ein Gutachten über das Waldsterben vor. Viele Befürworter einer umgehenden Abgasentgiftung beziehen sich a. es (statt: darauf). **2.** /in Verbindung mit „was" in Konkurrenz zu *worauf*: bezogen auf eine Sache (ugs.): **a)** /in Fragen/: a. was (besser: worauf) hat er dich angesprochen? **b)** /in relativer Verbindung/: ich weiß nicht, a. was (besser: worauf) sie hinauswill. **III.** ⟨Adverb⟩ **1.** /elliptisch als Teil eines Verbs/ **a)** *empor, in die Höhe* (von: aufstehen usw.): a. Leute, erhebt euch! **b)** *los, vorwärts!* (von: sich aufmachen usw.): a. zur Stadt! **c)** *geöffnet* (von: aufmachen usw.): Fenster a.!; Augen a. im Straßenverkehr! **2.** /in Wortpaaren/: a. und ab/nieder *(nach oben und nach unten).* **3.** /in Verbindung mit „von" in bestimmten Wendungen/: von klein a.; von Jugend a.

auf- ⟨trennbares, betontes verbales Präfix⟩: **I.** /kennzeichnet die Richtung/ *nach oben, in die Höhe:* **1. a)** /sich von unten in die Höhe bewegen/: aufkeimen, aufrichten, aufsteigen (Rauch). **b)** /sich nach oben ausdehnen als Menge/: aufstapeln, aufstauen, auftürmen. **c)** /vom Boden weg/: aufpicken, aufsammeln. **d)** /in eine bestimmte Höhe bringen und dort festmachen/: aufhängen, aufknüpfen. **e)** /auf etwas Höhergelegenes/: aufsitzen (aufs Pferd), aufsteigen. **f)** /besagt, daß jmd., der sich in einer Ruhelage o. ä. befunden hat, aus dieser durch etwas herausgebracht wird/: auffahren (durch einen Schreck), aufhetzen, aufrütteln, aufschrecken, aufstacheln, aufwecken. **g)** /besagt, daß etwas/jmd. aus der Verborgenheit herausgeholt wird/: auffischen, aufspüren, aufstöbern. **h)** /in bezug auf die körperliche Entwicklung/: aufpäppeln, aufziehen. **2.** /nach allen Seiten umfangreicher werden/: aufblähen, aufblasen, aufquellen. **3.** /kennzeichnet das unvermittelte Einsetzen/: aufblitzen, aufglühen, aufjauchzen, aufschreien. **II.** /kennzeichnet die Richtung auf einen Gegenstand, eine Person hin und die Erreichung des Zieles, den Kontakt/: aufkleben, aufnötigen, aufstampfen, auftreffen, aufzwingen. **III.** /kennzeichnet den Zustand des Unveränderten/: aufbehalten (Hut), auflassen (Tür). **IV.** /besagt, daß etwas durch ein Tun o. ä. nicht mehr geschlossen ist/: aufbekommen, aufbrechen, aufgehen (Knospe, Tür), aufklappen, aufknacken, aufschnüren, auftrennen. **V.** /an einer Stelle zusammen/: auffangen, auflisten, aufmarschieren, aufreihen, aufrollen (= zusammenrollen). **VI.** /besagt, daß etwas durch das im Basiswort Genannte nicht mehr vorhanden ist/: aufarbeiten, aufbrauchen, aufessen. **VII.** /besagt, daß etwas zu dem im Basiswort Genannten wird/: aufhellen, aufmuntern. **VIII.** /besagt, daß etwas durch das im Basiswort Genannte wieder in einen frischeren o. ä. Zustand gebracht wird/: aufbacken, aufbügeln, aufforsten, auffrischen, aufpeppen, aufpolieren. **IX.** /besagt, daß etwas beendet wird/: aufheben (Gesetz), aufstecken (Plan). **X.** /intensivierend/: aufgliedern, aufspeichern, auftauen, aufzeigen.

auf|at|men, atmete auf, hat aufgeatmet ⟨itr.⟩: *erleichtert sein, sich befreit fühlen:* als er hörte, daß sie das Unglück überlebt hatte, atmete er auf.

Auf|bau, der; -s, -ten: **1.** ⟨ohne Plural⟩ *Art der Anlage, des Gegliedertseins, der Anordnung:* der A. des Dramas; den A. einer Zelle darstellen. **sinnv.:** Anordnung, Gliederung, Struktur. **2.** *das Aufgebaute, Aufgesetzte (auf einen Untergrund, auf andere vorhandene Teile):* ein bühnenartiger A. **sinnv.:** Aufsatz.

auf|bau|en, baute auf, hat aufgebaut: **1.** ⟨tr.⟩ *zu einem Ganzen zusammenfügen und aufrichten* /Ggs.: abbauen/: ein Zelt a.; ein Haus wieder a. **sinnv.:** bauen. **2.** ⟨tr.⟩ *organisierend gestalten, nach und nach schaffen:* eine Partei zentralistisch a.; ich habe mir eine neue Existenz aufgebaut. **3.** ⟨tr.⟩ *planmäßig auf eine Aufgabe vorbereiten:* einen Sänger, Politiker a. **sinnv.:** managen. **4.** ⟨tr.⟩ *mit einer bestimmten Struktur, Gliederung versehen; in bestimmter Weise anordnend, gliedernd gestalten:* seinen Vortrag gut a. **sinnv.:** gliedern. **5.** ⟨itr.⟩ *(etwas) zur Grundlage nehmen:* auf den neuesten Erkenntnissen a. **6.** ⟨sich a.⟩ *sich an einer bestimmten Stelle hinstellen:* er baute sich vor ihm auf. **sinnv.:** sich aufstellen.

auf|bäu|men, sich; bäumte sich auf, hat sich aufgebäumt: **1.** *sich auf die Hinterbeine stellen und aufrichten:* das Pferd bäumte sich auf. **sinnv.:** sich erheben. **2.** *entschieden, empört o. ä. Widerstand leisten:* er bäumte sich gegen die Ungerechtigkeit auf. **sinnv.:** protestieren.

auf|bau|schen, bauschte auf, hat aufgebauscht ⟨tr.⟩: *(etwas) übertrieben oder schlimmer darstellen, als es in Wirklichkeit ist:* einen Vorfall a. **sinnv.:** übertreiben.

auf|be|wah|ren, bewahrte auf, hat aufbewahrt ⟨tr.⟩: *in Verwahrung nehmen:* jmds. Schmuck a. **sinnv.:** aufheben, bewahren, an sich nehmen, verwahren.

auf|bie|ten, bot auf, hat aufgeboten ⟨tr.⟩: *(Vorhandenes) einsetzen (für etwas), um etwas zu erreichen:* die Polizei gegen Ausschreitungen a.; alle Kräfte a. **sinnv.:** aufwenden.

auf|blei|ben, blieb auf, ist aufgeblieben ⟨itr.⟩: **1.** *nicht ins Bett gehen, sich nicht schlafen legen:* die ganze Nacht, bis 24 Uhr a. **sinnv.:** aufsein, aufsitzen, wachen. **2.** *geöffnet bleiben:* die Tür soll a.

auf|bre|chen, bricht auf, brach auf, hat/ist aufgebrochen: **1.** ⟨tr.⟩ *gewaltsam öffnen:* er hat den Tresor aufgebrochen. **sinnv.:** aufreißen, aufschlagen, aufschneiden, aufsprengen, erbrechen, knacken, sprengen. **2.** ⟨itr.⟩ *sich [platzend] öffnen:* die Knospe ist aufgebrochen. **sinnv.:** aufblühen. **3.** ⟨itr.⟩ *beginnen, den Ort, an dem man sich befindet, zu verlassen:* wir sind dann bald aufgebrochen. **sinnv.:** weggehen.

auf|brin|gen, brachte auf, hat aufgebracht ⟨tr.⟩: **1.** *durch gewisse Anstrengungen oder Bemühungen (eine bestimmte Menge von etwas) zur Verfügung haben:* das Geld für die Reise nicht a.; das nötige Verständnis für die Jugend a. *(haben).* **sinnv.:** aufwenden, beschaffen. **2.** (ugs.) *nur mit Mühe öffnen, aufkriegen; öffnen können:* die Tür kaum a. **sinnv.:** aufbekommen, aufkriegen; öffnen können. **3.** *Urheber (von etwas) sein:* ein neues Schlagwort a. **sinnv.:** verbreiten. **4.** *zornig machen, in Wut bringen:* diese Bemerkung brachte ihn auf; er war sehr aufgebracht. **sinnv.:** ärgern; aufregen.

Auf|bruch, der; -[e]s: *das Aufbrechen, Weggehen:* zum A. drängen, treiben. **sinnv.:** Start.

auf|bür|den, bürdete auf, hat aufgebürdet ⟨tr.⟩: *als Last auf jmdn. übertragen:* er hat ihm die ganze Arbeit, die Verantwortung aufgebürdet. **sinnv.:** auf jmdn. abschieben/abwälzen.

auf|decken, deckte auf, hat aufgedeckt: **1.** ⟨tr.⟩ **a)** *die Decke (von jmdm./etwas) wegnehmen:* das Kind, die Betten a. **b)** *(von Spielkarten) mit der Seite des Bildes nach oben hinlegen:* du kannst jetzt die letzte Karte auch noch a. **2.** ⟨tr.⟩ *(etwas Verborgenes) andern zur Kenntnis bringen, ans Licht bringen:* ein Verbrechen, Widersprüche a. **sinnv.:** enthüllen, entschleiern, zutage bringen. **3. a)** ⟨tr.⟩ *(als Decke) auf den Tisch legen:* ein Tischtuch a. **sinnv.:** auflegen. **b)** ⟨itr.⟩ *den Tisch decken:* kann ich schon a.?

auf|drän|gen, drängte auf, hat aufgedrängt: **1.** ⟨tr.⟩ *(jmdn.) dazu bringen, etwas zu nehmen oder zu übernehmen, was er anfänglich nicht annehmen wollte:* jmdm. eine Ware, ein Amt a. **sinnv.:** aufnötigen. **2.** ⟨sich a.⟩ *jmdm. seine Hilfe o. ä. in aufdringlicher Weise, unaufgefordert anbieten:* er wollte sich nicht a. **3.** ⟨sich a.⟩ *sich unwillkürlich in jmds. Bewußtsein einstellen, sich zwangsläufig ergeben:* es drängt sich die Frage auf, ob diese Maßnahme nötig war.

auf|dre|hen, drehte auf, hat aufgedreht: ⟨tr.⟩ **a)** *durch Drehen öffnen:* den Hahn a. **b)** (ugs.) *durch Öffnen eines Ventils o. ä. die Zufuhr von etwas ermöglichen:* das Gas, das Wasser a. **sinnv.:** anstellen. **c)** *durch Drehen lockern:* eine Schraube a. **sinnv.:** aufschrauben. **d)** (ugs.) *durch Betätigen eines Knopfes o. ä. laut[er] werden lassen:* das Radio a.

auf|dring|lich ⟨Adj.⟩: *sich ohne Hemmung [mit einem Anliegen] an einen andern wendend und ihm lästig werdend:* ein aufdringlicher Vertreter; sehr a. sein. **sinnv.:** penetrant, zudringlich.

auf|ein|an|der ⟨Adverb⟩: **1. a)** *einer auf den andern:* du sollst die Bücher nicht a. legen, sondern nebeneinander stellen. **sinnv.:** übereinander. **b)** *einer auf dem andern:* die Bücher sollen nicht a. liegen, sondern nebeneinander stehen. **sinnv.:** übereinander. **2.** *auf sich gegenseitig, einer auf den andern:* a. warten.

Auf|ent|halt, der; -[e]s, -e: **1.** *das Verweilen, Bleiben an einem Ort (für eine bestimmte Zeit):* er verlängerte seinen A. in der Stadt; der Zug hat fünf Minuten A. **sinnv.:** Fahrtunterbrechung, Halt, Unterbrechung · Zwischenlandung. **Zus.:** Erholungs-, Ferien-, Kuraufenthalt. **2.** *Ort, an dem sich jmd. aufhält:* sein jetziger A. ist Berlin. **sinnv.:** Wohnsitz.

auf|fah|ren, fährt auf, fuhr auf, hat/ist aufgefahren: **1.** ⟨itr.⟩ *während der Fahrt gegen/auf ein Auto fahren, das vor einem fährt:* er ist auf einen Lastwagen aufgefahren. **sinnv.:** zusammenstoßen. **2.** ⟨itr.⟩ *an jmdn., der vor einem fährt, nahe heranfahren:* er war ganz dicht aufgefahren. **3.** ⟨tr.⟩ (ugs.) *sehr reichlich und gut zu essen vorsetzen:* als wir bei ihm zu Gast waren, hat er viel aufgefahren. **sinnv.:** servieren. **4.** ⟨itr.⟩ *sich erschrocken schnell in die Höhe richten:* er ist aus dem Schlaf aufgefahren. **sinnv.:** aufschrecken, hochfahren.

auf|fal|len, fällt auf, fiel auf, ist aufgefallen ⟨itr.⟩: **a)** *durch besondere Art, Größe o. ä. bemerkt werden, Aufmerksamkeit erregen:* er fiel wegen

seiner Größe auf; seine Höflichkeit fiel angenehm auf; eine auffallende Ähnlichkeit. **sinnv.:** Aufsehen erregen, die Augen/Blicke auf sich ziehen, in die Augen fallen/springen, beeindrucken, Eindruck/Furore machen, hervorstechen, hervortreten. **b)** *von jmdm. bemerkt werden, ihm ins Auge fallen:* ist dir nichts aufgefallen an ihm? **sinnv.:** aufstoßen, sich einer Sache bewußt werden.

auf|fäl|lig ⟨Adj.⟩: *die Aufmerksamkeit auf sich ziehend:* ein auffälliges Kleid; es war a. *(verdächtig),* daß er schwieg. **sinnv.:** außergewöhnlich.

auf|fan|gen, fängt auf, fing auf, hat aufgefangen ⟨tr.⟩: **1.** *in einer Bewegung, im Fallen fassen:* einen Ball a. **sinnv.:** fangen. **2. a)** *am Weiterbewegen hindern und in einen Behälter o. ä. leiten:* das Wasser [in Eimern] a. **b)** *an einem Ort zusammenfassen und vorläufig unterbringen:* die Flüchtlinge in Lagern a. **3. a)** *in seiner Bewegung, Wucht abstoppen:* einen Stoß, Schlag a. **sinnv.:** abfangen. **b)** *aufhalten und zum Stehen bringen:* einen Vorstoß a. **4.** *(in seinen negativen Auswirkungen) mildern, ausgleichen:* die Preissteigerungen a. **sinnv.:** abschwächen. **5.** *etwas, was nur flüchtig, kurz wahrzunehmen ist, wahrnehmen:* einen bösen Seitenblick a. **sinnv.:** bemerken.

auf|fas|sen, faßt auf, faßte auf, hat aufgefaßt: **1.** ⟨tr.⟩ *in einer bestimmten Weise deuten, verstehen:* er hatte ihre Bemerkung als Tadel aufgefaßt; sie hatte seine Frage falsch aufgefaßt. **sinnv.:** ansehen; auslegen; begutachten. **2.** ⟨tr./itr.⟩ *mit dem Verstand aufnehmen, geistig erfassen:* das Kind faßt [alles] schnell auf. **sinnv.:** verstehen.

auf|for|dern, forderte auf, hat aufgefordert ⟨tr.⟩: *[nachdrücklich] bitten oder verlangen, etwas Bestimmtes zu tun:* er wurde aufgefordert, seinen Ausweis zu zeigen. **sinnv.:** bitten; verlangen.

auf|füh|ren, führte auf, hat aufgeführt: **1.** ⟨tr.⟩ *einem Publikum darbieten:* ein Schauspiel a. **sinnv.:** auf die Bühne bringen, darbieten, geben, spielen, vorführen. **2.** ⟨sich a.⟩ *sich in bestimmter [meist schlechter] Weise benehmen:* sie führten sich wie die Herren auf. **sinnv.:** sich benehmen. **3.** ⟨tr.⟩ *(in einem Text o. ä.) nennen:* er war namentlich in dem Buch aufgeführt. **sinnv.:** anführen.

Auf|ga|be, die; -, -n: **1.** ⟨ohne Plural⟩ *das Aufgeben, das Aufhören (mit etwas):* die A. seiner Pläne; er entschloß sich zur A. des Geschäftes. **Zus.:** Geschäftsaufgabe. **2. a)** *etwas, was jmdm. zu tun aufgegeben ist:* eine unangenehme A. übernehmen. **sinnv.:** Amt, Auftrag, Funktion, Pflicht, Verpflichtung. **b)** *dem Denken aufgegebenes Problem:* eine A. (Rechenaufgabe) lösen. **Zus.:** Abitur-, Rechen-, Text-, Übungsaufgabe. **c)** ↑*Hausaufgabe.*

Auf|gang, der; -[e]s, Aufgänge: **1.** *das Aufgehen, Erscheinen über dem Horizont:* beim A. der Sonne. **Zus.:** Sonnenaufgang. **2. a)** *Treppe, die nach oben führt:* dieses Haus hat zwei Aufgänge. **Zus.:** Treppenaufgang. **b)** *Weg, der nach oben führt:* der A. zur Burg. **sinnv.:** Auffahrt.

auf|ge|ben, gibt auf, gab auf, hat aufgegeben: **1.** ⟨tr.⟩ *als Aufgabe übertragen:* jmdm. ein Rätsel a.; der Lehrer hat den Schülern ein Gedicht zu lernen aufgegeben. **sinnv.:** anordnen. **2. a)** ⟨tr.⟩ *(auf etwas) verzichten, (von etwas) Abstand nehmen, (mit etwas) aufhören:* seinen Beruf, seine

Pläne a. **sinnv.**: einer Sache absagen/abschwören, sich etwas abschminken, abschreiben, aufstecken, bleibenlassen, fahrenlassen, fallenlassen, sich etwas aus dem Kopf schlagen, von etwas lassen, sich etwas versagen, auf etwas verzichten, von etwas zurücktreten. **b)** ⟨itr.⟩ *nicht weitermachen:* nach zehn Runden gab der Boxer auf. **sinnv.**: aufhören, aufstecken, resignieren. **3.** ⟨tr.⟩ *(in bezug auf jmdn.) keine Hoffnung mehr haben:* die Ärzte hatten ihn schon aufgegeben. **4.** ⟨tr.⟩ *zur Beförderung oder weiteren Bearbeitung übergeben:* ein Telegramm auf/bei der Post a.

auf|ge|hen, ging auf, ist aufgegangen ⟨itr.⟩: **1.** *am Horizont erscheinen* /Ggs. untergehen/: die Sonne geht auf. **2.** *sprießend hervorkommen:* die Saat geht auf. **sinnv.**: sprießen. **3. a)** *sich öffnen:* das Fenster ist durch den Wind aufgegangen. **b)** *sich öffnen lassen:* die Tür geht nur schwer auf. **c)** *nicht ordnungsgemäß zubleiben:* der Knoten, Reißverschluß geht immer wieder auf. **d)** *sich entfalten:* die Knospen gehen auf. **sinnv.**: aufblühen. **4.** *quellend in die Höhe gehen:* der Hefeteig geht auf. **5.** (ugs.) *(jmdm.) zum Bewußtsein kommen, deutlich werden:* erst später ging mir auf, daß seine Bemerkung eine Frechheit war. **sinnv.**: erkennen. **6.** *ohne Rest verteilt oder geteilt werden können; keinen Rest lassen [und in sich stimmen]:* die Karten gehen auf; diese Aufgabe ging nicht auf *(ließ sich nicht lösen).*

auf|grei|fen, griff auf, hat aufgegriffen ⟨tr.⟩: **1.** *(eines Verdächtigen o. ä.) habhaft werden und ihn festnehmen:* die Polizei hatte einen Mann aufgegriffen, der keinen Ausweis bei sich hatte. **sinnv.**: ergreifen. **2.** *als Anregung nehmen und darauf eingehen:* einen Vorschlag a. **sinnv.**: aufnehmen.

auf Grund, auf|grund: *begründet, veranlaßt durch:* auf Grund dieser Berichte; Beweise, auf Grund deren ...; auf Grund von Berichten konnte man sich ein Bild machen.

auf|ha|ben, hat auf, hatte auf, hat aufgehabt ⟨itr.⟩ (ugs.): **1.** *aufgesetzt haben:* die Mütze a.; eine Brille a. **sinnv.**: anhaben. **2.** *als Hausaufgabe machen müssen, aufgetragen bekommen haben:* in Deutsch haben wir heute nichts auf. **3. a)** *geöffnet haben:* am Sonntag hat der Bäcker nicht auf. **b)** *offenstehen haben:* sie hatten die Tür auf.

auf|hal|ten, hält auf, hielt auf, hat aufgehalten: **1.** ⟨tr.⟩ **a)** *[für eine Weile] daran hindern, seinen Weg fortzusetzen, weiterzukommen:* einen Fliehenden a. **sinnv.**: abstoppen; anhalten. **b)** *von einer anderen Tätigkeit abhalten, nicht zum Arbeiten o. ä. kommen lassen:* er hat mich eine Stunde aufgehalten. **sinnv.**: abhalten, stören. **2.** ⟨tr.⟩ *daran hindern, in seiner Entwicklung fortzuschreiten, sich zu entwickeln:* eine Katastrophe a. **sinnv.**: abwehren; verhindern. **3.** ⟨sich a.⟩ *sich mit jmdm./etwas sehr ausführlich befassen, so daß Zeit für anderes verlorengeht:* er hat sich bei/mit diesen Fragen zu lange aufgehalten. **sinnv.**: sich befassen. **4.** ⟨tr.⟩ *(für jmdn.) geöffnet halten:* er hielt [ihm] die Tür auf. **5.** ⟨sich a.⟩ *irgendwo vorübergehend leben:* sich im Ausland a. **sinnv.**: sich befinden, leben, sein, wohnen, zubringen.

auf|hän|gen, hängte auf, hat aufgehängt: **1.** ⟨tr.⟩ *auf etwas hängen:* die Wäsche [zum Trocknen] a. **2.** (emotional) **a)** ⟨tr.⟩ *durch Hängen töten:* sie hatten den Verräter an einer Laterne aufgehängt. **b)** ⟨sich a.⟩ *sich* ↑*erhängen:* er wollte sich a.

auf|he|ben, hob auf, hat aufgehoben ⟨tr.⟩: **1.** *(jmdn./etwas, was liegt) in die Höhe heben:* das Papier [vom Boden] a. **sinnv.**: auflesen, aufnehmen, aufraffen, aufsammeln. **2.** *rückgängig machen, wieder abschaffen:* eine Verordnung, ein Urteil a. **sinnv.**: beseitigen. **3.** *(etwas) offiziell beenden:* er hob die Sitzung auf. **4.** ↑*aufbewahren:* alte Briefe a. *(nicht wegwerfen);* er hatte mir ein Stück Kuchen aufgehoben *(für mich zurückgelegt).* **5.** *in gleicher Größe oder Höhe o. ä. wie etwas Entgegengesetztes vorhanden sein und es dadurch ausgleichen:* der Verlust hebt den Gewinn wieder auf; ⟨auch sich a.⟩ + 2 und − 2 heben sich auf. **sinnv.**: ausgleichen.

auf|ho|len, holte auf, hat aufgeholt: **1.** ⟨tr.⟩ *durch besondere Anstrengungen (einen Rückstand) [wieder] ausgleichen:* er holte den Vorsprung seines Gegners auf. **sinnv.**: ausgleichen, wettmachen. **2.** ⟨tr./itr.⟩ *den Vorsprung eines anderen [um ein bestimmtes Maß] durch eigene Leistung vermindern:* der Läufer hat [fünf Meter] aufgeholt. **sinnv.**: [Boden] gutmachen.

auf|hö|ren, hörte auf, hat aufgehört ⟨itr.⟩: **1.** *nicht länger dauern, zu Ende gehen:* der Regen hörte endlich auf. **sinnv.**: enden; vergehen. **2.** *nicht fortfahren; etwas nicht weiterführen; nicht mehr tun:* mit der Arbeit a. **sinnv.**: beenden.

auf|klap|pen, klappte auf, hat aufgeklappt ⟨tr.⟩: **a)** *(etwas, was auf etwas liegt) in die Höhe heben, nach oben klappen:* den Deckel einer Kiste a. **b)** *(etwas) durch Bewegen, Anheben, Hochklappen eines dafür vorgesehenen Teiles öffnen:* den Koffer a. **sinnv.**: öffnen.

auf|klä|ren, klärte auf, hat aufgeklärt: **1. a)** ⟨tr.⟩ *Klarheit in etwas bringen:* einen Mord a. **sinnv.**: Roß und Reiter nennen. **b)** ⟨sich a.⟩ *sich auflösen und nicht mehr rätselhaft o. ä. sein, sich völlig klären:* die Sache hat sich aufgeklärt. **2.** ⟨tr.⟩ *jmds. ungenügende Kenntnis über etwas beseitigen:* er klärte ihn über den wahren Sachverhalt auf; die Eltern hatten die Kinder nicht aufgeklärt. **sinnv.**: informieren, in Kenntnis setzen, unterrichten.

auf|kle|ben, klebte auf, hat aufgeklebt ⟨tr.⟩: *(auf etwas) kleben:* er klebte die Adresse [auf das Paket] auf. **sinnv.**: befestigen.

auf|kom|men, kam auf, ist aufgekommen ⟨itr.⟩: **1. a)** *entstehen (in bezug auf etwas, was sich in der augenblicklichen Gegenheit [und unerwartet] entwickelt, spürbar wird):* ein Wind kam auf; Unruhe kam auf. **b)** *sich regen und Verbreitung finden:* es kommen ständig neue Tänze auf *(werden Mode).* **sinnv.**: entstehen. **2.** *(jmdm.) gewachsen sein, etwas gegen jmdn./etwas tun können* /meist verneint/: gegen diesen Konkurrenten kam er nicht auf. **sinnv.**: sich durchsetzen. **3. a)** *entstehende Kosten tragen, übernehmen:* für die Kinder a.; er mußte für die Schulden seines Sohnes a. **sinnv.**: bezahlen. **b)** *für etwas tätige Verantwortung tragen:* für die Sicherheit der Bevölkerung a. **sinnv.**: einstehen. **4.** *wieder aufstehen, sich erheben können:* er kam nur mit Mühe vom Boden auf.

auf|la|den, lädt auf, lud auf, hat aufgeladen ⟨tr.⟩: **1.** *zum Tragen oder zum Transport auf etwas laden* /Ggs. abladen/: Möbel a. **sinnv.**: aufbürden; laden. **2.** *elektrisch laden:* eine Batterie a.

Auf|la|ge, die; -, -n: **1.** *Gesamtzahl der Exemplare eines Buches o. ä., die auf einmal gedruckt worden sind:* diese Zeitschrift hat eine A. von 5 000

[Exemplaren]. **sinnv.**: Abdruck, Ausgabe, Druck, Fassung, Nachdruck. **Zus.**: Deckungs-, Startauflage. **2.** *das Aufgelegte, auf etwas aufgebrachte, aufgelegte Schicht:* das Besteck hat eine A. aus Silber. **sinnv.**: Belag. **Zus.**: Silberauflage. **3.** *auferlegte Verpflichtung:* er bekam die A., sich jeden Tag bei der Polizei zu melden. **sinnv.**: Vorbehalt.

auf|las|sen, läßt auf, ließ auf, hat aufgelassen ⟨tr.⟩: **1.** *geöffnet lassen:* die Tür a. **2.** (ugs.) *auf dem Kopf behalten:* die Mütze a. **sinnv.**: aufbehalten.

auf|lau|ern, lauerte auf, hat aufgelauert ⟨itr.⟩: *in böser Absicht (auf jmdn.) lauern, warten:* er hatte seinem Opfer im Dunkeln aufgelauert. **sinnv.**: abpassen, belauern, auf der Lauer liegen, sich auf die Lauer legen.

Auf|lauf, der; -[e]s, Aufläufe: **1.** *Menge von Menschen, die erregt zusammengelaufen ist:* es gab einen großen A. vor dem Restaurant. **sinnv.**: Ansammlung. **2.** *in einer Form gebackene Speise aus Mehl, Reis o. ä.*

auf|lau|fen, läuft auf, lief auf, ist aufgelaufen ⟨itr.⟩: **a)** *(auf etwas) geraten* /von Schiffen/: das Schiff ist auf ein Riff aufgelaufen. **b)** *während des Wettlaufs an jmdn. Anschluß gewinnen, nach vorne gelangen:* er ist zur Spitze aufgelaufen. **sinnv.**: aufschließen. **c)** *in führende Position bei etwas gelangen:* zu ganz großer Form a.

auf|le|ben, lebte auf, ist aufgelebt ⟨itr.⟩: *neue Lebenskraft bekommen, [wieder] fröhlich o. ä. werden:* nach langer Zeit der Trauer lebt er nun wieder auf. **sinnv.**: aufblühen.

auf|le|gen, legte auf, hat aufgelegt ⟨tr.⟩: **1. a)** *auf etwas legen:* eine neue Decke a. **sinnv.**: aufdecken. **b)** *durch Auflegen des Hörers ein Telefongespräch beenden:* er hat den Hörer aufgelegt. **sinnv.**: aufhängen, einhängen. **2.** *durch Drucken veröffentlichen:* das Buch wird nicht wieder aufgelegt. **sinnv.**: verlegen.

auf|leh|nen, sich; lehnte sich auf, hat sich aufgelehnt: *jmds. Willen, Anschauung o. ä. nicht für sich anerkennen und dagegen Widerstand leisten:* sich gegen Unterdrückung, gegen einen Diktator a. **sinnv.**: protestieren.

auf|le|sen, liest auf, las auf, hat aufgelesen ⟨tr.⟩: *sammelnd vom Erdboden aufheben:* sie kniete auf dem Boden und las alle Perlen auf. **sinnv.**: aufheben.

auf|lockern, lockerte auf, hat aufgelockert ⟨tr.⟩: **a)** *locker machen:* den Boden a. **sinnv.**: auflösen, verteilen, zerstreuen. **b)** *zwangloser oder freundlicher gestalten:* der Unterricht muß aufgelockert werden. **sinnv.**: entkrampfen, entspannen, lockern, lösen.

auf|lö|sen, löste auf, hat aufgelöst: **1. a)** ⟨tr.⟩ *(in einer Flüssigkeit) zerfallen oder zergehen lassen:* eine Tablette in Wasser a. **b)** ⟨sich⟩ *[in einer Flüssigkeit] seine feste Beschaffenheit verlieren:* die Tablette löst sich in Wasser auf. **sinnv.**: auseinandergehen, sich lösen, sich verlaufen, sich verteilen, zergehen, zerrinnen, sich zersetzen. **2. a)** ⟨tr.⟩ *nicht länger bestehen lassen:* einen Verein a. **b)** ⟨sich a.⟩ *nicht länger bestehen:* der Verein hatte sich aufgelöst. **sinnv.**: aufgeben, beseitigen, untergehen.

auf|ma|chen, machte auf, hat aufgemacht: **1. a)** ⟨tr.⟩ ↑ *öffnen* /Ggs. zumachen/: ein Fenster a. **b)** ⟨itr.⟩ *zum Verkauf von Waren geöffnet werden* /Ggs. zumachen/: die Geschäfte machen mor-

gens um 8 Uhr auf. **sinnv.**: öffnen. **2.** ⟨tr.⟩ ↑ *eröffnen* /Ggs. zumachen/: einen Laden a. **3.** ⟨sich a.⟩ *sich zu etwas begeben; weggehen, um zu einem bestimmten Ziel zu gelangen:* er machte sich gleich auf, um rechtzeitig zu Hause zu sein. **sinnv.**: weggehen.

Auf|ma|chung, die; -, -en: *äußere Ausstattung, Äußeres:* in dieser A. willst du auf die Straße gehen? **sinnv.**: Aufputz, Aufzug, Ausstattung, Kleidung.

auf|merk|sam ⟨Adj.⟩: **1.** *mit wachen Sinnen, mit Interesse folgend:* ein aufmerksamer Zuhörer. **sinnv.**: andächtig, angespannt, angestrengt, erwartungsvoll, gespannt, konzentriert, wachsam. **2.** *höflich und zuvorkommend:* das ist sehr a. von Ihnen. **sinnv.**: höflich.

Auf|merk|sam|keit, die; -, -en: **1.** ⟨ohne Plural⟩ *das Sammeln der Sinne und des Geistes auf etwas.* **sinnv.**: Achtsamkeit, Achtung, Andacht, Anspannung, Augenmerk, Beachtung, Konzentration, Sammlung, Umsicht, Vorsicht, Wachsamkeit. **2.** *Gefälligkeit, höfliche und freundliche Handlung.* **sinnv.**: Entgegenkommen, Takt. **3.** *kleines Geschenk.* **sinnv.**: Gabe.

auf|mun|tern, munterte auf, hat aufgemuntert ⟨tr.⟩: *heiter stimmen:* jmdn. durch eine Unterhaltung a. **sinnv.**: erheitern.

Auf|nah|me, die; -, -n: **1.** *das Aufnehmen.* **2.** ↑ *Fotografie:* eine undeutliche A. **Zus.**: Blitzlicht-, Farb-, Nah-, Röntgen-, Trick-, Zeitlupenaufnahme. **3.** *Raum, in dem jmd. für die Unterbringung registriert wird:* der Patient mußte sich in der A. melden. **sinnv.**: Empfang.

auf|neh|men, nimmt auf, nahm auf, hat aufgenommen: **1.** ⟨tr.⟩ **a)** *[vom Boden] aufheben:* die Tasche a. **b)** *(eine Laufmasche, eine verlorene Masche) heraufholen:* Laufmaschen a. **2.** ⟨tr.⟩ **a)** *(jmdm.) eine Unterkunft bieten:* das Hotel kann keine Gäste mehr a. **sinnv.**: beherbergen. **b)** *in einem bestimmten Kreis zulassen:* jmdn. in eine Gemeinschaft a. **sinnv.**: annehmen, einstellen. **3.** ⟨itr.⟩ *fassen, Platz bieten (für jmdn./etwas):* das Flugzeug kann zweihundert Personen a. **4.** ⟨tr.⟩ *(in etwas) mit hineinnehmen, mit einbeziehen:* eine Erzählung in eine Sammlung a. **sinnv.**: einbeziehen. **5.** ⟨tr.⟩ *(einer Sache gegenüber) eine bestimmte Haltung einnehmen, (in bestimmter Weise auf etwas) reagieren:* eine Nachricht gelassen a. **sinnv.**: reagieren. **6.** ⟨tr.⟩ *in sein Bewußtsein hineinkommen; auf sich wirken lassen und es geistig verarbeiten:* auf der Reise habe ich viele neue Eindrücke aufgenommen. **sinnv.**: hören, lernen, sehen, wahrnehmen. **7.** ⟨tr.⟩ **a)** *(Nahrung) zu sich nehmen:* der Kranke nimmt wieder Nahrung auf. **sinnv.**: essen. **b)** *in sich eindringen lassen:* der Stoff nahm die Farbe nicht gleichmäßig auf. **sinnv.**: absorbieren, annehmen, aufsaugen. **8.** ⟨tr.⟩ **a)** *(mit einer Tätigkeit, einem Unternehmen) beginnen:* die Arbeit [wieder] a. **sinnv.**: anfangen, sich anschicken. **b)** *sich (mit etwas) befassen:* der Prozeß wurde wieder aufgenommen. **sinnv.**: anknüpfen, fortsetzen. **c)** *beginnen; anknüpfen:* mit einem Staat Verhandlungen a. **sinnv.**: anfangen. **d)** *es mit jmdm./etwas a. [können] (stark genug für einen Kampf mit jmdm. sein; mit jmdm./etwas konkurrieren [können]):* mit ihm kann er es schon a. **sinnv.**: fertig werden mit; jmdm., einer Sache gewachsen sein, sich messen können mit. **9.** ⟨tr.⟩ **a)**

†*fotografieren:* jmdn. im Profil a.; ein Bild a. **b)** †*filmen:* eine Szene a. **c)** *auf einer Schallplatte oder einem Tonband festhalten:* eine Oper a. **sinnv.:** aufzeichnen. **d)** *schriftlich festhalten, aufzeichnen:* einen Unfall, ein Protokoll a. **sinnv.:** aufschreiben. **10.** ⟨tr.⟩ *[gegen eine Sicherheit] Geld borgen, um es zu investieren:* Kapital [für den Bau eines Krankenhauses] a. **sinnv.:** leihen.

auf|op|fern, sich; opferte sich auf, hat sich aufgeopfert: *sich ohne Rücksicht auf die eigene Person einsetzen:* die Eltern opfern sich für ihre Kinder auf.

auf|pas|sen, paßte auf, hat aufgepaßt ⟨itr.⟩: **a)** *aufmerksam sein, um etwas plötzlich Eintretendes rechtzeitig zu bemerken:* wenn ihr über die Straße geht, müßt ihr [auf die Autos] a.; paß mal auf! **sinnv.:** achten, achtgeben, achthaben, aufmerken, ein Auge haben auf, beachten, Beachtung schenken, sich konzentrieren, Obacht geben, ganz Ohr sein, die Ohren spitzen, passen auf, bei der Sache sein, sich sammeln. **b)** *(einer Sache) mit Interesse [und Verständnis] folgen:* bei einem Vortrag a.; er paßt auf alles auf, was ich tue. **c)** *⟨auf jmdn./etwas⟩ achten, damit die betreffende Person oder Sache keinen Schaden erleidet oder anrichtet:* auf ein Kind a. **sinnv.:** beaufsichtigen, beobachten, überwachen.

auf|plat|zen, platzte auf, ist aufgeplatzt ⟨itr.⟩: *sich plötzend öffnen, aufspringen:* die Haut, die Wunde ist aufgeplatzt. **sinnv.:** aufbrechen, aufgehen, aufreißen, aufspringen, platzen, zerbrechen.

auf|pral|len, prallte auf, ist aufgeprallt ⟨itr.⟩: *heftig auftreffen:* das abstürzende Flugzeug prallte auf dem Wasser auf; ihr Wagen war auf einen anderen aufgeprallt. **sinnv.:** aufschlagen, zusammenstoßen.

Auf|preis, der; -es, -e: *Aufschlag auf den regulären Preis:* der Wagen wird gegen einen A. auch mit Automatik geliefert. **sinnv.:** Zuschlag.

auf|pum|pen, pumpte auf, hat aufgepumpt ⟨tr.⟩: *durch Pumpen mit Luft füllen:* die Reifen eines Autos a. **sinnv.:** aufblasen.

auf|put|schen, putschte auf, hat aufgeputscht: **1.** ⟨tr.⟩ *gegen jmdn. aufbringen:* die Bevölkerung a. **sinnv.:** aufwiegeln. **2. a)** ⟨tr.⟩ *in starke Erregung versetzen, aufreizen:* das Publikum war durch das Spiel aufgeputscht worden. **sinnv.:** anregen, begeistern, erregen, reizen. **b)** *⟨tr./sich a.⟩ (durch Drogen o. ä.) die Leistungsfähigkeit künstlich steigern:* das Mittel sollte ihn a.; er versuchte, sich mit Tabletten aufzuputschen. **sinnv.:** anregen.

auf|raf|fen, raffte auf, hat aufgerafft: **1.** ⟨tr.⟩ *schnell sammeln und aufnehmen:* sie raffte die aus dem Portemonnaie gefallenen Scheine auf. **sinnv.:** aufheben. **2.** ⟨sich a.⟩ **a)** *mühsam aufstehen:* er stürzte, raffte sich aber wieder auf. **sinnv.:** sich erheben. **b)** *sich mühsam (zu etwas) entschließen:* er raffte sich endlich auf, einen Brief zu schreiben. **sinnv.:** sich überwinden.

auf|rau|hen, rauhte auf, hat aufgerauht ⟨tr.⟩: *[durch Kratzen, Schaben] rauh machen:* das Holz mit Sandpapier ein wenig a. **sinnv.:** aufkratzen, rauhen.

auf|räu|men, räumte auf, hat aufgeräumt ⟨tr.⟩: *(irgendwo) Ordnung machen, jeden Gegenstand an seinen Platz legen:* die Wohnung, den Schreibtisch a. **sinnv.:** ausmisten, in Ordnung bringen, Ordnung machen, richten, zusammenstellen.

auf|recht ⟨Adj.⟩: *aufgerichtet und gerade:* ein aufrechter Gang.

auf|rech|ter|hal|ten, erhält aufrecht, erhielt aufrecht, hat aufrechterhalten ⟨tr.⟩: *weiterhin durchsetzen:* die Disziplin a.; seine Behauptung nicht a. **sinnv.:** beibehalten, fortsetzen, wachhalten.

auf|re|gen, regte auf, hat aufgeregt: **1.** ⟨tr.⟩ *in Erregung versetzen [so daß dadurch die Gesundheit angegriffen wird]:* man darf Kranke nicht a.; der Lärm regt ihn auf. **sinnv.:** ärgern, aufbringen, aufreizen, aufrühren, aufwühlen, beunruhigen, elektrisieren, erhitzen, erregen, erzürnen, mitnehmen, an die Nieren gehen. **2.** ⟨sich a.⟩ *in Erregung geraten [so daß dadurch die Gesundheit angegriffen wird]:* du darfst dich jetzt nicht a. **sinnv.:** sich ärgern, aufbrausen, auffahren, außer sich sein/geraten, durchdrehen, sich ereifern, sich erhitzen, sich erregen, sich erzürnen, explodieren, in Fahrt sein/kommen/geraten, aus dem Häuschen/in Rage sein/kommen/geraten, rasen, schäumen, toben, sich vergessen, wüten.

auf|rei|ben, rieb auf, hat aufgerieben: **a)** ⟨sich a.⟩ *seine Kräfte im Einsatz (für etwas) völlig verbrauchen:* er reibt sich in seinem Beruf auf. **sinnv.:** sich anstrengen. **b)** ⟨tr.⟩ *(jmds.) Kraft aufzehren:* die ständige Sorge reibt seine Gesundheit auf. **sinnv.:** anstrengen, entkräften, zehren an.

auf|rei|ßen, riß auf, hat/ist aufgerissen: **1.** ⟨tr.⟩ **a)** *mit heftiger Bewegung öffnen:* er hat das Fenster aufgerissen. **sinnv.:** öffnen. **b)** *gewaltsam öffnen und dabei die Oberfläche zerstören:* er hat den Brief aufgerissen. **sinnv.:** aufbrechen, aufschlitzen, aufschneiden. **2.** ⟨itr.⟩ *(die Haut) durch heftige Bewegung verletzen:* ich habe mir an dem Nagel den Finger aufgerissen. **sinnv.:** aufschlagen, aufstoßen, verletzen. **3.** ⟨itr.⟩ *sich durch heftige Bewegung [wieder] öffnen:* die Wunde, die Naht ist aufgerissen. **sinnv.:** aufplatzen.

auf|rich|ten, richtete auf, hat aufgerichtet: **1.** ⟨tr./sich a.⟩ *in die Höhe richten:* einen umgestürzten Zaun [wieder] a.; sich aus seiner gebückten Haltung a. **sinnv.:** aufbauen, aufschlagen, aufstellen, errichten; sich erheben. **2.** ⟨tr.⟩ *[durch Anteilnahme und Zuspruch] neuen Mut zum Leben geben:* er hat sie in ihrer Verzweiflung durch Zuspruch aufgerichtet. **sinnv.:** aufheitern, erbauen, erheben, stärken, trösten.

auf|rich|tig ⟨Adj.⟩: **a)** *dem innersten Gefühl entsprechend, der eigenen Überzeugung ohne Verstellung Ausdruck gebend:* aufrichtige Reue; er ist nicht immer ganz a. **sinnv.:** deutlich, ehrlich, frank und frei, freimütig, gerade, geradeheraus, geradlinig, lauter, offen, offenherzig, unkompliziert, unverblümt, unverhüllt, vertrauenswürdig, wahr, wahrhaftig, zuverlässig. **b)** ⟨verstärkend bei Verben⟩ *sehr:* es tut mir a. leid.

auf|rol|len, rollte auf, hat aufgerollt ⟨tr.⟩: **1.** *zu einer Rolle wickeln:* er rollte die Leine auf. **sinnv.:** aufwickeln. **2.** *(etwas Zusammengerolltes) öffnen, entfalten:* rollen Sie bitte die Landkarte auf! **sinnv.:** aufwickeln. **3.** *zur Sprache bringen:* ein Problem a. **sinnv.:** darlegen.

Auf|ruf, der; -[e]s, -e: *öffentliche Aufforderung:* einen A. an die Bevölkerung erlassen. **sinnv.:** Appell, Aufforderung, Mahnruf, Mahnung.

auf|ru|fen, rief auf, hat aufgerufen ⟨tr.⟩: **1.** *laut [beim Namen] nennen:* einen Schüler a.; Num-

mern, Lose a. **2.** *[durch einen öffentlichen Appell]
zu einem bestimmten Handeln oder Verhalten auf-
fordern:* die Bevölkerung wurde zu Spenden auf-
gerufen. **sinnv.:** appellieren.

Auf|ruhr, der; -s: *Auflehnung einer empörten
Menge gegen den Staat oder eine Führung:* einen
A. unterdrücken. **sinnv.:** Aufstand, Empörung,
Erhebung, Krawall, Meuterei, Rebellion, Revol-
te, Revolution, Tumult, Unruhen, Volksaufstand.

auf|rüh|ren, rührte auf, hat aufgerührt ⟨tr.⟩: **a)**
(in jmdm.) wecken, hervorrufen: die Leidenschaft
in jmdm. a. **sinnv.:** wachrufen. **b)** *(etwas Unange-
nehmes) erneut erwähnen:* eine alte Geschichte a.

auf|rüh|re|risch ⟨Adj.⟩: **a)** *zum Aufruhr antrei-
bend:* aufrührerische Ideen. **sinnv.:** revolutionär,
terroristisch, umstürzlerisch. **b)** *im Aufruhr begrif-
fen:* aufrührerische Volksmassen. **sinnv.:** aufstän-
disch, meuternd, rebellisch, revoltierend.

auf|run|den, rundete auf, hat aufgerundet ⟨tr.⟩:
(eine Zahl, Summe) nach oben abrunden: 99,50
DM auf 100 DM a. **sinnv.:** vervollständigen.

auf|rü|sten, rüstete auf, hat aufgerüstet ⟨itr.⟩:
*die Rüstung verstärken /*Ggs. abrüsten/: im stillen
a. **sinnv.:** nachrüsten.

auf|sam|meln, sammelte auf, hat aufgesam-
melt ⟨tr.⟩: *einzeln aufheben und sammeln:* er sam-
melte die Münzen auf. **sinnv.:** aufheben.

auf|säs|sig ⟨Adj.⟩: *trotzig und widerspenstig:* ein
aufsässiger Schüler. **sinnv.:** aufmüpfig, renitent,
ungehorsam.

Auf|satz, der; -es, Aufsätze: **a)** *kürzere schriftli-
che Arbeit über ein Thema, das der Lehrer dem
Schüler stellt:* einen A. schreiben; Aufsätze korri-
gieren. **Zus.:** Erlebnis-, Haus-, Klassen-, Schul-
aufsatz. **b)** *[wissenschaftliche] Abhandlung eines
selbstgewählten Themas:* einen A. in einer Zeit-
schrift veröffentlichen. **sinnv.:** Abhandlung, Arti-
kel, Beitrag, Essay, Feuilleton, Glosse, Leitarti-
kel, Kommentar, Referat, Studie, Traktat.

auf|sau|gen, sog auf /(auch:) saugte auf, hat
aufgesogen/ (auch:) aufgesaugt ⟨tr.⟩: *saugend in
sich aufnehmen:* der Schwamm saugt das Wasser
auf. **sinnv.:** aufnehmen.

auf|scheu|chen, scheuchte auf, hat aufge-
scheucht ⟨tr.⟩: *(ein Tier) aufschrecken, hochjagen:*
ein Reh a. **sinnv.:** aufjagen, aufschrecken, aufstö-
bern.

auf|schich|ten, schichtete auf, hat aufge-
schichtet ⟨tr.⟩: *nach einer bestimmten Ordnung
übereinanderlegen:* Bücher, Holz a. **sinnv.:** anhäu-
fen, aufhäufen, aufschütten, aufstapeln, auftür-
men, aufwerfen, häufen, schichten, stapeln, tür-
men.

auf|schie|ben, schob auf, hat aufgeschoben
⟨tr.⟩: **1.** *schiebend öffnen:* ein Fenster, eine Tür a.
sinnv.: öffnen. **2.** *nicht [wie vorgesehen, ge-
wünscht] gleich tun, sondern erst irgendwann spä-
ter:* die Abreise a. **sinnv.:** verschieben.

Auf|schlag, der; -[e]s, Aufschläge: **1.** *das Auf-
schlagen; heftiges, hartes Auftreffen im Fall:* als
der Baum stürzte, hörte man einen dumpfen A.
sinnv.: Zusammenstoß. **2.** *auf- oder umgeschlage-
ner Teil an Kleidungsstücken:* eine Hose mit Auf-
schlägen. **sinnv.:** Manschette, Revers, Stulpe,
Umschlag. **Zus.:** Ärmel-, Mantelaufschlag. **3.** *Er-
höhung eines Preises um einen bestimmten Betrag:*
für das Frühstück ist ein A. von 3 DM zu zahlen.
sinnv.: Zuschlag.

auf|schla|gen, schlägt auf, schlug auf, hat/ist
aufgeschlagen: **1.** ⟨itr.⟩ *im Fall hart auftreffen:* die
Rakete ist auf das/ auf dem Wasser aufgeschla-
gen. **sinnv.:** aufprallen, aufstoßen, auftreffen, zu-
sammenstoßen. **2.** ⟨tr.⟩ *an das Innere von etwas ge-
langen, indem man das, was es umgibt, zerschlägt:*
er hat die Nüsse, das Ei aufgeschlagen. **sinnv.:**
aufbrechen. **3.** ⟨itr.⟩ *beim Aufprallen, Auftreffen
verletzen:* ich habe mir das Bein aufgeschlagen.
sinnv.: aufreißen. **4.** ⟨tr.⟩ *(eine bestimmte Stelle ei-
nes Buches o.ä.) offen hinlegen, daß sie gelesen
oder angesehen werden kann:* er hat die Seite 17
aufgeschlagen. **sinnv.:** aufblättern, aufklappen. **5.**
⟨tr.⟩ *(etwas, was aus einzelnen Teilen besteht) zu-
sammenfügen und aufstellen:* er hat das Zelt auf-
geschlagen. **sinnv.:** aufrichten. **6.** ⟨itr.⟩ **a)** *den Preis
von etwas erhöhen:* der Kaufmann hat aufge-
schlagen. **sinnv.:** sich verteuern. **b)** *teurer werden:* die Milch hat aufge-
schlagen. **sinnv.:** sich verteuern.

auf|schlie|ßen, schloß auf, hat aufgeschlos-
sen/: **1.** ⟨tr.⟩ *mit einem Schlüssel öffnen /*Ggs. zu-
schließen/: die Tür a. **sinnv.:** öffnen. **2.** ⟨itr.⟩ *einen
größeren Abstand bes. zwischen Marschierenden
oder Autos so verringern, daß sie sich direkt hinter-
einander befinden:* ihr müßt mehr a. **sinnv.:** sich
anhängen, sich anschließen, auflaufen, aufrük-
ken, nachrücken.

Auf|schluß, der; Aufschlusses, Aufschlüsse: *et-
was, was etwas (Unklares, Ungeklärtes o.ä.) klar
und deutlich werden läßt:* sein Tagebuch gibt A.
über seine Leiden. **sinnv.:** Aufklärung, Auskunft,
Einblick, Erklärung.

auf|schluß|reich ⟨Adj.⟩: *Aufschluß gebend:* sei-
ne Bemerkung war sehr a. **sinnv.:** interessant.

auf|schnei|den, schnitt auf, hat aufgeschnit-
ten: **1.** ⟨tr.⟩ *durch Schneiden öffnen:* den Verband
a. **sinnv.:** aufschlitzen, aufstechen. **2.** ⟨tr.⟩ *durch
Schneiden zerteilen, zerlegen, in Stücke schneiden:*
den Braten a. **sinnv.:** zerlegen. **3.** ⟨itr.⟩ *übertrei-
bend beim Erzählen darstellen:* man glaubt ihm
nicht mehr, weil er immer aufschneidet. **sinnv.:**
prahlen.

auf|schrecken, **I.** schreckt/ (veraltend:)
schrickt auf, schreckte/schrak auf, ist aufge-
schreckt ⟨itr.⟩: *sich vor Schreck plötzlich aufrich-
ten, wegen eines Schrecks in die Höhe fahren:*
nachts schreckte sie manchmal aus einem bösen
Traum auf. **sinnv.:** auffahren. **II.** schreckte auf,
hat aufgeschreckt ⟨tr.⟩: *(jmdn.) so erschrecken,
daß er darauf mit einer plötzlichen heftigen Bewe-
gung o.ä. reagiert:* der Lärm hatte sie aufge-
schreckt. **sinnv.:** alarmieren, aufscheuchen, pro-
vozieren.

auf|schrei|ben, schrieb auf, hat aufgeschrie-
ben ⟨tr.⟩: *schriftlich festhalten, niederschreiben:*
seine Erlebnisse a. **sinnv.:** abfassen, anmerken,
aufzeichnen, eintragen, zur Feder greifen, fest-
halten, fixieren, formulieren, hinschreiben, mit-
schreiben, niederlegen, niederschreiben, notie-
ren, zu Papier bringen, aufs Papier werfen, proto-
kollieren, skizzieren, stenographieren, texten,
verfassen, vermerken, verzeichnen, zusammen-
stellen.

Auf|schrift, die; -, -en: *etwas, was oben auf et-
was geschrieben steht; kurzer Text auf etwas:* die
A. auf einem Deckel. **sinnv.:** Beschriftung, In-
schrift, Schrift, Überschrift.

Auf|schub, der; -[e]s: *das Aufschieben auf eine*

spätere Zeit: diese Angelegenheit duldet keinen A. **sinnv.:** Bedenkzeit, Frist, Verschiebung, Vertagung. **Zus.:** Straf-, Vollstreckungs-, Zahlungsaufschub.

Auf|schwung, der; -[e]s, Aufschwünge: **1.** *Schwung nach oben an einem Turngerät.* **Zus.:** Felg-, Knieaufschwung. **2.** *gute wirtschaftliche Entwicklung:* auf den A. warten. **sinnv.:** Auftrieb, Aufwärtsbewegung, Aufwind, Blüte, Boom, Hausse, Hochkonjunktur, Konjunktur, Welle. **Zus.:** Wirtschaftsaufschwung.

Auf|se|hen, das; -s: *allgemeine Beachtung, die jmd./etwas durch andere findet:* er scheute das A. **sinnv.:** Beachtung, Eklat, Sensation, Skandal.

Auf|se|her, der; -s, -, **Auf|se|he|rin,** die; -, -nen: *männliche bzw. weibliche Person, die zur Aufsicht über etwas oder jmds. Tun eingesetzt ist:* er war A. in einem Museum. **sinnv.:** Aufsicht, Aufsichtführender.

auf|sein, ist auf, war auf, ist aufgewesen ⟨itr.⟩ (ugs.): **1. a)** *geöffnet sein:* das Fenster ist [nicht] auf[gewesen]. **sinnv.:** offenstehen. **b)** *geöffnet haben:* weißt du, ob die Läden schon auf sind? **2.** *aufgestanden, außer Bett sein:* weißt du, ob er schon auf ist? **sinnv.:** aufbleiben.

auf|set|zen, setzte auf, hat aufgesetzt: **1.** ⟨tr.⟩ *auf etwas setzen:* einen Hut a. **sinnv.:** anziehen. **2.** ⟨tr.⟩ *(einen Text) schriftlich entwerfen:* ein Gesuch a. **sinnv.:** aufschreiben. **3.** ⟨sich a.⟩ *sich sitzend aufrichten:* der Kranke setzte sich im Bett auf. **4.** ⟨itr.⟩ *auf festen Boden gelangen, landen:* das Flugzeug setzte leicht auf; die Sonde setzte weich [auf dem Mond] auf.

Auf|sicht, die; -: **1.** *das Beaufsichtigen:* sie hatte die A. über die Kinder. **sinnv.:** Beaufsichtigung, Überwachung. **Zus.:** Bau-, Polizeiaufsicht. **2.** *jmd., der die Kontrolle über etwas hat oder die Aufgabe hat, etwas zu überwachen:* gefundene Gegenstände bei der A. abgeben. **sinnv.:** Aufsichtführender, Wächter.

auf|sit|zen, saß auf, ist aufgesessen ⟨itr.⟩: **1.** *aufs Pferd steigen* /Ggs. absitzen/: er war aufgesessen und davongeritten. **sinnv.:** aufsteigen. **2.** *nicht merken, daß etwas falsch oder unwahr ist:* ich bin einem Betrüger, einem Irrtum aufgesessen. **sinnv.:** hereinfallen.

auf|spa|ren, sparte auf, hat aufgespart ⟨tr.⟩: *(für einen späteren Zeitpunkt) aufheben:* ich spare [mir] das für später auf. **sinnv.:** aufbewahren, reservieren.

auf|spie|len, spielte auf, hat aufgespielt: **1.** ⟨sich a.⟩ *sich wichtig tun:* er spielt sich vor andern immer sehr auf. **sinnv.:** prahlen. **2.** ⟨itr.⟩ *zum Tanz oder zur Unterhaltung Musik machen:* eine Kapelle wird zur Hochzeit a. **sinnv.:** musizieren.

auf|sprin|gen, sprang auf, ist aufgesprungen ⟨itr.⟩: **1.** *plötzlich in die Höhe springen:* er sprang empört vom Stuhl auf. **sinnv.:** auffahren; sich erheben. **2.** *auf ein sich bewegendes Fahrzeug springen:* er ist auf die Straßenbahn aufgesprungen. **sinnv.:** aufsteigen. **3.** *sich springend öffnen:* das Schloß des Koffers sprang auf. **sinnv.:** aufplatzen.

auf|spü|ren, spürte auf, hat aufgespürt ⟨tr.⟩: *nach längerem Suchen finden:* die Polizei hat den flüchtigen Verbrecher aufgespürt. **sinnv.:** finden.

auf|sta|cheln, stachelte auf, hat aufgestachelt ⟨tr.⟩: *durch Reden bewirken, daß jmd. in bestimm-*

ter Weise handelt: der Redner stachelte die Zuhörer zum Widerstand auf. **sinnv.:** aufhetzen, aufwiegeln.

Auf|stand, der; -[e]s, Aufstände: *Erhebung gegen eine bestehende Ordnung:* der A. gegen die Regierung wurde niedergeschlagen. **sinnv.:** Aufruhr. **Zus.:** Arbeiter-, Volksaufstand.

auf|stän|disch ⟨Adj.⟩: *an einem Aufstand beteiligt, im Aufstand befindlich:* die aufständischen Bauern. **sinnv.:** aufrührerisch.

auf|stau|en, staute auf, hat aufgestaut ⟨tr.⟩: **a)** *(Wasser) durch Stauen sammeln:* das Wasser des Flusses wurde zu einem großen See aufgestaut. **sinnv.:** anstauen. **b)** *sich ansammeln lassen:* seinem aufgestauten Groll freien Lauf lassen.

auf|stecken, steckte auf, hat aufgesteckt ⟨tr.⟩: **1.** *nach oben, in die Höhe stecken:* sie steckte ihr Haar auf. **sinnv.:** hochbinden, hochstecken. **2.** (ugs.) *(auf etwas) verzichten:* ich glaube, du wirst deinen Plan a. müssen; ⟨auch itr.⟩ er steckt nie auf. **sinnv.:** aufgeben.

auf|ste|hen, stand auf, hat/ist aufgestanden ⟨itr.⟩: **1.** *sich (aus liegender oder sitzender Stellung) erheben:* bei der Begrüßung ist er aufgestanden; er ist früh aufgestanden, um den Zug zu erreichen. **sinnv.:** sich heben, aus den Federn kommen/kriechen. **2.** (ugs.) ↑ *offenstehen:* das Fenster hat den ganzen Tag aufgestanden. **3.** (geh.) *sich gegen jmdn. erheben:* das Volk ist gegen seine Bedrücker aufgestanden. **sinnv.:** protestieren.

auf|stei|gen, stieg auf, ist aufgestiegen ⟨itr.⟩: **1.** *auf etwas steigen* /Ggs. absteigen/: auf das Fahrrad a. **sinnv.:** aufsitzen, aufspringen, besteigen, sich schwingen auf, sich in den Sattel schwingen, sich setzen auf, springen auf, steigen auf. **2. a)** *in die Höhe steigen:* Rauch stieg [aus dem Schornstein] auf. **sinnv.:** aufflattern, sich aufschwingen, sich erheben, hochsteigen, steigen. **b)** *(als Zweifel o. ä. in jmdm.) entstehen, lebendig werden:* ein Verdacht stieg in ihm auf. **sinnv.:** aufblitzen, aufdämmern, aufkeimen, aufkommen, auftauchen, bewußt werden, dämmern, sich einstellen, jmdm. kommen. **3. a)** *in eine bestimmte höhere [berufliche] Stellung gelangen:* er stieg zum Minister auf (wurde Minister). **sinnv.:** arrivieren, aufrücken, avancieren, befördert werden, es zu etwas bringen, emporkommen, Karriere machen, gehoben, vorwärtskommen, etwas werden. **b)** *(bes. im Sport) in eine höhere Klasse eingestuft werden* /Ggs. absteigen/: die Mannschaft stieg auf.

auf|stel|len, stellte auf, hat aufgestellt: **1. a)** ⟨tr.⟩ *an eine Stelle, einen Ort stellen:* Stühle in einem Saal a. **sinnv.:** aufrichten, plazieren. **b)** ⟨sich a.⟩ *sich hinstellen:* er stellte sich drohend vor ihm auf. **sinnv.:** antreten, sich aufbauen, sich aufpflanzen, sich hinstellen, hintreten, sich postieren, sich stellen, (an eine Stelle) treten. **2.** ⟨tr.⟩ *(jmdn., den andere wählen sollen) nennen, vorschlagen:* einen Kandidaten a. **sinnv.:** ernennen. **3.** ⟨tr.⟩ *(Personen zur Ausführung von etwas) zusammenstellen, vereinigen:* Truppen a. **sinnv.:** auf die Beine bringen/stellen, formieren. **4.** ⟨tr.⟩ *im einzelnen schriftlich festhalten, formulieren:* ein Programm a. **sinnv.:** entwerfen. **5.** ⟨tr.⟩ *(unter Voraussetzung der wahrscheinlichen Richtigkeit, Angemessenheit) aussprechen:* eine Behauptung, eine Forderung a. **sinnv.:** zur Diskussion stellen, in den Raum stellen, vorgeben.

Auf|stieg, der; -[e]s, -e: **1.** /Ggs. Abstieg/ **a)** *das Aufwärtssteigen:* er wagte den A. auf den steilen Berg. **sinnv.:** hinaufgehen, -steigen. **b)** *Aufwärtsentwicklung:* der wirtschaftliche A. **sinnv.:** Beförderung, Karriere, Vorwärtskommen. **2.** *Weg, der nach oben führt* /Ggs. Abstieg/.

auf|stocken, stockte auf, hat aufgestockt ⟨tr.⟩: *(ein Haus) um ein Stockwerk erhöhen:* wir müssen das Einfamilienhaus a. **sinnv.:** erhöhen, erweitern, vergrößern.

auf|sto|ßen, stößt auf, stieß auf, hat aufgestoßen: **1.** ⟨tr.⟩ *durch Stoßen öffnen* /Ggs. zustoßen/: er hat die Tür mit dem Fuß aufgestoßen. **sinnv.:** öffnen. **2.** ⟨itr.⟩ *durch Stoßen verletzen:* ich habe mir das Knie aufgestoßen. **sinnv.:** aufreißen. **3.** ⟨itr.⟩ (ugs.) *Luft aus dem Magen hörbar durch den Mund ausstoßen:* er hat aufgestoßen. **sinnv.:** Bäuerchen machen, rülpsen.

Auf|strich, der; -[e]s: *etwas, was auf das Brot gestrichen wird.* **sinnv.:** Belag. **Zus.:** Brotaufstrich.

auf|stüt|zen, stützte auf, hat aufgestützt ⟨tr./ sich a.⟩: *auf etwas stützen:* den Arm a.; sich mit der Hand a. **sinnv.:** (sich) aufstemmen, (sich) lehnen auf, (sich) stützen auf.

auf|su|chen, suchte auf, hat aufgesucht ⟨tr.⟩: **1.** *(zu jmdm. oder etwas) aus einem bestimmten Grund hingehen:* den Arzt a. **sinnv.:** besuchen. **2.** *(an einer bestimmten Stelle) suchen:* eine Stadt auf der Landkarte a. **sinnv.:** feststellen, nachschlagen, suchen.

Auf|takt, der; -[e]s, -e: *etwas, womit etwas eingeleitet wird oder was den Anfang von etwas darstellt:* nach dem großen A. gab es weitere Erfolge.

auf|tau|chen, tauchte auf, ist aufgetaucht ⟨itr.⟩: *(aus dem Wasser o. ä.) tauchen, wieder hervorkommen, zu sehen sein:* ab und zu tauchte der Kopf des Mannes aus den Wellen auf.

auf|tau|en, taute auf, hat/ist aufgetaut: **1.** ⟨tr.⟩ **a)** *zum Tauen, Schmelzen bringen:* die Sonne hat das Eis aufgetaut. **sinnv.:** abschmelzen, abtauen, aufschmelzen, schmelzen, tauen, wegtauen. **b)** *von Eis befreien:* er hat das Rohr aufgetaut. **2.** ⟨itr.⟩ **a)** *sich tauend auflösen, schmelzen:* das Eis ist aufgetaut. **sinnv.:** abtauen, tauen. **b)** *von Eis frei werden:* der Fluß ist aufgetaut. **3.** ⟨itr.⟩ *die Hemmungen verlieren und gesprächig werden:* erst war er sehr still, doch bald war er aufgetaut. **sinnv.:** aus sich herausgehen, munter/warm werden, die Scheu verlieren.

auf|tei|len, teilte auf, hat aufgeteilt ⟨tr.⟩: *(ein Ganzes) in Stücke o. ä. teilen, völlig verteilen:* den Kuchen a. **sinnv.:** einteilen, gliedern, teilen.

Auf|trag, der; -[e]s, Aufträge: **1.** *Bestellung einer auszuführenden Arbeit, einer zu liefernden Ware:* die Firma hat viele Aufträge bekommen. **sinnv.:** Bestellung. **Zus.:** Bau-, Druck-, Rüstungsauftrag. **2.** *Anweisung (eine Arbeit auszuführen):* er bekam den A., einen Bericht zu schreiben. **sinnv.:** Aufgabe, Berufung, Weisung. **Zus.:** Geheim-, Lehr-, Wählerauftrag.

auf|tra|gen, trägt auf, trug auf, hat aufgetragen: **1.** ⟨tr.⟩ (geh.) *auf den Tisch bringen, servieren* /Ggs. abtragen/: das Essen a. **sinnv.:** aufwarten, servieren, vorsetzen. **2.** ⟨tr.⟩ *(etwas) auf etwas streichen:* Farbe a. **sinnv.:** aufbringen, aufmalen, aufpinseln, aufschmieren, malen/pinseln/schmieren/ streichen auf. **3.** ⟨tr.⟩ (geh.) *den Auftrag geben, etwas zu tun oder eine Nachricht zu übermitteln:* er

hat mir aufgetragen, seine kranke Mutter zu besuchen. **sinnv.:** anordnen, beauftragen. **4.** ⟨tr.⟩ *so lange tragen oder anziehen, bis es völlig abgenutzt ist:* die Kleidung gar nicht a. können. **sinnv.:** abnutzen. **5.** ⟨itr.⟩ *dicker erscheinen lassen, dick machen:* der Pullover trägt zu sehr auf.

auf|tref|fen, trifft auf, traf auf, ist aufgetroffen ⟨itr.⟩: *auf etwas treffen, prallen:* die Sonde traf auf die/auf der Oberfläche des Mondes auf. **sinnv.:** aufschlagen.

auf|trei|ben, trieb auf, hat aufgetrieben ⟨tr.⟩: **1.** (ugs.) *nach längerem Suchen finden, sich beschaffen:* er konnte in der ganzen Stadt keinen Dolmetscher a. **sinnv.:** beschaffen, finden. **2.** *von innen her dick machen, schwellen lassen:* das Wasser hat den Leib des Toten aufgetrieben. **sinnv.:** aufblähen.

auf|tre|ten, tritt auf, trat auf, ist aufgetreten ⟨itr.⟩: **1.** *den Fuß auf den Boden setzen:* er konnte nicht a. **sinnv.:** aufstampfen, den Fuß/die Füße aufsetzen. **2. a)** *sich in bestimmter Weise zeigen, benehmen:* er trat sehr energisch auf. **sinnv.:** sich benehmen. **b)** *(in bestimmter Absicht) tätig sein:* als Zeuge, Redner a. **sinnv.:** darstellen, erscheinen, fungieren, machen, mimen, sein. **c)** *auf der Bühne spielen:* der Schauspieler tritt nicht mehr auf. **sinnv.:** spielen. **3.** *sich (bei Gebrauch oder im Laufe der Zeit) herausstellen, ergeben:* Schwierigkeiten traten auf. **sinnv.:** anfallen, aufkommen, sich einstellen, entstehen, sich ergeben, erscheinen, sich zeigen.

Auf|trieb, der; -[e]s, -e: *aus einem Impuls heraus entstehender Schwung:* diese Nachricht gab ihm A. **sinnv.:** Arbeitsfreude, -lust, Aufschwung, Aufwind, Tatendrang.

Auf|tritt, der; -[e]s, -e: **1.** *das Auftreten (eines Schauspielers auf der Bühne):* der Schauspieler wartete auf seinen A. **2.** *Teil eines Aufzugs* (3): im zweiten A. der ersten Szene spricht der Held einen Monolog. **3.** *heftige Auseinandersetzung [bei der einem anderen Vorhaltungen gemacht werden]:* es gab einen A. in der Familie. **sinnv.:** Streit, Szene.

auf|trump|fen, trumpfte auf, hat aufgetrumpft ⟨itr.⟩: *seine Meinung, seinen Willen oder eine Forderung (auf Grund seiner Überlegenheit) durchzusetzen versuchen:* er versuchte bei seinen Eltern aufzutrumpfen. **sinnv.:** protestieren, siegen, übertreffen.

auf|wa|chen, wachte auf, ist aufgewacht ⟨itr.⟩: *wach werden* /Ggs. einschlafen/: durch den Lärm a. **sinnv.:** erwachen, aus dem Schlaf auffahren/ aufschrecken, wach/munter werden.

auf|wach|sen, wächst auf, wuchs auf, ist aufgewachsen ⟨itr.⟩: *(in bestimmter Umgebung) seine Kindheit verbringen und dort groß werden:* er ist bei seinen Großeltern aufgewachsen. **sinnv.:** groß werden, heranreifen, heranwachsen.

Auf|wand, der; -[e]s: **1.** *das, was für etwas aufgewendet wird, aufgewendet worden ist:* dieser A. an Kraft war nicht erforderlich. **sinnv.:** Aufbietung, Einsatz, Mobilisierung. **Zus.:** Kosten-, Kraft-, Stimm-, Zeitaufwand. **2.** *Luxus, übertriebene Pracht:* er leistete sich einen gewissen A. **sinnv.:** Aufgebot, Ausstattung, Repräsentation.

auf|wär|men, wärmte auf, hat aufgewärmt: **1.** ⟨tr.⟩ **a)** *(Speisen) wieder warm machen:* das Essen a. **sinnv.:** aufbacken, aufbraten, aufkochen, erhit-

zen, kochen, warm/heiß machen, wärmen. **b)**
(ugs.) *(etwas [Unerfreuliches], was vergessen oder
erledigt war) wieder in Erinnerung bringen, dar-
über sprechen:* die alten Geschichten a. **sinnv.:** er-
wähnen. **2.** ⟨sich a.⟩ *sich wieder wärmen:* sich am
Ofen a.

auf|wärts ⟨Adverb⟩: *nach oben* /Ggs. abwärts/:
der Lift fährt a. **sinnv.:** bergan, bergauf, berg-
wärts, empor, herauf, hinauf, hoch. **Zus.:** berg-,
fluß-, stromaufwärts.

auf|wecken, weckte auf, hat aufgeweckt ⟨tr.⟩:
wach machen: der Lärm hat ihn aufgeweckt.
sinnv.: aus dem Schlaf reißen/rütteln, wach/
munter machen, wach rütteln, wecken.

auf|wei|sen, wies auf, hat aufgewiesen ⟨itr.⟩:
*(durch etwas) gekennzeichnet sein und dies zeigen
oder erkennen lassen:* dieser Apparat weist einige
Mängel auf. **sinnv.:** in sich bergen/tragen, erken-
nen lassen, gekennzeichnet sein durch, haben,
zeigen.

auf|wen|den, wandte/wendete auf, hat aufge-
wandt/aufgewendet ⟨tr.⟩: *(für einen bestimmten
Zweck, für ein Ziel) aufbringen, einsetzen:* er muß-
te viel Geld a., um das Haus renovieren zu lassen.
sinnv.: aufbieten, aufbringen, daransetzen, dran-
setzen, einsetzen, hineinstecken, investieren, mo-
bilisieren, reinstecken, verwenden.

auf|wen|dig ⟨Adj.⟩: *über das übliche, notwendi-
ge Maß an Aufwand hinausgehend:* eine reichlich
aufwendige Wohnungseinrichtung, Restaurie-
rung; er lebt sehr a. **sinnv.:** teuer.

Auf|wen|dun|gen, die ⟨Plural⟩: *aufgewendete
Kosten.* **sinnv.:** Unkosten.

auf|wer|fen, wirft auf, warf auf, hat aufgewor-
fen: **1.** ⟨tr.⟩ *zur Sprache bringen, zur Diskussion
stellen:* in der Diskussion wurden heikle Fragen
aufgeworfen. **sinnv.:** erwähnen. **2.** ⟨sich a.⟩ *sich
(als jmd.) aufspielen:* sich zum Richter aufwer-
fen.

auf|wer|ten, wertete auf, hat aufgewertet ⟨tr.⟩:
eine Währung im Wert erhöhen /Ggs. abwerten/:
wenn die DM aufgewertet wird, werden die Ex-
porte geringer werden.

auf|wickeln, wickelte auf, hat aufgewickelt
⟨tr.⟩: **1.** *auf etwas wickeln* /Ggs. abwickeln/: Wolle
a. **sinnv.:** aufhaspeln, aufrollen, aufspulen, auf-
winden, haspeln, rollen auf, spulen, wickeln auf,
zusammenrollen. **2.** *die Hülle (von etwas) entfer-
nen, auseinanderwickeln:* ein Päckchen a. **sinnv.:**
auseinanderlegen, -rollen, ausrollen, entfalten.

auf|wie|geln, wiegelte auf, hat aufgewiegelt
⟨tr.⟩: *durch Reden, Worte auf eine Gruppe von
Menschen in der Weise einwirken, daß sie sich ge-
gen Vorgesetzte o. ä. auflehnt:* er hat die Arbeiter
gegen die Regierung aufgewiegelt. **sinnv.:** agitie-
ren, anheizen, aufbringen, aufhetzen, aufput-
schen, aufreizen, aufstacheln, fanatisieren, het-
zen, scharfmachen, stänkern, verhetzen.

auf|wie|gen, wog auf, hat aufgewogen ⟨tr.⟩:
*denselben Wert wie etwas anderes haben; einen
Ausgleich (für etwas) darstellen:* der Verlust des
Ringes konnte mit Geld nicht aufgewogen wer-
den. **sinnv.:** ausgleichen.

auf|wir|beln, wirbelte auf, hat/ist aufgewirbelt:
1. ⟨tr.⟩ *in die Höhe wirbeln, wirbelnd in die Höhe
treiben:* der Wind hat den Staub aufgewirbelt.
sinnv.: aufrühren, hochwirbeln. **2.** ⟨itr.⟩ *wirbelnd
auffliegen:* der Staub ist aufgewirbelt.

auf|wi|schen, wischte auf, hat aufgewischt: **a)**
⟨tr.⟩ *mit einem Lappen durch Wischen [vom Boden]
entfernen:* ich wischte die verschüttete Milch auf.
sinnv.: auftrocknen. **b)** ⟨tr./itr.⟩ *durch Wischen rei-
nigen:* hast du [den Fußboden] aufgewischt?
sinnv.: säubern.

auf|wüh|len, wühlte auf, hat aufgewühlt ⟨tr.⟩: **1.**
*wühlend (in etwas) eindringen, es durcheinander-
bringen:* der Bagger wühlte die Erde auf. **2.** *in in-
nere Bewegung versetzen, erschüttern:* die Musik
wühlte ihn auf. **sinnv.:** aufpeitschen, aufregen, er-
schüttern.

auf|zäh|len, zählte auf, hat aufgezählt ⟨tr.⟩: *ein-
zeln und nacheinander nennen:* jmds. Verdienste
a. **sinnv.:** erwähnen.

auf|zeich|nen, zeichnete auf, hat aufgezeichnet
⟨tr.⟩: **1.** *auf etwas zeichnen:* einen Grundriß genau
a. **sinnv.:** zeichnen. **2.** *schriftlich, in Bild, Ton fest-
halten:* seine Beobachtungen a. **sinnv.:** aufneh-
men, aufschreiben.

auf|zei|gen, zeigte auf, hat aufgezeigt ⟨tr.⟩:
deutlich vor Augen führen: Probleme a. **sinnv.:**
hinweisen, hinweisen.

auf|zie|hen, zog auf, hat/ist aufgezogen: **1.** ⟨tr.⟩
in die Höhe ziehen: er hat den Rolladen aufgezo-
gen. **sinnv.:** aufwinden, heraufziehen, hochzie-
hen. **2.** ⟨tr.⟩ *durch Ziehen öffnen* /Ggs. zuziehen/:
er hat den Vorhang aufgezogen. **sinnv.:** öffnen. **3.**
⟨tr.⟩ *(auf etwas) straff befestigen:* sie hat das Bild
auf Pappe aufgezogen. **sinnv.:** aufspannen. **4.** ⟨tr.⟩
↑ *großziehen:* die Großeltern haben das Kind auf-
gezogen. **5.** ⟨tr.⟩ **a)** *(eine Uhr o. ä.) durch Straffen
einer Feder zum Funktionieren bringen:* er hat den
Wecker aufgezogen. **sinnv.:** aufdrehen. **b)** *die Pla-
nung, Ausgestaltung einer Veranstaltung überneh-
men und diese vorbereiten:* er hat ein großes Fest
aufgezogen. **sinnv.:** veranstalten. **6.** ⟨tr.⟩ *Scherz,
Spott treiben (mit jmdm.):* seine Kameraden ha-
ben ihn wegen seines Namens aufgezogen.
sinnv.: anöden, anpflaumen, ärgern, auf den Arm
nehmen, flachsen, foppen, frotzeln, hänseln,
hochnehmen, durch den Kakao ziehen, necken,
spötteln, spotten, sticheln, ulken, uzen, veral-
bern, verhöhnen, verspotten, verulken, witzeln. **7.**
⟨itr.⟩ **a)** *herankommen, sich nähern:* ein Gewitter
ist aufgezogen. **sinnv.:** aufkommen, drohen, her-
ankommen, herannahen, heraufziehen, kommen,
nahen, sich nähern, sich zusammenballen, sich
zusammenbrauen, sich zusammenziehen. **b)** *sich
(an einer bestimmten Stelle) aufstellen:* eine Wa-
che war vor dem Schloß aufgezogen.

Auf|zug, der; -[e]s, Aufzüge: **1. a)** *Anlage zum
Befördern von Personen oder Sachen nach oben
oder unten:* in diesen A. gehen nur 4 Personen.
sinnv.: Fahrstuhl, Lift, Paternoster, Rolltreppe.
Zus.: Lasten-, Personen-, Warenaufzug. **b)** *Vor-
richtung zum Hochziehen von Lasten.* **sinnv.:** Win-
de. **2.** *auffallende, als ungewöhnlich und meist im
negativen Sinne als unangemessen angesehene
Kleidung:* in dem A. kannst du nicht gehen.
sinnv.: Aufmachung. **3.** *Akt eines Dramas.* **sinnv.:**
Akt · Auftritt, Bild, Szene.

Au|ge, das; -s, -n: *Organ zum Sehen:* blaue,
strahlende Augen. **sinnv.:** Augapfel, Augenlicht,
Sehkraft, Sehschärfe, Sehvermögen. **Zus.:** Ad-
ler-, Argus-, Facetten-, Glas-, Luchs-, Mandel-,
Röntgen-, Schlitz-, Triefauge.

Au|gen|blick [auch: ...blick], der; -[e]s, -e: **a)**

sehr kurzer Zeitraum: warte noch einen A.!
sinnv.: Moment, Weile, Zeitpunkt. **b)** *bestimmter Zeitpunkt:* das war ein wichtiger A.
au|gen|blick|lich [auch: ...blick...] ⟨Adj.⟩: **1.** *ohne jede Verzögerung [geschehend, erfolgend o.ä.]:* augenblickliche Hilfe erwarten; du hast a. zu kommen. **sinnv.:** gleich, prompt, schleunigst, schnurstracks, sofort, sofortig, sogleich, spornstreichs, auf der Stelle, stracks, unverzüglich, ohne Verzug. **2.** *zum gerade herrschenden Zeitpunkt [vorhanden, gegeben o.ä.]:* die augenblickliche Lage ist ernst. **sinnv.:** derzeit, derzeitig, gegenwärtig, heute, heutig, jetzt, jetzig, momentan, im Moment, nun, nunmehr, zur Stunde. **3.** *nur kurz andauernd:* eine augenblickliche Verstimmung. **sinnv.:** flüchtig, momentan, vorübergehend.
Au|gust, der; -[s]: *achter Monat des Jahres.* **sinnv.:** Erntemonat, -mond, Ernting.
Au|la, die; -, Aulen und -s: *großer Raum für Veranstaltungen oder Versammlungen in Schulen und Universitäten.*
aus: I. ⟨Präp. mit Dativ⟩ **1. a)** */gibt die Richtung, die Bewegung von innen nach außen an/:* aus dem Zimmer gehen. **b)** */gibt die räumliche oder zeitliche Herkunft, den Ursprung, den ursprünglichen Bereich an/:* aus dem vorigen Jahrhundert; aus der Nähe; aus drei Meter Entfernung; aus Berlin stammen. **2. a)** */in Verbindung mit Stoffbezeichnungen zur Angabe des Materials, dem etwas besteht, hergestellt wird, entsteht/:* eine Bank aus Holz. **b)** */zur Angabe eines früheren Stadiums der Entwicklung/:* aus den Raupen werden Schmetterlinge. **3.** */zur Angabe des Grundes, der Ursache/:* etwas aus Eifersucht tun; /verstärkt durch „heraus"/:* er handelte aus einer Notlage heraus. **sinnv.:** wegen. **II. 1.** */in Verbindung mit einem Personalpronomen in Konkurrenz zu daraus;* bezogen auf eine Sache (ugs.)/: es liegen neue Arbeitslosenzahlen vor. Man kann aus ihnen (statt: daraus) keine günstigen Wirtschaftsprognosen ableiten. **2.** /in Verbindung mit „was" in Konkurrenz zu *woraus;* bezogen auf eine Sache (ugs.)/: **a)** /in Fragen/: was (besser: woraus) wird Gummi hergestellt? **b)** /in relativer Verbindung/: ich weiß nicht, a. was (besser: woraus) dieser Kunststoff besteht. **III.** ⟨Adverb⟩ **1.** /oft imperativisch und elliptisch an Stelle bestimmter Verben/ **a)** */drückt aus, daß es mit etwas am Ende, vorbei ist/:* aus dem Traum vom Sieg. **sinnv.:** zu Ende, Schluß, vorbei, vorüber. **b)** */drückt den Wunsch, Befehl aus, etwas auszuschalten, abzustellen/:* Licht aus! **2.** in der Verbindung „von ... aus": vom Fenster aus *(her);* von hier aus *(ausgehend).*
aus- ⟨trennbares, betontes verbales Präfix⟩: **I.** /kennzeichnet das Entfernen oder Sichentfernen/: **1. a)** *von innen nach außen:* ausatmen, ausströmen. **b)** *überallhin, in alle Richtungen:* auslaufen (Farbe), ausplaudern, ausstreuen, auswalzen. **c)** *sichtbar nach draußen:* aushängen, auslegen. **2. a)** */durch das im Basiswort genannte Tun aus etwas herausbringen/:* ausbauen (Motor), ausgraben, auspressen, ausreißen, ausschwitzen, austreiben. **b)** */machen, daß etwas durch das im Basiswort genannte Tun von etwas frei ist/:* ausästen, ausbürsten, ausfegen (Zimmer), ausmisten, auspressen, ausrauben. **c)** *von der geraden Richtung weg:* ausarten, ausweichen. **d)** */bezeichnet eine Erweiterung, Ausdehnung/:* ausbuchten, ausweiten

(Schuhe). **e)** */aus einer Menge herausbringen/:* auserwählen, auslosen, ausschließen, auswählen. **II. a)** */bis zum Ende, bis die Kräfte o.ä. aufgebraucht sind, ganz und gar/:* ausblassen, ausdiskutieren, ausgehen (Feuer), ausheilen, auslernen, auslesen, ausräuchern, ausreden, sich austoben, austrocknen; /in Verbindung mit Formen des Partizips II/: *zu Ende:* ausgebucht; ausgefuchst. **b)** */machen, daß etwas nicht mehr in Betrieb, Funktion ist/:* ausdrehen (Gas), ausmachen (Radio), ausschalten. **III.** */mit etwas versehen/:* ausflaggen (Tore), auskleiden (Wände), ausleuchten, ausschmücken, auszementieren. **IV.** */ausgleichend/:* ausbalancieren. **V.** */verstärkend/:* ausbuhen, ausschimpfen, sich ausschweigen, austauschen.
aus|ar|bei|ten, arbeitete aus, hat ausgearbeitet ⟨tr.⟩: *den Aufbau oder die Ausführung (von etwas) im einzelnen entwerfen und festlegen:* einen Vortrag a.
aus|ar|ten, artete aus, ist ausgeartet ⟨itr.⟩: *sich über das normale Maß hinaus (zu etwas meist Schlechtem) entwickeln:* dieses Gespräch artete in ein Verhör aus. **sinnv.:** überhandnehmen.
aus|at|men, atmete aus, hat ausgeatmet ⟨tr.⟩: *den Atem aus der Lunge entweichen lassen, ausstoßen* /Ggs. einatmen/.
aus|ba|den, badete aus, hat ausgebadet ⟨tr.⟩ (ugs.): *(für etwas, was man selbst oder ein anderer verschuldet hat) die Folgen tragen, auf sich nehmen müssen:* seine Frechheiten hatten wir auszubaden. **sinnv.:** einstehen.
aus|bau|en, baute aus, hat ausgebaut ⟨tr.⟩: **1. a)** *durch Bauen vergrößern:* ein Haus a. **b)** *durch entsprechende Arbeiten o.ä. zu etwas Besserem, Schönerem machen:* das Dachgeschoß zu einer Wohnung a. **sinnv.:** anbauen, erweitern, vermehren. **2.** *(etwas in etwas Eingebautes) wieder herausnehmen:* den Motor [aus dem Auto] a.
aus|bes|sern, besserte aus, hat ausgebessert ⟨tr.⟩: **a)** *(etwas schadhaft Gewordenes) wieder in guten Zustand versetzen:* Wäsche a. **sinnv.:** reparieren. **b)** *(eine schadhaft gewordene Stelle) durch Reparatur beseitigen:* einen Schaden a.
Aus|beu|te, die; -, -n: *aus einer Tätigkeit erwachsener Ertrag:* eine große A. an Mineralien. **sinnv.:** Ertrag, Profit.
aus|beu|ten, beutete aus, hat ausgebeutet ⟨tr.⟩: **1.** *[skrupellos] zum eigenen Vorteil ausnutzen:* die Arbeiter wurden ausgebeutet. **sinnv.:** ausnehmen, ausnutzen, auspressen, aussaugen, zugrunde richten. **2.** *zum Nutzen gebrauchen, Nutzen ziehen (aus etwas):* den guten Boden a. **sinnv.:** auswerten.
aus|bil|den, bildete aus, hat ausgebildet: **1.** ⟨tr.⟩ **a)** *längere Zeit in etwas unterweisen, um auf eine [berufliche] Tätigkeit vorzubereiten:* Lehrlinge a. **sinnv.:** anlernen, erziehen. **b)** *durch Schulung zur Entfaltung bringen, fördern:* seine Fähigkeiten a. **2. a)** ⟨tr.⟩ *aus sich hervorbringen:* die Pflanzen bilden Blätter aus. **sinnv.:** produzieren. **b)** ⟨sich a.⟩ *sich in bestimmter Weise entwickeln:* die Blüten bilden sich nur langsam aus. **sinnv.:** entstehen.
aus|blei|ben, blieb aus, ist ausgeblieben ⟨itr.⟩: **a)** *(als Sache) nicht eintreten, obgleich es erwartet, damit gerechnet wird:* der Erfolg blieb aus. **b)** *nicht [mehr] kommen, eintreffen, wie erwartet:* die Gäste blieben aus. **sinnv.:** fernbleiben; ausfallen.

Aus|blick, der; -[e]s, -e: *Blick in die Ferne:* wir genossen den A. auf das Meer. **sinnv.:** Aussicht.

aus|bre|chen, bricht aus, brach aus, hat/ist ausgebrochen: **1. a)** ⟨tr.⟩ *durch Brechen (aus etwas) entfernen:* er hat einen Stein [aus einer Mauer] ausgebrochen. **b)** ⟨itr.⟩ *sich aus seiner Verankerung, aus etwas lösen:* der Haken ist [aus der Wand] ausgebrochen. **2.** ⟨itr.⟩ **a)** *aus einem Gefängnis o. ä. entkommen:* drei Gefangene sind ausgebrochen. **sinnv.:** fliehen. **b)** *sich aus einer Bindung lösen, eine Gemeinschaft verlassen:* sie ist aus der bürgerlichen Gesellschaft ausgebrochen. **3.** ⟨itr.⟩ **a)** *sich plötzlich seitwärts aus der vorgesehenen Richtung wegbewegen:* das Pferd ist vor dem Hindernis ausgebrochen. **b)** *die eingeschlagene Richtung, Bahn unerwartet verlassen:* beim Bremsen ist der Wagen seitlich ausgebrochen. **sinnv.:** schleudern. **4.** ⟨itr.⟩ **a)** *mit Heftigkeit einsetzen, plötzlich und sehr rasch entstehen:* Jubel, Streit, eine Panik, ein Feuer war ausgebrochen. **sinnv.:** anfangen. **b)** *zum Ausbruch kommen, mit Heftigkeit auftreten:* eine Epidemie, Krankheit ist ausgebrochen. **c)** *(vom Schweiß) plötzlich hervordringen:* ihm ist der Schweiß ausgebrochen. **5.** ⟨itr.⟩ *(von einem Vulkan) in Tätigkeit treten:* der Ätna ist ausgebrochen. **6.** ⟨itr.⟩ *(in Bezug auf Gefühlsäußerungen) plötzlich und heftig mit etwas beginnen, in etwas verfallen:* er ist in Weinen ausgebrochen; die Menge brach in Jubel aus. **7.** ⟨tr.⟩ *(etwas Gegessenes) wieder von sich geben:* der Kranke hat alles [wieder] ausgebrochen. **sinnv.:** sich übergeben.

aus|brei|ten, breitete aus, hat ausgebreitet: **1.** ⟨tr.⟩ **a)** *in seiner ganzen Größe oder Breite hinlegen, zeigen:* eine Decke über den/(auch:) dem Käfig a. **b)** *(zusammengehörige Gegenstände) nebeneinander hinlegen:* er breitete die Geschenke auf dem Tisch aus. **2.** ⟨tr.⟩ *nach den Seiten hin ausstrecken:* die Arme a. **sinnv.:** entfalten. **3.** ⟨sich a.⟩ **a)** *Raum, Boden gewinnen, sich nach allen Richtungen ausdehnen:* das Unkraut breitet sich auf dem Beet aus. **sinnv.:** sich entfalten, sich fortpflanzen, um sich greifen, übergreifen, sich übertragen, sich verbreiten. **b)** *sich über eine bestimmte Fläche ausgedehnt darbieten:* Wiesen und Felder breiteten sich [bis zum Horizont hin] aus. **sinnv.:** sich erstrecken. **4.** ⟨sich a.⟩ *etwas weitschweifig, detailliert erörtern, sehr ausführlich darüber sprechen:* er konnte sich stundenlang über dieses Thema a. **sinnv.:** sich äußern, darlegen.

Aus|bruch, der; -[e]s, Ausbrüche: *das Ausbrechen* (2, 4, 5, 6). **Zus.:** Kriegs-, Schweiß-, Vulkanausbruch.

aus|bür|sten, bürstete aus, hat ausgebürstet ⟨tr.⟩: **a)** *mit einer Bürste entfernen:* Staub [aus dem Mantel] a. **b)** *mit einer Bürste reinigen:* die Hose a.

Aus|dau|er, die; -: *Fähigkeit, etwas (z. B. eine Anstrengung) längere Zeit auszuhalten:* es fehlt ihm beim Schwimmen noch die A. **sinnv.:** Beständigkeit.

aus|dau|ernd ⟨Adj.⟩: *eine Anstrengung längere Zeit aushaltend; nicht so schnell ermüdend:* ein ausdauernder Schwimmer. **sinnv.:** beharrlich.

aus|deh|nen, dehnte aus, hat ausgedehnt: **1. a)** ⟨tr.⟩ *über einen bestimmten Bereich hinaus erweitern:* die Grenzen eines Staates a. **b)** ⟨sich a.⟩ *räumliche Erstreckung gewinnen, sich auf ein weiteres Gebiet erstrecken:* der Handel dehnt sich im-

mer weiter aus. **sinnv.:** sich ausweiten. **2. a)** ⟨tr.⟩ *den Umfang, das Volumen von etwas vergrößern:* die Hitze dehnt die Schienen aus. **sinnv.:** ausweiten, ausziehen, dehnen. **b)** ⟨sich a.⟩ *an Umfang, Volumen zunehmen:* Gas dehnt sich bei Erwärmung aus. **sinnv.:** anschwellen, sich dehnen. **3. a)** ⟨tr.⟩ *zeitlich in die Länge ziehen:* seinen Besuch bis zum nächsten Tag a. **sinnv.:** hinausziehen, hinauszögern, verlängern, verschieben. **b)** ⟨sich a.⟩ *sich in die Länge ziehen, lange Zeit andauern:* die Feier dehnte sich über den ganzen Abend aus. **sinnv.:** andauern. **4.** ⟨tr.⟩ *jmdn./etwas in etwas einbeziehen:* die Nachforschungen auf die ganze Stadt a. **sinnv.:** erweitern. **5.** ⟨sich a.⟩ *sich über einen größeren Raum erstrecken, einen größeren Bereich umfassen:* weites Land dehnt sich vor ihm aus. **sinnv.:** sich erstrecken.

aus|den|ken, dachte sich aus, hat sich ausgedacht: *in Gedanken zurechtlegen, ausarbeiten:* ich hatte mir einen Trick ausgedacht. **sinnv.:** ausbrüten, aushecken, ausklügeln, aussinnen, austüfteln, erdenken, erfinden, ergrübeln, ersinnen.

Aus|druck, der; -[e]s, Ausdrücke: **1.** *aus einem oder mehreren Wörtern bestehende sprachliche Einheit, mit der eine bestimmte Aussage gemacht wird, die etwas Bestimmtes bezeichnet, kennzeichnet:* ein gewählter, ordinärer A. **sinnv.:** Begriff, Wort. **Zus.:** Fach-, Kraft-, Modeausdruck. **2.** ⟨ohne Plural⟩ *Stil oder Art und Weise des Formulierens, der künstlerischen Gestaltung:* Gewandtheit im A.; sein Gesang ist ohne A. **sinnv.:** Ausdrucksweise. **3.** ⟨ohne Plural⟩ *sichtbares Zeichen, Widerspiegelung von Gemütsbewegung, einer inneren Betroffenheit, einer seelischen Verfassung:* er schrieb das Gedicht als A. seiner Liebe; etwas zum A. bringen *(erkennen lassen, ausdrücken).* **sinnv.:** Bekundung, Kundgabe, Zeichen. **Zus.:** Gesichtsausdruck.

aus|drücken, drückte aus, hat ausgedrückt: **1.** ⟨tr.⟩ **a)** *(Flüssigkeit) aus etwas pressen:* den Saft [aus der Zitrone] a. **sinnv.:** auspressen. **b)** *Flüssigkeit durch Druck (aus etwas) entfernen:* den Schwamm a. **sinnv.:** auspressen, ausquetschen, auswinden, auswringen. **2.** ⟨tr.⟩ *(Brennendes, Glimmendes) durch Zerdrücken zum Erlöschen bringen:* eine Zigarette a. **3. a)** ⟨tr.⟩ *in bestimmter Weise in Worte fassen:* seine Gedanken klar a. **sinnv.:** darlegen, formulieren. **b)** ⟨sich a.⟩ *sich in bestimmter Weise in Worten äußern:* er kann sich nicht gut a. **sinnv.:** sprechen. **4.** ⟨tr.⟩ **a)** *in Worten erkennen lassen, zum Ausdruck bringen:* seinen Dank a. **sinnv.:** mitteilen. **b)** *erkennbar machen:* seine Worte drücken große Sorge aus. **sinnv.:** bedeuten, bekunden.

aus|drück|lich [auch: ...drück...] ⟨Adj.⟩: *mit Nachdruck und unmißverständlich [vorgebracht], extra [für diesen Fall erwähnt]:* ein ausdrückliches Verbot; ich habe es a. gesagt. **sinnv.:** besonders, nachdrücklich.

aus|drucks|voll ⟨Adj.⟩: *voll[er] Ausdruck in der Formulierung oder [künstlerischen] Gestaltung:* ein ausdrucksvolles Profil. **sinnv.:** bedeutend, bedeutsam, bedeutungsvoll, bilderreich, expressiv, metaphorisch.

Aus|drucks|wei|se, die; -, -n: *Art und Weise, wie sich jmd. mündlich oder schriftlich ausdrückt.* **sinnv.:** Ausdruck, Darstellungsweise, Diktion,

Handschrift, Redeweise, Schreibweise, Sprache, Sprechweise, Stil.

aus|ein|an|der ⟨Adverb⟩: **1.** *einer vom anderen entfernt, weg; räumlich oder zeitlich voneinander getrennt:* die Schüler a. setzen; die Wörter werden a. geschrieben. **2.** *eines aus dem andern heraus:* Formeln a. ableiten.

aus|ein|an|der|set|zen, setzte auseinander, hat auseinandergesetzt: **1.** ⟨tr.⟩ *bis ins einzelne erklären, darlegen:* jmdm. seine Gründe für ein Verhalten a. **sinnv.:** darlegen · erörtern. **2.** ⟨sich a.⟩ *sich eingehend (mit jmdm./etwas) beschäftigen:* er hatte sich mit Kontrahenten, mit Problemen auseinanderzusetzen. **sinnv.:** sich befassen.

aus|fah|ren, fährt aus, fuhr aus, hat/ist ausgefahren. **1. a)** ⟨itr.⟩ *zu einem in einem äußeren Bereich liegenden Ziel fahren:* die Boote sind [zum Fischfang] ausgefahren. **b)** ⟨itr.⟩ *fahrend einen Ort verlassen:* das Schiff ist aus dem Hafen ausgefahren. **c)** ⟨itr.⟩ *eine Spazierfahrt machen:* sie sind heute abend ausgefahren. **sinnv.:** spazierenfahren. **d)** ⟨tr.⟩ *(bes. ein Kind) in einem Wagen im Freien umherfahren:* sie hat das Baby ausgefahren. **sinnv.:** spazierenfahren. **e)** ⟨tr.⟩ *mit einem Fahrzeug (an jmdn.) liefern:* die Post hat die Pakete noch nicht ausgefahren. **sinnv.:** liefern. **2.** ⟨tr.⟩ *(aus etwas) herausgleiten lassen:* er hat die Antenne ausgefahren. **3.** ⟨tr.⟩ *(ein Fahrzeug) so fahren, daß die höchste Leistungsfähigkeit erreicht ist:* er hat seinen Wagen voll ausgefahren. **4.** ⟨tr.⟩ *(eine gebogene Strecke) entlang der äußeren Biegung fahren:* er hat die Kurve ausgefahren. **5.** ⟨tr.⟩ *durch Befahren stark beschädigen:* die Panzer haben die Wege völlig ausgefahren. **6.** ⟨itr.⟩ *eine heftige, auch fahrige Bewegung machen:* sein Arm war ausgefahren.

Aus|fahrt, die; -, -en: **1.** *das Ausfahren* (1 a, b, c). **2.** *Stelle, an der ein Fahrzeug aus einem bestimmten Bereich herausfährt* /Ggs. Einfahrt/: die A. des Hafens. **Zus.:** Autobahnausfahrt.

aus|fal|len, fällt aus, fiel aus, ist ausgefallen ⟨itr.⟩: **1.** *aus etwas herausfallen; nicht mehr fest seinen organischen Halt haben, sondern sich daraus lösen:* ihm fallen schon die Haare aus. **sinnv.:** ausgehen. **2. a)** *[entgegen den Erwartungen] ausbleiben, nicht wie üblich jmdm. übermittelt, gezahlt werden:* wegen seiner Erkrankung fielen die Einnahmen aus. **sinnv.:** wegfallen. **b)** *nicht wie vorgesehen, angekündigt stattfinden:* das Konzert fiel aus. **sinnv.:** abgeblasen/abgesetzt werden, flachfallen, ins Wasser fallen. **c)** *nicht in der erwarteten Weise eingesetzt werden können, nicht anwesend, nicht verfügbar sein:* drei Mitarbeiter fallen wegen Krankheit aus. **sinnv.:** ausbleiben, fehlen, fernbleiben, schwänzen, wegbleiben. **d)** *plötzlich nicht mehr funktionieren:* die Maschine, der Strom fällt aus. **sinnv.:** aussetzen, streiken. **3.** *in bestimmter Weise geartet, beschaffen sein, ein bestimmtes Ergebnis haben:* das Zeugnis ist gut ausgefallen. **sinnv.:** gelingen, geraten, werden.

aus|fin|dig: ⟨in der Wendung⟩ jmdn./etwas a. machen: *jmdn./etwas nach längerem Suchen finden:* ich habe jetzt ein Geschäft a. gemacht, wo man billig einkaufen kann. **sinnv.:** finden.

Aus|flucht, die; -, Ausflüchte: *nicht wirklich zutreffender Grund, der als Entschuldigung vorgebracht wird:* Ausflüchte machen. **sinnv.:** Ausrede, Entschuldigung, Vorwand.

Aus|flug, der; -[e]s, Ausflüge: *zur Erholung oder zum Vergnügen stattfindende Wanderung oder Fahrt in die Umgebung:* am Sonntag machen wir einen A. **sinnv.:** Abstecher, Fahrt [ins Blaue/Grüne], Reise, Spazierfahrt, Spaziergang, Tour, Trip, Vergnügungsfahrt, Wanderung. **Zus.:** Schul-, Wochenendausflug.

aus|fra|gen, fragte aus, hat ausgefragt ⟨tr.⟩: *eingehend (nach etwas/jmdn.) fragen; (jmdm.) viele Fragen stellen:* er hat ihn über seinen Chef ausgefragt. **sinnv.:** ausforschen, ausholen, aushorchen, fragen.

Aus|fuhr, die; -, -en: *Verkauf von Waren ins Ausland* /Ggs. Einfuhr/. **sinnv.:** Außenhandel, Außenwirtschaft, Export. **Zus.:** Getreide-, Warenausfuhr.

aus|füh|ren, führte aus, hat ausgeführt ⟨tr.⟩: **1. a)** *einen Auftrag, einer Vorstellung o. ä. gemäß in die Tat umsetzen:* einen Plan a. **sinnv.:** verwirklichen. **b)** *an etwas arbeiten, sich betätigen und es bis zu Ende durchführen, bewerkstelligen:* Reparaturen a. **sinnv.:** erledigen, machen. **2.** *ins Ausland verkaufen* /Ggs. einführen/: Maschinen a. **sinnv.:** exportieren. **3. a)** *(jmdn.) ins Freie führen, um ihm Bewegung zu verschaffen:* den Hund a. **b)** *(jmdn.) zum Ausgehen (ins Theater, in ein Restaurant o. ä.) einladen:* er hat seine Tochter ausgeführt. **4. a)** *in Einzelheiten ausarbeiten und vollenden:* den Schluß des Stückes hat der Dichter nicht ausgeführt. **b)** *in bestimmter Weise gestalten, herstellen, machen:* ein Bild in Öl a. **5.** *mündlich oder schriftlich [eingehend] darlegen, erklären:* wie vorhin ausgeführt habe.

aus|führ|lich [auch: ...führ...] ⟨Adj.⟩: *bis ins einzelne gehend, eingehend:* er gab einen ausführlichen Bericht über seine letzte Reise. **sinnv.:** breit, eingehend, haarklein, langatmig, lang [und breit], minuziös, weitläufig, weitschweifig, wortreich.

aus|fül|len, füllte aus, hat ausgefüllt ⟨tr.⟩: **1. a)** *(Hohles mit etwas) [vollständig] füllen:* einen Graben mit Sand a. **b)** *(einen bestimmten begrenzten Raum) völlig beanspruchen, einnehmen:* der Schrank füllt die ganze Ecke des Zimmers aus. **2.** *(eine bestimmte begrenzte Zeit mit etwas) zubringen, überbrücken:* er füllte die Pause mit Gesprächen aus. **3.** *ganz in Anspruch nehmen, innerlich befriedigen:* seine Tätigkeit füllte ihn ganz aus. **sinnv.:** auslasten. **4.** *mit allen erforderlichen Eintragungen versehen:* ein Formular, einen Fragebogen a. **sinnv.:** einsetzen in, eintragen in. **5.** *(ein Amt o. ä.) in bestimmter Weise versehen:* er füllt seinen Posten gut aus.

Aus|ga|be, die; -, -n: **1. a)** ⟨ohne Plural⟩ *das Ausgeben* (1 a, 2). **Zus.:** Bücher-, Essen-, Fahrkarten-, Material-, Warenausgabe. **b)** *Stelle, Ort, wo etwas ausgegeben wird:* die A. ist geschlossen. **2.** *finanzielle Aufwendung, aufzuwendende Geldsumme:* wegen des Umzugs hatte er große Ausgaben. **sinnv.:** Aufwand, Unkosten. **Zus.:** Betriebs-, Sonder-, Tagesausgabe. **3.** *Veröffentlichung eines Werkes in einer bestimmten Form oder unter einem bestimmten Datum; Druck (eines Buches o. ä.):* eine neue A. eines Buches. **sinnv.:** Auflage. **Zus.:** Abend-, Gesamt-, Volks-, Wochenendausgabe. **4.** *Ausführung, Form, in der etwas hergestellt ist:* die viertürige A. des Wagens.

Aus|gang, der; -[e]s, Ausgänge: **1. a)** *Tür, Stelle oder Öffnung, die nach draußen, aus einem Be-*

reich hinausführt /Ggs. Eingang/: der Saal hat zwei Ausgänge. **sinnv.**: Tür. **Zus.**: Not-, Theaterausgang. **b)** *Stelle, an der man aus einem Gebiet o. ä. hinausgehen kann:* am A. des Dorfes. **Zus.**: Talausgang. **2.** *Ergebnis, Ende eines Vorgangs:* ein Unfall mit tödlichem A. **sinnv.**: Ende. **Zus.**: Wahlausgang. **3.** ⟨ohne Plural⟩ *Erlaubnis zum Ausgehen, zum Verlassen des Hauses:* die Soldaten bekamen keinen A. **4.** *zum Ab-, Verschicken vorbereitete Post, Waren* /Ggs. Eingang/: die Ausgänge sortieren.

aus|ge|ben, gibt aus, gab aus, hat ausgegeben ⟨tr.⟩: **1. a)** *(Geld) von sich weg an andere für etwas geben, aufwenden:* auf der Reise hat er viel [Geld] ausgegeben; **sinnv.**: anlegen, bezahlen. **b)** *für jmdn. bezahlen, kaufen:* ich gebe dir, euch einen aus. **sinnv.**: spendieren. **2.** *als zuständige Person, Stelle, in offizieller Funktion austeilen, (an eine Anzahl von Personen) aushändigen, zum Kauf anbieten, in Umlauf bringen o. ä.:* Fahrkarten a. **sinnv.**: abgeben. **3.** *(jmdn./etwas) fälschlich als etwas bezeichnen; behaupten, jmd./etwas Bestimmtes zu sein:* er gab sich als Arzt aus; etwas als Tatsache a. **sinnv.**: behaupten, vortäuschen.

aus|ge|fal|len ⟨Adj.⟩: *vom Üblichen, Gewöhnlichen in stark auffallender Weise abweichend, nicht alltäglich:* ein ausgefallener Wunsch; **sinnv.**: abseitig, abwegig, auffallend, außerordentlich, exotisch, extraordinär, frappant, irre, ohnegleichen, ungewöhnlich, verblüffend.

aus|ge|gli|chen ⟨Adj.⟩: **1.** *in sich ruhend, in seinem Wesen gleichmäßig ruhig:* er ist immer a. **sinnv.**: ruhig. **2.** *gleichmäßig in seiner Verteilung, im Verlauf; frei von Schwankungen:* ein ausgeglichenes Fernsehprogramm. **sinnv.**: ebenmäßig.

aus|ge|hen, ging aus, ist ausgegangen ⟨itr.⟩: **1. a)** *zu einem bestimmten Zweck die Wohnung, das Haus verlassen:* a., um Einkäufe zu machen. **b)** *zu einem Vergnügen, zum Tanz o. ä. gehen:* wir gehen heute abend aus. **2.** *von einer bestimmten Stelle seinen Ausgang nehmen:* von hier gehen mehrere Fernstraßen aus. **sinnv.**: sich gabeln. **3.** *abgeschickt werden:* die aus- und eingehende Post. **4. a)** *(von jmdm.) vorgetragen, vorgeschlagen werden, (auf jmdn.) zurückgehen:* dieser Vorschlag geht von ihm aus. **sinnv.**: stammen. **b)** *(von jmdm.) hervorgebracht, ausgestrahlt werden:* große Wirkung ging von ihm aus. **5.** *(etwas) als Ausgangspunkt nehmen, zugrunde legen:* von falschen Voraussetzungen a. **sinnv.**: anknüpfen, voraussetzen. **6.** *(etwas) als Ziel haben, es auf etwas absehen:* er geht darauf aus, einen hohen Gewinn zu erzielen. **sinnv.**: bezwecken. **7.** *in bestimmter Weise sein Ende finden:* die Angelegenheit wird nicht gut a. **sinnv.**: auslaufen, enden. **8.** *zu brennen oder leuchten aufhören* /Ggs. angehen/: das Licht im Kino ist ausgegangen. **sinnv.**: erlöschen, verlöschen. **9.** *schwinden, sich erschöpfen und zu Ende gehen:* der Vorrat ist ausgegangen; allmählich geht mir die Geduld aus. **sinnv.**: schwinden. **10.** ↑*ausfallen:* ihm gehen die Haare aus.

aus|ge|hun|gert ⟨Adj.⟩: *sehr hungrig:* sich wie ausgehungerte Wölfe auf das Essen stürzen.

aus|ge|las|sen ⟨Adj.⟩: *übermütig, wild und vergnügt:* die Kinder sind heute sehr a. **sinnv.**: lebhaft; lustig, übermütig.

aus|ge|nom|men ⟨Konj.⟩: *außer [wenn], mit Ausnahme (von jmdm./etwas):* alle waren gekom-

men, a. einer/einer a.; wir werden kommen, a. *(nur nicht wenn)* es regnet; er widerspricht allen, a. dem Vater. **sinnv.**: abgesehen von, ausschließlich, außer, bis auf.

aus|ge|rech|net [auch: ...rech...] ⟨Adverb⟩: */drückt Ärger, Unwille o. ä. aus/:* a. ihm passierte es; a. gestern. **sinnv.**: gerade.

aus|ge|schlos|sen [auch: ...schlos...]: ⟨in den Fügungen⟩ etwas ist a. *(etwas ist nicht möglich, kann nicht [vorgekommen] sein):* ein Irrtum ist a.; etwas für a. halten *(etwas für nicht möglich, undenkbar halten):* daß er es war, halte ich für a.

aus|ge|spro|chen: **I.** ⟨Adj.⟩: *besonders ausgeprägt [vorhanden]:* sie ist eine ausgesprochene Schönheit. **sinnv.**: typisch. **II.** ⟨Adverb⟩: *sehr, in ganz besonderer Weise:* er mag ihn a. gern. **sinnv.**: sehr.

aus|ge|zeich|net [auch: ...zeich...] ⟨Adj.⟩: ↑*hervorragend:* ausgezeichnete Zeugnisse.

aus|gie|big ⟨Adj.⟩: *gut und längere Zeit dauernd [und reichlich]:* ein ausgiebiges Frühstück; a. schlafen. **sinnv.**: zur Genüge, reichlich, sattsam.

Aus|gleich, der; -[e]s: **a)** *Herstellung eines Zustandes, in dem Gegensätzlichkeiten, Verschiedenheiten o. ä. ausgeglichen sind, ein Gleichgewicht herrscht:* der Streit endete mit einem A. **sinnv.**: Aussöhnung, Begleichung, Beilegung, Bereinigung, Schlichtung, Vergleich, Versöhnung. **b)** *etwas, was ein Gleichgewicht wiederherstellt:* einen A. zahlen müssen, für einen Schaden erhalten; als, zum A. treibt er Sport. **sinnv.**: Ersatz.

aus|glei|chen, glich aus, hat ausgeglichen: **a)** ⟨tr.⟩*(Unterschiede, Gegensätze o. ä.) durch einen anderen, dagegen wirkenden Faktor verschwinden lassen, aufheben:* Konflikte, einen Mangel a. **sinnv.**: aufheben, aufholen, aufwiegen, egalisieren, gleichmachen, gleichziehen, kompensieren, nivellieren, wettmachen. **b)** ⟨sich a.⟩ *(von Gegensätzlichkeiten, Verschiedenheiten o. ä.) sich gegenseitig aufheben, sich mildern, zu einem Ausgleich kommen:* die Spannungen gleichen sich aus. **sinnv.**: sich aufheben, sich einpendeln.

aus|gra|ben, gräbt aus, grub aus, hat ausgegraben ⟨tr.⟩: **a)** *durch Graben aus der Erde holen:* Urnen a. **b)** *durch Graben sichtbar hervortreten lassen:* einen Tempel a. **sinnv.**: freilegen.

Aus|guß, der; Ausgusses, Ausgüsse: **1.** *Becken mit Abfluß zum Ausgießen von Flüssigkeiten besonders in der Küche.* **sinnv.**: Abguß, Spülbecken, Spüle, Spülstein. **2.** *Abfluß eines Ausgusses:* der A. ist verstopft.

aus|hal|ten, hält aus, hielt aus, hat ausgehalten: **1.** ⟨tr.⟩ *in der Lage sein, etwas zu überstehen oder hinzunehmen:* Entbehrungen a. **sinnv.**: ausstehen, bestehen, dulden, durchmachen, durchstehen, einstecken, erdulden, über sich ergehen lassen, erleiden, ertragen, sich fügen in, hinnehmen, leiden, mitmachen, sich nicht nehmen, schlucken, stillhalten, tragen, überleben, überstehen, überwinden, verdauen, verkraften, verschmerzen, vertragen. **b)** *nicht ausweichen, sondern standhalten:* jmds. Blick a. **2.** ⟨itr.⟩ *(irgendwo unter bestimmten Umständen) bleiben:* er hat [es] in dem Betrieb nur ein Jahr ausgehalten. **sinnv.**: durchhalten. **3.** ⟨tr.⟩ *für jmdn. bezahlen, jmds. Unterhalt bestreiten, in dem Bestreben, ihn sich zu verpflichten:* er hält sie aus; er läßt sich von ihr a. **sinnv.**: ernähren. **4.** ⟨tr.⟩ *(einen Ton o. ä.) längere Zeit er-

klingen lassen: die Sängerin hielt den hohen Ton lange aus.

aus|hän|di|gen, händigte aus, hat ausgehändigt ⟨tr.⟩: *aus seiner Hand einem anderen übergeben:* jmdm. eine Urkunde a. **sinnv.:** einhändigen, übergeben.

Aus|hang, der; -[e]s, Aushänge: *öffentlich ausgehängte Bekanntmachung:* er las auf dem A., daß jemand eine Wohnung suchte. **sinnv.:** Anschlag.

aus|hän|gen: I. hing aus, hat ausgehangen ⟨itr.⟩: *(als Aushang) zur allgemeinen Kenntnisnahme öffentlich, an dafür vorgesehener Stelle hängen, angebracht sein:* die Liste der Kandidaten hing zwei Wochen aus. **II.** hängte aus, hat ausgehängt: **1.** ⟨tr.⟩ *zur allgemeinen Kenntnisnahme, an dafür vorgesehener Stelle aufhängen, öffentlich anschlagen:* eine Bekanntmachung a. **sinnv.:** anschlagen. **2.** ⟨tr.⟩ *aus der Haltevorrichtung, den Angeln heben:* eine Tür a. **sinnv.:** ausheben.

aus|har|ren, harrte aus, hat ausgeharrt ⟨itr.⟩: *(irgendwo) trotz unangenehmer Umstände bleiben, geduldig weiter warten:* im Versteck a. **sinnv.:** durchhalten, sich gedulden.

aus|he|ben, hob aus, hat ausgehoben ⟨tr.⟩: **1. a)** *(Erde o. ä.) schaufelnd herausholen:* es mußte viel Erde ausgehoben werden. **b)** *durch Herausschaufeln (ein Loch o. ä.) herstellen:* einen Graben a. **sinnv.:** ausbaggern, ausschachten, ausschaufeln, auswerfen. **2.** ↑*aushängen:* einen Fensterflügel a. **3.** *(eine Bande o. ä.) entdecken und verhaften:* die Diebe wurden in ihrem Versteck ausgehoben. **sinnv.:** ergreifen.

aus|hel|fen, hilft aus, half aus, hat ausgeholfen ⟨itr.⟩: **a)** *aus einer Verlegenheit, vorübergehenden Notlage (mit Geld o. ä.) helfen:* weil ich kein Geld mehr hatte, half er mir [mit 100 Mark] aus. **b)** *bei einer Arbeit Beistand leisten, helfen, damit die Arbeit geschafft werden kann:* sie hat für vier Wochen im Geschäft ausgeholfen. **sinnv.:** vertreten.

aus|höh|len, höhlte aus, hat ausgehöhlt ⟨tr.⟩: *inwendig hohl, leer machen:* einen Kürbis a.

aus|ho|len, holte aus, hat ausgeholt ⟨itr.⟩: **1.** *(den Arm, sich) nach hinten bewegen, um vermehrten Schwung zu einer [beabsichtigten] Bewegung nach vorn zu bekommen:* mit der Axt [zum Schlag] a. **2.** *beim Erzählen auf weit Zurückliegendes zurückgreifen; umständlich erzählen:* er holt immer sehr weit aus. **sinnv.:** sich äußern.

aus|ken|nen, sich; kannte sich aus, hat sich ausgekannt: *sich auf Grund eingehender Kenntnisse zurechtfinden, mit etwas vertraut sein, gut Bescheid wissen:* ich kenne mich in Berlin aus; auf dem Gebiet kennt er sich aus. **sinnv.:** in etwas zu Hause sein, kennen, verstehen.

aus|klam|mern, klammerte aus, hat ausgeklammert ⟨tr.⟩: *in einem bestimmten Zusammenhang nicht berücksichtigen:* diese Frage wollen wir a. **sinnv.:** außer acht lassen, ausnehmen, ausscheiden, ausschließen, außer Betracht lassen, nicht in Betracht ziehen, nicht mitzählen.

aus|klop|fen, klopfte aus, hat ausgeklopft ⟨tr.⟩: **a)** *durch Klopfen säubern:* den Teppich a. **b)** *durch Klopfen entfernen:* den Staub aus dem Teppich a.

aus|klü|geln, klügelte aus, hat ausgeklügelt ⟨tr.⟩: *scharfsinnig, klug ersinnen:* er hat eine raffinierte Methode ausgeklügelt. **sinnv.:** ausdenken, ausknobeln.

aus|ko|chen, kochte aus, hat ausgekocht ⟨tr.⟩: **1.** *längere Zeit kochen lassen, um etwas daraus zu gewinnen:* Knochen, Rindfleisch a. **2.** *längere Zeit kochen lassen und so reinigen, keimfrei machen:* Instrumente, Windeln a. **sinnv.:** desinfizieren.

aus|kom|men, kam aus, ist ausgekommen ⟨itr.⟩: **1. a)** *von etwas so viel haben oder es so einteilen, daß es für einen bestimmten Zweck ausreicht:* er kommt mit seinem Geld gut aus. **sinnv.:** sein Auskommen haben, mit etwas hinkommen. **b)** *auch ohne eine bestimmte Person oder Sache zurechtkommen:* er kommt ohne Uhr aus. **2.** *sich* ↑*vertragen:* er kommt mit den Nachbarn aus.

aus|ko|sten, kostete aus, hat ausgekostet ⟨tr.⟩: *ausgiebig, bis zu Ende genießen:* ich kostete meinen Triumph aus. **sinnv.:** genießen.

aus|kund|schaf|ten, kundschaftete aus, hat ausgekundschaftet ⟨tr.⟩: *in Erfahrung bringen; durch geschicktes Nachforschen erfahren:* er hatte bald ausgekundschaftet, wo sie wohnte. **sinnv.:** ausmachen, ausspähen, ausspionieren, ausspüren, erfragen, erkunden, herausfinden.

Aus|kunft, die; -, Auskünfte: **1.** *erklärende, aufklärende Mitteilung über jmdn./etwas, die auf eine Frage hin gemacht wird:* jmdn. um eine A. bitten. **sinnv.:** Angabe, Antwort, Aufschluß, Bescheid, Information. **Zus.:** Telefon-, Zugauskunft. **2.** ⟨ohne Plural⟩ *Stelle, die bestimmte Auskünfte erteilt, Informationen gibt:* bei der A. nach einem Zug fragen. **sinnv.:** Auskunftsbüro, Auskunftsstelle, Information, Informationsbüro, -stelle.

aus|la|chen, lachte aus, hat ausgelacht ⟨tr.⟩: *über jmdn. spottend lachen, sich lustig machen:* sie lachten den Kameraden wegen seiner komischen Mütze aus. **sinnv.:** verspotten.

aus|la|den, lädt aus, lud aus, hat ausgeladen ⟨tr.⟩: **a)** *(aus einem Wagen o. ä.) herausnehmen* /Gegs. einladen/: eine Fracht [aus dem Waggon] a. **b)** *durch Herausnehmen der Ladung leer machen:* den Lastwagen a. **sinnv.:** abladen, ausleeren, entladen, entleeren, leeren.

Aus|la|ge, die; -, -n: **1.** *zur Ansicht ins Schaufenster o. ä. gelegte Ware:* die Auslagen eines Geschäfts. **2.** ⟨Plural⟩ *Geldbetrag, der ausgelegt wurde:* die Auslagen das Hotel wurden ersetzt. **sinnv.:** Aufwand, Unkosten.

Aus|land, das; -[e]s: *außerhalb des eigenen Staates liegendes Territorium* /Gegs. Inland/: er arbeitet im A. **sinnv.:** Fremde.

Aus|län|der, der; -s, -, **Aus|län|de|rin,** die; -nen: *Angehöriger bzw. Angehörige eines ausländischen Staates.* **sinnv.:** Fremder.

aus|län|disch ⟨Adj.⟩: *sich im Ausland befindend; aus dem Ausland kommend, stammend:* ausländische Besucher, Zeitungen. **sinnv.:** fremd.

aus|las|sen, läßt aus, ließ aus, hat ausgelassen: **1.** ⟨tr.⟩ **a)** *wegfallen lassen, [versehentlich] nicht berücksichtigen:* einen Satz beim Abschreiben a. **sinnv.:** aussparen. **b)** *in der Reihenfolge nicht berücksichtigen, darüber hinweggehen:* bei der Verteilung hat er ein Kind ausgelassen. **sinnv.:** übergehen, überschlagen, überspringen. **c)** *etwas entgehen lassen:* eine gute Chance a. **sinnv.:** versäumen. **2.** ⟨tr.⟩ *(seine Wut, seinen Ärger o. ä.) andere ungehemmt fühlen lassen:* er ließ seinen Zorn an seinen Mitarbeitern aus. **sinnv.:** abreagieren an jmdm., jmdn. entgelten lassen, entladen über jmdm. **3.** ⟨sich a.⟩ *sich in bestimmter Weise, urtei-*

lend über jmdn./etwas äußern, etwas erörtern: er hat sich sehr negativ darüber ausgelassen. **sinnv.:** sich äußern. **4.** ⟨tr.⟩ *durch Erhitzen zum Schmelzen bringen und dabei den reinen Anteil an Fett herauslösen:* Butter a. **sinnv.:** zerlassen. **5.** ⟨tr.⟩ *durch Auftrennen einer Naht länger, weiter machen:* die Ärmel etwas a.

aus|la|sten, lastete aus, hat ausgelastet ⟨tr.⟩: **a)** *voll belasten, bis zur Grenze der Leistungsfähigkeit ausnutzen:* die Maschinen a. **sinnv.:** ausnutzen. **b)** *(jmds. Kräfte) voll beanspruchen [und innerlich befriedigen]:* die Hausarbeit lastet mich nicht aus. **sinnv.:** ausfüllen.

aus|lau|fen, läuft aus, lief aus, ist ausgelaufen ⟨itr.⟩: **1. a)** *aus etwas herausfließen:* die Milch ist ausgelaufen. **sinnv.:** ausfließen. **b)** *durch Herausfließen leer werden:* die Flasche läuft aus. **sinnv.:** ausfließen. **2.** *den Hafen verlassen:* auslaufende Schiffe. **3.** *nicht fortgesetzt, weitergeführt werden:* eine Serie, ein Modell läuft aus. **4.** *aufhören zu bestehen, Gültigkeit, Wirkung zu haben:* der Vertrag, die Amtszeit läuft aus. **sinnv.:** ablaufen. **5.** *(von der Färbung, Musterung o. ä.) sich verwischen:* die Farben sind beim Waschen ausgelaufen. **sinnv.:** abfärben, ausgehen, nicht farbecht/waschecht sein.

aus|lee|ren, leerte aus, hat ausgeleert ⟨tr.⟩: *(ein Gefäß, Behältnis) durch Wegschütten, Entfernen des Inhalts leer machen:* seine Taschen, eine Dose, Flasche a. **sinnv.:** ausladen, leeren.

aus|le|gen, legte aus, hat ausgelegt ⟨tr.⟩: **1. a)** *zur Ansicht, zum Betrachten hinlegen:* die Bücher im Schaufenster a. **sinnv.:** ausstellen. **b)** *(als Köder o. ä.) [versteckt] hinlegen:* Gift für die Ratten a. **2.** *zur Verzierung, als Schutz o. ä. bedecken, mit etwas versehen:* den Boden mit Teppichen a. **sinnv.:** auskleiden. **3.** *vorläufig für jmd. anders bezahlen:* kannst du für mich zwei Mark a.? **sinnv.:** vorlegen, zahlen. **4.** *erläuternd, erklärend zu deuten suchen, mit einem Sinn versehen:* eine Vorschrift, ein Gesetz a. **sinnv.:** auffassen, ausdeuten, deuteln, deuten, erklären, erläutern, explizieren, interpretieren, klarmachen, kommentieren.

aus|lei|hen, lieh aus, hat ausgeliehen: **a)** ⟨tr.⟩ *(einen Gegenstand) aus seinem Besitz einem anderen leihweise überlassen:* er hat ihm/an ihn ein Buch ausgeliehen. **b)** ⟨itr.⟩ *sich (etwas von jmdm.) leihen:* er lieh [sich] bei, von seinem Freund ein Fahrrad aus. **sinnv.:** leihen.

aus|le|sen, liest aus, las aus, hat ausgelesen ⟨tr.⟩: **I.** *zu Ende lesen:* ein Buch a. **II.** *auf Grund einer bestimmten Eigenschaft oder Beschaffenheit auswählen:* die besten Schüler a. **sinnv.:** ausgliedern, ausscheiden, aussondern, aussortieren, auswählen, eliminieren, lesen, die Spreu vom Weizen trennen, verlesen.

aus|lie|fern, lieferte aus, hat ausgeliefert ⟨tr.⟩: **1.** *[auf eine Forderung hin] einer anderen Instanz überlassen, in die Gewalt einer anderen Macht geben:* er wird an die Polizei ausgeliefert. **sinnv.:** preisgeben, überantworten, übergeben. **2.** *an den Handel zum Verkauf geben:* die neuen Bücher werden im Herbst ausgeliefert. **sinnv.:** liefern.

aus|lo|sen, loste aus, hat ausgelost ⟨tr.⟩: *durch das Los bestimmen, ermitteln:* die Reihenfolge a.; vier Mann wurden ausgelost. **sinnv.:** losen.

aus|lö|sen, löste aus, hat ausgelöst ⟨tr.⟩: **1.** *bewirken, daß etwas in Gang kommt, sich etwas zu*

bewegen, zu funktionieren beginnt: die Anlage wird durch einen Druck auf den Knopf ausgelöst. **sinnv.:** anleiern. **2.** *als Wirkung, Reaktion hervorrufen:* Überraschung, Freude a. **sinnv.:** verursachen.

aus|ma|chen, machte aus, hat ausgemacht: **1.** ⟨tr.⟩ *[bei der Ernte] aus der Erde herausholen:* Kartoffeln a. **sinnv.:** ausbuddeln, ausgraben, buddeln, roden. **2.** ⟨tr.⟩ (ugs.) ↑*vereinbaren:* einen Termin a. **sinnv.:** übereinkommen. **3.** ⟨tr.⟩ *in der Ferne nach längerem Suchen [mit einem Fernrohr o. ä.] erkennen:* er hat das Schiff am Horizont ausgemacht. **sinnv.:** entdecken, finden, sehen. **4.** ⟨tr.⟩ *nicht weiter in Funktion, brennen o. ä. lassen /*Ggs. anmachen/: das Licht a. **sinnv.:** ausschalten. **5.** ⟨itr.⟩ *als Preis, Menge o. ä. ergeben:* der Unterschied macht 50 Meter aus. **sinnv.:** betragen. **6.** ⟨itr.⟩ **a)** *das eigentliche Wesen von etwas darstellen:* das Wissen, das einen großen Arzt ausmacht. **sinnv.:** bedeuten. **b)** *sich in bestimmter Weise positiv oder negativ auswirken, in bestimmter Weise ins Gewicht fallen:* ein Prozent macht nicht viel aus. **7.** ⟨tr.⟩ *Mühe, Unbequemlichkeiten o. ä. bereiten:* macht es dir etwas aus, den Platz zu tauschen? **sinnv.:** behindern, stören.

Aus|maß, das; -es, -e: **1.** *räumliche Verhältnisse, Abmessungen:* die Ausmaße eines Gebäudes; ein Berg von gewaltigen Ausmaßen. **sinnv.:** Abmessung, Ausdehnung, Dimension, Größe, Größenordnung, Länge, Maß, Reichweite, Spielraum, Umfang, Umkreis, Weite. **2.** *Umfang, in dem etwas zutrifft oder geschieht:* das A. der Katastrophe. **sinnv.:** Dichte, Fülle, Grad, Intensität, Leistung, Maß, Stärke, Tiefe.

Aus|nah|me, die; -, -n: *etwas, was anders ist als das Übliche; Abweichung von der geltenden Regel:* eine A. machen; mit A. von Peter waren alle anwesend. **sinnv.:** Abweichung, Normwidrigkeit, Regelverstoß, Regelwidrigkeit, Sonderfall, Unstimmigkeit.

aus|neh|men, nimmt aus, nahm aus, hat ausgenommen: **1.** ⟨tr.⟩ **a)** *herausnehmen:* die Eingeweide [aus dem Huhn] a.; die Eier [aus dem Nest] a. **b)** *durch Herausnehmen leer machen:* eine Gans a.; ein Nest a. *(die Eier aus dem Nest nehmen).* **sinnv.:** ausweiden. **2.** ⟨tr.⟩ *(jmdn. bei etwas) nicht mitzählen, als Ausnahme behandeln:* alle haben schuld, ich nehme keinen aus. **sinnv.:** ausklammern, ausschließen. **3.** ⟨sich a.; mit näherer Bestimmung⟩ *in bestimmter Weise wirken, aussehen:* das farbige Bild nimmt sich gut zu den hellen Gardinen aus. **sinnv.:** aussehen. **4.** ⟨tr.⟩ (ugs.) *(jmdm.) durch listiges, geschicktes Vorgehen [beim Spiel] möglichst viel Geld abnehmen:* sie haben ihn gestern beim Skat tüchtig ausgenommen. **sinnv.:** ausplündern, ausräubern, ausziehen, erleichtern, melken, rupfen, schröpfen.

aus|nut|zen, nutzte aus, hat ausgenutzt ⟨tr.⟩: **1.** *etwas günstig für einen Zweck verwenden:* eine Gelegenheit, einen Vorteil a. **sinnv.:** sich einer Sache bedienen, benutzen, aus jmdm./einer Sache seinen Nutzen/Vorteil ziehen, sich zunutze machen. **2.** *die Möglichkeiten zur Vergrößerung seiner Macht oder zum persönlichen Bereicherung skrupellos nutzen:* er nutzte ihre Schwächen, die Untergebenen rücksichtslos aus. **sinnv.:** mißbrauchen.

aus|packen, packte aus, hat ausgepackt: **1.** ⟨tr.⟩

a) *etwas aus seiner Verpackung herausnehmen* /Ggs. einpacken/: eine Vase a. **sinnv.**: auswickeln. b) *etwas, worin etwas verpackt war, leeren:* den Koffer a. **sinnv.**: ausräumen; leeren. 2. ⟨itr.⟩ (ugs.) *nachdem man lange an sich gehalten oder über etwas geschwiegen hat, schließlich doch erzählen, berichten:* der Verbrecher packte aus. **sinnv.**: gestehen, mitteilen.

aus|plau|dern, plauderte aus, hat ausgeplaudert ⟨tr.⟩: *(etwas, was geheim bleiben sollte) weitersagen, verraten:* Geheimnisse a. **sinnv.**: auspakken, ausplappern, ausposaunen, plappern, plaudern, preisgeben, aus der Schule plaudern, schwatzen, verraten, weitersagen, -erzählen, wiedersagen, -erzählen.

aus|prä|gen, prägte aus, hat ausgeprägt: 1. ⟨sich a.⟩ a) *sich deutlich (in, an etwas) zeigen, offenbar werden:* der Kummer hat sich in ihren Zügen ausgeprägt. b) *sich herausbilden, zum Vorschein kommen:* diese Tendenz hat sich hier besonders stark ausgeprägt. **sinnv.**: zum Ausdruck kommen in, sich ausdrücken in, sich äußern in, sich zeigen in. 2. ⟨tr.⟩ *deutlich formen, gestalten:* das antike Modell hat schon beide Formen der Diktatur ausgeprägt. **sinnv.**: hervorbringen.

aus|pro|bie|ren, probierte aus, hat ausprobiert ⟨tr.⟩: *auf seine Brauchbarkeit probieren:* hast du die neue Waschmaschine schon ausprobiert?; ich probiere eine andere Methode aus. **sinnv.**: probieren; prüfen; versuchen.

Aus|puff, der; -[e]s, -e: *Rohr, durch das bei Motoren [von Kraftfahrzeugen] die ausströmenden Gase abgeleitet werden.*

aus|ra|die|ren, radierte aus, hat ausradiert ⟨tr.⟩: *durch Radieren tilgen:* er hat das Datum [mit dem Gummi] ausradiert. **sinnv.**: ausstreichen.

aus|räu|men, räumte aus, hat ausgeräumt ⟨tr.⟩: 1. a) *aus etwas herausnehmen* /Ggs. einräumen/: die Bücher [aus dem Regal] a. **sinnv.**: entfernen. b) *durch Herausnehmen leer machen:* die Wohnung a. **sinnv.**: leeren. c) *(etwas, was Verhandlungen im Wege steht, Meinungsverschiedenheiten verursacht o. ä.) beseitigen:* Vorurteile, Bedenken a. **sinnv.**: beseitigen. 2. (ugs.) *plündern:* die Diebe räumten das ganze Geschäft aus. **sinnv.**: ausplündern, ausrauben.

aus|rech|nen, rechnete aus, hat ausgerechnet: 1. ⟨tr.⟩ *durch Rechnen den Preis o. ä. von etwas Bestimmten ermitteln:* die Kosten a. **sinnv.**: berechnen, errechnen, kalkulieren, vorausberechnen. 2. ⟨sich a.⟩ *indem man die Gegebenheiten in seine Überlegungen mit einbezieht, mit etwas rechnen:* sich Chancen [auf den Sieg] a. **sinnv.**: berechnen, schätzen, vermuten.

Aus|re|de, die; -, -n: *etwas, was als Entschuldigung für etwas genannt wird, was aber nur vorgeschoben, nicht der wirkliche Grund ist:* eine billige, faule A.; immer eine A. wissen; um eine A. nicht verlegen sein. **sinnv.**: Ausflucht, Entschuldigung, Rechtfertigung, Vorwand.

aus|re|den, redete aus, hat ausgeredet: 1. ⟨itr.⟩ *zu Ende sprechen:* laß ihn doch a. 2. ⟨tr.⟩ *(jmdm.) durch Überreden (von etwas) abbringen:* er versuchte, ihm den Plan auszureden. **sinnv.**: abraten.

aus|rei|chen, reichte aus, hat ausgereicht ⟨itr.⟩: *genügen:* das Geld reicht für den Bau des Hauses nicht aus. **sinnv.**: genügen, langen, reichen, zureichen.

Aus|rei|se, die; -, -n: *das Ausreisen* /Ggs. Einreise/: bei der A. wird der Paß kontrolliert; jmdm. die A. verweigern. **sinnv.**: Grenzübertritt.

aus|rei|ßen, riß aus, hat/ist ausgerissen: 1. ⟨tr.⟩ *durch gewaltsames Herausziehen entfernen:* er hat das Unkraut ausgerissen. **sinnv.**: ausraufen, ausrupfen, auszupfen. 2. ⟨itr.⟩ *sich [infolge zu großer Belastung] lösen:* der Griff am Koffer ist ausgerissen. 3. ⟨itr.⟩ (ugs.) *seinen Eltern o. ä. weglaufen:* der Junge ist ausgerissen. **sinnv.**: fliehen.

aus|rich|ten, richtete aus, hat ausgerichtet: 1. ⟨tr.⟩ *(jmdm. etwas) mitteilen, wozu man von jmd. anders gebeten worden ist:* jmdm. Grüße a.; richte ihm aus, daß ich erst später kommen kann. **sinnv.**: mitteilen. 2. ⟨tr.⟩ *bei etwas Erfolg haben* /in Verbindung mit etwas, nichts, wenig/: er konnte bei den Verhandlungen nichts a. **sinnv.**: erwirken. 3. ⟨sich a.⟩ *sich in einer bestimmten Ordnung aufstellen:* die Sportler standen in einer Linie ausgerichtet. **sinnv.**: in eine Fluchtlinie bringen, geraderichten, richten.

Aus|ruf, der; -[e]s, -e: *kurze, laute Äußerung als spontaner Ausdruck eines Gefühls:* ein freudiger A.; ein A. des Erschreckens. **sinnv.**: Ruf, Schrei.

aus|ru|fen, rief aus, hat ausgerufen ⟨tr.⟩: 1. *spontan, in einem Ausruf äußern:* „Herrlich!" rief sie aus. **sinnv.**: schreien. 2. *[laut rufend] nennen, mitteilen, bekanntgeben:* der Schaffner ruft die Station aus. **sinnv.**: mitteilen. 3. *öffentlich verkünden:* nach der Revolution wurde die Republik ausgerufen. **sinnv.**: proklamieren, verkünden.

aus|ru|hen, ruhte aus, hat ausgeruht ⟨sich a./ itr.⟩: *ruhen, um sich zu erholen:* ich muß mich ein wenig a.; wir haben ein paar Stunden ausgeruht. **sinnv.**: ruhen.

Aus|rü|stung, die; -, -en: 1. *alle Geräte, die man zu einem bestimmten Zweck braucht:* eine vollständige A. zum Skilaufen, Fotografieren. **sinnv.**: Rüstzeug. **Zus.**: Camping-, Flieger-, Jagd-, Ski-, Seemanns-, Spezial-, Taucher-, Tropenausrüstung. 2. ⟨ohne Plural⟩ *das Ausrüsten:* die A. einer Expedition erfordert große finanzielle Mittel.

aus|rut|schen, rutschte aus, ist ausgerutscht ⟨itr.⟩: *durch Rutschen der Füße den Halt verlieren und fallen:* ich bin auf dem Eis ausgerutscht. **sinnv.**: ausgleiten, rutschen.

aus|sä|en, säte aus, hat ausgesät ⟨tr.⟩: *auf einer größeren Fläche säen:* der Bauer sät im Herbst den Weizen aus. **sinnv.**: säen.

Aus|sa|ge, die; -, -n: 1. *Angabe, Mitteilung, die man auf eine Aufforderung hin vor einer Behörde macht:* vor Gericht eine A. machen; der Zeuge verweigerte die A. **sinnv.**: Angabe, Darstellung, Erklärung, Zeugnis. **Zus.**: Zeugenaussage. 2. *Äußerung einer Meinung:* seine Aussagen über Staat und Politik sind wissenschaftlich nicht fundiert. **sinnv.**: Ausführungen, Äußerung, Darlegung.

aus|sa|gen, sagte aus, hat ausgesagt: 1. ⟨itr.⟩ *[vor Gericht] mitteilen, was man (über etwas) weiß:* als Zeuge a. **sinnv.**: darstellen; gestehen; mitteilen. 2. ⟨tr.⟩ *deutlich zum Ausdruck bringen:* in seinem Vortrag wurde Grundlegendes zu diesem Problem ausgesagt. **sinnv.**: darlegen, sagen; mitteilen.

aus|schal|ten, schaltete aus, hat ausgeschaltet ⟨tr.⟩: 1. *durch Betätigen eines Hebels, eines Schalters außer Betrieb setzen* /Ggs. einschalten/: den Motor, das Licht a. **sinnv.**: abdrehen, abschalten, abstellen, ausdrehen, ausknipsen, ausmachen. **2.** **a)** *Maßnahmen ergreifen, um etwas [in Zukunft] zu verhindern:* Fehler bei der Produktion a.; eine Gefahr a. **sinnv.:** ausschließen, verhindern. **b)** *verhindern, daß jmd., der den eigenen Bestrebungen im Wege ist, weiterhin handeln kann:* er konnte bei den Verhandlungen seine Konkurrenten a. **sinnv.:** ausschließen, eliminieren, aus dem Weg räumen.

aus|schei|den, schied aus, hat/ist ausgeschieden: **1.** ⟨itr.⟩ *eine Gemeinschaft, Gruppe verlassen und sich nicht mehr darin betätigen, eine Tätigkeit aufgeben:* er ist aus dem Dienst ausgeschieden. **sinnv.:** abdanken, abgehen, abtreten, aufhören, aussteigen, austreten, gehen. **2.** ⟨itr.⟩ *die Beteiligung an einem Wettkampf aufgeben:* nach dem Sturz ist der Sportler ausgeschieden. **sinnv.:** aufgeben, aufstecken. **3.** ⟨itr.; in den zusammengesetzten Formen der Vergangenheit und im 2. Partizip nicht gebräuchlich⟩ *nicht in Frage kommen:* diese Möglichkeit scheidet aus. **sinnv.:** auszuschließen sein, nicht in Betracht/in Frage kommen, außer Betracht bleiben/stehen, entfallen, fortfallen, wegfallen. **4.** ⟨tr.⟩ *von sich geben, aus sich entfernen:* der Körper hat die giftigen Stoffe ausgeschieden. **sinnv.:** abgeben, abscheiden, absondern, ausschwitzen, auswerfen, sekretieren. **5.** ⟨tr.⟩ *aussondern, entfernen:* er hat die wertlosen Bücher ausgeschieden. **sinnv.:** auslesen.

aus|schla|gen, schlägt aus, schlug aus, hat/ist ausgeschlagen: **1.** ⟨itr.⟩ *mit einem Bein stoßen [um sich zu wehren]* /bes. vom Pferd/: das Pferd hat ausgeschlagen. **sinnv.:** treten. **2.** ⟨tr.⟩ *durch Schlagen gewaltsam entfernen:* er hat ihm drei Zähne ausgeschlagen. **3.** ⟨tr.⟩ *(die Wände eines Raumes, einer Kiste o. ä.) verkleiden:* er hat das Zimmer mit Stoff ausgeschlagen. **sinnv.:** auskleiden, bespannen. **4.** ⟨tr.⟩ *ablehnen, zurückweisen:* er hat das Angebot [mitzufahren] ausgeschlagen. **sinnv.:** ablehnen. **5.** ⟨itr.⟩ *(als Zeiger oder Pendel) sich vom Ausgangspunkt wegbewegen:* der Zeiger hat/(seltener:) ist ausgeschlagen. **6.** ⟨itr.⟩ *anfangen, grün zu werden:* die Bäume haben/(selten:) sind ausgeschlagen. **sinnv.:** sprießen. **7.** ⟨itr.⟩ *sich (zu etwas) entwickeln:* es ist ausschließlich zum Guten ausgeschlagen, daß er die Stellung nicht bekommen hat. **sinnv.:** gelingen.

aus|schlie|ßen, schloß aus, hat ausgeschlossen: **1.** ⟨tr.⟩ **a)** *nicht teilnehmen lassen (an etwas):* er wurde vom Spiel ausgeschlossen. **b)** *(aus etwas) entfernen:* er wurde aus der Partei ausgeschlossen. **sinnv.:** ausstoßen, exkommunizieren, relegieren · entfernen, fortjagen, verbannen, verstoßen · disqualifizieren, vom Platz stellen, verweisen · aussperren; ausschalten. **2.** ⟨sich a.⟩ *sich fernhalten, absondern, nicht mitmachen:* du schließt dich immer [von allem] aus. **sinnv.:** sich absondern. **3.** ⟨tr.⟩ *unmöglich machen, nicht entstehen lassen:* das Mißtrauen schließt jede Zusammenarbeit aus. **sinnv.:** verhindern; ausklammern.

aus|schließ|lich [auch: ausschließlich]: **I.** ⟨Adj.; nur attributiv⟩ *alleinig, eingeschränkt:* der Wagen steht zu seiner ausschließlichen Verfügung. **sinnv.:** alleinig. **II.** ⟨Adverb⟩ *nur, allein:* er interessiert sich a. für Sport. **sinnv.:** allein, bloß, einzig, lediglich, nur. **III.** ⟨Präp. mit Gen.⟩ *ohne, außer, ausgenommen* /Ggs. einschließlich/: die Kosten a. des Portos; ⟨aber: starke Substantive

bleiben im Singular ungebeugt, wenn sie ohne Artikel und ohne adjektivisches Attribut stehen; im Plural stehen sie dann im Dativ⟩ a. Porto; a. Getränken. **sinnv.:** ausgenommen.

aus|schnei|den, schnitt aus, hat ausgeschnitten ⟨tr.⟩: *(aus etwas) herausschneiden:* einen Artikel aus einer Zeitung a. **sinnv.:** schneiden.

aus|schrei|ben, schrieb aus, hat ausgeschrieben ⟨tr.⟩: **1.** *in der ganzen Länge, mit allen Buchstaben schreiben (und nicht abkürzen):* seinen Namen a. **2.** *bekanntgeben und dadurch zur Beteiligung, Bewerbung o. ä. auffordern:* die Wahlen für September a.; einen Wettbewerb für Architekten a. **sinnv.:** ansetzen. **3.** *ausstellen, als schriftliche Unterlage geben:* eine Rechnung a. **sinnv.:** ausfertigen.

Aus|schuß, der; Ausschusses, Ausschüsse: **1.** *aus einer größeren Versammlung o. ä. ausgewählte Gruppe von Personen, die eine besondere Aufgabe zu erfüllen hat.* **sinnv.:** Beirat, Gremium, Komitee, Kommission, Kreis, Kuratorium, Rat, Zirkel. **2.** ⟨ohne Plural⟩ *minderwertige Ware:* das ist alles nur A. **sinnv.:** Ramsch, Schleuderware.

aus|schüt|ten, schüttete aus, hat ausgeschüttet ⟨tr.⟩: **a)** *(aus einem Gefäß) schütten:* das Obst [aus dem Korb] a. **sinnv.:** schütten. **b)** *(ein Gefäß) leer machen, indem man das, was sich darin befindet, heraus- oder wegschüttet:* einen Korb a.; den Mülleimer a. **sinnv.:** leeren.

aus|se|hen, sieht aus, sah aus, hat ausgesehen ⟨itr.; mit näherer Bestimmung⟩: *ein bestimmtes Aussehen haben, einen bestimmten Eindruck machen:* er sieht sehr sportlich aus. **sinnv.:** einen Anblick bieten, anzusehen sein, sich ausnehmen, ein/das Aussehen haben, einen/den Eindruck erwecken/machen, wirken.

Aus|se|hen, das; -s: *Äußeres eines Menschen oder eines Gegenstandes in seiner Wirkung auf den Betrachter:* ein gesundes A. **sinnv.:** Anblick, Erscheinung, Erscheinungsbild, Habitus, Look, Optik; Anstrich.

aus|sein, ist aus, war aus, ist ausgewesen ⟨itr.⟩ (ugs.): **1.** *zu Ende sein:* die Vorstellung ist aus; alles ist aus *(verloren).* **sinnv.:** vorbei sein. **2.** *erloschen sein:* sieh nach, ob das Feuer aus ist! **3.** *ausgeschaltet sein:* das Licht war aus. **sinnv.:** ausgehen, erlöschen.

au|ßen ⟨Adverb⟩: *an der äußeren Seite* /Ggs. innen/: die Tasse ist a. schmutzig. **sinnv.:** an/auf der Außenseite, außerhalb.

Au|ßen|sei|ter, der; -s, -, **Au|ßen|sei|te|rin,** die; -, -nen: *männliche bzw. weibliche Person, die sich von der Gesellschaft absondert und ihre eigenen Ziele verfolgt:* er war schon als Junge ein Außenseiter. **sinnv.:** Asozialer, Ausgeflippter, Ausgestoßener, Außenstehender, Drop-out, Eigenbrötler, Einzelgänger, Individualist, Kauz, Nonkonformist, Original, Outcast, Outsider, Sonderling.

au|ßer: I. ⟨Präp. mit Dativ⟩ *abgesehen (von jmdm./etwas), ausgenommen, nicht mitgerechnet:* alle a. ihm. **II.** ⟨Konj.⟩ *ausgenommen, mit Ausnahme [von ...]:* ich bin täglich zu Hause, a. diesen Sonntag; wir werden kommen, a. [wenn] es regnet.

au|ßer- ⟨adjektivisches Präfixoid⟩: *außerhalb des Bereichs liegend, sich vollziehend, der mit dem im Basiswort Genannten angesprochen ist:* -beruflich, -dienstlich (Ggs. [inner]dienstlich), -ehelich, -europäisch (Ggs. [inner]europäisch), -fahrplanmäßig, -irdisch, -kirchlich (Ggs. [inner]kirchlich), -parlamentarisch, -planmäßig. **sinnv.**: neben-, nicht-, über-, un-.

äu|ßer... ⟨Adj.⟩ /Ggs. inner.../: **a)** *sich außen befindend, außen vorhanden:* die äußere Schicht. **sinnv.**: ober... **b)** *von außen wahrnehmbar:* der äußere Anblick. **sinnv.**: äußerlich, oberflächlich. **c)** *von außen, nicht aus dem Innern des Menschen kommend:* ein äußerer Anlaß. **sinnv.**: äußerlich. **d)** *auf das Ausland gerichtet:* innere und äußere Politik.

au|ßer|dem [auch: ...dem] ⟨Adverb⟩: *überdies, darüber hinaus:* er ist groß, a. sieht er gut aus; er ist a. noch faul. **sinnv.**: ansonsten, auch, daneben, [so]dann, dazu, ferner, fernerhin, obendrein, überdies, des weiteren, weiterhin, zudem, zusätzlich.

Äu|ße|re, das; -n ⟨aber: [sein] Äußeres⟩: *äußere Erscheinung:* auf sein Äußeres achten. **sinnv.**: Aussehen.

au|ßer|ge|wöhn|lich [auch: ...wöhn...] ⟨Adj.⟩: *vom Üblichen oder Gewohnten abweichend, über das übliche Maß hinaus:* eine außergewöhnliche Begabung. **sinnv.**: außerordentlich, beachtlich, beeindruckend, besonder[s], beträchtlich, eindrucksvoll, einmalig, einzig, einzigartig, enorm, erheblich, erstaunlich, märchenhaft, ohnegleichen, riesig, sagenhaft, sehr, sensationell, sondergleichen, umwerfend, ungewöhnlich.

au|ßer|halb: I. ⟨Präp. mit Gen.⟩ *außen* /Ggs. innerhalb/: **a)** *nicht innerhalb, vor einem bestimmten Raum, jenseits einer bestimmten Linie:* a. des Zimmers. **sinnv.**: außer. **b)** *nicht in einem bestimmten Zeitraum:* a. der Arbeitszeit. **sinnv.**: außer. **II.** ⟨Adverb⟩ *in der weiteren Umgebung, draußen, nicht in der Stadt:* er wohnt a. [von Berlin]; wir liefern auch nach a. *(auch in die weitere Umgebung).* **sinnv.**: auswärts, draußen.

äu|ßer|lich ⟨Adj.⟩: *nach außen, dem Äußeren nach:* a. machte er einen gefaßten Eindruck. **sinnv.**: oberflächlich [betrachtet], scheinbar.

äu|ßern: 1. ⟨tr.⟩ *zu erkennen geben:* seine Kritik durch Zischen ä. **sinnv.**: mitteilen, vorbringen. **2.** ⟨sich ä.⟩ *seine Meinung sagen:* sie hat sich [zu seinem Vorschlag] nicht geäußert. **sinnv.**: sich ausbreiten/auslassen/verbreiten über, sich ausquatschen, sich aussprechen, bemerken, sich ergehen in/über, erklären, meinen, seine Meinung kundtun, Stellung nehmen. **3.** ⟨sich ä.⟩ *sich zeigen, in bestimmter Weise sichtbar werden:* seine Unruhe äußerte sich in seiner Unaufmerksamkeit. **sinnv.**: sich ausprägen.

au|ßer|or|dent|lich ⟨Adj.⟩: **1.** *außerhalb der gewöhnlichen Ordnung stehend, stattfindend:* eine außerordentliche Versammlung. **2. a)** *sehr groß:* ein außerordentlicher Erfolg. **sinnv.**: außergewöhnlich. **b)** ⟨verstärkend bei Adjektiven und Verben⟩ *ganz besonders:* eine a. wichtige Sache; das freut mich a. **sinnv.**: sehr.

äu|ßerst ⟨Adj.⟩: **a)** *größt..., stärkst...:* ein Moment äußerster Spannung. **b)** ⟨verstärkend bei Adjektiven⟩ *in höchstem Maße:* er lebt ä. bescheiden. **sinnv.**: enorm, ganz, sehr.

Äu|ße|rung, die; -, -en: **1.** *das (vom Redenden, Sprechenden) Geäußerte, Ausgesprochene:* eine unvorsichtige Ä. **sinnv.**: Ausführungen, Auslassung, Aussage, Bemerkung, Feststellung, Statement. **Zus.**: Meinungs-, Willensäußerung. **2.** *sichtbares Zeichen (für etwas):* sein Benehmen war eine Ä. trotziger Unabhängigkeit. **sinnv.**: Bekundung, Demonstration. **Zus.**: Gefühls-, Lebensäußerung.

aus|set|zen, setzte aus, hat ausgesetzt: **1.** ⟨itr.⟩ *mitten in einer Tätigkeit o. ä. [für eine gewisse Zeit] aufhören:* der Motor setzte plötzlich aus. **sinnv.**: abbrechen, aufhören, ausfallen, bocken, stehen, stehenbleiben, stillstehen, streiken. **2.** ⟨tr.⟩ *vorübergehend unterbrechen:* den Kampf, die Strafe a. **sinnv.**: ruhen lassen. **3.** ⟨tr.⟩ *an einen bestimmten Ort bringen und dort sich selbst überlassen:* ein Tier a. **4.** ⟨tr./sich a.⟩ *sich so verhalten, daß jmd./ etwas oder man selbst durch etwas gefährdet ist oder ohne Schutz vor etwas ist:* er wollte ihn nicht dem Verdacht a.; sich der Sonne a. **sinnv.**: ausliefern, exponieren, preisgeben. **5.** ⟨tr.⟩ *(eine Summe als Belohnung) versprechen:* für die Ergreifung des Täters wurden 1 000 Mark als Belohnung ausgesetzt. **sinnv.**: in Aussicht stellen, (eine Belohnung) verheißen/versprechen, zusagen, zusichern.

Aus|sicht, die; -, -en: **1.** ⟨ohne Plural⟩ *Blick ins Freie, in die Ferne:* von dem Fenster hat man eine schöne A. [auf den Park]. **sinnv.**: Anblick, Ausblick, Blick, Fernblick, Fernsicht, Panorama, Rundblick, Sicht. **2.** *sich für die Zukunft zeigende positive Möglichkeit:* seine Aussichten, die Prüfung zu bestehen, sind gering. *** in A. nehmen** *(vorsehen):* für diese Arbeit sind vier Tage in A. genommen; **in A. stellen** *(versprechen):* eine hohe Belohnung ist in A. gestellt worden; **[keine] A. auf etwas haben** *(mit etwas Gutem o. ä. [nicht] rechnen können):* er hat A. auf den ersten Preis im Schwimmen. **sinnv.**: Chance, Hoffnung. **Zus.**: Berufs-, Erfolgs-, Zukunftsaussichten.

aus|sichts|los ⟨Adj.⟩: *ohne jede Aussicht auf Erfolg:* sich in einer aussichtslosen Lage befinden. **sinnv.**: ausweglos, hoffnungslos, verbaut, verfahren.

aus|span|nen, spannte aus, hat ausgespannt: **1.** ⟨itr.⟩ *für einige Zeit mit einer anstrengenden Tätigkeit aufhören, um sich zu erholen:* er mußte [vier Wochen] a.; sich erholen. **2.** ⟨tr.⟩ (ugs.) **a)** *nach langem Bitten (von jmdm.) bekommen und behalten dürfen:* der Sohn hatte dem Vater das Auto ausgespannt. **b)** *[jmdm. einen Freund, eine Freundin] abspenstig machen:* jmdm. die Freundin a. **sinnv.**: abwerben. **3.** ⟨tr.⟩ *breit spannen:* die Netze zum Trocknen a.

Aus|spra|che, die; -, -n: **1.** ⟨ohne Plural⟩ *Art, wie etwas gesprochen wird:* die A. eines Wortes. **sinnv.**: Artikulation. **Zus.**: Bühnenaussprache. **2.** *klärendes Gespräch:* eine offene A. **sinnv.**: Gespräch.

aus|spre|chen, spricht aus, sprach aus, hat ausgesprochen: **1.** ⟨tr.⟩ *(in einer bestimmten Weise) sprechen:* ein Wort richtig a. **sinnv.**: artikulieren. **2.** ⟨tr.⟩ *zum Ausdruck bringen, äußern, mit Worten ausdrücken:* eine Bitte a. **sinnv.**: formulieren, mitteilen. **3.** ⟨sich a.; mit näherer Bestimmung⟩ *seine Meinung (über jmdn./etwas in bestimmter Weise) äußern:* er hat sich lobend über ihn ausgesprochen. **sinnv.**: sich äußern; mitteilen. **4.** ⟨sich a.⟩ *jmdm. sagen, was einen bedrückt, innerlich beschäftigt oder bewegt:* er hatte das Bedürfnis, sich auszusprechen. **sinnv.**: sich anvertrauen; sich äußern. **5.** ⟨tr.⟩ *(eine rechtliche Entscheidung) bekanntmachen:* eine Kündigung a. **sinnv.**: anordnen · mitteilen.

Aus|spruch, der; -[e]s, Aussprüche: *Satz [einer bedeutenden Persönlichkeit], in dem eine Ansicht o. ä. prägnant ausgesprochen ist:* dieser A. stammt von Goethe. **sinnv.**: Aperçu, Aphorismus, Bonmot, Sinnspruch, Sprichwort, Spruch, Wahlspruch, [geflügeltes] Wort, Zitat.

aus|stat|ten, stattete aus, hat ausgestattet ⟨tr.⟩: *mit etwas versehen:* ein Zimmer mit Möbeln a. **sinnv.**: ausrüsten, ausstaffieren, einrichten, versehen.

aus|ste|hen, stand aus, hat ausgestanden ⟨itr.⟩: **1.** *erwartet werden, noch nicht eingetroffen sein:* die Antwort auf mein Schreiben steht noch aus. **sinnv.**: fehlen. **2.** *ertragen, erdulden:* er hatte viel Angst ausgestanden. **jmdn./etwas nicht a. können (jmdn./etwas nicht leiden können):* ich kann diesen Kerl nicht a. **sinnv.**: hassen.

aus|stei|gen, stieg aus, ist ausgestiegen ⟨itr.⟩: **a)** *ein Fahrzeug verlassen, aus etwas steigen* /Ggs. einsteigen/: du mußt auf der nächsten Station a. **sinnv.**: herausklettern, heraussteigen. **b)** (ugs.) *sich nicht mehr (an einem Unternehmen) beteiligen* /Ggs. einsteigen/: aus einem Geschäft a. **sinnv.**: ausscheiden, ausscheren; beenden.

Aus|stei|ger, der; -s, -, **Aus|stei|ge|rin,** die; -, -nen (Jargon): *männliche bzw. weibliche Person, die ihren Beruf, ihre gesellschaftlichen Bindungen o. ä. aufgibt, um von allen Zwängen frei zu sein.* **sinnv.**: Ausgeflippter, Außenseiter, Freak, Nonkonformist, Outsider, schwarzes Schaf.

aus|stel|len, stellte aus, hat ausgestellt ⟨tr.⟩: **1.** *zur Ansicht, zum Verkauf hinstellen:* Waren a. **sinnv.**: auslegen, zur Schau stellen, zeigen. **2.** *ein Formular o. ä. (als Unterlage für etwas) ausfüllen und jmdm. geben:* jmdm. einen Paß a.; ich habe mir eine Quittung für den Kauf a. lassen. **sinnv.**: ausfertigen.

Aus|stel|lung, die; -, -en: **1.** ⟨ohne Plural⟩ *das Ausstellen:* für die A. des Passes mußte er 5 Mark bezahlen. **2.** *Gesamtheit der in einem Raum oder auf einem Gelände zur Besichtigung o. ä. ausgestellten Gegenstände:* eine A. besuchen. **sinnv.**: Messe, Schau. **Zus.**: Automobil-, Gartenbau-, Gemälde-, Sonderausstellung.

aus|sto|ßen, stößt aus, stieß aus, hat ausgestoßen ⟨tr.⟩: **a)** *(aus einer Gemeinschaft) ausschließen:* er wurde aus der Partei ausgestoßen. **sinnv.**: ausschließen. **b)** *als Äußerung des Schreckens o. ä. heftig hervorbringen:* einen Schrei a. **sinnv.**: anstimmen, hervorstoßen, hören lassen.

aus|strah|len, strahlte aus, hat ausgestrahlt: **1.** ⟨itr.⟩ **a)** *in alle Richtungen strahlen:* der Ofen strahlt Hitze aus. **b)** *(als meist positive Wirkung) von etwas/jmdm. ausgehen:* ein Mann, der Energie und Optimismus ausstrahlt; der Raum strahlt Behaglichkeit aus. **sinnv.**: abstrahlen, aussenden, ausströmen, spenden, verbreiten. **2.** ⟨tr.⟩ ↑ *senden:* ein Programm a.

aus|strecken, streckte aus, hat ausgestreckt: **1.** ⟨tr.⟩ *(ein Glied des Körpers) von sich strecken:* er streckte seine Arme aus, ergriff die ausgestreckte rechte Hand. **sinnv.**: abspreizen, spreizen, von sich/zur Seite strecken, wegstrecken. **2.** ⟨sich a.⟩ *sich der Länge nach (auf etwas) strecken:* ich

streckte mich [auf dem Bett] aus. **sinnv.**: sich dehnen/rekeln, sich strecken.

aus|su|chen, suchte aus, hat ausgesucht ⟨tr.⟩ *aus dem Vorhandenen, Angebotenen o. ä. heraussuchen, wählen:* er suchte für seinen Freund ein gutes Buch aus. **sinnv.**: auswählen.

aus|tau|schen, tauschte aus, hat ausgetauscht ⟨tr.⟩: **1.** *wechselseitig (Gleichartiges) geben und nehmen:* Gefangene a.; sie tauschen Gedanken aus *(teilten sie sich mit und sprachen darüber)*; sie tauschten Erfahrungen aus *(teilten sie sich mit)*. **sinnv.**: mitteilen. **2.** *auswechseln, durch Entsprechendes ersetzen:* einen Motor a. **sinnv.**: einen Austausch vornehmen, auswechseln, Ersatz schaffen, ersetzen, wechseln.

aus|tei|len, teilte aus, hat ausgeteilt ⟨tr.⟩: *(die Teile, Stücke o. dgl. einer vorhandenen Menge) einzeln an dafür vorgesehene Personen geben:* der Lehrer teilt die Hefte aus. **sinnv.**: ausgeben, verteilen, zur Verteilung bringen.

Au|ster, die; -, -n: *im Meer lebende eßbare Muschel* (siehe Bildleiste „Schalentiere"): Austern fangen, züchten.

aus|tra|gen, trägt aus, trug aus, hat ausgetragen ⟨tr.⟩: **1.** *(Post o. ä.) dem Empfänger ins Haus bringen:* Zeitungen, die Post a. **sinnv.**: verteilen, zustellen. **2. a)** *bis zur Entscheidung führen, klärend abschließen:* einen Streit a. **sinnv.**: ausfechten durchfechten, entscheiden. **b)** *bei einem sportlichen Vergleich eine Entscheidung herbeiführen oder feststellen, wer der Bessere oder Stärkere ist:* einen Wettkampf, Meisterschaften a. **sinnv.**: veranstalten.

aus|tre|ten, tritt aus, trat aus, hat/ist ausgetreten: **1.** ⟨tr.⟩ *durch Darauftreten bewirken, daß etwas nicht mehr glüht oder brennt:* er hat die Glut, die brennende Zigarette ausgetreten. **sinnv.**: löschen. **2.** ⟨tr.⟩ **a)** *durch häufiges Darauftreten abnutzen, so daß eine Vertiefung entsteht:* die Bewohner haben die Stufen, Dielen sehr ausgetreten. **sinnv.**: abnutzen. **b)** *durch Tragen ausweiten:* sie hat ihre Schuhe ausgetreten. **sinnv.**: ausweiten. **3.** ⟨itr.⟩ *(aus einer Gemeinschaft) auf eigenen Wunsch ausscheiden* /Ggs. eintreten/: er ist aus dem Verein ausgetreten. **sinnv.**: ausscheiden. **4.** ⟨itr.⟩ *die Toilette aufsuchen, um seine Notdurft zu verrichten:* ich muß [mal] a. [gehen]; er ist ausgetreten. **sinnv.**: sich [seitwärts] in die Büsche schlagen, sein Geschäft erledigen/machen, laufen/rennen/verschwinden müssen, seine Notdurft verrichten, ein Örtchen aufsuchen. **5.** ⟨itr.⟩ *(als Sache) nach außen gelangen:* hier ist Öl, Gas ausgetreten. **sinnv.**: ausströmen.

aus|trin|ken, trank aus, hat ausgetrunken ⟨tr.⟩: **a)** *trinken, bis nichts mehr übrig ist:* das Bier a. **b)** *leer trinken:* ein Glas a. **sinnv.**: aussaufen, ausschlürfen, leeren.

aus|trock|nen, trocknete aus, hat/ist ausgetrocknet: **a)** ⟨tr.⟩ *völlig, bis zu Ende trocken machen:* die Hitze hat den Boden ausgetrocknet. **sinnv.**: abtrocknen. **b)** ⟨itr.⟩ *(die üblicherweise dazugehörende, vorhandene) Feuchtigkeit, Flüssigkeit verlieren, entzogen bekommen und völlig trokken werden:* der See, Boden, das Flußbett, das Holz, die Haut, Kehle ist ausgetrocknet. **sinnv.**: trocknen.

aus|üben, übte aus, hat ausgeübt ⟨tr.⟩: **1.** *regelmäßig oder längere Zeit ausführen:* eine Beschäftigung a.; sie übt keinen Beruf aus *(ist nicht beruflich tätig).* **sinnv.:** arbeiten, treiben. **2. a)** *innehaben und anwenden:* die Macht, die Herrschaft a. **sinnv.:** innehaben. **b)** *in besonderer Weise auf jmdn./etwas wirken lassen:* Terror, Druck a.; Einfluß auf jmdn. a.

Aus|wahl, die; -: **1.** *das Auswählen:* die A. unter den vielen Stoffen ist schwer [zu treffen]. **sinnv.:** Auslese, Wahl. **2.** *Menge von Waren o. ä., aus der ausgewählt werden kann:* die A. an Möbeln ist nicht sehr groß; wenig A. bieten; in reicher A. vorhanden sein. **sinnv.:** Sortiment. **3.** *Zusammenstellung ausgewählter Dinge:* eine A. exotischer Früchte; eine A. aus Goethes Werken. **sinnv.:** Auslese.

aus|wäh|len, wählte aus, hat ausgewählt ⟨tr.⟩: *(aus einer Anzahl) prüfend heraussuchen [und zusammenstellen]:* Kleidung, Geschenke a.; er wählte unter den Bewerbern zwei aus; ausgewählte *(in Auswahl zusammengestellte)* Werke. **sinnv.:** auslesen, aussuchen, suchen, wählen · sich entscheiden für, sich entschließen zu.

aus|wan|dern, wanderte aus, ist ausgewandert ⟨itr.⟩: *seine Heimat verlassen, um in einem anderen Land eine neue Heimat zu finden* /Ggs. einwandern/: nach dem Krieg wanderten viele [aus Deutschland] aus. **sinnv.:** ins Ausland gehen, emigrieren; weggehen.

aus|wärts ⟨Adverb⟩: **a)** *außerhalb des Hauses; nicht zu Hause:* a. essen. **b)** *außerhalb des Ortes; nicht am Ort:* a. studieren; von a. kommen. **sinnv.:** außerhalb.

aus|wech|seln, wechselte aus, hat ausgewechselt ⟨tr.⟩: *durch etwas Gleichartiges ersetzen:* den Motor a.; den Torhüter a. **sinnv.:** austauschen.

Aus|weg, der; -[e]s, -e: *rettende Lösung in einer schwierigen Situation; Möglichkeit, sich aus einer unangenehmen oder schwieriger Lage zu befreien:* nach einem A. suchen.

aus|weg|los ⟨Adj.⟩: *keinen Ausweg bietend, keine Möglichkeit der Rettung oder Hilfe aus einer Not erkennen lassend:* er befindet sich in einer ausweglosen Lage. **sinnv.:** aussichtslos.

aus|wei|chen, wich aus, ist ausgewichen ⟨itr.⟩: **1.** *aus dem Weg gehen, Platz machen, (vor jmdm./ etwas) zur Seite weichen:* einem Betrunkenen a.; einem Schlag blitzschnell a. **sinnv.:** Platz machen, zur Seite gehen. **2.** *(etwas) vermeiden; (einer Sache) zu entgehen suchen:* einem Kampf a.; einer Frage, jmds. Blicken a. **sinnv.:** sich entziehen. **3.** *[gezwungenermaßen] zu etwas anderem übergehen, etwas anderes wählen:* auf eine andere Möglichkeit a.

Aus|weis, der; -es, -e: *Dokument, das als Bestätigung oder Legitimation [amtlich] ausgestellt worden ist und Angaben zur betreffenden Person enthält:* die Ausweise kontrollieren. **sinnv.:** Kennkarte, Legitimation, Papiere, Paß, Passierschein, Reise-, Seniorenpaß. **Zus.:** Fahrt-, Personal-, Studentenausweis.

aus|wei|sen, wies aus, hat ausgewiesen: **1.** ⟨tr.⟩ *zum Verlassen des Landes zwingen:* einen Ausländer a. **sinnv.:** abschieben, ausbürgern, aussiedeln, des Landes verweisen, umsiedeln, verbannen, vertreiben. **2. a)** ⟨sich a.⟩ *durch Papiere o. ä. seine Identität, seine Berechtigung zu etwas o. ä. nachweisen:* können Sie sich a.?; er konnte sich als Besitzer des Koffers a. **sinnv.:** sich legitimieren. **b)**

⟨tr.⟩ *bestätigen, daß etwas/jmd. etwas Bestimmtes ist oder eine bestimmte Eigenschaft hat:* der Paß wies ihn als gebürtigen Berliner aus. **sinnv.:** bescheinigen.

aus|wei|ten, weitete aus, hat ausgeweitet: **1. a)** ⟨tr.⟩ *durch längeren Gebrauch weiter machen, dehnen:* die Schuhe a. **sinnv.:** ausbeulen, ausdehnen, auslatschen, ausleiern, austreten. **b)** ⟨sich a.⟩ *durch längeren Gebrauch weiter werden, sich zu sehr dehnen:* das Gummiband, der Pullover hat sich ausgeweitet. **sinnv.:** sich ausleiern, sich dehnen. **2. a)** ⟨tr.⟩ *in seiner Wirkung, seinem Umfang o. ä. verstärken, größer machen:* den Handel mit dem Ausland a.; jmds. Kompetenzen a. **sinnv.:** erweitern. **b)** ⟨sich a.⟩ *in seiner Wirkung, seinem Umfang größer, stärker werden:* seine Macht hat sich ausgeweitet. **sinnv.:** ausdehnen, seinen Einflußbereich vergrößern/erweitern.

aus|wen|dig ⟨Adverb⟩: *ohne Vorlage, aus dem Gedächtnis:* ein Gedicht a. vortragen.

aus|wer|ten, wertete aus, hat ausgewertet ⟨tr.⟩: *(etwas) im Hinblick auf Wichtigkeit und Bedeutung prüfen, um es für etwas nutzbar zu machen:* der Forscher wertete die Statistik aus. **sinnv.:** ausnutzen, ausnützen, ausschlachten, ausschöpfen, nutzbar machen, nutzen, nützen, verwerten, sich etwas zunutze machen.

aus|wir|ken, sich; wirkte sich aus, hat sich ausgewirkt: *bestimmte Folgen haben; in bestimmter Weise (auf etwas) wirken:* dieses Ereignis wirkte sich ungünstig auf die Wirtschaft aus. **sinnv.:** wirken.

Aus|wüch|se, die ⟨Plural⟩: *Entwicklung, die als schädlich oder übertrieben empfunden wird:* gegen die A. in der Verwaltung ankämpfen. **sinnv.:** Eskalation, Mißstand, Übertreibung.

aus|zah|len, zahlte aus, hat ausgezahlt: **1.** ⟨tr.⟩ *jmdm. einen ihm zustehenden Geldbetrag aushändigen:* Prämien, die Gehälter a. **sinnv.:** auszahlen, bezahlen, zahlen. **2.** ⟨sich a.⟩ *(als Ertrag von etwas) lohnend, von Nutzen sein:* jetzt zahlt sich seine Mühe aus. **sinnv.:** sich lohnen.

aus|zeich|nen, zeichnete aus, hat ausgezeichnet: **1.** ⟨tr.⟩ **a)** *auf besondere Weise (bes. durch einen Orden, Preis o. ä.) ehren:* der Schüler wurde wegen guter Leistungen [mit einem Preis] ausgezeichnet. **sinnv.:** prämi[i]eren. **b)** *durch etwas bevorzugt behandeln:* jmdn. durch sein/mit seinem Vertrauen auszeichnen. **2. a)** ⟨sich a.⟩ *sich (durch etwas) hervortun, (wegen guter Eigenschaften) auffallen:* er zeichnet sich durch Fleiß aus. **b)** ⟨itr.⟩ *(durch etwas Besonderes) von anderen deutlich unterscheiden, positiv aus einer Menge herausheben:* Klugheit, Fleiß, große Geduld zeichnete sie aus. **sinnv.:** auffallen.

Aus|zeich|nung, die; -, -en: **1.** *das Auszeichnen* (1). **sinnv.:** Gunst. **2.** *etwas (bes. Urkunde, Orden, Medaille o. ä.), womit jmd. ausgezeichnet wird:* er erhielt eine A. für seine Verdienste. **sinnv.:** Orden, Preis.

aus|zie|hen, zog aus, hat/ist ausgezogen: **1.** ⟨tr.⟩ **a)** *jmdm., sich die Kleidungsstücke vom Körper nehmen* /Ggs. anziehen/: die Mutter hat das Kind ausgezogen. **sinnv.:** auskleiden, entblättern, entblößen, enthüllen, entkleiden. **b)** *(ein Kleidungsstück) von sich tun* /Ggs. anziehen/: er hat [sich] das Hemd ausgezogen. **sinnv.:** abbinden, ablegen, abnehmen, absetzen, abstreifen, abtun,

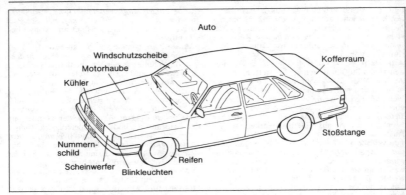

Auto

Windschutzscheibe
Motorhaube
Kühler
Kofferraum

Stoßstange
Nummern-
schild
Scheinwerfer
Reifen
Blinkleuchten

auspellen. **2.** ⟨tr.⟩ *aus etwas herausziehen:* er hat Unkraut ausgezogen. **3.** ⟨tr.⟩ *(etwas, was zusammengeschoben ist) durch Auseinanderziehen länger machen:* sie hat den Tisch ausgezogen. **4.** ⟨itr.⟩ *(eine Wohnung o. ä.) aufgeben und verlassen:* wir sind [aus dem Haus] ausgezogen. **sinnv.:** übersiedeln.

Aus|zu|bil|den|de, der u. die; -n, -n ⟨aber: [ein] Auszubildender, Plural: [viele] Auszubildende⟩: *jmd., der eine Lehre macht, eine Berufsausbildung erfährt.* **sinnv.:** Anlernling, Azubi, Lehrling, Praktikant.

Aus|zug, der; -[e]s, Auszüge: **1.** *das Ausziehen* (4) /Ggs. Einzug/. **sinnv.:** Umzug. **2.** *wichtiger Bestandteil, der aus etwas ausgewählt, herausgeschrieben, zitiert, herausgenommen worden ist:* Auszüge aus einer Rede, aus einem wissenschaftlichen Werk. **sinnv.:** Zitat. **Zus.:** Klavier-, Konto-, Rechnungsauszug.

Au|to, das; -s, -s: *von einem Motor angetriebenes Fahrzeug mit offener oder geschlossener Karosserie (das zum Befördern von Personen oder Gütern auf Straßen dient)* (siehe Bild): ein altes, neues A. haben, fahren; mit dem A. unterwegs sein. **sinnv.:** Automobil, Brummi, Coupé, Fahrzeug, Jahreswagen, Jeep, Kabriolett, Kombi, Kombiwagen, Kraftfahrzeug, Kraftwagen, Laster, Lastkraftwagen, Lastwagen, Lieferwagen, Limousine, Lkw, Mühle, Oldtimer, Personenkraftwagen, Personenwagen, Pkw, Rennwagen, Sattelschlepper, Schlitten, Schnauferl, Sportwagen, Straßenkreuzer, fahrbarer Untersatz, Vehikel, Wagen. **Zus.:** Katalysator-, Klein-, Polizei-, Post-, Renn-, Sanitäts-, Umwelt-, Unfallauto.

Au|to|bahn, die; -, -en: *für Kraftfahrzeuge gebaute Straße mit mehreren Fahrbahnen.* **sinnv.:** Straße. **Zus.:** Bundes-, Stadtautobahn.

Au|to|bus, der; -ses, -se: ↑Omnibus.

Au|to|fah|rer, der; -s, -: *jmd., der ein Auto fährt.* **sinnv.:** Automobilist, Benzinkutscher, Fahrer, Fernfahrer, Kraftfahrer, Lkw-Fahrer, Pkw-Fahrer.

Au|to|gramm, das; -s, -e: *mit eigener Hand geschriebener Name einer bekannten Persönlichkeit:* Autogramme von Schauspielern sammeln. **sinnv.:** Unterschrift; Widmung.

Au|to|mat, der; -en, -en: **1.** *Apparat, der nach Einwerfen einer Münze Waren ausgibt oder bestimmte Leistungen erbringt:* lösen Sie den Fahrschein bitte am Automaten! **Zus.:** Fahrkarten-, Fernsprech-, Musik-, Spiel-, Zigarettenautomat. **2.** *Maschine, Vorrichtung, die technische Abläufe nach Programm selbsttätig steuert:* die Flaschen werden von Automaten abgefüllt. **sinnv.:** Roboter. **Zus.:** Rechen-, Schreib-, Spiel-, Voll-, Zigarettenautomat.

au|to|ma|tisch ⟨Adj.⟩: **a)** *mit Hilfe eines Automaten funktionierend; von selbst erfolgend:* automatische Herstellung. **sinnv.:** maschinell, mechanisch, selbsttätig. **b)** *ohne eigenes Zutun, als Folge (von etwas) eintretend:* er hob a. das Knie. **sinnv.:** instinktiv, intuitiv, mechanisch, unwillkürlich, zwangsläufig.

Au|tor, der; -s, Autoren, **Au|to|rin,** die; -, -nen: *männliche bzw. weibliche Person, die einen Text verfaßt:* der A. eines Buches; ein viel gelesener A. **sinnv.:** Schriftsteller. **Zus.:** Erfolgs-, Kinderbuchautor.

Au|to|ri|tät, die; -, -en: **1.** ⟨ohne Plural⟩ *auf Tradition, Macht, Können beruhender Einfluß und dadurch erworbenes Ansehen:* die A. des Staates; sich A. verschaffen. **sinnv.:** Ansehen. **2.** *Person, die sich bes. durch Können auf einem bestimmten Gebiet Ansehen erworben hat, Einfluß besitzt:* er ist eine A. auf seinem Gebiet. **sinnv.:** Fachmann.

Aver|si|on, die; -, -en (geh.): ↑Abneigung: ich habe eine starke A. gegen diese Person.

Axt, die; -, Äxte: *Werkzeug mit schmaler Schneide und längerem Stiel, bes. zum Fällen von Bäumen* (siehe Bild).

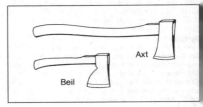

Axt

Beil

B

Ba|by ['be:bi], das; -s, -s: *Kleinstkind:* ein B. haben, erwarten. **sinnv.**: Kleinkind, Säugling; Kind. **Zus.**: Retortenbaby.

Bạch, der; -[e]s, Bäche: *kleines fließendes Gewässer von geringer Breite und Tiefe:* der B. rauscht. **sinnv.**: Fluß. **Zus.**: Gebirgs-, Sturz-, Wildbach.

Bạck|bord, das; -[e]s, -e: *linke Seite eines Schiffes, Flugzeugs (in Fahrt- bzw. Flugrichtung gesehen)* (siehe Bild „Segelboot") /Ggs. Steuerbord/: er legt das Ruder nach B.

Bạcke, die; -, -n: *Teil des menschlichen Gesichtes zwischen Auge, Nase und Ohr:* rote, runde Backen haben; er kaut mit vollen Backen. **sinnv.**: Wange.

bạcken, bäckt/backt, backte, hat gebacken: **a)** ⟨itr.⟩ *aus verschiedenen Zutaten einen Teig bereiten und diesen durch Hitze im Backofen nach einer gewissen Zeit zum Verzehr geeignet machen:* sie bäckt gerne. **b)** ⟨tr.⟩ *durch Backen (a) herstellen:* Kuchen, Brot b. **sinnv.**: braten; kochen. **c)** ⟨itr.⟩ *bei Einwirkung von Hitze im Backofen gar, mürbe werden:* der Kuchen bäckt im Herd. **d)** ⟨tr.⟩ (landsch.) ↑*braten:* Leber b.

Bäcker, der; -s, -: *jmd., der Brot, Brötchen u.a. herstellt und verkauft.* **sinnv.**: Konditor. **Zus.**: Fein-, Zuckerbäcker.

Bäcke|rei, die; -, -en: *Betrieb [mit Laden], in dem Brot, Brötchen u.a. für den Verkauf hergestellt werden.* **sinnv.**: Konditorei, Konfisserie, Patisserie.

Bạd, das; -[e]s, Bäder: **1. a)** *Wasser in einer Wanne zum Baden, zu Heilzwecken:* das B. ist zu heiß. **b)** *das Baden in einer Wanne o.ä.:* medizinische Bäder. **Zus.**: Wechselbad. **c)** *das Baden, Schwimmen im Meer, in einem See, Schwimmbad o.ä.:* ein erfrischendes B. im Meer. **2. a)** ↑*Badezimmer:* ein gekacheltes B. **b)** *Gebäude, Anlage mit einem oder mehreren großen Becken oder Anlage am Ufer eines Flusses oder Sees zum Schwimmen, Baden:* die Bäder sind noch nicht geöffnet. **sinnv.**: Badeanstalt. **Zus.**: Frei-, Hallen-, Schwimm-, Strandbad. **3.** *Ort mit Heilquellen:* in ein B. reisen. **sinnv.**: Badeort, Kurort. **Zus.**: Heil-, See-, Thermalbad.

Ba|de|ho|se, die; -, -n: *beim öffentlichen Schwimmen, Baden von Männern getragene kurze, leichte Hose.*

ba|den, badete, hat gebadet: **1.** ⟨tr.⟩ *durch ein Bad säubern, erfrischen o.ä.:* sich, das Baby b. **sinnv.**: brausen, duschen. **2.** ⟨itr.⟩ **a)** *sich in der Badewanne säubern, erfrischen o.ä.:* täglich heiß, warm, kalt b. **b)** *in einem Schwimmbad, Gewässer schwimmen, sich erfrischen:* im Meer b.; b. gehen. **sinnv.**: paddeln, planschen, schwimmen.

Ba|de|zim|mer, das; -s, -: *zum Baden eingerichteter Raum in der Wohnung mit Badewanne, Dusche, Waschbecken u.a.* **sinnv.**: Bad, Badestube.

Bạhn, die; -, -en: **1. a)** ↑*Eisenbahn:* mit der B. reisen. **Zus.**: Vorort-, Zahnradbahn. **b)** ↑*Straßenbahn:* eine B. verpassen. **2. a)** *gangbarer, ebener Weg:* sich eine B. durch den Schnee machen. **sinnv.**: Weg. **b)** *Strecke, Linie, die ein Körper im Raum durchläuft:* die B. der Sonne. **Zus.**: Erd-, Flug-, Umlaufbahn. **3. a)** ↑*Fahrbahn:* die Straße hat hier drei Bahnen. **Zus.**: Autobahn. **b)** *genau abgesteckte, abgeteilte Strecke für sportliche Wettkämpfe:* er läuft auf B. 3. **Zus.**: Aschen-, Asphalt-, Bob-, Renn-, Rodelbahn.

bah|nen ⟨tr.⟩: *einen Weg, freie Bahn (durch etwas) schaffen:* [jmdm., sich] den Weg durch das Gebüsch b. **sinnv.**: begehbar/gangbar machen.

Bạhn|hof, der; -s, Bahnhöfe: *Anlage zur Abwicklung des Personen- und Güterverkehrs der Eisenbahn:* jmdn. zum B. bringen; im B. auf jmdn. warten. **sinnv.**: Station; Haltestelle. **Zus.**: Bus-, Güter-, Haupt-, Kopf-, Rangier-, Sack-, Verlade-, Verschiebe-, Zielbahnhof.

Bah|re, die; -, -n: *einem leichten, schmalen Bett ähnliches Gestell, auf dem Kranke, Verletzte oder Tote transportiert werden können.* **sinnv.**: Trage. **Zus.**: Toten-, Tragbahre.

Bak|te|rie, die; -, -n ⟨meist Plural⟩: *aus nur einer Zelle bestehender, kleinster Organismus, der Fäulnis, Krankheit, Gärung hervorrufen kann.* **sinnv.**: Bazille, Bazillus, Keim, Krankheitserreger, Krankheitskeim, Spaltpilz, Virus.

ba|lan|cie|ren [balã'si:rən]: **a)** ⟨itr.⟩ *das Gleichgewicht haltend gehen:* er balancierte auf einem Seil, über die Stämme, Felsen. **b)** ⟨tr.⟩ *im Gleichgewicht halten:* ein Tablett b. **sinnv.**: jonglieren.

bạld ⟨Adverb⟩: **1.** *nach einem relativ kurzen Zeitraum, in kurzer Zeit:* er wird b. kommen; so b. als/wie möglich. **sinnv.**: demnächst, in Kürze. **2.** ⟨in der Verbindung⟩ *bald ... bald /bezeichnet den Wechsel von zwei Situationen/* b. regnet es, b. schneit es. **sinnv.**: einmal ..., ein andermal, teils ..., teils.

bạl|dig ⟨Adj.⟩: *in kurzer Zeit erfolgend, kurz bevorstehend:* er wünschte eine baldige Veröffentlichung der Ergebnisse.

bạl|gen, sich: *sich raufen und miteinander ringen [und sich dabei auf dem Boden herumwälzen]:* die Jungen balgten sich auf der Straße. **sinnv.**: rangeln, sich raufen, schlagen.

Bạl|ken, der; -s, -: *vierkantig bearbeiteter Stamm eines Baumes, der beim Bauen verwendet wird:* die Decke wird von Balken getragen. **sinnv.**: Brett. **Zus.**: Quer-, Stützbalken.

Bal|kon [bal'kɔŋ], der; -s, -s; (bes. südd.:) [bal'ko:n] -s, -e: *von einem Geländer o.ä. umgebener, vorspringender Teil an einem Gebäude, den man vom Inneren des Hauses aus betreten kann.* **sinnv.**: Veranda.

Bạll, der; -[e]s, Bälle: **I. a)** *gewöhnlich mit Luft gefüllter Gegenstand zum Spielen, Sporttreiben in Form einer Kugel aus elastischem Material:* den B. werfen, fangen; B. spielen *(ein Spiel mit dem Ball machen).* **Zus.**: Fuß-, Gummi-, Hand-, Leder-, Tennisball. **b)** *etwas, was in seiner Form einem*

Ball (I a) *ähnelt:* er knüllte das Papier zu einem B. **sinnv.:** Kugel. **Zus.:** Schnee-, Sonnenball. **II.** *festliche Veranstaltung, bei der getanzt wird:* einen B. veranstalten. **sinnv.:** Bal paré, Kränzchen, Sommerfest. **Zus.:** Film-, Haus-, Presseball.

Bal|la|de, die; -, -n: *längeres Gedicht mit einer dramatischen, oft tragisch endenden Handlung.* **sinnv.:** Gedicht.

bal|len: 1. ⟨tr.⟩ **a)** *zusammendrücken, -pressen, -schieben zu einer meist runden, klumpigen Form:* Schnee in der Hand b. **b)** *(von der Hand, Faust) fest schließen [und zusammenpressen]:* die Hand zur Faust b.; die Fäuste b. **2.** ⟨sich b.⟩ *sich zusammendrängen, -schieben, -pressen, so daß rundliche, klumpige Gebilde entstehen:* der Schnee ballt sich [zu Klumpen].

Bal|lett, das; -[e]s, -e: **1. a)** ⟨ohne Plural⟩ *künstlerischer Tanz einer Gruppe von Tänzern auf der Bühne:* klassisches und modernes B. tanzen. **b)** *einzelnes Werk des Balletts* (1 a): ein B. aufführen, tanzen. **2.** *Gruppe von Tänzern einer Bühne:* das B. trat auf.

Bal|lon [ba'lɔŋ], der; -s, -s; (bes. südd.:) [ba'lo:n] -s, -e: **1.** ↑*Luftballon.* **2.** *mit Gas gefüllter, schwebender, zum Fliegen geeigneter Körper von der Gestalt einer Kugel, der als Luftfahrzeug o. ä. verwendet wird:* ein B. steigt auf. **sinnv.:** Montgolfiere, Luftschiff, Zeppelin. **Zus.:** Fessel-, Frei-, Heißluft-, Versuchsballon.

ba|nal ⟨Adj.⟩: *ohne Gehalt, nicht bedeutungsvoll; keine Besonderheit, nichts Auffälliges aufweisend:* banale Worte, **sinnv.:** abgedroschen, alltäglich, flach, gewöhnlich, hohl, inhaltslos, leer, nichtssagend, trivial.

Ba|na|ne, die; -, -n: *längliche, leicht gebogene tropische Frucht mit gelber Schale.*

Band: I. Band, das; -[e]s, Bänder: **a)** *schmaler Streifen aus Stoff o. ä.:* ein buntes B. **sinnv.:** Gurt, Schnur. **Zus.:** Gummi-, Hals-, Samt-, Stirnband. **b)** ↑*Tonband:* Musik auf B. aufnehmen. **c)** ↑*Fließband.* **II.** Band [bɛnt], die; -, -s: *Gruppe von Musikern, die besonders Rock, Beat, Jazz spielt.* **sinnv.:** Orchester. **III.** Band, der; -[e]s, Bände: *einzelnes gebundenes Buch [das zu einer Reihe gehört]:* ein B. Gedichte. **sinnv.:** Buch. **Zus.:** Bild-, Gedicht-, Sammelband.

Ban|de, die; -, -n: **1.** *organisierte Gruppe von Menschen, die sich aggressiv gegenüber anderen Personen und deren Eigentum verhalten bis hin zu kriminellen Vergehen:* eine bewaffnete B.; eine B. von Dieben. **sinnv.:** Duo, Gang, Quartett, Rotte, Trio. **Zus.:** Saubande. **2.** (emotional) *einige gemeinsam etwas unternehmende, ausgelassene o. ä. Kinder, Jugendliche:* eine muntere, fröhliche B. **sinnv.:** Gesellschaft, Horde, Korona.

bän|di|gen ⟨tr.⟩: *unter seinen Willen zwingen, zum Gehorsam bringen:* ein Tier b. **sinnv.:** bezähmen, domestizieren, mäßigen, zähmen, im Zaum halten, Zügel anlegen, zügeln.

bang, ban|ge, banger/(auch:) bänger, bangste/ (auch:) bängste ⟨Adj.⟩: *von ängstlicher Beklommenheit erfüllt; voll Angst, Furcht, Sorge:* bange Minuten. **sinnv.:** ängstlich.

Bank: I. die; -, Bänke: *lange und schmale, meist aus Holz hergestellte Sitzgelegenheit für mehrere Personen:* eine B. im Park. **sinnv.:** Stuhl. **Zus.:** Eck-, Garten-, Kirchen-, Sonnenbank. **II.** die; -, Banken: *Unternehmen, das mit Geld handelt, Geld*

verleiht u. a.: Geld von der B. holen. **sinnv.:** Bankhaus, Geldinstitut, Kasse, Kreditanstalt, Sparkasse. **Zus.:** Kredit-, National-, Noten-, Staatsbank.

Bank|no|te, die; -, -n: *Geld in Form eines Scheines.* **sinnv.:** Assignate, Papiergeld, Schein.

bank|rott ⟨Adj.⟩: *nicht mehr in der Lage, seinen finanziellen Verpflichtungen nachzukommen; finanziell ruiniert:* ein bankrotter Geschäftsmann; b. sein. **sinnv.:** abgebrannt, blank, heruntergekommen, illiquid, insolvent, pleite, zahlungsunfähig.

Bank|rott, der; -[e]s, -e: *Unfähigkeit, Zahlungen zu leisten; finanzieller Ruin:* die Firma steht vor dem B. **sinnv.:** Konkurs, Mißerfolg, Pleite, Ruin.

Ban|ner, das; -s, -: *Fahne, die an einer mit der Fahnenstange verbundenen Querleiste hängt* (siehe Bildleiste „Fahnen"). **Zus.:** Sieges-, Sternenbanner.

bar ⟨Adj.⟩: **1.** *in Geldscheinen oder Münzen [vorhanden]:* bares Geld; etwas [in] b. bezahlen. **2.** (geh.) *ganz eindeutig und unverkennbar, in die Augen springend:* barer Unsinn. **sinnv.:** blank, pur, rein. **3.** (geh.) *nicht bekleidet, nicht bedeckt:* mit barem Haupt, Busen. **sinnv.:** nackt.

Bar, die; -, -s: **1.** *erhöhter Schanktisch:* er saß an der B. **sinnv.:** Schanktisch. **Zus.:** Hausbar. **2.** *kleineres, intimes [Nacht]lokal:* in die B. gehen. **sinnv.:** Nachtlokal. **Zus.:** Milch-, Nacht-, Snack-, Tanzbar.

-bar ⟨adjektivisches Suffix⟩: **1.** /als Ableitung von transitiven Verben/ *so geartet, daß es ... werden kann.* **a)** /die nur ein Akkusativobjekt haben/ beeinflußbar, bildbar, einsehbar (Grund), erpreßbar, haltbar (ein nicht haltbares Tor), heizbar, verdoppelbar, vorhersehbar, wiederverwendbar; /auch als Teil einer Zusammensetzung/ maschinenlesbarer Personalausweis. **b)** /mit Akkusativobjekt und Dativ/ vorwerfbar (jmdm. etwas vorwerfen), zumutbar (jmdm. etwas zumuten), zuordenbar. **c)** /mit Akkusativ- und Präpositionalobjekt/ anwendbar (etwas auf etwas/jmdn. anwenden), vergleichbar, zurückführbar. **2.** /als Ableitung von intransitiven Verben/ **a)** brennbar (etwas brennt), gerinnbar, /verneint/ unfehlbar, unsinkbar, unverwesbar, unwitterbar. **b)** /mit Dativobjekt/ oft verneint/ unentrinnbar (jmdm. entrinnen), unkündbar. **c)** /mit Präpositionalobjekt/ haftbar (haften für), hantierbar, verfügbar (verfügen über), /meist verneint/ unverzichtbar. **3.** /als Ableitung von reflexiven Verben/ **a)** haltbar (Milch hält sich), wandelbar (Lehren). **b)** /mit Präpositionalobjekt/ anpaßbar (sich an etwas anpassen). **4.** /sowohl als Ableitung von transitivem wie auch von intransitivem/reflexivem Gebrauch möglich/ dehnbar (Gummi; kann gedehnt werden/dehnt sich), unwiederholbare Einmaligkeit (kann nicht wiederholt werden/wiederholt sich). **5.** /in Verbindung mit einem zugrundeliegenden substantivierten Infinitiv/ *geeignet zu dem im Basiswort Genannten:* tanzbarer Sound (zum Tanzen geeignet), wünschbar. **6.** /als Teil einer Zusammenbildung/: fernheizbar.

-bar/-lich: ↑ -lich/-bar.

Bär, der; -en, -en: **1.** *großes (Raub)tier mit dickem braunem Fell, gedrungenem Körper und kurzem Schwanz:* **sinnv.:** [Meister] Petz. **Zus.:** Braun-, rumm-, Eis-, Grau-, Grisly-, Tanz-, Teddy-, Vasch-, Zottelbär.

.a|ra|cke, die; -, -n: *leichter, flacher, meist zer-* *egbarer [Holz]bau für eine behelfsmäßige Unter-* *ringung:* in einer B. wohnen. **sinnv.:** Haus. **Zus.:** **l**olz-, Wellblech-, Wohnbaracke.

ar|fuß: 〈in Verbindung mit bestimmten Ver- en〉 *mit bloßen Füßen, ohne Schuhe und Strümp- e:* b. laufen, gehen.

.a|ri|ton, der; -s, -e: **1.** *Stimme in der mittleren* *age zwischen Baß und Tenor:* er hat einen wohl- lingenden, weichen B. **2.** *Sänger mit einer Stim- ie in der mittleren Lage:* er war ein berühmter B.

arm|her|zig 〈Adj.〉 (geh.): *aus Mitleid und Mit-* *efühl helfend, Armut, Leiden zu lindern suchend:* ine barmherzige Tat; er ist, handelt b. **sinnv.:** gü- g.

a|rock 〈Adj.〉: **1.** *im Stil des Barocks gestaltet,* *us der Zeit des Barocks stammend:* ein barockes iemälde. **2.** *von verschwenderischer Fülle und da- ei oft sehr verschnörkelt:* barocke Schriftzüge. nnv.: überladen.

ar|ren, der; -s, -: **1.** *für den Handel übliches* *tück aus nicht bearbeitetem Edelmetall in der orm eines Quaders, Zylinders o. ä.:* ein B. Gold. us.: Gold-, Metall-, Silberbarren. **2.** *ein Turnge- it* (siehe Bild).

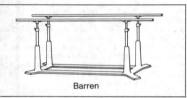

Barren

ar|ri|ka|de, die; -, -n: *zur Verteidigung bes. bei ämpfen auf der Straße errichtetes Hindernis:* arrikaden errichten, bauen. **sinnv.:** Hürde.

arsch 〈Adj.〉: *mit heftiger, unfreundlicher Stim- e kurz und knapp geäußert:* barsche Worte. nnv.: brüsk, grob, hart, kurz, kurz angebunden, de, schroff, unhöflich.

art, der; -[e]s, Bärte: **1. a)** *(bei Männern) dicht achsende Haare um die Lippen, auf Wangen und inn* (s. Bildleiste): sich einen B. wachsen lassen. nnv.: Fliege, Menjoubärtchen, Schnauzer, chnurrbart. **Zus.:** Backen-, Blau-, Kinn-, Kne- el-, Rausche-, Schnauz-, Spitz-, Stoppel-, Voll-, iegenbart. **b)** *Haare an der Schnauze bestimmter*

Säugetiere: der B. der Katze. **2.** *Teil des Schlüs- sels, der im Schloß den Riegel bewegt:* der B. ist abgebrochen.

bär|tig 〈Adj.〉: *einen [dichten, langen] Bart tra- gend:* bärtige Gesichter, Männer. **Zus.:** schnauz-, schnurr-, stoppel-, vollbärtig.

Baß, der; Basses, Bässe: **1.** *Männerstimme in der tiefen Lage:* er hat einen sonoren B. **2.** *Sänger mit einer tiefen Stimme.* **sinnv.:** Bassist, Baßsänger. **3.** *tiefste Stimme eines Musikstücks.* **4.** *sehr tief klingendes größtes Streichinstrument* (siehe Bild- leiste „Streichinstrumente"). **sinnv.:** Baßgeige, Kontrabaß. **Zus.:** Kontra-, Schlagbaß.

Baß|gei|ge, die; -, -n: ↑*Baß* (4).

Bast, der; -[e]s, -e: *pflanzliche Faser, die zum Bin- den und Flechten verwendet wird:* aus B. eine Ta- sche anfertigen.

Ba|stard, der; -s, -e: ↑*Mischling:* das ist kein reinrassiger Hund, das ist ein B.

ba|steln: **a)** 〈itr.〉 *sich in der Freizeit, aus Liebha- berei mit kleineren handwerklichen Arbeiten be- schäftigen:* an einem Lampenschirm b. **b)** 〈tr.〉 *meist kleinere handwerkliche Arbeiten in der Frei- zeit aus Liebhaberei herstellen:* ein Spielzeug b. **sinnv.:** anfertigen.

Bat|te|rie, die; -, Batterien: **1. a)** *Zusammen- schaltung mehrerer gleichartiger technischer Gerä- te (z. B. Stromquellen).* **b)** *Zusammenschaltung mehrerer elektrochemischer Elemente (z. B. für die Taschenlampe).* **2** (ugs.) *große Anzahl von etwas Gleichartigem:* eine B. Flaschen.

Bau, der; -[e]s, -e oder -ten: **1.** 〈ohne Plural〉 *das Bauen:* den B. eines Hauses leiten; das Schiff ist im/(auch:) in B. *(es wird daran gebaut).* **Zus.:** Geigen-, Hoch-, Tiefbau. **2.** 〈ohne Plural〉 *Art, in der etwas gebaut, aus seinen Teilen zusammenge- setzt ist:* der B. eines Satzes, des menschlichen Körpers. **sinnv.:** Struktur. **Zus.:** Satz-, Schädel-, Über-, Versbau. **3. a)** 〈Plural Bauten〉 *etwas (von meist größeren Dimensionen), was gebaut, errich- tet ist:* ein solider, zweckmäßiger B. **sinnv.:** Anla- ge, Baulichkeit, Bauwerk, Gebäude, Haus. **Zus.:** Behelfs-, Brücken-, Erweiterungs-, Fabrik-, Flach-, Stein-, Vorbau. **b)** 〈ohne Plural; nur in be- stimmten Fügungen〉 ↑*Baustelle:* er arbeitet auf dem B. **c)** 〈Plural Baue〉 *von bestimmten Säugetie- ren als Behausung in die Erde gebauter Unter- schlupf:* der B. eines Dachses. **sinnv.:** Höhle. **Zus.:** Dachs-, Fuchsbau.

Bauch, der; -[e]s, Bäuche: **a)** *unterer Teil des Rumpfes zwischen Zwerchfell und Becken:* den B. einziehen; auf dem B. liegen; **sinnv.:** Leib, Ran- zen, Wanst. **b)** *deutlich hervortretende Wölbung*

Bärte

Schnauzer

Spitzbart

Vollbart

Backenbart

am unteren Teil des Rumpfes: einen B. bekommen, ansetzen, haben. **sinnv.:** Rundung, Wampe. **Zus.:** Bier-, Schmer-, Spitzbauch.

bau|chig ⟨Adj.⟩: *eine Wölbung aufweisend:* eine bauchige Vase. **sinnv.:** ausladend, krumm, rund.

bau|en: **1. a)** ⟨tr.⟩ *nach einem bestimmten Plan ausführen, errichten [lassen]:* ein Haus, eine Straße b.; der Vogel baut sich (Dativ) ein Nest; ⟨auch itr.:⟩ die Firma baut solide. **sinnv.:** aufbauen, aufführen, aufrichten, aufschlagen, erbauen, errichten, erstellen, hochziehen, mauern, zimmern. **b)** ⟨itr.⟩ *für sich ein Haus, einen Wohnbau errichten, ausführen [lassen]:* er will nächstes Jahr b. **c)** ⟨tr.⟩ *Form und Bau eines meist technischen Objekts durch Ausarbeitung des Entwurfs gestalten und entsprechend ausführen:* eine Maschine, ein neues Modell b. **sinnv.:** entwerfen, entwickeln, konstruieren. **2.** ⟨itr.⟩ *sich (auf jmdn./etwas) verlassen, (auf jmdn./etwas) fest vertrauen:* auf ihn, seine Erfahrung kannst du b. **sinnv.:** glauben.

Bau|er: **I.** der; -n, -n: **1.** *jmd., der Landwirtschaft betreibt:* der B. arbeitet auf dem Feld. **sinnv.:** Agrarier, Agronom, Farmer, Landmann, Landwirt, Ökonom, Pflanzer. **Zus.:** Groß-, Klein-, Waldbauer. **2.** *niedrigste Figur im Schachspiel.* **3.** ↑*Bube.* **II.** das, auch: der; -s, -: *Käfig für Vögel.* **Zus.:** Draht-, Vogelbauer.

Bäue|rin, die; -, -nen: **a)** *Frau, die Landwirtschaft betreibt:* **sinnv.:** Bauernfrau, Bauersfrau, Landfrau. **b)** *Frau eines Bauern.*

bäu|er|lich ⟨Adj.⟩: *den Bauern[hof] betreffend, von ihm stammend:* bäuerliche Erzeugnisse; die bäuerliche Bevölkerung. **sinnv.:** ländlich.

Bau|ern|hof, der; -[e]s, Bauernhöfe: *landwirtschaftlicher Betrieb eines Bauern (mit allen Gebäuden und dem Grundbesitz).* **sinnv.:** Anwesen, Bauerngut, Farm, Gehöft, Gut, Hof, Landwirtschaft, landwirtschaftlicher Betrieb.

bau|fäl|lig ⟨Adj.⟩: *vom Einsturz bedroht; nicht mehr stabil, in schlechtem baulichem Zustand befindlich:* eine baufällige Hütte. **sinnv.:** morsch.

Baum, der; -[e]s, Bäume: *großes Gewächs mit einem Stamm aus Holz, aus dem Äste wachsen, die sich in Zweige (mit Laub oder Nadeln) teilen:* die Bäume schlagen aus, blühen, lassen ihre Blätter fallen; einen B. fällen. **Zus.:** Apfel-, Kastanien-, Kirsch-, Laub-, Nadel-, Öl-, Tannen-, Weihnachtsbaum.

Baum|wol|le, die; -: *aus den Samenfäden einer meist strauchartigen Pflanze gleichen Namens gewonnenes Garn, Gewebe:* ein Kleid aus B.

bau|schen: **1.** ⟨tr.⟩ *schwellend auseinanderfalten, stark hervortreten lassen, prall machen:* der Wind bauscht die Segel. **sinnv.:** aufblähen. **2.** ⟨sich⟩ *schwellend hervortreten; füllig, prall, gebläht werden:* die Vorhänge bauschen sich im Wind. **sinnv.:** sich aufblähen.

Bau|stel|le, die; -, -n: *Platz, Gelände, auf dem gebaut wird.* **sinnv.:** Bau.

Bau|werk, das; -[e]s, -e: *größeres, meist eindrucksvolles Gebäude:* ein mächtiges, historisches B. **sinnv.:** Bau.

be- ⟨verbales Präfix⟩: **1.** ⟨verbales Basiswort⟩ **a)** ⟨intransitiv gebrauchtes Basiswort wird transitiv⟩ */auf das Bezugswort durch das im Basiswort genannte Tun zielen, richten/:* beackern, bereisen, besteigen (Turm), bestrahlen, bewerten. **b)** ⟨transitiv gebrauchtes Basiswort⟩ */das Bezugswort*

durch das im Basiswort genannte Tun erfasse o. ä./: bebauen, beladen, bemalen, beschlager bestreuen, ein betipptes Blatt. **c)** */verstärkend,* bedrängen, beschimpfen, bespritzen. **2.** ⟨substan tivisches Basiswort⟩ */das Bezugswort mit dem im substantivischen Basiswort Genannten versehen rüsten o. ä./:* **a)** begrünen, besaiten, beschrifter bezuschussen. **b)** ⟨in Verbindung mit Formen de 2. Partizips⟩ bebartet, bebrillt, befrackt, gummi bereift, bestrumpft, bezopft.

be|ab|sich|ti|gen ⟨tr.⟩: *(tun, ausführen) wolle die Absicht haben:* das war nicht beabsichtigt **sinnv.:** vorhaben.

be|ach|ten ⟨tr.⟩: *(auf jmdn./etwas) achter (jmdm./einer Sache) Aufmerksamkeit schenken:* e beachtete ihn, seine Ratschläge überhaupt nicht **sinnv.:** aufpassen, bedenken, befolgen, berück sichtigen.

be|acht|lich ⟨Adj.⟩: **a)** *ziemlich wichtig, bedeu sam, groß; Achtung, Anerkennung verdienend:* be achtliche Fortschritte, Summen. **sinnv.:** ansehn lich, außergewöhnlich, außerordentlich, bedeu tend, bedeutsam, beeindruckend, bemerkens wert, beträchtlich, eminent, erstaunlich, großar tig, stattlich, überraschend, überragend, unge wöhnlich. **b)** ⟨verstärkend bei Adjektiven un Verben⟩ *sehr, ziemlich:* der Baum ist b. groß.

Be|am|te, der; -n, -n ⟨aber: [ein] Beamter, Plu ral: [viele] Beamte⟩, **Be|am|tin,** die; -, -nen *männliche bzw. weibliche Person, die im öffentli chen Dienst (bei Bund, Land, Gemeinde u. ä.) ode im Dienst einer Körperschaft des öffentliche Rechts steht und Pension erhält:* ein höherer Be amter; alle Beamten; mehrere Beamte; die Men nung anderer Beamter/der anderen Beamter **Zus.:** Aufsichts-, Bank-, Kriminal-, Polizei- Staats-, Zollbeamter.

be|äng|sti|gend ⟨Adj.⟩: *Angst hervorrufend, ein flößend:* ein beängstigender Anblick. **sinnv.:** be denklich.

be|an|spru|chen ⟨tr.⟩: **a)** *Anspruch erheben (au etwas):* das gleiche Recht b. **sinnv.:** verlangen. **b** *[jmds. Kräfte] erfordern, nötig haben, großen An forderungen aussetzen:* die Arbeit beanspruch ihn ganz; viel Raum, Zeit b. *(brauchen, benöti gen).* **sinnv.:** absorbieren, aushöhlen, belaster mit Beschlag belegen, ruinieren, strapazieren überbeanspruchen, wegnehmen.

be|an|stan|den ⟨tr.⟩: *als mangelhaft, als nich annehmbar bezeichnen [und zurückweisen, nich akzeptieren]:* an jmds. Arbeit nichts zu b. haben eine Rechnung b. **sinnv.:** Anstoß nehmen, ausse zen, bekritteln, bemäkeln, bemängeln, sich be schweren, Einspruch erheben, herummäkeln klagen, Kritik üben, kritisieren, kritteln, mäkeln meckern, mißbilligen, monieren, motzen, nör geln, reklamieren, rügen, sich stoßen an, tadeln unmöglich finden.

be|an|tra|gen ⟨tr.⟩: *[durch Antrag] die Gewäh rung von etwas, die Durchführung von etwas ver langen:* ein Stipendium b. **sinnv.:** einreichen.

be|ant|wor|ten ⟨tr.⟩: *(auf etwas) eine mündliche schriftliche Antwort geben:* eine Frage, einen Brie kurz b. **sinnv.:** antworten.

be|ar|bei|ten ⟨tr.⟩: **1. a)** *unter bestimmten Ge sichtspunkten [neu] gestalten, in bestimmter Weis behandeln; an etwas arbeiten:* die Erde [mit de Pflug], einen Stein [mit Hammer und Meißel] b.

ein Thema b. **sinnv.**: aufbereiten, ausformen, behandeln, formen, verarbeiten. **b)** *sich als entsprechende Instanz mit etwas prüfend, erforschend beschäftigen [und darüber befinden]:* einen Antrag b. **2.** *eindringlich auf jmdn. einreden, auf jmdn. einwirken, um ihn zu überzeugen, für etwas zu gewinnen:* die Wähler b. **sinnv.**: überreden.

be|auf|sich|ti|gen (tr.): *Aufsicht führen (über mdn./etwas):* die Kinder, die Arbeit b. **sinnv.**: aufpassen, bewachen, decken, hüten, sich kümmern um, sehen nach, überwachen.

be|auf|tra|gen (tr.): *(jmdm.) einen Auftrag geben; (jmdm.) auftragen, etwas zu tun:* jmdn. dienstlich] mit einer Arbeit b. **sinnv.**: anordnen, anweisen, auferlegen, aufgeben, auftragen, belassen, befehlen, bestimmen, jmdn. etwas heißen, un lassen, veranlassen, verfügen.

be|bau|en (tr.): **1.** *Gebäude, Häuser (auf einem Gelände) bauen:* ein Gebiet [neu] b. **2.** *(Land) bearbeiten und für den Anbau nutzen:* die Äcker b. **innv.**: anbauen, anpflanzen, ansäen, bauen, bepflanzen, bestellen, bewirtschaften, kultivieren.

be|ben (itr.): *erschüttert werden:* die Erde, das Haus bebte. **sinnv.**: erbeben, erzittern, vibrieren.

Be|cher, der; -s, -: *höheres, etwa zylinderförmiges Trinkgefäß [ohne Henkel und ohne Fuß]* (siehe Bildleiste „Trinkgefäße"): einen B. Milch trinken. **Zus.**: Eis-, Milch-, Papp-, Silber-, Würfelbecher.

Becken, das; -s, -: **1. a)** *rundes oder ovales flaches Gefäß:* ein B. mit Wasser. **sinnv.**: Schüssel. **Zus.**: Abwasch-, Spül-, Stein-, Wasserbecken. **b)** *eine (z. B. gemauerte) Anlage für Wasser usw.:* das B. des Springbrunnens; das Schwimmbad hat mehrere B. **sinnv.**: Bassin. **Zus.**: Auffang-, Schwimm-, Staubecken. **2.** *aus Knochen gebildeter Ring, der den unteren Teil des Rumpfes mit den Beinen verbindet.* **3.** *aus zwei tellerförmigen Scheiben aus Metall bestehendes, meist zum Schlagzeug gehörendes Musikinstrument* (siehe Bildleiste „Schlaginstrumente").

be|däch|tig (Adj.): *langsam, ohne jede Hast und dabei meist besonnen, vorsichtig und sorgfältig:* bedächtige Worte. **sinnv.**: ruhig, umsichtig.

be|dan|ken, sich: *(jmdm.) seinen Dank aussprehen:* sich bei jmdm. b. **sinnv.**: danken.

Be|darf, der; -[e]s: *das Verlangen nach etwas, was gebraucht wird; in einer bestimmten Lage Benötigtes, Gewünschtes:* es besteht B. an Lebensmitteln. **sinnv.**: Anspruch, Bedürfnis, Nachfrage. **Zus.**: Büro-, Energie-, Tagesbedarf.

be|dau|er|lich (Adj.): *zu bedauern:* ein bedauerlicher Irrtum; das ist sehr b. **sinnv.**: betrüblich, schade, traurig.

be|dau|ern (tr.): **a)** *(mit jmdm.) Mitgefühl empfinden; (jmdm. gegenüber) sein Mitgefühl äußern:* r bedauerte sie wegen ihres Mißerfolgs. **sinnv.**: emitleiden, mitfühlen, Mitleid haben/empfinden mit. **b)** *ausdrücken, daß einem etwas leid tut:* r bedauerte den Vorfall sehr. **sinnv.**: bereuen.

be|decken (tr.): *etwas über jmdn./etwas decken:* ie bedeckte das Kind mit ihrem Mantel. **sinnv.**: bdecken, decken auf/über, überdecken, überziehen, umhüllen, verdecken, verhängen, verhüllen, zudecken.

be|den|ken, bedachte, hat bedacht: **1. a)** (tr.) *etwas im Hinblick auf ein Tun in seine Überlegungen inbeziehen:* das hatte er nicht bedacht. **sinnv.**:

überlegen. **b)** (sich b.) *sich besinnen, mit sich zu Rate gehen:* er bedachte sich nicht lange und nahm ein Stück Kuchen. **sinnv.**: nachdenken. **2.** (tr.) *(jmdm. etwas) schenken:* jmdn. mit einem Buch b.

be|denk|lich (Adj.): **1.** *Bedenken hervorrufend:* in einer bedenklichen Lage sein. **sinnv.**: anrüchig, beängstigend, bedrohlich, besorgniserregend; schlimm. **2.** *Besorgnis ausdrückend:* er wiegte b. den Kopf.

be|deu|ten, bedeutete, hat bedeutet (itr.): **1.** *einen bestimmten Sinn haben:* ich weiß nicht, was dieses Wort b. soll. **sinnv.**: ausdrücken, ausmachen, aussagen, die Bedeutung haben, besagen, charakterisieren, darstellen, ergeben, heißen, kennzeichnen, lauten, repräsentieren, sagen, sein, vorstellen. **2.** *wichtig sein, einen bestimmten Wert haben für jmdn.):* er/dieses Bild bedeutet mir viel, nichts. **sinnv.**: ausmachen, von Bedeutung/Belang sein.

be|deu|tend (Adj.): **a)** *in seiner Art herausragend (über Gleichartiges) und Beachtung, Anerkennung verdienend:* ein bedeutendes Werk, Vermögen. **sinnv.**: außergewöhnlich, groß, wichtig. **b)** (verstärkend bei Verben und vor dem Komparativ) *sehr, viel:* seine Schmerzen haben b. zugenommen; b. höher.

Be|deu|tung, die; -, -en: **1.** *das durch ein Zeichen, ein Wort o. ä. hervorgerufene Wissen eines Zusammenhangs:* das Wort hat mehrere Bedeutungen; die eigentliche B. der Geschichte hatten sie nicht verstanden. **sinnv.**: Gehalt (der), Idee, Inhalt, Sinn, Substanz, Tenor. **Zus.**: Grund-, Haupt-, Neben-, Wortbedeutung. **2.** (ohne Plural) *Wichtigkeit, Wert in einem bestimmten Zusammenhang, für eine bestimmte Angelegenheit:* etwas hat große, politische B.; das ist nicht von B. (nicht wichtig). **sinnv.**: Aktualität, Ansehen, Bedeutsamkeit, Belang, Ernst, Erheblichkeit, Gewicht, Gewichtigkeit, Größe, Rang, Relevanz, Schwere, Signifikanz, Tiefe, Tragweite.

be|die|nen: 1. a) (tr.) *(für jmdn.) Dienste leisten:* seine Gäste, die Kunden b. (auch itr.) *welcher Kellner bedient (serviert) hier?* **sinnv.**: auftragen, servieren, sorgen für, versorgen. **b)** (sich b.) *sich etwas von etwas, was angeboten wird, nehmen:* bitte, b. Sie sich (höfliche Aufforderung). **sinnv.**: sich nehmen, zugreifen, zulangen, zusprechen. **2.** (tr.) *darauf achten und machen, daß etwas (eine technische Anlage o. ä.) richtig funktioniert, in Gang ist und bleibt:* eine Maschine, den Fahrstuhl b. **sinnv.**: betätigen, führen, handhaben, regeln, regulieren, steuern. **3.** (sich b.; mit Gen.) (geh.) *etwas (als Mittel) für etwas (was man bezweckt, beabsichtigt) nehmen, wählen:* er bediente sich eines Vergleichs. **sinnv.**: anwenden, ausnutzen. **4.** (tr./itr.) *eine Karte der bereits ausgespielten Farbe spielen:* du mußt Herz b.; er hat nicht bedient.

be|din|gen: 1. *die Ursache für etwas sein, zur Folge haben:* ihre abweisende Art bedingte sein Verhalten. **sinnv.**: verursachen. **2.** (itr.) *voraussetzen:* die Aufgabe bedingt Fleiß und Können. **sinnv.**: erfordern.

-be|dingt (adjektivisches Suffixoid): *durch das im Basiswort Genannte verursacht, davon herrührend, darin begründet:* altersbedingte Differenzen, krankheitsbedingte Ausfälle, umweltbedingt, zeit-, zufallsbedingt.

Be|dịn|gung, die; -, -en: **1.** *etwas, was gefordert wird und von dessen Erfüllung etwas anderes abhängig gemacht wird:* eine B. stellen. **sinnv.:** Forderung, Grundlage, Kondition, Voraussetzung, Vorbedingung. **Zus.:** Aufnahme-, Liefer-, Teilnahme-, Zahlungs-, Zulassungsbedingung. **2.** ⟨Plural⟩ *gegebene Umstände:* die klimatischen Bedingungen. **sinnv.:** Gegebenheiten, Modalitäten, Umstände, Verhältnisse, Voraussetzungen. **Zus.:** Arbeits-, Entwicklungs-, Existenz-, Lebens-, Umwelt-, Wachstums-, Wettkampf-, Witterungsbedingungen.

be|dịn|gungs|los ⟨Adj.⟩: *ohne Einschränkung:* bedingungsloses Vertrauen; b. gehorchen. **sinnv.:** auf Gedeih und Verderb, rückhaltlos, unbedingt, uneingeschränkt, vorbehaltlos.

be|dro|hen ⟨tr.⟩: **a)** *(jmdm.) mit Anwendung von Gewalt drohen:* er bedrohte ihn mit dem Messer. **sinnv.:** androhen, drohen (mit), erpressen, terrorisieren. **b)** *gefährlich sein (für etwas):* eine Seuche bedroht die Stadt. **sinnv.:** drohen, gefährden.

be|drücken ⟨tr.⟩ *traurig, niedergeschlagen machen:* Sorgen bedrücken ihn. **sinnv.:** bedrängen, bekümmern.

be|dür|fen, bedarf, bedurfte, hat bedurft ⟨itr.; mit Gen.⟩ ⟨geh.⟩: *(etwas) nötig haben:* das bedarf einer Erklärung.

Be|dürf|nis, das; -ses, -se: **1.** *Gefühl, jmds./einer Sache zu bedürfen:* ein großes, dringendes B. nach Ruhe fühlen. **sinnv.:** Verlangen. **Zus.:** Geltungs-, Schlaf-, Schutzbedürfnis. **2.** ⟨Plural⟩ *das, was man zum Leben braucht:* luxuriöse, geistige Bedürfnisse. **sinnv.:** Bedarf.

be|dürf|tig ⟨Adj.⟩: *[materielle] Hilfe nötig habend:* einer bedürftigen Familie helfen; er ist nicht b. **sinnv.:** arm.

-be|dürf|tig ⟨adjektivisches Suffixoid⟩: *das im Basiswort Genannte nötig habend, brauchend:* anlehnungs-, reparatur-, ruhe-, wärmebedürftig.

be|ei|len, sich: **1.** *schnell machen:* er muß sich [mit seiner Arbeit] sehr b. **sinnv.:** sich abhetzen, sich dranhalten, sich eilen, [sich] hetzen, sich ranhalten, sich sputen, Tempo machen, sich tummeln, sich überstürzen, einen Zahn zulegen. **2.** *bestrebt sein, mit etwas nicht zu zögern:* er beeilte sich zuzustimmen.

be|ein|drucken ⟨tr.⟩: *starken Eindruck machen, nachhaltige Wirkung haben (auf jmdn.):* das Gemälde beeindruckte ihn. **sinnv.:** bestechen, Bewunderung hervorrufen, brillieren, Eindruck machen, glänzen, imponieren, wirken.

be|ein|flus|sen ⟨tr.⟩: *(auf jmdn.) Einfluß ausüben:* jmdn. [in seinem Denken] stark, maßgeblich b. **sinnv.:** abfärben auf, anstecken, Einfluß nehmen auf, einflüstern, eingeben, einreden, einwirken, gängeln, hinlenken auf, infizieren, suggerieren, überreden, verleiten.

be|ein|träch|ti|gen ⟨tr.⟩: *(auf jmdn./etwas) behindernd, hemmend einwirken:* jmdn. in seiner Freiheit sehr b. **sinnv.:** behindern, einschränken, stören.

be|en|den, beendete, hat beendet ⟨tr.⟩: *enden lassen, zum Abschluß bringen* /Ggs. anfangen/: ein Gespräch, die Arbeit b. **sinnv.:** abbrechen, abschließen, ad acta legen, aufgeben, aufhören, aufstecken, aussteigen, beendigen, begraben, beschließen, einstellen, ein Ende setzen, zu Ende sein, fertigmachen, fertigstellen, schließen.

be|er|di|gen ⟨tr.⟩: ↑*begraben:* den Toten, Verstorbenen b. **sinnv.:** bestatten.

Be|er|di|gung, die; -, -en: ↑*Begräbnis:* zur B. gehen.

Bee|re, die; -, -n: *kleine, runde oder längliche Frucht mit mehreren Samenkernen:* Beeren pflücken, sammeln. **Zus.:** Brom-, Erd-, Heidel-, Him-, Johannis-, Preisel-, Stachel-, Vogel-, Wacholder-, Weinbeere.

Beet, das; -[e]s, -e: *kleineres abgegrenztes [bepflanztes] Stück Land in einem Garten, einer Anlage o. ä.:* Beete anlegen. **sinnv.:** Rabatte.

be|fä|hi|gen ⟨tr.⟩: *die Voraussetzung, Grundlage (zu etwas) schaffen; in die Lage versetzen (etwas zu tun):* Fleiß und Verstand befähigen ihn zu großen Leistungen. **sinnv.:** es jmdm. ermöglichen/möglich machen, ertüchtigen, fähig machen, in die Lage/in den Stand versetzen.

be|fah|ren, befährt, befuhr, hat befahren ⟨tr.⟩: *fahren (auf etwas); mit einem Fahrzeug benutzen:* eine Straße [mit dem Auto] b. **sinnv.:** begehen, bereisen.

be|fal|len, befällt, befiel, hat befallen ⟨tr.⟩: **a)** *plötzlich erfassen, ergreifen:* Angst, Traurigkeit befiel mich. **sinnv.:** anwandeln, sich jmds. bemächtigen, beschleichen, erfassen, erfüllen, ergreifen, überfallen, überkommen. **b)** *(als Krankheit, Plage o. ä.) heimsuchen:* eine furchtbare Krankheit befiel ihn.

be|fas|sen, sich, befaßte sich, hat sich befaßt: *sich (mit jmdm./etwas) auseinandersetzen, beschäftigen:* sich mit jmdm., mit einem Problem, einer Frage b. **sinnv.:** sich abgeben mit, arbeiten an, sich aufhalten mit, sich auseinandersetzen mit, behandeln, sich beschäftigen mit, eingehen auf, sich einlassen, sich in etwas hineinknien, sich einer Sache hingeben, sich verlegen auf, sich widmen.

Be|fehl, der; -[e]s, -e: *Anordnung, Aufforderung (eines Vorgesetzten), daß etwas Bestimmtes ausgeführt werden soll:* einen B. befolgen. **sinnv.:** Anordnung, Machtwort, Weisung. **Zus.:** Einberufungs-, Marsch-, Tages-, Zahlungsbefehl.

be|feh|len, befiehlt, befahl, hat befohlen ⟨tr.⟩: **1.** *(jmdm.) den Befehl geben:* er befahl mir, mit ihm zu kommen. **sinnv.:** anordnen, bitten. **2.** *(an einer bestimmten Ort) kommen lassen, beordern:* er wurde zu seinem Vorgesetzten, dorthin befohlen **sinnv.:** zu sich bestellen/rufen.

be|fe|sti|gen ⟨tr.⟩: **1.** *(an etwas) festmachen:* ein Schild an der Tür b. **sinnv.:** anbinden, anbringen anhängen, anheften, anklammern, ankleben, anknöpfen, anmachen, anmontieren, annageln, annähen, anschlagen, anschließen, anschnallen, anschrauben, anstecken, aufkleben, aufmontieren aufschrauben, aufsetzen, binden an, festmachen festnageln, festschrauben, fixieren, montieren schnallen an/auf, schrauben an/auf, spießen auf **2.** *sichern, daß etwas gegenüber einem Angriff, einer Beanspruchung standhalten kann:* eine Straße den Deich, die Stadt, Grenze b.

be|fin|den, befand, hat befunden: **1.** ⟨sich b.⟩ **a)** *(an einem bestimmten Ort) sein, sich aufhalten* sich auf der Straße b. **sinnv.:** leben, lehnen, liegen, sein, sitzen, stehen. **b)** *sein:* sich in schlechtem Zustand, im Irrtum b.; wie befindet *(fühlt* sich der Patient? **2.** ⟨geh.⟩ **a)** ⟨tr.⟩ *halten, erachtet (für etwas):* etwas für richtig, als gut b. **sinnv.:**

utachten. **b)** ⟨itr.⟩ *bestimmen, was (in bezug auf
mdn. oder etwas) geschehen soll:* über ihn befind-
et jetzt ein anderer. **sinnv.**: bestimmen, urteilen,
erfügen.

e|flü|geln ⟨tr.⟩ (geh.): *beschwingt machen:* die
reude beflügelt seine Schritte; das Lob beflü-
elt ihn. **sinnv.**: anregen, anstacheln.

e|fol|gen ⟨tr.⟩: *handeln, sich richten (nach et-
vas):* einen Rat, Befehl b. **sinnv.**: beachten, be-
erzigen, einhalten, Folge leisten, folgen, sich
len Anordnungen) fügen, sich halten an, han-
eln nach, hören auf, nachkommen.

e|för|dern ⟨tr.⟩: **1.** *von einem Ort an einen an-
ern bringen:* Reisende in Omnibussen, Pakete
lit der Bahn b. **sinnv.**: expedieren, fahren, rol-
en, schaffen, spedieren, transportieren, überfüh-
en, verfrachten. **2.** *in eine höhere Stellung aufrük-
en lassen:* er wurde [zum Direktor] befördert.
nnv.: erheben, höherstufen.

e|fra|gen ⟨tr.⟩: *Fragen richten (an jmdn.):* den
rzt, die Kandidaten b. **sinnv.**: fragen.

e|frei|en ⟨tr.⟩: **a)** *frei machen, die Freiheit geben:*
nen Gefangenen b.; er hat sich befreit. **sinnv.**:
eibekommen, freikämpfen, heraushauen, her-
usholen. **b)** *erreichen, bewirken, daß etwas/jmd.
ei von einem Übel o. ä. ist:* er hat ihn von seiner
rankheit befreit. **sinnv.**: entledigen, säubern. **c)**
on etwas) freistellen:* einen Schüler vom Unter-
cht b. **sinnv.**: beurlauben, dispensieren, entbin-
en, etwas enthebt jmdn. einer Sache, entlasten,
ntpflichten, jmdm. etwas erlassen, freistellen,
ndm. etwas schenken, zurückstellen.

e|frem|den, befremdete, hat befremdet ⟨tr.⟩:
*genartig und in gewisser Weise unangenehm an-
uten:* sein Verhalten befremdete mich. **sinnv.**:
rstaunen.

e|frie|di|gen ⟨tr.⟩: *(jmds. Verlangen, Erwar-
ung) erfüllen:* jmds. Wünsche b.; eine befriedi-
ende Lösung. **sinnv.**: abfinden, (einer Forde-
ng) entsprechen, erfüllen, einer Sache Genüge
n/leisten, genugtun, stillen, zufriedenstellen.

e|fruch|ten, befruchtete, hat befruchtet ⟨tr.⟩:
, bewirken, daß etwas Frucht trägt:* Insekten be-
uchten die Blüten. **sinnv.**: bestäuben, begatten,
eschälen, bespringen, decken; schwängern, zeu-
en. **2.** *wertvolle, wesentliche Anregungen geben:*
ine Ideen befruchteten die gesamte Forschung.
nnv.: anregen.

e|fund, der; -[e]s, -e: *nach Untersuchung festge-
elltes Ergebnis:* ein ärztlicher B. **sinnv.**: Diagno-
e.

e|fürch|ten, befürchtete, hat befürchtet ⟨tr.⟩:
Jnangenehmes) fürchten: das Schlimmste b.
nnv.: einen Argwohn haben/hegen, argwöhnen,
edenken haben, Besorgnis hegen, fürchten.

e|für|wor|ten, befürwortete, hat befürwortet
r.⟩: *durch Empfehlung unterstützen, sich einset-
en (für etwas):* einen Antrag b. **sinnv.**: fördern,
raten.

e|gabt ⟨Adj.⟩: *mit besonderen Anlagen, Fähig-
eiten ausgestattet:* ein [vielseitig, mäßig] begab-
r Schüler; er ist künstlerisch b. **sinnv.**: begna-
et, (zu etwas) geboren, genial, gescheit, klug, ta-
entiert. **Zus.**: sprachbegabt.

e|ga|bung, die; -, -en: *natürliche Anlage, ange-
orene Befähigung zu bestimmten Leistungen:* ei-
e künstlerische, große B. für/zu etwas haben.
nnv.: Anlage, Auffassungsgabe, Befähigung,

Berufung, Fähigkeit, Gabe, Genialität, Genie,
Ingenium, Intelligenz, Klugheit, Stärke, Talent,
Veranlagung. **Zus.**: Natur-, Sprachbegabung.

be|ge|ben, sich; begibt sich, begab sich, hat
sich begeben (geh.): **1.** *gehen:* sich nach Hause b.,
in ärztliche Behandlung b. **sinnv.**: sich fortbewe-
gen. **2.** *sich ereignen, zutragen:* er erzählte, was
sich begeben hatte. **sinnv.**: geschehen.

be|geg|nen, begegnete, ist begegnet ⟨itr.⟩: **1. a)**
zufällig zusammentreffen (mit jmdm.): jmdm. auf
der Straße b.; sie sind sich/einander begegnet.
sinnv.: in die Arme laufen, entgegenkommen, se-
hen, treffen, über den Weg laufen. **b)** *stoßen (auf
etwas), antreffen:* sie begegneten überall großer
Zurückhaltung. **sinnv.**: antreffen, stoßen auf,
treffen auf, vorfinden. **2.** (geh.) ↑*widerfahren:* hof-
fentlich begegnet ihnen nichts Schlimmes, Böses.
sinnv.: geschehen, passieren, unterlaufen, vor-
kommen, zustoßen, zuteil werden. **3.** (geh.) *entge-
gentreten, Maßnahmen treffen (gegen etwas):* den
Schwierigkeiten [mit Klugheit, Umsicht] b.
sinnv.: ankämpfen, verhindern.

be|ge|hen, beging, hat begangen ⟨tr.⟩: **1.** (geh.)
festlich gestalten: ein Fest, jmds. Geburtstag b. **2.**
tun (was nicht gut, richtig ist): ein Verbrechen b.

be|geh|ren ⟨tr.⟩ (geh.): **a)** *großes Verlangen ha-
ben (nach jmdm.):* er begehrte sie zur Frau. **sinnv.**:
lieben, wünschen. **b)** *bittend fordern:* er begehrte,
sie zu sprechen; er begehrte Einlaß. **sinnv.**: ver-
langen.

be|gei|stern: 1. ⟨tr.⟩ *in freudige Erregung verset-
zen:* er, seine Rede begeisterte alle; jmdn. für eine
Sache b.; begeisterte Zustimmung. **sinnv.**: ani-
mieren, anmachen, anregen, anstacheln, aufpeit-
schen, aufputschen, bannen, in Begeisterung ver-
setzen, berauschen, bezaubern, entflammen, ent-
zücken, erfreuen, fesseln, gefangennehmen, hin-
reißen, mitreißen, mit sich reißen, trunken ma-
chen, zünden. **2.** ⟨sich b.⟩ *(durch etwas) in freudige
Erregung geraten; ganz erfüllt sein (von etwas):* sie
begeisterten sich an der Schönheit der Land-
schaft. **sinnv.**: angetan sein von, Begeisterung
fühlen/empfinden, sich erwärmen für, Feuer fan-
gen, Feuer und Flamme sein, schwärmen für.

Be|gei|ste|rung, die; -, -: *freudige Erregung:* gro-
ße, jugendliche B.; etwas mit B. tun. **sinnv.**: Eifer,
Ekstase, Enthusiasmus, Feuer, Glut, Inbrunst,
Leidenschaft, Schwärmerei, Taumel, Über-
schwenglichkeit. **Zus.**: Kunst-, Sportbegeiste-
rung.

be|gie|rig ⟨Adj.⟩: *von großem Verlangen erfüllt:*
begierige Blicke; sie war b., alles zu erfahren.
sinnv.: begehrlich, geil, gierig, lüstern, scharf,
sinnlich, wollüstig · erpicht, fieberhaft, fiebrig,
gespannt, interessiert, ungeduldig. **Zus.**: lern-,
ruhm-, wißbegierig.

Be|ginn, der; -s: ↑*Anfang:* bei, nach, vor B. der
Vorstellung. **Zus.**: Arbeits-, Dienst-, Neu-,
Schul-, Unterrichtsbeginn.

be|gin|nen, begann, hat begonnen: **1.** ⟨itr.⟩ ↑*an-
fangen:* ein Gespräch b.; zu sprechen b. **2.** ⟨itr.⟩
*(zeitlich oder räumlich) seinen Anfang nehmen, an-
fangen:* ein neues Jahr hat begonnen; der Wald
beginnt hinter dem Haus. **sinnv.**: anbrechen.

be|glei|ten, begleitete, hat begleitet ⟨tr.⟩: **1.** *(mit
jmdm.) mitgehen; (jmdn. an einen bestimmten Ort)
bringen:* jmdn. nach Hause b. **sinnv.**: sich jmdm.
anschließen, (nach Hause) bringen, eskortieren,

flankieren, führen, gehen mit, das Geleit geben, geleiten, leiten, mitgehen. **2.** *zu einem Solo auf einem oder mehreren Instrumenten spielen:* einen Sänger auf dem Klavier b.

Be|glei|tung, die; -: **1.** *das Mitgehen:* er bot mir seine B. an. **sinnv.:** Geleit. **2.** *das Begleiten auf einem Musikinstrument.* **Zus.:** Instrumental-, Orchesterbegleitung. **3.** *begleitende Person[en]:* sie gehörte zur B. des Ministers. **sinnv.:** Begleiter.

be|glück|wün|schen ⟨tr.⟩: *jmdm. seine Anerkennung aussprechen:* jmdn. [zu seinem Erfolg] b. **sinnv.:** gratulieren.

be|gna|di|gen ⟨tr.⟩: *(jmdm.) die Strafe vermindern oder erlassen:* einen Gefangenen b. **sinnv.:** eine Amnestie erlassen, amnestieren, befreien, entbinden, frei-, lossprechen, schonen, verschonen, verzeihen.

be|gnü|gen, sich: *(mit etwas) zufrieden sein, nicht nach mehr verlangen:* er begnügt sich mit dem [wenigen], was er hat. **sinnv.:** sich bescheiden, sich beschränken, vorliebnehmen, sich zufriedengeben mit.

be|gra|ben, begräbt, begrub, hat begraben ⟨tr.⟩: **a)** *ins Grab legen, in die Erde bringen:* einen Toten [in aller Stille] b. **sinnv.:** bestatten. **b)** *(etwas) endgültig aufgeben:* seine Hoffnungen b.

Be|gräb|nis, das; -ses, -se: *das feierliche Begraben eines Toten:* an einem B. teilnehmen. **sinnv.:** Beerdigung, Beisetzung, Bestattung, Einsegnung, Leichenfeier, Trauerfeier · Einäscherung, Feuerbestattung, Verbrennung. **Zus.:** Staatsbegräbnis.

be|grei|fen, begriff, hat begriffen: **a)** ⟨tr.⟩ *geistig erfassen, in seinen Zusammenhängen erkennen:* den Sinn einer Sache b. **sinnv.:** verstehen. **b)** ⟨itr.⟩ *eine bestimmte Auffassungsgabe haben:* sie begreift leicht, schlecht. **c)** ⟨itr.⟩ *Verständnis haben (für jmdn./etwas):* ich begreife nicht, wie man so etwas tun kann. **sinnv.:** verstehen.

Be|griff, der; -[e]s, -e: **1.** *etwas Bestimmtes, was sich mit einem Wort, einem Namen o. ä. an Vorstellungen, Inhalten verbindet; geistiger, abstrakter Gehalt:* ein schillernder B.; dieser Name ist für mich kein B. **sinnv.:** Ausdruck, Bedeutung, Benennung, Bezeichnung, Terminus, Vokabel, Wort. **2. a)** *im B. sein/stehen (gerade etwas anfangen, tun wollen):* er war im B. fortzugehen. **sinnv.:** sich anschicken. **b)** *(ugs.) schwer/langsam von B. sein (nur langsam begreifen, verstehen):* sei doch nicht so schwer von B.!

be|grün|den, begründete, hat begründet ⟨tr.⟩: **1.** *eine Grundlage schaffen (für etwas), den Grund legen (zu etwas):* jmds. Glück b.; eine Richtung, Schule b. **sinnv.:** gründen. **2.** *Argumente vorbringen, Gründe anführen (für etwas):* seine Ansichten, Meinungen b. **sinnv.:** argumentieren, deutlich machen, motivieren, verdeutlichen.

be|grü|ßen ⟨tr.⟩: **1.** *persönliche Worte an jmdn. richten, mit dem man gerade zusammengetroffen ist:* seine Gäste herzlich b. **sinnv.:** bewillkommnen, empfangen, grüßen, jmdm. die Hand geben/reichen/schütteln, den Hut abnehmen/lüften, salutieren, guten Tag sagen, die Zeit bieten. **2.** *zustimmend aufnehmen:* einen Vorschlag b. **sinnv.:** billigen.

be|gut|ach|ten, begutachtete, hat begutachtet ⟨tr.⟩: *fachmännisch beurteilen; ein Gutachten abgeben (über etwas):* ein Manuskript, ein Bild b. **sinnv.:** abschätzen, ansehen, auffassen/betrach-

ten als, befinden, beurteilen, bewerten, bezeichnen, charakterisieren, denken von/über, einschätzen, erachten/halten für, kontrollieren, mustern, nehmen als, urteilen über, verstehen al[s] werten, würdigen.

be|hä|big ⟨Adj.⟩: **a)** *beleibt und phlegmatisch[,] schwerfällig:* ein behäbiger Mann. **sinnv.:** dick. **b[)]** *sich schwerfällig und bedächtig bewegend:* b. nä[..] herkommen. **sinnv.:** langsam.

Be|ha|gen, das; -s: *wohltuendes Gefühl der Zu[..]friedenheit:* etwas mit großem B. genießen. **Zus.** Miß-, Wohlbehagen.

be|hag|lich ⟨Adj.⟩: **a)** *Behagen verbreitend:* ei[..] behaglicher Raum. **sinnv.:** bequem, gemütlich[,] komfortabel. **b)** *voller Behagen, genießerische[..] Freude, mit Behagen:* sich b. ausstrecken.

be|hal|ten, behält, behielt, hat behalten: **1.** ⟨it[r.][⟩] **a)** *dort lassen, belassen, wo es ist; an dem Ort, [..] seinem Besitz, seiner Obhut lassen:* den Hut au[..] dem Kopf b.; den Gewinn b.; jmdn. als Gast [be[..] sich] b. **sinnv.:** aufbewahren, zurückhalten. **b[)]** *nach wie vor in gleicher Weise haben, nicht verlie[..]ren:* seine gute Laune b.; ein Haus behält seinen Wert. **sinnv.:** beibehalten. **2.** ⟨itr.⟩ *im Gedächtn[..] bewahren und nicht vergessen:* eine Adresse b.; e[..] was im Gedächtnis, im Kopf b. **sinnv.:** sich me[..] ken.

Be|häl|ter, der; -s, -: *etwas, was zum Aufbewah[..]ren, Transportieren dient:* ein B. für giftige Flüs[..]sigkeiten. **sinnv.:** Ampulle, Behältnis, Büchse[,] Container, Dose, Faß, Flasche, Gefäß, Kaniste[r] Kanne, Kessel, Reservoir, Röhrchen, Schachte[..] Schüssel, Silo, Tonne, Tube.

be|han|deln ⟨tr.⟩: **1.** *in einer bestimmten Weis[..] verfahren (mit jmdm./etwas):* jmdn. unfreundlic[..] b.; eine Angelegenheit diskret b. **sinnv.:** sich be[..] fassen, umgehen. **2.** *künstlerisch, wissenschaftlic[..] o. ä. gestaltend, bearbeitend, analysierend ausfüh[..]ren, darstellen:* bestimmte Probleme in einer A[..] beit b.; der Film behandelt das Thema anders al[..] das Buch. **sinnv.:** darlegen, erörtern. **3.** *durch e[..] bestimmtes Verfahren zu heilen suchen:* an einer Krankheit, einen Kranken ambulant b. **sinnv.** doktern/herumdoktern/laborieren an, einer The[..] rapie/Heilbehandlung unterziehen, therapieren[,] verarzten. **4.** *(mit einer Substanz, die eine bestimmte Wirkung hat) in Berührung, Verbindun[..] bringen, auf etwas einwirken:* ein Material mi[..] Säure b. **sinnv.:** bearbeiten.

be|har|ren ⟨itr.⟩: *(an etwas) festhalten, nich[..] nachgeben, sich nicht (von etwas) abbringen lasse[..]* auf seiner Meinung b. **sinnv.:** bestehen auf.

be|haup|ten, behauptete, hat behauptet: **1.** ⟨tr.[⟩] *mit Bestimmtheit aussprechen, als sicher hinste[..]len:* etwas hartnäckig b.; er behauptete, nicht[..] davon gewußt zu haben. **sinnv.:** ausgeben als, vor[..] terstellen. **2.** (geh.) **a)** ⟨tr.⟩ *erfolgreich verteidigen* seine Stellung b. **sinnv.:** beibehalten. **b)** ⟨sich b[.][⟩] *sich gegen alle möglichen Widerstände halten:* er[..] die Firma konnte sich b. **sinnv.:** sich durchsetzen[,] sich nicht kleinkriegen lassen, standhalten.

Be|haup|tung, die; -, -en: *Äußerung, mit der et[..] was behauptet, als Tatsache hingestellt wird:* ein[..] B. aufstellen. **sinnv.:** Annahme, Hypothese, Un[..] terstellung. **Zus.:** Schutzbehauptung.

be|he|ben, behob, hat behoben ⟨tr.⟩: *wieder i[..] Ordnung bringen, beseitigen:* einen Schaden b[..] **sinnv.:** reparieren.

be|helfs|mä|ßig ⟨Adj.⟩: *als Notbehelf dienend: ine behelfsmäßige Unterkunft; sich b. einrich-en.* **sinnv.:** notdürftig.

be|hel|li|gen ⟨tr.⟩: *(mit einer Bitte o. ä.) an jmdn. ierantreten, was von dem Betroffenen als eine Belastung, Störung empfunden wird:* jmdn. mit Fra-en b. **sinnv.:** mit etwas ankommen, bedrängen, elästigen, insultieren, jmdm. lästig sein, zuset-en.

be|herr|schen ⟨tr.⟩: **1. a)** *Herr sein (über etwas/ mdn.), Macht ausüben/haben (über etwas/jmdn.):* mdn., ein Land b. **sinnv.:** dominieren, gebieten ber, herrschen über, Herrscher sein über. **b)** *deutlich im Vordergrund stehen, alles andere über-agen:* der Berg beherrscht die ganze Landschaft; liese Vorstellung beherrscht sein ganzes Den-:en. **sinnv.:** bestimmen, dominieren. **c)** *in der Ge-valt haben, unter Kontrolle halten:* er weiß sich, eine Gefühle stets zu b.; er konnte sich nicht b.; r ist stets beherrscht *(ruhig, diszipliniert).* **sinnv.:** ändigen, bezähmen, Herr sein über, mäßigen, m Zaum halten, zurückhalten. **2.** *sehr gut kön-en, zu handhaben, auszuüben verstehen:* sein iandwerk, ein Musikinstrument, mehrere Spra-hen b. **sinnv.:** firm sein, etwas gelernt haben, ei-ne Sache mächtig sein, eine Sache verstehen.

be|hilf|lich: ⟨in der Verbindung⟩ jmdm. b. sein: mdm. ↑ helfen: er war mir bei der Arbeit b.

be|hin|dern ⟨tr.⟩: *jmdm./einer Sache hinderlich, m Wege sein:* der Nebel behindert die Sicht; mdn. bei der Arbeit b. **sinnv.:** aufhalten, beein-rächtigen, dazwischenkommen, erschweren, emmen, hindern, lähmen, querschießen, stören, nterbrechen.

Be|hin|der|te, der und die; -n, -n ⟨aber: [ein] Behinderter, Plural: [viele] Behinderte⟩: *jmd., der in geistiges oder körperliches Gebrechen hat:* ein portfest für Behinderte. **sinnv.:** Invalide, Krüp-el, Versehrter. **Zus.:** Geh-, Körper-, Schwer-, ehbehinderter.

Be|hör|de, die; -, -n: *staatliche, kirchliche oder ommunale Stelle, Verwaltung.* **sinnv.:** Amt. **Zus.:** Aufsichts-, Finanz-, Gesundheits-, Schulbehör-e.

be|hü|ten, behütete, hat behütet ⟨tr.⟩: *sorgsam vachen (über jmdn./etwas):* jmdn. [vor Gefahr, chaden] b. **sinnv.:** abschirmen, beschirmen, be-chützen, bewahren, decken, seine Hand über ndn. halten, schützen, Schutz gewähren.

be|hut|sam ⟨Adj.⟩: *mit Vorsicht, Sorgsamkeit, Rücksicht handelnd:* b. vorgehen, anfassen. **innv.:** achtsam, mild, pfleglich, sacht, sanft, chonungsvoll, sorgfältig, sorgsam, vorsichtig.

be|i: I. ⟨Präp. mit Dativ⟩: **1.** */räumlich; zur Angae der Nähe, der losen Berührung, des Dazwichen-, Daruntergemischtseins o. ä., der Zugehöigkeit zu einem Bereich, einer Institution o. ä./:* Offenbach bei Frankfurt; er arbeitet bei einer Bank; er stand, saß bei ihm; sie war bei den Denonstranten; sie nahm das Kind bei der Hand; r trägt den Paß bei sich. **2.** */zeitlich; zur Angabe eines Zeitpunktes, einer Zeitspanne, eines Gescheens o. ä./:* bei Ende der Vorstellung; Paris bei Nacht. **3.** */zur Angabe von Begleitumständen, die ich ergeben aus der Art und Weise eines Zustandes, Vorgangs, aus einer gegebenen Bedingung, einem Grund, Zweck o. ä./:* bei Kräften sein; selbst ei größter Sparsamkeit reichte das Geld nicht;

bei passender Gelegenheit. **4.** /in Formeln der Beteuerung/: bei Gott/bei meiner Ehre, das habe ich nicht getan. **II. 1.** /in Verbindung mit einem Personalpronomen in Konkurrenz zu *dabei;* bezogen auf eine Sache (ugs.)/: draußen herrscht großer Lärm. Bei ihm (statt: dabei) kann man kaum arbeiten. **2.** /in Verbindung mit „was" in Konkurrenz zu *wobei;* bezogen auf eine Sache (ugs.)/: **a)** /in Fragen/: b. was (besser: wobei) hast du ihm geholfen? **b)** /in relativer Verbindung/: ich weiß nicht, b. was (besser: wobei) ich dir noch behilflich sein könnte.

bei|be|hal|ten, behält bei, behielt bei, hat beibehalten ⟨tr.⟩: *weiterhin bei etwas, was bisher üblich gewesen ist, bleiben:* eine alte Sitte b. **sinnv.:** nicht aufgeben, aufrechterhalten, behalten, behaupten, bestehenlassen, bewahren, erhalten, an etwas festhalten, halten.

bei|brin|gen, brachte bei, hat beigebracht ⟨tr.⟩: **1.** *erklären, zeigen, wie etwas gemacht wird, so daß der Betreffende es dann kann:* jmdm. das Lesen b. **sinnv.:** lehren. **2.** (ugs.) *(Unangenehmes) vorsichtig übermitteln:* man muß ihr diese Nachricht schonend b. **sinnv.:** mitteilen. **3.** *(etwas Schlechtes) zufügen, zuleide tun:* dem Feind Verluste b. **sinnv.:** schaden. **4.** *(als Beweis, Bestätigung für etwas [z. B. eine Aussage]) jmdm. vorlegen, ihm vorführen:* ein Attest b. **sinnv.:** beschaffen.

bei|de ⟨Pronomen und Zahlwort⟩: **a)** ⟨mit Artikel oder Pronomen⟩ *zwei* /bezieht sich auf zwei Personen, Dinge, Vorgänge, die in bestimmter Hinsicht zusammengefaßt werden/: diese beiden Bücher; einer der beiden Männer; wir b./(seltener:) beiden werden das tun; für uns, euch b.; die beiden sind gerade weggegangen. **b)** ⟨ohne Artikel oder Pronomen⟩ *alle zwei; der, die, das eine wie der, die, das andere* /betont den Gegensatz zu nur einer Person, einem Ding, Vorgang und drückt aus, daß die Aussage die zwei in gleicher Weise betrifft/: in beiden Fällen hatte er recht; b. jungen/(seltener:) junge Mädchen; die Produktion beider großen/(selten:) großer Betriebe. **c)** ⟨alleinstehend gebraucht als Singular in den Formen *beides* und *beidem⟩* /bezieht sich auf zwei verschiedenartige Dinge, Eigenschaften oder Vorgänge, die als Einheit gesehen werden/: er hat von beidem gegessen.

bei|ein|an|der ⟨Adverb⟩: *einer beim andern:* sie waren damals lange b. **sinnv.:** beisammen, zusammen; vereint.

Bei|fah|rer, der; -s, -, **Bei|fah|re|rin,** die; -, -nen: *männliche bzw. weibliche Person, die in einem Kraftfahrzeug [neben Fahrer oder Fahrerin sitzend] mitfährt.* **sinnv.:** Begleiter, Mitfahrer, Sozia, Sozius.

Bei|fall, der; -[e]s -, **1.** *Äußerung des Gefallens, der Begeisterung durch Klatschen, Zurufe o. ä.:* rauschender B.; er bekam starken B. **sinnv.:** Akklamation, Applaus, Huldigung, Jubel, Klatschen, Ovation. **2.** *zustimmende, beifällige Bejahung:* etwas findet allgemeinen B. **sinnv.:** Anklang, Erlaubnis, Resonanz.

bei|fü|gen, fügte bei, hat beigefügt ⟨tr.⟩: *(zu etwas Vorhandenem) hinzutun:* einer Sendung die Rechnung b. **sinnv.:** beigeben, beilegen.

beige [bε:ʒ] ⟨Adj.⟩: indeklinabel: *(in der Färbung) wie heller Sand [aussehend]:* ein beige Kleid; die Tasche ist b.

Bei|hil|fe, die; -, -n: 1. *kleinere [finanzielle] Unterstützung:* monatlich eine kleine B. bekommen. **sinnv.:** Zuschuß. **Zus.:** Erziehungs-, Unterhaltsbeihilfe. 2. *Hilfe, die jmdm. bei einer Straftat wissentlich geleistet wird:* B. zum Mord. **sinnv.:** Unterstützung, Vorschub.

Beil, das; -[e]s, -e: *einer Axt ähnliches Werkzeug mit breiter Schneide und kurzem Stiel* (siehe Bildleiste „Axt").

Bei|la|ge, die; -, -n: 1. *etwas, was einer Zeitschrift, Zeitung o. ä. beigelegt ist:* eine B. für die Frau. **sinnv.:** Anhang. **Zus.:** Literatur-, Sonntagsbeilage. 2. *Gemüse, Salat, Kartoffeln o. ä., die bei einem Gericht zum Fleisch serviert werden.* **sinnv.:** Beikost, Zubrot, Zukost; Zutat. **Zus.:** Gemüsebeilage.

bei|läu|fig ⟨Adj.⟩: *nebenbei und wie zufällig [geäußert]:* etwas b. sagen. **sinnv.:** nebenbei.

bei|le|gen, legte bei, hat beigelegt ⟨tr.⟩: 1. *(zu etwas Vorhandenem) legen:* einem Brief Geld b. **sinnv.:** beifügen. 2. *aus der Welt schaffen, vermitteln und beenden:* einen Streit b. **sinnv.:** bereinigen. 3. a) *(einen bestimmten Sinn) zuschreiben, geben:* einer Äußerung zuviel Gewicht b. **sinnv.:** beimessen. b) *eine bestimmte [zusätzliche] Bezeichnung geben:* sich einen Künstlernamen b. **sinnv.:** verleihen, zulegen.

Bei|leid, das; -[e]s: *(jmdm. gegenüber bekundetes) Mitgefühl bei einem Todesfall:* jmdm. sein [herzliches] B. ausdrücken. **sinnv.:** Anteilnahme, Kondolenz.

beim ⟨Verschmelzung von bei + dem⟩: 1. *bei dem* a) /die Verschmelzung kann aufgelöst werden/: der Baum steht b. Haus. b) /die Verschmelzung kann nicht aufgelöst werden/: jmdn. b. Wort nehmen. 2. ⟨in Verbindung mit *sein* und einem substantivierten Infinitiv /die Verschmelzung kann nicht aufgelöst werden/: bildet die Verlaufsform/: er ist b. Schreiben *(schreibt gerade).*

Bein, das; -[e]s, -e: 1. *Gliedmaße zum Stehen und Sichfortbewegen bei Menschen und Tieren:* krumme Beine; die Beine ausstrecken. **sinnv.:** Hachse, Krücke, Stelze, Lauf. **Zus.:** Spiel-, Standbein, X-Beine. 2. *Teil eines Möbelstücks, Geräts o. ä., mit dem es auf dem Boden steht:* ein Tisch mit drei Beinen. **Zus.:** Stuhl-, Tischbein.

bei|nah, bei|na|he [auch: beinah(e), beinah(e)] ⟨Adverb⟩: *kaum noch von einem bestimmten Zustand, Ausmaß, einer Anzahl, Größe o. ä. entfernt:* b. drei Stunden. **sinnv.:** bald, fast, so gut wie, um ein Haar, nahezu, praktisch, schier, ziemlich.

bei|set|zen, setzte bei, hat beigesetzt ⟨tr.⟩ (geh.): ↑ *bestatten.*

Bei|set|zung, die; -, -en (geh.): ↑ *Begräbnis.*

Bei|spiel, das; -[e]s, -e: *einzelner Fall, der etwas kennzeichnet, erklärt, beweist, anschaulich macht:* ein gutes, anschauliches B. nennen, anführen; **[wie] zum B.** *(um ein Beispiel zu geben, zu nennen; etwa;* Abk.: z. B.): einige Farben mag er nicht, zum B. Grau; ich zum B. wäre nicht hingegangen. **sinnv.:** Exempel, Muster, Vorbild. **Zus.:** Muster-, Parade-, Schulbeispiel.

bei|spiels|wei|se ⟨Adverb⟩: *zum Beispiel:* es gibt etliche Möglichkeiten, b. die Aufhebung der Zollschranken.

bei|ßen, biß, hat gebissen: 1. a) ⟨itr.⟩ *mit den Zähnen (in etwas) eindringen:* in den Apfel b.; ich habe mir/mich aus Versehen auf die Zunge ge-

bissen. b) ⟨itr.⟩ *mit den Zähnen auf etwas treffen:* auf Pfeffer b. c) ⟨tr.⟩ *mit den Zähnen zerkleinern:* er kann die Kruste nicht mehr b. **sinnv.:** kauen. 2. a) ⟨tr./itr.⟩ *mit den Zähnen fassen und verletzen:* der Hund hat ihm/ihn ins Bein gebissen. **sinnv.:** schnappen, zubeißen. b) ⟨itr.⟩ *mit den Zähnen packen suchen:* der Hund hat nach mir gebissen; der Hund beißt um sich. c) ⟨itr.⟩ *bissig sein:* Vorsicht, der Hund beißt! 3. ⟨tr.⟩ *stechen [und Blut aussaugen]:* ein Floh hat ihn gebissen. 4. ⟨itr.⟩ (ugs.) *nicht zueinander passen, nicht harmonieren:* diese Farben beißen sich. 5. ⟨itr.⟩ *scharf sein, ein stechende, ätzende Wirkung haben:* der Rauch beißt in den/in die Augen. **sinnv.:** ätzen, brennen, stechen.

bei|ste|hen, stand bei, hat beigestanden ⟨itr.⟩ ↑ *helfen:* jmdm. mit Rat und Tat b.

Bei|trag, der; -[e]s, Beiträge: 1. *Anteil, mit dem sich jmd. an etwas beteiligt:* einen wichtigen B. zur Entwicklung eines Landes leisten. **sinnv.:** Zuschuß. **Zus.:** Diskussions-, Verteidigungsbeitrag. 2. *Betrag, der regelmäßig an eine Organisation z zahlen ist:* die Beiträge für eine Partei kassieren. **sinnv.:** Betrag, Gabe, Obolus, Opfer, Scherflein Spende, Summe. **Zus.:** Mitglieds-, Monats-, Un kostenbeitrag. 3. *schriftliche Arbeit, Aufsatz, Be richt für eine Zeitung, Zeitschrift o. ä.:* mehrer Beiträge bekannter Autoren. **sinnv.:** Abhand lung; Aufsatz, Interview.

bei|tra|gen, trägt bei, trug bei, hat beigetrage ⟨itr.⟩: *seinen Beitrag leisten, mithelfen (bei etwas zum Gelingen des Festes b.; ⟨auch tr.⟩ etwas, sei nen Teil dazu b., daß ... **sinnv.:** beischießen, bei steuern, sich beteiligen.

bei|tre|ten, tritt bei, trat bei, ist beigetrete ⟨itr.⟩: *Mitglied werden (in einem Verein o. ä.):* eine Partei b. **sinnv.:** sich anschließen, eintreten.

bei|zei|ten ⟨Adverb⟩: *früh genug:* b. aufstehe b. vorsorgen. **sinnv.:** früh.

be|ja|hen ⟨tr.⟩: a) *(eine Frage) mit Ja beantwor ten:* eine bejahende Anwort. b) *seiner eigenen An schauung entsprechend finden und es gutheißen* das Leben, einen Staat b. **sinnv.:** akzeptieren, bi ligen.

be|kämp|fen ⟨tr.⟩: *seine Kraft, seine Mittel ge gen jmdn./etwas einsetzen, um seinen Einfluß, sei ne Wirkung einzudämmen, zu verhindern:* eine Gegner, ein Übel b. **sinnv.:** ankämpfen.

be|kannt ⟨Adj.⟩: 1. a) *von vielen gekannt, ge wußt:* eine bekannte Melodie; die Geschichte is [allgemein] b. **sinnv.:** all-, alt-, stadt-, welt-, weltbe kannt. b) *berühmt, weithin angesehen:* ein be kannter Künstler, Arzt. **sinnv.:** anerkannt, ange sehen, berühmt, illuster, namhaft, prominent weltberühmt, von Weltrang. **Zus.:** weit-, wohlbe kannt. 2. ⟨in den Fügungen⟩ jmdm. b. sein: *jmdn nicht fremd sein, Kenntnis haben:* er, sein Fall is mir b.; b. sein mit jmdm./etwas: *vertraut sein m jmdm./etwas:* ich bin mit ihm, mit seinen Proble men [seit langem] b.; b. werden mit jmdm./etwas *jmdn./etwas kennenlernen; mit jmdm./etwas ver traut werden:* sie sind gestern miteinander b. ge worden; jmdn. mit jmdm. b. machen: *jmdn jmdm. vorstellen:* ich werde dich mit ihm b. ma chen; jmdn./sich mit etwas b. machen: *jmdn./sic über etwas informieren, mit etwas vertraut ma chen:* jmdn., sich mit der neuen Arbeit b. machen

Be|kann|te, der und die; -n, -n ⟨aber: [ein] Be

kannter, Plural: [viele] Bekannte): *jmd., mit dem jmd. gut bekannt ist:* ein Bekannter meines Vaters; gute, alte Bekannte. **sinnv.**: Freund.

be|kannt|ge|ben, gibt bekannt, gab bekannt, hat bekanntgegeben ⟨tr.⟩: *öffentlich mitteilen, an die Öffentlichkeit weitergeben:* das Ergebnis b. **sinnv.**: ankündigen, ansagen, kundgeben, mitteilen.

be|kannt|lich ⟨Adverb⟩: *wie man weiß:* in den Bergen regnet es b. viel. **sinnv.**: bekanntermaßen, erfahrungsgemäß.

be|kannt|ma|chen, machte bekannt, hat bekanntgemacht ⟨tr.⟩: *von behördlicher Seite öffentlich mitteilen:* eine neue Verordnung b.

Be|kannt|schaft, die; -, -en: **1.** *Kreis von Menschen, die jmd. kennt:* in seiner B. war es niemand. **2.** *das Bekanntsein, persönliche Beziehung:* in der ersten Zeit unserer B.

be|ken|nen, bekannte, hat bekannt: **1.** ⟨tr.⟩ *offen aussprechen, zugeben:* seine Schuld b.; er bekannte, daß er es gewußt habe. **sinnv.**: gestehen. **2.** ⟨sich b.⟩ *(zu jmdm./etwas) stehen, überzeugt ja sagen:* sich zu seinem Freund b. **sinnv.**: eintreten.

be|kla|gen 1. ⟨tr.⟩ (geh.) *als traurig empfinden, schmerzlich bedauern; Empfinden des Schmerzes, des Bedauerns äußern:* jmds. Los, einen Verlust b. **sinnv.**: bedauern, bejammern, betrauern, beweinen, nachtrauern, nachweinen. **2.** ⟨sich b.⟩ *jmdm. gegenüber seine Unzufriedenheit über ein Unrecht o. ä. äußern, darüber Klage führen:* sich über einen andern, über den Lärm b. **sinnv.**: beanstanden.

be|klei|den, bekleidete, hat bekleidet: **1.** ⟨in der Verbindung⟩ *bekleidet sein: mit Kleidung versehen, angezogen sein:* er war nur mit einer Hose bekleidet. **sinnv.**: anhaben; anziehen. **2.** ⟨tr.⟩ *(mit einem Amt) versehen sein:* einen hohen Posten b. **sinnv.**: innehaben.

be|klem|mend ⟨Adj.⟩: *in beängstigender Weise bedrückend, beengend:* ein beklemmendes Gefühl. **sinnv.**: unheimlich.

be|kom|men ⟨itr.⟩: **I.** bekam, hat bekommen: **1. a)** *in den Besitz von etwas (was jmdm. als Geschenk, Belohnung, Bezahlung, o. ä. zuteil wird) kommen:* ein Buch, einen Orden b.; Urlaub, Lohn b.; etwas zu essen b. **sinnv.**: beziehen, davontragen, erhalten, erobern, an etwas kommen, kriegen, teilhaftig werden. **b)** /in verblaßter Bedeutung: *drückt aus, daß jmdm. etwas zuteil wird, daß jmd. etwas hinnehmen muß, daß jmd./etwas von etwas befallen wird, etwas erleiden muß o. ä.;* läßt sich meist passivisch mit „werden" umschreiben/: einen Kuß, ein Lob, eine Strafe b. *(geküßt, gelobt, bestraft werden);* eine Spritze b.; Wut, Angst, allmählich Hunger b.; Falten b.; Fieber b.; Ärger b. **sinnv.**: kriegen. **2. a)** *durch eigene Bemühungen zu etwas kommen, etwas für sich gewinnen:* eine neue Stellung b.; die gewünschte Verbindung b.; das Buch ist nicht mehr zu b.; sie bekommt ein Kind *(ist schwanger).* **sinnv.**: erhalten, kriegen. **b)** *jmdn. zu einem bestimmten Verhalten bewegen, jmdn./etwas in einen bestimmten Zustand versetzen, etwas an eine bestimmte Stelle bringen:* dieses Fleisch ist fast nicht gar zu b.; sie haben das Klavier nicht durch die Tür bekommen. **sinnv.**: kriegen. **3.** ⟨in Verbindung mit einem Infinitiv mit „zu"⟩ **a)** *die Möglichkeit haben, in die Lage versetzt sein, etwas Bestimmtes zu tun, zu er-*

reichen: bis 22 Uhr bekommt man in diesem Restaurant etwas zu essen. **sinnv.**: kriegen. **b)** *in die Lage versetzt sein, etwas Bestimmtes ertragen, über sich ergehen lassen zu müssen:* er hat manches böse Wort zu hören bekommen. **sinnv.**: kriegen. **4.** ⟨in Verbindung mit einem zweiten Partizip⟩ /dient der Umschreibung des Passivs/: etwas geschickt, gesagt b. **sinnv.**: erhalten, kriegen. **II.** bekam, ist bekommen *(für jmdn.)* zuträglich, förderlich, bekömmlich sein: das fette Essen bekommt mir nicht.

be|krie|gen ⟨tr.⟩: *(gegen jmdn./ein Land) Krieg führen:* ein feindliches Land b.; Völker, die einander, sich [gegenseitig] bekriegen. **sinnv.**: befehden, bekämpfen, in Fehde liegen.

be|küm|mern ⟨tr.⟩: *(jmdm.) Kummer, Sorge bereiten:* sein Zustand bekümmerte sie sehr. **sinnv.**: anfechten, bedrücken, betrüben, beunruhigen, drücken, sich martern, quälen, zu schaffen machen.

be|küm|mert ⟨Adj.⟩: *voll Sorge, Kummer, Schwermut:* mit bekümmertem Blick; er war tief b. **sinnv.**: bedrückt, betrübt, depressiv, deprimiert, elegisch, freudlos, gedrückt, melancholisch, niedergeschlagen, schwermütig, traurig, trübsinnig, unfroh, unglücklich, wehmütig.

be|la|den, belädt, belud, hat beladen ⟨tr.⟩: *mit einer Ladung, Fracht versehen:* einen Wagen, ein Schiff [mit Kisten] b. **sinnv.**: befrachten, laden.

Be|lag, der; -[e]s, Beläge und Belage: **1.** ⟨Plural: Beläge⟩ *dünne Schicht, mit der etwas bedeckt, belegt, überzogen ist, die sich auf etwas gebildet hat:* der B. des Fußbodens; seine Zunge hatte einen B. **sinnv.**: Auflage, Überzug. **Zus.**: Boden-, Brems-, Gummi-, Zahnbelag. **2.** ⟨Plural: Belage⟩ *etwas, was aufs Brot gelegt wird.* **sinnv.**: Aufschnitt, Aufstrich, Brotaufstrich.

be|lang|los ⟨Adj.⟩: *ohne große Bedeutung, nicht weiter wichtig:* belanglose Dinge; das ist doch völlig b. **sinnv.**: unwichtig.

be|la|sten, belastete, hat belastet ⟨tr.⟩: **1. a)** *mit einer Last versehen:* einen Wagen zu stark b. **sinnv.**: beschweren. **b)** *in seiner Existenz, Wirkung, seinem Wert beeinträchtigen:* schädliche Stoffe belasten Boden, Wasser und Luft. **2.** *stark in Anspruch nehmen; schwer zu schaffen machen:* die Arbeit belastet ihn sehr; fette Speisen belasten den Magen. **sinnv.**: beanspruchen. **3.** *als schuldig erscheinen lassen* /Ggs. entlasten/: ihre Aussage belastete ihn am meisten. **sinnv.**: verdächtigen. **4.** *(jmdm./einer Sache) eine finanzielle Schuld auferlegen:* die Bevölkerung durch neue Steuern b.; ein Konto mit einem Betrag b.

be|lä|sti|gen ⟨tr.⟩: *(jmdm.) unbequem, lästig werden:* jmdn. mit Fragen b. **sinnv.**: anmachen, anpöbeln, anrempeln, bedrängen, behelligen.

be|le|ben: **1.** ⟨tr.⟩ **a)** *lebhafter machen, mit Leben erfüllen:* das Getränk belebte ihn. **sinnv.**: erfrischen. **b)** *lebendig gestalten:* die Wirtschaft b. **sinnv.**: aktivieren, ankurbeln, anregen. **2.** ⟨sich b.⟩ **a)** *lebhaft, lebendiger werden:* die Unterhaltung belebte sich. **b)** *sich mit Leben füllen:* langsam belebten sich die Straßen. **sinnv.**: sich bevölkern.

Be|leg, der; -[e]s, -e: *etwas (besonders ein Schriftstück, Dokument), was als Beweis, Nachweis dient:* eine Quittung als B. vorlegen. **sinnv.**: Bescheinigung.

be|le|gen ⟨tr.⟩: **1.** *mit einem Belag versehen:* belegte Brötchen. **2.** *für jmdn., für sich selbst sichern, in Anspruch nehmen:* einen Platz im Zug b. **sinnv.:** besetzen, reservieren, vorbestellen. **3.** *jmdn./einer Sache auferlegen:* jmdn. mit einer Strafe, die Waren mit Zoll b. **4.** *(durch ein Dokument o. ä.) beweisen, nachweisen:* einen Kauf mit einer Quittung b.

Be|leg|schaft, die; -, -en: *Gesamtheit der Beschäftigten in einem Betrieb.* **sinnv.:** Personal.

be|leh|ren ⟨tr.⟩: *(jmdm.) sagen, wie etwas wirklich ist, wie sich etwas verhält:* du läßt dich nicht b. **sinnv.:** lehren, überzeugen.

be|lei|di|gen ⟨tr.⟩: *(durch eine Äußerung, Handlung) in seiner Ehre angreifen, verletzen:* mit diesen Worten hat er ihn tief, sehr beleidigt. **sinnv.:** kränken.

be|leuch|ten, beleuchtete, hat beleuchtet ⟨tr.⟩: *Licht richten (auf etwas):* die Bühne, die Straße b. **sinnv.:** anstrahlen, bescheinen, bestrahlen, erhellen.

be|lie|big ⟨Adj.⟩: **a)** *nach Belieben herausgegriffen, angenommen o. ä.:* einen beliebigen Namen auswählen; ein Stoff von beliebiger Farbe. **sinnv.:** irgendein. **Zus.:** x-beliebig. **b)** *nach Belieben:* etwas b. ändern.

be|liebt ⟨Adj.⟩: **a)** *allgemein gern gesehen; von vielen geschätzt:* ein beliebter Lehrer; er ist b.; sich b. machen *(sich durch etwas die Zuneigung anderer erwerben).* **sinnv.:** angebetet, geliebt, gern gesehen, umschwärmt, vergöttert, wohlgelitten. **b)** *häufig, gerne angewandt, benutzt o. ä.:* ein beliebtes Buch, Thema; eine beliebte Ausrede.

bel|len ⟨itr.⟩: *kurze, kräftige Laute von sich geben /von Hunden und Füchsen/.* **sinnv.:** anschlagen, blaffen, heulen, jaulen, kläffen, knurren, Laut geben, winseln.

be|loh|nen ⟨tr.⟩: **a)** *zum Dank, als Anerkennung mit etwas beschenken:* jmdn. für seine Bemühungen b. **b)** *mit einem anerkennenden Verhalten auf eine Tat, Leistung reagieren:* eine gute Tat b. **sinnv.:** sich erkenntlich zeigen/erweisen, sich revanchieren, vergelten, wettmachen.

be|lü|gen, belog, hat belogen ⟨tr.⟩: *(jmdm.) die Unwahrheit sagen:* er hat ihn belogen. **sinnv.:** lügen.

be|män|geln ⟨tr.⟩: *als Fehler oder Mangel kritisieren, jmdm. vorhalten:* er bemängelte ihre Unpünktlichkeit, daß sie immer zu spät kamen. **sinnv.:** beanstanden.

be|merk|bar ⟨Adj.⟩: **1.** *sich erkennen, wahrnehmen lassend:* ein kaum bemerkbarer Unterschied. **sinnv.:** erkennbar, spürbar, wahrnehmbar. **2.** (in der Wendung) sich b. machen: **1.** *auf sich aufmerksam machen:* der eingesperrte Junge versuchte vergebens, sich b. zu machen. **2.** *spürbar werden und eine bestimmte Wirkung ausüben:* die Müdigkeit macht sich b. **sinnv.:** sich andeuten, anklingen.

be|mer|ken ⟨tr.⟩: **1.** *aufmerksam werden (auf jmdn./etwas); (etwas, was nicht ohne weiteres erkennbar ist) durch Gefühl, Eingebung, Wahrnehmung der Sinne erkennen:* er bemerkte den Fehler, ihr Erstaunen nicht; sie wurden in der Menge nicht bemerkt. **sinnv.:** jmdm. etwas anhören/anmerken/ansehen, auffangen, aufschnappen, beobachten, checken, erkennen, feststellen, konstatieren, merken, mitbekommen, registrieren, sehen, spüren, verspüren, wahrnehmen. **2.** *(als Be-*

merkung o. ä.) einfließen lassen, einwerfen: „Sie haben noch eine Stunde Zeit", bemerkte der Vorsitzende; am Rande bemerkt, das gefällt mir gar nicht; etwas nebenbei b. **sinnv.:** anmerken; sich äußern, sprechen.

Be|mer|kung, die; -, -en: *kurze mündliche oder schriftliche Äußerung:* eine treffende, abfällige, kritische B. machen, fallenlassen. **sinnv.:** Anmerkung, Äußerung, Einwurf, Feststellung, Glosse, Kommentar. **Zus.:** Neben-, Rand-, Zwischenbemerkung.

be|mü|hen: 1. ⟨sich b.⟩ **a)** *sich Mühe geben, etwas Bestimmtes zu bewältigen:* er bemühte sich sehr, das Ziel zu erreichen. **sinnv.:** sich anstrengen. **b)** *sich (mit jmdm./einer Sache) Mühe machen, sich (um jmdn./eine Sache) kümmern:* sie bemühten sich alle um den Kranken; sich um eine gute Zusammenarbeit b. **sinnv.:** auf etwas bedacht sein, sich beschäftigen, sich mühen. **c)** *Anstrengungen machen, um jmdn./etwas für sich zu gewinnen; für sich zu bekommen suchen:* sich um eine Stellung b.; mehrere Bühnen bemühten sich um den Regisseur. **sinnv.:** sich bewerben um, sich interessieren für, interessiert sein an, sich interessiert zeigen. **d)** *sich die Mühe machen, einen Ort aufzusuchen; sich (irgendwohin) begeben:* du mußt dich schon selbst in die Stadt b. **Zus.:** her-, herauf-, hineinbemühen. **2.** ⟨tr.⟩ *zu Hilfe holen, in Anspruch nehmen:* darf ich Sie noch einmal b.? **sinnv.:** bitten.

be|nach|rich|ti|gen ⟨tr.⟩: *(jmdn.) unterrichten (von etwas), (jmdm.) Nachricht geben:* wir müssen sofort seine Eltern [davon] b. **sinnv.:** mitteilen.

be|nach|tei|li|gen ⟨tr.⟩: *in seinen Rechten hinter andere zurücksetzen; (jmdm.) nicht die gleichen Rechte zugestehen wie anderen:* er hat den ältesten Sohn immer benachteiligt; ein wirtschaftlich benachteiligtes Gebiet. **sinnv.:** diskriminieren.

be|neh|men, sich; benimmt sich, benahm sich, hat sich benommen: *jmdm. gegenüber, in bestimmten Situationen, bei bestimmten Gelegenheiten eine bestimmte Haltung einnehmen, ein bestimmtes Verhalten zeigen:* er benahm sich sehr merkwürdig; er hat sich ihm gegenüber anständig, höflich, schlecht, gemein benommen. **sinnv.:** sich aufführen, auftreten, handeln, sein, sich betragen/geben/verhalten/zeigen.

Be|neh|men, das; -s: *Art, wie sich jmd. benimmt:* ein gutes, schlechtes B. **sinnv.:** Betragen, Erziehung, Kinderstube, Lebensart, Manieren, Schliff, Umgangsformen.

be|nei|den, beneidete, hat beneidet ⟨tr.⟩: *voller Anerkennung, Achtung, Bewunderung o. ä. für jmdn. sein und dessen Vorzüge, Besitztümer o. ä. am liebsten auch haben wollen:* ich beneide ihn um diese Sammlung, wegen seiner Fähigkeiten. **sinnv.:** bestaunen; neiden.

be|nö|ti|gen ⟨tr.⟩: *für einen bestimmten Zweck besitzen, haben müssen, nötig haben:* er benötigte noch etwas Geld, ein Visum. **sinnv.:** brauchen.

be|nut|zen ⟨tr.⟩: **a)** *Gebrauch machen (von etwas), sich (einer Sache ihrem Zweck entsprechend) bedienen:* ein Taschentuch, verschiedenes Werkzeug b.; die Bahn, den Fahrstuhl b. *(damit fahren);* den vorderen Eingang b. *(vorne hineingehen).* **sinnv.:** anwenden; gebrauchen. **b)** *jmdn./etwas für einen bestimmten Zweck einsetzen, verwenden:* den Raum als Gästezimmer b. **sinnv.:** heranziehen. **c)** ↑*ausnutzen:* sie benutzt jede Gelegenheit, die sich bietet, zu einem Spaziergang.

be|ob|ach|ten ⟨tr.⟩: **1. a)** *aufmerksam, genau betrachten, mit den Augen verfolgen:* jmdn. lange, heimlich b.; die Natur, seltene Tiere, Sterne b. **sinnv.:** betrachten. **b)** *zu einem bestimmten Zweck kontrollierend auf jmdn./etwas achten:* er beobachtet sich dauernd selbst; jmdn., alle seine Handlungen b. **sinnv.:** unter Aufsicht stellen, im Auge behalten, nicht aus den Augen lassen, belauern, belauschen, beschatten, bespitzeln. **2.** *eine bestimmte Feststellung (an jmdm./einer Sache) machen:* eine Veränderung, nichts Besonderes [an jmdm.] b. **sinnv.:** bemerken.

be|quem ⟨Adj.⟩: **1.** *in seiner Art angenehm, keinerlei Beschwerden, Mißbehagen, Anstrengung verursachend:* ein bequemer Sessel; ein bequemer Weg; bequeme *(nicht zu enge)* Schuhe; man kann den Ort b. *(ohne Mühe)* erreichen. **sinnv.:** mühelos. **2.** *jeder Anstrengung, Mühe abgeneigt:* zu weiten Spaziergängen ist er viel zu b. **sinnv.:** faul; träge.

be|ra|ten, berät, beriet, hat beraten: **1.** ⟨tr.⟩ *(jmdm.) einen Rat geben, mit Rat beistehen:* sich von einem Anwalt b. lassen; er hat ihn bei seinem Kauf beraten. **2. a)** ⟨tr.⟩ *gemeinsam überlegen und besprechen:* einen Plan b.; ⟨auch itr.⟩ sie haben lange über das Vorhaben beraten. **sinnv.:** beratschlagen, Kriegsrat halten, ratschlagen. **b)** ⟨sich b.⟩ *sich mit jmdm. [über etwas] besprechen [und sich dabei einen Rat holen]:* ich muß mich zuerst mit meinem Anwalt [darüber] b.; die beiden berieten sich lange. **sinnv.:** sich besprechen.

be|rech|nen, berechnete, hat berechnet ⟨tr.⟩: **a)** *durch Rechnen feststellen, ermitteln:* den Preis, die Entfernung b. **sinnv.:** ausrechnen. **b)** *in eine Rechnung einbeziehen, in Rechnung stellen:* die Verpackung hat er [mir] nicht berechnet. **c)** *[auf Grund rechnerischer Ermittlung] veranschlagen, vorsehen:* die Bauzeit ist auf sechs Monate berechnet. **sinnv.:** ausrechnen; schätzen.

Be|rech|nung, die; -, -en: **1.** *das Berechnen.* **sinnv.:** Kalkulation. **2. a)** *auf eigenen Vorteil zielende Überlegung, Absicht:* aus reiner, kalter B. handeln. **sinnv.:** Egoismus, Eigennutz, Selbstsucht. **b)** *sachliche Überlegung, Voraussicht:* mit kühler, kluger B. vorgehen. **sinnv.:** Kalkül.

be|rech|ti|gen ⟨itr.⟩: *ein Recht, die Genehmigung geben:* die Karte berechtigt [dich] zum Eintritt; er war nicht berechtigt *(hatte nicht das Recht, war nicht befugt),* diesen Titel zu tragen.

Be|rech|ti|gung, die; -, -en: **1.** *das Berechtigt-, Befugtsein:* die B. zum Lehren erwerben. **sinnv.:** Anrecht, Auftrag, Befugnis, Bevollmächtigung, Ermächtigung, Recht. **2.** *das Rechtmäßig-, Richtigsein:* die B. seines Einspruchs wurde anerkannt.

Be|reich, der; -[e]s, -e: **1.** *Raum, Fläche, Gebiet von bestimmter Abgrenzung, Größe:* die B. der Stadt. **sinnv.:** Gebiet. **Zus.:** Herrschaftsbereich. **2.** *thematisch begrenztes, unter bestimmten Gesichtspunkten sich abschließendes Gebiet:* das fällt in den B. der Kunst, der Technik. **sinnv.:** Disziplin, Fach, Fachgebiet, Gebiet, Sparte. **Zus.:** Anwendungs-, Arbeits-, Aufgaben-, Geltungs-, Interessen-, Wirkungsbereich.

be|rei|chern: 1. ⟨tr.⟩ *reicher, reichhaltiger machen, vergrößern:* seine Sammlung um einige wertvolle Stücke b.; die Reise hat uns bereichert *(innerlich reicher gemacht).* **sinnv.:** anreichern; erweitern. **2.** ⟨sich b.⟩ *sich (auf Kosten anderer) Gewinn, Vorteile verschaffen:* sich auf unrechte Art b.; er hat sich im Krieg am Eigentum anderer bereichert. **sinnv.:** sich sanieren, sich die Taschen füllen, in die eigene Tasche arbeiten/wirtschaften.

be|rei|ni|gen ⟨tr.⟩: *(etwas, was zu einer Verstimmung geführt hat) in Ordnung bringen und damit das normale Verhältnis wiederherstellen:* diese Angelegenheiten müssen bereinigt werden. **sinnv.:** ins Lot/ins reine bringen, schlichten, versöhnen, aus der Welt schaffen, zurechtrücken.

be|rei|sen ⟨tr.⟩: *(in einem Gebiet, Land) reisen; durch Reisen kennenlernen:* viele Städte, ein Land b. **sinnv.:** befahren, besuchen, durchqueren, durchreisen, durchziehen, reisen/trampen durch.

be|reit: ⟨in bestimmten Verbindungen⟩ **1.** b. sein: *fertig, gerüstet sein:* ich bin b., wir können gehen. **2.** zu etwas bereit sein: *den Willen haben zu etwas, zu etwas entschlossen sein:* er ist b., dir zu helfen. **sinnv.:** geneigt, gesonnen, gewillt.

-be|reit ⟨adjektivisches Suffixoid⟩: **a)** *für das im Basiswort Genannte bereit, gerüstet:* aufnahme-, fahr- (fahrbereite Autobusse; ich bin f.), sprung-, startbereit. **b)** *so beschaffen, daß das im Basiswort Genannte damit sofort getan werden kann:* abruf- (Feuerwehr ist a.), betriebs- (betriebsbereite Geräte = Geräte, die sofort in Betrieb genommen werden können), einsatz- (einsatzbereite Instrumente), griff-, servierbereit (servierbereite Mahlzeit). **c)** *zu dem im Basiswort Genannten bereit, den Willen dazu habend:* diskussions-, gesprächs-, hilfs-, kompromiß-, opfer-, verständigungsbereit.

be|rei|ten, bereitete, hat bereitet ⟨tr.⟩: **1.** *machen, daß etwas zum Benutzen, Gebrauch o.ä. für jmdn. bereit ist:* jmdm. das Essen, ein Bad b. **sinnv.:** anfertigen. **2.** *mit dem, was man tut, bei einem anderen eine bestimmte Empfindung o.ä. hervorrufen:* jmdm. eine Freude, Kummer b.

be|reits ⟨Adverb⟩: ↑*schon:* er wußte es b.; es ist b. sechs Uhr; er ist b. fertig.

be|reit|ste|hen, stand bereit, hat bereitgestanden ⟨itr.⟩: *für den Gebrauch zur Verfügung stehen:* das Auto steht bereit.

be|reit|stel|len, stellte bereit, hat bereitgestellt ⟨tr.⟩: *zur Verfügung stellen:* eine größere Summe Geld, Waren für bestimmte Zwecke b. **sinnv.:** anbieten, aufwarten, bieten, herrichten, vorbereiten; geben.

be|reu|en ⟨tr.⟩: **a)** *Reue empfinden (über etwas):* er bereute diese Tat, seine Worte. **sinnv.:** bedauern, betrübt/traurig/untröstlich sein, gereuen, jmdm. leid sein/tun, reuen. **b)** *sehr bedauern (in einer Angelegenheit nicht richtig gehandelt, sich nicht richtig entschieden zu haben):* du wirst es noch b., daß du nicht mitgekommen bist.

Berg, der; -[e]s, -e: **1. a)** *größere Erhebung im Gelände:* ein hoher, steiler B.; auf einen B. steigen, klettern. **sinnv.:** Anhöhe, Bergmassiv, Bergrücken, Buckel, Erhebung, Hügel, Massiv, Steigung. **Zus.:** Eis-, Schutt-, Wein-, Wellenberg. **b)** *ein B.* [von], Berge von ...: *viel[e], zahlreiche:* ein B. [von] Akten liegt auf dem Tisch. **2.** ⟨Plural⟩ *Gebirge:* in die Berge fahren.

-berg, der; -[e]s, -e. **1.** ⟨Suffixoid⟩ */besagt, daß das im Basiswort Genannte [in besorgniserregen-*

der Weise] in zu großer Zahl vorhanden ist/: Betten-, Butter-, Studentenberg. **sinnv.:** -lawine, -schwemme. **2.** ⟨als Grundwort⟩ *ein Berg [von]* ..., *viel* ...: Kuchen-, Schulden-, Wäscheberg.

berg|ab ⟨Adverb⟩: *den Berg hinunter:* b. laufen; die Straße geht b. **sinnv.:** abwärts.

berg|auf ⟨Adverb⟩: *den Berg hinauf:* b. muß er das Fahrrad schieben; langsam b. gehen. **sinnv.:** aufwärts.

ber|gen, birgt, barg, hat geborgen ⟨tr.⟩: *in Sicherheit bringen:* die Verunglückten b. **sinnv.:** retten.

ber|gig ⟨Adj.⟩: *viele Berge aufweisend, reich an Bergen:* eine bergige Landschaft. **sinnv.:** bucklig, gebirgig, hügelig, wellig.

Be|richt, der; -[e]s, -e: *sachliche Wiedergabe, Mitteilung, Darstellung eines Geschehens, Sachverhalts:* ein mündlicher, schriftlicher B.; einen B. von/über etwas anfordern, geben. **sinnv.:** Rapport, Report, Reportage.

be|rich|ten, berichtete, hat berichtet ⟨tr.⟩: *(einen Sachverhalt, ein Geschehen) darstellen:* er hat seinem Vorgesetzten alles genau berichtet; ⟨auch itr.⟩ sie berichteten über ihre Erlebnisse, von ihrer Reise. **sinnv.:** bekanntmachen, Bericht erstatten, informieren, melden, mitteilen, Mitteilung machen.

be|rich|ti|gen ⟨tr.⟩: **a)** *etwas Fehlerhaftes, Falsches beseitigen und durch das Richtige, Zutreffende ersetzen:* einen Fehler b. **sinnv.:** korrigieren, verbessern. **b)** *jmdn., der etwas gesagt hat, was nicht zutrifft) verbessern; (etwas) richtigstellen:* ich muß mich, dich b. **sinnv.:** jmdn. eines anderen/ Besseren belehren, korrigieren, verbessern.

ber|sten, birst, barst, ist geborsten ⟨itr.⟩ (geh.): *plötzlich und mit großer Gewalt auseinanderbrechen:* bei diesem Erdbeben barst die Erde. **sinnv.:** platzen; zerbrechen.

be|rüch|tigt ⟨Adj.⟩: *durch schlechte Eigenschaften, üble Taten bekannt; in einem schlechten Ruf stehend:* ein berüchtigter Betrüger; das Lokal ist b. **sinnv.:** anrüchig, notorisch.

be|rück|sich|ti|gen ⟨tr.⟩: *in seine Überlegungen einbeziehen, bei seinem Handeln beachten, nicht übergehen:* die Verhältnisse, das Wetter b.; man muß sein Alter, seine schwierige Lage b. **sinnv.:** beachten, in Betracht ziehen, einbeziehen, Rechnung tragen, in Rechnung setzen/stellen.

Be|ruf, der; -[e]s, -e: *[erlernte] Arbeit, Tätigkeit, mit der jmd. sein Geld verdient:* einen B. ergreifen, ausüben; er ist von B. Lehrer. **sinnv.:** Amt, Anstellung, Arbeit, Broterwerb, Dienst, Erwerbstätigkeit, Gewerbe, Handwerk, Job, Metier, Position, Posten, Stelle, Stellung, Tätigkeit.

be|ru|hen: 1. ⟨itr.⟩ *seinen Grund, seine Ursache haben (in etwas):* seine Aussagen beruhten auf einem Irrtum. **sinnv.:** basieren, fußen, sich gründen, sich stützen. **2.** *etwas auf sich b. lassen: etwas nicht weiter untersuchen, so lassen, wie es ist:* diesen Fall können wir auf sich b. lassen.

be|ru|hi|gen: 1. ⟨tr.⟩ *ruhig machen, allmählich wieder zur Ruhe bringen:* das weinende Kind b. **sinnv.:** abwiegeln, begütigen, besänftigen, beschwichtigen, einlullen, die Wogen glätten. **2.** ⟨sich b.⟩ *zur Ruhe kommen, ruhig werden:* er konnte sich nur langsam b.; das Meer, der Sturm beruhigte sich allmählich. **sinnv.:** sich abreagieren, sich legen.

be|rühmt ⟨Adj.⟩: *durch besondere Leistung, Qualität weithin bekannt:* ein berühmter Künstler; ein berühmter Roman; sie wird eines Tages b. werden; dieses Buch hat ihn b. gemacht. **sinnv.:** bedeutend, bekannt, groß. **Zus.:** hoch-, weit-, weltberühmt.

be|rüh|ren ⟨tr.⟩: **1.** *(zu jmdm./etwas) [mit der Hand] eine Verbindung, einen Kontakt herstellen, ohne fest zuzufassen:* jmdn./etwas leicht, zufällig b.; ihre Hände berührten sich. **sinnv.:** anfassen, anfühlen, angrapschen, angreifen, anlangen, anrühren, antasten, antatschen, antippen, befingern, befühlen, befummeln, begrapschen, betasten, betatschen, fassen an, fummeln an, greifen, nesteln, streifen, tasten, tippen an/auf. **2.** *kurz erwähnen:* eine Frage, eine Angelegenheit im Gespräch b. **sinnv.:** erwähnen; betreffen. **3.** *auf bestimmte Weise auf jmdn. wirken; ein bestimmtes Gefühl in jmdm. wecken:* das hat ihn seltsam, schmerzlich, peinlich, unangenehm berührt; die Nachricht berührte sie tief, im Innersten. **sinnv.:** anrühren, bewegen; erschüttern.

be|schä|di|gen ⟨tr.⟩: *Schaden (an etwas) verursachen:* das Haus wurde durch Bomben beschädigt. **sinnv.:** anschlagen, demolieren, lädieren, in Mitleidenschaft ziehen, ramponieren, ruinieren, zurichten.

Be|schä|di|gung, die; -, -en: **1.** *das Beschädigen.* **Zus.:** Sachbeschädigung. **2.** *beschädigte Stelle.* **sinnv.:** Defekt, Schaden, Schadhaftigkeit.

be|schaf|fen: 1. *[unter Überwindung von Schwierigkeiten] dafür sorgen, daß etwas, was gebraucht, benötigt wird, zur Verfügung steht:* jmdm./sich Geld, Arbeit b. **sinnv.:** auftreiben, beibringen, besorgen, bringen, herbeischaffen, holen, verhelfen, vermitteln, verschaffen. **2.** ***beschaffen sein:** in bestimmter Weise geartet sein:* das Material ist so beschaffen, daß es Wasser abstößt.

be|schäf|ti|gen: 1. a) ⟨sich b.⟩ *zum Gegenstand seiner Tätigkeit, seines Denkens machen; jmdm./ einer Sache seine Zeit widmen:* sich mit einer Frage b.; ich beschäftige mich viel mit den Kindern; die Polizei mußte sich mit diesem Fall b.; sie war damit beschäftigt *(war dabei),* das Essen zuzubereiten; er ist beschäftigt *(hat zu tun, zu arbeiten).* **sinnv.:** arbeiten; sich befassen. **b)** ⟨itr.⟩ *innerlich in Anspruch nehmen:* dieses Problem beschäftigte ihn. **sinnv.:** bewegen, zu denken geben, erfüllen, nachdenklich machen/stimmen, nachgehen. **2.** ⟨tr.⟩ **a)** *(jmdm.) Arbeit geben:* er beschäftigt in seiner Firma hundert Leute. **sinnv.:** einstellen. **b)** *(jmdm. etwas) zu tun geben:* die Kinder [mit einem Spiel] b.

Be|scheid, der; -[e]s: *[amtliche, verbindliche] Auskunft bestimmten Inhalts über jmdn./etwas:* B. [über etwas] erwarten, geben, hinterlassen; haben Sie schon einen B. bekommen? **sinnv.:** Auskunft; Nachricht. **Zus.:** Einstellungs-, Entlassungs-, Renten-, Steuer-, Zwischenbescheid.

be|schei|den ⟨Adj.⟩: **1.** *sich nicht in den Vordergrund stellend; in seinen Ansprüchen maßvoll:* ein bescheidener Mensch; er ist sehr b. **sinnv.:** anspruchslos, bedürfnislos, einfach, genügsam, schlicht, spartanisch; zufrieden. **2.** *in seiner Einfachheit, Schlichtheit, Kargheit gehobeneren Ansprüchen nicht genügend:* ein bescheidenes Zimmer, Einkommen. **sinnv.:** einfach; karg.

be|schei|ni|gen ⟨tr.⟩: *schriftlich bestätigen:* den Empfang des Geldes b. **sinnv.:** attestieren, ausweisen als, beglaubigen, bestätigen, quittieren, testieren.
Be|schei|ni|gung, die; -, -en: 1. *das Bescheinigen.* 2. *Schriftstück, mit dem etwas bescheinigt wird:* er hat von ihm eine B. über seinen Aufenthalt im Krankenhaus verlangt. **sinnv.:** Attest, Beglaubigung, Beleg, Bestätigung, Erklärung, Gutachten, Quittung, Schein, Testat, Zertifikat, Zeugnis. **Zus.:** Empfangs-, Gehaltsbescheinigung.
be|schen|ken ⟨tr.⟩: *(jmdm.) etwas schenken; mit Gaben, Geschenken bedenken:* jmdn. reich b. **sinnv.:** schenken.
be|schimp|fen ⟨tr.⟩: *mit groben Worten beleidigen:* er hat ihn beschimpft. **sinnv.:** abqualifizieren, zur Sau machen, schelten.
be|schleu|ni|gen: 1. a) ⟨itr.⟩ *schneller werden lassen:* seine Schritte b. **sinnv.:** aufdrehen, auf die Tube drücken, einen Zahn zulegen. b) ⟨itr.⟩ *eine bestimmte Fähigkeit haben, schneller zu werden:* das Auto beschleunigt gut. c) ⟨sich b.⟩ *schneller werden:* sein Puls beschleunigte sich. 2. ⟨tr.⟩ *früher, schneller geschehen, vonstatten gehen lassen:* seine Abreise, die Arbeit b. **sinnv.:** forcieren, vorantreiben.
be|schlie|ßen, beschloß, hat beschlossen ⟨tr.⟩: 1. *einen bestimmten Entschluß fassen:* sie beschlossen abzureisen; die Vergrößerung des Betriebs b.; der Bundestag beschließt ein neues Gesetz. **sinnv.:** sich entschließen. 2. *auf bestimmte Weise zu Ende führen; enden lassen:* eine Feier [mit einem Lied] b. **sinnv.:** beenden.
Be|schluß, der; Beschlusses, Beschlüsse: *[gemeinsam] festgelegte Entscheidung; Ergebnis einer Beratung:* einen B. verwirklichen; einen B. fassen *(beschließen).* **sinnv.:** Entschließung, Entschluß. **Zus.:** Gerichts-, Kabinettsbeschluß.
be|schmut|zen ⟨tr.⟩: *schmutzig machen:* du hast dich beschmutzt. **sinnv.:** bekleckern, beschmieren, bespritzen, besudeln, einsauen, verdrecken, versauen, verschmieren, verschmutzen, verunreinigen, vollschmieren, vollspritzen.
be|schö|ni|gen ⟨tr.⟩: *(Negatives) positiver darstellen, vorteilhafter erscheinen lassen:* jmds. Fehler, Handlungen b. **sinnv.:** bagatellisieren, bemänteln, frisieren, schönfärben, verbrämen.
be|schrän|ken: a) ⟨tr.⟩ *geringer, eingeengter, begrenzter werden lassen:* jmds. Rechte, Freiheit b.; die Zahl der Plätze ist beschränkt. **sinnv.:** begrenzen, beschneiden, einschränken, kürzen, vermindern; verringern. b) ⟨sich b.⟩ *etwas nicht unnötig ausweiten:* bei seiner Rede beschränkte er sich auf das Notwendigste; er weiß sich zu b. **sinnv.:** sich begnügen.
be|schrei|ben, beschrieb, hat beschrieben: 1. ⟨tr.⟩ *(eine Fläche) mit Geschriebenem, Schriftzeichen versehen:* ein Blatt Papier b. **sinnv.:** bekritzeln, vollkritzeln, vollschreiben. 2. ⟨tr.⟩ *mit Worten in Einzelheiten darstellen, wiedergeben:* seine Eindrücke b.; einen Vorgang, einen Gegenstand [genau, ausführlich] b.; es ist nicht zu b., wie schön es war. **sinnv.:** mitteilen; schildern. 3. ⟨itr.⟩ *sich in einer bestimmten Bahn bewegen:* eine Kurve b.; der Fluß beschreibt einen Bogen; er beschrieb *(zeichnete)* einen Kreis mit dem Zirkel.
Be|schrei|bung, die; -, -en: **a)** *das Beschreiben*

Darstellen /mündlich oder schriftlich/: die B. der örtlichen Verhältnisse. **sinnv.:** Darstellung, Schilderung, Übersicht, Wiedergabe. **b)** *[schriftlich niedergelegte] Darstellung, Schilderung, die Besonderheiten, Kennzeichen o. ä. genau angibt:* eine B. für den Gebrauch; die B. des Täters.
be|schul|di|gen ⟨tr.⟩: *(jmdm. etwas) zur Last legen; (jmdm.) die Schuld (an etwas) geben:* man beschuldigte ihn des Mordes; man beschuldigte ihn, einen Diebstahl begangen zu haben. **sinnv.:** überführen; verdächtigen.
be|schüt|zen ⟨tr.⟩: *in seine Obhut, in seinen Schutz nehmen:* er beschützte seinen kleinen Bruder. **sinnv.:** behüten.
Be|schwer|de, die; -, -n: 1. *Klage, mit der sich jmd. über jmdn./etwas beschwert, seine Unzufriedenheit ausdrückt:* die B. hatte nichts genutzt. **sinnv.:** Anklage; Einspruch. **Zus.:** Dienstaufsichts-, Verfassungsbeschwerde. 2. ⟨Plural⟩ *körperliche Leiden:* die Beschwerden des Alters. **sinnv.:** Krankheit. **Zus.:** Alters-, Herz-, Magenbeschwerden.
be|schwe|ren: 1. ⟨sich b.⟩ *bei einer zuständigen Stelle Klage führen, Beschwerden vorbringen:* sich bei jmdm. über/wegen etwas b. **sinnv.:** beanstanden. 2. ⟨tr.⟩ *etwas Schweres auf etwas legen [und es so an seinem Platz festhalten]:* Briefe mit einem Stein b. **sinnv.:** belasten.
be|schwer|lich ⟨Adj.⟩: *mit Anstrengung verbunden:* eine beschwerliche Arbeit; der Weg war lang und b. **sinnv.:** anstrengend, ermüdend, mühsam, mühselig, strapaziös.
be|sei|ti|gen ⟨tr.⟩: *machen, daß etwas nicht mehr vorhanden ist:* den Schmutz, einen Fleck, Schaden b.; alle Schwierigkeiten, die Ursache des Übels b. **sinnv.:** entfernen, fortbringen, forträumen, fortschaffen, zum Verschwinden bringen, aus dem Weg räumen, wegbringen, wegräumen, wegschaffen, wegtransportieren.
Be|sen, der; -s, -: *Gegenstand zum Kehren, Fegen.* **Zus.:** Kehr-, Reisig-, Strohbesen · Schneebesen.
be|set|zen ⟨tr.⟩: **1. a)** *in einen Bereich eindringen und ihn in Besitz nehmen:* ein Land b.; ein Haus b. **sinnv.:** erobern. **b)** *sich widerrechtlich als Zeichen des Protestes in ein Gebäude, auf ein Gebiet begeben und dort bleiben:* eine Kirche b.; das von Atomkraftgegnern besetzte Gelände wurde von der Polizei geräumt; die Streikenden besetzten den Betrieb. **sinnv.:** verstellen. 2. *an jmdn. vergeben:* einen Posten, eine Rolle beim Theater b. **Zus.:** fehlbesetzen. 3. *zur Verzierung (mit etwas) versehen:* einen Mantel mit Pelz b. **sinnv.:** benähen, garnieren, schmücken, verzieren. 4. **besetzt sein (nicht mehr frei sein):* alle Tische sind besetzt. **sinnv.:** belegen.
be|sich|ti|gen ⟨tr.⟩: *aufsuchen und betrachten:* eine Kirche, eine neue Wohnung b. **sinnv.:** betrachten.
be|sie|gen ⟨tr.⟩: *den Sieg (über jmdn.) erringen, (gegen jmdn.) gewinnen:* den Gegner [im Kampf] b. **sinnv.:** bezwingen, fertigmachen, außer Gefecht setzen, kampfunfähig machen, in die Knie zwingen, niederringen, in die Pfanne hauen, schlagen, siegen über, zur Strecke bringen, überwältigen, überwinden, unterjochen, sich jmdn. untertan machen, unterwerfen.
be|sin|nen, sich; besann sich, hat sich beson-

nen: 1. *überlegen:* er besann sich eine Weile, ehe er antwortete. **sinnv.:** nachdenken. 2. *sich (an etwas) erinnern:* sich auf Einzelheiten b. können. **sinnv.:** sich erinnern.

Be|sitz, der; -es: 1. *etwas, was jmdm. gehört; Eigentum:* das Haus ist sein einziger B. **sinnv.:** Eigentum, Geld [und Gut], Habe, Habseligkeiten, [Hab und] Gut, Haus und Hof, Vermögen. **Zus.:** Familien-, Gemein-, Grund-, Privatbesitz. 2. *das Besitzen:* der B. eines Autos. **Zus.:** Allein-, Mit-, Voll-, Waffenbesitz.

be|sit|zen, besaß, hat besessen ⟨itr.⟩: **a)** *sein eigen nennen:* er besitzt ein Haus. **b)** ↑ *haben:* er besaß die Frechheit, das zu behaupten.

Be|sit|zer, der; -s, -, **Be|sit|ze|rin,** die; -, -nen: *männliche bzw. weibliche Person, die etwas Bestimmtes besitzt:* er ist der Besitzer dieses Hauses. **sinnv.:** Eigentümer, Eigner, Halter, Herr, Inhaber. **Zus.:** Auto-, Fabrik-, Großgrund-, Guts-, Haus-, Hotel-, Mit-, Vorbesitzer.

be|son|der... ⟨Adj.⟩: *anders als sonst üblich, sich vom sonst Üblichen abhebend:* jmdm. eine besondere Freude machen. **sinnv.:** außergewöhnlich; individuell.

be|son|ders ⟨Adverb⟩: **a)** *für sich:* diese Frage müssen wir b. behandeln. **b)** *vor allem:* das möchte ich b. betonen. **sinnv.:** ausdrücklich, vor allen Dingen, eigens, hauptsächlich, in erster Linie, namentlich, vor allem, vornehmlich. **c)** *deutlich besser, schlechter usw. als sonst üblich:* dieses Bild ist b. schön, groß; in der Arbeit sind b. viele Fehler. **sinnv.:** außergewöhnlich. **d)** dieser Film war nicht b. (ugs.; *nicht besonders gut*).

be|sor|gen ⟨tr.⟩: 1. *etwas beschaffen, kaufen:* etwas zum Essen, Geschenke b. **sinnv.:** beschaffen. 2. *sich (um jmdn./etwas) kümmern, (jmdn./etwas) versorgen:* den Haushalt b. **sinnv.:** sich kümmern um.

Be|sorg|nis, die; -, -se: *das Besorgtsein:* seine B. um den kranken Jungen. **sinnv.:** Sorge.

be|spre|chen, bespricht, besprach, hat besprochen: 1. ⟨tr.⟩ *gemeinsam ausführlich (über etwas) sprechen; (etwas) im Gespräch klären:* die neuesten Ereignisse b. **sinnv.:** erörtern; beraten, verhandeln. 2. ⟨sich b.⟩ *eine Besprechung mit jmdm. haben:* er besprach sich mit ihm über diesen Fall. 3. ⟨tr.⟩: *eine Kritik (über etwas) schreiben:* ein Buch b. **sinnv.:** kritisieren, rezensieren, würdigen.

bes|ser ⟨Adj.⟩: /Komparativ von *gut*/: in den neuen Schuhen kann er b. gehen.

bes|sern: 1. ⟨sich b.⟩ *besser werden:* das Wetter, seine Laune hat sich gebessert. **sinnv.:** sich verbessern. 2. ⟨tr.⟩ *besser machen:* damit besserst du auch nichts; die Strafe hat ihn nicht gebessert. **sinnv.:** bekehren, eines Besseren belehren, läutern.

best... ⟨Adj.⟩: /Superlativ von *gut*/: sein bester Freund. **sinnv.:** allerbeste, allererste, bestmöglich, erste, oberste, optimal, sehr gut.

Be|stand, der; -[e]s, Bestände. 1. ⟨ohne Plural⟩ *das Bestehen:* den B. der Firma sichern; die Freundschaft war nicht von B. (*hielt nicht lange*). **sinnv.:** Beständigkeit. 2. *vorhandene Menge (von etwas); Vorrat:* den B. der Waren ergänzen. **sinnv.:** Vorrat. **Zus.:** Baum-, Vieh-, Wald-, Wildbestand.

be|stän|dig ⟨Adj.⟩: **a)** *dauernd:* in beständiger

Sorge leben. **sinnv.:** unaufhörlich. **b)** *gleichbleibend:* das Wetter ist b. **sinnv.:** dauerhaft. **Zus.:** wertbeständig. **c)** *widerstandsfähig, dauerhaft:* dieses Material ist b. gegen/gegenüber Hitze. **sinnv.:** haltbar, widerstandsfähig.

Be|stand|teil, der; -[e]s, -e: *einzelner Teil eines Ganzen:* Fett ist ein notwendiger B. unserer Nahrung; etwas in seine Bestandteile zerlegen. **sinnv.:** Element, Teil, Zubehör, Zutat. **Zus.:** Grund-, Hauptbestandteil.

be|stär|ken ⟨tr.⟩: *durch Zureden o. ä. unterstützen, sicher machen:* jmdn. in seinem Vorsatz b. **sinnv.:** zuraten.

be|stä|ti|gen: a) ⟨tr.⟩ *(etwas) für richtig, zutreffend erklären:* er bestätigte ihre Worte. **sinnv.:** beglaubigen. **b)** ⟨tr.⟩ *mitteilen, daß man etwas erhalten hat:* einen Brief, eine Sendung b. **c)** ⟨tr.⟩ *als richtig erweisen:* das bestätigt meinen Verdacht. **sinnv.:** erhärten, festigen. **d)** ⟨sich b.⟩ *sich als wahr, richtig erweisen:* die Nachricht hat sich, unsere Befürchtung haben sich bestätigt. **sinnv.:** sich bewahrheiten.

be|stat|ten, bestattete, hat bestattet ⟨tr.⟩: *feierlich begraben:* einen Toten b. **sinnv.:** beerdigen, begraben, beisetzen, zu Grabe tragen, zur letzten Ruhe betten/geleiten.

be|stau|nen ⟨tr.⟩: *staunend ansehen, betrachten; (über jmdn./etwas) staunen:* sie bestaunten das neue Auto. **sinnv.:** anstaunen, bewundern, staunen über.

Be|steck, das; -[e]s, -e: *zusammengehörende Gegenstände (für eine Person), mit denen man die Speisen zu sich nimmt (Messer, Gabel und Löffel).* **sinnv.:** Gerät, Instrument, Satz, Set. **Zus.:** Eß-, Fisch-, Obst-, Salatbesteck.

be|ste|hen, bestand, hat bestanden: 1. ⟨itr.⟩ *vorhanden sein:* zwischen den beiden Sorten besteht kein Unterschied; das Geschäft besteht noch nicht lange. **sinnv.:** existieren; herrschen. 2. ⟨itr.⟩ **a)** *sich zusammensetzen (aus etwas), gebildet sein (aus etwas):* ihre Nahrung bestand aus Wasser und Brot. **sinnv.:** sich zusammensetzen. **b)** *(etwas) als Inhalt haben:* seine Aufgabe besteht in der Erledigung der Korrespondenz; der Unterschied besteht darin, daß ... **sinnv.:** einschließen. 3. ⟨tr.⟩ *den Anforderungen (einer Prüfung o. ä.) entsprechen, gewachsen sein:* eine Prüfung mit Auszeichnung b.; ein Abenteuer, einen Kampf b.; ⟨auch itr.⟩ er konnte vor ihm/vor seinen Augen nicht b. (*konnte bei ihm keine Anerkennung finden*). **sinnv.:** sich behaupten, sich bewähren, sich halten, seinen Mann stehen. 4. ⟨itr.⟩ *(etwas) mit Nachdruck fordern und nicht nachgeben:* auf seinem Recht b. **sinnv.:** sich von etwas nicht abbringen lassen, nicht ablassen, Ansprüche anmelden/stellen/erheben, beanspruchen, Bedingungen stellen, beharren auf, bleiben bei, dringen auf, insistieren auf, nicht lockerlassen, nicht nachgeben, pochen auf, sein Recht geltend machen.

be|stel|len ⟨tr.⟩: 1. **a)** *die Lieferung (von etwas) veranlassen:* Waren b.; sie bestellten beim Kellner eine Flasche Wein (*ließen sich sie bringen*). **sinnv.:** anfordern, in Auftrag geben, jmdm. einen Auftrag geben, erbitten, kommen lassen · anordnen, beziehen. **b)** *reservieren lassen:* ein Zimmer, Karten für ein Konzert b. **c)** *(irgendwohin) kommen lassen:* jmdn. zu sich b. **sinnv.:** zu sich befehlen/rufen. 2. *(Worte von einem anderen an* *dessen Auftrag jmdm.) übermitteln:* jmdm. Grüße, eine Botschaft b. **sinnv.:** mitteilen. **3.** *bestimmen (zu etwas):* jmdn. zu seinem Nachfolger b. **sinnv.:** ernennen; bestimmen. **4.** *(den Boden) bebauen, bearbeiten:* Felder, Äcker b. **sinnv.:** bebauen.

Be|stie, die; -, -n: *wildes Tier, vor dem man sich fürchtet.* **sinnv.:** Tier. **Zus.:** Intelligenzbestie.

be|stim|men ⟨tr.⟩: **1. a)** *festlegen (was oder wann, wie etwas zu geschehen hat):* einen Termin, den Preis b. **sinnv.:** anordnen. **b)** *vorsehen (als/für etwas/jmdn.):* der Vater hatte ihn zu seinem Nachfolger bestimmt; sie waren [vom Schicksal] füreinander bestimmt. **sinnv.:** vorsehen, wählen. **2.** *(mit Hilfe von wissenschaftlichen Untersuchungen, Überlegungen) ermitteln:* den Standort von etwas b. **sinnv.:** ermitteln.

be|stimmt: **I.** ⟨Adj.⟩ **1.** *genau festgelegt; feststehend:* einen bestimmten Zweck verfolgen. **sinnv.:** festgelegt, feststehend; klar. **2.** *in einer Weise, die eine Änderung der gemachten Aussage aussichtslos erscheinen läßt:* etwas sehr b. ablehnen. **sinnv.:** entschieden, fest, kategorisch; nachdrücklich, streng. **II.** ⟨Adverb⟩ *ganz sicher:* er wird b. kommen. **sinnv.:** mit Sicherheit, unfehlbar, unweigerlich.

Be|stim|mung, die; -, -en: **1.** *das Festlegen, Festsetzen:* die B. eines Termins, des Preises. **2.** *Anordnung, Vorschrift:* die neuen Bestimmungen für den Verkehr in der Innenstadt müssen beachtet werden. **sinnv.:** Weisung. **Zus.:** Ausführungs-, Devisen-, Durchführungs-, Einfuhr-, Gesetzesbestimmung. **3.** ⟨ohne Plural⟩ *das Bestimmtsein; Zweck, für den etwas verwendet werden soll:* ein neues Krankenhaus seiner B. übergeben. **sinnv.:** Aufgabe, Funktion, Zweck. **4.** *das Bestimmen* (2): die B. eines Begriffs, einer Größe. **sinnv.:** Erklärung. **Zus.:** Begriffs-, Standortbestimmung.

be|stra|fen ⟨tr.⟩: *(jmdn.) für etwas eine Strafe geben:* nur schwere Delikte sollten mit Gefängnis bestraft werden. **sinnv.:** ahnden, belangen, jmdm. einen Denkzettel verpassen, maßregeln, Rache üben/nehmen, rächen, zur Rechenschaft ziehen, schikanieren, eine Strafe belegen, jmdm. eine Strafe auferlegen / zudiktieren / aufbrummen, über jmdn. eine Strafe verhängen, strafen.

be|strei|chen, bestrich, hat bestrichen ⟨tr.⟩: *streichend mit etwas versehen:* ein Brot mit Butter b. **sinnv.:** aufstreichen, beschmieren, schmieren auf, streichen auf.

be|strei|ten, bestritt, hat bestritten ⟨tr.⟩: **1.** *für nicht zutreffend erklären:* jmds. Worte, Behauptungen b. **sinnv.:** ableugnen, in Abrede stellen, abstreiten, anfechten, angehen gegen, angreifen, leugnen, verneinen, nicht wahrhaben wollen, zurückweisen. **2.** *für etwas das dafür Nötige aufbringen, machen:* er muß die Kosten der Reise selbst b. **sinnv.:** bezahlen.

be|stürzt ⟨Adj.⟩: *(über etwas Unangenehmes, was ganz außerhalb der Erwartung, Gewohnheit liegt) erschrocken:* ein bestürztes Gesicht machen. **sinnv.:** betroffen.

Be|such, der; -[e]s, -e: **1.** *das Besuchen:* den B. eines Freundes erwarten. **sinnv.:** das Kommen, Stippvisite, Visite. **Zus.:** Abschieds-, Antritts-, Arbeits-, Arzt-, Haus-, Staatsbesuch. **2.** ⟨ohne Plural⟩ *jmd., der jmdn. besucht:* B. erwarten; den B. zur Bahn bringen. **sinnv.:** Gast. **Zus.:** Damen-, Herrenbesuch.

be|su|chen ⟨tr.⟩: **a)** *sich zu jmdm. [den man gern sehen möchte] begeben und dort einige Zeit verweilen:* einen Freund, Kranken b. **sinnv.:** aufsuchen, aufwarten, jmdm. seine Aufwartung machen, [mit einem Besuch] beehren, zu Besuch kommen, einen Besuch machen/abstatten, einkehren, gehen zu, hereinschauen, hereinschneien, hingehen zu, mit jmdm. verkehren, Visite machen, vorbeikommen, vorsprechen · ins Haus platzen/schneien. **b)** *sich irgendwohin begeben, um etwas zu besichtigen, an etwas teilzunehmen:* eine Ausstellung, ein Konzert, die Schule b. **sinnv.:** aufsuchen, frequentieren, gehen zu, hingehen.

Be|su|cher, der; -s, -, **Be|su|che|rin,** die; -, -nen: **a)** *männliche bzw. weibliche Person, die einen andern [außerhalb des privaten Bereichs] einen Besuch macht:* die Besucher müssen jetzt das Krankenhaus verlassen. **sinnv.:** Gast. **b)** *männliche bzw. weibliche Person, die eine Veranstaltung besucht:* die Besucher des Konzerts. **sinnv.:** Publikum. **Zus.:** Ausstellungs-, Kino-, Konzert-, Theaterbesucher.

be|tä|ti|gen: **1.** ⟨sich b.⟩ *in bestimmter Weise tätig sein:* sich künstlerisch, politisch b. **sinnv.:** arbeiten. **2.** ⟨tr.⟩ *in Gang, in Tätigkeit setzen; tätig werden lassen:* einen Hebel, die Bremse b. **sinnv.:** bedienen.

be|tei|li|gen: **1.** ⟨sich b.⟩ *aktiv teilnehmen (an etwas):* sich an einem Gespräch, bei einem Wettbewerb b. **sinnv.:** Anteil haben, beitragen. **2.** *beteiligt sein an etwas: *an etwas teilhaben:* er ist an dem Unternehmen, Vorhaben beteiligt. **sinnv.:** mitarbeiten, mitmachen. ⟨tr.⟩ *teilhaben lassen:* er beteiligte seine Brüder am Gewinn.

be|ten, betete, hat gebetet ⟨itr.⟩: *ein Gebet sprechen.* **Zus.:** an-, gesundbeten.

be|teu|ern ⟨tr.⟩: *beschwörend, nachdrücklich versichern:* seine Unschuld, seine Liebe b. **sinnv.:** bekräftigen, versprechen.

be|to|nen ⟨tr.⟩: **1.** *durch stärkeren Ton hervorheben:* ein Wort, eine Silbe, eine Note b. **2.** *mit Nachdruck sagen:* dies möchte ich noch einmal besonders b. **sinnv.:** hervorheben, unterstreichen; hinweisen auf.

Be|to|nung, die; -, -en: **1.** *das Betonen* (1). **sinnv.:** Akzent, Ton. **2.** *das Betonen* (2), *nachdrückliche Hervorhebung:* B. des eigenen Standpunktes.

Be|tracht: ⟨in bestimmten Fügungen⟩ in B. kommen *(als möglich betrachtet werden):* das kommt nicht in B.; in B. ziehen *(†erwägen):* mehrere Möglichkeiten in B. ziehen; außer B. lassen *(nicht berücksichtigen, absehen von etwas):* diese Frage lassen wir hier außer B. **sinnv.:** berücksichtigen; ausklammern.

be|trach|ten, betrachtete, hat betrachtet ⟨tr.⟩: **1.** *den Blick längere Zeit (auf jmdn./etwas) richten:* jmdn./etwas neugierig b.; ein Bild b. **sinnv.:** ansehen, anstarren, begutachten, beobachten, besehen, blicken auf. **2.** *eine bestimmte Meinung, Vorstellung haben (von jmdm./etwas):* jmdn. als seinen Freund b.; er betrachtete es als seine Pflicht. **sinnv.:** ansehen.

be|trächt|lich ⟨Adj.⟩: **a)** *ziemlich groß:* eine beträchtliche Summe. **sinnv.:** beachtlich. **b)** ⟨verstärkend bei Adjektiven im Komparativ und Verben⟩ *sehr, viel:* er ist in letzter Zeit b. gewachsen; er war b. schneller als du.

Be|trach|tung, die; -, -en: 1. *das Betrachten:* die B. eines Bildes. **sinnv.:** Besichtigung, Musterung. 2. *[schriftlich formulierte] Gedanken über ein bestimmtes Thema:* eine politische, wissenschaftliche B. **sinnv.:** Besinnung; Überlegung.

Be|trag, der; -[e]s, Beträge: *eine bestimmte Summe (an Geld):* ein B. von tausend Mark. **sinnv.:** Summe. **Zus.:** Fehl-, Geldbetrag.

be|tra|gen, beträgt, betrug, hat betragen: 1. ⟨itr.⟩ *die Summe, Größe erreichen, (von einer bestimmten Höhe) sein:* der Gewinn betrug 500 Mark; die Entfernung beträgt drei Meter. **sinnv.:** ausmachen, sich belaufen auf. 2. ⟨sich b.⟩ *sich benehmen:* er hat sich gut, schlecht betragen. **sinnv.:** sich benehmen.

be|tref|fen, betrifft, betraf, hat betroffen ⟨tr.⟩ /vgl. betroffen/: *sich (auf jmdn./etwas) beziehen:* das betrifft uns alle; was dies betrifft, brauchst du dir keine Sorgen zu machen; die betreffende *(genannte, in Frage kommende)* Regel noch einmal lesen. **sinnv.:** angehen, zusammenhängen mit.

be|trei|ben, betrieb, hat betrieben ⟨tr.⟩: 1. a) *sich bemühen, darauf hinarbeiten, etwas aus-, durchzuführen:* sein Studium, seine Abreise mit Eifer b. b) *als Beruf ausüben:* ein Handwerk, einen Handel b. **sinnv.:** arbeiten. 2. *(einen Betrieb o.ä.) unterhalten und leiten:* eine Pension, Fabrik b. **sinnv.:** führen. 3. *in Gang, in Bewegung, in Betrieb halten:* eine Maschine mit elektrischem Strom b.

be|tre|ten: I. betreten, betritt, betrat, hat betreten ⟨tr.⟩: a) *(auf etwas) treten, seinen Fuß (auf etwas) setzen:* den Rasen nicht b. b) *(in einen Raum) hineingehen:* ein Zimmer b. **sinnv.:** eintreten, gehen in, treten in. II. ⟨Adj.⟩ *in Verlegenheit, Verwirrung gebracht; unangenehm, peinlich berührt:* b. schweigen. **sinnv.:** verlegen.

be|treu|en ⟨tr.⟩: *sich um jmdn. kümmern, dafür sorgen, daß er das Nötige für sein Wohlergehen hat:* einen Kranken, die Kinder b. **sinnv.:** sich kümmern.

Be|trieb, der; -[e]s, -e: 1. *einzelnes kaufmännisches, industrielles, gewerbliches Unternehmen:* einen B. leiten. **sinnv.:** Fabrik, Firma, Geschäft. **Zus.:** Groß-, Handwerks-, Privatbetrieb. 2. ⟨ohne Plural⟩ *reges Leben, Treiben; große Geschäftigkeit, Bewegung:* auf den Straßen, auf dem Bahnhof, in den Geschäften ist viel B., herrscht großer B. **sinnv.:** Hast. **Zus.:** Hoch-, Massenbetrieb. 3. ⟨ohne Plural⟩ *das Arbeiten, In-Funktion-Sein:* das Werk hat den B. eingestellt; außer, in B. sein; außer, in B. setzen; in B. nehmen, gehen. **Zus.:** Automatik-, Handbetrieb.

be|trin|ken, betrank sich, hat sich betrunken /vgl. betrunken/: *trinken, bis man einen Rausch hat:* sich [aus Kummer] b. **sinnv.:** sich einen ansaufen/antrinken, zu tief ins Glas gucken, sich vollaufen lassen.

be|trof|fen ⟨Adj.⟩: *voll plötzlicher, heftiger Verwunderung und Überraschung [über etwas Negatives, Ungünstiges]:* b. schweigen; dieser Vorwurf macht mich b. **sinnv.:** betreten, entsetzt, verlegen, verwirrt.

be|trü|ben ⟨tr.⟩: *traurig machen:* seine Worte betrübten sie sehr. **sinnv.:** bekümmern.

be|trüb|lich ⟨Adj.⟩: *Bedauern, Traurigkeit hervorrufend:* eine betrübliche Nachricht. **sinnv.:** bedauerlich.

Be|trug, der; -[e]s: *das Täuschen, Irreführen, Hintergehen eines andern:* der B. wurde aufgedeckt. **sinnv.:** Betrügerei, Schiebung, Schwindel, Täuschung. **Zus.:** Versicherungs-, Wahlbetrug.

be|trü|gen, betrog, hat betrogen ⟨tr.⟩: a) *einen andern bewußt täuschen; einen Betrug begehen:* bei diesem Geschäft hat er mich betrogen. **sinnv.:** beschummeln, hereinlegen, irreführen, jmdn. übers Ohr hauen, täuschen, übervorteilen. b) *durch Betrug um etwas bringen:* er hat ihn um hundert Mark betrogen. c) *ohne Wissen des [Ehe]partners mit einem anderen sexuell verkehren:* er hat seine Frau [mit einer anderen] betrogen. **sinnv.:** fremdgehen.

Be|trü|ger, der; -s, -, **Be|trü|ge|rin,** die; -, -nen: *männliche bzw. weibliche Person, die einen andern betrügt.* **sinnv.:** Gauner, Schuft, Schwindler. **Zus.:** Trickbetrüger.

be|trun|ken ⟨Adj.⟩: *von Alkohol berauscht* /Ggs. nüchtern/. **sinnv.:** alkoholisiert, beschwipst, besoffen, blau, voll.

Bett, das; -[e]s, -en: *Gestell mit Matratze, Kissen und Decke, das zum Schlafen, Ausruhen o.ä. dient:* sich ins B. legen; ins/zu B. gehen. **sinnv.:** Pritsche, Schlafgelegenheit, Schlafstätte. **Zus.:** Doppel-, Ehe-, Etagen-, Kinder-, Klappbett.

bet|teln ⟨itr.⟩: a) *bei fremden Menschen um eine Gabe bitten:* auf der Straße b.; um ein Stück Brot b. b) *immer wieder, flehentlich bitten:* die Kinder bettelten, man solle sie doch mitnehmen. **sinnv.:** bitten.

bett|lä|ge|rig ⟨Adj.⟩: *durch Krankheit gezwungen, im Bett zu liegen:* sie ist schon seit Wochen b. **sinnv.:** krank.

Bett|ler, der; -s, -, **Bett|le|rin,** die; -, -nen: *männliche bzw. weibliche Person, die bettelt, vom Betteln lebt:* einem Bettler Kleider geben.

be|tu|lich ⟨Adj.⟩: *(in bezug auf die Ausführung von etwas) mit umständlich wirkender Sorgfalt:* seine betuliche Erzählweise ging mir auf die Nerven. **sinnv.:** altväterlich; beflissen.

beu|gen: 1. a) ⟨tr.⟩ *krumm machen, [nach unten] biegen:* den Kopf über etwas b.; den Arm, die Knie b. **sinnv.:** anwinkeln, krümmen. b) ⟨sich b.⟩ *sich [über etwas hinweg] nach vorn, unten neigen* (siehe Bildleiste „bücken"): sich aus dem Fenster b., sich nach vorn, über das Geländer b. **sinnv.:** bücken, sich krümmen, sich neigen. **Zus.:** herab-, vorbeugen. 2. a) ⟨tr.⟩ *zwingen, sich zu fügen, nachzugeben:* jmdn., jmds. Starrsinn b. b) ⟨sich b.⟩ *nicht länger aufbegehren, keinen Widerstand mehr leisten:* er hat sich ihm, seinem Willen gebeugt. **sinnv.:** nachgeben. 3. ⟨tr.⟩ ↑flektieren: ein Substantiv, ein Verb b.

Beu|le, die; -, -n: a) *durch Stoß oder Schlag entstandene deutliche Anschwellung der Haut:* eine B. am Kopf haben. **sinnv.:** Schwellung. b) *durch Stoß oder Schlag entstandene Vertiefung oder Wölbung in einem festen Material:* das Auto hatte mehrere Beulen. **sinnv.:** Delle.

be|un|ru|hi|gen: a) ⟨tr.⟩ *in Unruhe, Sorge versetzen:* die Nachricht beunruhigte sie sehr. **sinnv.:** alarmieren; aufregen. b) ⟨sich b.⟩ *in Unruhe, Sorge versetzt werden:* du brauchst dich wegen ihrer Krankheit nicht zu b. **sinnv.:** sich aufregen; sich sorgen.

be|ur|lau|ben ⟨tr.⟩: *(jmdn. vorläufig, bis zur Klärung eines Vorfalls) seine dienstlichen Pflichten*

nicht mehr ausüben lassen: bis zum Abschluß der Untersuchungen wurde der Beamte beurlaubt.
be|ur|tei|len ⟨tr.⟩: *ein Urteil (über jmdn./etwas) abgeben:* jmdn. nach seinem Äußeren b.; jmds. Arbeit, Leistung b. **sinnv.:** begutachten.
Beu|te, die; -: *etwas, was jmd. einem andern gewaltsam weggenommen hat:* den Dieben ihre B. wieder abnehmen. **sinnv.:** Raub. **Zus.:** Diebes-, Kriegsbeute.
Beu|tel, der; -s, -: *Behältnis aus weichem Material von der Form eines kleineren Sackes.* **sinnv.:** Tasche, Tüte. **Zus.:** Brust-, Farb-, Geld-, Klingel-, Tabaksbeutel.
be|völ|kern ⟨tr.⟩: **a)** *in großer Zahl ein bestimmtes Gebiet einnehmen:* viele Menschen bevölkerten die Straßen. **sinnv.:** beleben. **b)** ⟨sich b.⟩ *sich mit [vielen] Menschen füllen:* der Strand, das Stadion bevölkerte sich rasch. **sinnv.:** sich beleben.
Be|völ|ke|rung, die; -, -en: *alle Bewohner, Einwohner eines bestimmten Gebietes:* die gesamte B. des Landes. **sinnv.:** Bewohner. **Zus.:** Erd-, Land-, Zivilbevölkerung.
be|voll|mäch|ti|gen ⟨tr.⟩: *jmdm. eine bestimmte Vollmacht geben:* der Chef hatte ihn bevollmächtigt, die Briefe zu unterschreiben. **sinnv.:** ermächtigen.
be|vor ⟨Konj.⟩: /drückt aus, daß etwas zeitlich vor etwas anderem geschieht/ *früher als, vor dem Zeitpunkt:* b. wir verreisen, müssen wir noch vieles erledigen; kurz b. er starb; keiner geht nach Hause, b. nicht *(wenn nicht vorher)* die Arbeit beendet ist. **sinnv.:** ehe.
be|vor|mun|den, bevormundete, hat bevormundet ⟨tr.⟩: *einem andern vorschreiben, was er tun soll, ihn in seinen Entscheidungen beeinflussen:* ich lasse mich nicht länger von dir b.
be|vor|ste|hen ⟨itr.⟩: *bald geschehen, zu erwarten sein:* seine Abreise, das Fest stand [unmittelbar, nahe] bevor. **sinnv.:** herannahen, sich nähern.
be|vor|zu|gen ⟨tr.⟩: *(jmdm./einer Sache) den Vorzug, Vorrang geben; lieber mögen:* er bevorzugt diese Sorte Kaffee. **sinnv.:** vorziehen.
be|wa|chen ⟨tr.⟩: *genau auf jmdn./etwas aufpassen, daß nichts geschieht, was nicht erlaubt ist:* die Gefangenen wurden streng, scharf bewacht; ein Lager b. **sinnv.:** beaufsichtigen.
be|wach|sen ⟨Adj.⟩: *mit Pflanzen bedeckt:* die Mauer war mit Moos b.
be|waff|nen, bewaffnete, hat bewaffnet ⟨tr.⟩: *mit Waffen versehen:* er bewaffnete sich mit einem Messer; bewaffnete Bankräuber.
be|wah|ren: 1. ⟨tr.⟩ *(etwas Unangenehmes, Schädliches o. ä.) schützend (von jmdm.) abhalten:* jmdn. vor einem Verlust, vor dem Schlimmsten, vor Enttäuschungen b.; **sinnv.:** behüten. **2.** ⟨tr.⟩ ↑*aufbewahren:* sie bewahrte die Bilder in einem Kästchen. **3.** ⟨itr.⟩ *weiterhin behalten, erhalten:* ich habe mir meine Freiheit bewahrt. **sinnv.:** beibehalten.
be|wäh|ren, sich: *sich als brauchbar, zuverlässig, geeignet erweisen:* er muß sich in der neuen Stellung erst b.; der Mantel hat sich bei dieser Kälte bewährt; ein bewährtes Mittel.
be|wahr|hei|ten, sich, bewahrheitete sich, hat sich bewahrheitet: *sich als wahr, richtig erweisen:* deine Vermutung, das Gerücht hat sich bewahrheitet. **sinnv.:** sich bestätigen, zutreffen.

be|wäl|ti|gen ⟨tr.⟩: *(mit etwas Schwierigem) fertig werden:* eine schwere Aufgabe allein, nur mit Mühe b. **sinnv.:** leisten, lösen, meistern, schaffen, vollbringen; bestehen.
be|wan|dert ⟨Adj.⟩: *(auf einem bestimmten Gebiet) besonders erfahren, viel wissend:* er ist in der französischen Literatur sehr b. **sinnv.:** beschlagen.
Be|wandt|nis, die; ⟨meist in der Fügung⟩ mit jmdm./etwas hat es seine eigene/besondere B.: *für jmdn./etwas sind besondere Umstände maßgebend:* mit diesem Preis hat es seine besondere B.
be|we|gen: I. bewegte, hat bewegt: **1.a)** ⟨tr.⟩ *die Lage, Stellung (von etwas) verändern; nicht ruhig halten:* die Beine, den Arm b.; er konnte die Kiste nicht b. **sinnv.:** regen. **Zus.:** fortbewegen. **b)** ⟨sich b.⟩ *seine Lage, Stellung verändern, nicht in einer bestimmten Position, an einer bestimmten Stelle verharren:* die Blätter bewegen sich im Wind; er stand auf dem Platz und bewegte sich nicht. **sinnv.:** sich regen, sich rühren. **2.** ⟨tr.⟩ **a)** *innerlich in Anspruch nehmen, in jmdm. wirksam sein:* der Plan, Wunsch bewegte sie lange Zeit. **sinnv.:** beschäftigen. **b)** *ein Gefühl des Ergriffenseins (in jmdm.) wecken; emotional stark beteiligt sein lassen:* die Nachricht bewegte alle [tief, schmerzlich]; er nahm sichtlich bewegt *(gerührt, ergriffen)* Abschied. **sinnv.:** berühren. **II.** bewog, hat bewogen ⟨tr.⟩: *(durch Gründe, Motive o. ä.) zu einem bestimmten Entschluß, zum Handeln bringen:* sie versuchten, ihn zum Bleiben zu b.; niemand wußte, was ihn zu dieser Tat bewogen hatte. **sinnv.:** veranlassen.
be|weg|lich ⟨Adj.⟩: **1.** *so beschaffen, daß es sich [leicht] bewegen läßt:* eine Puppe mit beweglichen Armen und Beinen. **sinnv.:** biegsam. **2.** *schnell [und lebhaft] reagierend* /Ggs. unbeweglich/: ein beweglicher Geist, Verstand; er ist [geistig] sehr b. **sinnv.:** geschickt; lebhaft.
Be|we|gung, die; -, -en: **1.** *das Bewegen, Sichbewegen; Veränderung der Lage, Stellung:* er machte eine rasche, abwehrende B. [mit der Hand]; seine Bewegungen waren geschmeidig, flink. **sinnv.:** Gebärde. **Zus.:** Arm-, Fort-, Kopf-, Reflexbewegung. **2.** ⟨ohne Plural⟩ *inneres Ergriffensein, Erregtsein:* sie versuchte, ihre B. zu verbergen. **sinnv.:** Ergriffenheit. **3.** *gemeinsames geistiges, weltanschauliches o. ä. Bestreben einer Gruppe und diese Gruppe selbst:* sich einer politischen B. anschließen. **sinnv.:** Initiative. **Zus.:** Arbeiter-, Massen-, Studenten-, Widerstandsbewegung.
Be|weis, der; -es, -e: **a)** *etwas, was den Nachweis enthält, daß etwas zu Recht behauptet, angenommen wird:* für seine Aussagen hatte er keine Beweise; etwas als/zum B. vorlegen. **sinnv.:** Nachweis. **Zus.:** Gegen-, Wahrheitsbeweis. **b)** *sichtbarer Ausdruck von etwas; Zeichen, das etwas offenbar macht:* das Geschenk war ein B. seiner Dankbarkeit. **Zus.:** Liebes-, Vertrauensbeweis.
be|wei|sen, bewies, hat bewiesen ⟨tr.⟩: **a)** *einen Beweis (für etwas) liefern, führen:* seine Unschuld, die Richtigkeit einer Behauptung b.; dieser Brief beweist gar nichts. **sinnv.:** nachweisen. **b)** *erkennen, sichtbar, offenbar werden lassen:* Mut b.; ihre Kleidung beweist, daß sie Geschmack hat. **sinnv.:** zeigen.
be|wer|ben, sich; bewirbt sich, bewarb sich, hat sich beworben: *etwas, bes. eine bestimmte*

Stellung o. ä., zu bekommen suchen und sich ent-sprechend darum bemühen: sich um ein Amt, ein Stipendium b.; sich bei einer Firma b. **sinnv.:** sich bemühen.

be|werk|stel|li|gen ⟨tr.⟩: *(etwas Schwieriges) mit Geschick erreichen, zustande bringen:* er wird es, den Verkauf schon b. **sinnv.:** bewirken, fertig-bringen, hinkriegen, managen; bewältigen.

be|wil|li|gen ⟨tr.⟩: *bes. offiziell, amtlich, auf An-trag genehmigen, zugestehen:* man hat ihm den Kredit nicht bewilligt. **sinnv.:** gewähren.

be|wir|ken ⟨tr.⟩: *zur Folge haben; als Wirkung hervorbringen, hervorrufen:* sein Protest bewirkte, daß eine Besserung eintrat; eine Änderung b. **sinnv.:** verursachen.

be|wir|ten, bewirtete, hat bewirtet ⟨tr.⟩: *(einem Gast) zu essen und zu trinken geben:* sie wurden bei ihr gut, mit Tee und Gebäck bewirtet. **sinnv.:** servieren.

be|woh|nen ⟨tr.⟩: *wohnend innehaben:* sie be-wohnt ein Appartement von vier Zimmern.

Be|woh|ner, der; -s, -, **Be|woh|ne|rin**, die; -, -nen: *männliche bzw. weibliche Person, die etwas, was sich flächenmäßig ausdehnt, bewohnt:* die B. des Hauses, der Insel, der Erde. **Zus.:** Dorf-, Haus-, Inselbewohner.

be|wöl|ken, sich: *sich mit Wolken bedecken:* der Himmel bewölkte sich rasch. **sinnv.:** sich eintrü-ben, wolkig werden.

be|wun|dern ⟨tr.⟩: *eine Person oder Sache mit außergewöhnlich betrachten und staunend aner-kennende Hochachtung für sie empfinden, sie im-ponierend finden:* jmdn. wegen seiner Leistungen b.; jmds. Wissen b. **sinnv.:** bestaunen.

be|wußt ⟨Adj.⟩: **1. a)** *mit voller Absicht handelnd:* eine bewußte Lüge, Irreführung; das hat er ganz b. getan. **sinnv.:** absichtlich. **b)** *die Zusammen-hänge, Gefahren o. ä. klar erkennend:* er hat den Krieg noch nicht b. erlebt; ich bin mir der Gefahr durchaus bewußt *(bin mir darüber im klaren)*. **Zus.:** selbstbewußt. **2.** *bereits erwähnt, bekannt:* wir treffen uns in dem bewußten Haus, zu der be-wußten Stunde.

-be|wußt ⟨adjektivisches Suffixoid⟩: **a)** *auf das im Basiswort Genannte sorgsam achtend, negative Auswirkungen in dieser Richtung zu vermeiden su-chend und entsprechend handelnd:* energie-, ge-sundheits-, kalorien-, preis-, umweltbewußt. **b)** *auf das im Basiswort Genannte gerichtet, darauf bedacht, es als Ziel habend:* mode-, pflicht-, pro-blem-, sieges-, traditions-, zielbewußt. **c)** *auf das im Basiswort Genannte stolz, es betonend:* klas-sen-, macht-, staatsbewußt. **sinnv.:** -betont, -orientiert.

be|wußt|los ⟨Adj.⟩: *ohne Bewußtsein:* er brach b. zusammen. **sinnv.:** ohnmächtig.

Be|wußt|sein, das; -s: **1.** *Zustand geistiger Klarheit; volle Herrschaft über seine Sinne:* bei dem schrecklichen Anblick verlor sie das B.; sie ist wieder bei B. *(ist wieder zu sich gekommen, in klarer geistiger Verfassung).* **2.** *Zustand des Sich-bewußtseins einer Sache, der Dinge, Vorgänge, die für den Menschen wichtig, von Bedeutung sind; das Wissen um etwas:* das B. ihrer Macht erfüllte sie mit Stolz; das politische B. eines Menschen. **sinnv.:** Gewißheit, Überzeugung, Wissen. **Zus.:** Geschichts-, Pflicht-, Unterbewußtsein.

be|zah|len ⟨tr.⟩: **a)** *eine Summe, den Preis oder*

den Lohn (für etwas) zahlen: eine Ware, seine Schulden b.; er mußte viel [Geld] b.; ⟨auch itr.⟩ ich möchte bitte b.! **sinnv.:** begleichen, entrich-ten, finanzieren, investieren. **b)** *(jmdm.) für etwas Geleistetes Geld geben:* einen Arbeiter, den Schneider b.; jmdn. für seine Arbeit b. **sinnv.:** be-solden.

be|zäh|men ⟨tr.⟩: *in Schranken halten, im Zaum halten, zurückhalten:* er konnte sich, seinen Hun-ger, seine Neugier nicht länger b. **sinnv.:** bändi-gen; beherrschen.

be|zau|bern ⟨tr.⟩ /vgl. bezaubernd/: *durch An-mut beeindrucken; (bei jmdm.) Entzücken hervor-rufen:* sie, ihre Erscheinung bezauberte alle. **sinnv.:** begeistern, faszinieren, verhexen.

be|zau|bernd ⟨Adj.⟩: *besonders reizvoll, durch Anmut beeindruckend:* ein bezauberndes junges Mädchen; b. lächeln. **sinnv.:** charmant; hübsch.

be|zeich|nen, bezeichnete, hat bezeichnet ⟨tr.⟩ /vgl. bezeichnend/: **1.** *[durch ein Zeichen] kennt-lich machen:* die Kisten mit Buchstaben b. **sinnv.:** markieren. **2. a)** *mit einem Namen, einer Benen-nung, einer Beurteilung versehen:* er bezeichnete das Haus als einfache Hütte; er bezeichnete sich als der Retter der Kinder/(seltener:) als den Ret-ter der Kinder. **sinnv.:** benennen, hinstellen, nen-nen. **b)** *ein Name, eine Benennung für jmdn./etwas sein:* das Wort bezeichnet verschiedene Dinge. **3.** *hinstellen (als etwas); so von jmdm./etwas spre-chen, daß ein bestimmter Eindruck entsteht:* eine Arbeit als gut b. **sinnv.:** begutachten.

be|zeich|nend ⟨Adj.⟩: *(für jmdn.) charakteri-stisch und [negative] Rückschlüsse nahelegend:* dieser Ausspruch war für ihn b.

Be|zeich|nung, die; -, -en: **1.** *passendes, kenn-zeichnendes Wort:* für diesen Gegenstand gibt es mehrere Bezeichnungen. **sinnv.:** Begriff; Wort. **Zus.:** Berufsbezeichnung. **2.** *das Kenntlichma-chen, Markieren:* die genaue B. der einzelnen Ki-sten ist erforderlich. **Zus.:** Qualitäts-, Warenbe-zeichnung.

be|zich|ti|gen ⟨tr.⟩: *jmdm. in anklagender Weise die Schuld für etwas geben, etwas zur Last legen:* jmdn. eines Diebstahls, eines Vergehens b. **sinnv.:** verdächtigen.

be|zie|hen, bezog, hat bezogen: **1. a)** ⟨tr.⟩ *Stoff o. ä. (über etwas) spannen, ziehen:* einen Schirm, einen Sessel neu b.; die Betten frisch b. *(mit fri-scher Bettwäsche versehen).* **sinnv.:** bespannen, überziehen. **b)** ⟨sich b.⟩ *sich ↑bewölken.* **2.** ⟨tr.⟩ *[regelmäßig] erhalten, geliefert bekommen:* eine Zei-tung durch die Post b.; er bezieht eine Rente. **sinnv.:** bekommen. **3.** ⟨tr.⟩ *(in eine Wohnung) ein-ziehen:* ein Haus, ein Zimmer b. **4.** ⟨tr.⟩ /verblaßt als Funktionsverb/ *einnehmen:* eine günstige Stellung b.; einen klaren Standpunkt b. **5. a)** ⟨sich b.⟩ *sich (auf etwas) stützen, berufen, etwas als An-knüpfungspunkt nehmen:* wir beziehen uns auf unser Gespräch von letzter Woche. **sinnv.:** an-knüpfen; sich berufen. **b)** ⟨sich b.⟩ *(mit jmdm./et-was) in Zusammenhang oder in Verbindung ste-hen:* der Vorwurf bezieht sich nicht auf dich, auf deine Arbeit. **sinnv.:** betreffen. **c)** ⟨tr.⟩ *(mit jmdm./ etwas) in Zusammenhang oder in Verbindung brin-gen, gedanklich verknüpfen:* er bezieht alles auf sich. **sinnv.:** anwenden.

Be|zie|hung, die; -, -en: **1.** *Verbindung zu jmdm./etwas:* die Beziehungen zu seinen Freunden pflegen; er hat überall Beziehungen. **Zus.:** Auslands-, Geschäfts-, Zweierbeziehung. **2.** *wechselseitiges Verhältnis, innerer Zusammenhang:* eine B. zwischen zwei Vorfällen feststellen. **sinnv.:** Bezug.

be|zie|hungs|wei|se ⟨Konj.⟩: **a)** *[oder] vielmehr, besser gesagt:* er war mit ihm bekannt b. befreundet. **sinnv.:** oder. **b)** *und im andern Fall:* die Fünf- und Zweipfennigstücke waren aus Nickel b. [aus] Kupfer.

Be|zirk, der; -[e]s, -e: *Bereich, Gebiet von bestimmter Abgrenzung:* er wohnt in einem anderen B. der Stadt. **sinnv.:** Gebiet. **Zus.:** Regierungs-, Verwaltungsbezirk.

-be|zo|gen ⟨adjektivisches Suffixoid⟩: */besagt, daß etwas auf das im Basiswort Genannte abgestimmt ist, entsprechend gestaltet o. ä. ist/:* gegenwarts-, ich-, objekt-, personenbezogen. **sinnv.:** -nah.

Be|zug, der; -[e]s, Bezüge: **1.** *etwas, womit etwas bezogen oder überzogen wird:* der B. eines Kissens. **sinnv.:** Überzug. **Zus.:** Bett-, Kissen-, Schonbezug. **2.** ⟨ohne Plural⟩ *das Beziehen, das regelmäßige Bekommen:* der B. von Waren, Zeitungen. **sinnv.:** Kauf. **3.** ⟨Plural⟩ *Einkommen:* die Bezüge eines Beamten. **sinnv.:** Einkünfte. **4.** *Beziehung, sachliche Verknüpftheit; Zusammenhang, Verbindung:* einen B. zu etwas herstellen. **sinnv.:** Beziehung, Verhältnis. **Zus.:** Gegenwartsbezug.

be|züg|lich ⟨Präp. mit Gen.⟩: *in bezug (auf etwas), hinsichtlich:* b. seiner Pläne hat er sich nicht geäußert. **sinnv.:** hinsichtlich.

be|zwecken ⟨tr.⟩: *einen Zweck verfolgen; zu erreichen suchen:* niemand wußte, was er damit bezweckte. **sinnv.:** abzielen, sich richten auf; vorhaben.

be|zwin|gen, bezwang, hat bezwungen ⟨tr.⟩: *(über etwas/jmdn.) Herr werden:* einen Gegner im [sportlichen] Kampf b.; seinen Ärger, sich selbst b. **sinnv.:** besiegen.

bie|gen, bog, hat/ist gebogen: **1. a)** ⟨tr.⟩ *krumm machen; durch Druck o. ä. eine gekrümmte Form geben:* er hat den Draht, das Blech gebogen. **sinnv.:** krümmen; falten. **Zus.:** zurechtbiegen. **b)** ⟨sich b.⟩ *krumm werden; durch Druck o. ä. eine gekrümmte Form bekommen:* die Zweige haben sich unter der Last des Schnees gebogen. **sinnv.:** sich beugen · durchhängen. **2.** ⟨itr.⟩ *in seiner Bewegung einen Bogen beschreiben:* sie sind um die Ecke, in eine andere Straße gebogen. **Zus.:** abbiegen.

bieg|sam ⟨Adj.⟩: *sich leicht biegen lassend:* biegsames Material; ein biegsamer Körper. **sinnv.:** dehnbar, elastisch, flexibel, schmiegsam; gelenkig.

Bie|gung, die; -, -en: *Stelle, an der sich die Richtung im Form eines Bogens ändert:* die B. des Flusses, der Straße. **sinnv.:** Bogen, Krümmung; Kurve. **Zus.:** Straßen-, Wegbiegung.

Bie|ne, die; -, -n: *Honig lieferndes, gelbschwarzes, fliegendes Insekt* (siehe Bildleiste „Insekten"). **sinnv.:** Imme · Drohne. **Zus.:** Honig-, Waldbiene.

Bier, das; -[e]s, -e: *alkoholisches Getränk, das aus Hopfen und Getreide, meist Gerste, hergestellt wird:* ein [Glas] helles, dunkles B. trinken; B. vom Faß. **sinnv.:** Gerstensaft. **Zus.:** Bock-, Export-, Faß-, Flaschen-, Frei-, Lager-, Malzbier.

bie|ten, bot, hat geboten: **1. a)** ⟨tr.⟩ *zur Verfügung, in Aussicht stellen:* jmdm. eine Summe, Ersatz für etwas b.; jmdm. eine Chance b. *(die Möglichkeit zu etwas geben).* **sinnv.:** geben. **Zus.:** an-, feilbieten. **b)** ⟨sich b.⟩ *für jmdn. [als Möglichkeit] bestehen:* es bot sich ihm eine Chance, eine neue Möglichkeit. **sinnv.:** entstehen, sich ergeben, sich eröffnen. **2. a)** ⟨itr.⟩ *zeigen (wie etwas als Folge von etwas aussieht):* die Stelle des Unfalls bot ein schreckliches Bild, ein Bild des Grauens. **sinnv.:** darbieten, zeigen. **b)** ⟨sich b.⟩ *sichtbar werden:* ein herrlicher Anblick, ein Bild des Jammers bot sich ihnen, ihren Blicken. **sinnv.:** sich zeigen.

Bild, das; -[e]s, -er: **1.** *[mit künstlerischen Mitteln] auf einer Fläche Dargestelltes, Wiedergegebenes:* ein B. malen, betrachten, aufhängen. **sinnv.:** Bildnis, Gemälde, Zeichnung; Fotografie, Poster. **Zus.:** Blumen-, Gruppen-, Hochzeitsbild · Abzieh-, Brust-, Bühnen-, Röntgen-, Schwarzweißbild. **2.** *Anblick:* die Straße bot ein friedliches B.; ein B. des Jammers, Grauens *(ein jammervoller, grauenvoller Anblick);* **sinnv.:** Anblick, Ansicht. **Zus.:** Stadt-, Straßenbild. **3.** *Vorstellung, Eindruck:* jmdm. ein richtiges, falsches B. von etwas geben, vermitteln; sie konnten sich von dieser Zeit, von den Vorgängen kein rechtes B. machen. **sinnv.:** Eindruck. **Zus.:** Traum-, Wunschbild · Blut-, Krankheits-, Weltbild.

bil|den, bildete, hat gebildet /vgl. gebildet/: **1. a)** ⟨tr.⟩ *in bestimmter Weise formen, gestalten:* Sätze b. **b)** ⟨sich b.⟩ *entstehen, sich entwickeln:* auf der gekochten Milch hat sich eine Haut gebildet. **2.** ⟨tr.⟩ *sein, darstellen, ausmachen:* der Fluß bildet die Grenze; die Darbietung der Sängerin bildete den Höhepunkt des Abends. **3.** ⟨itr./tr./sich b.⟩ *Kenntnisse, Wissen vergrößern:* die Lektüre hat ihn, seinen Geist gebildet; er versuchte, sich durch Reisen zu b.; Lesen bildet. **sinnv.:** erziehen.

Bil|der|buch- ⟨Präfixoid⟩: **1.** */besagt, daß das im Basiswort Genannte so ist, erfolgt, verläuft, wie man es sich [idealerweise] vorstellt, wie es vorgesehen ist, wie es in einem Bilderbuch als Anschauungsbeispiel zu finden sein könnte/:* Bilderbuchehe, -karriere, -tor, -wetter. **sinnv.:** Traum-. **2.** */besagt, daß es das im Basiswort Genannte nur im Bilderbuch gibt, aber nicht in der Realität; solch eine Art von ..., wie sie sich so nur in einer naiven, kindlichen Einbildung darstellt/:* wenn man glaubt, daß man mit Freundlichkeit viel bewirken kann, dann ist das eine Bilderbuchvorstellung.

bild|lich ⟨Adj.⟩: *als Bild [gebraucht]:* bildliche Ausdrücke. **sinnv.:** bildhaft, figurativ, metaphorisch · anschaulich, plastisch.

Bild|schirm, der; -[e]s, -e: *Teil des Fernsehapparates, auf dem das Bild erscheint:* sie saßen alle vor dem B. **sinnv.:** Fernsehapparat.

Bil|dung, die; -, -en: **1.** *das Bilden; Entstehung, Entwicklung:* die B. von Schaum, Rauch; die B. einer neuen Partei. **sinnv.:** Entstehung. **Zus.:** Begriffs-, Kapital-, Meinungs-, Regierungs-, Willens-, Wortbildung. **b)** *etwas in bestimmter Weise Gebildetes:* die eigenartigen Bildungen der Wolken. **sinnv.:** Gebilde. **Zus.:** Wolken-, Wortbildung. **2.** ⟨ohne Plural⟩ *auf erworbenes Wissen und Erziehung gründendes persönliches Geprägtsein:* er hat eine gründliche, gediegene B. erhalten; das gehört zur allgemeinen B. **sinnv.:**

Gebildetsein, Kenntnisse, Wissen. **Zus.**: Allgemein-, Halb-, Schul-, Vorbildung.

bil|lig ⟨Adj.⟩: **1.** *niedrig im Preis* /Ggs. teuer/: billige Waren; etwas b. einkaufen. **sinnv.**: erschwinglich, günstig, preisgünstig, preiswert. **Zus.**: spottbillig. **2.** *in einer Art, die als vordergründig, einfallslos und nichtssagend empfunden wird:* eine billige Ausrede; ein billiger Trost. **sinnv.**: minderwertig.

bil|li|gen ⟨tr.⟩: *(einer Sache) zustimmen:* jmds. Pläne, Vorschläge b. **sinnv.**: akzeptieren, bewilligen, dafür sein, gutheißen, sanktionieren, stattgeben, zustimmen. **Zus.**: zubilligen.

bim|meln ⟨itr.⟩ (ugs.): *in hellen Tönen läuten:* die Glöckchen am Schlitten bimmelten während der ganzen Fahrt. **sinnv.**: läuten.

bin|den, band, hat gebunden: **1.** ⟨tr.⟩ *mit Faden, Schnur o.ä. befestigen, zusammenfügen:* das Pferd an einen Baum b.; Blumen zu einem Strauß b. **sinnv.**: befestigen. **Zus.**: an-, fest-, zusammenbinden. **2.** ⟨tr./sich b.⟩ *bewirken, daß der Betreffende zu etwas verpflichtet ist:* das Versprechen bindet dich nicht; sie wollte sich noch nicht b. *(sie wollte noch nicht heiraten).* **sinnv.**: festlegen, verpflichten, versprechen.

Bind|fa|den, der; -s, Bindfäden: *[dünne] Schnur zum Binden, Schnüren.* **sinnv.**: Schnur.

Bin|dung, die; -, -en: **1. a)** *innere Verbundenheit:* seine B. an ihn, an die Heimat. **sinnv.**: Gefühls-, Liebesbindung. **b)** *bindende Beziehung; Verbindung:* die B. zu jmdm. lösen. **sinnv.**: Freundschaft. **2.** *Vorrichtung, mit der der Ski am Schuh befestigt wird.* **Zus.**: Sicherheits-, Skibindung.

bin|nen ⟨Präp. mit Dativ, seltener Gen.⟩: *im Verlauf (von etwas):* b. drei Jahren; b. einem Monat/ eines Monats war die Arbeit fertig. **sinnv.**: in, innerhalb, im Laufe/im Verlauf/in der Zeit von.

Bin|sen|wahr|heit, die; -, -en: *eine allgemein bekannte Tatsache, etwas, was jeder weiß.* **sinnv.**: Gemeinplatz.

Bir|ne, die; -, -n: **1.** *meist eirunde, sich zum Stiel hin verjüngende grüngelbe oder bräunliche Frucht des Birnbaums mit saftigem Fruchtfleisch.* **2.** *birnenförmige Lichtquelle aus Glas.* **sinnv.**: Glühbirne, -lampe.

bis: **I.** ⟨Präp. mit Akk.⟩ /zeitlich/: *gibt das Ende eines Zeitraums an;* Frage: wie lange?/: die Konferenz dauert bis morgen, bis nächsten Sonntag; von 16 bis 18 Uhr; er ist bis 17 Uhr hier: a) *nach 17 Uhr ist er nicht mehr da.* b) *er wird bis 17 Uhr hier eingetroffen sein.* **II.** ⟨Adverb⟩ **a)** /*gibt das Ende einer Strecke o.ä. an;* Frage: wie weit?/: bis dorthin, bis Frankfurt, von unten bis oben; **b)** ⟨in Verbindung mit bestimmten Präpositionen⟩ bis an/in das Haus; bis zur Mauer; bis in den Morgen, bis zum Abend. **c)** ⟨in der Fügung⟩ bis auf: **a)** ↑*einschließlich:* der Saal war bis auf den letzten Platz besetzt. **b)** *mit Ausnahme (von):* alle waren einverstanden, bis auf einen. **sinnv.**: ausgenommen. **d)** ⟨in Verbindung mit Zahlen⟩ /*begrenzt einen nicht genau angegebenen Wert nach oben/:* eine Strecke von 8 bis 10 Metern; in 3 bis 4 Stunden; Kinder bis zu 6 Jahren *(von höchstens 6 Jahren)* haben freien Eintritt. **III.** ⟨Konj.⟩ /*kennzeichnet die zeitliche Grenze, an der ein Vorgang, eine Handlung endet/:* wir warten, bis du kommst; /konditionale Nebenbedeutung/ du darfst nicht gehen, bis *(solange nicht)* die Arbeit gemacht ist.

bis|her ⟨Adverb⟩: *bis jetzt:* b. war alles in Ordnung. **sinnv.**: bislang.

Biß, der; Bisses, Bisse. **1.** *das Beißen:* der B. dieser Schlange ist gefährlich. **Zus.**: Gewissensbiß. **2.** *durch Beißen entstandene Verletzung:* der B. des Hundes war deutlich zu sehen. **Zus.**: Floh-, Schlangenbiß.

biß|chen ⟨meist in der Fügung⟩ ein b.: *ein wenig; etwas:* du mußt mir ein b. mehr Zeit lassen; dazu braucht man ein b. Mut. **sinnv.**: etwas.

Bis|sen, der; -s, -: *kleine Menge einer Speise, die man auf einmal in den Mund stecken kann:* er schob den letzten B. in den Mund. **sinnv.**: Brocken, Happen. **Zus.**: Gabel-, Leckerbissen.

bis|sig ⟨Adj.⟩: **1.** *durch seine Neigung zum Beißen gefährlich* /von Tieren/: ein bissiger Hund. **sinnv.**: scharf. **2.** *durch scharfe Worte verletzend:* eine bissige Bemerkung; b. antworten. **sinnv.**: spöttisch.

bis|wei|len ⟨Adverb⟩: ↑ *manchmal.*

bit|te /Formel der Höflichkeit/: **a)** /*bei der Äußerung eines Wunsches, als Antwort auf einen Dank o.ä./:* b. setzen Sie sich!; „Vielen Dank!" – „Bitte [sehr]!" **b)** /*bei der Äußerung einer Frage/:* [wie] bitte?

Bit|te, die; -, -n: *Wunsch, den man jmdm. gegenüber äußert:* eine höfliche, große B.; eine B. aussprechen, erfüllen. **sinnv.**: Anliegen, Gesuch · Begehren, Wunsch.

bit|ten, bat, hat gebeten: **a)** ⟨tr.⟩ *sich mit einer Bitte (an jmdn.) wenden:* jmdn. um Auskunft, Hilfe b.; er bat mich, ihm zu helfen. **sinnv.**: anflehen, ersuchen · auffordern, verlangen, wünschen. **b)** ⟨tr.⟩ *jmdm. sagen, daß er sich (bei dem Betreffenden) einfinden möchte:* jmdn. zum Essen/zu sich b. **sinnv.**: einladen, zu sich rufen. **c)** ⟨itr.⟩ *eine Bitte aussprechen; höflich, nachdrücklich wünschen, daß etwas gemacht wird:* so sehr er auch bat, man erfüllte ihm seine Bitte nicht; er bat um Ruhe. **sinnv.**: befehlen.

bit|ter ⟨Adj.⟩: **1.** *im Geschmack unangenehm streng, scharf:* eine bittere Medizin; der Tee schmeckt sehr b. **sinnv.**: sauer. **Zus.**: galle[n]-, zartbitter. **2.** ⟨in meist negativ empfundenen Zusammenhängen verstärkend bei Adjektiven und Verben⟩ ↑ *sehr:* es war b. kalt; er hat sich b. beklagt, gerächt.

bit|ter|lich ⟨Adj.⟩: ⟨in Verbindung mit bestimmten Verben⟩ *sehr heftig:* b. weinen, schluchzen; wir haben b. gefroren.

bi|zarr ⟨Adj.⟩: *in ungleichmäßig schroff-kantiger Weise verlaufend:* bizarre Felsen, Formen. **sinnv.**: seltsam.

blä|hen: 1. ⟨tr./sich b.⟩ *mit Luft füllen und dadurch prall machen:* der Wind blähte die Segel; der Vorhang, die Wäsche blähte sich. **sinnv.**: aufblähen. **2.** ⟨itr.⟩ *übermäßig viel Gas in Darm und Magen bilden:* frisches Brot bläht.

Bla|ma|ge [bla'ma:ʒə] die; -, -n: *etwas sehr Peinliches, Beschämendes:* diese Niederlage war eine große B. für den Verein. **sinnv.**: Beschämung, Gesichtsverlust, Schande.

bla|mie|ren ⟨tr./sich b.⟩: *in eine peinliche Lage bringen:* er hat sie, sich durch sein schlechtes Benehmen vor allen Leuten blamiert. **sinnv.**: kompromittieren.

blank ⟨Adj.⟩: **1.** *sehr glatt und glänzend:* blankes Metall; blanke Stiefel. **sinnv.**: spiegelnd. **2.** *nicht*

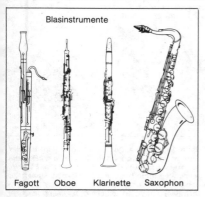

Blasinstrumente

Fagott Oboe Klarinette Saxophon

bedeckt: die blanke Haut; sie setzten sich auf die blanke Erde, den blanken Boden. **sinnv.:** bloß, nackt, unbedeckt.

Bla|se, die; -, -n: 1. *kleinerer, mit Luft gefüllter, hohler Raum von rundlicher Form in einem festen oder flüssigen Stoff:* Blasen im Glas, Metall, Teig; im Wasser steigen Blasen auf. **sinnv.:** Schaum. **Zus.:** Gas-, Luft-, Seifenblase. 2. *durch Reibung, Verbrennung o. ä. hervorgerufene, mit Flüssigkeit gefüllte Wölbung der Haut:* nach der Wanderung hatte er eine B. am Fuß. **sinnv.:** Ausschlag. **Zus.:** Blut-, Brandblase. 3. **a)** *inneres Organ bei Menschen und bestimmten Tieren, in dem sich der Harn sammelt.* **sinnv.:** Harnblase. **Zus.:** Schweinsblase. **b)** *häutiges Hohlorgan.* **Zus.:** Fisch-, Gallen-, Schwimmblase.

bla|sen, bläst, blies, hat geblasen: 1. ⟨tr./itr.⟩ *Luft aus dem Mund ausstoßen:* durch ein Rohr b.; er blies ihm den Rauch ins Gesicht. **sinnv.:** atmen, hauchen. 2. ⟨tr.⟩ **a)** *(ein Blasinstrument) spielen:* die Flöte, Trompete b. **sinnv.:** musizieren. **b)** *(etwas auf einem Blasinstrument) spielen:* eine Melodie, ein Signal [auf der Trompete] b. **sinnv.:** tuten.

bla|siert ⟨Adj.⟩: *gelangweilt-überheblich, dünkelhaft-herablassend:* ein blasierter junger Mann; er hörte b. lächelnd zu. **sinnv.:** dünkelhaft.

Blas|in|stru|ment, das; -[e]s, -e: *Musikinstrument, bei dem die Töne durch das Hineinblasen der Luft erzeugt werden* (siehe Bildleiste). **Zus.:** Blechblasinstrument, Holzblasinstrument.

blaß ⟨Adj.⟩: **a)** *ohne die natürliche, frische Farbe*

des Gesichts; ein wenig bleich: ein blasses junges Mädchen; b. sein, werden. **sinnv.:** aschfahl, bleich, blutleer, käsig, wachsbleich, weißlich. **Zus.:** leichenblaß. **b)** *in der Färbung nicht kräftig:* ein blasses Blau; die Schrift war nur noch ganz b. **sinnv.:** fahl, farblos, schwach.

Bläs|se, die; -: *das Blaßsein:* die B. ihres Gesichtes war auffallend. **sinnv.:** Bleichheit, Fahlheit.

Blatt, das; -[e]s, Blätter: 1. *an einem Stiel wachsender, flächiger, meist grüner Teil einer Pflanze (der der Assimilation, Atmung und Wasserverdunstung dient)* (siehe Bildleiste): grüne, welke Blätter. **sinnv.:** Laub. **Zus.:** Feigen-, Klee-, Lorbeer-, Tabakblatt. 2. *rechteckiges [nicht gefaltetes, glattes] Stück Papier:* ein leeres B. [Papier]; /als Mengenangabe/ hundert B. Papier. **sinnv.:** Seite. **Zus.:** Kalender-, Merk-, Noten-, Notiz-, Titelblatt. 3. *(eine bestimmte) Zeitung:* ein bekanntes, von vielen gelesenes B. **sinnv.:** Zeitschrift. **Zus.:** Börsen-, Boulevard-, Extra-, Hetz-, Käse-, Partei-, Wochenblatt.

blät|tern ⟨itr.⟩: *die Seiten eines Heftes, Buches, einer Zeitung o. ä. flüchtig umwenden:* er blätterte hastig in den Akten. **sinnv.:** lesen.

blau ⟨Adj.⟩: *in der Färbung dem wolkenlosen Himmel ähnlich:* blaue Blüten. **sinnv.:** bleu, ultramarin. **Zus.:** baby-, himmel-, kornblumen-, marine-, preußisch-, tauben-, wasserblau.

bläu|lich ⟨Adj.⟩: *leicht blau getönt:* ein bläulicher Schimmer. **sinnv.:** blau.

blau|ma|chen, machte blau, hat blaugemacht ⟨itr.⟩ (ugs.): *nicht zur Arbeit gehen [und dafür bummeln]:* er macht heute blau. **sinnv.:** faulenzen.

Blech, das; -[e]s, -e: 1. *Metall in Form einer dünnen Platte.* **Zus.:** Aluminium-, Kehr-, Kuchen-, Schutz-, Well-, Zinkblech. 2. ⟨ohne Plural⟩ (ugs.) *etwas (Gesprochenes), was (im Urteil des Hörers) unsinnig, sinnlos, dumm ist:* rede doch kein B.! **sinnv.:** Unsinn.

Blech|blas|in|stru|ment, das; -[e]s, -e: *aus Metall bestehendes Blasinstrument* (siehe Bildleiste S. 92). **sinnv.:** Fanfare, Horn, Kornett, Lure, Posaune, Trompete, Tuba; Blasinstrument.

ble|chen ⟨itr.⟩ (ugs.): *zahlen, Geld geben für etwas/jmdn.:* für diese Reparatur wirst du tüchtig b. müssen. **sinnv.:** bezahlen.

Blei: I. das; -[e]s: */ein schweres Metall/:* es liegt mir wie B. in den Gliedern *(die Glieder sind schwer und müde).* II. der oder das; -[e]s, -e: (Kurzform für:) *Bleistift.* **sinnv.:** Stift.

Blei|be, die; -: *Ort, Raum, in dem man [vorübergehend] bleiben, unterkommen, wohnen kann:* keine B. haben. **sinnv.:** Unterkunft.

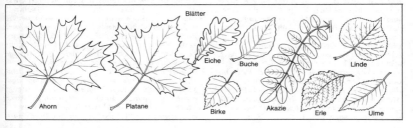

Blätter

Eiche Buche Linde

Ahorn Platane Birke Akazie Erle Ulme

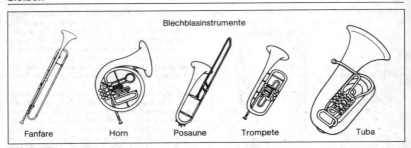

Blechblasinstrumente

Fanfare   Horn   Posaune   Trompete   Tuba

blei|ben, blieb, ist geblieben ⟨itr.⟩: **1.** *nicht weggehen:* zu Hause b.; er blieb in Berlin. **sinnv.:** sich aufhalten. **Zus.:** fernbleiben. **2.** *seinen Zustand nicht ändern:* die Tür bleibt geschlossen. **Zus.:** gleich-, offenbleiben · liegen-, sitzen-, stecken-, stehenbleiben. **3.** *übrig sein:* jetzt bleibt nur noch eins [zu tun]. **sinnv.:** verbleiben.

bleich ⟨Adj.⟩: *(bes. in bezug auf die Haut) [sehr] blaß und ohne die natürliche kräftigere Farbe:* ein bleiches Gesicht; sie wurde b. vor Schreck, vor Wut. **sinnv.:** blaß. **Zus.:** kreide-, toten-, wachsbleich.

blei|ern ⟨Adj.⟩: *mit einem Gefühl großer Schwere (wie Blei) verbunden:* er erwachte aus einem bleiernen Schlaf. **sinnv.:** schwer.

Blei|stift, der; -[e]s, -e: *zum Schreiben und Zeichnen verwendeter Stift:* einen B. [an]spitzen. **sinnv.:** Stift.

blen|den, blendete, hat geblendet ⟨tr.⟩ /vgl. blendend/: **1.** *durch sehr helles Licht am Sehen hindern:* die Sonne blendete mich; der Fahrer wurde durch entgegenkommende Autos geblendet. **sinnv.:** blind machen. **2.** *durch äußerliche Vorzüge beeindrucken:* sein geschicktes Auftreten blendet die Kunden. **sinnv.:** bezaubern.

blen|dend ⟨Adj.⟩ (emotional): *in einer Weise, die begeisterte Zustimmung findet, die sehr gut, schön gefunden wird:* er hielt eine blendende Rede; wir haben uns b. unterhalten. **sinnv.:** glänzend, hervorragend.

Blick, der; -[e]s, -e: **1.** *das Blicken:* ein B. auf die Uhr; ein freundlicher B. **Zus.:** Augen-, Ein-, Rück-, Über-, Weitblick. **2.** ⟨ohne Plural⟩ *Ausdruck der Augen:* ein offener, sanfter B. **Zus.:** Dankes-, Kenner-, Unschuldsblick. **3.** *Möglichkeit, ins Freie, in die Ferne o. ä. zu sehen:* ein weiter B. ins Land. **sinnv.:** Aussicht. **Zus.:** An-, Fern-, Rundblick.

blicken ⟨itr.⟩: **a)** *die Augen auf ein Ziel richten:* auf die Tür, aus dem Fenster, in die Ferne b. **sinnv.:** ansehen; betrachten. **b)** *in bestimmter Weise dreinschauen:* freundlich, kühl, streng b. **sinnv.:** gucken, schauen, sehen.

blind ⟨Adj.⟩: **1.** *nicht sehen könnend:* ein blindes Kind. **sinnv.:** sehbehindert. **Zus.:** farben-, nacht-, schneeblind. **2.** *in einer Weise, bei der der Verstand völlig ausgeschaltet ist:* blinder Haß; blindes Vertrauen. **sinnv.:** extrem; kritiklos. **3.** *(ohne den üblichen eigenen Glanz o. ä. und daher) die Möglichkeit des Hinein-, Hindurchsehens nicht [mehr] bietend:* ein blinder Spiegel; blinde Fensterscheiben. **sinnv.:** matt.

Blin|de, der und die; -n, -n ⟨aber: [ein] Blinder, Plural: [viele] Blinde⟩: *jmd., der nicht sehen kann.*

blind|lings ⟨Adverb⟩: *ohne Vorsicht und Überlegung:* er rannte b. in sein Verderben. **sinnv.:** bedenkenlos, kritiklos.

blin|ken ⟨itr.⟩: **a)** *blitzend, funkelnd leuchten, glänzen:* die Sterne blinken; der Spiegel blinkt in der Sonne. **b)** *durch Aufleuchtenlassen eines Lichtes Signale geben:* mit einer Lampe b.; ⟨auch tr.⟩ Signale, SOS b. **sinnv.:** leuchten.

blin|zeln ⟨itr.⟩: *die Augen zu einem schmalen Spalt verengen und die Augenlider schnell auf und ab bewegen:* er blinzelte in der hellen Sonne. **sinnv.:** zwinkern.

Blitz, der; -es, -e: *[im Zickzack] kurz und grell aufleuchtendes Licht, das bei Gewitter entsteht:* der B. hat in einen Baum eingeschlagen; vom B. erschlagen werden. **sinnv.:** Blitzschlag, Blitzstrahl. **Zus.:** Elektronen-, Kugelblitz.

blitz-, Blitz- ⟨Präfixoid⟩ (emotional verstärkend): **1.** ⟨adjektivisch; auch das Basiswort wird betont⟩ *sehr, überaus:* blitzblank, -gescheit, -sauber, -schnell. **2.** ⟨substantivisch⟩ *überraschend [schnell], überaus schnell; unerwartet, plötzlich erfolgend:* Blitzaktion, -angriff, -besuch, -interview, -karriere, -krieg, -telegramm.

blit|zen ⟨itr.⟩: **a)** *(als Blitz) aufleuchten:* bei dem Gewitter hat es oft geblitzt. **b)** *[plötzlich] funkelnd, glänzend leuchten, aufleuchten, im Licht glänzen:* ihre Zähne blitzten; der Ring blitzt am Finger. **sinnv.:** leuchten.

Block, der; -[e]s, Blöcke und Blocks: **1.** ⟨Plural: Blöcke⟩ *festes, großes Stück aus einheitlichem Material:* ein B. aus Beton. **sinnv.:** Brocken, Klotz, Klumpen. **Zus.:** Eis-, Fels-, Marmor-, Metallblock · Showblock. **2.** ⟨Plural: Blocks oder Blöcke⟩ *ein Viereck bildende Gruppe von aneinandergebauten Häusern innerhalb eines Stadtgebietes:* einmal um den B. spazieren. **sinnv.:** Karree, Quadrat. **Zus.:** Häuser-, Wohnblock. **3.** ⟨Plural: Blocks oder Blöcke⟩ *an einer Kante zusammengeheftete Blätter, die einzeln abgerissen werden können:* ein B. Briefpapier. **sinnv.:** Abreiß-, Kassen-, Notiz-, Schreib-, Zeichenblock. **4.** ⟨Plural: Blöcke, seltener Blocks⟩ *in sich geschlossene Gruppe von politischen oder wirtschaftlichen Kräften, von Staaten, die sich unter bestimmten wirtschaftlichen, strategischen o. ä. Aspekten zusammengeschlossen haben:* die politischen Parteien bildeten einen B. **sinnv.:** Bund; Vereinigung. **Zus.:** Macht-, Militär-, Ost-, Wirtschaftsblock.

blockie|ren: 1. ⟨tr.⟩ *den Zugang, die Durchfahrt,*

das Fließen, die Zufuhr von etwas unterbinden, unmöglich machen: den Verkehr b.; Autos blockierten die Straße. **sinnv.**: verstellen; sperren. **2.** ⟨itr.⟩ *außer Funktion gesetzt, in seiner Bewegung gehemmt werden, sich nicht mehr drehen, nicht mehr arbeiten:* das Rad, der Motor blockiert. **3.** ⟨tr.⟩ *durch Widerstand, Gegenmaßnahmen ins Stocken bringen, aufhalten:* Verhandlungen, ein Gesetz b. **sinnv.**: verhindern.

blöd ⟨Adj.⟩ (emotional abwertend): ↑*blöde*(1).

blö|de ⟨Adj.⟩: **1.** (ugs.) *durch seine als töricht, kindisch, lächerlich empfundene Art, Verhaltensweise jmdn. störend:* ein blöder Kerl; so eine blöde Frage!; sich reichlich blöde anstellen, benehmen. **sinnv.**: dumm, lächerlich, unsinnig. **2.** (seltener) ↑*schwachsinnig:* ein blödes Kind. **sinnv.**: geistesgestört.

Blöd|sinn, der; -[e]s: *etwas, was (im Urteil des Sprechers) blöd, dumm ist:* alles, was er sagte, war B. **sinnv.**: Unsinn.

blö|ken ⟨itr.⟩: *(von Rindern und Schafen) mit langem Ton schreien:* das Kalb blökt.

blond ⟨Adj.⟩: **a)** *hell, gelblich, golden schimmernd* /vom Haar/: blonde Locken; das Haar b. färben. **b)** *blonde Haare habend:* ein blonder Junge; sie ist ganz b. **sinnv.**: blondhaarig. **Zus.**: dunkel-, hell-, flachs-, gold-, strohblond.

bloß: **I.** ⟨Adj.⟩ **1.** *nicht bedeckt, nicht bekleidet:* bloße Füße; mit bloßem Oberkörper. **sinnv.**: blank; nackt. **2.** *nichts anderes als:* nach dem bloßen Augenschein; die bloße Nennung des Namens genügt nicht. **II.** ⟨Adverb⟩ (ugs.) ↑*nur:* er ist nicht dumm, er ist b. faul; das war b. ein Versehen; ich habe b. noch fünf Mark. **sinnv.**: allein; ausschließlich. **III.** ⟨Partikel⟩ /drückt in verstärkender Weise die persönliche Emotion aus bei Aufforderungen, Ausrufen, Wünschen, Fragen, Feststellungen/ ↑*nur:* geh mir b. aus dem Wege!; was soll ich b. machen?

blü|hen ⟨itr.⟩: **1.** *Blüten hervorgebracht haben, aufgeblüht sein, in Blüte stehen:* die Rosen blühen. **2.** *sich unter günstigen Bedingungen in seiner Art voll entfalten:* Künste und Wissenschaften blühen. **sinnv.**: florieren.

Blu|me, die; -, -n: **1. a)** *im allgemeinen niedrig wachsende Pflanze, die meist größere, ins Auge fallende, sich durch Leuchtkraft, Schönheit auszeichnende Blüten hervorbringt:* die Tulpe, die Rose ist eine B.; die Blumen blühen; Blumen pflanzen. **b)** *einzelne Blüte mit Stiel und Blättern:* frische, verwelkte Blumen; Blumen pflücken. **sinnv.**: Blüte. **Zus.**: Feld-, Frühlings-, Garten-, Wiesenblume. **2. a)** *Duft des Weines:* dieser Wein hat eine köstliche B. **sinnv.**: Bukett. **b)** *Schaum auf dem gefüllten Bierglas.*

Blu|men|strauß, der; -es, Blumensträuße: *zusammengebundene oder -gestellte abgeschnittene oder gepflückte Blumen, Zweige.* **sinnv.**: Bukett, Gebinde, Gesteck, Strauß.

Blu|se, die; -, -n: *(besonders von Frauen) zu Rock oder Hose getragenes Kleidungsstück, das den Oberkörper bedeckt.* **sinnv.**: Blouson, Kasack, T-Shirt.

Blut, das; -[e]s: *im Körper des Menschen und vieler Tiere zirkulierende rote Flüssigkeit:* B. spenden, übertragen; jmdm. B. abnehmen. **Zus.**: Kalt-, Voll-, Warmblut.

blut- ⟨adjektivisches Präfixoid⟩ (emotional ver-

stärkend; auch das Basiswort wird betont): *äußerst, überaus ...* /das adjektivische Basiswort bezieht sich auf Existentielles/: blutarm, -jung.

Blü|te, die; -, -n: **1.** *in unterschiedlichsten Formen und oft leuchtenden Farben sich bildender Teil einer Pflanze, der Frucht und Samen hervorbringt:* duftende, verwelkte Blüten; ein Baum voller Blüten. **sinnv.**: Blume, Blütenkelch, Kelch. **Zus.**: Apfel-, Kirsch-, Lindenblüte. **2.** ⟨ohne Plural⟩ *das Blühen:* in der Zeit der B.; die Bäume stehen in [voller] B. **Zus.**: Apfel-, Baumblüte. **3.** ⟨ohne Plural⟩ *hoher Entwicklungsstand:* eine Zeit der geistigen, wirtschaftlichen B. **sinnv.**: Aufschwung.

blu|ten, blutete, hat geblutet ⟨itr.⟩: **1.** *Blut verlieren:* er, seine Nase blutete; die Wunde blutete *(es trat Blut daraus hervor).* **2.** (ugs.) *(für etwas, in einer bestimmten Lage) viel Geld aufbringen:* er hat schwer b. müssen. **sinnv.**: bezahlen; einstehen.

blu|tig ⟨Adj.⟩: **1. a)** *Spuren von Blut aufweisend:* ein blutiges Gesicht. **sinnv.**: blutbefleckt, blutend, bluttriefend, blutüberströmt, blutverschmiert. **b)** *mit Blutvergießen verbunden:* blutige Kämpfe. **2.** (emotional) ⟨in bestimmten Verbindungen; kennzeichnet den hohen Grad, wirkt verstärkend⟩: blutiger Ernst; ein blutiger Laie.

Bö, die; -, -en: *plötzlich heftig auftretender Wind:* eine Bö erfaßte die Segel. **sinnv.**: Wind. **Zus.**: Gewitter-, Regen-, Windbö.

Bob, der; -s, -s: *für zwei oder vier Personen vorgesehener, mit einer einer Karosserie ähnlichen Verkleidung ausgestatteter, großer Schlitten für sportliche Wettkämpfe auf dafür vorgesehenen Bahnen.* **sinnv.**: Schlitten.

Bock, der; -[e]s, Böcke: **1. a)** *männliches Tier (bestimmter Säugetiere, z. B. Ziege).* **sinnv.**: Schaf. **Zus.**: Geiß-, Gems-, Reh-, Stein-, Ziegenbock. **b)** (Jargon) **[keinen, null] B. auf etwas haben: [keine] Lust auf etwas, zu etwas haben.* **2.** *in der Höhe verstellbares Turngerät für Übungen zum Springen* (siehe Bild).

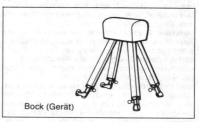

Bock (Gerät)

Bo|den, der; -s, Böden: **1.** *[nutzbare] obere Schicht der Erde (bes. als Grundlage des Wachstums von Pflanzen):* fruchtbarer B. **sinnv.**: Erde. **Zus.**: Acker-, Lehm-, Mutter-, Sand-, Waldboden. **2.** *Grundfläche im Freien oder in einem Innenraum, auf dem man steht, sich bewegt:* mit Teppichen belegter B.; das Buch ist auf den B. gefallen; zu B. fallen. **sinnv.**: Fußboden. **Zus.**: Bretter-, Fuß-, Küchen-, Tanzboden. **3.** *untere Fläche von etwas:* der B. eines Topfes, einer Kiste, eines Koffers. **Zus.**: Meeresboden. **4.** *Raum zwischen dem Dach und dem obersten Geschoß eines Hauses.* **sinnv.**: Dachboden, Speicher. **Zus.**: Heu-, Trockenboden.

Bo|gen, der; -s, -, auch: Bögen: **I. 1.** *gekrümmte, gebogene Linie:* der Fluß fließt im B. um die Stadt. **sinnv.:** Biegung. **Zus.:** Regenbogen. **2.** *gewölbter Teil eines Bauwerks, der eine Öffnung überspannt.* **sinnv.:** Arkade. **Zus.:** Brücken-, Fenster-, Rund-, Spitz-, Tor-, Triumphbogen. **3.** *alte Schußwaffe, Sportgerät zum Abschießen von Pfeilen* (siehe Bildleiste): mit Pfeil und B. schießen. **4.** *mit Roßhaaren bespannter Stab aus elastischem Holz, mit dem die Saiten eines Streichinstruments gestrichen und so zum Tönen gebracht werden* (siehe Bildleiste). **Zus.:** Cello-, Geigenbogen. **II.** *größeres, rechteckiges Blatt Papier:* einen B. falten. **Zus.:** Brief-, Schnittmusterbogen.

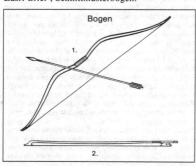

Bogen

1.

2.

Boh|ne, die; -, -n: **a)** *im Garten gezogene, buschig wachsende oder an Stangen sich emporwindende Pflanze, deren nierenförmige Samen zu mehreren in länglichen, fleischigen Hülsen sitzen.* **Zus.:** Busch-, Feuer-, Sau-, Soja-, Stangen-, Wachs-, Zwergbohne. **b)** *als Gemüse o. ä. verwendete Frucht dieser Pflanze:* heute gibt es [grüne] Bohnen. **sinnv.:** Hülsenfrucht. **Zus.:** Brech-, Schnittbohne. **c)** *als Gemüse, in Suppen verwendeter Samen dieser Pflanze.*

boh|ren: 1. a) ⟨itr.⟩ *durch [drehende] Bewegung eines Werkzeugs in etwas eindringen, an etwas arbeiten:* an einem Balken, in einem Zahn b. **b)** ⟨tr.⟩ *durch drehende Bewegung eines Werkzeugs (etwas) herstellen:* ein Loch [in die Wand, durch das Brett] b.; einen Brunnen b. **c)** ⟨tr.⟩ *durch stoßende [und drehende] Bewegung in etwas drücken:* eine Stange in die Erde. **d)** ⟨sich b.⟩ *unter stoßenden und drehenden Bewegungen an eine bestimmte Stelle vordringen:* der Meißel bohrte sich in den Asphalt; der Nagel bohrte sich durch die Sohle. **e)** ⟨itr.⟩ *mit Hilfe eines entsprechenden Geräts und Werkzeugs nach etwas suchen:* nach, auf Erdöl, Wasser, Kohle b. **2.** ⟨itr.⟩ *eine quälende, peinigende Wirkung haben:* der Schmerz bohrt [in seinem Zahn]; Zweifel bohrten in ihm. **sinnv.:** zusetzen. **3.** ⟨itr.⟩ *drängend bitten, fragen, hartnäckig forschen:* die Kinder bohrten so lange, bis die Mutter nachgab. **sinnv.:** bitten; fragen.

Bom|be, die; -, -n: **1.** *mit einem Zünder versehener [länglich geformter] Sprengkörper, der (von Flugzeugen abgeworfen oder in bestimmten Objekten versteckt) bei der Explosion große Zerstörungen verursacht:* eine B. legen, werfen. **sinnv.:** Sprengkörper. **Zus.:** Brand-, Flieger-, Spreng-,

Zeitbombe. **2.** ⟨ohne Plural⟩ ↑*Atombombe.* **sinnv.:** ABC-Waffen, Kernwaffen. **Zus.:** Neutronen-, Wasserstoffbombe.

bom|ben-, Bom|ben- ⟨Präfixoid, auch das Basiswort wird betont⟩ (ugs. verstärkend): /*kennzeichnet eine anerkennende Einschätzung des im Basiswort Genannten/:* **1.** ⟨adjektivisch⟩ *in anzuerkennender, positiv überraschender Weise, sehr:* bombenfest, -sicher. **2.** ⟨substantivisch⟩ *großartig, hervorragend, ausgezeichnet, bombig [viel, groß]:* Bombenbesetzung, -erfolg, -geschäft, -stimmung. **sinnv.:** Top-.

Bon|bon [bɔŋ'bɔŋ, bõ'bõ:], der und das; -s, -s: *[vor allem aus Zucker bestehende] Süßigkeit zum Lutschen.* **sinnv.:** Dragée, Zuckerstein, Zuckerwerk, Zuckerzeug. **Zus.:** Frucht-, Honig-, Hustenbonbon.

Boot, das; -[e]s, -e: *kleines, meist offenes Schiff:* mit dem B. hinausfahren. **sinnv.:** Barkasse, Barke, Dschunke, Einbaum, Einer, Gondel, Jolle, Kahn, Kajak, Kanadier, Kanu, Nachen, Nußschale, Schiff. **Zus.:** Fähr-, Falt-, Fischer-, Motor-, Paddel-, Polizei-, Rettungs-, Ruder-, Schlauch-, Segel-, Tretboot, U-Boot.

Bord: I. das; -[e]s, -e: *an der Wand befestigtes Brett für Bücher o. ä.* **sinnv.:** Brett; Gestell. **Zus.:** Blumen-, Bretter-, Bücher-, Fenster-, Gläser-, Wandbord. **II.** der; -[e]s: *oberer Rand eines Schiffes [an den sich das Deck anschließt]* (meist in bestimmten Wendungen): an B. ⟨[in bezug auf Schiff, Raumschiff, Flugzeug] im Inneren, ins Inneren⟩: an B. eines Schiffes gehen; Fracht an B. nehmen; an B. sein; von B. gehen ⟨das Schiff, Raumschiff, Flugzeug verlassen⟩.

bor|gen: 1. ⟨tr.⟩ ↑*leihen* (1): er muß mir Geld b. **2.** ⟨itr.⟩ ↑*leihen* (2): ich habe mir das Geld geborgt.

Bor|ke, die; -, -n: *[rauhe] Rinde des Baumes:* die B. der alten Kiefer. **sinnv.:** Rinde.

Bör|se, die; -, -n: **1.** *regelmäßig stattfindender Markt (in einem entsprechenden Gebäude) für Wertpapiere, Devisen o. ä., für die nach bestimmten festen Bräuchen Preise ausgehandelt werden.* **Zus.:** Getreide-, Warenbörse. **2.** *Portemonnaie.* **Zus.:** Geld-, Lederbörse.

Bor|ste, die; -, -n: *sehr festes, dickes, steif stehendes Haar:* die Borsten des Schweins; die Borsten der Bürste. **sinnv.:** Haar. **Zus.:** Haar-, Kunst-, Natur-, Schwanz-, Schweineborste.

bös: ↑*böse.*

Bö|schung, die; -, -en: *schräg abfallende seitliche Fläche (bes. bei Straßen und [Bahn]dämmen).* **sinnv.:** Abhang. **Zus.:** Deich-, Uferböschung.

bö|se ⟨Adj.⟩: **1. a)** *moralisch schlecht; nicht gut:* ein böser Mann; eine böse Tat; etwas aus böser Absicht tun. **sinnv.:** bösartig, boshaft, böswillig, garstig, gehässig, gemeingefährlich, giftig, schlimm, übel. **b)** *auf gefährliche Weise übel, unangenehm, schlimm:* eine b. Geschichte; jdm. b. mitspielen; eine b. Krankheit. **sinnv.:** gefährlich; unangenehm. **2. a)** *nicht folgsam, nicht artig:* der kleine Junge war sehr b. **sinnv.:** frech, widerborstig. **b)** ↑*ärgerlich:* der Vater wurde ganz b.; er ist b. auf mich. **3.** (ugs.) *(von bestimmten Körperteilen) entzündet:* einen bösen Finger, ein böses Auge haben. **sinnv.:** wund. **4.** ⟨verstärkend bei Adjektiven und Verben⟩ *sehr, überaus:* sich b. irren, blamieren; es war b. kalt.

bos|haft ⟨Adj.⟩: **1.** *bestrebt, anderen zu schaden:*

ein boshafter Mensch. **sinnv.**: böse. **2.** *voll [gutmütig-anzüglichem] Spott:* eine boshafte Antwort; b. grinsen. **sinnv.**: spöttisch.

Bos|heit, die, -, -en: **a)** ⟨ohne Plural⟩ *böse Absicht, schlechte Gesinnung:* er tat es aus reiner B. **sinnv.**: Bösartigkeit, Boshaftigkeit, Garstigkeit, Gehässigkeit, Gemeinheit, Niedertracht, Schikane, Schurkerei, Übelwollen. **b)** *Wort oder Handlung, die boshaft gegen jmdn. gerichtet ist:* seine Bosheiten ärgern mich nicht mehr.

Bot|schaft, die; -, -en: **1.** *wichtige Nachricht, Mitteilung [die durch jmdn. überbracht wird]:* eine traurige B. **sinnv.**: Nachricht; Zeichen. **Zus.**: Freuden-, Friedens-, Glücks-, Himmels-, Hiobs-, Sieges-, Todes-, Unglücksbotschaft. **2.** *von einem Botschafter geleitete diplomatische Vertretung eines Staates im Ausland.*

Bou|tique [bu'ti:k], die; -, -n: *kleiner Laden, in dem modische Artikel, bes. Kleidungsstücke o.ä. verkauft werden.* **sinnv.**: Laden. **Zus.**: Andenken-, Geschenk-, Herren-, Kinderboutique.

bo|xen ⟨tr./itr.⟩: *mit den Fäusten schlagen:* [gegen] jmdn. b. **sinnv.**: kämpfen, schlagen.

Bo|xer, der; -s, -: **I.** *Sportler, der Boxkämpfe austrägt.* **sinnv.**: Faustkämpfer, Fighter, Puncher. **Zus.**: Amateur-, Berufs-, Preisboxer. **II.** *mittelgroßer Hund mit kräftigem Körper, kurzem Haar und gedrungen wirkendem Kopf mit sehr kurzer, kräftiger Schnauze.* **sinnv.**: Hund.

Brand, der; -[e]s, Brände: *starkes Brennen; großes, vernichtendes Feuer:* die Feuerwehr löschte den B. ***in B. stecken/setzen** *(in zerstörerischer Absicht anzünden).* **sinnv.**: Feuer, Feuersbrunst, Feuersturm, Flamme, Flammenmeer.

brand- ⟨adjektivisches Präfixoid; auch das Basiswort wird betont⟩ (emotional verstärkend): *äußerst, sehr, ganz ... /im Hinblick auf die unmittelbare Zeit, Gegenwart/:* brandaktuell (dieses Thema ist b.), -eilig, -gefährlich, -heiß *(ganz neu, wichtig),* -neu, -notwendig (er hält es für b., darüber zu sprechen).

Bran|dung, die; -, -en: *sich brechende Wellen des Meeres an der Küste.* **sinnv.**: Gischt, Welle. **Zus.**: Meeresbrandung.

bra|ten, brät, briet, hat gebraten: **a)** ⟨tr.⟩ *durch Erhitzen in Fett gar und an der Oberfläche braun werden lassen:* eine Gans b. **sinnv.**: backen, brutzeln, dämpfen, dünsten, garen, grillen, kochen, rösten, schmoren, schmurgeln · toasten. **b)** ⟨itr.⟩ *in Fett unter Hitze weich, gar und braun werden:* das Fleisch brät schon eine Stunde.

Bra|ten, der; -s, -: *größeres gebratenes, zum Braten bestimmtes Stück Fleisch:* ein saftiger B. **Zus.**: Gänse-, Kalbs-, Rinder-, Rinds-, Sauer-, Sonntagsbraten.

Brat|kar|tof|feln, die ⟨Plural⟩: *Gericht aus gebratenen, in Scheiben oder Würfel geschnittenen Kartoffeln.* **sinnv.**: Chips, geröstete Kartoffeln, Geröstete, Kroketten, Pommes frites, Rösti, Röstkartoffeln.

Brat|sche, die; -, -n: *der Geige ähnliches, aber etwas größeres Musikinstrument* (siehe Bildleiste „Streichinstrumente"). **sinnv.**: Streichinstrument.

Brauch, der; -[e]s, Bräuche: *[aus früherer Zeit] überkommene, innerhalb einer Gemeinschaft festgewordene und in bestimmten Formen ausgebildete Gewohnheit:* man will die ländlichen Bräuche bewahren; bei uns ist es B., zu Pfingsten einen Ausflug zu machen. **sinnv.**: Althergebrachtes, Angewohnheit, Brauchtum, Gebräuche, Gepflogenheit, Gewohnheit, Sitte, Tradition. **Zus.**: Hochzeits-, Oster-, Volksbrauch.

brauch|bar ⟨Adj.⟩: *für einen bestimmten Zweck verwendbar:* brauchbare Vorschläge; das Material ist noch b. **sinnv.**: zweckmäßig.

brau|chen, brauchte, hat gebraucht/(nach vorangehendem Infinitiv) hat ... brauchen: **1.** ⟨Vollverb: hat gebraucht⟩ **a)** ⟨itr.⟩ *nötig haben, haben müssen:* der Kranke braucht Ruhe; er hat alles, was er braucht; der Zug braucht zwei Stunden bis dahin; wenn er die neue Stellung bekommt, brauchte/(auch:) bräuchte er dringend ein Auto; das wird noch gebraucht *(darf nicht weggeworfen werden).* **sinnv.**: bedürfen, benötigen, nicht entbehren/nicht missen können. **b)** ⟨tr.⟩ ↑*gebrauchen:* etwas häufig, selten b.; seinen Verstand b. **Zus.**: anbrauchen. **c)** ⟨tr.⟩ ↑*verbrauchen:* das Gerät braucht wenig Strom; sie haben das gesamte Material gebraucht. **2.** ⟨mit Infinitiv mit „zu" als Modalverb; immer verneint oder eingeschränkt; hat ... brauchen⟩: *müssen:* er braucht nicht zu laufen; er hat nicht zu kommen brauchen; du brauchst bloß/nur zu sagen, daß du nicht willst; /in Angleichung an die Modalverben auch ohne „zu"/: Hemden, die nicht gebügelt werden b.

braun ⟨Adj.⟩: **a)** *von der Farbe feuchter Erde:* braunes Haar. **sinnv.**: bräunlich, erdfarben. **Zus.**: dunkel-, erd-, fahl-, gold-, grau-, hell-, kaffee-, nuß-, rot-, schokoladenbraun. **b)** *von der Sonne gebräunt:* ganz b. aus dem Urlaub zurückkommen. **sinnv.**: braungebrannt, gebräunt.

Bräu|ne, die; -: *braune Farbe der Haut, die durch Sonne oder durch die Sonnenlicht entsprechende Strahlen entsteht.* **Zus.**: Sommer-, Sonnenbräune.

bräu|nen, bräunte, hat/ist gebräunt: **1. a)** ⟨tr.⟩ *(jmdm.) ein braunes, gebräuntes Aussehen geben, braun werden lassen:* die Sonne hat ihn gebräunt. **b)** ⟨itr.⟩ *ein braunes, gebräuntes Aussehen bekommen, braun werden:* meine Haut ist sehr schnell in der Sonne gebräunt. **2. a)** ⟨tr.⟩ *unter Einwirkung von Hitze braun [und knusprig] werden lassen:* sie hat Zwiebeln in Butter gebräunt. **b)** ⟨itr.⟩ *unter Einwirkung von Hitze braun [und knusprig] werden:* der Braten ist sehr schön gleichmäßig gebräunt.

bräun|lich ⟨Adj.⟩: *leicht braun (getönt):* ein bräunlicher Stoff. **sinnv.**: braun.

Brau|se, die; -, -n: **1.** ↑*Dusche.* **2.** *siebartig durchlöcherter Aufsatz an Gießkannen (zum Verteilen des Wassers).*

brau|sen, brauste, hat/ist gebraust: **1.** ⟨tr.⟩ ↑*duschen:* ich habe mich jeden Morgen gebraust. **sinnv.**: baden. **2.** ⟨itr.⟩ *in heftiger Bewegung sein und dabei ein dumpfes, anhaltendes Geräusch hervorbringen:* der Wind, das Meer hat die ganze Nacht gebraust. **sinnv.**: rauschen; stürmen. **3.** ⟨itr.⟩ (ugs.) *mit großer Geschwindigkeit [geräuschvoll] irgendwohin fahren:* er ist mit seinem Auto durch die Stadt gebraust. **sinnv.**: fahren.

Braut, die; -, Bräute: **1.** *weibliche Person (gesehen im Zusammenhang mit dem zu ihr gehörenden Partner)* **a)** *in der Zeit zwischen Verlobung und Hochzeit:* darf ich Ihnen meine B. vorstellen? **sinnv.**: Verlobte, Zukünftige. **b)** *am Hochzeitstag:* die B. sieht sehr hübsch aus mit ihrem langen Schleier. **2.** (Jargon) *junges Mädchen, Freundin:*

das ist eine klasse B., die du da abgeschleppt hast; das war eine ganz miese B.

Bräu|ti|gam, der; -s, -e: *männliche Person (gesehen im Zusammenhang mit der zu ihr gehörenden Partnerin)* **a)** *in der Zeit zwischen Verlobung und Hochzeit:* darf ich Ihnen meinen B. vorstellen? **sinnv.:** Freier, Heiratskandidat, Hochzeiter, Verlobter, Zukünftiger. **b)** *am Hochzeitstag.*

brav ⟨Adj.⟩: **1. a)** ↑*artig:* ein braves Kind; das Kind hat b. gespielt. **sinnv.:** gehorsam. **b)** *ordentlich, aber ohne besondere Leistung:* er hat seine Aufgaben b. gemacht. **2.** *von rechtschaffener, biederer Art:* das Kleid ist für den Ball zu b.

bra|vo! ⟨Interj.⟩: *sehr gut!, ausgezeichnet!:* b., das hast du gut gemacht! **sinnv.:** bravissimo, vortrefflich.

bre|chen, bricht, brach, hat/ist gebrochen: **1.** ⟨itr.⟩ *durch Druck, Anwendung von Gewalt in Stücke gehen:* der Tisch ist unter der schweren Last gebrochen. **sinnv.:** zerbrechen. **2.** ⟨tr.⟩ **a)** *durch Druck, Gewalt in Teile zerlegen, in Stücke teilen, von etwas abtrennen:* er hat einen Zweig vom Baum gebrochen; einen Stock [in Stücke] b. **sinnv.:** durchbrechen, durchhauen, durchtrennen, entzweibrechen, knicken, zerschlagen, zerstören. **b)** *sich bei einem Sturz, durch Hinfallen o. ä. den Knochen eines Körperteils so beschädigen, daß er durchbricht:* sie hat sich den Arm gebrochen. **sinnv.:** verletzen. **3.** ⟨tr.⟩ *nicht mehr einhalten; sich nicht an eine Verpflichtung halten:* er hat den Vertrag, die Ehe, den Eid gebrochen. **4.** ⟨tr.⟩ *etwas, was sich als Barriere darstellt, überwinden:* sie hat den Rekord gebrochen. **5.** ⟨itr.⟩ *plötzlich aus etwas hervorkommen:* eine Quelle bricht aus den Felsen; die Sonne ist durch die Wolken gebrochen. **6.** ⟨sich b.⟩ *auf etwas auftreffen und dadurch die ursprüngliche Richtung ändern:* das Licht hat sich im Wasser gebrochen; der Schall bricht sich am Gewölbe. **7.** ⟨itr.⟩ *die bisherige Verbindung, Beziehung o. ä. aufgeben, abbrechen:* mit der Partei, mit einer Gewohnheit b.; er hat mit ihm endgültig gebrochen. **sinnv.:** jmdm. die Freundschaft [auf]kündigen, jmdm. den Laufpaß geben, mit jmdm. Schluß machen, sitzenlassen. **8.** ⟨tr./itr.⟩ ↑*erbrechen:* er hat nach dem Essen gebrochen. **sinnv.:** sich übergeben.

Brei, der; -[e]s, -e: *dickflüssige Speise:* das Baby bekommt einen B. **sinnv.:** Grütze, Haferschleim, Mus, Müsli, Pamps, Püree, Schleim. **Zus.:** Grieß-, Hafer-, Kartoffel-, Mehl-, Milchbrei.

breit ⟨Adj.⟩: **1. a)** *von größerer Ausdehnung in seitlicher Richtung* /Ggs. schmal-/: eine breite Straße, Hand. **sinnv.:** geräumig. **b)** ⟨in Verbindung mit Angaben von Maßen⟩ *eine bestimmte Breite habend:* der Stoff ist 2 Meter b. **2.** *größere Teile des Volkes, der Öffentlichkeit betreffend:* die breite Masse; die Aktion fand ein breites *(großes)* Interesse.

Brei|te, die; -, -n: **1.** ⟨ohne Plural⟩ *seitliche Ausdehnung:* die Straße hat eine B. von fünf Metern. **Zus.:** Band-, Daumen-, Finger-, Zimmerbreite. **2.** *Abstand eines Ortes vom Äquator:* Berlin liegt unter 52 Grad nördlicher B.

Brem|se, die; -, -n: *Vorrichtung, mit der in Bewegung befindliche Fahrzeuge o. ä. verlangsamt oder zum Stillstand gebracht werden können:* er trat auf die B. *(auf das Pedal der Bremse);* die Bremsen quietschten. **Zus.:** Backen-, Fuß-, Handbremse.

brem|sen: a) ⟨itr.⟩ *die Bremse betätigen:* er hat zu spät gebremst. **b)** ⟨tr.⟩ *die Geschwindigkeit von etwas [bis zum Stillstand] verringern:* das Auto b. **sinnv.:** anhalten. **c)** ⟨tr.⟩ *einschränken:* die Ausgaben müssen gebremst werden. **sinnv.:** zügeln.

bren|nen, brannte, hat gebrannt: **1. a)** ⟨itr.⟩ *eine Flamme hervorbringen; in Flammen stehen:* das Öl, das Haus brennt. **sinnv.:** aufflackern, aufleuchten, auflodern, sich entzünden, flackern, glimmen, glühen, lodern, lohen, schmoren, schwelen, sengen, wabern. **b)** ⟨itr.⟩ *beim Brennen* (1 a) *bestimmte Eigenschaften zeigen:* das trockene Holz brennt gut, schnell, leicht, lichterloh. **c)** ⟨tr.⟩ *als Heizmaterial verwenden:* Öl, Holz b. **2.** ⟨itr.⟩ *eingeschaltet, angezündet sein und leuchten:* das Licht, die Lampe brennt. **3.** ⟨tr.⟩ *durch Hitze, Sengen o. ä. in etwas entstehen lassen:* ein Zeichen in Holz, auf das Fell eines Tieres b. **sinnv.:** einbrennen, einsengen. **4.** ⟨tr.⟩ *durch Hitze für den Gebrauch zubereiten:* Kaffee, Mehl b. **5.** ⟨tr.⟩ *unter großer Hitzeeinwirkung härten lassen:* Ziegel, Porzellan b. **6.** ⟨itr.⟩ *ein beißendes, wundes Gefühl, einen beißenden Reiz verursachen:* die Wunde brennt; mir brennen die Augen. **sinnv.:** beißen; jucken. **7.** ⟨itr.⟩ *heftig nach etwas streben, auf etwas sehr begierig sein:* er brennt darauf, ihn zu sprechen; vor Neugierde b. **sinnv.:** streben.

Bren|nes|sel, die; -, -n: *Pflanze mit gezackten Blättern und unscheinbaren gelblichen Blüten, die bei Berührung auf der Haut brennende Bläschen hervorruft.*

Brett, das; -[e]s, -er: **1.** *flaches, langes, aus einem Baumstamm geschnittenes Stück Holz:* Bretter schneiden, sägen; eine Wand aus Brettern. ***Schwarzes B.** *(Tafel für Mitteilungen, Anschläge).* **sinnv.:** Balken, Bohle, Bord, Daube, Diele, Latte, Leiste, Planke, Scheit, Sparren, Träger. **Zus.:** Blumen-, Bücher-, Bügel-, Hack-, Nudel-, Schach-, Sprungbrett. **2.** ⟨Plural⟩ ↑*Ski:* die Bretter wachsen; noch unsicher auf den Brettern stehen.

Bre|zel, die; -, -n: *salziges, in Lauge getauchtes oder süßes Gebäckstück (siehe Bild).* **Zus.:** Salz-, Zuckerbrezel.

Brief, der; -[e]s, -e: *schriftliche Mitteilung, die an jmdn. in einem Umschlag geschickt wird:* einen B. schreiben. **sinnv.:** Post; Schreiben. **Zus.:** Abschieds-, Bekenner-, Bitt-, Dankes-, Droh-, Eil-, Fracht-, Hirten-, Leser-, Liebesbrief.

Brief|ka|sten, der; -s, Briefkästen: **a)** *von der Post angebrachter oder aufgestellter Behälter für kleinere Sendungen, bes. Briefe und Karten, der regelmäßig geleert wird.* **b)** *am Eingang eines Hauses, einer Wohnung angebrachter Behälter für die dem Empfänger zugestellten Postsendungen.*

Brief|mar|ke, die; -, -n: *von der Post ausgegebene Marke von bestimmtem Wert, die zum Freimachen einer Sendung auf diese aufgeklebt wird.* **sinnv.:** Freimarke, Marke, Postwertzeichen, Sondermarke, Wertzeichen, Wohlfahrtsmarke.

Brief|ta|sche, die; -, -n: *eine Art kleine Mappe [mit verschiedenen Fächern], die jmd. im Ausweise, Geld usw. mit sich tragen kann.* **sinnv.:** Herrenhandtasche · Portemonnaie.

Brief|trä|ger, der; -s, -, **Brief|trä|ge|rin,** die; -, -nen: *männliche bzw. weibliche Person, die die Post zustellt.* **sinnv.:** Zusteller.

Brief|wech|sel, der; -s: *Austausch von Briefen (zwischen zwei Personen):* der B. zwischen ihnen ist sehr rege; mit jmdm. in B. stehen. **sinnv.:** Briefverkehr, Korrespondenz, Schriftverkehr.

Bril|le, die; -, -n: *vor den Augen getragenes Gestell mit geschliffenen oder gefärbten Gläsern, die dem besseren Sehen oder dem Schutz der Augen dienen.* **sinnv.:** Kneifer, Monokel. **Zus.:** Fern-, Horn-, Lese-, Sonnen-, Taucherbrille.

brin|gen, brachte, hat gebracht: **1.** ⟨tr.⟩ *an einen Ort tragen, befördern [und jmdm. übergeben]:* der Briefträger bringt die Post; er brachte den Koffer zum Bahnhof. **sinnv.:** liefern; transportieren. **2.** ⟨tr.⟩ *zur Begleitung, als Hilfe, zum Schutz o. ä. mit jmdm. an einen bestimmten Ort mitgehen:* jmdn. nach Hause, zum Zug b. **sinnv.:** begleiten; einweisen. **3.** ⟨tr.⟩ **a)** *dafür sorgen, daß jmd./etwas an einen bestimmten Ort kommt, gerät:* jmdn. ins Gefängnis, vor Gericht b.; den Satelliten in eine Umlaufbahn b. **b)** /in verblaßter Bedeutung/: das Gespräch auf ein anderes Thema b. *(lenken);* sich, jmdn. in Gefahr b. *(gefährden);* etwas zum Einsatz b. *(einsetzen);* sich nicht aus der Ruhe b. *(sich nicht nervös machen)* lassen. **4.** ⟨itr.; in Verbindung mit „es"⟩ *ein bestimmtes [berufliches] Ziel, eine bestimmte, durch das Alter o. ä. bedingte Leistungsgrenze erreichen:* er hat es [im Leben] zu hohem Ansehen, zu nichts gebracht; er hat es bis zum Direktor gebracht; es weit b. **sinnv.:** aufsteigen. **5.** ⟨itr.⟩ *für jmdn. zu einem bestimmten Ergebnis führen:* das Geschäft brachte ihm viel Geld, hohen Gewinn, große Verluste; (ugs.) das bringt doch nichts *(lohnt sich doch nicht, dabei kommt nichts heraus).* **sinnv.:** abwerfen. **6.** ⟨itr.⟩ *erreichen, verursachen, daß jmd. Schaden erleidet, etwas verliert, einbüßt:* jmdn. um seine Stellung, seinen guten Ruf b.; der Lärm brachte sie um den Schlaf. **sinnv.:** betrügen. **7.** ⟨tr.⟩ *in einer Veröffentlichung, Aufführung, Sendung o. ä. darbieten:* das Programm bringt nichts Neues; die Zeitung brachte nur einen kurzen Artikel über den Unfall. **sinnv.:** veröffentlichen. **8.** ⟨tr.⟩ (ugs.) *die Erwartungen, Hoffnungen, die mit jmds. Leistung verbunden werden, auch erfüllen, ihnen entsprechen:* er bringt das jederzeit; etwas gut, nicht b.; der bringt es voll! **sinnv.:** bewältigen.

Bri|se, die; -, -n: *leichter Wind [von der See]:* eine leichte, sanfte B. **sinnv.:** Wind.

bröckeln, bröckelte, hat/ist gebröckelt ⟨itr.⟩: **a)** *in kleine Brocken zerfallen:* das Brot hat sehr gebröckelt. **sinnv.:** zerfallen. **b)** *sich in kleinen Brocken ablösen:* der Putz ist von den Wänden gebröckelt.

Brocken, der; -s, -: *größeres, unförmiges, oft von etwas abgebrochenes Stück:* ein schwerer B. **sinnv.:** Bissen; Block; Teil. **Zus.:** Fleisch-, Gesteins-, Käse-, Sprachbrocken.

bro|deln ⟨itr.⟩: *[beim Kochen] Blasen bilden und in starker Bewegung sein:* das kochende Wasser brodelt im Topf. **sinnv.:** blubbern, kochen, sprudeln, wallen.

Brom|bee|re, die; -, -n: *an einer in Ranken oder als Strauch wachsenden Pflanze mit Stacheln wachsende (der Himbeere in der Form ähnliche) eßbare, glänzend schwarze Beere.*

Bron|ze [brõːsə], die; -, -n: **1.** ⟨ohne Plural⟩ *Legierung aus Kupfer und Zinn:* eine Halskette aus B. **Zus.:** Gold-, Silberbronze. **2.** *Plastik aus Bronze* (1): die Bronzen des Künstlers sind in der ersten Halle ausgestellt.

Brot, das; -[e]s, -e: **a)** *(aus Mehl, Wasser, Salz und Sauerteig oder Hefe hergestelltes) zu einem Laib geformtes und gebackenes Nahrungsmittel:* frisches B.; ein Laib B. **Zus.:** Bauern-, Fladen-, Knäcke-, Roggen-, Schrot-, Schwarz-, Weiß-, Weizenbrot. **b)** *abgeschnittene Scheibe von einem Laib Brot* (a): Brote machen; ein B. belegen, essen. **sinnv.:** Schnitte. **Zus.:** Frühstücks-, Honig-, Käse-, Schinken-, Wurstbrot.

Bröt|chen, das; -s, -: *(in vielen unterschiedlichen Formen vom Bäcker hergestellte runde oder längliche) Backware aus Weizenmehl, Hefe und Milch oder Wasser:* frische Brötchen. **sinnv.:** Schrippe, Semmel, Weck, Wecken. **Zus.:** Kaiser-, Kümmel-, Laugen-, Mohn-, Roggen-, Rosinenbrötchen.

Bruch, der; -[e]s, Brüche: **1.** *das Brechen, Zerbrechen:* der B. eines Abkommens. **Zus.:** Achsen-, Arm-, Bein-, Damm-, Deich-, Ehe-, Knochen-, Rohr-, Schädel-, Schiff-, Stil-, Stimm-, Vertrags-, Vertrauens-, Wolkenbruch. **2.** *Einheit aus Zahlen, die, mit einem Quer- oder Schrägstrich untereinandergeschrieben, ein bestimmtes Verhältnis ausdrücken:* echte, unechte Brüche. **sinnv.:** Bruchzahl, Dezimalzahl. **Zus.:** Dezimalbruch.

brü|chig ⟨Adj.⟩: *so beschaffen, daß es leicht bricht, zerfällt:* alte Seide ist b. **sinnv.:** morsch; mürbe.

Bruch|teil, der; -[e]s, -e: *kleiner, geringer Teil von etwas:* einen B. der Kosten decken; im B. einer Sekunde.

Brücke, die; -, -n: *Bauwerk als Verkehrsweg, der sich über etwas befindet, etwas (z. B. einen Fluß) überspannt:* die B. führt, spannt sich über den Fluß, die Schlucht; eine B. über eine Eisenbahnlinie, eine Autobahn bauen. **sinnv.:** Steg, Überführung, Übergang, Viadukt. **Zus.:** Autobahn-, Eisenbahn-, Hänge-, Holz-, Pfeiler-, Ponton-, Straßen-, Zugbrücke.

Bru|der, der; -s, Brüder: *männliche Person im Verhältnis zu einer anderen, die von denselben Eltern abstammt* /Ggs. Schwester/. **sinnv.:** Geschwister, Verwandter. **Zus.:** Amts-, Duz-, Glaubens-, Halb-, Ordens-, Namens-, Tippelbruder.

brü|der|lich ⟨Adj.⟩: *wie bei guten Brüdern üblich; im Geiste von Brüdern:* etwas b. teilen. **sinnv.:** einträchtig; freundschaftlich.

brül|len: 1. ⟨itr.⟩ *(von bestimmten Tieren) einen dumpfen, durchdringenden Laut ausstoßen:* das Vieh brüllte auf der Weide. **2. a)** ⟨itr.⟩ *[aus Erregung oder Wut] sehr laut sprechen:* er brüllte so laut, daß man ihn im Nebenzimmer hörte. **b)** ⟨tr.⟩ *sehr laut rufen, mit sehr lauter Stimme äußern:* die letzten Worte brüllte er [ihm ins Ohr]. **sinnv.:** schreien. **3.** ⟨itr.⟩ **a)** *laut schreien:* er brüllte vor Schmerzen. **b)** (ugs.) *sehr laut und heftig weinen:* das Kind brüllte die ganze Nacht. **sinnv.:** weinen.

brum|men: 1. ⟨itr.⟩ *längere tiefe Töne von sich geben:* der Bär brummt; ein brummender Motor. **sinnv.:** surren. **2. a)** ⟨itr.⟩ *sich mürrisch, unzufrieden äußern:* vor sich hin b.; er brummt schon den ganzen Tag. **sinnv.:** murren. **b)** ⟨tr.⟩ *unverständlich [in mürrischer Weise] sagen:* eine Antwort b.; er brummte etwas ins Telefon.

Brun|nen, der; -s, -: *mit einer Einfassung, Ummauerung, einem Becken o. ä. versehene Stelle, an der Wasser entnommen werden kann.* **Zus.:** Dorf-, Markt-, Ziehbrunnen.

bücken   beugen   ducken   hocken   knien

Brust, die; -, Brüste: **a)** ⟨ohne Plural⟩ *vordere Hälfte des Rumpfes:* jmdn. an seine B. drücken. **sinnv.:** Brustkasten, Brustkorb, Thorax. **Zus.:** Gänse-, Helden-, Hühner-, Kalbs-, Männerbrust. **b)** *aus zwei halbkugeligen Teilen bestehendes Organ an der Vorderseite des weiblichen Oberkörpers, das Milch bilden kann:* üppige, hängende Brüste; dem Kind die B. geben *(es stillen).* **sinnv.:** Busen, Büste. **Zus.:** Mutterbrust.

brü|sten, sich; brüstete sich, hat sich gebrüstet: *sich (einer Sache) prahlend rühmen:* sie brüstete sich mit ihrer guten Stellung. **sinnv.:** prahlen.

brust|schwim|men ⟨itr.; nur im Infinitiv⟩: *in Brustlage schwimmen:* er kann gut b.

bru|tal ⟨Adj.⟩: **1.** *grausam, roh und gewalttätig:* ein brutaler Mensch. **sinnv.:** unbarmherzig. **2.** *rücksichtslos und hemmungslos; ohne Rücksicht (auf die Gefühle, Empfindungen der anderen):* das war Fußball b. **sinnv.:** direkt, unverblümt, unverhüllt.

brü|ten, brütete, hat gebrütet ⟨itr.⟩: **1.** *(von Vögeln) auf den Eiern sitzen und sie erwärmen (so daß sich die Jungen entwickeln und schließlich ausschlüpfen können).* **sinnv.:** glucken, hecken, horsten, nisten, sitzen. **2.** *(ugs.) lange, intensiv über etwas nachdenken:* der Schüler brütete über diesem Aufsatzthema. **sinnv.:** nachdenken.

Bub, der; -en, -en: ↑*Junge:* er ist ein frecher B. **Zus.:** Schulbub.

Bu|be, der; -n, -n: *in der Rangfolge von oben an vierter Stelle stehende Spielkarte* (siehe Bildleiste „Spielkarten").

Buch, das; -[e]s, Bücher: **a)** *größeres, gebundenes Druckwerk zum Lesen oder Betrachten:* ein B. von 500 Seiten. **sinnv.:** Band, Druckerzeugnis, Foliant, Schinken, Schmöker, Schrift, Schwarte, Wälzer, Werk. **Zus.:** Bilder-, Fach-, Gebet-, Gesang-, Jahr-, Jugend-, Kinder-, Koch-, Lese-, Lieder-, Märchen-, Rechen-, Wörterbuch. **b)** *in Form eines gebundenen Druckwerks veröffentlichter literarischer, wissenschaftlicher o. ä. Text:* ein spannendes B.; er hat ein B. über dieses Thema geschrieben.

Bu|che, die; -, -n: *Laubbaum mit glatter, grauer Rinde, meist hohem, schlankem Stamm und kleinen, dreikantigen, ölhaltigen Früchten* (siehe Bildleiste „Blätter"). **Zus.:** Blut-, Rotbuche.

Buch|ecker, die; -, -n: *Frucht der Buche.*

bu|chen ⟨tr.⟩: **1.** *in ein Buch für geschäftliche An-*gelegenheiten oder in eine Liste eintragen: er hat Einnahmen und Ausgaben gebucht. **sinnv.:** aufschreiben, über etwas Buch führen, dokumentieren, einschreiben, erfassen, fortschreiben, registrieren, sammeln, verbuchen, verzeichnen. **2.** *(einen Platz für eine Reise) im voraus bestellen, reservieren lassen:* einen Flug nach New York b.

Bü|che|rei, die; -, -en: *[öffentlich zugängliche] Räumlichkeiten für eine größere] Sammlung von Büchern:* die Schule hat eine eigene B. **sinnv.:** Bibliothek. **Zus.:** Leih-, Stadt-, Volksbücherei.

Buch|hand|lung, die; -, -en: *Geschäft, in dem Bücher verkauft werden.* **sinnv.:** Antiquariat, Bücherladen, -stube, Buchladen, Sortiment. **Zus.:** Bahnhofs-, Fach-, Universitäts-, Verlags-, Versandbuchhandlung.

Büch|se, die; -, -n: *kleineres Gefäß, Behälter mit Deckel, oft als Behältnis für Konserven o. ä.:* eine B. für Gebäck; eine B. Milch; eine B. mit Wurst. **sinnv.:** Blechdose, Dose, Konserve. **Zus.:** Blech-, Konserven-, Sammel-, Sparbüchse.

Buch|sta|be, der; -ns, -n: *Zeichen einer Schrift, das einem Laut entspricht.* **sinnv.:** Laut, Letter, Schriftzeichen, Type. **Zus.:** Anfangs-, Block-, Druck-, Groß-, Leuchtbuchstabe.

buch|sta|bie|ren ⟨tr.⟩: *die Buchstaben eines Wortes nacheinander nennen.*

Bucht, die; -, -en: *in das Festland ragender Teil eines Meeres oder Sees.* **sinnv.:** Bai, Fjord, Förde, Golf, Meeresbusen. **Zus.:** Meeresbucht.

Buckel, der; -s, - : **1.** *Rücken:* er nahm den Rucksack auf den B. **2.** *höckerartige Verkrümmung der Wirbelsäule zwischen den Schulterblättern.* **sinnv.:** Ast, Ausbuchtung, Erhebung, Höcker.

bücken, sich: *den Oberkörper nach vorn beugen* (siehe Bildleiste): er bückte sich nach dem heruntergefallenen Bleistift. **sinnv.:** sich beugen.

buck|lig ⟨Adj.⟩: *einen Buckel (2) habend:* eine bucklige Frau. **sinnv.:** verwachsen.

bud|deln: a) ⟨itr.⟩ *(bes. von Kindern) im Sand graben:* der Kleine sitzt am Strand und buddelt. **sinnv.:** graben. **b)** ⟨tr.⟩ *(ugs.) durch Buddeln (a) herstellen:* die Arbeiter haben vor dem Haus ein großes Loch gebuddelt.

Bu|de, die; -, -n: **1.** *Häuschen, das meist aus Brettern [für kürzere Zeit] aufgebaut ist (z. B. für das Verkaufen von Waren):* dort an der B. bekommst du heiße Würstchen. **sinnv.:** Kiosk, Stand. **Zus.:**

Bau-, Bretter-, Holz-, Jahrmarkts-, Markt-, Schau-, Schieß-, Würstchenbude. **2.** (ugs.) *Räumlichkeit, in der jemand wohnt, sich aufhält:* 6 Mann schlafen auf einer B.; gestern hatten wir die B. voll Gäste. **sinnv.:** Raum.

Büf|fel, der; -s, -: *(in Afrika und Asien) wild lebendes Rind mit plumpem, massigem Körper und großen, ausladenden Hörnern.* **Zus.:** Kaffern-, Wasserbüffel.

büf|feln ⟨tr./itr.⟩ (ugs.): *(im Hinblick auf eine bevorstehende Prüfung) angestrengt lernen, sich ein bestimmtes Fachwissen aneignen:* Mathematik b.; für die Prüfung b. **sinnv.:** lernen.

Bug, der; -[e]s, -e: *vorderer Teil eines Schiffes oder Flugzeuges* (siehe Bild „Segelboot"): das Wasser schäumte um den B. **Zus.:** Schiffsbug.

Bü|gel, der; -s, -: **1.** *Gegenstand zum Aufhängen von Kleidungsstücken.* **2.** *am Ende gebogener Teil des Brillengestells, mit dem die Brille hinter den Ohren festgehalten wird.* **3.** *Griff oder Einfassung aus festem Material am oberen Rand von Handtaschen, Geldbeuteln o. ä.*

Bü|gel|ei|sen, das; -s, -: *[elektrisch geheiztes] Gerät zum Glätten von Wäsche o. ä.* **sinnv.:** Plätteisen · Bügelmaschine, Mangel, Wäschemangel, Wäscherolle.

bü|geln ⟨tr./itr.⟩: *mit einem Bügeleisen glatt machen:* das Kleid b.; ich habe lange gebügelt. **sinnv.:** aufbügeln, dämpfen, glätten, plätten.

Buh|ne, die; -, -n: *quer in einen Fluß oder ins Meer gebauter Damm, der das Ufer schützen soll.*

Büh|ne, die; -, -n: **a)** *vom Zuschauerraum abgegrenzte, meist erhöhte Fläche im Theater, auf der gespielt wird:* er betrat die B. **Zus.:** Dreh-, Theaterbühne. **b)** *Theater:* die Bühnen des Landes. **Zus.:** Freilicht-, Waldbühne.

Bu|kett, das; -[e]s, -e: *größerer, in besonderer Weise gebundener Strauß von Blumen für besondere Anlässe:* jmdm. ein B. [Rosen] überreichen. **sinnv.:** Blumenstrauß. **Zus.:** Blumen-, Braut-, Rosenbukett.

Bul|le, der; -n, -n: **1.** *geschlechtsreifes männliches Rind.* **sinnv.:** Rind. **2.** (ugs. abwertend) *Polizei-, Kriminalbeamter:* euch Bullen traue ich alles zu. **sinnv.:** Polizist.

bul|len-, Bul|len- ⟨Präfixoid⟩ (emotional verstärkend): *sehr [groß]* ... /in bezug auf den Grad, die Intensität/: **a)** ⟨substantivisch⟩ Bullenhitze. **b)** ⟨adjektivisch⟩ bullenstark.

Bu|me|rang, der; -s, -e: *gekrümmte Keule, die geschleudert wird und wieder an den Ausgangspunkt zurückkehrt, falls sie ihr Ziel verfehlt:* einen B. werfen.

Bum|mel, der; -s, -: *kleiner Spaziergang innerhalb einer Stadt:* mit jmdm. einen B. durch die City machen. **sinnv.:** Gang, Shopping, Spaziergang. **Zus.:** Einkaufs-, Schaufenster-, Stadtbummel.

bum|meln, bummelte, hat/ist gebummelt ⟨itr.⟩: **1.** *zum Vergnügen, schlendernd, ohne bestimmtes Ziel durch die Straßen gehen:* er ist durch die Stadt gebummelt. **sinnv.:** spazierengehen. **2. a)** ↑*trödeln:* hättest du nicht so gebummelt, dann wärst du längst fertig. **b)** ↑*faulenzen:* er hat ein Semester lang gebummelt.

bum|sen, bumste, hat/ist gebumst ⟨itr.⟩ (ugs.): **a)** *dumpf dröhnen:* es hat ordentlich gebumst, als der Wagen gegen die Mauer fuhr. **sinnv.:** lärmen. **b)** *heftig gegen etwas schlagen, klopfen, so daß es*

dumpf dröhnt: er hat mit der Faust an/gegen die Tür gebumst. **sinnv.:** klopfen. **c)** *heftig gegen etwas stoßen, auf etwas prallen:* er ist mit dem Kopf an die Wand gebumst. **sinnv.:** zusammenstoßen.

Bund: **I.** der; -[e]s, Bünde: **1.** *das Sichzusammenschließen zu gemeinsamem Handeln:* diese drei Staaten haben einen B. geschlossen. **sinnv.:** Achse, Allianz, Block, Bündnis, Gemeinschaft, Koalition, Konföderation, Verbindung, Vereinigung, Zusammenschluß. **Zus.:** Ehe-, Geheim-, Freundschafts-, Liebes-, Sänger-, Sportbund. **2.** *oberer, auf der Innenseite eingefaßter Rand bei Hosen und Röcken:* der B. der Hose ist ihm zu eng. **Zus.:** Hosen-, Rockbund. **II.** das; -[e]s, -e: *Vielzahl gleichartiger Dinge, die zusammengebunden sind:* ein B. Stroh; ein B. Radieschen. **Zus.:** Schlüssel-, Strohbund.

Bün|del, das; -s, -: *Vielzahl gleichartiger Dinge, die zu einem Ganzen zusammengebunden sind:* ein B. Akten, Briefe; ein B. schmutziger Wäsche; ein B. trockenes Stroh/(geh.) trockenen Strohs. **sinnv.:** Packen. **Zus.:** Akten-, Banknoten-, Heu-, Kleider-, Papier-, Reisig-, Stroh-, Wäschebündel.

bün|deln ⟨tr.⟩: *zu einem Bündel zusammenschnüren:* alte Zeitungen b. **sinnv.:** binden, ein Bündel machen, zusammenbinden, zusammenfassen, zusammenschnüren.

Bünd|nis, das; -ses, -se: *Zusammenschluß aus gemeinsamen Interessen:* ein B. schließen, lösen, erneuern; ein B. zwischen zwei Staaten. **sinnv.:** Bund. **Zus.:** Freundschafts-, Militär-, Verteidigungsbündnis.

Bun|ga|low ['bʊŋgalo], der; -s, -s: *einstöckiges Haus mit flachem Dach.* **sinnv.:** Haus. **Zus.:** Ferien-, Luxusbungalow.

Bun|ker, der; -s, -: **1.** *meist unterirdische Anlage zum Schutz gegen militärische Angriffe.* **sinnv.:** Luftschutzkeller, Luftschutzraum, Schutzraum · Unterstand. **Zus.:** Atom-, Luftschutzbunker. **2.** *großer Raum oder Behälter zum Sammeln und Lagern bestimmter Stoffe, z. B. von Kohle.* **sinnv.:** Behälter. **Zus.:** Erz-, Kohlenbunker.

bunt ⟨Adj.⟩: **1.** *mehrere, oft leuchtende Farben, Farbtöne besitzend:* bunte Ostereier; der Stoff ist sehr b. **sinnv.:** farbenprächtig, farbig, mehrfarbig, poppig. **2.** *aus vielerlei Dingen bestehend, zusammengesetzt:* ein buntes Programm; ein bunter Abend. **sinnv.:** durcheinander; kurzweilig; mannigfaltig. **Zus.:** kunterbunt.

Bür|de, die; -, -n: *seelische o. ä. schwer zu tragende Last, Belastung:* die B. des Alters. **sinnv.:** Anstrengung; Last. **Zus.:** Amtsbürde.

Burg, die; -, -en: *in mittelalterlicher Zeit häufig auf Bergen errichtete, stark befestigte (oft durch Graben und Mauer vor Feinden geschützte) bauliche Anlage mit Wohnbau, Stallungen u. ä.* **sinnv.:** Festung. **Zus.:** Flucht-, Ritter-, Wagen-, Zwingburg.

Bür|ge, der; -n, -n: *jmd., der für einen anderen Sicherheit leistet:* für dieses Darlehen brauche ich zwei Bürgen. **sinnv.:** Garant.

bür|gen ⟨itr.⟩: *Sicherheit leisten:* er hat für ihn gebürgt; ich bürge dafür, daß alles pünktlich bezahlt wird. **sinnv.:** einstehen.

Bür|ger, der; -s, -: *Angehöriger einer Gemeinde oder eines Staates.* **sinnv.:** Bewohner. **Zus.:** Bildungs-, Bundes-, Ehren-, Mit-, Spieß-, Staatsbürger.

Bür|ger|mei|ster, der; -s, -, **Bür|ger|mei|ste-rin,** die; -, -nen: *Leiter bzw. Leiterin der Verwaltung einer Gemeinde.* **sinnv.:** Gemeindevorsteher, Stadtoberhaupt. **Zus.:** Oberbürgermeister.

Bür|ger|steig, der; -[e]s, -e: *von der Fahrbahn abgeteilter, erhöhter Weg für Fußgänger.*

Bürg|schaft, die; -, -en: *das Bürgen, das Haften für jmdn.:* eine B. übernehmen. **sinnv.:** Sicherheit.

Bü|ro, das; -s, -s: *Arbeitsraum, in dem schriftliche, die Verwaltung betreffende o. ä. Arbeiten eines Betriebes, einer Organisation o. ä. erledigt werden:* ins B. gehen. **sinnv.:** Amtszimmer, Kontor, Schreibstube. **Zus.:** Anwalts-, Auskunfts-, Fund-, Großraum-, Reise-, Wettbüro.

bü|ro|kra|tisch ⟨Adj.⟩: *peinlich genau, engstirnig; verwaltungsmäßig:* er denkt b. **sinnv.:** engherzig.

Bur|sche, der; -n, -n (emotional): *[jüngerer] Mann:* ein hübscher, toller B.; ein gerissener B. **sinnv.:** Jüngling. **Zus.:** Handwerks-, Natur-, Stall-, Wanderbursche.

bur|schi|kos ⟨Adj.⟩: *in jungenhafter Weise natürlich-ungezwungen:* sie machte einige burschikose Bemerkungen. **sinnv.:** ungezwungen.

Bür|ste, die; -, -n: *Gegenstand mit Borsten (mit dem man z. B. Staub, Schmutz entfernen, Haare glätten kann).* **Zus.:** Draht-, Haar-, Schuh-, Wurzel-, Zahnbürste.

bür|sten, bürstete, hat gebürstet ⟨tr.⟩: **a)** *mit der Bürste entfernen:* den Staub von den Schuhen b. **b)** *mit der Bürste [in bestimmter Weise] bearbeiten, behandeln:* du mußt dir die Haare b.; [sich] die Zähne b.; (auch itr.) du mußt kräftig b.

Bus, der; -ses, -se: ↑*Omnibus:* mit dem B. fahren. **Zus.:** Auto-, Bahn-, Klein-, Reisebus.

Busch, der; -[e]s, Büsche: **1.** *dicht gewachsene Strauch:* sich hinter einem B. verstecken. **sinnv.:** Staude, Strauch. **Zus.:** Dorn-, Holunderbusch. **2** ⟨ohne Plural⟩ *unwegsames, unkultiviertes Gelän de, Dickicht aus Sträuchern in tropischen Ländern bes. in Afrika:* diese Tiere leben im afrikanischen B. **sinnv.:** Urwald.

Bü|schel, das; -s, -: *Bündel vieler langgewachse ner [zusammengeraffter] gleichartiger Dinge:* ein B. Gras, Stroh, Haare. **sinnv.:** Bund, Bündel **Zus.:** Gras-, Haar-, Heubüschel.

bu|schig ⟨Adj.⟩: **1.** *mit Büschen bewachsen:* ein buschiges Gelände. **2.** *dicht mit Haaren bewach sen:* der Fuchs hat einen buschigen Schwanz **sinnv.:** dicht.

Bu|sen, der; -s, -: *weibliche Brust:* ein üppiger B **sinnv.:** Brust. **Zus.:** Hängebusen.

Bu|ße, die; -, -n: **1.** *Reue mit dem Willen zur Bes serung:* B. tun. **sinnv.:** Sühne. **2.** *Geldstrafe für ein kleineres Rechtsvergehen:* er mußte eine B. zah len, weil er die Verkehrsregel nicht beachtet hat te. **sinnv.:** Strafe. **Zus.:** Geld-, Ordnungsbuße.

bü|ßen ⟨tr.⟩: *die aus einem Vergehen, Versäum nis sich ergebenden Folgen als eine Art Strafe erlei den:* er mußte seinen Leichtsinn, seine Herzlosig keit b. **sinnv.:** einstehen, wiedergutmachen. **Zus.:** ab-, verbüßen.

Bü|ste, die; -, -n: *meist auf einem Sockel stehen de, plastische Darstellung eines menschlichen Kop fes einschließlich des oberen Teiles der Brust:* die B. eines römischen Kaisers. **Zus.:** Gips-, Marmorbüste.

But|ter, die; -: *aus Milch gewonnenes Fett (das bes. als Brotaufstrich verwendet wird):* B. zergehen lassen, aufs Brot streichen. **sinnv.:** Fett. **Zus.:** Kakao-, Marken-, Pflanzenbutter.

C

Ca|fé, das; -s, -s: *Lokal, in dem man vorwiegend Kaffee und Kuchen verzehrt:* ins C. gehen. **sinnv.:** Cafeteria, Espresso, Kaffeehaus. **Zus.:** Ausflugs-, Tanzcafé.

cam|pen ['kɛmpn̩] ⟨itr.⟩: *(am Wochenende oder im Urlaub) im Zelt oder im Wohnwagen leben:* wir haben im Urlaub am Meer gecampt. **sinnv.:** zelten.

Cel|lo ['tʃɛlo u. 'ʃɛlo], das; -s, -s und Celli: *der Geige ähnliches, aber erheblich größeres Musikinstrument, das beim Spielen (auf einen Stachel gestützt) zwischen den Knien gehalten wird* (siehe Bildleiste „Streichinstrumente").

Cham|pi|on ['tʃɛmpiən], der; -s, -s: *Meister einer sportlichen Disziplin.* **sinnv.:** Sieger.

Chan|ce ['ʃãːs(ə)], die; -, -n: **a)** *günstige Gelegenheit, etwas Bestimmtes zu erreichen:* eine [große] C. erhalten, nützen, vergeben: **sinnv.:** Möglichkeit. **b)** *Aussicht auf Erfolg:* er hat die beste, keine C. [auf den Sieg]; seine Chancen stehen gut. **sinnv.:** Aussicht. **Zus.:** Aufstiegs-, Berufs-, Gewinnchance.

Chan|son [ʃãˈsõː], das; -s, -s: *ironisch-witziges, oft auch kritisches, manchmal freches, leicht sentimentales und melancholisches Lied.* **sinnv.:** Lied.

Cha|os ['kaːɔs], das; -: *völliges Durcheinander, Auflösung jeder Ordnung:* es herrschte ein unbeschreibliches C. **sinnv.:** Anarchie; Wirrwarr. **Zus.:** Verkehrschaos.

Cha|rak|ter, der; -s, Charaktere: **1.** *Gesamtheit der geistig-seelischen Eigenschaften, individuelles Gepräge eines Menschen:* er hat einen guten C. **sinnv.:** Wesen. **2.** ⟨ohne Plural⟩ *charakteristische Eigenart einer Personengruppe, einer Sache:* eine Stadt mit ländlichem C. **sinnv.:** Art, Gepräge, Wesen. **Zus.:** Gebirgs-, Stadtcharakter.

cha|rak|te|ri|sie|ren ⟨tr.⟩: **1.** *den Charakter, die typische Eigenart einer Person oder Sache beschreiben, treffend schildern:* er hat ihn gut charakterisiert; eine Situation genau c. **sinnv.:** darstellen, typisieren; begutachten. **2.** *für jmdn./etwas kennzeichnend sein:* kurze Sätze charakterisieren seinen Stil. **sinnv.:** bedeuten.

cha|rak|te|ri|stisch ⟨Adj.⟩: *die besondere Art,*

*das Typische einer Person oder Sache erkennen las-
send:* eine charakteristische Kleidung; die Far-
ben sind für seine Bilder c. **sinnv.**: kennzeich-
nend.

char|mant [ʃar'mant] ⟨Adj.⟩: *Charme besitzend,
durch Liebenswürdigkeit gefallend:* ein charman-
ter Herr; sie ist sehr c. **sinnv.**: anziehend, freund-
lich, gewinnend, unterhaltend.

Charme [ʃarm], der; -s: *Anziehungskraft, die von
jmds. gewinnendem Wesen ausgeht:* weiblicher
C.; seinen ganzen C. aufbieten. **sinnv.**: Anmut.

char|tern ['tʃartɐn, 'ʃar...] ⟨tr.⟩: *(auf Grund einer
Absprache, Verhandlung) erreichen, daß zur Beför-
derung von Personen oder Gütern ein entsprechen-
des Transportmittel zur Verfügung steht:* sie ist
nicht mit einer Linienmaschine gekommen, son-
dern hat eine Privatmaschine gechartert. **sinnv.**:
mieten.

Chauf|feur [ʃɔ'føːɐ̯], der; -s, -e, **Chauf|feu|rin,**
die; -, -nen: *männliche bzw. weibliche Person, die
berufsmäßig andere in einem Auto fährt.* **sinnv.**:
Fahrer. **Zus.**: Taxichauffeur.

Chaus|see [ʃɔ'seː], die; -, Chausseen: ↑ *Land-
straße.*

Chef [ʃɛf], der; -s, -s, **Che|fin,** die; -, -nen:
*männliche bzw. weibliche Person, die anderen Per-
sonen vorgesetzt ist; Leiter[in] einer Gruppe von
Personen, einer Abteilung, Firma usw.:* ich möchte
den Chef sprechen. **sinnv.**: Anführer; Leiter.
Zus.: Büro-, Empfangs-, Küchen-, Personal-,
Polizei-, Regierungs-, Seniorchef.

Chef- ⟨Präfixoid⟩: **a)** *jmd., der als ... die erste
Stelle einnimmt, die Leitung hat:* Chefarzt, -bera-
ter, -ingenieur, -koch, -pilot, -redakteur, -ste-
ward. **b)** *jmd., der als ... sehr aktiv ist, eine heraus-
ragende Position einnimmt, tonangebend, maßge-
bend und richtungsweisend auf seinem Gebiet ist:*
Chefankläger, -ideologe. **sinnv.**: General-,
Haupt-, Meister-, Ober-, Spitzen-, Top-.

Che|mie, die; -: *Naturwissenschaft, die die Ei-
genschaften, die Zusammensetzung und die Um-
wandlung der Stoffe und ihrer Verbindungen er-
forscht:* C. studieren. **Zus.**: Lebensmittel-, Petro-
chemie.

che|misch ⟨Adj.⟩: *die Chemie betreffend, zu ihr
gehörend, von ihr herrührend:* die chemische In-
dustrie; etwas c. reinigen.

-chen ⟨Suffix⟩: **I.** *das;* -s, -; selten bei Substanti-
ven, die auf -ch, -g, -ng enden; dort ↑ -lein; nicht
üblich bei bereits mit einem anderen Suffix (z. B.
-ling, -schaft) versehenen Wörtern; bewirkt oft
Umlaut: **1. a)** */dient der Verkleinerung mit der Ne-
benvorstellung des Niedlich-Kleinen, Zarten/:*
Ärmchen, Fensterchen, Fläschchen, Häuschen,
Stimmchen, /erweitert/ Jüngelchen, Sächelchen.
b) */angehängt an Pluralformen auf -er/:* Dächer-
chen, Häuserchen, Kinderchen, Männerchen.
2. a) */bildet eine Koseform, die ausdrückt, daß
man die betreffende Person, Sache gern hat, mag/:*
Bierchen, Dickerchen, Frauchen, Freßchen, Ka-
terchen, Klönchen, Kläuschen, Muttchen, Per-
sönchen, Vaterchen, Väterchen. **b)** */emotional-
anerkennend/:* (das ist vielleicht ein) Käffchen,
Maschinchen. **c)** */kennzeichnet gutmütig-nach-
sichtiges Wohlwollen/:* Filmchen, Hintertürchen,
Jährchen. **3.** */ironisch-abschätzig mit der Neben-
vorstellung des Unbedeutend-Kleinen, des Belang-
losen/:* Dämchen, Pöstchen, Problemchen, Skan-

dälchen. **4.** */fest in bestimmten Verbindungen und
Bedeutungen/:* Brötchen, Dummchen, Freund-
chen, Grübchen, Hausmütterchen, Liebchen,
Ständchen, Wehwehchen, Würstchen; sich ins
Fäustchen lachen, wie am Schnürchen. **II.** ⟨Inter-
jektion⟩ */freundschaftlich-familiär/:* hallöchen,
nanuchen, prösterchen, sosochen, tachchen,
tschüschen.

-chi|ne|sisch, das; -[s] ⟨Grundwort⟩: *dem Laien
unverständlich erscheinende Sprache des zum Ba-
siswort gehörenden Personenkreises:* Behörden-,
Fach-, Partei-, Soziologenchinesisch.

Chir|urg, der; -en, -en: *Arzt, der auf dem Gebiet
der Chirurgie tätig ist:* im Gespräch mit C. Burns/
mit dem Chirurgen Burns.

Chir|ur|gie, die; -: *[Lehre von der] Behandlung
der Krankheiten durch Operation.* **Zus.**: Gehirn-,
Herz-, Unfallchirurgie.

Chor, der; -[e]s, Chöre: **1.** *Gruppe gemeinsam
singender Personen:* ein mehrstimmiger C.; ein
gemischter C. *(ein Chor mit Frauen- und Männer-
stimmen).* **sinnv.**: Gesangverein, Singkreis. **Zus.**:
Frauen-, Kirchen-, Knaben-, Männer-, Schul-
chor.

Cho|ral, der; -s, Choräle: *Lied für den Gottes-
dienst.* **sinnv.**: Kirchenlied. **Zus.**: Schluß-, Weih-
nachtschoral.

Cho|reo|gra|phie [koreogra'fiː], die; -, Choreo-
graphien: *Entwurf und Gestaltung, Einstudierung
des künstlerischen Tanzes.* **sinnv.**: Regie.

Christ|baum, der; -[e]s, Christbäume: *Weih-
nachtsbaum.*

christ|lich ⟨Adj.⟩: *auf Christus und seine Lehre
zurückgehend; zum Christentum gehörend; im Gei-
ste des Christentums:* christliche Lehre, Kunst,
Moral. **Zus.**: anti-, frühchristlich.

Chro|nik, die; -, -en: *Aufzeichnung geschichtli-
cher Ereignisse nach ihrem zeitlichen Ablauf.* **Zus.**:
Dorf-, Familien-, Schul-, Stadtchronik.

chro|nisch ⟨Adj.⟩: **1.** *sich langsam entwickelnd,
langsam verlaufend, lange dauernd:* eine chroni-
sche (Ggs. akute) Gastritis. **2.** *gar nicht mehr auf-
hörend, nicht mehr zu beheben:* ein c. Arbeits-
scheuer; der Geldmangel ist bei ihm schon c. [ge-
worden]. **sinnv.**: immer.

Ci|ty ['sɪti], die; -, -s: *Zentrum [mit den großen Ge-
schäften] einer Stadt:* die großen Warenhäuser
liegen alle in der C. **sinnv.**: Innenstadt.

cle|ver ['klɛvɐ] ⟨Adj.⟩: *wendig und taktisch ge-
schickt alle Möglichkeiten nutzend:* ein cleverer
Geschäftsmann. **sinnv.**: auf Draht/Zack, schlau,
smart.

Cli|que ['klɪkə], die; -, -n: **1.** *kleinere Gruppe von
Menschen, die sich gegenseitig unterstützen und
sich Vorteile verschaffen.* **sinnv.**: Clan, Gruppe,
Klüngel; Bande. **2.** *Gruppe, Kreis von Freunden,
Bekannten [die gemeinsam etwas unternehmen]:* er
gehört auch zu unserer C. **sinnv.**: Bekannten-
kreis, Freundeskreis.

Clown [klaun], der; -s, -s: *jmd., der im Zirkus
oder im Varieté mit allerlei lustigen Vorführungen
zum Lachen reizt.* **sinnv.**: Artist; Narr. **Zus.**: Mu-
sik-, Zirkusclown.

co-, Co-: ↑ ko-, Ko-.

Cock|tail ['kɔkteɪl], der; -s, -s: *Getränk, das aus
verschiedenen Spirituosen, Früchten, Säften usw.
gemixt ist.* **sinnv.**: Fizz, Flip, Longdrink, Mixge-
tränk.

Com|pu|ter [kɔm'pjuːtɐ], der; -s, -: *elektronische Rechenanlage.* **sinnv.**: Datenverarbeitungsanlage, Elektronengehirn, Rechner; Datenbank. **Zus.**: Heim-, Home-, Klein-, Mikrocomputer.

Couch [kautʃ], die; -, -es und -en: *flaches, gepolstertes Möbelstück zum Liegen und Sitzen mit niedriger Rückenlehne und Seitenlehnen* (siehe Bildleiste „Liege"). **sinnv.**: Liege. **Zus.**: Auszieh-, Leder-, Schlafcouch.

Cou|ra|ge [ku'raːʒə], die; -: *das Mutig-, Unerschrocken-, Beherztsein:* er zeigte in dieser schwierigen Situation viel C. **sinnv.**: Mut. **Zus.**: Zivilcourage.

Cou|sin [ku'zɛ̃ː], der; -s, -s: ↑*Vetter.*

Cou|si|ne [ku'ziːnə], die; -, -n: *Tochter eines Onkels oder einer Tante.* **sinnv.**: Base, Kusine.

Creme [krɛːm], die; -, -s: **1.** *Salbe zur Pflege der Haut.* **sinnv.**: Salbe. **Zus.**: Frisier-, Haut-, Kindercreme. **2.** *dickflüssige, oft schaumige, lockere Süßspeise, auch als Füllung für Torten o. ä.* **sinnv.**: Dessert. **Zus.**: Butter-, Eis-, Wein-, Zitronencreme.

D

da: I. ⟨Adverb⟩ **1.** ⟨lokal⟩ **a)** *an einer bestimmten Stelle:* da hinten; der Mann da; da steht er. **sinnv.**: dort. **b)** *hier:* da sind wir; da hast du den Schlüssel. **2.** ⟨temporal⟩ *zu einem bestimmten Zeitpunkt, in diesem Augenblick:* von da an war sie wie verwandelt; da lachte er; da werde ich hoffentlich Zeit haben. **sinnv.**: dann; damals. **3.** ⟨konditional⟩ **a)** *unter diesen Umständen, unter dieser Bedingung:* wenn ich schon gehen muß, da gehe ich lieber gleich. **b)** *in dieser Hinsicht:* da bin ich ganz Ihrer Meinung. II. ⟨Konj.⟩ **1.** ⟨kausal⟩ ↑*weil:* da er verreist war, konnte er nicht kommen. **2.** ⟨temporal⟩ (geh.) ↑*als:* da er noch reich war, hatte er viele Freunde.

da|bei [nachdrücklich auch: daːbei] ⟨Pronominaladverb⟩: **1.** *in der Nähe, bei etwas, nahe bei der betreffenden Sache:* ich habe das Paket ausgepackt; die Rechnung lag nicht d. **sinnv.**: anwesend; darunter. **2.** *während dieser Zeit:* sie hatte sich einer längeren Kur zu unterziehen und mußte d. viel liegen. **sinnv.**: hierbei, währenddessen. **3.** *obwohl:* er hat seine Arbeit noch nicht abgeschlossen, d. beschäftigt er sich schon jahrelang damit. **sinnv.**: aber; obgleich. **4.** *hinsichtlich des eben Gesagten, bei dieser Sache, Angelegenheit; bei alledem:* ohne sich etwas d. zu denken; sie fühlt sich nicht wohl d.

Dach, das; -[e]s, Dächer: *Überdeckung, oberer Abschluß eines Gebäudes, eines Zeltes, eines Fahrzeugs:* ein flaches, niedriges D.; das D. mit Ziegeln, Stroh decken; das D. des Wagens ist beschädigt. **Zus.**: Flach-, Haus-, Schiebe-, Schutz-, Stroh-, Vor-, Wagendach.

Dach|gar|ten, der; -s, Dachgärten: *wie ein Garten angelegte Fläche auf einem Dach.*

Dach|rin|ne, die; -, -n: *Rinne am Rand eines Daches für das Auffangen des Regenwassers.* **sinnv.**: Regentraufe, Rinne.

Dach|zie|gel, der; -s, -: *Ziegel zum Decken des Daches.* **sinnv.**: Dachpfanne, -schindel, Ziegel.

Dackel, der; -s, -: *kurzbeiniger, meist brauner oder schwarzer Haus- und Jagdhund mit langgestrecktem Kopf und krummen Vorderbeinen.* **sinnv.**: Hund. **Zus.**: Rauhhaardackel.

da|durch [nachdrücklich auch: daːdurch] ⟨Pronominaladverb⟩: **1.** *durch etwas hindurch:* das Loch im Zaun war so groß, daß er d. kriechen

konnte. **2.** *durch dieses Mittel, auf Grund dieser Sache:* d. wirst du wieder gesund; er hat uns d. sehr geholfen, daß er uns vorübergehend sein Auto zur Verfügung stellte. **sinnv.**: deshalb · davon · hierdurch, hiermit.

da|für [nachdrücklich auch: daːfür] ⟨Pronominaladverb⟩: *für dieses, für diese Sache:* das ist kein Werkzeug d.; d. stimmen, daß ...; d. *(im Hinblick darauf),* daß er noch nicht in Frankreich war, spricht er gut französisch. **sinnv.**: ersatzweise, pro, statt dessen, stellvertretend · hierfür, zu diesem Zweck.

da|ge|gen [nachdrücklich auch: daːgegen] ⟨Pronominaladverb⟩: **1.** *gegen dieses, diese Sache:* ein Brett d. halten; d. muß man etwas tun; die Aufsätze der anderen waren glänzend, seiner ist nichts d. *(im Vergleich dazu).* **sinnv.**: hiergegen. **2.** *jedoch:* die meisten Gäste gingen vor Mitternacht aus dem Haus, einige d. blieben bis zum Morgen. **sinnv.**: aber.

da|heim ⟨Adverb⟩: *zu Hause:* d. bleiben; bei uns d.

da|her [nachdrücklich auch: daːher] ⟨Adverb⟩: **1.** *von dort:* „Fahren Sie nach Hamburg?" – „Von d. komme ich gerade." **2.** ↑*deshalb:* wir sind zur Zeit im Urlaub und können Sie d. leider erst in drei Wochen besuchen; d. also seine Aufregung; seine Nervosität mag d. kommen *(mag dadurch verursacht sein),* daß er nur wenig geschlafen hat.

da|hin [nachdrücklich auch: daːhin] ⟨Adverb⟩: **1.** *an diesen Ort, dorthin:* es ist nicht mehr weit bis d. **2.** *in dem Sinne:* sie haben sich d. geäußert, daß ... **3.** ⟨in Verbindung mit *bis*⟩ *bis zu dem Zeitpunkt:* bis d. muß ich mit der Arbeit fertig sein.

da|hin|ten [nachdrücklich auch: daːhinten] ⟨Adverb⟩: *an jenem entfernten Ort:* d. ziehen sich dunkle Wolken zusammen.

da|hin|ter [nachdrücklich auch: daːhinter] ⟨Pronominaladverb⟩: *hgs. davor:* **a)** *hinter der betreffenden Sache:* ein Haus mit einem Garten d. **b)** *hinter die betreffende Sache:* sie stellte die Teller in den Schrank und die Gläser d.

da|hin|ter|kom|men, kam dahinter, ist dahintergekommen ⟨itr.⟩ (ugs.): *etwas, was man gern wissen möchte, herausfinden:* wir kommen schon dahinter, was ihr vorhabt. **sinnv.**: enträtseln, erkennen.

da|mals ⟨Adverb⟩: *zu einem weiter zurückliegenden Zeitpunkt:* d., bei unserem letzten Besuch, ging es ihm noch besser. **sinnv.:** vor alters, [anno] dazumal, dereinst, ehedem, einst, früher, seinerzeit, vormals.

Da|me, die; -, -n: **1.** *(eine im Urteil des Sprechers) gebildete, gepflegte Frau* /Ggs. Herr/: sie benahm sich wie eine D.; sie ist nicht nur eine Frau, sie ist eine D.; /als höfliche Anrede/ meine Damen! **sinnv.:** Frau. **Zus.:** Bar-, Empfangs-, Hof-, Tisch-, Vorzimmerdame. **2.** *Brettspiel, bei dem die Spieler versuchen, möglichst alle Spielsteine des Gegners zu schlagen oder durch Einschließen zugunfähig zu machen.* **3.** *für den Angriff stärkste Figur im Schachspiel.* **4.** *in der Rangfolge an dritter Stelle stehende Spielkarte* (siehe Bildleiste „Spielkarten").

da|mit I. [nachdrücklich auch: da̱mit] ⟨Pronominaladverb⟩: *mit der betreffenden Sache:* er ist d. einverstanden; d. habe ich nichts zu tun; unser Gespräch endet jedesmal d., daß wir in Streit geraten. **sinnv.:** hiermit. **II.** ⟨finale Konj.⟩: *zu dem Zweck, daß:* ihm wurde eine Kur verordnet, d. er wieder voll arbeitsfähig werden sollte. **sinnv.:** [auf] daß, um zu.

däm|lich ⟨Adj.⟩: (ugs.) *[in ärgerlicher Weise] dumm:* dämliche Fragen stellen; wenn ich diese dämliche Visage schon sehe!; kuck nicht so d.! **Zus.:** kreuz-, saudämlich.

Damm, der; -[e]s, Dämme: **1.** *langer Wall aus Erde und Steinen:* einen D. bauen; der D. *(Deich)* ist gebrochen. **sinnv.:** Deich · Staumauer · Bollwerk. **Zus.:** Schutz-, Staudamm. **2.** (landsch.) *Fahrbahn:* über den D. gehen. **Zus.:** Bahn-, Fahrdamm.

däm|mern ⟨itr.⟩: *Morgen, Abend werden:* es dämmert. **sinnv.:** hell/Tag werden, tagen · dunkel/Nacht werden, dunkeln.

Däm|me|rung, die; -: *Übergang von der Helle des Tages zum Dunkel der Nacht [und umgekehrt]:* die D. bricht herein. **sinnv.:** Dämmerlicht, Halbdunkel · Morgengrauen · Abendlicht. **Zus.:** Abend-, Götter-, Morgendämmerung.

Dä|mon, der; -s, Dämonen: *geisterhaftes, suggestive und unheimliche Macht über jmdn. besitzendes Wesen, das den Willen des Betroffenen bestimmt:* er ist von einem D. besessen; von seinem D. getrieben, arbeitete er trotz Krankheit an seinem Werk weiter. **sinnv.:** Gespenst.

dä|mo|nisch ⟨Adj.⟩: *eine suggestive und unheimliche Macht ausübend:* ein dämonischer Mensch; dämonische Triebe. **sinnv.:** gespenstisch, teuflisch, unheimlich.

Dampf, der; -[e]s, Dämpfe: *sichtbarer feuchter Dunst, der beim Erhitzen von Flüssigkeit entsteht:* die Küche war voller D. **sinnv.:** Nebel. **Zus.:** Wasserdampf · Kohl-, Volldampf.

damp|fen ⟨itr.⟩: *Dampf von sich geben:* die Kartoffeln dampfen in der Schüssel. **sinnv.:** dunsten, qualmen, schwelen.

dämp|fen ⟨tr.⟩: **1.** *in Dampf kochen, dünsten:* Kartoffeln, Gemüse d. **sinnv.:** dünsten, schmoren. **2.** *die Stärke von etwas reduzieren:* die Stimme d.; seine Begierden d. **sinnv.:** abschwächen.

Damp|fer, der; -s, -: *mit Dampf- oder anderer Maschinenkraft angetriebenes Schiff:* mit einem D. fahren. **Zus.:** Ozean-, Passagier-, Rad-, Schnelldampfer.

da|nach [nachdrücklich auch: da̱nach] ⟨Pronominaladverb⟩: **1.** *zeitlich nach etwas, hinterher, später:* erst wurde gegessen, d. getanzt. **2.** *in der Reihenfolge nach der betreffenden Person, Sache:* voran gingen die Eltern, d. kamen die Kinder. **sinnv.:** hinterher. **3.** *nach etwas /im Hinblick auf ein Ziel/:* er hielt den Ball in der Hand, das Kind griff sofort d.; er hatte sich immer d. gesehnt, wieder nach Italien zurückzukehren. **4.** *entsprechend:* ihr kennt seinen Willen, nun handelt d.; die Ware ist billig, aber sie ist auch d. *(entsprechend schlecht).* **sinnv.:** also.

da|ne|ben [nachdrücklich auch: da̱neben] ⟨Pronominaladverb⟩: **1. a)** *neben einer Sache:* auf dem Tisch steht eine Lampe, d. liegt ein Buch. **b)** *neben eine Sache:* das Bild paßte so gut zu den andern, daß sie es d. hängte. **2.** *darüber hinaus:* sie steht den ganzen Tag im Beruf, d. hat sie noch ihren Haushalt zu besorgen. **sinnv.:** außerdem.

dank ⟨Präp. mit Gen., seltener mit Dativ, im Plural meist mit Genitiv⟩: *bewirkt durch:* d. des Vereins/dem Verein; d. seines Einsatzes blühten die Geschäfte; d. derer, die sich erfolgreich darum bemühten. **sinnv.:** wegen.

Dank, der; -[e]s: *[in Worten geäußertes] Gefühl der Verpflichtung gegenüber jmdm., von dem man etwas Gutes erfahren hat:* jmdm. D. sagen, schulden; von D. erfüllt; zum D. schenkte er mir ein Buch; herzlichen D.! **sinnv.:** Anerkennung, Belohnung, Lohn, Vergeltung · Dankbarkeit, Verbundenheit. **Zus.:** Ernte-, Weidmannsdank.

dank|bar ⟨Adj.⟩: **1.** *vom Gefühl des Dankes erfüllt:* ein dankbares Kind; jmdm. d. sein. **sinnv.:** dankerfüllt, erkenntlich, verbunden. **2.** *lohnend:* eine dankbare Arbeit, Aufgabe. **sinnv.:** ergiebig.

dan|ken ⟨itr.⟩: *seine Dankbarkeit (jmdm. gegenüber) äußern, ausdrücken:* jmdm. für seine Hilfe d.; er dankte ihm mit einer Widmung. **sinnv.:** sich bedanken, dankbar sein, honorieren.

dann ⟨Adverb⟩: **1.** *zeitlich, in der Reihenfolge unmittelbar danach:* erst badeten sie, d. sonnten sie sich. **sinnv.:** hinterher. **2.** *zu dem betreffenden späteren Zeitpunkt:* bald habe ich Urlaub, d. besuche ich euch. **sinnv.:** da. **3.** *in dem Fall:* wenn er sich etwas vorgenommen hat, d. führt er es auch aus. **sinnv.:** so. **4.** ↑ *außerdem:* und d. vergiß bitte nicht, zur Post zu gehen.

dar|an [nachdrücklich auch: da̱ran] ⟨Pronominaladverb⟩: **1. a)** *an der betreffenden Sache:* vergiß nicht, den Brief in den Kasten zu werfen, wenn du d. vorbeikommst; seine Einstellung kannst du schon d. erkennen, daß ... **sinnv.:** hieran. **b)** *an die betreffende Sache:* sie suchten sich einen Tisch und setzten sich d.; sie besichtigten die Kirche, d. anschließend stiegen sie auf den Turm. **sinnv.:** hieran. **2.** *im Hinblick auf etwas, in bezug auf eine bestimmte Sache:* ich kann mich kaum d. erinnern.

dar|auf [nachdrücklich auch: da̱rauf] ⟨Pronominaladverb⟩: **1. a)** *auf der bereffenden Sache:* er bekam eine Geige geschenkt und kann auch schon d. spielen. **b)** *auf die betreffende Sache:* nachdem ein Platz frei geworden war, wollten sie sich sogleich mehrere d. setzen. **2.** *danach, im Anschluß daran:* ein Jahr d. starb er. **sinnv.:** hinterher. **3.** *deshalb:* man hatte ihn auf frischer Tat ertappt, d. war er verhaftet worden. **4.** *im Hinblick auf etwas, in bezug auf eine bestimmte Sache:* d. versessen sein.

dar|auf|hin [nachdrücklich auch: da̱raufhin] ⟨Adverb⟩: **1.** *deshalb, im Anschluß daran:* es kam zu einer so heftigen Auseinandersetzung, daß d. das Gespräch abgebrochen wurde. **sinnv.:** darauf, hinterher. **2.** *in bezug auf etwas, unter einem bestimmten Aspekt:* er prüfte seine Bekannten in Gedanken d., von wem er noch Geld leihen könnte.

dar|aus [nachdrücklich auch: da̱raus] ⟨Pronominaladverb⟩: *aus der betreffenden Sache:* sie öffnete ihren Koffer und holte d. ein Kissen hervor; sie kaufte ein paar Reste, um d. etwas für die Kinder zu nähen; d. kannst du viel lernen.

dar|ben ⟨itr.⟩ (geh.): *Mangel [an Nahrung] leiden:* im Krieg hatten sie d. müssen. **sinnv.:** hungern.

Dar|bie|tung, die, -, -en: *etwas, was innerhalb einer Veranstaltung aufgeführt, vorgetragen wird:* die musikalischen Darbietungen waren besonders schön. **sinnv.:** Aufführung, Darstellung, Vorstellung. **Zus.:** Einzeldarbietung.

dar|in [nachdrücklich auch: da̱rin] ⟨Pronominaladverb⟩: *in der betreffenden Sache:* sie mieteten einen Bungalow, um d. die Ferien zu verbringen; d. ist er dir weit überlegen.

dar|le|gen, legte dar, hat dargelegt ⟨tr.⟩: *ausführlich erläutern:* jmdm. seine Ansicht, seine Gründe d. **sinnv.:** darstellen, entfalten, erklären, klarmachen, mitteilen.

Dar|le|hen, das, -s, -: *[gegen Zinsen] geliehene größere Geldsumme:* ein D. aufnehmen; jmdm. ein [zinsloses] D. gewähren. **sinnv.:** Anleihe. **Zus.:** Wohnungsbaudarlehen.

Darm, der; -[e]s, Därme: *Verdauungskanal zwischen Magen und After.* **sinnv.:** Gedärm. **Zus.:** Blind-, Dick-, Kunstdarm.

dar|stel|len, stellte dar, hat dargestellt: **1.** ⟨tr.⟩ *in einem Bild zeigen, abbilden:* das Gemälde stellt ihn im Kostüm des Hamlet dar. **sinnv.:** abbilden, wiedergeben. **2.** ⟨tr.⟩ *als Schauspieler eine bestimmte Rolle spielen:* er hatte den Wallenstein schon an mehreren Bühnen dargestellt. **sinnv.:** mimen, spielen. **3.** ⟨tr.⟩ ↑*schildern:* einen Sachverhalt ausführlich, falsch d. **sinnv.:** aussagen, mitteilen. **4.** ⟨itr.⟩ *sein:* das Ereignis stellte einen Wendepunkt in seinem Leben dar. **sinnv.:** bedeuten. **5.** ⟨sich d.⟩ *einen bestimmten Eindruck machen; sich herausstellen, erweisen (als etwas):* mir stellte sich die Angelegenheit sehr verwickelt dar. **sinnv.:** sich zeigen.

Dar|stel|ler, der; -s, -, **Dar|stel|le|rin,** die; -, -nen: *männliche bzw. weibliche Person, die eine Rolle auf der Bühne o.ä. spielt.* **sinnv.:** Schauspieler. **Zus.:** Charakter-, Haupt-, Laien-, Nebendarsteller[in].

dar|über [nachdrücklich auch: da̱rüber] ⟨Pronominaladverb⟩: **1. a)** *über der betreffenden Sache:* die Bücher stehen in den unteren Fächern, d. liegen die Noten. **sinnv.:** oben, oberhalb. **b)** *über die betreffende Sache:* er packte Schuhe und Wäsche in den Koffer, d. legte er die Anzüge; ihm war dieses Thema unangenehm, deshalb ging er mit ein paar Sätzen d. hinweg. **2.** *über das betreffende Maß, die betreffende Grenze hinaus:* das Alter der Abiturienten liegt heute im Durchschnitt achtzehn Jahre und d. **3.** *währenddessen, dabei:* er hatte gewartet und war d. eingeschlafen; d. habe ich völlig vergessen, daß ... **sinnv.:** inzwischen. **4.** *in be-*

zug auf die betreffende Sache: wir wollen uns nicht d. streiten. **sinnv.:** hierüber.

dar|um [nachdrücklich auch: da̱rum] ⟨Pronominaladverb⟩: **1.** *um die betreffende Sache:* den Blumenstrauß hatten sie in die Mitte gestellt und d. herum die Geschenke aufgebaut. **2.** *im Hinblick auf etwas, in bezug auf die betreffende Sache:* d. brauchst du dir keine Sorgen zu machen, das erledige ich schon. **3.** *aus diesem Grund:* d. ist er auch so schlecht gelaunt. **sinnv.:** deshalb.

dar|un|ter [nachdrücklich auch: da̱runter] ⟨Pronominaladverb⟩: **1. a)** *unter der betreffenden Sache:* im Stockwerk d. wohnen die Großeltern. **sinnv.:** unterhalb. **b)** *unter die betreffende Sache:* er drehte die Dusche auf und stellte sich d. **2.** *unter, zwischen den betreffenden Personen:* er hatte eine große Anzahl Schüler, einige d. waren sehr begabt. **sinnv.:** dabei, darin, dazwischen. **3.** *unter dem betreffenden Maß, unter der betreffenden Grenze:* eine Mark das Pfund, d. kann ich die Ware nicht verkaufen. **4.** *in bezug auf die betreffende Sache:* d. kann ich mir nichts vorstellen. **sinnv.:** hierunter.

das: **I.** ⟨bestimmter Artikel der Neutra⟩ **a)** /individualisierend/: d. Kind ist krank. **b)** /generalisierend/: d. Gold ist ein Metall. **II.** ⟨Demonstrativpronomen⟩: die können d. doch gar nicht. **sinnv.:** dies[es], jenes. **III.** ⟨Relativpronomen⟩: das Haus, d. an der Ecke steht. **sinnv.:** welches.

das|je|ni|ge: siehe derjenige.

daß ⟨Konj.⟩: **I.** /leitet Gliedsätze ein/ **1. a)** ⟨in Inhaltssätzen⟩ /leitet einen Subjekt-, Objekt-, Gleichsetzungssatz ein/: d. du mir geschrieben hast, hat mich sehr gefreut; er weiß, d. du ihn nicht leiden kannst; die Tatsache, d. er hier war, zeigt sein Interesse. **b)** /leitet einen Attributsatz ein/: gesetzt den Fall, d. ...; die Tatsache, d. er hier war, zeigt sein Interesse. **2.** ⟨in Adverbialsätzen⟩ **a)** /leitet einen Kausalsatz ein/: das liegt daran, d. du nicht aufgepaßt hast. **b)** /leitet einen Konsekutivsatz ein/: er schlug zu, d. es [nur so] krachte; die Sonne blendete ihn so, d. er nichts erkennen konnte/konnte/hatte ihn, so d. er nichts erkennen konnte. **c)** /leitet einen Instrumentalsatz ein/: er verdient seinen Unterhalt damit, d. er Zeitungen austrägt. **d)** /leitet einen Finalsatz ein/: hilf ihm doch, d. er endlich fertig wird. **sinnv.:** damit. **3.** /in Verbindung mit bestimmten Konjunktionen, Adverben, Präpositionen/: das Projekt ist zu kostspielig, als d. es verwirklicht werden könnte; kaum d. er hier war, begann die Auseinandersetzung; er kaufte den Wagen, ohne d. wir es wußten. **II.** /leitet Hauptsätze mit der Wortstellung von Gliedsätzen ein, die meist einen Wunsch, eine Drohung, ein Bedauern o.ä. ausdrücken/: d. mir keine Klagen kommen!; d. es so weit kommen mußte!

das|sel|be: siehe derselbe.

Da|ten, die ⟨Plural⟩: *(durch Beobachtungen, Messungen, statistische Erhebungen usw. gewonnene) [Zahlen]werte; [technische] Größen, Angaben, Befunde:* exakte D. bekanntgeben. **sinnv.:** Einzelheiten, Fakten, Information. **Zus.:** Personal-, Prüfdaten.

Da|ten|bank, die; -, -en: *Stelle, bei der bestimmte Daten, Fakten gespeichert werden und auf Verlangen nach bestimmten Gesichtspunkten durch Maschinen ermittelt werden können.* **sinnv.:** Datei · Computer.

da|tie|ren: 1. ⟨tr.⟩ **a)** *mit einem Datum versehen:* eine Urkunde d.; der Brief ist vom 5. Februar datiert. **b)** *die Entstehungszeit (von etwas) bestimmen:* eine alte Handschrift, ein Gemälde d. **2.** ⟨itr.⟩ ↑*stammen:* diese Einrichtung datiert aus alter Zeit.

Da|tum, das; -s, Daten: **1.** *Zeitpunkt, Tagesangabe nach dem Kalender:* der Brief ist ohne D.; die wichtigsten Daten der Weltgeschichte. **sinnv.:** Tag. **Zus.:** Abfüll-, Eingangs-, Geburts-, Verfallsdatum. **2.** ⟨Plural⟩ ↑*Daten.*

Dau|er, die; -: *bestimmte ununterbrochene Zeit:* die D. seines Aufenthaltes; für die D. von einem Jahr. **sinnv.:** Länge, Weile, Zeitspanne. **Zus.:** Lebens-, Verweildauer.

dau|er|haft ⟨Adj.⟩ *sich lange Zeit erhaltend:* ihre Neigungen waren nicht sehr d. **sinnv.:** beständig, bleibend, unveränderlich.

dau|ern ⟨itr.⟩: **I. 1.** *sich über eine bestimmte Zeit erstrecken:* die Verhandlung dauerte einige Stunden. **sinnv.:** andauern. **2.** (geh.) *Bestand haben:* sie glaubten, eine solche Freundschaft müsse d. **sinnv.:** andauern. **II.** (geh.) *jmds. Mitleid erregen, jmdn. leid tun:* das alte Pferd dauerte ihn; die Zeit, das Geld dauert mich *(es ist schade um die Zeit, das Geld).* **sinnv.:** leid tun.

dau|ernd ⟨Adj.⟩ (emotional) **a)** *für längere Zeit in gleichbleibender Weise vorhanden:* dieser Lärm von der Straße ist d. zu hören. **sinnv.:** dauerhaft, unaufhörlich. **b)** *(in ärgerlicher Weise) immer wieder, häufig:* er kommt d. zu spät; du unterbrichst mich ja d. **sinnv.:** fortwährend, ständig.

Dau|men, der; -s, -: *aus zwei Gliedern bestehender erster Finger der Hand* (siehe Bildleiste „Hand"). **sinnv.:** Finger.

da|von [nachdrücklich auch: davon] ⟨Pronominaladverb⟩: *von der betreffenden Sache:* nicht weit d. [entfernt] befindet sich das Museum; der Schmuck ist von meiner Großmutter, ich kann mich nur schwer d. trennen; du hast zu laut gesprochen, d. ist sie wach geworden; d. fehlen mir noch einige Exemplare; d. hat er sich inzwischen erholt; d. weiß ich nichts; d. läßt sich durchaus leben. **sinnv.:** hiervon · dadurch.

da|von|kom|men, kam davon, ist davongekommen ⟨itr.⟩: *einer drohenden Gefahr entgehen:* da bist du noch einmal davongekommen; er ist mit dem [bloßen] Schrecken davongekommen *(außer einem Schrecken hat er keinen Schaden erlitten);* er ist mit dem Leben davongekommen *(hat sein Leben retten können).* **sinnv.:** entrinnen, wegkommen.

da|von|ma|chen, sich; machte sich davon, hat sich davongemacht (ugs.): *sich [heimlich] entfernen:* als die Polizei kam, hatte er sich längst davongemacht. **sinnv.:** weggehen.

da|vor [nachdrücklich auch: davor] ⟨Pronominaladverb⟩: **1. a)** *vor der betreffenden Sache* /Ggs. dahinter/: ein Haus mit einem Garten d. **b)** *vor die betreffende Sache* /Ggs. dahinter/: damit das Haus nicht so kahl aussah, pflanzten sie Sträucher d. **2.** *vor der betreffenden Zeit:* nach der Pause fiel das entscheidende Tor, d. stand das Spiel 2:2. **sinnv.:** vorher. **3.** *im Hinblick auf die betreffende Sache:* er fürchtet sich d., die Verantwortung allein zu tragen.

da|zu [nachdrücklich auch: dazu] ⟨Pronominaladverb⟩: **1.** *zu der betreffenden Sache:* ich lasse mich von niemandem d. zwingen. **sinnv.:** hierzu. **2.** *im Hinblick auf etwas, in bezug auf die betreffende Sache:* er wollte sich nicht näher d. äußern. **sinnv.:** diesbezüglich. **3.** *zu der betreffenden Art:* er ist von Natur kein verschlossener Mensch, seine Erfahrungen haben ihn erst d. gemacht. **4.** *zu diesem Zweck:* d. ist er gewählt worden. **5.** ↑*außerdem:* gibt es auch Fleisch d.?

da|zu|ge|hö|ren, gehörte dazu, hat dazugehört ⟨itr.⟩: *zu der betreffenden Sache, zu den betreffenden Personen gehören:* alles, was dazugehört, fehlt mir noch; in ihrem Kreis weiß man erst nach einiger Zeit, ob man wirklich dazugehört. **sinnv.:** teilnehmen.

da|zwi|schen [nachdrücklich auch: dazwischen] ⟨Pronominaladverb⟩: **1.** *zwischen den betreffenden Sachen, Personen:* wir reisen nach Florenz und Rom, werden d. aber mehrmals Station machen. **sinnv.:** mitten darin, mittendrin, zwischendrin. **2.** *zwischen den betreffenden Ereignissen:* am Nachmittag gibt es Reportagen und d. Musik. **sinnv.:** inzwischen, zwischendurch. **3.** *darunter, dabei:* wir haben alle Briefe durchsucht, aber ihren Antrag nicht d. gefunden. **sinnv.:** darunter.

da|zwi|schen|fah|ren, fährt dazwischen, fuhr dazwischen, ist dazwischengefahren ⟨itr.⟩: *eingreifen, um Lärm oder Streit zu beenden:* sie machen einen furchtbaren Krach, da müßte mal jemand d. **sinnv.:** eingreifen.

da|zwi|schen|fun|ken, funkte dazwischen, hat dazwischengefunkt ⟨itr.⟩ (ugs.): *sich in etwas einschalten und dadurch den Ablauf [absichtlich] stören oder einen Plan durchkreuzen:* immer wenn alles so schön läuft, muß er d. **sinnv.:** behindern.

da|zwi|schen|kom|men, kam dazwischen, ist dazwischengekommen ⟨itr.⟩: *sich unvorhergesehen ereignen und dadurch etwas unmöglich machen oder verzögern:* wenn nichts dazwischenkommt, werden wir euch noch in diesem Jahr besuchen. **sinnv.:** behindern.

De|bat|te, die; -, -n: *lebhafte Erörterung, Aussprache [im Parlament]:* die D. eröffnen; in die D. eingreifen; das steht hier nicht zur D. **sinnv.:** Gespräch. **Zus.:** Bundestags-, Grundsatzdebatte.

de|bat|tie|ren ⟨itr./tr.⟩: *lebhaft erörtern, besprechen.* **sinnv.:** erörtern.

De|büt [de'by:], das; -s, -s: *erstes Auftreten:* er gab gestern sein D. **sinnv.:** Auftritt.

Deck, das; -[e]s, -s: **a)** *oberstes Stockwerk eines Schiffes:* alle Mann an D.! **b)** *unter dem oberen Abschluß des Schiffsrumpfes liegendes Stockwerk:* das Kino befindet sich im unteren D. **sinnv.:** Geschoß. **Zus.:** Achter-, Promenaden-, Zwischendeck.

Decke, die; -, -n: **1.** *Gegenstand aus Stoff, mit dem man jmdn./etwas bedeckt:* eine warme D. **sinnv.:** Federbett, Schlafsack. **Zus.:** Daunen-, Spitzen-, Stepp-, Wolldecke. **2.** *obere, äußerste Schicht, Umhüllung:* die Straße ist voller Löcher, die D. muß an mehreren Stellen repariert werden. **sinnv.:** Lage, Schicht. **Zus.:** Schnee-decke · Bauch-, Schädeldecke. **3.** *oberer Abschluß eines Raumes:* das Zimmer hat eine niedrige, hohe D. **Zus.:** Holz-, Stuck-, Zimmerdecke.

Deckel, der; -s, -: **1.** *abnehmbarer, aufklappbarer Teil eines Gefäßes, der die Öffnung verdeckt:* den D. des Topfes abnehmen. **sinnv.:** Verschluß.

Zus.: Sarg-, Topfdeckel · Bierdeckel. **2.** *vorderer oder hinterer Teil des steifen Umschlags, in den ein Buch gebunden ist:* den D. aufschlagen. **Zus.:** Akten-, Buchdeckel. **3.** (ugs.; scherzh.) *Hut, Kopfbedeckung.*

decken: 1. a) ⟨tr.⟩ *(etwas) auf etwas legen:* das Dach [mit Ziegeln] d.; [den Tisch] für drei Personen d. *(Tischtuch und Bestecke auf den Tisch legen).* **sinnv.:** bedecken, eindecken. **b)** ⟨itr.⟩ *(als Farbe) nichts mehr durchscheinen lassen:* diese Farbe deckt gut. **2. a)** ⟨tr./sich d.⟩ *machen, daß jmd./man selbst bei etwas vor fremder Einwirkung geschützt ist:* den Rückzug der Truppen d.; der Boxer deckte sich schlecht. **sinnv.:** behüten. **b)** ⟨tr.⟩ *sich (vor etwas oder jmdn., der rechtswidrig gehandelt hat) schützend stellen:* seinen Komplizen, ein Verbrechen d. **c)** ⟨tr.⟩ *ständig in der Nähe des gegnerischen Spielers sein und ihm keine Möglichkeit zum Spielen lassen:* die Verteidigung deckte den gegnerischen Mittelstürmer nicht konsequent. **sinnv.:** beaufsichtigen, bewachen. **3.** ⟨tr.⟩ **a)** *eine Sicherheit, Geldmittel bereithalten (für etwas):* das Darlehen wurde durch eine Hypothek gedeckt; ⟨häufig im 2. Partizip⟩ er wollte wissen, ob der Scheck gedeckt sei. **b)** *die notwendigen Mittel bereitstellen, jmdn. versorgen:* die Nachfrage, den Bedarf d.; mein Bedarf ist gedeckt. **sinnv.:** befriedigen. **4.** ⟨tr.⟩ *begatten:* die Stute wurde gedeckt. **sinnv.:** befruchten. **5.** ⟨sich d.⟩ *einander gleich sein:* die beiden Dreiecke decken sich. **sinnv.:** gleichen.

de|fekt ⟨Adj.⟩: *einen Mangel, Schaden o. ä. aufweisend; nicht in Ordnung:* der Motor ist d. **sinnv.:** beschädigt, kaputt.

De|fekt, der; -[e]s, -e: *etwas (schadhafte Stelle, Mangel), worauf zurückzuführen ist, daß etwas nicht richtig funktioniert, nicht in Ordnung ist:* einen D. an einer Maschine beheben. **sinnv.:** Beschädigung, Mangel.

de|fen|siv ⟨Adj.⟩: *verteidigend, abwehrend* /Ggs. offensiv/: der Gegner verhielt sich d.

de|fi|nie|ren ⟨tr.⟩: *[den Inhalt eines Begriffes] bestimmen, erklären:* einen Begriff d. **sinnv.:** auslegen.

De|fi|ni|ti|on, die; -, -en: *Bestimmung, Erklärung eines Begriffes:* eine D. geben. **sinnv.:** Erklärung.

De|fi|zit, das; -[e]s, -e: **1.** *Fehlbetrag:* ein D. von 1 000 DM haben. **sinnv.:** Minus, Schulden, Soll. **Zus.:** Außenhandels-, Haushaltsdefizit. **2.** *etwas, was als Mangel festgestellt wird:* ein D. an Geborgenheit. **sinnv.:** Ausfall, Differenz, Verlust.

def|tig ⟨Adj.⟩: *(in recht natürlicher, ursprünglicher Weise) derb-kräftig:* ein deftiges Mittagbrot. **sinnv.:** nahrhaft.

De|gen, der; -s, -: *Hieb- und Stichwaffe [zum Fechten]* (siehe Bildleiste „Waffen"). **sinnv.:** Säbel. **Zus.:** Fecht-, Stoßdegen.

deh|nen: 1. ⟨tr.⟩ *durch Auseinanderziehen, Spannen länger, breiter machen:* dieses Gewebe kann man nicht d. **sinnv.:** spannen, strecken, weiten. **2.** ⟨sich d.⟩ *breiter, länger, größer werden:* der Pullover dehnt sich am Körper. **sinnv.:** sich ausdehnen/ausweiten.

Deich, der; -[e]s, -e: *Damm an der Küste, am Flußufer zum Schutz gegen Überschwemmung:* einen D. bauen; der D. ist gebrochen. **sinnv.:** Damm. **Zus.:** Außen-, Schutzdeich.

dein ⟨Possessivpronomen⟩: */bezeichnet ein Besitz- oder Zugehörigkeitsverhältnis einer mit „du" angeredeten Person/:* dein Buch; deine Freunde; das Leben deiner Kinder.

De|ko|ra|ti|on, die; -, -en: **a)** ⟨ohne Plural⟩ *schmückendes, künstlerisches Ausgestalten (eines Raumes, eines Gegenstandes):* die D. der Schaufenster, der Tische nahm lange Zeit in Anspruch. **sinnv.:** Ausschmückung, Verschönerung. **b)** *Dinge, mit denen etwas ausgeschmückt, künstlerisch ausgestaltet wird, ist:* die festliche D. auf dem Podium wurde von allen bewundert. **sinnv.:** Festschmuck, Verzierung · Bühnenausstattung · Display, Warenausstattung. **Zus.:** Bühnen-, Fest-, Zimmerdekoration.

de|ko|rie|ren ⟨tr.⟩: **1.** *mit einer Dekoration (b) versehen:* die Schaufenster, den Saal d. **sinnv.:** ausstaffieren, schmücken. **2.** *durch die Verleihung eines Ordens o. ä. ehren:* der Präsident ist auf seiner Reise mehrfach dekoriert worden. **sinnv.:** auszeichnen, prämieren.

De|le|ga|ti|on, die; -, -en: *Abordnung:* eine D. entsenden. **sinnv.:** Abordnung. **Zus.:** Handels-, Regierungsdelegation.

de|le|gie|ren ⟨tr.⟩: **1.** ↑abordnen: jmdn. zu einem Kongreß d. **2.** *(jmdm.) eine Aufgabe, Befugnis übertragen:* der Manager delegiert einen Teil seiner Arbeit auf andere. **sinnv.:** übertragen.

de|li|kat ⟨Adj.⟩: **1.** *besonders fein, wohlschmeckend:* das Gemüse ist, schmeckt d. **sinnv.:** appetitlich. **2. a)** *heikel:* eine delikate Angelegenheit. **sinnv.:** anrüchig, gewagt, zweischneidig · schwierig. **b)** *taktvoll, mit Feingefühl:* die Sache will d. behandelt sein.

De|li|ka|tes|se, die; -, -n: *Leckerbissen, besonders feine Speise:* Lachs ist eine D.

De|likt, das; -[e]s, -e: *Vergehen, geringe Straftat:* ein D. begehen. **sinnv.:** Verbrechen, Verstoß. **Zus.:** Eigentums-, Verkehrsdelikt.

dem: Dativ Singular von: ↑ der, ↑ das.

De|ma|go|ge, der; -n, -n: *jmd., der andere durch leidenschaftliche Reden politisch aufhetzt, aufwiegelt:* das von skrupellosen Demagogen verhetzte Volk. **sinnv.:** Agitator, Hetzer, Scharfmacher, Volksverführer.

de|men|tie|ren ⟨tr.⟩: *(eine Nachricht, Behauptung anderer) öffentlich für unwahr erklären:* eine Meldung d. **sinnv.:** abstreiten, berichtigen, widerrufen.

dem|nächst ⟨Adverb⟩: *in nächster Zeit:* d. erscheint die zweite Auflage des Buches. **sinnv.:** später.

De|mo|kra|tie, die; -, Demokratien: *Staatsform, in der in allgemeinen Wahlen die Volksvertreter (Abgeordnete) für das Parlament gewählt werden, die die unterschiedlichen Interessen von Parteien und Verbänden auf dem Wege der Mehrheitsbildung durchzusetzen versuchen.* **sinnv.:** Herrschaft. **Zus.:** Volksdemokratie.

de|mo|kra|tisch ⟨Adj.⟩: *den Grundsätzen der Demokratie entsprechend:* eine demokratische Partei.

de|mo|lie|ren ⟨tr.⟩: *mutwillig stark beschädigen [und dadurch unbrauchbar machen]:* die Betrunkenen demolierten die Möbel. **sinnv.:** beschädigen.

De|mon|strant, der; -en, -en, **De|mon|stran|tin,** die; -, -nen: *männliche bzw. weibliche Person* 'ie an einer Demonstration (1) teilnimmt: mehrere Demonstranten wurden verhaftet.

De|mon|stra|ti|on, die; -, -en: **1.** *Massenkundgebung:* eine D. veranstalten. **sinnv.:** Demo, Kundgebung, Protestmarsch, Umzug. **Zus.:** Massen-, Protestdemonstration. **2.** *anschauliche Beweisführung:* ein Unterricht mit Demonstrationen. **sinnv.:** Illustration. **3.** *sichtbarer Ausdruck einer bestimmten Absicht:* die Olympischen Spiele sind eine D. der Völkerfreundschaft. **sinnv.:** Außerung.

de|mon|stra|tiv 〈Adj.〉: *betont auffällig:* darauf-in erklärte er d. seinen Rücktritt. **sinnv.:** nachdrücklich, plakativ.

de|mon|strie|ren 〈itr.〉 **1.** 〈itr.〉 *seine Einstellung für der gegen etwas öffentlich mit anderen zusammen undtun:* für den Frieden, gegen den Krieg d.; die Arbeiter demonstrierten gemeinsam mit den Studenten. **sinnv.:** aufmarschieren, protestieren. **2.** r.) *in anschaulicher Form zeigen:* er demonstrier-e, wie sich der Unfall ereignet hatte.

de|mon|tie|ren 〈tr.〉: *(Teil für Teil) von etwas entfernen [und auf diese Weise in seine Bestandteile zerlegen]:* eine Maschine, Fabrik d. **sinnv.:** abbauen, zerlegen.

De|mo|sko|pie, die; -, Demoskopien: *Erforschung der Einstellungen und Meinungen der Bevölkerung oder von Bevölkerungsteilen zu aktuellen Themen, Fragen usw. durch Umfrage, Interview.* **nnv.:** Meinungsforschung.

De|mut, die; -: *in der Einsicht in die Notwendigkeit und im Willen zum Hinnehmen der Gegebenheiten begründete Ergebenheit:* christliche D. **nnv.:** Hingabe, Opferbereitschaft.

de|mü|tig 〈Adj.〉: *voller Demut:* d. bitten. **sinnv.:** demutsvoll, ergeben.

de|mü|ti|gen 〈tr.〉: *(jmdn.) erniedrigen, in seinem Ehrgefühl und Stolz verletzen:* es macht ihm Freude, andere zu d. **sinnv.:** beschämen, diskriminieren, entwürdigen, erniedrigen.

en: a) Akk. Singular von: ↑ der. **b)** Dativ Plural von: ↑ der (I), ↑ die (I), ↑ das (I).

denk|bar 〈Adj.〉: **a)** *möglich [gedacht zu werden]:* ohne Luft und Licht ist kein Leben d. **sinnv.:** möglich. **b)** 〈verstärkend bei Adjektiven〉 *äußerst:* dieser Termin ist d. ungünstig; zwischen uns besteht das d. beste *(allerbeste)* Verhältnis. **sinnv.:** sehr.

den|ken, dachte, hat gedacht: **1. a)** 〈itr.〉 *die menschliche Fähigkeit des Erkennens und Urteilens (auf etwas) anwenden:* logisch d.; bei dieser Arbeit muß man d. **sinnv.:** nachdenken. **b)** 〈tr.〉 *einen bestimmten Gedanken haben:* jeder denkt im geheimen dasselbe; er dachte bei sich, ob es nicht besser wäre, wenn ... **2.** 〈itr.〉 **a)** *gesinnt sein:* rechtlich d. **b)** *(über jmdn./etwas) eine bestimmte [vorgefaßte] Meinung haben:* die Leute denken nicht gut von dir. **sinnv.:** beurteilen, einschätzen, werten. **3.** 〈itr.〉 **a)** *der Meinung sein:* ich dachte, ich hätte dir das Buch schon gegeben. **sinnv.:** meinen. **b)** ↑ *vermuten:* du hättest dir doch d. können, daß ich später komme. **c)** *sich (jmdn./etwas) in einer bestimmten Weise vorstellen:* ich denke mir das Leben auf dem Lande sehr erholsam. **4.** 〈itr.〉 *ie Absicht haben:* eigentlich denke ich, morgen abzureisen. **sinnv.:** vorhaben. **5.** 〈itr.〉 **a)** *in Gedanken (bei jmdm./etwas) sein:* er denkt oft an seine verstorbenen Eltern. **sinnv.:** sich erinnern. **b)** *auf*

jmds. Wohl bedacht sein, (für etwas) Vorsorge treffen: sie denkt immer zuerst an die Kinder; ans Alter d. **sinnv.:** bedenken. **c)** *(jmdn.) für eine Aufgabe o. ä. vorgesehen haben:* wir hatten bei dem Projekt an Sie gedacht. **sinnv.:** vorsehen.

-den|ken, das; -s 〈Grundwort〉: *eine von dem im Bestimmungswort Genannten geprägte Einstellung /enthält einen Vorwurf/:* Anspruchs-, Konkurrenz-, Konsum-, Wunschdenken.

Denk|mal, das; -[e]s, Denkmäler: **1.** *zum Gedächtnis an eine Person, ein Ereignis errichtete größere plastische Darstellung:* das D. Schillers und Goethes. **sinnv.:** Ehrenmal, Gedenkstein. **Zus.:** Arbeiter-, Kriegerdenkmal. **2.** 〈D. + Attribut〉 *erhaltenswertes Werk, das für eine frühere Kultur Zeugnis ablegt:* diese Handschrift gehört zu den Denkmälern des Mittelalters. **sinnv.:** Werk. **Zus.:** Bau-, Industrie-, Kunstdenkmal.

Denk|wei|se, die; -: *Art und Weise zu denken:* seine D. unterschied sich von der seines Freundes. **sinnv.:** Denkart.

Denk|zet|tel, der; -s, -: *Lehre, die man aus einer unangenehmen Erfahrung oder Strafe zieht und an die man bei seinem weiteren Verhalten denken wird:* jmdm. einen D. geben, verpassen. **sinnv.:** Strafe, Vergeltung.

denn 〈Partikel〉: **I.** 〈kausale Konj.〉: wir gingen wieder ins Haus, d. auf der Terrasse war es zu kühl geworden. **sinnv.:** nämlich, und zwar. **II.** 〈Vergleichspartikel〉 (selten) *als:* er ist bedeutender als Gelehrter d. als Künstler; 〈häufig in Verbindung mit *je* nach Komparativ〉 mehr, besser d. je. **III. a)** /drückt in Fragesätzen innere Anteilnahme, skeptisches Interesse, Ungeduld, Zweifel o. ä. des Sprechers aus/: was ist d. mit ihm?; was soll das d.? **b)** /wirkt in Aussagesätzen verstärkend und drückt oft eine Folgerung aus/: *nun:* ihr war es d. doch zu anstrengend. **2.** 〈ohne eigentliche Bedeutung〉 **a)** /drückt in rhetorischen Fragen Kritik aus/: bist du d. taub?; kannst du d. nicht hören? **b)** /in Ausrufen/: wohlan d.! **3.** /in Verbindung mit Interrogativpronomen oder -adverbien/ *im Unterschied dazu; sonst:* „Liegt das Buch auf dem Tisch?" – „Nein." – „Wo d.?"

den|noch 〈Adverb〉: *auch unter den genannten Umständen noch:* er war krank, d. wollte er seine Reise nicht verschieben. **sinnv.:** dessenungeachtet, gleichwohl, trotzdem.

de|nun|zie|ren 〈tr.〉: *[in als niedrig o. ä. empfundener Weise] anzeigen:* er hat ihn [bei der Polizei] denunziert. **sinnv.:** verraten, anklagen.

De|pres|si|on, die; -, -en: *gedrückte, schwermütige Stimmung (als seelische Erkrankung).*

de|pri|mie|ren 〈tr.〉: *machen, daß jmd. bedrückt ist:* dieser Vorfall hat mich deprimiert; sie war völlig deprimiert. **sinnv.:** niedergeschlagen.

der: I. 〈bestimmter Artikel der Maskulina〉 **a)** /individualisierend/: d. König hatte einen Sohn. **b)** /generalisierend/: d. Mensch ist sterblich. **II.** 〈Demonstrativpronomen〉 (gilt, auf namentlich oder auf andere Weise genannte Personen bezogen, oft als unhöflich): ausgerechnet d. muß das sagen. **sinnv.:** dieser, jener. **III.** 〈Relativpronomen〉: der Mann, d. das gesagt hat ... **sinnv.:** welcher.

der|art 〈Adverb〉: *so, in solchem Maße, in solcher Weise:* man hat ihn d. [schlecht] behandelt, daß ... **sinnv.:** so.

der|ar|tig ⟨Adj.⟩: *solch, so [geartet]:* eine derartige Kälte hat es seit langem nicht mehr gegeben; sie schrie d., daß ... **sinnv.:** solcher.

derb ⟨Adj.⟩: *urwüchsig-robust:* ein derber Menschenschlag. **sinnv.:** grobschlächtig, plump, unfein.

de|ren: I. ⟨Gen. Singular von ↑ die⟩ **1.** /demonstrativ/: vor den Toren der Stadt betrachtete er deren zahlreiche Bauten. **2.** /relativisch/: eine Mitteilung, auf Grund deren es zu Unruhen kam; eine ungewöhnliche Popularität, deren sich dieser Politiker erfreut. **II.** ⟨Gen. Plural von ↑ der, ↑ die, ↑ das⟩ **1.** /demonstrativ/: **a)** /an Stelle eines Genitivattributs/: sie begrüßte ihre Freunde und deren Kinder (= die Kinder der Freunde). **b)** /alleinstehend/: das waren frühere Erlebnisse, aber er erinnerte sich deren nicht mehr. **2.** /relativisch/: **a)** /an Stelle eines Genitivattributs/: er hörte viele Nachrichten, deren Bedeutung er aber nicht verstand (= die Bedeutung vieler Nachrichten ...). **b)** /alleinstehend/: die Straßen, oberhalb deren viele Weinberge lagen; ungewöhnliche Erlebnisse, deren sich die Eltern erinnern.

de|rer ⟨Demonstrativpronomen⟩: /Gen. Plural von ↑ der, ↑ die, ↑ das/: wir erinnern uns derer, die früher mit uns waren; das Schicksal derer, die im Kriege ausgebombt wurden.

der|je|ni|ge, diejenige, dasjenige ⟨Demonstrativpronomen⟩ */wählt etwas Genanntes aus und weist nachdrücklich darauf hin/:* der Antiquar verkaufte diejenigen Bücher, die beschädigt waren, um die Hälfte ihres Wertes.

der|sel|be, dieselbe, dasselbe ⟨Demonstrativpronomen⟩ */kennzeichnet eine Identität, die jedoch im Unterschied zu* der gleiche *usw., das sich auf zwei oder mehrere gleichartige Dinge oder Personen bezieht, nur in einem Objekt (Person, Sache, Gattung) liegt/:* mich hat derselbe Herr besucht, der dich gestern besucht hat; er fährt dasselbe Auto (als Gattung) wie ich; ich möchte dieselbe Suppe [wie meine Frau]; er hat denselben Namen [wie mein Sohn]; er hat dieselben Probleme [wie ich]. **sinnv.:** der gleiche.

des: Gen. Singular von: ↑ der (I), das (I).

De|ser|teur [dezɛr'tø:ɐ̯], der; -s, -e: *jmd., der desertiert.* **sinnv.:** Fahnenflüchtiger, Überläufer, Verräter.

de|ser|tie|ren, desertierte, hat/ist desertiert ⟨itr.⟩: *als Soldat seine Truppe, Dienststelle oder den sonst für ihn bestimmten Ort verlassen oder diesem fernbleiben.* **sinnv.:** überwechseln, verraten, weglaufen.

des|halb ⟨Adverb⟩: *wegen dieser Sache, aus diesem Grund:* sie macht ihr Examen, d. kann sie nicht teilnehmen; er ist krank und fehlt d. **sinnv.:** daher, darum, deswegen.

Des|in|fek|ti|on, die; -, -en: *das Desinfizieren:* die D. der Kleidungsstücke, der Wunde. **sinnv.:** Entkeimung, Entseuchung.

des|in|fi|zie|ren ⟨tr.⟩: *chemische oder physikalische Mittel anwenden, um Krankheitserreger (an etwas) (z. B. Bakterien, Ungeziefer) abzutöten:* die Kleidung, einen Raum d. **sinnv.:** auskochen, keimfrei machen, sterilisieren.

des|odo|rie|ren ⟨tr./itr.⟩: *unangenehme Gerüche des menschlichen Körpers beseitigen* ⟨meist im 1. Partizip⟩: desodorierende Seife.

des|sen: Gen. Singular von: ↑ der (II, III), ↑ da (II, III).

Des|sert [dɛ'se:ɐ̯], das; -s, -s: *feiner Nachtisch* **sinnv.:** Nachspeise.

de|sto: ↑ je.

des|we|gen ⟨Adverb⟩: ↑ deshalb. **Zus.:** ebendeshalb.

De|tail [de'tai̯], das; -s, -s: ↑ Einzelheit: einen Vorgang bis ins kleinste D. schildern. **sinnv.:** Ausschnitt, Teilstück.

De|tek|tiv, der; -s, -e, **De|tek|ti|vin,** die; -, -nen: *männliche bzw. weibliche Person, deren Beruf ist, jmdn. zu beobachten und unauffällig Ermittlungen über dessen Tun und Verhalten anzustellen:* jmdn. durch einen Detektiv beobachten lassen. **sinnv.:** Agent, Kriminalbeamter. **Zus.:** Kaufhaus-, Privatdetektiv.

de|to|nie|ren, detonierte, ist detoniert ⟨itr.⟩ *(nur auf Grund chemischer Prozesse, die rasche und stärker als bei der Explosion verlaufen) schlagartig explodieren:* eine Granate, eine Bombe detonierte. **sinnv.:** platzen.

deu|ten, deutete, hat gedeutet: **1.** ⟨itr.⟩ *(mit etwas) irgendwohin zeigen:* er deutete [mit dem Finger] nach Norden, auf ihn, in diese Richtung. **sinnv.:** hinweisen; zeigen. **2.** ⟨tr.⟩ *(einer Sache) einen bestimmten Sinn beilegen:* Träume, Zeichen d.; die Zukunft d. (vorhersagen). **sinnv.:** auslegen

deut|lich ⟨Adj.⟩: *(in dem, was damit beabsichtigt ist) klar (zu erkennen):* eine deutliche Stimme; Schrift; sich d. [an etwas] erinnern. **sinnv.:** anschaulich, kristallklar; verständlich.

De|vi|se, die; -, -n: **I.** ⟨Plural⟩ *Zahlungsmittel in ausländischer Währung:* keine Devisen haben. **sinnv.:** Geld[sorten]. **II.** *Spruch o. ä., nach dem jmd. seine Handlungs- und Lebensweise einrichtet:* seine D. ist: leben und leben lassen; mehr Freizeit lautet heute die D. **sinnv.:** Losung, Motto, Wahlspruch.

de|vot ⟨Adj.⟩: *sich in einer als unangenehm empfundenen Weise unterordnend, einem anderen ergeben:* eine devote Haltung; er verneigte sich d. **sinnv.:** unterwürfig.

De|zem|ber, der; -[s]: *zwölfter Monat im Jahr.*

de|zent ⟨Adj.⟩: *nur leicht, andeutungsweise [wirkend, sichtbar werdend], nur ein wenig (von seiner Funktion, Eigenschaft o. ä.) zeigend (was als angenehm empfunden wird):* ein dezentes Parfüm; d. auf einen Fehler hinweisen. **sinnv.:** unaufdringlich, zurückhaltend · diskret, taktvoll.

Dia, das; -s, -s: *durchsichtiges fotografisches Bild, das auf eine weiße Fläche projiziert werden kann:* Dias vom Urlaub zeigen. **sinnv.:** Diapositiv, Fotografie. **Zus.:** Farbdia.

Dia|gno|se, die; -, -n: *Bestimmung einer Krankheit:* eine richtige, falsche D. **sinnv.:** Befund, Feststellung. **Zus.:** Fehl-, Frühdiagnose.

dia|go|nal ⟨Adj.⟩: *zwei nicht benachbarte Ecken eines Vierecks geradlinig verbindend:* die Linien verlaufen d. **sinnv.:** quer, schräg.

Dia|lekt, der; -[e]s, -e: ↑ Mundart: der oberdeutsche, sächsische D.; er spricht D. **Zus.:** Heimat-, Stadtdialekt.

Dia|lek|tik, die; -: *philosophische Methode, die Position, von der sie ausgeht, durch gegensätzliche Behauptung in Frage stellt und in der Synthese beider Positionen eine Erkenntnis höherer Art zu gewinnen sucht.*

Dia|log, der; -[e]s, -e: **a)** *Gespräch zwischen zwei oder mehr Personen* /Ggs. Monolog/. **sinnv.:** Gespräch. **b)** *Gespräche, die zwischen zwei Interessengruppen geführt werden, um die gegenseitigen Standpunkte kennenzulernen:* der D. zwischen der Kirche und den Atheisten.

Dia|mant, der; -en, -en: *kostbarer Edelstein.* **Zus.:** Industrie-, Rohdiamant.

di|ät ⟨Adj.⟩: *der Diät entsprechend:* d. kochen, essen, leben.

Di|ät, die; -, -en: **I.** ⟨ohne Plural⟩ *eine dem Leiden (des Kranken) gemäße Lebens-, Ernährungsweise:* er mußte wegen seiner Galle eine strenge D. einhalten. **sinnv.:** Krankenkost, Schonkost. **Zus.:** Nulldiät. **II.** ⟨Plural⟩ *Aufwandsentschädigung (für Abgeordnete).* **sinnv.:** Spesen, Tagegelder. **Zus.:** Abgeordnetendiäten.

dicht ⟨Adj.⟩: **1.** *nur mit wenig Zwischenraum:* ein dichtes Gebüsch; dichter Nebel; die Pflanzen stehen zu d. **sinnv.:** gedrängt, undurchdringlich. **2.** *so, daß nichts hindurchdringen kann:* die Stiefel sind nicht mehr d. **sinnv.:** undurchlässig. **3.** ⟨in Verbindung mit einer Präp.⟩ *in unmittelbarer Nähe (von etwas):* d. am Ufer befand sich das Lager; d. vor mir machte er halt. **sinnv.:** direkt, eng, haarscharf, unmittelbar.

dich|ten, dichtete, hat gedichtet: **I.** ⟨itr./tr.⟩ *ein sprachliches Kunstwerk hervorbringen:* ein Gedicht, ein Lied d.; in meiner Jugend habe ich auch gedichtet. **sinnv.:** reimen, schreiben, schriftstellern. **II.** ⟨tr.⟩ *abdichten, undurchlässig machen:* das Fenster, das Dach, den Wasserhahn d. **sinnv.:** [ab]isolieren, zustopfen. **b)** ⟨itr.⟩ *als Mittel zum Abdichten geeignet sein:* der Kitt dichtet gut, nicht mehr.

Dich|ter, der; -s, -, **Dich|te|rin,** die; -, -nen: *Schöpfer bzw. Schöpferin eines sprachlichen Kunstwerks.* **sinnv.:** Schriftsteller. **Zus.:** Heimat-, Laien-, Mundartdichter.

Dich|tung, die; -, -en: **I.** *das dichterische Schaffen:* die D. des Mittelalters. **sinnv.:** Dichtkunst, Poesie · Dramatik, Epik, Lyrik, Prosa. **II.** **a)** ⟨ohne Plural⟩ *das Dichtmachen.* **b)** *Schicht aus einem geeigneten Material, die zwischen zwei Teile eines Gerätes o. ä. zur Abdichtung gelegt wird:* die D. am Wasserhahn muß erneuert werden.

dick ⟨Adj.⟩: **1. a)** *von beträchtlichem, mehr als normalem Umfang* /Ggs. dünn/: ein dicker Mann, Ast; ein dickes Buch; sie ist in den letzten Jahren dick geworden. **sinnv.:** fett, füllig, korpulent, rund, vollschlank, wohlgenährt · untersetzt. **b)** *(als Folge einer Krankheit oder äußeren Einwirkung) angeschwollen:* eine dicke Backe, Lippe haben. **sinnv.:** geschwollen. **2.** ⟨in Verbindung mit Maßangaben; nachgestellt⟩ *eine bestimmte Dicke habend:* das Brett ist nur 1 cm d. **sinnv.:** stark. **3.** *teigig-weich, nicht mehr flüssig, schon eher fest:* ein dicker Brei. **sinnv.:** breiig, dickflüssig, dicklich, gallertartig, sämig, seimig, steif, teigig, zähflüssig. **4. a)** †*dicht* (1): dicker Nebel. **b)** *in beträchtlicher Menge (in bezug auf den Querschnitt):* das Brot d. mit Butter bestreichen. **5.** (ugs.) *erstaunlich stark, intensiv:* eine dicke Freundschaft; ein dickes Lob. **sinnv.:** außergewöhnlich, intensiv, stark.

Dickicht, das; -s, -e: *dichtes Gebüsch, dichter junger Wald:* das Reh hat sich im D. versteckt. **sinnv.:** Busch, Buschwerk, Dickung, Geäst, Gebüsch, Gesträuch, Gestrüpp, Hecke, Unterholz. **Zus.:** Tannendickicht · Paragraphendickicht.

die: **I. 1.** ⟨bestimmter Artikel der Feminina⟩ **a)** /individualisierend/: d. Witwe hatte zwei Töchter. **b)** /generalisierend/: d. Geduld ist eine Tugend. **2.** ⟨bestimmter Artikel der Maskulina, Feminina und Neutra Plural⟩: d. Frauen und [d.] Kinder kommen zuerst; d. Bäume. **II.** ⟨Demonstrativpronomen⟩ (gilt, auf namentlich oder auf andere Weise genannte Personen bezogen, oft als unhöflich): „Wann kommt denn deine Tante?" – „D. hat abgesagt"; d. können das doch gar nicht. **III.** ⟨Relativpronomen⟩: die Frau, d. das gesagt hat; die Bücher, d. er las. **sinnv.:** welche.

Dieb, der; -[e]s, -e, **Die|bin,** die; -, -nen: *männliche bzw. weibliche Person, die stiehlt:* einen Dieb auf frischer Tat ertappen. **sinnv.:** Bandit, Einbrecher, Langfinger, Räuber, Spitzbube, Strauchdieb, Taschendieb, Wegelagerer. **Zus.:** Auto-, Fahrrad-, Hotel-, Hühner-, Wilddieb.

Dieb|stahl, der; -[e]s, Diebstähle: *das Stehlen; rechtswidrige Aneignung fremden Eigentums:* einen D. begehen. **sinnv.:** Aneignung, Beraubung, Eigentumsdelikt, -vergehen, Einbruch, Raub, Unterschlagung. **Zus.:** Auto-, Juwelen-, Laden-, Warenhausdiebstahl.

die|je|ni|ge: siehe derjenige.

Die|le, die; -, -n: **I.** *Brett für den Fußboden:* eine knarrende D. **sinnv.:** Holzdiele. **II.** *[geräumiger] Flur:* in der D. warten. **sinnv.:** Entree, Flur, Foyer, Gang, Halle, Korridor, Vestibül, Vorhalle, Vorraum, Windfang.

die|nen ⟨itr.⟩: **1. a)** *für eine Institution, in einem bestimmten Bereich tätig sein:* dem Staat, der Wissenschaft d. **sinnv.:** arbeiten für/bei, Dienst tun, in Stellung sein. **b)** *dem Militärdienst nachkommen:* bei der Luftwaffe d. **2.** *nützlich sein (für jmdn./etwas):* ihre Forschungen dienten der ganzen Menschheit. **sinnv.:** nutzen. **3.** *in bestimmter Weise verwendet werden, einen bestimmten Zweck erfüllen:* der Graben dient dazu, das Wasser abzuleiten.

Die|ner, der; -s, -: **a)** *jmd., der in abhängiger Stellung in einem Haushalt tätig ist und dafür Lohn empfängt:* er war ein treuer D. seines Herrn. **sinnv.:** Bediener, Bewacher, Boy, Bursche, Butler, Dienstbote, Domestik, Faktotum, dienstbarer Geist, Gorilla, Lakai, Leibwächter, Mädchen für alles, Page. **Zus.:** Amts-, Gemeinde-, Gerichts-, Kammer-, Staatsdiener. **b)** ⟨D. + Attribut⟩ *jmd., der sich (für bestimmte Personen oder Dinge) einsetzt und sie fördert:* ein D. der Mächtigen, der Wahrheit.

Die|ne|rin, die; -, -nen: vgl. Diener (a).

Dienst, der; -[e]s, -e: *bestimmte Pflichten umfassende berufliche Arbeit (in einer staatlichen, kirchlichen Institution):* ein anstrengender D.; der militärische D. **sinnv.:** Arbeit, Beruf · Dienstleistung, Gefallen, Gefälligkeit, Hilfe. **Zus.:** Außen-, Bereitschafts-, Freundschafts-, Küchen-, Kunden-, Nachrichten-, Rettungs-, Schul-, Sonntags-, Zivil-, Zubringerdienst.

Diens|tag, der; -[e]s, -e: *zweiter Tag der mit Montag beginnenden Woche.* **Zus.:** Fastnachtsdienstag.

dienst|lich ⟨Adj.⟩: **a)** *die Ausübung des Amts, des Berufs betreffend; hinsichtlich des Dienstes:* eine dienstliche Angelegenheit; ich bin d. *(wegen mei-*

nes Dienstes) verhindert. **b)** *amtlich, streng offiziell:* das ist ein dienstlicher Befehl. **sinnv.:** amtlich, von Amts wegen, berufsmäßig, geschäftlich.

dies: ↑dieser, diese, dieses.

die|sel|be: siehe derselbe.

die|ser, diese, dieses (dies) 〈Demonstrativpronomen〉 */wählt etwas näher Liegendes aus und weist nachdrücklich darauf hin/:* Ostern dieses (nicht: diesen) Jahres; dieser Mann es es; all dies[es] war mir bekannt. **sinnv.:** der [da/dort], jener.

die|sig 〈Adj.〉: *dunstig, nicht klar:* diesiges Wetter.

dies|seits: *auf dieser Seite* /Ggs. jenseits/: **1.** 〈Präp. mit Gen.〉: d. des Flusses. **2.** 〈Adverb〉: d. vom Neckar.

Diet|rich, der; -s, -e: *zu einem Haken gebogener Draht, der zum Öffnen einfacher Schlösser dient:* die Tür mit einem D. öffnen. **sinnv.:** Nachschlüssel.

Dif|fe|renz, die; -, -en: *Unterschied zwischen zwei Zahlen, Größen:* die D. zwischen Einnahme und Ausgabe; die D. zwischen 25 und 17 ist 8. **sinnv.:** Ausnahme, Defizit, Saldo, Unterschied. **Zus.:** Gewichts-, Höhen-, Lohn-, Preis-, Temperatur-, Zeitdifferenz.

Dik|tat, das; -[e]s, -e: **1. a)** *Ansage eines Textes, der wörtlich niedergeschrieben werden soll:* nach D. schreiben; die Sekretärin wurde zum D. gerufen. **b)** *nach einer Ansage wörtlich niedergeschriebener Text:* ein D. aufnehmen; die Schüler schreiben ein D. *(eine Übung zur Rechtschreibung).* **2.** 〈D. + Attribut〉 *etwas, was aufgezwungen [worden] ist:* das D. der Mode. **sinnv.:** Weisung, Zwang. **Zus.:** Friedens-, Modediktat.

Dik|ta|tor, der; -s, Diktatoren: *jmd., der mit Gewalt und Zwang seine Herrschaft ausübt:* einen D. stürzen. **sinnv.:** Alleinherrscher, Despot, Gewaltherrscher, Tyrann, Unterdrücker.

dik|tie|ren 〈tr.〉: **1.** *zum wörtlichen Niederschreiben ansagen:* jmdm. einen Brief d. **2.** *aufzwingen:* jmdm. seinen Willen d. **sinnv.:** anordnen, aufnötigen.

di|let|tan|tisch 〈Adj.〉 (oft abwertend): *laienhaft, nicht fachmännisch:* die Arbeit ist d. ausgeführt.

Dill, der; -s: *(als Küchengewürz verwendete) krautige Pflanze mit fein gefiederten Blättern und gelblichen Blüten in Dolden.*

Ding, das; -[e]s, -e und (ugs.) -er: **I.** 〈Plural: Dinge〉: **1.** *bestimmtes Etwas, nicht näher bezeichneter Gegenstand:* ein wertloses D.; Dinge zum Verschenken. **sinnv.:** Etwas, Gegenstand, Körper, Objekt, Sache. **Zus.:** Einzelding. **2.** 〈Plural〉 **a)** *das, was geschieht, geschehen ist:* die Dinge nicht ändern können; nach Lage der Dinge. **sinnv.:** Angelegenheiten. **b)** *Angelegenheiten:* persönliche und geschäftliche Dinge. **Zus.:** Alltags-, Glaubens-, Haushalts-, Liebes-, Staatsdinge. **II.** 〈Plural: Dinger〉 (ugs.): **1.** ↑*Mädchen:* es waren alles junge Dinger. **2. a)** *etwas, was [absichtlich] nicht mit seinem Namen benannt wird:* die alten Dinger solltest du endlich wegwerfen. **b)** *Sache, Affäre:* das ist ein [tolles] D.!

di|rekt: **I.** 〈Adj.〉 **1.** *auf ein Ziel zulaufend:* ein direkter Weg; eine direkte Verbindung *(Verbindung, die kein Umsteigen erfordert).* **2.** *unverzüglich, unmittelbar, ohne einen Zwischenraum, eine Verzögerung oder eine Mittelsperson:* d. nach

Dienstschluß; das Haus steht d. am Bahnhof; das Spiel wird d. *(live)* übertragen. **sinnv.:** dicht, geradewegs, gleich. **3.** *sich unmittelbar auf jmdn./ etwas beziehend, unmittelbar, nicht vermittelt* /Ggs. indirekt/: eine direkte Einflußnahme; ein direktes Interesse. **sinnv.:** mitten, persönlich, unmittelbar. **4.** (ugs.) *unmißverständlich, eindeutig:* sie ist immer sehr d. in ihren Äußerungen. **sinnv.:** rundheraus. **II.** 〈Adverb〉 (ugs.) *geradezu, in ganz besonderer Weise:* mit dem Wetter habt ihr d. Glück gehabt. **sinnv.:** regelrecht.

Di|rek|tor, der; -s, Direktoren, **Di|rek|to|rin,** die; -, -nen: *Leiter bzw. Leiterin einer Institution, einer Behörde, eines Unternehmens:* der Direktor einer Schule. **sinnv.:** Leiter. **Zus.:** Bank-, Stadt-, Zirkus-, Zoodirektor.

Di|ri|gent, der; -en, -en, **Di|ri|gen|tin,** die; -, -nen: *Leiter bzw. Leiterin eines Orchesters, eines Chors.* **sinnv.:** Bandleader, Chorleiter, Generalmusikdirektor, Kapellmeister, Orchesterchef, Orchesterleiter. **Zus.:** Chor-, Gast-, Orchesterdirigent.

di|ri|gie|ren 〈tr.〉: **1.** *(die Aufführung eines musikalischen Werkes, ein Orchester o. ä.) durch bestimmte den Takt, die Phrasierung, das Tempo o. ä. angebende Bewegungen der Arme und Hände leiten:* eine Oper, ein Orchester d.; 〈auch itr.〉 er dirigierte ohne Taktstock. **sinnv.:** leiten, den Stab führen, den Takt schlagen, taktieren. **2.** *in eine bestimmte Richtung lenken; an einen bestimmten Platz, Ort leiten, bringen:* ein Unternehmen d.

Dir|ne, die; -, -n: ↑Prostituierte.

Disk|jockey [ˈdɪskdʒɔki], der; -s, -s: *jmd., der in Rundfunk und Fernsehen und bes. in Diskotheken Schallplatten präsentiert.* **sinnv.:** Ansager.

Dis|ko, die; -, -s: ↑Diskothek (2).

Dis|ko|thek, die; -, -en: **1.** *Sammlung, Archiv von Schallplatten.* **2.** *Tanzlokal bes. für Jugendliche, in dem Schallplatten gespielt werden:* in der D. herrschte Hochstimmung. **sinnv.:** Disko, [Tanz]bar.

dis|kret 〈Adj.〉: **a)** *taktvoll zurückhaltend, voller Rücksichtnahme* /Ggs. indiskret/: ein diskretes Benehmen; d. schweigen. **sinnv.:** dezent, zurückhaltend. **b)** *so unauffällig, daß andere nichts bemerken:* ein diskreter Hinweis; eine heikle Angelegenheit d. *(vertraulich)* behandeln. **sinnv.:** unbemerkt. **c)** *nicht aufdringlich, nicht auffällig, voller Zurückhaltung:* ein diskretes Parfüm; diskrete Farben. **sinnv.:** dezent, unaufdringlich, zurückhaltend.

Dis|kus, der; -, -se und Disken: *(in der Leichtathletik verwendeter) Gegenstand in Form einer Scheibe (aus Holz und Metall) zum Werfen.*

Dis|kus|si|on, die; -, -en: *[lebhaftes, wissenschaftliches] Gespräch über ein bestimmtes Thema, Problem:* eine lange, politische D.; eine D. führen. **sinnv.:** Gespräch. **Zus.:** Grundsatz-, Podiumsdiskussion.

dis|ku|tie|ren 〈tr.〉: *[in einer lebhaften Auseinandersetzung] seine Meinung über ein bestimmtes Thema austauschen:* eine Frage ausführlich d.; 〈auch itr.〉 über diesen Punkt wurde heftig diskutiert. **sinnv.:** erörtern.

dis|po|nie|ren 〈itr.〉: **a)** *in bestimmter Weise verfügen:* über sein Vermögen, seine Zeit d. **b)** *etwas richtig einteilen, im voraus planen:* gut, schlecht d. **sinnv.:** einteilen.

Dis|pu|tie|ren ⟨itr.⟩: *(gelehrte) Streitgespräche führen, seine Meinung anderen gegenüber vertreten:* über ein Problem heftig d. **sinnv.**: erörtern.

Dis|qua|li|fi|zie|ren ⟨tr.⟩: *wegen grober Verletzung der sportlichen Regeln von der weiteren Teilnahme an einem Wettkampf ausschließen.* **sinnv.**: ausschließen.

Di|stanz, die; -, -en: **1.** *räumlicher, zeitlicher oder innerer Abstand:* die D. zwischen beiden Läufern betrug nur wenige Meter, Sekunden; alles aus der D. sehen. **sinnv.**: Abstand, Entfernung. **2.** *bei einem sportlichen Rennen zurückzulegende Strecke:* er war Sieger über die D. von 200 Metern.

Di|stel [auch: Dị...], die; -, -n: *krautige Pflanze mit stacheligen Blättern und Stengeln und unterschiedlich großen weißen oder lila Blüten.* **Zus.**: Silberdistel.

Dis|zi|plin, die; -, -en: **1.** ⟨ohne Plural⟩ *das bewußte Einhalten von bestimmten Vorschriften, Verhaltensregeln; das Sichunterwerfen unter eine bestimmte Ordnung:* in der Klasse herrscht keine D. **sinnv.**: Drill, Moral, Ordnung, Zucht. **Zus.**: Partei-, Selbst-, Verkehrsdisziplin. **2. a)** *wissenschaftliche Fachrichtung:* die mathematische D. **sinnv.**: Bereich. **b)** *Unterabteilung des Sports:* er beherrscht mehrere Disziplinen. **sinnv.**: Sportart. **Zus.**: Wettkampfdisziplin.

di|vers... ⟨Adj.⟩: *mehrere [verschiedene]:* diverse Weinsorten. **sinnv.**: einig...

di|vi|die|ren ⟨tr.⟩: *bei zwei Zahlen eine andere Zahl suchen, die angibt, wie oft die niedrigere von beiden in der höheren enthalten ist /*Ggs. multiplizieren/: zwanzig dividiert durch fünf ist vier. **sinnv.**: teilen.

Di|vi|si|on, die; -, -en: *Rechnung, bei der eine Zahl, Größe dividiert wird /*Ggs. Multiplikation/: eine komplizierte D.

doch: I. ⟨Konj.⟩ ↑*aber /*leitet meist knappe Aussagen ein/: sie sind arm, d. nicht unglücklich. **II.** ⟨Adverb⟩ **1.** ↑*dennoch /*steht als freie, betonte Angabe im Satz/: er fühlte sich nicht gesund, und d. machte er die Reise mit. **2.** ⟨mit Inversion der vorangehenden Verbform⟩ */schließt eine begründende Aussage an/:* er schwieg, sah er d., daß alles vergebens war. **3.** *das Gegenteil ist der Fall /*als gegensätzliche Antwort auf eine Frage, die etwas in Zweifel zieht, oder auf eine Aufforderung/: Hast du den Anteil der Arbeit nicht gemacht?" – Doch! [Ich habe sie gemacht]." **4.** */bestätigt eine Vermutung oder weist auf einen zunächst nicht für wahrscheinlich gehaltenen Sachverhalt hin/:* also ..; er blieb dann d. zu Hause. **III.** ⟨Partikel⟩ **1.** *gibt einer Aussage, Frage, Aufforderung, einem Wunsch einen gewissen Nachdruck; bekräftigt einen Tatbestand/:* es wird d. nichts passiert sein?; laß d. auf!; ja d.! **2.** */drückt in Fragesätzen eine gewisse Besorgnis, die Hoffnung auf Zustimmung aus/:* ihr kommt d. heute abend? **3.** */drückt in Fragesätzen aus, daß man etwas eigentlich Bekanntem, dem Gedächtnis momentan Entfallenem gefragt wird/:* wie war das d. gleich? **sinnv.**: noch. **4.** */drückt in Ausrufesätzen Verwunderung, Unmut, Entrüstung o. ä. aus/:* das ist d. zu dumm!

Docht, der; -[e]s, -e: *Faden in einer Kerze oder Petroleumlampe o. ä., der die Flamme den Brennstoff zuführt.* **Zus.**: Kerzen-, Lampendocht.

Dok|tor, der; -s, Doktọren: **1.** ⟨ohne Plural⟩ *höchster akademischer Grad, der auf Grund einer schriftlichen Arbeit und einer mündlichen Prüfung durch eine Fakultät verliehen wird:* jmdn. zum D. promovieren; (ugs.) seinen, den D. machen *(promovieren).* **Zus.**: Ehrendoktor. **2.** *jmd., der den Grad des Doktors besitzt.* **3.** (ugs.) ↑*Arzt:* den D. holen, rufen. **Zus.**: Puppen-, Wunderdoktor.

Dok|to|rin, die; -, -nen: vgl. Doktor (3).

Do|ku|ment, das; -[e]s, -e: **1.** *amtliches Schriftstück:* Dokumente einsehen, einreichen. **sinnv.**: Urkunde. **Zus.**: Geheim-, Originaldokument. **2.** ⟨D. + Attribut⟩ *etwas, was für etwas Zeugnis ablegt, was etwas deutlich zeigt, ausdrückt, dokumentiert:* der Film ist ein erschütterndes D. des Krieges. **Zus.**: Bild-, Kultur-, Zeitdokument.

Dolch, der; -[e]s, -e: *kurze Stichwaffe mit spitzer, meist zweischneidiger Klinge* (siehe Bildleiste „Waffen").

Dol|de, die; -, -n: *büschelartiger oder einem kleinen Schirm ähnlicher Teil einer Pflanze, der die Blüten trägt.* **Zus.**: Blütendolde.

Dol|met|scher, der; -s, -, **Dol|met|sche|rin,** die; -, -nen: *männliche bzw. weibliche Person, die berufsmäßig Gespräche o. ä. zwischen Personen, die verschiedene Sprachen sprechen, wechselweise übersetzt.* **sinnv.**: Übersetzer. **Zus.**: Konferenz-, Simultandolmetscher.

Dom, der; -[e]s, -e: *große, meist künstlerisch ausgestaltete Kirche [eines Bischofs] mit ausgedehntem Chor.* **Zus.**: Himmelsdom.

Do|mi|no, das; -s, -s: *Spiel, bei dem rechteckige, mit Punkten versehene Steine nach einem bestimmten System aneinandergelegt werden* (siehe Bild).

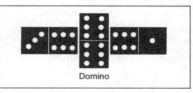
Domino

Domp|teur [dɔmp'tøːɐ̯], der; -s, -e, **Domp|teu|se** [...'tøːzə], die; -, -n: *männliche bzw. weibliche Person, die wilde Tiere für Vorführungen dressiert.* **sinnv.**: Dresseur, Tierbändiger.

Don|ner, der; -s, -: *dumpf rollendes, dröhnendes Geräusch, das dem Blitz folgt:* der D. rollt.

don|nern, donnerte, hat/ist gedonnert ⟨itr.⟩: **1.** *(bei einem Gewitter) als Donner hörbar werden:* es hat geblitzt und gedonnert. **2.** *sich mit polterndem, dem Donner ähnlichem Geräusch fort-, irgendwohin bewegen:* der Zug ist über die Brücke gedonnert. **3.** (ugs.) **a)** *mit Wucht irgendwohin schleudern o. ä.:* er hat den Ball an die Latte gedonnert. **b)** *mit Wucht gegen etwas schlagen, klopfen und dabei ein lautes Geräusch verursachen:* er hat an die Tür, gegen die Scheiben gedonnert. **c)** *mit Wucht gegen etwas prallen:* er ist [mit dem Wagen] gegen eine Mauer gedonnert.

Don|ners|tag, der; -[e]s, -e: *vierter Tag der mit Montag beginnenden Woche.* **Zus.**: Gründonnerstag.

doof ⟨Adj.⟩ (ugs.): **a)** *[in ärgerlicher Weise] einfältig und beschränkt:* ich war ja d., daß ich zugestimmt habe. **sinnv.**: dumm. **b)** *nicht den eigenen Vorstellungen entsprechend, jmdm. uninteressant,* *langweilig erscheinend, ihm Ärger bereitend:* ein doofer Abend.

dop|pel|deu|tig ⟨Adj.⟩: **1.** *auf doppelte Weise zu deuten:* die Aussage war d. **2.** *bewußt zweideutig, anzüglich formuliert:* ein doppeldeutiger Witz.

dop|pelt ⟨Adj.⟩: **1.** *zweimal der-, die-, dasselbe; ein zweites Mal [gegeben, vorhanden]:* die doppelte Länge, Menge; d. verglaste Fenster; er ist d. so alt wie du. **sinnv.:** zweifach, zweimal. **2.** *besonders groß, stark; ganz besonders:* wir müssen uns jetzt d. vorsehen.

dop|pel|zün|gig ⟨Adj.⟩: *sich über bestimmte Dinge verschiedenen Personen gegenüber in unaufrichtiger Weise verschieden äußernd:* eine doppelzüngige Person. **sinnv.:** unaufrichtig.

Dorf, das, -[e]s, Dörfer: *ländliche Siedlung mit oft bäuerlichem Charakter:* auf dem D., in einem D. wohnen. **sinnv.:** Kral, Ort. **Zus.:** Berg-, Ferien-, Fischer-, Heimat-, Straßen-, Zeilendorf.

Dorn, der; -[e]s, -en: *spitzes, hartes Gebilde als Teil einer Pflanze, bes. am Stiel der Pflanze:* diese Rosen haben keine Dornen. **sinnv.:** Spitze, Stachel.

dor|nig ⟨Adj.⟩: *mit vielen Dornen versehen:* ein dorniger Strauch.

dor|ren, dorrte, ist gedorrt ⟨itr.⟩ (geh.): *trocken, dürr werden:* die Pflanzen dorrten in der Gluthitze. **sinnv.:** eingehen, trocknen.

dör|ren: a) ⟨tr.⟩ *trocken, dürr machen:* sie dörrte die Pflaumen im Backofen. **b)** ⟨itr.⟩ ↑ *dorren.*

dort ⟨Adverb⟩: *an jenem Platz, Ort; nicht hier:* d. oben, drüben; von d. aus. **sinnv.:** da, bei ihnen, in jenem Land, vor Ort.

Do|se, die; -, -n: **a)** *kleiner Behälter mit Deckel:* eine D. mit Pralinen füllen. **sinnv.:** Behälter, Büchse. **Zus.:** Blech-, Butter-, Puder-, Tabaksdose. **b)** *Büchse für Konserven:* eine D. [Erbsen] aufmachen; Wurst in Dosen. **Zus.:** Konservendose.

dö|sen ⟨itr.⟩ (ugs.): **1.** *nicht fest schlafen:* die Augen schließen und ein bißchen d. **sinnv.:** schlafen. **2.** *wachend träumen; unaufmerksam, gedankenlos sein, vor sich hin blicken:* im Unterricht döste er [vor sich hin].

do|sie|ren ⟨tr.⟩: *die richtige Dosis abmessen, jmdm. zumessen:* ein Medikament d.; eine genau dosierte Menge. **sinnv.:** einteilen; messen.

Dot|ter, der, auch: das; -s, -: *vom Eiweiß umgebene, gelbe, kugelige Masse im Inneren des Vogeleis, bes. des Hühnereis.* **sinnv.:** Eigelb, Gelbei. **Zus.:** Eidotter.

Dra|che, der; -n, -n: *(in Sage und Märchen auftretendes) großes, furchterregendes, meist geflügeltes, feuerspeiendes Tier.* **sinnv.:** Lindwurm, Ungeheuer.

Dra|chen, der; -s, -: *an einer langen Schnur gehaltenes, mit Papier o. ä. bespanntes Gestell, das vom Wind nach oben getragen wird und sich in der Luft hält:* einen D. steigen lassen. **Zus.:** Papierdrachen.

Draht, der; -[e]s, Drähte: *in die Form eines Fadens oder einer Schnur ausgezogenes Metall:* ein Stück D.; Drähte spannen; etwas mit D. umwickeln. **Zus.:** Blumen-, Kupfer-, Maschen-, Silber-, Stacheldraht.

drah|tig ⟨Adj.⟩: **a)** *wie Draht:* das Haar ist d. **b)** *schlank und gut trainiert:* eine drahtige Gestalt. **sinnv.:** sportlich.

dra|ko|nisch ⟨Adj.⟩: *sehr streng, hart (in bezug auf Strafen, Vorschriften):* drakonische Strafe⟨ **sinnv.:** streng.

drall ⟨Adj.⟩: *(in bezug auf [junge] weibliche Pers⟨ nen) sehr kräftig, mit straffen, runden Formen:* ei dralles Mädchen. **sinnv.:** dick.

Drall, der; -[e]s: **1.** *(von außen bewirkte) Rotation Drehung eines Körpers um die eigene Achse:* d⟨ D. eines Balles, einer Gewehrkugel. **Zus.:** Links Rechtsdrall. **2.** *Windung der Züge in Feuerwaffe⟨*

Dra|ma, das; -s, Dramen: **1. a)** *(ohne Plura (Lustspiel und Trauerspiel umfassende) literarisch Gattung, bei der eine Handlung durch die beteili⟨ ten Personen auf der Bühne dargestellt wird:* d⟨ moderne, englische D. **b)** *Schauspiel, in dem e⟨ tragischer Konflikt dargestellt wird:* ein D. in für Akten. **sinnv.:** Schauspiel, Tragödie. **Zus.:** Büh nen-, Musikdrama. **2.** *aufregendes, erschütter⟨ des, trauriges Geschehen:* das D. ihrer Befreiun⟨ **Zus.:** Ehe-, Familiendrama.

Dra|ma|tik, die; -: **1.** *dramatische Dichtung:* di klassische D. **2.** *erregende Spannung, bewegt⟨ Ablauf:* das Fußballspiel verlief ohne jede ⟨ **sinnv.:** Erregung.

dra|ma|tisch ⟨Adj.⟩: **1.** *das Drama, die Gattun⟨ des Dramas betreffend:* die dramatische Dichtun⟨ des 18. Jahrhunderts. **2.** *aufregend und voll⟨ Spannung:* ein dramatischer Augenblick.

dran (ugs.): **1.** ⟨Adverb⟩ ↑ *daran:* ich gehe d. vo⟨ bei. **2.** *(in bestimmten Verwendungen) gu⟨ schlecht d. sein (es gut, schlecht haben);* an de⟨ Gerücht ist sicher etwas d. *(es hat) sicher eine wahren Hintergrund).* ***d. sein** (an der Reihe sei⟨ zur Verantwortung gezogen werden).*

Drang, der; -[e]s: *starker innerer Antrieb, Bedür⟨ nis, etwas zu tun oder zu verwirklichen:* der D⟨ nach Freiheit. **sinnv.:** Neigung. **Zus.:** Freiheits Tatendrang.

drän|geln ⟨itr.⟩: **1.** *in einer Menge andere zur Se⟨ te schieben, um möglichst schnell irgendwohin z⟨ gelangen oder an die Reihe zu kommen:* bitte nic⟨ d. **sinnv.:** drücken. **2.** *jmdn. ungeduldig und imm⟨ wieder zu etwas zu bewegen suchen:* die Kind⟨ drängelten, endlich nach Hause zu gehen. **sinnv** bitten.

drän|gen: 1. a) ⟨tr.⟩ *irgendwohin, in eine b⟨ stimmte Richtung, beiseite drücken, schiebe⟨ jmdn. an die Seite d.* **sinnv.:** drücken. **b)** ⟨itr.⟩ sic⟨ *ungeduldig schiebend und drückend irgendwoh⟨ bewegen:* die Menschen drängten zu den Ausgä⟨ gen; ⟨sich d.⟩ alles drängte sich nach vorn. **2.** a ⟨itr.⟩ *(von einer Menschenmenge) heftig, ungedu⟨ dig schieben, drücken mit dem Bestreben, rasc⟨ irgendwohin zu kommen:* bitte nicht d.! **b)** ⟨sich d⟨ *(von einer Menschenmenge) sich gegenseitig a⟨ engem Raum schieben und drücken:* die Schare⟨ drängten sich in der Halle. **3.** ⟨tr./itr.⟩ *(jmdn.) u⟨ geduldig (zu einem bestimmten Handeln) zu bew⟨ gen suchen;* er hat den Freund zu dieser Tat g⟨ drängt; sich zu etwas gedrängt fühlen. **sinnv.:** bi⟨ ten, überreden. **4.** ⟨itr.⟩ *rasches Handeln verlan⟨ gen:* die Zeit drängt; drängende Fragen, Proble⟨ me.

dra|stisch ⟨Adj.⟩: **a)** *etwas sehr deutlich zu⟨ Ausdruck bringend:* drastische Maßnahmen; ein⟨ drastische Schilderung. **sinnv.:** anschaulich. **b⟨** *deutlich in seiner oft negativen Wirkung spürba⟨* die Preise d. senken. **sinnv.:** einschneiden⟨ streng.

rauf (ugs.): **1.** ⟨Adverb⟩ †*darauf*. **2.** ***etwas d. ha-**
en *(etwas einstudiert, gelernt haben, etwas beherr-*
chen; mit einer bestimmten Geschwindigkeit fah-
en: er hat 100 Kilometer, Sachen d.); **d. und dran**
ein, etwas zu tun *(fast soweit sein, etwas [Negati-*
es] zu tun: er war d. und dran, alles hinzuzuwer-
en).

rau|ßen ⟨Adverb⟩: **a)** *außerhalb [eines Rau-*
nes]; im Freien /Ggs. drinnen/: er sitzt d. und
artet. **sinnv.:** außerhalb. **b)** *irgendwo weit ent-*
ernt: das Boot ist d. [auf dem Meer].
rech|seln ⟨tr.⟩: *(Holz o. ä.) durch schnelle Dre-*
ung auf einem dazu bestimmten Gerät rund for-
nen: eine Schale d.
reck, der; -[e]s (ugs.): **1.** †*Schmutz:* den D. [von
en Schuhen] abkratzen. **Zus.:** Hunde-, Scheiß-
reck. **2.** (emotional) *etwas, was als minderwertig,*
ertlos angesehen wird: nun hast du wieder so ei-
en D. gekauft! **sinnv.:** Ausschuß.
reckig ⟨Adj.⟩ (ugs.): **1.** †*schmutzig:* dreckige
chuhe. **2.** *in aufreizender Weise respektlos, takt-*
os, unanständig o. ä.: dreckige Bemerkungen,
Vitze machen; d. lachen. **sinnv.:** frech.
re|hen: 1. a) ⟨tr.⟩ *im Kreise [teilweise] um seine*
chse bewegen oder mit einer ähnlichen Bewegung
1 eine andere bestimmte Richtung bringen: den
chlüssel im Schloß d.; den Kopf leicht d.; sich
m sich selbst. **b)** ⟨itr.⟩ *mit etwas eine Bewegung*
n Kreis o. ä. ausführen: wer hat an dem Schalter
edreht? **sinnv.:** kurbeln, leiern, nuddeln. **c)** ⟨tr.⟩
einen Apparat) durch eine Bewegung eines Schal-
ers o. ä. im Kreis in bestimmter Weise einstellen:
en Herd klein, auf klein d. **d)** ⟨sich d.⟩ *sich im*
Xreis [teilweise] um seine Achse bewegen: die Rä-
er drehen sich. **sinnv.:** kreisen, rollen. **e)** ⟨itr.⟩ *sei-*
e Richtung durch eine Bewegung im Kreis o. ä.
ndern: das Auto drehte und kam zurück. **sinnv.:**
mkehren. **2.** ⟨tr.⟩ *durch eine dem Zweck entspre-*
hende rollende o. ä. Bewegung [maschinell] for-
nen, herstellen: Pillen, Schrauben d. **3.** ⟨tr./itr.⟩
ufnahmen machen und so herstellen: einen Film
.; sie drehen in Mexiko. **sinnv.:** filmen. **4.** ⟨sich
) *etwas Bestimmtes zum Gegenstand haben:* das
espräch dreht sich um Politik. **sinnv.:** betreffen.
, ⟨tr.⟩ (ugs.) *in bestimmter Weise in seinem Sinn*
eeinflussen, arrangieren, einrichten o. ä.: das hat
r wieder schlau gedreht. **sinnv.:** bewerkstelligen.
rei ⟨Kardinalzahl⟩: 3: bis d. zählen.
rei|eck, das; -[e]s, -e: *von drei Linien begrenzte*
läche.
rei|ßig ⟨Kardinalzahl⟩: 30: d. Personen.
rei|zehn ⟨Kardinalzahl⟩: 13: d. Personen.
res|sie|ren ⟨tr.⟩: *(einem Tier) bestimmte Fertig-*
eiten, Kunststücke beibringen: Pferde, Tiger d.
nnv.: abrichten.
rib|beln ⟨itr.⟩: *den Fußball durch kurze Stöße*
orwärts treiben.
ril|len ⟨tr.⟩: *immer wieder ein bestimmtes Verhal-*
en, bestimmte Bewegungen o. ä. von jmdm. aus-
ühren, üben lassen, damit er es in einer entspre-
henden Situation genauso tut: gut gedrillte Sol-
aten; auf solche Fragen waren die Schüler ge-
rillt worden. **sinnv.:** dressieren, einüben, erzie-
en, exerzieren, schikanieren, schleifen, schulen,
ben.
rin ⟨Adverb⟩ (ugs.): **1.** *darin, als Inhalt enthal-*
en: in der Flasche ist nichts mehr d. **2.** †*drinnen:*
. im Zimmer.

drin|gen, drang, hat/ist gedrungen ⟨itr.⟩: **1.**
durch etwas, ein Hindernis hindurch an eine be-
stimmte Stelle gelangen: Wasser ist in den Keller
gedrungen. **2.** *streng fordern, darauf sehen, daß*
(etwas) durchgeführt wird: er hat auf die Einfüh-
rung von Änderungen gedrungen. **sinnv.:** beste-
hen. **3.** *(auf jmdn. durch Reden in einer bestimmten*
Absicht) einzuwirken versuchen: er ist [mit Bitten]
in sie gedrungen, ihm alles zu gestehen.
drin|gend ⟨Adj.⟩: *unbedingt Erledigung verlan-*
gend: eine dringende Angelegenheit; etwas d. be-
nötigen. **sinnv.:** keinen Aufschub duldend, dring-
lich, eilig, unaufschiebbar.
drin|nen ⟨Adverb⟩: *innerhalb [eines Raumes]*
/Ggs. draußen/: er sitzt schon d. und wartet.
dritt... ⟨Ordinalzahl⟩: 3.: an dritter Stelle stehen.
Drit|te, der u. die; -n, -n ⟨aber: [ein] Dritter, Plu-
ral: Dritte⟩: *jmd., der nicht zu einem bestimmten*
Kreis gehört: die Dokumente nicht an Dritte wei-
tergeben. **sinnv.:** Außenstehender.
Drit|tel, das; -s, -: *der dritte Teil von einem Gan-*
zen: das erste D. unserer Reise.
drit|teln ⟨tr.⟩: *in drei Teile teilen:* eine Menge d.
Dro|ge, die; -, -n: **1.** *Rauschgift (bes. im Hinblick*
auf jmdn., der süchtig danach verlangt, davon ab-
hängig ist): er nimmt harte Drogen. **sinnv.:** Dope.
2. *als Heilmittel verwendete pflanzliche oder tieri-*
sche Substanz. **sinnv.:** Medikament.
Dro|ge|rie, die; -, Drogerien: *Geschäft für den*
Verkauf von Heilmitteln, Chemikalien und kosme-
tischen Artikeln. **sinnv.:** Apotheke.
dro|hen ⟨itr.⟩: **1. a)** *(jmdn.) mit Worten oder Ge-*
sten einzuschüchtern versuchen: mit dem Finger d.
sinnv.: bedrohen. **b)** *darauf hinweisen, daß man*
etwas für jmdn. Unangenehmes veranlassen wird,
falls er sich nicht entsprechend verhält: mit einer
Klage d. **2.** *als etwas Gefährliches, Unangenehmes*
möglicherweise eintreffen: ein Gewitter droht;
drohende Gefahren. **sinnv.:** aufziehen, bedrohen,
bevorstehen. **3.** ⟨d. + zu + Inf.⟩ *in Gefahr sein (et-*
was zu tun): das Haus drohte einzustürzen.
dröh|nen ⟨itr.⟩: **a)** *mit durchdringendem lautem*
Schall tönen: der Lärm der Motoren dröhnt mir
in den Ohren. **sinnv.:** schallen. **b)** *von lautem vi-*
brierendem Schall erfüllt sein: die Fabrik dröhnt
vom Lärm der Maschinen; mir dröhnt der Kopf.
drol|lig ⟨Adj.⟩: *[durch seine Possierlichkeit, Nied-*
lichkeit] belustigend wirkend: ein drolliges Kind;
sie hat drollige Einfälle. **sinnv.:** spaßig.
dros|seln ⟨tr.⟩: **a)** *die Zufuhr (von etwas) verrin-*
gern, behindern: den Dampf d. **b)** *in der Leistung*
herabsetzen, kleiner stellen: den Motor d. **c)** *auf*
ein geringeres Maß herabsetzen, (bei etwas) eine
Einschränkung vornehmen: die Ausgaben, die
Einfuhr d. **sinnv.:** verringern.
drü|ben ⟨Adverb⟩: *auf der anderen, gegenüberlie-*
genden Seite: d. am Ufer; da, dort d. kommen.
sinnv.: jenseits.
Druck: **I.** der; -[e]s, Drücke: **1.** *senkrecht auf eine*
Fläche wirkende Kraft: den D. messen; etwas
steht unter hohem D. **Zus.:** Blut-, Gas-, Hoch-,
Luft-, Tiefdruck. **2.** ⟨ohne Plural⟩ *das Drücken:*
der kräftige D. seiner Hand. **sinnv.:** Gewalt. **Zus.:**
Händedruck. **3.** ⟨ohne Plural⟩ *gewaltsame, zwang-*
hafte, jmdn. bedrängende Einwirkung von außen:
D. auf jmdn. ausüben; jmdn. unter D. setzen *(ihn*
sehr bedrängen). **sinnv.:** Zwang. **Zus.:** Leistungs-
druck. **II.** der; -[e]s, -e: **1.** ⟨ohne Plural⟩ *Vorgang,*

bei dem Typen durch Maschinen auf Papier oder Stoff gepreßt und übertragen werden: etwas in D. geben (es drucken lassen). **Zus.**: Buchdruck. **2.** Art, Qualität, in der etwas gedruckt ist: ein klarer, kleiner D. **Zus.**: Hoch-, Kursiv-, Vierfarbendruck. **3.** gedrucktes Werk, Bild: Drucke von berühmten Gemälden. **Zus.**: Kunst-, Linoldruck.

drucken ⟨tr.⟩: **a)** durch Druck herstellen: Bücher, Zeitungen d. **sinnv.**: verlegen. **b)** durch Druck auf etwas übertragen und vervielfältigen: einen Text d.; ein Muster in verschiedenen Farben d.

drücken: 1. a) ⟨itr.⟩ einen Druck auf etwas ausüben, (etwas) durch Druck betätigen: auf den Knopf d. **b)** ⟨tr.⟩ pressend Druck (auf etwas) ausüben: den Knopf d.; jmdm. die Hand d. **sinnv.:** pressen. **c)** ⟨tr.⟩ [unter Anwendung von Kraft] bewirken, daß jmd./etwas irgendwohin gelangt: jmdm. Geld in die Hand d. **sinnv.:** stemmen. **d)** ⟨tr.⟩ durch Zusammenpressen herauslösen: Wasser aus dem Schwamm d. **2.** ⟨itr.⟩ das Gefühl unangenehmen Druckes an einer Körperstelle hervorrufen: die Schuhe drücken [mich]. **3.** ⟨itr.⟩ lastend (auf jmdm.) liegen; schwer auf jmdm. lasten: Sorgen drücken ihn. **sinnv.:** bekümmern, lasten. **4.** ⟨tr.⟩ bewirken, daß etwas niedriger wird: das Niveau d. **sinnv.:** verringern. **5.** ⟨sich d.⟩ (ugs.) sich [unauffällig] einer Arbeit, Verpflichtung entziehen: sich gern [vor/von der Arbeit] d. **sinnv.:** sich entziehen.

drückend ⟨Adj.⟩: schwül lastend: eine drückende Hitze.

Druck|knopf, der; -[e]s, Druckknöpfe: aus zwei Plättchen bestehender Knopf, der sich durch Aneinanderdrücken der beiden Teile schließen läßt.

Druck|sa|che, die; -, -n: zu ermäßigter Gebühr beförderte, nicht verschlossene Sendung, die nur gedruckte Schriften enthält.

Drü|se, die; -, -n: Organ, das ein Sekret produziert und dieses an den Körper oder nach außen abgibt. **Zus.**: Keim-, Lymph-, Schild-, Schweiß-, Tränendrüse.

Dschun|gel, der; -s, -: undurchdringlicher, sumpfiger Wald in den Tropen: in den D. eindringen. **sinnv.:** Urwald.

du ⟨Personalpronomen⟩ /bezeichnet eine angeredete vertraute Person/: jmdn. mit du anreden.

Dü|bel, der; -s, -: Zapfen, Pflock zur Befestigung von Schrauben o. ä. in einer Wand oder Decke. **sinnv.:** Nagel.

du|cken, sich: [vor irgendeiner Gefahr] den Kopf einziehen und dabei den Rücken etwas gekrümmt halten (siehe Bildleiste „bücken"): sich vor einem Schlag d. **sinnv.:** sich beugen.

Du|ell, das; -s, -e: Zweikampf.

Du|ett, das; -[e]s, -e: Komposition für zwei Singstimmen mit instrumentaler Begleitung.

Duft, der; -[e]s, Düfte: angenehmer, feiner Geruch: der D. einer Blume. **Zus.**: Braten-, Rosenduft.

duf|ten, duftete, hat geduftet ⟨itr.⟩: einen angenehmen Geruch ausströmen: die Rosen duften stark, zart; es duftet nach Veilchen. **sinnv.:** riechen.

duf|tig ⟨Adj.⟩: fein und leicht wie ein Hauch: duftige Kleider. **sinnv.:** fein, hauchdünn, hauchfein, hauchzart, zart.

dul|den, duldete, hat geduldet: **1.** ⟨itr.⟩ [Schweres, Schreckliches] über sich ergehen lassen, mit

Gelassenheit ertragen: still d.; Not und Verfo[l] gung d. **sinnv.:** aushalten. **2.** ⟨tr.⟩ **a)** [aus Nac[h] sicht] fortbestehen, gelten lassen, ohne ernsthaft[e] Widerspruch einzulegen oder Maßnahmen dag[e] gen zu ergreifen: keinen Widerspruch d.; die S[a] che duldet keinen Aufschub. **sinnv.:** akzeptiere[n] billigen. **b)** (jmdn.) an einem bestimmten Ort lebe[n] sich aufhalten lassen: wir sind hier nur gedulde[t]

dumm ⟨Adj.⟩: **1. a)** von schwacher, nicht zure[i] chender Intelligenz: ein dummer Mensch. **sinnv[.]** albern, bescheuert, beschränkt, blöd[e], blödsi[n] nig, borniert, dämlich, doof, dümmlich, dußli[g], idiotisch, töricht, unbedarft, unklug, unterbelic[h] tet, unverständig. **Zus.**: sau-, strohdumm. **b)** ni[c] geschickt in seinem Tun: das war aber d. von di[r] ihm das jetzt zu sagen. **2.** (ugs.) in ärgerlicher W[ei] se unangenehm: das ist eine dumme Geschich[te] **sinnv.:** unangenehm, unerfreulich.

Dumm|heit, die; -, -en: **1.** ⟨ohne Plural⟩ Unw[is] senheit, schwache, nicht zureichende Intelligenz. unkluge Handlung: eine D. begehen. **sinnv.:** U[n] sinn.

Dumm|kopf, der; -[e]s, Dummköpfe: jmd., d[er] sich (im Urteil des Sprechers) in ärgerlicher oder z[u] kritisierender Weise dumm, unvernünftig verhä[lt] er ist ein D.; sei kein D.! **sinnv.:** Blödman[n] Depp, Dummian, Dussel, Esel, Idiot, Nar[r] Schwachkopf, Trottel.

dumpf ⟨Adj.⟩: **1.** gedämpft und dunkel klingen[d] der Sack fiel mit dumpfem Aufprall zu Boden. feucht, von Feuchtigkeit verdorben o. ä. und im G[e] ruch davon zeugend: dumpfe Kellerluft. **sinn[v]** abgestanden, fade, flau, schal, verbraucht. **3.** (a[b] Schmerz, Gefühl o. ä.) nicht ausgeprägt hervortr[e] tend: ein dumpfes Gefühl im Kopf; eine dumpf[e] Ahnung. **sinnv.:** unklar. **4.** geistig unbeweglic[h] untätig und ohne Anteilnahme am äußeren G[e] schehen: die dumpfe Atmosphäre einer Klei[n] stadt.

dün|gen ⟨tr.⟩: (dem Boden) Dünger zuführen: d[en] Feld, den Kohl d.

Dün|ger, der; -s, -: Stoffe, durch deren Zufu[hr] der Ertrag des Bodens erhöht wird: künstlicher D. **sinnv.:** Dung, Düngemittel, Jauche, Kompos[t] Mist, Pfuhl. **Zus.**: Blumen-, Kunst-, Minera[l] Naturdünger.

dun|kel ⟨Adj.⟩: **1. a)** nicht hell, nicht oder nur u[n] zulänglich erhellt: dunkle Straßen; es wird früh [im] **sinnv.:** dämmerig, duster, finster, schummeri[g] trübe. **Zus.**: stockdunkel. **b)** nicht hell, sonde[rn] sich in der Farbe eher dem Schwarz nähernd: ei[n] dunkler Anzug; die Brille ist d. getönt. **2.** (v[on] Klängen, Tönen) nicht hell, sondern tief, g[e] dämpft: d. klingen. **3.** nicht bestimmt, nicht deu[t] lich, sondern unklar, verschwommen und dabei o[ft] geheimnisvoll, schwer deutbar: ein dunkler Ve[r] dacht; in dunkler Vorzeit. **sinnv.:** rätselhaft, u[n] klar, verworren. **4.** von zweifelhafter, verdäch[t] wirkender Beschaffenheit, nicht recht durchscha[u] bar: dunkle Geschäfte machen. **sinnv.:** anrüchi[g]

Dun|kel|heit, die; -: [fast] lichtloser Zustan[d] Zustand des Dunkelseins: bei Einbruch der [] **sinnv.:** Dämmerung.

dünn ⟨Adj.⟩: **1.** von [zu] geringem Umfan[g] Durchmesser /Ggs. dick/: ein dünner Ast; sie i[st] d. **sinnv.:** fein, hauchfein, schlank, schma[l] schwach. **2. a)** beinahe durchsichtig: ein dünne[r] Schleier. **b)** spärlich: dünnes Haar; das Land i[st]

d. bevölkert. **sinnv.**: schütter. **c)** ⟨in Verbindung mit bestimmten Verben⟩ *in geringer Menge:* eine Salbe d. auftragen. **3.** *wenig gehaltvoll, wäßrig:* dünner Kaffee.

Dunst, der; -[e]s, Dünste: **1.** ⟨ohne Plural⟩ *leichte Trübung der Atmosphäre:* die Berge sind in D. gehüllt. **sinnv.**: Nebel, Rauch. **Zus.**: Boden-, Nebeldunst. **2.** *von starkem Geruch [und Dampf] erfüllte Luft:* bläulicher D. von Abgasen. **Zus.**: Benzin-, Bier-, Koch-, Schweiß-, Stall-, Tabak[s]-, Wein-, Zigaretten-, Zigarrendunst.

dün|sten, dünstete, hat gedünstet ⟨tr.⟩: *(Nahrungsmittel) in verschlossenem Topf in [Fett und] Wasserdampf weich, gar werden lassen:* Gemüse d. **sinnv.**: braten, dämpfen.

dun|stig ⟨Adj.⟩: *durch Dampf oder Nebel trübe.* **sinnv.**: diesig, neblig, wolkig.

durch: I. ⟨Präp. mit Akk.⟩: **1.** */kennzeichnet eine Bewegung, die auf der einen Seite in etwas hinein- und auf der anderen Seite wieder hinausführt/:* d. die Tür, den Wald gehen. **2.** */kennzeichnet die vermittelnde, bewirkende Person, das Mittel, die Ursache, den Grund/:* die Stadt wurde d. ein Erdbeben zerstört. **sinnv.**: an Hand von, mit Hilfe von, kraft, mit, mittels[t], per. **II. 1.** /in Verbindung mit einem Personalpronomen in Konkurrenz zu *dadurch;* bezogen auf eine Sache (ugs.)/: er hat eine gute Berufsausbildung. Durch sie (statt: dadurch) steigen seine Chancen auf dem Arbeitsmarkt. **2.** /in Verbindung mit „was" in Konkurrenz zu *wodurch;* bezogen auf eine Sache (ugs.)/: **a)** /in Fragen/: d. was (besser: wodurch) komme ich zu dieser Auszeichnung? **b)** /in relativer Verbindung/: ich weiß nicht, d. was (besser: wodurch) ich da hineingeraten bin.

durch- ⟨verbales Präfix; wenn betont, dann trennbar, wenn unbetont, dann untrennbar; oft bestehen beide Möglichkeiten nebeneinander, wobei die trennbaren Verben stärker die Tätigkeit o. ä. der Person hervorheben, während die untrennbaren stärker die Tätigkeit am Objekt, das Ergebnis betonen, z. B. ich bohre das Brett durch (= ich bin bohrend tätig), ich durchbohre das Brett (= das Brett erhält durch mein Bohren ein Loch). Die untrennbaren Verben werden oft übertragen gebraucht: er hat mich mit Blicken durchbohrt.⟩ **1.** *hindurch* **a)** /als Bewegung/: durchfahren (er fuhr durch die Stadt durch), durchfahren (er durchfuhr kreuz und quer das Land). **b)** /eine Materie o. ä. durchdringend, durchtrennend/: durchbrechen (er brach den Stock durch), durchbrechen (er durchbrach die Absperrung), durchbrennen, durchlöchern, durchstechen (er hat das Bild durchstochen), einen Faden durchziehen. **c)** /als Abnutzung/: durchscheuern. **d)** /in gleichmäßig verteilter Weise/: gut durchblutet, durchwuchern, ein durchseuchtes Gebiet. **2.** *von Anfang bis Ende* **a)** /zeitlich/: durcharbeiten (er hat die Nacht durchgearbeitet), durchtanzen (er hat die Nacht durchgetanzt = er hat die ganze Nacht getanzt), durchtanzen (er hat die Nacht durchtanzt = er hat die Nacht mit Tanzen, tanzend verbracht). **b)** /räumlich/: durchblättern, sich durchfragen, durchnumerieren. **c)** (verstärkend) *ganz und gar; gründlich:* durchatmen, durchfrieren (er ist durchgefroren), jmdn. durchprügeln, durchtesten. **3.** *nach unten:* sich durchliegen, durchhängen.

durch|aus [durchaus] ⟨Adverb⟩: **a)** *unter allen Umständen:* er will d. dabei sein. **sinnv.**: unbedingt. **b)** *völlig, ganz:* was Sie sagen, ist d. richtig. **sinnv.**: ganz.

Durch|blick, der; -[e]s, -e (ugs.): *das Verstehen von Zusammenhängen; Überblick über etwas:* sich den nötigen D. verschaffen; keinen D. haben. **sinnv.**: Erfahrung.

durch|bo|xen, boxte durch, hat durchgeboxt ⟨tr./sich d.⟩ (ugs.): *mit Energie durchsetzen:* er boxte durch, daß er eine Gehaltserhöhung bekam; er hat sich durchgeboxt. **sinnv.**: sich durchschlagen, erwirken.

durch|bren|nen, brannte durch, ist durchgebrannt ⟨itr.⟩: **1.** *durch langes Brennen, starke Belastung mit Strom entzweigehen:* die Sicherung ist durchgebrannt. **sinnv.**: durchglühen, durchschmelzen, durchschmoren. **2.** (ugs.) *sich heimlich und überraschend davonmachen:* mit der Kasse d. **sinnv.**: weggehen.

durch|brin|gen, brachte durch, hat durchgebracht ⟨tr.⟩ (ugs.): **1. a)** *durch ärztliche Kunst erreichen, daß jmd. eine Krise übersteht und gesund wird:* die Ärzte haben den Patienten durchgebracht. **sinnv.**: heilen. **b)** *mit gewisser Anstrengung dafür sorgen, daß das Nötigste zum Leben (für jmdn., für die eigene Person) vorhanden ist:* sich, seine Kinder ehrlich d. **sinnv.**: sich durchschlagen, ernähren. **c)** *gegen eine mögliche Opposition durchsetzen:* einen Kandidaten d. **sinnv.**: erwirken. **2.** *(Geld, Besitz) in kurzer Zeit verschwenden:* sein Erbe d. **sinnv.**: aufbrauchen, zum Fenster hinauswerfen, hausen, auf den Kopf hauen, vergeuden, verjubeln, verplempern, verprassen, verpulvern, verschleudern, verschwenden, vertun, verwirtschaften.

durch|dre|hen, drehte durch, hat/ist durchgedreht: **1.** ⟨tr.⟩ *durch eine Maschine drehen:* er hat das Fleisch durchgedreht. **2.** ⟨itr.⟩ (ugs.) *kopflos werden, die Nerven verlieren:* er hat/ist völlig durchgedreht. **sinnv.**: sich aufregen, die Beherrschung/die Fassung/den Kopf/die Nerven verlieren.

durch|drin|gen: I. durchdringen, drang durch, ist durchgedrungen ⟨itr.⟩: *Hindernisse überwinden, gegen etwas ankommen:* bei dem Lärm konnte er [mit seiner Stimme] nicht d. **sinnv.**: durchbrechen, sich durchsetzen. **II. durchdringen,** durchdrang, hat durchdrungen ⟨tr.⟩: **1.** *trotz Behinderung (durch etwas) dringen und wahrnehmbar sein:* einzelne Strahlen durchdringen die Wolken. **2.** *innerlich ganz erfüllen:* ein Gefühl der Begeisterung durchdrang alle.

durch|ein|an|der ⟨Adverb⟩: **1.** *ungeordnet.* **sinnv.**: bunt, chaotisch, wie Kraut und Rüben, kunterbunt, ungeordnet, vermengt, vermischt, wirr, wüst. **2.** *wahllos (das eine und das andere):* alles d. essen und trinken.

Durch|ein|an|der [Durch...], das; -s: *Unordnung, allgemeine Verwirrung:* in seinem Zimmer herrschte ein großes D. **sinnv.**: Wirrwarr.

durch|ein|an|der|brin|gen, brachte durcheinander, hat durcheinandergebracht ⟨tr.⟩: **1.** *in Unordnung bringen:* meine Bücher waren alle durcheinandergebracht worden. **sinnv.**: verquicken. **2.** *miteinander verwechseln:* zwei verschiedene Begriffe d. **3.** *in Verwirrung bringen:* die Nachricht hat mich ganz durcheinandergebracht.

Durch|fahrt, die; -, -en: **1.** *das Durchfahren durch etwas:* auf der D. von Berlin nach Hamburg sein. **sinnv.**: Durchreise · Durchfuhr, Transit. **2.** *Öffnung, Tor zum Durchfahren:* vor der D. parken. **sinnv.**: Durchgang, Durchlaß · Meerenge, Passage. **Zus.**: Ortsdurchfahrt.

durch|fal|len, fällt durch, fiel durch, ist durchgefallen ⟨itr.⟩: **a)** *eine Prüfung nicht bestehen:* im Examen d. **sinnv.**: durchrasseln, versagen. **b)** *keinen Erfolg beim Publikum haben:* das neue Stück des Autors ist durchgefallen. **sinnv.**: scheitern.

durch|füh|ren, führte durch, hat durchgeführt ⟨tr.⟩ **a)** *so, wie das Betreffende geplant wurde, in allen Einzelheiten verwirklichen:* ein Vorhaben d. **b)** *in der für das angestrebte Ergebnis erforderlichen Weise vornehmen, damit beschäftigt sein:* eine Untersuchung d. **sinnv.**: ausführen. **c)** *stattfinden lassen:* eine Abstimmung d. **sinnv.**: veranstalten.

Durch|gang, der; -[e]s, Durchgänge: **1.** ⟨ohne Plural⟩ *das Durchgehen durch etwas:* D. verboten. **2.** *Stelle zum Durchgehen:* kein öffentlicher D. **sinnv.**: Durchlaß, Durchschlupf, Gasse, Passage, Schlupfloch. **3.** *eine von mehreren [gleichartigen] Phasen eines Geschehens, eines Gesamtablaufs:* ein Wettbewerb mit drei Durchgängen. **sinnv.**: Durchlauf.

durch|ge|hen, ging durch, ist durchgegangen: **1.** ⟨itr.⟩ *durch etwas gehen:* ich ließ ihn vor mir [durch die Tür] d. **sinnv.**: durchlaufen, durchmarschieren, [hin]durchschreiten. **2.** ⟨itr.⟩ *plötzlich nicht mehr den Zügeln gehorchen und davonlaufen:* die Pferde sind [dem Bauern] durchgegangen. **sinnv.**: scheuen, wild werden. **3.** ⟨itr.⟩ **a)** *durch etwas hindurchkommen:* der dicke Faden geht nur schwer [durch das Öhr] durch. **b)** *ohne Beanstandung angenommen werden:* der Antrag ging durch. **sinnv.**: durchkommen, genehmigt/bewilligt/angenommen werden. **c)** ⟨in der Verbindung⟩ d. lassen: *unbeanstandet lassen:* sie ließ alle Unarten d. **sinnv.**: verzeihen. **4.** ⟨tr.⟩ *durchsehen:* eine Rechnung noch einmal d. **sinnv.**: durchsehen, kontrollieren.

durch|grei|fen, griff durch, hat durchgegriffen ⟨itr.⟩: *mit drastischen Maßnahmen gegen Mißstände o. ä. vorgehen:* die Polizei hat rücksichtslos durchgegriffen. **sinnv.**: eingreifen.

durch|hal|ten, hält durch, hielt durch, hat durchgehalten ⟨itr.⟩: *einer Belastung standhalten:* bis zum Schluß d.; ⟨auch tr.⟩ die Strapazen halte ich [gesundheitlich] nicht durch. **sinnv.**: nicht aufgeben / nachgeben / schlappmachen, aushalten, ausharren, standhalten.

durch|kom|men, kam durch, ist durchgekommen ⟨itr.⟩: **1.** *an einer Stelle vorbeikommen:* der Zug kommt hier durch. **sinnv.**: durchziehen, vorüberkommen. **2.** *trotz räumlicher Behinderung durch etwas an sein Ziel gelangen:* durch die Menge war kaum durchzukommen. **sinnv.**: durchdringen, durchgelangen, sich durchkämpfen/durchwinden. **3.** (ugs.) **a)** *sein Ziel erreichen:* er wird nicht überall mit seiner Faulheit d. **b)** *eine Prüfung bestehen:* alle Schüler sind durchgekommen. **c)** *die Krise überstehen, gesund werden:* der Patient ist durchgekommen. **sinnv.**: davonkommen, am Leben bleiben, dem Tode entrinnen. **d)** *(eine Arbeit) bewältigen können:* ich komme [mit der Arbeit] nicht durch. **sinnv.**: bewältigen. **4.** (ugs.)

gemeldet, bekanntgegeben werden: die Meldung vom Putsch kam gestern in den Nachrichten durch.

durch|läs|sig ⟨Adj.⟩: *nicht dicht; (Luft, Wasser o. ä.) durchlassend:* durchlässige Gefäße, Zellen. **sinnv.**: durchlöchert, leck, löcherig, perforiert, porös, undicht. **Zus.**: licht-, luft-, wasserdurchlässig.

durch|lau|fen: **I.** **durchlaufen**, läuft durch, lief durch, ist durchgelaufen ⟨itr.⟩: *durch eine Öffnung laufen:* durch ein Tor d. **sinnv.**: durchgehen. **II.** **durchlaufen**, durchläuft, durchlief, hat durchlaufen ⟨tr.⟩: **1.** *(einen Weg, eine Strecke) laufend zurücklegen.* **2.** *(etwas, was der Ausbildung, dem Fortkommen dient) bis zum Ende besuchen:* sie hat die höhere Schule durchlaufen. **sinnv.**: absolvieren, durchmachen, hinter sich bringen.

durch|ma|chen, machte durch, hat durchgemacht ⟨tr.⟩: **1.** *eine Zeitlang einer schweren körperlichen, seelischen oder wirtschaftlichen Belastung ausgesetzt sein:* wer weiß, was er alles durchgemacht hat. **sinnv.**: aushalten. **2.** *(einen Lehrgang bis zum Ende) besuchen:* er hat noch eine praktische Ausbildung durchgemacht. **sinnv.**: durchlaufen. **3.** (ugs.) *in einer bestimmten Tätigkeit keine Pause machen, bis zum Schluß weitermachen:* ich muß die Nacht d.

durch|neh|men, nimmt durch, nahm durch, hat durchgenommen ⟨tr.⟩: *im Unterricht behandeln:* der Lehrer nahm den Stoff noch einmal durch. **sinnv.**: durcharbeiten, erörtern.

durch|que|ren ⟨tr.⟩: *sich gehend, fahrend quer von einer Seite auf die andere bewegen:* Schiffe durchqueren die See. **sinnv.**: durchfahren, durchschwimmen, passieren.

Durch|rei|se, die; -, -n: *Reise durch einen Ort, ein Land:* sich auf der D. befinden. **sinnv.**: Durchfahrt.

durch|schau|en: **I.** **durchschauen**, schaute durch, hat durchgeschaut ⟨itr.⟩: *durch etwas sehen:* durch das Mikroskop d. **II.** **durchschauen**, durchschaute, hat durchschaut ⟨tr.⟩: *(über Hintergründe und Zusammenhänge in bezug auf jmdn./ etwas) Klarheit gewinnen; erkennen:* jmdn., jmds. Motive nicht sogleich d. **sinnv.**: erkennen, verstehen.

Durch|schlag, der; -[e]s, Durchschläge: *durch untergelegtes Kohlepapier hergestellte Kopie eines maschinegeschriebenen Schriftstücks:* etwas mit zwei Durchschlägen auf der Schreibmaschine schreiben.

Durch|schnitt, der; -[e]s, -e: *mittleres Ergebnis zwischen zwei Extremen der Qualität oder Quantität:* seine Leistungen liegen über dem D. **sinnv.**: Mittelwert, Norm, Schnitt. **Zus.**: Jahres-, Leistungsdurchschnitt.

durch|schnitt|lich ⟨Adj.⟩: **1.** *dem Durchschnitt entsprechend; im allgemeinen:* ein durchschnittliches Einkommen; sie sind d. nicht älter als 15 Jahre. **sinnv.**: im Durchschnitt, im Schnitt. **2.** *von mittlerer Qualität, mittelmäßig:* eine durchschnittliche Bildung. **sinnv.**: alltäglich, mäßig, mittler...

Durch|schnitts- ⟨Präfixoid⟩: */kennzeichnet das im Basiswort Genannte als Person oder Sache, die dem üblichen Mittelmaß, Durchschnitt entspricht, die nicht außergewöhnlich oder irgendwie auffällig herausragend ist; ohne [positiv] hervorste-*

chende Merkmale/: -geschmack, -mensch, -publikum, -schüler. **sinnv.:** Allerwelts-, Feld-Wald-und-Wiesen-, Nullachtfünfzehn-.

durch|se|hen, sieht durch, sah durch, hat durchgesehen: **1.** ⟨itr.⟩ *durch etwas sehen:* laß mich einmal [durch das Fernrohr] d.! **2.** ⟨tr.⟩ *auf etwas hin untersuchen, durchlesen:* die Arbeiten [auf Fehler] d. **sinnv.:** durchgehen, durchmustern, durchschauen, mustern, sichten.

durch|set|zen, setzte durch, hat durchgesetzt: **a)** ⟨tr.⟩ *gegenüber Widerständen verwirklichen:* Reformen d. **sinnv.:** erwirken. **b)** ⟨sich d.⟩ *Widerstände überwinden und sich Geltung verschaffen:* du wirst dich schon d. **sinnv.:** ankommen gegen, sich behaupten, bestehen vor, durchdringen, die Oberhand gewinnen/behalten.

durch|sich|tig ⟨Adj.⟩: **1.** *[als Materie] so beschaffen, daß man hindurchsehen kann:* durchsichtiges Papier. **sinnv.:** durchscheinend, gläsern, lichtdurchlässig, transparent. **2.** *leicht zu durchschauen:* seine Absichten waren sehr d. **sinnv.:** durchschaubar, fadenscheinig.

durch|spre|chen, spricht durch, sprach durch, hat durchgesprochen ⟨tr.⟩: *ausführlich (über etwas) sprechen:* einen Plan [mit jmdm.] d. **sinnv.:** erörtern.

durch|su|chen ⟨tr.⟩: *an einer Stelle gründlich nach jmdm./etwas suchen:* eine Wohnung [nach Waffen] d. **sinnv.:** absuchen, abtasten, durchkämmen, durchwühlen, filzen, eine Haussuchung machen/vornehmen.

durch|trie|ben ⟨Adj.⟩: *(in einer als unangenehm o. ä. empfundenen Weise) [schon] recht erfahren in Kniffen und Dingen, die zum eigenen Nutzen dienen können:* ein durchtriebener Bursche. **sinnv.:** hinterfotzig, schlau, schlitzohrig.

durch|weg [...weg] ⟨Adverb⟩: *meist, fast ohne Ausnahme:* das Wetter war d. gut. **sinnv.:** generell, überall.

dür|fen, darf, durfte, hat gedurft/ (nach vorangehendem Infinitiv) hat ... dürfen ⟨tr.⟩: **1.** ⟨mit Infinitiv als Modalverb: hat ... dürfen⟩ **a)** *die Erlaubnis haben, berechtigt, autorisiert sein, etwas zu tun:* „Darf ich heute nachmittag schwimmen gehen?" – „Du darfst [schwimmen gehen]"; darf ich bitten? (höfliche Form der Aufforderung zum Tanz, zum Betreten eines Raumes o. ä.). **sinnv.:** befugt/ermächtigt sein, können, das Recht/die Erlaubnis/Einwilligung/Genehmigung haben. **b)** *drückt einen Wunsch, eine Bitte, eine Aufforderung aus* (oft verneint): du darfst jetzt nicht aufgeben! **c)** *die moralische Berechtigung, das Recht haben,*

etwas zu tun (verneint): das hätte er nicht tun d.! **sinnv.:** sollen. **d)** *Veranlassung zu etwas haben, geben:* wir durften annehmen, daß der Film ein voller Erfolg werden würde. **sinnv.:** können. **e)** ⟨nur im 2. Konjunktiv + Inf.⟩ *es ist wahrscheinlich, daß ...:* es dürfte nicht schwer sein, das zu zeigen. **2.** ⟨Vollverb; darf, durfte, hat gedurft⟩ *die Erlaubnis zu etwas Bestimmtem, vorher Genanntem haben:* darfst du das?; ich durfte nicht nach Hause; er hat nicht gedurft.

dürf|tig ⟨Adj.⟩: **1.** *(in einer als kritikwürdig empfundenen Weise) für den Gebrauch, einen Zweck nicht ausreichend:* eine dürftige Leistung. **sinnv.:** kümmerlich, spärlich, unergiebig. **2.** *von Armut zeugend:* dürftige Verhältnisse; d. leben. **sinnv.:** karg.

dürr ⟨Adj.⟩: **1.** *durch und durch ohne die eigentlich dazugehörende Feuchtigkeit und daher abgestorben:* ein dürrer Ast. **sinnv.:** verdorrt, vertrocknet, verwelkt. **2.** *trocken und deshalb unfruchtbar:* dürrer Boden. **sinnv.:** trocken, unfruchtbar. **3.** (emotional) *sehr mager und schmal:* ein dürrer Mensch. **sinnv.:** schlank. **Zus.:** klapper-, spindeldürr.

Durst, der; -[e]s: *Bedürfnis zu trinken:* großen D. haben; seinen D. löschen, stillen. **sinnv.:** Brand. **Zus.:** Bier-, Taten-, Wissensdurst.

dur|stig ⟨Adj.⟩: *Durst habend:* hungrig und d. kamen wir an.

-dur|stig (adjektivisches Suffixoid): *nach dem im Basiswort Genannten heftiges Verlangen habend:* rache- (er ist r. = *will sich rächen*), tatendurstig (er ist t. = *möchte gern viel leisten*). **sinnv.:** -freudig, -geil, -süchtig.

Du|sche [auch: Du...], die; -, -n: **1.** *Vorrichtung zum intensiven Besprühen des Körpers mit Wasser:* unter die D. gehen. **sinnv.:** Brause. **Zus.:** Mund-dusche. **2.** *das Duschen:* eine warme D.

du|schen [auch: du...] ⟨itr./tr., sich d.⟩: *[sich] unter einer Dusche erfrischen, reinigen:* [sich, die Beine] kalt, warm d. **sinnv.:** brausen.

dü|ster ⟨Adj.⟩: **1.** *ziemlich dunkel, nicht genügend hell:* ein düsterer Gang. **sinnv.:** dunkel. **2.** *als optischer Eindruck unheimlich und bedrohlich oder bedrückend:* eine düstere Landschaft; ein düsteres Bild von etwas zeichnen.

Dut|zend, das; -s, -e: **1.** *Menge von zwölf Stück:* ein D. Eier kostet/(auch:) kosten 3,60 DM. **2.** ***Dutzende von** *(sehr viele):* Dutzende von Beispielen.

du|zen ⟨tr.⟩: *mit du anreden* /Ggs. siezen/: er duzte ihn. **sinnv.:** du sagen, per du sein.

E

Eb|be, die; -, -n: *regelmäßig wiederkehrendes, im Zurückgehen des Wassers sichtbar werdendes Fallen des Meeresspiegels* /Ggs. Flut/: es ist E.; bei [Eintritt der] E. **sinnv.:** Gezeiten; Niedrigwasser, Tiefstand.

eben: I. ⟨Adj.⟩: **a)** *flach, ohne Erhebungen:* ebe-

nes Land. **b)** *glatt, ohne Hindernis:* ein ebener Weg. **II.** ⟨Adverb⟩: **1.** ⟨temporal⟩ **a)** *gerade jetzt, in diesem Augenblick:* e. tritt er ein. **b)** *gerade vorhin:* sie war e. noch im Zimmer. **2.** ⟨modal⟩ *gerade noch; mit Mühe und Not:* mit dem Geld komme ich e. aus. **III.** ⟨Partikel⟩ **a)** */verstärkt, unterstreicht* *die folgende Aussage/:* e. das wollte ich sagen. **sinnv.:** genau. **b)** */verstärkt eine oft resignierende Feststellung/:* das ist e. so.

Ebe|ne, die; -, -n: *flaches Land:* eine weite, fruchtbare E.

-ebe|ne ⟨Grundwort⟩: */üblich in der Verbindung „auf ...ebene"/ in dem im Bestimmungswort genannten Bereich, auf der betreffenden Stufe:* Verhandlungen auf Bezirks-, Botschafter-, Gewerkschafts-, Minister-, Staatsebene.

eben|falls ⟨Adverb⟩: *in gleicher Weise wie jmd./ etwas anderes:* er war e. verhindert zu kommen. **sinnv.:** auch.

eben|so ⟨Adverb⟩: *in dem gleichen Maße, in der gleichen Weise:* er war über das Ergebnis e. froh wie du. **sinnv.:** auch.

Eber, der; -s, -: *männliches Schwein.*

Echo, das; -s, -s: *Laut, Ton, der auf einen Felsen, eine Wand trifft und hallend zurückgeworfen wird.* **sinnv.:** Widerhall.

echt: I. ⟨Adj.⟩: **1. a)** *nicht künstlich hergestellt, nicht imitiert:* ein echter Pelz; e. *(reines)* Gold. **sinnv.:** natürlich, originell, ungekünstelt, unverfälscht, ursprünglich, urwüchsig. **b)** *nicht gefälscht:* ein echter Picasso. **sinnv.:** rein. **2.** *wahr, wirklich, wie es die Bezeichnung ausdrückt:* echte Freundschaft. **3.** *in der Farbe beständig:* echte Farben; das Blau ist e. **II.** ⟨Adverb⟩ (ugs., verstärkend) *tatsächlich, in der Tat:* das finde ich e. gut.

-echt (adjektivisches Suffixoid): **a)** *in bezug auf das im Basiswort Genannte beständig, haltbar trotz äußerer Einwirkungen; geschützt, widerstandsfähig, so gut wie unempfindlich gegen ...:* farb-, licht-, säure-, wasserecht. **b)** *kann ohne Schaden ... werden:* bügel-, koch-, waschecht *(kann gewaschen werden).* **sinnv.:** -beständig, -fest, -sicher.

Eck- (Präfixoid): */kennzeichnet das im Basiswort Genannte als etwas, was als Richtschnur, als Orientierung dienen soll, kann/:* Eckdaten *(Richtdaten einer Planung o. ä.),* -lohn *(tariflicher Normallohn als Richtwert).*

Ecke, die; -, -n: **a)** *Stelle, an der zwei Seiten eines Raumes aufeinanderstoßen:* die vier Ecken des Zimmers. **sinnv.:** Winkel. **b)** *spitz hervorstehender Rand oder Kante von etwas:* die Ecken des Tisches. **c)** *Stelle, an der zwei Reihen von Häusern, zwei Straßen aufeinanderstoßen:* an der E. stehen. **Zus.:** Haus-, Straßenecke.

eckig ⟨Adj.⟩: **1.** *Ecken, Kanten aufweisend:* ein eckiger Tisch. **sinnv.:** kantig, scharf, spitz. **2.** *in steifer, verkrampfter Weise unbeholfen:* seine Bewegungen waren e. **sinnv.:** linkisch.

edel ⟨Adj.⟩: **a)** *von hoher Qualität; besonders wertvoll:* ein edles Holz, Tier. **sinnv.:** hochwertig, kostbar. **b)** *(im Urteil des Sprechers) menschlich vornehm und selbstlos:* ein edler Mensch; e. handeln, denken. **sinnv.:** gut, gütig. **c)** *schön und harmonisch gebildet, geformt:* er bewunderte die edlen Züge dieses Gesichts. **sinnv.:** ebenmäßig.

Edel|stein, der; -[e]s, -e: *selten vorkommender, kostbarer Stein, der wegen seiner Farbe und seines Glanzes als Schmuckstein Verwendung findet:* der Armreif war mit Edelsteinen besetzt. **Zus.:** Halbedelstein.

Ef|fekt, der; -[e]s, -e: *[außerordentliche] Wirkung, die etwas hat:* einen großen E. mit etwas erzielen. **Zus.:** Knall-, Lichteffekt.

egal ⟨Adj.⟩: **1.** *gleich [in der Art]:* die Kleider sind e. gearbeitet. **sinnv.:** gleichartig. **2.** ↑ *einerlei:* das ist [mir] doch e. **sinnv.:** gleichviel.

ego|istisch ⟨Adj.⟩: *nur an sich denkend:* er ist sehr e. **sinnv.:** eigennützig, ichbezogen, ichsüchtig, selbstsüchtig.

ehe ⟨Konj.⟩: ↑ *bevor:* es vergingen drei Stunden, ehe das Flugzeug landen konnte; ehe ihr nicht still seid, werde ich die Geschichte nicht vorlesen.

Ehe, die; -, -n: *[gesetzlich anerkannte] Lebensgemeinschaft zweier Menschen:* eine glückliche, zerrüttete E.; die E. blieb kinderlos. **sinnv.:** Beziehung, Beziehungskiste, Lebensbund, Lebensgemeinschaft, Partnerschaft, Zweierbeziehung. **Zus.:** Vernunft-, Vielehe.

Ehe|frau, die; -, -en: *weiblicher Partner in der Ehe.* **sinnv.:** Angetraute, Ehepartnerin, Frau, Gattin, Gefährtin, Gemahlin, Lebensgefährtin.

ehe|lich ⟨Adj.⟩: **1.** *auf die Ehe bezogen, in der Ehe [üblich]:* die eheliche Gemeinschaft. **2.** *aus gesetzlicher Ehe stammend* /Ggs. unehelich/: das Kind ist e. [geboren].

ehe|mals ⟨Adverb⟩: *vor längerer Zeit:* er war e. Beamter. **sinnv.:** damals.

Ehe|mann, der; -[e]s, Ehemänner: *männlicher Partner in der Ehe.* **sinnv.:** Angetrauter, Ehepartner, Gatte, Gefährte, Gemahl, Lebensgefährte.

Ehe|paar, das; -[e]s, -e: *verheiratetes Paar.* **sinnv.:** Eheleute, Gatten, Mann und Frau.

eher ⟨Adverb⟩: **a)** *zu einem [noch] früheren Zeitpunkt:* ich konnte nicht e. kommen. **sinnv.:** damals, früh, früher. **b)** *wahrscheinlicher; mit ziemlich großer Sicherheit:* er wird es um so e. tun, als es für ihn ja von Vorteil ist. **sinnv.:** leichter, lieber, mehr. **c)** *genauer betrachtet, richtiger gesagt:* ist e. eine Frage des Geschmacks. **sinnv.:** mehr, vielmehr.

Eh|re, die; -, -n: **1.** *äußeres Ansehen, Geachtetsein durch andere [und dessen Ausdruck in einer besonderen Auszeichnung], Anerkennung:* jmdn. mit Ehren überhäufen. **2.** ⟨ohne Plural⟩ *innerer Wert, persönliche Würde:* die E. eines Menschen, einer Familie. **sinnv.:** Ansehen, Gunst, Lob.

eh|ren: 1. ⟨tr.⟩ *(jmdm.) Ehre erweisen:* jmdn. mit einem Orden e. **sinnv.:** achten, anerkennen. **2.** ⟨itr.⟩ *Anerkennung verdienen:* seine Großmut ehrt ihn.

Eh|ren|wort, das; -[e]s: *jmds. feierliche Versicherung zur Bekräftigung einer Aussage oder eines Versprechens:* er gab sein E., wieder zurückzukehren. **sinnv.:** Versprechen.

Ehr|furcht, die; -: *hohe Achtung, achtungsvolle Scheu vor der Würde, Erhabenheit einer Person, eines Wesens oder einer Sache:* E. vor jmdm., dem Leben haben. **sinnv.:** Achtung, Scheu.

Ehr|geiz, der; -es: *stark ausgeprägtes Streben nach Erfolg, Geltung, Anerkennung:* politischer E.; er ist von E. besessen. **sinnv.:** Ambition, Geltungsbedürfnis, Geltungsdrang, Geltungssucht.

ehr|gei|zig ⟨Adj.⟩: *voll Ehrgeiz:* ein ehrgeiziger Politiker; er ist sehr e. **sinnv.:** geltungsbedürftig, geltungssüchtig, ruhmsüchtig, streberhaft.

ehr|lich ⟨Adj.⟩: **1.** *in geldlichen Angelegenheiten zuverlässig:* ein ehrlicher Kassierer; e. abrechnen. **sinnv.:** anständig. **2.** *ohne Lüge, Verstellung:* ein ehrliches Kind. **sinnv.:** aufrichtig.

-ei: vgl. 1. -[er]ei.

Ei, das; -[e]s, -er: *von einer Henne, einem weibli-chen Vogel hervorgebrachtes, von einer zerbrechli-chen Schale umschlossenes, die Eizelle und meist Dotter und Eiweiß enthaltendes ovales Gebilde:* Ei-er legen, ausbrüten; ein Ei kochen. **Zus.:** Hüh-ner-, Kuckucks-, Vogelei.

Ei|che, die; -, -n: *Laubbaum mit Eicheln als Früchten* (siehe Bildleiste „Blätter").

Ei|chel, die; -, -n: *länglichrunde Frucht der Eiche.*

Eich|hörn|chen, das; -s, -: *kletterndes, meist rotbraunes Nagetier mit langem, buschigem Schwanz, das sich von Samen, Nüssen, Eicheln usw. ernährt und davon einen Vorrat anlegt.*

Eid, der; -[e]s, -e: *in feierlicher Form [vor Gericht] abgegebene Versicherung, daß eine Aussage der Wahrheit entspricht oder ein Versprechen gehalten wird:* einen E. [auf die Verfassung] schwören, lei-sten. **sinnv.:** Gelübde, Schwur.

Ei|dech|se, die; -, -n: *sehr flinkes, kleines Kriechtier mit schuppiger, meist grün bis braun ge-färbter Haut und langem Schwanz.*

Ei|fer, der; -s: *unablässiges, ständiges Streben, Bemühen:* sein E. erlahmte bald. **sinnv.:** Begeiste-rung, Fleiß, Hingabe.

Ei|fer|sucht, die; -: **a)** *starke, übersteigerte Furcht, jmds. Liebe, Zuneigung mit einem oder mehreren anderen teilen zu müssen, an andere zu verlieren:* eine rasende, blinde E.; ihre E. auf sei-ne Sekretärin ist fast schon krankhaft. **sinnv.:** Mißtrauen, Neid. **b)** *[übersteigerte] Furcht davor, Erfolge, Vorteile o. ä. mit einem anderen teilen zu müssen:* voller E. wachte er darüber, daß keiner der Kollegen Einblick in seine Arbeit erhielt. **sinnv.:** Konkurrenzdenken, Neid.

eif|rig ⟨Adj.⟩: *voll Eifer [tätig]:* er war e. um sie bemüht; ein eifriger Schüler. **sinnv.:** beflissen, emsig, fleißig.

ei|gen ⟨Adj.⟩: **1. a)** *jmdm. selbst gehörend:* ein ei-genes Haus, Auto; sie hat keine eigenen Kinder; /emotional verstärkend/ das habe ich mit meinen eigenen Augen gesehen. **b)** *allein dem Betreffen-den zur Benutzung zur Verfügung stehend:* er hat ein eigenes Zimmer. **sinnv.:** einzeln, persönlich, privat, separat. **c)** *nicht von jmdm./etwas beein-flußt:* eine eigene Meinung, einen eigenen Willen haben. **sinnv.:** selbständig. **2.** *für jmdn. bezeich-nend, typisch; jmdn./etwas kennzeichnend:* ein ihm eigener Zug; ein Hang zum Grübeln war ihm e. **3.** *in fast übertriebener Weise auf Genauigkeit, Sorgfalt achtend:* er ist sehr e. in seinen Angele-genheiten. **sinnv.:** kleinkariert, kleinlich, pinge-lig.

-ei|gen ⟨adjektivisches Suffixoid⟩: **1.** *dem im Basiswort Genannten – in der Regel einer Institu-tion o. ä. – (als Besitz) gehörend:* bundeseigen, fa-milien-, firmen-, gemeindeeigenes Krankenhaus, konzern-, landeseigene Wirtschaftskraft, volks-, werkseigen. **sinnv.:** -lich. **2.** *zu dem im Basiswort Genannten (als Charakteristikum) gehörend, in seiner Art dem im Basiswort Genannten entspre-chend:* geräteeigene Störanzeige, wesens-, zeit-, zelleigen.

Ei|gen|art, die; -, -en: *etwas, was für jmdn./et-was typisch ist:* jmds. Eigenarten kennen; die E. einer Stadt. **sinnv.:** Angewohnheit, Eigenheit.

ei|gen|ar|tig ⟨Adj.⟩: *[auffallend] fremd anmu-tend:* ein eigenartiges Wesen. **sinnv.:** seltsam.

ei|gen|hän|dig ⟨Adj.⟩: *von der eigenen Hand ausgeführt:* ein Bild mit eigenhändiger Unter-schrift. **sinnv.:** persönlich, selbst, selbständig.

ei|gen|mäch|tig ⟨Adj.⟩: *ohne Auftrag oder Be-fugnis, ohne vorher um Erlaubnis gefragt zu haben [ausgeführt]:* eine eigenmächtige Handlung; e. verfahren, handeln. **sinnv.:** nach eigenem Ermes-sen, nach Gutdünken, selbständig, selbstherrlich, unbefugt, unberechtigt.

Ei|gen|schaft, die; -, -en: *zum Wesen einer Per-son oder Sache gehörendes Merkmal:* gute, schlechte Eigenschaften haben; die Eigenschaf-ten von Mineralien, Tieren. **sinnv.:** Attribut, Be-schaffenheit, Besonderheit, Charakteristikum, Kennzeichen, Merkmal.

ei|gen|sin|nig ⟨Adj.⟩: *von Eigensinn bestimmt, voller Eigensinn:* ein eigensinniger Mensch; e. seine Ansicht vertreten. **sinnv.:** unzugänglich.

ei|gent|lich: I. ⟨Adj.⟩: **1.** *zu Anfang, zuerst vor-handen:* die eigentliche Bedeutung eines Wortes. **sinnv.:** ursprünglich. **2.** *wirklich, tatsächlich:* das ist der eigentliche Grund für diese Entwicklung. II. ⟨Adverb⟩: **1.** *in Wirklichkeit (im Unterschied zum äußeren Anschein):* er heißt e. Karl, doch alle nennen ihn Bill. **sinnv.:** alias, anonym, inkognito. **2.** *im Grunde, bei genauer Betrachtung:* ich mußte zugeben, daß er e. recht hatte; e. geht das nicht. **sinnv.:** an und für sich, genaugenommen, streng-genommen; gewissermaßen. II. ⟨Partikel⟩ /drückt bes. in Fragesätzen verstärkte Anteilnahme, einen verstärkten Vorwurf aus/: was denkst du dir e.?; wer sind Sie e.? **sinnv.:** denn, überhaupt.

Ei|gen|tum, das; -s: *etwas, was in jmds. Besitz ist:* persönliches E.; das Grundstück ist sein E. **sinnv.:** Besitz. **Zus.:** Privat-, Staatseigentum.

Ei|gen|tü|mer, der; -s, -, **Ei|gen|tü|me|rin,** die; -, -nen: *männliche bzw. weibliche Person, der etwas als Eigentum gehört:* der Eigentümer eines Geschäftes, Hauses. **sinnv.:** Besitzer. **Zus.:** Schiffs-, Wohnungseigentümer.

ei|gen|tüm|lich [auch: ..tümlich] ⟨Adj.⟩: **1.** *von sonderbarer Art:* eine eigentümliche Person, Sprechweise. **sinnv.:** seltsam. **2.** *als typisch zu jmdm. gehörend:* mit dem ihm eigentümlichen Stolz lehnte er jede Hilfe ab. **sinnv.:** kennzeich-nend.

ei|gen|wil|lig ⟨Adj.⟩: *seine eigene Art deutlich und nachdrücklich zur Geltung, zum Ausdruck bringend:* einen eigenwilligen Stil entwickeln; der kleine Junge ist sehr e. **sinnv.:** eigenbrötle-risch, eigensinnig, einzelgängerisch, individuali-stisch, individuell, kapriziös, persönlich, subjek-tiv.

eig|nen, sich, eignete sich, hat sich geeignet: **a)** *Befähigung (zu etwas) haben:* er eignet sich für diese Beschäftigung; ich eigne mich nicht zum Lehrer. **sinnv.:** befähigt sein, fähig sein, geeignet sein, tauglich sein. **b)** *sich gut (für/als etwas) ver-wenden lassen:* dieser Teppich eignet sich nicht für das Büro. **sinnv.:** in Betracht/in Frage kom-men, zu gebrauchen sein, passen.

Ei|le, die; -: *Bestreben, etwas rasch zu erledigen:* in großer E. handeln; er ist immer in E. **sinnv.:** Hast. **Zus.:** Windeseile.

ei|len, eilte, hat/ist geeilt ⟨itr.⟩: **1.** *sich schnell (ir-gendwohin) begeben:* er war sofort nach dem Ein-bruch zur Polizei geeilt; jmdm. zu Hilfe e. **sinnv.:** sich fortbewegen. **2.** *schnell erledigt werden müs-sen:* dieses Schreiben hat sehr geeilt; ⟨auch unpersönlich⟩ es eilt mir nicht damit. **sinnv.**: drängen, dringend sein, keinen Aufschub dulden, Eile haben, eilig sein.

ei|lig ⟨Adj.⟩: **1.** *in Eile*: e. davonlaufen; er hat es immer e. *(ist immer in Eile)*. **sinnv.**: eilends, schnell. **2.** *keinen Aufschub zulassend*: ein eiliger Auftrag. **sinnv.**: dringend.

Ei|mer, der; -s, -: *dem Aufbewahren und Transportieren bes. von Flüssigkeiten dienendes, hohes, meist zylindrisches Gefäß mit beweglichem Henkel.* **sinnv.**: Gefäß. **Zus.**: Abfall-, Müll-, Tret-, Wassereimer.

ein: **I.** ⟨unbestimmter Artikel⟩ /unbetont/ **a)** /individualisierend/: eine [große] Freude. **b)** /klassifizierend/: er ist ein Künstler; dies ist ein Rembrandt *(ein Bild von Rembrandt)*. **c)** /generalisierend/: ein Baum ist eine Pflanze. **II.** ⟨Indefinitpronomen⟩ /betont; alleinstehend/ **a)** *jemand, irgendeiner:* die Rückkehr eines seiner Mitarbeiter. **b)** /im Dativ und Akkusativ als Ersatz für *man*/: wie es einem gefällt; diese Musik läßt einen nicht mehr los; (ugs. auch im Nominativ) da kann einer doch völlig verrückt werden. **III.** ⟨Kardinalzahl⟩ /betont/: ein Mann und zwei Frauen saßen auf der Bank; ein Jahr später.

ein- ⟨trennbares, betontes verbales Präfix⟩: /(von außen) in etwas hinein/: **1. a)** einatmen, einbauen, einfahren, eingießen, eingraben, einmarschieren, einräumen, einschließen, einspeisen, eintrichtern. **b)** /in eine andere Richtung/: einbiegen, einschwenken. **c)** /in etwas prägend o. ä./: einätzen, eingravieren, einprägen, einritzen. **2.** /um – herum, ringsherum/: eincremen, einhüllen, einkesseln, einkreisen, einpacken, einschneien, einwickeln, einzäunen. **3.** /zu sich heran/: einfordern, einholen (Fahne), einziehen. **4.** /Beginn und Übergang/: sich einarbeiten, sich einfahren, sich einleben, einschlafen. **5. a)** /zerstörend, beschädigend/: eindellen, einreißen, einschlagen. **b)** /zugrunde gehend/: einfallen, eingehen. **6. a)** /an Umfang o. ä. verlierend, kleiner werdend/: eindampfen, einlaufen, einschrumpfen. **b)** /konservierend, bewahrend/: eindicken, einfrieren (Lebensmittel), einkochen. **7.** /wiederholtes Tun/: einreden auf jmdn., jmdm. die Bude einrennen. **8.** /verstärkend/: einberechnen, einberufen, einbestellen, eintüten.

ein|an|der ⟨Pronomen⟩: ↑*sich:* die Mädchen frisierten einander; sie küßten einander (üblicher: sich).

ein|at|men, atmete ein, hat eingeatmet ⟨itr./tr.⟩: /(den Atem in die Lunge) einziehen/ /Ggs. ausatmen/: die frische Luft e.; bitte e. und die Luft anhalten. **sinnv.**: atmen, inhalieren.

Ein|bahn|stra|ße, die; -, -n: *Straße, die nur in einer Richtung befahren werden darf.*

ein|bau|en, baute ein, hat eingebaut ⟨tr.⟩: **1.** *in etwas [nachträglich, zusätzlich] bauen, einsetzen, montieren:* einen Schrank e.; eine Kamera mit eingebautem Belichtungsmesser. **sinnv.**: einfügen. **2.** *[als gute Ergänzung] einem einheitlichen Ganzen, einem Ablauf o. ä. einfügen:* eine kurze Szene in das Schauspiel e. **sinnv.**: einfügen.

ein|be|ru|fen, berief ein, hat einberufen ⟨tr.⟩: **a)** *zu einer Versammlung zusammenrufen; (Mitglieder, Abgeordnete o. ä.) auffordern, sich zu versammeln:* das Parlament e. **b)** *jmdn. amtlich auffordern, seinen Wehrdienst anzutreten:* mein Freund

wurde [zu einer Wehrübung] einberufen. **sinnv.**: einziehen, zu den Fahnen/Waffen rufen, rekrutieren.

ein|be|zie|hen, bezog ein, hat einbezogen ⟨tr.⟩: **a)** *(jmdn./etwas) zu jmdm./etwas in eine bestimmte Beziehung bringen und so mit einschließen:* ein Ergebnis in seine Arbeit [mit] e.; einen Gast in eine Unterhaltung [mit] e. **sinnv.**: berücksichtigen. **b)** *als dazugehörend betrachten; dazu-, mitrechnen:* in diese Kritik beziehe ich mich [mit] ein. **sinnv.**: aufnehmen; einschließen.

ein|bie|gen, bog ein, ist eingebogen ⟨itr.⟩: *um die Ecke biegen und in eine andere Straße hineingehen, -fahren:* das Auto bog in eine Seitenstraße, nach links ein. **sinnv.**: abbiegen, abdrehen.

ein|bil|den, sich; bildete sich ein, hat sich eingebildet ⟨itr.⟩: **1.** *sich (bes. auf die eigene Person Bezügliches) fälschlich, unbegründeterweise als existierend vorstellen, irrtümlich der Meinung sein:* du bildest dir ein, krank zu sein. **sinnv.**: vermuten. **2.** *besonders stolz auf sich, seine Leistung o. ä. sein und sich besonders herausgehoben fühlen:* er bildet sich viel auf sein Wissen ein. **sinnv.**: sich schmeicheln, sich überschätzen.

Ein|bil|dung, die; -, -en: **1.** *Vorstellung, die nicht der Wirklichkeit entspricht:* diese Probleme gibt es nur in deiner E. **sinnv.**: Hirngespinst, Illusion, Imagination, Luftschloß, Phantasie, Täuschung, Vorstellung, Wahn, Wunschbild, Wunschtraum. **2.** *trügerische, falsche Vorstellung:* seine Krankheit ist reine E.; an Einbildungen leiden.

Ein|blick, der; -[e]s, -e: **1. a)** *Blick in etwas hinein:* er hatte E. in düstere Hinterhöfe. **b)** *(einem Außenstehenden ermöglichtes)* Durchsehen, *Durchlesen in bestimmter Absicht, prüfendes [Hin]einsehen:* E. in die Unterlagen nehmen, bekommen; jmdm. E. in die Akten gewähren. **sinnv.**: Einsicht, Kenntnis. **2.** *Zugang zu einigen typischen Fakten eines größeren Zusammenhangs und dadurch vermittelte Kenntnis, Einsicht:* einen E., Einblicke in eine Methode gewinnen. **sinnv.**: Erfahrung.

ein|bre|chen, bricht ein, hat/ist eingebrochen ⟨itr.⟩: **1. a)** *gewaltsam in einen Raum, ein Gebäude eindringen, besonders um zu stehlen:* die Diebe sind in die Werkstatt eingebrochen. **b)** *einen Einbruch verüben, unternehmen:* Diebe haben in der Werkstatt eingebrochen. **sinnv.**: einen Einbruch begehen/verüben, eindringen, einsteigen, stehlen. **2. a)** *durch die Oberfläche brechen:* der Junge war auf dem zugefrorenen See eingebrochen. **sinnv.**: einsinken. **b)** *[im mittleren Teil zuerst] in sich zusammenstürzen, nach unten [durch]brechen:* die Decke, das Gewölbe war eingebrochen. **sinnv.**: einstürzen.

Ein|bre|cher, der; -s, -: *jmd., der einbricht (1).* **sinnv.**: Dieb.

ein|brin|gen, brachte ein, hat eingebracht: **1.** ⟨tr.⟩ *in etwas hineinschaffen, -bringen:* die Ernte, das Heu e. **sinnv.**: ernten. **2.** ⟨tr.⟩ *zum Beschluß vorlegen:* ein Gesetz e. **sinnv.**: vorschlagen. **3.** ⟨itr.⟩ *Gewinn, Ertrag bringen:* die Arbeit bringt [mir] viel, nichts ein; das bringt nichts ein. **sinnv.**: eintragen, einträglich sein. **4.** ⟨tr./sich e.⟩ *etwas von sich, von seiner Persönlichkeit in eine Gruppe oder Beziehung mit hineinbringen und damit zur Bereicherung usw. beitragen:* seine Probleme konnte er nicht e.; die jungen Lehrer haben viel einzubringen in die gemeinsame Arbeit; wer Interesse hat, kann sich voll e.

Ein|bruch, der; -[e]s, Einbrüche: **1.** *gewaltsames, unbefugtes Eindringen in ein Gebäude, besonders um zu stehlen:* an dem E. waren drei Männer beteiligt. **sinnv.:** Bruch, Diebstahl. **Zus.:** Bankeinbruch. **2.** ‹ohne Plural› *das Herannahen, plötzlicher Beginn:* sie wollten vor E. der Nacht zurückkehren. **Zus.:** Kälte-, Wintereinbruch.

ein|bür|gern, bürgerte ein, hat eingebürgert: **1.** ‹tr.› *die Staatsangehörigkeit verleihen* /Ggs. ausbürgern/: er wird bald eingebürgert werden. **sinnv.:** nationalisieren, naturalisieren. **2.** ‹sich e.› *heimisch, üblich werden:* diese Sitte, das Wort hat sich allmählich bei uns eingebürgert. **sinnv.:** Aufnahme finden, sich durchsetzen, sich einfahren, sich einschleichen, zur Gewohnheit werden.

ein|bü|ßen, büßte ein, hat eingebüßt ‹itr.›: *den Verlust einer Person, einer Sache erleiden:* er hat sein ganzes Vermögen eingebüßt; bei diesem Kommando haben wir zwei Leute eingebüßt. **sinnv.:** draufzahlen, Einbuße erleiden, Federn/ Haare lassen, hergeben, verlieren, zusetzen.

ein|däm|men, dämmte ein, hat eingedämmt ‹tr.›: *an weiterer Ausbreitung hindern:* einen Waldbrand, eine Seuche e. **sinnv.:** abschwächen, begrenzen, einschränken.

ein|deu|tig ‹Adj.›: *keinen Zweifel entstehen lassend:* eine eindeutige Anordnung; er bekam eine eindeutige Abfuhr. **sinnv.:** einwandfrei, klar, unzweideutig.

ein|drin|gen, drang ein, ist eingedrungen ‹itr.›: **1. a)** *[durch etwas hindurch] sich einen Weg bahnend in etwas dringen:* Wasser drang in den Keller ein; die Kugel war tief ins Fleisch eingedrungen. **b)** *durch intensives Bemühen nach und nach immer besser kennenlernen, erkennen:* in die Geheimnisse der Natur e. **sinnv.:** erforschen, ergründen, forschen. **2.** *sich gewaltsam Zutritt verschaffen:* Diebe drangen in das Geschäft ein. **sinnv.:** einbrechen, sich einschleichen.

ein|dring|lich ‹Adj.›: *durch Nachdrücklichkeit, Überzeugungskraft nachhaltig wirkend, ins Bewußtsein dringend:* e. auf etwas hinweisen; mit eindringlichen Worten.

Ein|dring|ling, der; -s, -e: *jmd., der in etwas eindringt, sich mit Gewalt Zutritt verschafft.* **sinnv.:** Einbrecher; Störenfried.

Ein|druck, der; -[e]s, Eindrücke: *Vorstellung, die durch Einwirkung von außen in jmdm. entsteht:* ein positiver, bleibender E.; einen falschen E. bekommen. **sinnv.:** Bild, Einwirkung, Empfindung, Gefühlseindruck, Impression, Sinneswahrnehmung, Vorstellung, Wahrnehmung. **Zus.:** Gesamt-, Sinneseindruck.

ei|ner|lei ‹Adj., indeklinabel›: **a)** *ohne jede Bedeutung; kein Interesse erweckend:* das ist [mir] alles e. **sinnv.:** egal; gleichgültig. **b)** *ohne Rücksicht auf etwas:* denke immer daran, e., was du tust. **sinnv.:** egal, gleichgültig, gleichviel.

ei|ner|seits (meist in Verbindung mit and[e]rerseits) **einerseits ... and[e]rerseits** ‹Adverb›: *nennt zwei zu ein und derselben Sache gehörende* [gegensätzliche] *Gesichtspunkte: auf der einen Seite ... auf der anderen Seite:* e. machte es ihr Freude, andererseits kostete es besondere Anstrengung.

ein|fach: **I.** ‹Adj.› **1.** *(besonders in bezug auf die Lebenshaltung) ganz schlicht, ohne besonderen Aufwand:* ein einfaches Essen; sie kleidet sich, gibt sich betont e. **sinnv.:** anspruchslos, bescheiden, schlicht, schmucklos, unauffällig, unscheinbar. **2.** *ohne Mühe lösbar; leicht durchführbar:* eine einfache Aufgabe; das ist gar nicht so e. **sinnv.:** leicht, mühelos, nicht schwierig, ohne Schwierigkeiten, simpel, unkompliziert. **3.** *einmal vorhanden, gemacht, nicht doppelt:* ein einfacher Knoten, eine einfache Fahrt *(Fahrkarte für eine Fahrt ohne Rückfahrt* /bei der Eisenbahn/). **II.** ‹Partikel› /*drückt eine [emotionale] Verstärkung einer Aussage, einer Behauptung, eines Wunsches aus*/: das ist e. unmöglich!; er lief e. weg; das wäre e. toll.

ein|fah|ren, fährt ein, fuhr ein, hat/ist eingefahren: **1.** ‹itr.› *fahrend (in etwas) kommen; hineinfahren (in etwas):* der Zug ist soeben in den Bahnhof eingefahren. **sinnv.:** ankommen, einlaufen. **2.** ‹tr.› *(als Ernte) in die Scheune bringen, fahren:* der Bauer hat die Ernte eingefahren. **sinnv.:** ernten. **3.** ‹tr.› *durch entsprechende Fahrweise allmählich zu voller Leistungsfähigkeit bringen:* er hat das neue Auto eingefahren.

Ein|fahrt, die; -, -en: **1.** *das Hineinfahren:* die E. in das enge Tor war schwierig; der Zug hat keine E. *(darf noch nicht in den Bahnhof einfahren).* **sinnv.:** Ankunft. **2.** *Stelle, an der ein Fahrzeug in einen bestimmten Bereich hineinfährt* /Ggs. Ausfahrt/: die E. in den Hafen; die E. muß freigehalten werden. **sinnv.:** Tür. **Zus.:** Hafen-, Toreinfahrt.

Ein|fall, der; -[e]s, Einfälle: **1.** *Gedanke, der jmdm. plötzlich in den Sinn kommt:* ein guter E.; einen E. haben; ihm kam der E./er kam auf den E., daß ... **sinnv.:** Eingebung, Erleuchtung, Gedanke, Geistesblitz, Idee, Inspiration, Intuition, Schnapsidee, Wahnsinnsidee. **2.** *gewaltsames, feindliches Eindringen:* einen E. in ein Land planen. **sinnv.:** Invasion.

ein|fal|len, fällt ein, fiel ein, ist eingefallen ‹itr.›: **1.** *in sich zusammenfallen:* die Mauer ist eingefallen. **sinnv.:** einstürzen. **2.** *gewaltsam, überfallartig (in ein Land) eindringen:* der Feind fiel in unser Land ein. **sinnv.:** einmarschieren. **3.** *[jmdm.] [unerwartet] in den Sinn, ins Gedächtnis kommen:* mir fällt sein Name nicht ein. **sinnv.:** sich erinnern.

ein|fäl|tig ‹Adj.›: *geistig etwas beschränkt und daher nicht von rascher Auffassungsgabe:* ein einfältiger Mensch; er fragte ziemlich e. **sinnv.:** ahnungslos, blauäugig, gutgläubig, leichtgläubig, naiv.

ein|far|big ‹Adj.›: *nur eine Farbe aufweisend, in nur einer Farbe gehalten:* ein einfarbiger Stoff; ein einfarbiges Kleid. **sinnv.:** nicht bunt, uni.

ein|fas|sen, faßte ein, hat eingefaßt ‹tr.›: *mit einem Rahmen, Rand, einer Borte umgeben:* einen Edelstein in Gold e.; einen Garten mit einer Hecke e. **sinnv.:** begrenzen, eingrenzen, einrahmen, einsäumen, einschließen, fassen, rahmen, säumen, umgeben, umrahmen, umranden, umsäumen, umschließen, umzäunen.

ein|fin|den, sich; fand sich ein, hat sich eingefunden ‹an einem festgelegten Ort, zu einem festgelegten Zeitpunkt erscheinen:* sich in dem Hotelhalle um 18 Uhr e. **sinnv.:** kommen.

Ein|fluß, der; Einflusses, Einflüsse: *Wirkung auf das Verhalten einer Person oder Sache:* sie übte keinen guten E. auf ihn aus; er stand lange unter dem E. seines Freundes; ich hatte auf diese Entscheidung keinen E. **sinnv.**: Autorität, Beeinflussung, Einwirkung, Geltung, Gewalt, Gewicht, Macht, Wirkung.

ein|för|mig ⟨Adj.⟩: *immer in gleicher Weise verlaufend, wenig Abwechslung bietend*: ihr Leben war sehr e. **sinnv.**: langweilig.

ein|frie|ren, fror ein, hat/ist eingefroren: 1. ⟨itr.⟩ *durch das Gefrieren des darin vorhandenen Wassers nicht mehr funktionieren können*: die Wasserleitungen sind eingefroren. **sinnv.**: erstarren, gefrieren, vereisen. 2. ⟨tr.⟩ *durch Frost konservieren*: wir haben das Fleisch eingefroren. **sinnv.**: tiefkühlen. 3. ⟨itr.⟩ *von Eis umgeben sein und dadurch festgehalten werden*: das Schiff ist eingefroren. **sinnv.**: festfrieren, festsitzen. 4. ⟨tr.⟩ *auf dem gegenwärtigen Stand ruhenlassen, nicht weiterführen*: sie haben die Verhandlungen eingefroren.

ein|fü|gen, fügte ein, hat eingefügt: 1. ⟨tr.⟩ *in etwas fügen, machen, daß etwas noch in etwas bereits Vorhandenes hineinkommt*: ein Zitat in einen Text e. **sinnv.**: dazwischenschieben, einarbeiten, einbauen, einbetten, einblenden, eingliedern, einlegen, einordnen, einpassen, einreihen, einschieben, einspielen, in etwas fügen, integrieren. 2. ⟨sich e.⟩ *sich in eine vorhandene Ordnung, Umgebung einordnen*: er muß sich [in die Gemeinschaft] e. **sinnv.**: sich anpassen.

Ein|fuhr, die; -, -en: *das Einführen von Waren* /Ggs. Ausfuhr/: die E. von Spirituosen beschränken. **sinnv.**: Außenhandel, Außenwirtschaft, Import. **Zus.**: Wareneinfuhr.

ein|füh|ren, führte ein, hat eingeführt ⟨tr.⟩: 1. *Waren aus dem Ausland ins eigene Land hereinbringen* /Ggs. ausführen/: Erdöl, Getreide [aus Übersee] e. **sinnv.**: importieren. 2. *jmdn. in einen Personenkreis bringen, der ihn noch nicht kennt, und ihn dort bekannt machen*: er hat sie bei den Eltern eingeführt. **sinnv.**: einschleusen, einschmuggeln, präsentieren, vorstellen. 3. *etwas Neues in eine Institution, in den Handel o. ä. bringen*: neue Lehrbücher, Artikel e.; eine neue Währung e. **sinnv.**: in Umlauf bringen, verbreiten. 4. *durch eine Öffnung (in etwas), in eine Öffnung hineinschieben, -stecken*: eine Sonde in den Magen e. **sinnv.**: bringen in, durchstecken, hineinstecken, hineintun, stecken in.

Ein|gang, der; -[e]s, Eingänge: 1. a) *Stelle, an der man durch etwas in ein Haus o. ä. hineingehen kann* /Ggs. Ausgang/: das Haus hat zwei Eingänge. **sinnv.**: Tür. **Zus.**: Bühnen-, Hauseingang. b) *Stelle, an der man in ein Gebiet o. ä. hineingehen kann*: am E. des Dorfes. **Zus.**: Ortseingang. 2. *eingetroffene, eingegangene Post, Ware* /Ggs. Ausgang/: die Eingänge sortieren. **Zus.**: Wareneingang.

ein|ge|bil|det ⟨Adj.⟩: *von sich, seinen Fähigkeiten allzusehr überzeugt*: ein eingebildeter Mensch; sie ist e. **sinnv.**: dünkelhaft.

Ein|ge|bo|re|ne, der u. die; -n, -n ⟨aber: [ein] Eingeborener, Plural: [viele] Eingeborene⟩: *Angehörige[r] eines Naturvolkes; ursprünglicher Bewohner bzw. Bewohnerin eines später von einem anderen Volk, einer anderen Rasse besiedelten Gebietes*: die Eingeborenen Australiens. **sinnv.**: Bewohner, Einheimischer, Urbevölkerung, Ureinwohner.

ein|ge|hen, ging ein, ist eingegangen: 1. ⟨itr.⟩ *an*

der entsprechenden Stelle eintreffen: es geht täglich viel Post ein. **sinnv.**: ankommen, einlaufen, übermittelt werden, zugestellt werden. 2. ⟨itr.⟩ *aufhören zu existieren*: das Pferd ist eingegangen; der Baum ist eingegangen. **sinnv.**: absterben, dorren, kaputtgehen, sterben, verdorren, verenden. 3. ⟨als Funktionsverb⟩ *sich (auf etwas) einlassen und sich daran gebunden fühlen*: eine Wette e. *(wetten)*; eine Ehe e. *(heiraten)*; ein Risiko e. *(etwas riskieren)*. 4. ⟨itr.⟩ a) *sich mit jmdm./etwas auseinandersetzen; zu etwas Stellung nehmen*: auf eine Frage, einen Gedanken, ein Problem e. **sinnv.**: sich befassen mit. b) *etwas, was ein anderer vorgeschlagen hat, annehmen*: auf einen Plan, Vorschlag e. **sinnv.**: billigen.

ein|ge|hend ⟨Adj.⟩: *sorgfältig und bis ins einzelne gehend*: eine eingehende Beschreibung; sich mit jmdm./etwas e. befassen. **sinnv.**: ausführlich.

Ein|ge|wei|de, die ⟨Plural⟩: *alle Organe im Innern des Leibes*: die E. sind verletzt. **sinnv.**: Darm, Gedärm, Innerei.

ein|grei|fen, griff ein, hat eingegriffen ⟨itr.⟩: *sich [auf Grund seiner entsprechenden Position] in etwas, was nicht in gewünschter Weise verläuft, einschalten und es am weiteren Fortgang hindern bzw. beeinflussen, lenken*: in die Diskussion e.; die Polizei mußte bei der Schlägerei e. **sinnv.**: dazwischenfahren, -funken, -gehen, -treten, sich einmengen, sich einmischen, einschreiten, helfen, Ordnung schaffen, vermitteln.

Ein|griff, der; -[e]s, -e: 1. *Operation, bes. an inneren Organen [die an jmdm. vorgenommen werden muß]*: ein chirurgischer E.; der Arzt mußte einen E. machen. **sinnv.**: Operation. 2. *ungebührliches oder unberechtigtes Eingreifen in den Bereich eines andern*: ein E. in die private Sphäre, in die Rechte eines andern. **sinnv.**: Übergriff.

ein|hal|ten, hält ein, hielt ein, hat eingehalten: 1. ⟨tr.⟩ *sich an etwas, was als verbindlich gilt, halten, sich danach richten*: eine Bestimmung e.; einen Termin e. **sinnv.**: befolgen. 2. ⟨tr.⟩ *nicht von etwas abweichen*: die vorgeschriebene Geschwindigkeit, einen Kurs e. 3. ⟨itr.⟩ *(mit seinem Tun) plötzlich für kürzere Zeit innehalten*: im Lesen, in der Arbeit e. **sinnv.**: aufhören, unterbrechen.

ein|hei|misch ⟨Adj.⟩: *an einem Ort, in einem Land seine Heimat habend und mit den Verhältnissen dort vertraut*: die einheimische Bevölkerung eines Landes. **sinnv.**: alteingesessen, ansässig, beheimatet, bodenständig, eingesessen, zu Hause, heimisch, seßhaft, wohnhaft.

Ein|heit, die; -, -en: 1. *als Ganzes wirkende Geschlossenheit, innere Zusammengehörigkeit*: eine nationale, wirtschaftliche E. **sinnv.**: Ganzheit. 2. *zahlenmäßig nicht festgelegte militärische Formation*: eine motorisierte E. **sinnv.**: Abteilung, Armee. 3. *bei der Bestimmung eines Maßes zugrunde gelegte Größe*: die E. der Längenmaße ist der Meter. **sinnv.**: Längenmaß, Maß, Maßeinheit. **Zus.**: Verrechnungseinheit.

ein|heit|lich ⟨Adj.⟩: a) *eine Einheit erkennen lassend, zum Ausdruck bringend*: ein einheitliches System; die Struktur ist e. **sinnv.**: organisch. b) *für alle in gleicher Weise beschaffen, geltend*: eine einheitliche Kleidung, Regelung. **sinnv.**: unterschiedslos.

ein|ho|len, holte ein, hat eingeholt ⟨tr.⟩: 1. a) *an jmdn., der einen Vorsprung hat, [schließlich] her-*

ankommen: er konnte ihn noch e. **sinnv.:** einkriegen, jmdn. erreichen, zu fassen bekommen/kriegen, schnappen. **b)** *(einen [Leistungs]rückstand) aufarbeiten, wettmachen:* einen Vorsprung e.; jmdn. in seinen Leistungen e. **sinnv.:** aufholen. **2.** *sich [bei jmdm.] holen, sich geben lassen:* jmds. Rat, Erlaubnis e.; Auskünfte über jmdn. e. **sinnv.:** einziehen, recherchieren.

ei|nig ⟨Adj.⟩: *in seiner Meinung, seiner Gesinnung zu Übereinstimmung gekommen; einer Meinung, eines Sinnes:* die einigen Geschwister; sie sind jetzt wieder e.; ich bin mir jetzt über den Preis mit ihm e. **sinnv.:** einträchtig, handelseinig.

ei|nig... ⟨Indefinitpronomen und unbestimmtes Zahlwort⟩: **1.** einiger, einige, einiges ⟨Singular⟩: *eine unbestimmte kleine Menge; nicht allzu viel:* mit einigem guten Willen hätte man dieses Problem lösen können; er wußte wenigstens einiges. **sinnv.:** etwas. **2.** einige ⟨Plural⟩: *mehr als zwei bis drei, aber nicht viele:* er war einige Wochen verreist; in dem Ort gibt es einige Friseure. **sinnv.:** allerlei, divers..., einzeln..., etlich..., manch..., mehrer..., ein paar, verschiedene · eine Anzahl/ Reihe. **3.** *ziemlich groß, nicht gerade wenig, ziemlich viel:* das wird noch einigen Ärger bringen; die Reparatur wird sicher einige hundert Mark/ einiges kosten. **sinnv.:** beträchtlich, etlich, reichlich, viel, zahlreich.

ei|ni|gen, sich: ⟨mit jmdm.⟩ *zu einer Übereinstimmung kommen:* sich auf einen Kompromiß e.; sie haben sich über den Preis geeinigt. **sinnv.:** übereinkommen.

ei|ni|ger|ma|ßen ⟨Adverb⟩: *in erträglichem [Aus]maß; bis zu einem gewissen Grade:* auf diesem Gebiet weiß er e. Bescheid; die Arbeit ist ihm e. gelungen. **sinnv.:** annähernd, ausreichend, genug, halbwegs, mittelmäßig, notdürftig, recht, soso, ungefähr.

Ein|kauf, der; -[e]s, Einkäufe: *das Einkaufen:* sie erledigten ihre Einkäufe und fuhren nach Hause.

ein|kau|fen, kaufte ein, hat eingekauft ⟨tr./itr.⟩: *etwas, was der Vorratshaltung dient, zum Verbrauch oder Weiterverkauf benötigt wird, durch Kauf erwerben:* Lebensmittel, Material e.; en gros e.; er kauft immer im Warenhaus ein; sie ist e. gegangen. **sinnv.:** Besorgungen/Einkäufe/Shopping machen, kaufen [gehen].

ein|klam|mern, klammerte ein, hat eingeklammert ⟨tr.⟩: *(Geschriebenes) in einem Text durch Klammern einschließen:* die Erklärung des Wortes wurde eingeklammert.

ein|la|den, lädt ein, lud ein, hat eingeladen ⟨tr.⟩: **I.** *in ein Fahrzeug zum Transport bringen, hineinschaffen* /Ggs. ausladen/: Pakete, Kisten e. **sinnv.:** laden. **II. a)** *als Gast zu sich bitten:* jmdn. zu sich, zum Geburtstag e. **sinnv.:** bitten, laden. **b)** ⟨jmdn.⟩ *zu einer [für den Betreffenden kostenlosen, unverbindlichen o. ä.] Teilnahme an etwas auffordern:* jmdn. ins Theater, zum Essen, zu einer Autofahrt e. **sinnv.:** spendieren.

ein|las|sen, läßt ein, ließ ein, hat eingelassen: **1.** ⟨tr.⟩ *jmdm. Zutritt gewähren:* er wollte niemanden e. **sinnv.:** aufmachen, eintreten lassen, hereinkommen lassen, hereinlassen, öffnen, Zutritt gewähren. **2.** ⟨tr.⟩ *(in ein Gefäß o. ä.) einlaufen lassen:* Wasser in die Wanne e. **3.** ⟨sich e.⟩ **a)** *Kontakt aufnehmen mit jmdm., den man eigentlich meiden sollte, der aus gesellschaftlichen, morali-*

schen o. ä. Gründen nicht als guter Umgang angesehen wird: wie konnte er sich nur mit diesem gemeinen Kerl e. **sinnv.:** sich abgeben, verkehren. **b)** *bereit sein, bei etwas mitzumachen, auf eine Sache einzugehen, die eigentlich als [moralisch] zweifelhaft, nicht sicher o. ä. angesehen, empfunden wird:* sich auf ein Abenteuer e.; sich nicht in ein Gespräch mit jmdm. e. **sinnv.:** sich befassen mit, teilnehmen.

ein|lau|fen, läuft ein, lief ein, hat/ist eingelaufen ⟨itr.⟩: **1.** *(in ein Gefäß o. ä.) hineinfließen:* das Wasser ist in die Wanne eingelaufen. **sinnv.:** einfließen. **2.** *in einen Bahnhof, einen Hafen hineinfahren:* der Zug ist gerade eingelaufen; einlaufende ⟨Ggs. auslaufende⟩ Schiffe. **sinnv.:** einfahren. **3.** *an der entsprechenden Stelle eintreffen:* es sind viele Spenden, Beschwerden eingelaufen. **sinnv.:** eingehen. **4.** *(von Geweben) beim Naßwerden, bes. beim Waschen, sich zusammenziehen, enger werden:* das Kleid ist beim Waschen eingelaufen. **sinnv.:** eingehen, enger werden, kleiner/kürzer werden, schrumpfen, zusammenlaufen, -schnurren.

ein|lei|ten, leitete ein, hat eingeleitet ⟨tr.⟩: **1.** *etwas [zur Einführung, Einstimmung o. ä.] an den Anfang stellen und damit eröffnen:* eine Feier mit Musik e. **sinnv.:** anfangen, mit etwas beginnen. **2.** *(die Ausführung, den Vollzug von etwas) vorbereiten und in Gang setzen:* einen Prozeß, ein Verfahren gegen jmdn. e. **sinnv.:** anbahnen.

Ein|lei|tung, die; -, -en: *Teil, mit dem eine Veranstaltung beginnt; einen Aufsatz, ein Buch o. ä. einleitendes Kapitel:* eine kurze E.; die E. eines Buches. **sinnv.:** Ansage, Einführung, Geleitwort, Motto, Vorbemerkung, Vorrede, Vorspann, Vorspiel, Vorwort.

ein|leuch|ten, leuchtete ein, hat eingeleuchtet ⟨itr.⟩: ⟨jmdm.⟩ *verständlich, begreiflich sein, auf jmdn. überzeugend wirken:* es leuchtete mir ein, daß er wegen seiner vielen Arbeit nicht kommen konnte. **sinnv.:** leicht zu fassen sein, faßlich sein, klar sein, jmdn. überzeugen, für jmdn. zu verstehen sein.

ein|lie|fern, lieferte ein, hat eingeliefert ⟨tr.⟩: *einer entsprechenden Stelle zur besonderen Behandlung, zur Beaufsichtigung übergeben:* die Verletzten wurden ins Krankenhaus eingeliefert; jmdn. in eine Anstalt, ins Gefängnis e. **sinnv.:** einweisen.

ein|mal: I. ⟨Adverb⟩ **1.** *ein einziges Mal, nicht zweimal oder mehrmals:* er war nur e. da; ich versuche es noch e. *(wiederhole den Versuch).* **auf e.:* **a)** *(gleichzeitig):* sie kamen alle auf e. **b)** *(plötzlich):* auf e. stand sie auf und ging. **2. a)** *eines Tages, später:* er wird sein Verhalten e. bereuen. **b)** *einst, früher:* es ging ihm e. besser als heute; */formelhafter Anfang im Märchen/* es war e. **sinnv.:** damals, einstmals. **II.** ⟨Partikel⟩ **1.** */wirkt verstärkend in Aussagen, Fragen und Aufforderungen/* so liegen die Dinge e.; darf ich auch e. etwas sagen?; komm doch e. her! **2.** */wirkt nach bestimmten Adverbien zusammenfassend, eingrenzend/:* wir wollen erst e. (zuerst) essen; e. kann nicht e. schreiben (sogar schreiben kann er nicht).

ein|ma|lig ⟨Adj.⟩: **a)** ⟨nicht adverbial⟩ *nur ein einziges Mal vorkommend:* eine einmalige Zahlung, Gelegenheit. **b)** (emotional) *kaum noch einmal in der vorhandenen Güte, in solcher Qualität* *o. ä. vorkommend:* dieser Film ist e. **sinnv.**: außergewöhnlich, unersetzlich.

ein|mi|schen, sich; mischte sich ein, hat sich eingemischt: *sich redend oder handelnd an etwas beteiligen, womit man eigentlich nichts zu tun hat:* die Erziehung der Kinder ist eure Sache, ich will mich da nicht e. **sinnv.**: eingreifen.

Ein|nah|me, die; -, -n: **1.** *eingenommenes Geld:* seine monatlichen Einnahmen schwanken. **sinnv.**: Einkünfte. **2.** ⟨ohne Plural⟩ *das Einnehmen* (2 b): die E. von Tabletten einschränken. **3.** ⟨ohne Plural⟩ *das Einnehmen* (4): bei der E. der Stadt wurde Widerstand geleistet. **sinnv.**: Eroberung.

ein|neh|men, nimmt ein, nahm ein, hat eingenommen ⟨tr.⟩: **1.** *(Geld) in Empfang nehmen, als Verdienst o. ä. erhalten:* wir haben heute viel eingenommen; er gibt mehr aus, als er einnimmt. **sinnv.**: verdienen. **2. a)** *(Eß- u. Trinkbares) zu sich nehmen:* einen Imbiß e.; das Frühstück wird in der Halle eingenommen. **sinnv.**: essen. **b)** *(Arzneimittel) zu sich nehmen:* Pillen, seine Tropfen e. **sinnv.**: nehmen, schlucken. **3.** *als Raum, Platz beanspruchen:* der Schrank nimmt viel Platz ein; das Bild nimmt die halbe Seite ein. **sinnv.**: ausfüllen, wegnehmen. **4.** *kämpfend in Besitz nehmen:* die Stadt, Festung konnte eingenommen werden. **sinnv.**: erobern. **5.** *auf jmdn. einen günstigen Eindruck machen und dadurch seine Sympathie gewinnen:* durch seine Liebenswürdigkeit nahm er alle Gäste für sich ein. **6.** *sich auf eine [vorgesehene] Stelle niederlassen, stellen:* die Besucher werden gebeten, ihre Plätze einzunehmen. **sinnv.**: sich setzen. **7.** ⟨in Verbindung mit bestimmten Substantiven⟩ *innehaben, besitzen:* er nimmt einen wichtigen Posten ein; er hat in dieser Frage keinen festen Standpunkt eingenommen.

ein|packen, packte ein, hat eingepackt ⟨tr.⟩ /Ggs. auspacken/: **1.** *zum Transport in ein dafür vorgesehenes Behältnis legen:* ich habe schon alles für die Reise eingepackt. **sinnv.**: packen, verpacken, verstauen. **2.** *mit einer Hülle aus Papier o. ä. umwickeln [und zu einem Paket machen]:* Geschenke e. **sinnv.**: abpacken, bündeln, einrollen, einschlagen, einwickeln, (in Papier) wickeln.

ein|prä|gen, prägte ein, hat eingeprägt: **a)** ⟨tr.⟩ *so eindringlich ins Bewußtsein bringen, daß es nicht vergessen wird, im Gedächtnis haftenbleibt:* du mußt dir diese Vorschrift genau e.; **sinnv.**: jmdn. anhalten zu, beibringen, einbleuen, einhämmern, einimpfen, einschärfen, eintrichtern. **b)** ⟨sich e.⟩ *im Gedächtnis bleiben:* der Text prägt sich leicht ein.

ein|quar|tie|ren, quartierte ein, hat einquartiert: **a)** ⟨tr.⟩ *(jmdm.) ein Quartier geben, zuweisen:* die Flüchtlinge wurden bei einem Bauern einquartiert. **sinnv.**: einweisen, unterbringen. **b)** ⟨sich e.⟩ *sich ein Quartier verschaffen:* sich bei Freunden, im Nachbarort e. **sinnv.**: wohnen.

ein|räu|men, räumte ein, hat eingeräumt ⟨tr.⟩: **1. a)** *[in einer bestimmten Anordnung] hineinstellen oder -legen* /Ggs. ausräumen/: die Möbel (ins Zimmer) e.; das Geschirr [in den Schrank] e. **sinnv.**: einordnen. **b)** *mit Gegenständen, die (in einen Schrank, Raum usw.) hineingehören, versehen, ausstatten:* das Zimmer, den Schrank e. **sinnv.**: ausstatten, einordnen. **2.** *(jmdm.) zugestehen, gewähren:* jmdm. ein Recht, eine gewisse Freiheit e. **sinnv.**: billigen, gewähren.

Ein|rei|se, die; -, -n: *das Einreisen* /Ggs. Ausreise/: die E. in ein Land beantragen; bei der E. in die Schweiz, nach Frankreich. **sinnv.**: Grenzübertritt.

ein|rei|sen, reiste ein, ist eingereist ⟨itr.⟩: *(vom Ausland her) in ein Land reisen, indem man ordnungsgemäß die Grenze überschreitet* /Ggs. ausreisen/. **sinnv.**: einwandern, hinfahren, zuziehen.

ein|rei|ßen, riß ein, hat/ist eingerissen: **1. a)** ⟨itr.⟩ *vom Rand her einen Riß bekommen:* die Zeitung ist eingerissen. **sinnv.**: brüchig/rissig werden. **b)** ⟨tr.⟩ *vom Rand her einen Riß in etwas machen:* sie hat die Seite an der Ecke eingerissen. **sinnv.**: anreißen, einschneiden. **2.** ⟨tr.⟩ *machen, daß etwas in sich zusammenfällt:* sie haben das alte Haus eingerissen. **sinnv.**: abbrechen. **3.** ⟨itr.⟩ *zur schlechten Gewohnheit werden:* eine Unordnung ist eingerissen; wir wollen das nicht erst e. lassen. **sinnv.**: sich einbürgern.

ein|rich|ten, richtete ein, hat eingerichtet: **1.** ⟨tr.⟩ *mit Möbeln, Geräten ausstatten:* sie haben ihre Wohnung neu eingerichtet; modern eingerichtet sein. **sinnv.**: möblieren; ausstatten. **2.** ⟨tr.⟩ *nach einem bestimmten Plan, in bestimmter Weise vorgehen:* wir müssen es so e., daß wir uns um 17^h am Bahnhof treffen. **sinnv.**: arrangieren. **3.** ⟨tr.⟩ *neu oder zusätzlich schaffen, gründen:* in den Vororten werden Filialen der Bank eingerichtet. **sinnv.**: aufbauen, aufmachen, eröffnen, gründen. **4.** ⟨sich e.⟩ (ugs.) *sich (auf etwas) einstellen, vorbereiten:* sie hatte sich nicht auf einen längeren Aufenthalt eingerichtet. **sinnv.**: sich einstellen/ rüsten/vorbereiten/wappnen.

Ein|rich|tung, die; -, -en: **1.** *Möbel, mit denen ein Raum eingerichtet ist:* eine geschmackvolle E. **sinnv.**: Ausstattung, Inventar, Möbel, Mobiliar, Möblierung. **Zus.**: Wohnungseinrichtung. **2.** *etwas, was von einer Institution zum Nutzen der Allgemeinheit geschaffen worden ist:* soziale, kommunale, öffentliche Einrichtungen; Kinderhorte sind eine wichtige öffentliche E. **sinnv.**: Institution.

eins ⟨Kardinalzahl⟩ 1: e. und e. ist/macht/gibt zwei.

ein|sam ⟨Adj.⟩: **a)** *völlig allein [und verlassen]; ohne Kontakte zur Umwelt:* sie lebt sehr e. **sinnv.**: allein, einsiedlerisch, für sich [lebend], vereinsamt, verlassen, zurückgezogen. **b)** *wenig von Menschen besucht; wenig bewohnt:* eine einsame Gegend; der Bauernhof liegt sehr e. **sinnv.**: abgelegen, abgeschieden, abseits, entlegen, gottverlassen, jwd, verborgen.

ein|schal|ten, schaltete ein, hat eingeschaltet: **1.** ⟨tr.⟩ *durch Betätigen eines Schalters o. ä. zum Fließen bringen, in Gang setzen* /Ggs. ausschalten/: den Strom, die Maschine e. **sinnv.**: anknipsen, anstellen. **2. a)** ⟨sich e.⟩ *(in eine Angelegenheit) eingreifen:* er schaltete sich in die Verhandlungen ein. **b)** ⟨tr.⟩ *jmdn. [zur Unterstützung] hinzuziehen, zum Eingreifen (in eine laufende Angelegenheit) veranlassen:* die Polizei zur Aufklärung

ein|schät|zen, schätzte ein, hat eingeschätzt ⟨tr.⟩: *(etwas, eine Situation o. ä.) auf eine bestimmte Eigenschaft hin beurteilen, bewerten:* er hatte die Lage völlig falsch eingeschätzt. **sinnv.**: ansehen für, auffassen als, betrachten, denken über, erachten für, halten für.

ein|schen|ken, schenkte ein, hat eingeschenkt ⟨tr.⟩: *(ein Getränk) in ein vorhandenes Trinkgefäß gießen:* [jmdm.] Kaffee e. **sinnv.:** eingießen, gießen/schütten in.

ein|schif|fen, schiffte ein, hat eingeschifft: **a)** ⟨tr.⟩ *vom Land auf ein Schiff bringen:* Waren e. **sinnv.:** an Bord bringen, aufs Schiff verladen, verschiffen. **b)** ⟨sich e.⟩ *sich zu einer Reise an Bord eines Schiffes begeben:* er schiffte sich in Genua nach Amerika ein. **sinnv.:** an Bord gehen, eine Schiffsreise antreten.

ein|schla|fen, schläft ein, schlief ein, ist eingeschlafen ⟨itr.⟩: **1.** *in Schlaf sinken, fallen* /Ggs. aufwachen/: sofort, beim Lesen e. **sinnv.:** eindösen, einnicken, einpennen, einschlummern, entschlummern, vom Schlaf übermannt werden. **2.** *(von einem Körperteil) vorübergehend das Gefühl verlieren:* mein Bein ist beim Sitzen eingeschlafen. **sinnv.:** absterben. **3.** *[ruhig, ohne Qualen] sterben.* **sinnv.:** sterben. **4.** *allmählich aufhören; nicht weitergeführt werden:* der Briefwechsel zwischen uns ist eingeschlafen; die Sache schläft mit der Zeit ein *(gerät in Vergessenheit).* **sinnv.:** aufhören, enden.

ein|schla|gen, schlägt ein, schlug ein, hat eingeschlagen: **1.** ⟨tr.⟩ *mit Hilfe z.B. eines Hammers in etwas eintreiben:* einen Nagel in die Wand e. **sinnv.:** einklopfen, einrammen, klopfen/schlagen in. **2.** ⟨tr.⟩ *durch Schläge (mit einem harten Gegenstand) zertrümmern [um Zugang zu etwas zu bekommen]:* eine Tür, jmdm. die Fenster e. **3.** ⟨itr.⟩ *(von Blitz, Geschoß o.ä.) aus größerer Entfernung mit großer Gewalt in etwas treffen, in etwas fahren:* der Blitz, die Bombe hat [in das Haus] eingeschlagen. **4.** ⟨itr.⟩ *(im Zorn) auf jmdn./ein Tier schlagen, ohne darauf zu achten, wohin man schlägt:* er hat auf das Pferd, auf sein Opfer eingeschlagen. **sinnv.:** schlagen. **5.** ⟨tr.⟩ *(in Papier o.ä.) locker einwickeln:* die Verkäuferin schlug den Salat in Zeitungspapier ein. **sinnv.:** einpakken. **6.** ⟨itr.⟩ **a)** *(einen bestimmten Weg, in eine bestimmte Richtung) gehen:* sie schlugen den Weg nach Süden ein. **b)** *(als Berufsrichtung) wählen:* welche Laufbahn will er denn e.? **7.** ⟨itr.⟩ **a)** *sich erfolgreich in der gewählten Richtung entwickeln:* der neue Mitarbeiter hat [gut] eingeschlagen. **b)** *Anklang finden:* das neue Produkt schlägt ein.

ein|schlie|ßen, schloß ein, hat eingeschlossen: **1. a)** ⟨tr.⟩ *(jmdn.) durch Abschließen der Tür daran hindern, einen Raum zu verlassen:* sie haben die Kinder [in der Wohnung] eingeschlossen. **b)** ⟨sich e.⟩ *durch Abschließen der Tür hinter sich anderen den Zugang, Zutritt verwehren:* sie hat sich [in ihrem Zimmer] eingeschlossen. **sinnv.:** sich abkapseln/abschließen / absondern / entziehen/isolieren/in sein Schneckenhaus zurückziehen. **c)** ⟨tr.⟩ *zur sicheren Aufbewahrung in einen Behälter, Raum bringen, den man abschließt:* er hatte sein Geld, den Schmuck [in die/in der Schublade] eingeschlossen. **2.** ⟨tr.⟩ *in etwas mit einbeziehen:* ich habe dich in mein Gebet mit eingeschlossen; die Fahrtkosten sind in der Bedienung ist im Preis eingeschlossen *(darin enthalten).* **sinnv.:** in sich begreifen, beinhalten, bestehen aus, enthalten, in sich schließen, umfassen.

ein|schließ|lich: *(jmdn./etwas) mit einbegriffen/eingeschlossen; mit berechnet:* **I.** ⟨Präp. mit Gen.⟩ /Ggs. ausschließlich/: die Kosten e. des

Portos, der Gebühren; ⟨aber: starke Substantive bleiben im Singular ungebeugt, wenn sie ohne Artikel und ohne adjektivisches Attribut stehen; im Plural stehen sie dann im Dativ⟩ e. Porto; e. Getränken. **II.** ⟨Adverb⟩ bis zum 20. März e. **sinnv.:** einbegriffen, eingerechnet, inbegriffen, inklusive, [mit]samt.

Ein|schnitt, der; -[e]s, -e: *wichtiges, eine Zäsur darstellendes, Veränderungen mit sich bringendes Ereignis (in jmds. Leben, in einer Entwicklung):* der Tod des Vaters war ein E. in seinem Leben. **sinnv.:** Bruch, Schnitt, Unterbrechung, Zäsur.

ein|schrän|ken, schränkte ein, hat eingeschränkt: **1.** ⟨tr.⟩ *auf ein geringeres Maß herabsetzen:* seine Ausgaben e. **sinnv.:** antasten, beeinträchtigen, beschränken, verringern. **2.** ⟨sich e.⟩ *(aus einer Zwangslage heraus) seine Bedürfnisse reduzieren:* sie müssen sich sehr e.; sie leben sehr eingeschränkt. **sinnv.:** sich bescheiden/Entbehrungen auferlegen, den Gürtel enger schnallen, sich krummlegen, kürzertreten, sparen.

ein|schrei|ten, schritt ein, ist eingeschritten ⟨itr.⟩: *(als Autorität) gegen jmdn./etwas vorgehen, eingreifen, um etwas einzudämmen:* die Polizei mußte gegen die Randalierer, gegen den Handel mit Waffen e. **sinnv.:** eingreifen.

ein|schüch|tern, schüchterte ein, hat eingeschüchtert ⟨tr.⟩: *jmdm. (mit Drohungen o.ä.) angst machen, um ihn an bestimmten Handlungen zu hindern:* wir ließen uns durch nichts e.; ganz eingeschüchtert sein. **sinnv.:** entmutigen, verschüchtern.

ein|se|hen, sieht ein, sah ein, hat eingesehen ⟨tr.⟩: **1. a)** *zur Erkenntnis, Einsicht kommen, daß etwas, was man nicht wahrhaben wollte, doch zutrifft:* seinen Irrtum, ein Unrecht, einen Fehler e. **sinnv.:** erkennen. **b)** *(nach anfänglichen Zögern) die Richtigkeit der Handlungsweise o.ä. eines anderen anerkennen:* ich sehe ein, daß du unter diesen Umständen nicht kommen kannst. **sinnv.:** verstehen. **2.** *(in der Absicht, sich eine Information o.ä. zu verschaffen) in etwas (Schriftliches) Einblick nehmen, darin lesen:* Akten, Unterlagen e.

ein|sei|tig ⟨Adj.⟩: **1. a)** *nur eine [Körper]seite betreffend; nur auf einer [Körper]seite bestehend:* das Papier ist nur e. bedruckt. **b)** *nur von einer Seite, einer Person oder Partei, nicht auch von der Gegenseite ausgehend:* eine einseitige Zuneigung; ein einseitiger Beschluß. **c)** *nur auf ein bestimmtes Gebiet beschränkt und nicht vielseitig:* eine einseitige Begabung. **2.** *[in subjektiver oder parteiischer Weise] nur eine Seite einer Sache, nur einen Gesichtspunkt berücksichtigend, hervorhebend:* eine einseitige Beurteilung. **sinnv.:** parteiisch.

ein|sen|den, sandte/(seltener:) sendete ein, hat eingesandt/ (seltener:) eingesendet ⟨tr.⟩: *[zur Verwertung, Prüfung] an eine zuständige Stelle senden:* Unterlagen, Manuskripte e. **sinnv.:** schicken.

ein|set|zen, setzte ein, hat eingesetzt: **1.** ⟨tr.⟩ *(zur Ergänzung, Vervollständigung o.ä.) in etwas einfügen, einbauen:* eine Fensterscheibe e.; einen Flicken [in die Hose] e. **sinnv.:** bringen in, einlegen, hineintun, legen in, reinlegen, -machen, -tun, tun in. **2.** ⟨tr.⟩ **a)** *ernennen, (für ein Amt, eine Aufgabe) bestimmen:* einen Kommissar, Ausschuß e.; er wurde als Verwalter eingesetzt. **sinnv.:** einstellen. **b)** *(jmdn./etwas) planmäßig für* *eine bestimmte Aufgabe verwenden, in Aktion treten lassen:* jmdn. in einer neuen Abteilung e.; Polizei, Truppen, Flugzeuge e. **c)** *zusätzlich fahren, verkehren lassen:* zur Entlastung des Verkehrs weitere Busse, Züge e. **3.** ⟨tr.⟩ **a)** *beim Spiel als Betrag einzahlen:* er hat fünf Mark eingesetzt. **b)** *aufs Spiel setzen; riskieren:* sein Leben e. **4.** ⟨itr.⟩ *(zu einem bestimmten Zeitpunkt) beginnen:* bald setzte starke Kälte ein. **sinnv.:** anfangen. **5. a)** ⟨sich e.⟩ *sich bemühen, etwas/jmdn. in etwas zu unterstützen:* er hat sich für dieses Projekt, für diesen Mann eingesetzt. **sinnv.:** eifern. **b)** ⟨tr.⟩ *voll und ganz [für etwas/jmdn.] tätig sein:* er setzte seine ganze Kraft für die Verwirklichung dieses Planes ein. **sinnv.:** anwenden.

Ein|sicht, die; -, -en: *Erkenntnis, auf Grund von Überlegungen gewonnenes Verständnis für oder Verstehen von etwas:* er hat neue Einsichten gewonnen; er kam zu der E., daß... **sinnv.:** Bewußtsein, Vernunft.

ein|sich|tig ⟨Adj.⟩: **1.** *Einsicht habend, zeigend:* er war e. und versprach, sich zu bessern. **2.** *leicht einzusehen, zu verstehen:* ein einsichtiger Grund; es ist nicht e., warum er die Prüfung nicht gemacht hat. **sinnv.:** einleuchtend.

ein|sper|ren, sperrte ein, hat eingesperrt ⟨tr.⟩: **a)** *in einen Raum bringen und dort einschließen:* den Hund in die/der Wohnung e. **b)** (ugs.) *ins Gefängnis bringen, gefangensetzen:* einen Verbrecher e. **sinnv.:** festsetzen.

ein|sprin|gen, sprang ein, ist eingesprungen ⟨itr.⟩: *kurzfristig an jmds. Stelle treten, jmdn. (der verhindert ist, der ausfällt) vertreten:* als er krank wurde, ist ein Sänger aus Frankfurt für ihn eingesprungen. **sinnv.:** vertreten.

einst ⟨Adverb⟩: **a)** *vor langer Zeit:* e. erhob sich hier eine Burg der Staufer. **b)** *in ferner Zukunft:* du wirst es e. bereuen. **sinnv.:** später.

ein|stecken, steckte ein, hat eingesteckt ⟨tr.⟩: **1.** *(in eine dafür vorgesehene Vorrichtung o. ä.) hineinstecken:* den Stecker e. **2. a)** ↑*einwerfen:* er hat den Brief eingesteckt. **b)** *etwas in die Tasche stecken, um es bei sich zu haben:* den Schlüssel e.; sich (Dativ) etwas Geld e. **sinnv.:** mitführen, mitnehmen. **3.** (ugs.) *(etwas Negatives) widerstandslos, stumm, ohne Aufbegehren hinnehmen:* Demütigungen, Kritik e.; die Mannschaft mußte eine schwere Niederlage e.

ein|ste|hen, stand ein, hat/ist eingestanden ⟨itr.⟩: **a)** *sich für die Richtigkeit o. ä. von etwas verbürgen:* ich habe/bin dafür eingestanden, daß er seine Sache gut macht. **sinnv.:** bürgen für, Bürgschaft leisten/stellen, die Bürgschaft/Garantie übernehmen, garantieren, gewährleisten, gutsagen, haften, die Hand ins Feuer legen, sich verbürgen. **b)** *(für einen Schaden o. ä., den man selbst oder ein anderer verursacht hat) die Kosten tragen:* die Eltern haben/sind für den Schaden eingestanden. **sinnv.:** aufkommen müssen, bezahlen, büßen, die Folgen tragen [müssen], geradestehen, haften, etwas auf seine Kappe nehmen, den Kopf hinhalten [müssen], Schadenersatz leisten, eine Scharte auswetzen, sühnen, die Suppe auslöffeln [müssen], verantworten, die Verantwortung tragen.

ein|stei|gen, stieg ein, ist eingestiegen ⟨itr.⟩: **1.** *in ein Fahrzeug steigen* /Ggs. aussteigen/: in eine Straßenbahn, ein Auto e. **sinnv.:** besteigen, klet-

tern/steigen in. **b)** *beginnen, sich in einem bestimmten Bereich zu betätigen:* in die große Politik e. **sinnv.:** sich beteiligen, sich engagieren. **2.** *sich durch Hineinklettern [unrechtmäßig] Zugang verschaffen:* ein Unbekannter ist in das Geschäft eingestiegen.

ein|stel|len, stellte ein, hat eingestellt: **1.** ⟨tr.⟩ *in etwas (als den dafür bestimmten Platz) stellen:* Bücher [ins Regal] e. **sinnv.:** einordnen. **2.** ⟨tr.⟩ *(jmdm. in seinem Unternehmen) Arbeit, eine Stelle geben:* neue Mitarbeiter e. **sinnv.:** anheuern, anstellen, anwerben, beschäftigen, bestallen, dingen, engagieren, heuern, in Lohn und Brot nehmen. **3.** ⟨tr.⟩ *(eine Tätigkeit o. ä.) [vorübergehend] nicht fortsetzen:* die Produktion, die Arbeit e.; das Rauchen e. **sinnv.:** beenden. **4.** ⟨tr.⟩ *(ein technisches Gerät) so richten, daß es nach Wunsch funktioniert:* das Radio leise e.; den Fotoapparat auf eine bestimmte Entfernung e.; einen Sender e. **sinnv.:** anstellen. **5.** ⟨sich e.⟩ *zu einem festgelegten Zeitpunkt kommen, sich einfinden:* er will sich um 8 Uhr bei uns e. **sinnv.:** kommen. **6.** ⟨sich e.⟩ **a)** *sich innerlich (auf etwas) vorbereiten:* sie hatten sich auf großen Besuch eingestellt. **sinnv.:** sich rüsten. **b)** *sich (jmdm.) anpassen, sich (nach jmdm.) richten:* sich auf sein Publikum e. **sinnv.:** abstimmen.

Ein|stel|lung, die; -, -en: *inneres Verhältnis, das jmd. zu einer bestimmten Sache oder Person hat:* wie ist deine E. zu diesen politischen Ereignissen? **sinnv.:** Ansicht, Denkart.

Ein|sturz, der; -es, Einstürze: *das Einstürzen:* beim E. der Ruine wurden zwei Menschen verletzt.

ein|stür|zen, stürzte ein, ist eingestürzt ⟨itr.⟩: *mit großer Gewalt, plötzlich in sich zusammenbrechen, in Trümmer fallen:* das alte Gemäuer stürzte ein. **sinnv.:** einbrechen, einfallen, einkrachen, zusammenfallen, -krachen, -stürzen.

einst|wei|len ⟨Adverb⟩: **a)** *fürs erste, zunächst einmal:* e. bleibt uns nichts übrig, als abzuwarten. **sinnv.:** als erstes/nächstes, fürs erste, vorab, vorderhand, vorerst, vorläufig, bis auf weiteres, zunächst. **b)** *in der Zwischenzeit (während gleichzeitig etwas anderes geschieht):* ich muß noch den Salat anmachen, du kannst e. schon den Tisch decken. **sinnv.:** inzwischen.

ein|tau|schen, tauschte ein, hat eingetauscht ⟨tr.⟩: *hingeben und dafür etwas von gleichem Wert erhalten, (gegen etwas) tauschen:* Briefmarken gegen/für andere e. **sinnv.:** tauschen.

ein|tei|len, teilte ein, hat eingeteilt ⟨tr.⟩: **1.** *in Teile, Teilstücke auf-, untergliedern:* Pflanzen in Arten e.; ein Buch in Kapitel e. **sinnv.:** aufteilen, teilen, unterteilen. **2.** *planvoll, überlegt aufteilen:* sein Geld gut ein; ich habe mir die Arbeit genau eingeteilt. **sinnv.:** abmessen, disponieren, dosieren, haushalten, planen, rationieren.

ein|tö|nig ⟨Adj.⟩: *auf Grund von Gleichförmigkeit [als] langweilig, ohne Reiz [empfunden]:* ein eintöniges Leben; eine eintönige Gegend; diese Arbeit ist zu e. **sinnv.:** gleichförmig, langweilig.

ein|tra|gen, trägt ein, trug ein, hat eingetragen: **1. a)** ⟨tr.⟩ *in etwas dafür Vorgesehenes schreiben:* seinen Namen in eine/(seltener:) einer Liste e.; einen Vermerk ins Klassenbuch e. **sinnv.:** aufschreiben, ausfüllen. **b)** ⟨sich e.⟩ *seinen Namen in etwas hineinschreiben:* er hat sich in das Goldene

Buch der Stadt eingetragen. **2.** ⟨itr.⟩ *(jmdm. Gewinn, Erfolg o.ä.) verschaffen, bringen:* sein Fleiß trug ihm Anerkennung ein. **sinnv.:** abwerfen, einträglich sein.

ein|tref|fen, trifft ein, traf ein, ist eingetroffen ⟨itr.⟩: **1.** *am Zielort ankommen:* die Reisenden werden um fünf Uhr e.; die Pakete sind noch nicht eingetroffen. **sinnv.:** ankommen, kommen. **2.** *sich entsprechend einer Voraussage oder Ahnung erfüllen:* alles ist eingetroffen, wie man es ihm prophezeit hatte. **sinnv.:** sich erfüllen, in Erfüllung gehen, sich realisieren/verwirklichen, wahr werden.

ein|tre|ten, tritt ein, hat/ist eingetreten: **1.** ⟨itr.⟩ *in einen Raum hineingehen oder hereinkommen:* er war in das Zimmer eingetreten; bitte treten Sie ein! **sinnv.:** betreten. **2.** ⟨itr.⟩ **a)** *in ein neues Stadium gelangen, kommen:* die Verhandlungen sind in eine neue Phase eingetreten. **b)** ⟨als Funktionsverb⟩ */drückt den Beginn einer Handlung oder eines Geschehens aus, das über einen längeren Zeitraum andauert/:* in ein Gespräch, in Verhandlungen e. *(mit ihnen beginnen);* eine Stille war eingetreten *(es war still geworden);* eine Besserung ist eingetreten *(es ist besser geworden).* **sinnv.:** anbrechen, anfangen. **c)** *sich ereignen; Wirklichkeit werden:* der Tod war unerwartet eingetreten; was wir befürchteten, ist nicht eingetreten. **sinnv.:** geschehen. **3.** ⟨itr.⟩ *Mitglied werden* /Gegs. austreten/: er ist in eine Partei, einen Verein eingetreten. **sinnv.:** beitreten, Mitglied (werden). **4.** ⟨tr.⟩ *(um sich Zugang zu verschaffen, eine verschlossene Tür) durch heftiges Dagegentreten zertrümmern:* als niemand öffnete, hat er die Tür eingetreten. **sinnv.:** zerstören. **5.** ⟨itr.⟩ *für jmdn./etwas öffentlich, mit Entschiedenheit Partei ergreifen, sich zu jmdn./einer Sache bekennen:* er ist mutig für mich, für seinen Glauben eingetreten. **sinnv.:** sich bekennen zu, einstehen, sich engagieren für, verfechten, verteidigen, sich verwenden für.

Ein|tritt, der; -[e]s, -e: **1.** ⟨ohne Plural⟩ *das Eintreten:* bei E. *(mit Beginn)* der Dunkelheit. **sinnv.:** Anbeginn, Anbruch, Anfang, Ausbruch, Einbruch. **2.** *(für den Besuch oder die Besichtigung von etwas) zu entrichtende Gebühr:* der E. kostet drei Mark.

Ein|tritts|kar|te, die; -, -n: *kleines, rechteckiges Stück Karton mit bestimmtem Aufdruck, das zum Besuch von etwas berechtigt:* eine E. lösen, kaufen. **sinnv.:** Billett, Einlaßkarte, Karte.

ein|ver|stan|den: ⟨in der Verbindung⟩ e. sein mit jmdm./etwas: *keine Einwände gegen jmdn./etwas haben, einer Sache zustimmen:* er war mit dem Vorschlag e. **sinnv.:** akzeptieren, billigen.

Ein|wand, der; -[e]s, Einwände: *(gegen etwas vorgebrachte) abweichende Auffassung:* ein berechtigter E. **sinnv.:** Einspruch.

ein|wan|dern, wanderte ein, ist eingewandert ⟨itr.⟩: *sich in ein fremdes Land begeben, um dort eine neue Heimat zu finden* /Gegs. auswandern/: er ist 1848 eingewandert. **sinnv.:** sich ansiedeln, einreisen, immigrieren, sich niederlassen, zuziehen.

ein|wand|frei ⟨Adj.⟩: **a)** *zu keiner Beanstandung Anlaß gebend, ohne Fehler oder Mängel:* eine einwandfreie Ware; e. funktionieren. **sinnv.:** vollkommen. **b)** *eindeutig, zu keinem Zweifel Anlaß gebend:* es ist e. erwiesen, daß ... **sinnv.:** eindeutig, klar, unzweifelhaft.

ein|wei|hen, weihte ein, hat eingeweiht ⟨tr.⟩: **1.** *(ein Bauwerk nach seiner Fertigstellung) in einem Festakt seiner Bestimmung übergeben:* ein Theater, eine Kirche e. **sinnv.:** in Betrieb nehmen, eröffnen, aus der Taufe heben. **2.** *jmdn. von einer Sache [die man als geheim o.ä. betrachtet] in Kenntnis setzen, ihn über etwas informieren:* sie weihten ihn in ihre Pläne ein; er ist nicht eingeweiht. **sinnv.:** wissen.

ein|wen|den, wandte/wendete ein, hat eingewandt/eingewendet ⟨tr.⟩: *einen Einwand vorbringen:* gegen diesen Vorschlag hatte er nichts einzuwenden. **sinnv.:** entgegenhalten.

ein|wer|fen, wirft ein, warf ein, hat eingeworfen ⟨tr.⟩: **1.** *(durch eine Öffnung, einen Schlitz) in einen Behälter o.ä. hineinschieben, -fallen lassen:* eine Münze in den Automaten e.; eine Postkarte [in den Briefkasten] e. **sinnv.:** zum Briefkasten bringen, in den Briefkasten werfen, einstecken, zur Post bringen. **2.** *durch einen Wurf zertrümmern:* ein Fenster e. **sinnv.:** zerstören. **3.** *einen Einwurf machen:* er warf ein, daß ... **sinnv.:** antworten.

ein|wickeln, wickelte ein, hat eingewickelt ⟨tr.⟩: **1.** *(zum Schutz o.ä.) in etwas wickeln:* ein Geschenk in buntes Papier e.; einen Kranken in warme Decken e. **sinnv.:** einpacken. **2.** (ugs.) *jmdn. durch geschickte Reden, Schmeicheleien o.ä. für sich gewinnen:* sie hat ihn vollkommen eingewickelt. **sinnv.:** betören, betrügen.

ein|wil|li|gen, willigte ein, hat eingewilligt ⟨itr.⟩: *(einer Sache) zustimmen, (mit etwas) einverstanden sein:* er willigte [in den Vorschlag] ein. **sinnv.:** billigen.

ein|wir|ken, wirkte ein, hat eingewirkt ⟨itr.⟩: *von (bestimmter) Wirkung sein:* ungünstig, nachteilig, wohltuend auf jmdn./etwas e. **sinnv.:** beeinflussen, wirken.

Ein|woh|ner, der; -s, -, **Ein|woh|ne|rin,** die; -, -nen: *männliche bzw. weibliche Person, die innerhalb eines Gebietes, einer Stadt o.ä. wohnt:* die Stadt hat zwei Millionen Einwohner. **sinnv.:** Bewohner.

Ein|zel|heit, die; -, -en: *einzelner Teil, Umstand eines größeren Ganzen:* er berichtete den Vorfall in allen Einzelheiten; auf Einzelheiten kann ich jetzt nicht weiter eingehen. **sinnv.:** Daten, Detail.

ein|zeln ⟨Adj.⟩: *(einer, jeder) für sich allein; von andern getrennt; gesondert:* der einzelne [Mensch]; jeder einzelne; die Gäste kamen e. **sinnv.:** abgesondert, abgetrennt, allein, alleinstehend, extra, für sich, gesondert, isoliert, solo.

ein|zeln... ⟨Indefinitpronomen und unbestimmtes Zahlwort⟩: *manche[s], einige[s] aus einer größeren Anzahl oder Menge:* einzelnes ⟨Neutrum Singular⟩: einzelnes hat mir gefallen; einzelne ⟨Plural⟩: einzelne sagen, daß ... **sinnv.:** dieser und jener, divers..., einig..., etlich..., manch..., mehrer..., ein paar.

ein|zie|hen, zog ein, hat/ist eingezogen: **1.** ⟨tr.⟩ *nach innen ziehen, [an seinen Ausgangsort] zurückziehen:* die Fischer haben die Netze eingezogen. **sinnv.:** bergen, einholen, niederholen, streichen. **2.** ⟨tr.⟩ **a)** *(privaten Besitz) beschlagnahmen:* der Staat hat ihren Besitz eingezogen. **sinnv.:** beschlagnahmen, enteignen. **b)** *(Beträge, zu deren Zahlung man [gesetzlich] verpflichtet ist) kassieren:* die Bank hat den Betrag eingezogen. **sinnv.:**

einsammeln, kassieren. **3.** ⟨tr.⟩ *zum [Militär]dienst einberufen:* man hat einen weiteren Jahrgang eingezogen. **sinnv.:** einberufen. **4.** ⟨itr.⟩ *(in einem [feierlichen] Zug) gemeinsam, in einer Kolonne hineinmarschieren:* die Mannschaften sind in das Stadion eingezogen. **sinnv.:** betreten, einmarschieren. **5.** ⟨itr.⟩ *(mit seiner Habe) in eine Wohnung, ein Haus, ein Zimmer ziehen:* wir sind am gleichen Tag aus der alten Wohnung ausgezogen und in das neue Haus eingezogen. **sinnv.:** beziehen, sich einmieten, seine Zelte aufschlagen. **6.** ⟨itr.⟩ *eindringen:* die Salbe ist [in die Haut] eingezogen.

ein|zig: **I.** ⟨Adj.⟩ **a)** */hebt hervor, daß dieser/dieses/diese eine überhaupt nur einmal vorhanden, geschehen ist/:* sie verlor ihre einzige Tochter; das ist der einzige Weg ins Dorf; mit einem einzigen Schlag zerschlug er den Ziegelstein. **sinnv.:** alleinig. **b)** *nicht mehr als nur dieses wenige/diese wenigen:* wir waren die einzigen Gäste; das war das einzige, was ich erreichen konnte. **c)** *nicht häufig vorkommend; unvergleichlich in seiner Art:* diese Leistung steht e. da. **sinnv.:** außergewöhnlich, beispiellos. **II.** ⟨Adverb⟩ *allein, nur (dieser, diese, dieses Bestimmte):* e. er ist schuld. **sinnv.:** ausschließlich.

Ein|zug, der; -[e]s, Einzüge: **1.** *das Einziehen, Beziehen* /Ggs. Auszug/: der E. in eine neue Wohnung. **sinnv.:** Umzug. **2.** *[feierliches] Einmarschieren, Einziehen in etwas (z. B. in eine Stadt):* der E. der Athleten in das Stadion.

Eis, das; -es: **a)** *hart-spröde Masse, die durch gefrierendes Wasser entsteht:* das E. schmilzt, bricht, trägt noch nicht; zu E. werden. **sinnv.:** Scholle. **Zus.:** Glatt-, Gletscher-, Grund-, Pack-, Polar-, Treibeis. **b)** *durch Gefrierenlassen in mehr oder weniger feste Form gebrachte, als Gefrorenes gegessene Süßspeise:*[ein] E. essen, lecken, schlecken; E. am Stiel. **sinnv.:** Eisbecher, Eisbombe, Eiscreme, Eistorte, Gefrorenes, Halbgefrorenes. **Zus.:** Erdbeer-, Schokoladen-, Speise-, Vanilleeis.

Ei|sen, das; -s: *weißlichgraues, schweres, leicht rostendes Metall.*

Ei|sen|bahn, die; -, -en: *auf Schienen fahrendes Verkehrsmittel, das weit[er] voneinander entfernt liegende Orte miteinander verbindet:* er fuhr mit der E. nach Paris. **sinnv.:** Bahn, Bimmelbahn.

ei|sern ⟨Adj.⟩: **1.** *⟨nur attributiv⟩ aus Eisen bestehend:* ein eisernes Geländer. **sinnv.:** metallen. **2. a)** *durch nichts zu beirren:* ein eiserner Wille; e. schweigen. **sinnv.:** standhaft. **b)** *unerbittlich hart, streng (an etwas festhaltend):* mit eiserner Strenge. **c)** *mit großer Konsequenz:* eiserner Fleiß; e. sparen. **sinnv.:** fleißig.

ei|sig ⟨Adj.⟩: **1.** *sehr kalt:* ein eisiger Wind. **sinnv.:** kalt. **2.** *(in bezug auf die Verhaltensweise) abweisend und ablehnend:* eisiges Schweigen. **sinnv.:** frostig, kalt, unzugänglich.

Eis|zeit, die; -, -en: *Zeitalter in der Geschichte der Erde, in dem große Gebiete ihrer Oberfläche mit Eis bedeckt waren.*

ei|tel ⟨Adj.⟩: *auf sein Äußeres (z. B. Kleidung) in einer als selbstgefällig empfundenen Weise besonderen Wert legend.* **sinnv.:** affig, geckenhaft, gefallsüchtig, kokett, putzsüchtig, stutzerhaft.

Ei|weiß, das; -es, -e: **1.** ⟨ohne Plural⟩ *der farblose, den Dotter umgebende Bestandteil des Hühner-, Vogeleis:* das E. zu Schnee schlagen; /als

Maßangabe/ zwei E. in den Teig rühren. **2.** *Substanz, die einen wichtigen Baustoff von pflanzlichen und tierischen Körpern darstellt:* am Aufbau der Eiweiße sind verschiedene Elemente beteiligt.

Ekel, der; -s: *(durch Geruch, Geschmack oder Aussehen erregter) heftiger Widerwille:* einen E. vor fettem Fleisch haben; sich voll E. von jmdm. abwenden. **sinnv.:** Abneigung, Abscheu.

ekel|haft ⟨Adj.⟩: **1.** *in als besonders widerlich empfundene Weise Abscheu, Widerwillen erregend, Ekel hervorrufend:* e. riechen, schmecken, aussehen. **sinnv.:** abscheuerregend, abscheulich, abstoßend, ekelerregend, eklig, fies, garstig, greulich, unappetitlich, widerlich. **2.** ⟨verstärkend bei Adjektiven und Verben⟩ (ugs.) *sehr:* es ist e. kalt draußen.

ekeln: **a)** ⟨sich e.⟩ *Ekel empfinden:* ich ekele mich davor. **sinnv.:** sich entsetzen. **b)** ⟨itr.⟩ *jmdm. Ekel einflößen:* es ekelt mich/mir vor ihm. **c)** ⟨itr.⟩ *bei jmdm. Ekel hervorrufen:* der Anblick ekelt mich. **sinnv.:** abstoßen, anekeln, verabscheuen.

ek|lig ⟨Adj.⟩: **1.** *so beschaffen, daß es jmdm. Ekel einflößt:* eine eklige Kröte. **sinnv.:** ekelhaft. **2.** ⟨verstärkend bei Adjektiven und Verben⟩ (ugs.) *sehr:* ich habe mir e. weh getan.

Ele|fant, der; -en, -en: *großes, massiges (Säuge)tier von grauer Hautfarbe mit sehr großen Ohren, einem Rüssel und Stoßzähnen.*

ele|gant ⟨Adj.⟩: **1.** *sich durch Eleganz auszeichnend:* eine elegante Dame; er ist sehr e. **sinnv.:** apart, geschmackvoll. **2.** *in gewandt und harmonisch wirkender Weise ausgeführt:* eine elegante Verbeugung.

Ele|ganz, die; -: **a)** *(in bezug auf eine Person, ihre Kleidung, Erscheinung) modischer Geschmack von besonderer Erlesenheit:* sie trug Kleidung von auffallender E. **sinnv.:** Schick. **b)** *(die Form, den Ausdruck betreffende) Gewandtheit, Kultiviertheit:* er bestach durch die E. des Stils. **sinnv.:** Gewandtheit.

elek|trisch ⟨Adj.⟩: **1.** *durch Elektrizität bewirkt:* elektrische Energie. **2.** *durch Elektrizität angetrieben:* ein elektrisches Gerät.

Elek|tri|zi|tät, die; -: *(Form der) Energie, mit deren Hilfe Licht, Wärme, Bewegung u. a. erzeugt wird.* **sinnv.:** [elektrischer] Strom.

Elek|tro|nik, die; -: *Gebiet der Elektrotechnik, auf dem man sich mit der Entwicklung und Verwendung von Geräten mit Elektronenröhren, Photozellen, Halbleitern u. ä. befaßt.*

Ele|ment, das; -[e]s, -e: **1.** *Stoff, der [als Baustein für andere, zusammengesetzte Stoffe] in der Natur vorkommt:* Sauerstoff ist ein chemisches E. **sinnv.:** Grundstoff. **2.** *Erscheinung der Natur von gewaltiger, schwer zu bändigender Kraft (z. B. Feuer, Wasser):* der Kampf mit den Elementen. **sinnv.:** Naturgewalt, Naturkraft.

elend ⟨Adj.⟩: **a)** *in bedauernswerter Weise von Kummer und Sorge bestimmt, erfüllt:* sie hatten ein elendes Los. **sinnv.:** kläglich. **b)** *von Armut und Not gezeugt:* eine elende Unterkunft. **sinnv.:** ärmlich, armselig. **c)** (ugs.) *in einem sehr schlechten, geschwächten körperlichen Zustand:* ein elendes Aussehen; sich e. fühlen. **sinnv.:** erschöpft; hinfällig. **d)** (emotional) *niederträchtig (in seinem Denken und Handeln):* ein elender Schurke. **sinnv.:** gemein.

Elend, das; -[e]s: *große Armut und Not (in denen jmd. lebt):* das E. der Armen; ein großer Teil der Bevölkerung lebte im E. **sinnv.**: Armut.

elf ⟨Kardinalzahl⟩: 11: e. Personen; e. und eins ist/macht/gibt zwölf.

El|fen|bein, das; -[e]s: *Substanz der Stoßzähne des Elefanten:* eine Kette aus E.

elft... ⟨Ordinalzahl⟩: 11.: der elfte Mann.

Ell|bo|gen, der; -s, -, **El|len|bo|gen,** der; -s, -: *Stelle des Arms, an der Ober- und Unterarm zusammentreffen.*

El|lip|se, die; -, -n: *eine geometrische Figur* (siehe Bildleiste „geometrische Figuren", S. 175).

El|ster, die; -, -n: *(zu den Raben gehörender) größerer Vogel mit schwarzweißem Gefieder.*

El|tern, die ⟨Plural⟩: *Vater und Mutter:* die E. spielten mit ihren Kindern. **sinnv.**: die Alten, Erzeuger, Erziehungsberechtigte, die alten Herrschaften, Oldies, Regierung · Mutter · Vater. **Zus.**: Adoptiv-, Braut-, Groß-, Raben-, Schwieger-, Zieheltern.

Eman|zi|pa|ti|on, die; -, -en: *rechtliche und gesellschaftliche Gleichstellung [bes. der Frauen mit den Männern]:* für die E. der Frau kämpfen. **sinnv.**: Befreiung, Gleichberechtigung, Gleichstellung.

eman|zi|pie|ren, sich: *sich aus einem Zustand der Abhängigkeit befreien.* **sinnv.**: sich selbständig machen.

emo|tio|nal ⟨Adj.⟩: *vom Gefühl bestimmt:* ein emotionales, nicht objektives Urteil; ein sehr emotionaler Mensch. **sinnv.**: affektiv, emotionell, expressiv, gefühlsbetont, gefühlsmäßig, irrational.

Emp|fang, der; -[e]s, Empfänge: **1.** ⟨ohne Plural⟩ **a)** *das Entgegennehmen (von etwas, was jmdm. gebracht, geschickt wird):* den E. einer Ware bestätigen. **sinnv.**: Annahme. **b)** *das Hören bzw. Sehen einer Sendung (in Rundfunk oder Fernsehen):* ein gestörter, guter E. im Radio. **2.** ⟨ohne Plural⟩ *[offizielle] Begrüßung, das Willkommenheißen:* ein freundlicher, kühler, herzlicher E. **sinnv.**: großer Bahnhof, Begrüßung, Bewillkommnung, Willkommen. **3.** *offizielle Einladung von kürzerer Dauer [bei einer Person des öffentlichen Lebens]:* der E. beim Botschafter; einen E. geben. **sinnv.**: Audienz. **Zus.**: Neujahrs-, Presseempfang.

emp|fan|gen, empfängt, empfing, hat empfangen ⟨tr.⟩: **1.** *etwas, was einem zugedacht, an einen gerichtet ist, entgegennehmen:* Geschenke, einen Brief e. **2.** *(eine Sendung) im Radio, Fernsehen hören bzw. sehen können:* dieser Sender ist nicht gut zu e. **3.** *(einen Gast) bei sich begrüßen:* jmdn. freundlich e. **sinnv.**: begrüßen.

Emp|fän|ger, der; -s, - : **1.** ↑*Adressat*/Ggs. Absender/: der E. [des Briefes] war verzogen. **2.** *Gerät zum Empfangen ausgestrahlter Sendungen des Rundfunks:* den E. leiser stellen. **sinnv.**: Radio.

Emp|fän|ge|rin, die; -, -nen: ↑*Adressatin.*

emp|feh|len, empfiehlt, empfahl, hat empfohlen: **a)** ⟨tr.⟩ *(zu etwas) raten; (jmdm. etwas) als besonders vorteilhaft nennen, vorschlagen:* er empfahl mir eine Kur; er empfahl mir, meinen Urlaub im Süden zu verbringen; dieses Fabrikat ist sehr zu e. **sinnv.**: vorschlagen. **b)** ⟨sich e.⟩ *ratsam sein:* es empfiehlt sich, einen Regenschirm mitzunehmen. **sinnv.**: zweckmäßig sein. **c)** ⟨sich e.⟩

sich *(von jmdm., einer Gruppe) entfernen, (von ihm, ihr) Abschied nehmen, weggehen:* ich bin jetzt müde und empfehle mich. **sinnv.**: weggehen.

Emp|feh|lung, die; -, -en: **a)** *etwas, was man jmdm. in einer bestimmten Situation empfiehlt:* dieses Hotel war eine E. unserer Freunde. **sinnv.**: Vorschlag. **b)** *empfehlende Fürsprache:* durch die E. eines Vorgesetzten wurde er befördert. **sinnv.**: Förderung, Fürsprache, Gönnerschaft, Protektion.

emp|fin|den, empfand, hat empfunden ⟨tr.⟩: **a)** *(als einen über die Sinne vermittelten Reiz) verspüren:* Durst, Kälte, einen Schmerz e. **sinnv.**: fühlen. **b)** *von etwas im Innern ergriffen werden:* Reue e.; Liebe für jmdn. e. **sinnv.**: fühlen.

emp|find|lich ⟨Adj.⟩: **1. a)** *leicht auf bestimmte, von außen kommende Reize reagierend:* eine empfindliche Haut. **sinnv.**: allergisch. **Zus.**: überempfindlich. **b)** *(durch körperliche Schwäche) anfällig für gesundheitliche Störungen:* ein empfindliches Kind. **sinnv.**: zart, von zarter Gesundheit. **2.** *sehr sensibel, seelisch leicht verletzbar:* die empfindliche Natur eines Künstlers; er ist sehr e. *(ist leicht beleidigt).* **sinnv.**: dünnhäutig, empfindsam, fein, feinfühlig, mimosenhaft, sensibel, sensitiv, übelnehmerisch, verletzbar, verletzlich. **3. a)** *(von Instrumenten o. ä.) feinste Veränderungen anzeigend, auf sie reagierend:* das Barometer ist ein empfindliches Gerät. **b)** *leicht schmutzig werdend:* eine empfindliche Tapete; diese Farbe ist nicht so e. **4.** *in unangenehmer Weise recht deutlich spürbar:* eine empfindliche Strafe; es ist e. kalt; das bedeutet einen empfindlichen Verlust. **sinnv.**: drastisch, einschneidend.

Emp|fin|dung, die; -, -en: **a)** *Wahrnehmung eines körperlichen Reflexes (durch ein Sinnesorgan):* eine E. von Schmerz, Druck, Wärme; das gelähmte Glied war ohne E. **Zus.**: Kälte-, Schmerz-, Sinnes-, Wärmeempfindung. **b)** *seelische Regung, bestimmte Gemütsbewegung:* ihn bewegten die widersprechendsten Empfindungen. **sinnv.**: Gefühl.

em|pö|ren: **a)** ⟨sich e.⟩ *sich heftig, mit aufgeregten Äußerungen über jmdn./etwas entrüsten:* ich empörte mich über diese Ungerechtigkeit; er war über den Verhalten empört. **sinnv.**: sich ärgern, sich entrüsten. **b)** ⟨tr.⟩ *(in jmdm.) Ärger, Entrüstung hervorrufen:* diese Behauptung empörte ihn; sein Benehmen war empörend. **sinnv.**: ärgern; entrüsten.

Em|pö|rung, die; -, -en: *sich in aufgebrachten, heftigen Worten entladende Erregung über jmdn./etwas:* er war voller E. über diese Ungerechtigkeit. **sinnv.**: Entrüstung, Erbitterung, Erregung.

em|sig ⟨Adj.⟩: *(bei der Arbeit) unermüdlich und mit großem Fleiß und Eifer am Werk:* e. arbeiten. **sinnv.**: eifrig.

En|de, das; -s, -n: **1. a)** *Stelle, wo etwas aufhört* /Ggs. Anfang/: das E. des Zuges, der Straße. **sinnv.**: Schluß, Schwanz, Zipfel. **Zus.**: Fuß-, Kopfende. **b)** ⟨ohne Plural⟩ *Zeitpunkt, an dem etwas aufhört* /Ggs. Anfang/: das E. der Veranstaltung; E. Oktober. **sinnv.**: Abschluß, Ausgang, Ausklang, Beendigung, Finale, Happy-End, Neige, Runde, Schluß · Zielgerade. **Zus.**: Kriegsende. **2.** (ugs.) **a)** *kleines [abgetrenntes oder übriggebliebenes] Stück von etwas:* ein E. Draht. **sinnv.**: Ecke, Endchen, Stückchen, Zipfel. **b)** ⟨ohne Plural⟩ *Teilstück (ei-*

nes Weges o. ä.): das letzte E. des Weges mußte sie laufen. **sinnv.:** Distanz, Etappe, Wegstrecke.

en|den, endete, hat geendet ⟨itr.⟩: **a)** *(an einer bestimmten Stelle) ein Ende haben, nicht weiterführen:* der Weg endet hier. **sinnv.:** aufhören, auslaufen. **b)** *(zu einem bestimmten Zeitpunkt) nicht länger andauern, sondern aufhören, zu einem Abschluß kommen:* der Vortrag endete pünktlich. **sinnv.:** abschließen, aufhören, ausgehen, ein Ende haben/nehmen, zu Ende gehen, endigen, sich legen, sich neigen, es ist Schluß [mit]; vergehen.

end|lich ⟨Adverb⟩: *nach längerer Zeit (des ungeduldigen Wartens, des Zweifelns o. ä.):* e. wurde das Wetter etwas freundlicher. **sinnv.:** schließlich.

end|los ⟨Adj.⟩: *sich (räumlich oder zeitlich) sehr in die Länge ziehend:* eine endlose Straße; ein endloser Streit; etwas dauert e. lange. **sinnv.:** ewig; unaufhörlich.

Ener|gie, die; -, Energien **1.** *körperliche und geistige Spannkraft, das Vermögen, tätig zu sein:* große E. besitzen; nicht die nötige E. haben. **sinnv.:** Tatkraft. **Zus.:** Arbeits-, Lebens-, Schaffensenergie. **2.** *physikalische Kraft (die zur Ausführung von Arbeit nötig ist):* elektrische E.; Energien nutzen; E. [ein]sparen. **Zus.:** Arbeits-, Atom-, Bewegungs-, Kern-, Sonnenenergie.

ener|gisch ⟨Adj.⟩: **a)** *voller Energie und Tatkraft:* ein energischer Mann; e. durchgreifen. **sinnv.:** zielstrebig. **b)** *mit Nachdruck (ausgeführt):* ich habe mir diesen Ton e. verbeten. **sinnv.:** streng.

eng ⟨Adj.⟩: **1. a)** *von geringer Ausdehnung nach den Seiten:* enge Straßen. **sinnv.:** schmal. **b)** *dicht gedrängt, so daß nur noch wenig Zwischenraum da ist:* die Bäume stehen zu e. [nebeneinander]. **sinnv.:** dicht. **c)** *(von Kleidungsstücken) dem Körper fest anliegend* /Ggs. weit/: ein enges Kleid; der Rock ist mir zu eng. **sinnv.:** knapp, stramm. **Zus.:** haut-, knalleng. **2.** *eingeschränkt und mit wenig Überblick:* einen engen Gesichtskreis haben; er sieht die Sache zu e. **sinnv.:** engherzig. **3.** *sehr vertraut; auf Vertrautheit beruhend:* eine enge Freundschaft; e. mit jmdm. befreundet sein. **sinnv.:** innig, intim, nahe.

en|ga|gie|ren [ãga'ʒi:rən]: **1.** ⟨tr.⟩ *zur Erfüllung bestimmter künstlerischer oder anderer beruflicher Aufgaben verpflichten:* der Schauspieler wurde an ein größeres Theater engagiert. **2.** ⟨sich e.⟩ *sich zu etwas bekennen und sich dafür einsetzen:* er ist sozial sehr engagiert. **sinnv.:** eintreten für.

En|ge, die; -: *Mangel an Raum oder an Möglichkeit, sich zu bewegen:* die E. einer kleinen Wohnung. **sinnv.:** Beengtheit, Eingeschränktheit.

En|gel, der; -s, -: **a)** *(nach christlicher Vorstellung) mit Flügeln ausgestattetes, überirdisches Wesen von menschlicher Gestalt (als Bote Gottes):* der E. der Verkündigung. **sinnv.:** Cherub, himmlische Heerscharen, Himmelsbote, Seraph, himmlisches Wesen. **Zus.:** Erz-, Posaunen-, Schutz-, Weihnachtsengel. **b)** *jmd., über dessen Hilfsbereitschaft, Freundlichkeit man froh ist:* sie ist ein guter E.; er kam als rettender E.; Sie sind ein E.! **sinnv.:** Helfer, Retter.

En|kel, der; -s, -, **En|ke|lin,** die; -, nen: *männliches bzw. weibliches Kind des Sohnes oder der Tochter.* **sinnv.:** Enkelkind, Enkelsohn, Enkeltochter.

ent- ⟨verbales Präfix⟩: **1.** */drückt aus, daß etwas wieder rückgängig gemacht, in den Ausgangszustand zurückgeführt wird/* **a)** /Ggs. ver-/: entkorken, entkrampfen, entschlüsseln, entsiegeln, entzaubern, entzerren. **sinnv.:** weg-. **b)** /Ggs. be-/: entkleiden, entladen, entvölkern, entwaffnen. **sinnv.:** ab-, aus-. **c)** /Ggs. das betreffende Grundwort/: entflechten, entsichern, enttarnen, entwarnen. **d)** */drückt aus, daß das im Basiswort Genannte aus/von etwas entfernt, von etwas befreit wird/:* entblähen, entgräten, enthaupten, entkeimen, entkernen, entlausen, entschärfen, entschwefeln, entstören, entwässern. **e)** */oft in Verbindung mit einem fremdsprachlichen Basiswort, an dessen Stamm meist -isieren angehängt wird, z. B.* entpolitisieren (aus: ent-polit[isch]-isieren), entprivilegisieren [aus: entprivileg-isieren]/ *machen, daß das Objekt nicht mehr von dem im Basiswort Genannten bestimmt, beherrscht wird, nicht mehr so ist:* entdramatisieren, entideologisieren, entindividualisieren, entnazifizieren, entstalinisieren, enttabuisieren. **2.** ⟨verstärkend⟩ *machen, daß es so wird, wie es das Basiswort angibt:* entblößen, entleeren. **3.** */drückt aus, daß ein Vorgang, eine Handlung beginnt, einsetzt/:* entbrennen, entfachen, entflammen, sich entspinnen. **4. a)** */drückt aus, daß sich jmd./etwas von etwas entfernt/:* enteilen, entfliehen, entgleiten, entlaufen, entspringen, entweichen. **b)** */kennzeichnet, daß etwas aus etwas heraus und zu einer anderen Stelle gelangt/:* entleihen, entnehmen, entreißen, entsteigen. **c)** */drückt aus, daß etwas aus etwas herausgelangt/:* entnehmen, entreißen, entsteigen.

ent|beh|ren ⟨itr.⟩: **a)** *(auf etwas/jmdn.) verzichten; (ohne etwas/jmdn.) auskommen:* er kann ihn, seinen Rat nicht e.; er hat in seiner Kindheit viel e. müssen. **sinnv.:** brauchen; mangeln. **b)** ⟨mit Gen.⟩ *einer Sache ermangeln, sie nicht haben:* diese Behauptung entbehrt jeder Grundlage; seine übertriebene Angst entbehrt nicht einer gewissen Komik. **sinnv.:** abgehen, fehlen an, gebrechen, hapern, mangeln an.

ent|decken ⟨tr.⟩: **1.** *als erster etwas finden, was der Wissenschaft und der Forschung dient:* einen Bazillus, einen neuen Stern e. **sinnv.:** finden. **2.** *jmdn./etwas, was verborgen ist oder vermißt wird, überraschend, an unvermuteter Stelle o. ä. bemerken, erkennen, finden:* einen Fehler, Einzelheiten e. **sinnv.:** antreffen, auffinden, auffrischen, aufgabeln, auflesen, aufspüren, aufstöbern, auftreiben, ausfindig machen, ausmachen, begegnen, ermitteln, feststellen, herausbekommen, herausfinden, herauskriegen.

Ent|decker, der; -s, -, **Ent|decke|rin,** die; -, -nen: *männliche bzw. weibliche Person, die etwas entdeckt (was für die Wissenschaft interessant ist).* **sinnv.:** Erfinder.

Ent|deckung, die; -, -en: *das Entdecken:* die E. eines neuen Planeten; das Zeitalter der Entdeckungen. **sinnv.:** Fund.

En|te, die; -, -n: **I.** *(am und auf dem Wasser lebender, auch als Haustier gehaltener) Schwimmvogel mit kurzem Hals, breitem Schnabel und Schwimmfüßen* (siehe Bildleiste „Gans"). **sinnv.:** Geflügel. **Zus.:** Eider-, Krick-, Mast-, Schnatter-, Wildente. **II.** (Jargon) *falsche Meldung (bes. in der Presse):* die Nachricht von einem geheimen Treffen der Minister erwies sich als eine E. **sinnv.:** Falschmeldung. **Zus.:** Zeitungsente.

ent|fer|nen: 1. ⟨tr.⟩ *machen, daß jmd./etwas nicht mehr da ist:* ein Schild e.; Flecke e.; jmdn. aus seinem Amt e. **sinnv.:** abmachen, abtransportieren, abtrennen, abwaschen, ausreißen, beseitigen, fortbringen, forträumen, fortschaffen, aus dem Weg räumen, beiseite/aus den Augen schaffen, zum Verschwinden bringen, wegbringen, wegnehmen, wegräumen, wegschaffen. 2. ⟨sich e.⟩ *einen Ort verlassen:* er hat sich heimlich entfernt. **sinnv.:** weggehen.

ent|fernt ⟨Adj.⟩: 1. *weit fort von jmdm./etwas:* bis in die entferntesten Teile des Landes; der Ort liegt weit e. von der nächsten Stadt. **sinnv.:** fern. 2. **a)** *weitläufig:* entfernte Verwandte; sie ist e. mit mir verwandt. **b)** *gering, schwach, undeutlich:* eine entfernte Ähnlichkeit haben.

Ent|fer|nung, die; -, -en: 1. *kürzester Abstand zwischen zwei Punkten:* die E. beträgt 100 Meter. **sinnv.:** Abstand, Distanz, Strecke, Weite, Zwischenraum. 2. *das Entfernen, Beseitigen:* die E. der Trümmer; die E. aus dem Amt. **sinnv.:** Ausschluß, Beseitigung, Entlassung.

ent|flie|hen, entfloh, ist entflohen ⟨itr.⟩: *die Flucht ergreifen, sich fliehend entfernen:* der Häftling war aus dem Gefängnis entflohen. **sinnv.:** fliehen.

Ent|füh|rung, die; -, -en: *gewaltsames Wegschaffen, Wegführen (von Personen):* die E. der beiden Kinder des Präsidenten. **sinnv.:** Kidnapping, Luftpiraterie, Menschenraub. **Zus.:** Flugzeug-, Kindesentführung.

ent|ge|gen: I. ⟨Präp. mit Dativ⟩ *im Widerspruch, Gegensatz zu etwas:* e. anderslautenden Meldungen hat der Sänger seine Tournee nicht abgesagt; e. dem Antrag wurde diese Bestimmung nicht geändert. **sinnv.:** gegen, wider, im Widerspruch/Gegensatz zu. II. ⟨Adverb⟩ *[in Richtung] auf jmdn./etwas hin/zu:* ihm e. kam ein Motorradfahrer.

ent|ge|gen- ⟨trennbares verbales Präfix⟩: */besagt, daß das im Basiswort genannte Tun, Geschehen o. ä. auf jmdn./etwas hin oder zu erfolgt/:* entgegenbangen, -blicken, -eilen, -fahren, -gehen.

ent|ge|gen|ge|hen, ging entgegen, ist entgegengegangen ⟨itr.⟩: *sich (jmdm.) gehend aus der entgegengesetzten Richtung nähern:* sie ging ihm bis zum Bahnhof entgegen. **sinnv.:** entgegensehen.

ent|ge|gen|ge|setzt ⟨Adj.⟩: **a)** *sich an einem Ort befindend, der in völlig anderer Richtung liegt:* der Bahnhof liegt am entgegengesetzten Ende der Stadt. **b)** *umgekehrt:* sie liefen in entgegengesetzter Richtung. **c)** *gegenteilig, völlig verschieden:* bei der Diskussion wurden ganz entgegengesetzte Standpunkte vertreten. **sinnv.:** gegensätzlich.

ent|ge|gen|kom|men, kam entgegen, ist entgegengekommen ⟨itr.⟩: 1. *auf jmdn. zukommen:* sie kam mir auf der Treppe entgegen; das entgegenkommende Auto blendete ihn. **sinnv.:** begegnen. 2. *Zugeständnisse machen, (auf jmds. Wünsche) eingehen:* wir wollen Ihnen e., indem wir Ihnen die Hälfte des Betrages zurückzahlen; der Chef war sehr entgegenkommend. **sinnv.:** jmdm. goldene Brücken/eine goldene Brücke bauen, auf jmds. Forderungen/Wünsche eingehen, jmdm. etwas erleichtern/ermöglichen, sich herbeilassen, konzessionsbereit sein, nicht so sein, verhandlungsbereit sein.

ent|ge|gen|neh|men, nimmt entgegen, nahm

entgegen, hat entgegengenommen ⟨tr.⟩: *(etwas, was von jmdm. gebracht, dargebracht wird) annehmen:* ein Geschenk, ein Paket e.; Glückwünsche e. **sinnv.:** abnehmen, annehmen, in Empfang nehmen.

ent|geg|nen, entgegnete, hat entgegnet ⟨itr.⟩: *auf eine Frage, ein Argument usw. etwas als Antwort sagen, sich bzw. seine Ansicht dazu äußern:* „Das habe ich nie behauptet", entgegnete er gereizt. **sinnv.:** erwidern, sagen.

ent|ge|hen, entging, ist entgangen ⟨itr.⟩: **a)** *durch einen glücklichen Umstand von etwas nicht betroffen werden:* dem Tod knapp e. **sinnv.:** entrinnen. **b)** ⟨in der Fügung⟩ sich (Dativ) etwas e. lassen: *(die Gelegenheit, etwas Wichtiges, Interessantes wahrzunehmen) ungenutzt vorübergehen lassen:* diesen Vorteil wollte ich mir nicht e. lassen. **sinnv.:** versäumen. **c)** *nicht bemerken:* das ist mir ganz entgangen. **sinnv.:** übersehen.

Ent|gelt, das; -[e]s, -e: *für eine Arbeit oder aufgewandte Mühe gezahlte Entschädigung:* er mußte gegen ein geringes E., ohne E. arbeiten. **sinnv.:** Gehalt, Lohn, Provision, Vergütung.

ent|hal|ten, enthält, enthielt, hat enthalten: 1. ⟨tr.⟩ *als/zum Inhalt haben:* die Flasche enthält Alkohol; das Buch enthält alle wichtigen Vorschriften. **sinnv.:** einschließen. 2. ⟨sich e.⟩ (geh.) *darauf verzichten, sich in einer bestimmten Form zu äußern:* ich enthalte mich eines Urteils; ich konnte mich nicht e., laut zu lachen. **sinnv.:** unterlassen, verzichten.

ent|kom|men, entkam, ist entkommen ⟨itr.⟩: *sich glücklich (einer Gefahr o. ä.) entziehen; fliehen können:* seinen Verfolgern e.; über die Grenze e.; er ist aus dem Gefängnis entkommen. **sinnv.:** entwischen, jmdm. durch die Finger schlüpfen, fliehen, jmdm. durch die Lappen gehen, wegehen.

ent|la|den, entlädt, entlud, hat entladen: 1. ⟨tr.⟩ *eine Ladung (von etwas) herunternehmen:* einen Wagen e. **sinnv.:** ausladen. 2. ⟨sich e.⟩ *losbrechen, heftig zum Ausbruch kommen:* ein Unwetter entlud sich; sein Zorn entlud sich auf uns. **sinnv.:** auslassen.

ent|lang: *an der Seite, am Rand (von etwas Langgestrecktem) hin:* I. ⟨Präp.⟩: ⟨bei Nachstellung mit Akk., selten Dativ⟩ die Straße, den Wald e.; ⟨bei Voranstellung mit Dativ, selten Gen.⟩ e. dem Fluß. II. ⟨Adverb⟩ am Ufer e. **sinnv.:** an ... hin, längs, neben.

ent|lar|ven ⟨tr.⟩: *den wahren Charakter einer Person, Sache, jmds. verborgene [üble] Absichten aufdecken:* jmds. Pläne e.; jmdn. als Betrüger e.; damit hat er sich selbst entlarvt. **sinnv.:** bloßstellen, demaskieren, durchschauen, jmdm. die Maske abreißen/vom Gesicht reißen, jmdm. auf die Schliche kommen.

ent|las|sen, entläßt, entließ, hat entlassen ⟨tr.⟩: 1. *(jmdm.) erlauben, etwas zu verlassen:* einen Gefangenen, die Schüler aus der Schule e. **sinnv.:** freilassen. 2. *nicht weiter beschäftigen:* einen Angestellten fristlos e.; jmdn. aus seinem Amt e. *(entfernen)*. **sinnv.:** abbauen, abhalftern, ablösen, absägen, abschieben, den Abschied geben, abschießen, abservieren, absetzen, aufs Abstellgleis schieben, beurlauben, davonjagen, entfernen, seines Amtes entheben/entkleiden, entmachten, feuern, freisetzen, freistellen, hinausschmeißen, hinauswerfen, kündigen, jmdm. den Laufpaß geben, rausfeuern, rausschmeißen, rauswerfen, schassen, jmdn. auf die Straße setzen/werfen, jmdm. den Stuhl vor die Tür setzen, stürzen, suspendieren.

ent|la|sten, entlastete, hat entlastet ⟨tr.⟩: **1. a)** *jmdm. etwas von seiner Arbeit abnehmen:* den Chef, einen Kollegen [bei der Arbeit] e. **sinnv.:** abnehmen, helfen. **b)** *die Beanspruchung von etwas mindern, verringern:* die Straße vom Durchgangsverkehr e.; das Herz e. **c)** *von seelischer Belastung frei machen, indem man sich einem anderen anvertraut:* sein Gewissen e. **sinnv.:** erleichtern. **2.** *durch seine Aussage teilweise von einer Schuld freisprechen* /Ggs. belasten/: einen Angeklagten e. **sinnv.:** entschuldigen, rechtfertigen.

ent|lei|hen, entlieh, hat entliehen ⟨tr.⟩: *(von einem andern) für sich leihen:* ich habe mir ein Buch von ihm entliehen. **sinnv.:** leihen.

ent|locken ⟨tr.⟩: *(jmdn.) durch Geschick dazu bringen, daß er etwas mitteilt oder sich in einer gewünschten Weise äußert:* jmdm. ein Geständnis e. **sinnv.:** jmdm. etwas ablocken/abringen/abtrotzen, entringen, herausbringen, herauslocken, hervorlocken.

ent|mün|di|gen ⟨tr.⟩: *(jmdm.) das Recht, die Gewalt entziehen, bestimmte juristische Handlungen auszuführen:* man hat den kranken Greis entmündigt. **sinnv.:** unter Aufsicht/Kuratel stellen, für unmündig/unzurechnungsfähig erklären.

ent|mu|ti|gen ⟨tr.⟩: *(jmdm.) den Mut, das Selbstvertrauen nehmen:* der Mißerfolg hat ihn entmutigt. **sinnv.:** Angst machen, ängstigen, jmdm. bange machen, demoralisieren, einschüchtern, jmdm. alle Hoffnung nehmen/rauben, jmdm. den Mut/das Selbstvertrauen nehmen, verängstigen.

ent|pup|pen, sich: *sich überraschend (als etwas) erweisen:* die Sache hat sich als Schwindel entpuppt. **sinnv.:** sich erweisen, zutage treten.

ent|rich|ten, entrichtete, hat entrichtet ⟨tr.⟩: *(eine festgelegte Summe) [be]zahlen:* Steuern, eine Gebühr e. **sinnv.:** bezahlen.

ent|rü|sten, entrüstete, hat entrüstet: **a)** ⟨sich e.⟩ *seiner Empörung über etwas Ausdruck geben:* er hat sich über diese Zustände entrüstet; ich war entrüstet über diese Ungerechtigkeit. **sinnv.:** sich aufregen, sich empören, sich ereifern, sich erregen. **b)** ⟨itr.⟩ *zornig machen:* deine Beschuldigung entrüstete sie sehr. **sinnv.:** aufregen, empören, schockieren.

ent|schä|di|gen ⟨tr.⟩: *(jmdm. für einen Schaden [für den man selbst verantwortlich ist]) einen angemessenen Ausgleich zukommen lassen, einen Ersatz geben:* jmdn. für einen Verlust e. **sinnv.:** abfinden, ausbezahlen, auszahlen, entgelten, Ersatz/Schadenersatz leisten, ersetzen, erstatten, gutmachen, rückvergüten, vergüten, wiedergutmachen.

ent|schei|den, entschied, hat entschieden: **1. a)** ⟨tr.⟩ *(in einer Sache) ein Urteil fällen; zu einem abschließenden Urteil kommen:* das Gericht wird den Fall e.; etwas von Fall zu Fall e. **sinnv.:** austragen. **b)** ⟨itr./tr.⟩ *bestimmen:* der Arzt entscheidet über die Anwendung dieses Medikaments; er soll e., was zu tun ist. **sinnv.:** befinden. **c)** ⟨tr./itr.⟩ *in einer bestimmten Richtung festlegen, den Ausschlag (für etwas) geben:* der erneute Angriff hat die Schlacht entschieden; das Los entscheidet. **2.**

(sich e.) *nach [längerem] Prüfen oder kurzem Besinnen den Entschluß fassen, jmdn. oder etwas für seine Zwecke auszuersehen:* ich habe mich für ihn entschieden. **sinnv.:** auswählen, sich entschließen. **3.** ⟨sich e.⟩ *sich endgültig herausstellen, zeigen:* morgen wird es sich e., wer recht behält. **sinnv.:** sich herausstellen.

Ent|schei|dung, die; -, -en: **a)** *Lösung eines Problems durch eine hierfür zuständige Person oder Instanz:* eine klare gerichtliche E. **sinnv.:** Urteil, Weisung. **Zus.:** Fehlentscheidung. **b)** *das Sichentscheiden für eine von mehreren Möglichkeiten:* die E. ist ihm schwergefallen. **sinnv.:** Alternative, Ermessen, Wahl.

ent|schie|den ⟨Adj.⟩: **1.** *eine eindeutige Meinung vertretend, fest entschlossen [seine Ansicht vertretend]:* er war ein entschiedener Gegner dieser Richtung. **sinnv.:** bestimmt. **2.** *eindeutig, klar ersichtlich:* das geht e. zu weit. **sinnv.:** bestimmt.

ent|schlie|ßen, sich; entschloß sich, hat sich entschlossen: *sich etwas überlegen und beschließen, etwas Bestimmtes zu tun:* sich rasch e.; er ist entschlossen, nicht nachzugeben. **sinnv.:** sich aufraffen, sich bequemen, beschließen, einen Beschluß fassen, sich durchringen, sich entscheiden, eine Entscheidung treffen/fällen, einen Entschluß fassen, zu einem Entschluß kommen, sich schlüssig werden, sich etwas vornehmen.

ent|schlos|sen ⟨Adj.⟩: **1.** *schnell zu einer Absicht gelangend und an ihr festhaltend:* ein entschlossener Mensch. **sinnv.:** bereit, geistesgegenwärtig, zielstrebig. **2.** *energisch:* hier heißt es, e. zu handeln.

Ent|schluß, der; Entschlusses, Entschlüsse: *durch Überlegung gewonnene Absicht, etwas Bestimmtes zu tun:* ein weiser, rascher E.; einen E. bereuen. **sinnv.:** Beschluß, Willensäußerung, Willenserklärung.

ent|schul|di|gen: **1. a)** ⟨sich e.⟩ *(für etwas) um Nachsicht, Verständnis, Verzeihung bitten:* sich für eine Bemerkung e. **sinnv.:** Abbitte tun/leisten, jmdn. etwas abbitten, um Entschuldigung/Verzeihung bitten. **b)** ⟨tr.⟩ *jmds. Fehlen mitteilen und begründen:* sie hat ihr Kind beim Lehrer entschuldigt. **2.** ⟨tr.⟩ *Nachsicht zeigen (für etwas):* ich kann dieses Verhalten nicht e.; ⟨auch itr.⟩ entschuldigen Sie bitte. **sinnv.:** verzeihen. **3.** ⟨tr.⟩ **a)** *verständlich, entschuldbar erscheinen lassen:* seine Krankheit entschuldigt seinen Mißmut. **sinnv.:** entlasten, rechtfertigen. **b)** *begründen und rechtfertigen:* er entschuldigte sein Verhalten mit Nervosität.

Ent|schul|di|gung, die; -, -en: **1.** *Begründung und Rechtfertigung:* keine E. gelten lassen. **sinnv.:** Ehrenrettung, Entschuldigungsgrund, Rechtfertigung. **2.** *Mitteilung über das Fehlen in der Schule:* er gab dem Lehrer die E. ab. **3.** ⟨in der Wendung⟩ [ich bitte um] E.: *entschuldigen Sie bitte.* **sinnv.:** Verzeihung.

ent|set|zen: **a)** ⟨sich e.⟩ *in Schrecken, außer Fassung geraten:* alle entsetzten sich bei diesem Anblick. **sinnv.:** erbleichen, [sich] erschrecken, sich fürchten, eine Gänsehaut bekommen, sich graulen/gruseln, das kalte Grau[s]en kriegen, jmdm. grau[s]t/wird gruselig, schaudern, schauern. **b)** ⟨tr.⟩ *in Schrecken versetzen, aus der Fassung bringen:* dieser Anblick hat mich entsetzt; ich war darüber entsetzt. **sinnv.:** erschrecken.

ent|sẹtz|lich ⟨Adj.⟩: **1.** *Schrecken und Entsetzen erregend:* ein entsetzliches Unglück. **sinnv.:** schrecklich. **2.** (ugs.) *sehr [groß], stark /*dient im allgemeinen der negativen Steigerung/: entsetzliche Schmerzen; er war e. müde. **sinnv.:** sehr.

ent|sịn|nen, sich; entsann sich, hat sich entsonnen: *sich (einer Person, einer Sache) erinnern:* ich kann mich [dessen] nicht mehr e.; ich entsinne mich gern an diesen Tag.

ent|spạn|nen: a) ⟨tr.⟩ *lockern, von einer Anspannung befreien:* den Körper, die Muskeln e. **sinnv.:** auflockern. **b)** ⟨sich e.⟩ *sich körperlich und seelisch für kurze Zeit von seiner anstrengenden Tätigkeit ganz frei machen und auf diese Weise neue Kraft schöpfen:* sich im Urlaub, auf einem Spaziergang e. **sinnv.:** ruhen. **c)** ⟨sich e.⟩ *sich beruhigen, friedlicher werden:* die Lage, die Stimmung hat sich entspannt. **sinnv.:** sich geben, zur Ruhe kommen, ruhig werden.

ent|sprẹ|chen, entspricht, entsprach, hat entsprochen ⟨itr.⟩: **a)** *angemessen sein; gleichkommen; übereinstimmen (mit etwas):* das entspricht der Wahrheit, meinen Erwartungen; dieser Kunststoff entspricht in seinen Eigenschaften dem Holz. **sinnv.:** gleichen, passen. **b)** *(etwas) durch sein Handeln erfüllen:* den Wünschen e. **sinnv.:** befriedigen, gewähren.

ent|sprẹ|chend: I. ⟨Adj.⟩ **a)** *angemessen; [zu etwas] passend:* eine [dem Unfall] entsprechende Entschädigung erhalten. **sinnv.:** ähnlich, gebührend, passend. **Zus.:** zweckentsprechend. **b)** *zuständig, kompetent:* bei der entsprechenden Behörde anfragen. **sinnv.:** einschlägig. **II.** ⟨Präp. mit Dativ⟩ *gemäß, zufolge, nach:* e. seinem Vorschlag; seinem Vorschlag e. **sinnv.:** gemäß.

ent|sprịn|gen, entsprang, ist entsprungen ⟨itr.⟩: **1.** *als Quelle aus dem Boden kommen:* der Rhein entspringt in den Alpen. **2.** *stammen, sich erklären lassen:* aus dieser Haltung entspringt seine Fürsorge für andere. **sinnv.:** stammen von.

ent|stẹ|hen, entstand, ist entstanden ⟨itr.⟩: *ins Dasein treten, seinen Anfang nehmen; sich bilden, entwickeln:* aus Vorurteilen können Kriege e.; immer größere Pausen entstanden. **sinnv.:** sich anbahnen, sich anlassen, ansetzen, sich anspinnen, aufkommen, aufsteigen, auftauchen, auftreten, sich ausbilden, sich bilden, sich entfalten, sich entspinnen, sich entwickeln, sich erheben, erscheinen, erwachen, erwachsen, herauskommen, hervorgerufen werden, sich regen, üblich werden, zum Vorschein kommen, werden, sich zeigen.

ent|stẹl|len ⟨tr.⟩: **1.** *fast bis zur Unkenntlichkeit verunstalten, häßlich machen:* diese Verletzung entstellte ihn, sein Gesicht. **sinnv.:** verunstalten. **2.** *verändern, so daß etwas einen falschen Sinn erhält:* einen Text e. **sinnv.:** verfälschen.

ent|täu|schen ⟨tr.⟩: *jmds. Hoffnungen oder Erwartungen nicht erfüllen und ihn dadurch betrüben:* er hat mich sehr enttäuscht. **sinnv.:** frustrieren, vor den Kopf stoßen, verprellen.

ent|we|der [auch: ...wẹder] ⟨nur in Verbindung mit *oder*⟩ **entweder ... oder** ⟨Konj.⟩: */betont nachdrücklich, daß von zwei oder mehreren Möglichkeiten nur die eine oder die andere besteht/:* e. kommt mein Vater oder mein Bruder; e. kommt er heute oder erst nächste Woche; e. ich oder du sprichst mit mir; e. ich spreche mit ihr oder du.

ent|wẹr|fen, entwirft, entwarf, hat entworfen ⟨tr.⟩: **a)** *einen Entwurf von etwas zu Gestaltendem machen:* ein neues Modell, Möbel, Plakate e. **sinnv.:** anlegen, bauen, erarbeiten, erstellen. **b)** *etwas skizzierend, in großen Zügen in schriftliche Form bringen (um es später auszuarbeiten):* einen Vortrag, einen Brief e. **sinnv.:** aufschreiben, aufstellen, konzipieren, skizzieren, umreißen, umschreiben.

ent|wẹr|ten, entwertete, hat entwertet ⟨tr.⟩: **a)** *ungültig machen:* eine Fahrkarte e. **sinnv.:** knipsen, lochen, stempeln. **b)** *den Wert, die Qualität o. ä. (von etwas) mindern:* das Geld ist entwertet. **sinnv.:** abwerten.

ent|wịckeln: 1. ⟨sich e.⟩ *allmählich entstehen, sich herausbilden:* aus der Raupe entwickelt sich der Schmetterling; das Werk hat sich aus bescheidenen Anfängen entwickelt. **sinnv.:** aufblühen, aufleben, aufwachsen, sich auswachsen/entfalten, heranreifen, heranwachsen, sich herausmachen, keimen, sich mausern, reifen, wachsen. **2.** ⟨sich e.⟩ *Fortschritte machen:* die Diskussion hat sich schnell entwickelt. **sinnv.:** sich anlassen. **Zus.:** fort-, weiterentwickeln. **3.** ⟨sich e.⟩ *(zu etwas Neuem) werden, (in etwas anderes) übergehen:* das Dorf entwickelt sich zur Stadt; sich zu einer Persönlichkeit e. **4.** ⟨tr.⟩ *aus sich entstehen lassen:* das Feuer entwickelt Hitze. **sinnv.:** sich entfalten, entstehen. **5.** ⟨tr.⟩ *(eine neue Art, einen neuen Typ von etwas) konstruieren, erfinden:* ein schnelleres Flugzeug e.; ein neues Verfahren e. **sinnv.:** bauen, erfinden. **6.** ⟨tr.⟩ *in Einzelheiten darlegen, erklären:* einen Plan, e. **sinnv.:** darlegen, erklären. **7.** ⟨tr.⟩ *(eine bestimmte Eigenschaft, Fähigkeit o. ä.) aus sich hervorbringen:* einen eigenen Stil e. **sinnv.:** entfalten, erkennen lassen, an den Tag legen, zeigen. **8.** ⟨tr.⟩ *(einen belichteten Film) mit Chemikalien behandeln, so daß das Aufgenommene sichtbar wird:* ein Negativ e.

ent|wị|schen, entwischte, ist entwischt ⟨itr.⟩ (ugs.): *sich (durch heimliches Weglaufen) einer Bedrohung, Ergreifung oder Bewachung entziehen:* noch einmal wird er ihnen nicht e. **sinnv.:** entkommen.

Ent|wụrf, der; -[e]s, Entwürfe: **a)** *ausgearbeiteter Plan, Muster für etwas zu Gestaltendes:* den E. eines Hauses, eines Designs vorlegen. **sinnv.:** Modell, Plan, Typ. **b)** *schriftliche Fixierung von etwas in seinen Hauptpunkten:* der E. eines Vertrages, Briefes; der E. zu einem Drama; etwas im E. lesen. **sinnv.:** Disposition, Exposé, Grundriß, Konzept, Plan, Skizze. **Zus.:** Gesetz-, Haushalts-, Vertragsentwurf.

ent|zie|hen, entzog, hat entzogen: **1.** ⟨tr.⟩ **a)** *nicht länger gewähren, geben oder zuteil werden lassen:* jmdm. das Vertrauen e.; jmdm. den Alkohol e. **sinnv.:** aberkennen, absprechen, einstellen, aus der Hand nehmen, sperren, verweigern. **b)** *nicht länger überlassen, nicht mehr in jmds. Besitz, Verfügungsgewalt o. ä. lassen:* jmdm. den Führerschein e.; jmdm. das Wort e. **sinnv.:** wegnehmen. **c)** *(vor jmdm./etwas) bewahren, schützen:* etwas jmds. Zugriff e. **sinnv.:** behüten. **2.** ⟨sich e.⟩ **a)** (geh.) *sich zurückziehen, sich (von etwas/jmdm.) fernhalten:* sie entzog sich ihrer Umgebung. **sinnv.:** sich absondern/einschließen. **b)** *(einer Sache) aus dem Wege gehen; (eine Aufgabe) nicht erfüllen:* er entzog sich seinen Pflichten. **sinnv.:** ausweichen, sich drücken vor, sich herumdrücken, herumkommen, kneifen, meiden, umgehen, vermeiden. **c)** (geh.) *entgehen, entkommen:* sich einer Verhaftung durch die Flucht e. **d)** *sich von etwas frei machen, nicht anrühren lassen:* sich jmds. Reiz, einem Zauber [nicht] e. können.

ent|zif|fern ⟨tr.⟩: *den Sinn verstehend lesen (obwohl es nicht gut geschrieben o. ä. ist):* diese Schrift kann man kaum e. **sinnv.:** aufschlüsseln, dechiffrieren, dekodieren, entschlüsseln.

ent|zückend ⟨Adj.⟩: *reizvoll und höchstes Gefallen erregend:* ein entzückendes Kind, Kleid; e. aussehen. **sinnv.:** anziehend, hübsch, schön.

ent|zün|den, sich; entzündete sich, hat sich entzündet: **1.** *in Brand geraten, zu brennen beginnen:* das Heu hat sich entzündet. **sinnv.:** Feuer fangen, in Flammen aufgehen. **2.** *sich auf einen schädigenden Reiz hin schmerzend röten und anschwellen:* der Hals hat sich entzündet; entzündete Augen. **3.** *durch etwas hervorgerufen werden, aufbrechen:* der Streit entzündete sich an dieser Frage.

ent|zwei ⟨Adj.⟩: *in Stücke gegangen, in einzelne Teile auseinandergefallen:* das Glas, der Teller ist e. **sinnv.:** defekt.

Epo|che, die; -, -n: *durch eine Persönlichkeit oder ein Ereignis geprägter geschichtlicher Zeitabschnitt:* der Beginn, das Ende einer E.; eine E. des Aufschwungs begann. **sinnv.:** Zeitraum.

er ⟨Personalpronomen⟩ /vertritt ein männliches Substantiv im Singular/: er ist krank; er (der Bleistift) ist gespitzt.

er- ⟨verbales Präfix⟩: /besagt, daß etwas erfolgreich abgeschlossen wird, zum [gewünschten] Erfolg führt, daß durch die im intransitiven Basiswort genannte Tätigkeit ein bestimmtes Ergebnis erzielt wird/ *durch ... zu ... kommen, durch das im Basiswort Genannte das angestrebte Objekt erlangen:* (den Europatitel) erboxen, (drei Goldmedaillen) erspurten, (zwei Prozent Rendite) erwirtschaften; /oft in Verbindung mit „sich"/ *durch ... bewirken, daß man das als Akkusativobjekt Genannte hat, bekommt, erreicht:* sich (Millionen) ersingen, sich (gute Kritiken) erspielen.

-er, der; -s, - ⟨Suffix⟩: **1.** (gelegentlich ugs.) *jmd., der etwas berufsmäßig, gewohnheits- bzw. anlagemäßig oder nur im Augenblick tut* /Basis: Verb, verbale Verbindung oder Substantiv; bewirkt heute keinen Umlaut mehr/: Aufsteiger, Aussteiger, Bluter, Entwerfer, Fixer, Flugblattverteiler, Fußballer, Geiferer, Geldanleger, Gesetzesmacher, Handwerker, Hochzeiter, Instandhalter, [Jung]filmer, Kiffer, Macher, Maler, Muntermacher, Ofensetzer, Platzanweiser, Schlagzeuger, Schornsteinfeger, Skateboarder, Sprinter, Vereinfacher, Verhinderer, Wegbereiter. **sinnv.:** -ant, -ende (z. B. der Aufputschende, Filmende), -ier, -inski, -ling (z. B. Geiferling). **2.** (gelegentlich ugs.) *jmd., der zu dem im Basiswort genannten Substantiv (eine Vereinigung o. ä.) gehört:* Gewerkschafter, Metaller, Straßenbahner, Wohngemeinschafter. **3.** *Gerät, Maschine, die einem bestimmten Zweck dient:* Werkzeug /Basiswort: Verb oder verbale Verbindung/: Entsafter, Geschirrspüler, Löscher, Öffner, Telefonbeantworter. **4.** *Gegenstand, mit dem etwas gemacht wird* /Basiswort: Verb/: Aufkleber, Filzschreiber, Füller, Schwenker, Vorleger. **5.** *Einwohner* /geographischer Name als Basiswort/: Münch[e]ner,

Pfälzer, Schweizer. **6.** *Tatsache eines bestimmten Geschehens* /Basiswort Verb/: Abrutscher, Seufzer. **7.** *Bezeichnung von jmdm./etwas mit Hilfe eines für ihn/es charakteristischen Merkmals:* **a)** /Basis besteht aus Attribut + Substantiv/: Dickhäuter, Fünfakter, Oldtimer, Sechssitzer. **b)** /Basis besteht aus einem Zahlwort/: Dreitausender, Fünfziger. **c)** /Basis besteht aus einem Substantiv/: Benziner, Rauscher.

er|ar|bei|ten, erarbeitete, hat erarbeitet ⟨tr.⟩: **1.** *sich durch eigene Anstrengung, Arbeit erwerben, schaffen:* mit viel Mühe habe ich mir dieses Vermögen erarbeitet. **sinnv.:** erschaffen. **2.** *sich durch intensives Studium geistig aneignen:* du hast dir ein umfassendes Wissen erarbeitet. **sinnv.:** lernen. **3.** *in Einzelheiten ausarbeiten:* ein Ausschuß soll die Richtlinien e. **sinnv.:** entwerfen.

Er|bar|men, das; -s: *Verständnis und Mitgefühl (das sich in Hilfsbereitschaft zu erkennen gibt):* er kennt kein E., wenn es um seinen Vorteil geht. **sinnv.:** Mitgefühl.

er|bärm|lich ⟨Adj.⟩: **1. a)** *heruntergekommen und armselig [so daß man lebhaftes Mitgefühl mit dem Betreffenden hat]:* er lebt in erbärmlichen Verhältnissen. **sinnv.:** armselig. **b)** *in seiner Qualität in ärgerlicher, verachtenswerter Weise sehr schlecht:* eine erbärmliche Arbeit. **sinnv.:** minderwertig, schlecht. **c)** *(in bezug auf eine Person oder deren Handlungsweise) in verabscheuungswürdiger Weise [charakterlich] schlecht:* das ist eine erbärmliche Tat. **sinnv.:** gemein. **2.** (ugs.) **a)** *unangenehm groß, stark:* ich hatte erbärmliche Angst. **b)** ⟨verstärkend vor Adjektiven und Verben⟩ *in höchst unangenehmer Weise, sehr:* es ist e. kalt.

er|bau|en: 1. ⟨tr.⟩ *(ein Gebäude) errichten [lassen]:* die Kirche wurde in fünf Jahren erbaut. **sinnv.:** bauen. **2. a)** ⟨tr.⟩ *(das Gemüt) erheben, innerlich stärken:* solche Literatur erbaut ihn. **sinnv.:** aufrichten. **b)** ⟨sich e.⟩ *sich von etwas innerlich erheben lassen:* an dieser Musik kann man sich e. **c)** ⟨in der Fügung⟩ *von etwas nicht erbaut sein: von etwas nicht begeistert sein, über etwas nicht glücklich sein:* von dieser/über diese Nachricht wir e nicht erbaut sein.

Er|be: **I.** das; -s: *Vermögen, das jmd. bei seinem Tode hinterläßt und das jmdm. als Erbschaft zufällt:* sein E. antreten. **sinnv.:** Erbschaft, Erbteil, Hinterlassenschaft, Legat, Nachlaß, Vermächtnis. **II.** der; -n, -n: *jmd., der etwas erbt oder erben wird:* der alleinige E.; jmdn. als Erben einsetzen. **sinnv.:** Erbberechtigter. **Zus.:** Allein-, Haupt-, Mit-, Universalerbe.

er|ben ⟨tr.⟩: **1.** *als Erbteil erhalten:* der Sohn hat Geld und Häuser geerbt. **sinnv.:** ererben, eine Erbschaft machen. **2.** *als Veranlagung von den Vorfahren mitbekommen:* dieses Talent hat er von seinem Großvater geerbt.

Er|bin, die; -, -nen: vgl. Erbe (II).

er|bit|tert ⟨Adj.⟩: *sehr heftig, mit äußerstem Einsatz (ausgeführt):* es entstand ein erbitterter Kampf. **sinnv.:** ärgerlich.

erb|lich ⟨Adj.⟩: *durch Vererbung auf jmdn. kommend:* eine erbliche Krankheit; e. belastet sein. **sinnv.:** angeboren, ererbt, vererbbar.

er|bli|cken ⟨tr.⟩ (geh.): *(mit den Augen) [plötzlich, unvermutet] wahrnehmen:* am Horizont erblickten sie die Berge. **sinnv.:** sehen.

er|blin|den, erblindete, ist erblindet ⟨itr.⟩: *blind*

werden: er war nach dem Unfall auf einem Auge erblindet. **sinnv.**: das Augenlicht verlieren.

er|bre|chen, erbricht, erbrach, hat erbrochen ⟨tr./itr.⟩: *(bei einem Zustand von Übelkeit) den Mageninhalt durch den Mund wieder von sich geben:* er hat [das ganze Essen] erbrochen. **sinnv.**: brechen, sich übergeben.

Erb|schaft, die, -, -en: *etwas, was jmd. erbt, als Erbe bekommt:* eine E. antreten, ausschlagen. **sinnv.**: Erbe.

Erb|se, die; -, -n: *Pflanze mit in Ranken auslaufenden Blättern und grünen, in Hülsen sitzenden, kugeligen Samen, die als Gemüse gegessen werden.* **Zus.**: Kicher-, Zuckererbse · Knallerbse.

Erd|bee|re, die; -, -n: *wild und im Garten wachsende, niedrige Pflanze mit in Rosetten stehenden Blättern und roten, fleischigen, aromatischen Früchten.* **Zus.**: Garten-, Walderdbeere.

Er|de, die; -: **1.** *Gemisch aus verwittertem Gestein und organischen Stoffen von unterschiedlich brauner Farbe (woraus der nicht von den Meeren bedeckte Teil der Erdoberfläche besteht):* fruchtbare, humusreiche, lockere E. **sinnv.**: Boden, Erdboden, Erdreich, Grund, Humus, Krume, Land, Lehm, Sand, Scholle, Ton. **Zus.**: Blumen-, Garten-, Heil-, Mutter-, Porzellan-, Tonerde. **2.** *fester Boden, Grund, auf dem man steht:* etwas von der E. aufnehmen; auf der E. schlafen. **sinnv.**: Fußboden. **3.** *der von Menschen bewohnte Planet:* die Bevölkerung der E. **sinnv.**: Erdball, Erdkugel, Globus, der blaue Planet, Welt.

er|denk|lich ⟨Adj.⟩: *sich nur denken lassend, überhaupt denkbar, möglich seiend:* ich gab mir alle erdenkliche Mühe. **sinnv.**: möglich.

Erd|nuß, die; -, Erdnüsse: *(in den Tropen und Subtropen wachsende) Pflanze, deren längliche Hülsenfrüchte mit strohgelber, zähfaseriger Schale meist zwei ölhaltige eßbare Samen enthalten.*

Erd|öl, das, -[e]s, -e: *aus dem Inneren der Erde geförderter, dickflüssiger, öliger Rohstoff.* **sinnv.**: Mineralöl, Öl, Petroleum.

er|drücken ⟨tr.⟩: **1.** *(durch sein Gewicht, durch Druck o. ä.) zu Tode drücken:* zehn Menschen wurden von einer Lawine erdrückt. **sinnv.**: totdrücken. **2.** *(jmdn.) in einem Übermaß belasten und in seiner Existenz bedrohen:* seine Schulden, Sorgen erdrückten ihn.

er|dul|den, erduldete, hat erduldet ⟨tr.⟩: *[mit Geduld und Tapferkeit] auf sich nehmen, ertragen müssen:* Leid, Schmerzen e. **sinnv.**: aushalten, ertragen.

-[er]ei, die; -, -en ⟨Suffix⟩: **1.** *drückt das sich wiederholende, andauernde [lästige] Tun oder Geschehen aus* /Basis ist ein – meist intransitives – Verb oder eine verbale Verbindung; bei Verben auf -eln/-ern nur -ei, sonst meist -erei; kennzeichnet üblicherweise menschliches Verhalten, Tun/ (oft abwertend): Ausbeuterei, Fahrerei, Faulenzerei, Fragerei, Großtuerei, Lauferei, Schulmeisterei, Warterei. **sinnv.**: Ge-...[e] (Geblödel[e]), -itis (Frageritis). **2.** /Basiswort Substantiv; *nennt jmds. Verhalten, Tun, das dem im Basiswort Genannten entspricht, ähnelt/* (oft abwertend): Gaunerei, Kompromißlerei, Lumperei, Phantasterei, Schweinerei.

er|ei|fern, sich: *sich aufgebracht oder erregt über jmdn./etwas äußern, zu etwas Stellung nehmen:* sich über jmds. Verhalten e.; er hat sich bei dem Gespräch über nebensächliche Dinge ereifert. **sinnv.**: sich aufregen, sich entrüsten.

er|eig|nen, sich; ereignete sich, hat sich ereignet: *sich (als etwas Bemerkenswertes, etwas, wovon man Kenntnis nimmt, was Aufsehen erregt) zutragen:* wo und wann hat sich der Unfall ereignet? **sinnv.**: geschehen.

Er|eig|nis, das; -ses, -se: *Geschehen (das den normalen alltäglichen Ablauf als etwas Bemerkenswertes unterbricht):* ein wichtiges, trauriges, seltenes E. **sinnv.**: Affäre, Begebenheit, Episode, Erlebnis, Geschehen, Geschehnis, Phänomen, Politikum, Vorfall, Vorgang, Vorkommnis, Zwischenfall.

er|fah|ren: **I.** erfahren, erfährt, erfuhr, hat erfahren: **1.** ⟨itr.⟩ *(von etwas) Kenntnis bekommen;* von anderen mitgeteilt, erzählt bekommen: etwas, von etwas durch Zufall e. **sinnv.**: aufschnappen, in Erfahrung bringen, hören, jmdm. zur Kenntnis/zu Ohren kommen, Wind bekommen von. **2.** ⟨itr.⟩ *an sich, in seinem Dasein erleben, zu spüren bekommen:* sie hat viel Leid erfahren. **sinnv.**: begegnen, erleben. **3.** ⟨als Funktionsverb⟩: das Buch soll eine Überarbeitung e. *(soll überarbeitet werden).* **II.** ⟨Adj.⟩: *(auf einem bestimmten Gebiet) Erfahrung, Routine habend:* ein erfahrener Arzt; er ist auf seinem Gebiet sehr e. **sinnv.**: beschlagen.

Er|fah|rung, die; -, -en: **1.** *bei der praktischen Arbeit (auf einem bestimmten Gebiet) erworbene Routine:* er hat viel E. auf diesem Gebiet. **sinnv.**: Bildung, Durchblick, Einblick, Einsicht, Erfahrenheit, Erkenntnis, Fertigkeit, Kenntnis, Knowhow, Praxis, Sachkenntnis, Übung, Weitblick, Weltkenntnis, Wissen. **2.** *[wiederholtes] Erleben von gleicher oder ähnlicher Art (aus dem man Lehren zieht):* Erfahrungen sammeln; das weiß ich aus eigener E. **sinnv.**: Erkenntnis, Lebenserfahrung, Lehre.

er|fin|den, erfand, hat erfunden ⟨tr.⟩: **1.** *durch Forschen und Experimentieren (etwas Neues, bes. auf technischem Gebiet) hervorbringen:* er hat ein neues Verfahren erfunden. **sinnv.**: ausdenken, entdecken, entwickeln, erdenken. **2.** *mit Hilfe der Phantasie hervorbringen:* diese Ausrede hat er erfunden. **sinnv.**: sich ausdenken, erdenken, erdichten, fingieren, vortäuschen.

er|fin|de|risch ⟨Adj.⟩: *mit Einfallsreichtum begabt:* ein erfinderischer Geist. **sinnv.**: einfallsreich, schöpferisch.

Er|folg, der; -[e]s, -e: *positives Ergebnis einer Bemühung* /Ggs. Mißerfolg/: das Experiment führte zum E.; die Aufführung war ein großer E. **sinnv.**: Aufstieg, Durchbruch, Effekt, Ergebnis, Frucht, Höhenflug, Renner, Resultat, Wirkung. **Zus.**: Achtungs-, Anfangs-, Heiterkeits-, Riesen-, Teilerfolg.

er|fol|gen, erfolgte, ist erfolgt ⟨itr.⟩: **1.** *als Folge (von etwas) geschehen:* der Tod erfolgte wenige Stunden nach dem Unfall. **sinnv.**: geschehen. **2.** ⟨als Funktionsverb⟩ */drückt aus, daß etwas vollzogen wird/:* es erfolgte keine weitere Benachrichtigung.

er|for|der|lich ⟨Adj.⟩: *für einen bestimmten Zweck notwendig:* die erforderlichen Mittel bereitstellen; für den Grenzübertritt ist ein Reisepaß e. **sinnv.**: nötig.

er|for|dern ⟨itr.⟩: *(zu seiner Verwirklichung) notwendig machen, verlangen:* diese Arbeit erfordert

Erfahrung. **sinnv.**: beanspruchen, bedingen, bedürfen, kosten, verlangen, voraussetzen.

er|for|schen ⟨tr.⟩: *(bisher nicht oder nicht genügend Bekanntes) wissenschaftlich untersuchen:* historische Zusammenhänge e. **sinnv.**: forschen.

er|freu|en: 1. a) ⟨tr.⟩ *(jmdm.) Freude bereiten, machen:* jmdn. mit einem Geschenk e. **sinnv.**: begeistern, beglücken, beseligen, entzücken, freuen, jmdm. Spaß, Freude machen. b) ⟨sich e.⟩ (geh.) *bei oder über etwas Freude empfinden, sich freuen:* sie erfreute sich am Anblick der Blumen. **sinnv.**: sich freuen. 2. ⟨sich e.; mit Gen.⟩ (geh.) *im glücklichen Besitz (von etwas) sein:* er erfreut sich großen Ansehens. **sinnv.**: haben.

er|freu|lich ⟨Adj.⟩: *so geartet, daß man sich darüber freuen kann, daß man es gut, positiv o. ä. findet:* eine erfreuliche Mitteilung. **sinnv.**: angenehm, erquicklich, fein, freudig, freundlich, froh, günstig, gut, positiv, rosig, vorteilhaft, willkommen, den Wünschen entsprechend.

er|frie|ren, erfror, ist erfroren ⟨itr.⟩: *durch Kälteeinwirkung umkommmen, eingehen:* er wurde erfroren aufgefunden; viele Pflanzen sind erfroren. **sinnv.**: auswintern, Frost bekommen/abbekommen, verfrieren.

er|fri|schen: 1. ⟨sich e.⟩ *sich (mit Wasser) frisch machen, erquicken:* du kannst dich im Badezimmer e. **sinnv.**: sich erquicken/laben. 2. ⟨tr./itr.⟩ *(auf jmdn.) belebend wirken:* dieses Getränk wird dich e. **sinnv.**: aufmöbeln, erlaben, erquicken, laben.

er|fül|len: 1. ⟨tr.⟩ *sich ausbreitend einen Raum allmählich ganz ausfüllen, einnehmen:* der Rauch, ein übler Geruch, Lärm erfüllte die Straßen. **sinnv.**: durchdringen, durchfluten, durchströmen, durchziehen. 2. ⟨tr.⟩ *(einer Bitte, Forderung) entsprechen:* eine Bitte e.; er hat seine Aufgabe zur Zufriedenheit erfüllt; er hat seine Aufgabe zur Zufriedenheit erfüllt. **sinnv.**: befriedigen. 3. ⟨tr.⟩ a) *innerlich ganz in Anspruch nehmen, ausfüllen:* seine Aufgabe erfüllt ihn ganz. **sinnv.**: beschäftigen, beseelen, bewegen. b) *jmds. Gedanken völlig beherrschen:* etwas erfüllt jmdn. mit Abscheu, mit Stolz. **sinnv.**: befallen. 4. ⟨sich e.⟩ *Wirklichkeit werden:* mein Wunsch hat sich erfüllt. **sinnv.**: eintreffen.

er|gän|zen: 1. ⟨tr.⟩ *(durch Hinzufügen von etwas) erweitern, vervollständigen:* eine Liste, seine Vorräte e. **sinnv.**: vervollständigen. 2. ⟨sich e.⟩ *einander in seinen Fähigkeiten, Eigenschaften ausgleichen:* die beiden ergänzen sich/einander [bei der Arbeit].

er|ge|ben: I. ⟨tr.⟩ ergeben, ergibt, ergab, hat ergeben: 1. a) ⟨itr.⟩ *(als Ergebnis) liefern, hervorbringen:* die Untersuchung ergab keinen Beweis seiner Schuld. **sinnv.**: eintragen, erbringen. b) ⟨sich e.⟩ *als Folge von etwas entstehen, zustande kommen:* aus der veränderten Lage ergeben sich ganz neue Probleme. **sinnv.**: anfallen, auftreten, sich bieten, folgen. 2. ⟨sich e.⟩ *sich (nach inneren Kämpfen) widerstandslos in etwas fügen:* sich in sein Schicksal e. **sinnv.**: sich anpassen, aushalten, nachgeben. 3. ⟨sich e.⟩ *(von Soldaten in einem Krieg) die Waffen strecken:* die Truppen haben sich ergeben. **sinnv.**: nachgeben. II. ⟨Adj.⟩ *(jmdm.) in als untertänig empfundener Weise anhängend:* er ist ihm blind e. **sinnv.**: demütig, demutsvoll, folgsam, fügsam, unterwürfig. **Zus.**: gott-, treuergeben.

Er|geb|nis, das; -ses, -se: a) *das, was sich als Folge von etwas ergibt, Ertrag einer Bemühung:* ein gutes E.; die Verhandlungen führten zu keinem E. **sinnv.**: Folge. **Zus.**: Untersuchungs-, Verhandlungsergebnis. b) *das, was durch Rechnen, Zählen, Messen o. ä. ermittelt wird:* das E. einer Auszählung. **sinnv.**: Lösung, Resultat. **Zus.**: End-Gesamtergebnis.

er|gie|big ⟨Adj.⟩: a) *reiche Erträge, Ausbeute versprechend, bringend:* die Ernten hier sind e. **sinnv.**: dankbar, lohnend, reich. b) *(als Ausgangsstoff o. ä.) viel ergebend:* die Wolle ist sehr e. **sinnv.**: nützlich.

er|grei|fen, ergriff, hat ergriffen ⟨tr.⟩: 1. a) *mit der Hand, den Händen fassen und festhalten:* jmds. Hand, den Bleistift e. **sinnv.**: anrühren, fassen. b) *einen Flüchtigen, nach dem gesucht, gefahndet wurde, festnehmen:* der Täter wurde bei einer Polizeikontrolle ergriffen. **sinnv.**: auffliegen lassen, aufgreifen, ausheben, ertappen, erwischen, fangen, fassen, jmds. habhaft werden, hochheben lassen, hochnehmen, hoppnehmen, kriegen, schnappen, überraschen, verhaften, beim Wickel kriegen. 2. *als [plötzliche] Empfindung (in jmds. Bewußtsein) dringen und (ihn) ganz erfüllen:* Angst, Begeisterung ergriff sie. **sinnv.**: befallen. 3. *(jmds. Gemüt) im Innersten bewegen:* sein Schicksal hat sie tief ergriffen. **sinnv.**: erschüttern, unter die Haut gehen. 4. *(als Funktionsverb) /drückt den Entschluß zu etwas aus/:* einen Beruf e. *(wählen);* die Flucht e. *(fliehen).*

er|hal|ten, erhält, erhielt, hat erhalten: 1. ⟨tr.⟩ a) *mit etwas bedacht werden:* ein Buch als/zum Geschenk e. **sinnv.**: bekommen. **Zus.**: wieder-, zurückerhalten. b) *jmdm. (als Äquivalent, als Bezahlung o. ä.) zuteil werden:* für den Auftritt ein großes Honorar e. **sinnv.**: bekommen. c) *jmdm. zugestellt, übermittelt o. ä. werden:* einen Brief e. **sinnv.**: bekommen. d) *(als Strafe o. ä.) hinnehmen müssen:* drei Jahre Gefängnis e. **sinnv.**: bekommen. e) *jmdm. gegeben, erteilt werden:* eine Erlaubnis, einen bestimmten Namen e. **sinnv.**: bekommen. 2. ⟨tr.⟩ *in seinem Bestand, Zustand bewahren:* ein Gebäude e.; er möchte sich seine Gesundheit e. **sinnv.**: konservieren, retten, wahren. 3. ⟨tr.⟩ *für jmds. Lebensunterhalt sorgen:* er hat eine große Familie zu e. **sinnv.**: ernähren. 4. ⟨in Verbindung mit einem 2. Partizip⟩ */dient der Umschreibung des Passivs/:* etwas bestätigt, zugesprochen e. *(etwas wird bestätigt, zugesprochen).* **sinnv.**: bekommen, kriegen.

er|hält|lich: ⟨in der Verbindung⟩ e. sein: *im Handel zu haben sein:* der neue Artikel ist nicht in allen Geschäften e.

er|hän|gen, sich: *sich selbst töten, indem man sich an einem Strick mit um den Hals gelegter Schlinge aufhängt und sich damit die Atemluft entzieht:* er hatte sich an einem Balken erhängt. **sinnv.**: sich aufhängen/aufknüpfen, sich umbringen.

er|he|ben, erhob, hat erhoben: 1. ⟨tr.⟩ *in die Höhe heben:* die Hand zum Schwur e.; sie erhoben ihr Glas. **sinnv.**: heben. 2. ⟨sich e.⟩ a) *(vom Sitzen oder Liegen) aufstehen:* das Publikum erhob sich von den Plätzen; **sinnv.**: sich aufraffen, sich aufrichten, aufspringen, aufstehen, aufstreben. b) *in die Höhe ragen:* in der Ferne erhebt sich ein Gebirge. 3. ⟨sich e.⟩ *einen Aufstand machen, gegen et-*

was rebellierend aufstehen: das Volk erhob sich gegen den Diktator. **sinnv.:** protestieren. **4.** ⟨tr.⟩ *(einer Sache) einen höheren Rang verleihen:* der Ort wurde zur Stadt erhoben. **sinnv.:** befördern. **5.** ⟨tr.⟩ *(einen bestimmten Betrag für etwas) verlangen:* der Verein erhebt einen Beitrag. **sinnv.:** kassieren. **6.** ⟨als Funktionsverb⟩ */drückt eine Äußerung, das Vorbringen von etwas aus/:* Einspruch e. *(widersprechen, protestieren).*

er|heb|lich ⟨Adj.⟩: *von/in großem Ausmaß:* ein erheblicher Schaden. **sinnv.:** außergewöhnlich, sehr.

er|hei|tern ⟨tr.⟩: *heiter stimmen, zum Lachen bringen:* seine Späße erheiterten das Publikum. **sinnv.:** amüsieren, aufheitern, aufmuntern, auf andere Gedanken bringen, Stimmung machen, zerstreuen.

er|hit|zen ⟨tr.⟩: *heiß machen, stark erwärmen:* Metall e., bis es schmilzt. **sinnv.:** wärmen.

er|hof|fen ⟨itr.⟩: *(auf etwas) hoffen:* bei diesem Geschäft erhoffe ich mir einen Gewinn. **sinnv.:** hoffen, wünschen.

er|hö|hen: 1. ⟨tr.⟩ *höher machen:* einen Damm, Deich [um einen Meter] e. **2.** ⟨tr.⟩ *(in seinem Grad, Ausmaß o. ä.) steigern, vermehren:* der starke Erfolg bei den Wahlen erhöhte das Ansehen der Partei. **sinnv.:** steigern. **3.** ⟨sich e.⟩ *(von Preisen, Ausgaben o. ä.) höher werden:* Steuern, Kosten erhöhen sich. **sinnv.:** anheben, heraufsetzen.

er|ho|len, sich: **a)** *(durch Krankheit oder anstrengende Tätigkeit) verlorene Kräfte wiedererlangen:* sich von einer Krankheit e.; sich im Urlaub gut e. **sinnv.:** abschalten, auftanken, ausspannen, wieder zu Kräften kommen, sich regenerieren, relaxen. **b)** *(nach einer seelischen Erschütterung o. ä.) seine innere Fassung wiedererlangen:* ich habe mich von dem Schreck noch gar nicht erholt. **sinnv.:** sich abreagieren.

er|hol|sam ⟨Adj.⟩: *der Erholung dienend, Erholung bewirkend:* ein erholsamer Urlaub.

er|in|nern: 1. ⟨sich e.⟩ *länger, lange Zurückliegendes im Gedächtnis bewahrt haben, noch wissen, sich ins Bewußtsein zurückrufen:* ich erinnere mich noch an ihn; er erinnert sich in seinem Buch lange vergangener Tage. **sinnv.:** jmdm. noch klar vor Augen stehen, sich besinnen, jmdm. dämmern, denken an, jmdm. einfallen, sich entsinnen, sich ins Gedächtnis zurückrufen, präsent haben, Rückschau halten, jmds./einer Sache gedenken, jmdm. in den Sinn kommen, jmdm. durch den Sinn gehen, zehren von, zurückblicken, zurückdenken, zurückrufen, zurückschauen, sich zurückversetzen. **2.** ⟨tr.⟩ *veranlassen, an jmdn./etwas zu denken, jmdn./etwas nicht zu vergessen:* an sein Versprechen e. **sinnv.:** anmahnen. **3.** ⟨tr.⟩ *durch seine Ähnlichkeit jmdn. eine bestimmte andere Person oder Sache ins Bewußtsein, Gedächtnis rufen:* sie erinnert mich an meine Tante. **sinnv.:** ähneln, anklingen.

Er|in|ne|rung, die; -, -en: **1.** ⟨ohne Plural⟩ *Fähigkeit, sich an etwas zu erinnern:* meine E. setzt hier aus. **sinnv.:** Erinnerungsvermögen, Gedächtnis. **2.** ⟨ohne Plural⟩ *Gesamtheit der Eindrücke, die man in sich aufgenommen hat:* jmdn./etwas in der E. behalten. **sinnv.:** Gedächtnis. **3.** *Eindruck, an den man sich erinnert:* bei dem Gedanken an seine Flucht wurden schreckliche Erinnerungen in ihm wach. **Zus.:** Jugend-, Kindheits-, Lebenser-

innerungen. **4.** ⟨ohne Plural⟩ ↑*Andenken:* ein Denkmal zur E. an die Opfer des Krieges.

er|käl|ten, sich; erkältete sich, hat sich erkältet: *eine Erkältung bekommen:* ich habe mich im Zug erkältet. **sinnv.:** sich eine Erkältung zuziehen/holen, einen Schnupfen bekommen/kriegen, sich verkühlen.

Er|käl|tung, die; -, -en: *durch Kälte oder Unterkühlung hervorgerufene, mit Schnupfen und Husten verbundene Erkrankung der Atmungsorgane:* eine leichte, schwere E.; sich (Dativ) eine E. zuziehen, holen. **sinnv.:** Grippe, Husten, Schnupfen.

er|ken|nen, erkannte, hat erkannt ⟨tr.⟩: **1.** *(mit Augen oder Ohren) deutlich wahrnehmen:* etwas ohne Brille nicht e. können; jmds. Stimme am Telefon e.; in der Dämmerung konnte man die die Farben nicht e. **sinnv.:** wahrnehmen. **Zus.:** wiedererkennen. **2. a)** *(auf Grund bestimmter Merkmale) ausmachen:* der Täter wurde an seiner Kleidung erkannt; der Arzt hatte die Krankheit sofort erkannt. **sinnv.:** diagnostizieren, entlarven, feststellen, identifizieren. **b)** *Klarheit (über jmdn./etwas) gewinnen:* einen Freund erkennt man oft erst, wenn man in Not gerät; die Bedeutung dieses Buches wurde zunächst kaum erkannt. **sinnv.:** jmdm. aufgehen, dahinterkommen, jmdm. dämmern, zu der Erkenntnis kommen, sehen.

Er|kennt|nis, die; -, -se: **1.** *durch geistige Verarbeitung von Eindrücken und Erfahrungen gewonnene Einsicht:* eine wichtige E.; neue Erkenntnisse der Forschung; er kam zu der E., daß ... **sinnv.:** Erfahrung. **Zus.:** Selbsterkenntnis. **2.** ⟨ohne Plural⟩ *das Erkennen, Fähigkeit des Erkennens (auf dem Weg philosophischen Fragens):* bei diesen Fragen stößt man an die Grenzen der menschlichen E. **sinnv.:** Vernunft · Weisheit, Wissen.

er|klä|ren: 1. a) ⟨tr.⟩ *(jmdm. etwas [was er nicht versteht] auseinandersetzen:* einen Text, Zusammenhänge e. **sinnv.:** darlegen. **b)** ⟨tr.⟩ *(einen Vorgang, eine Handlung) deuten, zu deuten suchen:* ich wußte nicht, wie ich mir sein plötzliches Verschwinden e. sollte; er versuchte, ihr ungewöhnliches Verhalten psychologisch zu e. **sinnv.:** auslegen. **c)** ⟨sich e.⟩ *seine Begründung (in etwas) finden:* der hohe Preis des Buches erklärt sich aus der geringen Auflage. **sinnv.:** verursachen. **2.** ⟨tr.⟩ *[offiziell] mitteilen:* der Minister erklärte, er werde zu Verhandlungen nach Amerika fliegen; ⟨meist in bestimmten Fügungen⟩ seinen Rücktritt e. *(zurücktreten);* ⟨sich e.; in Verbindung mit bestimmten Adjektiven⟩ sich einverstanden e. *(einverstanden sein);* sich bereit e. *(bereit sein).* **sinnv.:** aussagen, äußern, bekanntgeben, dartun, mitteilen, verkünden. **3.** ⟨tr./sich e.⟩ *[amtlich] bezeichnen als:* die alten Ausweise wurden für ungültig erklärt.

er|kran|ken, erkrankte, ist erkrankt ⟨itr.⟩: *(von einer Krankheit) befallen werden:* sie ist schwer an Grippe erkrankt; er hatte einen erkrankten Kollegen zu vertreten. **sinnv.:** etwas aufgabeln, aufschnappen, ausbrüten, fangen, sich etwas holen/zuziehen, sich infizieren, krank werden, eine Krankheit bekommen.

er|kun|di|gen, sich: *nach etwas/jmdm. fragen, Auskünfte einholen:* sich nach jmdm./jmds. Ergehen e.; hast du dich erkundigt, wieviel die Fahrt kosten soll? **sinnv.:** nachfragen.

er|lau|ben: 1. ⟨tr.⟩ (jmdm.) die Zustimmung (zu einem geplanten Tun) geben: meine Eltern haben es erlaubt; ich habe ihm erlaubt mitzugehen. **sinnv.:** billigen; gewähren. 2. ⟨itr.⟩ in die Lage setzen, jmdm. ermöglichen (etwas Bestimmtes zu tun): seine Mittel erlauben es ihm [nicht], sich einen Anwalt zu nehmen. **sinnv.:** drin sein, ermöglichen, gestatten, in die Lage versetzen, möglich machen, die Möglichkeit bieten/geben, in den Stand setzen, zulassen. 3. ⟨sich e.⟩ **a)** sich die Freiheit nehmen (etwas [nicht Erwartetes] zu tun): solche Frechheiten, Scherze darfst du dir nicht noch einmal e. **sinnv.:** sich anmaßen, die Dreistigkeit haben, sich nicht entblöden, sich erfrechen/erkühnen, die Frechheit haben/besitzen, sich leisten, die Stirn haben/besitzen, nicht zurückschrecken vor. **b)** sich (in finanzieller Hinsicht) leisten: ich kann mir diese teure Anschaffung nicht e. **sinnv.:** sich etwas genehmigen/gönnen, sich leisten.

Er|laub|nis, die; -: das Erlauben, Zustimmen: jmdm. die E. zu etwas erteilen, verweigern, geben; etwas mit/ohne E. tun. **sinnv.:** Annahme, Billigung, Einverständnis, Genehmigung, Lizenz, Zustimmung. **Zus.:** Aufenthalts-, Einreise-, Fahrerlaubnis.

Er|le, die; -, -n: (in Wassernähe wachsender) Kätzchen tragender Baum mit rundlichen Blättern und kleinen, eiförmigen, verholzenden Zapfen (siehe Bildleiste „Blätter“).

er|le|ben ⟨itr.⟩: 1. **a)** in seinem Leben erfahren: er hat Schreckliches erlebt; eine Überraschung, Enttäuschungen e. **sinnv.:** durchleben, durchmachen, die Erfahrung machen, kennenlernen, am eigenen Leibe erfahren, mitmachen. **Zus.:** nacherleben. **b)** (an einem Geschehen) teilnehmen und (es) auf sich wirken lassen: das Publikum erlebte eine außergewöhnliche Aufführung. **sinnv.:** begegnen. 2. an sich erfahren: die Wirtschaft erlebt einen Aufschwung; der Künstler hat ein Comeback erlebt. 3. etwas als Zeitgenosse miterleben: er möchte das Jahr 2000 noch e. **Zus.:** miterleben.

Er|leb|nis, das; -ses, -se: Geschehen, an dem jmd. beteiligt war und durch das er (in bestimmter Weise) beeindruckt wurde: die Ferien auf dem Land waren ein schönes E. für die Kinder; auf ihrer Reise hatten sie einige aufregende Erlebnisse. **sinnv.:** Abenteuer, Erleben, Story. **Zus.:** Kriegs-, Liebes-, Reiseerlebnis.

er|le|di|gen ⟨tr.⟩: (etwas, was zur Ausführung ansteht, was getan werden muß) ausführen, zu Ende führen: er wollte erst seine Arbeit e.; die Bestellung wurde sofort erledigt. **sinnv.:** ausführen, besorgen, durchführen, verwirklichen.

er|leich|tern ⟨tr.⟩: 1. so verändern, daß es weniger Mühe, Anstrengung o. ä. kostet: ein neues Verfahren erleichtert ihnen die Arbeit; du mußt versuchen, dir das Leben zu e. **sinnv.:** lindern. 2. (ugs.; scherzh.) (jmdm. Geld oder einen Gegenstand von gewissem Wert) [durch Bitten] abnehmen: sie erleichterte ihre Mutter um fünfzig Mark. **sinnv.:** ausnehmen.

er|lei|den, erlitt, hat erlitten ⟨tr.⟩: 1. (geh.) Leiden körperlicher oder seelischer Art ausgesetzt sein, die einem von anderen bewußt zugefügt werden: Unrecht e. **sinnv.:** aushalten, ausstehen, sich bieten lassen müssen, dulden, erdulden, ertragen, mitmachen, verkraften. 2. (Schaden) zugefügt be-

kommen: die Truppen erlitten schwere Verluste; eine Niederlage e. **sinnv.:** davontragen. ⟨als Funktionsverb⟩ Demütigungen e. (gedemütigt werden).

er|ler|nen ⟨tr.⟩: sich in einer Lehre oder durch Üben aneignen, in etwas eine bestimmte Qualifikation oder Fertigkeit erlangen: einen Beruf, ein Handwerk, eine Fremdsprache e. **sinnv.:** lernen.

er|leuch|ten, erleuchtete, hat erleuchtet ⟨tr.⟩: hell machen, mit Licht erfüllen: ein Blitz erleuchtete das Dunkel; die Fenster waren hell erleuchtet. **sinnv.:** beleuchten, erhellen.

er|lie|gen, erlag, ist erlegen ⟨itr.⟩: **a)** (gegen etwas) (mit seinen Kräften) nicht ankommen, ihm unterliegen: schlechten Einflüssen e.; er ist seinen Verletzungen erlegen (an seinen Verletzungen gestorben). **b)** ⟨als Funktionsverb⟩: einer Täuschung e. (sich täuschen).

er|mah|nen ⟨tr.⟩: jmdn. mit eindringlichen Worten an etwas, was ihm zu tun obliegt, was er bisher versäumt hat o. ä., erinnern: jmdn. zur Pünktlichkeit, zur Vorsicht e.; sie ermahnten die Kinder, ruhig zu sein. **sinnv.:** anhalten, mahnen.

Er|mä|ßi|gung, die; -, -en: 1. das Ermäßigen: eine E. der Preise, Gebühren befürworten. 2. Summe, um die etwas ermäßigt wird: eine E. von 10% auf alle Preise. **sinnv.:** Abschlag, Abzug, Diskont, Nachlaß, Prozente, Rabatt. **Zus.:** Beitrags-, Gebührenermäßigung.

er|mög|li|chen ⟨tr.⟩: möglich machen: sein Onkel hatte ihm das Studium ermöglicht. **sinnv.:** befähigen, erlauben.

er|mor|den, ermordete, hat ermordet ⟨tr.⟩: (einen Menschen) vorsätzlich töten: aus Eifersucht hat er seine Frau ermordet; er wurde heimtückisch ermordet. **sinnv.:** töten.

er|mü|den, ermüdete, hat/ist ermüdet ⟨tr.⟩: 1. ⟨itr.⟩ müde, schläfrig werden: auf der langen Fahrt sind die Kinder ermüdet; ganz ermüdet kamen wir abends an. 2. ⟨tr.⟩ müde, schläfrig machen: die schlechte Strecke hat den Fahrer schnell ermüdet; sein Vortrag war ermüdend. **sinnv.:** ermatten, erschöpfen, müde/schläfrig machen.

er|mu|ti|gen ⟨tr.⟩: (jmdm. zu etwas Bestimmtem) Mut machen, ihn in seinem Vorhaben bestärken: der Professor hat ihn zur Bearbeitung dieses Themas ermutigt; seine Erfahrungen waren nicht sehr ermutigend. **sinnv.:** anregen.

er|näh|ren: 1. **a)** ⟨tr.⟩ [regelmäßig] mit Nahrung versorgen: die Kinder in den Hungergebieten werden nicht ausreichend ernährt. **sinnv.:** zu essen geben, füttern, herausfüttern, mästen, nähren, säugen, tränken, verköstigen, verpflegen. **b)** ⟨sich e.⟩ sich in bestimmter Weise mit Nahrung versorgen: sie ernähren sich von Früchten und Wurzeln; sich vegetarisch e. 2. **a)** ⟨tr.⟩ für jmds. Lebensunterhalt sorgen: er hat eine große Familie zu e. **sinnv.:** aufkommen für jmdn., aushalten, durchfüttern, nähren, sorgen für, unterhalten. **b)** ⟨sich e.⟩ seinen Lebensunterhalt bestreiten: von dieser Tätigkeit kann er sich kaum e. **sinnv.:** sich durchbringen, sich durchschlagen, (von etwas) leben.

er|neu|ern ⟨tr.⟩: 1. durch Neues ersetzen, gegen Neues auswechseln: den Fußboden, die Reifen des Autos e. **sinnv.:** auffrischen, aufpolieren, austauschen, modernisieren, renovieren, reparieren, wiederherstellen. 2. ein weiteres Mal für gültig, als *weiterhin gültig erklären, von neuem genehmigen:* ein Stipendium e.; mein Vertrag wurde erneuert; den Paß e.

ẹrnst ⟨Adj.⟩: **1.** *von Ernst, Nachdenklichkeit bestimmt, erfüllt:* ein ernstes Gesicht; ein ernster Mensch. **sinnv.:** bekümmert. **Zus.:** bierernst. **2.** *eindringlich und von einem bestimmten Gewicht, nicht leicht zu nehmen:* ernste Ermahnungen; ernste Bedenken sprachen gegen seine Entscheidung. **sinnv.:** bedeutungsvoll, ernsthaft, gewichtig, schwerwiegend. **Zus.:** bitter-, todernst. **3.** *wirklich so gemeint, nicht nur zum Schein [vorgebracht]:* es ist seine ernste Absicht; er nimmt die Sache nicht e. **sinnv.:** wichtig. **4.** *bedrohlich und zur Besorgnis Anlaß gebend:* eine ernste Situation; sein Zustand ist e. **sinnv.:** bedrohlich, gefährlich, kritisch.

Ernst, der; -[e]s: **1.** *durch Nachdenklichkeit, Überlegtheit [und Schwerblütigkeit] gekennzeichneter Wesenszug eines Menschen:* in seinem Gesicht spiegeln sich großer E. und innere Sammlung; sie geht mit großem E. an ihre schwierige Aufgabe. **sinnv.:** Ernsthaftigkeit, Strenge. **2.** ⟨E. + Attribut⟩ *Bedrohlichkeit, Gefährlichkeit einer Situation:* jetzt erkannte er den E. der Lage. **sinnv.:** Gefahr. **3.** ⟨E. + Attribut⟩ *Bedeutung, Erheblichkeit, Gewichtigkeit einer Sache:* den E. der Stunde erkennen. **sinnv.:** Bedeutsamkeit, Bedeutung, Belang, Erheblichkeit, Gewicht, Gewichtigkeit, Größe, Rang, Wichtigkeit.

ernst|haft ⟨Adj.⟩: **1.** *von Ernst zeugend, von Ernst, Sachlichkeit bestimmt:* e. mit jmdm. sprechen. **sinnv.:** ernst, ernstlich, seriös. **2.** *gewichtig und nicht leicht zu nehmen:* ernsthafte Zweifel an etwas haben; ernsthafte Mängel. **sinnv.:** schwerwiegend. **3.** *wirklich so gemeint, wie es vorgebracht o. ä. wird:* ein ernsthaftes Angebot. **4.** *in besorgniserregender Weise [vorhanden]:* eine ernsthafte Verletzung; er ist e. erkrankt. **sinnv.:** sehr.

ẹrnst|lich ⟨Adj.⟩: **1.** *schwerwiegend und ernst zu nehmen:* ernstliche Bedenken hielten ihn davon ab. **2.** *wirklich so gemeint:* sie hatte die ernstliche Absicht zu kommen. **3.** *in ernst zu nehmender, bedenklicher Weise:* sie ist e. krank. **sinnv.:** sehr.

Ẹrn|te, die; -, -n: **1.** *das Ernten:* die E. hat begonnen; bei der E. helfen. **sinnv.:** Grummet, Lese, Mahd, Schnitt. **Zus.:** Getreide-, Obsternte. **2.** *Gesamtheit der auf dem Feld oder im Garten geernteten Früchte:* es gab reiche Ernten an Getreide und Obst; das Unwetter vernichtete die E. **Zus.:** Miß-, Rekordernte.

ẹrn|ten, erntete, hat geerntet ⟨tr.⟩: *(die reifen Früchte des Feldes oder Gartens) einbringen:* Weizen, Obst, Kartoffeln e. **sinnv.:** einbringen, einfahren, Kartoffeln buddeln, (Wein) lesen, mähen, (Obst) pflücken. **Zus.:** abernten.

er|obern ⟨tr.⟩: **1.** *(fremdes Gebiet) durch eine militärische Aktion in Besitz nehmen:* der Feind konnte zwei wichtige Städte e. **sinnv.:** besetzen, Besitz ergreifen von, einmarschieren, einnehmen, nehmen, okkupieren, stürmen. **Zus.:** zurückerobern. **2.** *durch eigene Anstrengung, Bemühung für sich gewinnen:* die Macht, den Weltmeistertitel e.; der Sänger eroberte sich (Dativ) die Sympathien des Publikums. **sinnv.:** erlangen, gewinnen.

er|ọff|nen, eröffnete, hat eröffnet: **1.** ⟨tr.⟩ **a)** *der Öffentlichkeit, dem Publikum zugänglich machen:*

eine Ausstellung e. **sinnv.:** einweihen. **b)** *(als Dienstleistungsbetrieb bestimmter Art) begründen:* ein Geschäft, eine Praxis e. **sinnv.:** aufmachen, begründen, einrichten, gründen. **2.** ⟨tr.⟩ *(mit etwas) offiziell beginnen:* einen Kongreß, eine Diskussion e. **sinnv.:** anfangen. **3.** ⟨tr.⟩ *(jmdm. etwas Unerwartetes oder auch Unangenehmes) mitteilen:* der Sohn eröffnete den Eltern seine Absicht, das Studium abzubrechen. **sinnv.:** gestehen. **4.** ⟨sich e.⟩ *sich jmdm. als Möglichkeit bieten:* nach dieser Prüfung eröffnen sich ihm bessere Aussichten in seinem Beruf. **sinnv.:** sich bieten.

er|prẹs|sen, erpreßte, hat erpreßt ⟨tr.⟩: **1.** *(jmdn.) durch Drohungen, durch Androhung von Gewalt zu etwas zwingen:* er wurde von ihr mit seinen früheren Briefen erpreßt; die Entführer des Kindes haben die Eltern zu einem hohen Lösegeld erpreßt. **sinnv.:** nötigen. **2.** *durch Drohungen, durch Androhung von Gewalt von jmdm. erhalten:* Geld, eine Unterschrift e. **sinnv.:** verlangen.

er|pro|ben ⟨tr.⟩: *über eine gewisse Zeit hin wiederholten Prüfungen hinsichtlich seiner Tauglichkeit, Qualität o. ä. unterziehen, prüfen:* eine Methode, die Wirksamkeit eines Mittels e.; seine Kräfte e.; ein erprobtes Präparat. **sinnv.:** prüfen.

er|ra|ten, errät, erriet, hat erraten ⟨tr.⟩: *mit Hilfe seiner Einfühlungsfähigkeit bzw. Vorstellungskraft erkennen, herausfinden:* du hast meinen Wunsch erraten; es ist nicht schwer zu e., wie die Sache ausgehen wird. **sinnv.:** herausfinden.

er|rẹch|nen, errechnete, hat errechnet ⟨tr.⟩: *durch Rechnen, rechnerische Prozesse ermitteln:* der Computer errechnete die Flugbahn des Satelliten. **sinnv.:** ausrechnen.

er|rẹ|gen: 1. a) ⟨tr.⟩ *in einen Zustand heftiger Gemütsbewegung (bes. heftigen Zornes, Unmuts o. ä.) versetzen:* sie erregte sich darüber so sehr, daß es ihr Herz angriff; eine erregte Diskussion. **sinnv.:** aufregen. **b)** ⟨sich e.⟩ *in einen Zustand heftiger Gemütsbewegung (bes. heftigen Zornes, Unmuts) geraten:* er hat sich über den Vorwurf furchtbar erregt. **sinnv.:** sich aufregen/entrüsten. **2.** ⟨als Funktionsverb⟩ *jmds. Neugier e. (jmdn. neugierig machen); Aufsehen e. (auffallen); Anstoß e. (unangenehm auffallen; sich den Unwillen anderer zuziehen).*

er|rei|chen ⟨tr.⟩: **1.** *(mit dem ausgestreckten Arm, mit einem Gegenstand) an etwas reichen [und es ergreifen können]:* sie erreichte das oberste Regal, ohne auf der Leiter steigen zu müssen. **sinnv.:** herankommen, heranreichen, zu fassen kriegen. **2.** *(mit jmdm.) in [telefonische] Verbindung treten:* unter welcher Nummer kann ich Sie e.?; du warst gestern nirgends zu e. **sinnv.:** finden. **3.** *(zu jmdm., an ein Ziel, eine Grenze) gelangen:* mein letzter Brief hat ihn nicht mehr vor seiner Abfahrt erreicht; der kleine Ort ist nur mit dem Auto zu e.; sie mußten sich beeilen, um den Zug zu e. **sinnv.:** ankommen. **4.** *durchsetzen, gegen Widerstände verwirklichen:* er hat seine Ziele, hat alles erreicht, was er wollte; bei dir wirst du [damit] nichts e. **sinnv.:** erwirken.

er|rẹt|ten, errettete, hat errettet ⟨tr.⟩: *(jmdn.) aus einer bedrohlichen Situation, aus einer Notlage retten; rettend von etwas befreien:* jmdn. vom Tod e.; er hatte ihn vor dem Tod des Ertrinkens errettet.

er|rich|ten, errichtete, hat errichtet ⟨tr.⟩: **a)** *aus*

Teilen zusammenbauen, aufstellen: eine Tribüne, Barrikaden e. **b)** *(einen Bau) aufführen:* ein Gebäude, Wohnblocks e. **sinnv.:** aufrichten, bauen.

er|rin|gen, errang, hat errungen ⟨tr.⟩: *(in einem Wettbewerb o. ä.) durch Einsatz, Anstrengung erlangen:* er errang den Sieg, den ersten Preis; die Partei konnte weitere Sitze im Parlament e. **sinnv.:** erkämpfen.

Er|satz, der; -es: *Person oder Sache, die an die Stelle einer nicht mehr vorhandenen Sache oder nicht mehr verfügbaren Person tritt:* für den erkrankten Sänger mußte ein E. gefunden werden; er bot ihm ein neues Buch als E. für das beschädigte an. **sinnv.:** Abfindung, Abgeltung, Abstand, Abstandszahlung, Äquivalent, Ausgleich, Entschädigung. **Zus.:** Haar-, Kaffee-, Schaden[s]-, Zahnersatz.

er|schaf|fen, erschuf, hat erschaffen ⟨tr.⟩: *(in einem schöpferischen Akt) erstehen lassen:* Gott hat Himmel und Erde erschaffen. **sinnv.:** erarbeiten, hervorbringen, schaffen, schöpfen · aus dem Boden stampfen, kreieren, ins Leben rufen.

er|schei|nen, erschien, ist erschienen ⟨itr.⟩: **1. a)** *sich an einem Ort, an dem man erwartet wird, einfinden:* er ist heute nicht zum Dienst erschienen. **sinnv.:** auftauchen, kommen. **b)** *in jmds. Blickfeld treten:* der Vater erschien in der Tür und forderte die Kinder auf, leise zu sein; die Küste erscheint am Horizont. **sinnv.:** auftauchen, auftreten, kommen, sich zeigen, zutage treten. **2.** *(als Buch, Zeitung o. ä.) herausgebracht werden und in den Handel kommen:* sein neuer Roman erscheint im Herbst; die Zeitschrift erscheint einmal im Monat. **sinnv.:** ediert/gedruckt/herausgebracht werden, herauskommen, publiziert/verlegt/veröffentlicht werden. **3.** *sich (jmdm.) in einer bestimmten Weise darstellen:* eine Erklärung erscheint mir unverständlich. **sinnv.:** anmuten, sich erweisen (als), vermuten, wirken.

er|schie|ßen, erschoß, hat erschossen ⟨tr.⟩: *mit der Schußwaffe töten:* einige Aufständische wurden erschossen; sich e. *(sich mit einer Schußwaffe selbst töten).* **sinnv.:** totschießen.

er|schöpft ⟨Adj.⟩: *auf Grund größerer Anstrengung kraftlos und matt:* e. sanken sie ins Bett. **sinnv.:** abgeschafft, abgeschlafft, abgespannt, ausgelaugt, ausgepumpt, elend, erledigt, ermattet, erschossen, fertig, groggy, kaputt, k. o., müde, zerschlagen.

Er|schöp|fung, die; -, -en: *durch größere Anstrengung hervorgerufener Zustand der Mattigkeit, Kraftlosigkeit:* sie arbeiteten bis zur völligen E.; sie ist vor E. umgefallen. **sinnv.:** Abgeschlagenheit, Abgespanntheit, Abspannung, Ermattung, Mattigkeit, Übermüdung, Zerschlagenheit.

er|schrecken: **I.** erschrickt, erschrak, ist erschrocken ⟨itr.⟩: *einen Schrecken bekommen:* er erschrak, als er den Knall hörte; ich bin bei der Nachricht erschrocken; (auch itr.) erschrocken sprang sie auf. **sinnv.:** jmdm. in die Knochen fahren, einen Schreck/Schrecken bekommen/kriegen, vor Schreck erstarren, zusammenfahren, zusammenzucken. **II.** erschreckte, hat erschreckt ⟨tr.⟩: *(jmdn.) in Angst versetzen:* die Explosion erschreckte die Bevölkerung; diese Nachricht hat uns furchtbar erschreckt. **sinnv.:** angst machen, Angst/einen Schreck[en] einjagen, ängstigen, entsetzen.

er|schüt|tern ⟨tr.⟩: **1.** *(von etwas Feststehendem) in eine zitternde, schwankende Bewegung versetzen:* die Explosion erschütterte alle Häuser im Umkreis. **sinnv.:** schwanken lassen, ins/zum Wanken bringen. **2.** *im Innersten bewegen, ergreifen:* der Tod des Kollegen hat uns tief erschüttert; ihn kann so leicht nichts e.; erschütternde Szenen spielten sich ab. **sinnv.:** anrühren, aufwühlen, berühren, ergreifen, jmdm. unter die Haut/zu Herzen/an die Nieren gehen, jmdm. nahegehen, rühren, jmdm. einen Schock versetzen, schocken, schockieren, treffen.

Er|schüt|te|rung, die; -, -en: **1.** *bebende Bewegung:* die Explosion verursachte eine heftige E. **sinnv.:** Gerüttel, Stoß, Vibration. **Zus.:** Gehirnerschütterung. **2.** *tiefe Ergriffenheit:* eine schwere seelische E. **sinnv.:** Ergriffenheit.

er|schwe|ren ⟨tr.⟩: *(ein Tun oder Vorhaben) durch Widerstand oder Hindernisse schwierig und mühevoll machen:* seine unnachgiebige Haltung erschwert die Verhandlungen; durch Glatteis wird das Fahren sehr erschwert. **sinnv.:** behindern, hindern.

er|set|zen ⟨tr.⟩: **1. a)** *an die Stelle (einer nicht mehr verfügbaren oder ungeeigneten Person oder Sache) setzen:* in der zweiten Halbzeit wurde in beiden Mannschaften je ein Spieler ersetzt. **sinnv.:** austauschen. **b)** *an die Stelle (einer nicht mehr verfügbaren oder ungeeigneten Person oder Sache) treten:* sein Onkel mußte ihm jetzt den Vater e.; die Waschmaschine ersetzt heute die Waschfrau. **c)** *(für einen erlittenen Schaden o. ä.) Ersatz leisten:* Sie müssen mir den Mantel e., den Sie mir beschädigt haben. **sinnv.:** entschädigen.

Er|spar|nis, die; -, -se: **a)** *Verringerung (im Verbrauch o. ä. von etwas):* der neue Entwurf bringt eine E. von mehreren tausend Mark. **sinnv.:** Einsparung, Ersparung. **Zus.:** Arbeits-, Platz-, Zeitersparnis. **b)** ⟨Plural⟩ *ersparte Summe:* er hat alle seine Ersparnisse verloren. **sinnv.:** Guthaben, Notgroschen, Spargeld, Spargroschen, Sparguthaben.

erst: **I.** ⟨Adverb⟩ **1. a)** *an erster Stelle, als erstes (bevor etwas anderes geschieht):* e. kommt er an die Reihe, danach die andern; du mußt ihn e. näher kennenlernen, um ihn beurteilen zu können; /abgeschwächt/ das muß ich e. noch zeigen. **sinnv.:** zunächst. **b)** *zu Beginn:* e. ging alles gut, dann ... **sinnv.:** anfänglich, anfangs. **2. a)** *nicht eher als:* er will e. morgen abreisen; ich schreibe ihm e. nach dem Fest wieder; das Kino fängt e. um acht Uhr an. **b)** *nicht mehr als:* ich habe e. dreißig Seiten in dem Buch gelesen; er ist e. zehn Jahre alt. **c)** *vor gar nicht langer Zeit, nämlich ...:* ich habe ihn e. gestern noch, e. vor kurzem gesehen; wären wir e. zu Hause!

erst... ⟨Ordinalzahl⟩: **1.: a)** *in einer Reihe oder Folge den Anfang bildend:* die erste Etage; am ersten Juli; am Ersten [des Monats] gibt es Geld; das erste Grün *(die ersten Blätter im Frühjahr).* **b)** *nach Rang oder Qualität an der Spitze stehend:* das erste Hotel am Ort; er war der Erste *(der beste Schüler)* der Klasse.

erst ⟨Partikel⟩ **1.** /drückt eine Steigerung, Hervorhebung aus/ *um wieviel mehr, aber:* sie ist sowieso schon unfreundlich, aber e., wenn sie schlechte Laune hat! **2.** /gibt der Aussage bes. in Wunschsätzen eine gewisse Nachdrücklichkeit/ *nur schon:* wären wir e. zu Hause!

er|star|ren, erstarrte, ist erstarrt ⟨itr.⟩: *starr, unbeweglich werden:* zu Eis e.; erstarrte Lava; rasch erstarrendes Harz; vor Entsetzen, Schreck e. **sinnv.:** versteinern.

er|staun|lich ⟨Adj.⟩: **1.** *ungewöhnlich und daher Erstaunen, Bewunderung hervorrufend:* eine erstaunliche Leistung; es ist e., wie er das alles schafft. **sinnv.:** beachtlich, bewundernswert, bewunderungswürdig, phänomenal, staunenswert, verblüffend. **2. a)** *in bewunderndes Staunen hervorrufender Weise groß:* erstaunliche Fähigkeiten. **sinnv.:** beachtlich. **b)** ⟨verstärkend bei Adjektiven⟩ *sehr:* die Wirtschaft hat sich e. schnell wieder erholt.

er|staunt ⟨Adj.⟩: *Verwunderung, Staunen ausdrückend, auslösend o.ä.:* ein erstaunter Blick traf sie; sie waren über die Ergebnisse sehr erstaunt. **sinnv.:** sprachlos, überrascht, verblüfft, verdutzt, verwundert.

er|sti|cken, erstickte, hat/ist erstickt: **1.** ⟨itr.⟩ *durch Mangel an Luft, an Sauerstoff sterben:* sie waren im Rauch, das Kind war unter der Bettdecke erstickt. **sinnv.:** den Erstickungstod sterben. **2.** ⟨tr.⟩ *(durch Hemmen der Atmung) töten:* sie hat das Kind mit einem Kissen erstickt. **sinnv.:** erdrosseln.

erst|mals ⟨Adverb⟩: *zum ersten Mal:* vor kurzer Zeit ist uns dieser Versuch e. gelungen. **sinnv.:** das erstemal/erste Mal, zum erstenmal/ersten Mal.

er|stre|ben ⟨tr.⟩: *zu erreichen, erlangen suchen, nach etwas streben:* sie erstreben Freiheit und Wohlstand für alle; sie haben das erstrebte Ziel nicht erreicht. **sinnv.:** streben.

er|stre|cken, sich: **1. a)** *eine bestimmte räumliche Ausdehnung haben:* der Wald erstreckt sich bis zur Stadt. **sinnv.:** sich ausbreiten/ausdehnen, gehen, hinziehen, langen, reichen, verlaufen. **b)** *eine bestimmte zeitliche Erstreckung, Dauer haben:* seine Forschungen erstreckten sich über zehn Jahre. **sinnv.:** andauern. **2.** *einen bestimmten Bereich umfassen:* seine Aufgabe erstreckt sich nur auf die Planung. **sinnv.:** einschließen, in sich schließen, umfassen.

er|tap|pen ⟨tr.⟩: *bei heimlichem oder verbotenem Tun überraschen:* der Dieb wurde auf frischer Tat ertappt. **sinnv.:** erwischen.

er|tei|len: /drückt als Funktionsverb aus, daß man jmdm. etwas offiziell zuteil werden oder zukommen läßt/: jmdm. eine Abfuhr e. *(jmdn. schroff abweisen);* jmdm. eine Genehmigung e. *(jmdm. etwas genehmigen);* jmdm. einen Auftrag e. *(jmdn. mit etwas beauftragen).* **sinnv.:** zuerteilen.

er|tö|nen, ertönte, ist ertönt ⟨itr.⟩: *hörbar werden:* vor dem Essen ertönte ein Gong. **sinnv.:** schallen.

Er|trag, der; -[e]s, Erträge: **a)** *gesamte Menge der (in einer bestimmten Zeit) erzeugten Produkte einer bestimmten Art (bes. in der Landwirtschaft):* der E. eines Ackers; durch Düngung höhere Erträge erzielen. **sinnv.:** Ausbeute, Ernte. **Zus.:** Boden-, Durchschnitts-, Ernteertrag. **b)** *(bes. aus Besitz erzielter) finanzieller Gewinn:* seine Häuser bringen einen guten E.; er verfügt über Erträge aus Beteiligungen und Vermietungen. **sinnv.:** Ausbeute, Einkünfte, Einnahmen, Erlös, Gewinn.

er|tra|gen, erträgt, ertrug, hat ertragen ⟨tr.⟩: *(et-*

was Quälendes, Bedrückendes oder Lästiges) aushalten (ohne sich dagegen aufzulehnen, aber auch ohne sich davon überwältigen zu lassen): er mußte furchtbare Schmerzen e.; sein Geschwätz ist schwer/nicht zu e. **sinnv.:** aushalten, erdulden.

er|träg|lich ⟨Adj.⟩: **a)** *so geartet, daß es sich aushalten läßt:* die Schmerzen sind e.; die augenblickliche Hitze ist kaum noch e. **sinnv.:** auszuhalten, ertragbar. **Zus.:** unerträglich. **b)** *weder besonders schlecht oder übel noch besonders gut; so, daß man es (noch) akzeptieren kann:* er lebt in erträglichen Umständen. **sinnv.:** akzeptabel, annehmbar, auskömmlich, leidlich, passabel, zufriedenstellend.

er|trin|ken, ertrank, ist ertrunken ⟨itr.⟩: *im Wasser untergehen und dadurch zu Tode kommen:* das Kind ist beim Baden ertrunken; jmdn. vor dem Ertrinken retten. **sinnv.:** absaufen, ersaufen, sein Grab in den Wellen finden, untergehen, versaufen.

er|üb|ri|gen: 1. ⟨tr.⟩ *(durch Sparsamkeit o.ä.) übrigbehalten, einsparen und für anderes verwenden können:* ich habe diesmal einen größeren Betrag erübrigt; für etwas [keine] Zeit e. können *([keine] Zeit haben).* **sinnv.:** abdarben, abknapsen, [sich vom Munde] absparen, abzweigen, einsparen; überhaben; übrigbehalten. **2.** ⟨sich e.⟩ *nicht mehr nötig, überflüssig geworden sein:* weitere Nachforschungen erübrigen sich.

er|wa|chen, erwachte, ist erwacht ⟨itr.⟩: **a)** *(aus dem Schlaf, aus einem Zustand des Träumens, aus einer Bewußtlosigkeit) aufwachen, wach werden:* als er erwachte, war es schon Tag. **sinnv.:** aufwachen. **b)** *(von einer bestimmten Regung) in jmds. Bewußtsein treten und jmdn. innerlich erfassen:* sein Ehrgeiz, Mißtrauen, Argwohn, Interesse ist plötzlich erwacht. **sinnv.:** entstehen.

er|wach|sen ⟨Adj.⟩: *sich in einem Alter befindend, in dem man sich nicht mehr in kindlicher Abhängigkeit befindet, sondern in dem man schon selbständig Entscheidungen treffen kann:* sie haben drei erwachsene Töchter. **sinnv.:** flügge, groß, herangewachsen.

Er|wach|se|ne, der und die; -n, -n ⟨aber: [ein] Erwachsener, Plural: [viele] Erwachsene⟩: *männliche bzw. weibliche Person, die erwachsen ist:* die Erwachsenen haben oft wenig Verständnis für die Ängste der Kinder. **sinnv.:** die Älteren/Großen.

er|wä|gen, erwog, hat erwogen ⟨tr.⟩: *ins Auge fassen, in Gedanken auf seine möglichen Konsequenzen hin prüfen:* eine Möglichkeit ernstlich e.; er erwog, den Vertrag zu kündigen. **sinnv.:** bedenken, in Betracht/in Erwägung ziehen, mit dem Gedanken spielen/umgehen, sich etwas durch den Kopf gehen lassen.

er|wäh|nen ⟨tr.⟩: **1.** *nur kurz, beiläufig von jmdm./etwas sprechen:* er hat die letzten Ereignisse mit keinem Satz erwähnt; er hat dich lobend erwähnt. **sinnv.:** andeuten, anführen, angeben, anreißen, anschneiden, ansprechen, antippen, anziehen, berühren, nennen, zitieren. **2.** *(urkundlich) nennen, anführen:* die Stadt wurde um 1000 erstmals erwähnt.

er|wär|men: 1. ⟨tr.⟩ *(langsam, allmählich) warm werden lassen, auf eine bestimmte Wärme bringen:* die Sonne erwärmt die Erde; Wasser auf 50° e. **sinnv.:** aufwärmen, erhitzen, wärmen. **2.** ⟨sich e.⟩

warm werden: das Wasser hat sich im Laufe des Tages erwärmt. **3.** ⟨sich e.⟩ *an jmdm./etwas Gefallen finden:* ich konnte mich für seine Ideen nicht e. **sinnv.:** begeistern.

er|war|ten, erwartete, hat erwartet ⟨tr.⟩: **1.** *(zu einer bestimmten, verabredeten Zeit) auf jmdn./etwas warten, jmds. Kommen, dem Eintreffen von etwas entgegensehen:* ich erwarte Sie um 9 Uhr am Flugplatz; Besuch, ein Paket e. **sinnv.:** entgegensehen. **2.** *(mit etwas) rechnen:* etwas Ähnliches hatte ich erwartet; daß es so kam, hatte niemand erwartet. **sinnv.:** hoffen, vermuten.

er|wei|sen, erwies, hat erwiesen: **1. a)** ⟨sich e.⟩ *sich herausstellen, sich zeigen als:* er erwies sich als Betrüger; ihre Behauptung erwies sich als wahr. **sinnv.:** dastehen, sich entpuppen, erscheinen, sich herausstellen (als). **b)** ⟨tr.⟩ *den Beweis (für etwas) liefern:* der Prozeß hat seine Unschuld erwiesen; es ist noch nicht erwiesen, ob er recht hatte. **sinnv.:** sich bewahrheiten. **2.** ⟨in Verbindung mit bestimmten Substantiven⟩ */drückt aus, daß man jmdm. etwas zuteil werden läßt, entgegenbringt/:* jmdm. einen Dienst, eine Gunst, Aufmerksamkeit, Vertrauen e. **sinnv.:** angedeihen lassen, bezeigen, entgegenbringen, erzeigen.

er|wei|tern ⟨tr.⟩: *in seinem Umfang vergrößern:* das Warenangebot, die Produktion e.; das Areal um einige Hektar e. **sinnv.:** ausbauen, ausdehnen, ausweiten, verbreitern, vergrößern.

er|wer|ben, erwirbt, erwarb, hat erworben ⟨tr.⟩: **a)** *durch Arbeit erlangen:* er hat mit seinem Handel ein beträchtliches Vermögen erworben. **sinnv.:** verdienen. **b)** *sich (durch Lernen, durch geistige Bemühung) aneignen:* er hatte sein Wissen durch Lektüre erworben. **sinnv.:** lernen. **c)** *durch Kauf in seinen Besitz bringen:* das Museum hat drei wertvolle Gemälde erworben. **sinnv.:** kaufen.

er|wi|dern: 1. ⟨itr.⟩ *auf eine im Gespräch geäußerte Meinung oder Frage hin [als gegenteilige oder abweichende Ansicht] vorbringen:* er wußte nichts zu e.; sie erwiderte, daß sie das nicht glauben könne. **sinnv.:** antworten. **2.** ⟨tr.⟩ *(auf etwas von einem anderen Entgegengebrachtes o. ä.) in gleicher Weise, mit einer gleichen oder ähnlichen Handlung reagieren:* jmds. Gefühle, Gruß e.

er|wi|schen ⟨tr.⟩ (ugs.): **1. a)** *gerade noch ergreifen können, zu fassen bekommen:* erst vor dem Garten erwischte sie die Kleine, die ihr weggelaufen war. **b)** *bei heimlichem oder verbotenem Tun überraschen:* er wurde beim Verteilen von Flugblättern erwischt. **sinnv.:** ergreifen, fangen, überraschen. **c)** *gerade noch bekommen, erreichen:* ich habe den Zug noch erwischt. **2.** * (ugs.) **jmdn. hat es erwischt: a)** *jmd. ist krank geworden, hat sich verletzt:* vorige Woche hatte ich die Grippe, jetzt hat es ihn erwischt. **b)** *jmd. ist verunglückt, gestorben:* bei dem Flugzeugabsturz hat es viele erwischt.

Erz, das; -es, -e: *Mineral, das ein Metall enthält:* E. abbauen, schmelzen.

erz-, Erz- ⟨adjektivisches und substantivisches Präfix; auch das Basiswort wird betont⟩ *(emotional verstärkend, meist in negativer Bedeutung: von Grund auf (in bezug auf das im Basiswort Genannte), das im Basiswort Genannte ganz und gar [verkörpernd]:* **a)** ⟨adjektivisch⟩ *durch und durch, sehr, überaus, extrem:* -gesch*eit*, -kath*o*lisch, -konserv*a*tiv, -reakti*o*när. **b)** ⟨substantivisch⟩:

Erzbösewicht, -f*ei*ndschaft, -g*au*ner. **sinnv.:** scheiß-, stink-, stock-, super-, ur-.

er|zäh|len ⟨tr.⟩: **a)** *(etwas Geschehenes oder frei Erfundenes) in Worten wiedergeben, schildern:* eine Geschichte e.; er weiß immer viel zu e. **sinnv.:** darlegen. **b)** *(etwas von sich oder anderen) mitteilen, es einem anderen sagen:* er erzählt nie etwas von sich selbst; sie hat mir erzählt, daß sie in Scheidung lebt. **sinnv.:** mitteilen.

Er|zäh|lung, die; -, -en: **1.** ⟨ohne Plural⟩ *das Erzählen:* sie hörte aufmerksam seiner E. zu. **2.** *meist längeres Werk der erzählenden Dichtung:* er schrieb mehrere Erzählungen. **sinnv.:** Anekdote, Epos, Fabel, Geschichte, Kurzgeschichte, Legende, Märchen, Novelle, Roman, Sage, Schnurre, Schwank, Story. **Zus.:** Nach-, Rahmenerzählung.

er|zeu|gen ⟨tr.⟩: **1.** *entstehen lassen:* Reibung erzeugt Wärme; er versteht es, Spannung zu e. **sinnv.:** verursachen. **2.** *durch bestimmte Arbeitsvorgänge (als Produkt) herstellen:* Waren e. **sinnv.:** produzieren.

Er|zeug|nis, das; -ses, -se: *etwas, was als Ware o. ä. hergestellt, erzeugt worden ist:* landwirtschaftliche Erzeugnisse. **sinnv.:** Ware. **Zus.:** Chemie-, Druck-, Spitzenerzeugnis.

er|zie|hen, erzog, hat erzogen ⟨tr.⟩: *jmds. (bes. eines Kindes) Charakter bilden, seine Fähigkeiten entwickeln und seine Entwicklung fördern:* ein Kind e.; er wurde in einem Internat erzogen; jmdn. zur Sparsamkeit e. **sinnv.:** abrichten, ausbilden, bilden, disziplinieren, dressieren, drillen, schulen, trainieren.

Er|zie|hung, die; -: **1.** *das Erziehen:* sie haben ihren Kindern eine gute E. gegeben. **sinnv.:** Ausbildung, Bildung, Drill, Schulung. **Zus.:** Kinder-, Körper-, Sexualerziehung. **2.** *das Erzogensein, anerzogene gute Manieren:* ihm fehlt jegliche E. **sinnv.:** Benehmen.

es ⟨Personalpronomen⟩: **1.** */vertritt ein sächliches Substantiv im Singular oder bezieht sich auf den Gesamtinhalt eines Satzes, Nominativ u. Akkusativ/:* es (das Mädchen) ist krank; es (das Buch) wird dir gefallen; du hast es (das Mädchen) gekannt; er bat mich darum, und ich tat es auch; es ist schön, daß du gekommen bist. **2.** */steht als Subjekt unpersönlicher oder unpersönlich gebrauchter Verben oder bei passivischer oder reflexiver Konstruktion/:* es regnet; es klopft; es wurde viel gelacht; hier wohnt es sich gut. **3.** */ist formales Objekt bei bestimmten verbalen Verbindungen/:* er hat es gut; du bekommst es mit mir zu tun.

Esche, die; -, -n: *Laubbaum mit gefiederten Blättern, unscheinbaren, in Rispen oder Trauben wachsenden Blüten und glatter, grauer Rinde (siehe Bildleiste „Blätter").*

Esel, der; -s, -: *dem Pferd ähnliches, aber kleineres Tier mit grauem bis braunem Fell, kurzer Mähne und langen Ohren.* **sinnv.:** Maultier. **Zus.:** Draht-, Maul-, Packesel.

eß|bar ⟨Adj.⟩: *als Nahrung für Menschen, zum Essen geeignet:* eßbare Pilze. **sinnv.:** einwandfrei, genießbar.

es|sen, ißt, aß, hat gegessen: **a)** ⟨tr.⟩ *als Nahrung zu sich nehmen:* einen Apfel e.; er ißt kein Fleisch. **sinnv.:** aufnehmen, futtern, genießen, knabbern, löffeln, mampfen, schlucken, schmatzen, spachteln, verschlingen, verzehren. **b)** ⟨itr.⟩ *Nahrung zu sich nehmen:* im Restaurant e.; ich

abe noch nicht zu Mittag gegessen; heute abend
ʼerde ich warm *(warme Speisen)* e.; sich satt e.
ʼessen, *bis man satt ist)*. **sinnv.**: zu Abend essen,
ʼrotzeit machen, dinieren, sich etwas einverlei-
ʼen, das Essen einnehmen, fressen, frühstücken,
ʼttern, sich etwas zu Gemüte führen, über etwas
ʼerfallen, sich über etwas hermachen, lunchen,
ʼampfen, zu Mittag essen, Nahrung aufnehmen,
ʼaschen, etwas zu sich nehmen, Picknick halten/
ʼachen, picknicken, prassen, reinhauen, schlem-
ʼen, schlingen, schmausen, schnabulieren,
ʼchwelgen, soupieren, speisen, stopfen, sich stär-
ʼen, tafeln, sich an etwas gütlich tun, vespern,
ʼch vollfressen, sich den Wanst/Bauch voll-
ʼhlagen, zugreifen.

ʼs|sen, das; -s, -: **1.** *Speise, die für eine Mahlzeit
ʼbereitet ist:* das E. kochen; das E. schmeckte
ʼns nicht. **sinnv.**: Erfrischung, Fraß, Gericht,
ʼlahl, Mahlzeit. **Zus.**: Abend-, Fest-, Lieblings-,
ʼlittag-, Stammessen. **2. a)** *Einnahme von Spei-
ʼen:* ich lud ihn zum E. ein; mit dem E. pünktlich
ʼeginnen. **sinnv.**: Fressen, Gelage, Mahlzeit,
ʼahrungsaufnahme, Schmaus. **b)** *größere Mahl-
ʼeit mit offiziellem oder festlichem Charakter:* ein
ʼ geben; im Anschluß findet ein E. statt. **sinnv.**:
ʼankett, Diner, Empfang, Festmahl, Galadiner,
ʼlaempfang, Gastmahl, Tafel. **Zus.**: Ab-
ʼhieds-, Arbeits-, Fest-, Galaessen.

ʼs|sig, der; -s: *saure Flüssigkeit zum Würzen und
ʼonservieren:* Gurken in E. einlegen. **Zus.**: Ge-
ʼürz-, Kräuter-, Salat-, Weinessig.

ʼß|löf|fel, der; -s, -: *größerer Löffel bes. zum Es-
ʼn der Suppe:* einen E. [voll] Essig in die Suppe
ʼeben; mit 3 Eßlöffel[n] Milch. **sinnv.**: Löffel.

ta|ge [eˈtaːʒə], die; -, -n: *Geschoß:* er wohnt in
ʼr ersten E.

ti|kett, das; -[e]s, -[e]n und -s: *[mit einer Auf-
ʼhrift versehenes] Schildchen [aus Papier zum
ʼufkleben]:* das E. der Flasche.

t|lich... ⟨Indefinitpronomen und unbestimm-
ʼs Zahlwort⟩: ʼeinig... (3).

ʼlwa: **I.** ⟨Adverb⟩ **1.** *ungefähr:* er mag e. dreißig
ʼhre alt sein. **2.** *um dies als Beispiel aus mehreren
ʼöglichen herauszugreifen:* wenn man Europa e.
ʼt Australien vergleicht; einige wichtige Städte
ʼe e. München, Köln, Hamburg. **II.** ⟨Partikel⟩ **1.**
ʼerstärkend: *drückt eine angenommene Möglich-
ʼit aus/:* wenn er e. doch noch kommt, dann sa-
ʼ es bitte; ist sie e. krank? **sinnv.**: gar, vielleicht,
ʼomöglich. **2.** */verstärkt die Aussage in verneinten
ʼussage-, Frage- und Wunschsätzen/:* ich habe es
ʼcht e. vergessen; ist es e. nicht seine Schuld?

ʼlwas ⟨Indefinitpronomen⟩: **1.** */bezeichnet eine
ʼeine, nicht näher bestimmte Menge, einen Anteil
ʼä../ als geringe Maß von etwas/:* er nahm e.
ʼlz; kann ich e. davon haben?; jetzt ist sie e. ru-
ʼger; e. höher; e. darüber. **sinnv.**: ein bißchen,
ʼnig..., ein geringes, ein Klecks, ein kleines, eine
ʼleinigkeit, ein Schluck, eine Spur/Winzigkeit,
ʼn [klein] wenig. **2.** */bezeichnet eine nicht näher
ʼstimmte Sache, ein Ding, Wesen o. ä./:* er wird
ʼm schon e. schenken; er kauft e., was ihr Freu-
ʼ macht; e. Schönes; aus ihm wird einmal e.

ʼler ⟨Possessivpronomen⟩: */bezeichnet ein Be-
ʼz- oder Zugehörigkeitsverhältnis von mit „ihr"
ʼngeredeten Personen/:* euer Haus ist zu klein;
ʼs ist nicht unser Verdienst, sondern eu[e]res.

ʼlle, die; -, -n: *in Wäldern lebender, nachts akti-*

---

*ver, größerer Vogel mit großen, runden Augen und
kurzem, krummem Schnabel.* **Zus.**: Nacht-,
Schleiereule.

-eur [...ˈ...øːɐ̯], der; -s, -e ⟨Suffix⟩: *männliche Per-
son, die das im [fremdsprachlichen] Basiswort Ge-
nannte tut, damit in irgendeiner Weise umgeht:*
Friseur, Hypnotiseur, Kontrolleur, Masseur.
sinnv.: -ant, -ator, -ent, -er, -ier.

-eu|se [...ˈ...øːzə], die; -, -n ⟨Suffix⟩: *weibliche Per-
son, die das im [fremdsprachlichen] Basiswort Ge-
nannte tut, damit in irgendeiner Weise umgeht:*
Friseuse, Masseuse. **sinnv.**: -esse, -ice, -in, -ine.

Eu|ter, das; -s, -: *in der Leistengegend bestimmter
weiblicher Säugetiere sack- oder beutelartig herab-
hängendes Organ, in dem sich die Milch abgeben-
den Drüsen befinden:* ein pralles, volles E. **Zus.**:
Kuh-, Ziegeneuter.

evan|ge|lisch ⟨Adj.⟩: *zu den auf die Reforma-
tion zurückgehenden Kirchen gehörend:* die evan-
gelische Konfession; er ist e. **sinnv.**: protestan-
tisch.

even|tu|ell: **I.** ⟨Adj.⟩ *möglicherweise eintretend,
unter Umständen möglich:* eventuelle Beschwer-
den sind an die Direktion zu richten. **II.** ⟨Adverb⟩
unter Umständen; es könnte sein, daß ...: e. kom-
me ich früher. **sinnv.**: vielleicht.

ewig ⟨Adj.⟩: **1. a)** *zeitlich ohne Ende:* das ewige
Leben. **sinnv.**: bleibend, endlos, immerdar, im-
merwährend, jenseits von Zeit und Raum, un-
endlich, unveränderlich, unvergänglich, unwan-
delbar, unzerstörbar, [raum- und] zeitlos. **b)** *die
Zeiten, den Wechsel überdauernd, immer beste-
hend:* sie gelobten sich ewige Treue; zum ewigen
Andenken! **2.** (emotional) *sich in als verdrießlich
empfundener Weise immer wiederholend, nicht en-
dend:* ich habe das ewige Einerlei satt; soll das e.
so weitergehen? **sinnv.**: unaufhörlich.

Ex- ⟨Präfix⟩: /mit einer Personenbezeichnung als
Basiswort, das im Amt, einen gesellschaftlichen
Status, eine Verwaltungsfunktion o. ä. nennt/
(besonders Journalistensprache): *jmd., der das
im Basiswort genannte früher, vorher [vor jmdm.]
gewesen ist:* Exaußenminister, -bundespräsident,
-freund, -freundin, -general, -kanzler. **sinnv.**:
Alt-.

Ex|amen, das; -s, - und Examina: *ein Studium
o. ä. abschließende Prüfung:* ein schweres E.; er
hat das E. bestanden. **sinnv.**: Prüfung. **Zus.**: Dok-
tor-, Staatsexamen.

Ex|em|plar, das; -s, -e: *einzelnes Stück, Indivi-
duum einer Serie, Art, einer Menge gleichartiger
Stücke, Individuen:* die ersten tausend Exemplare
des Buches. **sinnv.**: Modell, Muster, Stück. **Zus.**:
Beleg-, Einzel-, Prachtexemplar.

Exi|stenz, die; -, -en: **1.** ⟨ohne Plural⟩ **a)** *Vorhan-
densein in der Realität:* die E. eines Staates. **b)**
(menschliches) Leben: eine armselige E.; die
nackte E. retten. **sinnv.**: Dasein; Leben. **Zus.**:
Koexistenz. **2.** /in Verbindung mit einem entspre-
chenden adjektivischen Attribut/ *in negativer
Weise beurteilte Person:* eine verkrachte, zweifel-
hafte E.; es gibt seltsame Existenzen. **sinnv.**:
Mensch. **3.** ⟨ohne Plural⟩ *materielle Grundlage für
den Lebensunterhalt:* eine E. haben; ich baue mir
eine neue E. auf.

exi|stie|ren ⟨itr.⟩: **1.** *in bestimmter Weise vorhan-
den sein:* diese Person existiert nur in deiner
Phantasie; das alte Haus existiert noch. **sinnv.**:

bestehen, herrschen, leben, vorhanden sein, vorkommen. **2.** *von einem [geringen] Geldbetrag leben; sein Auskommen haben* /oft in Verbindung mit *können*/: von fünfhundert Mark im Monat kann man kaum e.; sie hat wenigstens das Notwendigste, um e. zu können. **sinnv.:** leben.

Ex|pe|di|ti|on, die; -, -en: *Reise, die von einer Gruppe von Menschen zur Erforschung eines unbekannten Gebietes unternommen wird:* eine E. zum Nordpol; an einer E. teilnehmen. **sinnv.:** Reise.

Ex|pe|ri|ment, das; -[e]s, -e: **a)** *wissenschaftlicher Versuch:* ein E. durchführen; das E. ist gelungen. **sinnv.:** Pilotstudie, Probe, Studie, Test, Untersuchung, Versuch, Versuchsballon. **b)** *gewagter Versuch, mit einem Risiko verbundenes Unternehmen:* das ist ein E.; wir wollen keine Experimente machen *(uns auf kein Risiko einlassen).* **sinnv.:** Versuch.

ex|pe|ri|men|tie|ren ⟨itr.⟩: *Experimente machen, Versuche anstellen:* er experimentierte mit verschiedenen chemischen Stoffen. **sinnv.:** probieren.

ex|plo|die|ren, explodierte, ist explodiert ⟨itr.⟩: **1.** *durch übermäßigen Druck (z. B. von Dampf oder chemischen Gasen) von innen plötzlich unter lautem Geräusch zerspringen:* eine Mine, der Kessel, der Blindgänger explodierte; der Gasometer ist explodiert. **sinnv.:** platzen. **2.** *sich wie eine Explosion auswirken, weitere Bereiche auf diese Weise erfassen:* die Kosten e.; die Universität X explodiert: Jetzt studieren dort schon 30 000 Studenten. **sinnv.:** zunehmen. **3.** *plötzlich in Zorn, Wut o. ä. ausbrechen:* er explodierte, weil er ungerecht behandelt wurde. **sinnv.:** sich ärgern; sich aufregen.

Ex|plo|si|on, die; -, -en: **1.** *heftiges, lautes Ze* platzen *durch übermäßigen Druck von inne* **sinnv.:** Detonation, Entladung, Implosion. **Zus** Gasexplosion. **2.** *rapides Ansteigen, Anwachse* eine E. der Kosten, der Bevölkerungszahle **sinnv.:** Zunahme.

ex|tra ⟨Adverb⟩: **1.** *nicht mit anderen zusammе sondern davon getrennt, für sich:* etwas e. einpal ken; meine Ansicht darüber schreibe ich dir nо‹ e. **sinnv.:** einzeln. **2.** *über das Übliche hinaus:* kostet noch etwas e. **sinnv.:** außerdem; zusät lich. **3.** *ausschließlich zu einem bestimmten Zwec* e. deinetwegen habe ich es getan. **sinnv.:** eigeп

ex|tra- ⟨adjektivisches Präfixoid⟩: *besonders . außerordentlich ...:* extrafein, -flach, -groß, -g (extragute Schulleistungen), -lang (extralang Schal), -stark. **sinnv.:** hyper-, super-, über-, ultra

Ex|tra- ⟨Präfixoid⟩ /kennzeichnet das im Basi wort Genannte als etwas Zusätzliches, Besondе res/ *Sonder-, außer der Reihe:* Extraanzug, -au gabe *(Sonderausgabe),* -blatt *(Sonderausgabe ‹ ner Zeitung aus bestimmtem, aktuellem Anlaß n sensationeller Nachricht),* -bonus, -budget, -div dende, -einladung, -einlage, -empfang, -fah -klasse, -platz, -portion, -profit, -ration, -rаur -tour (eine Extratouren!), -urlaub, -vorstellun -wurst (jmdm. eine Extrawurst braten), -zug, -z lage. **sinnv.:** Meister-, Sonder-, Spezial-, Spitzеп Super-.

ex|trem ⟨Adj.⟩: *bis an die äußerste Grenze g hend:* extreme Temperaturen; extreme *Gegensä ze; er hat extreme Ansichten.* **sinnv.:** auffällig, au geprägt, hochgradig, krankhaft, kraß, maßlos, r dikal, scharf, stark, übersteigert, unüberbrüc‹ bar, unversöhnlich.

F

Fa|bel, die; -, -n: *[kurze] von Tieren handelnde Geschichte mit belehrendem Inhalt:* die F. vom Fuchs und dem Raben. **sinnv.:** Erzählung. **Zus.:** Tierfabel.

fa|bel|haft ⟨Adj.⟩ (emotional): *in Bewunderung hervorrufender Weise schön, überaus gut:* er hat eine fabelhafte Stellung; eine Wohnung ist f. eingerichtet. **sinnv.:** außergewöhnlich.

Fa|brik, die; -, -en: *Betrieb der Industrie, in dem bestimmte Produkte in großer Stückzahl hergestellt werden.* **sinnv.:** Betrieb, Fabrikationsstätte, Manufaktur, Werk, Werkstätte. **Zus.:** Maschinen-, Möbel-, Papier-, Zigarettenfabrik.

Fa|bri|kat, das; -[e]s, -e: *[bestimmtes] Erzeugnis der Industrie.* **sinnv.:** Ware. **Zus.:** Marken-, Massenfabrikat.

fa|bri|zie|ren ⟨tr.⟩: *mit einfachen Mitteln, recht und schlecht herstellen, basteln:* die Kinder haben ihr Spielzeug selbst fabriziert. **sinnv.:** anfertigen.

Fach, das; -[e]s, Fächer: **1.** *abgeteilter Raum (in einem Schrank, Behälter o. ä.):* ein F. im Schrank, in der Handtasche. **sinnv.:** Kasten, Lade, Schub-

kasten, Schublade. **Zus.:** Bücher-, Geheim Kühl-, Post-, Schließ-, Schub-, Wäschefach. *Gebiet des Wissens, einer praktischen Tätigkeit:* ‹ studiert das F. Geschichte; er beherrscht sein **sinnv.:** Bereich. **Zus.:** Bank-, Bau-, Haupt-, H‹ tel-, Lehr-, Studien-, Unterrichtsfach.

Fach|frau: vgl. Fachmann.

fach|lich ⟨Adj.; nicht prädikativ⟩: *ein bestimп tes Fach betreffend:* großes fachliches Wissen.

Fach|mann, der; -[e]s, Fachleute und Fachmä ner, **Fach|frau,** die; -, -en: *männliche bzw. wеi liche Person, die in einem bestimmten Fach ausge bildet ist und entsprechende Kenntnisse hat.* **sinnv.** As, Autorität, Eingeweihter, Experte, Kennе Könner, Kundiger, Meister, Phänomen, Prakt ker, Profi, Sachkenner, Sachkundiger, Sachve ständiger, Spezialist.

fach|män|nisch ⟨Adj.⟩: **a)** *als Fachmann, ‹ ihm ausgehend:* ein fachmännisches Urteil einh len. **b)** *wie ein Fachmann:* sein Sohn hat die M schine ganz f. repariert. **sinnv.:** fachgerecht, fach kundig, gekonnt, gut, kundig, kunstgerecht, pr‹

Fachwerk

fessionell, qualifiziert, routiniert, sachgemäß, sachgerecht, sachkundig, sachverständig, sicher, zünftig.

Fach|werk, das; -[e]s, -e: **a)** ⟨ohne Plural⟩ *Bauweise, bei der die Wände von Häusern aus einem Gerippe von nach außen sichtbaren und farblich meist hervorgehobenen Balken hergestellt werden, deren Zwischenräume mit Mauerwerk ausgefüllt werden* (siehe Bild). **b)** *Gerippe von Balken beim Fachwerk* (a).

Fackel, die; -, -n: *Stab [aus Holz] mit einer brennbaren Schicht am oberen Ende.* **sinnv.:** Kerze, Lampe, Lampion.

fa|de ⟨Adj.⟩: **a)** *von fadem Geschmack, schlecht gewürzt:* die Suppe ist sehr f. **sinnv.:** geschmacklos, kraftlos, ohne Saft und Kraft, ungewürzt, wäßrig. **b)** *ohne jeden Reiz und daher als langweilig empfunden:* mit diesem faden Menschen ließ er mich nun allein; er redet immer nur fades Zeug. **sinnv.:** langweilig.

Fa|den, der; -s, Fäden: *längeres, sehr dünnes, aus Fasern gedrehtes, aus Kunststoff o. ä. hergestelltes Gebilde:* ein seidener F.; den F. einfädeln. **sinnv.:** Garn, Nähseide, Zwirn. **Zus.:** Bind-, Woll-, Zwirnsfaden.

fä|hig ⟨Adj.⟩: **a)** *auf Grund seiner Intelligenz, Tüchtigkeit, Geschicktheit in der Lage, gestellte Aufgaben zu bewältigen:* ein fähiger Beamter. **sinnv.:** tüchtig. **b)** * *einer Sache/zu etwas Bestimmten f. sein: zu etwas Bestimmtem in der Lage, imstande sein:* er ist zu dieser Tat, dieses Verbrechens fähig; er war nicht mehr f., einen klaren Gedanken zu fassen. **sinnv.:** sich eignen; können.

-fä|hig ⟨adjektivisches Suffixoid⟩: **1.** ⟨aktivisch⟩ **a)** *(von Personen) zu etw., was im Basiswort genannt wird, in der Lage:* (mit Verben:) gebär-, geh-, leidens-, lernfähig; (mit Substantiv:) anpassungs-, aufnahme-, kritik- wandlungsfähig. **b)** *(als Sache) über die im Basiswort angesprochene, angegebene Eigenschaft, Möglichkeit verfügend:* (mit Verb:) saugfähig (Papier); (mit Substantiv:) funktions-, leistungsfähig. **2.** ⟨passivisch⟩ *von der Art, daß das im Basiswort Genannte gemacht, getan werden kann:* (mit Verb:) strapazier-, streichfähig; (mit Substantiv:) abzugsfähige Ausgaben, verbesserungs-, verhandlungs- (Angebot), vernehmungsfähig (der Angeklagte ist noch nicht v.). **sinnv.:** -bar. **3.** *für das im Basiswort Genannte die Voraussetzung habend:* (mit Substantiv:) beihilfe-, mehrheits-, steigerungsfähig.

Fä|hig|keit, die; -, -en: **a)** *zu etwas befähigende geistige, praktische Anlage, das Befähigtsein:* er hat große schöpferische Fähigkeiten; Fähigkeiten erwerben, nutzen. **sinnv.:** Begabung. **b)** *das Fähigsein, Imstandesein, In-der-Lage-Sein zu etwas:* die F. zur Anpassung; die F., jmdn. zu überzeugen; die F. intensiven Erlebens. **sinnv.:** Gewalt, Können, Kraft, Leistung, Macht, Potenz, Qualifikation, Stärke, Tauglichkeit, Tüchtigkeit, Vermögen.

fahl ⟨Adj.⟩: *von blasser Farbe, fast ohne Farbe:* ein fahles Gesicht; der Himmel war f. **sinnv.:** blaß, farblos. **Zus.:** aschfahl.

fahn|den, fahndete, hat gefahndet ⟨itr.⟩: *[zur Verhaftung, Beschlagnahme] polizeilich suchen:* nach einem Verbrecher f. **sinnv.:** suchen.

Fah|ne, die; -, -n: *meist rechteckiges, an einer Seite an einer Stange befestigtes Tuch, das die Farben, das Zeichen eines Landes, Vereins o. ä. zeigt* (siehe Bildleiste): eine seidene, gestickte, die schwarzrotgoldene F.; die F. hissen, einholen. **sinnv.:** Banner, Flagge, Gösch, Standarte, Stander, Wimpel. **Zus.:** Kirchenfahne · Rauch-, Schnaps-, Wetterfahne.

Fahr|bahn, die; -, -en: *Teil der Straße, auf dem die Fahrzeuge fahren:* die F. überqueren. **sinnv.:** Bahn, Damm, Fahrdamm, Spur.

Fäh|re, die; -, -n: *Schiff, mit dem Fahrzeuge und Personen über einen Fluß o. ä. übergesetzt werden können.* **sinnv.:** Fährschiff. **Zus.:** Auto-, Eisenbahnfähre.

fah|ren, fährt, fuhr, hat/ist gefahren: **1. a)** ⟨itr.⟩ *sich auf Rädern rollend, gleitend [mit Hilfe einer antreibenden Kraft] fortbewegen:* das Auto, der Zug, das Schiff ist schnell gefahren; die Bahn fährt zur Endstation. **sinnv.:** sich fortbewegen, verkehren. **b)** ⟨itr.⟩ *sich mit einem Fahrzeug o. ä. fortbewegen, ein Fahrzeug, Verkehrsmittel benutzen:* in einer Kolonne, mit großer Geschwindigkeit f.; ihr fahrt, und wir laufen; er ist mit der Ei-

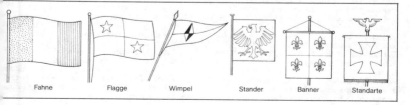

Fahne   Flagge   Wimpel   Stander   Banner   Standarte

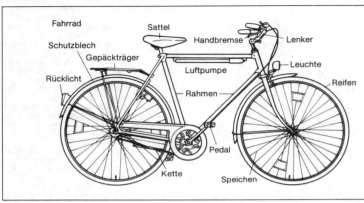

Fahrrad
Sattel
Schutzblech
Handbremse
Lenker
Gepäckträger
Leuchte
Luftpumpe
Rücklicht
Reifen
Rahmen
Pedal
Kette
Speichen

senbahn gefahren. **sinnv.:** brausen, flitzen, gondeln, herumkarriolen, herumkutschieren, kreuzen, rasen, sausen, schippern, schleichen, stukkern, tuckern, einen Zahn draufhaben. **c)** ⟨itr.⟩ *sich mit einem Fahrzeug, Verkehrsmittel an einen bestimmten Ort begeben, eine Reise machen:* auf/ in Urlaub f.; er ist nach Frankfurt gefahren. **sinnv.:** pilgern; reisen. **d)** ⟨itr.⟩ *ein Fahrzeug führen:* er ist bis jetzt immer gut gefahren. **sinnv.:** steuern. **e)** ⟨tr.⟩ *(ein bestimmtes Fahrzeug) lenken, steuern, es besitzen:* ein schweres Motorrad f.; er hat den Traktor [aufs Feld] gefahren; er hat einen Mercedes gefahren. **f)** ⟨tr.⟩ *sich auf, mit einem bestimmten Sportgerät fortbewegen:* Rollschuh, Ski, Schlittschuh f.; wir sind Schlitten gefahren. **g)** ⟨tr.⟩ *mit einem Fahrzeug befördern, irgendwohin transportieren:* Sand, Mist f.; er hat ihn ins Krankenhaus gefahren. **sinnv.:** befördern. **h)** ⟨tr.⟩ (Jargon) *[nach Plan] ablaufen lassen, organisieren:* sie haben Sonderschichten im Betrieb gefahren. **2.** ⟨itr.⟩ **a)** *sich rasch, hastig in eine bestimmte Richtung, an einen bestimmten Ort bewegen:* aus dem Bett, in die Kleider f.; er ist vor Schreck in die Höhe gefahren. **b)** *mit der Hand eine Bewegung machen, über, durch etwas streichen, wischen:* er ist dem Kind, sich mit der Hand durchs Haar gefahren.

Fah|rer, der; -s, -, **Fah|re|rin,** die; -, -nen: *männliche bzw. weibliche Person, die ein Fahrzeug fährt:* er ist ein sicherer Fahrer; die Firma sucht noch einen Fahrer. **sinnv.:** Chauffeur, Führer, Lenker. **Zus.:** Auto-, Geister-, Herrenfahrer.

fah|rig ⟨Adj.⟩: *unkontrolliert und hastig (in seinen Bewegungen):* fahrige Bewegungen; er ist sehr f. **sinnv.:** hektisch, nervös, ruhelos, unstet.

Fahr|kar|te, die; -, -n: *kleine Karte, die (gegen Entrichtung eines bestimmten Geldbetrags) zum Fahren mit einem öffentlichen Verkehrsmittel, bes. mit der Eisenbahn, berechtigt.* **sinnv.:** Billett, Fahrausweis, Fahrschein, Flugkarte, Flugticket, Karte, Schiffspassage, Ticket. **Zus.:** Rückfahrkarte.

fahr|läs|sig ⟨Adj.⟩: *die nötige Vorsicht, Aufmerksamkeit fehlen lassend [und dadurch Schaden verursachend].* **sinnv.:** unvorsichtig.

Fahr|plan, der; -[e]s, Fahrpläne: *Plan, der d.. Ankunfts- und Abfahrtszeiten von Zügen o. ä. en.. hält.* **Zus.:** Sommer-, Taschen-, Winterfahrplan

Fahr|rad, das; -[e]s, Fahrräder: *zweirädrige Fahrzeug, dessen Räder hintereinander angeord.. net sind und das der Fahrer mit eigener Kraft dur.. Treten der Pedale fortbewegt (siehe Bild).* **sinnv..** Drahtesel, Klapprad, Rad, Rennrad, Sportrad. Stahlroß, Tandem, Tourenrad, Velo. **Zus.:** Da.. men-, Herren-, Kinderfahrrad.

Fahr|schein, der; -[e]s, -e: *Schein, der (gege.. Entrichtung eines entsprechenden Geldbetrag.. zum Fahren mit einem öffentlichen Verkehrsmitte.. bes. mit der Straßenbahn o. ä., berechtigt.* **sinnv..** Fahrkarte.

Fahr|schu|le, die; -, -n: *Unternehmen, in de.. man das Fahren eines Kraftfahrzeugs lernen kan..*

Fahr|stuhl, der; -[e]s, Fahrstühle: ↑*Aufzug* (1a..

Fahrt, die; -, -en: **1.** *das Fahren:* während der F.. ist die Unterhaltung mit dem Fahrer verboten. der Zug verlangsamt die F. *(die Geschwindigke.. des Fahrens).* **Zus.:** Auto-, Heim-, Her-, Hin-, Irr.. Rück-, Vor-, Weiterfahrt. **2.** ↑*Reise:* eine F. nac.. München. **Zus.:** Auto-, Bahn-, Butter-, Dienst.. Entdeckungs-, Erholungs-, Familien-, Kaffee.. Omnibus-, Pilger-, Spazier-, Stadtrund-, Studier.. fahrt.

Fähr|te, die; -, -n: *Spur der Tritte bestimmter Tie.. re im Boden.* **sinnv.:** Spur.

Fahr|zeug, das; -[e]s, -e: *etwas (entsprechen.. Konstruiertes), mit dem man fahren und mit de.. man fahrend Menschen und Lasten beförder.. kann.* **sinnv.:** Auto; Flugzeug; Schiff; Verkehrs.. mittel. **Zus.:** Amphibien-, Kraft-, Last-, Motor.. Schienen-, Straßenfahrzeug.

fair [fɛːɐ̯] ⟨Adj.⟩: *anständig, gerecht in seinem Ve.. halten gegenüber anderen:* ein fairer Kampf; sei.. Spiel war f. **sinnv.:** anständig.

Fall, der; -[e]s, Fälle: **1.** ⟨ohne Plural⟩ *das Fallen.. der Fallschirm öffnet sich während des Falles; e.. hat sich beim F. schwer verletzt.* **sinnv.:** Absturz. Sturz. **2.** *sich in bestimmter Weise darstellende An.. gelegenheit, Erscheinung [womit zu rechnen ist, da.. einkalkuliert o. ä. werden muß]:* ein typischer. hoffnungsloser, schwieriger F.; auf diesen F..

ᴐmme ich noch zurück. **sinnv.**: Angelegenheit.

ᴜs.: Ausnahme-, Bedarfs-, Ernst-, Extrem-, lücks-, Härte-, Modell-, Not-, Sonder-, Stör-, reit-, Todes-, Unglücks-, Wiederholungs-, weifels-, Zwischenfall. **3.** *das Auftreten, Vor-ᴐmmen von Krankheiten:* Fälle von schweren ᴇrgiftungen. **4.** *Form der Beugung (eines Sub-ᴀntivs, Adjektivs u. a.):* das Wort steht hier im 4. *(im Akkusativ).* **sinnv.**: Kasus.

ᴀ‖le, die; -, -n: *Vorrichtung zum Fangen von ᴇeren:* eine F. aufstellen. **sinnv.**: Fallgrube, ᴀngeisen, Leimrute, Netz, Schlinge. **Zus.**: Mäu- -, Wildfalle · Radarfalle.

ᴀ‖len, fällt, fiel, ist gefallen ⟨itr.⟩: **1. a)** *sich ʲurch sein Gewicht, seine Schwere) aus einer be-ᴚmmten Höhe rasch abwärts bewegen:* Dachzie-ᴇl sind vom Dach gefallen; der Baum fiel kra-ᴚend. **sinnv.**: abstürzen, niedersinken, sinken. **b)** ᴀs Gleichgewicht, den festen Halt verlieren und ᴚt dem Körper auf den Boden geraten:* nach hin-ᴚn, auf die Nase, über einen Stein, in den ʰmutz f.; das Kind ist gefallen. **sinnv.**: fliegen, ᴚnfallen, hinfliegen, hinknallen, hinplumpsen, ᴚnpurzeln, hinsausen, hinschlagen, hinsegeln, ᴚnsinken, auf etwas knallen, plumpsen, purzeln, ᴀf etwas sausen, auf etwas schlagen, auf etwas ᴚgeln, stolpern, stürzen. **2. a)** *niedriger werden, ᴚne Höhe vermindern:* das Hochwasser, die ᴇmperatur, das Barometer fällt. **b)** *(im Wert) ge-ᴚger werden:* die Preise sind gefallen. **3.** *sich ᴚötzlich mit einer bestimmten Heftigkeit irgendwo-ᴚ bewegen:* auf die Knie, jmdm. um den Hals f. *sein Leben im Kampf, Krieg verlieren:* er ist im ᴚzten Krieg gefallen. **sinnv.**: nicht [aus dem ᴚrieg] heimkehren, den Heldentod sterben, im ᴚrieg bleiben; sterben. **5.** *keine Geltung mehr ha-ᴚn:* das Tabu ist jetzt gefallen. **6. a)** *zu einem be-ᴚmmten Zeitpunkt stattfinden:* der Heilige ᴀend fällt dieses Jahr auf einen Sonntag. **b)** *zu ᴚem bestimmten Bereich gehören, von etwas er-ᴚßt werden:* in/unter dieselbe Kategorie f. **7.** *(in ᴚzug auf einen Beschluß) bekanntgegeben wer-ᴚn:* die Entscheidung, das Urteil ist gefallen. **8.** ʲh plötzlich ereignen:* Schüsse sind gefallen; ein ᴐr ist gefallen. **9.** *(plötzlich von einem Zustand in ᴚnen anderen) geraten:* in Ohnmacht, Schlaf f.; ist in Lethargie gefallen.

ᴀ‖len, fällte, hat gefällt ⟨tr.⟩: **1.** *einen Baum zum ᴀllen bringen:* er hat die Eiche mit der Axt ge-ᴀllt. **sinnv.**: roden. **2.** ⟨als Funktionsverb⟩: ein ᴚrteil, eine Entscheidung f. *(urteilen, entschei-ᴚn).*

ᴀ‖len‖las‖sen, läßt fallen, ließ fallen, hat fal-ᴚn[ge]lassen ⟨tr.⟩: **1.** *(von etwas) ablassen, es nicht ᴚeiter verfolgen, auf seine Ausführung verzichten:* ᴚinen ursprünglichen Plan ließ er fallen. **sinnv.**: ᴀfgeben. **2.** *sich (von jmdm.) abwenden, trennen, ᴚ nicht weiter unterstützen:* nachdem der Sohn ᴚes getan hatte, ließ der Vater ihn fallen. **sinnv.**: ᴚf Distanz zu jmdm. gehen, sich lossagen. **3.** *bei-ᴀfig, am Rande bemerken:* er ließ einige Andeu-ᴚngen über den Kauf des Gemäldes fallen. ᴚnv.: sich äußern; mitteilen.

ᴀllig ⟨Adj.⟩: **a)** *(zu einem bestimmten Zeitpunkt) ᴚ zahlen:* der fällige Betrag; die Miete ist am er-ᴚen Tag des Monats f. **sinnv.**: zahlbar. **Zus.**: ᴚerfällig. **b)** *seit längerer Zeit, zu einem bestimm-ᴚ Zeitpunkt notwendig, zur Erledigung anste-*

hend, zu erwarten: den fälligen Dank abstatten; eine Renovierung der Wohnung ist f.

fᴀlls ⟨Konj.⟩: *für den Fall, unter der Vorausset-zung, daß:* f. du Lust hast, kannst du mitgehen. **sinnv.**: wenn. **Zus.**: andern-, besten-, eben-, gege-benen-, gleich-, jeden-, keines-, schlimmstenfalls.

fᴀlsch ⟨Adj.⟩: **1.** *nicht richtig, nicht so, wie es sein sollte, wie es den realen Gegebenheiten entsprechen würde:* unter falschem Namen reisen; das hast du f. verstanden; die Uhr geht f.; die Antwort ist f.; f. singen; *falsche (nicht der Wahrheit entspre-chende)* Angaben machen; **sinnv.**: fehlerhaft, grundfalsch, grundverkehrt, inkorrekt, irrig, miß-bräuchlich, schief, unrichtig, unwahr, unzutref-fend, verfehlt, verkehrt. **2.** *künstlich und meist täuschend ähnlich nachgebildet, nicht echt:* fal-sche Zähne; falsche Haare; falsches *(gefälschtes)* Geld. **sinnv.**: unecht. **3.** *seine eigentlichen Absich-ten in heuchlerischer, hinterhältiger Weise verber-gend:* ein falscher Mensch; er ist f. **sinnv.**: unauf-richtig.

fᴀl‖schen ⟨tr.⟩: *in betrügerischer Absicht etwas nachbilden, um es als echt auszugeben:* Geld, eine Unterschrift f.

Fᴀl‖te, die; -, -n: **1. a)** *Knick, der beim Bügeln oder durch Druck (beim Sitzen) in einem Stoff ent-steht:* als sie aufstand, war ihr Rock kreuz und quer voller Falten. **sinnv.**: Falz, Knick, Kniff, Knitter. **b)** *schmaler, langgestreckter, geknickter Teil in einem Stoff:* lose, aufspringende Falten. **Zus.**: Längs-, Plissee-, Quer-, Rockfalte. **2.** *tiefe, unregelmäßig geformte Linie in der Haut des Ge-sichtes:* sie hat schon viele Falten; Falten des Zorns zeigten sich auf seiner Stirn. **sinnv.**: Run-zel. **Zus.**: Lach-, Sorgen-, Speck-, Unmutsfalte.

fᴀl‖ten, faltete, hat gefaltet ⟨tr.⟩: *sorgfältig zu-sammenlegen, so daß an der umgeschlagenen Stel-le eine Falte, ein Knick entsteht:* einen Brief, eine Zeitung f. **sinnv.**: biegen, knicken, knittern.

fᴀl‖tig ⟨Adj.⟩: *von Falten, Runzeln durchzogen:* ein faltiges Gesicht. **sinnv.**: hutzelig, knittrig, kraus, runzlig, schlaff, schrumpelig, verhutzelt, verschrumpelt, welk, zerfurcht, zerklüftet, zer-knittert.

fa‖mi‖li‖är ⟨Adj.⟩: **1.** *die Familie betreffend:* fami-liäre Sorgen, Pflichten. **sinnv.**: familial. **2.** *in freundschaftlicher, Vertrautheit erkennen lassen-der Weise ungezwungen:* eine familiäre Atmo-sphäre. **sinnv.**: vertraut.

Fa‖mi‖lie, die; -, -n: **a)** *Gemeinschaft von Eltern und Kindern:* eine F. mit vier Kindern. **sinnv.**: die Meinen, Weib und Kind. **Zus.**: Bauern-, Nach-barsfamilie. **b)** *Gruppe aller verwandtschaftlich zu-sammengehörenden Personen:* das Haus ist schon seit zweihundert Jahren im Besitz der F. **sinnv.**: Anhang, Clan, Geschlecht, Haus, Sippe, Sipp-schaft, Verwandtschaft. **Zus.**: Adels-, Großfami-lie.

Fa‖mi‖li‖en‖na‖me, der; -ns, -n: *zum Vornamen hinzutretender Name der Familie, der die Zugehö-rigkeit zu dieser ausdrückt.* **sinnv.**: Eigenname, Nachname, Vatersname, Zuname.

Fan [fɛn], der; -s, -s: *begeisterter Anhänger einer Person oder Sache:* ein F. der Popmusik. **sinnv.**: Anhänger. **Zus.**: Film-, Fußball-, Jazz-, Sportfan.

fa‖na‖tisch ⟨Adj.⟩: *sich leidenschaftlich und rück-sichtslos für etwas einsetzend:* ein fanatischer An-hänger des Fußballs. **sinnv.**: besessen.

Fan|fa|re, die; -, -n: *lange, einfache Trompete ohne Ventile* (siehe Bildleiste „Blechblasinstrumente"): die F./auf der F. blasen.

Fang, der; -[e]s, Fänge: a) ⟨ohne Plural⟩ *das Fangen:* der F. von Fischen. **Zus.:** Männer-, Vogelfang. b) *beim Fangen gemachte Beute:* der Angler hat seinen F. nach Hause getragen.

fan|gen, fängt, fing, hat gefangen: **1.** ⟨tr.⟩ *(ein Tier, einen Menschen) [verfolgen und] zu fassen kriegen, in seine Gewalt bekommen:* einen Dieb f.; Fische f. **sinnv.:** einfangen, erhaschen, haschen, erwischen. **2.** ⟨tr.⟩ *etwas, was geworfen o. ä. wird, ergreifen und festhalten:* einen Ball f. **sinnv.:** auffangen, greifen, haschen. **3.** ⟨sich f.⟩ *wieder ins Gleichgewicht kommen; die Balance wiedergewinnen:* fast wäre er gestürzt, aber er fing sich im letzten Augenblick.

Far|be, die; -, -n: **1.** *vom Auge wahrgenommene Tönung von etwas:* die F. des Kleides ist rot; die meisten Bilder sind in F. *(farbig, bunt).* **sinnv.:** Couleur, Farbton, Färbung, Kolorierung, Kolorit, Nuance, Schattierung, Schimmer, Ton, Tönung. **Zus.:** Augen-, Haar-, Lieblings-, Mode-, Spektralfarbe. **2.** *färbendes Mittel, Substanz zum Färben, Anmalen:* schnell trocknende, deckende Farben. **sinnv.:** Färbemittel, Farbstoff, Lack, Tusche. **Zus.:** Deck-, Druck-, Leucht-, Öl-, Pastell-, Schutz-, Wasserfarbe.

fär|ben: a) ⟨tr.⟩ *farbig, bunt machen; mit einer Farbe versehen:* zu Ostern Eier bunt f.; sie hat sich die Haare gefärbt. **sinnv.:** anmalen. b) ⟨sich f.⟩ *eine bestimmte Farbe bekommen:* die Blätter färben sich gelb.

far|big ⟨Adj.⟩: **1.** *eine oder mehrere Farben aufweisend:* ein farbiger Druck. **sinnv.:** bunt. **Zus.:** bunt-, drei-, mehr-, sand-, verschieden-, zartfarbig. **2.** *eine braune oder schwarze, auch rote oder gelbe Hautfarbe habend:* ein farbiger Amerikaner.

farb|los ⟨Adj.⟩: **1.** *keine Farbe aufweisend, enthaltend; nicht gefärbt:* eine farblose Flüssigkeit. **sinnv.:** blaß, fahl. **2.** *durch keinerlei hervorstechende positive Eigenschaften, Merkmale auffallend:* eine farblose Schilderung. **sinnv.:** einfach.

Farn, der; -[e]s, -e: *staudenartig wachsende Pflanze mit großen, meist gefiederten Blättern, die sich durch Sporen vermehrt.* **Zus.:** Adler-, Tüpfel-, Wald-, Zimmerfarn.

Fa|sching, der; -s: ↑*Karneval.* **sinnv.:** Fastnacht.

Fa|ser, die; -, -n: *feines, dünnes fadenähnliches Gebilde (das aus pflanzlichem oder tierischem Rohstoff besteht oder synthetisch erzeugt ist und als Ausgangsmaterial für Garn u. ä. dient).* **sinnv.:** Faden, Fussel, Gewebe.

Faß, das; Fasses, Fässer: *größeres, zylindrisches, oft bauchig geformtes Behältnis (aus Holz oder Metall, das der Aufnahme, Aufbewahrung meist flüssiger Substanzen, auch von Nahrungsmitteln und anderen Materialien dient):* drei Fässer aus Eichenholz; /als Maßangabe/ drei F. Bier. **sinnv.:** Behälter, Tonne. **Zus.:** Bier-, Herings-, Regen-, Salz-, Teer-, Weinfaß.

Fas|sa|de, die; -, -n: *vordere (gewöhnlich der Straße zugekehrte) Seite (eines Gebäudes):* das Haus hat eine schöne F. **sinnv.:** Vorderseite. **Zus.:** Barockfassade.

fas|sen, faßt, faßte, hat gefaßt **1.** a) ⟨tr.⟩ *ergreifen und festhalten:* jmdn. an der Hand f.; das Seil mit beiden Händen f.; den Dieb f. *(festnehmer* **sinnv.:** ergreifen; greifen. b) ⟨itr.⟩ *mit der Hand ‹ eine bestimmte Stelle greifen:* in den Schnee **sinnv.:** berühren. **2.** ⟨itr.⟩ *(als Inhalt) aufnehm können:* das Gefäß faßt einen Liter Flüssigkeit. ⟨tr.⟩ *als Zuteilung in Empfang nehmen:* Essen **sinnv.:** entgegennehmen. **4.** ⟨tr.⟩ *mit einer Einfa sung, Umrahmung versehen:* einen Edelstein **sinnv.:** einfassen. **5.** ⟨tr.⟩ *geistig erfassen, in sein Zusammenhängen, Auswirkungen begreifen:* d Sinn der Worte nicht f. können. **sinnv.:** verstehe **6.** ⟨sich f.⟩ *sein inneres Gleichgewicht, seine H tung wiederfinden:* sie erschrak, faßte sich ab schnell. **sinnv.:** abreagieren. **7.** ⟨als Funktion verb⟩: einen Entschluß f. *(sich zu etwas entschli ßen).*

Fas|sung, die; -, -en: **1.** *Vorrichtung zum Fe. schrauben oder Festklemmen elektrischer Birne Röhren o. ä.:* eine Glühbirne in die F. schraube **sinnv.:** Halter, Halterung, Haltevorrichtun **Zus.:** Lampen-, Schraubfassung. **2.** *der Befes gung von etwas dienende, oft kunstvoll ausgearbe tete Umrandung:* der Diamant steckte in ein wertvollen F.; **sinnv.:** Einfassung, Einrahmun Rahmung, Umrahmung, Umrandung. **Zus.:** Br len-, Ein-, Steinfassung. **3.** ⟨ohne Plural⟩ *gelass ne innere Haltung, Besonnenheit:* seine F. verli ren; jmdn. aus der F. bringen. **sinnv.:** Gelasse heit. **4.** *ausgearbeitete Gestalt und Form eines lit rarischen, künstlerischen o. ä. Werkes:* die zwei F. eines Romans. **Zus.:** Bühnen-, End-, Kur. Urfassung.

fas|sungs|los ⟨Adj.⟩: *erschüttert und völlig ve wirrt:* f. sah sie ihn an. **sinnv.:** betroffen.

fast ⟨Adverb⟩: ↑ *beinahe:* er ist mit seiner Arbe f. fertig.

fa|sten, fastete, hat gefastet ⟨itr.⟩: *(für eine l stimmte Zeit) wenig oder nichts essen:* sie will ein Woche f.

Fast|nacht, die; -: *die letzten drei oder vier Tag bes. der letzte Tag vor der Fastenzeit, an dem d Karneval seinen Höhepunkt erreicht.* **sinnv.:** F sching, Fastelabend, Karneval, die drei tollen T ge, die närrische Zeit.

fau|chen ⟨itr.⟩: *(bes. von Tieren) drohende, schende Laute ausstoßen:* die Katze fauchte w tend. **sinnv.:** schnauben, zischen.

faul ⟨Adj.⟩: **I. a)** *zersetzt, in Gärung, Verwesu geraten [und dadurch verdorben, ungenießbar g worden]:* faule Äpfel. **b)** *als sehr zweifelhaft, l denklich, als nicht in Ordnung, nicht einwandfi empfunden:* eine faule Ausrede; an der Sache i etwas f. **sinnv.:** anrüchig. **II.** (emotional) nic gern tätig; abgeneigt zu arbeiten, sich zu bewege anzustrengen; nicht fleißig: er ist ein faul Mensch. **sinnv.:** arbeitsscheu, bequem, müßig, t tenlos, träge, untätig. **Zus.:** mund-, schrei stinkfaul.

fau|len, faulte, ist gefault ⟨itr.⟩: *in Fäulnis übe gehen; durch Fäulnis verderben, ungenießbar we den.* **sinnv.:** modern, schimmeln, schlecht we den, umkommen, verderben, verfaulen, vergar meln, verkommen, vermodern, verrotten, ve schimmeln, verwesen, sich zersetzen.

fau|len|zen ⟨itr.⟩: *ohne etwas zu tun, die Zeit ve bringen:* er hat während der ganzen Ferien gefa lenzt. **sinnv.:** blaumachen, bummeln, die Häni in den Schoß legen, auf der faulen Haut liege

rankfeiern, keinen Strich tun, die Zeit totschla-
en.

aul|heit, die; -: *das Faul-, Bequemsein:* alle är-
ern sich über seine F. **sinnv.:** Arbeitsscheu, Be-
uemlichkeit, Faulenzerei, Müßiggang, Trägheit.
us.: Denk-, Schreibfaulheit.

äul|nis, die; -: *das Faulen, Faulwerden:* ein Teil
es Obstes war durch F. zerstört. **sinnv.:** Schim-
nel, Verwesung.

aust, die; -, Fäuste: *fest geschlossene Hand:* er
chlug mit der F. gegen die Tür.

e|bru|ar, der; -[s]: *zweiter Monat des Jahres.*
sinnv.: Feber, Hornung.

ech|ten, ficht, focht, hat gefochten ⟨itr.⟩: *mit ei-
em Degen, Säbel oder Florett in sportlichem Wett-
ampf mit jmdm. kämpfen:* die beiden fechten
nit Säbeln.

e|der, die; -, -n: **1.** *Gebilde, das in großer Zahl
uf dem Körper der Vögel wächst (und dem Fliegen
owie dem Wärmeschutz dient)* (siehe Bild): ein
nit Federn gefülltes Kissen. **sinnv.:** Daune, Du-
e, Flaum, Gefieder. **Zus.:** Gänse-, Pfauen-,
chwanz-, Straußen-, Vogelfeder. **2.** *spitzer Ge-
enstand aus Metall, der Teil eines Gerätes zum
chreiben oder Zeichnen ist* (siehe Bild): mit einer
oitzen Feder schreiben. **Zus.:** Füll-, Gold-,
.eiß-, Zeichenfeder. **3.** *elastisches, spiraliges oder
lattförmiges Teil aus Metall, mit dem eine Span-
ung erzeugt werden kann, das einen Zug oder
•ruck aushalten oder ausüben soll:* die F. der Uhr
t gespannt. **Zus.:** Spann,- Spiral-, Sprung-,
rieb-, Uhr-, Zugfeder.

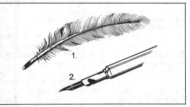

e|dern: 1. ⟨itr.⟩ *bei einer Belastung nachgeben
nd danach wieder in die alte Lage zurückkehren:*
ie Matratzen federn gut. **sinnv.:** abfedern, zu-
ickprallen, zurückschnellen, zurückspringen. **2.**
r.⟩ *durch Federn o. ä. elastisch machen:* die Sitze
it f. **sinnv.:** biegsam machen.

e|gen ⟨tr./itr.⟩ (bes. nordd.): **a)** *mit einem Besen
on Staub, Schmutz o. ä. befreien:* er hat die Stra-
e gefegt; ich muß noch f. **sinnv.:** säubern. **b)** *mit
em Besen irgendwohin bewegend entfernen:* sie
at den Schmutz aus dem Zimmer gefegt.

.hl-, Fehl- ⟨Präfixoid⟩: **I.** *falsch ..., fehlerhaft
, verfehlt ... [und folglich unangebracht, ungeeig-
et, unerwünscht, unbeabsichtigt, unpassend, er-
olglos o. ä.] (in bezug auf das im Basiswort [mei-
tens ein Verbalsubstantiv] Genannte):* **1.** ⟨substan-
visch⟩: Fehlbildung, -diagnose, -entscheidung,
arbe, -konstruktion, -leistung, -paß, -planung,
tart, -tritt, -urteil, -verhalten. **sinnv.:** Miß-, Un-.
, ⟨verbal⟩: fehlbelegen (eine Wohnung f.), -be-
etzen (eine Rolle im Theater f.), -greifen *(dane-
engreifen),* -investieren, -leiten; /mit Partizip
I/: fehlangepaßte Kinder. **II.** ⟨substantivisch⟩

---

fehlend ...: Fehlbetrag, -zeit (Fehlzeiten bei der
Pflichtversicherung).

feh|len ⟨itr.⟩: **1. a)** *nicht anwesend, nicht vorhan-
den sein:* besondere Kennzeichen fehlen. **sinnv.:**
ausfallen. **b)** *nicht zu jmds. Verfügung stehen:* es
fehlt ihm an Zeit, Geld. **sinnv.:** entbehren, man-
geln. **c)** *herbeigewünscht, entbehrt, vermißt wer-
den:* die Mutter fehlt ihnen sehr. **d)** *nicht mehr da-
sein, verschwunden, verlorengegangen sein:* in der
Kasse fehlen drei Mark. **e)** *zur Erreichung eines
bestimmten Zieles erforderlich sein:* zum Sieg feh-
len noch drei Punkte. **sinnv.:** ausstehen. **2.** ⟨un-
persönlich⟩ *nicht in genügendem Maße vorhanden
sein, nicht ausreichen, zu knapp sein:* es fehlt uns
am Nötigsten; mir fehlt nichts *(ich bin nicht
krank, habe keinen Kummer o. ä.).*

Feh|ler, der; -s, -: **1. a)** *etwas, was falsch ist,
falsch gemacht worden ist, was von der richtigen
Form abweicht:* er macht beim Schreiben viele
Fehler; in dem Gewebe sind einige Fehler *(feh-
lerhafte, schlechte Stellen).* **Zus.:** Flüchtigkeits-,
Rechen-, Rechtschreib-, Übersetzungs-, Webfeh-
ler. **b)** *irrtümliche Entscheidung, Maßnahme; fal-
sches Verhalten:* einen F. machen; es war ein F.
(es war falsch), so schnell zu handeln. **sinnv.:**
Ausrutscher, Entgleisung, Fauxpas, Fehlgriff,
Irrtum, Lapsus, Mißgriff, Mißverständnis, Pat-
zer, Schnitzer, Unterlassungssünde, Versehen.
Zus.: Grund-, Kardinalfehler. **2.** *schlechte Eigen-
schaft:* er hat viele Fehler. **sinnv.:** Mangel. **Zus.:**
Charakter-, Geburts-, Sprachfehler.

fehl|schla|gen, schlägt fehl, schlug fehl, ist
fehlgeschlagen ⟨itr.⟩: *(als Sache) keinen Erfolg ha-
ben, mißlingen:* alle Versuche zur Rettung des
Verunglückten schlugen fehl. **sinnv.:** scheitern.

Fei|er, die; -, -n: *Fest, festliche Veranstaltung an-
läßlich eines besonderen Ereignisses, eines Ge-
denktages:* zu seinem Jubiläum fand eine große
F. statt. **sinnv.:** Feierstunde, Fest, Festakt, Festsit-
zung, Festveranstaltung, Fete. **Zus.:** Familien-,
Geburtstags-, Gedenk-, Hochzeits-, Schul-, Sie-
ges-, Trauer-, Weihnachtsfeier.

Fei|er|abend, der; -s, -e: **a)** *Ende der Arbeitszeit:*
in diesem Betrieb ist um fünf Uhr F. **sinnv.:**
Dienstschluß, Geschäftsschluß. **b)** *Zeit am Abend
nach der Arbeit:* er verbringt seinen F. mit Lesen.
sinnv.: Muße.

fei|er|lich ⟨Adj.⟩: *der Festlichkeit, dem Ernst, der
Würde des Geschehens, eines Vorganges angemes-
sen:* ein feierlicher Augenblick; feierliche Stille.
sinnv.: erhebend, festlich, weihevoll, würdevoll,
würdig.

fei|ern: 1. a) ⟨tr.⟩ *würdig, festlich begehen:* einen
Geburtstag, eine Verlobung, Weihnachten f.
sinnv.: begehen, begießen. **b)** ⟨itr.⟩ *fröhlich, lustig
beisammen sein:* sie feierten fast jede Nacht.
sinnv.: einen draufmachen, ein Faß aufmachen,
ein Fest/eine Party geben, eine Fete/eine Sause
machen, auf die Pauke/auf den Putz hauen. **2.**
⟨tr.⟩ *durch lebhaften Beifall, Jubel ehren:* der Sän-
ger, Sieger, Sportler wurde sehr gefeiert. **sinnv.:**
loben.

Fei|er|tag, der; -[e]s, -e: *jährlich wiederkehren-
der, gesetzlich festgelegter Tag, an dem nicht gear-
beitet wird:* ein kirchlicher F. **sinnv.:** Festtag, Ru-
hetag.

fei|ge ⟨Adj.⟩: *in einer als verachtenswert angese-
henen Weise die Gefahr scheuend, vor jedem Risiko*

zurückschreckend; ohne Mut: er ist ein feiger Kerl; er hat sich f. versteckt. **sinnv.:** ängstlich, memmenhaft.

Feig|ling, der; -s, -e: *jmd., der feige ist:* er ist ein großer F. **sinnv.:** Angsthase, Bangbüx, Flasche, Hasenfuß, Hasenherz, Hosenscheißer, Memme, Scheißer, Schlappschwanz, Schwächling, Waschlappen.

Fei|le, die; -, -n: *Werkzeug aus Stahl mit vielen kleinen Zähnen oder Rillen zum Bearbeiten, Glätten von Metall oder Holz:* eine grobe, feine F. **Zus.:** Dreikant-, Flach-, Nagelfeile.

fei|len: a) ⟨tr./itr.⟩ *mit einer Feile bearbeiten:* etwas rund, glatt f.; er hat an dem Schlüssel gefeilt. **sinnv.:** polieren. **b)** ⟨tr.⟩ *mit der Feile in etwas herstellen:* eine Kerbe f.

fein ⟨Adj.⟩: **1. a)** *von dünner, zarter, nicht grober Beschaffenheit:* feines Gewebe; den Kaffee f. mahlen. **sinnv.:** duftig. **b)** *von angenehm-zartem Äußeren:* feine Hände. **sinnv.:** zart. **2.** *von ausgezeichneter, hoher Qualität:* eine sehr feine Seife; ein feines Essen. **sinnv.:** kostbar, vortrefflich. **3.** *große Genauigkeit, Empfindlichkeit, Schärfe besitzend, aufweisend; alle, viele Einzelheiten erkennend, wahrnehmend, berücksichtigend:* er hat ein feines Gehör; ein Instrument f. einstellen. **sinnv.:** einfühlsam, empfindlich, exakt, feinsinnig, genau, scharf. **4.** *in seinem Denken, Handeln, Auftreten einwandfrei, anständig, vornehm; von Anständigkeit, Vornehmheit zeugend:* er ist ein feiner Mensch. **sinnv.:** geschmackvoll, gewählt, vornehm. **5.** *angenehm, erfreulich wirkend; Lob, Anerkennung verdienend:* das ist eine feine Sache; das hast du f. gemacht. **sinnv.:** erfreulich.

Feind, der; -es, -e: **1.** *Person in bezug auf einen anderen Menschen, gegen den sie Haß empfindet, dem sie Schaden zufügen will:* er ist sein schlimmster F. **sinnv.:** Gegner. **Zus.:** Frauen-, Glaubens-, Klassen-, Menschen-, Staatsfeind. **2.** *gegnerische, feindliche Macht, Angehöriger einer gegnerischen Macht; gegnerische Truppen:* sie waren im Krieg unsere Feinde. **Zus.:** Erz-, Staats-, Todfeind. **3.** ⟨F. + Attribut⟩ *jmd., der etwas entschieden bekämpft:* er ist ein F. von Gewalttätigkeiten.

Fein|din, die; -, -nen: vgl. Feind (1).

feind|lich ⟨Adj.; nur attributiv⟩: **1.** *dem Feind* (1) *entsprechend:* eine feindliche Haltung einnehmen. **sinnv.:** gegnerisch. **2.** *dem Feind* (2) *entsprechend:* die feindlichen Truppen. **3.** *von entschiedener Ablehnung, Gegnerschaft zeugend:* eine feindliche Haltung einnehmen.

-feind|lich ⟨adjektivisches Suffixoid⟩ /Ggs. -freundlich/: **1.** *in seiner Art, Beschaffenheit für das im Basiswort Genannte ungünstig, es behindernd, ihm schadend, sich nachteilig auswirkend:* arbeiterfeindlicher Gesetzentwurf, familien-, fortschritts-, frauenfeindliche Medizin, fußgängerfeindliche Straßenführung, zivilisationsfeindlich. **2.** *gegen das im Basiswort Genannte gerichtet, entsprechend, es ablehnend:* frauenfeindlich eingestellt, regierungsfeindliche Truppen. **sinnv.:** anti-.

Feind|schaft, die; -, -en: *feindliche Einstellung, Haltung gegenüber anderen, die dadurch geprägte Beziehung:* sich jmds. F. zuziehen; sie lebten miteinander in F. **sinnv.:** Abneigung.

feind|se|lig ⟨Adj.⟩: *voll Haß und Feindschaft:* er schaute seinen Gegner mit feindseligen Blicken an. **sinnv.:** gegnerisch.

fein|fühl|lig ⟨Adj.⟩: *fein empfindend:* er ist ei sehr feinfühliger Mensch. **sinnv.:** einfühlsan empfindsam, feinsinnig, gefühlvoll, sensibe zartfühlend.

Feld, das; -[e]s, -er: **1.** *für den Anbau genutzt Boden, genutztes abgegrenztes Stück Land:* Fe der und Wiesen; die Bauern arbeiten auf dem ▮ **sinnv.:** Acker, Ackerland, Boden, Flur, Grun Grundstück, Grund und Boden. **Zus.:** Baum woll-, Gemüse-, Getreide-, Kartoffel-, Korn Raps-, Stoppelfeld. **2.** *von einer zusammenhä genden Fläche abgeteiltes, abgetrenntes Stück:* d Felder des Schachbretts. **Zus.:** Fußball-, Spie feld. **3.** ↑*Bereich* (2): das F. der Forschung. **Zus** Arbeits-, Betätigungs-, Gesichts-, Wirkungsfel(fen sitzt.

Fel|ge, die; -, -n: *Teil des Rades, auf dem der Re fen sitzt.*

Fell, das; -[e]s, -e: *dicht behaarte Haut (bestimm ter Tiere):* er hat dem toten Hasen das F. abgezo gen. **sinnv.:** Balg, Decke, Haarkleid, Pelz. **Zus** Bären-, Hasen-, Tiger-, Wolfsfell.

Fels, der; -en, -en: **1.** ⟨ohne Genitiv, ohne Plura Dativ und Akkusativ unverändert⟩ *zusammer hängende Masse harten Gesteins:* beim Grabe stießen sie auf F. **sinnv.:** Gestein. **2.** ↑*Felsen:* € stand da wie ein F. [in der Brandung].

Fel|sen, der; -s, -: *großer Block, große aufrager de Masse aus hartem Gestein:* sie kletterten auf e nen F. **sinnv.:** Gestein.

Fen|ster, das; -s, -: *Öffnung in der Wand von Ge bäuden, Fahrzeugen o. ä., die durch Glasscheibe verschlossen ist:* er schaut zum F. hinaus. **sinnv.** Bullauge, Luke. **Zus.:** Atelier-, Blumen-, Dach Doppel-, Eck-, Keller-, Schiebefenster.

Fe|ri|en, die ⟨Plural⟩: **a)** *der Erholung dienend in bestimmten Abständen immer wiederkehrend Zeit von mehreren Tagen oder Wochen, in der Ir stitutionen wie Parlament, Schule, Universität u. c geschlossen sind, nicht arbeiten:* das Theater ha im Sommer F.; die F. beginnen bald. **Zus.:** B(triebs-, Herbst-, Oster-, Parlaments-, Schul-, Se mester-, Sommer-, Weihnachtsferien. **b)** *Zeit de Erholung:* F. an der See. **sinnv.:** Urlaub.

Fer|kel, das; -s, -: *junges Schwein.* **Zus.:** Span ferkel.

fern: I. ⟨Adj.⟩ **1.** *weit entfernt, in großer Entfe nung befindlich:* fernes Donnern; f. von jmdm sein; von f. zuschauen. **sinnv.:** abgelegen, abseits entfernt, fernab, fernliegend, weit, weitab. **2.** a weit zurückliegend, lange vergangen; der Vergan(genheit angehörend:* das ist eine Geschichte au fernen Tagen. **b)** *in weiter Zukunft, in zukünftige Ferne liegend* /Ggs. nah, nahe/: in ferner Zu kunft; der Tag ist nicht mehr f. **II.** ⟨Präp. mit Da tiv⟩ *weit entfernt von:* f. der Heimat; f. allem Tru bel leben.

-fern ⟨adjektivisches Suffixoid⟩ /Ggs. -nah/: ▮ *in einer als negativ empfundenen Weise ohne B(zug zu dem im Basiswort Genannten, nicht darau gerichtet, nicht daran orientiert:* realitätsfern Vorschläge, zivilisationsfern. **sinnv.:** -fremd. **2.** *i einem gewissen Abstand zu dem im Basiswort G(nannten sich befindend:* halsferner Kragen, ohr perfern.

Fer|ne, die; -, -n: *große räumliche oder zeitlich Entfernung:* in der F.; das Vorhaben ist in weit F. gerückt.

fer|ner: I. ⟨Adverb⟩ *in Zukunft:* an diesem

Brauch werden wir auch f. festhalten. **sinnv.**: später. **II.** ⟨Konj.⟩ *des weiteren, und darüber hinaus:* sie brauchen neue Mäntel, f. Kleider und Schuhe. **sinnv.**: außerdem.

Fern|glas, das; -es, Ferngläser: *optisches Gerät zum genaueren Erkennen entfernter Objekte.* **sinnv.**: Feldstecher, Fernrohr, Opernglas, Theaterglas.

Fern|rohr, das; -[e]s, -e: *meist fest montiertes, größeres optisches Gerät, mit dem weit entfernte Objekte erkannt werden können.* **sinnv.**: Fernglas.

Fern|seh|ap|pa|rat, der; -[e]s, -e: *Gerät zum Empfang von Sendungen des Fernsehens.* **sinnv.**: Bildschirm, Farbfernsehempfänger, Farbfernseher, Fernsehempfänger, Fernsehen, Fernseher, Fernsehgerät, Flimmerkiste, Glotze, Heimkino, Kasten, Mattscheibe, Pantoffelkino, Portable, Schwarzweißempfänger, Schwarzweißgerät.

fern|se|hen, sieht fern, sah fern, hat ferngesehen ⟨itr.⟩: *Sendungen im Fernsehen ansehen, verfolgen:* er sieht viel fern.

Fern|se|hen, das; -s: *technische Einrichtung, die Bild und Ton sendet:* das F. zeigt heute einen Kriminalfilm; im F. *(in einer Sendung des Fernsehens)* auftreten. **sinnv.**: Medium, Television. **Zus.**: Kabel-, Privat-, Regional-, Satellitenfernsehen.

Fern|se|her, der; -s, -: ↑*Fernsehapparat.*

Fern|spre|cher, der; -s, -: ↑*Telefon.*

Fer|se, die; -, -n: **a)** *hinterer Teil des Fußes.* **sinnv.**: Hacke, Hacken. **Zus.**: Achillesferse. **b)** *den hinteren Teil des Fußes bedeckender Teil des Strumpfes:* der Strumpf hat ein Loch an der F.

fer|tig ⟨Adj.⟩: **1. a)** *im endgültigen Zustand befindlich, zu Ende geführt:* er lieferte die fertige Arbeit ab; das Haus ist f. **sinnv.**: abgeschlossen, alle, ausgeführt, beendet, erledigt, fix und fertig, vollendet. **Zus.**: halb-, unfertig. **b)** *so weit, daß nichts mehr zu tun übrigbleibt; zu Ende:* die Koffer f. packen; er ist noch nicht rechtzeitig f. geworden. **c)** *vollständig vorbereitet, bereit:* f. zur Abreise; bist du endlich f.? **2.** (ugs.) *am Ende seiner Kräfte, sehr müde, erschöpft:* körperlich und seelisch f. sein. **sinnv.**: erschöpft.

-fer|tig (adjektivisches Suffixoid): **1.** ⟨passivisch⟩ *bereits so weit fertiggestellt o. ä., daß das im Basiswort Genannte sofort, ohne weitere Vorbereitungen damit gemacht werden kann:* druck-, gebrauchs-, kochfertige Suppe *(die gleich gekocht werden kann, nicht mehr zubereitet werden muß),* versandfertig, /elliptisch/: betriebsfertige Anlage *(die gleich in Betrieb genommen werden kann),* küchenfertiges Gemüse, schrankfertige Wäsche, tischfertige Gerichte *(die gleich auf den Tisch gebracht, serviert werden können).* **sinnv.**: -bereit, -fähig. **2.** ⟨aktivisch⟩ *bereit zu dem im Basiswort Genannten:* ausgehfertig, reisefertig. **3.** *eine bestimmte Fertigkeit besitzend, die mit dem im Basiswort Genannten angedeutet ist:* kunst-, sprachfertig; /elliptisch/: nadel-, ein zungenfertiger Politiker *(der sehr beredt ist).*

fer|ti|gen (tr.): *herstellen (besonders in einer gewissen Anzahl):* Filme und Druckplatten f. **sinnv.**: anfertigen.

Fer|tig|keit, die; -, -en: *beim Ausführen bestimmter Arbeiten, Tätigkeiten erworbene Geschicklichkeit:* er hat große F. im Malen. **sinnv.**: Erfahrung, Gewandtheit, Technik.

fer|tig|ma|chen, machte fertig, hat fertiggemacht: **1.** (tr.) *zu Ende bringen:* er muß die begonnene Arbeit f. **sinnv.**: beenden. **2.** ⟨tr.⟩ *Vorbereitungen treffen und für etwas bereitmachen:* sich, das Kind zur Abreise f. **sinnv.**: sich anschicken, vorbereiten. **3.** ⟨itr.⟩ (ugs.) *jmds. Widerstandskraft brechen, ihn sehr ermüden, zur Verzweiflung bringen:* der Lärm hat mich ganz fertiggemacht. **sinnv.**: zermürben. **4.** ⟨tr.⟩ (ugs.) *scharf zurechtweisen:* er wurde wegen des Fehlers von seinem Chef fertiggemacht. **sinnv.**: schelten, schikanieren. **5.** ⟨tr.⟩ (ugs.) *[unter Anwendung von Gewalt, brutal] körperlich erledigen:* sie haben den Gefangenen total fertiggemacht.

fes|seln ⟨tr.⟩: **1.** *an den Händen [und Füßen] binden, an etwas festbinden und so seiner Bewegungsfreiheit berauben:* er wurde gefesselt und ins Gefängnis gebracht; sie fesselten ihn an einen Baum. **sinnv.**: anbinden, binden. **2.** *jmds. ganze Aufmerksamkeit auf sich lenken; in Bann halten:* der Vortrag fesselte die Zuhörer. **sinnv.**: bannen, gefangennehmen.

fest ⟨Adj.⟩: **1.** *nicht flüssig oder gasförmig, sondern von harter, kompakter Beschaffenheit:* Metall ist ein fester Stoff; das Wachs ist f. geworden. **sinnv.**: hart, knochenhart, steif, steinhart. **2.** *stabil und solide [gearbeitet]:* feste Schuhe; das Material ist sehr f. **sinnv.**: gediegen, haltbar. **Zus.**: druck-, reiß-, winterfest. **3. a)** *nicht locker, sondern straff [sitzend]:* ein fester Verband. **sinnv.**: gespannt, straff, stramm. **b)** *nicht leicht, sondern stark, kräftig [ausgeführt]:* ein fester Händedruck. **c)** (ugs.) ⟨verstärkend bei Substantiven und Verben⟩ *tüchtig:* f. mitfeiern. **d)** *nicht zu erschüttern, zu beirren, umzuwandeln, sondern in gleicher Weise [endgültig] so bleibend:* eine feste Zusage; einen festen Wohnsitz haben; er ist f. *(für die Dauer)* angestellt. **sinnv.**: beharrlich, dauerhaft, standhaft, unabänderlich, unaufhörlich. **Zus.**: felsen-, sattel-, taktfest.

-fest (adjektivisches Suffixoid) /nur selten in bezug auf Personen/ besonders in der Fach- und Werbesprache/: **I.** (mit substantivischem Basiswort) **1.** *gesichert, geschützt, widerstandsfähig, resistent, unempfindlich gegenüber dem im Basiswort Genannten* **a)** *das sich schädlich auf etwas auswirken könnte:* krisen-, säure-, stoß-, wärme-, winterfeste Kleidung; /elliptisch/ autofest *(widerstandsfähig gegen schädigende Einflüsse, die durch das Auto oder Autofahren entstehen können),* vollgaseste Motoren, waschmaschinenfest. **sinnv.**: -beständig, -echt, -freundlich, -geeignet, -gerecht, -sicher, -stark. **b)** *das als Schaden o. ä. hervorgerufen werden könnte:* abrieb-, bruch-, korrosionsfeste Legierung. **sinnv.**: -frei. **2.** *beständig hinsichtlich des im Basiswort Genannten:* charakter-, maschen-, prinzipienfest. **3.** *in dem im Basiswort Genannten gut Bescheid wissend:* bibel-, satzungsfest. **II.** (mit verbalem Basiswort) **a)** ⟨transitiv gebrauchtes Verb als Basis⟩ *(als Objekt) die im Basiswort genannte Tätigkeit ohne qualitätsmindernden Schaden vertragend; (als Objekt) so beschaffen, daß ... werden kann, ohne daß es dadurch beschädigt, beeinträchtigt wird:* biegefest *(kann gebogen werden),* bügel-, koch-, kratz-, strapazier-, waschfest. **sinnv.**: -sicher. **b)** ⟨intransitiv gebrauchtes Verb als Basis⟩ *der betreffende Gegenstand (das Bezugswort) tut das im Basiswort*

Genannte nicht: knitterfester Stoff *(der Stoff knittert nicht),* reiß-, zerreißfest. **c)** *standfest in bezug auf das im Basiswort Genannte:* sauf-, trinkfest.

Fẹst, das; -[e]s, -e: **1.** *[größere] gesellschaftliche Veranstaltung:* nach dem Einzug in das neue Haus gaben sie ein großes F. **sinnv.:** bunter Abend, Ball, Barbecue, Budenzauber, Cocktailparty, Feier, Festivität, Festlichkeit, Festveranstaltung, Fete, Gartenfest, Gesellschaft, Party. **Zus.:** Betriebs-, Heimat-, Sommer-, Sport-, Volks-, Wiegenfest. **2.** *kirchlicher Feiertag:* die Kirche feiert mehrere Feste im Laufe des Jahres. **Zus.:** Oster-, Pfingst-, Reformations-, Weihnachtsfest.

fẹ|sti|gen: a) ⟨tr.⟩ *widerstandsfähiger, kräftiger, stärker, fester machen:* der Aufenthalt in den Bergen festigte seine Gesundheit. **sinnv.:** befestigen, bekräftigen, besiegeln, bestärken, bestätigen, konsolidieren, kräftigen, stabilisieren, stärken, stützen, unterstützen, vertiefen, zementieren. **b)** ⟨sich f.⟩ *widerstandsfähiger, fester, kräftiger, stärker werden:* durch den Erfolg festigte sich seine Position.

Fẹst|land, das; -[e]s, Festländer: **1.** *zusammenhängende Fläche einer geographischen Einheit im Unterschied zu den dazugehörenden Inseln:* das europäische, griechische F. **sinnv.:** Kontinent. ⟨ohne Plural⟩ *aus festem Boden bestehender Teil der Erdoberfläche im Unterschied zum Meer.* **sinnv.:** Land.

fẹst|lich ⟨Adj.⟩: **a)** *einem Fest angemessen, entsprechend:* ein festliches Kleid. **b)** *den Charakter eines Festes habend:* die Veranstaltung war sehr f. **sinnv.:** erhaben, feierlich, sonntäglich, weihnachtlich.

fẹst|ma|chen, machte fest, hat festgemacht: **1.** ⟨tr.⟩ **a)** *fest anbringen, binden (an etwas):* das Boot am Ufer f. **sinnv.:** anbinden, befestigen. **b)** *auf etwas zurückführen, beziehen:* diese Behauptung läßt sich an drei Beobachtungen f. **sinnv.:** ableiten von, stützen auf. **2.** ⟨tr.⟩ *fest vereinbaren:* einen Termin f. **sinnv.:** anordnen. **3.** ⟨itr.⟩ *anlegen* /von Schiffen/: die Jacht hat im Hafen festgemacht. **sinnv.:** ankern, landen.

fẹst|neh|men, nimmt fest, nahm fest, hat festgenommen ⟨tr.⟩: *in polizeilichen Gewahrsam nehmen:* die Polizei nahm ihn fest. **sinnv.:** verhaften.

fẹst|set|zen, setzte fest, hat festgesetzt: **1.** ⟨tr.⟩ *durch Absprache, Beschluß bestimmen:* die Gehälter wurden neu festgesetzt. **sinnv.:** anordnen, fixieren, terminieren. **2.** ⟨sich f.⟩ *haftenbleiben:* der Schnee setzt sich an den Schuhen fest. **sinnv.:** sich ansammeln, klebenbleiben, liegenbleiben. **3.** ⟨tr.⟩ *in Haft nehmen:* einige der Demonstranten wurden vorübergehend festgesetzt. **sinnv.:** einbuchten, einlochen, einsperren, ergreifen, in Gewahrsam nehmen, internieren, hinter Schloß und Riegel bringen, sperren in, ins Loch stecken, verhaften.

fẹst|ste|hen, stand fest, hat festgestanden ⟨itr.⟩: *fest abgemacht, sicher, gewiß sein:* es steht fest, daß er morgen kommt; der Termin steht noch nicht genau fest. **sinnv.:** bestimmt sein, endgültig sein, festgelegt sein, festliegen, fixiert/geregelt/terminiert sein.

fẹst|stel|len, stellte fest, hat festgestellt: **1.** ⟨tr.⟩ *in Erfahrung bringen, ausfindig machen:* man kann seinen Geburtsort nicht f. können. **sinnv.:** finden, nachforschen. **2.** ⟨tr.⟩ ↑*bemerken:* er stellte plötzlich fest, daß sein Portemonnaie nicht mehr da war. **3.** ⟨itr.⟩ *mit Entschiedenheit sagen, zum Ausdruck bringen:* ich möchte feststellen, daß dies nicht zutrifft. **sinnv.:** betonen.

fẹtt ⟨Adj.⟩: **1.** *viel Fett enthaltend:* fetter Käse; f. essen. **sinnv.:** fettreich, gehaltreich, gehaltvoll, kräftig. **2.** *mit viel Fett[gewebe] ausgestattet, viel Fett angesetzt habend* /Ggs. mager/: ein fettes Schwein. **3.** (emotional) *[reichlich] dick:* ein fetter Boß. **4.** *auf Grund guten Nährbodens fruchtbar-üppig:* eine fette Weide. **sinnv.:** ergiebig, ertragreich, fruchtbar, reich.

Fẹtt, das; -[e]s, -e: **a)** *im Körper von Menschen und Tieren vorkommendes weiches Gewebe:* die Gans hat viel F. **b)** *aus tierischen und pflanzlichen Zellen gewonnenes Nahrungsmittel:* der Arzt empfahl ihm, tierische Fette zu meiden. **sinnv.:** Butter, Flom[en], Margarine, Öl, Schmalz, Speck, Talg. **Zus.:** Pflanzen-, Schweine-, Speisefett.

fẹt|tig ⟨Adj.⟩: **a)** *(in unerwünschter oder unangenehmer Weise) mit Fett durchsetzt; mit Fett bedeckt:* fettiges Papier. **sinnv.:** schmutzig. **b)** *Fett enthaltend:* eine fettige Salbe. **sinnv.:** fetthaltig, -reich.

Fẹt|zen, der; -s, -: *abgerissenes Stück (Stoff, Papier o. ä.):* F. von Papier lagen auf dem Boden. **sinnv.:** Flicken.

feucht ⟨Adj.⟩: *ein wenig naß; ein wenig mit Wasser o. ä. durchzogen, bedeckt:* die Wäsche ist noch f.; feuchte Luft. **sinnv.:** klamm, naß.

Feu|er, das; -s, -: **1. a)** *sichtbarer Vorgang der Verbrennung, bei dem sich Flammen und Hitze entwickeln:* das F. im Ofen brennt gut; bei dem Unfall hatte das Auto F. gefangen. **sinnv.:** Flamme. **Zus.:** Holz-, Kamin-, Kohlen-, Lagerfeuer. **b)** *[sich ausbreitendes] Schaden anrichtendes, zerstörendes Feuer* (1 a): das F. vernichtete mehrere Häuser. **sinnv.:** Brand. **2.** ⟨ohne Plural; in bestimmten Verwendungen⟩ *das Schießen:* das F. eröffnet *(zu schießen begonnen).*

Feu|er|wehr, die; -, -en: *Mannschaft, die Brände bekämpft.* **sinnv.:** Löschmannschaft, Löschtrupp. **Zus.:** Betriebs-, Werk[s]feuerwehr.

Fịch|te, die; -, -n: *Nadelbaum mit meist gleichmäßig um den Zweig angeordneten kurzen, einzelnen Nadeln und länglichen, hängenden Zapfen* (siehe Bildleiste „Nadelbäume").

Fie|ber, das; -s: *Körpertemperatur, die höher ist als normal* /als Anzeichen einer Krankheit/: er hat hohes F. **sinnv.:** (erhöhte, hohe, leichte) Temperatur.

fie|ber|haft ⟨Adj.; nicht prädikativ⟩: *mit großer Hast bemüht (etwas Bestimmtes noch rechtzeitig zu schaffen):* eine fieberhafte Suche nach den Verschütteten setzte ein; er arbeitet f. an seinem neuen Werk. **sinnv.:** hektisch.

fie|bern ⟨itr.⟩: **1.** *Fieber haben:* der Kranke fiebert seit zwei Tagen. **sinnv.:** fiebrig sein, Temperatur haben. **2.** *(vor Erwartung) voll innerer Unruhe sein:* er fieberte danach, sie kennenzulernen. **sinnv.:** aufgeregt sein, gespannt sein.

Fi|gur, die; -, -en: **1.** *Körperform, äußere Erscheinung eines Menschen im Hinblick auf ihre Proportioniertheit:* sie hat eine gute F. **sinnv.:** Gestalt. **Zus.:** Schießbudenfigur. **2.** *[künstlerische] plastische Darstellung von einem Menschen oder Tier:*

iguren aus Holz. **sinnv.**: Plastik. **Zus.**: Galions-
gur. **3.** *Gebilde aus Linien oder Flächen:* er malte
iguren aufs Papier. **sinnv.**: Bild. **4. a)** *Person,*
ersönlichkeit (in ihrer Wirkung auf ihre Umge-
ung, auf die Gesellschaft): er war eine beherr-
chende F. seiner Zeit; an der Bar standen ein
aar merkwürdige Figuren. **sinnv.**: Mensch.
Zus.: Identifikations-, Schlüssel-, Symbol-, Va-
rfigur. **b)** *handelnde Person in einem Werk der*
Dichtung: die Figuren des Dramas. **sinnv.**: Ge-
alt, Rolle. **Zus.**: Märchenfigur. **5.** *Spielstein bes.*
eim Schachspiel. **Zus.**: Schachfigur.
ilm, der; -[e]s, -e: **1.** *[zu einer Rolle aufgewickel-*
er] Streifen aus einem mit einer lichtempfindlichen
chicht überzogenen Material für fotografische
ufnahmen. **Zus.**: Farb-, Mikro-, Schmal-,
chwarzweiß-, Umkehrfilm. **2.** *mit der Filmkame-*
a aufgenommene Abfolge von bewegten Bildern,
zenen, Handlungsabläufen o. ä., die zur Vorfüh-
ung im Kino oder Fernsehen bestimmt ist: in die-
em F. spielen bekannte Schauspieler. **sinnv.**:
lamotte, Krimi, Politthriller, Streifen, Thriller,
Vestern. **Zus.**: Dokumentar-, Fernseh-, Heimat-,
lorror-, Kino-, Kriminal-, Kultur-, Kurz-, Spiel-,
Vildwestfilm. **3.** *dünne Schicht, die die Oberfläche*
on etwas bedeckt: das Glas war mit einem dün-
en F. von Öl bedeckt.
il|men: 1. (tr./itr.) *(einen Vorgang, ein Gesche-*
en) mit der Kamera aufnehmen. **sinnv.**: aufneh-
en, aufzeichnen, [Film]aufnahmen machen, ei-
en Film drehen/machen. **2.** (itr.) *bei einem Film*
itwirken: er filmt häufig im Ausland. **sinnv.**:
uftreten, einen Film drehen/machen, schauspie-
ern.
ilz, der; -es, -e: *dicker Stoff aus gepreßten Fa-*
ern: ein aus F. hergestellter Hut.
i|nan|zi|ell (Adj.; nicht prädikativ): *das Geld,*
ermögen betreffend: er hat finanzielle Schwie-
gkeiten. **sinnv.**: geldlich, materiell, pekuniär,
irtschaftlich.
i|nan|zie|ren (tr.): **a)** *(für etwas) das erforderli-*
he Geld zur Verfügung stellen: dieses Projekt hat
er Staat finanziert. **sinnv.**: bezahlen. **b)** *mit Hilfe*
ines Kredits kaufen: ein Auto f. **sinnv.**: einen
redit aufnehmen, leihen.
in|den, fand, hat gefunden: **1. a)** (tr.) *zufällig*
der durch Suchen entdecken: ein Geldstück, den
erlorenen Schlüssel f. **sinnv.**: antreffen, auffin-
en, auflesen, aufspüren, aufstöbern, auftreiben,
uftun, ausfindig machen, auskundschaften, aus-
achen, entdecken, stoßen auf, treffen auf, vor-
inden. **b)** (sich f.) *wieder entdeckt werden, zum*
orschein kommen: das Buch hat sich jetzt gefun-
en. **sinnv.**: [wieder] auftauchen, gefunden wer-
en. **c)** (tr.) *durch Überlegen, Nachdenken auf et-*
vas kommen: einen Fehler f. **sinnv.**: erfahren,
eststellen, herausbekommen, -bringen, -finden,
kriegen, lokalisieren, auf die Spur kommen. **2.**
tr./sich f.) *halten (für etwas), der Meinung sein:*
le findet sich schön; ich finde, daß er recht hat.
innv.: die Ansicht haben/der Ansicht sein, beur-
eilen, einschätzen, empfinden, meinen, sich stel-
en zu.
in|ger, der; -s, -: *eines der fünf beweglichen*
lieder der Hand des Menschen (siehe Bild
"Hand"): die Hand hat fünf Finger; der kleine F.
Zus.: Mittel-, Ring-, Schwur-, Zeigefinger.
ink, der; -en, -en: *kleiner Singvogel mit buntem*

Gefieder und kegelförmigem Schnabel. **Zus.**:
Berg-, Buchfink · Schmutzfink.
fin|ster (Adj.): **1.** *als besonders dunkel empfun-*
den; völlig ohne Licht: draußen war finstere
Nacht. **sinnv.**: dunkel. **2.** *(als optischer Eindruck)*
düster und bedrohlich: ein finsterer Bursche.
sinnv.: unheimlich.
Fir|ma, die; -, Firmen: *Unternehmen der Wirt-*
schaft, Industrie. **sinnv.**: Betrieb, Geschäft. **Zus.**:
Bau-, Konkurrenz-, Liefer-, Zulieferfirma.
Fisch, der; -[e]s, -e: **1.** *im Wasser lebendes, durch*
Kiemen atmendes Wirbeltier mit einem von Schup-
pen bedeckten Körper und Flossen, mit deren Hilfe
es sich fortbewegt. **Zus.**: Aquarien-, Raub-, See-,
Speise-, Zierfisch. **2.** *Gericht, Speise aus zuberei-*
tem Fisch (1): heute gibt es F. **sinnv.**: Meeres-
früchte. **Zus.**: Back-, Brat-, Kochfisch.
fi|schen (tr./itr.): *Fische fangen:* sie fischen
[Heringe] mit Netzen. **sinnv.**: angeln, Fischfang
betreiben, das Netz/die Netze auswerfen.
Fi|scher, der; -s, -: *jmd., dessen Beruf das Fan-*
gen von Fischen ist. **sinnv.**: Angler, Petrijünger,
Sportangler. **Zus.**: Hochsee-, Küsten-, Muschel-
fischer.
Fi|sche|rei, die; -: *das gewerbsmäßige Fangen*
von Fischen. **sinnv.**: Fischfang. **Zus.**: Fluß-,
Hochsee-, Küstenfischerei.
fit (Adj., nicht attributiv): *in guter körperlicher,*
gesundheitlicher Verfassung: in seinem Beruf
muß er immer f. sein. **sinnv.**: gut drauf, durchtrai-
niert, in Form, frisch, gesund, leistungsfähig, top-
fit, trainiert.
fix (Adj.): *in bewundernswerter, erfreulicher Weise*
schnell (in der Ausführung von etwas): er arbeitet
sehr f. **sinnv.**: schnell.
flach (Adj.): **1.** *ohne größere Erhebung oder Ver-*
tiefung; in der Breite ausgedehnt: flaches Gelän-
de; er mußte sich f. hinlegen. **sinnv.**: ausgebreitet,
ausgestreckt, breitgedrückt, eben, glatt, plan,
platt, waagrecht. **2.** *von geringer Höhe:* ein fla-
cher Bau; sie trägt flache Absätze. **sinnv.**: niedrig.
3. *nicht sehr tief:* ein flaches Gewässser; ein fla-
cher Teller. **sinnv.**: seicht. **4.** *ohne [gedankliche]*
Tiefe und daher als nichtssagend, unwesentlich
empfunden: eine flache Unterhaltung. **sinnv.**: ab-
geschmackt, banal, ohne Gehalt, gehaltlos, geist-
los, inhaltsleer, oberflächlich, phrasenhaft, schal,
trivial, unbedeutend.
Flä|che, die; -, -n: **1.** *Gebiet mit einer Ausdeh-*
nung in Länge und Breite: eine F. von 1 000 Qua-
dratmetern. **sinnv.**: Gebiet. **Zus.**: Grün-, Tanz-,
Wasserfläche. **2.** *[glatte] Seite, Oberfläche (eines*
Gegenstandes): ein Würfel hat sechs Flächen.
sinnv.: Flachseite, Seite, Seitenfläche.
flackern (itr.): **a)** *unruhig, mit zuckender Flamme*
brennen: die Kerzen flackerten im Wind. **b)** *(vom*
elektrischen Licht) in kurzen, unregelmäßigen Ab-
ständen an- und ausgehen: die Neonröhre flak-
kert.
Flag|ge, die; -, -n: *an einer Leine befestigte Fah-*
ne als Hoheits-, Ehrenzeichen eines Staates, [im
Seewesen] als Erkennungszeichen und Verständi-
gungsmittel, das an einem Flaggenmast gehißt oder
befestigt wird (siehe Bildleiste „Fahnen").
flag|gen (itr.): *eine Fahne hissen:* wegen des Fei-
ertages hatten die öffentlichen Gebäude geflaggt.
sinnv.: aufhissen, aufziehen, beflaggen, heißen,
hissen.

Flanke   Grätsche   Hocke

Flam|me, die; -, -n: *leuchtende, nach oben spitz auslaufende, zungenförmige, meist bläuliche oder gelbrote Erscheinung, die bei der Verbrennung von bestimmten brennbaren Stoffen entsteht:* die F. der Kerze brennt ruhig. **sinnv.:** Feuer, Feuersäule, Feuerzunge. **Zus.:** Gas-, Heiz-, Spar-, Stichflamme.

Flan|ke, die; -, -n: **1.** *weicher seitlicher Teil des Rumpfes [von Tieren]:* das Pferd stand mit zitternden Flanken da. **sinnv.:** Hüfte, Lende, Seite, Weiche. **2.** *rechte oder linke Seite einer marschierenden oder in Stellung gegangenen militärischen Einheit:* wir wurden an der linken F. angegriffen. **sinnv.:** Seite. **Zus.:** Ost-, Westflanke. **3. a)** *Sprung über ein Turngerät, bei dem sich der Sportler mit einer Hand auf dem Gerät abstützt und eine gestreckte Körperseite dem Gerät zuwendet* (siehe Bildleiste): mit einer F. vom Barren abgehen. **b)** *Zuspielen des Balles vor das gegnerische Tor von der Seite her:* eine hohe F. schlagen.

Fla|sche, die; -, -n: *[verschließbares] Gefäß (aus Glas, Metall oder Kunststoff) mit enger Öffnung und Halsansatz, bes. für Flüssigkeiten.* **sinnv.:** Buddel, Flachmann, Flakon, Pulle. **Zus.:** Feld-, Milchflasche.

Fla|schen|zug, der; -[e]s, Flaschenzüge: *Vorrichtung zum Heben von Lasten, bei der ein Seil oder eine Kette über eine oder mehrere Rollen geführt wird* (siehe Bild).

flat|tern, flatterte, hat/ist geflattert ⟨itr.⟩: **1. a)** *mit schnellen Bewegungen der Flügel [aufgeregt hin und her] fliegen:* Schmetterlinge sind um die Blüten geflattert. **b)** *(von Blättern, Papierstücken o.ä.) vom Wind oder einem Luftzug bewegt weitergetragen werden:* die Geldscheine sind auf die Erde geflattert. **2.** *im Wind wehen; heftig hin und her bewegt werden:* eine Fahne hat auf dem Dach geflattert. **sinnv.:** baumeln, wedeln, wehen.

flau ⟨Adj.⟩: *ein unangenehmes Gefühl der Mattheit, Schwäche habend:* er hat ein flaues Gefühl im Magen. **sinnv.:** blümerant, schlecht, übel, unwohl.

Flaum, der; -[e]s: **a)** *weiche, zarte Federn unter dem eigentlichen Gefieder der Vögel.* **b)** *[erster] dünner, zart-weicher Haarwuchs.*

flau|schig ⟨Adj.⟩: *weich und mit wollig-zarter Oberfläche:* ein flauschiger Bademantel. **sinnv.:** flaumweich, kuschelig, wollig.

flech|ten, flicht, flocht, hat geflochten ⟨tr.⟩: *Haarsträhnen, Blumen, Weidenruten o.ä. ineinanderschlingen und auf diese Weise etwas herstellen:* einen Zopf, einen Kranz, einen Korb f. **sinnv.:** binden.

Fleck, der; -[e]s, -e: **a)** *(sich meist sehr deutlich von der Umgebung abhebende verunreinigte Stelle:* die Tischdecke hat einige Flecke. **sinnv.:** Flecken, Klacks, Klecks, Kleckser, Spritzer. **Zus.** Fett-, Schmutzfleck. **b)** *Stelle, die sich von der übrigen Fläche durch Verschiedenheit der Farbe unterscheidet:* das Pferd hat einen weißen F. auf der Stirn; er hatte vom Sturz blaue Flecke am ganzen Körper. **sinnv.:** Blesse, Bluterguß. **Zus.:** Haut-, Leber-, Pigmentfleck.

Fle|gel, der; -s, -: *[junger] Mann, dessen Benehmen als ärgerlich schlecht, ungehörig empfunden wird.* **sinnv.:** Grobian, ungehobelter Klotz, Lümmel, Rüpel, Schnösel, Stiesel.

fle|hen ⟨itr.⟩: *inständig bitten:* der Gefangene flehte um sein Leben; ein flehender Blick. **sinnv.:** bitten, drängen, dringen in jmdn., nötigen.

Fleisch, das; -[e]s: **1.** *aus Muskeln bestehende weiche Teile des menschlichen und tierischen Körpers:* er hat sich mit dem Messer tief ins F. geschnitten. **2. a)** *eßbare Teile des tierischen Körpers:* das Essen bestand aus F., Kartoffeln und Gemüse. **Zus.:** Rind-, Schweine-, Suppenfleisch. **b)** *weiche, eßbare Teile von Früchten:* das F. der Pfirsiche ist saftig. **Zus.:** Fruchtfleisch.

Flei|scher, der; -s, -: *jmd., der Vieh schlachtet, das Fleisch verarbeitet und verkauft.* **sinnv.:** Fleischhauer, Metzger, Metzler, Schlachter, Schlächter, Selcher, Wurster.

Fleiß, der; -es: *strebsames Arbeiten; ernsthafte und beharrliche Beschäftigung mit einer Sache:* sein F. ist sehr groß; durch F. hat er sein Ziel erreicht. **sinnv.:** Arbeitsamkeit, Arbeitseifer, Beflissenheit, Eifer, Emsigkeit, Geschäftigkeit, Rastlosigkeit, Strebsamkeit, Unermüdlichkeit. **Zus.:** Bienenfleiß.

flei|ßig ⟨Adj.⟩: *unermüdlich und zielstrebig viel arbeitend:* er ist ein sehr fleißiger Mensch; das ist eine fleißige (großen Fleiß beweisende) Arbeit. **sinnv.:** ambitioniert, arbeitsam, arbeitswillig, beflissen, ehrgeizig, eifrig, eisern, emsig, geschäftig, rastlos, rührig, strebsam, tätig, tüchtig, unermüdlich. **Zus.:** bienenfleißig.

flek|tie|ren ⟨tr.⟩: *ein Wort in seinen Formen abwandeln:* ein Substantiv, Adjektiv f. **sinnv.:** beugen, biegen, deklinieren, konjugieren.

flet|schen: *(in der Verbindung) die Zähne f.: drohend die Zähne zeigen:* der Hund, der Löwe fletschte die Zähne. **sinnv.:** (die Zähne) blecken/ zeigen.

flicken ⟨tr.⟩: *(etwas, was schadhaft geworden ist) ausbessern:* eine zerrissene Hose, Wäsche f. **sinnv.:** nähen, reparieren.

Flicken, der; -s, -: *kleines Stück Stoff, Leder o. ä., das zum Ausbessern von etwas gebraucht wird:* seine Hose hatte mehrere Flicken. **sinnv.:** Fetzen, Fleck[en], Schnipsel, Stück.

Flie|ge, die; -, -n: **1.** *(in zahlreichen Arten vorkommendes) gedrungenes, kleines Insekt mit zwei Flügeln und kurzen Fühlern:* eine F. fangen. **Zus.:** Eintagsfliege. **2.** *quer gebundene, feste Schleife, die an Stelle einer Krawatte getragen wird.* **3.** *schmales, gestutztes Bärtchen auf der Oberlippe oder zwischen Unterlippe und Kinn.* **sinnv.:** Bart.

flie|gen, flog, hat/ist geflogen: **1.** ⟨itr.⟩ *sich (mit Flügeln oder durch die Kraft eines Motors) in der Luft fortbewegen:* die Vögel sind nach Süden geflogen; die Flugzeuge fliegen sehr hoch. **sinnv.:** flattern, flirren, gaukeln, gleiten, schweben, schwingen, schwirren, segeln. **2.** ⟨itr.⟩ *sich mit einem Luft-, Raumfahrzeug fortbewegen:* er ist nach Amerika geflogen; die Astronauten fliegen zum Mond. **sinnv.:** jetten, touren. **3.** ⟨tr.⟩ *(ein Flugzeug o. ä.) steuern:* der Pilot, der das Flugzeug geflogen hat. **4.** ⟨itr.⟩ *sich (durch einen Anstoß) in der Luft fortbewegen:* Blätter sind durch die Luft geflogen. **sinnv.:** geschleudert/getrieben/geworfen werden, stieben. **5.** ⟨itr.⟩ *sich flatternd hin und her bewegen:* die Fahnen sind im Wind geflogen. **6.** ⟨itr.⟩ (ugs.) *hinfallen, stürzen:* er ist auf die Nase geflogen. **sinnv.:** fallen. **7.** ⟨itr.⟩ (ugs.) *hinausgewiesen, entlassen werden:* nach dem Skandal ist er [aus seiner Stellung] geflogen. **sinnv.:** entlassen, jmdn. feuern, den Laufpaß geben, den Stuhl vor die Tür setzen, jmdn. vor die Tür setzen, jmdn. vor die Tür setzen müssen, in die Wüste schicken. **8.** ⟨itr.⟩ (ugs.) *von etwas stark angezogen werden:* er ist früher auf schnelle Wagen geflogen. **sinnv.:** gieren nach, scharf/geil auf etwas sein, auf jmdn./etwas stehen, wild nach etwas sein.

Flie|ger, der; -s, -: **1.** *jmd., der ein Flugzeug fliegt:* die abgeschossenen Flieger konnten sich mit dem Fallschirm retten. **sinnv.:** Pilot. **Zus.:** Drachenflieger. **2.** (ugs.) ↑*Flugzeug:* der Himmel war schwarz von Fliegern.

flie|hen, floh, ist geflohen ⟨itr.⟩: *sich in großer Eile, Hast entfernen, um sich vor einer Gefahr in Sicherheit zu bringen:* sie flohen vor den Feinden aus der Stadt. **sinnv.:** abhauen, sich absetzen, ausbrechen, ausbüxen, ausreißen, ausrücken, entfliehen, entkommen, entlaufen, entspringen, entweichen, entwischen, sich entziehen, die Flatter/Fliege machen, die Flucht/das Hasenpanier ergreifen, sein Heil in der Flucht suchen, flüchten, Reißaus nehmen, sich aus dem Staub[e] machen, türmen, untertauchen, weggehen.

Fließ|band, das; -[e]s, Fließbänder: *mechanisch bewegtes Förderband in einer Fabrik, auf dem ein Gegenstand von einem Arbeitsplatz zum anderen befördert wird:* am F. arbeiten. **sinnv.:** Band, Fertigungsstraße.

flie|ßen, floß, ist geflossen ⟨itr.⟩: *sich gleichmäßig fortbewegen* /von flüssigen Stoffen/: ein Bach fließt durch die Wiesen; Blut floß aus der Wunde. **sinnv.:** abfließen, ausfließen, auslaufen, ausströmen, branden, sich ergießen, fluten, glukkern, glucksen, gurgeln, herausfließen, herausquellen, herausrieseln, herausrinnen, herausschießen, heraussickern, herauströpfeln, heraustropfen, laufen, lecken, perlen, plätschern, quellen, rieseln, rinnen, schießen, schwimmen, sikkern, sprudeln, strömen, strudeln, träufeln, treiben, triefen, tröpfeln, tropfen, versickern, wallen, wegfließen, wogen.

flie|ßend ⟨Adj.⟩: **1.** ⟨nicht prädikativ⟩ *ohne Stokken:* das Kind liest schon f.; er spricht f. Englisch. **sinnv.:** nicht abgehackt, fehlerlos, flüssig, geläufig, perfekt, ohne steckenzubleiben, ohne zu stocken, ohne Unterbrechung. **2.** *ohne feste Abgrenzung:* die Grenzen sind f. **sinnv.:** ohne feste Abgrenzung, nicht genau definiert, offen, unbestimmt.

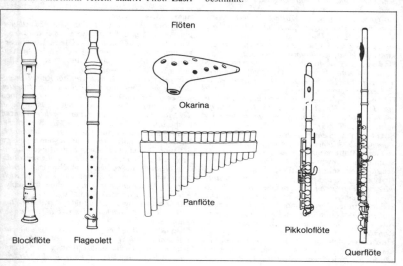

Flöten

Okarina

Panflöte

Pikkoloflöte

Querflöte

Blockflöte   Flageolett

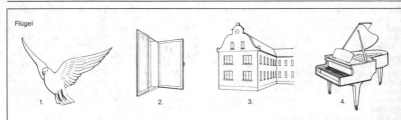

Flügel

1.   2.   3.   4.

flim|mern ⟨itr.⟩: *zitternd, unruhig glänzen:* die Sterne haben am nächtlichen Himmel geflimmert. **sinnv.:** leuchten.

flink ⟨Adj.⟩: *rasch und geschickt:* sie arbeitet mit flinken Händen. **sinnv.:** fingerfertig, schnell.

flir|ten ['flœrtn̩, auch: 'flɪrtn̩], flirtete, hat geflirtet ⟨itr.⟩: *jmdm. durch ein bestimmtes Verhalten, durch Gesten, Blicke, scherzhafte Worte o. ä. seine erotische Zuneigung bekunden und so eine erotische Beziehung anzubahnen suchen:* die beiden flirteten den ganzen Abend miteinander. **sinnv.:** anmachen, jmdn. schöne Augen machen, kokettieren, poussieren, umwerben.

flit|zen, flitzte, ist geflitzt ⟨itr.⟩ (ugs.): *sich sehr schnell [in einem Fahrzeug] bewegen:* er flitzte um die Ecke; der Wagen flitzt über die Autobahn.

Flocke, die; -, -n: *etwas, was aus leicht-lockerer Substanz besteht und bei geringem Lufthauch auffliegt oder in der Luft schwebt:* Flocken von Staub wirbelten auf; dicke Flocken fielen vom Himmel.

Floh, der; -[e]s, Flöhe: *kleines Insekt, das sich hüpfend fortbewegt und Blut saugend auf Vögeln, Säugetieren und Menschen lebt.*

Floh|markt, der; -[e]s, Flohmärkte: *Markt, auf dem Trödel und gebrauchte Gegenstände verkauft werden.* **sinnv.:** Krempel-, Trödelmarkt.

Flo|rett, das; -[e]s, -e: *Waffe zum Fechten mit biegsamer, vierkantiger Klinge und Handschutz* (siehe Bildleiste „Waffen").

Floß, das; -es, Flöße: *Wasserfahrzeug aus zusammengebundenen Baumstämmen o. ä.*

Flos|se, die; -, -n: *meist fächerförmiges, aus Haut und Knorpel bestehendes Organ, mit dem sich Fische und bestimmte andere im Wasser lebende Tiere fortbewegen.*

Flö|te, die; -, -n: *rohrförmiges Blasinstrument aus Holz oder Metall, dessen Tonlöcher mit Klappen oder mit den Fingern geschlossen werden* (siehe Bildleiste S. 155).

flott ⟨Adj.⟩: **1.** *in einem angenehmen, erfreulichen Tempo [vor sich gehend, erfolgend]:* eine flotte Bedienung; flotte Musik. **sinnv.:** fetzig, wie am Schnürchen, schwungvoll. **2.** *lustig-locker [aussehend]:* er lebt sehr f.; ein flotter Hut.

Flot|te, die; -, -n: **a)** *alle Schiffe, die einem Staat oder einem privaten Eigentümer gehören:* die englische F. **sinnv.:** Geschwader, Marine, Seemacht, Seestreitkräfte. **Zus.:** Handels-, Kriegsflotte. **b)** *größere Anzahl von Schiffen, Booten o. ä.:* eine F. von Fischerbooten. **sinnv.:** Armada, Flottille, Konvoi, Verband.

Fluch, der; -[e]s, Flüche: **1.** *im Zorn gesprochenes, böses Wort [mit dem man jmdn. oder etwas verwünscht]:* mit einem kräftigen F. verließ er das Haus. **sinnv.:** Drohung, Drohwort, Gotteslästerung, Schmähung, Verdammung, Verwünschung. **2.** ⟨ohne Plural⟩ *Unheil, Verderben:* ein F. liegt über dieser Familie. **sinnv.:** schlechter/ungünstiger Stern, Unsegen, Verhängnis.

flu|chen ⟨itr.⟩: *mit heftigen oder derben Ausdrükken schimpfen:* sie fluchten über das schlechte Essen. **sinnv.:** schelten.

Flucht, die; -: *das Fliehen (vor einer Gefahr o. ä.):* er rettete sich durch eine schnelle F. **sinnv.:** Absetzbewegung, Ausbruch, Rückzug. **Zus.:** Fahrer-, Steuer-, Unfallflucht.

flüch|ten, flüchtete, ist geflüchtet ⟨itr.⟩: *(vor einer Gefahr) davonlaufen; sich in Sicherheit bringen:* sie sind vor dem Gewitter in ein nahes Gebäude geflüchtet. **sinnv.:** fliehen.

flüch|tig ⟨Adj.⟩: **1.** *flüchtend; geflüchtet:* der flüchtige Verbrecher wurde wieder gefangen. **sinnv.:** ausgebrochen, entflohen, entlaufen, verschwunden. **2.** *von kurzer Dauer [und geringer Intensität]:* ein flüchtiger Blick. **3.** *schnell und daher ohne Sorgfalt:* er arbeitet sehr f. **sinnv.:** nachlässig. **4.** *[leider] schnell vergehend:* flüchtige Augenblicke des Glücks. **sinnv.:** vorübergehend.

Flücht|ling, der; -s, -e: *jmd., der vor jmdm. oder etwas flieht oder geflohen ist:* ein politischer F. **sinnv.:** Auswanderer.

Flug, der; -[e]s, Flüge: **1.** *das Fliegen; Fortbewegung in der Luft* er beobachtete den F. der Vögel, der Flugzeuge. **Zus.:** Blind-, Gleit-, Kunst-, Segelflug. **2.** *Reise im Flugzeug o. ä.:* sie buchten einen F. in die USA. **sinnv.:** Flugreise. **Zus.:** Linien-, Nacht-, Nonstopflug.

Flü|gel, der; -s, -: **1.** *paariger, am Rumpf sitzender Körperteil, mit dessen Hilfe Vögel und Insekten fliegen* (siehe Bild): ein Schmetterling mit gelben Flügeln. **sinnv.:** Fittich, Schwinge. **2.** *beweglicher Teil eines mehrgliedrigen [symmetrischen] Ganzen* (siehe Bild): der rechte F. des Altars. **3.** *seitlicher Teil eines Gebäudes* (siehe Bild): sein Zimmer lag im linken F. des Krankenhauses. **sinnv.:** Nebengebäude, [Seiten]trakt. **Zus.:** Seitenflügel. **4.** *größeres, dem Klavier ähnliches Musikinstrument auf drei Beinen, dessen Deckel hochgestellt werden kann (und in dem die Saiten waagerecht in Richtung der Tasten gespannt sind)* (siehe Bild). **sinnv.:** Klavier. **Zus.:** Konzert-, Stutzflügel.

Flug|ha|fen, der; -s, Flughäfen: *größerer Flugplatz mit den dazugehörenden Gebäuden [für den Linienverkehr].*

Flug|platz, der; -es, Flugplätze: *Gelände mit Rollbahnen zum Starten und Landen von Luftfahrzeugen, mit Wartungseinrichtungen und technischen Anlagen zur Überwachung des Luftverkehrs* *[sowie Gebäuden zur Abfertigung von Passagieren und Frachtgut].* **sinnv.:** Airport, Fliegerhorst, Flughafen. **Zus.:** Militär-, Privatflugplatz.

Flug|zeug, das; -[e]s, -e: *Luftfahrzeug mit horizontal an den Seiten seines Rumpfes angebrachten Tragflächen:* er ist mit dem F. nach Berlin geflogen. **sinnv.:** Flieger, Gleiter, Jet, Kiste, Luftschiff, Maschine, Mühle, Segler. **Zus.:** Düsen-, Kampf-, Passagier-, Transport-, Überschall-, Wasserflugzeug.

Flur: I. der; -[e]s, -e: *Gang, der die einzelnen Räume einer Wohnung oder eines Gebäudes miteinander verbindet:* er wartete auf dem F. **sinnv.:** Diele. II. die; -, -en (geh.): *offenes, unbebautes Kulturland:* blühende Fluren; auf freier F. **sinnv.:** Feld, Gebiet.

Fluß, der; Flusses, Flüsse: **1.** *größeres fließendes Wasser:* sie badeten in einem F. **sinnv.:** Bach, Flußlauf, Strom, Wasserlauf. **Zus.:** Neben-, Quellfluß. **2.** *stetige, fließende Bewegung, ununterbrochener Fortgang:* der F. der Rede, des Straßenverkehrs. **Zus.:** Rede-, Verkehrsfluß.

flüs|sig ⟨Adj.⟩: **1.** *so beschaffen, daß es fließen kann:* flüssige Nahrung; die Butter ist durch die Wärme f. geworden. **sinnv.:** aufgetaut, breiig, geschmolzen, schleimig, verflüssigt, viskos. **Zus.:** dick-, dünn-, zähflüssig. **2.** *ohne Stocken:* er schreibt und spricht sehr f. **sinnv.:** fließend. **3.** *(von Geld, Kapital o. ä.) verfügbar:* flüssige Gelder; ich bin zur Zeit nicht f. **sinnv.:** liquid, solvent, zahlungsfähig.

Flüs|sig|keit, die; -, -en: *ein Stoff in flüssigem Zustand:* in der Flasche war eine helle F. **sinnv.:** Brühe, Lauge, Lösung, Lotion, Sud, Tinktur. **Zus.:** Brems-, Gewebe-, Kühlflüssigkeit.

flü|stern ⟨itr./tr.⟩: *mit leiser Stimme sprechen:* er flüstert immer; er flüsterte ihm die Antwort ins Ohr. **sinnv.:** brummeln, brummen, flöten, hauchen, lispeln, murmeln, pispern, raunen, säuseln, tuscheln, wispern, zischeln, zischen.

Flut, die; -, -en: **1.** ⟨ohne Plural⟩ *das Ansteigen des Meeres, das auf die Ebbe folgt:* sie badeten bei F. **sinnv.:** Hochwasser, Nipptide, Springtide, Tidehochwasser, ansteigendes/auflaufendes Wasser. **Zus.:** Spring-, Sturmflut. **2.** ⟨Plural⟩ *[tiefes] strömendes Wasser:* viele Tiere waren in den Fluten umgekommen.

Foh|len, das; -s, -: *neugeborenes bzw. junges Tier von Pferd, Esel, Kamel und Zebra.* **sinnv.:** Füllen.

Föhn, der; -[e]s, -e: *warmer, trockener Wind von den Hängen der Alpen.*

Fol|ge, die; -, -n: **1.** *etwas, was aus einem bestimmten Handeln, Geschehen folgt:* sein Leichtsinn hatte schlimme Folgen. **sinnv.:** Ausfluß, Auswirkung, Erfolg, Ergebnis, Fazit, Konsequenz, Nachspiel, Nachwirkung, Wirkung. **Zus.:** Todes-, Unfallfolge. **2.** *Reihe von zeitlich aufeinanderfolgenden Dingen, Geschehnissen o. ä.:* in rascher F. erschienen mehrere Romane. **sinnv.:** Reihenfolge, Zyklus.

fol|gen, folgte, hat/ist gefolgt: ⟨itr.⟩: **1.** *hinter jmdm./einer Sache hergehen:* er ist dem Vater ins Haus gefolgt. **sinnv.:** nachgehen. **2.** *verstehend nachvollziehen:* sie sind aufmerksam seinem Vortrag gefolgt. **sinnv.:** verstehen, zuhören. **3.** *zeitlich nach jmdm./etwas kommen:* dem kalten Winter ist ein schönes Frühjahr gefolgt; auf Kaiser Karl V. folgte Ferdinand I. **sinnv.:** anschließen,

nachfolgen. **4.** *aus etwas hervorgehen:* aus seinem Brief ist gefolgt, daß er sich geärgert hatte. **sinnv.:** sich ergeben. **5.** *sich von etwas leiten lassen:* sie ist immer ihrem Gefühl gefolgt. **6.** ↑*gehorchen:* die Kinder haben der Mutter immer gefolgt.

fol|gen|der|ma|ßen ⟨Adverb⟩: *auf folgende Art und Weise:* der Unfall hat sich f. ereignet. **sinnv.:** auf diese Art/Weise, derart, daß ..., dergestalt, daß ...; so, solchermaßen

fol|gern ⟨tr.⟩: *eine Schlußfolgerung aus etwas ziehen:* aus seinen Worten folgerte man, daß er zufrieden sei. **sinnv.:** ableiten, herleiten, das Resümee ziehen, resümieren, schließen, zu dem Schluß kommen, den Schluß ziehen, seine Schlüsse ziehen, schlußfolgern, urteilen.

folg|lich ⟨Adverb⟩: *darum; aus diesem Grunde:* es regnet, f. müssen wir zu Hause bleiben. **sinnv.:** also.

folg|sam ⟨Adj.⟩: *sich den Wünschen der Erwachsenen ohne Widerspruch fügend:* die Kinder waren sehr f. **sinnv.:** gehorsam.

fol|tern ⟨tr.⟩: *jmdm. große körperliche Qualen bereiten:* die Gefangenen wurden gefoltert. **sinnv.:** martern, mißhandeln, peinigen, quälen.

fop|pen ⟨tr.⟩: *im Scherz etwas sagen, was nicht stimmt, und einen anderen damit irreführen:* er foppt gerne andere. **sinnv.:** anführen, aufziehen.

for|dern ⟨tr.⟩: **1.** *einen Anspruch erheben [und ihn mit Nachdruck kundtun]:* er forderte die Bestrafung der Täter; er hat 100 Mark für seine Arbeit gefordert. **sinnv.:** Ansprüche/Forderungen stellen, postulieren, verlangen. **2.** *(von jmdm.) eine Leistung verlangen, die alle Kräfte beansprucht:* sein Beruf fordert ihn sehr; er wurde vom Gegner stark gefordert. **sinnv.:** abverlangen, sich anstrengen, jmdn. rannehmen.

för|dern ⟨tr.⟩: **1.** *in seiner Entfaltung, bei seinem Vorankommen unterstützen:* er hat viele junge Künstler gefördert. **sinnv.:** aufbauen, befürworten, begünstigen, sich einsetzen für, eintreten für, favorisieren, helfen, herausbringen, herausstellen, lancieren, protegieren, sponsern, sich verwenden für, vorziehen. **2.** *(aus dem Innern der Erde) gewinnen:* in dieser Gegend wird Kohle gefördert. **sinnv.:** abbauen, ausbeuten, graben.

Form, die; -, -en: **1.** *(äußere plastische) Gestalt, in der etwas erscheint, sich darstellt:* die Vase hat eine schöne F.; die F. dieses Gedichtes ist die Ballade. **sinnv.:** Art [und Weise], Ausführung, Ausgabe, Design, Eigenschaft, Fasson, Format, Gebilde, Gestaltung, Größe, Machart, Manier, Schnitt, Struktur, Styling, Weise. **2.** *vorgeschriebene Art des gesellschaftlichen Umgangs:* hier herrschen strenge Formen. **sinnv.:** Anstand, Brauch, Förmlichkeit, Höflichkeit, Konvention, Manieren, Sitte, Verhaltensweise. **3.** *Gefäß, in eine weiche Masse gegossen wird, damit sie darin die gewünschte feste Gestalt bekommt:* sie hat den Kuchenteig in eine F. gefüllt. **sinnv.:** Back-, Kuchenblech. **Zus.:** Back-, Kuchen-, Springform. **4.** ⟨ohne Plural⟩ *leistungsfähige körperliche Verfassung:* gut, nicht in F. sein. **sinnv.:** Fitneß, Kondition, Leistungsfähigkeit. **Zus.:** Best-, Tages-, Topform. **5.** ⟨F. + Attribut⟩ *Art und Weise, in der etwas vorhanden ist, erscheint, sich darstellt:* die Formen des menschlichen Zusammenlebens.

For|mat, das; -[e]s, -e: **1.** *[genormte] Größe, [festgelegtes] Größenverhältnis eines Gegenstandes* *nach Länge und Breite:* das Buch, Bild hat ein großes F. **sinnv.:** Form. **2.** ⟨ohne Plural⟩ *außergewöhnlicher Rang auf Grund der Persönlichkeit, bedeutender Fähigkeiten usw.:* ihm fehlt [das] F. dazu. **sinnv.:** Ansehen, Klasse, Niveau, Qualität.

For|mel, die; -, -n: **1.** *fester sprachlicher Ausdruck, feste Formulierung für etwas Bestimmtes:* die F. des Eides sprechen. **Zus.:** Eides-, Gruß-, Leerformel. **2.** *Folge von Zeichen (Buchstaben, Zahlen), die etwas Bestimmtes bezeichnen:* chemische, physikalische, mathematische Formeln.

for|men ⟨tr.⟩: *(einer Sache) eine bestimmte Form geben:* sie formten Gefäße aus Ton. **sinnv.:** anfertigen, ausprägen, bearbeiten, bilden, gestalten, modellieren, nachbilden, prägen.

-för|mig ⟨adjektivisches Suffix⟩: *(im Unterschied zu -artig nur) in der Form, äußeren Gestalt wie das im Basiswort Genannte, damit vergleichbar; von Gestalt wie ...; die Form des im Basiswort Genannten habend:* ei-, finger-, gas-, glocken-, kreis-, kugel-, pilz-, strahlen-, stromlinien-, treppenförmig. **sinnv.:** -ig.

förm|lich ⟨Adj.⟩: **1.** *streng die gesellschaftlichen Formen beachtend:* eine förmliche Begrüßung. **sinnv.:** formell. **2.** *tatsächlich (in dem Maße sich äußernd, auf etwas reagierend):* der Posten wurde ihm f. aufgedrängt. **sinnv.:** regelrecht, schier.

for|mu|lie|ren ⟨tr.⟩: *in sprachliche Form bringen:* er hat seine Fragen klar formuliert. **sinnv.:** artikulieren, auf den Punkt bringen, in Worte fassen.

forsch ⟨Adj.⟩: *entschlossen und energisch auftretend, handelnd:* ein forscher junger Mann. **sinnv.:** dynamisch, flott, resolut, schneidig, schwungvoll.

for|schen ⟨itr.⟩: *durch intensives Bemühen zu erkennen oder aufzufinden suchen:* er forschte nach den Ursachen; die Polizei forschte nach den Tätern. **sinnv.:** auskundschaften, erforschen, ermitteln, eruieren, fahnden, nachforschen, recherchieren, sondieren, studieren.

For|schung, die; -, -en: **a)** *das Arbeiten an wissenschaftlichen Erkenntnissen:* ihre Forschungen beschäftigten sie viele Jahre. **sinnv.:** Erforschung, Studium. **b)** ⟨ohne Plural⟩ *forschende Wissenschaft:* in den letzten Jahren machte die F. große Fortschritte.

För|ster, der; -s, -, **För|ste|rin,** die; -, -nen: *männliche bzw. weibliche Person, die mit der Hege des Waldes und der Pflege des Wildes beauftragt ist.*

fort ⟨Adverb⟩: *[von einem Ort] weg:* die Kinder sind f. **sinnv.:** abwesend.

fort- ⟨trennbares verbales Präfix⟩: **1.** *weg-:* fortlaufen, -räumen, -reisen. **2.** *weiter-:* fortentwickeln, -schreiten.

fort|be|we|gen, bewegte fort, hat fortbewegt: **1.** ⟨tr.⟩ *von der Stelle bewegen:* er versuchte, den schweren Stein fortzubewegen. **sinnv.:** fortschaffen, vorwärts bewegen, wegschaffen. **2.** ⟨sich f.⟩ *sich in bestimmter Richtung vorwärts bewegen:* sich mit Krücken f. **sinnv.:** sich beeilen, sich begeben, sich bewegen, brausen, eilen, fahren, flitzen, gehen, hasten, huschen, jagen, laufen, marschieren, preschen, rasen, rennen, sausen, schieben, schießen, schlappen, schleichen, schlendern, sich schleppen, schlurfen, schreiten, segeln, springen, sprinten, spritzen, spurten, stampfen, stapfen, stelzen, stieben, stiefeln, stolzieren, stre-

ben, stürmen, stürzen, tappen, tigern, tippeln, traben, trippeln, trotten, wandeln, wandern, waten, watscheln, weggehen, ziehen.

fort|fah|ren, fährt fort, fuhr fort, hat/ist fortgefahren ⟨itr.⟩: **1.** *(mit einem Fahrzeug) einen Ort verlassen:* er ist gestern mit dem Auto fortgefahren. **sinnv.:** abfahren, abreisen, verreisen, wegfahren, weggehen. **2.** *(nach einer Unterbrechung) weiter beginnen:* nach einer kurzen Pause hat/ist er dann fortgefahren in seiner Erzählung. **sinnv.:** fortsetzen.

fort|pflan|zen, sich; pflanzte sich fort, hat sich fortgepflanzt: **1.** *Nachkommen hervorbringen:* manche Tiere pflanzen sich in der Gefangenschaft nicht fort. **sinnv.:** die Art erhalten, befruchten, gebären, für Nachwuchs sorgen, sich vermehren. **2.** *sich verbreiten:* das Licht pflanzt sich schnell fort. **sinnv.:** sich ausbreiten.

Fort|schritt, der; -[e]s, -e: *das Erreichen einer höheren Stufe der Entwicklung:* der F. der Technik. **sinnv.:** Aufstieg, Aufwärtsentwicklung, Erfolg, Progreß, Revolution, Weiterentwicklung.

fort|set|zen, setzte fort, hat fortgesetzt ⟨tr.⟩: *(eine begonnene Tätigkeit) nach einer Unterbrechung wiederaufnehmen und weiterführen:* nach einer kurzen Pause setzte er seine Arbeit fort. **sinnv.:** aufnehmen, dabeibleiben, fortfahren, fortführen, weitermachen.

Fort|set|zung, die; -, -en: **1.** *das Fortsetzen:* man beschloß die F. des Gesprächs. **sinnv.:** Fortführung, Weiterführung. **2.** *fortsetzender Teil eines in einzelnen Teilen hintereinander veröffentlichten Werkes:* der Roman erscheint in Fortsetzungen; F. folgt. **sinnv.:** Lieferung.

fort|wäh|rend ⟨Adj.⟩: *[in als ärgerlich o. ä. empfundener Weise] anhaltend:* es regnete f. **sinnv.:** fortgesetzt, unaufhörlich.

Fo|to, das; -s, -s: ↑*Fotografie.* **Zus.:** Akt-, Farb-, Paßfoto.

Fo|to|ap|pa|rat, der; -[e]s, -e: ↑*Kamera.*

Fo|to|gra|fie, die; -, Fotografien: **1.** *durch Fotografieren entstandenes Bild, fotografische Aufnahme:* eine alte F.; eine F. von jmdm. machen. **sinnv.:** Aufnahme, Bild, Dia[positiv], Farbaufnahme, Foto, Großaufnahme, Lichtbild, Luftaufnahme, Luftbild, Nahaufnahme, Porträt, Schnappschuß, Schwarzweißaufnahme. **2.** ⟨ohne Plural⟩ *[Verfahren zur] Herstellung dauerhafter, durch elektromagnetische Strahlen oder Licht erzeugter Abbildungen:* einen Kurs für experimentelle F. belegen.

fo|to|gra|fie|ren ⟨tr./itr.⟩: *durch entsprechendes Einstellen eines Fotoapparates und Auslösen eines Verschlusses ein lichtempfindliches Material belichten [und dadurch eine Abbildung von jmdm./etwas machen]:* jmdn., einen Baum f.; sie fotografiert gerne; **sinnv.:** abbilden, ablichten, eine Aufnahme machen, aufnehmen, aufzeichnen, ein Bild machen, filmen, ein Foto machen/schießen, knipsen, auf die Platte bannen, einen Schnappschuß machen.

Fracht, die; -, -en: *zu befördernde Last:* die F. ein-, ausladen. **sinnv.:** Ladung. **Zus.:** Eil-, Luft-, Schiffsfracht.

Fra|ge, die; -, -n: **1.** *Äußerung, mit der man sich an jmdn. wendet und auf die man eine Antwort erwartet:* er konnte die Fragen des Lehrers nicht beantworten; jmdm. eine F. stellen; eine F. an jmdn. richten; ohne F. *(zweifellos)*. **sinnv.**: Anfrage, Befragung, Erkundigung, Erkundung, Ermittlung, Interview, Konsultation. **Zus.**: Fang-, Prüfungs-, Rück-, Scherz-, Suggestivfrage. **2.** *Problem; Angelegenheit (die besprochen werden muß):* sie diskutierten über politische Fragen; das ist eine F. des Taktes. **sinnv.**: Fall, Problematik, Punkt, Kern-, Knackpunkt, Sache, Schwierigkeit, Thema. **Zus.**: Ermessens-, Geld-, Geschmacks-, Kern-, Sach-, Schuldfrage.

fra|gen: 1. ⟨tr./itr.⟩ *sich mit einer Frage (1) an jmdn. wenden:* er fragte [den Lehrer], ob er nach Hause gehen dürfe. **sinnv.**: anfragen, ansprechen, antippen, ausforschen, ausfragen, aushorchen, ausquetschen, befragen, bohren, erfragen, sich erkundigen, eine Frage stellen, interviewen, konsultieren, verhören. **Zus.**: aus-, hinter-, rückfragen. **2.** ⟨sich f.⟩ *sich etwas überlegen, sich die Frage stellen:* er fragte sich, wie er sein Ziel am schnellsten erreichen könne. **sinnv.**: sich Gedanken machen, nachdenken. **3.** ⟨itr.⟩ *sich um jmdn./etwas kümmern* ⟨nur verneinend⟩: der Vater fragt überhaupt nicht nach seinen Kindern. **sinnv.**: vernachlässigen.

frag|lich ⟨Adj.⟩: **1.** ⟨nur prädikativ⟩ *ungewiß (ob etwas geschieht, gemacht wird o. ä.):* f. ist/bleibt, ob er das schaffen kann. **sinnv.**: ungewiß. **2.** ⟨nur attributiv⟩ *in Frage kommend, betreffend:* zu der fraglichen Zeit. **sinnv.**: obig.

frag|wür|dig ⟨Adj.⟩: *(rechtlich, ethisch o. ä.) keinen einwandfreien Eindruck machend:* die Angelegenheit kam ihm sehr f. vor. **sinnv.**: anrüchig.

fran|kie|ren ⟨tr.⟩: *(einen Brief, ein Paket o. ä., was man mit der Post verschicken will) mit Briefmarken versehen:* er frankierte die Briefe und brachte sie zur Post. **sinnv.**: freimachen.

Fraß, der; -es: **1.** (derb) *Essen, das als in ärgerlicher Weise schlecht, eintönig o. ä. befunden wird:* es ist immer der gleiche F. **Zus.**: Hunde-, Sau-, Schlangenfraß. **2.** *Nahrung (von Tieren):* den Löwen große Mengen Fleisch als F. vorwerfen.

Frat|ze, die; -, -n: *Widerwillen hervorrufendes Gesicht:* wenn man diese F. schon sieht! **sinnv.**: Miene.

Frau, die; -, -en: **1.** *erwachsene weibliche Person:* eine berufstätige, schwangere F. **sinnv.**: Alte, Blaustrumpf, Dame, Ehefrau, Eva, Frauensperson, Frauenzimmer, Fräulein, Jungfrau, Lady, Madam, Mädchen, Matrone, Mutter, Mutti, Oma, Person, Schönheit, Schrulle, Seniorin, Sie, Vamp, Walküre, Weib, Weibchen, Weibsbild, Weibsstück. **Zus.**: Alibi-, Bauern-, Burg-, Geschäfts-, Haus-, Karriere-, Kauf-, Land-, Traumfrau. **2.** ↑*Ehefrau:* er brachte seiner F. Blumen mit; Herr Balzer und F.; Herr Balzer mit F. Brigitte. **3.** ⟨in der Anrede⟩: guten Tag, F. Frings!; F. Ministerin.

Fräu|lein, das; -s, -: **1.** *nicht verheiratete, kinderlose weibliche Person: in dieser Wohnung wohnt ein älteres F.* **sinnv.**: Frau. **2.** ⟨Anrede für eine unverheiratete weibliche Person; heute weitgehend durch „Frau" ersetzt⟩: guten Tag, F. Simon. **3.** ⟨Anrede für eine Verkäuferin, Kellnerin⟩: F., bitte zahlen!

frau|lich ⟨Adj.⟩: *der Art einer [gereiften] Frau entsprechend:* sich betont f. kleiden. **sinnv.**: weiblich.

frech ⟨Adj.⟩: **1.** *in Empörung, Unwillen hervorrufender Weise ungehörig-dreist, respektlos:* eine

freche Antwort; er war sehr f. zu seiner Mutter. **sinnv.**: ausfallend, ausfällig, böse, dreist, impertinent, keck, kühn, lose, naseweis, naßforsch, pampig, patzig, plump, rüde, schnippisch, schnoddrig, unartig, ungezogen, unverfroren, unverschämt, vorlaut, vorwitzig. **2.** *in Eindruck machender Weise keck:* ein freches Hütchen; ein freches Chanson. **sinnv.**: draufgängerisch, frivol, keck, keß.

Frech|heit, die; -, -en: **a)** ⟨ohne Plural⟩ *freches (1) Benehmen:* F. muß bestraft werden. **sinnv.**: Arroganz, Chuzpe, Dreistheit, Dreistigkeit, Impertinenz, Ungezogenheit, Unverfrorenheit, Unverschämtheit. **b)** *freche (1) Handlung oder Äußerung:* solche Frechheiten darfst du dir nicht gefallen lassen.

frei ⟨Adj.⟩: **1.** *ohne etwas, was als bindend, hemmend, einschränkend, als Zwang u. ä. empfunden wird; sich in Freiheit (1) befindend:* freie Wahlen; sich f. entscheiden; hier herrscht ein recht freier Ton. **sinnv.**: autark, autonom, sein eigener Herr, selbständig, selbstverantwortlich, unabhängig, ungebunden. **2.** *frei [von] ...: *ohne ...:* f. von Sorgen, aller Sorgen; vgl. -frei. **3.** *so, daß darüber noch verfügt werden kann:* der Stuhl ist noch f.; er hat nur wenig freie Zeit. **sinnv.**: leer, unbenutzt, unbesetzt, vakant, verfügbar, vorhanden. **4.** *so, daß es offen daliegt, durch nichts verdeckt o. ä. ist:* von hier aus hat man einen freien Blick auf das Gebirge; das Kleid läßt die Schultern f. **5.** ↑*kostenlos:* Kinder bis zu 6 Jahren haben freien Eintritt.

-frei ⟨adjektivisches Suffixoid⟩: **1.** *an das im Basiswort Genannte nicht gebunden* /wird als positiv empfunden/ **a)** /Ggs. -gebunden/ *von dem im Basiswort Genannten nicht abhängig:* block-, kreisfrei. **b)** *das im Basiswort Genannte nicht benötigend, für das im Basiswort Genannte nicht erforderlich:* lizenz-, rezept-, zulassungsfrei. **2.** /Ggs. -pflichtig/ *ohne das im Basiswort Genannte leisten zu müssen* /wird als positiv empfunden/: abgaben-, gebühren-, miet-, porto-, schuldgeld-, zoll-, zuschlagfrei, /elliptisch:/ bahn-, frachtfrei. **3.** *ohne Verpflichtung zu dem im Basiswort Genannten* /wird als positiv empfunden/: arbeits-, dienst-, schul-, vorlesungsfrei. **4.** /wird als positiv empfunden/ **a)** *besagt, daß das im Basiswort Genannte (etw. Unerwünschtes) nicht [als Folge] eintritt:* blend-, knitter-, schadstofffreies Auto, störungs-, straf-, vorwurfsfrei. **b)** *besagt, daß das im Basiswort Genannte nicht nötig ist:* bügel- (Stoff), pflege-, wartungsfrei. **5.** *ohne das im Basiswort Genannte:* **a)** zweckfrei. **b)** /besagt, daß das im Basiswort Genannte nicht vorhanden ist [was als ungewöhnlich empfunden wird]/: auto-, keim-, textilfrei; /Ggs. -haltig/: alkohol- (Bier), koffein- (Kaffee), nikotinfrei. **c)** /wird als positiv empfunden, da das im Basiswort Genannte [im Textzusammenhang] als negativ gilt; enthält im Unterschied zu konkurrierenden Bildungen mit -los eine emotionale Wertung/: akzent-, atomwaffen-, blei- (Benzin), fehler-, fehler-, fernseh-, fieber-, gewalt-, konflikt-, risiko-, schmerz-, vorurteils-, widerspruchs-, zinsfrei. **6.** *das im Basiswort Genannte (Körperteil) nicht bedeckend* /mit einem Kleidungsstück als Bezugswort/: busen-, fuß- (Kleid), knie-, knöchel-, schulter-, wadenfrei. **7. a)** *frei wegen:* hitzefrei. **b)** *frei, zugelassen, er-*

laubt für: jugendfrei. **c)** *frei zu:* wahlfrei *(frei zu wählen).*

-frei/-los: ↑ -los/-frei.

frei|ge|big ⟨Adj.⟩: *großzügig, gern schenkend, anderen von dem, was man hat, [ab]gebend:* er ist sehr f. **sinnv.:** gebefreudig, generös, großzügig, hochherzig, honorig, mildtätig, nobel, spendabel, splendid, verschwenderisch, weitherzig, wohltätig.

Frei|heit, die; -, -en: **1.** ⟨ohne Plural⟩ *Zustand, in dem jmd. frei von bestimmten persönlichen oder gesellschaftlichen, als Zwang oder Last empfundenen Bindungen oder Verpflichtungen, unabhängig ist und sich in seinen Entscheidungen o. ä. nicht eingeschränkt fühlt:* wenn ich wieder in der F. bin; Leben ist immer eine Mischung von F. und Unfreiheit. **sinnv.:** Autarkie, Autonomie, Eigenständigkeit, Freizügigkeit, Selbständigkeit, Selbstbestimmung, Unabhängigkeit, Ungebundenheit, Ungezwungenheit, Zwanglosigkeit. **Zus.:** Meinungs-, Presse-, Rede-, Unfreiheit. **2.** *Recht, Möglichkeit, etwas, was als frei, ungezwungen o. ä. betrachtet wird, zu tun:* dichterische F.; demokratische Freiheiten. **sinnv.:** Ausschweifung, Libertinage, Vorrecht, Zügellosigkeit.

frei|las|sen, läßt frei, ließ frei, hat freigelassen ⟨tr.⟩: *aus der Gefangenschaft o. ä. entlassen:* die Gefangenen, den Vogel wieder freilassen. **sinnv.:** entlassen, freigeben, auf freien Fuß setzen, laufenlassen, loslassen.

frei|lich ⟨Adverb⟩: /schränkt eine vorherige Aussage ein/ *allerdings:* er ist ein guter Arbeiter, f. nur auf seinem engen Fachgebiet. **sinnv.:** aber.

frei|ma|chen, machte frei, hat freigemacht ⟨tr.⟩: *durch Aufkleben von Briefmarken die Gebühr (für Sendungen, die durch die Post befördert werden) im voraus entrichten:* er hat den Brief freigemacht. **sinnv.:** frankieren.

frei|mü|tig ⟨Adj.⟩: *sich im Hinblick auf Überraschung Auslösendes oder weniger Erfreuliches offen äußernd:* f. Fehler eingestehen. **sinnv.:** frei, frisch von der Leber weg.

frei|spre|chen, spricht frei, sprach frei, hat freigesprochen ⟨tr.⟩: *in einem gerichtlichen Urteil feststellen, daß jmd., der angeklagt war, nicht schuldig ist oder daß seine Schuld nicht bewiesen werden kann:* der Angeklagte wurde freigesprochen.

frei|stel|len, stellte frei, hat freigestellt ⟨tr.⟩: *jmdn. zwischen mehreren Möglichkeiten entscheiden lassen:* man stellte ihm frei, in München oder in Berlin zu studieren. **sinnv.:** überlassen.

Frei|tag, der; -s, -e: *fünfter Tag der mit dem Montag beginnenden Woche.*

frei|wil|lig ⟨Adj.⟩: *aus eigenem freiem Willen:* er hat f. auf einen Teil seines Gewinns verzichtet. **sinnv.:** von allein, aus eigenem Antrieb, ohne Aufforderung, fakultativ, von sich aus, spontan, aus freien Stücken, unaufgefordert, ungeheißen.

Frei|zeit, die; -, -en: **1.** ⟨ohne Plural⟩ *Zeit, in der man nicht zu arbeiten braucht, über die man frei verfügen kann:* er ist viel in seiner F. **sinnv.:** Muße. **2.** *Zusammenkunft für Personen mit bestimmten gemeinsamen Interessen:* das Jugendamt veranstaltet Freizeiten für Schüler.

fremd ⟨Adj.⟩: **1.** *nicht bekannt, nicht vertraut:* ein fremder Mann sprach ihn an; er ist f. in dieser Stadt. **sinnv.:** andersartig, fremdartig, anders ge-

artet, neu, unbekannt, ungeläufig, ungewöhnlich. **Zus.:** wildfremd. **2.** *von anderer Herkunft:* fremde Völker; eine fremde Sprache. **sinnv.:** ausländisch, von außerhalb, auswärtig, von auswärts, exotisch, fremdländisch, orientalisch. **Zus.:** landes-, ortsfremd. **3.** *einem anderen gehörend; einen anderen betreffend:* fremdes Eigentum; das ist nicht für fremde Ohren bestimmt. **4.** *nicht zu der Vorstellung, die man jmdm./etwas hat, passend:* das ist ein fremder Ton an ihm. **sinnv.:** anders, neu, ungewohnt.

-fremd ⟨adjektivisches Suffixoid⟩: **a)** *zu dem im Basiswort Genannten üblicherweise nicht gehörend:* art-, berufs-, branchen-, fach-, körper-, wesensfremd. **b)** *auf dem im Basiswort genannten Gebiet o. ä. nicht Bescheid wissend, ihm fernstehend:* praxis-, weltfremd, wirklichkeitsfremde Ideale. **sinnv.:** -extern, -fern. **c)** *in dem im Basiswort genannten Bereich o. ä. fremd, ein Fremder:* er ist ortsfremd, ein revierfremder Hund *(der dort nicht hingehört).*

Frem|de: **I.** der und die; -n, -n ⟨aber: [ein] Fremder, Plural: [viele] Fremde⟩: **a)** *jmd., der an einem Ort fremd ist, der an diesem Ort nicht wohnt:* im Sommer kommen viele Fremde in die Stadt. **sinnv.:** Ausländer, Besucher, Gast, Tourist, Urlauber, Zugereister. **b)** *jmd., den man nicht kennt:* die Kinder fürchteten sich vor dem Fremden. **sinnv.:** Fremdling, Unbekannter. **II.** die; -: *Land fern der Heimat; weit entferntes Ausland:* er lebte lange in der F. **sinnv.:** Ferne, Übersee, die weite Welt.

fres|sen, frißt, fraß, hat gefressen: **1.** /von Tieren/ **a)** ⟨tr.⟩ *feste Nahrung zu sich nehmen:* die Tiere fressen gerade. **sinnv.:** äsen, essen, grasen, picken, weiden. **b)** ⟨tr.⟩ *als Nahrung zu sich nehmen:* Kühe fressen Gras. **sinnv.:** essen. **2.** ⟨itr./tr.⟩ (derb) /in bezug auf Menschen/ **a)** (emotional) *recht viel [und in unkultivierter Weise] essen:* der ißt ja nicht, der frißt. **sinnv.:** essen, Hunger haben. **b)** ↑ *essen:* damals im Krieg haben wir Rüben f. müssen; ich hatte nichts zu f. **3.** ⟨tr.⟩ (ugs.) *verbrauchen, verschlingen:* der Motor frißt viel Benzin. **4.** ⟨itr.⟩ *angreifen und langsam zerstören:* Rost frißt am Metall.

Freu|de, die; -, -n: **1. a)** ⟨ohne Plural⟩ *das Frohsein:* ihre F. über den Besuch war groß. **sinnv.:** Begeisterung, Entzücken, Glück, Jubel, Lust, Pläsier, Seligkeit, Spaß, Stolz, Wonne. **Zus.:** Schaden-, Vorfreude. **b)** *freudiges, frohes Erlebnis:* die kleinen Freuden des Alltags. **2.** ⟨Freuden + Attribut⟩ *alles Beglückende, Schöne, was mit etwas verbunden ist:* die Freuden des Lebens. **Zus.:** Gaumenfreuden.

freu|dig ⟨Adj.⟩: **a)** *voll Freude:* in freudiger Erwartung; er wurde f. begrüßt. **sinnv.:** froh, lustig. **b)** *Freude bereitend:* eine freudige Nachricht bringen. **sinnv.:** erfreulich, froh.

-freu|dig ⟨adjektivisches Suffixoid⟩: **1. a)** *gern, oft das im verbalen Basiswort Genannte machend:* experimentier-, gebe-, kauf-, lese-, spendier-, reise-, trinkfreudig. **sinnv.:** -süchtig. **b)** *zu dem im substantivischen Basiswort Genannten schnell, gern, oft bereit:* auskunfts-, beifalls-, einsatz-, entscheidungs-, fortschritts-, import-, konsum-, kontakt-, leistungs-, reform-, risiko-, verantwortungsfreudig. **2. a)** *Freude an dem im Basiswort Genannten habend, zeigend:* berg-, camping-, des-

sin-, farb-, kostüm- (Theaterszene), stimm-, wehr-
freudig. **b)** *besonders gut in bezug auf das im Ba-
siswort Genannte:* riesel-, startfreudig.
freu|en: a) ⟨sich f.⟩ *Freude empfinden:* sie hat
sich über die Blumen gefreut; er freut sich an ei-
nem Besitz; die Kinder freuen sich auf Weih-
nachten. **sinnv.:** sich erfreuen, ergötzen, Freude
haben, voller Freude sein, Gefallen finden (an et-
was), voller Freude, triumphieren, sich weiden an et-
was. **b)** ⟨itr.⟩ *(jmdm.) Freude bereiten:* die Aner-
kennung freute ihn. **sinnv.:** beglücken, erfreuen,
Freude machen, glücklich machen, Spaß ma-
chen.
Freund, der; -[e]s, -e, **Freun|din,** die; -, -nen: **1.**
*männliche bzw. weibliche Person, gesehen im Zu-
sammenhang mit dem dazugehörigen Partner, dem
sie [in wechselseitiger Beziehung] verbunden ist:* er
traf sich mit seinem Freund/seiner Freundin; sie
hat schon einen Freund. **sinnv.:** Gefährte, Genos-
se, Gespiele, Intimus, Kamerad, Kumpan, Kum-
pel, Verbündeter, Vertrauter · ständiger Beglei-
ter, Bekannter, Geliebter, Kavalier, Liebhaber,
Macher, Partner, Scheich · Alte, Braut, Tussi,
Weib. **Zus.:** Brief-, Busen-, Duz-, Geschäfts-, Ju-
gend-, Partei-, Schul-, Studienfreund. **2.** ⟨F. +
Attribut⟩ *männliche bzw. weibliche Person, die et-
was besonders schätzt, die für etwas besonderes In-
teresse hat:* er ist ein Freund der Oper. **sinnv.:** An-
hänger, Fan, Liebhaber.
freund|lich ⟨Adj.⟩: **a)** *im Umgang mit anderen
liebenswürdig und zuvorkommend:* er ist immer
sehr f.; würden Sie so f. sein, mir zu helfen?
sinnv.: entgegenkommend, gefällig, großmütig,
großzügig, gut, höflich, kulant, leutselig, lieb,
lebenswürdig, nett, sanft, sanftmütig, verbindlich,
warm, weitherzig, wohlwollend. **Zus.:** gast-, kat-
zen-, scheißfreundlich. **b)** *so, daß es als angenehm
empfunden wird:* freundliches Wetter; die Farben
des Kleides sind sehr f. **sinnv.:** ansprechend, er-
freulich, heiter.
-freund|lich ⟨adjektivisches Suffixoid⟩ /Ggs.
-feindlich/: **1.** *in seiner Art, Beschaffenheit für das
im Basiswort Genannte günstig, ihm helfend, ent-
gegenkommend, es begünstigend, ihm angenehm:*
benutzerfreundliches Wörterbuch, fußgänger-,
käuferfreundlicher Preis, kinder-, körperfreund-
liche Seife, kunden-, magen-, menschen-, mieter-,
umweltfreundliche Autos, zuschauerfreundli-
cher Service; /elliptisch/ regenschirmfreundli-
cher Tag *(Tag, an dem es nicht regnet, an dem man
keinen Regenschirm braucht).* **2.** *dem im Basiswort
Genannten gegenüber wohlgesinnt; freundlich zu,
gegenüber ...:* auslandsfreundliche Gesinnung,
deutsch-, kuba-, presse-, regierungsfreundliche
Truppen.
Freund|schaft, die; -, -en: *auf gegenseitiger Zu-
neigung beruhendes Verhältnis von Menschen zu-
einander:* ihre F. dauerte ein ganzes Leben lang.
sinnv.: Beziehung, Bindung, Brüderschaft, Ka-
meradschaft, Partnerschaft, Verbundenheit.
Zus.: Brief-, Jugend-, Männer-, Völkerfreund-
schaft.
freund|schaft|lich ⟨Adj.⟩: *in Freundschaft:* er
war ihm f. zugetan. **sinnv.:** brüderlich, einträch-
tig, kameradschaftlich, kollegial, partnerschaft-
lich.
Frie|de, der; -ns, -n und **Frie|den,** der; -s, -:
1. a) ⟨ohne Plural⟩ *Zustand von Ruhe und Sicher-

heit; Zeit, in der kein Krieg herrscht:* den Frieden
sichern. **sinnv.:** Friedenszeit, Versöhnung, Ver-
ständigung, Waffenruhe, Waffenstillstand. **Zus.:**
Völker-, Weltfriede[n]. **b)** *Friedensschluß:* einen
ehrenvollen Frieden aushandeln. **Zus.:** Separat-,
Sonderfriede[n]. **2.** *Zustand der Eintracht:* in die-
ser Familie herrscht kein F. **sinnv.:** Einigkeit,
Harmonie. **Zus.:** Arbeits-, Ehe-, Familienfrie-
de[n].
Fried|hof, der; -[e]s, Friedhöfe: *Ort, an dem die
Toten beerdigt werden:* der Verstorbene wurde
auf dem F. des Dorfes beerdigt. **sinnv.:** Begräb-
nisstätte, Gottesacker, Kirchhof, Nekropole, To-
tenacker. **Zus.:** Soldaten-, Urnen-, Waldfriedhof.
fried|lich ⟨Adj.⟩: **1. a)** *nicht für den Krieg be-
stimmt:* die friedliche Nutzung der Kernenergie.
b) *ohne Gewalt und Krieg [bestehend], nicht krie-
gerisch:* f. zusammenleben. **sinnv.:** einträchtig,
friedfertig. **2. a)** *nicht zum Streiten neigend:* er ist
ein friedlicher Mensch. **b)** *wohltuend still, ruhig,
von Ruhe erfüllt, zeugend:* ein friedlicher An-
blick; f. einschlafen. **sinnv.:** beschaulich, idyl-
lisch, ruhig.
frie|ren, fror, hat/ist gefroren ⟨itr.⟩: **1. a)** *Kälte
empfinden:* ich habe ganz erbärmlich gefroren; er
friert immer an den Füßen. **sinnv.:** bibbern, frö-
steln, jmdm. ist kalt, Kälte empfinden, schau-
dern, schauern, schlottern, zittern. **b)** *das Gefühl
der Kälte empfinden lassen:* ihn hat [es] ganz jäm-
merlich [an den Ohren] gefroren. **2. a)** *unter den
Gefrierpunkt sinken:* heute nacht hat es gefroren.
b) *zu Eis werden:* das Wasser ist gefroren. **sinnv.:**
gefrieren, vereisen, zufrieren.
Fri|ka|del|le, die; -, -n: *[flacher] in der Pfanne
gebratener Kloß aus Hackfleisch.* **sinnv.:** deut-
sches Beefsteak, Bratklops, Bulette, Fleischkloß,
Fleischküchlein, Hackbraten, Klops. **Zus.:**
Fischfrikadelle.
frisch ⟨Adj.⟩: **1.** *erst vor kurzer Zeit hergestellt
*/Ggs. alt/: frisches Brot; die Waren sind f. **sinnv.:**
von heute, ofenwarm, [noch] warm. **Zus.:** druck-,
post-, taufrisch. **2.** *gewaschen u. danach noch nicht
getragen, gebraucht:* f. bezogene Betten. **sinnv.:**
neu, rein, unberührt, ungebraucht, ungetragen. **3.**
*in spürbarer Weise nicht warm (was als unange-
nehm empfunden wird):* es weht ein frischer
Wind. **sinnv.:** kalt. **4.** *sichtbar gesund [aussehend]:*
sie hat ein frisches Aussehen. **sinnv.:** adrett, aus-
geruht, blühend, erholt, fit, knackig, rüstig. **Zus.:**
jugend-, taufrisch.
-frisch ⟨adjektivisches Suffixoid⟩ /vor allem in
der Werbesprache/: **a)** *gerade aus, von dem im
Basiswort (meist Ort) Genannten kommend und
daher (in bezug auf Nahrungs-, Genußmittel) qua-
litativ recht gut:* garten- (Gemüse), ofenfrisch
(Brot). **b)** *unmittelbar im Anschluß an das im Ba-
siswort (Tätigkeit) Genannte und daher (in bezug
auf Nahrungs-, Genußmittel) qualitativ recht gut:*
ernte- (Obst), röst- (frisch vom Rösten; Kaffee),
schlachtfrisch (Wurst).
Fri|seur [friˈzøːɐ̯], der; -s, -e, **Fri|seu|rin,** die; -,
-nen, **Fri|seu|se** [friˈzøːzə], die; -, -n: *männliche
bzw. weibliche Person, die anderen die Haare
wäscht, schneidet, frisiert o. ä.* **sinnv.:** Barbier,
Coiffeur, Figaro, Haarschneider. **Zus.:** Damen-,
Herrenfriseur.
fri|sie|ren ⟨tr.⟩: **1.** *das Haar in bestimmter Weise
ordnen, zu einer Frisur formen:* du mußt dich

noch f. **sinnv.**: bürsten, durchkämmen, das Haar machen, kämmen, ondulieren, wellen. 2. **a)** *verändern, um etwas vorteilhafter erscheinen zu lassen:* man hat die Nachricht frisiert. **sinnv.**: beschönigen. **b)** *die Leistung eines serienmäßig hergestellten Kfz-Motors durch nachträgliche Veränderungen steigern:* einen Motor f. **sinnv.**: aufmöbeln, aufmotzen, hochkitzeln, tunen, verbessern.

Frist, die; -, -en: **a)** *Zeitraum (in dem oder nach dem etwas geschehen soll):* er gab ihm eine F. von 8 Tagen für seine Arbeit. **sinnv.**: Dauer, Spanne, Stichtag, Termin, Zeitpunkt. **Zus.**: Kündigungs-, Liefer-, Sperr-, Wartefrist. **b)** *begrenzter Aufschub:* der Schuldner erhielt eine weitere F. **sinnv.**: Kunstpause, Stundung. **Zus.**: Galgen-, Gnaden-, Schamfrist.

Fri|sur, die; -, -en: *Art und Weise, in der jmds. Haar frisiert ist:* sie hat eine moderne F. **sinnv.**: Dauerwelle, Haarschnitt, Haartracht, Ondulation.

-frit|ze, der; -n, -n ⟨Suffixoid⟩: */kennzeichnet leicht geringschätzig eine meist nicht näher bekannte männliche Person, die durch das im Basiswort angedeutete Tun, Tätigsein auf einem bestimmten Gebiet sehr allgemein charakterisiert wird/:* Auto- (jmd., der Autos verkauft), Bummel- (jmd., der bummelt), Film- (jmd., der in der Filmproduktion tätig ist), Presse-, Versicherungs-, Zigarrenfritze. **sinnv.**: -august, -bruder, -hans, -heini, -mann, -maxe, -meier, -peter · -liese, -suse, -tante, -trine.

froh ⟨Adj.⟩: **1.** *von einem Gefühl der Freude erfüllt; innere Freude widerspiegelnd:* frohe Menschen, Gesichter; sie ist f., daß die Kinder gesund zurückgekehrt sind. **sinnv.**: befreit, beruhigt, erfreut, erleichtert, fidel, freudig, fröhlich, glücklich, gutgelaunt, lustig, optimistisch, zufrieden. **Zus.**: erwartungs-, heil-, hoffnungs-, lebens-, tatenfroh. **2.** *Freude bringend, freudig stimmend:* eine frohe Nachricht. **sinnv.**: erfreulich, freudig.

fröh|lich ⟨Adj.⟩: *vergnügt, in froher Stimmung:* fröhliche Gesichter; sie lachten f. **sinnv.**: froh, lustig.

fromm, frommer/frömmer, frommste/frömmste ⟨Adj.⟩: *vom Glauben an Gott erfüllt:* er ist ein sehr frommer Mensch. **sinnv.**: andächtig, bigott, gläubig, gottesfürchtig, kirchlich, orthodox, religiös, strenggläubig.

Front, die; -, -en: **1. a)** *vordere Seite (eines Gebäudes):* die F. des Hauses ist 10 Meter lang. **sinnv.**: Fassade, Vorderseite. **Zus.**: Hinter-, Vorderfront. **b)** *vordere Linie einer Truppe, die angetreten ist:* die F. [der Ehrenkompanie] abschreiten. **sinnv.**: Reihe. **2.** *vorderste Linie der kämpfenden Truppe:* an der F. kämpfen. **sinnv.**: Frontlinie, Kampflinie, Kriegsschauplatz, Schlachtfeld. **Zus.**: Heimat-, Ost-, Westfront.

fron|tal ⟨Adj.⟩: *mit/an der vorderen Seite; von vorn kommend:* die Autos stießen f. zusammen. **sinnv.**: frontseitig, vorn befindlich, von vorn.

Frosch, der; -[e]s, Frösche: *im und am Wasser lebendes Tier mit gedrungenem Körper von grüner oder brauner Färbung, flachem Kopf mit breitem Maul, großen, oft stark hervortretenden Augen und langen, als Sprungbeine dienenden Hintergliedmaßen:* die Frösche quaken. **sinnv.**: Froschlurch, Kröte, Unke. **Zus.**: Gras-, Laub-, Wasserfrosch.

Frost, der; -[e]s, Fröste: *Temperatur unter dem*

Gefrierpunkt: draußen herrscht strenger F. **sinnv.**: Kälte.

frot|tie|ren ⟨tr.⟩: *(jmdm.) mit einem Tuch den Körper [abtrocknen und] kräftig abreiben:* das Kind mit dem Badetuch f.

Frucht, die; -, Früchte: **1.** *eßbares Produkt bestimmter Pflanzen (bes. von Bäumen und Sträuchern).* **sinnv.**: Getreide, Obst. **Zus.**: Baum-, Beeren-, Hülsen-, Körner-, Sommer-, Trockenfrucht, Wildfrucht. **2.** ⟨F. + Attribut⟩ *etwas, was Ergebnis, Ertrag bestimmter Bemühungen, Handlungen ist:* die Früchte seines Fleißes ernten. **sinnv.**: Erfolg.

frucht|bar ⟨Adj.⟩: **a)** *Frucht tragend; ertragreich:* fruchtbarer Boden. **sinnv.**: nützlich, urbar. **b)** *zahlreiche Nachkommen hervorbringend:* ein fruchtbares Adelsgeschlecht. **sinnv.**: fertil, fortpflanzungsfähig, gebärfreudig, potent, zeugungsfähig.

früh: **I.** ⟨Adj.⟩ **a)** *am Beginn eines bestimmten Zeitraumes liegend:* am frühen Abend; in früher Jugend. **sinnv.**: am/zu Anfang, bald, beizeiten, in aller Frühe, frühmorgens, frühzeitig, rechtzeitig, zeitig. **b)** *vor einem bestimmten Zeitpunkt [liegend, eintretend o. ä.]:* ein früher Winter; er kam noch früher als du. **sinnv.**: eher, vorzeitig, vor der Zeit. **II.** ⟨Adverb⟩ *morgens; am Morgen:* heute f.; um sechs Uhr f.

frü|her: **I.** ⟨Adj.⟩ **a)** *vergangen:* in früheren Zeiten. **sinnv.**: alt, zurückliegend. **b)** *einstig, ehemalig:* frühere Freunde. **sinnv.**: damalig, vormalig. **II.** ⟨Adverb⟩ **a)** *einst, ehemals:* alles sieht noch aus wie f. **sinnv.**: damals. **b)** ⟨in Verbindung mit einer Zeitangabe⟩ *vor einem festgelegten Zeitpunkt/davor, vorher:* er kam 3 Stunden f. zurück. **sinnv.**: eher, früh.

Früh|jahr, das; -[e]s, -e: *erster Abschnitt des Jahres bis zum Beginn des Sommers:* im F. 1960.

Früh|ling, der; -s, -e: *Jahreszeit zwischen Winter und Sommer, bes. als die Zeit, in der die Natur wieder zu erwachen beginnt:* es wird F. **sinnv.**: Frühjahr, Lenz, Vorsaison.

Früh|stück, das; -[e]s, -e: *im allgemeinen aus einem warmen Getränk, Brot und verschiedenem Belag bestehende, am [frühen] Vormittag eingenommene erste Mahlzeit am Tag:* ein kräftiges F. **sinnv.**: Brunch, Kaffee, Morgenkaffee.

früh|stü|cken ⟨itr.⟩: **a)** *das Frühstück einnehmen:* wir wollen jetzt f. **sinnv.**: essen, Kaffee trinken. **b)** *zum Frühstück einnehmen:* ein Schinkenbrot f.

früh|zei|tig ⟨Adj.⟩: *schon recht früh:* er ist f. aufgebrochen. **sinnv.**: früh.

Fuchs, der; -es, Füchse: *kleineres Raubtier mit rötlichbraunem Fell, spitzer Schnauze, großen, spitzen Ohren und buschigem Schwanz.*

Fu|ge, die; -, -n: *schmaler Zwischenraum zwischen zwei [zusammengefügten] Teilen:* er versuchte die Fugen in der Wand zu schließen. **sinnv.**: Riß.

fü|gen: **1.** ⟨sich f.⟩ **a)** *gehorchen:* nach anfänglichem Widerstand fügte er sich. **sinnv.**: sich anpassen, befolgen; nachgeben. **b)** *etwas gefaßt auf sich nehmen, ertragen:* die Partei mußte sich in das Unabänderliche f. **sinnv.**: aushalten. **2.** ⟨tr.⟩ *bewirken, daß etwas zu etwas anderem hinzukommt, daran angefügt, darin eingepaßt wird:* einen Satz an den anderen f. **sinnv.**: einfügen.

fühllen, fühlte, hat gefühlt/ (nach vorangehendem Infinitiv auch) hat ... fühlen: **1.** ⟨tr.⟩ *durch Betasten oder Berühren feststellen:* man konnte die Beule am Kopf f. **sinnv.:** tasten. **2.** ⟨tr.⟩ **a)** *mit den Nerven wahrnehmen, als Sinnesreiz (körperlich) bemerken:* er hat seine Kräfte wachsen f./gefühlt. **b)** *seelisch empfinden:* sie fühlten Abneigung. **sinnv.:** empfinden, hegen, merken, spüren, verspüren, wahrnehmen. **3.** ⟨sich f.⟩ **a)** *sich (in einem bestimmten inneren Zustand) befinden:* sie fühlt sich krank. **sinnv.:** sein. **b)** *sich halten für:* er fühlte sich schuldig.

Fühller, der; -s, -: *bei bestimmten niederen Tieren paarig am Kopf sitzendes Tast-, Geruchs- u. Geschmackssinnesorgan:* die Schnecke hat zwei Fühler.

fühlren: 1. ⟨tr.⟩ *jmdm. den Weg, eine Richtung zeigen, indem man mit ihm geht oder ihm vorangeht; einen Menschen, ein Tier in eine bestimmte Richtung in Bewegung setzen und zu einem Ziel bringen:* einen Fremden durch die Stadt f.; Hunde sind im Stadtpark an der Leine zu f. **sinnv.:** begleiten. **2.** ⟨tr.⟩ *die Leitung von etwas innehaben:* eine Firma f. **sinnv.:** befehligen, betreiben, betreuen, gebieten über, herrschen über, leiten, lenken, jmdm. präsidieren, an der Spitze stehen, unterhalten, verwalten, vorstehen; regieren. **3.** ⟨itr.⟩ *(in einem Wettbewerb o. ä.) an erster Stelle sein:* er führte bei dem Rennen. **sinnv.:** anführen, an der Spitze liegen, vorne liegen. **4.** ⟨tr.⟩ *steuern, lenken:* ein Fahrzeug f. **5.** ⟨tr.⟩ *(mit etwas, was man in der Hand hält) sachgerecht, geschickt umgehen:* den Pinsel gekonnt f. **sinnv.:** bedienen, gebrauchen, handhaben, hantieren. **6.** ⟨itr.⟩ *in einer bestimmten Richtung verlaufen:* die Brücke führt über den Fluß. **7.** ⟨tr.⟩ *enthalten und transportieren:* die Leitung führt keinen Strom. **8.** ⟨itr.⟩ *Anlaß dafür sein, daß jmd. an einen bestimmten Ort gelangt, zu jmdm. kommt:* was führt Sie zu mir? **9.** ⟨tr.⟩ *(eine bestimmte Ware) zum Verkauf vorrätig haben:* das Geschäft führt diese Ware nicht. **sinnv.:** präsent haben. **10.** (als Funktionsverb:) Klage f. *(klagen)*, die Aufsicht f. *(beaufsichtigen)*. **11.** ⟨sich f.⟩ *sich (in bestimmter Weise) betragen:* er hat sich während seiner Lehrzeit gut geführt.

Fühlrer, der; -s, -: **1.** *männliche Person, die eine Gruppe von Personen führt (1), ihr Sehenswürdigkeiten erklärt, bei Besichtigungen die notwendigen Erläuterungen gibt:* der F. einer Gruppe von Touristen. **Zus.:** Berg-, Fremden-, Museumsführer. **2.** *männliche Person, die eine Organisation, Bewegung o. ä. leitet:* der [geistige] F. einer Bewegung. **sinnv.:** Anführer, Guru, Leiter. **Zus.:** Fraktions-, Gewerkschafts-, Oppositions-, Parteiführer. **3.** *Buch, das Informationen gibt, z. B. über eine Stadt, ein Museum o. ä.:* sie kauften einen F. durch Paris. **sinnv.:** Ratgeber, Vademekum, Wegweiser. **Zus.:** Hotel-, Opern-, Reise-, Stadtführer.

Fühlrelrin, die; -, -nen: vgl. Führer (1, 2).

Fühlrerlschein, der; -[e]s, -e: *behördliche Erlaubnis zum Führen eines Kraftfahrzeugs.* **sinnv.:** Fahrerlaubnis.

Fülle, die; -: *große Menge, Vielfalt:* eine F. von Waren. **sinnv.:** Anzahl, Ausmaß, Menge.

füllen: 1. ⟨tr.⟩ **a)** *durch Hineinfüllen, -schütten o. ä. vollmachen:* einen Sack mit Kartoffeln f. **sinnv.:** hineintun, vollgießen, vollschütten. **Zus.:** ab-, an-, auf-, vollfüllen. **b)** *gießen, schütten (in ein*

Gefäß): Milch in eine Flasche f. **sinnv.:** einschenken, hineingießen, hineinschütten. **Zus.:** ein-, hineinfüllen. **2.** ⟨tr.⟩ *(Platz) einnehmen, beanspruchen:* der Aufsatz füllte viele Seiten. **sinnv.:** in Anspruch nehmen, fordern, nötig haben. **Zus.:** ausfüllen. **3.** ⟨sich f.⟩ *voll werden:* die Badewanne füllte sich langsam.

Funldalment, das; -[e]s, -e: *[unter der Oberfläche des Bodens liegende] Mauern, die ein Gebäude tragen:* das F. des Hauses. **sinnv.:** Basis, Fuß, Grundfeste, Grundlage, Grundmauer, Grundstein, Sockel, Unterbau.

fünf ⟨Kardinalzahl⟩: 5: f. Personen.

fünft... ⟨Ordinalzahl⟩: 5.: der fünfte Mann.

fünflzig ⟨Kardinalzahl⟩: 50: f. Personen.

Funk, der, -s: **1.** *Rundfunk:* die Beeinflussung der Bevölkerung durch F. und Fernsehen. **2.** **a)** *Übermittlung von Nachrichten durch Ausstrahlen und Empfangen elektrisch erzeugter Wellen von hoher Frequenz:* die Streifenwagen wurden über F. verständigt. **Zus.:** Amateur-, Bild-, Hör-, Polizei-, Sprech-, Taxifunk. **b)** *Einrichtung zur Übermittlung von Nachrichten durch elektrisch erzeugte Wellen von hoher Frequenz:* heute sind alle größeren Schiffe mit F. ausgerüstet. **Zus.:** Bord-, Richt-, Sprechfunk.

Funlke, der; -ns, -n, **Funlken,** der; -s, -: *glimmendes, glühendes Teilchen, das sich von einer brennenden Materie löst und durch die Luft fliegt:* bei dem Brand flogen Funken.

funlkeln ⟨itr.⟩: *glitzernd leuchten, einen strahlenden Glanz haben:* die Gläser funkelten.

Funlken, der; -s, -n: ↑Funke.

Funkltilon, die; -, -en: **a)** *Amt, Aufgabe [in einem größeren Ganzen]:* er hat die F. eines Kassierers. **sinnv.:** Aufgabe, Bestimmung. **Zus.:** Doppel-, Haupt-, Schlüsselfunktion. **b)** *Tätigkeit, das Arbeiten:* die F. des Herzens. **sinnv.:** Wirken, Wirksamkeit. **Zus.:** Körper-, Schutz-, Überfunktion.

funkltiolnielren ⟨itr.⟩: *[ordnungsgemäß] arbeiten:* wie funktioniert diese Maschine? **sinnv.:** angestellt sein, ansein, arbeiten, in Betrieb/ Funktion sein, in Gang sein, gehen, laufen.

für: **I.** ⟨Präp. mit Akk.⟩ **a)** */bezeichnet den bestimmten Zweck/:* er arbeitet f. sein Examen. **b)** */bezeichnet den Empfänger, die Bestimmung/:* das Buch ist f. dich. **c)** */drückt aus, daß jmd./etwas durch jmdn./ etwas vertreten wird/:* er springt f. den kranken Kollegen ein. **sinnv.:** anstatt. **d)** */drückt ein Verhältnis aus/:* f. den Preis ist der Stoff zu schlecht. **e)** */bei der Nennung eines Preises, Wertes/:* er hat ein Haus f. viel Geld gekauft. **f)** */bei der Nennung eines Grundes/:* f. seine Frechheit kann er nichts. **g)** */bei der Nennung einer Dauer/:* er geht f. zwei Jahre nach Amerika. **II.** **1.** /in Verbindung mit einem Personalpronomen in Konkurrenz zu *dafür*/ bezogen auf eine Sache (ugs.)/: ein neues Gesetz liegt vor, die Parteien haben schwer f. es (statt: dafür) gekämpft. **2.** /in Verbindung mit „was" in Konkurrenz zu *wofür*/ bezogen auf eine Sache (ugs.)/: **a)** /in Fragen/: f. was (besser: wofür) hast du das Geld bekommen? **b)** /in relativer Verbindung/: sie fragte sich, f. was (besser: wofür) sie den Preis erhalten habe. **III.** ⟨in der Fügung⟩ **was f- [ein]** zur Angabe der Art oder Qualität; *welch:* was f. ein Kleid möchten Sie kaufen?; aus was f. Gründen auch immer.

Fur|che, die; -, -n: *[mit dem Pflug hervorgebrachte] Vertiefung im Boden:* die Furchen im Acker. **sinnv.:** Riß, Runzel. **Zus.:** Acker-, Saatfurche.

Furcht, die; -: *Angst angesichts einer Bedrohung oder Gefahr:* große F. haben; die F. vor Strafe. **sinnv.:** Angst. **Zus.:** Kriegs-, Todesfurcht.

furcht|bar ⟨Adj.⟩: **1.** *(in seinen Folgen) schrecklich:* ein furchtbares Unwetter, Verbrechen; die Wunde war f. anzusehen. **sinnv.:** schrecklich. **2.** (ugs.) ⟨verstärkend bei Adjektiven und Verben⟩ *sehr:* das war f. nett.

fürch|ten, fürchtete, hat gefürchtet: **a)** ⟨tr./sich f.⟩ *Furcht haben (vor jmdm./etwas):* er fürchtet den Tod; er fürchtet sich vor dem Hund. **sinnv.:** jmdm. ist angst [und bange], Angst haben vor, sich ängstigen, ängstlich sein, Bammel haben vor, jmdm. ist bange, Bange haben vor, befürchten, Furcht haben/hegen, sich graulen, grausen, es graut/graust jmdm./jmdn., es gruselt jmdm./jmdn., einen Horror haben vor, die Hosen voll haben, Lampenfieber haben, Schiß haben, zurückscheuen, zurückschrecken. **b)** ⟨tr.⟩ *die Befürchtung haben:* er fürchtete, zu spät zu kommen. **sinnv.:** befürchten. **c)** ⟨itr.⟩ *in Sorge sein (um jmdn./etwas):* sie fürchtete für seine Gesundheit. **sinnv.:** sich sorgen.

fürch|ter|lich ⟨Adj.⟩: **a)** *sehr schlimm:* ein fürchterliches Unglück. **sinnv.:** schrecklich. **b)** ⟨verstärkend bei Adjektiven und Verben⟩ *sehr:* es war f. kalt.

furcht|sam ⟨Adj.⟩: *voll Furcht:* ein furchtsames Kind; er blickte sich f. um. **sinnv.:** ängstlich.

für|ein|an|der ⟨Adverb⟩: *einer für den andern:* f. einspringen.

Für|sor|ge, die; -: *Pflege, Hilfe, die man jmdm. zuteil werden läßt:* nur durch ihre F. ist der Kranke wieder gesund geworden. **sinnv.:** Fürsorglichkeit, Sorge, Sorgfalt. **Zus.:** Alters-, Gefangenen-, Gesundheits-, Sozialfürsorge.

für|sorg|lich ⟨Adj.⟩: *liebevoll um jmdn./etwas besorgt:* eine fürsorgliche Mutter. **sinnv.:** besorgt, liebevoll, mütterlich.

Fürst, der; -en, -en, **Für|stin,** die; -, -nen: *Angehörige[r] des hohen Adels:* er sprach mit Fürst Bismarck/mit dem Fürsten Bismarck. **sinnv.:** Regent. **Zus.:** Kur-, Landes-, Stammesfürst.

Furt, die; -, -en: *seichte Stelle eines Flusses, die das Überqueren gestattet:* durch die F. gelangten wir ohne Mühe zum anderen Ufer. **sinnv.:** Durchgang.

Fuß, der; -es, Füße: **1.** *unterster Teil des Beines:* im Schnee bekam er kalte Füße. **sinnv.:** Pfote, Quadratlatschen, Quanten. **Zus.:** Hinter-, Klump-, Platt-, Schweiß-, Senk-, Spreiz-, Vorderfuß. **2.** *Teil, auf dem ein Gegenstand steht:* die Füße des Schrankes. **sinnv.:** Sockel. **Zus.:** Bett-, Drei-, Lampen-, Säulenfuß. **3.** ⟨F. + Attribut⟩ *ohne Plural⟩ Stelle, an der ein Berg oder ein Gebirge sich aus dem Gelände erhebt:* eine Siedlung am Fuße des Berges.

Fuß|ball, der; -[e]s, Fußbälle: **1.** *im Fußballspiel verwendeter Ball.* **sinnv.:** Ball, Leder. **2.** ⟨ohne Plural⟩ *Fußballspiel als Sportart.* **sinnv.:** Football, Rugby, Soccer. **Zus.:** Profi-, Standfußball.

Fuß|ball|spiel, das; -[e]s, -e: *Spiel von zwei Mannschaften mit je elf Spielern, bei dem der Ball mit dem Fuß, Kopf oder Körper möglichst oft in das Tor des Gegners geschossen werden soll.*

Fuß|bo|den, der; -s, Fußböden: *untere, begehbare Fläche eines Raumes:* ein F. aus Stein. **sinnv.:** Boden, Dielen, Estrich, Fliesen, Parkett, Steinboden, Terrazzo[boden], Unterboden, Zementboden. **Zus.:** Holz-, Parkett-, Steinfußboden.

Fuß|gän|ger, der; -s, -, **Fuß|gän|ge|rin,** die; -, -nen: *Verkehrsteilnehmer bzw. Verkehrsteilnehmerin, der/die zu Fuß geht.* **sinnv.:** Passant.

Fuß|gän|ger|zo|ne, die; -, -n: *Bereich einer Stadt, der für den Autoverkehr gesperrt ist, damit die Fußgänger dort ungehindert sich bewegen, einkaufen und flanieren können.*

Fut|ter, das; -s: **I.** *Nahrung der Tiere:* den Hühnern F. geben. **Zus.:** Fisch-, Grün-, Hühner-, Kraft-, Schweine-, Vieh-, Vogelfutter. **II.** *Stoff auf der Innenseite von Kleidungsstücken.* **Zus.:** Ärmel-, Hut-, Mantel-, Seiden-, Taschenfutter.

Fut|te|ral, das; -s, -e: *aus einer Hülle bestehender Behälter für Gegenstände, die leicht beschädigt werden können:* ein gefüttertes, ledernes F. für die Brille. **sinnv.:** Hülle.

füt|tern ⟨tr.⟩: **I. a)** *(einem Tier) Futter geben:* er füttert die Vögel im Winter. **sinnv.:** ernähren. **b)** *(einem Kind, einem hilflosen Kranken) Nahrung geben:* das Baby muß gefüttert werden. **sinnv.:** ernähren. **c)** *als Futter, Nahrung geben:* Hafer f. **II.** *(ein Kleidungsstück) mit Futter versehen:* sie hat den Mantel gefüttert. **sinnv.:** auskleiden.

G

Ga|be, die; -, -n: **1.** *etwas, was man jmdm. als Geschenk, Aufmerksamkeit überreicht, gibt:* er gab dem Bettler eine kleine G. **sinnv.:** Almosen, Angebinde, Aufmerksamkeit, Geschenk, Mitbringsel, Präsent. **Zus.:** Gegen-, Liebes-, Opfer-, Weihnachtsgabe. **2.** *jmds. [als Vorzug betrachtete, über das Übliche hinausgehende] Befähigung zu etwas:* er hat die G. des Zuhörens. **Zus.:** Auffassungs-, Geistes-, Rednergabe.

Ga|bel, die; -, -n: *Gerät mit mehreren Zinken, das beim Essen zum Aufnehmen fester Speisen dient:* mit Messer und G. essen. **Zus.:** Fleisch-, Kuchengabel.

ga|beln, sich: *in mehrere Richtungen auseinandergehen:* der Weg gabelt sich. **sinnv.:** sich teilen, sich verzweigen.

gackern ⟨itr.⟩: *(vom Huhn) helle, kurze Töne in rascher Folge ausstoßen:* die Henne gackert.

Gans　　　　　　　　Ente　　　　　　　　Schwan

gaf|fen ⟨itr.⟩ (emotional): *in als aufdringlich empfundener Weise auf jmdn./etw. blicken:* was gibt es denn hier zu g.? **sinnv.:** glotzen, sehen, starren, zuschauen.

Gag [gæg], der; -s, -s: *witziger Einfall.* **sinnv.:** Einfall.

Ga|ge ['ga:ʒə], die; -, -n: *Gehalt, Honorar eines Künstlers.*

gäh|nen ⟨itr.⟩: *vor Müdigkeit oder Langeweile den Mund weit öffnen und dabei tief atmen:* er gähnte laut.

Ga|le|rie, die; -, Galeri|en. **1.** *oberster Rang in einem Theater:* die G. ist voll besetzt. **sinnv.:** Empore, Olymp, Rang, Tribüne, Zuschauertribüne. **2.** *Sammlung, Ausstellung von Bildern:* in der Städtischen G. ist eine Ausstellung von mittelalterlichen Gemälden. **sinnv.:** Museum. **Zus.:** Ahnen-, Bilder-, Gemäldegalerie.

Gal|gen, der; -s, -: *Gerüst, an dem man einen zum Tode Verurteilten erhängt:* am G. hängen.

Gal|le, die; -, -n: *mit der Leber verbundenes Organ, in dem ein Sekret der Leber gespeichert wird, das für die Verdauung nötig ist.*

Ga|lopp, der; -s, -s und -e: *springender Lauf des Pferdes:* er ritt im G. davon.

ga|lop|pie|ren, galoppierte, hat/ist galoppiert ⟨itr.⟩: *im Galopp reiten:* ein Reiter ist über das Feld galoppiert; das Pferd hatte/war galoppiert und wurde deshalb disqualifiziert.

gam|meln ⟨itr.⟩: *die Zeit nutzlos und untätig verbringen.*

Gang, der; -[e]s, Gänge. **1.** ⟨ohne Plural⟩ *Art des Gehens:* er erkannte ihn an seinem Gang. **sinnv.:** Galopp, Lauf, Paßgang, Schritt, Trab, Tritt, Zotteltrab. **Zus.:** Allein-, Krebs-, Schneckengang. **2.** *das jeweilige Gehen (zu einem bestimmten Ziel):* ein G. durch den Park. **sinnv.:** Bummel, Spaziergang, Streifzug. **Zus.:** Bitt-, Boten-, Kirch-, Kontroll-, Schul-, Spazier-, Streifengang. **3.** ⟨ohne Plural⟩ *Bewegung der einzelnen Teile der Maschine:* der Motor hat einen ruhigen G. **4.** ⟨ohne Plural⟩ *Verlauf:* der G. der Geschichte. **sinnv.:** Prozeß. **Zus.:** Ausbildungs-, Entwicklungs-, Gedanken-, Geschäfts-, Werdegang. **5.** *schmaler, langer, an beiden Seiten abgeschlossener Weg:* zu seinem Zimmer kommt man durch einen langen G. **sinnv.:** Diele. **Zus.:** Geheim-, Haus-, Kreuz-, Säulen-, Wandelgang. **6.** *jeweils gesondert aufgetragenes Gericht, Speise eines größeren Mahles:* das Essen hatte vier Gänge. **Zus.:** Fleisch-, Gemüsegang. **7.** *Stufe der Übersetzung eines Getriebes bei einem Kraftfahrzeug:* er fährt im vierten G. **Zus.:** Rückwärtsgang.

gän|gig ⟨Adj.⟩: **1.** *allgemein bekannt:* eine gängige Meinung. **sinnv.:** üblich. **2.** *oft gekauft/aus, leicht zu verkaufen:* eine gängige Ware. **sinnv.:** begehrt, gefragt, gesucht, marktgängig, leicht verkäuflich, verlangt.

Gang|ster ['gɛnstɐ], der; -s, -: *Verbrecher [der zu einer organisierten Bande gehört].* **Zus.:** Auto-, Geiselgangster.

Ga|no|ve, der; -n, -n: *männliche Person, die in betrügerischer Absicht und mehr im verborgenen andere in verabscheuungswürdiger Weise zu täuschen, zu schädigen sucht.* **sinnv.:** Betrüger, Gauner, Spitzbube, Verbrecher.

Gans, die; -, Gänse: *(seines Fleisches wegen als Haustier gehaltener) größerer, meist weiß gefiederter Vogel mit gedrungenem Körper und langem Hals* (siehe Bildleiste). **Zus.:** Grau-, Haus-, Martins-, Mast-, Weihnachts-, Wildgans.

Gän|se|rich, der; -s, -e: *männliche Gans.*

ganz: I. ⟨Adj.⟩ **1.** ⟨nur attributiv⟩ *gesamt:* er kennt g. Europa; die Sonne hat den ganzen Tag geschienen. **sinnv.:** von A bis Z, absolut, von Anfang bis Ende, bis zum äußersten, in jeder Beziehung, durchaus, zur Gänze, gänzlich, bis zum Gehtnichtmehr, geradezu, gesamt, bis an die Grenze des Erlaubten, von Grund auf/aus, in Grund und Boden, mit Haut und Haar[en], hundertprozentig, komplett, von Kopf bis Fuß, bis zum letzten, lückenlos, von oben bis unten, pauschal, platterdings, radikal, regelrecht, restlos, vom Scheitel bis zur Sohle, mit Stumpf und Stiel, total, über und über, überhaupt, unbedingt, ungekürzt, universal, vollauf, völlig, vollkommen, vollständig, von vorn bis hinten. **2.** *heil, unbeschädigt:* ist das Spielzeug noch g.?; sie hat kein ganzes Paar Strümpfe mehr. **3.** ⟨ganze + Kardinalzahl⟩ (ugs.) *nicht mehr als:* das hat ganze 7 Mark gekostet. **sinnv.:** nur. **II.** ⟨Adverb⟩ **1.** *völlig:* er blieb g. ruhig; er hat g. aufgegessen. **2.** *ziemlich:* er hat g. gut gesprochen. **sinnv.:** recht. **3.** *sehr:* er ist ein g. großer Künstler.

gänz|lich ⟨Adj.⟩: *völlig, vollkommen:* zwei g. verschiedene Meinungen. **sinnv.:** ganz.

gar: I. ⟨Adj.⟩: *genügend gekocht, gebraten oder gebacken:* die Kartoffeln sind g. **sinnv.:** durch, durchgebacken, gargekocht. II. ⟨Adverb⟩ **a)** ⟨verstärkend bei Vermutungen, Befürchtungen o. ä.⟩ †*etwa:* ist sie g. schon verlobt? **b)** ⟨verstärkend bei einer Behauptung⟩ *ja wirklich:* er tut g., als ob ich ihn beleidigt hätte. **sinnv.:** wahrhaftig. **c)** ⟨in Verbindung mit *kein* oder *nicht* ⟩ *absolut:* er hat g. kein Interesse daran.

Ga|ra|ge [ga'ra:ʒə], die; -, -n: *Raum, in dem man ein Kraftfahrzeug einstellen kann.* **sinnv.:** Depot, Terminal. **Zus.:** Auto-, Groß-, Tiefgarage.

Ga|ran|tie, die; -, Garantien: *Versicherung, daß etwas den Abmachungen entspricht:* die Firma leistet ein Jahr G. **sinnv.:** Gewißheit, Sicherheit. **Zus.:** Preis-, Sicherheitsgarantie.

ga|ran|tie|ren ⟨tr./itr.⟩: *versichern, daß etwas den Anforderungen entspricht:* wir garantieren [für] die gute Qualität der Ware. **sinnv.:** einstehen für.

Gar|be, die; -, -n: **1.** *Bündel geschnittener und zusammengelegter Halme von Getreide.* **sinnv.:** Bund, Bündel, Büschel, Strohbund, -bündel. **Zus.:** Getreide-, Korngarbe. **2.** *größere Anzahl von schnell aufeinanderfolgenden Schüssen:* eine G. abfeuern. **sinnv.:** Schuß. **Zus.:** Feuer-, Flammen-, Lichtgarbe.

Gar|di|ne, die; -, -n: *Vorhang aus leichtem Stoff für die Fenster:* die Gardinen aufhängen. **sinnv.:** Store, Übergardine, Vorhang. **Zus.:** Spitzen-, Tüllgardine.

ga|ren ⟨tr. ⟩: *gar werden [lassen]:* den Fisch langsam g. **sinnv.:** braten, sieden.

gä|ren, gärte/gor, hat/ist gegärt/gegoren ⟨itr.⟩: **a)** *sich in bestimmter Weise durch chemische Zersetzung verändern:* der Wein hat gegoren; der Saft ist gegoren. **sinnv.:** in Gärung übergehen, sauer werden, säuern. **b)** *in jmdm. Unruhe und Unzufriedenheit erzeugen:* der Haß gärte in ihm; es hatte schon lange im Volk gegärt.

Garn, das; -[e]s, -e: *Faden, der aus Fasern gesponnen ist:* eine Rolle G. **Zus.:** Haar-, Kamm-, Näh-, Perl-, Seiden-, Stick-, Stopfgarn.

gar|nie|ren ⟨tr.⟩: *(bes. eine Speise) mit etwas versehen, was dem Ganzen ein schöneres Aussehen geben soll:* eine kalte Platte mit Gemüse g. **sinnv.:** besetzen, dressieren, schmücken.

Gar|ni|tur, die; -, -en: *mehrere zusammengehörende und zusammenpassende Stücke, die einem bestimmten Zweck dienen:* eine G. Wäsche. **sinnv.:** Ensemble, Kombination, Reihe, Satz, Serie, Service, Set. **Zus.:** Couch-, Möbel-, Wäschegarnitur.

Gar|ten, der; -s, Gärten: *[kleines] Stück Land, in dem Gemüse, Obst oder Blumen gepflanzt werden.* **sinnv.:** Park, Wiese. **Zus.:** Bier-, Blumen-, Dach-, Irr-, Klein-, Nutz-, Obst-, Palmen-, Rosen-, Schreber-, Vor-, Ziergarten.

Gärt|ner, der; -s, -, **Gärt|ne|rin**, die; -, -nen: *männliche bzw. weibliche Person, die beruflich Pflanzen züchtet und betreut.* **Zus.:** Friedhofs-, Klein-, Landschaftsgärtner.

Gärt|ne|rei, die; -, -en: *Betrieb eines Gärtners.* **sinnv.:** Baumschule, Blumenzüchterei, Gartenbaubetrieb, Gartencenter. **Zus.:** Obst-, Stadtgärtnerei.

Gas, das; -es, -e: **1.** *unsichtbarer Stoff in der Form wie Luft:* giftige Gase. **sinnv.:** Brennstoff. **Zus.:** Ab-, Erd-, Fern-, Gift-, Gruben-, Heiz-, Lach-, Propan-, Stadt-, Wassergas. **2.** *Gas geben: [beim Auto] die Geschwindigkeit [stark] erhöhen.* **sinnv.:** ankurbeln. **Zus.:** Hand-, Voll-, Zwischengas.

Gas|se, die; -, -n: *schmale Straße zwischen zwei Reihen von Häusern.* **sinnv.:** Durchgang, Straße. **Zus.:** Dorf-, Quer-, Sack-, Seitengasse.

Gast, der; -[e]s, Gäste: **a)** *jmd., der von jmdm. eingeladen worden ist:* wir haben heute abend Gäste. **sinnv.:** Besuch, Besucher, Geladener. **Zus.:** Dauer-, Ehren-, Fest-, Hochzeits-, Mittagsgast. **b)** *jmd., der da, wo er sich gerade befindet, nur vorübergehend wirkt, sich aufhält, wohnt, beherbergt wird o. ä.:* wir sind nur Gäste in diesem Land; der Ober bedient die Gäste sehr freundlich; als G. dirigiert. **Zus.:** Bade-, Dauer-, Fahr-, Ferien-, Flug-, Kur-, Sommergast.

Gast|haus, das; -es, Gasthäuser: *Haus ohne größeren Komfort, in dem man gegen Bezahlung essen [und übernachten] kann.* **sinnv.:** Gaststätte, Hotel.

Gast|hof, der; -[e]s, Gasthöfe: *größeres Gasthaus auf dem Lande:* in einem G. essen. **sinnv.:** Gaststätte.

gast|lich ⟨Adj.⟩: *behaglich, gemütlich für den Gast:* er fühlte sich in dem gastlichen Haus sehr wohl. **sinnv.:** gastfreundlich.

Gast|spiel, das; -[e]s, -e: *Aufführung, die von einem Künstler oder Ensemble an einer fremden Bühne geboten wird:* sie geben in allen größeren Städten des Landes ein G. **Zus.:** Konzert-, Theatergastspiel.

Gast|stät|te, die; -, -n: *Unternehmen, in dem man Essen und Getränke gegen Bezahlung erhalten kann.* **sinnv.:** Ausschank, Bar, Beisel, Biergarten, Bistro, Bräu, Bräustüberl, Café, Cafeteria, Destille, Gartenwirtschaft, Gasthaus, Gasthof, Gastwirtschaft, Imbißstube, Kantine, Kasino, Kneipe, Krug, Lokal, Mensa, Pinte, Pizzeria, Pub, Rasthaus, Raststätte, Restaurant, Restauration, Schenke, Schwemme, Snackbar, Speiserestaurant, Speisewirtschaft, Stehbierhalle, Taverne, Weinstube, Wirtschaft, Wirtshaus. **Zus.:** Schnell-, Selbstbedienungs-, Speisegaststätte.

Gast|wirt, der; -[e]s, -e: *jmd., der eine Gaststätte besitzt oder führt.* **sinnv.:** Wirt.

Gat|te, der; -n, -n: *Ehemann* /wird auf den Ehemann einer anderen Frau bezogen/: sie war in Begleitung ihres Gatten. **sinnv.:** Ehemann. **Zus.:** Ehe-, Götter-, Mustergatte.

Gat|ter, das; -s, -: *Zaun, Tür aus breiten Latten:* die Schafe werden in ein G. gesperrt. **sinnv.:** Zaun. **Zus.:** Fall-, Holzgatter.

Gat|tin, die; -, -nen: *Ehefrau* /wird auf die Ehefrau eines anderen Mannes bezogen/. **sinnv.:** Ehefrau.

Gat|tung, die; -, -en: *Gruppe von Dingen, Lebewesen, die wichtige Merkmale oder Eigenschaften gemeinsam haben:* eine G. in der Dichtung ist das Drama; die G. der Säugetiere. **sinnv.:** Art. **Zus.:** Kunst-, Pflanzen-, Tier-, Waffen-, Warengattung.

gau|keln, gaukelte, ist gegaukelt ⟨itr.⟩: *schwankend durch die Luft gleiten:* Schmetterlinge gaukeln von Blume zu Blume. **sinnv.:** fliegen.

Gaul, der; -[e]s, Gäule: *[schlechtes] Pferd.* **Zus.:** Acker-, Droschken-, Karrengaul.

Gau|men, der; -s, -: *obere Wölbung im Innern des Mundes:* sein G. war ganz trocken.

Gau|ner, der; -s, -, **Gau|ne|rin**, die; -, -nen: *männliche bzw. weibliche Person, deren Handlungsweise als in verachtenswerter Weise betrügerisch, hinterhältig o. ä. angesehen wird:* dieser Gauner wollte mich erpressen; **sinnv.:** Betrüger. **Zus.:** Erzgauner.

Ge-[e], auch: -ge-e (Typ.: Nachgelaufe), das; -s: *drückt das sich wiederholende [lästige o. ä.] Tun oder Geschehen aus /verbales Basiswort;* ausgenommen sind solche Verben, die keine verbalen Formen mit ge- bilden können: Verben mit untrennbarer Vorsilbe (also nicht: Geentwerte, dafür: Entwerterei), Verben mit einer trennbaren Vorsilbe vor einem fremdsprachlichen Verb (also nicht: Nachgepoliere, dafür Nachpoliererei) und Verben, die aus zusammengesetzten Substantiven abgeleitet sind (also nicht: Geschulmeistere, dafür: Schulmeisterei)/ (oft abwertend): Gefeilsche, Geschrei[e], Gezappel[e]; in Verbindung mit Verben mit trennbarer Vorsilbe: das Großgetue, Mitgeklatsche, Zugeknalle; /im Unterschied zu -[er]ei auch in Verbindung mit Verben, deren Subjekt kein belebtes Wesen ist/ Geratter[e]. **sinnv.:** -[er]ei (Feilscherei).

Ge|bäck, das; -[e]s, -e: *feines [süßes], aus [Kuchen]teig [und anderen Zutaten] (bes. in geformten, etwas festeren Einzelstücken) Gebackenes:* zum Tee aßen wir G. **sinnv.:** Backware, Backwerk, Brot, Brötchen, Konfekt, Kuchen, Plätzchen, Torte. **Zus.:** Biskuit-, Butter-, Fein-, Klein-, Tee-, Weihnachtsgebäck.

Ge|bälk, das; -[e]s: *Gesamtheit der Balken /bes. bei einem Dachstuhl/:* das alte G. ächzte. **sinnv.:** Balkenwerk, Verstrebung. **Zus.:** Dach-, Decken-, Eichengebälk.

ge|bär|den, sich; gebärdete sich, hat sich gebärdet: *eine in bestimmter Weise auffällige, meist als unangenehm, ärgerlich o. ä. empfundene Verhaltensweise zeigen /bes. als vorwurfsvolle oder kritische Feststellung/:* sich kriegerisch, g.; er gebärdete sich wie wild. **sinnv.:** sich benehmen.

ge|bä|ren, gebar, hat geboren ⟨tr.⟩: *(ein Kind) zur Welt bringen:* die Frau hat zwei Kinder geboren; er wurde im Jahre 1950 in München geboren. **sinnv.:** entbunden werden, ein Kind bekommen/in die Welt setzen/zur Welt bringen, einem Kind das Leben schenken, Mutter werden, niederkommen.

Ge|bäu|de, das; -s, -: *größerer Bau, in dem meist Büros, Schulen, Wohnungen o. ä. untergebracht sind:* das neue G. des Theaters. **sinnv.:** Anbau, Bau, Haus. **Zus.:** Amts-, Ausstellungs-, Bahnhofs-, Eck-, Fabrik-, Haupt-, Neben-, Regierungs-, Schul-, Verwaltungs-, Wohngebäude.

ge|baut ⟨Adj.⟩: *(in bestimmter Weise) gewachsen:* gut, athletisch, zart g. sein.

ge|ben, gibt, gab, hat gegeben: **1.** ⟨tr.⟩ *(durch Übergeben, Überreichen, [Hin]reichen, Aushändigen) in jmds. Hände, Verfügungsgewalt gelangen lassen:* der Lehrer gibt dem Schüler das Heft. **sinnv.:** abgeben, darreichen, an/in die Hand geben, in die Hand drücken, jmdm. etwas hinreichen/langen/reichen, übergeben, überlassen, verabreichen, zur Verfügung stellen, verpassen, versehen mit, versorgen mit, zuspielen, zustecken, zuteil werden lassen, zuwenden. **2.** ⟨sich g.⟩

sich in einer bestimmten Weise benehmen: er gibt sich, wie er ist; er gibt sich gelassen. **sinnv.:** sich benehmen. **3.** ⟨in der Fügung⟩ es gibt jmdn./etwas: *jmd./etwas kommt vor, ist vorhanden:* es gibt heute weniger Bauern als vor zwanzig Jahren. **sinnv.:** existieren. **4.** ⟨als Funktionsverb⟩: einen Befehl g. *(etwas befehlen);* [eine] Antwort g. *(antworten);* einen Rat g. *(raten);* ein Versprechen g. *(versprechen);* die Erlaubnis g. *(erlauben);* einen Stoß g. *(stoßen);* ein Fest, Konzert, eine Party g. *(ein Fest, Konzert, eine Party veranstalten).*

Ge|bet, das; -[e]s, -e: **a)** *Anrede an Gott, gedankliche Hinwendung zu Gott in Bitte, Danksagung, Bekenntnis o. ä.:* ein stilles G. verrichten. **b)** *Text, Wortlaut des Betens:* er sprach ein G. **sinnv.:** Anrufung, Bitten, Fürbitte. **Zus.:** Abend-, Bitt-, Buß-, Dank-, Tischgebet.

Ge|biet, das; -[e]s, -e: **1.** *Fläche von bestimmter Ausdehnung:* weite Gebiete des Landes sind überschwemmt. **sinnv.:** Areal, Bereich, Bezirk, Feld, Fläche, Flur, Gau, Gefilde, Gegend, Gelände, Gemarkung, Land, Landschaft, Landstrich, Raum, Region, Revier, Terrain, Territorium, Zone. **Zus.:** Anbau-, Ausbreitungs-, Einzugs-, Fang-, Grenz-, Hochdruck-, Industrie-, Naturschutz-, Rand-, Schutz-, Sperr-, Wohngebiet. **2.** *Sach-, Fachbereich:* dieses Land ist auf wirtschaftlichem G. führend. **sinnv.:** Bereich. **Zus.:** Arbeits-, Fach-, Rand-, Sach-, Spezial-, Teil-, Wissensgebiet.

ge|bie|ten, gebot, hat geboten: **1.** ⟨itr.⟩ *als eine Art Befehl äußern, verlangen:* mach es, wie es der Augenblick gebietet; das gebot ihm sein Gerechtigkeitsgefühl. **sinnv.:** anordnen. **2.** ⟨in der Fügung⟩ etwas ist geboten: *etwas ist erforderlich, nötig:* Vorsicht ist geboten.

Ge|bil|de, das; -s, -: *etwas, was in nicht näher bestimmter Weise gestaltet, geformt ist:* diese Wolken waren luftige Gebilde. **sinnv.:** Bildung, Form, Gestalt. **Zus.:** Laut-, Phantasie-, Staaten-, Wolken-, Wunschgebilde.

ge|bil|det ⟨Adj.⟩: *großes Wissen, Bildung habend:* ein gebildeter Mann. **sinnv.:** belesen, beschlagen, gelehrt, studiert. **Zus.:** halb-, hochgebildet.

Ge|bir|ge, das; -s, -: *zusammenhängende Gruppe von hohen Bergen:* auch dieses Jahr fahren wir ins G. **sinnv.:** Bergkette, Bergmassiv, Massiv. **Zus.:** Falten-, Fels-, Felsen-, Hoch-, Mittel-, Schiefer-, Tafelgebirge.

Ge|biß, das; Gebisses, Gebisse: **a)** *Ober- und Unterkiefer mit den Zähnen.* **sinnv.:** Kauwerkzeuge, Zähne. **Zus.:** Milch-, Pferdegebiß. **b)** *vollständiger Zahnersatz:* sie muß ein G. tragen. **sinnv.:** Prothese, dritte/falsche/künstliche Zähne, Zahnersatz, Zahnprothese.

ge|bo|ren ⟨Adj.; nur attributiv⟩: **1. a)** */zur Angabe des Mädchennamens bei einer verheirateten Frau/:* sie ist eine geborene Schröder. **b)** *in ... auf die Welt gekommen und dort auch noch lebend:* er ist ein geborener Berliner. **2.** *von Natur aus zu etwas begabt:* er ist ein geborener Schauspieler. **sinnv.:** begabt.

ge|bor|gen ⟨Adj.⟩: *gut aufgehoben, beschützt, sicher:* sie ist, fühlt sich bei ihm g.

Ge|bot, das; -[e]s, -e: *von einer höheren Instanz ausgehende Willenskundgebung, die den Charakter eines Befehls, einer Anordnung hat:* ein G. befolgen, mißachten. **sinnv.:** Weisung. **Zus.:** Halte-, Schweigegebot.

Ge|brauch, der; -[e]s, Gebräuche: **1.** ⟨ohne Plural⟩ *das Gebrauchen:* vor allzu häufigem G. des Medikamentes wird gewarnt. **sinnv.:** Anwendung. **Zus.:** Dienst-, Haus-, Privat-, Sprachgebrauch. **2.** ⟨nur Plural⟩ *Sitten, Bräuche:* im Dorf gibt es noch viele alte Gebräuche. **Zus.:** Hochzeits-, Ostergebräuche.

ge|brau|chen ⟨tr.⟩: *als Gegenstand, Mittel für etwas benutzen, damit umgehen:* Werkzeuge richtig g. **sinnv.:** anwenden, benutzen, in Benutzung haben/nehmen, brauchen, nutzen, nützen, verwenden.

ge|bräuch|lich ⟨Adj.⟩: *allgemein verwendet:* ein gebräuchliches Sprichwort. **sinnv.:** üblich.

ge|braucht ⟨Adj.⟩: *bereits benutzt* /Ggs. neu/: das Handtuch ist schon g. **sinnv.:** aus zweiter Hand, Secondhand...; alt.

Ge|bre|chen, das; -s, -: *dauernder, bes. körperlicher Schaden:* die G. des Alters.

ge|brech|lich ⟨Adj.⟩: *durch Alter körperlich schwach:* er ist alt und g. **sinnv.:** hinfällig.

ge|bro|chen ⟨Adj.⟩: **a)** *vollkommen mutlos; sehr niedergeschlagen:* sie stand g. am Grab ihres Mannes. **sinnv.:** niedergeschlagen. **b)** *(vom Sprechen einer fremden Sprache) holprig, nicht fließend:* er spricht g. Englisch.

Ge|bühr, die; -, -en: *Betrag, der für öffentliche Leistungen zu bezahlen ist:* die G. für einen neuen Paß beträgt 10 Mark. **sinnv.:** Abgabe, Satz, Steuer, Taxe. **Zus.:** Aufnahme-, Grund-, Leih-, Makler-, Park-, Post-, Prüfungs-, Rundfunk-, Vermittlungs-, Zustellgebühr.

ge|büh|ren|pflich|tig ⟨Adj.⟩: *mit einer Gebühr verbunden:* das Ausstellen eines Reisepasses ist g.

-ge|bun|den ⟨adjektivisches Suffixoid⟩: *an das im Basiswort Genannte gebunden, nur im Zusammenhang damit zu sehen, existierend:* orts-, personen-, schienen-, termingebunden, zweckgebundene Gelder.

Ge|burt, die; -, -en: *das Heraustreten des Kindes aus dem Leib der Mutter:* die Frau hat die G. ihres Kindes gut überstanden. **sinnv.:** Entbindung, freudiges Ereignis, Niederkunft. **Zus.:** Erst-, Fehl-, Früh-, Steiß-, Sturz-, Zangengeburt.

ge|bür|tig ⟨Adj.⟩: *in ... geboren, aber dort nicht mehr lebend, wohnend:* er ist aus Berlin g.; er ist gebürtiger Schweizer.

Ge|burts|tag, der; -[e]s, -e: *Jahrestag der Geburt:* er feiert seinen 50. G. **sinnv.:** Ehrentag, Wiegenfest. **Zus.:** Kindergeburtstag.

Ge|büsch, das; -[e]s, -e: *mehrere dicht beisammenstehende Büsche:* sich im G. verstecken. **sinnv.:** Dickicht.

Ge|dächt|nis, das; -ses: **1.** *Fähigkeit, sich an etwas zu erinnern:* er hat ein gutes G. **sinnv.:** Erinnerung, Erinnerungsfähigkeit, -vermögen, Gedächtniskraft. **Zus.:** Namen-, Personen-, Zahlengedächtnis. **2.** ↑*Erinnerung* (2): die Erlebnisse seiner Jugend sind ihm deutlich im G. geblieben. **sinnv.:** Bewußtsein.

Ge|dan|ke, der; -ns, -n: *etwas, was gedacht wird:* das war ein kluger G. **sinnv.:** Einfall, Idee, Vorstellung. **Zus.:** Freiheits-, Grund-, Haupt-, Hintergedanke.

ge|dan|ken|los ⟨Adj.⟩: **1.** *ohne daran zu denken, daß man mit seinen Worten o. ä. jmdn. verletzen*

kann: es war sehr g. von dir, ihr dies in dieser Situation zu erzählen. **sinnv.:** unvorsichtig. **2.** *zerstreut, in Gedanken:* er ging ganz g. über die Straße. **sinnv.:** unachtsam.

Ge|deck, das; -[e]s, -e: **a)** *Geräte, die eine Person zum Essen braucht; Teller und Besteck:* ein G. für den Gast auflegen. **sinnv.:** Geschirr. **Zus.:** Kaffee-, Tafelgedeck. **b)** *auf der Speisekarte festgelegte Folge von Speisen:* er bestellte im Restaurant zwei Gedecke. **sinnv.:** Essen.

ge|dei|hen, gedieh, ist gediehen ⟨itr.⟩: *[gut] wachsen, sich [gut] entwickeln:* diese Pflanze gedeiht nur bei viel Sonne; das neue Haus ist schon weit gediehen *(der Bau des Hauses ist gut vorangekommen)*. **sinnv.:** aufblühen, blühen, sich entfalten, florieren, sprießen, wachsen.

ge|den|ken, gedachte, hat gedacht ⟨itr.⟩: **1.** ⟨mit Gen.⟩ *(an jmdn.) in ehrfürchtiger Weise denken:* er gedachte seines toten Vaters. **sinnv.:** sich erinnern. **2.** ⟨g. + zu + Inf.⟩ *beabsichtigen:* was gedenkst du jetzt zu tun? **sinnv.:** vorhaben.

Ge|dicht, das; -[e]s, -e: *sprachliches Kunstwerk in Versen, Reimen oder in besonderem Rhythmus:* der Dichter veröffentlichte einen Band Gedichte. **sinnv.:** Dichtung, Lied, Poem, Vers. **Zus.:** Lehr-, Liebes-, Sinn-, Spottgedicht.

ge|die|gen ⟨Adj.⟩: **a)** *auf einer guten und soliden Basis beruhend:* er hat eine gediegene Ausbildung; **sinnv.:** ordentlich, reell, solide, verläßlich, zuverlässig. **b)** *sorgfältig hergestellt:* gediegene Möbel. **sinnv.:** echt, solide, wertbeständig · fest.

Ge|drän|ge, das; -s: *dichte, drängelnde Menschenmenge:* in der Bahn war ein großes Gedränge. **sinnv.:** Ansammlung.

ge|drun|gen ⟨Adj.⟩: *nicht sehr groß und ziemlich breit gebaut:* der Mann hat eine gedrungene Gestalt. **sinnv.:** untersetzt.

Ge|duld, die; -: *ruhiges und beherrschtes Ertragen von etwas, was unangenehm ist oder sehr lange dauert:* der Lehrer hat viel G. mit dem Schüler; er trug seine Krankheit mit viel G. **sinnv.:** Langmut, Sanftmut. **Zus.:** Engelsgeduld.

ge|dul|den, sich; geduldete sich, hat sich geduldet: *geduldig warten:* du mußt dich noch ein bißchen g. **sinnv.:** abwarten, ausharren, Geduld haben.

ge|dul|dig ⟨Adj.⟩: *Geduld habend, mit Geduld:* er hörte mit g. zu. **sinnv.:** ergeben, voller Geduld, gottergeben.

Ge|fahr, die; -, -en: *Möglichkeit, daß jmdm. etwas zustößt, daß ein Schaden eintritt:* eine drohende, tödliche G.; die G. eines Krieges; einer G. entrinnen; die G. ist gebannt. **sinnv.:** Bedrohung, Ernst, Gefährdung, Gefährlichkeit, Unsicherheit. **Zus.:** Einsturz-, Kriegs-, Lawinen-, Lebens-, Verdunk[e]lungsgefahr.

ge|fähr|den, gefährdete, hat gefährdet ⟨tr.⟩: *(jmdn.) in Gefahr bringen:* jmds. Leben g.; den Erfolg einer Sache g. **sinnv.:** bedrohen, einer Gefahr aussetzen, aufs Spiel setzen.

ge|fähr|lich ⟨Adj.⟩: **a)** *mit Gefahr verbunden:* eine gefährliche Kurve. **sinnv.:** bedrohlich, bösartig, böse, tückisch. **b)** *in seinen Folgen mit Gefahr verbunden:* er ließ sich auf dieses gefährliche Unternehmen nicht ein. **sinnv.:** brenzlig, ernst, gefahrvoll, gewagt, halsbrecherisch, kritisch, lebensgefährlich, riskant, selbstmörderisch, tödlich, unsicher.

Ge|fäl|le, das; -s, -: *Grad der Neigung:* das Gelände hat ein starkes G. **sinnv.:** Abfall, Abschüssigkeit, schiefe Ebene, Neigung, Neigungswinkel, Schräge, Steigung, Steilheit. **Zus.:** Preis-, Temperaturgefälle.

ge|fal|len, gefällt, gefiel, hat gefallen ⟨itr.⟩: *in Aussehen, Eigenschaften o. ä. für jmdn. angenehm sein:* dieses Bild gefällt mir; das Mädchen hat ihm sehr [gut] gefallen. **sinnv.:** jmdm. angenehm/ genehm sein, es jmdm. angetan haben, Anklang finden, bei jmdm. [gut] ankommen, ansprechen, behagen, bestechen, jmdn. für sich einnehmen, jmds. Fall sein, Gefallen/Geschmack finden an, auf den Geschmack kommen, nach jmds. Herzen sein, imponieren, jmd./etwas liegt jmdm., jmdm. schmeicheln, schön finden, auf jmdn./etwas stehen, jmdm. sympathisch sein, jmds. Typ sein, zusagen.

Ge|fal|len: I. der; -s, -: *etwas, wodurch man sich jmdm. gefällig erweist:* er hat mir den G. getan/erwiesen. **sinnv.:** Dienst. **II.** das; -s: *persönliche Freude an jmdm./etwas, was man als angenehm in seiner Wirkung auf sich empfindet:* er hatte G. an ihm gefunden. **sinnv.:** Zuneigung. **Zus.:** Wohlgefallen.

ge|fäl|lig ⟨Adj.⟩: **a)** *gern bereit, einen Gefallen zu tun:* er ist sehr g. und gibt immer Auskunft. **sinnv.:** beflissen, entgegenkommend, hilfreich, hilfsbereit. **b)** *angenehm im Aussehen, Benehmen:* sie hat ein gefälliges Wesen. **sinnv.:** schön. **Zus.:** gott-, selbst-, wohlgefällig.

Ge|fan|ge|ne, der und die; -n, -n ⟨aber: [ein] Gefangener; Plural: [viele] Gefangene⟩: **a)** *männliche bzw. weibliche Person, die im Krieg gefangengenommen wurde:* die Gefangenen kehrten heim. **Zus.:** Kriegsgefangener. **b)** *inhaftierte männliche bzw. weibliche Person:* der G. wurde aus dem Gefängnis entlassen. **sinnv.:** Arrestant, Gefängnisinsasse, Häftling, Inhaftierter, Insasse, Knacki, Knastbruder, Knasti, Knastologe, Strafgefangener, Zuchthäusler.

Ge|fan|gen|schaft, die; -, -en: *Situation eines Soldaten, der vom Feind gefangengehalten wird:* er ist in G. geraten.

Ge|fäng|nis, das; -ses, -se: *Gebäude, in dem Häftlinge ihre Strafen abbüßen:* das G. wird bewacht. **sinnv.:** Strafanstalt. **Zus.:** Frauen-, Gerichts-, Jugend-, Untersuchungsgefängnis.

Ge|fäß, das; -es, -e: *kleinerer Behälter:* er holte in einem G. Wasser. **sinnv.:** Becher, Behälter, Bottich, Bütte, Eimer, Flasche, Glas, Kanne, Kelch, Krug, Kübel, Napf, Pokal, Schale, Tank, Tasse, Topf, Trog, Vase, Wanne, Zuber. **Zus.:** Glas-, Trink-, Wassergefäß.

Ge|fecht, das; -[e]s, -e: *kleinerer militärischer Kampf:* an der Grenze gab es ein blutiges G. **Zus.:** Feuer-, Rückzugs-, Schein-, Seegefecht.

Ge|fie|der, das; -s: *Gesamtheit der Federn eines Vogels:* der Hahn hat ein buntes G. **sinnv.:** Federkleid, Federn.

Ge|flü|gel, das; -s: *Vögel wie Huhn, Gans, Ente, die der Mensch zu seiner Ernährung hält.* **sinnv.:** Federvieh, Nutzvögel.

ge|frä|ßig ⟨Adj.⟩: *in als unangenehm empfundener Weise übermäßig viel essend.* **sinnv.:** eßlustig, verfressen.

ge|frie|ren, gefror, ist gefroren ⟨itr.⟩: *infolge von Kälte erstarren:* der Regen gefror augenblicklich zu Eis. **sinnv.:** einfrieren, erstarren, überfrieren, vereisen, zufrieren.

ge|fü|gig ⟨Adj.⟩: *in als unsympathisch empfundener Weise sich dem Willen eines andern beugend:* er war ein gefügiges Werkzeug der Partei.

Ge|fühl, das; -[e]s, -e: **1.** ⟨ohne Plural⟩ *durch Nerven vermittelte Empfindungen; das Fühlen:* vor Kälte kein G. in den Fingern haben. **sinnv.:** Empfindung, Sinne, Tastsinn, Wahrnehmung. **Zus.:** Ekel-, Gleichgewichts-, Hitze-, Hunger-, Schwindel-, Völle-, Zeitgefühl. **2.** *seelische Regung, Empfindung:* ein G. der Freude; er zeigte nie seine Gefühle. **sinnv.:** Emotion, Empfinden, Empfindung, Feeling, Regung, Seele, Stimmung. **Zus.:** Angst-, Ehr-, Fein-, Fingerspitzen-, Gerechtigkeits-, Glücks-, Hoch-, Pflicht-, Rache-, Scham-, Schuld-, Sprach-, Stil-, Takt-, Verantwortungsgefühl. **3.** ⟨ohne Plural⟩ *Ahnung, undeutlicher Eindruck:* er hatte das G., als sei er nicht allein im Zimmer. **sinnv.:** Gespür, Instinkt, Organ, Riecher, Sensorium, Sinn, Spürsinn, Witterung.

ge|ge|be|nen|falls ⟨Adverb⟩: *wenn es notwendig, passend ist; wenn der Fall eintritt:* g. muß auch die Polizei eingesetzt werden. **sinnv.:** vielleicht.

Ge|ge|ben|hei|ten, die ⟨Plural⟩: *Tatsachen, Zustände, mit denen man rechnen muß und von denen das Tun des Menschen bestimmt wird:* man muß beim Bau eines Hauses die natürlichen G. der Landschaft berücksichtigen. **sinnv.:** Bedingung, Tatsache, Verhältnis.

ge|gen: I. ⟨Präp. mit Akk.⟩: **1.** /bezeichnet einen Gegensatz, Widerstand, eine Abneigung/ *wider:* ein Medikament g. Husten. **sinnv.:** entgegen. **2.** /bezeichnet eine Beziehung zu jmdm. oder etwas/ *gegenüber:* der Chef ist freundlich g. seine Mitarbeiter. **3.** /drückt einen Vergleich aus/ *im Verhältnis (zu jmdm./etwas); verglichen (mit jmdm./etwas):* g. ihn ist er sehr klein. **4.** /bezeichnet eine räumliche oder zeitliche Annäherung an ein Ziel oder einen Zeitpunkt/: er wandte sich g. das Haus *(dem Haus zu).* **5.** /in Abhängigkeit von bestimmten Wörtern/: g. jmdn. kämpfen; Widerstand g. etwas. **II.** ⟨Adverb⟩ ↑*ungefähr:* g. 1 000 Menschen befanden sich im Saal; es war schon g. *(nahezu)* Mitternacht. **III. 1.** /in Verbindung mit einem Personalpronomen in Konkurrenz zu *dagegen;* bezogen auf eine Sache (ugs.)/: sie hat seit Jahren mit Heuschnupfen zu tun, aber bislang noch keine wirksame Therapie g. ihn (statt: dagegen) gefunden. **2.** /in Verbindung mit „was" in Konkurrenz zu *wogegen;* bezogen auf eine Sache (ugs.)/: **a)** /in Fragen/: g. was? (besser: wogegen) sprichst du dich eigentlich aus? **b)** /in relativer Verbindung/: keiner wußte, g. was (besser: wogegen) er eigentlich votierte.

Ge|gen- ⟨Präfixoid⟩: **1.** /drückt in Verbindung mit dem im Basiswort Genannten aus, daß es bewußt in Opposition zu der sonst üblichen, etablierten Form steht/: Gegenkirche, -kultur, -ökonomie. **2. a)** /drückt eine gleichgeartete Erwiderung aus/: Gegenbesuch, -einladung, -geschenk, -lächeln. **b)** /zur Bezeichnung einer entgegengesetzten Richtung oder Lage/: Gegenecke, -richtung, -verkehr. **3.** /drückt aus, daß etwas [Gleichartiges] zur Entkräftung, Bekämpfung entgegengestellt, -gesetzt wird/: Gegenangebot, -angriff, -beispiel, -erklärung, -gift, -kandidat, -papst, -programm, -reformation, -rezept, -veranstaltung. **4.** /drückt eine Kontrolle aus/: Gegenprobe, -rechnung, -zeichnung.

Ge|gend, die; -, -en: *nicht näher abgegrenztes Gebiet:* eine schöne G.; in der G. von Hamburg. **sinnv.:** Gebiet. **Zus.:** Herz-, Nierengegend.

ge|gen|ein|an|der ⟨Adverb⟩: *einer gegen den andern:* g. kämpfen.

Ge|gen|satz, der; -es, Gegensätze: *etwas, was einem anderen völlig entgegengesetzt ist:* der G. von „kalt" ist „warm"; zwischen den beiden Parteien besteht ein tiefer G. **sinnv.:** Kontrast.

ge|gen|sätz|lich ⟨Adj.⟩: *einen Gegensatz bildend, darstellend:* die beiden Parteien vertreten gegensätzliche Ansichten. **sinnv.:** entgegengesetzt, gegenteilig, konträr, oppositionell, paradox, polar, ungleichartig, unvereinbar, widersinnig, widersprechend, widersprüchlich, widerspruchsvoll.

ge|gen|sei|tig ⟨Adj.⟩: **a)** *für einen in bezug auf den andern und umgekehrt zutreffend:* sie helfen sich g. bei den Schulaufgaben. **sinnv.:** wechselseitig. **b)** *beide Seiten betreffend:* im gegenseitigen Einverständnis.

Ge|gen|stand, der; -[e]s, Gegenstände: **1.** *etwas (Konkretes), was nicht näher bezeichnet, charakterisiert ist:* ein runder G.; auf dem Tisch lagen verschiedene Gegenstände. **sinnv.:** Ding. **Zus.:** Einrichtungs-, Gebrauchs-, Haushalts-, Kunst-, Wertgegenstand. **2.** ⟨ohne Plural⟩ ⟨G. + Attribut⟩ **a)** *etwas, was den gedanklichen Mittelpunkt bildet, worum es in einem Gespräch o. ä. geht:* der G. einer Unterredung. **sinnv.:** Motiv, Stoff, Sujet, Thema, Thematik, Themenstellung. **Zus.:** Forschungs-, Satzgegenstand. **b)** *jmd./etwas, worauf jmds. Handeln, Denken, Fühlen gerichtet ist:* sie war der G. seiner Liebe. **sinnv.:** Objekt, Ziel.

ge|gen|ständ|lich ⟨Adj.⟩: *die Welt der Gegenstände, des Dinglichen betreffend; so geartet, daß konkrete Vorstellungen damit verbunden werden können:* g. malen; einen komplizierten Vorgang g. darstellen. **sinnv.:** konkret; wirklich.

Ge|gen|teil, das; -[e]s, -e: *etwas, was den genauen Gegensatz zu etwas darstellt, was etwas anderem völlig entgegengesetzt ist:* er behauptete das G.

ge|gen|tei|lig ⟨Adj.⟩: *das Gegenteil bildend, ausdrückend:* gegenteilige Behauptungen. **sinnv.:** gegensätzlich.

ge|gen|über: **I.** ⟨Präp. mit Dativ⟩: **1.** *auf der entgegengesetzten Seite von etwas:* die Schule steht g. der Kirche, dem Rathaus g. **sinnv.:** auf der anderen Seite, vis-à-vis. **2.** *in bezug (auf jmdn.):* er ist dem Lehrer g. sehr höflich. **3.** *verglichen (mit jmdm./etwas):* im Vergleich (zu jmdm./etwas): er ist dir g. eindeutig im Vorteil. **sinnv.:** verhältnismäßig. **II.** ⟨Adverb⟩ *auf der entgegengesetzten Seite:* Mannheim liegt g. von Ludwigshafen; seine Eltern wohnen schräg g.

Ge|gen|wart, die; -: **1.** *Zeit, in der jmd. gerade lebt; Zeit zwischen Vergangenheit und Zukunft:* die Kunst der G. **2.** ↑*Anwesenheit:* seine G. ist nicht erwünscht. **Zus.:** Geistesgegenwart.

ge|gen|wär|tig ⟨Adj.⟩: **1.** *in der Gegenwart [vorkommend, gegeben, geschehend], ihr angehörend:* die gegenwärtige Lage; er ist g. in Urlaub. **sinnv.:** augenblicklich, jetzt. **2.** ↑*anwesend:* er war bei der Sitzung nicht g.

Geg|ner, der; -s, -, **Geg|ne|rin,** die; -, -nen: **1.** *männliche bzw. weibliche Person, die gegen eine Person oder Sache eingestellt ist, sie bekämpft:* der Gegner wurde in die Flucht geschlagen. **sinnv.:** Antagonist, Antipode, Feind, Gegenspieler, Kontrahent, Opponent, die andere Seite, Widersacher. **Zus.:** Prozeßgegner. **2.** *Sportler bzw. Sportlerin, der/die als Konkurrent[in] auftritt; Mannschaft, gegen die eine andere Mannschaft antreten muß:* der Gegner war für uns viel zu stark.

geg|ne|risch ⟨Adj.; nur attributiv⟩: *einen Gegner betreffend; der Partei des Gegners angehörend; vom Gegner, Feind ausgehend:* die gegnerische Mannschaft; der gegnerische Angriff. **sinnv.:** animos, feindlich, feindschaftlich, feindselig.

Ge|halt: **I.** das; -[e]s, Gehälter: *regelmäßige [monatliche] Bezahlung der Beamten und Angestellten:* ein G. beziehen; die Gehälter werden erhöht. **sinnv.:** Besoldung, Bezahlung, Einkünfte, Entgelt, Entlohnung, Gage, Honorar, Lohn, Sold, Verdienst. **Zus.:** Beamten-, Brutto-, Jahres-, Monats-, Netto-, Ruhegehalt. **II.** der; -[e]s, -e: **1.** *gedanklicher, ideeller Inhalt, geistiger Wert:* der G. einer Dichtung. **sinnv.:** Bedeutung. **Zus.:** Ideen-, Wahrheitsgehalt. **2.** *Anteil eines Stoffes in einer Mischung oder in einem anderen Stoff:* der G. an Gold. **sinnv.:** Alkohol-, Fett-, Salzgehalt.

ge|häs|sig ⟨Adj.⟩: *in bösartiger Weise mißgünstig:* g. über jmdn. sprechen. **sinnv.:** böse, schadenfroh.

Ge|häu|se, das; -s, -: *feste, schützende Hülle:* das G. der Uhr, eines Apparates. **Zus.:** Apfel-, Holz-, Radio-, Stahl-, Uhrgehäuse.

Ge|he|ge, das; -s, -: *umzäunter Bereich für Tiere:* ein G. für Affen im Zoo. **sinnv.:** Käfig, Tiergarten. **Zus.:** Frei-, Tier-, Wildgehege.

ge|heim ⟨Adj.⟩: **1.** *nicht öffentlich bekannt; vor andern, vor der Öffentlichkeit absichtlich verborgen gehalten; nicht für andere bestimmt:* seine geheimsten Wünsche; geheime Verhandlungen. **sinnv.:** heimlich, intern. **2.** *in einer verstandesmäßig nicht erklärbaren Weise wirksam:* geheime Kräfte besitzen. **sinnv.:** rätselhaft.

Ge|heim|nis, das; -ses, -se: *etwas, was (anderen) verborgen, unbekannt ist:* das ist mein G.; von G. umwittert. **sinnv.:** Heimlichkeit, Heimlichtuerei, Rätsel. **Zus.:** Amts-, Bank-, Beicht-, Dienst-, Familien-, Post-, Staats-, Wahlgeheimnis.

ge|heim|nis|voll ⟨Adj.⟩: **1.** *nicht zu durchschauen, voller Geheimnisse:* er verschwand auf geheimnisvolle Weise. **sinnv.:** rätselhaft, unerklärlich, unfaßbar. **2.** *ein Geheimnis andeutend und dabei Bedeutsamkeit erkennen lassend:* er tat g.

ge|hen, ging, ist gegangen ⟨itr.⟩: **1. a)** *sich in aufrechter Haltung auf den Füßen fortbewegen:* über die Straße g. **sinnv.:** sich fortbewegen. **b)** *eine bestimmte Strecke zu Fuß zurücklegen:* 5 km g.; ein Stück mit jmdm. g. (ihn begleiten). **2.** ⟨ugs.⟩ *mit jmdm. ein Freundschafts- oder Liebesverhältnis haben:* er geht schon lange mit ihr. **2. a)** *sich (zu einem bestimmten Zweck) an einen Ort begeben:* tanzen g.; auf den Markt g. **sinnv.:** sich begeben. **b)** *in einem bestimmten Bereich [beruflich] tätig werden:* zum Film g. **3. a)** *sich von einem Ort entfernen:* ich muß jetzt leider g. **b)** *seine berufliche Stellung aufgeben:* er wird nächsten Monat g. **sinnv.:** ausscheiden. **c)** *[laut Fahrplan] abfahren:*

der nächste Zug geht erst in zwei Stunden. **4. a)** *in bestimmter Weise in Bewegung, in Gang sein:* die Klingel ist gegangen; die Uhr geht richtig. **sinnv.:** funktionieren. **b)** *sich in bestimmter Weise entwickeln oder so verlaufen:* das Geschäft geht gut; es geht alles nach Wunsch; **sinnv.:** geschehen. **c)** *in bestimmter Weise zu handhaben, durchzuführen sein:* es geht schwer, einfach; wie geht dieses Spiel? **d)** *absetzbar, verkäuflich sein:* dieser Artikel geht überall gut. **5. a)** *sich machen lassen, möglich sein:* das wird nur schwer g. **b)** (ugs.) *einigermaßen akzeptabel sein, gerade noch angehen:* das geht ja noch. **6. a)** *sich (bis zu einem bestimmten Punkt) erstrecken, ausdehnen:* das Wasser ging mir bis an den Hals. **b)** *eine bestimmte Richtung haben:* das Fenster geht zum Hof. **c)** *sich einem bestimmten Zustand, Zeitpunkt nähern:* es geht auf/gegen Mitternacht. **d)** *sich nach jmdm./etwas richten, etwas als Maßstab nehmen:* es kann nicht immer nach dir g. **7. a)** *in etwas Raum finden:* in den Krug geht gerade ein Liter. **b)** *(als Zahl, Maß) in etwas enthalten sein:* wie oft geht 2 in 10? **c)** *in etwas aufgeteilt werden:* die Erbschaft geht in fünf gleiche Teile. **8.** *sich (in einem bestimmten seelischen oder körperlichen Zustand) befinden:* wie geht es Ihnen? **sinnv.:** sich befinden. **9.** *sich (um jmdn./etwas) handeln:* es geht um meine Familie. **sinnv.:** sich drehen/handeln um.

ge|hen|las|sen, sich; läßt sich gehen, ließ sich gehen, hat sich gehen[ge]lassen: *unbeherrscht, nachlässig sein:* zu Hause läßt er sich einfach gehen. **sinnv.:** sich nicht mehr zügeln/zurückhalten, sich keine Zurückhaltung [mehr] auferlegen.

Ge|hil|fe, der; -n, -n, **Ge|hil|fin,** die; -, -nen (geh.): *männliche bzw. weibliche Person, die einem anderen bei etwas hilft.* **sinnv.:** Helfer. **Zus.:** Büro-, Forst-, Handelsgehilfe.

Ge|hirn, das; -[e]s, -e: *aus einer weichen, hellen, an der Oberfläche reliefartige Windungen aufweisenden Masse bestehendes, im Schädel von Menschen und Wirbeltieren gelegenes Organ, das beim Menschen u. a. Sitz des Bewußtseins ist:* eine Verletzung des Gehirns. **sinnv.:** Hirn. **Zus.:** Elektronengehirn.

ge|ho|ben (Adj.): **1.** *sozial auf einer höheren Stufe stehend:* eine gehobene Position. **2.** *sich über das Alltägliche erhebend, sich davon abhebend:* eine gehobene Stimmung; eine gehobene Sprache, Rede. **sinnv.:** gewählt.

Ge|hör, das; -[e]s: *Fähigkeit, Töne durch die Ohren wahrzunehmen; Sinn für die Wahrnehmung von Schall:* er hat ein gutes G.

ge|hor|chen (itr.): *sich dem Willen eines andern, einer Autorität unterordnen; so handeln, wie es eine andere [höhergestellte] Person will, befiehlt:* das Kind gehorchte den Eltern; einem Befehl g. **sinnv.:** sich ducken, Folge leisten, folgen, gehorsam sein, auf jmdn. hören, kuschen, nachkommen, parieren, spuren.

ge|hö|ren (itr.): **1.** *von jmdm. rechtmäßig erworben sein; jmds. Besitz, Eigentum sein:* das Buch gehört mir. **sinnv.:** in jmds. Besitz sein/sich befinden, jmds. eigen sein, jmdm. sein, jmdm. zur Verfügung stehen. **2.** *Glied, Teil von etwas sein:* er gehört schon ganz zu uns. **sinnv.:** angehören. **3.** *an einer bestimmten Stelle den richtigen Platz haben, passend sein:* das Fahrrad gehört nicht in die Wohnung. **4.** *für etwas erforderlich, Voraussetzung*

sein: dazu gehört viel Mut. **5.** ⟨sich g.⟩ *den Regeln des Anstands, den Normen der Sittlichkeit entsprechen:* das gehört sich nicht [für dich]. **sinnv.:** sich ziemen.

ge|hö|rig ⟨Adj.⟩: **1.** ⟨nur attributiv⟩ *so, wie es [jmdm./einer Sache] angemessen ist:* ihm fehlt der gehörige Respekt. **sinnv.:** adäquat, angemessen, geziemend, passend. **2. a)** *(in Ausmaß, Menge o. ä.) beträchtlich, nicht gering; dem Anlaß entsprechend [hoch oder groß]:* eine gehörige Strafe. **sinnv.:** anständig, deftig, fest, gebührend, gewaltig, gründlich, nach Herzenslust, herzhaft, nicht zu knapp, kräftig, ordentlich, schön, nach Strich und Faden, tüchtig. **b)** ⟨verstärkend bei Verben⟩ *sehr:* jmdn. g. ausschimpfen.

ge|hor|sam ⟨Adj.⟩: *sich ganz dem Willen einer Person, die eine entsprechende Autorität besitzt, unterordnend, ihre Anordnungen genau und widerspruchslos befolgend:* er setzte sich g. auf die Bank; der Junge folgte ihr g. **sinnv.:** artig, brav, folgsam, fügsam, gesittet, lieb, manierlich, treu, willig, wohlerzogen.

Geh|weg, der; -[e]s, -e: ↑*Bürgersteig.* **sinnv.:** Fußgängerweg, Fußsteig, Fußweg, Gehbahn, Gehsteig, Trottoir.

Gei|ge, die; -, -n: *hell klingendes Streichinstrument mit vier (in Quinten gestimmten) Saiten, das beim Spielen auf der Schulter ruht* (siehe Bildleiste „Streichinstrumente"). **sinnv.:** Fiedel, Violine. **Zus.:** Baß-, Meistergeige.

geil ⟨Adj.⟩: **1.** *starkes, drängendes Verlangen nach geschlechtlicher Befriedigung habend:* ihr Anblick machte ihn g. **sinnv.:** begierig. **2.** (ugs.; emotional) *toll, großartig:* diese Platten finde ich einfach g. **3. *g. sein auf etwas:** auf etwas sehr versessen sein:* er ist g. auf dieses Amt. **4.** *(von Pflanzen) meist lang, aber weniger kräftig in die Höhe wachsend:* geile Triebe.

-geil ⟨adjektivisches Suffixoid⟩ (ugs.): *auf das im Basiswort Genannte versessen, es um jeden Preis [haben] wollend:* karriere-, konsum-, machtgeil. **sinnv.:** -durstig, -süchtig, -wütig.

Gei|sel, die; -, -n: *jmd., der mit Gewalt festgehalten, gefangengenommen wird zu dem Zweck, daß für seine Freilassung bestimmte Forderungen erfüllt werden:* jmdn. als/zur G. nehmen. **sinnv.:** Gefangener.

Geist, der; -[e]s, -er: **1.** ⟨ohne Plural⟩ *denkendes Bewußtsein des Menschen; Fähigkeit zu denken:* der menschliche G.; sie hat G. *(Scharfsinn, Esprit)* und Witz. **sinnv.:** Vernunft. **Zus.:** Erfinder-, Forscher-, Menschen-, Schöpfergeist. **2.** *Mensch im Hinblick auf seine geistigen Eigenschaften, seine künstlerische oder intellektuelle Begabung:* ein genialer G.; er ist ein unruhiger G. *(Mensch).* **Zus.:** Frei-, Quäl-, Schön-, Schwarmgeist. **3.** ⟨G. + Attribut⟩ ⟨ohne Plural⟩ *geistige Haltung; grundsätzliche Einstellung gegenüber jmdm./etwas:* der G. der Freiheit. **sinnv.:** Denkart. **Zus.:** Gemeinschafts-, Geschäfts-, Sport-, Zeitgeist. **4.** *geistige Wesenheit:* Gott ist G. **5.** ↑*Gespenst:* Geister beschwören. **Zus.:** Burg-, Erd-, Spukgeist.

Gei|stes|ge|gen|wart, die; -: *Fähigkeit, bei überraschenden Vorfällen schnell zu reagieren, entschlossen handeln zu können:* durch seine G. rettete er das Kind. **sinnv.:** Entschlossenheit, Reaktionsschnelligkeit, Reaktionsvermögen.

gei|stes|ge|stört ⟨Adj.⟩: *infolge einer krankhaften Störung des Verstandes oder Gemüts [zeitweise] nicht mehr fähig zu normalem Denken und Handeln:* er ist g. **sinnv.:** blöd[e], debil, geisteskrank, geistesschwach, gemütskrank, idiotisch, irr[e], irrsinnig, mongoloid, schwachsinnig, schizophren, stumpfsinnig, umnachtet, verblödet, verrückt, verwirrt, wahnsinnig.

gei|stig ⟨Adj⟩: **1. a)** *den Geist, Verstand, das Denkvermögen des Menschen, seine Fähigkeit, Dinge zu durchdenken und zu beurteilen, betreffend:* geistige Arbeit; geistige Fähigkeiten; das Kind ist g. zurückgeblieben. **sinnv.:** mental, psychisch. **b)** *nur gedacht, nur in der Vorstellungswelt vorhanden:* geistige Wesen. **2.** ⟨nur attributiv⟩ †*alkoholisch:* geistige Getränke.

geist|lich ⟨Adj.; nur attributiv⟩: *die Religion, den kirchlichen Bereich betreffend:* geistliche Lieder; der geistliche Stand. **sinnv.:** kirchlich.

Geist|li|che, der; -n, -n ⟨aber: [ein] Geistlicher, Plural: [viele] Geistliche⟩: *jmd., der als Pfarrer, Priester dem geistlichen Stand der christlichen Kirche angehört.* **sinnv.:** geistlicher Herr/Würdenträger, Gottesmann, Kaplan, Kirchenmann, Kleriker, Pastor, Pater, Pfaffe, Pfarrer, Pfarrherr, Pfarrvikar, Priester, Schwarzrock, Seelsorger, Theologe, Vikar. **Zus.:** Gefängnis-, Militärgeistlicher.

geist|reich ⟨Adj.⟩: *viel Geist und Witz zeigend, voller Esprit:* ein geistreicher Autor. **sinnv.:** einfallsreich, geistvoll, launig, spritzig, sprühend, witzig.

Geiz, der; -es: *von andern als unangenehm, abstoßend empfundene übergroße Sparsamkeit, Kleinlichkeit in bezug auf Geld, Besitz:* seine Sparsamkeit grenzt schon an G. **sinnv.:** Habgier, Habsucht, Knauserei, Knickrigkeit, Pfennigfuchserei.

gei|zig ⟨Adj.⟩: *voller Geiz:* er ist sehr g., er wird dir nichts schenken. **sinnv.:** filzig, hartleibig, knauserig, knickerig, popelig, schäbig, schofel, sparsam.

ge|konnt ⟨Adj.⟩: *[in der technischen, handwerklichen Ausführung] von hohem Können zeugend:* die Mannschaft zeigte ein sehr gekonntes Spiel. **sinnv.:** fachmännisch.

ge|kün|stelt ⟨Adj.⟩: *in verkrampfter Weise bemüht, angenehm oder originell zu erscheinen:* ein gekünsteltes Lächeln. **sinnv.:** geziert.

Ge|läch|ter, das; -s: *[anhaltendes] lautes Lachen:* sie brachen in schallendes G. aus. **sinnv.:** Gekichere, Gewieher, Heiterkeitsausbruch, Lachsalve.

Ge|län|de, das; -s: **a)** *Landschaft, Fläche in ihrer natürlichen Beschaffenheit:* ein hügeliges G. **sinnv.:** Gebiet. **b)** *größeres Grundstück, das einem bestimmten Zweck dient:* das G. der Fabrik. **sinnv.:** Land. **Zus.:** Bahnhofs-, Versuchsgelände.

Ge|län|der, das; -s, -: *an der freien Seite von Treppen, an Brücken o.ä. angebrachte, einem Zaun ähnliche Vorrichtung zum Schutz vor dem Abstürzen und zum Festhalten:* sie beugte sich über das G. **sinnv.:** Balustrade, Brüstung, Reling. **Zus.:** Holz-, Treppengeländer.

ge|lan|gen, gelangte, ist gelangt ⟨itr.⟩: **1.** *(ein bestimmtes Ziel) erreichen; (an ein bestimmtes Ziel) kommen:* der Brief gelangte nicht in seine Hände. **2. a)** *etwas, einen angestrebten Zustand errei-*

chen, zu etwas kommen: zu Geld, Ehre, Ansehen g.; zur Erkenntnis g. *(erkennen),* daß ... **b)** /dient als Funktionsverb zur Umschreibung des Passivs/: zum Druck g. *(gedruckt werden);* zur Aufführung g. *(aufgeführt werden).*

ge|las|sen ⟨Adj.⟩: *kühl und ruhig trotz ärgerlichen, unangenehmen Geschehens o.ä.:* er hörte sich die Beschuldigungen g. an. **sinnv.:** geduldig, gefaßt, gemäßigt, leidenschaftslos, ruhig.

ge|launt ⟨Adj.: in Verbindung mit einer näheren Bestimmung⟩: *sich in einer bestimmten Stimmung, Laune befindend:* er ist gut g.; wie ist er heute g.?

gelb ⟨Adj.⟩: *von der Farbe einer reifen Zitrone:* eine gelbe Bluse. **sinnv.:** bernsteinfarben, gold[en], goldfarben. **Zus.:** hell-, quitte[n]gelb.

gelb|lich ⟨Adj.⟩: *leicht gelb getönt:* ein gelbliches Licht.

Geld, das; -[e]s, -er: **1.** ⟨ohne Plural⟩ *vom Staat herausgegebenes Mittel zum Zahlen in Form von Münzen und Banknoten:* G. verdienen; das kostet viel G. **sinnv.:** Blech, Draht, Eier, Finanzen, Flokken, Flöhe, Kies, Knete, Knöpfe, Kohle[n], Koks, Kröten, Lappen, Mammon, Marie, Mäuse, Mittel, Moneten, Moos, Möpse, Mücken, Penunzen, Piepen, Pimperlinge, Pinke[pinke], Pulver, Zaster, Zunder, Zwirn. **Zus.:** Bar-, Fahr-, Kinder-, Klein-, Taschen-, Trink-, Wechsel-, Weihnachtsgeld. **2.** ⟨Plural⟩ *[zu einem bestimmten Zweck zur Verfügung gestellte] größere Geldsumme:* öffentliche Gelder; er hat die Gelder veruntreut.

Geld|beu|tel, der; -s, -: †*Portemonnaie.*

geld|gie|rig ⟨Adj.⟩: *auf Besitz, Erwerb von Geld versessen:* er ist [furchtbar] g. **sinnv.:** habgierig.

Ge|lee [ʒe'le:], der oder das; -s, -s: **1.** *gallertartig eingedickter, aus dem Saft von Früchten und aus Zucker hergestellter Aufstrich fürs Brot:* G. aus Äpfeln bereiten. **sinnv.:** Marmelade. **Zus.:** Apfel-, Himbeer-, Quittengelee. **2.** *gallertartig eingedickter Saft von Fleisch oder Fisch:* Aal, Hering in G. **sinnv.:** Gallerte.

Ge|le|gen|heit, die; -, -en: **1.** *geeigneter Augenblick, günstige Umstände für die Ausführung von etwas, eines Plans, Vorhabens:* die G. ist günstig; wir regeln dies bei G. *(wenn es sich gerade ergibt, gelegentlich).* **sinnv.:** Aussicht, Möglichkeit. **Zus.:** Bade-, Fahr-, Koch-, Mitfahr-, Schlaf-, Sitzgelegenheit. **2.** *Ereignis, Geschehnis, Umstand o.ä. als Anlaß, Möglichkeit für etwas:* mir fehlt ein Kleid für besondere Gelegenheiten. **sinnv.:** Anlaß.

ge|le|gent|lich ⟨Adj.⟩: **a)** *bei passenden Umständen [geschehend]:* ich werde dich g. besuchen. **b)** *hie und da, nicht regelmäßig:* gelegentliche Niederschläge; er trinkt g. ein Glas Bier. **sinnv.:** manchmal.

ge|leh|rig ⟨Adj.⟩: *schnell eine bestimmte Fertigkeit erlernend, sich Kenntnisse zu eigen machend:* ein gelehriger Schüler.

ge|lehrt ⟨Adj.⟩: **a)** *wissenschaftlich gründlich gebildet:* ein gelehrter Mann. **sinnv.:** gebildet, wissenschaftlich. **b)** *auf wissenschaftlicher Grundlage beruhend:* ein gelehrtes Buch. **sinnv.:** akademisch.

Ge|lehr|te, der u. die; -n, -n ⟨aber: [ein] Gelehrter, Plural: [viele] Gelehrte⟩: *männliche bzw. weibliche Person, die gelehrt, wissenschaftlich gebildet ist:* ein berühmter Gelehrter. **sinnv.:** Akademiker, Forscher, Studierter, Wissenschaftler. **Zus.:** Privat-, Schrift-, Stubengelehrter.

ge|lei|ten, geleitete, hat geleitet ⟨tr.⟩: *(jmdn. zu seiner Sicherheit oder ehrenhalber) begleiten:* einen Blinden sicher über die Straße g. **sinnv.:** begleiten.

Ge|lenk, das; -[e]s, -e: *durch Muskeln bewegliche Verbindung zwischen Körperteilen, die mehr oder weniger starr sind, bes. zwischen zwei aneinanderstoßenden Knochenenden:* steife, knotige Gelenke. **Zus.:** Arm-, Ellbogen-, Hand-, Hüft-, Knie-, Kugel-, Sprunggelenk.

ge|len|kig ⟨Adj.⟩: *beweglich und wendig, bes. in den Gelenken:* für sein Alter ist er ganz schön g. **sinnv.:** biegsam, geschmeidig, gewandt, graziös, leichtfüßig.

ge|lernt ⟨Adj.⟩: *vollständig für ein Handwerk o. ä. ausgebildet:* er ist [ein] gelernter Mechaniker.

Ge|lieb|te, der und die; -n, -n ⟨aber: [viele] Geliebte⟩: a) *männliche bzw. weibliche Person, die mit einer [verheirateten] Frau bzw. mit einem [verheirateten] Mann sexuelle Beziehungen, ein Verhältnis hat:* seine G. hat ihn verlassen. **sinnv.:** Angebetete[r], ständige[r] Begleiter[in], Bekannte[r], Flamme, Freund[in], Galan, Gspusi, Kavalier, Konkubine, Lebensgefährte, -gefährtin, Liebhaber, Macker, Mätresse, Partner[in], Scheich, Verehrer[in], Verhältnis, Zahn. b) *geliebter Mann bzw. geliebte Frau, geliebtes Mädchen /in der Anrede/.*

ge|lin|gen, gelang, ist gelungen ⟨itr.⟩: *nach Planung, Bemühung mit Erfolg zustande kommen:* die Arbeit ist ihm gelungen. **sinnv.:** geraten, glattgehen, glücken, gutgehen, hinhauen, klappen, nach Wunsch gehen.

ge|lo|ben: a) ⟨tr.⟩ *feierlich, fest versprechen:* jmdm. Treue g. b) ⟨sich g.⟩ *sich etwas fest vornehmen:* ich habe mir gelobt, nicht mehr zu trinken. **sinnv.:** sich entschließen.

gel|ten, gilt, galt, hat gegolten ⟨itr.⟩: **1.** *gültig sein:* diese Briefmarke gilt nicht mehr. **2.** *wert sein:* sein Wort gilt [nicht] viel. **3.** *als etwas Bestimmtes betrachtet, angesehen werden:* er gilt als reich, als guter Kamerad; es gilt als sicher, daß er kommt. **4.** *(für jmdn./etwas) bestimmt, (auf jmdn./etwas) gerichtet sein, sich (auf jmdn./etwas) beziehen:* der Beifall galt ihm.

Ge|löb|de, das; -s, -: *feierliches [durch einen Eid bekräftigtes] Versprechen:* das G. brechen. **sinnv.:** Versprechen. **Zus.:** Ehegelübde.

ge|mäch|lich [auch: gemächlich] ⟨Adj.⟩: *langsam, ruhig und ohne Eile:* g. ging er sich um.

Ge|mäl|de, das; -s, -: *in Öl o. ä. gemaltes Bild:* ein G. an die Wand hängen. **Zus.:** Altar-, Decken-, Öl-, Wandgemälde.

ge|mäß ⟨Präp. mit Dativ⟩: *in Entsprechung, Übereinstimmung mit:* seinem Wunsch g.; g. dem Vertrag. **sinnv.:** analog, entsprechend, laut, nach, zufolge.

-ge|mäß ⟨adjektivisches Suffixoid⟩: *wie es das im Basiswort Genannte verlangt, vorsieht, vorschreibt, ihm angemessen, [genau] entsprechend, sich nach ihm richtend, in Übereinstimmung mit ihm:* erfahrungs-, fach-, frist-, kind-, ordnungs-, programm-, sach-, standes-, vertrags-, wunschgemäß. **sinnv.:** -gerecht, -getreu, -mäßig.

ge|mä|ßigt ⟨Adj.⟩: a) *in seiner Art nicht so streng, extrem, nicht radikal:* eine gemäßigte Politik. **sinnv.:** ausgeglichen, maßvoll, zivil. b) *nicht ins Übertriebene gehend [und daher im Ausmaß re-*

duziert]: gemäßigter Optimismus; gemäßigtes Klima.

ge|mein ⟨Adj.⟩: **1. a)** *in als empörend empfundener Weise abstoßend, moralisch schlecht:* ein gemeines Lachen; ein gemeiner Betrüger; er hat g. gehandelt. **sinnv.:** abscheulich, böse, elend, erbärmlich, böse, infam, niederträchtig, niedrig, perfid, schäbig, schandbar, schändlich, schimpflich, schmählich, schmutzig, schnöde, schofel, schurkisch, übel, verachtenswert, verächtlich. **Zus.:** hundsgemein. **b)** *in als unverschämt, rücksichtslos empfundener Weise frech, grob, unanständig:* gemeine Redensarten. **sinnv.:** gewöhnlich, unanständig, unfair. **2.** (ugs.) **a)** *ungerecht, für jmdn. ungünstig und daher ärgerlich:* ich habe nie solches Glück, das ist einfach g. **sinnv.:** unerfreulich. **b)** ⟨verstärkend bei Adjektiven und Verben⟩ *sehr:* das tut g. weh.

Ge|mein|de, die; -, -n: **1.** *unterster politischer oder kirchlicher Bezirk mit eigener Verwaltung:* wir wohnen in der gleichen G. **sinnv.:** Gemeinwesen, Kommune. **Zus.:** Kirchen-, Landgemeinde. **2.** *Gesamtheit der Einwohner eines solchen Bezirks:* er hat das Vertrauen der G. **3.** *Gesamtheit der Teilnehmer eines Gottesdienstes o. ä.:* die G. sang einen Choral. **Zus.:** Trauergemeinde.

ge|mein|sam ⟨Adj.⟩: **1.** *dem einen wie dem/den anderen zukommend, zugehörend, in gleicher Weise gegeben:* unser gemeinsamer Garten. **2.** *von zwei oder mehreren Personen zusammen unternommen, zu bewältigen:* gemeinsame Aufgaben, Wanderungen. **sinnv.:** allgemein, gemeinschaftlich, genossenschaftlich, Hand in Hand, kooperativ, miteinander, Seite an Seite, im Team, im Verbund, im Verein, vereint, zusammen.

Ge|mein|schaft, die; -, -en: **1.** ⟨ohne Plural⟩ *das Zusammensein, das Zusammenleben in gegenseitiger Verbundenheit:* mit jmdm. in G. leben. **Zus.:** Ehe-, Lebensgemeinschaft. **2.** *Gruppe von Personen, die durch gemeinsame Gedanken, Ideale o. ä. verbunden sind:* einer G. angehören. **sinnv.:** Mannschaft. **Zus.:** Interessen-, Religions-, Sprachgemeinschaft.

ge|mein|schaft|lich ⟨Adj.; nicht prädikativ⟩: *mehreren Personen (als Gruppe) gehörend; von mehreren (als Gruppe) durchgeführt:* gemeinschaftlicher Besitz; ein gemeinschaftlicher Spaziergang; etwas g. verwalten. **sinnv.:** gemeinsam.

ge|mes|sen ⟨Adj.⟩: a) *langsam und würdevoll:* er kam mit gemessenen Schritten. **sinnv.:** ruhig. b) *würdevoll und zurückhaltend:* sein Benehmen war ernst und g. **sinnv.:** majestätisch.

Ge|misch, das; -[e]s, -e: *etwas, was durch Vermischen von festen, flüssigen oder gasförmigen Stoffen in meist sehr feiner Verteilung entsteht:* ein G. aus Sand, Kalk und Gips; G. [aus Öl und Benzin] tanken. **sinnv.:** Mischung.

Ge|mü|se, das; -s, -: *Pflanzen, deren verschiedene Teile in rohem oder gekochtem Zustand als Nahrung dienen:* G. anbauen, kochen. **Zus.:** Frisch-, Früh-, Gefrier-, Kohl-, Wildgemüse.

Ge|müt, das; -[e]s, -er: **1.** ⟨ohne Plural⟩ **a)** *Gesamtheit der geistigen und seelischen Kräfte eines Menschen:* sie hat ein liebevolles G. **sinnv.:** Seele. **b)** *Empfänglichkeit für Eindrücke, die das Gefühl ansprechen:* er hat viel G. **2.** *Mensch (in bezug auf seine geistig-seelischen Regungen):* der Vorfall beunruhigte die Gemüter.

ge|müt|lich ⟨Adj.⟩: **a)** *eine angenehme, behaglich-zwanglose Atmosphäre schaffend, in einer solchen Atmosphäre geschehend:* ein gemütliches Zimmer; wir plauderten g. **sinnv.:** angenehm, anheimelnd, behaglich, bequem, heimelig, idyllisch, lauschig, traulich, traut, wohnlich. **b)** *Freundlichkeit, Ruhe ausstrahlend:* ein gemütlicher Beamter saß am Schalter. **c)** *in aller Ruhe, ganz gemächlich:* ein gemütliches Tempo.

ge|nau: **I.** ⟨Adj.⟩: **a)** *mit einem Muster, Vorbild, einer Vergleichsgröße [bis in die Einzelheiten] übereinstimmend, einwandfrei stimmend:* eine genaue Waage; sich g. an etwas erinnern. **sinnv.:** getreu, klar. **b)** *gründlich, gewissenhaft ins einzelne gehend:* genaue Kenntnis von etwas haben; das mußt du g. unterscheiden; er ist sehr g. **sinnv.:** detailliert, fein, gewissenhaft, planmäßig. **II.** ⟨Adverb⟩ */betont die Exaktheit einer Angabe; drückt bestätigend aus, daß etwas gerade richtig, passend für etwas ist/:* er kam g. zur rechten Zeit; g. das wollte ich sagen. **sinnv.:** eben, gerade. **Zus.:** haargenau.

ge|nau|so ⟨Adverb⟩: *[genau] in der gleichen Weise, im gleichen Maße:* g. muß man auch hier verfahren. **sinnv.:** auch.

ge|neh|mi|gen ⟨tr.⟩: *der Verwirklichung einer [in einem Gesuch o. ä. vorgebrachten] Absicht zustimmen:* die Behörde hat seinen Antrag, sein Gesuch genehmigt. **sinnv.:** absegnen, billigen.

ge|ne|ral-, Ge|ne|ral- ⟨Präfixoid⟩: **1.** *das im Basiswort Genannte ganz allgemein betreffend, für alles geltend, zutreffend; generell ...:* **a)** ⟨substantivisch⟩: Generalamnestie, -angriff, -linie, -planung, -streik, -untersuchung, -vollmacht. **b)** ⟨verbal⟩: generalsanieren, -überholen, -untersuchen. **2.** *Haupt-, oberster ... /oft in Titeln/:* Generaldirektion, -direktor, -fehler, -nenner, -probe, -staatsanwalt, -versammlung. **sinnv.:** Chef-, Haupt-, Ober-.

Ge|ne|ra|ti|on, die; -, -en: **1.** *einzelne Stufe in der Folge der Altersstufen, bei der Großeltern, Eltern, Kinder, Enkel unterschieden werden:* von G. zu G. **sinnv.:** Geschlecht. **2.** *Gesamtheit der Angehörigen ungefähr einer Altersstufe:* die junge G. **sinnv.:** Altersklasse, Altersstufe, Jahrgang. **Zus.:** Nachkriegsgeneration. **3.** *Zeitraum, der ungefähr die Lebenszeit eines Menschen umfaßt:* es wird noch Generationen dauern. **sinnv.:** Menschenalter. **4.** *Gesamtheit von Apparaten, Geräten, Maschinen, die durch einen bestimmten Stand in der technischen Entwicklung, eine neue Konzeption in der Konstruktion o. ä. gekennzeichnet sind:* ein Computer der letzten, einer neuen G.

ge|ne|rell ⟨Adj.⟩: *[ohne Unterschied] alle[s] umfassend, für alle Fälle derselben Art zutreffend:* eine generelle Lösung finden; etwas g. verbieten. **sinnv.:** allgemein, im allgemeinen, ausnahmslos, durch die Bank, durchgängig, durchgehend, durchweg, [für] gewöhnlich, im großen [und] ganzen, mehr oder minder, mehr oder weniger, weitgehend, weithin.

ge|ne|sen, genas, ist genesen ⟨itr.⟩: *von [schwerer] Krankheit befreit und wieder gesund werden:* er ist von einer langen Krankheit genesen. **sinnv.:** aufkommen, sich aufrappeln, wieder auf die Beine/den Damm kommen, gesunden, heilen.

ge|ni|al ⟨Adj.⟩: **a)** *mit einer hohen schöpferischen*

Begabung ausgestattet: ein genialer Dichter. **sinnv.:** begabt. **b)** *von einer hohen schöpferischen Begabung zeugend:* eine geniale Erfindung. **sinnv.:** bahnbrechend.

Ge|nick, das; -[e]s, -e: *der hintere Teil des Halses (bes. in bezug auf das Gelenk):* den Hut ins G. schieben; jmdm. das G. brechen. **sinnv.:** Nacken.

Ge|nie [ʒe'ni:], das; -s, -s: **a)** *Mensch mit einer hohen schöpferischen Begabung:* er ist ein wahres G. **Zus.:** Universalgenie. **b)** ⟨ohne Plural⟩ *hohe schöpferische Begabung:* sein G. wurde lange Zeit verkannt. **sinnv.:** Begabung, Talent.

ge|nie|ren [ʒe'ni:rən], sich: *sich in einer Situation, die als peinlich, unangenehm empfunden wird, entsprechend gehemmt, unsicher fühlen:* er genierte sich, weil er nackt war. **sinnv.:** sich schämen, sich zieren.

ge|nieß|bar ⟨Adj.⟩: *so beschaffen, daß es ohne Bedenken gegessen oder getrunken werden kann:* diese Milch ist nicht mehr g. **sinnv.:** eßbar.

ge|nie|ßen, genoß, hat genossen ⟨tr.⟩: **1.** *[mit Vergnügen, Befriedigung] zu sich nehmen:* er konnte nur wenig von den Leckerbissen g. **sinnv.:** essen. **2.** *mit Freude, Vergnügen, Wohlbehagen auf sich wirken lassen:* seinen Urlaub g. **sinnv.:** auskosten, durchkosten. **3.** *⟨von einer Sache⟩ teilhaftig werden, sie [zu seinem Nutzen] erhalten:* eine gründliche Ausbildung g.; /oft in verblaßter Bedeutung/ er genießt (hat) unser Vertrauen.

ge|nie|ße|risch ⟨Adj.⟩: *(etwas) mit größtem Behagen genießend, voll Genuß:* sich während des Essens g. zurücklehnen. **sinnv.:** genußfreudig, genüßlich, genußsüchtig, genußvoll, schwelgerisch, sinnenfreudig.

Ge|nos|se, der; -n, -n, **Ge|nos|sin,** die; -, -nen: **1.** *männliche bzw. weibliche Person, die Anhänger[in] der gleichen linksgerichteten politischen Weltanschauung ist; Mitglied einer sozialistischen Partei:* alte kampferprobte Genossen [der SPD]; Genosse Vorsitzender. **sinnv.:** Parteifreund. **Zus.:** Parteigenosse. **2.** *(veraltend) männliche bzw. weibliche Person, mit der man durch die Gemeinsamkeit der Arbeit, des Spiels o. ä. verbunden ist:* er trifft sich mit seinen Genossen in der Kneipe. **sinnv.:** Freund. **Zus.:** Alters-, Leidens-, Zeitgenosse.

ge|nug ⟨Adverb⟩: *in zufriedenstellendem, seinen Zweck erfüllendem Maß:* ich habe g. Geld/Geld g.; der Schrank ist groß g. **sinnv.:** akzeptabel, angemessen, annehmbar, auskömmlich, ausreichend, befriedigend, einigermaßen, erträglich, genügend, gut, hinlänglich, hinreichend, leidlich, manierlich, passabel, zufriedenstellend, zureichend.

ge|nü|gen ⟨itr.⟩: *genug sein, für seine Zwecke ausreichen:* zwei Zimmer genügen [mir]; seine Leistungen waren genügend. **sinnv.:** ausreichen.

ge|nüg|sam ⟨Adj.⟩: *mit wenigem zufrieden:* er ist [im Essen] sehr g. **sinnv.:** bescheiden, zufrieden.

Ge|nuß, der; Genusses, Genüsse: **1.** ⟨ohne Plural⟩ *Aufnahme von Nahrung u. ä.:* er ist nach dem G. von altem Fleisch erkrankt. **Zus.:** Alkohol-, Fleisch-, Kaffee-, Tabakgenuß. **2.** *Freude, Wohlbehagen bei etwas, was jmd. auf sich wirken läßt:* dieses Konzert war ein G.; ein Buch mit G. lesen. **sinnv.:** Labsal. **Zus.:** Hoch-, Kunstgenuß.

Geo|gra|phie, die; -: *Wissenschaft von der Erde und ihrem Aufbau, von der Verteilung und Ver-*

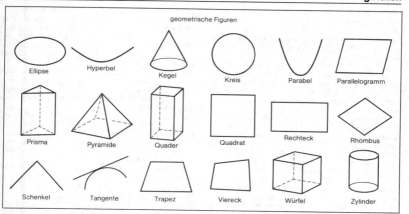

geometrische Figuren

Ellipse — Hyperbel — Kegel — Kreis — Parabel — Parallelogramm

Prisma — Pyramide — Quader — Quadrat — Rechteck — Rhombus

Schenkel — Tangente — Trapez — Viereck — Würfel — Zylinder

knüpfung der verschiedenen Erscheinungen o. ä. *der Erdoberfläche:* G. studieren.
Geo|lo|gie, die; -: *Wissenschaft der Entstehung, Entwicklung und Veränderung der Erde und der sie bewohnenden Lebewesen.*
Geo|me|trie, die; -: *Teilgebiet der Mathematik, das sich mit den ebenen und räumlichen Gebilden beschäftigt.*
geo|me|trisch 〈Adj.〉: **1.** *die Geometrie betreffend; auf Gesetzen der Geometrie beruhend:* die geometrische Lösung einer Aufgabe. **2.** *Formen aufweisend, die der Geometrie entlehnt sind:* geometrische Muster, Formen.
Ge|päck, das; -[e]s: *Sachen, die jmd., der reist oder wandert, mit sich führt:* das G. aufgeben, versichern. **sinnv.:** Beutel, Bordcase, Koffer, Reisetasche, Rucksack, Seesack, Tasche, Tornister. **Zus.:** Hand-, Reisegepäck.
ge|ra|de: I. 〈Adj.〉 **1. a)** *in immer gleicher Richtung verlaufend, nicht gekrümmt:* eine g. Linie. **b)** *in natürlicher, für richtig, passend, angemessen empfundener Richtung [verlaufend], nicht schief:* g. gewachsen sein; das Bild hängt g. **sinnv.:** aufrecht, stocksteif, stramm. **Zus.:** kerzengerade. **2.** *offen seine Meinung äußernd, ohne sich beirren zu lassen:* ein gerader Mensch. **sinnv.:** aufrichtig. **II.** 〈Adverb〉 **1.** *in diesem Augenblick:* er ist g. hier. 〈Adverb〉 **1.** *in diesem Augenblick:* er ist g. hier. **sinnv.:** jetzt. **2. a)** (ugs.) *kurz, rasch einmal; für [ganz] kurze Zeit:* kannst du mir g. [mal] das Buch geben? **b)** *in unmittelbarer Nähe, genau da:* er wohnt g. an der Ecke. **sinnv.:** genau. **c)** *mit Mühe und Not, ganz knapp:* er kam g. zur rechten Zeit. **sinnv.:** mit Ach und Krach, eben [noch], mit Hängen und Würgen, kaum, mit knapper Not, mehr schlecht als recht. **d)** *erst recht:* nun werde ich es g. tun! **III.** 〈Partikel〉 **1.** */drückt eine Verstärkung aus; weist mit Nachdruck auf etwas hin/:* g. das wollte ich nicht. **2.** */drückt Ärger, Unwillen o. ä. aus/:* warum g. ich? **sinnv.:** ausgerechnet. **3.** (ugs.) */schwächt eine Verneinung ab, mildert einen Tadel o. ä./:* das ist nicht g. viel.
Ge|ra|de, die; -, -n 〈im Plural ohne Artikel und n Verbindung mit einer Kardinalzahl auch: – vier Gerade[]〉: **1.** *gerade [an beiden Seiten nicht*

begrenzte] Linie: eine G.; zwei Gerade[n] zeichnen. **2.** *gerader Teil einer Rennstrecke:* auf der Geraden kann er seine Geschwindigkeit erhöhen. **3.** *in gerader Richtung nach vorn ausgeführter Stoß mit der Faust beim Boxen:* eine rechte G.
ge|ra|de|aus 〈Adverb〉: *in gerader Richtung weiter; ohne die Richtung zu ändern:* g. fahren, laufen; g. blicken.
ge|ra|de|her|aus 〈Adverb〉: *ohne sich einen Zwang anzutun, in aller Offenheit und ohne Umschweife:* etwas g. sagen. **sinnv.:** aufrichtig, rundheraus.
ge|ra|de|ste|hen, stand gerade, hat geradegestanden 〈itr.〉: **1.** *aufrecht, in gerader Haltung stehen:* bleib doch g.! **2.** *für jmdn./etwas die Verantwortung übernehmen:* ich kann nicht für ihn g. **sinnv.:** einstehen.
ge|ra|de|wegs 〈Adverb〉: **1.** *ohne Umweg, auf direktem Weg:* er ging g. nach Hause. **sinnv.:** direkt, schnurstracks. **2.** *unmittelbar und ohne Umschweife:* er kam g. darauf zu sprechen. **sinnv.:** gleich.
ge|ra|de|zu 〈Adverb〉: */drückt eine Verstärkung aus/ man kann fast sagen:* ein g. ideales Beispiel; g. in infamer Weise. **sinnv.:** regelrecht.
Ge|rät, das; -[e]s, -e: **1. a)** *[beweglicher] Gegenstand, mit dessen Hilfe etwas bearbeitet, bewirkt oder hergestellt wird:* ein elektrisches G. anschließen. **sinnv.:** Apparat. **b)** *dem Turnen dienende Vorrichtung:* an den Geräten turnen. **2.** 〈ohne Plural〉 *Gesamtheit von Geräten* (1 a), *die bes. als Ausrüstung für etwas dienen:* sein G. in Ordnung halten.
ge|ra|ten, gerät, geriet, ist geraten 〈itr.〉: **1. a)** *am Ende einer Herstellung, eines Prozesses bestimmte positive oder negative Eigenschaften haben:* alles, was er tat, geriet ihm gut. **sinnv.:** ausfallen. **b)** *gut ausfallen:* der Kuchen ist heute [nicht] geraten. **sinnv.:** gelingen. **2. a)** *ohne Absicht an eine Stelle kommen, gelangen:* in einen Sumpf g. **b)** *in einen bestimmten Zustand, in eine bestimmte Lage kommen:* in Schwierigkeiten g.; 〈häufig in verblaßter Bedeutung〉 in Streit g. *(zu streiten anfangen);* in Vergessenheit g. *(vergessen werden).* **3.** *(einem*

Verwandten, bes. einem Elternteil) ähnlich werden:
er gerät [ganz] nach dem Vater. **sinnv.:** ähneln.

ge|räu|mig ⟨Adj.⟩: *viel Platz, Raum bietend:* eine
geräumige Wohnung. **sinnv.:** ausgedehnt, breit,
groß, großflächig, weit.

Ge|räusch, das; -[e]s, -e: *etwas, was [aus mehre-
ren Tönen gemischt] akustisch mehr oder weniger
stark wahrgenommen wird (und durch etwas in Be-
wegung Befindliches oder Gesetztes entstanden
ist):* ein verdächtiges, knackendes G.; Geräusche
vernehmen. **sinnv.:** Klang, Lärm, Laut, Ton.
Zus.: Motoren-, Nebengeräusch.

ger|ben ⟨tr.⟩: *(Häute und Felle) zu Leder verarbei-
ten:* Häute g.

ge|recht ⟨Adj.⟩: **1. a)** *dem geltenden Recht ent-
sprechend, danach handelnd, urteilend:* ein ge-
rechter Richter. **sinnv.:** ausgewogen, rechtden-
kend, rechtmäßig, unparteiisch. **b)** *den allgemei-
nen Auffassungen vom Recht, von Gerechtigkeit,
Wertmaßstäben entsprechend:* gerechte Forde-
rungen stellen; etwas g. aufteilen. **2.** *bestimmten
Ansprüchen, Gegebenheiten angepaßt, entspre-
chend:* eine jeder Witterung gerechte Kleidung.
-gerecht ⟨adjektivisches Suffixoid⟩: *dem im
Basiswort Genannten entsprechend, angemessen:*
familien-, körper-, leistungs-, markt-, medien-,
termin-, verkaufsgerecht.

Ge|rech|tig|keit, die; -: *das Gerechtsein, ge-
rechtes Verhalten:* die G. des Richters; die soziale
G. **Zus.:** Ungerechtigkeit.

ge|reizt ⟨Adj.⟩: *durch etwas Unangenehmes ver-
ärgert, darauf nervös, empfindlich reagierend:* in
gereizter Stimmung sein. **sinnv.:** ärgerlich, ner-
vös.

Ge|richt, das; -[e]s, -e: **I.** *öffentliche Institution,
die Verstöße gegen die Gesetze bestraft und Strei-
tigkeiten schlichtet:* jmdn. bei G. verklagen; das
G. *(das Kollegium der Richter)* zieht sich zur Be-
ratung zurück. **sinnv.:** Feme, Gerichtshof, Kam-
mer, Senat, Strafkammer, Strafsenat, Zivilkam-
mer, Zivilsenat. **Zus.:** Amts-, Arbeits-, Schieds-,
Schwur-, Verwaltungs-, Vormundschaftsgericht.
II. *als Mahlzeit zubereitete Speise:* ein G. auftra-
gen. **sinnv.:** Essen.

ge|richt|lich ⟨Adj.⟩: *das Gericht (I) betreffend,
zu ihm gehörend, mit seiner Hilfe [durch-, herbei-
geführt]:* eine gerichtliche Entscheidung.

ge|ring ⟨Adj.⟩: **1.** *in bezug auf Menge, Anzahl,
Umfang, Maß, Grad von etwas als unbedeutend,
geringfügig, als wenig zu erachten:* nur geringe
Einkünfte haben; er war in nicht geringer Verle-
genheit. **sinnv.:** klein, minder..., minimal, niedrig,
wenig. **2.** *sozial niedrig gestellt:* von geringer Her-
kunft sein. **sinnv.:** gewöhnlich, niedrig.

ge|ring|schät|zig ⟨Adj.⟩: *in herabsetzender Wei-
se:* jmdn. g. behandeln. **sinnv.:** abschätzig.

ge|rin|nen, gerann, ist geronnen ⟨itr.⟩: *in Form
von kleinen Klumpen und Flocken dickflüssig, fest
werden:* geronnenes Blut. **sinnv.:** dick/flockig/
grisselig werden, stocken, zusammengehen, zu-
sammenlaufen.

Ge|rip|pe, das; -s, -: *Skelett, bes. als übriggeblie-
bener Teil von toten Menschen oder Tieren:* in dem
alten Keller hat man ein G. gefunden. **sinnv.:**
Skelett. **Zus.:** Pferde-, Totengerippe.

gern, ger|ne ⟨Adverb⟩: **1.** *ganz bereitwillig, mit
Vergnügen; mit Vorliebe:* g. lesen; ich helfe Ihnen
g. **sinnv.:** anstandslos. **2.** **jmdn. g. haben:* Zunei-

gung zu jmdm. empfinden; **etwas g. haben:** *Gefa(*
len an etwas finden: ich habe es g., wenn sie die
Lieder spielt. **3. a)** /drückt eine Bestätigung, Billi(
gung aus/ *ohne weiteres:* das glaube ich dir g. b(
/drückt einen Wunsch aus, dient der höfliche(
Äußerung eines Wunsches/ *wenn es geht, möglic(
ist:* ich wüßte es g.

Ger|ste, die; -, -: *Getreide mit relativ kurzer(
Halm, langen Grannen und kantigen Körnern, di(
bes. als Viehfutter und zum Bierbrauen verwende(
werden* (siehe Bildleiste „Getreide"). **Zus.:** Fut(
ter-, Wintergerste.

Ger|te, die; -, -n: *dünner, biegsamer Stock:* sic(
eine G. schneiden. **sinnv.:** Stock.

Ge|ruch, der; -[e]s, Gerüche: *Art, wie etwa(
riecht:* Zwiebeln haben einen scharfen G. **sinnv.**
Aroma, Duft, Gestank, Mief, Odeur. **Zus.**
Brand-, Mund-, Wohlgeruch.

Ge|rücht, das; -[e]s, -e: *etwas, was allgemei(
weitererzählt wird, ohne daß es als wahr erwiese(
ist:* das ist nur ein G. **sinnv.:** Fama, Flüsterpropa(
ganda, Latrinenparole, Ondit, Sage.

Ge|rüm|pel, das; -s: *etwas, was als alt und wert(
los angesehen wird, was weggeworfen werde(
kann:* das G. aus der Wohnung entfernen. **sinnv.**
Kram.

Ge|rüst, das; -[e]s, -e: *Konstruktion aus Stanger(
Stahlrohren, Brettern o. ä., mit deren Hilfe ein Ba(
errichtet oder ausgebessert wird:* ein G. aufstellen
Zus.: Bau-, Brettergerüst.

ge|samt ⟨Adj.⟩: *alle[s] ohne Ausnahme umfas(
send, zusammengenommen:* die gesamte Bevöl(
kerung. **sinnv.:** all, ganz; insgesamt.

Ge|samt|heit, die; -: *als Einheit erscheinend(
Menge von Personen, Dingen, Vorgängen o. ä.*
das Volk in seiner G. **sinnv.:** das Ganze, Ganz(
heit, das Gesamte, Totalität.

Ge|sang, der; -[e]s, Gesänge: **1.** ⟨ohne Plural(
das Singen: froher G. ertönte. **sinnv.:** Singerei(
Singsang. **Zus.:** Chor-, Lob-, Solo-, Sprechge(
sang. **2.** *etwas Gesungenes, zum Singen Bestimm(
tes:* geistliche, weltliche Gesänge. **sinnv.:** Lied(
Zus.: Bänkel-, Chor-, Schwanengesang.

Ge|säß, das; -es, -e: *Teil des Körpers, auf dem(
man sitzt.* **sinnv.:** Allerwertester, Arsch, vie(
Buchstaben, Dokus, Hintern, Hinterteil, Kiste(
Po, Podex, Popo, Steiß, Sterz.

Ge|schäft, das; -[e]s, -e: **1. a)** *gewerbliches, kauf(
männisches Unternehmen:* ein G. eröffnen, füh(
ren, leiten. **sinnv.:** Betrieb. **Zus.:** Fuhr-, Versand(
geschäft. **b)** *Räumlichkeiten, in denen ein gewerb(
liches Unternehmen Waren ausstellt und zum Ver(
kauf anbietet:* das G. ist heute geschlossen
sinnv.: Laden. **Zus.:** Fach-, Feinkost-, Lebens(
mittel-, Schuh-, Spielwaren-, Sport-, Wäschege(
schäft. **2.** *auf Gewinn abzielende [kaufmännische(
Unternehmung; [abgeschlossener] Verkauf:* die
Geschäfte stocken; diese Sache war kein G(
(brachte keinen Gewinn) für uns. **sinnv.:** Handel(
Transaktion. **Zus.:** Börsen-, Geld-, Tausch-, Ver(
lust-, Weihnachtsgeschäft. **3.** *Angelegenheit, Tä(
tigkeit, Aufgabe, die zu erledigen ist, mit der ein be(
stimmter Zweck verfolgt wird:* er hat viele Ge(
schäfte zu erledigen. **sinnv.:** Arbeit, Aufgabe(
Zus.: Amts-, Rechtsgeschäft.

ge|schäf|tig ⟨Adj.⟩: *unentwegt tätig, sich mit et(
was beschäftigend:* g. hin und her laufen. **sinnv.:**
betriebsam; fleißig.

ge|schäft|lich ⟨Adj.⟩: *die Angelegenheiten eines gewerblichen Unternehmens, einen Handel betreffend:* geschäftliche Dinge; er hat hier g. zu tun. **sinnv.:** dienstlich; finanziell.

ge|sche|hen, geschieht, geschah, ist geschehen ⟨itr.⟩: **1.** *(als etwas Bemerkenswertes, Auffallendes o. ä.) in eine bestimmte Situation eintreten und vor sich gehen, eine bestimmte Zeitspanne durchlaufen und zum Abschluß kommen:* es ist ein Unglück geschehen; in dieser Sache muß etwas g. *(unternommen werden)* **sinnv.:** ablaufen, sich abspielen/begeben, sich ereignen, erfolgen, vor sich gehen, kommen, passieren, sein, stattfinden, verlaufen, vonstatten gehen, vorfallen, sich vollziehen, vorgehen, zugehen, zustande kommen, sich zutragen. **2.** ↑*widerfahren:* ihm ist Unrecht geschehen. **sinnv.:** begegnen.

-ge|sche|hen, das; -s ⟨Suffixoid⟩: *etwas, was sich im Hinblick auf das im Basiswort Genannte in bestimmter Weise [als Prozeß] entwickelt o. ä.:* Kommunikations-, Krankheits-, Musik-, Vereins-, Verkehrs-, Wettergeschehen.

ge|scheit ⟨Adj.⟩: *einen guten, praktischen Verstand, ein gutes Urteilsvermögen besitzend, erkennen lassend, von Verstand zeugend:* ein gescheiter Mensch; ein gescheiter Einfall; es wäre gescheiter *(vernünftiger),* gleich anzufangen. **sinnv.:** klug.

Ge|schenk, das; -[e]s, -e: *Gegenstand, den jmd. jmdm. schenkt, den er von jmdm. geschenkt bekommt:* ein G. überreichen; jmdm. etw. zum G. machen. **sinnv.:** Gabe. **Zus.:** Abschieds-, Gast-, Hochzeits-, Weihnachtsgeschenk.

Ge|schich|te, die; -, -n: **1. a)** ⟨ohne Plural⟩ *politische, gesellschaftliche, kulturelle Entwicklung eines bestimmten geographischen, kulturellen Bereichs und die dabei entstehende Folge von Ereignissen:* die G. des Römischen Reiches, der Musik. **sinnv.:** Tradition. **Zus.:** Erd-, Geistes-, Kirchen-, Kranken-, Kultur-, Literatur-, Sprach-, Weltgeschichte. **b)** *wissenschaftliche Darstellung einer historischen Entwicklung:* er hat eine G. des Dreißigjährigen Krieges geschrieben. **2.** *mündliche oder schriftliche Schilderung eines tatsächlichen oder erdachten Geschehens, Ereignisses o. ä.:* eine spannende G. erzählen. **sinnv.:** Erzählung. **Zus.:** Apostel-, Bilder-, Klatsch-, Kurz-, Schöpfungs-, Tier-, Titelgeschichte. **3.** (ugs.) *[unangenehme] Angelegenheit, Sache:* das ist eine dumme G.; er hat von der ganzen G. nichts gewußt. **sinnv.:** Angelegenheit. **Zus.:** Frauen-, Liebes-, Magen-, Skandalgeschichte.

Ge|schick|lich|keit, die; -: *Fertigkeit, besondere Gewandtheit beim raschen, zweckmäßigen Ausführen, Abwickeln, bei der Handhabung o. ä. einer Sache:* handwerkliche G. **sinnv.:** Gewandtheit.

ge|schickt ⟨Adj.⟩: *Geschicklichkeit, Gewandtheit, Wendigkeit zeigend:* ein geschickter Handwerker; etwas g. einrichten. **sinnv.:** agil, beweglich, flexibel, gewandt, wendig.

Ge|schirr, das; -[e]s, -e: **I.** *Gefäße aus Porzellan o. ä. im Haushalt:* das G. spülen. **sinnv.:** Gedeck, Service. **Zus.:** Kaffee-, Tafelgeschirr. **II.** *Riemenzeug, mit dem Zugtiere vor den Wagen gespannt werden:* dem Pferd das G. anlegen. **Zus.:** Ochsen-, Pferdegeschirr.

Ge|schlecht, das; -[e]s, -er: **1. a)** ⟨ohne Plural⟩ *Gesamtheit der Merkmale, wonach ein Lebewesen als männlich oder weiblich zu bestimmen ist:* junge Leute beiderlei Geschlechts. **b)** *die Gesamtheit der Lebewesen, die entweder männlich oder weiblich sind:* das ist eine Beleidigung des weiblichen Geschlechts *(der Frauen).* **2. a)** *Gattung von Lebewesen:* das menschliche G. **sinnv.:** Menschengeschlecht. **b)** ↑*Familie* (b): das G. der Hohenstaufen. **Zus.:** Adels-, Bauern-, Herrschergeschlecht.

Ge|schlechts|ver|kehr, der; -s: *sexueller Kontakt mit einem Partner:* mit jmdm. G. haben. **sinnv.:** Koitus.

Ge|schmack, der; -[e]s: **1. a)** *Fähigkeit, etwas zu schmecken:* er hat wegen seines Schnupfens keinen G. **b)** *Art, wie etwas schmeckt:* die Suppe hat einen kräftigen G. **sinnv.:** Aroma, Würze. **Zus.:** Nachgeschmack. **2.** *Fähigkeit zu ästhetischem Urteil:* einen guten G. haben. **Zus.:** Publikumsgeschmack. **3.** *subjektives Urteil über das, was für jmdn. schön, angenehm o. ä. ist, was ihm gefällt:* das ist nicht mein, nach meinem G. **sinnv.:** Neigung.

ge|schmack|los ⟨Adj.⟩: **1.** *keinen Sinn für Schönheit erkennen lassend, ästhetische Grundsätze verletzend:* ein geschmackloses Bild. **sinnv.:** kitschig, stillos, stilwidrig. **2.** *die guten Sitten verletzend, ohne Taktgefühl:* ein geschmackloser Witz. **sinnv.:** taktlos. **3.** *ohne Geschmack, Würze:* das Essen war ganz und gar g. **sinnv.:** fade.

ge|schmack|voll ⟨Adj.⟩: *Sinn für Schönheit erkennen lassend:* das Schaufenster ist g. dekoriert. **sinnv.:** apart, ästhetisch, elegant, fein, fesch, flott, gefällig, kultiviert, mondän, nobel, schick, schmuck, schön.

ge|schmei|dig ⟨Adj.⟩: **1.** *schmiegsam und glatt; weich und dabei voll Spannkraft:* dieses Leder ist g. **sinnv.:** biegsam. **2.** *biegsame, gelenkige Glieder besitzend und daher gewandt und kraftvoll:* geschmeidige Bewegungen; sie ist g. wie eine Katze. **sinnv.:** gelenkig.

Ge|schöpf, das; -[e]s, -e: *geschaffenes lebendiges Wesen:* dieses schwache, verzogene, allerliebste G. **sinnv.:** Kreatur, Lebewesen, Wesen. **Zus.:** Gottes-, Luxusgeschöpf.

Ge|schoß, das; Geschosses, Geschosse: **I.** *aus oder mit Hilfe einer Waffe geschossener, meist länglicher Körper:* das G. traf ihn am Arm. **sinnv.:** Munition, Schuß. **Zus.:** Fern-, Wurfgeschoß. **II.** *alle auf gleicher Höhe liegenden Räume umfassender Teil eines Gebäudes:* er wohnt im vierten G. **sinnv.:** Beletage, Deck, Etage, Parterre, Souterrain, Stock, Stockwerk, Tiefparterre. **Zus.:** Dach-, Erd-, Keller-, Ober-, Zwischengeschoß.

Ge|schrei, das; -s: *längere Zeit andauerndes Schreien:* ein G. erheben. **sinnv.:** Gebrüll, Gegröle, Gejohle, Gekreisch. **Zus.:** Kinder-, Wehgeschrei.

Ge|schwätz, das; -es: *als in ärgerlicher Weise nichtssagend, überflüssig empfundenes Reden:* das ist nur [leeres, dummes] G. **sinnv.:** Gerede, Klatsch.

ge|schwät|zig ⟨Adj.⟩: *in als unangenehm, ärgerlich empfundener Weise viel redend:* er ist g. **sinnv.:** gesprächig.

Ge|schwin|dig|keit, die; -, -en: **a)** *Verhältnis der Zeit zu dem zurückgelegten Bewegung o. ä., bes. zu dem zurückgelegten Weg:* die G. messen, erhöhen; eine G. von 150 km in der Stunde. **Zus.:** Anfangs-, Höchst-, Licht-, Überschall-, Windgeschwindigkeit. **b)** *das Schnellsein; [große] Schnel-*

ligkeit, mit der etwas geschieht, getan wird: die Zeit verging mit rasender G. **sinnv.:** Eile, Hast, Rasanz, Schnelligkeit, Tempo. **Zus.:** Arbeitsgeschwindigkeit.

Ge|schwi|ster, die 〈Plural〉: *(männliche wie weibliche) Kinder derselben Eltern:* meine G. gehen noch zur Schule. **sinnv.:** Bruder und Schwester, Drillinge, Gebrüder, Zwillinge. **Zus.:** Halb-, Stiefgeschwister.

Ge|schwür, das; -[e]s, -e: *mit einer Schwellung verbundene [eitrige] Entzündung auf der Haut:* das G. mußte geschnitten werden. **sinnv.:** Abszeß, Ausschlag. **Zus.:** Magen-, Zahngeschwür.

Ge|sel|le, der; -n, -n, **Ge|sel|lin,** die; -, -nen: *Handwerker bzw. Handwerkerin, der/die die Lehre mit einer Prüfung abgeschlossen hat:* der Meister beschäftigt zwei Gesellen. **sinnv.:** Gehilfe, Lehrling, Stift. **Zus.:** Bäcker-, Handwerksgeselle.

ge|sel|lig 〈Adj.〉: **a)** *sich leicht und gern an andere anschließend:* ein geselliger Mensch. **sinnv.:** kontaktfähig, kontaktfreudig, soziabel, umgänglich. **b)** *in zwangloser Gesellschaft stattfindend:* ein geselliger Abend. **sinnv.:** kurzweilig.

Ge|sel|lin: vgl. Geselle.

Ge|sell|schaft, die; -, -en: **1. a)** 〈ohne Plural〉 *das Zusammen-, Befreundet-, Begleitetsein; gesellschaftlicher Verkehr:* in schlechte G. geraten. **sinnv.:** Begleitung, Umgang. **Zus.:** Damen-, Herrengesellschaft. **b)** *geselliges, festliches Beisammensein:* eine G. geben. **sinnv.:** Fest. **Zus.:** Hochzeits-, Kaffeegesellschaft. **c)** *Kreis von Menschen:* eine gemischte G. **sinnv.:** Runde. **2.** *Gesamtheit der unter bestimmten politischen, wirtschaftlichen, sozialen Verhältnissen und Formen zusammenlebenden Menschen:* die bürgerliche G. **sinnv.:** Öffentlichkeit. **Zus.:** Feudal-, Klassengesellschaft. **3.** *durch Vermögen, Stellung, Bildung o. ä. maßgebende obere Schicht der Bevölkerung:* zur G. gehören. **sinnv.:** Creme [de la Creme], Elite, Establishment, Geldadel, Hautevolee, High-Society, Honoratioren, Jet-set, führende Kreise, Oberschicht, Society, Upperclass, Upper ten, die oberen Zehntausend. **4.** *Vereinigung [auf Zeit] mit bestimmten Zwecken:* eine wissenschaftliche G. **sinnv.:** Unternehmen. **Zus.:** Aktien-, Bau-, Film-, Flug-, Reise-, Transportgesellschaft.

Ge|setz, das; -es, -e: **1.** *[vom Staat erlassene] rechtlich bindende Vorschrift:* ein G. beschließen; gegen ein G. verstoßen. **Zus.:** Beamten-, Ehe-, Handels-, Jugendschutz-, Notstands-, Schul-, Strafgesetz. **2.** *festes Prinzip, das Verhalten oder den Ablauf von etwas bestimmt:* die Gesetze der Natur; das G. der Serie. **sinnv.:** Regel. **Zus.:** Fall-, Hebel-, Laut-, Naturgesetz.

ge|setz|lich 〈Adj.〉: *dem Gesetz entsprechend, vom Gesetz bestimmt:* die Eltern sind die gesetzlichen Vertreter des Kindes. **sinnv.:** rechtmäßig.

Ge|sicht, das; -[e]s, -er: **1.** *vordere Seite des Kopfes:* ein ovales G.; das G. abwenden. **sinnv.:** Angesicht, Antlitz, Fratze, Fresse, Physiognomie, Visage. **Zus.:** Bleich-, Dutzend-, Larven-, Madonnen-, Milch-, Puppengesicht. **2.** ↑*Miene:* ein freundliches, böses G. zeigen, machen.

Ge|sichts|punkt, der; -[e]s, -e: *bestimmte Möglichkeit, eine Sache anzusehen und zu beurteilen:* das ist ein neuer G. **sinnv.:** Aspekt, Betrachtungsweise, Blickpunkt, -richtung, -winkel, Perspektive, Seite.

ge|sinnt 〈Adj.; in Verbindung mit einer näheren Bestimmung〉: *eine bestimmte Gesinnung habend:* er ist sozial g.; jmdm. freundlich g. sein. **Zus.:** gleich-, gut-, übel-, wohlgesinnt.

Ge|sin|nung, die; -, -en: *Art des Denkens (als Grundlage für das entsprechende Handeln):* von anständiger G.; seine [politische] G. wechseln. **sinnv.:** Denkart.

ge|son|nen: 〈in der Verbindung〉 g. sein: *die Absicht haben, gewillt sein:* ich bin nicht g., meinen Plan aufzugeben.

ge|spannt 〈Adj.〉: **1.** *voller Erwartung den Ablauf eines Geschehens verfolgend:* ich bin g., ob es ihm gelingt. **sinnv.:** aufmerksam, begierig, neugierig. **2.** *leicht in Streit übergehend:* gespannte Beziehungen. **sinnv.:** explosiv, getrübt, kritisch, spannungsgeladen, verhärtet.

Ge|spenst, das; -[e]s, -er: *furchterregender spukender Geist (in Menschengestalt):* er glaubt an Gespenster. **sinnv.:** Alp, Astralwesen, Dämon, Drude, Erscheinung, Geist, Golem, Mahr, Nachtmahr, Schemen, Spuk, Spukgestalt. **Zus.:** Schreckgespenst.

ge|spen|stisch 〈Adj.〉: *(wie ein Gespenst) unheimlich, Furcht hervorrufend:* eine gespenstische Erscheinung. **sinnv.:** dämonisch, geisterhaft, irrlichternd, koboldhaft, makaber, spukhaft, unheimlich.

Ge|spräch, das; -[e]s, -e: *mündlicher Austausch von Gedanken zwischen zwei oder mehreren Personen:* ein G. führen. **sinnv.:** Aussprache, Beratschlagung, Besprechung, Debatte, Dialog, Diskurs, Diskussion, Erörterung, Geplauder, Interview, Kolloquium, Konversation, Plauderei, Plausch, Rede, Redeschlacht, Rücksprache, Small talk, Teach-in, Unterhaltung, Unterredung, Verhandlung. **Zus.:** Fach-, Fern-, Streit-, Telefon-, Tisch-, Unterrichts-, Verkaufs-, Vorstellungs-, Zwiegespräch.

ge|sprä|chig 〈Adj.〉: *zum Reden, Erzählen aufgelegt, sich gern unterhaltend:* er ist [heute] nicht sehr g. **sinnv.:** geschwätzig, klatschsüchtig, mitteilsam, redefreudig, redelustig, redselig, schwatzhaft, tratschsüchtig.

Ge|stalt, die; -, -en: **1. a)** 〈ohne Plural〉 *sichtbare äußere Erscheinung (des Menschen im Hinblick auf die Art des Wuchses):* er hat eine kräftige G. **sinnv.:** Erscheinung, Figur, Habitus, Konstitution, Körper, Körperbau, -form, Leib, Statur, Wuchs. **b)** *Person (von der Sprecher keine genaue und eher eine ungünstige Vorstellung hat):* eine heruntergekommene G.; mit diesen Gestalten wollte er gar nicht verhandeln. **sinnv.:** Elends-, Jammer-, Leidensgestalt. **2. a)** *Persönlichkeit (wie sie sich im Bewußtsein anderer herausgebilde[t] hat):* eine der großen Gestalten des Abendlandes. **sinnv.:** Mensch. **Zus.:** Märtyrergestalt. **b)** *vo[n] einem Dichter geschaffene Figur:* die G. des Hamlet. **sinnv.:** Figur, Person. **Zus.:** Frauen-, Helden-, Märchen-, Phantasiegestalt. **3.** 〈G. + Attribut〉 *Form eines Gegenstandes:* die Wurzel hat die G. eines Sternes. **sinnv.:** Gebilde. **Zus.:** Blatt-, Boden-, Schädelgestalt.

ge|stal|ten, gestaltete, hat gestaltet: **a)** 〈tr.〉 *(ei[n]ner Sache) eine bestimmte Form, ein bestimmt[es] Aussehen geben:* einen Stoff literarisch g. **sinnv.:** anfertigen, anlegen, formen. **b)** 〈sich g.〉 *eine be[stimmte Form annehmen:* das Fest gestaltete sich[t]

anz anders, als wir erwartet hatten. **sinnv.**: sich
ntwickeln, werden.

ie|ständ|nis, das; -ses, -se: *Erklärung, mit der
...an eine Schuld zugibt:* jmdm. ein G. machen.
...nnv.: Bekenntnis.

ie|stank, der; -[e]s: *Geruch, der als belästigend,
...bstoßend empfunden wird:* ein abscheulicher G.

e|stat|ten, gestattete, hat gestattet: **a)** ⟨tr.⟩ *[in
...örmlicher Weise] einwilligen, daß jmd. etwas tut:*
...estatten Sie, daß ich das Fenster öffne?; ⟨auch:
...ch g.⟩ ich gestatte mir gewisse Freiheiten.
...nnv.: billigen. **b)** ⟨itr.⟩ *die Möglichkeit geben:*
...ein Einkommen gestattet mir keine großen Rei-
...en. **sinnv.**: erlauben.

ie|ste, die; -, -n: *Bewegung der Hände oder Ar-
...e, die die Rede begleitet oder ersetzt:* sie
...achte eine zustimmende G. **sinnv.**: Gebärde.

e|ste|hen, gestand, hat gestanden ⟨tr.⟩: **1.** *eine
...at, ein Unrecht zugeben:* eine Schuld g. **sinnv.**:
...uspacken, eine Aussage machen, aussagen,
...eichten, bekennen, eingestehen, Farbe beken-
...en, geständig sein, ein Geständnis ablegen/ma-
...en, sein Gewissen erleichtern, [mit der Spra-
...e] herausrücken, offenbaren, singen, zugeben.
...*etwas (trotz Hemmungen oder Bedenken) offen
...ussprechen:* ich muß g., daß ich Angst vor dieser
...ntscheidung habe.

e|stell, das; -[e]s, -e: **a)** *Aufbau aus Stangen,
...rettern o. ä., auf dem man etwas stellen oder legen
...ann:* die Flaschen liegen auf einem G. **sinnv.**:
...blage, Bord, Etagere, Regal, Ständer, Stativ,
...ellage. **b)** *fester Rahmen:* das G. der Maschine.

e|stern ⟨Adverb⟩: *einen Tag vor heute:* ich habe
...n g. gesehen; g. abend.

e|streift ⟨Adj.⟩: *mit Streifen versehen:* ein ge-
...reiftes Fell. **Zus.**: grün-, quergestreift.

est|rig ⟨Adj.⟩: *am vorangegangenen Tage gewe-
...n; von gestern:* unser gestriges Gespräch.

e|strüpp, das; -[e]s, -e: *dichtes, nach allen Sei-
...n wachsendes Gesträuch:* er bahnte sich einen
...eg durch das G. **sinnv.**: Dickicht, Dschungel,
...auchwerk.

e|such, das; -[e]s, -e: *schriftlich abgefaßte Bitte
...n eine Behörde]:* ein G. einreichen, ablehnen.
...nv.: Anfrage, Antrag, Bittschreiben, Bitt-
...hrift, Eingabe, Petition, Supplik.

e|sund, gesünder, gesündeste ⟨Adj.⟩: **1. a)** *frei
...n Krankheit /Ggs. krank/:* ein gesundes Kind;
...sunde Zähne haben; g. sein, werden. **sinnv.**:
...ühend, fit, frisch, kraftstrotzend, kregel, [ge-
...nd und] munter, rüstig, stabil. **Zus.**: kerngesund. **b)** *der allgemeinen Beurteilung nach richtig,
...rnünftig:* er hat gesunde Anschauungen. **2.** *die
...sundheit fördernd:* gesunde Luft.

e|sund|heit, die; -: *das Gesundsein /Ggs.
...rankheit/:* du mußt etwas für deine [angegriffe-
...] G. tun. **sinnv.**: Rüstigkeit, Wohlbefinden,
...ohlsein. **Zus.**: Volksgesundheit.

e|tränk, das; -[e]s, -e: *zum Trinken zubereitete
...üssigkeit:* ein erfrischendes G. **sinnv.**: Drink,
...rfrischung, Flüssigkeit, Gebräu, Gesöff, Plörre,
...ank, Trinkbares, Trunk. **Zus.**: Erfrischungs-,
...eiß-, Mix-, Nationalgetränk.

...|trau|en, sich: *den Mut haben (etwas zu tun):*
...h getraue mich, ihn anzureden. **sinnv.**: wagen.

e|trei|de, das; -s, -: *Pflanzen, die angebaut
...erden, um aus den Körnern Mehl u. ä. zu gewin-
...n:* das G. wird reif. **sinnv.**: Feldfrucht, Frucht,

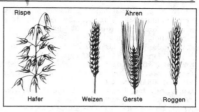

Rispe — Ähren — Hafer — Weizen — Gerste — Roggen

Korn, Körnerfrucht. **Zus.**: Brot-, Futter-, Saat-,
Sommer-, Wintergetreide.

-ge|treu ⟨adjektivisches Suffixoid⟩: */dem im Ba-
siswort Genannten entsprechend, es genau wieder-
gebend; genauso, wie die im Basiswort genannte
Vorlage/:* laut-, lebens-, maßstab-, natur-, text-,
wahrheits-, wirklichkeits-, wortgetreu. **sinnv.**:
-gemäß, -genau, -gerecht, -mäßig.

Get|to, das; -s, -s: *[von den übrigen Stadtvierteln
abgetrenntes] Wohngebiet, in dem eine bestimmte
Gruppe von [diskriminierten] Menschen wohnt.*

Ge|tue, das; -s, -e: *(aus der Erde) Gewach-
senes, nicht näher charakterisierte Pflanze:* seltene
Gewächse. **Zus.**: Dolden-, Tropengewächs.

ge|wählt ⟨Adj.⟩: *(in der Ausdrucksweise) geho-
ben:* er drückt sich immer sehr g. aus. **sinnv.**: ex-
klusiv, fein, gehoben, gepflegt, geschmackvoll,
kultiviert, nobel, vornehm.

Ge|währ, die; -: *etwas, was die Versicherung ent-
hält, was verbürgt, daß etwas so, wie erwartet, an-
gegeben o. ä., ist:* G. für etwas bieten, leisten: die
Angaben erfolgen ohne G. [für die Richtigkeit].
sinnv.: Sicherheit.

ge|wäh|ren 1. ⟨tr.⟩: **a)** *(jmdm. etwas Gewünsch-
tes o. ä.) großzügig geben, bewilligen:* die Bank ge-
währte ihm einen Kredit; jmdm. Schutz g. **sinnv.**:
bewilligen, einräumen, erlauben, geben, zugeste-
hen, zuteil werden lassen. **b)** (geh.) *(jmds. Wunsch
o. ä.) nachkommen, erfüllen:* er hat ihm die Bitte
gewährt. **2.** **jmdn. g. lassen: jmdn. bei seinem Tun
nicht stören, nicht hindern.*

Ge|walt, die; -, -en: **1.** *Macht und Befugnis,
Recht und die Mittel, über jmdn./etwas zu bestim-
men, zu herrschen:* die elterliche, staatliche G.; G.
über jmdn. haben. **sinnv.**: Einfluß. **Zus.**: Amts-,
Befehls-, Regierungs-, Staats-, Verfügungsge-
walt. **2.** ⟨ohne Plural⟩ *rücksichtslos angewandte
Macht; unrechtmäßiges Vorgehen:* G. leiden müs-
sen. **sinnv.**: Macht, Willkür, Zwang. **Zus.**: Waf-
fengewalt. **3.** ⟨ohne Plural⟩ *körperliche Kraft; An-
wendung physischer Stärke:* er öffnete die Tür mit
G. **sinnv.**: Gewaltsamkeit. **Zus.**: Brachialgewalt.
4. ⟨G. + Attribut⟩ *elementare Kraft:* die G. des
Sturmes. **sinnv.**: Druck, Härte, Vehemenz,
Wucht. **Zus.**: Elementar-, Natur-; Urgewalt.

ge|wal|tig ⟨Adj.⟩: **1.** *über eine große Macht verfü-
gend:* er war der gewaltigste Herrscher in Euro-
pa. **sinnv.**: mächtig. **2.** (emotional) **a)** *sehr groß:*
ein gewaltiger Felsen; er hat einen gewaltigen
Hunger. **sinnv.**: außergewöhnlich, enorm, exorbi-
tant, gehörig, gigantisch, groß, heftig, immens, ir-

re, irrsinnig, kolossal, mächtig, massiv, monströs, monumental, reich, riesig, schwer, stark, titanisch, überdimensional, übermäßig, übermenschlich, umfangreich, ungeheuer, unsagbar, voluminös. **b)** ⟨verstärkend bei Adjektiven und Verben⟩ ↑*sehr:* er hat sich g. angestrengt.

ge|walt|tä|tig ⟨Adj.⟩: *seinen Willen mit [roher] Gewalt durchsetzend:* er ist ein gewalttätiger Mensch. **sinnv.**: handgreiflich.

Ge|wand, das; -[e]s, Gewänder: *[festliches] Kleidungsstück:* ein prächtiges, wallendes G. **sinnv.**: Kleid. **Zus.**: Fest-, Mönchs-, Purpurgewand.

ge|wandt ⟨Adj.⟩: *sicher und geschickt:* er hat ein gewandtes Auftreten. **sinnv.**: agil, flexibel, geschliffen, weltgewandt, weltläufig, weltmännisch. **Zus.**: lebens-, sprachgewandt.

Ge|wäs|ser, das; -s, -: *Ansammlung von [stehendem] Wasser, deren Größe nicht näher bestimmt ist.* **sinnv.**: Binnenmeer, -see, -wasser, Meer, See, Wasser. **Zus.**: Binnen-, Küstengewässer.

Ge|we|be, das; -s, -: **1.** *Stoff aus kreuzförmig gewebten Fäden:* ein feines, leinenes G. **sinnv.**: Gespinst, Gewirk, Stoff. **Zus.**: Baumwoll-, Leinen-, Wollgewebe. **2.** *Substanz, die aus miteinander in Zusammenhang stehenden Zellen mit annähernd gleicher Struktur und Funktion besteht:* das G. des Körpers. **Zus.**: Bindegewebe.

Ge|wehr, das; -[e]s, -e: *Schußwaffe mit langem Lauf* (siehe Bildleiste „Schußwaffen"): das G. laden. **Zus.**: Jagd-, Luft-, Maschinengewehr.

Ge|weih, das; -[e]s, -e: *zackige, verästelte Auswüchse aus Knochen (auf dem Kopf von Hirsch, Rehbock u. a.).* **sinnv.**: Gehörn, Gestänge, Hörner, Schaufeln, Spieße, Stangen. **Zus.**: Elch-, Hirschgeweih.

Ge|wer|be, das; -s, -: *[selbständige] auf Erwerb ausgerichtete berufsmäßige Tätigkeit:* ein G. ausüben. **sinnv.**: Beruf. **Zus.**: Bau-, Transportgewerbe.

Ge|werk|schaft, die; -, -en: *Organisation der Arbeitnehmer zur Durchsetzung ihrer [sozialen] Interessen:* er ist Mitglied der G. **sinnv.**: Arbeitnehmerorganisation, -verband, -vertretung. **Zus.**: Eisenbahner-, Industrie-, Transportarbeitergewerkschaft.

Ge|werk|schaf|ter, der; -s, -, **Ge|werk|schaf|te|rin,** die; -, -nen und **Ge|werk|schaft|ler,** der; -s, -, **Ge|werk|schaft|le|rin,** die; -, -nen: *Mitglied einer Gewerkschaft.*

Ge|wicht, das; -[e]s, -e: **1. a)** ⟨ohne Plural⟩ *Größe der Kraft, mit der ein Körper auf seine Unterlage drückt nach oben oder unten zieht; Schwere, Last eines Körpers:* das Paket hatte ein G. von 3 kg. **sinnv.**: Last, Schwere. **Zus.**: Atom-, Brutto-, Eigen-, Gegen-, Gesamt-, Gleich-, Körper-, Lebend-, Netto-, Über-, Unter-, Verpackungsgewicht. **b)** *Körper mit einer bestimmten Schwere:* er legte drei Gewichte auf die Waage. **Zus.**: Blei-, Eich-, Kilo-, Zentnergewicht. **2.** *Bedeutung, Wichtigkeit:* dieser Vorfall ist ohne G. **sinnv.**: Ansehen, Bedeutung, Einfluß, Ernst, Nachdruck.

Ge|win|de, das; -s, -: *an einer Schraube oder in der Mutter einer Schraube fortlaufende eingeschnittene Rille.* **Zus.**: Links-, Rechtsgewinde.

Ge|winn, der; -[e]s, -e: **1.** *Summe, Ertrag, der mehr erzielt, eingenommen worden ist als die Menge dessen, die ursprünglich vorhanden gewesen ist oder die aufgewendet worden ist* /Ggs. Verlust/:

das Unternehmen arbeitet mit G. **Zus.**: Netto Rein-, Unternehmergewinn. **2. a)** *Los, das g winnt:* jedes Los ist ein G. **sinnv.**: Treffer; Prei **Zus.**: Höchst-, Millionengewinn. **b)** *etwas, w als Preis ausgesetzt worden ist:* als G. winkt ein Reise in die USA.

ge|win|nen, gewann, hat gewonnen: **1.** ⟨tr.⟩ / *nen Kampf) zu seinen Gunsten, für sich entsche den; in etwas Sieger sein* /Ggs. verlieren/: e Spiel, einen Prozeß g.; ⟨auch itr.⟩ er hat [in di sem Spiel] hoch gewonnen. **sinnv.**: siegen. **2.** ⟨tr.⟩ *durch eigene Anstrengung und zugleie durch günstige Umstände erwerben, bekomme* Reichtümer g.; großes Ansehen, Einblick in e was g. **b)** ⟨tr./itr.⟩ *durch Glück erlangen, bekor men:* er hat im Lotto [100 Mark] gewonnen; ⟨itr.⟩ Los gewinnt *(jedes Los bringt einen Gewinn).* ⟨itr.⟩ *(an etwas) zunehmen* /Ggs. verlieren/: d Flugzeug gewann an Höhe; er hat an Anseh gewonnen. **3.** ⟨tr.⟩ *(jmdn.) überreden, dazu bri gen, sich an etwas zu beteiligen oder sich für etw einzusetzen:* die Firma hat mehrere Fachleute f das neue Projekt gewonnen. **sinnv.**: (jmdn. für e was) interessieren/werben. **4.** ⟨tr.⟩ *aus der Er herausholen, fördern:* Kohlen, Erze g.; Saft a Äpfeln g. (herstellen).

ge|wiß: I. ⟨Adj.⟩ **1.** *ohne jeden Zweifel; gesicher* seine Niederlage ist g.; er war sich seines Erfo ges g. *(war von seinem Erfolg überzeugt).* **sinnv.** ausgemacht, bestimmt, feststehend, sicher, unb zweifelbar, unstreitig, verbürgt. **Zus.**: siegesge wiß. **2. a)** *nicht näher bezeichnet; nicht genauer b stimmt:* ich habe ein gewisses Gefühl, als ob...; gewissen Kreisen spricht man über diese Vorg ge. **b)** *nicht sehr groß, aber doch vorhanden:* ei gewisse Distanz einhalten. **sinnv.**: bestimm ziemlich. **II.** ⟨Adverb⟩ *sicherlich, wahrscheinli auf jeden Fall; ohne jeden Zweifel:* er wird g. ba kommen. **sinnv.**: allemal, bestimmt, ehrli [wahr], weiß Gott, bei Gott, ja, sage und schreib sicher, mit Sicherheit, ohne Übertreibung, nic übertrieben, ungelogen, unstreitig, unweigerlic wahrhaftig, wahrlich, wirklich.

Ge|wis|sen, das; -s, -: *sittliches Bewußtsein Gut und Böse:* er hat ein sehr kritisches G. **sinn** innere Stimme, Über-Ich.

ge|wis|sen|haft ⟨Adj.⟩: *mit großer Genauigk und Sorgfalt vorgehend:* g. arbeiten. **sinnv.**: akk rat, ängstlich, eigen, [peinlich] genau, gründli pedantisch, penibel, pünktlich, säuberlich, sor fältig, sorgsam, verantwortungsvoll.

ge|wis|ser|ma|ßen ⟨Adverb⟩: *in gewissem S ne, Grade; soviel wie:* er war g. nur Helfer. **sinn** an und für sich, eigentlich, gleichsam, im Grun [genommen], quasi, sozusagen.

Ge|wit|ter, das; -s, -: *Unwetter mit Blitz, Donn [und heftigen Niederschlägen]:* ein schwer nächtliches G. **sinnv.**: Wetterleuchten. **Zu** Wärme-, Wintergewitter.

ge|wöh|nen ⟨tr./sich g.⟩: *(jmdm./sich etwas) z Gewohnheit machen; (mit jmdm.) vertraut m chen:* ein Kind an Sauberkeit g.; sie konnte si nicht an die Kälte g. **sinnv.**: sich abfinden/ freunden/aussöhnen mit.

Ge|wohn|heit, die; -, -en: *durch Gewöhnur stete Wiederholung selbstverständlich, alltägl gewordene Handlung, Haltung, Eigenheit:* ei gute, alte, absonderliche G.; das widersprach se

81

glatt

en Gewohnheiten. **sinnv.**: Brauch. **Zus.**: Kauf-, ebens-, Trinkgewohnheit.

e|wöhn|lich ⟨Adj.⟩: **1.** *durchschnittlichen, nor-ualen Verhältnissen entsprechend; durch keine Be-*mderheit auffallend:* unsere gewöhnliche Be-häftigung; [für] g. *(im allgemeinen)* kommt er *m sieben. **sinnv.**: alltäglich, banal, profan. **2.** *in*inem Erscheinen oder Auftreten niedriges Niveau*rratend:* er benahm sich sehr g. **sinnv.**: gemein, dinär, pöbelhaft, primitiv, proletenhaft, un-in, unflätig, vulgär.

e|wohnt ⟨Adj.⟩: *(jmdm. durch langen Umgang ä.)* vertraut, zur Gewohnheit geworden:* die ge-ohnte Arbeit; in gewohnter Weise. **sinnv.**: üb-ch, vertraut.

e|wöl|be, das; -s, -: **1.** *gewölbte Decke eines aumes:* das G. der Kapelle. **sinnv.**: Dom, Kup-el, Wölbung. **Zus.**: Decken-, Kreuz-, Tonnenge-ölbe. **2.** *niedriger, dunkler Raum mit gewölbter ecke:* der Laden war ein dunkles G.

e|wühl, das; -[e]s: *lebhaftes Durcheinander sich n und her bewegender und sich drängender Men-hen:* er verschwand im G.

e|würz, das; -es, -e: *(aus bestimmten Pflanzen-ilen bestehendes oder künstlich hergestelltes)* *littel zum Würzen von Speisen:* ein scharfes G. **nnv.**: Aroma, Würze, Würzmittel. **Zus.**: Gur-en-, Küchengewürz.

e|zei|ten, die ⟨Plural⟩: *Ebbe und Flut in ihrem 'echsel*. **sinnv.**: Gezeitenwechsel, Tide.

ie|bel, der; -s, -: *spitz zulaufender dreieckiger, berer Teil der Wand eines Gebäudes, der zu bei-n Seiten von dem schräg ansteigenden Dach be-enzt wird:* der G. hatte keine Fenster. **Zus.**: ach-, Treppen-, Volutengiebel.

ier, die; -: *auf Genuß, Besitz, Erfüllung von ünschen gerichtetes, ungezügeltes Verlangen:* ine G. nicht bezähmen können. **sinnv.**: Lei-enschaft.

ie|rig ⟨Adj.⟩: *von Gier erfüllt:* etwas g. ver-hlingen.

ie|ßen, goß, hat gegossen: **1.** ⟨tr.⟩ *(eine Flüssig-it)* durch Neigen des Gefäßes aus diesem heraus-eßen, in ein anderes Gefäß fließen, über etwas nnen, laufen lassen:* Tee in die Tasse g. **sinnv.**: nschenken, schütten. **2.** ⟨tr.⟩ *(mit Hilfe einer ießkanne) mit Wasser versorgen:* Blumen g. **nv.**: ausgießen, begießen, vergießen. **3.** ⟨tr.⟩ *(et-as) herstellen, indem man eine geschmolzene 'asse in eine Form fließen läßt:* Kugeln, Glocken **4.** ⟨itr.⟩ *(emotional) sehr stark regnen:* es gießt n Strömen.

ift, das; -[e]s, -e: *Stoff, der im Körper eine hädliche oder tödliche Wirkung hervorruft:* ein fort wirkendes G. **Zus.**: Ratten-, Rausch-, hlangengift.

f|tig ⟨Adj.⟩: **1.** *ein Gift enthaltend:* giftige Pilze. **nnv.**: gifthaltig, schädlich, toxisch, ungenieß-ır. **2.** *(emotional)* **a)** *böse und haßerfüllt:* giftige icke. **sinnv.**: animos, böse, feindselig, rabiat. **b)** uf eine stechende Farbe, einen stechenden Farb-n, bes. auf Grün bezogen) für den Betrachter un-agenehm grell:* ein giftiges Grün.

|gan|tisch ⟨Adj.⟩: *von beeindruckend großem usmaß:* ein gigantisches Unternehmen. **sinnv.**: waltig.

ip|fel, der; -s, -: **1.** *Spitze eines höheren oder ho-n Berges:* einen G. besteigen. **sinnv.**: Bergkup-pe, Bergspitze, Horn, Kuppe, Spitze, Zinne. **Zus.**: Berg[es]gipfel. **2.** *höchster Punkt (in einer Entwicklung o. ä.):* er war damals auf dem G. sei-nes Ruhmes. **sinnv.**: Höhepunkt.

Gips, der; -es, -e: *grauer oder weißer pulvriger (bes. im Baubereich verwendeter) Stoff, der, mit Wasser vermischt, schnell zu einer harten Masse wird.*

Gischt, der; -[e]s, -e, (auch:) die; -, -en: *Schaum, der auf heftig bewegtem Wasser entsteht:* der wei-ße G. der Brandung.

Gi|tar|re, die; -, -n: *meist sechssaitiges Zupf-instrument mit flachem Klangkörper und langem Hals* (siehe Bildleiste „Zupfinstrumente"). **sinnv.**: Klampfe, Laute, Zupfgeige. **Zus.**: Baß-, Elektrogitarre.

Git|ter, das; -s, -: *meist aus parallel angeordneten oder gekreuzten, miteinander verbundenen Stäben bestehende Vorrichtung, die bes. dem Zweck dient, etwas unzugänglich zu machen:* ein Haus mit Git-tern vor den Fenstern. **sinnv.**: Tralje, Vergitte-rung, Zaun. **Zus.**: Draht-, Eisen-, Scherengitter.

Glanz, der; -es: **1.** *Licht, das bes. Körper, Stoffe mit glatter, spiegelnder Oberfläche reflektieren:* der G. des Goldes. **sinnv.**: Schein. **Zus.**: Hoch-, Lichter-, Seiden-, Talmiglanz. **2.** ⟨G. + Attribut⟩ *innewohnender bewundernder Vorzug, der entspre-chend nach außen hin in Erscheinung tritt:* der G. der Schönheit. **sinnv.**: Herrlichkeit, Pracht, Schönheit, Strahlkraft.

glän|zen ⟨itr.⟩: **1.** *Glanz haben, einen Lichtschein reflektieren:* die Metallteile des Autos glänzen in der Sonne; seine Augen glänzten vor Freude. **sinnv.**: leuchten. **2.** *durch ungewöhnliche Gaben o. ä. hervorstechen, Bewunderung erregen:* er glänzte durch sein Wissen; er hat glänzende Zeugnisse. **sinnv.**: beeindrucken, prunken.

glanz|voll ⟨Adj.⟩: **a)** *sich durch Festlichkeit, Prachtentfaltung auszeichnend:* ein glanzvolles Fest. **sinnv.**: erhaben. **b)** *(von einer Leistung o. ä.)* überaus beeindruckend:* ein glanzvoller Sieg. **sinnv.**: blendend, glänzend, hervorragend.

Glas, das; -es, Gläser: **1.** ⟨ohne Plural⟩ *hartes, sprödes, leicht zerbrechliches, meist durchsichtiges Material:* farbiges G.; die Ausstellungsstücke sind hinter/unter G. **sinnv.**: Bleikristall, Kristall. **Zus.**: Fenster-, Isolier-, Milch-, Verbundglas. **2. a)** *gläsernes Trinkgefäß:* sein G. leeren; /als Maß-angabe/ fünf G. Bier. **Zus.**: Bier-, Schnaps-, Sekt-, Wein-, Zahnputzglas. **b)** *(unterschiedlichen Zwecken dienendes) Gefäß aus Glas:* Gläser für Honig. **sinnv.**: Gefäß. **Zus.**: Einmach-, Gold-fisch-, Zierglas.

glä|sern ⟨Adj.⟩: *aus Glas hergestellt:* eine gläser-ne Tür. **sinnv.**: durchsichtig.

gla|sie|ren ⟨tr.⟩: *mit einer Glasur versehen:* einen Kuchen, eine Vase aus Ton g.

gla|sig ⟨Adj.⟩: **a)** *(in bezug auf die Augen) starr und ausdruckslos:* mit glasigen Augen starrte der Betrunkene ins Leere. **sinnv.**: stier. **b)** *von durch-scheinender Beschaffenheit:* glasige Früchte.

Gla|sur, die; -, -en: *wie Glas aussehender, glän-zender Überzug:* die G. einer Vase. **sinnv.**: Guß, Lasur, Schmelz. **Zus.**: Schokoladen-, Zuckergla-sur.

glatt ⟨Adj.⟩: **1. a)** *ohne (erkennbare) Unebenheit:* eine glatte Fläche; der Wasserspiegel ist ganz glatt. **sinnv.**: flach. **b)** *an der Oberfläche so be-*

SD Bedeutung

schaffen, daß es keinen Halt bietet, daß man leicht darauf ausrutscht: die Straßen sind g. **sinnv.:** glitschig, rutschig, schlüpfrig. **Zus.:** eis-, regen-, spiegelglatt. **2.** *ohne auftretende Schwierigkeiten, Komplikationen:* eine glatte Landung. **sinnv.:** mühelos. **3.** (emotional) *so beschaffen, daß kein Zweifel daran auftreten kann:* eine glatte Lüge; das hätte ich g. vergessen. **sinnv.:** eindeutig, ganz. **4.** *allzu gewandt, unverbindlich und höflich auf eine Weise, daß man Unaufrichtigkeit, Heuchelei dahinter vermutet:* ein glatter Mensch. **sinnv.:** höflich. **Zus.:** aalglatt.

glät|ten, glättete, hat geglättet ⟨tr.⟩: *durch Darüberstreichen, Ziehen o. ä. [wieder] glatt erscheinen lassen, von Unebenheiten befreien:* die Falten des Kleides g. **sinnv.:** bügeln.

Glat|ze, die; -, -n: *(meist bei Männern vorkommende) durch Haarausfall entstandene kahle Stelle auf dem Kopf:* eine G. haben. **sinnv.:** Glatzkopf, Platte, Tonsur. **Zus.:** Stirnglatze.

Glau|be, der -ns: **1.** *gefühlsmäßige, nicht von Beweisen abhängige Gewißheit, Überzeugung von etwas, was man für wahr hält:* ein fester, starker G. **sinnv.:** Frömmigkeit, Gewißheit, Gläubigkeit, Gottvertrauen, Überzeugung. **Zus.:** Aber-, Fortschritts-, Geister-, Wunderglaube. **2.** *Konfession, der jmd. angehört:* der christliche G.; seinen Glauben bekennen. **sinnv.:** Bekenntnis, Glaubensbekenntnis, Religion. **Zus.:** Christen-, Gottes-, Kirchenglaube.

glau|ben: 1. ⟨tr.⟩ *einer bestimmten Überzeugung sein:* glaubst du, daß er kommt? **sinnv.:** meinen. **2.** ⟨tr.⟩ *gefühlsmäßig für wahr, richtig, glaubwürdig halten:* ich habe es nicht g. wollen. **sinnv.:** abkaufen, abnehmen, Glauben schenken, für bare Münze nehmen, für wahr halten. **3.** ⟨itr.⟩ *jmdm., einer Sache vertrauen, sich auf jmdn./etwas verlassen:* an das Gute im Menschen g. **sinnv.:** bauen/rechnen auf, trauen, sich verlassen auf, Vertrauen schenken, zählen auf. **4.** ⟨itr.⟩ **a)** *von der Wahrheit eines bestimmten Glaubensinhalts überzeugt sein, ihn für wahr halten:* an Gott, an ein höheres Wesen g. **b)** *von einem religiösen Glauben erfüllt, gläubig sein:* fest, unbeirrbar g.

glaub|wür|dig ⟨Adj.⟩: *so geartet, daß man der Person, der Sache glauben, vertrauen kann:* dieser Zeuge ist g.

gleich: I. ⟨Adj.⟩ **1. a)** *in seinen Merkmalen völlig übereinstimmend:* die gleiche Wirkung; g. alt sein. **Zus.:** deckungsgleich. **b)** *mit einem Vergleichsobjekt in bestimmten Merkmalen, in seiner Art übereinstimmend oder vergleichbar:* die beiden Schwestern haben die gleiche Figur. **sinnv.:** ähnlich, identisch. **Zus.:** chancengleich. **2.** *sich gleichbleibend, nicht verändernd:* sie antwortete mit immer gleicher Freundlichkeit. **II.** ⟨Adverb⟩ **1.** *in relativ kurzer Zeit:* ich komme g. **sinnv.:** alsbald, ohne Aufschub, direkt, stehenden Fußes, geradewegs, postwendend, schnurstracks, sofort, sogleich, stante pede, auf der Stelle, stracks, umgehend, unverzüglich. **2.** *in unmittelbarer Nähe von ..., unmittelbar:* g. hinter dem Haus beginnt der Wald. **III.** ⟨Präp. mit Dativ⟩ (geh.) *genauso wie:* g. einem roten Ball ging die Sonne unter. **IV.** ⟨Partikel⟩ **a)** ⟨unbetont⟩ */drückt in Fragesätzen aus, daß der Sprecher nach etwas fragt, woran er sich im Moment nicht erinnert/ noch:* wie war g. Ihr Name? **b)** ⟨betont⟩ */drückt in Aussage- oder

Aufforderungssätzen Unmut oder Resignati‹ aus/: wenn dir alles nicht paßt, dann laß es do‹ g. bleiben.

Gleich|be|rech|ti|gung, die; -: *das Zugesteh‹ von gleichen Rechten für jmdn., bes. von gleich‹ Rechten für Mann und Frau:* die G. der Frau, ‹ Schwarzen mit den Weißen. **sinnv.:** Emanzip‹ tion, Gleichheit [vor dem Gesetz], Gleichrangi‹ keit, Gleichstellung.

glei|chen, glich, hat geglichen ⟨itr./sich g ‹ *jmdm., einander sehr ähneln:* die Brüder g. si‹ einander wie ein Ei dem andern; er gleicht s‹ nem Bruder. **sinnv.:** ähneln, gleichkommen.

gleich|för|mig ⟨Adj.⟩: *(in seinem Ablauf, sein‹ Zusammensetzung o. ä.) immer gleich, ohne A‹ wechslung:* ein gleichförmiger Tagesablau‹ **sinnv.:** einförmig, eintönig, langweilig.

Gleich|ge|wicht, das; -[e]s: *ausbalancierter Z‹ stand eines Körpers, in dem sich die entgegeng‹ setzt wirkenden Kräfte aufheben:* die Balken sir‹ im G. **sinnv.:** Balance.

gleich|gül|tig ⟨Adj.⟩: **1.** *(in einem bestimmt‹ Zusammenhang) weder Lust noch Unlust empf‹ dend oder erkennen lassend:* die Sache ließ il‹ völlig g. **sinnv.:** desinteressiert, teilnahmslos, i‹ nerlich unbeteiligt, unempfindlich, ungerührt. *ohne Bedeutung oder Wichtigkeit (für jmdn.):* üb‹ gleichgültige Dinge sprechen. **sinnv.:** egal, eine‹ lei, gleich, piepe, piepegal, schnuppe, schnu‹ schnurzpiepe, schnurzpiepegal.

Gleich|heit, die; -, -en: **a)** *Übereinstimmung ‹ bezug auf Beschaffenheit, Aussehen o. ä.):* die ‹ ihrer Worte. **sinnv.:** Identität, Übereinstimmur‹ **Zus.:** Wesensgleichheit. **b)** ⟨ohne Plural⟩ *gleic‹ rechtliche Stellung des einzelnen (in der Gemei‹ schaft):* die G. aller Menschen vor dem Gese‹ **sinnv.:** Gleichberechtigung.

gleich|mä|ßig ⟨Adj.⟩: **a)** *in einem ruhigen ausg‹ wogenen Maß, Verhältnis erfolgend:* ein gleic‹ mäßiger Puls; g. atmen. **sinnv.:** rhythmisch. **‹** gleichmäßige Züge. **c)** *zu gleichen Teilen (aufg‹ teilt o. ä.):* die Beute g. verteilen.

Gleich|nis, das; -ses, -se: *kurze Erzählung, d‹ einen abstrakten Sachverhalt im Bild deutlich‹ machen sucht:* das G. vom verlorenen Soh‹ **sinnv.:** Sinnbild.

gleich|sam ⟨Adverb⟩: *(einer anderen Sache ve‹ gleichbar:* sein Brief ist g. eine Anklage. **sinnv‹** gewissermaßen, wie.

Gleich|schritt, der; -[e]s: *Art des Gehens, Ma‹ schierens, bei der Länge und Rhythmus der Schr‹ te aller gleich sind /bes. beim Marschieren in e‹ ner geschlossenen Reihe/:* G. halten; im ‹ marsch! **sinnv.:** Paradeschritt, Stechschritt, Tak‹ schritt.

gleich|set|zen, setzte gleich, hat gleichgeset‹ ⟨tr.⟩: *als dasselbe ansehen:* er setzt Kritik mit A‹ lehnung gleich. **sinnv.:** gleichstellen.

gleich|stel|len, stellte gleich, hat gleichgestel‹ ⟨tr.⟩: *in gleicher Weise behandeln, den gleich‹ Rang zuweisen:* die Arbeiter wurden den Ang‹ stellten gleichgestellt. **sinnv.:** angleichen, gleic‹ setzen, nicht unterscheiden, zusammenwerfen.

Glei|chung, die; -, -en: *(durch eine Reihe v‹ Zeichen dargestellte) Gleichsetzung zweier math‹ matischer Größen:* eine G. mit mehreren Unb‹ kannten.

gleich|wer|tig ⟨Adj.⟩: *ebensoviel wert, von gl‹

em Wert: ein gleichwertiger Ersatz. **sinnv.:** anmessen, äquivalent, entsprechend, vollwertig.

eich|zei|tig ⟨Adj.⟩: *zur gleichen Zeit [stattfin-nd]:* alle redeten g. **sinnv.:** parallel, simultan, nchron, zeitgleich.

leis, das; -es, -e: *aus zwei in gleichbleibendem bstand voneinander laufenden [auf Schwellen rlegten] Stahlschienen bestehende Fahrspur für hienenfahrzeuge:* die Gleise überqueren. **nv.:** Schiene. **Zus.:** Abstell-, Nebengleis.

ei|ten, glitt, ist geglitten ⟨itr.⟩: **a)** *sich leicht und utlos auf einer Fläche oder durch die Luft schwe-nd fortbewegen:* Schlitten gleiten über das Eis; dler gleiten durch die Luft. **sinnv.:** fliegen. **b)** *h (über eine geneigte Fläche) sanft, ohne Wider-and abwärts bewegen:* er glitt über die Steine ins asser. **sinnv.:** rutschen. **Zus.:** herab-, hinabglei-n.

lied, das; -[e]s, -er: **1. a)** *Teil eines Ganzen:* die ieder einer Kette; er ist ein nützliches G. der esellschaft. **sinnv.:** Teil, Teilstück. **Zus.:** Binde-, etten-, Mit-, Verbindungs-, Zwischenglied. **b)** *liedmaße:* gesunde, heile Glieder haben. **c)** **nv.:** Extremität, Glieder. **Zus.:** Fingerglied. **c)** *enis:* das männliche G. **2.** *eine von mehreren ntereinander angetretenen Reihen einer Mann-haft:* in Reih und G. stehen. **sinnv.:** Reihe.

ie|dern: a) ⟨tr.⟩ *(etwas schriftlich Niedergeleg-s) nach bestimmten Gesichtspunkten in einzelne bschnitte einteilen:* ein Buch in 20 Kapitel g. **nv.:** anordnen, auffächern, aufschlüsseln, auf-len, differenzieren, einteilen, klassifizieren, dnen, staffeln, systematisieren. **Zus.:** auf-, un--, zergliedern. **b)** ⟨sich g.⟩ *in verschiedene Teile ntergliedert sein:* das Fach gliedert sich in drei ntergruppen.

ie|de|rung, die; -, -en: *durch Gliedern entstan-ne Ordnung:* die G. des Buches; eine G. ma-en. **sinnv.:** Anlage, Anordnung, Aufbau, Auf-hlüsselung, Aufteilung, Disposition, Systema-ierung. **Zus.:** An-, Auf-, Aus-, Durch-, Ein-, ick-, Unter-, Zergliederung.

lied|ma|ße, die; -, -n ⟨meist Plural⟩: *Extremi-t (Arm oder Bein beim Menschen, Vorder-, Hin--bein beim Säugetier):* die vorderen, hinteren iedmaßen des Hundes. **sinnv.:** Finger, Fuß, ied.

im|men, glomm/glimmte, hat geglommen/ge-mmt ⟨itr.⟩: *(ohne Flamme) schwach brennen, hen:* Kohlen glimmen unter der Asche. **sinnv.:** ennen.

impf|lich ⟨Adj.⟩: *ohne größeren Schaden oder limme Folgen [abgehend]:* wir sind bei dem nfall g. davongekommen; ein glimpflicher Aus-ng der Sache. **sinnv.:** gnädig, ohne Härte.

it|schig ⟨Adj.⟩: *(bes. in bezug auf den Unter-und) feucht und glatt, so daß man leicht aus-tscht:* der Boden ist g. **sinnv.:** glatt.

it|zern ⟨itr.⟩: *(von einer Lichtquelle getroffen) nkelnd aufblitzen:* das Eis, der Schnee glitzert. **nv.:** leuchten.

lo|bus, der; - und -ses, -se, auch: Globen: **a)** *odell der Erde in Form einer drehbaren Kugel:* nen Ort auf dem G. suchen. **Zus.:** Erd-, Him-els-, Sternglobus. **b)** ↑ *Erde* (3): er hat den gan-n G. bereist.

locke, die; -, -n: **1.** *etwa kegelförmiger, hohler, ch unten offener, mit einem Klöppel versehener*

Klangkörper aus Metall: die Glocken läuten. **sinnv.:** Bimmel, Gong, Klingel, Schelle. **Zus.:** Kirchen-, Kuh-, Laden-, Schiffs-, Totenglocke. **2.** *in der Form an eine Glocke erinnernder Gegen-stand (der vielfach zum Schutz über etwas gestülpt wird):* der Käse liegt unter der G. **sinnv.:** Glas-sturz, Sturz. **Zus.:** Dunst-, Glas-, Käse-, Taucher-glocke.

glockig ⟨Adj.⟩: *(in bezug auf bestimmte Klei-dungsstücke) sich nach unten wie eine Glocke er-weiternd:* ein g. geschnittenes Kleid. **sinnv.:** glok-kenförmig.

glot|zen ⟨itr.⟩: **1.** *mit großen Augen und dümmli-cher Miene schauen:* glotz nicht so blöd! **2.** *(emo-tional) blicken, schauen:* was glotzt du denn da durch das Fenster?

Glück, das; -[e]s: **1.** *günstiger Umstand, günstige Fügung des Geschicks* /Ggs. Pech/: er hatte bei der Sache großes G.; ein G., daß du da bist; jmdm. G. wünschen. **sinnv.:** Dusel, Erfolg, Fortu-na, Glücksfall, -sache, -stern, -strähne, Massel, Schwein, Segen. **Zus.:** Mords-, Unglück. **2.** *Zu-stand innerer Harmonie und Zufriedenheit:* das häusliche, ungetrübte G.; etwas bringt G. **sinnv.:** Freude, Seligkeit. **Zus.:** Lebens-, Liebes-, Mut-terglück.

Glucke, die; -, -n: *Henne, die brütet oder ihre Jungen führt:* die Küken verstecken sich unter den Flügeln der G. **sinnv.:** Huhn.

glücken, glückte, ist geglückt ⟨itr.⟩: *nach Wunsch gehen, geraten:* alles glückt ihm. **sinnv.:** gelingen.

gluckern ⟨itr.⟩: *(von einer in Bewegung befindli-chen Flüssigkeit) ein leises, dunkel klingendes Ge-räusch verursachen:* das Wasser gluckert an der Schiffswand. **sinnv.:** fließen, plätschern.

glück|lich: **I.** ⟨Adj.⟩ **1.** *von tiefer Freude erfüllt:* ein glückliches Paar; eine glückliche Zeit verle-ben; jmdn. g. machen. **sinnv.:** beglückend, be-glückt, erleichtert, freudestrahlend, froh, glück-haft, glückselig, glückstrahlend, selig, zufrieden. **Zus.:** überglücklich. **2.** *vom Glück begünstigt:* der glückliche Gewinner. **sinnv.:** erfolgreich. **3.** *ohne Störung verlaufend:* g. landen, enden. **sinnv.:** er-freulich, günstig, gut, sorglos. **4.** *sich als günstig erweisend:* ein glücklicher Zufall; etwas nimmt einen glücklichen Verlauf. **II.** ⟨Adverb⟩ *[nun] end-lich:* hast du es g. geschafft? **sinnv.:** letztlich.

glück|li|cher|wei|se ⟨Adverb⟩: *zum Glück:* g. wurde niemand verletzt. **sinnv.:** erfreulicherwei-se, Gott sei Dank, gottlob, dem Himmel sei Dank.

Glücks|fall, der; -[e]s, Glücksfälle: *günstiger Umstand, der jmds. eigenes Zutun er-gibt:* daß er als Mitarbeiter so gut eingeschlagen hat, ist als G. zu betrachten. **sinnv.:** Glück.

Glücks|spiel, das; -[e]s, -e: **1.** *Spiel, bei dem Ge-winn und Erfolg vom Zufall abhängen.* **2.** *Spiel, bei dem um Geld gespielt wird:* verbotene Glücksspie-le. **sinnv.:** Hasardspiel, Lotterie, Lotto, Poker, Roulett, Tombola, Toto, Verlosung, Wette.

Glück|wunsch, der; -[e]s, Glückwünsche: *(meist formelhafter) Wunsch, mit dem man jmdm. (bei einem bestimmten Anlaß) seine Mitfreude be-kundet und ihm Glück wünscht:* herzlichen G.!; die besten Glückwünsche zum Geburtstag! **sinnv.:** Beglückwünschung, Gratulation, Segens-wünsche.

glü|hen ⟨itr.⟩: **1.** *rot leuchten und starke Hitze ausstrahlen:* die Kohlen glühen; das Eisen glüht im Feuer. **sinnv.:** brennen. **2.** *vor Hitze stark gerötet sein:* ihre Wangen glühen; das Gesicht glüht vor Hitze, Fieber.

Glut, die; -: **1.** *glühende (nicht mit offener Flamme brennende) Masse (von Brennstoff oder verbrannter Materie):* im Ofen ist noch ein wenig G. **2.** *sehr große Hitze:* eine furchtbare G. liegt über der Stadt. **sinnv.:** Wärme. **Zus.:** Höllen-, Sonnenglut.

Gna|de, die; -: **1.** *mit Herablassung gewährte Gunst eines sozial oder gesellschaftlich Höhergestellten gegenüber einem sozial Tieferstehenden:* von jmds. G. abhängen. **sinnv.:** Gunst. **2.** *(einem schuldig Gewordenen gegenüber geübte) Milde, Nachsicht:* um G. bitten. **sinnv.:** Absolution, Amnestie, Begnadigung, Pardon, Straferlaß, Vergebung, Verzeihung.

gnä|dig ⟨Adj.⟩: **1. a)** *mit herablassendem Wohlwollen:* er war so g., mir zu helfen; /oft ironisch/ g. lächeln; jmdn. g. anhören. **sinnv.:** dünkelhaft. **Zus.:** ungnädig. **b)** */in höflicher Anrede einer Dame gegenüber/:* gnädige Frau. **sinnv.:** [sehr] geehrt, hochverehrt, lieb, [sehr] verehrt, wert. **2.** *Nachsicht zeigend, ohne Härte:* seien Sie g. mit ihm. **sinnv.:** behutsam.

Gnom, der; -en, -en: *Erdgeist von Zwergengestalt.* **sinnv.:** Zwerg.

Go|ckel, der; -s, -: *männliches Huhn.* **sinnv.:** Hahn.

Gold, das; -es: *wertvolles Edelmetall von rotgelber Farbe:* 24karätiges G. **Zus.:** Barren-, Blatt-, Fein-, Gelb-, Weißgold.

gol|den ⟨Adj.⟩: **1.** *aus Gold bestehend:* eine goldene Uhr. **sinnv.:** metallen. **2.** *von der Farbe des Goldes:* goldenes Haar; goldene Ähren. **sinnv.:** blond, goldfarben.

gol|dig ⟨Adj.⟩: *(bes. in bezug auf Kinder oder kleine Tiere) hübsch und niedlich anzusehen:* ein goldiges Kind; das Hündchen ist ja g.! sinnv.: hübsch.

Golf: **I.** der; -[e]s, -e: *größere Meeresbucht:* das Schiff hat im G. geankert; der G. von Genua. **sinnv.:** Bai, Bucht, Busen, Förde, Meerbusen. **II.** das; -s: *Spiel auf einem größeren, mit Gras bewachsenen Gelände, bei dem ein kleiner, harter Ball aus Gummi mit einem nach einem gekrümmten Stock mit möglichst wenig Schlägen nacheinander in eine bestimmte Anzahl von Löchern geschlagen werden muß:* G. spielen. **sinnv.:** Golfspiel, Krocket[spiel]. **Zus.:** Minigolf.

gon|deln, gondelte, ist gegondelt ⟨itr.⟩: *gemächlich, ohne festes Ziel fahren, reisen:* während seines Urlaubs ist er durch halb Europa gegondelt. **sinnv.:** fahren.

Gong, der; -s, -s: *[frei aufzuhängende] runde Scheibe aus Metall, die, mit einem Klöppel angeschlagen, einen vollen, hallenden Ton hervorbringt, der als eine Art Signal dienen soll:* der G. ertönte, und die Gäste gingen zu Tisch. **sinnv.:** Glocke · Sirene.

gön|nen: **1.** ⟨tr.⟩ *(jmdm. etwas) neidlos zugestehen, weil man der Meinung ist, daß der Betreffende es braucht oder es verdient hat* /Ggs. mißgönnen/: jmdm. sein Glück, seinen Erfolg g. **sinnv.:** billigen. **2.** ⟨sich g.⟩ *sich etwas (Besonderes, etwas, was eine Ausnahme darstellt o. ä.) erlauben, zubilligen:* sich einen Tag Ruhe, eine Portion Eis g. sinnv. erlauben.

Gön|ner, der; -s, -, **Gön|ne|rin,** die; -, -ne *männliche bzw. weibliche Person, die eine ande Person in ihren Bestrebungen (finanziell, dur Geltendmachen ihres Einflusses o. ä.) fördert:* e reicher Gönner hat ihm den Studienaufenth im Ausland ermöglicht. **sinnv.:** Beschützer, F(derer, Geldgeber, Mäzen, Spender, Sponsor.

Gott, der; -es, Götter: **1.** ⟨ohne Plural⟩ *(im chri lichen Glauben) höchstes gedachtes und verehr überirdisches Wesen:* der allmächtige G.; G. d Allmächtige; an G. glauben. **sinnv.:** der Allmäc tige, Ewige, Gottvater, der Herr [der Heersch ren], Herr Zebaoth, Herrgott, Jahwe, Jehowa, d Schöpfer, Vater im Himmel. **2.** *(in der Mytho gie) unsterbliches höheres Wesen von Menscheng stalt, das die Verkörperung einer Naturkraft o(einer geistigen oder sittlichen Macht darstellt:* d Götter der Griechen, der Germanen. **sinn** Gottheit, Götze; die Unsterblichen. **Zus.:** D(ner-, Halb-, Kriegs-, Liebes-, Sonnen-, Wette gott.

Got|tes|dienst, der; -[e]s, -e: *(in den christlich Kirchen) religiöse Feier der Gemeinde (mit Predi Gebet, Gesang):* den G. besuchen; am G. teilne men. **sinnv.:** Amt, Andacht, Messe, Vesper. **Zu** Abendmahls-, Bitt-, Dank-, Fest-, Früh-, Tau Trauergottesdienst.

Göt|tin, die; -, -nen: vgl. Gott (2). **sinnv.:** Unsterblichen. **Zus.:** Friedens-, Glücks-, Liebe Mond-, Rache-, Schutz-, Siegesgöttin.

gött|lich ⟨Adj.⟩: *Gott zugehörig:* göttliche A macht, Gerechtigkeit. **sinnv.:** heilig, himmlisc numinos.

gott|los ⟨Adj.⟩: *ohne Glauben an Gott:* ein go loser Mensch. **sinnv.:** ungläubig.

Grab, das; -[e]s, Gräber: *Stelle [auf einem Frie hof], wo ein Toter beigesetzt wird oder ist:* ein (schaufeln; den Toten ins G. legen. **sinnv.:** B gräbnisstätte, Erbbegräbnis, Grabgewölbe, -h(gel, -kammer, -stätte, Grube, Gruft, Kryp Mausoleum, Ruhestätte. **Zus.:** Doppel-, Einze Familien-, Hünen-, Kinder-, Massen-, Sol manns-, Soldaten-, Urnen-, Wahlgrab.

gra|ben, gräbt, grub, hat gegraben: **1. a)** ⟨tr (mit dem Spaten o. ä.) Land, Boden bearbeiten:* i Garten g. Zus.: auf-, aus-, ein-, um-, unter-, ve graben. **b)** ⟨tr.⟩ *mit dem Spaten o. ä. herstellen:* (nen Stollen, ein Beet g. sinnv.: baggern, budde schanzen, schaufeln, schippen. **2.** ⟨itr.⟩ *im Bode in der Tiefe der Erde nach etwas (einem Rohsto suchen:* nach Erz, Kohle g. sinnv.: buddeln, f(dern, schürfen.

Gra|ben, der; -s, Gräben: *in die Erde gegrabe Vertiefung von einiger Länge und verhältnismäß geringer Breite:* ein breiter G. zieh(**sinnv.:** Kanal, Rinne. **Zus.:** Burg-, Chaussee-, (chester-, Schützen-, Straßengraben.

Grad, der; -[e]s, -e: **1.** *Maßeinheit für in gleic Teile geteilten Ganzen* ⟨Zeichen: °⟩: wir hab(heute 20 G. Celsius im Schatten; der Winkel h(45 G. **Zus.:** Breiten-, Hitze-, Kälte-, Längengra **2.** ⟨G. + Attr.⟩ *(meßbare) Stärke, Maß, in dem (was Bestimmtes vorhanden ist:* der G. der Reif einen hohen G. von Verschmutzung aufweise **sinnv.:** Ausmaß. **Zus.:** Entwicklungs-, Härte Sättigungs-, Wirkungsgrad. **3.** *durch ein Exam* *ä. erworbener Rang:* ein akademischer G. **nv.:** Dienstgrad. **Zus.:** Doktor-, Magistergrad.

rä|men, sich: *über jmdn./etwas sehr bekümmert in:* gräm[e] dich nicht wegen ihres Schweigens! **nv.:** trauern.

ramm, das; -s, -e: *tausendster Teil eines Kiloamms:* ein Kilogramm hat 1 000 G.

ram|ma|tik, die; -: *Lehre vom Bau einer Sprae, ihren Formen und deren Funktion im Satz:* die egeln der lateinischen G.

ra|na|te, die; -, -n: *mit Sprengstoff gefülltes Gehoß.* **Zus.:** Handgranate.

ras, das; -es, Gräser: **1.** *grüne, in Halmen wachnde Pflanze:* seltene Gräser sammeln. **Zus.:** ed-, Zier-, Zittergras. **2.** ⟨ohne Plural⟩ *Pflanzencke, die in der Hauptsache aus Gräsern besteht:* G. liegen. **sinnv.:** Rasen, Wiese.

ra|sen ⟨itr.⟩: *(von Wild und von Tieren auf der eide) sich (auf bes. mit Gras bewachsenem Bo-n) Nahrung suchen:* die Kühe grasen auf der eide. **sinnv.:** fressen. **Zus.:** abgrasen.

äß|lich ⟨Adj.⟩ (emotional): **1.** *Schauder, Enttzen hervorrufend:* ein gräßlicher Anblick; der mordete war g. verstümmelt. **sinnv.:** schreck-h. **2.** *so geartet oder beschaffen, daß die betref-nde Person oder Sache einem ganz und gar zuwir ist, mißfällt:* das Wetter war g. **sinnv.:** abheulich, greulich, schauerlich, schaurig, heußlich, verabscheuenswert, widerlich. **3. a)** *sehr unangenehmem Maß:* gräßliche Angst ha-n. **b)** ⟨verstärkend bei Adjektiven und Verben⟩ *sehr:* sie haben g. geschrien.

rat, der; -[e]s, -e: *schmaler Kamm eines Berges n Hochgebirge:* den G. entlanggehen. **sinnv.:** amm, Kamm. **Zus.:** Berg-, Gebirgs-, Rückgrat.

räte, die; -, n: *nadeldünnes, knochenähnliches ebilde im Fleisch des Fisches:* Fisch von den räten befreien. **sinnv.:** Knochen. **Zus.:** Fisch-äte.

a|tis ⟨Adverb⟩: *ohne dafür bezahlen zu müssen:* r Eintritt ist g.; etwas g. bekommen. **sinnv.:** ko-enlos.

ät|schen, grätschte, hat/ist gegrätscht: **a)** ⟨tr.⟩ *ie gestreckten Beine spreizen:* er hat die Beine grätscht. **sinnv.:** zur Seite strecken, spreizen. **b)** *r.) mit gespreizten Beinen springen:* er ist über s Pferd gegrätscht.

ra|tu|la|ti|on, die; -, -en: ↑*Glückwunsch:* die ratulationen entgegennehmen.

ra|tu|lie|ren ⟨itr.⟩: *(jmdm.) zu einem besonderen nlaß seine Mitfreude ausdrücken:* ich gratuliere r [zum Geburtstag]!; [ich] gratuliere! **sinnv.:** be-ückwünschen, jmdm. Glück wünschen / Glück-insche übermitteln.

au ⟨Adj.⟩: **1.** *[in der Färbung] zwischen schwarz d weiß liegend:* graue Haare; der Himmel ist g. ıs.: asch-, blau-, blei-, dunkel-, hell-, silber-au. **2.** *gleichförmig und öde erscheinend:* der aue Alltag. **sinnv.:** langweilig.

au|en ⟨itr.⟩: *(bei dem Gedanken an etwas Zu-nftiges) Angst, Unbehagen empfinden:* ihm aute vor den langen Nächten. **sinnv.:** sich ent-tzen, [sich] fürchten.

au|en, das; -s: *von einem unbestimmten Ge-hl der Bedrohung durch etwas Unheimliches be-rkter Schauder:* in G. überkam mich bei dem ang durch den dunklen Wald. **sinnv.:** Entset-n.

grau|en|haft ⟨Adj.⟩: **1.** (emotional) *Entsetzen hervorrufend:* ein grauenhafter Anblick. **sinnv.:** schrecklich. **2.** ⟨verstärkend bei Adjektiven und Verben⟩ *sehr [schlimm]:* es war g. kalt; die Leiche war g. verstümmelt. **sinnv.:** sehr.

grau|en|voll ⟨Adj.⟩: **1.** *Entsetzen hervorrufend:* da herrschen grauenvolle Zustände. **2.** (emotional) *sehr schlimm:* wie mußte diese grauenvolle Tat mit ansehen. **sinnv.:** schrecklich.

grau|sam ⟨Adj.⟩: **1.** *gefühllos und roh anderen Schmerz zufügend, Gewalt gegen andere anwendend:* sich g. rächen. **sinnv.:** unbarmherzig. **2. a)** (emotional) *sehr schlimm (in seinem Ausmaß):* eine grausame Kälte, Enttäuschung. **b)** *hart und unmenschlich:* die Bestrafung war g. **sinnv.:** streng.

grau|sen: 1. ⟨itr.⟩ *von Furcht oder Widerwillen befallen werden:* mir/mich graust; es grauste ihm/ ihn bei dem Gedanken an die bevorstehende Prüfung. **sinnv.:** sich entsetzen, [sich] fürchten. **2.** ⟨sich g.⟩ *sich ekeln, Furcht empfinden:* sie graust sich vor Schlangen. **sinnv.:** [sich] fürchten.

greif|bar ⟨Adj.⟩: **1.** *deutlich sichtbar:* greifbare Vorteile. **sinnv.:** erkennbar, wahrnehmbar. **2.** *in der Nähe befindlich, so daß man es schnell zur Hand hat, an sich nehmen kann:* seine Papiere g. haben; der Dieb nahm alles mit, was g. war. **3.** *vorhanden, anwesend, so daß darüber, über jmdn. verfügt werden kann:* die Ware ist zur Zeit nicht g.; der zuständige Beamte war nicht g. **sinnv.:** abwesend; anwesend.

grei|fen, griff, hat gegriffen: **1.** ⟨tr.⟩ *ergreifen [und festhalten]:* [sich] einen Stock g.; etwas mit der Hand g. **sinnv.:** anfassen, anpacken, berühren, erfassen, ergreifen, fassen, in die Hand nehmen, packen. **Zus.:** durch-, ein-, fehl-, hin-, hinein-, ver-, vor-, zurückgreifen. **2.** ⟨tr.⟩ *(einen Flüchtigen, Straffälligen) fassen und festnehmen:* der Ausbrecher wurde gegriffen. **sinnv.:** fangen. **3.** ⟨itr.⟩ *die Hand in eine bestimmte Richtung führen [um jmdn./etwas zu ergreifen, etwas an sich zu nehmen]:* das Baby greift mit der Hand nach dem Spielzeug; in den Korb g. **sinnv.:** sich etwas angeln/aneignen/sich einer Sache bemächtigen, in Besitz nehmen, einheimsen, ergreifen, erhaschen, grapschen, langen, an sich reißen. **Zus.:** an-, aus-, daneben-, ein-, fehl-, heraus-, hin[ein]-, ineinander-, über-, zugreifen.

Greis, der; -es, -e, **Grei|sin,** die; -, -nen: *Mann bzw. Frau von hohem Alter [mit weißem Haar].* **sinnv.:** der Alte, Großvater, graues Haupt, alter Herr/Knabe/Knacker, Methusalem, Opa; die Alte, alte Dame/Frau, Großmutter, Oma. **Zus.:** Mummel-, Taper-, Tattergreis.

grell ⟨Adj.⟩: **1.** *in unangenehmer Weise blendend hell:* in der grellen Sonne; das Licht ist sehr g. **sinnv.:** blendend, gleißend, hell, sonnig. **2.** *(von Farben) in auffallender, unangenehmer Weise hervorstehend:* in grellen Farben. **sinnv.:** bunt. **3.** *(von Geräuschen) durchdringend und schrill:* grelle Pfiffe, Dissonanzen. **sinnv.:** laut.

Gren|ze, die; -, -n: **a)** *der Teil eines fest umrissenen Gebietes, der sich mit einem danebenliegenden Gebiet unmittelbar berührt:* die Grenzen zwischen Deutschland und Frankreich; über die grüne G. gehen. **sinnv.:** Grenzlinie, Eiserner Vorhang. **Zus.:** Landes-, Staats-, Zollgrenze. **b)** ⟨G. + Attribut⟩ *(nur gedachte) Trennungslinie zwischen unter-*

schiedlichen oder gegensätzlichen Bereichen, Erscheinungen o. ä.: die G. zwischen Kitsch und Kunst; an der G. zum Kriminellen; die G. des Erlaubten überschreiten. **sinnv.:** Höchstmaß · Schallmauer. **Zus.:** Baum-, Einkommens-, Sprachgrenze.

gren|zen ⟨itr.⟩: **1.** *[mit seiner Grenze] an etwas, an einen anderen Bereich stoßen:* Mexiko grenzt an Guatemala; das Wohnzimmer grenzt an die Küche. **sinnv.:** anschließen. **Zus.:** ab-, an-, be-, ein-, umgrenzen. **2.** *(in seiner Art, seinen Ausmaßen o. ä. einer anderen Sache) fast gleichkommen:* das grenzt schon an Erpressung. **sinnv.:** ähneln.

Greu|el, der; -s, -: a) *Empfindung der äußersten Abneigung, des äußersten Abscheus:* dieser Mensch, diese Arbeit ist mir ein G.; er hat einen G. davor, ... **sinnv.:** Abneigung. **b)** ⟨Plural⟩ *(in großer Zahl begangene) Untaten, schreckliche Gewalttaten:* die im Krieg geschehenen Greuel. **sinnv.:** Blutbad, Greueltat.

gries|grä|mig ⟨Adj.⟩: *mürrisch und verdrossen:* ein griesgrämiger Mensch. **sinnv.:** mürrisch.

Grieß, der; -es: *körnig gemahlenes Getreide (bes. Weizen, Reis oder Mais).*

Griff, der; -[e]s, -e: **1.** *Teil eines Gegenstandes oder einer Vorrichtung, an dem man diese anfassen und festhalten o. ä. kann:* der G. der Aktentasche, des Messers. **sinnv.:** Bügel, Halter, Heft, Henkel, Klinke, Knauf, Schaft. **Zus.:** Fenster-, Halte-, Koffer-, Trage-, Türgriff. **2.** *das Greifen, zufassende Handbewegung:* ein G. nach dem Hut. **sinnv.:** Handgriff.

griff|be|reit ⟨Adj.⟩: *parat-, bereitliegend, so daß man es schnell greifen kann:* alles ist, liegt g.

gril|len ⟨tr.⟩: *auf dem Grill zum Verzehr geeignet machen:* das Fleisch g. **sinnv.:** braten.

Gri|mas|se, die; -, -n: *(mit Absicht) verzerrtes Gesicht [mit dem jmd. etwas Bestimmtes ausdrükken will]:* das Gesicht zu einer G. verziehen; Grimassen schneiden/machen. **sinnv.:** Miene.

grim|mig ⟨Adj.⟩: **1.** *von verhaltenem Groll erfüllt:* ein grimmiges Aussehen; g. dreinschauen. **sinnv.:** ärgerlich, mißmutig. **2.** (emotional) *als sehr heftig, stark empfunden:* eine grimmige Kälte. **sinnv.:** schlimm.

grin|sen ⟨itr.⟩: *breit [mit einem höhnischen, boshaften o. ä. Ausdruck] lächeln:* er grinste unverschämt. **sinnv.:** lachen.

Grip|pe, die; -, -n: a) *Infektionskrankheit mit [hohem] Fieber und Katarrh.* **sinnv.:** Influenza. **b)** *starke Erkältung:* an [einer] G. erkrankt. **sinnv.:** Erkältung.

grob ⟨Adj.⟩: **1.** a) *von derber, rauher Beschaffenheit:* grobes Leinen, Papier. **b)** *nicht sehr fein (zerkleinert o. ä.):* grober Sand; der Kaffee ist g. gemahlen. **c)** *ohne Feinheit (in seiner Form, Gestalt):* sie hat grobe Hände; die Gesichtszüge sind g. **2.** *nur auf das Wichtigste beschränkt:* etwas in groben Zügen darstellen. **3.** (emotional) *(in seinem Ausmaß) schlimm:* ein grober Fehler, Irrtum; das war grobe Fahrlässigkeit. **sinnv.:** schlimm. **4.** *(im Umgang mit anderen) ohne Feingefühl, ohne Manieren:* er ist ein grober Kerl; sein Benehmen, sein Ton ist furchtbar g. **sinnv.:** barsch, derb. **Zus.:** saugrob.

grob|schläch|tig ⟨Adj.⟩: *von derber, unfeiner, plumper Art:* ein grobschlächtiger Mensch. **sinnv.:** plump, unhöflich.

grö|len ⟨itr.⟩ (ugs.): *in als störend, belästigen[d] unangenehm empfindender Weise laut singen:* B[...] trunkene grölten im Lokal. **sinnv.:** schreien, si[...] gen.

Groll, der; -[e]s: *verhaltener Zorn, Ärger; im I[...] neren rumorende Haßgefühle:* keinen G. gege[...] jmdn. hegen; mit G. an jmdn./etwas denke[...] **sinnv.:** Verstimmung.

grol|len ⟨itr.⟩: **1.** *Groll gegen jmdn. hegen:* jmdr[...] g. **sinnv.:** sich ärgern, hadern, schmollen, Zo[...] haben, zürnen. **2.** *dumpf rollend tönen:* der Do[...] ner grollt. **sinnv.:** krachen.

Gro|schen, der; -s, -: *Zehnpfennig[stück]:* d[...] kostet nur ein paar Groschen. **Zus.:** Not-, Spa[...] Steuergroschen.

groß, größer, größte: **I.** ⟨Adj.⟩ **1.** a) *in Ausde[...] nung oder Umfang, im Längenwachstum d[...] Durchschnitt oder einen Vergleichswert übertre[...] fend* /Ggs. klein/: die Zimmer sind g.; das Kir[...] ist sehr g. für sein Alter. **sinnv.:** ansehnlich, g[...] räumig, gewaltig. **b)** */einer Maßangabe nachg[...] stellt/ eine bestimmte räumliche Ausdehnung, Gr[...] ße aufweisend:* er ist fast zwei Meter g.; wie g. i[...] das Haus? *von verhältnismäßig langer Daue[...] zeitlicher Erstreckung:* eine große Verzögerun[...] die großen Ferien; der zeitliche Abstand ist zu[...] **2.** */bezeichnet Ausmaß, Intensität des im Su[...] stantiv Genannten/ erheblich:* große Angst ha[...] ben; bei großer Kälte; große Schmerzen. **sinnv[...]** außergewöhnlich. **3.** *von Bedeutung, Gewicht[...] keit:* ein großer Name, Dichter; eine große Au[...] gabe. **sinnv.:** bedeutungsvoll, berühmt. **4.** ↑[...] *wachsen:* mein großer Bruder ist schon verheira[...] tet; wenn ich g. bin, ... **II.** ⟨Adverb⟩ (ugs.) *beso[...] ders:* du brauchst nicht g. zu fragen; nicht g. a[...] etwas achten. **sinnv.:** extra.

groß|ar|tig ⟨Adj.⟩ (emotional): *so geartet, daß jmdn. beeindruckt, ihm Bewunderung o. ä. abn[...] tigt:* eine großartige Leistung, Idee; das hast d[...] g. gemacht! **sinnv.:** außergewöhnlich, beachtlic[...] phantastisch, riesig, triumphal, wunderbar.

Grö|ße, die; -, -n: **1.** a) *flächenhafte Ausdehnu[...] von etwas:* die G. eines Landes. **sinnv.:** Ausbre[...] tung, Ausdehnung, Erstreckung. **b)** *räumlic[...] Ausdehnung, Umfang eines Körpers:* die G. ein[...] Hauses, eines Gefäßes; ein Mann von mittler[...] G. **c)** *zahlen-, mengenmäßiger Umfang:* die G. e[...] ner Schulklasse, eines Volkes. **d)** *genormtes M[...] bei Kleidungsstücken für die verschiedenen K[...] pergrößen:* sie trägt G. 38. **sinnv.:** Form. Zus[...] Kleider-, Schuh-, Zwischengröße. **e)** (G. + Att[...] but) ⟨ohne Plural⟩ *Ausmaß von etwas; Bedeutsa[...] keit und Tragweite einer Sache, eines Vorgang[...] o. ä.:* die G. der Katastrophe; sich der G. des A[...] genblicks bewußt sein. **sinnv.:** Ausmaß, Bede[...] tung, Ernst, Größenordnung, Maß. **2.** *Mensc[...] der Bedeutendes leistet:* er ist eine G. auf diese[...] Gebiet. **sinnv.:** Fachmann. **Zus.:** Film-, Geiste[...] größe.

Groß|el|tern, die ⟨Plural⟩: *Großvater und Gro[...] mutter.* **Zus.:** Ur-, Ururgroßeltern.

Groß|macht, die; -, Großmächte: *Staat, d[...] über große wirtschaftliche und militärische Mac[...] verfügt und in der internationalen Politik sein[...] Einfluß entscheidend geltend machen kann.* **sinnv[...]** Macht, Supermacht, Weltmacht.

Groß|mut, die; -: *edle, sich in Großzügigkeit, T[...] leranz erweisende Gesinnung:* G. gegen jmdn. [...]

gen. **sinnv.:** Edelmut, Großmütigkeit, Hochherzigkeit.

Groß|mut|ter, die; -, Großmütter: *die Mutter von Mutter oder Vater eines Kindes.* **sinnv.:** Großmama, Oma, Omama, Omi; Ahne.

größ|ten|teils ⟨Adverb⟩: *zum größten Teil:* viele Ausländer kamen, g. Türken. **sinnv.:** oft.

groß|tun, sich; tat sich groß, hat sich großgetan: *sich (in Eitelkeit, Selbstüberschätzung) mit etwas brüsten:* er tut sich immer groß mit seinen Leistungen. **sinnv.:** prahlen.

Groß|va|ter, der; -s, Großväter: *der Vater von Vater oder Mutter eines Kindes.* **sinnv.:** Opa, Opapa, Opi; Ahn[e].

groß|zie|hen, zog groß, hat großgezogen ⟨tr.⟩: *ein Kind oder ein junges Tier so lange betreuen, bis es erwachsen bzw. ausgewachsen und selbständig ist:* sie mußte ihren Sohn allein g.; Jungtiere [mit der Flasche] g. **sinnv.:** aufpäppeln, aufziehen, heranziehen, hochpäppeln.

groß|zü|gig ⟨Adj.⟩: **1.** *in der Lage, über Fehler anderer hinwegzusehen, das Denken oder Tun anderer gelten lassend (wenn es mit der eigenen Einstellung nicht übereinstimmt):* g. über vieles hinwegsehen. **sinnv.:** freundlich. **2.** *im Geben, Schenken nicht kleinlich:* eine großzügige Spende. **sinnv.:** freigebig. **3.** *(in seinem Stil, seiner Form o. ä.) weiträumig angelegt; Enge, Kleinheit, vermeidend:* ein großzügiger Bau; die Gartenanlage ist sehr g. **sinnv.:** üppig.

Grot|te, die; -, -n: *[künstlich angelegte] Höhle oder Nische [im Fels].* **sinnv.:** Höhle. **Zus.:** Felsengrotte.

Gru|be, die; -, -n: **1.** *künstlich angelegte Vertiefung, größeres Loch in der Erde:* eine tiefe G. ausheben; in eine G. fallen. **sinnv.:** Kuhle, Loch, Mulde, Senke, Senkung. **Zus.:** Bau-, Fall-, Jauche-, Sickergrube. **2.** *Schacht[anlage] eines Bergwerks:* diese G. ist reich an Erz. **sinnv.:** Bergwerk. **Zus.:** Gold-, Kies-, Kohlen-, Lehm-, Silber-, Tongrube.

grü|beln ⟨itr.⟩: **a)** *lange, intensiv (über etwas) nachdenken:* ich habe oft über dieses Problem gegrübelt. **b)** *(sich ängstigend) quälenden, unnützen oder fruchtlosen Gedanken nachhängen:* du grübelst zuviel. **sinnv.:** brüten, Grillen fangen, sinnieren, spintisieren.

grün ⟨Adj.⟩: **1.** *von der Farbe der meisten Pflanzen:* grünes Gras; grüne Blätter. **sinnv:** grünlich, lind, oliv, smaragd, türkis[farben]. **Zus.:** dunkel-, flaschen-, gelb-, gift-, gras-, lind-, moos-, oliv-, smaragdgrün. **2.** *(an der Farbe erkennbar) noch nicht reif:* grünes Obst; der Apfel ist noch g. **sinnv.:** unreif. **3.** *noch wenig Erfahrung und innere Reife besitzend:* ein grüner Junge. **sinnv.:** jung. **4.** *die Bewegung der Umweltschützer betreffend, zu ihr gehörend:* eine grüne Partei; sie haben g. gewählt. **sinnv.:** alternativ.

Grün, das; -s, - und (ugs.) -s: **1.** *Farbton, der der Farbe der meisten Pflanzen entspricht:* ein giftiges G. **2.** ⟨ohne Plural⟩ *Pflanzen:* sie haben viel G. in der Wohnung.

Grund, der; -[e]s, Gründe: **1.** ⟨ohne Plural⟩ *[Stück] Land, Acker o. ä. (das jmd. als Besitz hat):* auf eigenem, fremdem G. **sinnv.:** Feld, Grundstück, Immobilien. **Zus.:** Baugrund. **2.** ⟨ohne Plural⟩ **a)** *Boden eines Gewässers:* bei dem klaren Wasser kann man bis auf den G. sehen. **sinnv.:**

[Meeres]boden, Untergrund. **Zus.:** Ab-, Meeresgrund. **b)** *Boden eines Gefäßes:* die Teeblätter haben sich auf dem G. der Kanne abgesetzt. **3.** *Ursache, Motiv für ein Verhalten;* ein einleuchtender, stichhaltiger G.; die Gründe für die Tat sind unbekannt. **sinnv.:** Anlaß, Argument. **Zus.:** Beweg-, Entlassungs-, Haupt-, Krankheits-, Scheidungs-, Vernunft-, Zeitgrund.

grund- ⟨adjektivisches Präfixoid, auch das Basiswort wird betont⟩ *(emotional verstärkend):* *von Grund auf ..., sehr ..., durch und durch ..., ganz und gar ..., in hohem Grade ... /bes. in bezug auf ethische, ästhetische, intellektuelle Qualität/:* grundanständig, -brav, -ehrlich, -falsch, -geizig, -gelehrt, -gescheit, -gesund, -gut, -gütig, -häßlich, -miserabel, -musikalisch, -schlecht, -solide, -sonderbar, -treu, -verdorben, -verkehrt, -verschieden.

Grund- ⟨Präfixoid⟩: */bezeichnet das im Basiswort Genannte als etwas, was grundlegend, fundamental, wesentlich die eigentliche Grundlage, die Voraussetzung ist, was einer Sache zugrunde liegt/:* Grundaussage, -bedingung, -bedürfnis, -begriff, -bestandteil, -betrag, -erfahrung, -erkenntnis, -fehler, -frage, -gedanke, -gerät, -idee, -kapital, -kenntnis, -konzeption, -kurs, -lehrgang, -tendenz, -tugend, -übel, -wissen. **sinnv.:** Haupt-, Kern-, Ur-.

grün|den, gründete, hat gegründet: **1.** ⟨tr.⟩ *ins Leben rufen:* eine Partei g. **sinnv.:** begründen, einrichten, errichten, etablieren, instituieren, konstituieren, schaffen. **2.** ⟨sich g.⟩ *sich stützen (auf etwas):* der Vorschlag gründet sich auf diese Annahme. **sinnv.:** beruhen.

Grund|la|ge, die; -, -n: *etwas (bereits Vorhandenes), von dem man ausgehen kann, auf dem sich etwas aufbauen, von dem sich etwas ableiten läßt:* die gesetzlichen Grundlagen für etwas schaffen. **sinnv.:** Ausgangspunkt, Basis, Bedingung, Bestand, Einmaleins, Fundament, Grundstock, Plattform, Voraussetzung. **Zus.:** Arbeits-, Diskussions-, Existenz-, Geschäftsgrundlage.

grund|le|gend: **I.** ⟨Adj.⟩ *von entscheidender Bedeutung:* ein grundlegender Unterschied. **sinnv.:** absolut, fundamental. **II.** ⟨Adverb⟩ *von Grund auf, in jeder Weise:* sie hat ihre Ansicht g. geändert. **sinnv.:** ganz und gar, völlig, vollkommen; sehr.

gründ|lich ⟨Adj.⟩: **1.** *sehr sorgfältig, nicht nur oberflächlich:* eine gründliche Untersuchung; sich g. waschen. **sinnv.:** gehörig, gewissenhaft. **2.** ⟨verstärkend bei Verben⟩ ↑*sehr:* g. danebengehen; du hast dich g. geirrt.

grund|los ⟨Adj.⟩: *ohne innere Begründung:* ein grundloses Mißtrauen; g. verärgert sein. **sinnv.:** gegenstandslos, haltlos, hinfällig, aus der Luft gegriffen, unbegründet, ungerechtfertigt.

Grund|riß, der; Grundrisses, Grundrisse: *zeichnerische Darstellung der Grundfläche eines Gebäudes, einer geometrischen Figur u. a.:* den G. eines Hauses entwerfen. **sinnv.:** Aufriß, Entwurf, Plan.

Grund|satz, der; -es, Grundsätze: **a)** *Prinzip, das jmd. für sich zur Richtschnur gemacht hat, nach dem er handelt:* strenge Grundsätze haben. **sinnv.:** Prinzip. **b)** *allgemeingültiges Prinzip, das einer Sache zugrunde liegt:* ein demokratischer, rechtsstaatlicher G. **sinnv.:** Regel. **Zus.:** Rechtsgrundsatz.

grund|sätz|lich ⟨Adj.⟩: **a)** *einen Grundsatz betreffend:* eine grundsätzliche Frage; etwas ist von grundsätzlicher Bedeutung. **sinnv.:** fundamental. **b)** *einem Prinzip folgend, aus Prinzip:* sie gibt g. keinem Bettler etwas. **sinnv.:** prinzipiell. **c)** ⟨in Verbindung mit entgegengesetzten Konjunktionen wie *aber, doch* u. a.⟩ *im allgemeinen:* ich bin g. für Gleichbehandlung, aber ...

Grund|stück, das; -[e]s, -e: *Stück Land, das jmdm. gehört:* ein G. kaufen, erben. **sinnv.:** Immobilien, Land, Parzelle. **Zus.:** Bau-, Gartengrundstück.

Grün|dung, die; -, -en: *das Gründen, Schaffen einer Einrichtung o. ä.:* die G. einer Partei. **sinnv.:** Begründung, Grundlegung, Schaffung, Stiftung. **Zus.:** Existenz-, Familien-, Partei-, Vereinsgründung.

grü|nen ⟨itr.⟩: *(von der Vegetation im Frühjahr, bes. von Bäumen, Wiesen) Blätter usw. hervortreiben, grün werden:* Büsche, Bäume grünen; es grünt und blüht überall. **sinnv.:** sprießen.

grun|zen, ⟨itr.⟩: *(bes. von Schweinen) dumpfe, kehlige Laute ausstoßen.*

Grup|pe, die; -, -n: **a)** *kleinere zusammengehörende oder zufällig zusammen gehende, stehende o. ä. Zahl von Menschen:* eine G. von Touristen; die Menschen standen in Gruppen zusammen. **sinnv.:** Haufen, Horde, Korona, Meute, Pulk, Schar; Abteilung; Bande. **b)** *Kreis von Menschen, die sich auf Grund gemeinsamer Interessen, Ziele o. ä. zusammengeschlossen haben:* konservative, radikale Gruppen. **sinnv.:** Fraktion, Gruppierung, Kollektiv, Kreis, Runde. **Zus.:** Berufs-, Rand-, Splitter-, Wandergruppe. **c)** ⟨G. + Attribut⟩ *Anzahl von Dingen, Lebewesen mit gemeinsamen Eigenschaften o. ä.:* eine G. von Inseln, Säugetieren. **Zus.:** Insel-, Raubtier-, Sitzgruppe.

gru|seln ⟨itr.⟩: *Schauder, Furcht (vor etwas Unheimlichem) empfinden:* mir/mich gruselt es allein in der Wohnung; ⟨auch: sich g.⟩ ich gruselte mich, als ich das Gerippe sah. **sinnv.:** sich entsetzen, sich fürchten.

Gruß, der; -es, Grüße: *freundliche Worte oder Geste der Verbundenheit bei der Begegnung, beim Abschied, im Brief:* er reichte ihm zum G. die Hand; mit freundlichen Grüßen ... (als Briefschluß). **Zus.:** Blumen-, Geburtstags-, Neujahrs-, Urlaubs-, Weihnachts-, Willkommensgruß.

grü|ßen ⟨tr./itr.⟩: **1.** *(jmdm.) einen Gruß zurufen, durch Kopfneigen oder eine andere Geste zu erkennen geben:* jmdn. freundlich g.; er grüßte nach allen Seiten. **sinnv.:** begrüßen. **2.** *jmdm. Grüße übermitteln:* ich soll dich von ihm g. **sinnv.:** mitteilen.

gucken ⟨itr.⟩: **1.** *in eine bestimmte Richtung sehen:* aus dem Fenster, ins Buch g. **Zus.:** hin-, weg-, zugucken. **2.** *seine Umwelt, andere mit bestimmtem, die seelische Verfassung spiegelndem Gesichtsausdruck ansehen:* freundlich, verständnislos g.

gül|tig ⟨Adj.⟩: *bestimmten gesetzlichen, rechtlichen Bestimmungen oder Festlegungen entsprechend [und daher ergrätig auch verwendbar]:* ein gültiger Fahrschein, Ausweis; der Vertrag ist g. bis 31. Dezember. **sinnv.:** anerkannt, eingeführt, geltend, in Umlauf befindlich, valid. **Zus.:** allgemein-, rechts-, ungültig.

Gum|mi, der oder das; -s, -[s]: *Produkt aus Kautschuk:* Dichtungen, Autoreifen aus G.

Gunst, die; -: **a)** *[durch eine höhergestellte Person] auf jmdn. gerichtete wohlwollende Gesinnung:* jmds. G. erwerben, genießen. **sinnv.:** Auszeichnung, Ehre, Gnade, Huld; Achtung. **Zus.:** Mißgunst. **b)** *Zeichen des Wohlwollens, das man jmdm. zuteil werden läßt:* jmdm. eine G. erweisen, gewähren.

gün|stig ⟨Adj.⟩: *(in seiner Beschaffenheit, seinem Verlauf, seiner Entwicklung o. ä.) vorteilhaft:* ein günstiger Eindruck, Verlauf; die Bedingungen sind g. **sinnv.:** angenehm; erfreulich; glücklich; hoffnungsvoll.

Gur|gel, die; -, -n: *vordere Seite des Halses mit dem Kehlkopf.* **sinnv.:** Adamsapfel, Rachen.

gur|geln ⟨itr.⟩: *den Hals spülen, indem man die in der Kehle befindliche Flüssigkeit durch Ausstoßen der Luft in Bewegung setzt:* bei Halsschmerzen g. **sinnv.:** [den Mund] ausspülen, spülen.

Gur|ke, die; -, -n: *längliche, auf dem Boden wachsende Frucht mit grüner Schale, die meist als Salat oder in Essig o. ä. eingelegt gegessen wird.* **Zus.:** Essig-, Gewürz-, Salat-, Salz-, Schlangen-, Senfgurke.

Gurt, der; -[e]s, -e: *festes, breites Band, das die Funktion des Haltens, Tragens o. ä. hat:* den G. anlegen. **sinnv.:** Band, Riemen. **Zus.:** Leder-, Sicherheits-, Tragegurt.

Gür|tel, der; -s, -: *Band aus Stoff, Leder o. ä., das zur Zierde über der Kleidung um die Taille getragen wird.* **sinnv.:** Bauchriemen, Gurt, Koppel, Leibriemen, Schärpe.

Guß, der; Gusses, Güsse: **1.** *das Gießen von Metall in eine Form:* beim G. der Glocke zusehen. **Zus.:** Bronze-, Glockenguß. **2. a)** *geschüttete, gegossene Menge Wasser:* kalte Güsse. **Zus.:** Aufguß. **b)** *(emotional) kurzer, heftiger Regenschauer:* ein plötzlicher G. **Zus.:** Gewitter-, Regenguß. **3.** *Überzug, Glasur auf Gebäck, bes. auf einer Torte:* die Torte mit einem süßen G. überziehen. **Zus.:** Schokoladen-, Torten-, Zuckerguß.

gut, besser, beste ⟨Adj.⟩: **1.** *bestimmten Erwartungen, einer bestimmten Norm, bestimmten Zwecken in hohem Maß entsprechend; so, daß man damit einverstanden ist /Ggs. schlecht/:* ein guter Schüler; ein gutes Geschäft machen; der Anzug sitzt g. **sinnv.:** erfreulich, fachmännisch, hervorragend, nicht schlecht, trefflich, nicht übel, nicht zu verachten, vortrefflich. **2.** *von hohem sittlich-moralischem Rang /Ggs. schlecht/:* ein guter Mensch; eine gute Tat. **sinnv.:** edel, gütig, hochherzig, menschlich, selbstlos. **3.** *(als Ergebnis o. ä.) erfreulich, günstig /Ggs. schlecht/:* eine gute Ernte; ein gutes Zeugnis bekommen; jmdm. ein gutes neues Jahr wünschen. **sinnv.:** angenehm, erfreulich, genug, glücklich. **4.** *jmdm. freundschaftlich verbunden und zugetan:* ein guter Freund, Bekannter. **5.** ⟨nicht prädikativ⟩ *nur für besondere [feierliche] Anlässe vorgesehen:* die gute Stube; der gute Anzug. **sinnv.:** feierlich, festlich, sonntäglich.

Gut, das; -[e]s, Güter: **I. 1.** *Besitz, der einen materiellen oder geistigen Wert darstellt:* gestohlenes G.; Gesundheit ist das höchste G. **sinnv.:** Besitz. **Zus.:** Allgemein-, Bildungs-, Diebes-, Erb-, Gedanken-, Ideen-, Sagen-, Strand-, Umzugsgut. **2.** *[zum Versand bestimmte, im Versand befindliche] Ware:* leicht verderbliche Güter; Güter umladen. **sinnv.:** Ware. **Zus.:** Bedarfs-, Eil-, Expreß-

Fracht-, Handels-, Massen-, Passagier-, Stück-, Versandgut. **II.** *Bauernhof mit größerem Grundbesitz:* er bewirtschaftete ein großes G. **sinnv.:** Bauernhof, Gutshof, Plantage. **Zus.:** Landgut.

-gut, das; -[e]s ⟨Suffixoid⟩ /bes. in fachsprachlichen Texten mit Substantiv, Verb oder Adjektiv als Basis/: **a)** *Gesamtheit von Dingen, die im Zusammenhang mit dem im Basiswort Genannten* (z. B. *Herkunft, Zweck) stehen:* Ausstellungs-, Back-, Beute-, Bildungs-, Brenn-, Diebes-, Ernte- (das E. kommt in die Labors), Gedanken-, Ideen-, Leer-, Leih-, Lied-, Messe-, Pflanzen-, Saat-, Schütt-, Strand- *(Gegenstände, die vom Meer an den Strand gespült worden sind),* Streu-, Treib- *(all das, was auf dem Wasser treibt, z. B. Holz, Tang),* Wortgut. **b)** *Gesamtheit von Personen als die im Basiswort Genannten (unter statistischem o. ä. Gesichtspunkt):* Kranken-, Menschen-, Patienten-, Schülergut. **sinnv.:** -material.

Gut|ach|ten, das; -s, -: *fachmännisches Urteil:* ein G. abgeben, einholen. **sinnv.:** Bescheinigung. **Zus.:** Rechts-, Sachverständigengutachten.

Gü|te, die; -: **1.** *(auf seine Mitmenschen gerichtete) milde, freundliche, von Wohlwollen und Nachsicht bestimmte Gesinnung:* er war ein Mensch voller G.; sie war von unendlicher G. gegen uns. **sinnv.:** Freundlichkeit, Gutheit, Gutherzigkeit, Gutmütigkeit, Sanftmut, Weichherzigkeit. **Zus.:** Engels-, Herzens-, Seelengüte. **2.** *Beschaffenheit, Qualität (einer Ware):* Trauben von geringer G.; das Fabrikat ist ein Begriff für G.; die G. dieser Ware ist bekannt. **sinnv.:** Qualität.

gut|gläu|big ⟨Adj.⟩: *bei jmdm. oder jedem Ehrlichkeit, gute Absicht voraussetzend und ihm vertrauend [d. h. ohne die vielleicht angebrachte Skepsis]:* eine gutgläubige Frau; er ist sehr g. **sinnv.:** arglos, gläubig.

gut|hei|ßen, hieß gut, hat gutgeheißen ⟨tr.⟩: *(ein Vorhaben oder Tun) für richtig halten:* einen Plan, Entschluß g. **sinnv.:** absegnen, akzeptieren, billigen.

gü|tig ⟨Adj.⟩: *voller Güte:* g. lächeln. **sinnv.:** barmherzig, edel, gnädig, gut, gutherzig, gutmütig, herzensgut, herzlich, mild, sanftmütig, seelengut, warm, warmherzig, weichherzig.

güt|lich ⟨Adj.; nicht prädikativ⟩: *im guten, im Einvernehmen der Partner [erfolgend]:* die gütliche Beilegung dieser Differenzen; sich g. einigen.

gut|ma|chen, machte gut, hat gutgemacht ⟨tr.⟩: **1.** *(etwas Böses oder Falsches, was man getan hat) wieder in Ordnung bringen:* einen Fehler, Schaden g. **sinnv.:** einstehen für, entschädigen. **Zus.:** wiedergutmachen. **2.** *sich für etwas erkenntlich zeigen:* Sie haben mir so oft geholfen. Wie kann ich das g.? **sinnv.:** belohnen.

gut|mü|tig ⟨Adj.⟩: *von geduldigem, hilfsbereitem, freundlichem Wesen:* dieser gutmütige Mann wurde oft ausgenutzt. **sinnv.:** gütig.

Gut|schein, der; -[e]s, -e: *eine Art Zettel, der als Beleg dafür gilt, daß man eine bestimmte Ware, Geld o. ä. daraufbekommen kann:* ein G. im Werte von 100 Mark. **sinnv.:** Bon. **Zus.:** Geschenk-, Warengutschein.

gut|tun, tat gut, hat gutgetan ⟨itr.⟩: *eine wohltuende Wirkung auf jmdn. haben:* der heiße Tee tut gut; die Sonne wird ihr g. **sinnv.:** angenehm sein, wohltun.

gut|wil|lig ⟨Adj.⟩: **a)** *guten Willen zeigend:* ein gutwilliger Junge. **b)** *freiwillig, ohne Schwierigkeiten zu machen:* g. mitkommen. **sinnv.:** bereit.

Gym|na|si|um, das; -s, Gymnasien: *höhere, zum Abitur führende Schule.* **Zus.:** Abend-, Aufbau-, Wirtschaftsgymnasium.

Gym|na|stik, die; -: *sportliche Betätigung, bei der bestimmte, den Körper trainierende Übungen ausgeführt werden:* morgendliche, rhythmische G.; G. treiben. **sinnv.:** Aerobic, Bodybuilding, Breakdance, Freiübungen, Jogging, Körpertraining, Lockerungsübungen, Stretching, gymnastische Übungen. **Zus.:** Früh-, Heil-, Jazz-, Kranken-, Morgengymnastik.

H

Haar, das; -[e]s, -e: **1.** *auf dem Körper von Menschen und den meisten Säugetieren (in großer Zahl) wachsendes, fadenartiges Gebilde (aus Hornsubstanz):* die Haare bürsten; die Haare unter der Achsel, an den Beinen. **sinnv.:** Borste, Flaum, Locke, Naturkrause, Negerkrause. **Zus.:** Achsel-, Bart-, Dachs-, Frauen-, Kamel-, Kraus-, Natur-, Pferde-, Roß-, Scham-, Wuschelhaar. **2.** *⟨ohne Plural⟩ Gesamtheit der Kopfhaare:* blondes, lockiges, langes H.; das H. kurz tragen. **sinnv.:** Haare, Haarschopf, Locken, Löwenmähne, Mähne, Schopf, Wuschelkopf. **Zus.:** Deck-, Haupt-, Kopf-, Kurz-, Lang-, Nackenhaar.

haa|rig ⟨Adj.⟩: **1.** *stark behaart:* haarige Beine. **sinnv.:** behaart. **2.** (ugs.) *Schwierigkeiten, Unwägbarkeiten in sich bergend:* eine haarige Sache. **sinnv.:** schwierig.

Haar|na|del, die; -, -n: *Nadel zum Feststecken des Haars.* **sinnv.:** Haarklammer, [Haar]schleife, [Haar]spange.

haar|scharf ⟨Adverb⟩ (emotional): **1.** *sehr dicht (so daß es fast zu einer Berührung gekommen wäre):* der Wagen raste h. an den Zuschauern vorbei. **sinnv.:** dicht. **2.** *sehr genau (z. B. in bezug auf die Wiedergabe von etwas):* die Konturen kommen auf dem Bild h. heraus.

Haar|schnitt, der; -[e]s, -e: *durch Schneiden des Kopfhaares entstandene Frisur:* ein kurzer H. **sinnv.:** Frisur.

haar|sträu|bend ⟨Adj.⟩: *Empörung, Ablehnung, Ärger o. ä. hervorrufend:* ein haarsträubender Unsinn. **sinnv.:** unerhört.

Ha|be, die; -: *jmds. gesamtes Eigentum:* seine ganze H. ging verloren. **sinnv.:** Besitz.

ha|ben, hat, hatte, hat gehabt: **1.** ⟨itr.⟩ **a)** *sein eigen nennen, als Eigentum haben:* einen Wagen, einen Garten h.; Geld h. **sinnv.:** im Besitz von etwas sein, in Besitz haben, besitzen, verfügen über. **Zus.:** drauf-, inne-, wieder-, zurückhaben. **b)** *(als Eigenschaft o. ä.) besitzen, aufweisen:* blaue Augen, ein gutes Herz h. **sinnv.:** aufweisen, sich erfreuen. **Zus.:** an-, auf-, beisammen-, da-, dabei-, los-, mit-, teilhaben. **c)** *über etwas Bestimmtes verfügen:* Zeit h.; er hat hierin wenig Erfahrung. **d)** *von etwas ergriffen, befallen sein:* Hunger, Heimweh h. **e)** ⟨in Verbindung mit Substantiven⟩ *bedrückt werden (von etwas):* Kummer, Sorgen h. **2.** ⟨h. + zu + Inf.⟩ ↑*müssen:* als Schüler hat man viel zu lernen. **3.** ⟨itr.⟩ *aus einer bestimmten Anzahl, Menge bestehen:* ein Kilo hat 1 000 Gramm; das Haus hat 10 Wohnungen. **4.** dient als Hilfsverb in der Verbindung mit dem 2. Partizip der Perfektumschreibung: er hat gerufen; wir haben gegessen.

Hab|gier, die; - (emotional): *von anderen als übertrieben empfundenes Streben nach Vermehrung des Besitzes:* seine H. wird immer größer. **sinnv.:** Besitzgier, Geiz, Geldgier, Gewinnsucht, Habsucht, Raffgier.

hab|gie|rig ⟨Adj.⟩ (emotional): *durch Habgier geprägt, voller Habgier:* die Beute h. an sich reißen. **sinnv.:** geldgierig, gewinnsüchtig, habsüchtig, materialistisch, raffgierig.

Hab|se|lig|keit, die; -, -en ⟨meist Plural⟩: *jmds. als unzureichend, dürftig, kümmerlich angesehene Habe:* auf der Flucht konnten sie nur ein paar Habseligkeiten mitnehmen. **sinnv.:** Besitz.

Hach|se, die; -, -n: *unterer Teil des Beines (von Schwein oder Kalb):* H. mit Sauerkraut.

Hacke, die; -, -n: *Gerät zum Bearbeiten, bes. zum Auflockern des Bodens (auf dem Feld und im Garten):* das Unkraut mit der H. aushacken.

hacken: a) ⟨tr.⟩ *mit einer Hacke den Boden locker machen.* **b)** ⟨tr.⟩ *mit einem Messer oder mit dem Beil zerkleinern:* Kräuter, Holz h. **c)** ⟨itr.⟩ *mit dem Schnabel nach jmdm., nach etwas schlagen, picken:* das Huhn hackte nach ihrer Hand.

Hack|fleisch, das; -[e]s *rohes, durch einen Fleischwolf gedrehtes Fleisch von Rind oder Schwein:* aus H. Frikadellen machen. **sinnv.:** Gehacktes, Hackepeter, Mett, Tatar.

ha|dern ⟨itr.⟩ (geh.): *(mit seinem Schicksal) unzufrieden sein und darüber Klage führen oder innerlich aufbegehren:* er hadert mit seinem Schicksal. **sinnv.:** grollen, murren, mit sich und der Welt zerfallen sein.

Ha|fen, der; -s, Häfen *(im allgemeinen) künstlich angelegter Anker- und Liegeplatz für Schiffe:* einen H. anlaufen. **sinnv.:** Port, Schiffslände, Schiffslandeplatz. **Zus.:** Binnen-, Boots-, Fischerei-, Frei-, Handels-, Heimat-, Jacht-, Zollhafen.

Ha|fer, der; -s: *Getreide, das an Stelle von Ähren Rispen aufweist (siehe Bildleiste „Getreide"):* H. anbauen.

Ha|fer|flocken, die ⟨Plural⟩: *aus den geschälten Körnern des Hafers hergestelltes Nahrungsmittel.*

-haft ⟨adjektivisches Suffix⟩: *in der Art eines/einer ..., wie ein ... /in bezug auf bestimmte als charakteristisch angesehene Merkmale/:* balladen-, bruchstück-, gönner-, gouvernanten-, greisen-, helden-, jungen-, jungmädchen-, knaben-, konkurrenz-, meister-, modell-, rätsel-, roman-,

rowdy-, schicksal-, stümper-, tanten-, tölpel-vorbild-, zwanghaft; /elliptisch/: zeitungshaf (*wie es in einer Zeitung gemacht wird;* er formu liert z.). **sinnv.:** -ähnlich, -al/-ell, -artig, -esk -gleich, -ig.

Haft, die; -: **1.** *Zustand des Verhaftetseins:* H wurde vorzeitig aus der H. entlassen. **sinnv.:** Ar rest, Gefangenschaft, Gewahrsam, Hausarres† Knast, Sicherheitsverwahrung. **Zus.:** Beuge-Einzel-, Kerker-, Schutz-, Untersuchungshaf† **2.** *in Freiheitsentzug bestehende Strafe:* seine H verbüßen; er wurde zu zwei Jahren H. verurteil† **sinnv.:** Freiheitsstrafe.

Haft|be|fehl, der; -[e]s, -e: *Anordnung eine Richters, jmdn. zu verhaften:* gegen den Betrüge war ein H. erlassen worden.

haf|ten, haftete, hat gehaftet ⟨itr.⟩: **I. 1.** *[mitte Klebstoff o. ä.] an/auf etwas festkleben:* das Eti kett haftet nicht an/auf der Flasche. **sinnv.:** an kleben, festkleben, festsitzen, kleben, pappen. **2** *sich hartnäckig auf der Oberfläche von etwas fes† gesetzt haben:* Schmutz, Farbe haftet an den Sa chen. **sinnv.:** an/auf etwas sitzen. **II.** *für jmdn./e† was die Haftung tragen, verantwortlich sein:* E† tern haften für ihre Kinder; für die Garderob‹ wird nicht gehaftet. **sinnv.:** einstehen.

Häft|ling, der; -s, -e: *jmd., der sich in Haft befin det:* politische Häftlinge. **sinnv.:** Gefangener.

Ha|gel, der; -s: *Niederschlag, der aus Körner von Eis besteht:* der H. richtete großen Schade† an. **sinnv.:** Graupel, Hagelkorn, Schloße.

ha|geln ⟨itr.⟩: **1.** *(von Niederschlag) in Form vo† Hagel niedergehen:* es fing an zu h. **sinnv.:** grau peln, schloßen, schneien. **2.** *(in bezug auf Unange nehmes o. ä.) viel und in dichter Folge auf jmdn./et‹ was [her]niedergehen:* es hagelte Proteste, Vor würfe gegen den Politiker.

ha|ger ⟨Adj.⟩: *(vom menschlichen Körper ode einzelnen Körperteilen) mager und knochig:* ein‹ hagere Gestalt. **sinnv.:** drahtig, schlank, sehnig.

Hahn, der; -[e]s, Hähne: **1.** *männliches Tier man cher Vögel, bes. das männliche Huhn:* der H kräht. **sinnv.:** Gickel, Gockel, Kapaun. **Zus.:** Au er-, Birk-, Gockel-, Haus-, Streit-, Trut-, Wetter hahn. **2.** *Vorrichtung zum Absperren von Rohrlei tungen:* den H. zudrehen; der H. tropft. **Zus.** Abstell-, Gas-, Haupt-, Wasser-, Zapfhahn.

hä|keln ⟨tr./itr.⟩: *eine Handarbeit aus Garn mi einem besonderen, hakenartigen Gerät anfertigen* **sinnv.:** stricken.

Ha|ken, der; -s, -: **1.** *zu einem Winkel, einen Halbkreis oder in S-Form gebogener Gegenstand an dem etwas aufgehängt werden kann:* einen H eindübeln. **sinnv.:** Nagel. **2.** (ugs.) *etwas (zunächs† Verborgenes), was eine Sache schwierig, kompli ziert macht, die Lösung eines Problems o. ä. er schwert, behindert:* die Angelegenheit hat einer H. **sinnv.:** Schwierigkeit.

halb ⟨Adj.⟩: **1.** *die Hälfte von etwas umfassend:* h Dänemark; das Glas ist h. voll; auf halber Höh‹ des Berges. **2.** *(häufig in Verbindung mit nur* nicht ordentlich, nicht richtig; mit geringerer Stär ke, ziemlich abgeschwächt:* etwas nur h. tun **sinnv.:** unvollständig. **3.** *fast [ganz], so gut wie:* es sind ja noch halbe Kinder; h. verdurstet.

hal|ber ⟨Präp. mit Gen.; nachgestellt⟩: *den/die das ... als Beweggrund, Anlaß für etwas habend um diesem zu entsprechen, zu genügen:* der Ord nung h. **sinnv.:** wegen.

-hal|ber ⟨adverbiales Suffix⟩: *wegen des im substantivischen Basiswort Genannten:* anstands-, gerechtigkeits-, krankheits-, ordnungs-, sicherheits-, umständehalbcr.

hal|bie|ren ⟨tr.⟩: *in zwei gleiche Teile teilen.* **sinnv.:** zweiteilen; durchschneiden, teilen.

halb|wegs ⟨Adverb⟩ (ugs.): †*einigermaßen:* der Lehrer ist mit ihm h. zufrieden.

Halb|wüch|si|ge, der und die; -n, -n ⟨aber: [ein] Halbwüchsiger, Plural: [viele] Halbwüchsige⟩: *noch nicht ganz erwachsener, junger Mensch.* **sinnv.:** Jüngling, Mädchen.

Halb|zeit, die; -, -en: **a)** *Hälfte der Spielzeit:* in der zweiten H. wurde das Spiel besser. **b)** *Pause zwischen der ersten und zweiten Hälfte der Spielzeit:* in der H. erfrischten sich die Spieler.

Hal|de, die; -, -n: *Aufschüttung von bergbaulich gewonnenen Produkten, Rückständen usw.:* die Abfälle türmten sich zu riesigen Halden. **Zus.:** Abraum-, Geröll-, Kohlen-, Schutthalde.

Hälf|te, die; -, -n: *halber Teil von etwas; einer von zwei gleichen Teilen eines Ganzen:* die H. des Vermögens; zur H. gehört es mir. **sinnv.:** Teil. **Zus.:** Ehe-, Jahres-, Weghälfte.

Hal|le, die; -, -n: **1.** *größeres Gebäude mit hohem, weitem Raum:* in [der] H. 2 werden Bücher der wissenschaftlichen Verlage ausgestellt. **Zus.:** Bahnhofs-, Fabrik-, Fest-, Lager-, Schwimm-, Stadt-, Turn-, Verkaufs-, Werkhalle. **2.** *größerer, oft repräsentativen Zwecken dienender Raum in einem [öffentlichen] Gebäude:* er wartete in der H. des Hotels auf ihn. **sinnv.:** Diele. **Zus.:** Eingangs-, Empfangs-, Hotel-, Säulen-, Vorhalle.

hal|len ⟨itr.⟩: **a)** *mit lautem, hohlem Klang weithin tönen:* die Schritte hallten im Gang. **sinnv.:** schallen. **b)** *von einem lauten, länger anhaltenden Klang, Schall erfüllt sein:* der Hof hallte [von Schritten].

Halm, der; -[e]s, -e: *schlanker, durch Verdickungen gegliederter, biegsamer Stengel (von Getreide, Gras).* **sinnv.:** Stamm. **Zus.:** Gras-, Schachtel-, Strohhalm.

Hals, der; -es, Hälse: **1.** *Teil des Körpers zwischen Kopf und Rumpf:* ein kurzer, langer H. **sinnv.:** Nacken. **Zus.:** Pferde-, Schwanenhals. **2.** *Rachen und Kehle:* der H. ist trocken, entzündet; der H. tut mir weh. **3.** *längerer, schmaler, oft sich verjüngender [oberer] Teil bestimmter Dinge:* der H. der Flasche. **Zus.:** Flaschen-, Geigen-, Zahnhals.

Hals|schmer|zen, die ⟨Plural⟩: *Schmerzen im Hals.* **sinnv.:** Halsentzündung, Halsweh, Schluckbeschwerden.

Halt, der; -[e]s: **1.** *etwas, was zum Festhalten, zum Befestigen von etwas, als Stütze o. ä. dient:* H. suchen; den H. verlieren. **sinnv.:** Stütze. **Zus.:** Rückhalt. **2.** *das Anhalten, [kurzes] Unterbrechen bes. einer Fahrt:* der Zug fährt ohne H. durch. **sinnv.:** Aufenthalt, Stopp.

halt|bar ⟨Adj.⟩: **1. a)** *nicht leicht verderbend:* haltbare Lebensmittel. **b)** *von fester, dauerhafter Beschaffenheit; nicht leicht entzweigehend:* diese Schuhe sind sehr h. **sinnv.:** beständig, fest, langlebig, robust, strapazierfähig, unverwüstlich, widerstandsfähig. **2.** *glaubhaft, einleuchtend und sich so durchaus aufrechterhalten lassend:* eine nicht länger haltbare Theorie. **3.** *(von einem Ball, Schuß) so geworfen, geschossen, daß er gehalten, abgewehrt werden kann:* der Ball war h.

hal|ten, hält, hielt, hat gehalten: **1.** ⟨tr.⟩ **a)** *gefaßt haben und nicht loslassen:* eine Stange h.; etwas in der Hand h. **b)** *(als Sache) bewirken, daß etwas Halt hat, in seiner Lage o. ä. bleibt:* der Haken hat nicht viel zu h. **2. a)** ⟨tr.⟩ *an eine bestimmte Stelle bewegen und dort in einer bestimmten Stellung, Lage, Haltung lassen:* die Hand an/gegen den Ofen h. **b)** ⟨sich h.⟩ *an einer bestimmten Stelle in einer bestimmten Lage, Stellung, Haltung bleiben, verharren:* sie hielt sich nur kurz auf dem Pferd. **3.** ⟨tr.⟩ *(einen aufs Tor geschossenen Ball, Puck) abfangen, abwehren können:* einen Strafstoß h. **4.** ⟨tr.⟩ *zum Bleiben bewegen, nicht weggehen lassen:* die Firma wollte ihn h. **5.** ⟨tr.⟩ *in sich behalten, nicht ausfließen, herauslaufen lassen:* das Faß hält das Wasser nicht. **6. a)** ⟨tr.⟩ *erfolgreich verteidigen:* die Stellung h. **b)** ⟨tr.⟩ *nicht aufgeben, nicht weggeben müssen:* er wird seinen Laden nicht mehr lange h. können; den Rekord h. *(innehaben, nicht verlieren).* **c)** ⟨sich h.⟩ *sich mit Erfolg behaupten, erfolgreich bestehen, sich durchsetzen, den Anforderungen genügen:* du hast dich in der Prüfung gut gehalten. **sinnv.:** bestehen. **7. a)** ⟨tr.⟩ *in gleicher Weise weiterführen, (bei etwas) bleiben:* den Takt h.; den Kurs h. **b)** ⟨tr.⟩ *nicht (von etwas) abgehen, es nicht aufgeben, sondern [vereinbarungsgemäß] einhalten, bewahren:* sein Wort h.; Ordnung h. **sinnv.:** beibehalten. **c)** ⟨sich h.⟩ *sich nach etwas richten, einer Vorschrift, Vorlage, Verpflichtung o. ä. gemäß handeln:* sich an die Tatsachen h. **sinnv.:** sich anlehnen, befolgen. **8.** ⟨sich h.⟩ *sich mit seinen Anliegen, Ansprüchen an jmdn. wenden, mit ihm in Kontakt zu bleiben suchen:* wenn du etwas erreichen willst, mußt du dich an ihn h. **9.** ⟨itr.⟩ *auf etwas besonderen Wert legen, besonders achten:* auf Sauberkeit h. **sinnv.:** achten. **10.** ⟨itr.⟩ *auf jmds. Seite stehen, seine Partei ergreifen:* die meisten haben zu ihm gehalten. **11.** ⟨sich h.⟩ *einen bestimmten Platz, eine bestimmte Richtung beibehalten:* du mußt dich mehr [nach] links h. **12.** ⟨tr.⟩ *als Durchführender, Veranstalter stattfinden, vonstatten gehen lassen:* Hochzeit h.; Unterricht h. **sinnv.:** veranstalten. **13.** ⟨tr.⟩ *zum eigenen Nutzen angestellt, angeschafft haben und unterhalten:* ich halte [mir] Hunde; sich mehrere Zeitungen h. **14.** ⟨tr.⟩ *(für jmdn. /etwas) in bestimmter Weise sorgen; in bestimmter Weise behandeln:* seine Kinder streng h. **sinnv.:** umgehen. **15.** ⟨itr.⟩ **a)** *in seinem augenblicklichen Zustand, in der gleichen Weise, Form bestehen bleiben, nicht schnell verderben, schlechter werden:* ob das Wetter wohl hält?; ⟨meist sich h.⟩ die Rosen halten sich lange. **b)** *trotz Beanspruchung ganz bleiben, in seinem bestehenden [unversehrten] Zustand erhalten bleiben; nicht entzweigehen:* die Schuhe haben lange gehalten; der Nagel hält *(sitzt fest).* **16. a)** ⟨tr.⟩ *der Meinung, Auffassung sein, daß sich etwas in bestimmter Weise verhält; jmdn./etwas als etwas betrachten:* jmdn. für ehrlich h.; etwas für denkbar h. **sinnv.:** ansehen, ansprechen, begutachten, einschätzen. **b)** ⟨itr.⟩ *über jmdn./etwas ein bestimmtes Urteil haben:* von ihm halte ich nichts. **sinnv.:** denken. **17.** ⟨itr.⟩ *in seiner Vorwärtsbewegung innehalten, sich nicht weiter fortbewegen:* das Auto mußte plötzlich h. **sinnv.:** anhalten.

Hal|te|stel|le, die; -, -n: *mit einem Schild o. ä. gekennzeichnete Stelle, an der ein öffentliches Verkehrsmittel regelmäßig anhält, damit die Fahrgä-*

ste ein- und aussteigen können: zur H. gehen. **sinnv.:** Bahnhof, Halt, Haltepunkt, Station. **Zus.:** Bus-, Straßenbahnhaltestelle.

-hal|tig ⟨adjektivisches Suffix⟩: *das im substantivischen Basiswort Genannte enthaltend* /Ggs. -frei/: alkohol-, blei-, eiweiß-, informations-, jod-, kalk-, koffein-, risiko-, schlackenhaltig.

halt|los ⟨Adj.⟩: **1.** *ohne innere Festigkeit, seelischen, moralischen Halt:* ein haltloser Mensch. **sinnv.:** entwurzelt; willensschwach. **2.** *einer kritischen Beurteilung nicht standhaltend:* haltlose Behauptungen. **sinnv.:** grundlos.

Hal|tung, die; -: **1.** *Art, in der jmd. dauernd oder vorübergehend seinen Körper hält:* eine aufrechte H. **sinnv.:** Stellung. **Zus.:** Arm-, Kopf-, Körper-, Sitzhaltung. **2.** *innere Einstellung und das dadurch geprägte Denken, Handeln, Auftreten, Verhalten:* eine ablehnende H. **sinnv.:** Benehmen. **Zus.:** Abwehr-, Erwartungs-, Geistes-, Willenshaltung. **3.** ⟨H. + Attribut⟩ *Besitz und Unterhalt:* die H. von Haustieren. **Zus.:** Geflügel-, Schweine-, Tierhaltung.

hä|misch ⟨Adj.⟩: *auf eine hinterhältige Weise boshaft und heimlich Freude empfindend über peinliche, unangenehme Situationen anderer:* h. grinsen, lächeln. **sinnv.:** schadenfroh.

Ham|mel, der; -s, -: *kastriertes männliches Schaf.*

Ham|mer, der; -s, Hämmer: *Werkzeug zum Schlagen und Klopfen aus einem je nach Verwendungszweck unterschiedlich geformten, meist metallenen Klotz und einem darin eingepaßten Stiel:* mit dem H. einen Nagel in die Wand schlagen. **Zus.:** Schmiede-, Vorschlaghammer.

häm|mern ⟨Adj.⟩: **1. a)** ⟨itr.⟩ *mit dem Hammer arbeiten, klopfen, schlagen:* er hämmert schon den ganzen Tag. **b)** ⟨tr.⟩ *mit einem Hammer bearbeiten:* Blech h. **2.** ⟨itr.⟩ *in kurzen Abständen [heftig] (auf etwas) klopfen:* er hämmerte mit den Fäusten gegen das Tor. **3.** ⟨itr.⟩ *(von Herz und Puls) stark und rasch in Tätigkeit sein:* das Blut, Herz hämmert.

ham|stern ⟨tr./itr.⟩: *(in Notzeiten aus Furcht vor Verknappung) Vorräte in über den unmittelbaren Bedarf hinausgehenden Mengen für sich aufhäufen, sammeln:* Lebensmittel h.; als die Waren knapp wurden, fingen alle an zu h. **sinnv.:** horten.

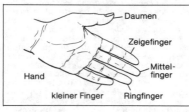

Daumen

Zeigefinger

Mittel-finger

Hand

kleiner Finger   Ringfinger

Hand, die; -, Hände: *unterster Teil des Armes bei Menschen und Affen, der mit fünf Fingern ausgestattet ist und bes. die Funktionen des Greifens, Haltens o. ä. hat:* die linke, rechte H.; jmdm. die H. geben; etwas in die H. nehmen; der Brief ist mit der H. geschrieben. **sinnv.:** Flosse, Patsche, Pfote, Pranke, Tatze. **Zus.:** Feindes-, Kinder-, Künstler-, Meister-, Patsch-, Privat-, Schöpferhand.

Hand|ar|beit, die; -, -en: **1.** *Arbeit, die mit der Hand ausgeführt wird:* etwas in H. herstellen. **2** *mit der Hand hergestellter Gegenstand, bes. au textilen Werkstoffen:* sie sitzt an einer H.

Hand|ball, der; -[e]s, Handbälle: **1.** ⟨ohne Plural⟩ *Spiel zweier Mannschaften, bei dem der Bal nach bestimmten Regeln mit der Hand ins gegneri sche Tor zu werfen ist:* H. spielen. **Zus.:** Hallen handball. **2.** *(im Handball (1) verwendeter) Bal aus Leder.*

Han|del, der; -s: **1. a)** *Kauf und Verkauf von Waren, Gütern:* ein lebhafter H. mit Medikamenten internationaler H. **sinnv.:** Geschäft. **Zus.:** Außen-, Buch-, Einzel-, Groß-, Kunst-, Weinhandel. **b)** *kleineres Unternehmen, Ladengeschäft:* er betreibt einen H. mit Gebrauchtwagen. **sinnv.:** Laden. **2.** *[geschäftliche] Abmachung, Vereinbarung bei der etwas ausgehandelt wird:* ein schlechter H.; einen H. abschließen. **Zus.:** Kuhhandel.

han|deln: **1.** ⟨itr.⟩ **a)** *(einer Notwendigkeit o. ä folgend) tätig werden, eingreifen, in bestimmter Weise vorgehen:* schnell, richtig, fahrlässig h. **sinnv.:** agieren, unternehmen. **b)** *sich in bestimmter Weise andern gegenüber verhalten:* großzügig h. **sinnv.:** sich benehmen. **2. a)** ⟨itr.⟩ *kaufen und verkaufen, Geschäfte machen; ein Geschäft, Handel treiben:* mit Obst h.; er handelt mit vielen Ländern. **sinnv.:** verkaufen. **b)** ⟨tr.⟩ *zum Kauf anbieten:* die Ware wird heute zu günstigen Preisen gehandelt. **3.** ⟨itr.⟩ *beim Kauf von etwas einen möglichst günstigen Preis zu erreichen suchen:* auf diesem Markt muß man h. **sinnv.:** feilschen, herunterhandeln, den Preis [herunter]drücken, schachern. **4. a)** ⟨itr.⟩ *zum Inhalt haben, ausführlich behandeln:* das Werk handelt vom Untergang, über den Untergang des Reiches. **sinnv.:** erörtern. **b)** ***es handelt sich um jmdn./etwas:** es betrifft jmdn./etwas, es ist jmd./etwas Bestimmtes; es kommt auf jmdn./etwas Bestimmtes an:* es handelt sich [dabei] um ein schwieriges Problem, um einen Verwandten von uns. **sinnv.:** betreffen.

hand|fest ⟨Adj.⟩: **1.** *kräftig gebaut und robust wirkend:* einige handfeste Burschen. **sinnv.:** stark. **2.** *einfach, aber sehr kräftig und nahrhaft:* eine handfeste Mahlzeit. **3.** *sehr deutlich, greifbar, mit aller Kraft, mit großem Nachdruck dargeboten o. ä.:* ein handfester Krach. **sinnv.:** eindeutig, klar.

hand|ha|ben ⟨tr.⟩: **1.** *(ein Werkzeug) richtig gebrauchen, damit sachgerecht umgehen:* er lernte es bald, das neue Gerät zu h. **sinnv.:** bedienen, führen. **2.** *etwas, bei dessen Ausführung, Anwendung o. ä. meist ein gewisser Spielraum gegeben ist, in bestimmter Weise aus-, durchführen:* so haben wir es schon immer gehandhabt. **sinnv.:** ausüben, praktizieren.

Hand|lan|ger, der; -s, -: *jmd., der nur untergeordnete Arbeiten für andere zu verrichten hat.* **sinnv.:** Helfer.

Händ|ler, der; -s, -: *jmd., der Handel treibt:* der H. verdiente bei dem Verkauf des Gebrauchtwagens eine Menge Geld. **sinnv.:** Ankäufer, Aufkäufer, Dealer, Hausierer, billiger Jakob, Marktschreier. **Zus.:** Antiquitäten-, Auto-, Buch-, Einzel-, Groß-, Klein-, Weinhändler.

hand|lich ⟨Adj.⟩: *bequem, leicht zu handhaben, zu benutzen:* das Buch hat ein handliches Format. **sinnv.:** zweckmäßig.

Hand|lung, die; -, -en: 1. *das Vollziehen oder das Ergebnis eines menschlichen Handelns, Tuns:* eine strafbare, symbolische H.; sich zu einer unbedachten H. hinreißen lassen. **sinnv.**: Tat. **Zus.**: Amts-, Miß-, Zwangshandlung. 2. *Ablauf des Geschehens, Abfolge der zusammenhängenden Vorgänge in einer dargestellten Geschichte:* die H. des Films. **sinnv.**: Fabel, Idee, Inhalt, Stoff, Story. **Zus.**: Film-, Haupt-, Rahmenhandlung.

Hand|schrift, die, -, -en: 1. *Schrift, die jmd., mit der Hand schreibend, hervorbringt und die für ihn charakteristisch ist:* eine unleserliche H. 2. *mit der Hand geschriebener alter Text.* **sinnv.**: Text.

Hand|schuh, der; -[e]s, -e: *etwas, was z. B. zum Schutz gegen Kälte über die Hand gezogen wird:* Handschuhe anziehen. **sinnv.**: Fäustling. **Zus.**: Box-, Faust-, Finger-, Glacéhandschuh.

Hand|ta|sche, die; -, -n: *kleinere, in der Hand, am Arm, über der Schulter zu tragende Tasche.* **sinnv.**: Theatertasche. **Zus.**: Herrenhandtasche.

Hand|tuch, das; -[e]s, Handtücher: *Tuch zum Abtrocknen der Hände, des Körpers nach dem Waschen.*

Hand|werk, das; -[e]s, -e: *(in einer traditionell geprägten Ausbildung zu erlernender) Beruf, der in einer mit der Hand und mit einfachen Werkzeugen auszuführenden Arbeit besteht:* das H. des Schuhmachers erlernen.

Hang, der; -[e]s, Hänge: 1. *Seite eines Berges, die nicht sehr steil abfällt:* das Haus liegt am H. **sinnv.**: Abhang, Steigung. **Zus.**: Berg-, Steilhang. 2. ⟨ohne Plural⟩ *ausgeprägte, oft unbewußte Neigung zu einer bestimmten, oft negativen Verhaltensweise:* ein gefährlicher H.; ein H. zur Übertreibung.

hän|gen: I. hing, hat gehangen ⟨itr.⟩: 1. *oben, an seinem oberen Teil an einer bestimmten Stelle [beweglich] befestigt sein:* der Mantel hing über einem Bügel; die Äpfel hängen am Baum. **sinnv.**: bammeln, baumeln. 2. *vom Eigengewicht nach unten gezogen werden; schwer, schlaff o. ä. nach unten fallen:* die Zweige hängen bis auf die Erde; die Haare hingen ihm ins Gesicht. 3. *jmdm., einer Sache sehr zugetan sein und nicht darauf verzichten, sich nicht davon trennen wollen:* sein Geld, an seinen Eltern h. II. hängte, hat gehängt ⟨tr.⟩: 1. *etwas oben, an seinem oberen Teil an einer bestimmten Stelle frei beweglich befestigen:* er hat den Mantel an den Haken gehängt; das Bild über das Sofa h. 2. *schwer, schlaff o. ä. nach unten bewegen, fallen lassen:* er ließ die Beine ins Wasser h. 3. *durch Aufhängen am Galgen o. ä. töten:* der Mörder wurde gehängt.

hän|seln ⟨tr.⟩: *sich über jmdn. lustig machen, ihn immer wieder verspotten, ohne daß er sich wehren kann:* die Jungen hänselten ihn wegen seiner abstehenden Ohren. **sinnv.**: aufziehen.

han|tie|ren ⟨itr.⟩: *mit den Händen irgendwo, an irgend etwas tätig sein:* die Mutter hantiert am Herd. **sinnv.**: arbeiten, fuhrwerken, nesteln, wirtschaften.

Har|fe, die; -, -n: *großes, etwa die Form eines auf einer Spitze stehenden Dreiecks aufweisendes Saiteninstrument, dessen senkrecht gespannte Saiten von beiden Seiten her mit beiden Händen gezupft werden (siehe Bildleiste „Zupfinstrumente"):* die H. spielen, schlagen.

Har|ke, die; -, -n (bes. nordd.): *aus einen Stiel*

---

und einer mit Zinken versehenen kurzen Querleiste bestehendes Gartengerät. **sinnv.**: Rechen.

harm|los ⟨Adj.⟩: **a)** *nichts Schlimmes, keine Gefahren in sich bergend:* ein harmloses Tier; es fing alles ganz h. an. **sinnv.**: ungefährlich. **b)** *ohne jede Falschheit, ohne böse Absichten, Gedanken, Wirkungen, aber auch nicht gerade anregend, anspruchsvoll o. ä.:* er ist ein harmloser Mensch; ein harmloses Vergnügen. **sinnv.**: arglos.

hart: I. ⟨Adj.⟩ 1. *nicht weich, elastisch, sondern fest und widerstandsfähig, kaum nachgebend:* hartes Brot; ein harter Knochen. **sinnv.**: fest. **Zus.**: knochen-, steinhart. 2. *schmerzlich, belastend, nur schwer erträglich:* ein hartes Los; das Unglück trifft ihn h. **sinnv.**: beschwerlich. 3. *ohne Mitgefühl und Rücksicht auf Gefühle anderer; Strenge und Unerbittlichkeit zeigend:* eine harte Schule; h. durchgreifen. **sinnv.**: barsch, streng, unbarmherzig. 4. *von großer, oft als unangenehm empfundener Stärke, Intensität, Heftigkeit, Wucht o. ä.:* ein harter Winter; eine harte Auseinandersetzung. **sinnv.**: heftig, scharf, streng. II. ⟨Adverb⟩ *in nächster Nähe, ganz dicht:* h. an der Grenze. **sinnv.**: nahe.

Här|te, die; -, -n: 1. *harte (1), feste, widerstandsfähige Beschaffenheit:* die H. des Gesteins. 2. *schwere Belastung, Bedingung, Benachteiligung:* soziale Härten. 3. *das Streng-, Unerbittlich-, Grausamsein:* die H. des Gesetzes. 4. ⟨ohne Plural⟩ *das Heftig-, Wuchtigsein, große Intensität, Stärke:* die H. des Aufpralls; es kam viel H. in das Spiel. **sinnv.**: Gewalt.

här|ten, härtete, hat gehärtet ⟨tr.⟩: *hart machen:* der Stahl ist besonders gehärtet.

hart|her|zig ⟨Adj.⟩: *von den Nöten, dem Leid anderer nicht berührt:* eine hartherzige Frau. **sinnv.**: mitleidlos.

hart|näckig ⟨Adj.⟩: *eigensinnig, unnachgiebig an etwas festhaltend, auf etwas beharrend; nicht bereit nachzugeben:* ein hartnäckiger Bursche; h. schweigen. **sinnv.**: beharrlich.

Harz, das; -es, -e: *zähflüssige, klebrige Masse von weißlicher bis gelbbrauner Färbung, die aus dem Holz bes. von Nadelbäumen austritt.* **Zus.**: Baum-, Fichten-, Kunst-, Tannenharz.

Ha|se, der; -n, -n: *wild (bes. an Feld- und Waldrändern) lebendes, größeres Nagetier mit langen Ohren, Stummelschwanz, einem dichten, weichen, bräunlichen Fell und langen Hinterbeinen.*

Haß, der; Hasses: *feindselige Abneigung, starkes Gefühl der Ablehnung und Feindschaft:* wilder, blinder, tödlicher H.; einen H. auf/gegen jmdn. haben; von H. erfüllt sein. **Zus.**: Klassen-, Rassen-, Völkerhaß.

has|sen, haßte, haßte, hat gehaßt ⟨tr.⟩: *(gegen jmdn.) Haß empfinden; einen starken Widerwillen, eine Abscheu gegen etwas empfinden:* jmdn./etwas zutiefst, auf den Tod h. **sinnv.**: anfeinden, nicht ausstehen/leiden/riechen können, jmdn. dick/ gefressen haben, jmdn. nicht grün sein, nicht mögen, unsympathisch finden, verabscheuen.

häß|lich ⟨Adj.⟩: 1. *im Aussehen nicht schön, das ästhetische Empfinden verletzend:* ein häßliches Gebäude; ein häßlicher Kerl. **sinnv.**: abstoßend, entstellt, unschön, unvorteilhaft. 2. *sehr unfreulich auf jmdn. wirkend, sich unangenehm auf jmdn. auswirkend:* häßliches Wetter; er war h. zu ihr. **sinnv.**: gemein, unerfreulich, unschön.

Hast, die; -: *überstürzte Eile:* mit wilder H. **sinnv.:** Eile, Hektik, Hetze, Trubel, Wirbel.

ha|stig ⟨Adj.⟩: *aus innerer Unruhe, Aufgeregtheit heraus eilig, überstürzt:* h. essen; eine hastige Sprechweise. **sinnv.:** schnell.

Hau|be, die; -, -n: *Kopfbedeckung für Frauen, die dicht am Kopf anliegt.*

Hauch, der -[e]s: **1. a)** *sichtbarer oder fühlbarer Atem:* in der Kälte war der H. zu sehen. **b)** *leiser Luftzug:* ein sanfter, kühler H. **sinnv.:** Luft. **Zus.:** Frühlings-, Glut-, Luft-, Windhauch. **2.** ⟨H. + Attribut⟩ *spürbares Vorhandensein, Wirkung (von etwas):* ein H. [von] Rouge; der H. eines Lächelns. **sinnv.:** Nuance.

hau|chen ⟨itr.⟩: *Hauch ausstoßen:* er hauchte gegen die Fensterscheibe. **sinnv.:** blasen.

hau|en, haute/hieb, hat gehauen: **1. a)** ⟨tr.; haute, hat gehauen⟩ *(jmdm.) einen Schlag, mehrere Schläge versetzen:* er haute den Jungen immer wieder. **sinnv.:** schlagen. **Zus.:** ver-, zusammenhauen. **b)** ⟨itr.; haute/(geh.) hieb, hat gehauen⟩ *einen Schlag, Hieb (gegen etwas) führen; (auf, gegen, in etwas) schlagen:* er hat ihm/(seltener:) ihn ins Gesicht gehauen; mit der Faust auf den Tisch h. **c)** ⟨tr.; hieb/(ugs.) haute, gehauen⟩ *(mit einer Waffe) kämpfend angreifen, schlagen:* er hieb mit dem Schwert auf den Feind. ⟨tr.; haute, hat gehauen⟩ **a)** (ugs.) *(mit einem Werkzeug) etwas in etwas schlagen:* er haute den Nagel in die Wand. **b)** *durch Schlagen auf etwas, in etwas entstehen lassen, bewirken:* Stufen in den Fels h.

Hau|fen, der -s, -: **1.** *Menge übereinanderliegender Dinge:* ein H. faulender/(seltener:) faulende Äpfel lag/lagen auf dem Boden; alles auf einen H. legen. **sinnv.:** Ansammlung. **Zus.:** Abfall-, Ameisen-, Heu-, Mist-, Schutthaufen. **2.** (ugs.) *große Menge, Anzahl, sehr viel:* das kostet einen H. Geld; ein H. Menschen stand/standen umher. **sinnv.:** Gruppe.

häu|fen, haute ⟨tr.⟩: *in größerer Menge sammeln, stapeln:* Vorräte h. **sinnv.:** aufschichten, horten. **2.** ⟨sich h.⟩ *bedeutend zunehmen, mehr werden:* die alten Kartons häufen sich im Keller. **sinnv.:** überhandnehmen.

häu|fig ⟨Adj.⟩: *in großer Zahl vorkommend, sich wiederholend:* häufige Reisen; er kam h. zu spät. **sinnv.:** oft.

Haupt, das; -[e]s, Häupter (geh.): **1.** ↑*Kopf:* das H. neigen; das H. des Löwen. **Zus.:** Greisen-, Locken-, Medusenhaupt. **2.** ⟨H. + Attribut⟩ *wichtigste Person (mit führender, leitender Funktion):* das H. der Familie. **sinnv.:** Anführer. **Zus.:** Familienoberhaupt.

Haupt- ⟨Präfixoid⟩: *das/der im Basiswort Genannte als etwas/jmd., was bzw. der am hauptsächlichsten, wichtigsten, bedeutungsvollsten, größten von anderen dieser Art ist, an der Spitze von allen steht (im Unterschied zu weniger Wichtigem, Nebensächlichem):* Hauptabnehmer, -argument, -person, -verantwortung, -werk, -widersacher. **sinnv.:** Chef-, Grund-, Meister-.

Häupt|ling, der; -s, -e: *Anführer eines Stammes, Vorsteher eines Dorfes bei Naturvölkern.*

Haupt|sa|che, die; -, -n: *etwas, was in erster Linie berücksichtigt werden muß:* Geld war für ihn die H. **sinnv.:** das A und O, Kernpunkt, des Pudels Kern, der springende Punkt, Zentrum.

haupt|säch|lich: **I.** ⟨Adj.⟩ *die Hauptsache ausmachend:* ein hauptsächlicher Bestandteil. **II.** ⟨Adverb⟩ *vor allem, in erster Linie:* ihm fehlt es h. an Geld. **sinnv.:** besonders.

Haupt|stadt, die; -, Hauptstädte: *Stadt mit dem Sitz der Regierung eines Staates.*

Haus, das; -es, Häuser: **1.** *Gebäude bes. im Hinblick darauf, daß es Menschen zum Wohnen dient oder zu anderen ganz bestimmten Zwecken errichtet wurde:* ein modernes, einstöckiges H.; ein H. bauen; ich bin hier zu Haus[e] *(bin hier daheim, nicht fremd).* **sinnv.:** Baracke, Bau, Bauwerk, Bungalow, Gebäude, Hütte, Pavillon, Villa, Wolkenkratzer. **Zus.:** Bauern-, Einfamilien-, Fertig-, Garten-, Gast-, Kur-, Lager-, Land-, Miets-, Rat-, Schul-, Stein-, Waren-, Wirts-, Wochenend-, Wohn-, Zuchthaus. **2.** *[Herrscher]geschlecht:* das H. Habsburg. **sinnv.:** Familie. **Zus.:** Fürsten-, Königshaus.

Haus|auf|ga|be, die; -, -n: *zu Hause zu erledigende Aufgabe für die Schule:* seine Hausaufgaben machen.

hau|sen ⟨itr.⟩: **1.** *in einer dem eigenen Empfinden nach wenig angenehmen Weise irgendwo wohnen:* sie hausten in zerfallenen Häusern. **sinnv.:** sich aufhalten. **2.** *große Verwüstungen anrichten:* der Sturm hat hier schlimm gehaust.

Haus|frau, die; -, en, **Haus|mann,** der; -[e]s, Hausmänner: *weibliche bzw. männliche Person, die die Arbeiten im Haus ausführt, während der Partner beruflich tätig ist.*

Haus|halt, der; -[e]s, -e: **1.** *gemeinsame Wirtschaft der in einer Gruppe lebenden Personen, bes. einer Familie:* jmdm. den H. führen. **sinnv.:** Hauswesen, Hauswirtschaft, Wirtschaft. **Zus.:** Einzel-, Geschäfts-, Wasserhaushalt. **2.** *Einnahmen und Ausgaben eines Staates o. ä.:* über den H. beraten. **sinnv.:** Etat. **Zus.:** Bundes-, Staatshaushalt.

Haus|herr, der; -n, -en: **1.** *Haupt der Familie.* **2.** *Besitzer, Vermieter eines Hauses.* **sinnv.:** Hauswirt.

häus|lich ⟨Adj.⟩: **1.** ⟨nur attributiv⟩ *die Familie, das Zuhause betreffend:* die häuslichen Pflichten. **2.** *sich dem Leben in der Familie und dem Arbeiten im Haushalt widmend:* er ist sehr h.

Haus|mann: vgl. Hausfrau.

Haus|mei|ster, der; -s, -: *jmd., der angestellt ist, um in einem größeren Gebäude für die Reinhaltung, Einhaltung der Ordnung o. ä. zu sorgen.* **sinnv.:** Hauswart, Pedell, Schuldiener.

Haus|rat, der; -[e]s: *Gesamtheit der Möbel und Geräte eines Haushalts.* **sinnv.:** Mobiliar.

Haus|tier, das; -[e]s, -e: *zahmes, nicht freilebendes Tier, das der Mensch [zum Nutzen] hält.* **sinnv.:** Heimtier, Nutztier.

Haus|tür, die; -, -en: *Tür am [Haupt]eingang eines Hauses.*

Haut, die; -, Häute: **1.** *aus mehreren Schichten bestehendes, den Körper eines Menschen oder eines Tieres umgebendes, schützendes Gewebe:* eine zarte, trockene, dunkle, lederne H. **sinnv.:** Epidermis, Pelle. **Zus.:** Bären-, Gänse-, Horn-, Schlangen-, Schwimmhaut. **2. a)** *dünne Schicht auf der Oberfläche von Flüssigkeiten:* die heiße Milch hat eine H. **b)** *hautähnliche Schicht, Hülle:* die H. der Wurst. **sinnv.:** Schale.

häu|ten, häutete, hat gehäutet: **1.** ⟨tr.⟩ *bei einem getöteten Tier die Haut, das Fell entfernen:* einen Hasen häuten. **sinnv.:** abziehen. **2.** ⟨sich h.⟩ *die*

Haut, ihre äußere Schicht von sich streifen, abstoßen und erneuern: die Schlange häutet sich.

Heb|am|me, die; -, -n: *ausgebildete Helferin bei einer Geburt.* **sinnv.:** weise Frau, Geburtshelferin; Entbindungspfleger.

He|bel, der; -s, -: **1.** *länglicher Körper, der sich um einen festen Punkt bewegen läßt und mit dem Kräfte übertragen, Lasten, Gegenstände gehoben, von der Stelle bewegt werden können:* einen Felsbrocken mit Hilfe eines Hebels anheben. **2.** *Griff zum Einschalten, Steuern o. ä. einer Maschine:* einen H. bedienen. **Zus.:** Abzugs-, Gas-, Schalthebel.

he|ben, hob, hat gehoben ⟨tr.⟩: **1. a)** *in die Höhe bewegen:* eine Kiste h. **sinnv.:** anheben, aufheben, aufnehmen, aufziehen, hochheben, lüften, lupfen, stemmen. **b)** ⟨sich h.⟩ *sich in eine andere, erhöhte Lage, Stellung bewegen; in die Höhe gehen:* die Schranke hebt sich langsam. **2.** *etwas in seiner Wirkung, Entfaltung fördern, verbessern, steigern:* den Umsatz h. **sinnv.:** steigern.

Heck, das; -[e]s, -e und -s: *hinterer Teil eines Schiffes, Flugzeugs, Autos.* **Zus.:** Flugzeug-, Schiffs-, Wagenheck.

Hecke, die; -, -n: *dicht [in einer Reihe] stehende, häufig als Umzäunung, Begrenzung angepflanzte Büsche, Sträucher.* **sinnv.:** Dickicht, Zaun. **Zus.:** Brombeer-, Rosen-, Weißdornhecke.

Heer, das; -[e]s, -e: **1. a)** *Gesamtheit der Truppen eines Staates.* **sinnv.:** Armee. **b)** *für den Krieg auf dem Land bestimmter Teil der Truppen eines Staates:* H. und Marine. **2.** ⟨H. + Attribut⟩ *große Menge:* ein H. von Beamten.

He|fe, die; -, -n: *(aus verschiedenen Pilzen bestehendes) Mittel, das beim Backen zum Treiben, Aufgehen des Teigs und bei der Herstellung von Bier zum Gären verwendet wird.* **Zus.:** Bier-, Nähr-, Trocken-, Weinhefe.

Heft, das; -[e]s, -e: **I. a)** *zusammengeheftete und mit einem Einband versehene Blätter aus Papier, auf die geschrieben werden kann, vor allem für die Schule:* der Lehrer sammelte die Hefte ein. **Zus.:** Kolleg-, Rechen-, Schreib-, Schul-, Vokabel-, Zeichenheft. **b)** *einzelne Nummer einer Zeitschrift:* von dieser Zeitschrift sind nur drei Hefte erschienen. **c)** *dünnes, broschiertes, nicht fest gebundenes Buch:* ein H. Gedichte. **Zus.:** Dreigroschen-, Schundheft. **II.** ⟨geh.⟩ *Griff an einer Stichwaffe o. ä.:* das H. des Messers.

hef|ten, heftete, hat geheftet ⟨tr.⟩: **1.** *mit Nadeln, Klammern o. ä. befestigen, locker verbinden:* er heftete das Foto an den Brief. **2.** *mit Nadeln oder mit lockeren, großen Stichen lose annähen, vorläufig zusammenhalten:* den Saum [mit ein paar Stichen] h. **sinnv.:** anreihen, reihen. **Zus.:** an-, zusammenheften.

hef|tig ⟨Adj.⟩: **1.** *von starkem Ausmaß, großer Intensität; sich mit großer Wucht, großem Schwung, Ungestüm auswirkend:* ein heftiger Schlag; heftige Schmerzen; h. schimpfen. **sinnv.:** gewaltig, hart. **2.** *leicht erregbar; nicht gelassen; unwillig und unbeherrscht:* h. reagieren; er wird leicht h. **sinnv.:** hektisch, rabiat, reizbar, unbeherrscht.

Hei|de: I. der; -n, -n: *jmd., der nicht der christlichen, jüdischen oder islamischen Religion angehört.* **sinnv.:** Atheist. **II.** die; -, -n: *meist sandige, weite Landschaft, in der fast nur Sträucher und Gräser wachsen.*

Hei|del|bee|re, die; -, -n: *an einem sehr kleinen (in Wäldern und Heiden vorkommenden) Strauch wachsende, blauschwarze, wohlschmeckende Beere.*

Hei|den- ⟨Präfixoid; auch das Basiswort wird betont⟩ (verstärkend): *sehr groß, viel, riesig /in bezug auf Intensität oder Menge, was meistens als negativ empfunden wird/:* Heidenangst, -lärm, -schreck, -spaß. **sinnv.:** Mammut-, Monster-, Riesen-, Super-, Top-.

Hei|din, die; -, -nen: vgl. Heide (I).

heid|nisch ⟨Adj.⟩: *die Heiden, ihren Kult betreffend, dazu gehörend, davon geprägt:* heidnische Bräuche.

hei|kel ⟨Adj.⟩: *recht schwierig, oft auch gefährlich und nicht leicht zu lösen:* ein heikles Thema; eine heikle Situation. **sinnv.:** brisant, delikat.

heil ⟨Adj.⟩: **a)** *nicht verletzt, nicht versehrt:* er hat den Unfall h. überstanden. **sinnv.:** ganz, unbeschädigt, unverletzt, unversehrt. **b)** *wieder gesund, wieder geheilt:* das Knie ist wieder h. **c)** (ugs.) *nicht entzwei, nicht zerstört, sondern ganz, erhalten:* das Glas war noch heil.

hei|len, heilte, hat/ist geheilt: **1.** ⟨tr.⟩ **a)** *gesund machen:* er hat den Kranken geheilt. **sinnv.:** wieder auf die Beine bringen, durchbringen, heilen, kurieren, retten, wiederherstellen. **b)** */mit Medikamenten o. ä./ erfolgreich behandeln:* der Arzt hat die Krankheit geheilt. **sinnv.:** auskurieren, beheben. **2.** ⟨itr.⟩ *(von einer Verletzung o. ä.) vergehen, verschwinden:* die Wunde ist nur sehr langsam geheilt. **sinnv.:** abklingen, genesen, gesund werden, verheilen, zurückgehen.

hei|lig ⟨Adj.⟩: **a)** *(von Gott) geweiht, gesegnet:* das heilige Abendmahl. **sinnv.:** göttlich. **Zus.:** hoch-, unheilig. **b)** (geh.) *durch seinen Ernst o. ä. Ehrfurcht einflößend:* eine heilige Scheu. **sinnv.:** ernst, tabu, unantastbar.

heil|kräf|tig ⟨Adj.⟩: *heilende Kraft besitzend:* die Kamille ist eine heilkräftige Pflanze. **sinnv.:** gesund, gesundheitsfördernd.

heil|los ⟨Adj.⟩: *(meist in bezug auf etwas, was als unangenehm empfunden wird) in hohem Grad:* ein heilloses Durcheinander; sie waren h. zerstritten. **sinnv.:** schrecklich, sehr.

Heil|mit|tel, das; -s, -: *Mittel zum Heilen von Krankheiten.* **sinnv.:** Medikament, Mittel. **Zus.:** All-, Volksheilmittel.

heil|sam ⟨Adj.⟩: *nützlich (dadurch, daß man aus schlechter Erfahrung der Lehre zieht):* es war mir eine heilsame Lehre; diese Erfahrung war für mich h. **sinnv.:** nützlich.

Heim, das; -[e]s, -e: **1.** (ohne Plural) *jmds. Wohnung, Zuhause (unter dem Aspekt der Geborgenheit, angenehmer Häuslichkeit):* ein gemütliches H. **sinnv.:** Bleibe, Daheim, Domizil, Haus, Unterkunft, Wohnsitz. **Zus.:** Behelfs-, Eigenheim. **2.** *Wohnstätte [als öffentliche Einrichtung] (für einen bestimmten Personenkreis):* die alten Leute wohnten in einem H. **sinnv.:** Anstalt, Heilanstalt, Heilstätte, Hort, Internat, Sanatorium. **Zus.:** Alten[wohn]-, Alters-, Kinder-, Schulland-, Studenten[wohn]-, Wohnheim.

heim- ⟨trennbares, betontes verbales Präfix⟩: *nach Hause ...:* heimgehen, heimholen, heimschicken, heimtragen.

Hei|mat, die; -: *Land, Landesteil oder Ort, wo jmd. [geboren und] aufgewachsen ist, woher jmd./*

etwas stammt: die Gastarbeiter reisten in ihre H. zurück. **sinnv.:** Geburtsland, Geburtsort, Heimatland, Heimatort, Herkunftsland, Vaterland. **Zus.:** Ur-, Wahlheimat.

hei|misch ⟨Adj.⟩: **a)** *aus der Heimat stammend:* die heimischen Pflanzen. **sinnv.:** einheimisch, heimatlich. **b)** ⟨nicht attributiv⟩ *wie zu Hause:* er wurde in der fremden Stadt [nie] h. **sinnv.:** heimatlich.

heim|lich ⟨Adj.⟩: *(aus Scheu vor Bloßstellung oder weil man ein Verbot umgehen will) vor anderen verborgen; so unauffällig, daß andere nicht merken, was geschieht:* sie trafen sich h. **sinnv.:** diskret, geheim, im geheimen, insgeheim, bei Nacht und Nebel, hinter jmds. Rücken, im stillen, unbemerkt, unerkannt, unterderhand, im verborgenen, verstohlen. **Zus.:** klammheimlich.

heim|su|chen, suchte heim, hat heimgesucht ⟨tr.⟩: *als Unglück (über jmdn.) kommen:* eine Krankheit suchte ihn heim.

heim|tückisch ⟨Adj.⟩: *in gefährlicher Weise hinterhältig und bösartig:* ein heimtückischer Mensch. **sinnv.:** unaufrichtig.

Heim|weh, das; -s: *sehnsüchtiger Wunsch, zu Hause, in der Heimat zu sein.* **sinnv.:** Sehnsucht.

heim|zahlen, zahlte heim, hat heimgezahlt ⟨tr.⟩: *angetanes Übel [in gleicher Weise] vergelten:* ich werde es dir schon h.!

-heini, der; -s, -s ⟨Suffixoid⟩ (emotional) */bezeichnet eine männliche Person leicht geringschätzig im Zusammenhang mit dem im Basiswort Genannten, das situationsbedingt für ihn charakteristisch ist/:* Platten- *(Mann von der Plattenfirma)*, Versicherungsheini. **sinnv.:** -august, -fritze, -maxe.

Hei|rat, die; -, -en: *Verbindung von Mann und Frau zu einer Ehe.* **sinnv.:** Eheschließung, Hochzeit, Trauung.

hei|ra|ten, heiratete, hat geheiratet: **a)** ⟨itr.⟩ *eine Ehe schließen:* sie hat früh, aus Liebe geheiratet. **sinnv.:** die Ehe eingehen, Hochzeit feiern/halten/ machen, in den [heiligen] Stand der Ehe treten, sich trauen lassen, sich verehelichen/verheiraten/vermählen. **b)** ⟨tr.⟩ *mit jmdm. eine Ehe eingehen, schließen:* er hat sie nur wegen ihres Geldes geheiratet. **sinnv.:** jmdn. zum Altar/Traualtar führen, ehelichen, zur Frau/zum Mann nehmen, jmdm. das/sein Jawort geben.

hei|ser ⟨Adj.⟩: **a)** *(von der menschlichen Stimme) durch Erkältung oder durch vieles Reden, Singen, Schreien u. ä. rauh und fast tonlos:* eine heisere Stimme. **sinnv.:** belegt, krächzend, kratzig, rauchig, rauh. **b)** *mit heiserer (a) Stimme [sprechend o. ä.]:* ich bin heute ganz h.

heiß ⟨Adj.⟩: **1.** *sehr warm* /Ggs. kalt/: heiße Würstchen; ein heißer Sommer; sich h. duschen. **sinnv.:** glühend, kochend, siedend. **2.** *sehr heftig, leidenschaftlich (in bezug auf Gefühlsäußerungen):* ein heißer Kampf; heiße Rhythmen. **sinnv.:** erregt, hitzig. **3.** *gefährlich, mit Konflikten verbunden:* ein heißes Thema. **sinnv.:** brenzlig, brisant, explosiv, heikel. **4.** (emotional) *(in seiner Art, durch seine Art) mitreißende Begeisterung, Bewunderung hervorrufend:* ein heißer Typ; heiße Songs. **sinnv.:** [affen]geil, fetzig, großartig, phantastisch, stark, toll, umwerfend.

heiß-: ⟨adjektivisches Präfixoid; in Verbindung mit dem 2. Partizip⟩ (emotional) */kennzeichnet

das starke innere Beteiligtsein, bes. in bezug au die Erfüllung eines Wunsches, das Erreichen ei nes Zieles/ sehr:* heißersehnt, -geliebt, -umstrit ten.

hei|ßen, hieß, hat geheißen/(nach vorangeheny dem Infinitiv auch) hat ... heißen: **1.** ⟨itr.⟩ *den Na men haben; genannt werden:* er heißt Wolfgang wie heißt du? **sinnv.:** lauten, sich nennen. **2.** ⟨itr. †*bedeuten:* heißt das, daß ich gehen soll? ⟨häufi als Erklärung oder Einschränkung von etwa vorher Gesagtem in der Fügung „das heißt":⟩ ic komme morgen zu dir, das heißt, wenn ich nich selbst Besuch habe. **3.** ⟨tr.⟩ *befehlen:* wer hat dic kommen h./geheißen? **sinnv.:** anordnen, beauf tragen. **4.** ⟨itr.⟩ *(als Vermutung, Behauptung) ge sagt werden, (an bestimmter Stelle) zu lesen sein geschrieben stehen:* es heißt, er war lange im Aus land.

-heit/-ung: †-ung/-heit.

hei|ter ⟨Adj.⟩: **a)** *durch Unbeschwertheit, Froh sinn und innere Ausgeglichenheit gekennzeichnet* ein heiteres Gemüt. **sinnv.:** humoristisch. **c)** *klar mit viel Sonnenschein:* h. bis wolkig. **sinnv.:** son nig.

hei|zen: **1.** ⟨tr.⟩ **a)** *(einen Raum) erwärmen:* ein Wohnung h. **sinnv.:** beheizen, temperieren, warm machen. **b)** *Feuer machen (in etwas):* den Ofen h **2.** ⟨itr.⟩ *Wärme hervorbringen, erzeugen:* der Ofe heizt gut.

Hei|zung, die; -, -en: *Anlage, Gerät zum Behei zen von Räumen.* **sinnv.:** Klimaanlage. **Zus.** Fern-, Fußboden-, Gas-, Koks-, Luft-, Warmwas ser-, Zentralheizung.

Held, der; -en, -en, **Hel|din**, die; -, -nen: **1** *jmd., dessen persönlicher Einsatz für etwas als in bewundernswerter Weise mutig, vorbildlich angese hen wird:* jmdn. als Helden feiern. **sinnv.:** Cham pion, Gigant, Heros, Matador, Recke. **Zus.** Kriegs-, Maul-, Weiberheld. **2.** *Hauptperson [ei ner Dichtung usw.]:* der jugendliche H.

hel|fen, hilft, half, hat geholfen/(nach vorange hendem Infinitiv auch) hat ... helfen ⟨itr.⟩: **1.** a *jmdn. bei etwas unterstützen:* dem Bruder bei de Schularbeiten h. **b)** *einen Teil von dem machei was an anderer machen soll oder was zu machen z entlasten, ihm die Arbeit zu erleichtern:* ich habe ihm tragen helfen/geholfen. **sinnv.:** abnehmen, anpacken, unter die Arme greifen, assistieren aushelfen, behilflich sein, beispringen, Beistand leisten, beistehen, entlasten, an die/zur Hand ge hen, Hilfe bringen/leisten, zu Hilfe kommen Hilfestellung geben/leisten, zur Seite stehen, se kundieren, zuarbeiten. **2.** *(im Hinblick auf die Er reichung eines angestrebten Ziels, die Durchfüh rung einer bestimmten Absicht o. ä.) förderlich sein:* das Mittel hilft gegen Schmerzen. **sinnv.** dienlich sein, guttun, hilfreich sein, nutzen/nüt zen, von Nutzen sein, nützlich sein.

hell ⟨Adj.⟩: **1. a)** *viel Licht ausstrahlend:* eine hel le Lampe. **sinnv.:** glänzend, grell, leuchtend. **b)** *von Licht erfüllt:* ein heller Raum. **sinnv.:** freund lich, klar, licht, lichtdurchflutet, lichterfüllt, sil bern, sonnig. **Zus.:** stern[en]-, taghell. **2.** *nich dunkel* /von der Farbe/: ein helles Blau. **sinnv.:** freundlich, licht. **3.** *hoch im Ton:* eine helle Stim me. **sinnv.:** hoch, klar, rein, silbern. **Zus.:** glok ken-, silberhell. **4.** (emotional) *sehr [groß]:* seine helle Freude an jmdm. haben; ich war h. begeistert.

Hel|lig|keit, die; -: *das Hellsein:* seine Augen mußten sich erst an die H. gewöhnen. **sinnv.:** Licht.

Helm, der; -[e]s, -e: *vor Verletzungen, besonders durch Schlag oder Stoß, schützende Kopfbedeckung.* **sinnv.:** Kopfschutz, Schutzhaube. **Zus.:** Integral-, Schutz-, Stahl-, Sturzhelm.

Hemd, das; -[e]s, -en: **a)** *als Unterwäsche getragenes, über die Hüften reichendes [ärmelloses] Kleidungsstück.* **Zus.:** Unterhemd. **b)** *von männlichen Personen als Oberbekleidung getragenes, den Oberkörper bedeckendes Kleidungsstück.* **sinnv.:** T-Shirt. **Zus.:** Freizeit-, Oberhemd.

hem|men ⟨tr.⟩: *in der Bewegung, Entwicklung aufhalten:* eine Entwicklung h.; den Fortschritt h. **sinnv.:** behindern.

Hengst, der; -[e]s, -e: *männliches Tier /bes. beim Pferd/.*

Hen|kel, der; -s, -: *[gebogener] Griff zum Heben oder Tragen:* der H. der Tasse.

Hen|ker, der; -s, -: *jmd., der ein Todesurteil vollstreckt.*

Hen|ne, die; -, -n: *weibliches Haushuhn:* die H. legt ein Ei.

her ⟨Adverb⟩: **1.** ⟨räumlich⟩ *von dort nach hier:* h. mit dem Geld! **sinnv.:** herbei, herein, herüber. **Zus.:** hierher. **2.** ⟨zeitlich⟩ *(vom gegenwärtigen Zeitpunkt aus) zurückliegend:* es ist schon drei Jahre h. **sinnv.:** früher, vergangen.

her- ⟨trennbares, betontes verbales Präfix⟩: **1.** *von dort nach hier ...:* herbringen, herkommen, herlaufen, herschleifen, hersehen. **2.** */das im Basiswort Genannte ohne inneres Beteiligtsein, fast mechanisch tun/:* herbeten, herplappern.

her|ab ⟨Adverb⟩: *von dort oben nach hier unten.*

her|ab- ⟨trennbares, betontes verbales Präfix⟩: *von (dort) oben nach (hier) unten ...:* herabfallen, -flehen (Gottes Segen), -fließen, -hängen, -steigen, -strömen, -stürzen.

her|ab|las|send ⟨Adj.⟩: *(einem anderen gegenüber) kühl-freundlich und die eigene soziale Überlegenheit fühlen lassend:* h. grüßen; **sinnv.:** dünkelhaft.

her|an ⟨Adverb⟩: *von dort nach hier.*

her|an- ⟨trennbares, betontes verbales Präfix⟩: **1.** */bezeichnet die Annäherung/:* heranbrausen, -kommen, -locken, -reichen, -treten, -winken. **2.** */bezeichnet die Aufwärtsentwicklung bis zum möglichen Endpunkt/:* heranbilden, -reifen, -wachsen, -züchten.

her|auf ⟨Adverb⟩: *von dort unten nach hier oben.* **sinnv.:** aufwärts.

her|auf- ⟨trennbares, betontes verbales Präfix⟩: */bezeichnet eine Bewegung von (dort) unten nach (hier) oben/:* heraufholen, -laufen (Ggs. hinunterlaufen), -schauen (Ggs. hinunterschauen), -steigen (Ggs. hinuntersteigen).

her|aus ⟨Adverb⟩: *von dort drinnen nach hier draußen.*

her|aus- ⟨trennbares, betontes verbales Präfix⟩: **1.** */bezeichnet die Richtung von (dort) drinnen nach (hier) draußen/:* herausdringen, sich -mogeln, -reiten, -strömen, -tragen (Ggs. hineintragen), -tropfen. **2.** */besagt, daß etwas aus etwas entfernt und nach draußen geholt wird/:* herausdrehen, -schneiden, -stanzen, -trennen. **3.** */besagt, daß

aus dem, was vorliegt, ein bestimmtes Urteil o. ä. gebildet wird/:* herausbuchstabieren, -deuten, -lesen, -schmecken, -spüren.

her|aus|for|dern, forderte heraus, hat herausgefordert: **a)** ⟨tr.⟩ *zum Kampf auffordern:* er hatte seinen Beleidiger herausgefordert. **b)** ⟨itr.⟩ *zum Widerspruch reizen:* seine Worte forderten zur Kritik heraus. **sinnv.:** provozieren.

her|aus|ge|ben, gibt heraus, gab heraus, hat herausgegeben: **1.** ⟨tr./itr.⟩ *[für die Bezahlung einer Ware großes Geld erhalten und] den zuviel gezahlten Betrag in Kleingeld zurückgeben:* ich kann Ihnen nicht h.; können Sie zwanzig Pfennig, auf hundert Mark h.? **2.** ⟨tr.⟩ *(ein Buch o. ä. als Verleger) veröffentlichen:* ein Buch über Goethe h. **sinnv.:** abdrucken, drucken, edieren, herausbringen, verlegen, veröffentlichen. **3.** ⟨tr.⟩ *jmdn./etwas, was man in seinem Besitz festgehalten hat, freigeben, dem eigentlichen Besitzer wieder überlassen:* die Beute, einen Gefangenen h. **sinnv.:** ausliefern, freigeben, wiedergeben, zurückgeben.

her|aus|stel|len, stellte heraus, hat herausgestellt: **1.** ⟨sich h.⟩ *deutlich werden, sich zeigen:* es stellte sich heraus, daß er ein Betrüger war. **sinnv.:** sich entscheiden, sich erweisen, zutage treten. **2.** ⟨tr.⟩ *in den Mittelpunkt stellen:* das Wesentliche h. **sinnv.:** betonen, fördern.

herb ⟨Adj.⟩: **1. a)** *(durch fehlende Süße) leicht bitter, säuerlich im Geschmack:* ein herber Wein; die Schokolade schmeckt h. **sinnv.:** bitter, sauer, scharf, streng, trocken. **b)** *von kräftigem, nicht süßlichem Geruch:* ein herbes Parfüm. **2.** *Kummer verursachend, schwer zu ertragen:* eine herbe Enttäuschung. **sinnv.:** bitter, hart, schmerzlich, schwer. **3. a)** *nicht lieblich, sondern von strengem, verschlossen wirkendem Wesen:* er wirkt manchmal etwas h. **sinnv.:** distanziert, kühl, reserviert, schroff, spröde, unzugänglich, verbittert. **b)** *(in bezug auf eine Handlungsweise, eine Äußerung) besonders streng verteilend, kritisierend o. ä.:* für ihr Verhalten ernteten sie herbe Worte, herbe Kritik. **sinnv.:** hart, streng, unfreundlich.

her|bei ⟨Adverb⟩ (geh.): *von dort nach hier.* **sinnv.:** her.

her|bei- ⟨trennbares, betontes verbales Präfix⟩: *von irgendwo hierher, an den Ort des Geschehens ...:* -eilen, -holen, -rufen, -sehnen, -zaubern.

Herbst, der; -[e]s -e: *Jahreszeit zwischen Sommer und Winter:* ein sonniger H.; es wird H.

Herd, der; -[e]s, -e: **1.** *Vorrichtung zum Kochen, Backen und Braten (bei der die Töpfe, Pfannen o. ä. auf elektrisch beheizten Platten, auf Gasbrennern oder auf einer über der Feuerung angebrachten Stahlplatte erhitzt werden).* **sinnv.:** Kocher, Kochplatte, Ofen, Röhre. **Zus.:** Elektro-, Gas-, Küchen-, Mikrowellenherd. **2.** ⟨H. + Attribut⟩ *Stelle, von der etwas Übles ausgeht, sich weiter verbreitet:* der H. der Krankheit. **sinnv.:** Ausgangspunkt, Quelle, Zentrum. **Zus.:** Brand-, Infektions-, Krisen-, Unruheherd.

Her|de, die; -, -n: *größere Anzahl von zusammengehörenden (zahmen oder wilden) Tieren der gleichen Art [unter Führung eines Hirten oder eines Leittiers]:* eine H. Rinder, Elefanten. **sinnv.:** Meute, Rotte, Rudel, Schar, Schwarm. **Zus.:** Elefanten-, Rinder-, Schaf-, Ziegenherde.

her|ein ⟨Adverb⟩: *von dort draußen nach hier drinnen.* **sinnv.:** her.

her|ein- ⟨trennbares, betontes verbales Präfix⟩: *von (dort) draußen (hierher) nach drinnen ...:* sich hereinbemühen *(sich die Mühe machen, hereinzukommen),* -holen (Ggs. hinausbringen), -kommen (Ggs. hinausgehen), -schneien, -tragen (Ggs. hinaustragen).

her|ein|le|gen, legte herein, hat hereingelegt ⟨tr.⟩ (ugs.): *jmdn. auf geschickte Weise, durch einen Trick, eine List zu etwas veranlassen, was der betreffenden Person schadet:* er wollte mich h. **sinnv.:** betrügen.

her|fal|len, fällt her, fiel her, ist hergefallen ⟨itr.⟩: *jmdn./etwas zum Ziel seiner mit einer gewissen Intensität, Heftigkeit vorgenommenen Aktivitäten machen:* die Zeitungen sind über den Politiker hergefallen. **sinnv.:** angreifen, schlechtmachen.

Her|gang, der; -[e]s, Hergänge: *Beginn und Verlauf eines Geschehens:* der Zeuge erzählte den H. des Unfalls. **sinnv.:** Prozeß, Verlauf.

her|ge|ben, gibt her, gab her, hat hergegeben: **1.** ⟨tr.⟩ *(dem Sprechenden) reichen:* gib mir bitte einmal das Buch her. **2. a)** ⟨tr.⟩ *(für einen bestimmten Zweck, für andere) zur Verfügung stellen, abtreten:* für diese gute Sache hat er viel Geld hergegeben. **sinnv.:** opfern, schenken, übergeben. **b)** ⟨sich h.⟩ *(etwas, was von einem verlangt wird, was man aber als schlecht oder unwürdig empfindet) tun:* dafür gebe ich mich nicht her. **3.** ⟨itr.⟩ (ugs.): *von einer gewissen Ergiebigkeit sein, so daß man etwas davon hat:* dieser Aufsatz gibt [nicht] viel her. **sinnv.:** etwas bieten, ergiebig sein.

Her|kunft, die; -: **1.** *bestimmter sozialer, nationaler, kultureller Bereich, aus dem jmd. kommt:* er ist adliger H. **sinnv.:** Abstammung, Couleur. **2.** *Ort, Bereich, woher etwas stammt:* die Ware ist ausländischer H.

Herr, der; -n, -en: **1.** *(ein im Urteil des Sprechers) gebildeter, gepflegter Mann /*auch als übliche höfliche Bezeichnung für eine männliche Person im gesellschaftlichen Verkehr; Ggs.: Dame/: ein junger, älterer H.; /als Ausdruck der ironischen Distanz/ die Herren Journalisten; /als Teil der Anrede/ H. Müller; H. Professor; die Rede des Herrn Abgeordneten Müller; wir erwarten des Herrn Ministers Müller Rede; meine [Damen und] Herren! **2.** ⟨H. + Attribut⟩ *jmd., der über andere oder über etwas herrscht:* er ist H. über große Güter; die Eroberer machten sich zu Herren des Landes. **sinnv.:** Besitzer, Gebieter, Oberhaupt, Vorgesetzter. **Zus.:** Dienst-, Guts-, Lehrherr. **3.** ⟨ohne Plural⟩ (christliche Rel.) ↑ *Gott* /mit bestimmtem Artikel außer in der Anrede/: den Herrn anrufen.

herr|risch ⟨Adj.⟩: *über andere bestimmen wollend:* ein herrisches Auftreten. **sinnv.:** despotisch, gebieterisch, herrschsüchtig, streng, tyrannisch.

herr|lich ⟨Adj.⟩ (emotional): *in einem so hohen Maße als gut empfunden, daß man es sich nicht besser vorstellen kann:* ein herrlicher Wein; im Urlaub war es h. **sinnv.:** himmlisch, schön, vortrefflich.

Herr|schaft, die; -, -en: **1.** ⟨ohne Plural⟩ *das Herrschen* (1) *über etwas/jmdn.:* die H. über ein Land ausüben; die H. antreten. **sinnv.:** Absolutismus, Demokratie, Diktatur, Monarchie, Regentschaft, Regierung, Regime. **Zus.:** Allein-, Gewalt-, Volksherrschaft. **2.** ⟨Plural⟩ *die anwesenden, versammelten Personen /*oft als Anrede/: die Herrschaften werden gebeten, ihre Plätze einzunehmen.

herr|schen ⟨itr.⟩: **1.** *Macht, Gewalt (über jmdn., etwas) ausüben, haben:* über viele Länder h.; der herrschenden Klasse angehören. **sinnv.:** regieren. **2.** *(in Verbindung mit einem Abstraktum)* (nachdrücklich): *in beeindruckender, auffallender Weise sein:* es herrschte völlige Stille; damals herrschten furchtbare Zustände. **sinnv.:** bestehen, existieren, vorhanden sein, walten.

Herr|scher, der; -s, -, **Herr|sche|rin,** die; -, -nen: *männliche bzw. weibliche Person, die herrscht* (1). **sinnv.:** Regent.

her|stel|len, stellte her, hat hergestellt ⟨tr.⟩: **1.** *(etwas) [meist in mehreren Arbeitsgängen] gewerbsmäßig produzieren:* diese Firma stellt Motoren her. **sinnv.:** anfertigen. **2.** *durch bestimmte Anstrengungen, Bemühungen erreichen, daß etwas zustande kommt:* das Gleichgewicht h. **sinnv.:** ermöglichen, möglich machen, schaffen, zuwege bringen.

her|über ⟨Adverb⟩: *von [der anderen Seite] drüben nach hier.* **sinnv.:** her.

her|um ⟨Adverb⟩: **1.** *in kreis- oder bogenförmiger Anordnung oder Bewegung (um etwas):* um das Haus h. standen Bäume. **sinnv.:** rings[um], rund[um], auf/von allen Seiten. **Zus.:** rings-, rundherum. **2.** (ugs.) /in bezug auf Raum-, Zeit-, Mengenangaben/ *ungefähr, etwa (um):* um die Mittagszeit h.; so um die 30 Mark h. **sinnv.:** oder so, zirka.

her|um- ⟨trennbares, betontes verbales Präfix⟩: **a)** */charakterisiert [in leicht abschätziger Weise] das im Basiswort genannte, sich über einen gewissen [Zeit]raum erstreckende Tun o. ä. als weitgehend ziellos, planlos, wahllos, als nicht genau auf ein bestimmtes Ziel mal hierhin und mal dorthin gerichtet/:* herumfuchteln, -kommandieren, -reisen, -schleppen, -schreien. **b)** */besagt, daß sich das im Basiswort genannte [oft als unnütz, ärgerlich o. ä. angesehene] Geschehen, Tun über eine gewisse Zeit hinzieht, daß man damit immer wieder einige Zeit beschäftigt ist/:* herumexperimentieren, -telefonieren. **sinnv.:** rum-, umher-. **c)** */bedeutet eine Kritik an dem im Basiswort genannten Tun/:* herumerzählen, -erziehen, -lamentieren, -stochern. **d)** */auf die andere Seite, in eine andere Richtung/:* das Steuer herumreißen. **e)** */bezeichnet eine kreis-, bogenförmige Richtung;* oft in Verbindung mit „um"/: um das Hindernis herumfahren, sich um ein Problem herummogeln.

her|un|ter ⟨Adverb⟩: *von dort oben nach hier unten:* vom Berg h. **sinnv.:** abwärts.

her|un|ter- ⟨trennbares, betontes verbales Präfix⟩: **1. a)** *von (dort) oben (hierher) nach unten:* herunterbeugen, -brennen, -holen (Ggs. hinaufbringen), -rutschen, -schauen, -steigen (Ggs. hinaufsteigen). **sinnv.:** abwärts-, herab-, hinab-, hinunter-, nieder-, runter-. **b)** *geringer machen:* herunterhandeln. **c)** */im negativen Sinne/:* herunterkommen (verwahrlosen), jmdn. -machen *(jmdn. scharf kritisieren),* -wirtschaften (einen Betrieb). **2.** *nach unten:* herunterbaumeln, -hängen. **3.** */kennzeichnet das Entfernen von einer Oberfläche; weg von/:* herunterkratzen. **4. a)** */kennzeichnet die Monotonie, Eintönigkeit, Interesselosigkeit in bezug auf das im Basiswort genannte Tun/:* herunterbeten, -leiern. **b)** /von Anfang bis Ende, hinter-einander/: er hat den Schlager flott herunterge-spielt.

her|vor ⟨Adverb⟩: **1.** von dort hinten nach hier vorn: aus der Ecke h. **2.** (zwischen oder unter etwas) heraus: aus dem Wald h.

her|vor- ⟨trennbares, betontes verbales Präfix⟩: von (dort) hinten/unten/drinnen (hierher) nach vorn/oben/draußen: hervorbringen, -holen, -kommen, -kramen, -locken, -ragen, -stehen. **sinnv.:** heraus-, hinaus-, vor-.

her|vor|he|ben, hob hervor, hat hervorgeho-ben ⟨tr.⟩: besonders in den Vordergrund stellen: seine Verdienste wurden hervorgehoben. **sinnv.:** betonen.

her|vor|ra|gend ⟨Adj.⟩: durch Qualität, Bega-bung, Leistung herausragend: eine hervorragende Aufführung; er arbeitet h. **sinnv.:** ausgezeichnet, blendend, meisterhaft, vortrefflich.

Herz, das; -ens, -en: **1.** in der Brust befindliches Organ, das den Kreislauf des Blutes durch regel-mäßiges Sichzusammenziehen und Dehnen in Gang hält: das H. schlägt schnell, setzt aus. **Zus.:** Kunst-, Spenderherz. **2.** (meist geh.) in der Vor-stellung im Herzen (1) lokalisiertes, dem Herzen (1) zugedachtes Zentrum von Empfindungen, Ge-fühlen, Eigenschaften: sie hat ein gütiges H.; sie hat ein H. aus Stein (ist gefühllos, mitleidlos). **sinnv.:** Seele. **3.** Figur o. ä. mit zwei symmetrisch in einer Spitze auslaufenden Rundungen, die der Form des Herzens (1) nachgebildet ist: eine Kette mit einem kleinen goldenen Herzen daran. **4. a)** ⟨ohne Artikel; ohne Plural⟩ [dritthöchste] Farbe im Kartenspiel: H. ist Trumpf. **b)** ⟨Plural Herz⟩ Spielkarte mit Herz (4 a) als Farbe (siehe Bildleiste „Spielkarten"): er hat drei H. auf der Hand.

herz|haft ⟨Adj.⟩: **1.** von beträchtlicher Heftigkeit, Festigkeit, Größe, Stärke o. ä.: ein herzhafter Schluck aus der Flasche. **sinnv.:** gehörig. **2.** sehr gehaltvoll und von kräftigem Geschmack: ein herz-haftes Essen.

herz|lich: I. ⟨Adj.⟩ eine von Herzen kommende Freundlichkeit, großes und tiefes Mitgefühl besit-zend und nach außen zeigend: herzliche Worte; jmdn. h. begrüßen. **sinnv.:** gütig. **II.** ⟨Adverb⟩ (emotional) /drückt ablehnende Distanz aus, weil es nicht den persönlichen Vorstellungen usw. entspricht/ ziemlich, sehr: das war h. wenig; der Vortrag war h. schlecht, langweilig.

herz|los ⟨Adj.⟩: kein Mitleid zeigend, ohne Mitge-fühl: ein herzloser Mensch. **sinnv.:** unbarmher-zig.

het|zen: 1. ⟨tr.⟩ **a)** mit großer Intensität, Anstren-gung verfolgen, vor sich her treiben: der Hund hetzt das Reh. **sinnv.:** verfolgen. **b)** (ein Tier, bes. einen Hund) dazu veranlassen, jmdn. anzufallen, zu verfolgen: die Hunde auf jmdn. h. **2.** ⟨itr.⟩ zum Haß (gegen jmdn.) reizen: gegen die Regierung h. **sinnv.:** aufwiegeln. **3.** ⟨itr.⟩ in großer Eile sein, et-was hastig tun: es ist noch Zeit, wir müssen nicht h.; ⟨auch: sich h.⟩ du brauchst dich nicht so zu h. **sinnv.:** sich beeilen.

Heu, das; -[e]s: getrocknetes Gras, das als Futter verwendet wird. **sinnv.:** Grummet.

heu|cheln: a) ⟨tr.⟩ (eine nicht vorhandene gute Eigenschaft, ein Gefühl o ä.) als vorhanden erschei-nen lassen: Liebe, Trauer h. **sinnv.:** vortäuschen.

b) ⟨itr.⟩ sich verstellen und nicht seine wirklichen Gedanken erkennen lassen: du heuchelst doch nur.

heu|len ⟨tr.⟩: **1.** (ugs.) ↑weinen: hör endlich auf zu h.! **2.** laute, langgezogene und dumpfe [klagen-de] Töne von sich geben: die Wölfe heulen; der Wind heult.

heu|te ⟨Adverb⟩: **1.** an diesem Tag: h. ist Sonn-tag. **2.** in der gegenwärtigen Zeit: h. macht alles die Maschinen. **sinnv.:** jetzt.

heu|tig ⟨Adj.; nur attributiv⟩: **1. a)** heute stattfin-dend: auf der heutigen Veranstaltung spricht ein Politiker. **b)** heute eingetroffen, von heute: die heutigen Briefe. **2.** in der gegenwärtigen Zeit gül-tig, vorhanden: der heutige Stand der Technik. **sinnv.:** augenblicklich, modern.

heut|zu|ta|ge ⟨Adverb⟩ (emotional): in der ge-genwärtigen Zeit (im Vergleich zu früher): h. ist das nicht mehr üblich. **sinnv.:** jetzt.

He|xe, die; -, -n: (bes. in Märchen und Sage) [al-te, böse] Frau, die zaubern kann. **sinnv.:** böse Fee, Zauberin.

Hieb, der; -[e]s, -e: gezielter, heftiger Schlag: ein H. mit der Axt. **sinnv.:** Stoß. **Zus.:** Faust-, Peit-schenhieb.

hier ⟨Adverb⟩: an dieser Stelle, diesem Punkt; nicht dort: h. ist der Weg! **sinnv.:** da, hierzulande, in diesem Land, an diesem Ort.

hier|her [nachdrücklich auch: hierher] ⟨Ad-verb⟩: von dort nach hier, an diese Stelle, diesen Ort hier: auf dem Weg h.; h. mit dir! **sinnv.:** her.

hier|in [nachdrücklich auch: hierin] ⟨Pronomi-naladverb⟩: in diesem Punkte, in dieser Bezie-hung: h. hat er sich geirrt. **sinnv.:** darin.

hier|mit [nachdrücklich auch: hiermit] ⟨Prono-minaladverb⟩: **1.** mit dieser Angelegenheit, diesem soeben erwähnten Gegenstand, Mittel o. ä.: h. hat-te der Betrieb großen Erfolg. **sinnv.:** dadurch, da-mit. **2.** auf diese Weise; [gleichzeitig mit diesem Geschehen, Vorgang o. ä.: h. beendete er seine Rede. **sinnv.:** so.

hier|zu [nachdrücklich auch: hierzu] ⟨Pronomi-naladverb⟩: ↑dazu.

hier|zu|lan|de ⟨Adverb⟩ (emotional): hier in die-sem Lande, in dieser Gesellschaft, bei uns (im Ver-gleich zu anderen Ländern): diese Möbel sind h. sehr teuer.

hie|sig ⟨Adj.; nur attributiv⟩: hier [in dieser Ge-gend] ansässig, vorhanden, von hier stammend: die hiesige Bevölkerung.

Hil|fe, die; -, -n: **1.** ⟨ohne Plural⟩ Tat o. ä., die da-zu beiträgt, eine Schwierigkeit zu überwinden, eine Unterstützung zu leisten, eine Aufgabe zu erfüllen: H. in der Not; um H. rufen; jmdm. zu H. eilen. **sinnv.:** Assistenz, Beistand, Dazutun, Förderung, Handreichung, Hilfeleistung, Hilfestellung, Stüt-ze, Unterstützung, Wohltat, Zutun. **Zus.:** Ausbil-dungs-, Bei-, Entwicklungs-, Mit-, Schützen-, Sterbehilfe. **2.** jmd., der für Arbeiten in einem Haushalt, Geschäft angestellt ist: eine H. für den Haushalt. **sinnv.:** Helfer. **Zus.:** Haushalts-, Kü-chenhilfe.

hilf|los ⟨Adj.⟩: **a)** sich selbst nicht helfen könnend, auf Hilfe angewiesen: er lag h. auf der Straße. **sinnv.:** machtlos. **b)** sich aus Ungeschicklichkeit, Verwirrtheit o. ä. nicht recht zu helfen wissend: h. stammelte er ein paar Worte. **sinnv.:** unbeholfen, ungeschickt, verwirrt.

hilfs|be|reit ⟨Adj.⟩: *bereit zu helfen, andern mit seiner Hilfe zur Verfügung stehend:* ein hilfsbereiter Mensch. **sinnv.:** gefällig.

Him|bee|re, die; -, -n: *an einem stacheligen Strauch wachsende rote, wohlschmeckende Beere (die aus vielen kleinen Früchten zusammengesetzt ist).*

Him|mel, der; -s: 1. *(scheinbar sich am Horizont erhebendes) über der Erde liegendes Gewölbe (an dem die Sterne erscheinen):* der H. ist blau, wolkig. **sinnv.:** Äther, Firmament. **Zus.:** Abend-, Sternen-, Wolkenhimmel. 2. *der Erde (oder der Hölle) als dem Diesseits gegenüberstehend gedachter Aufenthalt Gottes (der Engel und der Seligen):* in den H. kommen. **sinnv.:** Ewigkeit, Jenseits, Reich Gottes, ewige Seligkeit.

Him|mels|rich|tung, die; -, -en: *eine der vier Seiten des Horizonts:* sie kamen aus allen Himmelsrichtungen *(von überallher).* **sinnv.:** Himmelsgegend; Norden, Osten, Süden, Westen.

himm|lisch ⟨Adj.⟩: 1. *den Himmel, das Jenseits betreffend, von dort, von Gott ausgehend:* eine himmlische Fügung. **sinnv.:** göttlich. 2. (emotional) *jmds. Entzücken, Wohlbehagen o. ä. hervorrufend:* das Wetten ist [einfach] h. **sinnv.:** herrlich.

hin ⟨Adverb⟩: 1. a) ⟨räumlich⟩ *in Richtung auf; zu einem bestimmten Punkt:* zur Straße, nach rechts h. b) ⟨zeitlich⟩ *auf ... zu:* gegen Mittag, zum Winter h. 2. */drückt die Erstreckung aus:* a) ⟨räumlich⟩ über die ganze Welt h.; vor sich h. *(für sich)* reden, gehen. b) ⟨zeitlich⟩ durch Jahre h. 3. * *auf ... hin:* a) *auf Grund:* er wurde auf seine Anzeige h. verhaftet. b) *in Hinblick auf:* jmdn. auf Tuberkulose h. untersuchen.

hin- ⟨trennbares, betontes verbales Präfix⟩: 1. *nach dort, auf ein Ziel zu ...:* hingehen, -laufen. 2. *nach unten an eine bestimmte Stelle:* hinlegen, hinwerfen. 3. */bezeichnet das allmähliche Aufhören/:* hinschlachten, hinsiechen. 4. */nur flüchtig/:* (etwas so) hinsagen, hinschreiben.

hin|ab ⟨Adverb⟩: *von hier oben nach dort unten:* der Sprung über der Mauer h.

hin|ab- ⟨trennbares, betontes verbales Präfix⟩: *von oben nach dort unten ...:* hinabwerfen.

hin|auf ⟨Adverb⟩: *von hier unten nach dort oben:* den Berg h. ging es schwerer. **sinnv.:** aufwärts.

hin|auf- ⟨trennbares, betontes verbales Präfix⟩: *von unten nach dort oben ...:* hinaufklettern.

hin|aus ⟨Adverb⟩: 1. *aus diesem [engeren] Bereich in einen anderen [weiteren], bes. aus dem Inneren von etwas nach draußen:* h. in die Ferne; zur Seite h. 2. * *auf ... h. (auf die Dauer von, für):* auf Jahre h.

hin|aus- ⟨trennbares, betontes verbales Präfix⟩: 1. *von drinnen nach dort draußen ...:* hinaustragen (Ggs. hereintragen), hinauswerfen. 2. *weiter als ein bestimmter Punkt ...:* darüber hinausgehen, -gelangen.

hin|aus|lau|fen, läuft hinaus, lief hinaus, ist hinausgelaufen ⟨itr.⟩: 1. *von drinnen nach dort draußen laufen.* 2. *zur Folge, im Lauf einer Entwicklung als Endpunkt haben:* der Plan läuft auf eine Stillegung hinaus.

Hin|blick: (in der Fügung) in/im H. auf: *bei Betrachtung/Berücksichtigung von etwas:* in H. auf die besondere Lage kann hier eine Ausnahme gemacht werden. **sinnv.:** angesichts.

hin|der|lich ⟨Adj.⟩: *eine Behinderung, ein Hindernis darstellend:* der Verband ist sehr h. **sinnv.:** hemmend, lästig, nachteilig, störend.

hin|dern ⟨tr.⟩: 1. *jmdn. in die Lage bringen, daß er etwas Beabsichtigtes nicht tun kann, es ihm unmöglich machen:* er hat ihn am Davonlaufen gehindert. **sinnv.:** von etwas abhalten, durchkreuzen, sich entgegenstellen, lähmen, lahmlegen, jmdm. einen Strich durch die Rechnung machen, jmdm. etwas unmöglich machen. 2. *sich als störend (bei etwas) erweisen:* der Verband hindert mich beim Schreiben. **sinnv.:** behindern, stören.

Hin|der|nis, das; -ses, -se: *etwas, was das Erreichen eines Ziels, das Weiterkommen be- oder verhindert, für jmdn./etwas hinderlich ist:* ein H. errichten; wir mußten viele Hindernisse überwinden. **sinnv.:** Handikap, Sperre, Widerstand.

hin|deu|ten, deutete hin, hat hingedeutet ⟨itr.⟩: 1. *(auf etwas/jmdn.) deuten:* er hat mit dem Kopf auf den Schrank hingedeutet. 2. *(auf etwas) schließen lassen:* diese Spuren deuten auf ein Verbrechen hin. **sinnv.:** anzeigen.

hin|ein ⟨Adverb⟩: *von einem Bereich in diesen anderen, bes. von hier draußen nach dort drinnen:* h. [mit euch] ins Haus!; oben h.; zur Tür h. **sinnv.:** hin.

hin|ein- ⟨trennbares, betontes verbales Präfix⟩: *von draußen nach dort drinnen ...:* hineinsprechen, hineintragen.

hin|ein|ver|set|zen, sich; versetzte sich hinein, hat hineinversetzt: *sich in jmds. Lage versetzen; (jmdm. in seinem Denken, Empfinden) gut verstehen:* er konnte sich in seinen Freund, ihre Situation gut h. **sinnv.:** sich einfühlen.

Hin|fahrt, die; -, -en: *Fahrt von einem Ort hin einem anderen (wobei eine spätere Rückfahrt vorgesehen ist)* /Ggs. Rückfahrt/: auf der H. traf ich einen Freund, auf der Rückfahrt war ich allein. **sinnv.:** Anreise.

hin|fal|len, fällt hin, fiel hin, ist hingefallen ⟨itr.⟩: *beim Gehen, Laufen zu Boden fallen, stürzen:* das Kind ist hingefallen. **sinnv.:** fallen.

hin|fäl|lig ⟨Adj.⟩: 1. *inzwischen nicht mehr notwendig, nicht mehr geltend:* meine Einwände sind h. geworden. **sinnv.:** grundlos. 2. *durch Krankheit, vielerlei Beschwerden bes. des Alters stark geschwächt:* er ist schon sehr h. **sinnv.:** altersschwach, elend, gebrechlich, klapprig, schwach, schwächlich, senil, tatterig.

Hin|ga|be, die; -: 1. *völliges Aufgehen (in etwas), großer Eifer (für etwas):* er spielte mit H. Klavier. **sinnv.:** Eifer, Einsatz, Einsatzbereitschaft, Hingebung, Idealismus. 2. *Aufgabe, Opferung seiner selbst für eine Sache, Idee, Person:* sie pflegte ihn mit selbstloser H. **sinnv.:** Demut.

hin|ge|ben, gibt hin, gab hin, hat hingegeben: 1. ⟨tr.⟩ (geh.) ↑*opfern:* sein Leben für jmdn. h. 2. ⟨sich h.⟩ *sich einer Sache eifrig widmen, völlig überlassen:* sich seinen Träumen, dem Trunk h. **sinnv.:** sich befassen.

hin|ken, hinkte, hat/ist gehinkt ⟨itr.⟩: 1. a) */infolge eines Leidens an Bein oder Hüfte in der Fortbewegung behindert sein und daher/ in der Hüfte einknickend oder ein Bein nachziehend gehen:* seit seiner Verletzung hat er gehinkt; auf dem rechten Fuß h. **sinnv.:** humpeln, lahmen. b) *sich hinkend (1 a) irgendwohin bewegen:* er ist nach Hause gehinkt. 2. *nicht passen, nicht zutreffen:* deine Vergleiche haben gehinkt.

hin|kom|men, kam hin, ist hingekommen ⟨itr.⟩: **1.** *(an einen bestimten Ort) kommen:* als ich hinkam, war der Vortrag schon zu Ende. **2.** *irgendwo seinen Platz erhalten:* wo kommen die Bücher hin? **3.** (ugs.) ↑*auskommen:* ich bin mit dem Geld nicht hingekommen. **sinnv.:** ausreichen.

hin|läng|lich ⟨Adj.⟩: *so, daß es schon genügt:* das ist h. bekannt. **sinnv.:** genug.

hin|le|gen, legte hin, hat hingelegt: **1.** ⟨tr.⟩ *(an einen bestimten Ort) legen:* er legte die Zeitung wieder hin. **sinnv.:** plazieren. **2. a)** ⟨sich h.⟩ *sich (für kürzere Zeit) liegend ausruhen:* ich habe mich für eine halbe Stunde hingelegt. **b)** ⟨tr.⟩ *zu Bett bringen, auf ein Lager, zur Ruhe legen:* nach dem Essen legte sie das Baby hin.

hin|neh|men, nimmt hin, nahm hin, hat hingenommen ⟨tr.⟩: *mit Gleichmut aufnehmen; sich (etwas) gefallen lassen:* etwas als selbstverständlich h.; er nahm die Vorwürfe gelassen hin. **sinnv.:** aushalten.

hin|rei|ßen, riß hin, hat hingerissen ⟨tr.⟩: **1.** *bei jmdm. Entzücken, große Begeisterung auslösen:* er konnte das Publikum h.; sie sang hinreißend; sie war hinreißend schön. **sinnv.:** begeistern. **2.** *gefühlsmäßig überwältigen und zu etwas verleiten:* sich zu einer Beleidigung h. lassen. **sinnv.:** verleiten.

hin|rich|ten ⟨tr.⟩, richtete hin, hat hingerichtet ⟨tr.⟩: *ein Todesurteil (an jmdm.) vollstrecken:* der Verräter wurde öffentlich hingerichtet. **sinnv.:** enthaupten, hängen, kreuzigen, steinigen.

hin|sein, ist hin, war hin, ist hingewesen ⟨itr.⟩ (ugs.): **a)** *zerstört, nicht mehr brauchbar sein:* ich sehe, daß der Teller, das Auto hin ist. **sinnv.:** entzwei sein. **b)** *verloren, weg sein:* sein Ruf war hin. **c)** *entzückt, begeistert sein:* wir waren ganz h. von der Musik.

hin|sicht|lich ⟨Präp. mit Gen.⟩: *was (eine bestimmte Sache) angeht, betrifft:* h. eines neuen Termins wurde keine Einigung erzielt. **sinnv.:** betreffend, betreffs, in bezug auf, bezüglich, in Hinsicht auf, in puncto.

hin|stel|len, stellte hin, hat hingestellt: **1. a)** ⟨tr.⟩ *auf eine Stelle, an einen bestimmten Platz stellen, dort absetzen, abstellen o. ä.:* die Schüssel vor jmdn. h. **sinnv.:** absetzen, plazieren. **b)** ⟨sich h.⟩ *sich an eine bestimmte Stelle stellen, dort Aufstellung nehmen:* stell dich dort hin! **sinnv.:** sich aufstellen. **2.** ⟨tr.⟩ *so (von jmdm.) sprechen, daß ein bestimmter Eindruck (von ihm) entsteht:* er hat ihn als Betrüger, als Vorbild hingestellt. **sinnv.:** ansprechen als, bezeichnen als.

hin|ten ⟨Adverb⟩ /Ggs. vorn[e]/: **1.** *auf der entfernter gelegenen, abgewandten, zurückliegenden Seite; im entfernter gelegenen Teil:* die Öffnung ist h.; da h., dort h.; er ist h. im Garten. **sinnv.:** achtern, im Hintergrund. **2.** *an letzter Stelle [einer Reihe]; im hinteren Teil:* du mußt dich h. anstellen; h. einsteigen.

hin|ter: **I.** ⟨Präp. mit Dativ und Akk.⟩. **1. a)** ⟨Dativ; Lage; Frage: wo?⟩ *auf der Rückseite (von etwas/jmdm.):* h. dem Haus; die Tür h. sich schließen. **b)** ⟨Akk.; Richtung; Frage: wohin?⟩ *auf die Rückseite (von etwas/jmdm.):* h. das Haus gehen; ich stelle mich h. ihn. **2.** ⟨in Abhängigkeit von bestimmten Wörtern⟩: zurückbleiben h. jmdm.; etwas h. sich haben. **II. 1.** /in Verbindung mit einem Personalpronomen in Konkurrenz zu *dahin-*

ter; bezogen auf eine Sache (ugs.)/: dort ist eine Säule. H. ihr (statt: dahinter) kannst du dich gut verstecken. **2.** /in Verbindung mit „was" in Konkurrenz zu *wohinter;* bezogen auf eine Sache (ugs.)/ **a)** /in Fragen/: h. was (besser: wohinter) versteckst du dich? **b)** /in relativer Verbindung/: in der Dunkelheit war nicht zu erkennen, h. was (besser: wohinter) er seinen Kopf verborgen hielt.

hin|ter... ⟨Adj.⟩: *sich hinten befindend:* wir wohnen im hinteren Teil des Hauses.

hin|ter- ⟨verbales Präfix⟩ ⟨unbetont, wird nicht getrennt⟩: **a)** /drückt etwas Heimliches, Verstecktes, Unehrliches aus/: hinterbringen (er hinterbringt/hinterbrachte ihm diese Nachricht/hat sie ihm hinterbracht/um sie zu hinterbringen), hintertreiben. **b)** /drückt ein Zurückbleiben, -lassen aus/: hinterlassen (er hinterläßt/hinterließ ein kleines Vermögen/hat ein kleines Vermögen hinterlassen/um es zu hinterlassen). **c)** *dahinter:* hinterfragen (er hinterfragt/hinterfragte/hat hinterfragt/um zu hinterfragen; *zu ergründen suchen, was sich dahinter* [z. B. einer Äußerung] *tatsächlich verbirgt*).

hin|ter|ein|an|der ⟨Adverb⟩: **1.** *einer hinter dem andern:* sich h. aufstellen. **2.** *unmittelbar aufeinanderfolgend:* ich arbeitete acht Stunden h.

hin|ter|ge|hen, hinterging, hat hintergangen ⟨tr.⟩: *durch ein heimliches Tun betrügen, durch unaufrichtiges Verhalten täuschen:* sie hat ihn mit einem anderen Mann hintergangen. **sinnv.:** betrügen.

Hin|ter|grund, der; -[e]s, Hintergründe: **1.** *hinterer, anschließender Teil von etwas, was im Blickfeld liegt [und von dem sich anderes abhebt]* /Ggs. Vordergrund/: im H. des Saales; das Gebirge bildet einen prächtigen H. für die Stadt. **sinnv.:** Background, Folie, Fond, Tiefe. **2.** ⟨Plural⟩ *innere, verborgene Zusammenhänge:* die Hintergründe der Affäre reichen mehrere Jahre zurück.

Hin|ter|halt, der; -[e]s, -e: *Ort, Versteck, von dem aus jmd. in feindlicher Absicht auf jmdn. lauert, ihn angreifen will:* in einen H. geraten. **sinnv.:** Falle, Versteck.

hin|ter|häl|tig ⟨Adj.⟩: *mit einem scheinbar harmlosen Verhalten einen bösen Zweck verfolgend:* er hat sein Ziel mit hinterhältigen Methoden erreicht. **sinnv.:** [hinterlistig].

hin|ter|her ⟨Adverb⟩: **1.** ⟨räumlich⟩ *nach jmdm./etwas:* sie ging voran und er h. **2.** ⟨zeitlich⟩ *in der Zeit nach einem bestimmten Vorgang, Ereignis o. ä.:* ich gehe essen und werde h. ein wenig schlafen. **sinnv.:** [hieran] anschließend, im Anschluß an, danach, dann, darauf, hernach, hintennach, nachher, im nachhinein, nachträglich, sodann, sonach, später.

hin|ter|las|sen, hinterläßt, hinterließ, hat hinterlassen ⟨tr.⟩: **1. a)** *nach dem Tode zurücklassen:* eine Frau und vier Kinder h.; viele Schulden h. **b)** *nach dem Tode als Vermächtnis, Erbe überlassen:* jmdm. ein großes Grundstück h. **sinnv.:** übergeben, vererben, vermachen, verschreiben, zurücklassen. **2.** *beim Verlassen eines Ortes zur Kenntnisnahme zurücklassen:* [jmdm., für jmdn.] eine Nachricht h. **3.** *durch vorausgehende Anwesenheit, Einwirkung verursachen, hervorrufen; als Wirkung zurücklassen:* im Sand Spuren h.; [bei jmdm.] einen guten Eindruck h.

hin|ter|li|stig ⟨Adj.⟩: *heimlich bestrebt, jmdm. zu schaden, sich einen Vorteil zu verschaffen:* jmdn. h. betrügen. **sinnv.**: unaufrichtig.

Hin|tern, der; -s, - ⟨ugs.⟩: ↑*Gesäß.*

hin|ter|rücks ⟨Adverb⟩: *überraschend und in böser Absicht, heimtückisch von hinten:* jmdn. h. überfallen, erschlagen.

hin|über ⟨Adverb⟩: *von hier über jmdn./etwas nach drüben:* h. auf die andere Seite; nach rechts h. **sinnv.**: hin.

hin|un|ter ⟨Adverb⟩: *von hier oben nach dort unten:* die Straße h.; ins Tal. **sinnv.**: abwärts, hin.

hin|un|ter- ⟨trennbares, betontes verbales Präfix⟩: *von (hier) oben nach dort unten:* hinunterbeugen, -steigen (Ggs. heraufsteigen).

hin|weg ⟨Adverb⟩: **1.** *fort, weg von hier:* h. damit! **2.** ⟨in der Fügung⟩ *über ... h.: über ... hinüber [und weiter]:* über die Zeitung h. konnte er ihn beobachten.

hin|weg|setzen, sich; setzte sich hinweg, hat sich hinweggesetzt: *(etwas) bewußt nicht beachten, unbeachtet lassen:* er setzte sich über die Warnungen hinweg. **sinnv.**: ignorieren; überwinden; verstoßen.

Hin|weis, der; -es, -e: **a)** *kurze Mitteilung, die auf etwas aufmerksam machen oder zu etwas anregen soll:* einen H. geben [auf etwas]. **sinnv.**: Anregung, Anspielung, Fingerzeig, Geheimtip, Tip, Wink. **Zus.**: Programmhinweis. **b)** *Andeutung auf, hinweisendes Zeichen für etwas; Sachverhalt, der auf etwas hindeutet:* ein wertvoller H. auf die Beschaffenheit; dafür gibt es nicht den geringsten H. **sinnv.**: Anhaltspunkt, Anzeichen.

hin|wei|sen, wies hin, hat hingewiesen ⟨tr.⟩: *aufmerksam machen, jmds. Aufmerksamkeit auf etwas lenken:* jmdn. auf eine Gefahr h. **sinnv.**: andeuten, deuten, hindeuten, verweisen auf, mit dem Zaunpfahl winken, zeigen.

hin|zu- ⟨trennbares, betontes verbales Präfix⟩: *zu etwas anderem:* **a)** *[zusätzlich] zu etwas:* hinzuaddieren, -dichten, -erfinden, -erwerben, -verdienen. **sinnv.**: bei-, dazu-. **b)** *zu einem Ort, einer Stelle kommend:* hinzueilen, -gesellen, -springen. **sinnv.**: bei-, hin-.

Hirn, das; -[e]s, -e: *etwas (Gedanken o.ä.) was (für den Sprecher) abwegig, verworren ist:* das halte ich für ein H. **sinnv.**: Einbildung.

Hirsch, der; -[e]s, -e: *wild bes. in Wäldern lebendes, größeres Tier mit (beim männlichen Tier) oft sehr ausladendem Geweih.*

his|sen, hißte, hat gehißt ⟨tr.⟩: *(von einer Fahne o.ä.) an einer Stange o.ä. in die Höhe ziehen:* die Flagge, das Segel h. **sinnv.**: aufziehen, flaggen.

Hit, der; -[s], -s: *etwas (bes. ein Schlager), was (für eine bestimmte Zeit) besonders erfolgreich, beliebt ist:* dieses Lied verspricht ein H. zu werden. **sinnv.**: Schlager.

Hit|ze, die; -: *sehr starke, meist als unangenehm empfundene Wärme:* eine glühende H. **Zus.**: Bullen-, Mittagshitze.

hit|zig ⟨Adj.⟩: **a)** *leicht erregbar und dabei oft heftig, leidenschaftlich, jähzornig in seinen Reaktionen:* er wird leicht h. **sinnv.**: reizbar; streitbar; unbeherrscht. **b)** *erregt, mit Leidenschaft [geführt]:* eine hitzige Debatte.

Hob|by, das; -s, -s: *in der Freizeit aus Neigung, Freude an der Sache mit einem gewissen Eifer betriebene Beschäftigung auf einem bestimmten Gebiet:* das Orgelspielen ist sein H. **sinnv.**: Liebhaberei, Steckenpferd.

Hob|by- ⟨Präfixoid⟩: *die im Basiswort durch eine bestimmte Tätigkeit gekennzeichnete Person betreibt diese als Hobby, nicht berufsmäßig:* Hobbyarchäologe, -bastler, -filmer, -fischer, -funker, -gärtner, -geologe, -handwerker, -koch, -züchter.

Ho|bel, der; -s, -: *Werkzeug des Tischlers mit einer Stahlklinge, das benutzt wird, um die rauhe Oberfläche oder Unebenheiten des Holzes zu beseitigen (siehe Bild).*

hoch, höher, höchst... ⟨Adj.⟩ /vgl. höchst/: **1. a)** *nach oben weit ausgedehnt:* ein hoher Turm, Raum; h. aufragen. **sinnv.**: aufragend, emporragend. **Zus.**: haus-, turmhoch. **b)** *in großer, beträchtlicher Entfernung vom Boden:* das Flugzeug fliegt sehr h. (Ggs. niedrig, tief). **c)** *[weit] nach oben, bis [weit] nach oben:* die Arme h. über den Kopf heben; das Wasser steigt immer höher. **sinnv.**: aufwärts; hin. **2.** ⟨in Verbindung mit Angaben von Maßen⟩ **a)** *eine bestimmte Höhe habend:* das Zimmer ist drei Meter h. **b)** *sich in einer bestimmten Höhe befindend:* der Ort liegt 800 Meter h. **3.** *[gesellschaftlich] in einer Rangordnung oben stehend, bedeutend:* ein hoher Beamter; ein höherer Rang. **4. a)** *eine große Menge, Summe beinhaltend:* hohe Mieten; hohe Strafe, Leistung. **b)** *einen Wert in einem oberen Bereich (etwa einer Skala) kennzeichnend:* hohes Fieber; er fuhr mit höchster Geschwindigkeit.

hoch-: **I.** ⟨adjektivisches Präfixoid⟩ /nicht in Verbindung mit negativ bewerteten Adjektiven/ *sehr [stark, gut], in hohem Maße/Grad, überaus:* hochaktuell, -anständig, -bedeutsam, -begabt, -modern, -offiziell, -politisch, -willkommen, -wirksam. **sinnv.**: grund-, hyper-, super-, top-. **II.** ⟨trennbares, betontes verbales Präfix⟩ *nach oben, empor, hinauf-:* -drehen, -drücken, -fliegen, -halten, -heben, -jubeln, -springen, -treiben, -ziehen.

Hoch- ⟨Präfixoid⟩: */kennzeichnet den Höhepunkt, den höchsten Entwicklungsstand, Zustand des im Basiswort Genannten/:* Hochblüte, -glanz, -konjunktur, -romantik, -saison, -sommer.

hoch|ar|bei|ten, sich; arbeitete sich hoch, hat sich hochgearbeitet: *durch Zielstrebigkeit und Fleiß eine höhere berufliche Stellung erlangen:* sich vom Buchhalter zum Prokuristen h. **sinnv.**: sich emporarbeiten, sich hinaufarbeiten.

hoch|ge|hen, ging hoch, ist hochgegangen ⟨itr.⟩: ⟨ugs.⟩: **1.** *in Zorn, Erregung geraten:* reize ihn nicht, er geht leicht hoch. **2.** *von der Polizei gefaßt, aufgedeckt werden:* die Bande ist hochgegangen.

hoch|hal|ten, hielt hoch, hat hochgehalten ⟨tr.⟩: **1.** *in die Höhe halten:* den Arm h.; der Vater hielt das Kind hoch. **2.** *aus Achtung weiterhin bewahren, pflegen:* eine alte Tradition h.

hoch|kom|men, kam hoch, ist hochgekommen ⟨itr.⟩: *eine höhere berufliche, gesellschaftliche o.ä. Stellung erreichen:* durch Fleiß h. **sinnv.**: emporkommen.

Hoch|mut, der; -[e]s: *auf Überheblichkeit beruhendes, stolzes, herablassendes Wesen.*

hoch|mü|tig ⟨Adj.⟩: *stolz; herablassend:* eine hochmütige Person; ein hochmütiges Gesicht. **sinnv.**: dünkelhaft.

Hoch|schu|le, die; -, -n: *höchste staatliche Bildungseinrichtung:* an einer H. studieren. **sinnv.:** Akademie, Alma mater, TH, TU, Uni, Universität. **Zus.:** Fach-, Gesamt-, Handels-, Musik-, Wirtschaftshochschule.

höchst ⟨Adj.⟩: ⟨verstärkend bei Adjektiven⟩ *sehr:* h. seltsam; das kommt h. selten vor.

höchst...: vgl. hoch.

höch|stens ⟨Adverb⟩: **1.** *nicht mehr als* /Ggs. mindestens/: er schläft h. sechs Stunden. **sinnv.:** maximal. **2.** *es sei denn:* er geht nicht oft aus, h. gelegentlich ins Kino. **sinnv.:** aber.

Hoch|zeit, die; -, -en: *mit einer Eheschließung verbundene Feier, verbundenes Fest:* wann ist denn deine H.?; H. feiern, halten. **sinnv.:** Heirat; Vermählung. **Zus.:** Bauern-, Silberhochzeit.

hocken: **1. a)** ⟨itr.⟩ *mit an den Oberkörper angezogenen Beinen so sitzen, daß das Gewicht des Körpers auf den Fußspitzen ruht* (siehe Bildleiste „bücken"): die Kinder hocken am Boden. **sinnv.:** sitzen. **b)** ⟨sich h.⟩ *sich in die Hocke setzen:* sich auf den Boden h. **sinnv.:** sich setzen. **2.** ⟨itr.⟩ (ugs.) *sich irgendwo [sitzend] befinden:* er blieb gelassen an seinem Platz, auf seinem Stuhl h. **sinnv.:** sich befinden, sitzen. **Zus.:** beieinander-, herum-, zusammenhocken.

Hof, der; -[e]s, Höfe: **1.** *zu einem Gebäude gehörender, an mehreren Seiten von Zäunen, Mauern o. ä. umgebener Platz:* die Kinder spielen auf dem H. **Zus.:** Betriebs-, Burg-, Fried-, Gefängnis-, Hinter-, Innen-, Schlacht-, Schloß-, Schulhof. **2.** † *Bauernhof.* **sinnv.:** Anwesen, Farm, Ranch. **Zus.:** Erb-, Gutshof. **3.** *Wohnsitz und Haushalt eines Fürsten:* der kaiserliche H.; am Hofe.

hof|fen ⟨itr.⟩: *wünschen, damit rechnen, daß etwas eintritt, in Erfüllung geht; zuversichtlich erwarten:* ich hoffe, daß alles gutgeht; ich hoffe auf schönes Wetter. **sinnv.:** erhoffen, erwarten, harren, die Hoffnung haben, sich in der Hoffnung wiegen, reflektieren/spekulieren auf, träumen.

hof|fent|lich ⟨Adverb⟩: *wie ich hoffe:* du bist doch h. gesund.

Hoff|nung, die; -, -en: *das Hoffen; Erwartung, daß etwas Gewünschtes geschieht:* er hatte keine H. mehr; seine H. hat sich erfüllt. **sinnv.:** Silberstreifen am Horizont, Vertrauen, Zutrauen, Zuversicht.

höf|lich ⟨Adj.⟩: *anderen den Umgangsformen gemäß aufmerksam und rücksichtsvoll begegnend:* jmdn. h. grüßen. **sinnv.:** artig, aufmerksam, galant, gentlemanlike, glatt, pflichtschuldigst, ritterlich, rücksichtsvoll, taktvoll, zuvorkommend.

Höhe, die; -, -n: **1. a)** *Ausmaß, Größe in vertikaler Richtung:* die H. des Tisches; der Berg hat eine H. von 2 000 m. **b)** *bestimmte Entfernung über dem Boden:* das Flugzeug fliegt in niedriger, großer H. **2.** *kleinere Erhebung in einem Gelände:* auf der H. wohnen. **sinnv.:** Berg. **3.** *in Zahlen ausdrückbare Größe; meßbare Stärke o. ä. von etwas:* die H. der Temperatur, der Preise.

Höhe|punkt, der; -[e]s, -e: *wichtigster [schönster] Teil innerhalb eines Vorgangs, einer Entwicklung:* der H. des Abends, der Vorstellung. **sinnv.:** Gipfel, Höchstmaß, Höchstwert, Maximum, Nonplusultra, Optimum.

hö|her: vgl. hoch.

hohl Adj.⟩: *innen leer, ohne Inhalt:* ein hohler Baum.

Höh|le, die; -, -n: **1.** *[natürlicher] größerer unterirdischer (Hohl)raum:* der Bär schlief in seiner H. **sinnv.:** Bau, Grotte, Loch. **Zus.:** Erd-, Tropfsteinhöhle.

Hohn, der; -[e]s: *unverhohlener, verletzender, beißender Spott.* **sinnv.:** Humor.

höh|nisch ⟨Adj.⟩: *voll höhnender Verachtung:* eine höhnische Grimasse; h. grinsen. **sinnv.:** spöttisch.

ho|len: **1.** ⟨tr.⟩ **a)** *an einen Ort gehen und von dort herbringen:* ein Buch aus der Bibliothek h. **sinnv.:** beschaffen. **b)** *[schnell] herbeirufen, an einen bestimmten Ort bitten:* die Feuerwehr h.; den Arzt zu einem Kranken h. **sinnv.:** herbeordern, herbestellen, kommen lassen, rufen, nach jmdm. schikken. **2.** ⟨sich h.⟩ *sich etwas geben lassen, verschaffen; sich (um etwas) bemühen und es bekommen:* ich wollte mir bei ihm Rat, Trost h. **3.** ⟨sich h.⟩ (ugs.) *sich (etwas Unangenehmes, bes. eine Krankheit) zuziehen:* ich habe mir eine Erkältung geholt. **sinnv.:** erkranken.

Höl|le, die; -: *dem himmlischen Jenseits gegenüberstehend gedachtes Reich des Teufels und Ort der ewigen Verdammnis für die Sünder:* in die H. kommen. **sinnv.:** Fegefeuer, Hades, Inferno, Orkus, Schattenreich, Tartarus, Totenreich, Unterwelt.

Höl|len- ⟨Präfixoid, auch das Basiswort wird betont⟩ (emotional verstärkend): *höllisch ..., sehr groß, überaus stark, heftig:* Höllenangst, -durst, -geschwindigkeit, -gestank, -glut, -krach, -lärm, -qual, -schmerz, -spektakel, -tempo. **sinnv.:** Affen-, Bomben-, Heiden-, Mords-, Riesen-.

hol|pern, holperte, ist geholpert ⟨itr.⟩: *auf unebener Strecke mit rüttelnden, unruhigen Bewegungen fahren:* der Wagen holpert über das schlechte Pflaster. **sinnv.:** rattern, rumpeln, stukkern.

Holz, das; -es: *feste, harte Substanz des Stammes, der Äste und Zweige von Bäumen und Sträuchern:* der Tisch ist aus massivem H. **sinnv.:** Brennstoff. **Zus.:** Brenn-, Buchen-, Edel-, Klein-, Linden-, Treibholz.

Holz|blas|in|stru|ment, das; -[e]s, -e: *vorwiegend aus Holz gefertigtes Blasinstrument* (siehe Bildleiste „Blasinstrumente"). **sinnv.:** Englischhorn, Fagott, Flöte, Klarinette, Oboe, Schalmei.

Ho|nig, der; -s, -e: *von Bienen vorwiegend aus Blüten gewonnene, dickflüssige bis feste, gelbliche, sehr süße Masse, die als Nahrungsmittel verwendet wird.* **Zus.:** Bienen-, Blüten-, Kunst-, Waldhonig.

Ho|no|rar, das; -s, -e: *Bezahlung, die Angehörige der freien Berufe für einzelne (wissenschaftliche oder künstlerische) Leistungen erhalten:* der Arzt, Sänger erhielt ein hohes H. **sinnv.:** Einkünfte.

ho|no|rie|ren ⟨tr.⟩: **1.** *(für etwas/jmdn.) ein Honorar zahlen:* einen Vortrag h. **sinnv.:** zahlen. **2.** *dankend, würdigend anerkennen [und durch Gegenleistung abgelten]:* eine Leistung mit einer Auszeichnung h.; Offenheit wird hier nicht honoriert. **sinnv.:** anerkennen, danken, Tribut zollen, würdigen.

hop|peln, hoppelte, ist gehoppelt ⟨itr.⟩: *sich in ungleichmäßigen, kleinen Sätzen springend fortbewegen:* einige Hasen hoppelten über das Feld h. **sinnv.:** springen.

hop|sen, hopste, ist gehopst ⟨itr.⟩: *kleine, unregelmäßige Sprünge machen, sich hüpfend fortbe-

wegen: die Kinder hopsen vor Freude durch das Zimmer. **sinnv.:** springen.

hor|chen ⟨itr.⟩: *mit großer Aufmerksamkeit versuchen, sich bemühen, etwas [heimlich] zu hören:* wir horchten, ob es sich Schritte näherten; [neugierig] an der Tür h. **sinnv.:** abhorchen, abhören, anhören, behorchen, hinhören, hören, lauschen, mithören, die Ohren aufsperren/spitzen, zuhören.

Hor|de, die; -, -n (emotional): *ohne äußere Ordnung umherziehende Schar:* jugendliche Horden rasen durch die Gegend; Horden von Touristen. **sinnv.:** Bande, Gruppe, Schar.

hö|ren, hörte, hat gehört/ (nach vorangehendem Infinitiv auch) hat ... hören: **1. a)** ⟨tr.⟩ *mit dem Gehör wahrnehmen:* eine Stimme h.; ich habe ihn kommen gehört/h. **sinnv.:** vernehmen, verstehen. **b)** ⟨itr.⟩ *in bestimmter Weise fähig sein, mit dem Gehör wahrzunehmen:* gut, schlecht h. **2.** ⟨tr.⟩ **a)** *durch das Gehör in sich aufnehmen und geistig verarbeiten:* ein Konzert, bei jmdm. Vorlesungen h. **sinnv.:** anhören, aufnehmen, besuchen. **b)** *jmdm. aufmerksam zuhören, um sich ein Urteil zu bilden:* man muß beide Parteien h. **sinnv.:** anhören. **3.** ⟨tr.⟩ *bes. im Gespräch mit anderen Kenntnis von etwas bekommen:* hast du etwas Neues gehört?; ich habe gehört, er sei krank. **sinnv.:** erfahren. **4.** ⟨itr.⟩ **a)** *eine akustische Wahrnehmung bewußt, aufmerksam verfolgen:* er hörte auf die Glockenschläge. **sinnv.:** achten, horchen. **b)** *jmds. Worten Aufmerksamkeit schenken und sich danach richten:* auf jmdn., jmds. Worte, einen Rat h. **sinnv.:** befolgen, gehorchen.

Hö|rer, der; -s, -: **1.** *jmd., der eine Rundfunksendung hört, ihr zuhört:* liebe Hörerinnen und Hörer! **Zus.:** Radio-, Rundfunk-, Schwarzhörer. **2.** *der Teil des Telefons, den man beim Telefonieren ans Ohr hält, um zu hören, was gesprochen wird.*

Hö|re|rin, die; -, -nen: vgl. Hörer (1).

Ho|ri|zọnt, der; -[e]s, -e: **1.** *Linie in der Ferne, an der sich Himmel und Erde scheinbar berühren:* am H. sind die Alpen sichtbar. **sinnv.:** Firmament. **2.** *geistiger Bereich, den jmd. überblickt und zu bewältigen fähig ist:* einen weiten H. haben. **sinnv.:** Gesichtskreis.

Họrn, das; -[e]s, Hörner und Horne: **1.** ⟨Plural Horne⟩ *harte, von bestimmten Tieren an den Hörnern und Hufen gebildete Substanz.* **2.** ⟨Plural Hörner⟩ *spitzes, oft gebogenes Gebilde am Kopf bestimmter Tiere:* die Hörner des Stiers. **sinnv.:** Geweih. **3.** ⟨Plural Hörner⟩ *Blechblasinstrument* (siehe Bildleiste „Blechblasinstrumente"): er bläst H./[eine Melodie] auf dem H. **Zus.:** Alp-, Englisch-, Jagd-, Waldhorn.

Họrt, der; -[e]s, -e: **1.** *Heim, in dem Kinder, die sich tagsüber nicht zu Hause aufhalten können, während des Tages untergebracht, betreut werden können.* **sinnv.:** Heim; Kindergarten. **Zus.:** Kinderhort. **2.** ⟨H. + Attribut⟩ *Stätte, wo etwas Bestimmtes besonders gepflegt wird, gedeiht:* ein H. der Freiheit.

họr|ten, hortete, hat gehortet ⟨tr.⟩: *als Vorrat in oft übermäßig großer Menge sammeln und aufbewahren:* Geld, Lebensmittel h. **sinnv.:** anhäufen, hamstern, häufen, sammeln, speichern, zurücklegen.

Họse, die; -, -n ⟨häufig auch im Plural mit singularischer Bedeutung⟩: *Kleidungsstück, das den Körper von der Taille an abwärts und dabei jedes Bein für sich (ganz oder teilweise) bedeckt:* die Hose[n] bügeln. **sinnv.:** Beinkleid, Bermudas, Bluejeans, Buxe, Jeans, Shorts. **Zus.:** Bade-, Cord-, Herren-, Latz-, Leder-, Pump-, Reit-, Strumpf-, Trainings-, Turn-, Unterhose.

Ho|tel, das; -s, -s: *größeres Haus, in dem Gäste gegen Bezahlung übernachten [und essen] können:* in einem H. übernachten, absteigen. **sinnv.:** Absteige, Bettenburg, Gästehaus, Gasthaus, Gasthof, Herberge, Hotelpension, Jugendherberge, Motel, Pension. **Zus.:** Luxus,- Nobel-, Sporthotel.

hübsch ⟨Adj.⟩: **1.** *in Art, Aussehen angenehm; von einer Beschaffenheit, Erscheinung, die Wohlgefallen erregt, jmdm. gefällt, jmds. Zustimmung findet:* ein hübsches Mädchen; eine hübsche Melodie. **sinnv.:** allerliebst, angenehm, anmutig, anziehend, attraktiv, berückend, bestrickend, betörend, bezaubernd, charmant, entzückend, goldig, gutaussehend, herzig, lieb, lieblich, nett, niedlich, reizend, reizvoll, sauber, schön, süß, traumhaft. **Zus.:** bild-, wunderhübsch. **2.** (ugs.) **a)** *beachtlich [groß]:* eine hübsche Summe Geld; der Ort ist eine hübsche Strecke von hier entfernt. **b)** ⟨verstärkend bei Adjektiven und Verben⟩ *sehr, ziemlich:* er hat noch ganz h. zugelegt; es war ganz h. kalt.

Huf, der; -[e]s, -e: *mit Horn überzogener unterer Teil des Fußes bei manchen Tieren:* der H. des Pferdes, Rindes. **Zus.:** Hinter-, Pferde-, Vorderhuf.

Huf|ei|sen, das; -s, -: *flaches, gebogenes Stück Eisen, das als Schutz an der Unterseite des Hufes befestigt wird.*

Hüf|te, die; -, -n: *Teil des Körpers seitlich vom oberen Ende des Schenkels bis zur Taille:* schmale Hüften. **sinnv.:** Flanke.

Hü|gel, der; -s, -: *leicht ansteigende Erhebung, kleiner Berg.* **sinnv.:** Berg.

Huhn, das; -[e]s, Hühner: **a)** *größerer Vogel mit gedrungenem Körper und einem roten Kamm auf dem Kopf, der wegen der Eier und des Fleisches als Haustier gehalten wird.* **sinnv.:** Gickel, Glucke, Hahn, Hendl, Henne, Hinkel, Küchlein, Küken, Poularde, Poulet. **Zus.:** Haus-, Lege-, Mast-, Perl-, Suppen-, Zwerghuhn. **b)** ↑*Henne:* das H. hat ein Ei gelegt.

Hül|le, die; -, -n: *etwas, was einen Gegenstand, Körper zum Schutz o. ä. ganz umschließt:* die H. entfernen. **sinnv.:** Cover, Deckel, Einband, Etui, Futteral, Hülse, Kapsel, Mantel, Schale, Scheide, Schutzhülle.

hül|len ⟨tr.⟩: *(mit etwas als Hülle) umgeben:* ich habe das Kind, mich in eine Decke gehüllt. **sinnv.:** einhüllen, einpacken, verhüllen.

hu|man ⟨Adj.⟩: *dem Menschen und seiner Würde entsprechend /Ggs. inhuman/:* eine humane Tat; die Gefangenen h. behandeln. **sinnv.:** menschlich.

Hu|mor, der; -s: *Gabe eines Menschen, die Unzulänglichkeit der Welt und des Lebens heiter und gelassen zu betrachten und zu ertragen:* [keinen] H. haben. **sinnv.:** Heiterkeit, Hohn, Ironie, Sarkasmus, Spott, Zynismus. **Zus.:** Galgenhumor.

hum|peln, humpelte, hat/ist gehumpelt ⟨itr.⟩: **a)** *auf einem Fuß nicht richtig gehen, auftreten können:* nach dem Unfall hat/ist er noch lange ge-

humpelt. sinnv.: hinken. **b)** *sich hinkend irgendwohin bewegen:* er ist allein nach Hause gehumpelt.

Hund, der; -[e]s, -e: *kleines bis mittelgroßes Tier, das bellen und durch Beißen angreifen, sich wehren kann.* **sinnv.:** Hündin, Kläffer, Köter, Promenadenmischung, Rüde, Töle, Wauwau. **Zus.:** Blinden-, Hirten-, Jagd-, Schäfer-, Schoß-, Wachhund.

hun|de-, Hun|de- ⟨Präfixoid, auch das Basiswort wird betont⟩ (ugs. verstärkend) /dient der negativen Kennzeichnung und drückt Ablehnung aus/: **1.** ⟨adjektivisch⟩ *überaus, sehr, in ganz besonderer Weise:* hundeelend, -kalt, -müde. **2.** ⟨substantivisch⟩ **a)** *überaus schwer, groß:* Hundearbeit, -kälte. **b)** *sehr schlecht, minderwertig:* Hundefraß, -leben, -lohn, -wetter.

hun|dert ⟨Kardinalzahl⟩: 100: h. Personen.

hun|dertst... ⟨Ordinalzahl⟩: 100.: der hundertste Besucher.

Hü|ne, der; -n, -n: *sehr großer, breitschultriger Mann.* **sinnv.:** Riese.

Hun|ger, der; -s: *Bedürfnis nach Nahrung; Verlangen, etwas zu essen:* großen H. haben. **sinnv.:** Appetit. **Zus.:** Bären-, Heiß-, Mordshunger.

hun|gern ⟨itr.⟩: **a)** *Hunger leiden, ertragen:* im Krieg mußte die Bevölkerung h. **sinnv.:** darben, nichts zu essen haben, am Hungertuch nagen, schmachten. **b)** (geh.) *Hunger haben:* mich hungert. **sinnv.:** ausgehungert/hungrig sein, Kohldampf haben, jmdm. knurrt der Magen.

hung|rig ⟨Adj.⟩: *Hunger empfindend:* h. sein.

-hung|rig ⟨adjektivisches Suffixoid⟩: *starkes Verlangen, Bedürfnis nach dem im Basiswort Genannten habend und danach strebend, es besonders begehrend, es mit einem gewissen Eifer zu erlangen suchend:* ball-, bildungs-, lebens-, macht-, sensations-, sonnenhungrig. **sinnv.:** -begierig, -durstig, -geil, -süchtig.

Hu|pe, die; -, -n: *Vorrichtung an Fahrzeugen, mit der hörbare Signale gegeben werden können:* auf die H. drücken. **sinnv.:** Horn, Martinshorn, Nebelhorn. **Zus.:** Auto-, Lichthupe.

hu|pen ⟨itr.⟩: *mit der Hupe ein Signal ertönen lassen:* der Fahrer hupte mehrmals. **sinnv.:** tuten.

hüp|fen ⟨itr.⟩: *kleine Sprünge machen, sich in kleinen Sprüngen fortbewegen:* die Kinder hüpften vor Freude. **sinnv.:** springen.

Hür|de, die; -, -n: *Hindernis, über das der Läufer oder das Pferd bei entsprechenden sportlichen Wettbewerben springen muß:* eine H. nehmen. **sinnv.:** Absperrung, Barriere, Barrikade, Mauer, Schlagbaum, Schranke, Verhau, Wall, Wand.

hu|schen, huschte, ist gehuscht ⟨itr.⟩: *sich lautlos und flink fortbewegen:* leise huschte das Mädchen ins Zimmer; schnell über die Straße h. **sinnv.:** sich fortbewegen.

hu|sten, hustete, hat gehustet ⟨itr.⟩: *Luft mehr oder weniger laut anfallartig aus der Lunge durch den offenen Mund nach draußen stoßen:* er ist erkältet und hustet stark. **sinnv:** bellen, hüsteln, krächzen, sich räuspern.

Hu|sten, der; -s: *durch Erkältung hervorgerufene Krankheit, bei der jmd. oft und stark husten muß.* **sinnv.:** Erkältung. **Zus.:** Keuch-, Raucherhusten.

Hut, der; -[e]s, Hüte: *aus einem geformten Teil für den Kopf bestehende Kopfbedeckung, die meist mit einer Krempe versehen ist:* den H. abnehmen, aufsetzen. **sinnv.:** Kopfbedeckung. **Zus.:** Damen-, Doktor-, Filz-, Jäger-, Schlapp-, Strohhut.

hü|ten, hütete, hat gehütet: **1.** ⟨tr.⟩ *darauf aufpassen, achten, daß jmd./etwas nicht geschädigt wird oder keinen Schaden verursacht:* das Vieh [auf der Weide] h.; die Kinder h. **sinnv.:** beaufsichtigen. **2.** ⟨sich h.⟩ *(jmdm./einer Sache gegenüber) sehr vorsichtig sein und sich in acht nehmen:* hüte dich vor dem Hund; hüte dich davor, so etwas zu tun. **sinnv.:** sich vorsehen.

Hüt|te, die; -, -n: *kleines, einfaches, meist nur aus einem Raum bestehendes Haus:* die Wanderer übernachteten in einer H. im Gebirge. **sinnv.:** Haus. **Zus.:** Alm-, Bambus-, Bau-, Block-, Holz-, Hunde-, Jagd-, Schäfer-, Skihütte.

hy|gie|nisch ⟨Adj.⟩: *hinsichtlich der Sauberkeit einwandfrei und für die Gesundheit nicht schädlich:* etwas ist h. verpackt. **sinnv.:** sauber.

Hy|per|bel, die; -, -n: /eine geometrische Figur/ (siehe Bildleiste „geometrische Figuren", S. 175).

hy|ste|risch ⟨Adj.⟩: *in übertriebener Weise aufgeregt; in krankhafter Weise reizbar:* h. schreien; eine hysterische Frau. **sinnv.:** gemütskrank.

I

-i ⟨Suffix⟩: **1.** der; -s, -s (Jargon) /gutmütig abschwächend in bezug auf eine männliche Person/: Knacki *(jmd., der zu einer Strafe „verknackt" worden ist und in der Vollzugsanstalt ist),* Knasti *(= jmd. aus dem Knast),* Schlaffi/Schlappi *(= schlapper, antriebsschwacher Mann),* Schwuli *(= Schwuler),* Sponti *(= jmd., der einer undogmatischen linksgerichteten Gruppe angehört),* Sympi *(= Sympathisant).* **2.** der und die; bei Namen als Ausdruck der Liebe oder Zuneigung: Bruni (für: Brunhilde), Ecki (für: Eckehard), Wolfi (für: Wolfgang); /bei Nachnamen/ Lindi (für: Udo Lindenberg), Sterzi (für: Sterzenbach).

ich ⟨Personalpronomen⟩: /bezeichnet die eigene Person/: ich lese; ich Dummkopf!

ide|al ⟨Adj.⟩: *den höchsten Vorstellungen entsprechend:* ideale Bedingungen; die Voraussetzungen waren i. **sinnv.:** geeignet; vollkommen.

Ide|al, das; -s, -e: *Inbegriff des Vollkommenen, höchstes erstrebtes Ziel:* einem I. nachstreben. **sinnv.:** Muster. **Zus.:** Lebens-, Menschheits-, Schönheitsideal.

Idee, die; -, Ideen: *Gedanke, Einfall:* eine geniale I.; eine I. haben. **sinnv.:** Einfall. **Zus.:** Geschenk- Gottes-, Grund-, Heils-, Leit-, Lieblings-, Schnaps-, Zwangsidee.

iden|ti|fi|zie|ren ⟨tr.⟩: **1.** *die Identität, Echtheit einer Person oder Sache feststellen:* einen Toten i. **sinnv.:** erkennen. **2.** ⟨sich i.⟩ *jmds. Anliegen/etwas zu seiner eigenen Sache machen; aus innerlicher Überzeugung voll mit jmdm./etwas übereinstimmen:* sich mit seinem Staat, mit den Beschlüssen der Partei i. **sinnv.:** sich hinter etwas/jmdn. stellen; eintreten für.

iden|tisch ⟨Adj.⟩: *völlig gleich, übereinstimmend, eins.* **sinnv.:** ähnlich, der- /die-/ dasselbe, gleich, kongruent, übereinstimmend, zusammenfallend.

Idi|ot, der; -en, -en: *jmd., dessen Verhalten, Benehmen als in ärgerlicher Weise dumm o. ä. angesehen wird:* so ein I.! **sinnv.:** Dummkopf. **Zus.:** Halb-, Vollidiot.

Idio|tie, die; -, Idiotien: **a)** ⟨ohne Plural⟩ *Geisteskrankheit, Schwachsinn.* **sinnv.:** Wahnsinn. **b)** *(im Urteil des Sprechers) dummes, törichtes Verhalten:* du willst ein halbes Jahr vor dem Abitur die Schule verlassen? Aber das ist doch eine I.! **sinnv.:** Unsinn.

idio|tisch ⟨Adj.⟩ (emotional): *in ärgerlicher Weise unsinnig:* ein idiotischer Plan; es war i., das zu tun. **sinnv.:** dumm.

Idol, das; -s, -e: *jmd., den man schwärmerisch als Vorbild verehrt:* er ist das I. der Teenager. **sinnv.:** Abgott, Ideal, Publikumsliebling, Schwarm. **Zus.:** Film-, Sportidol.

idyl|lisch ⟨Adj.⟩: *voll Harmonie und Frieden:* dieses Tal liegt sehr i. **sinnv.:** beschaulich, bukolisch, friedlich.

-ie|ren ⟨verbales Suffix⟩: *zu dem im adjektivischen oder substantivischen – meist fremdsprachlichen – Basiswort Genannten machen, in einen entsprechenden Zustand versetzen:* effektivieren *(effektiv machen),* komplettieren, legitimieren, negativieren, relativieren, tabuieren /auch in Verbindung mit ver-/: verabsolutieren. **sinnv.:** -isieren.

-ie|rung/-a|ti|on: ↑-ation/-ierung.

-ig ⟨adjektivisches Suffix⟩: **1. a)** /in Zusammenbildungen mit adjektivischem Attribut und Substantiv/ *das im Basiswort Genannte habend:* bravgesichtig, dickschalig, feinnervig, großflächig, hochhackig, hköherklassig, mehrgeschossig, rotgesichtig, schmalfenstrig, schmallippig, schnellfüßig, schwarzbärtig. **b)** *das im substantivischen Basiswort Genannte habend, damit versehen:* glatzköpfig, mitternächtig, sommersprossig, schweißig, übergewichtig. **2. a)** *in der Art des im substantivischen Basiswort genannten, ihm ähnlich, gleichend:* erdbrockig (= *wie ein Erdbrocken),* freakig, jazzig, kumpelig. **sinnv.:** -al/-ell, -artig. **b)** *in der Art des im verbalen Basiswort Genannten:* kicherig, klimprig, knackig, knarrig, stinkig, triefig.

Igel, der; -s, -: *braunes, Stacheln tragendes, kurzbeiniges Säugetier, das sich bei Gefahr zu einer stachligen Kugel zusammenrollt.*

-ig|keit, die; -, -en: /Ableitung von Adjektiven auf -haft oder -los und von einigen einsilbigen Adjektiven sowie von zwei- oder dreisilbigen, die mit ge- oder be- beginnen; sonst -heit oder -keit; vgl. -keit, -ung/ -heit/: **1.** auf -haft: Lebhaftigkeit. **2.** auf -los: Hilflosigkeit, Kopflosigkeit, Schwerelosigkeit. **3.** Basis sind Adjektive, die auf -e auslauten, oder Adjektive, die früher auf -e auslauteten und nun einsilbig geworden sind: Bangigkeit,

Festigkeit, Helligkeit, Leichtigkeit, Schnelligkeit, Zähigkeit. **4.** bei mit ge- oder be- beginnenden: Behendigkeit, Genauigkeit, Gerechtigkeit, Geschwindigkeit.

-ig/-lich: ↑-lich/-ig.

ih|nen ⟨Dativ⟩: zu ↑sie: das kommt i. (den Männern, Frauen, Kindern) sehr gelegen.

Ih|nen ⟨Dativ⟩: zu ↑Sie: darin stimme ich mit I. überein.

ihr: I. ⟨Personalpronomen⟩: **1.** */bezeichnet angeredete vertraute Personen/:* ihr habt den Nutzen davon; ihr Deutschen. **2.** ⟨Dativ⟩: zu ↑sie: ich habe i. (der Tochter) ein Kleid gekauft. **II.** ⟨Possessivpronomen⟩: */bezeichnet ein Besitz- oder Zugehörigkeitsverhältnis einer weiblichen oder mehrerer Personen/:* ihr Kleid ist zu lang; ihre (der Nachbarn) Hunde; ⟨substantiviert:⟩ das Ihre *(das ihr Gehörende, Zukommende).*

Ihr ⟨Possessivpronomen⟩: */bezeichnet ein Besitz- oder Zugehörigkeitsverhältnis zu einer oder mehreren mit „Sie" angeredeten Personen/:* wo steht I. Wagen?; ⟨substantiviert:⟩ das Ihre.

ih|rer ⟨Gen.⟩: zu ↑sie: man gedachte i. (der Mutter, der Vorfahren).

Ih|rer ⟨Gen.⟩: zu ↑Sie.

il- ⟨adjektivisches Präfix; vor Adjektiven, die mit l anlauten⟩ *un-, nicht-* /vgl. in-/: illegal, illegitim, illiberal, illiquid, illoyal.

Il|lu|si|on, die; -, -en: *Einbildung, falsche Hoffnung:* sich keine Illusionen machen; jmdm. seine Illusionen rauben. **Zus.:** Raum-, Theater-, Tiefenillusion.

il|lu|strie|ren ⟨tr.⟩: **1.** *mit Bildern ausschmücken:* ein Märchenbuch i. **sinnv.:** bebildern. **2.** *erläutern, deutlich machen:* den Vorgang an einem Beispiel i. **sinnv.:** veranschaulichen.

Il|lu|strier|te, die; -n, -n ⟨ohne bestimmten Artikel im Plural: [viele] Illustrierte⟩: *Zeitschrift mit Bildern und Artikeln allgemein interessierenden und unterhaltenden Inhalts.*

im: ⟨Verschmelzung von *in + dem*⟩: **1.** *in dem:* **a)** /die Verschmelzung kann aufgelöst werden/: im Garten. **b)** /die Verschmelzung kann nicht aufgelöst werden/: im Grunde. **2.** ⟨in Verbindung mit *sein* und einem substantivierten Infinitiv⟩ /die Verschmelzung kann nicht aufgelöst werden; bildet die Verlaufsform/: im Vorübergehen.

im- ⟨adjektivisches Präfix; vor Adjektive, die mit m oder p anlauten⟩ *un-, nicht-* /vgl. in-/: immateriell, immobil, implausibel, impotent.

Im|biß, der; Imbisse, Imbisse: *kleine Mahlzeit:* einen I. einnehmen. **sinnv.:** Essen. **Zus.:** Schnellimbiß.

imi|tie|ren ⟨tr.⟩: ↑*nachahmen:* Vogelstimmen, seinen Lehrer i.

Im|ker, der; -s, -, **Im|ke|rin,** die; -, -nen: *männliche bzw. weibliche Person, die die Bienen züchtet.* **sinnv.:** Bienenvater, Bienenzüchter.

im|mens ⟨Adj.⟩: *staunens-, bewundernswert groß; unermeßlich [groß]:* ein immenser Vorrat an Anekdoten; immenses Glück haben; das kostet i. viel Kraft. **sinnv.:** gewaltig.

im|mer ⟨Adverb⟩: *gleichbleibend oder sich jeweils wiederholend:* sie ist i. fröhlich. **sinnv.:** chronisch, ewig, generell, unaufhörlich.

im|mer|hin ⟨Adverb⟩: *auf jeden Fall, wenigstens:* er hat sich i. Mühe gegeben. **sinnv.:** aber, allerdings, freilich, jedenfalls, schließlich, wohl.

im|mer|zu ⟨Adverb⟩: *ständig [sich wiederholend], immer wieder:* er ist i. krank. **sinnv.:** unaufhörlich.

imp|fen ⟨tr.⟩: *[jmdm.] einen Schutzstoff gegen eine bestimmte gefährliche Krankheit zuführen:* Kinder [gegen Pocken] i. **Zus.:** schutzimpfen.

im|po|nie|ren ⟨itr.⟩: *Bewunderung hervorrufen (bei jmdm.), großen Eindruck machen (auf jmdn.):* seine Leistungen imponierten den Zuschauern. **sinnv.:** beeindrucken, gefallen.

im|stan|de: ⟨in der Verbindung⟩ zu etwas i. sein: *zu etwas in der Lage sein* /Ggs. außerstande/: er war nicht i., ruhig zu sitzen; er ist zu einer großen Leistung i. **sinnv.:** befähigt, tauglich.

in: I. ⟨Präp. mit Dativ und Akk.⟩: 1. /räumlich/ **a)** ⟨mit Dativ; Frage: wo?⟩ */zur Angabe des Sichbefindens, des Vorhandenseins innerhalb eines Raumes o. ä., der Stelle, des Platzes, wo sich jmd./etwas befindet, des Zusammenhangs o. ä., in dem jmd./etwas zu finden ist, vorkommt o. ä./:* er ist in Berlin; er ist Mitglied in einer Partei. **sinnv.:** inmitten, innerhalb, mittendrin, zwischen. **b)** ⟨mit Akk.; Frage: wohin?⟩ */zur Angabe eines Zieles, auf das hin eine Bewegung stattfindet, der Stelle, des Platzes, wohin sich jmd. begibt, wohin etwas gebracht wird o. ä., eines größeren Zusammenhangs o. ä., in den sich jmd. begibt, in den etwas hineingebracht wird/:* in die Stadt fahren; das Kleid in den Schrank hängen. 2. /zeitlich/ **a)** ⟨mit Dativ; Frage: wann?⟩ */zur Angabe eines Zeitpunktes oder Zeitraumes, in dem, in dessen Verlauf oder nach dessen in der Zukunft liegendem Ende etwas Bestimmtes vor sich geht o. ä./:* in zwei Tagen ist er fertig; in diesem Sommer; in einem Jahr. **sinnv.:** binnen, während. **b)** ⟨mit Akk.; häufig mit vorangehendem „bis"⟩ */zur Angabe einer zeitlichen Erstreckung/:* seine Erinnerungen reichen [bis] in die früheste Kindheit zurück. 3. /modal/ ⟨mit Dativ⟩ */zur Angabe der Art und Weise, in der etwas geschieht o. ä./:* in vielen Farben; er war in Schwierigkeiten. 4. /unabhängig von räumlichen, zeitlichen oder modalen Vorstellungen/ ⟨mit Dativ oder Akk.⟩ */stellt eine Beziehung zu einem Objekt her/:* er ist tüchtig in seinem Beruf; sie hat sich in ihn verliebt. II. 1. /in Verbindung mit einem Personalpronomen in Konkurrenz zu *darin;* bezogen auf eine Sache (ugs.)/: sie schaute in den Briefkasten, aber es war keine Post in ihm (statt: darin). 2. /in Verbindung mit „was" in Konkurrenz zu *worin;* bezogen auf eine Sache (ugs.)/: **a)** /in Fragen/: in was (besser: worin) liegt der Unterschied beider Maschinen? **b)** /in relativer Verbindung/: du weißt es doch, in was (besser: worin) ich mit ihm übereinstimme. III. ⟨in der Verbindung⟩ **in sein** (ugs.): **a)** *im Brennpunkt des Interesses stehen, gefragt sein:* dieser Schlagersänger ist zur Zeit in. **b)** *sehr in Mode sein, von vielen begehrt sein, betrieben werden:* Windsurfing ist heute in. **sinnv.:** modern, schick.

in- ⟨adjektivisches Präfix⟩: *un-, nicht-* /vgl. il-, im-, ir-; meist fremdsprachliches Basiswort/: inaktiv, indiskret, indiskutabel, informell, inhuman, inkorrekt, intolerant. **sinnv.:** a-, des-, dis-, non-.

-in, die; -, -nen ⟨Suffix⟩: */bezeichnet weibliche Personen oder Tiere und wird in der Regel an die Bezeichnung männlicher Wesen angehängt/:* **a)** /oft an Suffixe wie -ant, -ar, -ent, -er, -eur, -ist, -or/: Ausländerin, Chefin, Demonstrantin, Desi-

gnerin, Dramaturgin, Floristin, Fragerin, Friseurin, Gemahlin, Greisin, Kapitänin, Kellnerin, Masseurin, Medizinerin, Partnerin, Passagierin, Passantin, Pastorin, Philosophin, Prinzipalin, Seniorin, Soldatin, Sozialistin, Sportlerin, Telefonistin, Tigerin, Verkäuferin; /abgeleitet von Wörtern auf -erer/: Bewunderin/Bewundrerin/ (selten) Bewundrin; /gelegentlich scherzhaft/: Typin. **sinnv.:** -esse (Baronesse), -essin (Prinzessin), -euse (Friseuse), -ice (Direktrice), -ine (Karline), -issin (Äbtissin, Diakonissin). **b)** /mit gleichzeitigem Umlaut/: Amtmännin, Anwältin, Ärztin, Bäuerin, Hündin, Landsmännin, Schwägerin, Staatsmännin, Törin. **c)** /unter gleichzeitigem Verlust des auslautenden -e beim Basiswort/: Beamtin, Genossin, Kundin, Nachfahrin, Patin, Psychologin, Türkin, Vorfahrin. **d)** / mit Umlaut und Verlust des auslautenden -e/: Französin, Häsin. **e)** /ohne ein männliches Bezugswort/: Arzthelferin, Gebärerin, Stenotypistin, Wöchnerin. **f)** /ugs.; angehängt an Familiennamen/: die Gleitzin (= Frau Gleitze), die Schmidtin (= Frau Schmidt). **sinnv.:** -sche (die Müllersche). **g)** /früher; zur Kennzeichnung der Ehefrau/: Försterin (= Frau des Försters), Hofrätin (= Frau des Hofrats).

in|be|grif|fen ⟨Adj.; nur prädikativ⟩: *(in etwas) mit enthalten:* alles i.; [die] Bedienung [ist] i. **sinnv.:** einschließlich.

in|dem ⟨Konj.⟩: 1. ⟨zeitlich⟩ ↑*während:* i. er sprach, öffnete sich die Tür. 2. ⟨instrumental⟩ *dadurch, daß; damit, daß:* er öffnete das Paket, i. er die Schnur zerschnitt.

in|des|sen I. ⟨Konj.; temporal⟩ ↑*während:* i. wir las, unterhielten sich die anderen. II. ⟨Adverb⟩ 1. ↑ *inzwischen:* es hatte i. zu regnen begonnen; du kannst i. schon anfangen. 2. *jedoch:* man machte ihm mehrere Angebote. Er lehnte i. alles ab. **sinnv.:** aber, allerdings.

in|di|rekt ⟨Adj.⟩: *nicht unmittelbar, sondern über einen Umweg* /Ggs. direkt/: etwas i. beeinflussen. **sinnv.:** mittelbar, auf Umwegen, vermittelt.

In|du|strie, die; -, Industrien: *Gesamtheit der Unternehmen, die Produkte entwickeln und herstellen:* eine I. aufbauen; in dieser Gegend gibt es nicht viel I. **sinnv.:** Wirtschaft. **Zus.:** Auto-, Elektro-, Farben-, Schwer-, Stahl-, Umweltindustrie.

in|ein|an|der ⟨Adverb⟩: **a)** *einer in den anderen:* Zweige i. verflechten; i. verliebt sein. **b)** *einer im anderen:* die Fäden sind i. verwoben.

in|fol|ge ⟨Präp. mit Gen.⟩: */weist auf die Ursache hin, die etwas Bestimmtes zur Folge hat/ wegen:* das Spiel mußte i. schlechten Wetters ausfallen. **sinnv.:** wegen.

In|for|ma|ti|on, die; -, -en: **a)** *das Informieren:* die I. des Parlaments durch die Regierung war ungenügend. **sinnv.:** Mitteilung. **Zus.:** Falschinformation. **b)** */auf Anfrage erteilte/ über alles Wissenswerte in Kenntnis setzende, offizielle, detaillierte Mitteilung über jmdn./etwas:* Informationen bekommen. **sinnv.:** Angabe, Auskunft, Daten, Mitteilung, Nachricht. **Zus.:** Presseinformation.

in|for|mie|ren: a) ⟨tr.⟩ */offiziell/ unterrichten, in Kenntnis setzen:* er hat die Partei über die Ereignisse informiert. **sinnv.:** aufklären, mitteilen. **b)** ⟨sich i.⟩ *sich unterrichten, sich Kenntnis verschaffen:* er informierte sich über die Vorgänge. **sinnv.:** anfragen, fragen.

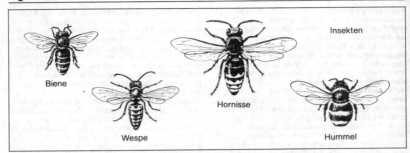

Insekten

Biene

Hornisse

Wespe

Hummel

In|ge|nieur [ɪnʒeˈni̯øːɐ̯], der; -s, -e, **In|ge|nieu-rin,** die; -, -nen: *männliche bzw. weibliche Person, die [an einer Hochschule] eine technische Ausbildung erhalten hat.* **sinnv.:** Techniker. **Zus.:** Bau-, Berg-, Betriebs-, Diplom-, Elektro-, Maschinenbau-, Textilingenieur.

In|ha|ber, der; -s, -, **In|ha|be|rin,** die; -, -nen: *männliche bzw. weibliche Person, die etwas besitzt, innehat:* die Inhaberin des Geschäftes. **sinnv.:** Besitzer. **Zus.:** Firmen-, Laden-, Mit-, Weltrekordinhaber.

In|halt, der; -[e]s, -e: **1.** *etwas, was in etwas (z. B. in einem Gefäß) enthalten ist:* der I. der Flasche, des Pakets. **sinnv.:** Füllung. **Zus.:** Darm-, Flächen-, Magen-, Rauminhalt. **2.** *das, was in etwas mitgeteilt, ausgedrückt, dargelegt ist:* der I. des Briefes, eines Romans. **sinnv.:** Bedeutung, Gehalt, Handlung. **Zus.:** Denk-, Gesprächs-, Vertrags-, Wortinhalt.

In|land, das; -[e]s: *Bereich innerhalb der Grenzen eines Landes* /Ggs. Ausland/: die Erzeugnisse des Inlandes. **sinnv.:** Heimat.

in|ne|hal|ten, hält inne, hielt inne, hat innegehalten ⟨itr.⟩: *(mit etwas) plötzlich für kürzere Zeit aufhören:* in der Arbeit i. **sinnv.:** aussetzen, unterbrechen.

in|nen ⟨Adverb⟩: *im Innern, inwendig* /Ggs. außen/: ein Gebäude i. renovieren. **sinnv.:** auf der Innenseite/inneren Seite, inwendig.

In|nen|po|li|tik, die; -: *der Teil der Politik, der sich mit den inneren Angelegenheiten eines Staates beschäftigt* /Ggs. Außenpolitik/: in der I. kam es endlich zu neuen Entwicklungen.

In|nen|stadt, die; -, Innenstädte: *im Inneren liegender Teil, Kern einer Stadt:* in der I. einkaufen. **sinnv.:** Altstadt, City, Stadtkern, -mitte, -zentrum.

in|ner... ⟨Adj.; nur attributiv⟩: *sich innen befindend, inwendig vorhanden* /Ggs. äußer.../: die inneren Bezirke der Stadt; die inneren Organe. **sinnv.:** innen, intern.

in|ner- ⟨adjektivisches Präfixoid⟩: *in dem Bereich, innerhalb des Bereichs liegend, sich vollziehend, der mit dem im Basiswort Genannten angesprochen ist:* innerbetrieblich, -dienstlich (Ggs. außerdienstlich), -europäisch (Ggs. außereuropäisch), -familiär, -kirchlich (Ggs. außerkirchlich), -menschlich, -parteilich (Ggs. außerparteilich), -sprachlich (Ggs. außersprachlich), -städtisch, -wissenschaftlich. **sinnv.:** binnen-, endo-, -immanent, inter-, -intern, intra-, zwischen-.

In|ne|re, das; Inner[e]n ⟨aber: [sein] Inneres⟩: **1.** *umschlossener Raum; Mitte; etwas, was innen ist:* das I. des Hauses, des Landes. **sinnv.:** Innenraum, Innenseite. **Zus.:** Landes-, Schiffs-, Wagen-, Wortinnere. **2.** *Kern des menschlichen Wesens:* sein Inneres offenbaren. **sinnv.:** Seele.

in|ner|halb: I. ⟨Präp. mit Gen.⟩: **a)** *im Bereich, in* /Ggs. außerhalb/: i. des Hauses; i. der Familie. **sinnv.:** in. **b)** ↑*während:* i. der Arbeitszeit; die Zeit[en], i. deren ... **c)** *im Verlauf (von etwas):* i. eines Jahres; ⟨mit Dativ, wenn der Gen. formal nicht zu erkennen ist⟩ i. fünf Monaten. **II.** ⟨Adverb in Verbindung mit *von*⟩ **a)** *im inneren Bereich* /Ggs. außerhalb/: i. von Berlin. **b)** *im Laufe:* i. von zwei Jahren. **sinnv.:** binnen.

in|ner|lich ⟨Adj.⟩: **a)** *nach innen gewandt, auf das eigene Innere gerichtet:* ein innerlicher Mensch. **sinnv.:** empfindsam, gefühlvoll, gemütvoll, romantisch, schwärmerisch, seelenvoll, verinnerlicht. **b)** *im Innern:* er war i. belustigt. **sinnv.:** inner...

In|ner|ste, das; -n ⟨aber: [sein] Innerstes⟩: *das innerste, tiefste Wesen (eines Menschen):* von etwas bis ins I. getroffen sein. **sinnv.:** Seele.

in|nig ⟨Adj.⟩: *besonders herzlich, tief empfunden:* eine innige Verbundenheit; sich i. lieben. **sinnv.:** eng, nachdrücklich. **Zus.:** verständnisinnig.

In|nung, die; -, -en: *Zusammenschluß von Handwerkern desselben Handwerks, der der Absicht dient, die gemeinsamen Interessen zu fördern:* in die I. aufgenommen werden. **sinnv.:** Genossenschaft. **Zus.:** Bäcker-, Fleischerinnung.

ins: ⟨Verschmelzung von *in* + *das*⟩: *in das:* **a)** /die Verschmelzung kann aufgelöst werden/: i. Haus. **b)** /die Verschmelzung kann nicht aufgelöst werden/: i. Gerede kommen.

In|sas|se, der; -n, -n, **In|sas|sin,** die; -, -nen: *männliche bzw. weibliche Person, die sich in einem Fahrzeug befindet, in einem Heim, einer Anstalt lebt:* alle Insassen des Flugzeugs kamen ums Leben. **Zus.:** Auto-, Gefängnis-, Lagerinsasse.

ins|be|son|de|re ⟨Adverb⟩: *vor allem, besonders:* er hat große Kenntnisse, i. in englischer Literatur. **sinnv.:** besonders.

In|schrift, die; -, -en: *(meist zum Gedenken an jmdn./etwas) auf Stein, Metall, Holz o.ä. durch Einritzen, Einmeißeln o.ä. entstandener Text:* eine alte I. auf einem Grabstein. **sinnv.:** Aufschrift.

In|sekt, das; -[e]s, -en: *kleines Tier, bei dem Kopf, Brust und Hinterleib meist deutlich gegliedert sind und das meist zwei Paar Flügel hat* (siehe Bildleiste).

dert sind und das meist zwei Paar Flügel hat (siehe Bildleiste).

In|sel, die; -, -n: *Land, das ringsum von Wasser umgeben ist:* eine einsame I.; eine I. bewohnen. **sinnv.:** Atoll, Eiland, Hallig, Klippe, Sandbank, Schäre. **Zus.:** Halbinsel.

In|se|rat, das; -[e]s, -e: ↑ *Annonce:* viele Leute lasen das I.

ins|ge|heim ⟨Adverb⟩: ↑ *heimlich:* i. beneidete er die anderen.

ins|ge|samt ⟨Adverb⟩: *alles/alle zusammengenommen; in der Gesamtheit* /verstärkt die Aussage/: er war i. 10 Tage krank; i. nicht mehr als 8 Personen. **sinnv.:** alles in allem, im ganzen, als Ganzes, gesamt, unter dem Strich, summa summarum, überhaupt, zusammen.

in|so|fern: **I.** ⟨Adverb⟩ **insofern:** *in dieser Hinsicht:* i. hat er recht. **sinnv.:** hierin, insoweit, in diesem Punkt. **II.** ⟨Konj.⟩ **insofern:** *für den Fall; vorausgesetzt, daß:* der Vorschlag ist gut, i. als er niemandem schadet. **sinnv.:** wenn.

in|so|weit: **I.** ⟨Adverb⟩ **insoweit:** ↑ *insofern:* i. hat er recht. **II.** ⟨Konj.⟩ **insoweit:** *in dem Maße, wie:* i. es möglich ist, wird man ihm helfen. **sinnv.:** wenn.

In|stal|la|teur [ɪnstala'tøːɐ̯], der; -s, -e: *jmd., der technische Anlagen (bes. für Heizung, Wasser, Gas) installiert und wartet.* **sinnv.:** Klempner, Spengler.

in|stal|lie|ren ⟨tr.⟩: *(eine technische Vorrichtung, ein Gerät) an der dafür vorgesehenen Stelle anbringen:* den Kühlschrank, Herd i. **sinnv.:** anschließen, befestigen, einbauen, montieren.

in|stand: ⟨in Verbindung mit bestimmten Verben⟩ **i. halten** *(in brauchbarem Zustand halten);* **i. setzen** (↑ *reparieren).*

In|stanz, die; -, -en: *für eine Entscheidung o. ä. zuständige Stelle (bes. einer Behörde):* sich an eine höhere I. wenden.

In|stinkt, der; -[e]s, -e: **1.** *ererbte Fähigkeit bes. der Tiere, in bestimmten Situationen ein nicht bewußt gelenktes, aber richtiges (bes. lebens- und arterhaltendes) Verhalten zu zeigen:* der tierische I. der Brutpflege, der Fortpflanzung. **2.** *innerer Impuls, der jmdn. in bestimmten Situationen ohne Überlegen das Richtige tun läßt:* politischen I. besitzen. **sinnv.:** Gefühl.

In|sti|tu|ti|on, die; -, -en: *Einrichtung, die für bestimmte Aufgaben zuständig ist, bestimmte Befugnisse hat:* die Universitäten sind Institutionen des öffentlichen Rechts.

In|stru|ment, das; -[e]s, -e: **1.** *meist fein gearbeitetes, oft kompliziert gebautes [kleines] Gerät für wissenschaftliche oder technische Arbeiten:* optische, medizinische Instrumente. **sinnv.:** Mittel, Werkzeug. **Zus.:** Meß-, Präzisionsinstrument. **2.** ↑ *Musikinstrument:* er spielt mehrere Instrumente. **Zus.:** Blas-, Schlag-, Streich-, Tasten-, Zupfinstrument.

in|tel|li|gent ⟨Adj.⟩: *Intelligenz besitzend, zeigend:* ein intelligenter Mensch; sie ist sehr i. **sinnv.:** klug.

In|tel|li|genz, die; -: *Fähigkeit des Menschen, abstrakt und vernünftig zu denken und daraus zweckvolles Handeln abzuleiten:* er ist ein Mensch von großer I. **sinnv.:** Begabung.

in|ten|siv ⟨Adj.⟩: **1.** *gründlich und auf etwas zielbewußt ausgerichtet:* er hat intensive Forschun-

gen betrieben. **sinnv.:** geballt, gehäuft, konzentriert, stark. **2.** *(von Sinneseindrücken o. ä.) sehr hohem Grad, von großer Stärke:* das intensive Licht der Scheinwerfer; der Schmerz wurde immer intensiver. **sinnv.:** durchdringend, heftig, stark.

-in|ten|siv ⟨adjektivisches Suffixoid⟩: **a)** *von dem im Basiswort Genannten besonders viel besitzend, zeigend, aufweisend:* exportintensive Branche, farb-, produktions-, schaum-, traumintensive Schlafphasen. **sinnv.:** -aktiv, -betont, -freudig, -froh, -kräftig, -reich, -stark, -selig. **b)** *das im Basiswort Genannte in höherem Maße nötig machend, erfordernd:* arbeits-, bewegungsintensive Spiele, energie-, forschungs-, kosten-, lese-, lohn-, personal-, zeitintensiv.

in|ter-, In|ter- ⟨Präfix, meist mit fremdsprachlichem Basiswort⟩: **1.** ⟨adjektivisch⟩ *zwischen zwei oder mehreren ... bestehend, sich befindend, sich vollziehend* /drückt in bezug auf das Basiswort das Gemeinsame, Übergreifende, Überbrückende aus/: interdisziplinär, -fraktionell, -kontinental (interkontinentale Rakete), -kulturell, -lingual (Ggs. extralingual, intralingual), -national, -parlamentarisch, -subjektiv. **sinnv.:** über-. **2.** ⟨substantivisch⟩ **a)** /entsprechend 1/: Intercityzug, -subjektivismus. **b)** /verkürzt aus: *international* /: Interbrigade, -flug, -hotel, -pol, -shop, -tankstelle (an den Transitstraßen durch die DDR). **3.** ⟨verbal⟩ *zwischen-, miteinander-:* interagieren.

in|ter|es|sant ⟨Adj.⟩: *Interesse (1) erweckend, hervorrufend:* eine interessante Geschichte. **sinnv.:** anregend, ansprechend, aufschlußreich, bemerkenswert, fesselnd, instruktiv, lehrreich, mitreißend, packend, reizvoll, spannend, wissenswert.

In|ter|es|se, das; -s, -n: **1.** ⟨ohne Plural⟩ *besondere Aufmerksamkeit, die man jmdm./etwas schenkt:* etwas mit I. verfolgen; für/an etwas großes, geringes I. haben. **sinnv.:** Anteilnahme, Beachtung, Erkenntnisdrang, Neugier, Offenheit, Wißbegier, Wissensdurst. **2.** ⟨Plural⟩ *das, woran jmdm. sehr gelegen ist, was für jmdn. wichtig, nützlich ist:* als leitender Angestellter muß er die Interessen des Betriebes vertreten. **sinnv.:** Belange.

in|ter|es|sie|ren: a) ⟨sich i.⟩ *Interesse (1) haben (für etwas/jmdn.):* ich interessiere mich nicht für Kunst; er ist am Fußball nicht interessiert. **sinnv.:** ein Auge auf jmdn./etwas geworfen haben, Interesse zeigen. **b)** ⟨itr.⟩ *(jmds.) Interesse (1) wecken:* der Fall interessiert ihn sehr. **c)** ⟨tr.⟩ *jmds. Interesse (1) auf etwas lenken:* er hat ihn für seine Pläne interessiert. **sinnv.:** jmds. Anteilnahme wecken, jmds. Aufmerksamkeit lenken (auf etwas), jmdn. für etwas gewinnen, überreden.

In|ter|nat, das; -[e]s, -e: *Schule mit angeschlossenem Wohnheim für die Schüler.* **sinnv.:** Heim.

in|ter|na|tio|nal ⟨Adj.⟩: *zwischen mehreren Staaten bestehend, mehrere Staaten umfassend, einschließend:* ein internationales Abkommen; i. zusammenarbeiten. **sinnv.:** global, multilateral, überstaatlich, weltweit, zwischenstaatlich.

in|ter|pre|tie|ren ⟨tr.⟩: **1. a)** *etwas, was mehrere Deutungsmöglichkeiten zuläßt, in bestimmter Art und Weise deuten:* ein Gedicht, einen Gesetzestext i. **sinnv.:** auslegen. **b)** *jmds. Verhalten in bestimmter Weise deuten:* sein Rücktritt wurde als Feigheit interpretiert. **sinnv.:** auslegen, verstehen (als). **2.** *ein Musikstück, ein Lied o. ä. in persönlicher Deutung, Auslegung künstlerisch wiedergeben:* Lieder von Brecht feinfühlig i. **sinnv.:** vortragen.

In|ter|view [ɪntɐ'vjuː, (auch:) 'ɪntɐ...], das; -s, -s: *zur Veröffentlichung durch Presse, Rundfunk oder Fernsehen bestimmtes Gespräch zwischen einer [bekannten] Person und einem Reporter:* jmdm. ein I. gewähren, geben; mit jmdm. ein I. führen. **Zus.:** Fernseh-, Rundfunkinterview.

in|ter|view|en [ɪntɐ'vjuːən] ⟨tr.⟩: *(mit jmdm.) ein Interview führen:* einen Politiker i. **sinnv.:** befragen, ein Gespräch führen.

in|tim ⟨Adj.⟩: **1.** *sehr nahe und vertraut:* er ist ein intimer Freund der Familie. **sinnv.:** eng, vertraut. **2.** *bis ins Innerste, bis in alle Einzelheiten vordringend:* die intime Kenntnis bestimmter Verhältnisse. **sinnv.:** fundiert, sehr genau, gründlich, profund. **3.** *den sexuellen Bereich betreffend, sexuellen Kontakt habend:* intime Beziehungen zu jmdm. haben; i. mit jmdm. werden.

In|va|li|de, der; -n, -n: *jmd., der infolge von Krankheit, Verletzung oder Verwundung körperlich behindert (und [dauernd] arbeits- oder erwerbsunfähig) ist.* **sinnv.:** Behinderter.

In|ven|tar, das; -s, -e: *alle Einrichtungsgegenstände und Vermögenswerte, die zu einem Unternehmen, Betrieb, Haus o. ä. gehören:* das ganze I. wurde versteigert. **sinnv.:** Mobiliar.

in|wen|dig ⟨Adj.⟩: *im Inneren; auf der Innenseite:* die Äpfel waren i. faul. **sinnv.:** innen.

in|zwi|schen ⟨Adverb⟩: **1.** */drückt aus, daß etwas in der abgelaufenen Zeit geschehen ist/ unterdessen:* i. ist das Haus fertig geworden. **sinnv.:** mittlerweile, seither. **2.** */drückt aus, daß etwas gleichzeitig mit etwas anderem geschieht/ währenddessen:* ich muß diesen Brief noch schreiben, du kannst ja i. den Tisch decken. **sinnv.:** derweil, dieweil, einstweilen, indessen, in der Zwischenzeit.

ir- ⟨adjektivisches Präfix; vor Adjektiven, die mit r anlauten⟩: *un-, nicht-* /vgl. in-/: irrational, irreal, irregulär, irreparabel.

ir|gend ⟨Adverb⟩: **1.** */drückt in Verbindung mit „jemand, etwas" aus, daß es sich um eine nicht näher bestimmte Person oder Sache handelt/:* i. jemand muß helfen; i. etwas war falsch gemacht worden. **2.** *nur immer:* er nahm soviel mit, wie i. möglich. **sinnv.:** irgendwie.

ir|gend- */drückt in Zusammensetzungen mit „ein-, ... was, welch..., wer* und *einmal, wann, wie, wo, woher, wohin" aus, daß es sich um eine nicht näher bestimmte Person, Sache, Orts-, Raum- oder Zeitangabe handelt/.*

Iro|nie, die; -: *versteckter Spott, mit dem man etwas bes. dadurch zu kritisieren o. ä. versucht, daß man es unter dem Schein der eigenen Zustimmung oder Billigung lächerlich macht:* eine leise, verletzende I. lag in seinen Worten. **sinnv.:** Humor, Sarkasmus, Spott.

iro|nisch ⟨Adj.⟩: *voll Ironie:* eine ironische Bemerkung machen; er lächelte i. **sinnv.:** spöttisch.

irr ⟨Adj.⟩: ↑irre (1,2).

ir|re ⟨Adj.⟩: **1.** *verwirrt und verstört wirkend:* mit irrem Blick; er redete völlig i. **sinnv.:** geistesgestört. **2.** * *an jmdm./etwas i. werden:* *den Glauben an jmdn./etwas verlieren.* **3.** (emotional; Jargon) **a)** *in begeisternder, aufregender Weise beeindruk-*

kend: eine ganz i. Stadt; ein irrer Typ. **sinnv.:** ausgefallen. **b)** *sehr groß, stark:* eine i. Hitze. **sinnv.:** gewaltig. **c)** ⟨verstärkend bei Adjektiven und Verben⟩ ↑*sehr:* i. komisch; ich habe mich i. gefreut.

Ir|re, der und die; -n, -n ⟨aber: [ein] Irrer, Plural: [viele] Irre⟩: *männliche bzw. weibliche Person, die an einer Geisteskrankheit leidet.* **sinnv.:** Geistesstörter, Geisteskranker, Verrückter, Wahnsinniger.

ir|re|füh|ren, führte irre, hat irregeführt ⟨tr.⟩: *absichtlich einen falschen Eindruck (bei jmdm.) entstehen lassen:* jmdn. durch falsche Angaben i. **sinnv.:** betrügen, in die Irre führen/leiten, irreleiten, täuschen, trügen.

ir|ren, irrte, hat/ist geirrt: **1.** ⟨sich i.⟩ **a)** *etwas fälschlich für wahr oder richtig halten:* du irrst dich sehr, wenn du das glaubst; ich habe mich im Datum geirrt; ⟨auch itr.⟩ da kommt der neue Chef, wenn ich nicht irre. **sinnv.:** fehlgehen, auf dem Holzweg/im Irrtum sein, schiefliegen, sich täuschen, sich vergaloppieren, sich vertun. **b)** *jmdn. falsch einschätzen:* ich habe mich in ihm geirrt. **sinnv.:** jmdn. falsch beurteilen, sich täuschen in jmdm. **2.** ⟨itr.⟩ *ohne Ziel umherwandern:* er ist die ganze Nacht durch die Stadt geirrt. **sinnv.:** umgetrieben werden, ziellos umhergehen, umherziehen. **Zus.:** herumirren.

ir|rig ⟨Adj.⟩: *auf einem Irrtum beruhend und daher nicht zutreffend:* eine irrige Ansicht. **sinnv.:** abwegig, falsch.

ir|ri|tie|ren ⟨tr.⟩: *(jmdn.) in seinem Verhalten, Handeln unsicher, nervös machen:* das Gerede irritierte ihn. **sinnv.:** irremachen, nervös machen, stören.

Irr|sinn, der; -[e]s (emotional): *ein bestimmtes Handeln, Verhalten, das (vom Sprecher) als unvernünftig empfunden wird:* so ein I., bei diesem Wetter zu baden! **sinnv.:** Blödsinn, Dummheit, Hirnrissigkeit, Irrwitz, Schwachsinn, Unsinn, Unvernunft, Wahnsinn, Wahnwitz.

irr|sin|nig ⟨Adj.⟩: **1. a)** *geistig gestört, so daß die Gedanken keinen Zusammenhang untereinander und keine Übereinstimmung mit der Wirklichkeit haben:* die Folter hat ihn i. gemacht; wie i. raste er plötzlich davon. **sinnv.:** geistesgestört. **b)** (emotional) *(in seinem Handeln oder Verhalten) keine Vernunft erkennen lassend:* eine irrsinnige Tat, Vorstellung. **sinnv.:** absurd, hirnrissig, unvernünftig, ohne Verstand, wahnsinnig. **2.** (emotional) **a)** *von einer kaum vorstellbaren Größe, Gewalt, Kraft o. ä.:* irrsinnige Schmerzen; ein irrsinniger Lärm. **sinnv.:** gewaltig. **b)** ⟨verstärkend bei Adjektiven und Verben⟩ ↑*sehr:* i. komisch; i. freute sich i.

Irr|tum, der; -s, Irrtümer: *aus Mangel an Urteilskraft, Konzentration o. ä. fälschlich für richtig gehaltener Gedanke:* ein großer I. **sinnv.:** Fehler.

irr|tüm|lich ⟨Adj.⟩: *auf einem Irrtum beruhend:* er hat die Rechnung i. zweimal bezahlt. **sinnv.:** versehentlich.

-isch ⟨adjektivisches Suffix⟩: /bezeichnet Zugehörigkeit, Herkunft, Entsprechung; meist substantivisches, auch zusammengesetztes, oft fremdsprachliches Basiswort; häufig mit Tilgung der Endung (techn-isch), auch mit Suffixerweiterung (tabell/ar/isch, charakter/ist/isch) oder Einschub (schema/t/isch, theor/et/isch; vgl. -isch/-/; -isch/-lich/: aktivistisch, amerikanisch, astronomisch, betreuerisch, heidnisch, polnisch, schweizerisch, sportsmännisch, vorhitlerisch, zeichnerisch.

-isch/-: /wenn ein Adjektiv mit dem Suffix -isch mit dem gleichen Basiswort ohne Endung konkurriert, dann kennzeichnet die -isch-Bildung oft die Zugehörigkeit und ist eine Art Zuweisung zu etwas, während das endungslose Konkurrenzwort die Eigenschaft oder Art der Beschaffenheit charakterisiert/: analogisch (= *die Analogie betreffend, auf Analogie beruhend;* z. B. analogische Ableitung von Wörtern)/analog (= *entsprechend, vergleichbar, gleichartig,* z. B. etwas a. nachbilden), genialisch/genial, interplanetarisch/interplanetar, synchronisch/synchron, synonymisch (synonymische Bildungen)/synonym (synonyme Wörter).

-isch/-lich ⟨adjektivische Suffixe⟩: /bei konkurrierenden Bildungen enthält die -isch-Bildung eine Abwertung, während die -lich-Bildung die Zugehörigkeit kennzeichnet/: bäu[e]risch (= *grobschlächtig, plump, unfein)*/bäuerlich (= *die Bauern betreffend),* kindisch (= *sich als Erwachsener in unangemessener Weise wie ein Kind benehmend)*/kindlich (= *einem Kind gemäß, die Kinder betreffend).*

-isielren ⟨Suffix von transitiven Verben⟩ /meist mit fremdsprachlichem Basiswort/: **1.** *zu etwas (in bezug auf das im Basiswort Genannte) machen:* aktualisieren *(aktuell machen),* amerikanisieren *(amerikanisch machen),* bagatellisieren *(zu einer Bagatelle machen),* brutalisieren *(brutal machen),* emotionalisieren, entkriminalisieren, fanatisieren, harmonisieren, kanalisieren, kapitalisieren *(zu Kapital, Geld machen),* kriminalisieren *(zu Kriminellen machen),* modernisieren, politisieren, pulverisieren *(zu Pulver machen),* ritualisieren, sensibilisieren *(sensibel machen für etwas),* tabuisieren, thematisieren. **sinnv.:** ver-. **2.** *mit dem im Basiswort Genannten versehen:* aromatisieren *(mit Aroma versehen),* automatisieren, stigmatisieren.

-isielrung, die; -, -en ⟨Suffix⟩: /Ableitung von Verben auf ↑-isieren/: Banalisierung, Flexibilisierung, Islamisierung, Neurotisierung, Vietnamisierung.

-islmus, der; -, -ismen ⟨Suffix⟩: **1.** ⟨ohne Plural⟩ /kennzeichnet in Verbindung mit dem im Basiswort (bes. Name, fremdsprachliches Adjektiv) Genannten eine damit verbundene geistige, kulturelle Richtung, Geisteshaltung o. ä./: Bürokratismus, Extremismus, Fanatismus, Faschismus, Humanismus,

Isolationismus, Kapitalismus, Kommunismus, Marxismus, Masochismus, Militarismus, Nazismus, Professionalismus, Protestantismus, Sadismus, Snobismus, Sozialismus, Stalinismus, Zynismus; /bei Personennamen gelegentlich erweitert durch -ian-, z. B. (Freud)ianismus, (Kant)ianismus/. **sinnv.:** -erei, -heit, -ik, -istik, -ität, -tum. **2.** /kennzeichnet eine Form, Erscheinung, die mit dem im Basiswort Genannten charakterisiert wird/ *etwas, was das im (adjektivischen) Basiswort Genannte zeigt:* Anachronismus *(etwas, was anachronistisch ist),* Anglizismus *(ein in einer nichtenglischen Sprache auftretendes englisches Wort o. ä.),* Infantilismus, Mystizismus, Provinzialismus *(etwas, was provinziell ist).*

isollielren ⟨tr.⟩: **1.** *(von etwas/jmdm.) streng trennen, um jede Berührung, jeden Kontakt auszuschließen:* die infizierten Kranken wurden sofort isoliert; ⟨auch: sich i.⟩ er hat sich in der letzten Zeit ganz [von uns] isoliert *(zurückgezogen).* **sinnv.:** absondern, separieren. **2.** *eine Leitung o. ä. zum Schutz gegen etwas mit etwas versehen:* Rohre, Zimmerwände, Kabel i. **sinnv.:** dichten.

-iltis, die; -, -itiden ⟨Suffix⟩: **a)** ⟨ohne Plural⟩ *etwas (das im verbalen oder substantivischen Basiswort Genannte), was als zu oft, zu viel benutzt, getan angesehen wird:* Abkürzeritis *(wenn zuviel abgekürzt wird, zuviel Abkürzungen gebraucht werden),* Festivalitis *(übertrieben häufiges Veranstalten von Festivals),* Klatscheritis, Reformitis, Subventionitis, Telefonitis. **sinnv.:** (bei verbaler Basis) -[er]ei (z. B. Abkürzerei), (bei substantivischer Basis) -seuche (Substantivseuche). **b)** /kennzeichnet in der Medizin eine entzündliche, akute Krankheit/: Arthritis, Bronchitis.

-iv ⟨adjektivisches Suffix⟩: /kennzeichnet eine Eigenschaft, Beschaffenheit oder die Fähigkeit, von sich aus in einer bestimmten Weise zu reagieren, zu handeln, eine Wirkung zu erzielen/: explosiv, impulsiv, informativ, kreativ, negativ, positiv, produktiv.

-iv/-orisch ⟨adjektivische Suffixe⟩: gelegentlich miteinander konkurrierende Adjektivendungen, von denen im allgemeinen die Bildungen auf -iv besagen, daß das im Basiswort Genannte ohne ausdrückliche Absicht in etwas enthalten ist (z. B. informativ = Information enthaltend, informierend), während die Bildungen auf -orisch den im Basiswort genannten Inhalt auch zum Ziel haben (z. B. informatorisch = zum Zwecke der Information [verfaßt], den Zweck habend zu informieren).

J

ja ⟨Partikel⟩: **1. a)** /drückt eine zustimmende Antwort auf eine Entscheidungsfrage aus/: „Kommst du?" - „Ja" (Ggs. nein). **sinnv.:** allerdings, doch, freilich, gewiß, jawohl, natürlich, sehr wohl, selbstredend, selbstverständlich. **b)** /drückt in Verbindung mit einem Modaladverb [freudige] Be

kräftigung aus/: ja gewiß, ja gern; o ja! **2.** ⟨betont⟩ /nachgestellt bei [rhetorischen] Fragen, auf die eine zustimmende Antwort erwartet wird/ *nicht wahr?:* du bleibst doch noch ein bißchen, ja? **3.** ⟨unbetont⟩ **a)** /drückt im Aussagesatz eine resümierende Feststellung aus, weist auf etwas Be kanntes hin oder dient der Begründung für ein nicht explizites Geschehen oder für etwas Allgemeingültiges/ doch; bekanntlich: ich komme ja schon; das habe ich ja gewußt; du kennst ihn ja. **b)** /drückt im Aussage-, Ausrufesatz Erstaunen über etwas oder Ironie aus/ wirklich; tatsächlich: es schneit ja; er ist ja rothaarig; da seid ihr ja [endlich]! **4.** ⟨unbetont⟩ /zur steigernden Anreihung von Sätzen oder Satzteilen/ mehr noch; sogar; um nicht zu sagen: ich schätze [ihn], ja verehre ihn.

Jacke, die; -, -n: den Oberkörper bedeckender, meist langärmeliger (meist mit mehreren Knöpfen oder mit einem Reißverschluß zu verschließender) Teil der Oberbekleidung: er steckte die Papiere in die Innentasche seiner J. **sinnv.:** Anorak, Blazer, Jackett, Joppe, Mieder, Rock, Sakko. **Zus.:** Fell-, Kord-, Pelz-, Trachten-, Windjacke.

Jackett, das; -s, -s: zum Herrenanzug gehörender jackenartiger Teil. **sinnv.:** Jacke, Sakko. **Zus.:** Dinner-, Smokingjackett.

Jagd, die; -, -en: **1. a)** das Jagen (1) von Wild: die J. auf Hasen. **sinnv.:** Hatz, Weidwerk. **Zus.:** Bären-, Beiz-, Falken-, Fasanen-, Fuchs-, Großwild-, Hasen-, Hetz-, Treib-, Wildschweinjagd. **b)** Veranstaltung, bei der eine Gruppe von Jägern auf bestimmtes Wild jagt: Jagdhornbläser spielten zur Eröffnung der J. **2.** das Jagen (2) von jmdm./ etwas: bei der J. auf die Geiselgangster/nach den Bankräubern wurden auch Hubschrauber eingesetzt; die J. auf die Quartiere an der See.

ja|gen, jagte, hat/ist gejagt: **1. a)** ⟨tr.⟩ Wild aufspüren und verfolgen, um es zu fangen oder zu töten: er hat den Keiler vier Wochen lang gejagt, bis er ihn erlegen konnte. **b)** ⟨itr.⟩ die Jagd (1 a), das Weidwerk ausüben: Indianer, die mit Pfeil und Bogen gejagt haben. **sinnv.:** auf die Jagd/ Pirsch gehen, pirschen. **2.** ⟨tr.⟩ (jmdn.) [sehr schnell laufend, fahrend o. ä] nacheilen und zu ergreifen versuchen: die Polizei hat die Entführer gejagt; der Führer der Aufständischen wurde monatelang gejagt. **sinnv.:** verfolgen. **3.** ⟨itr.⟩ schnell und wie gehetzt irgendwohin laufen, fahren o. ä.: er ist mit seinem Auto zum Flughafen gejagt. **sinnv.:** sich fortbewegen.

Jä|ger, der; -s, -: Mann, der auf die Jagd geht. **sinnv.:** Förster, Grünrock, Jägersmann, Nimrod, Weidmann. **Zus.:** Autogramm-, Großwild-, Kopf-, Schürzen-, Sonntagsjäger.

jäh ⟨Adj.⟩: **1.** ganz schnell [und mit Heftigkeit] sich vollziehend, ohne daß man darauf vorbereitet war: durch den schweren Sturz nahm seine Karriere als Hochseilartist ein jähes Ende. **sinnv.:** plötzlich. **2.** sehr stark, nahezu senkrecht abfallend oder auch ansteigend: ein jäher Abgrund lag plötzlich vor ihnen. **sinnv.:** steil.

Jahr, das; -[e]s, -e: Zeitraum von zwölf Monaten: Kinder bis zu 14 Jahren; wir wünschen Euch ein gutes neues J. **sinnv.:** Zeitraum.

-jahr, das; -[e]s, -e ⟨Grundwort⟩: **1. a)** Einheit der Zeitrechnung, die nach dem im Bestimungswort genannten Gestirn benannt wird: Mond-, Sonnenjahr. **b)** Einheit der Zeitrechnung, die in dem im Bestimmungswort genannten Bereich angewendet wird: Finanz-, Haushalts-, Kalender-, Kirchen-, Planjahr. **2.** Zeitpunkt des im Bestimmungswort genannten Ereignisses: Bau-, Druck-, Gründungsjahr. **3.** Zeitraum, in dem der in dem Bestim-

mungswort genannte Zustand herrscht: Krisen-, Unglücksjahr. **4.** Zeitraum, in dem das im Bestimmungswort genannte Produkt in der – meist als Adjektiv, z. B. gut, mäßig, schlecht, toll – mitgenannten Weise war: (ein gutes, schlechtes) Auto-, Weinjahr. **5.** Zeit, die sich auf die als Bestimmungswort genannte Phase o. ä. bezieht /meist im Plural oder mit Ordinalzahl/: Dienst-, Ehe-, Jugendjahre. **6.** Zeitraum, der der im Bestimmungswort genannten Person gewidmet ist /meist anläßlich eines Jubiläums/: Luther-, Shakespearejahr.

Jah|res|zeit, die; -, -en: einer der vier Zeitabschnitte (Frühling, Sommer, Herbst, Winter), in die das Jahr eingeteilt ist: es ist für die J. zu kühl.

Jahr|gang, der; -[e]s, Jahrgänge: alle in dem gleichen Jahr geborenen Menschen: für die geburtenstarken Jahrgänge gibt es nicht genügend Lehrstellen. **sinnv.:** Generation.

Jahr|hun|dert, das; -s, -e: Zeitraum von hundert Jahren: wir leben im 20. J.

Jahr|hun|dert- ⟨Präfixoid⟩ (emotional verstärkend): /charakterisiert das im Basiswort Genannte als in dieser Weise besonders selten vorkommend und alles andere übertreffend/: Jahrhundertbauwerk, -ereignis, -hochwasser, -wein.

-jäh|rig ⟨zweiter Bestandteil einer Zusammenbildung⟩: ... Jahr[e] dauernd, eine bestimmte Zahl an Jahren habend, alt: halbjährig geöffnet; ganzjährige Pause; dreijähriges Kind.

jähr|lich ⟨Adj.⟩: im Jahr, in jedem Jahr [erfolgend]: der jährliche Ertrag; die Bezahlung erfolgt j.

Jäh|zorn, der; -[e]s: plötzlicher Zornesausbruch (der durch einen bestimmten Vorfall ausgelöst wird). **sinnv.:** Ärger.

jäh|zor|nig ⟨Adj.⟩: zu Jähzorn neigend: er ist ein jähzorniger Mensch. **sinnv.:** unbeherrscht.

Jam|mer, der; -s: **a)** /lautes/ weinerliches Klagen: der J. um die zerbrochene Puppe war groß. **b)** Elend, zu beklagender Zustand: sie boten ein Bild des Jammers.

jäm|mer|lich ⟨Adj.⟩ (emotional): **a)** in erbarmungswürdiger Weise großen Schmerz ausdrückend: dem kleinen Jungen blutete das Knie, und er weinte j. **sinnv.:** kläglich. **b)** sich in einem elenden und beklagenswerten Zustand befindend: während seiner Studienzeit hauste er in einer jämmerlichen Dachkammer. **sinnv.:** armselig. **c)** in einer Art und Weise, die der Sprecher nur mit Verachtung betrachten kann: für so einen jämmerlichen Kerl, der seine Kollegen im Stich läßt, ist hier kein Platz. **sinnv.:** elend, verachtenswert, verächtlich. **d)** ⟨verstärkend bei Adjektiven und Verben⟩ (mit einer unangenehmen Wirkung) heftig und übermäßig: eine jämmerliche Angst; wir froren j. in unseren dünnen T-Shirts. **sinnv.:** sehr.

jam|mern ⟨itr.⟩: unter Seufzen und Stöhnen seinen Kummer, seine Schmerzen o. ä. äußern: sie jammerte über das verlorene Geld. **sinnv.:** klagen.

Ja|nu|ar, der; -[s]: erster Monat des Jahres. **sinnv.:** Eismonat, Eismond, Hartung, Jänner.

jauch|zen ⟨itr.⟩: seiner Freude, Begeisterung durch Rufe, Schreie o. ä. laut Ausdruck geben: die Kinder jauchzten vor Freude. **sinnv.:** jubeln.

jau|len ⟨itr.⟩: (in bezug auf einen Hund) langgezogene, klagend klingende Töne von sich geben. **sinnv.:** bellen, heulen, wehklagen, winseln.

Jazz [dʒɛs, auch: dʒæz, jats], der; -: *Musik für bestimmte Schlag- und Blasinstrumente, die ihren Ursprung in der Musik der nordamerikanischen Schwarzen hat.*

je: **I.** ⟨Adverb⟩ **1.** /gibt eine unbestimmte Zeit an/ *überhaupt [einmal]:* das Schlimmste, was ich je erlebt habe. **sinnv.:** irgendwann, jemals. **2. a)** *jedesmal in einer bestimmten Anzahl:* je 10 Personen. **sinnv.:** immer, jeweils. **b)** *jede einzelne Person od. Sache für sich genommen:* die Schränke sind je einen Meter breit. **3.** /in Verbindung mit „nach"; *drückt aus, daß etwas von einer bestimmten Bedingung abhängt/:* je nach Geschmack. **II.** ⟨Präp. mit Akk.⟩ *für jede einzelne Person od. Sache:* die Kosten betragen 5 DM je [angebrochene] Stunde, Erwachsenen. **sinnv.:** à, jeweils, pro. **III.** ⟨Konj.⟩ **1.** ⟨mehrgliedrig⟩ /setzt zwei Komparative zueinander in Beziehung/: je früher du kommst, desto mehr Zeit haben wir. **2.** /in Verbindung mit „nachdem"; *drückt aus, daß etwas von einem bestimmten Umstand abhängt/:* er geht mit, je nachdem [ob] er Zeit hat.

Jeans [dʒiːnz], die ⟨Plural; auch Singular⟩: *Hose aus einem unempfindlichen Stoff, die bei groben Arbeiten und während der Freizeit getragen wird:* ideal sind die weißen J./ist die weiße J. für zierliche Frauen. **sinnv.:** Hose. **Zus.:** Bluejeans.

je|de, jede, jedes ⟨Indefinitpronomen und unbestimmtes Zahlwort⟩: */alle einzelnen von einer Gesamtheit/:* jeder besaß ein Geschenk; jedes der Kinder. **sinnv.:** all, jedweder.

je|der|mann ⟨Indefinitpronomen und unbestimmtes Zahlwort⟩: *jeder [ohne Ausnahme]:* j. wußte davon. **sinnv.:** all.

je|mand ⟨Indefinitpronomen⟩: /bezeichnet eine nicht näher bestimmte, beliebige Person; Ggs. niemand/: er sucht jemand[en], der ihm hilft. **sinnv.:** irgend jemand, irgendein, irgendwer.

je|ner, jene, jenes ⟨Demonstrativpronomen⟩ /wählt etwas entfernter Liegendes aus und weist nachdrücklich darauf hin/: die Anschauungen jener finsteren Zeiten. **sinnv.:** der; dieser. **Zus.:** ebenjener.

jen|seits: *auf der anderen Seite* /Ggs. diesseits/: **1.** ⟨Präp. mit Gen.⟩: j. des Flusses. **sinnv.:** drüben, auf der anderen Seite, am anderen Ufer. **2.** ⟨Adverb⟩: j. von Australien.

jetzt ⟨Adverb⟩: *in diesem Augenblick:* ich habe j. keine Zeit. **sinnv.:** im Augenblick, augenblicklich, derzeit, diesmal, eben, gegenwärtig, gerade, heute, heutzutage, just, im Moment, momentan, nun[mehr], soeben, zur Stunde, am heutigen Tage, zur Zeit.

je|weils ⟨Adverb⟩: *immer, jedesmal:* er muß j. die Hälfte abgeben; er kommt j. am ersten Tag des Jahres.

Job [dʒɔp], der; -s, -s: *[beliebige] Arbeit, durch die man seinen Unterhalt verdient:* er hat einen guten J. gefunden. **sinnv.:** Beruf. **Zus.:** Teilzeitjob.

Jog|ging ['dʒɔgɪŋ] das; -s: *Fitneßtraining, bei dem man entspannt in mäßigem Tempo läuft.* **sinnv.:** Gymnastik.

Jo|ghurt, der und das; -[s]: *unter Einwirkung von Bakterien hergestellte saure Milch.* **sinnv.:** Milch, Quark. **Zus.:** Bio-, Fruchtjoghurt.

oh|len ⟨itr.⟩: *wild schreien und lärmen:* die Menschen johlten auf der Straße. **sinnv.:** schreien.

jon|glie|ren [ʒɔŋ'liːrən] ⟨itr.⟩: *seine Geschicklichkeit im Spiel (mit Bällen, Ringen o. ä.) zeigen:* mit acht Bällen j. **sinnv.:** balancieren.

Jour|na|list [ʒʊrna'lɪst], der; -en, -en, **Jour|na|li|stin,** die; -, -nen: *männliche bzw. weibliche Person, die Artikel für Zeitungen schreibt:* ein Gespräch mit dem Journalisten Balzer/mit J. Balzer. **sinnv.:** Berichter, Berichterstatter, Chronist, Kolumnist, Kommentator, Korrespondent, Leitartikler, Publizist, Redakteur, Reporter, Zeitungsmann, Zeitungsschreiber. **Zus.:** Auslands-, Fernseh-, Musik-, Rundfunk-, Wirtschaftsjournalist.

Ju|bel, der; -s: *große, lebhaft geäußerte Freude:* sie begrüßten den Vater mit großem J. **sinnv.:** Freudengeschrei, Freudentaumel, Indianergeheul, Triumphgeschrei.

ju|beln ⟨itr.⟩: *seine Freude laut und lebhaft äußern:* die Kinder jubelten, als sie die Mutter sahen. **sinnv.:** aufjauchzen, aufjubeln, aufjuchzen, einen Freudenschrei/-ruf ausstoßen, frohlocken, jauchzen, jubilieren, juchzen.

Ju|bi|lä|um, das; -s, Jubiläen: *[festlich begangener bestimmter] Jahrestag eines Ereignisses:* das hundertjährige J. der Firma feiern. **sinnv.:** Jahrestag. **Zus.:** Dienst-, Doktorjubiläum.

juck|en: 1. ⟨itr.⟩ *einen Reiz auf der Haut empfinden, der den Drang auslöst, sich zu kratzen:* die Hand juckt [mir]. **sinnv.:** beißen, brennen, kribbeln, piken, stechen. **2.** ⟨sich j.⟩ (ugs.) *sich kratzen:* der Hund juckt sich. **sinnv.:** sich reiben/scheuern.

Ju|gend, die; - /Ggs. Alter/: **1.** *Zeit des Jungseins:* er verbrachte seine J. auf dem Lande. **sinnv.:** Flegelalter, Flegeljahre, Jugendzeit, Jünglingsalter, Pubertät. **2.** *junge Leute:* die J. tanzte bis in die Nacht. **Zus.:** Arbeiter-, Dorf-, Gewerkschafts-, Land-, Schuljugend.

ju|gend|lich ⟨Adj.⟩: **a)** *der Altersstufe zwischen Kindheit und Erwachsensein angehörend:* die jugendlichen Zuschauer, Käufer. **b)** *(als nicht mehr junger Mensch) die Wirkung, Ausstrahlung eines jungen Menschen besitzend:* eine jugendliche Erscheinung. **sinnv.:** infantil, jungenhaft, juvenil, kindlich, knabenhaft, mädchenhaft, pueril.

Ju|gend|li|che, der und die; -n, -n ⟨aber: [ein] Jugendlicher, Plural: [viele] Jugendliche⟩: *junger Mensch.* **sinnv.:** Jüngling, Teen, Teenager, Teenie.

Ju|li, der; -[s]: *siebenter Monat des Jahres.* **sinnv.:** Heuet, Heumonat, Heumond.

jung, jünger, jüngste ⟨Adj.⟩: *sich in jugendlichem Alter befindend* /Ggs. alt/: ein junges Mädchen; ein junges Pferd. **sinnv.:** grün, halbwüchsig, unerfahren, unfertig, unreif.

Jun|ge: **I.** der; -n, -n: *Kind oder jüngere Person männlichen Geschlechts* /Ggs. Mädchen/. **sinnv.:** Bengel, Bub, Bübchen, Bube, Bubi, Bürschchen, Früchtchen, Gassenjunge, Jungchen, Jüngelchen, kleiner Kerl, Kerlchen, Knabe, Piepel, Pimpf, Popel, Schelm, Strick. **Zus.:** Ball-, Bauern-, Boten-, Küchen-, Lauf-, Lehr-, Schiffsjunge. **II.** das; -n, -n ⟨aber: [ein] junges, Plural: [viele] Junge⟩: *junges [gerade geborenes] Tier:* die Jungen füttern.

Jung|ge|sel|le, der; -n, -n, **Jung|ge|sel|lin,** die; -, -nen: *Mann bzw. Frau, die [noch] nicht geheiratet hat.* **sinnv.:** Einspänner, Hagestolz; Single.

Jüng|ling, der; -s, -e: *junger, noch nicht ganz er-
wachsener Mann.* **sinnv.:** Boy, Bursche, [junger]
Dachs, Fant, Geselle, Halbstarker, Halbwüchsi-
ger, Heranwachsender, Jugendlicher, junger
Kerl, junger Mann/Mensch/Herr, Milchbart,
Minderjähriger, junger Spund, Teen, Twen ·
Mod, Popper, Punk[er], Skinhead, Ted. **Zus.:**
Tangojüngling.

Ju|ni, der, -[s]: *sechster Monat des Jahres.* **sinnv.:**
Brachmonat, Brachmond.

Ju|ni|or, der; -s, Junioren, **Ju|nio|rin,** die; -,
-nen: **1.** *Sohn bzw. Tochter (im Verhältnis zum Va-
ter, zur Mutter)* /Ggs. Senior (1)/: der Junior hilft
dem Vater im Geschäft. **sinnv.:** Sohn · Tochter. **2.**
⟨Plural⟩ *junge Sportler bzw. Sportlerinnen bis zu ei-
nem bestimmten Alter:* die Junioren haben ge-
wonnen.

Ju|rist, der; -en, -en, **Ju|ri|stin,** die; -, -nen:

*männliche bzw. weibliche Person, die die Rechte
studiert [hat].* **sinnv.:** Rechtsgelehrter, Rechtsver-
dreher · [Ober]staatsanwalt · Amtsgerichtsrat,
Landgerichtsdirektor, Landgerichtsrat, Richter
[Straf]verteidiger · Advokat, Anwalt, Winkelad-
vokat · Justitiar, Justizrat, Notar, Rechtsberater,
Syndikus. **Zus.:** Verwaltungs-, Voll-, Wirtschafts-
jurist.

Ju|ry [ʒy'ri:, 'ʒy:ri], die; -, -s: *Gruppe von Perso-
nen, die die Aufgabe hat, aus einer Anzahl von Per-
sonen oder Sachen die besten auszuwählen.* **sinnv.:**
Kampfgericht, Preisgericht, Schiedsgericht.

Ju|wel, das; -s, -en: *kostbarer Schmuck, Kost-
barkeit.* **sinnv.:** Schmuck. **Zus.:** Kronjuwel.

Ju|we|lier, der; -s, -e: *jmd., der mit Schmuck
u. ä. handelt.*

Jux, der; -es (ugs.): ↑*Scherz:* das war doch alles
nur [ein] J.; er hat es nur aus J. gesagt.

K

Ka|ba|rett, das; -s, -e und -s: **1. a)** *[künstleri-
sche] Darbietung, bei der besonders in satirischen
Chansons und Sketchen Kritik an meist politischen
Zuständen oder Ereignissen geübt wird.* **sinnv.:**
Kleinkunst, die zehnte Muse; Komödie. **b)** *Klein-
kunstbühne.* **sinnv.:** Brettl, Überbrettl; Theater.
Zus.: Nachtkabarett. **2.** *[drehbare] in Fächer auf-
geteilte Platte, auf der Speisen angeboten werden.*
sinnv.: Platte.

Ka|bel, das; -s, -: *isolierte elektrische Leitung:*
ein K. legen. **Zus.:** Anschluß-, Erd-, Schwach-
strom-, See-, Starkstrom-, Telefon-, Zündkabel.

Ka|bi|ne, die; -, -n: *kleiner, abgeteilter Raum (für
Fahrgäste, zum Umkleiden, zum Telefonieren
usw.).* **sinnv.:** Telefonhäuschen, Telefonzelle ·
Raum. **Zus.:** Ankleide-, Bade-, Druckaus-
gleich[s]-, Dusch-, Fahrer-, Umkleide-, Wahlka-
bine.

Ka|bi|nett, das; -s, -e: *aus den Ministern und
dem Kanzler oder Ministerpräsidenten bestehende
Regierung:* der Kanzler berief eine Sitzung des
Kabinetts ein. **sinnv.:** Regierung. **Zus.:** Minder-
heits-, Schattenkabinett.

Ka|chel, die; -, -n: *gebrannte, meist glasierte
Platte aus Ton.* **sinnv.:** Fliese. **Zus.:** Ofen-, Wand-
kachel.

ka|cheln (tr.): *mit Kacheln versehen:* ein geka-
cheltes Bad. **sinnv.:** auskleiden.

Ka|der, der; -s, -: *Gruppe von erfahrenen Perso-
nen, die den Kern einer Truppe oder Mannschaft
bildet:* er gehört zum K. der Nationalmannschaft.
sinnv.: Stamm[personal]. **Zus.:** Führungs-, Lei-
tungs-, Olympia-, Parteikader.

Kä|fer, der; -s, -: *Insekt mit gepanzertem Körper
und harten Flügeldecken.* **sinnv.:** Insekt. **Zus.:**
Gold-, Hirsch-, Johannis-, Juni-, Kartoffel-,
Lauf-, Leucht-, Mai-, Marien-, Mistkäfer.

Kaf|fee [auch: Kaffee], der; -s: **1.** *Samen, der die
Form einer Bohne hat und der gemahlen und gerö-
stet zur Herstellung eines anregenden Getränks*

dient: Kaffee mahlen. **Zus.:** Bohnen-, Malz-, Pul-
verkaffee. **2.** *anregendes, leicht bitter schmecken-
des, meist heiß getrunkenes Getränk von dunkel-
brauner bis schwarzer Farbe aus gemahlenem, mit
kochendem Wasser übergossenem Kaffee (1):* K.
kochen. **sinnv.:** Bohnenkaffee, Cappuccino,
Espresso, Filterkaffee, Irish coffee, Melange,
Mokka, Negerschweiß · Lorke, Plörre · Mucke-
fuck. **Zus.:** Blümchen-, Milchkaffee.

Kä|fig, der; -s, -e: *mit Gittern versehener Raum
für bestimmte Tiere:* im K. sitzen fünf Affen.
sinnv.: Bauer, Voliere, Zwinger.

kahl ⟨Adj.⟩: **1.** *entblößt von etwas; nichts mehr,
nichts weiter aufweisend:* er hat einen kahlen
Kopf; die Bäume sind k. **sinnv.:** baumlos, unbe-
wachsen, versteppt · entlaubt · glatzköpfig, kahl-
köpfig. **Zus.:** ratzekahl. **2.** *entgegen den Erwar-
tungen nur wenig oder gar nichts als Ausstattung
habend:* ein kahler Raum; kein Bild, alles nur
kahle Wände. **sinnv.:** dürftig, leer, schmucklos.

Kahn, der; -[e]s, Kähne: **1.** *kleines Boot zum Ru-
dern:* [mit dem] K. fahren. **sinnv.:** Boot. **2.** *kleines
Schiff zum Befördern von Lasten.* **sinnv.:** Schiff.
Zus.: Äppel-, Elb-, Fracht-, Last-, Schleppkahn.

Kai|ser, der; -s, -: *oberster Herrscher (in einer be-
stimmten Staatsform):* er wurde zum K. gekrönt.
sinnv.: Regent.

Kai|se|rin, die; -, -nen: **1.** vgl. Kaiser. **2.** *Ehefrau
eines Kaisers.*

Ka|kao [auch: ka'kau], der; -s: **1.** *tropische
Frucht, die die Form einer Bohne hat und die ge-
mahlen zur Herstellung eines nahrhaften Getränks
dient.* **2.** *aus Kakaopulver, Milch und Zucker berei-
tetes Getränk:* eine Tasse K. trinken. **sinnv.:** Ka-
kaogetränk, Schokolade, Trinkschokolade.

Kak|tus, der; -, Kakteen: *(in vielen Arten in Trok-
kengebieten vorkommende) meist säulen- oder ku-
gelförmige Pflanze, die in ihrem verdickten Stamm
Wasser speichert.* **Zus.:** Feigen-, Glieder-, Kugel-,
Säulenkaktus.

Kalb, das; -[e]s, Kälber: *junges Rind.* **Zus.:** Ele-anten-, Hirsch-, Kuh-, Mast-, Rehkalb.

Kallen|der, der; -s, -: *Verzeichnis der Tage, Wochen, Monate eines Jahres.* **sinnv.:** Kalendarium. **Zus.:** Abreiß-, Advents-, Kunst-, Künstler-, Notiz-, Taschen-, Termin-, Wand-, Wochenkalender.

Kalli|ber, das; -s, -: **1.** *innerer Durchmesser von Rohren, bes. vom Lauf einer Feuerwaffe:* der Revolver hat ein großes K. **Zus.:** Kleinkaliber. **2. a)** *emotional) besondere [imponierende] Art, Sorte:* Künstler älteren Kalibers; eine Frau von diesem K. wird nicht lange zögern. **b)** *eine Sorte Mensch, die in ihrer Art als wenig angenehm empfunden wird:* dieser Gauner ist das gleiche K./vom gleichen K. wie ...; Leute dieses Kalibers sind mir verdächtig. **sinnv.:** Art.

Kalk, der; -[e]s, -e: *[durch Brennen] aus einer bestimmten Gesteinsart gewonnenes weißes Material, das bes. beim Bauen verwendet wird.* **Zus.:** Brannt-, Lösch-, Muschelkalk.

kal|ku|lie|ren ⟨tr.⟩: *in bezug auf etwas, was sich später ergeben wird (z. B. Kosten), Überlegungen anstellen:* den Preis sehr niedrig k. **sinnv.:** ausrechnen.

kalt, kälter, kälteste ⟨Adj.⟩: **1.** *[nur noch] wenig oder keine Wärme [mehr] enthaltend, ausstrahlend* ⟨Ggs. warm, heiß⟩: das Essen ist k. **sinnv.:** abgekühlt, ausgekühlt, eisig, eiskalt, frisch, frostig, frostkalt, frostklar, frostklirrend, froststarr, hundekalt, kühl, lausekalt, saukalt, unterkühlt, winterlich. **Zus.:** feucht-, fuß-, naßkalt. **2. a)** *vom Gefühl unbeeinflußt; nüchtern:* mit kalter Berechnung. **sinnv.:** ungerührt. **Zus.:** eiskalt. **b)** *abweisend und unfreundlich, ohne jedes Mitgefühl:* er fragte mich k., was ich wünsche. **sinnv.:** unbarmherzig; unzugänglich. **Zus.:** eis-, gefühlskalt.

kalt|blü|tig ⟨Adj.⟩: **1.** *trotz Gefahr sehr ruhig bleibend, beherrscht:* k. stellte er sich den Einbrechern entgegen. **sinnv.:** geistesgegenwärtig. **2.** *kein Mitleid habend, ungerührt:* ein kaltblütiger Verbrecher. **sinnv.:** umbarmherzig.

Käl|te, die; -: **1. a)** *die Empfindung des Mangels an Wärme:* bei der K. kann man nicht arbeiten. **sinnv.:** Frische, Frost, Frostwetter, Kühle. **Zus.:** Eises-, Hunde-, Sau-, Winterkälte. **b)** *Temperatur unter 0 Grad Celsius:* Berlin meldet 15 Grad K. **2.** *Unverbindlichkeit, Unfreundlichkeit als Mangel an innerer Teilnahme:* jmdn. mit eisiger K. empfangen. **sinnv.:** Roheit. **Zus.:** Gefühlskälte.

kalt|schnäu|zig ⟨Adj.⟩ (emotional): *völlig gleichgültig den Problemen, Sorgen o. ä. anderer gegenüber, in keiner Weise darauf Rücksicht nehmend bei seinen Entscheidungen:* er hat die

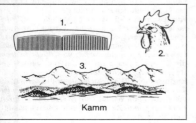

Kamm

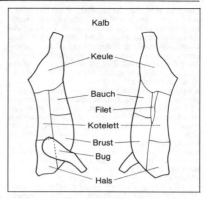

Kalb — Keule — Bauch — Filet — Kotelett — Brust — Bug — Hals

Flüchtlinge k. abgeschoben. **sinnv.:** ohne Mitgefühl, unbeeindruckt, ungerührt.

Ka|me|ra, die; -, -s: *Gerät, mit dem man Bilder aufnehmen, Fotografien machen kann.* **sinnv.:** Apparat, Fotoapparat, Kasten. **Zus.:** Fernseh-, Film-, Kleinbild-, Schmalfilm-, Spiegelreflex-, Studio-, Unterwasser-, Zielkamera.

Ka|me|rad|schaft, die; -: *auf Vertrauen, gemeinsame Tätigkeiten oder Interessen begründetes engeres Verhältnis zwischen Menschen:* die beiden Männer verband eine gute K. **sinnv.:** Freundschaft.

Ka|min, der; -s, -e: *in einem Zimmer befindliche offene Feuerstelle mit Abzug:* am K. sitzen. **sinnv.:** Ofen. **Zus.:** Außenkamin.

Kamm, der; -[e]s, Kämme: **1.** *Gegenstand zum Glätten, gleichmäßigen Legen des Haares* (siehe Bild). **Zus.:** Frisier-, Stiel-, Taschen-, Zierkamm. **2.** *am Kopf von Hühnern befindlicher, länglicher, rötlicher, fleischiger Teil* (siehe Bild). **Zus.:** Hahnenkamm. **3.** *der sich in die Länge erstreckende, fast gleichmäßig verlaufende obere Teil eines Gebirges* (siehe Bild). **sinnv.:** Grat. **Zus.:** Berg-, Gebirgskamm.

käm|men ⟨tr.⟩: *bei jmdm./sich das Haar mit einem Kamm in eine gewünschte Form bringen:* ich habe mir das Haar gekämmt; sie kämmt sich. **sinnv.:** frisieren. **Zus.:** glatt-, hochkämmen.

Kam|mer, die; -, -n: *kleiner Raum.* **sinnv.:** Raum. **Zus.:** Abstell-, Besen-, Dach-, Korn-, Mädchen-, Rumpel-, Schatz-, Schlaf-, Speise-, Vorrats-, Waffen-, Wäschekammer.

Kampf, der -[e]s, Kämpfe: **a)** *größere militärische Auseinandersetzung feindlicher Truppen:* es tobte ein blutiger K. um die Hauptstadt. **sinnv.:** Fehde, Feindseligkeiten, Feldschlacht, Gefecht, kriegerische Handlungen, Kampfhandlungen, Konfrontation, Kugelwechsel, Materialschlacht, Scharmützel, Schlacht[getümmel], Seeschlacht. **Zus.:** Abwehr-, Befreiungs-, End-, Entscheidungs-, Erd-, Freiheits-, Graben-, Guerilla-, Stellungs-, Straßenkampf. **b)** *handgreifliche Auseinandersetzung:* ein ungleicher K. **Zus.:** Zweikampf. **c)** *Ringen (um etwas), heftiges Streben (nach etwas):* der K. für die Freiheit; der K. um die Macht. **sinnv.:** Auseinandersetzung, Ringen ·

Hin und Her, Tauziehen. **Zus.**: Existenz-, Klassen-, Konkurrenz-, Macht-, Preiskampf, Richtungskämpfe, Wahl-, Widerstandskampf. **d)** *das Kämpfen:* der K. gegen den Hunger in der Welt. **sinnv.**: Befehdung, Bekämpfung. **Zus.**: Gewissens-, Seelen-, Todeskampf. **e)** *sportlicher Wettkampf.* **sinnv.**: Spiel. **Zus.**: Ausscheidungs-, Box-, Länder-, Mannschafts-, Mehr-, Ring-, Titel-, Wett-, Zehnkampf.

kämp|fen ⟨itr.⟩: *seine Kräfte [im Kampf] (gegen, für etwas) einsetzen:* bis zur Erschöpfung, um seine Existenz k. **sinnv.**: boxen, fechten, fighten, einen Kampf austragen, sich mit jmdm. messen, ringen, sich schlagen, einen Wettkampf austragen · sich ein Gefecht liefern · streiten; eintreten für. **Zus.**: durch-, freikämpfen.

kam|pie|ren ⟨itr.⟩: *notdürftig wohnen, übernachten:* auf dem Feld k. **sinnv.**: übernachten.

Ka|nal, der; -s, Kanäle: **1.** *künstlich hergestellter Wasserlauf, der von Schiffen befahren wird (und eine Verbindung darstellt zwischen Flüssen, Seen, Meeren):* Kanäle durchziehen das Land. **sinnv.**: Wasserstraße, Wasserweg. **Zus.**: Seitenkanal. **2.** *unterirdisches System von Leitungen, durch das die Abwässer einer Siedlung abgeleitet werden.* **Zus.**: Abwasserkanal. **3.** (Rundf., Fernsehen) *bestimmter Frequenzbereich eines Senders:* einen K. einstellen.

Ka|na|li|sa|ti|on, die; -, -en: *System aus Rohren und Kanälen zum Ableiten der Abwässer und des Wassers von Regen oder Schnee:* das Dorf hat keine K. **sinnv.**: Abflußkanal, Entwässerungsgraben, -kanal.

Kan|di|dat, der; -en, -en, **Kan|di|da|tin,** die; -, -nen: **a)** *männliche bzw. weibliche Person, die sich um etwas bewirbt:* um diesen Posten bewerben sich drei Kandidaten. **sinnv.**: Anwärter. **Zus.**: Gegen-, Heirats-, Präsidentschafts-, Todeskandidat. **b)** *männliche bzw. weibliche Person, die sich einer Prüfung unterzieht.* **sinnv.**: Prüfling. **Zus.**: Examenskandidat.

kan|di|die|ren ⟨itr.⟩: *sich als Vertreter einer Gruppe zur Wahl stellen:* er kandidiert für das Amt des Präsidenten. **sinnv.**: sich bewerben für, als Kandidat aufgestellt sein/werden.

Ka|nin|chen, das; -s, -: *dem Hasen ähnliches Säugetier.* **sinnv.**: Feldhase, Hase, Karnickel, Stallhase. **Zus.**: Angora-, Haus-, Versuchs-, Wildkaninchen.

Ka|ni|ster, der; -s, -: *tragbarer viereckiger Behälter für Flüssigkeiten:* drei Kanister Benzin. **sinnv.**: Behälter. **Zus.**: Benzin-, Öl-, Reservekanister.

Kan|ne, die; -, -n: *für Flüssigkeiten bestimmtes Gefäß mit Henkel, Schnabel [und Deckel]:* Milch in einer K. auf den Tisch stellen; eine K. Tee. **sinnv.**: Amphore, Karaffe, Krug. **Zus.**: Blech-, Gieß-, Kaffee-, Kupfer-, Milch-, Teekanne.

Ka|no|ne, die; -, -n: **1.** *schweres Geschütz mit langem Rohr:* eine K. abfeuern. **sinnv.**: Geschütz. **Zus.**: Gulasch-, Schneekanone. **2.** (emotional) *jmd., dessen Können auf einem bestimmten Gebiet als großartig, ganz besonders bewundernswert angesehen wird:* im Schwimmen ist er eine K. **sinnv.**: Fachmann. **Zus.**: Fußball-, Ski-, Sports-, Stimmungskanone.

Kan|te, die; -, -n: *Linie, Stelle, an der zwei Flächen aneinanderstoßen; Rand einer Fläche:* eine

scharfe K. **sinnv.**: Ecke, Rand. **Zus.**: Außen-, Bahnsteig-, Bett-, Bordstein-, Hand-, Innen-, Schnitt-, Tisch-, Web[e]kante.

Kan|ti|ne, die; -, -n: *Speiseraum in Fabriken, Kasernen o. ä., in der die Betriebsangehörigen, Soldaten o. ä. essen können:* in der K. essen. **sinnv.**: Gaststätte. **Zus.**: Werkskantine.

Kan|zel, die; -, -n: *auf einer Säule ruhende oder an einem Pfeiler angebrachte, von einer Brüstung umgebene Plattform, von der aus der Geistliche seine Predigt hält:* etwas von der K. herab verkünden. **sinnv.**: Katheder, Lesepult, Predigtstuhl, Pult, Rednerpult. **Zus.**: Lehrkanzel.

Kanz|ler, der; -s, -: **1.** *(in der Bundesrepublik Deutschland und in Österreich:) Regierungschef.* **Zus.**: Bundes-, Reichs-, Schatz-, Vizekanzler. **2.** *Leiter der Verwaltung einer Hochschule.*

Ka|pel|le, die; -, -n: **I. 1.** *kleine für Andachten o. ä. vorgesehene Kirche oder entsprechender Raum in einem Gebäude (einem Schloß oder Krankenhaus).* **sinnv.**: Kirche. **Zus.**: Burg-, Friedhofs-, Grab-, Haus-, Schloßkapelle. **2.** *kleiner Raum innerhalb einer Kirche.* **Zus.**: Chor-, Seiten-, Taufkapelle. **II.** *kleineres Orchester, das Musik zur Unterhaltung, zum Tanz spielt:* zu dem Fest wird eine K. engagiert. **sinnv.**: Combo, Orchester. **Zus.**: Blas-, Militär-, Musik-, Tanz-, Zigeunerkapelle.

ka|pie|ren ⟨tr./itr.⟩ (ugs.): *etwas, was man geistig erfassen soll, verstehen; die Zusammenhänge, einen Sachverhalt erfassen:* hast du [das] kapiert? **sinnv.**: verstehen.

Ka|pi|tal, das; -s, -e, auch: -ien: **a)** *Geld (das zu Geschäften verwendet wird und Gewinn abwirft):* sein K. anlegen, in ein Geschäft stecken. **sinnv.**: Besitz. **b)** *Vermögen eines Unternehmens:* die Aktiengesellschaft will ihr K. erhöhen. **sinnv.**: Vermögen. **Zus.**: Aktien-, Anfangs-, Anlage-, Auslands-, Betriebs-, Grund-, Stammkapital.

Ka|pi|tän, der; -s, -e: **a)** *Kommandant eines Schiffes.* **sinnv.**: Schiffsführer. **Zus.**: Fregatten-, Korvetten-, Schiffskapitän. **b)** *Anführer einer Mannschaft.* **sinnv.**: Mannschaftsführer. **Zus.**: Mannschaftskapitän.

Ka|pi|tel, das; -s, -: *größerer Abschnitt eines Buches o. ä.:* ein K. lesen. **sinnv.**: Abschnitt. **Zus.**: Anfangs-, Eingangs-, Schlußkapitel.

ka|pi|tu|lie|ren ⟨itr.⟩: **1.** *(in einer kriegerischen Auseinandersetzung) sich für besiegt erklären und nicht weiterkämpfen:* alle Truppen haben, das Land hat kapituliert. **sinnv.**: sich ergeben, die weiße Fahne hissen/zeigen, die Hände heben, sich unterwerfen, die Waffen niederlegen/strecken. **2.** *(vor etwas nach längerem, vergeblichem Widerstand) resignierend den Kampf aufgeben:* sie haben vor den sich auftürmenden Schwierigkeiten kapituliert. **sinnv.**: aufgeben.

Kap|pe, die; -, -n: **1.** *eng anliegende Kopfbedeckung mit oder ohne Schirm:* sie trug eine modische K. **sinnv.**: Kopfbedeckung. **Zus.**: Bade-Narren-, Pelz-, Tarn-, Wollkappe. **2.** *abnehmbarer Teil, der etwas zum Schutz umschließt, bedeckt:* die Kappe eines Füllfederhalters. **sinnv.**: Verschluß. **Zus.**: Verschlußkappe.

kap|pen ⟨tr.⟩: **1.** *durchschneiden:* die Leinen, das Tau k. **2. a)** *(die Spitze von Bäumen) abschneiden:* die Krone, den Wipfel k. **b)** *(Bäume) an den Kronen kürzer schneiden:* die Bäume müssen gekappt werden. **sinnv.**: beschneiden.

Kap|sel, die; -, -n: *kleines rundes oder ovales Behältnis.* **sinnv.:** Hülle.

ka|putt ⟨Adj.⟩ (ugs.): **a)** *defekt und daher nicht mehr funktionierend:* die Uhr ist k. **sinnv.:** defekt. **)** *in Stücke gegangen, entzweigebrochen:* der Teller ist k. **sinnv.:** entzwei, hin, hinüber, zerbrochen, erschlagen, zerstört. **c)** *völlig erschöpft:* er machte einen kaputten Eindruck; ich bin ganz k. **innv.:** erschöpft.

Ka|pu|ze, die; -, -n: *(an Mantel, Anorak o. ä.) am Halsrand angeknöpfte oder festgenähte Kopfbedeckung, die sich über den Kopf ziehen läßt:* ein Mantel mit K. **sinnv.:** Kopfbedeckung.

Ka|rat, das; -[e]s, -e: **1.** *Einheit für die Bestimmung des Gewichts von Edelsteinen:* 1 K. entspricht einem Gewicht von 0,2 g. **sinnv.:** Gewicht. **.** *Einheit einer in 24 Stufen eingeteilten Skala zum Messen des Gehaltes an Gold:* reines Gold hat 4 K. **sinnv.:** Gewicht.

Ka|ra|wa|ne, die; -, -n: **1.** *(früher im Orient) Zug von reisenden Kaufleuten [mit Lasten transportierenden Tieren]:* die K. näherte sich der Oase. **2.** *[zusammengehörende] größere Gruppe von Personen, Fahrzeugen, die sich in einem langen Zug hintereinander fortbewegen:* Karawanen von Autos, paziergängern. **Zus.:** Autokarawane.

Kar|di|nal, der; -s, Kardinäle: *nach dem Papst höchster katholischer Geistlicher:* die Kardinäle wählen den Papst. **sinnv.:** Geistlicher.

karg ⟨Adj.⟩: *sehr bescheiden, ohne jeden Aufwand, Überfluß o. ä.:* die Ausstattung ist sehr k.; in karges Leben. **sinnv.:** ärmlich, armselig, bescheiden, beschränkt, dürftig, frugal, kärglich, äglich, knapp, kümmerlich, mager, popelig, chmal, schwach, spärlich, spartanisch, unergiebig, wenig.

ärg|lich ⟨Adj.⟩: *nur die nötigsten Bedürfnisse befriedigend:* eine kärgliche Mahlzeit. **sinnv.:** arg.

ka|ri|ka|tur, die; -, -en: *Zeichnung, bei der zum weck der Verspottung charakteristische Merkmale übertrieben hervorgehoben werden:* eine politische K. **sinnv.:** Cartoon, Witzzeichnung, Zerrild.

ar|ne|val, der; -s: *Zeit vieler Feste mit Kostümen [und Masken], die der Fastenzeit vorausgeht.* **nnv.:** Fastnacht.

ka|ro, das; -s, -s: **1.** *[auf der Spitze stehendes] iereck.* **sinnv.:** Viereck. **Zus.:** Schottenkaro. **2. a)** ohne Artikel; ohne Plural) *[niedrigste] Farbe im Kartenspiel.* **b)** ⟨Plural Karo⟩ *Spielkarte mit Karo K. a) als Farbe* (siehe Bildleiste „Spielkarten").

ka|ros|se|rie, die; -, Karosserien: *der auf dem ahrgestell ruhende [Blech]teil des Autos.*

ka|rot|te, die; -, -n: ↑ *Möhre.*

kar|re, die; -, -n: *kleiner, schiebend vorwärtsbewegter Wagen zum Befördern von Lasten:* Säcke uf die K. laden. **sinnv.:** Karren. **Zus.:** Schieb-, chubkarre.

ar|ren, der, -s, -: ↑ *Karre.*

ar|rie|re, die; -, -n: *erfolgreicher Aufstieg im eruf:* eine große K. vor sich haben. **sinnv.:** Laufahn. **Zus.:** Beamtenkarriere.

ar|te, die; -, -n: **a)** ↑ *Postkarte:* jmdm. eine K. chicken. **Zus.:** Ansichts-, Bild-, Brief-, lückwunsch-, Weihnachtskarte. **b)** ↑ *Eintritts-arte:* zwei Karten kaufen. **Zus.:** Kino-, Kon-ert-, Theaterkarte. **c)** ↑ *Fahrkarte:* wo hast du die

K. für die Rückfahrt? **Zus.:** Monats-, Netz-, Platz-, Wochenkarte. **d)** ↑ *Speisekarte:* bringen Sie mir bitte die K.! **e)** ↑ *Spielkarte:* die Karten mischen. **Zus.:** Bridge-, Rommé-, Skat-, Spielkarte. **f)** ↑ *Landkarte:* einen Ort auf der K. suchen. **Zus.:** Auto-, Gelände-, Straßen-, Wanderkarte.

Kar|tof|fel, die; -, -n: **a)** *krautige Pflanze, die unterirdisch eßbare Knollen ausbildet.* **Zus.:** Frühkartoffel. **b)** *Knolle der Kartoffelpflanze, die ein wichtiges Nahrungsmittel darstellt.* **sinnv.:** Erdapfel. **Zus.:** Pell-, Saat-, Salz-, Winterkartoffel.

Kar|ton [kar'tɔŋ], der; -s, -s: **1.** *sehr festes Papier:* die Verpackung ist aus K. **sinnv.:** Pappe. **Zus.:** Zeichenkarton. **2.** *Schachtel aus Pappe:* die Ware in einen K. verpacken; 10 Karton[s] Seife. **sinnv.:** Schachtel. **Zus.:** Pappkarton.

Ka|rus|sell, das; -s, -s und -e: *sich drehende Vorrichtung mit verschiedenartigen Aufbauten (Pferde, Autos o. ä.), auf denen sitzend man sich im Kreise bewegt (bes. auf Jahrmärkten):* [mit dem] K. fahren. **Zus.:** Ketten-, Kinderkarussell.

Kä|se, der; -s, -: *aus Milch hergestelltes Nahrungsmittel, das als Brotaufstrich oder -belag dient.* **Zus.:** Frisch-, Schafs-, Schicht-, Schmelz-, Streich-, Weich-, Weiß-, Ziegenkäse.

Ka|ser|ne, die; -, -n: *Gebäude, das als Unterkunft von Truppen dient:* in die K. einrücken. **Zus.:** Mietskaserne.

Kas|se, die; -, -n: **a)** *Behälter, Kassette, in der Geld aufbewahrt wird.* **sinnv.:** Geldkassette. **b)** *Stelle in einem Geschäft, Kaufhaus o. ä.), an der die Käufer ihre Einkäufe bezahlen:* an der K. bezahlen. **Zus.:** Abend-, Kino-, Theaterkasse. **c)** *Stelle in einer Bank o. ä., an der Geld ausgezahlt wird:* an der K. einen Scheck einlösen. **sinnv.:** Kassenschalter, Schalter.

Kas|set|te, die; -, -n: **a)** *kleinerer, verschließbarer Behälter für Geld oder für kleinere wertvolle Gegenstände.* **sinnv.:** Kästchen, Schatulle. **Zus.:** Geld-, Schmuckkassette. **b)** *Hülle aus festem Material für Bücher, Schallplatten, Filme, Tonbänder.*

kas|sie|ren ⟨tr.⟩: *(Geld, einen zur Zahlung fälligen Betrag) einziehen:* das Geld, die Beiträge k. **sinnv.:** beitreiben, einheimsen, einnehmen, einsammeln, einstecken, einstreichen, eintreiben, erheben, jmdn. zur Kasse bitten, vereinnahmen. **Zus.:** ab-, einkassieren.

Ka|sten, der; -s, Kästen: *rechtwinkliger, aus festem Material bestehender Behälter (meist mit Deckel), der für die Aufbewahrung, den Transport o. ä. unterschiedlicher Dinge bestimmt ist:* die Bücher beim Umziehen in Kästen verpacken; 2 K./Kästen Bier. **sinnv.:** Box, Kiste. **Zus.:** Blumen-, Brief-, Brot-, Sand-, Werkzeugkasten.

Ka|ta|log, der; -[e]s, -e: *nach einem bestimmten System aufgebautes Verzeichnis von Sachen, Büchern o. ä.:* einen K. aufstellen; etwas nach einem K. bestellen. **sinnv.:** Prospekt, Verzeichnis. **Zus.:** Ausstellungskatalog.

ka|ta|stro|phal ⟨Adj.⟩: *(in seinem Ausmaß) sehr schlimm, verhängnisvoll:* der Mangel an Wasser war k.; die anhaltende Dürre hat katastrophale Folgen. **sinnv.:** schrecklich.

Ka|ta|stro|phe, die; -, -n: *[unerwartet eintretendes, viele Menschen betreffendes] verhängnisvolles Geschehen:* das Hochwasser wuchs sich zu einer schweren K. aus. **sinnv.:** Unglück. **Zus.:** Hunger-, Natur-, Unwetterkatastrophe.

Ka|ter, der; -s, -: **1.** *männliche Katze.* **2.** (ugs.) *schlechte körperliche und seelische Verfassung nach unmäßigem Genuß von Alkohol:* am nächsten Morgen hatte er einen K. **sinnv.:** Katerstimmung, Katzenjammer, Moralischer. **Zus.:** Muskel-, Strahlenkater.

ka|tho|lisch ⟨Adj.⟩: *der vom Papst als Stellvertreter Christi angeführten Kirche angehörend, von ihr bestimmt, sie betreffend:* ein katholischer Geistlicher.

Kạt|ze, die; -, -n: *Haustier mit schlankem Körper, kleinem runden Kopf und langem Schwanz:* die K. miaut, macht einen Buckel. **sinnv.:** Dachhase, Miez[e], Miezekatze. **Zus.:** Haus-, Raub-, Wildkatze.

kau|en ⟨tr./itr.⟩: *mit den Zähnen zerkleinern:* du mußt [das Brot] gut k. **sinnv.:** beißen, knabbern, mahlen, mümmeln, nagen. **Zus.:** zerkauen.

kau|ern: a) ⟨itr.⟩ *zusammengekrümmt hocken:* die Gefangenen kauerten auf dem Boden. **sinnv.:** sitzen. **b)** ⟨sich k.⟩ *sich zusammengekrümmt hinsetzen:* die Kinder kauerten sich in die Ecke. **sinnv.:** setzen. **Zus.:** sich hin-, zusammenkauern.

Kauf, der; -[e]s, Käufe: *Erwerb von etwas für Geld:* ein günstiger K.; ein Haus zum K. anbieten. **sinnv.:** Anschaffung, Bezug, Errungenschaft, Erwerb, [Neu]erwerbung, Okkasion. **Zus.:** An-, Angst-, Ein-, Gelegenheits-, Hamster-, Raten-, Ver-, Zukauf.

kau|fen ⟨tr.⟩: **a)** *für Geld erwerben:* ich will [mir] ein Auto k.; hier gibt es alles zu k. **sinnv.:** anschaffen, sich mit etwas eindecken, ergattern, erstehen, käuflich erwerben, einen Kauf tätigen, die Katze im Sack kaufen, leisten, mitnehmen, ramschen, sich mit etwas versorgen, sich etwas zulegen. **Zus.:** ab-, an-, auf-, er-, leer-, los-, ver-, zusammenkaufen. **b)** ↑*einkaufen:* sie kauft nur im Supermarkt.

Kauf|frau: vgl. Kaufmann.

Kauf|haus, das; -es, Kaufhäuser: *großes, meist mehrere Etagen einnehmendes Geschäft, in dem Waren verschiedenster Art angeboten werden:* in einem K. einkaufen. **sinnv.:** Laden.

käuf|lich ⟨Adj.⟩: *durch Kauf zu erwerben, gegen Geld erhältlich:* etwas k. erwerben; das Bild ist nicht k. **sinnv.:** feil.

Kauf|mann, der; -[e]s, Kaufleute, **Kauf|frau,** die; -, -en: *männliche bzw. weibliche Person, die eine kaufmännische Ausbildung hat und [selbständig] im Handel oder Gewerbe tätig ist:* er ist Kaufmann. **sinnv.:** Händler, Krämer. **Zus.:** Diplom-, Einzelhandels-, Export-, Industriekaufmann.

kaum ⟨Adverb⟩: **1. a)** *wahrscheinlich nicht, vermutlich nicht:* sie wird es k. tun. **sinnv.:** schwerlich. **b)** *fast nicht, nur mit Mühe:* ich kann es k. erwarten. **c)** *nur sehr wenig, fast gar nicht:* er hatte k. geschlafen. **2.** *gerade eben; erst seit ganz kurzer Zeit:* k. war er zu Hause, rief er mich an. **sinnv.:** gerade.

Kauz, der; -es, Käuze (ugs.): *Mann, der auf seine Umgebung eigenbrötlerisch, wunderlich wirkt:* er ist ein seltsamer, ein komischer K. **sinnv.:** Außenseiter.

kau|zig ⟨Adj.⟩: *eigenbrötlerisch, wunderlich wirkend:* ein kauziger Mensch. **sinnv.:** seltsam.

keck ⟨Adj.⟩: *in unbefangen-munterer Weise dreist [wirkend]:* eine kecke Antwort, Nase; er hatte die Mütze k. in die Stirn gezogen. **sinnv.:** frech.

Ke|gel, der; -s, -: **1.** /eine geometrische Figur (siehe Bildleiste „geometrische Figuren", S. 175 **Zus.:** Licht-, Scheinwerfer-, Strahlenkegel. **2.** F gur für das Kegelspiel: alle K. gleichzeitig umwe fen. **sinnv.:** Holz.

ke|geln ⟨itr.⟩: *das Kegelspiel betreiben (und dabe Kegel mit einer Kugel umzuwerfen versuchen):* w wollen heute abend k. **sinnv.:** bowlen, Bowlin spielen, kegelschieben.

Kehl|le, die; -, -n: **1.** *vorderer Teil des Halse (beim Menschen und bei bestimmten Tieren):* e packte ihn an der K.; der Marder hat dem Huh die K. durchgebissen. **sinnv.:** Gurgel, Hals. **2.** *d Rachen (mit Luft- und Speiseröhre):* als er de Fisch aß, blieb ihm eine Gräte in der K. stecker **sinnv.:** Rachen.

Kehre, die; -, -n: *Biegung eines Weges o.ä durch die sich die Richtung fast bis in die Gegen richtung umkehrt:* die Straße führt in Kehren zu Paßhöhe. **sinnv.:** Kurve.

keh|ren: a) ⟨tr./itr.⟩ (bes. südd.) *mit einem Bese von Schmutz, Staub befreien:* die Straße k.; ic muß noch k. **sinnv.:** säubern. **b)** ⟨tr.⟩ *mit einem Be sen entfernen:* die Blätter von der Terrasse k **sinnv.:** entfernen.

kei|fen ⟨itr.⟩: *auf eine giftige, böse Art lau schimpfen:* die Frau keift den ganzen Tag. **sinnv.** schelten.

Keil, der; -[e]s, -e: *(bes. zum Spalten von Holz ver wendetes) Werkzeug aus Holz oder Metall in For eines dreieckigen, an einem Ende spitz zulaufende Klotzes.* **sinnv.:** Faustkeil.

Keim, der; -[e]s, -e: **a)** *Trieb einer Pflanze, d sich aus dem Samen entwickelt:* die jungen Keim wurden schon sichtbar. **sinnv.:** Keimling, Säm ling. **Zus.:** Pflanzenkeim. **b)** ⟨K. + Attribu *kleinste Anfänge, aus denen sich etwas entwicke oder entwickeln kann:* den K. der Hoffnung i jmdm. zerstören. **c)** *organischer Erreger vo Krankheiten:* vorhandene Keime mit einem Des infektionsmittel abtöten. **sinnv.:** Bakterien. **Zus.** Krankheitskeim.

kein (Indefinitpronomen): **1. a)** *nicht ein, nich irgendein:* keine Arbeit finden; k. Mensch wa da. **b)** *nichts an:* k. Geld, keine Zeit haben. kehrt das nachstehende Adjektiv ins Gegenteil das ist keine schlechte Idee; er ist k. schlechte Lehrer. **d)** vor Zahlwörtern; *nicht ganz, nicht ein mal:* es hat keine 10 Minuten gedauert; er wird k Jahr bleiben. **2.** ⟨alleinstehend⟩ *keine Person, ke ne Sache:* keiner rührte sich; keines der Mitte hat geholfen.

kei|ner|lei (unbestimmtes Zahlwort): *nicht de die, das geringste; keine Art von:* er will k. Ver pflichtungen eingehen.

kei|nes|wegs ⟨Adverb⟩: *durchaus nicht:* das is k. der Fall. **sinnv.:** durchaus/ganz und gar nich keinesfalls, mitnichten, unter keinen Umstän den; nein.

-keit, die; -, -en: /Ableitung nur von Adjektiver die mit unbetonter Silbe enden und der eine be tonte vorausgeht; vgl. -ung/-heit, -igkeit/: **1.** au **-bar:** Kostbarkeit, Wünschbarkeit. **2.** auf -ig: Ab hängigkeit, Dickköpfigkeit, Gefälligkeit, Leben digkeit, Notwendigkeit. **3.** auf -lich: Deutlich keit, Erblichkeit, Gastfreundlichkeit, Herzlich keit, Öffentlichkeit, Scheußlichkeit. **4.** auf -sam Betriebsamkeit, Gelehrsamkeit. **5.** auf -er: Ma

erkeit, Sauberkeit, Tapferkeit. **6.** auf -el: Eitel-
eit, Übelkeit.

eks, der, seltener: das; - und -es, - und -e: *trok-
enes und haltbares Plätzchen:* ich habe drei Kek-
e gegessen. **sinnv.:** Gebäck.

elch, der; -[e]s, -e: *Trinkgefäß mit Stiel und Fuß
eist für besondere Zwecke.* **sinnv.:** Gefäß. **Zus.:**
bendmahls-, Leidens-, Sekt-, Spitzkelch.

el|ler, der; -s, -: a) *teilweise oder ganz unter der
rde liegendes Geschoß eines Hauses.* **b)** *einzelner
aum (als Abstell- oder Vorratsraum) im Kellerge-
hoß eines Hauses:* zur Wohnung gehört ein K.

ell|ner, der; -s, -, **Kell|ne|rin,** die; -, -nen:
*ännliche bzw. weibliche Person, die in Restau-
ants oder Cafés den Gästen Speisen und Getränke
rviert und das Geld dafür kassiert.* **sinnv.:** Bedie-
ng, Garçon, Ober. **Zus.:** Etagen-, Ober-, Spei-
wagen-, Zahlkellner.

en|nen, kannte, hat gekannt ⟨itr.⟩: **1.** *Kenntnis
n etwas haben:* jmds. Namen, Adresse k.; ich
nne den Grund für sein Verhalten. **sinnv.:** wis-
n. **2.** *mit etwas vertraut sein, sich auskennen:* ich
nne Berlin; er kennt die Verhältnisse. **sinnv.:**
ch auskennen. **3.** *mit jmdm. bekannt sein:* jmdn.
her, nur flüchtig k. **sinnv.:** jmdm. bekannt /kein
nbekannter sein.

en|nen|ler|nen, lernte kennen, hat kennenge-
rnt ⟨itr.⟩: **1.** *mit jmdm./etwas bekannt, vertraut
erden:* ich habe ihn, die Stadt letztes Jahr ken-
ngelernt. **sinnv.:** Bekanntschaft machen. **2.** *mit
was, was man bis dahin nicht kannte, konfron-
rt werden, etwas zum erstenmal erfahren:* Kum-
er und Sorgen k.; das Leben unter harten Be-
ngungen k. **sinnv.:** erleben.

ennt|nis, die; -, -se: **1.** ⟨ohne Plural⟩ *das Wis-
n von etwas; das Bekanntsein mit bestimmten
kten o. ä.:* es geschah ohne meine K.; er hatte
eine] K. von dem Vorhaben. **sinnv.:** Erfahrung.
ıs.: Menschen-, Orts-, Sachkenntnis. **2.** ⟨Plural⟩
urch Erfahrung oder Studium erworbenes]
ıch-, Fachwissen:* auf einem bestimmten Gebiet
rzügliche Kenntnisse haben, besitzen; Kennt-
sse in mehreren Fremdsprachen. **sinnv.:** Bil-
ng. **Zus.:** Elementar-, Fach-, Grund-, Schul-,
rachkenntnisse.

enn|zei|chen, das; -s, -: **1.** *charakteristisches
erkmal, an dem man jmdn./etwas erkennt:* auf-
lliges k. des Gesuchten ist eine große Narbe im
esicht. **sinnv.:** Besonderheit, Eigenschaft,
erkmal. **2.** *Blechschild mit Buchstaben und/oder
ahlen, das als amtliches Zeichen an einem Kraft-
hrzeug angebracht sein muß:* das polizeiliche K.
s Fahrzeugs ist nicht bekannt. **Zus.:** Autokenn-
chen.

enn|zeich|nen ⟨tr.⟩: *mit einem Kennzeichen
rsehen:* alle Waren k. **sinnv.:** markieren.

en|tern, kenterte, ist gekentert ⟨itr.⟩: *(von Was-
fahrzeugen) sich seitwärts neigend aus der nor-
alen Lage geraten und auf die Seite oder kieloben
liegen kommen:* das Boot ist bei Sturm geken-
t. **sinnv.:** kippen, umkippen.

a|ra|mik, die; -, -en: **1.** *Gefäß oder anderer Ge-
nstand aus gebranntem [und glasiertem] Ton:*
ıe Ausstellung alter Keramiken. **sinnv.:** Fa-
nce, Majolika. **2.** ⟨ohne Plural⟩ *Gesamtheit der
zeugnisse aus gebranntem Ton.* **sinnv.:** Porzel-
ı, Steingut, Steinzeug, Terrakotta, Ton-, Töp-
·ware, Wedgwood.

Ker|be, die; -, -n: *einen spitzen Winkel bildender
Einschnitt (bes. in Holz):* eine K. in die Rinde der
Eiche schneiden. **sinnv.:** Einkerbung, Scharte,
Schnitt, Spalt.

Ker|ker, der; -s, - (früher): *Gefängnis, in dem ei-
ne schwere Strafe abgebüßt werden mußte:* jmdn.
zu lebenslänglichem K. verurteilen. **sinnv.:** Straf-
anstalt.

Kerl, der; -s, -e und (abwertend auch:) -s (ugs.):
1. *(in negativer Weise charakterisierte) männliche
Person:* ein grober, gemeiner K.; ich kann den K.
nicht leiden. **sinnv.:** Mann. **Zus.:** Drecks-, Sau-,
Scheißkerl. **2.** *(positiv eingeschätzter) Mensch:* sie
ist ein lieber K.; er ist ein feiner, netter K. **sinnv.:**
Mensch. **Zus.:** Pfunds-, Prachtkerl.

Kern, der; -[e]s, -e: **1.** *im Kerngehäuse sitzender
bzw. von einer harten Schale umgebener Same
(z. B. von Apfel, Kirsche, Haselnuß).* **sinnv.:** Stein.
Zus.: Apfel-, Kirsch-, Pfirsich-, Sonnenblumen-,
Zwetschenkern. **2.** *wichtigster innerster Teil, Mit-
telpunkt von etwas:* der K. des Problems; die Sa-
che hat einen wahren K. **sinnv.:** Mittelpunkt.
Zus.: Erd-, Stadt-, Wesenskern.

Ker|ze, die; -, -n: *zu einem Gebilde gegossenes
Wachs o. ä. mit einem Docht in der Mitte, der mit
ruhiger Flamme langsam brennt:* eine K. anzün-
den. **sinnv.:** Licht, Talglicht. **Zus.:** Advents-,
Duft-, Räucher-, Weihnachtskerze.

keß ⟨Adj.⟩: a) *(bes. von jungen Personen) im Auf-
treten unbekümmert, respektlos, ein wenig vorlaut:*
ein kesses Mädchen. **sinnv.:** frech. **b)** *(in bezug auf
die Kleidung) modisch und flott:* sie trägt ein kes-
ses Hütchen. **sinnv.:** geschmackvoll.

Kes|sel, der; -s, -: **1.** *Behälter (unterschiedlicher
Art und Größe) für Flüssigkeiten, Gase u. a.* **sinnv.:**
Behälter. **Zus.:** Dampf-, Heiz-, Kaffee-, Kupfer-,
Tee-, Wasch-, Wasserkessel. **2.** *von Bergen rings-
um eingeschlossenes Tal:* der Ort liegt in einem K.
Zus.: Berg-, Gebirgs-, Hexen-, Talkessel.

Ket|te, die; -, -n: **1.** *aus einzelnen beweglichen
Gliedern, Teilen bestehender, wie ein Band ausse-
hender Gegenstand aus Metall oder anderen Mate-
rialien (für unterschiedliche Zwecke):* sie trägt eine
goldene K.; den Hund an die K. legen. **Zus.:** An-
ker-, Eisen-, Hals-, Perlen-, Schnee-, Uhrkette. **2.**
*Reihe von Menschen, die sich an den Händen ge-
faßt oder untergehakt haben:* die Polizisten, De-
monstranten bildeten eine K. **sinnv.:** Kordon,
Schlange. **Zus.:** Menschenkette.

Ket|zer, der; -s, -, **Ket|ze|rin,** die; -, -nen
(hist.): *männliche bzw. weibliche Person, die in be-
stimmten Angelegenheiten öffentlich eine andere
Meinung vertritt als die für allgemein gültig erklär-
te:* Hus wurde als Ketzer verbrannt. **sinnv.:** Ab-
weichler, Atheist, Außenseiter, Häretiker, Irr-
gläubiger, Sektierer.

keu|chen ⟨itr.⟩: *schwer, mühsam und geräusch-
voll atmen:* er keuchte schwer unter seiner Last.
sinnv.: atmen.

Keu|le, die; -, -n: **1.** *(als Waffe zum Schlagen be-
stimmter) länglicher Gegenstand mit verdicktem
Ende.* **2.** *Schenkel von bestimmtem Geflügel; Ober-
schenkel von Schlachttieren (siehe Bild „Rind").*
sinnv.: Schlegel. **Zus.:** Gänse-, Hasen-, Rehkeule.

ki|chern ⟨itr.⟩: *leise, mit hoher Stimme unter-
drückt lachen:* die Mädchen kicherten dauernd.
sinnv.: lachen.

kicken (ugs.): **1.** ⟨tr.⟩ *(den Ball) mit dem Fuß*

schießen: der Stürmer kickte den Ball ins Tor. **2.** ⟨itr.⟩ *Fußball spielen:* er kickt jetzt für einen anderen Verein.

Kid|nap|per ['kɪtnɛpɐ], der; -s, -: *jmd., der einen Menschen entführt:* die Kidnapper forderten ein hohes Lösegeld. **sinnv.:** Entführer.

Kie|fer: **I.** die; -, -n: *Nadelbaum mit langen, in Bündeln wachsenden Nadeln und kleinen, kegelförmigen Zapfen* (siehe Bildleiste „Nadelbäume"). **II.** der; -s, -: *Teil des Schädels, in dem die Zähne sitzen, dessen unterer Teil beweglich und dessen oberer Teil fest mit den Knochen des Gesichts verwachsen ist.* **Zus.:** Ober-, Unterkiefer.

Kiel, der; -[e]s, -e: *vom Bug zum Heck verlaufender Teil des Schiffsrumpfes.* **Zus.:** Boots-, Schiffskiel.

Kie|me, die; -, -n: *Atmungsorgan vieler im Wasser lebender Tiere:* Fische atmen durch Kiemen.

Kies, der; -es: *aus kleineren Steinen bestehendes Geröll, das u. a. als Material zum Bauen verwendet wird:* der Weg ist mit K. bedeckt. **sinnv.:** Schotter. **Zus.:** Fluß-, Schwemmkies.

Kie|sel, der; -s, -: *kleiner, vom Wasser rundgeschliffener Stein.* **sinnv.:** Stein. **Zus.:** Bachkiesel.

kil|len ⟨tr.⟩ (ugs.): *kaltblütig ermorden:* der Gangster hat seine beiden Rivalen gekillt. **sinnv.:** töten.

Ki|lo, das; -s, -[s]: ↑ *Kilogramm.*

Ki|lo|gramm, das; -s, -e: */Maßeinheit für Masse/:* vier K. Mehl. **sinnv.:** Gewicht.

Ki|lo|me|ter, der; -s, -: *1 000 Meter.*

Kind, das; -[e]s, -er: **1.** *noch nicht erwachsener Mensch:* Kinder bis zu 12 Jahren/bis 12 Jahre; sie kennen sich von K. an/auf. **sinnv.:** Baby, Balg, Bankert, Benjamin, Dreikäsehoch, Fratz, Göre, Kleines, Knirps, Matz, Nachkömmling, Racker, Spatz, Steppke, Teenie, Wurm. **Zus.:** Christ-, Einzel-, Enkel-, Ferien-, Findel-, Flaschen-, Geburtstags-, Klein-, Kleinst-, Lieblings-, Paten-, Pflege-, Puppen-, Schoß-, Schlüssel-, Schul-, Siebenmonats-, Sonntags-, Sorgen-, Stief-, Waisen-, Wunder-, Wunschkind. **2.** *jmds. unmittelbarer Nachkomme:* seine Kinder sind alle verheiratet. **sinnv.:** Ältester, Erbe, Nachwuchs, Sprößling, Stammhalter. **Zus.:** Kindeskind.

Kin|der|gar|ten, der; -s, Kindergärten: *Einrichtung zur Betreuung von noch nicht schulpflichtigen Kindern.* **sinnv.:** Hort, Kinderhort, Kinderkrippe, Kinderladen, Kindertagesstätte, Krippe.

Kin|der|wa|gen, der; -s, -: *Wagen, in dem Säuglinge ausgefahren werden:* die Mutter fuhr das Baby im K. spazieren. **sinnv.:** Buggy, Kinderchaise, Sportwagen; Korbwagen.

Kind|heit, die; -: *Zeitspanne zwischen Geburt und Eintreten der Geschlechtsreife eines Menschen:* er hat eine fröhliche K. verlebt. **sinnv.:** Kinderjahre, Kinderzeit, Kindesalter.

kin|disch ⟨Adj.⟩: *unreif, albern (in seinem Verhalten):* ein kindisches Benehmen. **sinnv.:** albern, infantil, pueril, unfertig.

kind|lich ⟨Adj.⟩: **a)** *in der Art, dem Aussehen eines Kindes:* ein kindliches Gesicht; sie wirkt noch sehr k. **sinnv.:** jugendlich. **b)** *ein wenig naiv wirkend:* er hat ein kindliches Vergnügen an der elektrischen Eisenbahn; kindliche Freude an etwas haben.

Kinn, das; -[e]s: *unterster, vorspringender Teil in der Mitte des Unterkiefers:* ein spitzes K.

Ki|no, das; -s, -s: **1.** *Raum, Gebäude, in de* *Spielfilme gezeigt werden:* was wird heute im K gespielt? **sinnv.:** Filmpalast, Filmtheater, Kir topp, Lichtspiele, Lichtspielhaus, Lichtspieltheater. **Zus.:** Aktualitäten-, Auto-, Heim-, Nonstop kino. **2.** ⟨ohne Plural⟩ *Vorstellung, bei der e* *Spielfilm vorgeführt wird:* das K. fängt um 9 Uh an. **sinnv.:** Filmvorführung.

Ki|osk, der; -[e]s, -e: *kleines Häuschen, [in e* *Haus eingebauter] Stand, wo Zeitungen, Getränk usw. verkauft werden.* **sinnv.:** Büdchen, Bud Häuschen; Stand. **Zus.:** Zeitungskiosk.

Kip|pe, die; -, -n (ugs.): *Rest einer gerauchten Z garette:* die K. in den Aschenbecher legen. **sinnv** [Zigaretten]stummel. **Zus.:** Zigarettenkippe.

kip|pen, kippte, hat/ist gekippt: **1.** ⟨tr.⟩ **a)** *in ein schräge Stellung bringen:* er hat den Waggon ge kippt. **sinnv.:** hochkant stellen. **b)** *ausschütte* *wobei man den Behälter schräg hält:* er hat de Sand vom Wagen auf die Straße gekippt. **2.** ⟨itr *umfallen:* das Boot ist gekippt. **sinnv.:** kenter **Zus.:** umkippen. **3.** ⟨tr.⟩ (ugs.) **a)** *etwas absetz* *zurückziehen, nicht stattfinden lassen:* man hat di heikle Sendung (aus dem Programm) gekippt; er ne Entscheidung k. **b)** *jmdn. entlassen, zum Rüc* *tritt o. ä. zwingen:* die eigene Partei hat de Staatschef gekippt.

Kir|che, die; -, -n: **a)** *Gebäude für den christ* *chen Gottesdienst:* eine K. besichtigen. **sinnv.:** B silika, Dom, Kapelle, Kathedrale, Mosche Münster, Pagode, Synagoge, Tempel. **Zus** Dorf-, Kloster-, Stifts-, Wallfahrtskirche. **b)** ⟨oh ne Plural⟩ *christlicher Gottesdienst:* wann ist he te K.?; die K. hat schon angefangen. **sinnv** Kirchgang. **c)** *(zu einer Institution zusammenge* *schlossene) christliche Glaubensgemeinschaft:* di anglikanische K.; aus der K. austreten. **sinnv** Religionsgemeinschaft, Sekte. **Zus.:** Frei Hoch-, Mutter-, Ost-, Staatskirche.

kirch|lich ⟨Adj.⟩: *die Kirche betreffend, nach de Formen, Vorschriften der Kirche:* sich k. traue lassen. **sinnv.:** christlich, geistlich, klerikal.

Kir|sche, die; -, -n: *an einem langen Stiel wac* *sende, kleine, runde, rote Frucht.* **sinnv.:** Schatter morelle. **Zus.:** Herz-, Sauer-, Süß-, Vogel Weichselkirsche.

Kis|sen, das; -s, -: *mit weichem Material gefüll* *Hülle, die als weiche Unterlage oder als Polste* *dient.* **sinnv.:** Polster, Schlummerrolle. **Zus.:** F der-, Heiz-, Kopf-, Sitz-, Sofa-, Steckkissen.

Ki|ste, die; -, -n: *(bes. zum Transport von Dinge* *verschiedenster Art bestimmter) rechteckiger B* *hälter aus einem festen Material meist mit Decke* etwas in Kisten verpacken. **sinnv.:** Kasten. **Zus** Bücher-, Holz-, Koch-, Motten-, Porzellan Wein-, Zigarrenkiste.

Kitsch, der; - [e]s: *Kunstprodukt (bes. Gegen* *stand aus dem Bereich des Kunstgewerbes, Musi* *stück, Film o. ä.), das in Inhalt und Form als g* *schmacklos und mit als sentimental empfunde* *wird:* die Andenkenläden sind voller K. **sinnv** Plunder, Schund. **Zus.:** Edelkitsch.

Kit|tel, der; -s, -: *mantelartiges Kleidungsstü* *das bei der Arbeit getragen wird:* der Arzt trägt e nen weißen K. **sinnv.:** Schürze. **Zus.:** Arbeits Arzt-, Bauernkittel.

kit|ten, kittete, hat gekittet ⟨tr.⟩: **1.** *[Zerbroc* *nes] mit Kitt [wieder] zusammenfügen:* die zerbr hene Tasse k. **sinnv.**: kleben. **Zus.**: zusammen-kitten. **2.** *mit Hilfe von Kitt an, auf etwas befestigen:* den Henkel an die Kanne k. **sinnv.**: kleben. **Zus.**: ankitten.

kitzeln: a) ⟨itr.⟩ *(an jmds. Körper) einen Juckreiz hervorrufen:* das Haar kitzelt im Ohr. **sinnv.**: jukken. **b)** ⟨tr.⟩ *jmdn.* wiederholt an einer bestimmten *empfindlichen Körperstelle berühren (was meist einen Lachreiz hervorruft):* um sie zu ärgern, kitzelte er sie an den Fußsohlen. **sinnv.**: krabbeln, kratzen, kraulen.

kitzlig ⟨Adj.⟩: *auf Kitzeln leicht reagierend:* sie ist sehr k.

klaffen ⟨itr.⟩: *einen länglichen und zugleich tiefen Spalt in etwas bilden:* in der Mauer klaffen große Risse. **sinnv.**: aufsein, gähnen, offen sein, offenstehen. **Zus.**: auf-, auseinanderklaffen.

kläffen ⟨itr.⟩: *(auf eine unangenehme, störende Weise) laut, in hellen Tönen bellen:* der Hund läfft den ganzen Tag. **sinnv.**: bellen. **Zus.**: anläffen.

Klage, die; -, -n: **1.** *Äußerung, durch die man Unmut, Ärger o. ä. zum Ausdruck bringt:* sie hatten keinen Grund zur K.; die Klagen über ihn wurden häufiger. **sinnv.**: Gejammer, Jammerrede, Jeremiade, Klagelied, Lamento. **2.** *Worte, Laute, durch die man Schmerz, Trauer zum Ausdruck bringt:* die Angehörigen des Toten brachen in laute Klagen aus. **Zus.**: Toten-, Wehklage. **3.** *bei Gericht vorgebrachte Beschwerde; das Geltendmachen einer Forderung o. ä. vor Gericht:* eine K. einreichen; der Staatsanwalt hat K. gegen ihn erhoben. **sinnv.**: Anklage, Beschwerde, Einspruch. **Zus.**: Räumungs-, Verfassungs-, Verleumdungsklage.

klagen ⟨itr.⟩: **1.** *(über etwas Bestimmtes) Klage führen, Unzufriedenheit äußern:* er klagte, es gehe im finanziell nicht gut; über Schmerzen k. **sinnv.**: die Hände ringen, jammern, lamentieren, murren, jmdm. die Ohren volljammern. **2.** *(bei Gericht) eine Klage anstrengen gegen jmdn.:* er will gegen die Firma k. **sinnv.**: prozessieren. **Zus.**: an-, ein-, verklagen.

kläglich ⟨Adj.⟩: **1.** *sehr gering:* der Verdienst ist k.; ein klägliches Ergebnis. **sinnv.**: karg. **2.** *in beklagenswerter, Mitleid erregender Weise schlecht:* in einem kläglichen Zustand sein. **sinnv.**: arm, armselig, bedauernswert, bejammernswert, beklagenswert, -würdig, bemitleidenswert, -würdig, elend, herzzerreißend, jämmerlich, jammervoll, mitleiderregend, unrühmlich. **3.** *in beschämender Weise völlig:* er hat k. versagt; seine Bemühungen sind k. gescheitert. **sinnv.**: ganz.

Klammer, die; -, -n: **1.** *kleiner Gegenstand von unterschiedlicher Form (aus Holz, Metall o. ä.), mit dem etwas befestigt oder zusammengehalten werden kann:* die Wäsche mit Klammern befestigen. **sinnv.**: Klemme. **Zus.**: Büro-, Haar-, Hosen-, Wäsche-, Wundklammer. **2.** *graphisches Zeichen, mit dem man einen Teil eines Textes einschließen kann:* eckige, runde Klammern.

klammern: 1. ⟨tr.⟩ *mit Klammern befestigen:* einen Zettel an ein Schriftstück, Wäsche an die Leine k. **sinnv.**: anklammern. **2.** ⟨sich k.⟩ *sich ängstlich, krampfhaft an jmdn./etwas festhalten:* das Kind klammerte sich ängstlich an die Mutter. **sinnv.**: sich anklammern.

Klang, der; -[e]s, Klänge: **1.** *das Erklingen:* beim

K. der Glocke. **sinnv.**: Hall, Laut, Melodie, Schall, Ton[folge]. **Zus.**: Harfen-, Hörner-, Orgelklang. **2.** *in bestimmter Weise gearteter (bes. durch ein Instrument oder durch die Stimme hervorgebrachter) Ton:* ein heller K.; das Klavier hat einen schönen K. **sinnv.**: Klangfarbe; Timbre. **Zus.**: Miß-, Wohl-, Zusammenklang.

Klappe, die; -, -n: **1.** *an einer Seite befestigter Deckel als Vorrichtung zum Schließen einer Öffnung:* die K. am Briefkasten. **sinnv.**: Verschluß. **2.** (ugs.) ↑*Mund:* halt die K.!

klappen ⟨itr.⟩ (ugs.): *wunschgemäß ablaufen:* der Versuch klappte [nicht]; es hat alles geklappt. **sinnv.**: gelingen.

klappern ⟨itr.⟩: *ein durch wiederholtes Aneinanderschlagen von harten Gegenständen o. ä. entstehendes Geräusch hervorrufen:* die Tür klappert; klappernde Fensterläden. **sinnv.**: klappen, klimpern, klirren, lärmen, rappeln, rasseln, scheppern.

klapprig ⟨Adj.⟩ (ugs.): **a)** *(von einem Gebrauchsgegenstand o. ä.) alt und nicht mehr sehr stabil oder funktionstüchtig:* ein klappriges Auto. **b)** *(von einem alten Menschen) körperlich schwach:* der Großvater ist sehr k. geworden. **sinnv.**: hinfällig.

Klaps, der; -es, -e: *leichter Schlag auf den Körper:* sie gab dem Kind einen K. **sinnv.**: Stoß.

klar ⟨Adj.⟩: **1.** *(von Flüssigkeiten) vollkommen durchsichtig und keine Trübung aufweisend:* eine klare Fleischbrühe; das Wasser des Sees ist ganz k. **sinnv.**: lauter, rein. **Zus.**: kristall-, wasserklar. **2.** *(von der Atmosphäre) frei von Wolken, Nebel, Dunst:* klares Wetter; der Himmel ist k. **sinnv.**: hell, unbewölkt, wolkenlos. **Zus.**: stern[en]klar. **3.** *deutlich wahrnehmbar, erkennbar, nicht verschwommen:* klare Konturen. **sinnv.**: deutlich; fein. **4.** *fest umrissen und verständlich:* klare Begriffe verwenden; etwas k. zum Ausdruck bringen. **sinnv.**: anschaulich, bildhaft, deutlich, eindeutig, einleuchtend, exakt, genau, prägnant, präzis, treffend. **Zus.**: glas-, sonnenklar. **5.** *sachlich-nüchtern und überlegt; von Einsicht und Urteilsfähigkeit zeugend:* er hat einen klaren Verstand. **sinnv.**: umsichtig.

klären: 1. ⟨tr.⟩ *(durch [Rück]fragen o. ä.) Klarheit in einer bestimmten Sache schaffen:* diese Angelegenheit muß noch geklärt werden. **sinnv.**: enträtseln, sich über etwas Klarheit verschaffen, klarlegen, -stellen, korrigieren, revidieren, richtigstellen. **Zus.**: ab-, auf-, erklären. **2.** ⟨sich k.⟩ *(in bezug auf etwas, worüber Zweifel, Unklarheit besteht) sich aufklären, durchschaubar werden:* die Sache, Angelegenheit hat sich geklärt. **sinnv.**: sich aufklären/auflösen, Klarheit/Licht in etwas bringen.

klarmachen, machte klar, hat klargemacht ⟨tr.⟩ (ugs.): **a)** *jmdm., sich selbst einen Sachverhalt deutlich vor Augen führen:* er hat mir die Unterschiede, die Wichtigkeit der Sache klargemacht. **sinnv.**: darstellen. **b)** *jmdm. unmißverständlich sagen, was man einen für etwas Bestimmtes denkt:* ich wollte ihm meinen Standpunkt k. **sinnv.**: erklären.

klasse ⟨Adj.; indeklinabel⟩ (ugs.): *so geartet, daß jmd./etwas für sehr gut, schön o. ä. befunden wird:* ein k. Typ, Film; das ist k. **sinnv.**: vortrefflich.

Klasse, die; -, -n: **1. a)** *Gruppe von Lebewesen,*

Dingen, die durch gemeinsame Merkmale, Eigenschaften, Fähigkeiten o.ä. gekennzeichnet sind: die K. der Säugetiere. **sinnv.:** Abteilung, Gattung, Gruppe, Kategorie, Ordnung. **b)** *Bevölkerungsgruppe, deren Angehörige sich in der gleichen ökonomischen und sozialen Lage befinden:* die K. der Arbeiter. **Zus.:** Arbeiter-, Ausbeuterklasse. **2.** *Einrichtung, Abteilung mit besonderer Ausstattung:* ich fahre erster K. in der Eisenbahn; der Patient liegt dritter K. im Krankenhaus. **Zus.:** Luxus-, Touristenklasse. **3. a)** *Raum in einer Schule, in dem Unterricht stattfindet:* die K. erhält eine neue Tafel. **sinnv.:** Aula, Klassenraum, Klassenzimmer. **b)** *Gesamtheit der Schüler (im allgemeinen eines Jahrgangs), die gemeinsam unterrichtet werden:* die K. ist sehr unruhig. **sinnv.:** Klassenverband. **Zus.:** Abitur-, Abschluß-, Parallel-, Schulklasse. **4.** ⟨ohne Plural⟩ (ugs.) ↑*klasse:* dein Motorrad ist K. **sinnv.:** vortrefflich. **Zus.:** Spitzen-, Superklasse.

Klas|se- ⟨Präfixoid⟩ (ugs. verstärkend): /drückt persönliche Begeisterung, Bewunderung für den/ das im Basiswort Genannte aus/ *ganz besonders gut, hervorragend, erstklassig, großartig, ausgezeichnet, toll, klasse:* Klassebier, -fahrrad, -film, -frau, -fußball, -leistung, -mannschaft, -schuß, -weib. **sinnv.:** Meister-, Spitzen-, Top-.

klas|sisch ⟨Adj.⟩: **1. a)** *eine Kulturepoche oder Kunstrichtung betreffend, die sich durch Ausgewogenheit und Harmonie auszeichnet:* ein klassisches Drama; klassische Musik. **b)** *dem antiken Schönheitsideal entsprechend:* eine schmale, k. gebogene Nase. **sinnv.:** ebenmäßig. **2.** *wegen der hervorragenden Qualität oder mustergültigen Form von zeitloser Gültigkeit:* ein Werk von klassischer Schönheit; ein Stoff mit klassischem Muster. **sinnv.:** vollkommen. **3.** *von/in herkömmlicher, traditioneller, nicht moderner Art:* klassischer Fußball; die klassische Mechanik, Physik. **sinnv.:** herkömmlich. **4.** *ein typisches Beispiel für etwas darstellend:* ein klassischer, immer wieder gemachter Fehler. **sinnv.:** kennzeichnend.

Klatsch, der; -[e]s, -e: **1.** *klatschendes Geräusch:* mit einem K. fiel die Tasche ins Wasser. **2.** ⟨ohne Plural⟩ *häßliches, oft gehässiges Gerede über jmdn., der abwesend ist:* der Zwischenfall gab Anlaß zu bösem K. **sinnv.:** Geklatsche, Gemunkel, Gerede, Geschwätz, Palaver, Stadtgespräch.

klat|schen ⟨itr.⟩: **1. a)** *ein helles, einem Knall ähnliches Geräusch verursachen:* sie schlug ihm ins Gesicht, daß es klatschte. **sinnv.:** knallen. **b)** *mit klatschendem* (1 a) *Geräusch auftreffen:* der Regen klatschte gegen die Fenster. **sinnv.:** prasseln. **2.** *Beifall spenden:* das Publikum klatschte lange. **sinnv.:** applaudieren. **Zus.:** be-, herausklatschen. **3.** *meist negativ über jmdn., der selbst nicht anwesend ist, sprechen:* die Frauen klatschten über den Pfarrer. **sinnv.:** tratschen.

Klaue, die; -, -n: **1. a)** *Zehe (bei Wiederkäuern und Schweinen).* **b)** *Kralle (bei Raubtieren):* der Tiger schlug seine Klauen in das Fleisch des erbeuteten Tieres. **2.** (ugs.) *schlechte, unleserliche Handschrift:* er hat eine fürchterliche K. **sinnv.:** Handschrift.

klau|en ⟨tr./itr.⟩ (ugs.): ↑*stehlen:* er hat [das Geld] geklaut.

Kla|vier, das; -s, -e: *Musikinstrument mit Tasten, dessen Saiten durch Hämmerchen angeschlagen*

werden: K. spielen; eine Sonate auf dem K. spiel len. **sinnv.:** Cembalo, Flügel, Piano, Spinett.

kle|ben: 1. ⟨tr.⟩ *mit Hilfe von Klebstoff an/auf/i etwas befestigen:* eine Briefmarke auf die Post karte, Fotos ins Album k. **sinnv.:** kitten, kleisterr leimen. **Zus.:** an-, auf-, be-, ein-, über-, zu-, zu sammenkleben. **2.** ⟨itr.⟩ *fest (mittels Klebstoff ode durch eigene Klebkraft) an/auf/in etwas hafter* der Kaugummi klebt an seinen Zähnen; Plakat klebten auf der Bretterwand. **sinnv.:** [fest]backer haften, pappen. **Zus.:** aneinander-, festkleben.

kleb|rig ⟨Adj.⟩: *so beschaffen, daß etwas leich daran festklebt, haftenbleibt:* die Bonbons sind k **sinnv.:** [an]haftend, kleist[e]rig, pappig, schmierig

kleckern ⟨itr.⟩ (ugs.): *etwas Flüssiges, Breiige unbeabsichtigt verschütten und dadurch Flecke ve ursachen:* du hast [beim Essen, beim Malen] ge kleckert. **sinnv.:** Flecke/einen Fleck macher klecksen, schlabbern, schmieren. **Zus.:** be-, ver vollkleckern.

Klecks, der; -es, -e: **1.** *kleine Menge von Flüss gem oder Breiigem, die auf etwas gefallen ist:* d hast einen K. Marmelade auf das Tischtuch fal len lassen. **sinnv.:** Fleck. **Zus.:** Tintenklecks. **2** (ugs.) *kleine Menge (etwa ein gehäufter Löffel) e ner weichen, breiigen Masse:* jmdm. einen K Marmelade auf den Teller geben. **sinnv.:** etwas.

kleck|sen ⟨itr.⟩: *Kleckse machen, verursachen* der Füller kleckst. **sinnv.:** kleckern.

Kleid, das; -[e]s, -er: *(meist aus einem Stück ba stehendes) Kleidungsstück von unterschiedliche Länge für Frauen und Mädchen.* **sinnv.:** Fähr chen, Fummel, Gewand, Robe. **Zus.:** Abend Ball-, Braut-, Cocktail-, Dirndl-, Modell-, Pup pen-, Sommer-, Umstandskleid.

klei|den kleidete, hat gekleidet: **1.** ⟨itr.⟩ *(a Kleidungsstück) jmdm. stehen, zu jmdm. passen* der Mantel kleidet dich gut; die Brille kleide ihn. **sinnv.:** von jmdm. getragen werden könner passen, jmdm. schmeicheln, jmdm. stehen. **2.** ⟨tr sich k.⟩ *[sich] in einer bestimmten Weise anziehen* die Mutter kleidet ihre Kinder sehr adrett; e kleidet sich auffällig. **sinnv.:** anziehen. **Zus.:** an aus-, be-, ein-, ent-, um-, verkleiden.

Klei|dung, die; -: *Gesamtheit der Kleidungsstük ke:* seine K. ist sehr gepflegt. **sinnv.:** Dreß, Ga derobe, Klamotten, Kledage, Kleider, Klei dungsstück, Kluft, Kutte, Livree, Sachen, Trach Zeug. **Zus.:** Arbeits-, Be-, Berufs-, Damen-, Kin derkleidung.

klein ⟨Adj.⟩: **a)** *von geringem Umfang, geringe Größe (im Verhältnis zu einem Vergleichswer /Ggs. groß/:* ein kleines Haus, Land. **sinnv.:** fip sig, kleinwinzig, kleinwüchsig, zu kurz geraten lütt, winzig. **Zus.:** klitzeklein. **b)** *wenig bedeutend* kleine Fehler; der Unterschied zwischen beide ist k. **sinnv.:** gering[fügig], lächerlich, minimal nicht nennenswert, unbedeutend, unbeträchtlich unerheblich. **c)** *(bes. von Kindern und Tieren) noc sehr jung und daher noch nicht ausgewachsen* kleine Kinder; als du noch k. warst, ... **sinnv.** jung. **d)** *aus einer verhältnismäßig geringen Men ge, Anzahl bestehend:* eine kleine Menge, Zahl **sinnv.:** gering, minimal, nicht nennenswert, unbe deutend, unbeträchtlich, unerheblich. **e)** ⟨nich prädikativ⟩ *(von Rang oder Bedeutung einer Per son) ohne große Bedeutung:* ein kleiner Angestell ter; die kleinen Leute.

Klein|geld, das; -[e]s: *Geld in Münzen (zum Bezahlen kleinerer Beträge oder zum Herausgeben auf eine größere Summe):* bitte K. bereithalten.

Klein|heit, die; -: *geringe Größe:* trotz seiner K. war er ein guter Sportler. **sinnv.:** Kleinsein.

Klei|nig|keit, die; -, -en: **1.** *kleiner (nicht näher bezeichneter) Gegenstand:* noch ein paar Kleinigkeiten besorgen; jmdm. eine K. mitbringen. **2.** *Sache, Angelegenheit von geringer Bedeutung:* du regst dich bei jeder, über jede K. auf. **sinnv.:** Bagatelle, kleine Fische, Kinkerlitzchen, Kleinkram, Lappalie.

klein|ka|riert ⟨Adj.⟩ (ugs.): *kleinlich und engstirnig (im Denken und Handeln):* seine Einstellung ist schrecklich k. **sinnv.:** borniert, eng, engherzig.

Klein|kram, der; -[e]s (ugs.): *nicht wichtige, aber unumgängliche, lästige, täglich anfallende Arbeiten o. ä.:* der tägliche K.

klein|laut ⟨Adj.⟩: *nach vorher vorlautem oder allzu selbstsicherem Auftreten plötzlich sehr gedämpft und bescheiden:* sie bat k. um Verzeihung. **sinnv.:** niedergeschlagen.

klein|lich ⟨Adj.⟩: *auf eine pedantische, engstirnige Weise Kleinigkeiten, Belanglosigkeiten übertrieben wichtig nehmend:* sei nicht so k.! **sinnv.:** engherzig.

klein|städ|tisch ⟨Adj.⟩: *zu einer Kleinstadt gehörend; typisch für eine Kleinstadt:* kleinstädtisches Leben.

Klei|ster, der; -s, -: *Klebstoff aus Stärke oder Mehl und Wasser:* K. anrühren. **sinnv.:** Leim.

klem|men: 1. ⟨tr.⟩ *fest an sich pressen und auf diese Weise halten:* die Bücher unter den Arm k. **2.** ⟨itr.⟩ *(von etwas, was sich aufschieben, -ziehen läßt) sich nicht glatt, ungehindert bewegen lassen:* die Tür klemmt. **3.** ⟨tr.⟩ *(von einem Körperteil, bes. Fuß oder Hand) zwischen etwas geraten und davon zusammengepreßt werden, so daß es schmerzt:* ich habe mir den Finger geklemmt. **sinnv.:** quetschen. **Zus.:** ein-, festklemmen.

klet|tern, kletterte, hat/ist geklettert ⟨itr.⟩: **1.** *(meist sich festhaltend) an etwas Halt suchend auf etwas hinauf-, von etwas herunter-, bzw. über etwas hinwegsteigen:* die Kinder sind auf die Mauer, über den Zaun geklettert. **sinnv.:** steigen. **Zus.:** herab-, herauf-, herunter-, hinauf-, hinunter-, hochklettern. **2.** (ugs.) *in etwas ein- bzw. aus etwas aussteigen:* sie ist ins Auto geklettert. **Zus.:** hinaus-, hineinklettern. **3.** *im Hochgebirge wandern und dabei mehr oder weniger steile Strecken überwinden:* sie sind/haben früher viel geklettert. **sinnv.:** bergsteigen, klimmen, kraxeln.

Kli|ma, das; -s: *für ein bestimmtes Gebiet oder eine geographische Zone charakteristischer, alljährlich wiederkehrender Ablauf der Witterung:* ein mildes K. **sinnv.:** Wetter. **Zus.:** Heil-, Kontinental-, Land-, Reiz-, See-, Treibhausklima.

Klin|ge, die; -, -n: *flacher, aus Stahl o. ä. bestehender, am Rand [einseitig] scharfgeschliffener Teil eines Schneidwerkzeugs, Messers, Schwertes o. ä.:* Degen-, Rasierklinge.

Klin|gel, die; -, -n: *Vorrichtung (z. B. an der Haustür, am Fahrrad), mit deren Hilfe ein Ton hervorgebracht werden kann, durch den jmds. Aufmerksamkeit erregt bzw. eine bestimmte andere Reaktion bewirkt werden soll:* eine laute, schrille K.; die K. ist abgestellt; die K. betätigen. **sinnv.:** Glocke. **Zus.:** Fahrrad-, Türklingel.

klin|geln: 1. ⟨tr.⟩ *die Klingel betätigen:* ich habe dreimal geklingelt; ⟨unpers.:⟩ es hat [an der Tür] geklingelt. **sinnv.:** läuten. **2. a)** ⟨tr.⟩ (ugs.) *durch Klingeln aus einem bestimmten Zustand o. ä. herausholen:* jmdn. aus dem Bett k. **b)** ⟨itr.⟩ *durch Klingeln ein Signal für etwas Bestimmtes geben:* zur Pause k. **sinnv.:** läuten.

klin|gen, klang, hat geklungen ⟨itr.⟩: **1. a)** *einen hellen, eine kurze Weile hallenden Ton, Klang hervorbringen:* die Gläser klingen; man hört von ferne Glocken k. **sinnv.:** schallen. **b)** *einen bestimmten Klang haben:* etwas klingt unschön, silberhell. **Zus.:** ab-, aus-, er-, ver-, zusammenklingen. **2.** *(durch seinen Klang) etwas Bestimmtes ausdrücken, mitschwingen lassen:* seine Worte klangen zuversichtlich. **sinnv.:** sich anhören.

Kli|nik, die; -, -en: *[großes] Krankenhaus, das auf die Behandlung bestimmter Erkrankungen spezialisiert ist.* **Zus.:** Frauen-, Kinder-, Nerven-, Poli-, Universitätsklinik.

Klin|ke, die; -, -n: *Griff an einer Tür, mit dem man sie öffnen oder schließen kann.* **sinnv.:** Griff. **Zus.:** Türklinke.

Klip|pe, die; -, -n: *für die Schiffahrt gefährlicher Felsen (an einer Steilküste, in einem Fluß):* das Schiff zerschellte an einer K. **Zus.:** Fels-, Felsenklippe.

klir|ren ⟨itr.⟩: *einen in kurzer Folge sich wiederholenden hellen und harten Klang hervorbringen:* die Fensterscheiben klirrten. **sinnv.:** klappern.

Klo, das; -s, -s (fam.): ↑*Klosett.* **sinnv.:** Toilette.

klo|big ⟨Adj.⟩: *von eckiger, plumper Form:* ein klobiger Schrank. **sinnv.:** plump.

klop|fen: 1. ⟨itr.⟩ **a)** *mehrmals leicht gegen etwas schlagen (um auf sich aufmerksam zu machen):* an die Scheibe, an die Wand k; es hat geklopft. **sinnv.:** ballern, hämmern, pochen. **Zus.:** beklopfen. **2.** ⟨tr.⟩ **a)** *schlagend bearbeiten:* den Teppich k. **sinnv.:** ausklopfen. **b)** *durch Schlagen entfernen:* den Staub aus dem Teppich k. **sinnv.:** herausklopfen. **c)** *mit einem Hammer o. ä. in etwas hineintreiben:* einen Nagel in die Wand k. **sinnv.:** einschlagen.

Klops, der; -es, -e: *gekochter, auch gebratener Kloß aus Hackfleisch.* **sinnv.:** Frikadelle. **Zus.:** Fleischklops.

Klo|sett, das; -s, -s (ugs.): *Toilette mit Wasserspülung.* **Zus.:** Wasserklosett.

Kloß, der; -es, Klöße: *zu einer Kugel o. ä. geformte Teigmasse:* Klöße aus Fleisch, Kartoffeln. **sinnv.:** Knödel. **Zus.:** Fleisch-, Grieß-, Hefe-, Kartoffelkloß.

Klo|ster, das; -s, Klöster: *Gebäudekomplex, in dem Mönche oder Nonnen leben:* ins K. gehen *(Mönch/Nonne werden).* **sinnv.:** Abtei, Einsiedelei, Eremitage, Konvent, Stift. **Zus.:** Mönchs-, Nonnenkloster.

Klotz, der; -es, Klötze: *großer, plumper, oft eckiger Gegenstand aus Holz o. ä.:* Klötze zerhacken, spalten. **sinnv.:** Block. **Zus.:** Bau-, Beton-, Brems-, Hack-, Hau-, Holzklotz.

klot|zig ⟨Adj.⟩: *plump und unförmig:* ein klotziges Gebäude. **sinnv.:** plump.

Klub, der; -s, -s: *Vereinigung von Personen mit bestimmten gemeinsamen Interessen (z. B. auf dem Gebiet des Sports, der Politik o. ä.):* einen K. gründen. **sinnv.:** Partei, Vereinigung. **Zus.:** Fußball-, Herren-, Kegel-, Ruder-, Skat-, Sportklub.

Kluft: I. die; -, Klüfte: **1.** *tiefer Riß im Gestein, Felsspalte.* **sinnv.:** Abgrund, Cañon, Klamm, Krater, Schrunde, Spalte, Tal, Tiefe. **2.** *tiefreichender Gegensatz:* es besteht eine tiefe K. zwischen den Parteien. **sinnv.:** Dissens, Gegensätzlichkeit, Meinungsverschiedenheit. II. die; -, -en: **a)** *die Zugehörigkeit zu einer bestimmten Gruppe erkennen lassende Kleidung:* die K. der Pfadfinder. **sinnv.:** Uniform. **b)** (ugs.) *Kleidung:* er trägt immer die gleiche K. **Zus.:** Arbeits-, Sträflingskluft.

klug, klüger, klügste ⟨Adj.⟩: **a)** *mit Intelligenz, logischem Denkvermögen begabt:* sie ist sehr k. **sinnv.:** aufgeweckt, begabt, gescheit, intelligent, scharfsinnig, schlau, vernünftig, verständig, weise. **Zus.:** alt-, lebens-, neunmalklug. **b)** *(im Vorgehen, Handeln) Klugheit erkennen lassend:* es ist wenig k. von dir, so vorzugehen. **sinnv.:** schlau. **Zus.:** unklug.

klum|pen ⟨itr.⟩: *Klumpen bilden:* das Mehl klumpt.

Klum|pen, der; -s, -: *[zusammenklebende] Masse ohne bestimmte Form:* ein K. Blei, Lehm. **sinnv.:** Batzen, Brocken; **Zus.:** Eis-, Goldklumpen.

Klün|gel, der; -s, -: *Gruppe von Personen, die sich auf Kosten anderer gegenseitig Vorteile verschaffen o. ä.* **sinnv.:** Clique, Sippschaft.

knab|bern ⟨tr./itr.⟩: *etwas Hartes, Knuspriges essen, indem man kleine Stückchen davon abbeißt und sie kleinkaut:* Nüsse k.; der Hase knabbert an einem Strunk. **sinnv.:** essen; kauen.

Kna|be, der; -n, -n (geh.): ↑ *Junge.*

knacken: 1. ⟨itr.⟩ *einen kurzen, harten, hellen Ton von sich geben:* das Telefon, das Gebälk knackt. **sinnv.:** rascheln. **2.** ⟨tr.⟩ *die harte äußere Hülle von etwas zerbrechen (um an den daran enthaltenen Kern zu gelangen):* Mandeln, Nüsse k. **sinnv.:** öffnen. **Zus.:** aufknacken.

Knacks, der; -es: **1.** *knackendes Geräusch:* das Glas zersprang mit einem K. **2.** *Sprung, Riß (in einem spröden Material):* die Vase hat beim Umzug einen K. bekommen. **sinnv.:** Riß.

Knall, der; -[e]s, -e: *kurzes, scharfes peitschendes Geräusch, von dem ein Schuß, eine Explosion o. ä. begleitet ist:* mit einem K. zerbarsten die Fensterscheiben. **sinnv.:** Bums, Detonation, Krach, Schlag, Schuß. **Zus.:** Peitschenknall.

knal|len, knallte, hat/ist geknallt: **1.** ⟨itr.⟩ **a)** *einen Knall hervorbringen:* die Peitsche knallt; es hat geknallt *(Knalle, Schüsse waren zu hören).* **sinnv.:** krachen. **b)** *mit etwas einen Knall erzeugen, hervorbringen:* er hat mit der Tür geknallt. **2.** ⟨tr.⟩ (ugs.) *mit Wucht an eine bestimmte Stelle werfen, stellen:* er hat seine Tasche in die Ecke geknallt. **sinnv.:** werfen. **Zus.:** hinknallen. **3.** ⟨itr.⟩ (ugs.) *mit Heftigkeit gegen etwas prallen:* bei seinem Sturz ist er mit dem Kopf auf die Bordsteinkante geknallt. **sinnv.:** fallen. **Zus.:** herunter-, hinknallen. **4.** ⟨itr.⟩ (ugs.) *(von der Sonne) heiß, brennend sein:* die Sonne hat [vom Himmel] geknallt. **sinnv.:** scheinen.

knal|lig ⟨Adj.⟩ (ugs.): *(von Farben) sehr grell und schreiend:* ein knalliges Rosa. **sinnv.:** bunt.

knapp ⟨Adj.⟩: **1.** *gerade noch ausreichend; fast zu gering:* ein knappes Einkommen; die Lebensmittel werden k. **sinnv.:** karg. **2.** *etwas weniger als, nicht ganz:* er ist k. fünfzig; k. vor einer Stunde.

sinnv.: ungefähr. **3.** *(von Kleidungsstücken) sehr eng anliegend, fast zu eng:* die Hose ist/sitzt sehr k.; ein knapper Pullover. **sinnv.:** eng. **4.** *kurz und auf das Wesentliche beschränkt:* etwas mit knappen Worten mitteilen.

knar|ren ⟨itr.⟩: *klanglose, ächzende [schnell aufeinanderfolgende] Töne von sich geben:* die Tür knarrt. **sinnv.:** ächzen, knarzen, krachen, schnarren.

Knast, der; -[e]s, Knäste, (auch:) -e (ugs.): **a)** ↑ *Haft:* er bekam drei Monate K. **b)** ↑ *Gefängnis:* er sitzt im K. **sinnv.:** Strafanstalt.

knat|tern ⟨itr.⟩: *kurz aufeinanderfolgende harte, einem Knall ähnliche Töne hervorbringen:* das Segel knattert im Wind. **sinnv.:** krachen.

Knäu|el, das und der; -s, -: *zu einer Kugel aufgewickelte Wolle, Schnur usw.* **Zus.:** Garn-, Wollknäuel.

Knauf, der; -[e]s, Knäufe: *Griff in Form einer Kugel (in den ein mit der Hand zu haltender Gegenstand, z. B. ein Stock, ausläuft):* der Stock hat einen silbernen K. **Zus.:** Türknauf.

knau|se|rig ⟨Adj.⟩ (ugs.): *übertrieben sparsam, geizig; ohne jede Großzügigkeit im Schenken oder im Ausgeben von etwas:* er ist sehr k. **sinnv.:** geizig.

kne|beln ⟨tr.⟩: *(jmdm.) gewaltsam einen Knebel in den Mund stecken und ihn dadurch am Sprechen und Schreien hindern:* den Überfallenen k.

Knecht, der; -[e]s, -e (veraltet): *männliche Person, die als Arbeiter auf einem Bauernhof schwere Arbeiten zu verrichten hat* /Ggs. Magd/: als K. arbeiten. **sinnv.:** Feld-, Landarbeiter. **Zus.:** Acker-, Fuhr-, Groß-, Pferde-, Reit-, Stallknecht.

knei|fen, kniff, hat gekniffen: **1.** ⟨itr./tr.⟩ *(bei jmdm.) ein Stückchen Haut zwischen Daumen und Zeigefinger so zusammendrücken, daß es schmerzt:* er hat mich gekniffen; er hat ihm/ihn in den Arm gekniffen. **sinnv.:** kneipen, petzen, zwacken, zwicken. **2.** ⟨itr.⟩ *(von Kleidungsstücken) dem Träger zu eng sein und unangenehm in die Haut, ins Fleisch einschneiden:* die Hose, das Gummiband kneift. **3.** ⟨itr.⟩ (ugs.) *sich aus Angst oder Feigheit einer bestimmten Anforderung nicht stellen [und sich heimlich entfernen]:* er hat [vor der Gefahr] gekniffen. **sinnv.:** sich entziehen. **Zus.:** auskneifen.

Knei|pe, die; -, -n (ugs.): *einfaches Lokal (in dem besonders Getränke serviert werden):* in die K. gehen. **sinnv.:** Gaststätte.

kne|ten, knetete, hat geknetet ⟨tr.⟩: *eine weiche Masse mit den Händen drückend bearbeiten [und formen]:* den Teig k. **Zus.:** durch-, zusammenkneten.

Knick, der; -[e]s, -e: *Stelle, an der etwas stark abgewinkelt, abgebogen ist:* der Stab hat einen K. **sinnv.:** Biegung, Bogen. **2.** *[unbeabsichtigter] scharfer Falz, Bruch (in einem flächenhaften Gegenstand):* einen K. in die Pappe machen. **sinnv.:** Falte.

knicken ⟨tr.⟩: **a)** *einen Knick, Falz in etwas hervorbringen oder verursachen:* er wollte einige Seiten des Buchs knicken; ⟨auch itr.:⟩ bitte nicht k.! **sinnv.:** falten. **b)** *etwas Steifes, Sprödes so brechen, daß die noch zusammenhängenden Teile einen scharfen Winkel miteinander bilden:* ein Streichholz, einen Zweig k. **sinnv.:** brechen.

knick|rig ⟨Adj.⟩ (ugs.): *(bes. in bezug auf Geld)*

on seinem Naturell her sehr kleinlich, nicht in der
...age, leichten Herzens etwas zu geben, zu spendie-
...n o. ä.: er ist k. **sinnv.**: geizig.

...nie, das; -s, -: **1.** *verbindendes Gelenk zwischen*
...ber- und Unterschenkel: auf die Knie fallen. **2.**
...ebogenes Stück Rohr.

...nien: 1. ⟨itr.⟩ *sich mit einem oder beiden Knien*
...uf dem Boden aufstützen (siehe Bildleiste „bük-
...en"): er kniet auf dem Teppich, vor dem Altar.
⟨sich k.⟩ *eine Körperhaltung einnehmen, bei der
...ie Knie auf dem Boden aufgestützt sind:* sie knie-
...sich. **sinnv.**: sich auf den Boden/auf die Erde/
...dm. zu Füßen werfen, sich hinknien, auf die
...nie fallen, sich auf die Knie werfen.

...niff, der; -[e]s, -e (ugs.): *Kunstgriff, mit dem
...an sich die Handhabung von etwas erleichtert:*
...an muß ein paar Kniffe kennen, um das Schloß
...ufzubringen. **sinnv.**: Trick; Finte.

...nifflig ⟨Adj.⟩: **a)** *(in bezug auf die Ausführung
...ä. von etwas) Geduld und Geschicklichkeit erfor-
...ernd:* eine knifflige Arbeit. **sinnv.**: beschwerlich.
...) *gewisse Schwierigkeiten bietend und darum
...icht leicht zu lösen, zu beantworten o. ä.:* eine
...nifflige Frage. **sinnv.**: schwierig.

...nip|sen (ugs.): **1.** ⟨tr.⟩ *(eine Fahrkarte o. ä.) lo-
...hen [und dadurch entwerten]:* die Fahrkarten k.
... ⟨tr./itr.⟩ *[jmdn./etwas] als Amateur fotografie-
...en:* er hat [sie] dauernd geknipst.

...nirps, der; -es, -e: *kleiner Junge:* er ist noch ein

...nir|schen ⟨itr.⟩: **a)** *ein mahlendes, hartes, helles
...eräusch von sich geben:* der Sand knirscht unter
...en Schuhen. **b)** *ein knirschendes ⟨a⟩ Geräusch
...ervorbringen:* mit den Zähnen k.

...ni|stern ⟨itr.⟩: *ein helles, feines Geräusch von
...ch geben, das von etwas Trockenem, Sprödem
...der von etwas Verbrennendem ausgeht:* das
...troh, das Feuer knistert. **sinnv.**: rascheln.

...nit|tern ⟨itr.⟩: *(im Gebrauch in unerwünschter
...Veise) viele unregelmäßige Falten bekommen:* der
...toff knittert leicht. **sinnv.**: knautschen.

...no|beln ⟨itr.⟩: **1.** *mit Würfeln o. ä. eine Zufalls-
...ntscheidung über etwas herbeiführen:* wir knobeln
...n um eine Runde Bier. **sinnv.**: würfeln. **2.** *lange
...nd angestrengt über etwas nachdenken:* er hat ei-
...ge Stunden an/über diesem Problem gekno-
...elt. **sinnv.**: nachdenken.

...nö|chel, der; -s, -: **a)** *hervorspringender Kno-
...hen am Fußgelenk.* **b)** *mittleres Fingergelenk.*

...no|chen, der; -s, -: **a)** *einzelner Teil des Skeletts
...ei Mensch und Wirbeltieren).* **Zus.**: Arm-, Bak-
...en-, Becken-, Fuß-, Mark-, Röhrenknochen. **b)**
⟨Plural⟩ (ugs.) *jmds. Gliedmaßen; der ganze Kör-
...er:* nach dem Sturz taten ihm alle K. weh.

...no|chig ⟨Adj.⟩: *stark hervortretende Knochen
...ufweisend:* ein knochiges Gesicht; knochige
...ände; seine Gestalt ist sehr k. **Zus.**: fein-, grob-
...nochig.

...nö|del, der; -s, - (südd.): ↑*Kloß:* Knödel aus
...artoffeln.

...nol|le, die; -, -n: *über bzw. unter der Erde wach-
...ender, verdickter Teil einer Pflanze (der als Gemü-
...e o. ä. gegessen wird).*

...nopf, der; -[e]s, Knöpfe: **1.** *kleiner, meist run-
...er und flacher Gegenstand, der an Kleidungsstük-
...en zum Zusammenhalten oder als Schmuck
...ient:* einen K. annähen. **Zus.**: Druck-, Glas-,
...erlmuttknopf. **2.** *ein an technischen Anlagen und*

Geräten *befindliches Teil, das auf Druck oder
durch Drehen eine Funktion in Gang setzt bzw. be-
endet:* auf den K. drücken. **Zus.**: Klingel-,
Schaltknopf.

knöp|fen ⟨tr.⟩: *mit Hilfe von Knöpfen schließen:*
er hatte den Mantel falsch geknöpft. **Zus.**: ab-,
an-, auf-, zuknöpfen.

Knor|pel, der; -s, -: *feste, aber im Gegensatz zum
Knochen elastische Substanz im menschlichen und
tierischen Körper.*

knor|rig ⟨Adj.⟩: *mit dicken Knoten gewachsen, sie
aufweisend:* knorrige Kiefern.

Knos|pe, die; -, -n: *Blüte, die noch geschlossen
ist:* Knospen ansetzen, bilden. **Zus.**: Blüten-, Ro-
senknospe.

Kno|ten, der; -s, -: **1.** *eine rundliche Verdickung
bildende, festgezogene Verschlingung von Fäden,
Schnüren o. ä.:* einen K. schlingen, machen. **2.**
*kleine, verdickte bzw. verhärtete Stelle im Körper-
gewebe:* durch Gicht verursachte Knoten an den
Fingern. **Zus.**: Lymph-, Nervenknoten. **3.** *im
Nacken geschlungenes, am Hinterkopf festgesteck-
tes langes Haar (als Haartracht von Frauen):* ei-
nen K. tragen. **sinnv.**: Chignon, Dutt, Nest.

Kno|ten|punkt, der; -[e]s, -e: *Ort, an dem sich
mehrere Verkehrswege schneiden.*

knuf|fen ⟨tr.⟩ (ugs.): *[heimlich] mit der Faust,
dem Ellenbogen stoßen:* du sollst mich nicht dau-
ernd k. **sinnv.**: schlagen.

knül|len ⟨tr.⟩: *in der Hand [zu einem ballförmigen
Gebilde] zusammendrücken:* Stoff, Papier k.
sinnv.: zusammendrücken. **Zus.**: zer-, zusam-
menknüllen.

Knül|ler, der; -s, - (ugs.): *etwas, was plötzlich
großes Aufsehen erregt, großen Anklang findet:*
der Film ist ein K. **sinnv.**: Attraktion.

knüp|fen ⟨tr.⟩: **1.** *in einer bestimmten Technik,
durch kunstvolles Knoten von Fäden herstellen:*
Teppiche, Netze k. **2.** *im Geiste mit etwas verbin-
den:* Erwartungen an etwas k.

Knüp|pel, der; -s, -: *kurzer, derber Stock.*

knur|ren ⟨itr.⟩: **1.** *(von bestimmten Tieren) als
Zeichen von Feindseligkeit brummende, rollende
Laute von sich geben:* der Hund knurrt. **sinnv.**:
bellen. **2.** (ugs.) *seiner Unzufriedenheit mit etwas
in ärgerlichem Ton Ausdruck geben:* er knurrte
wegen des schlechten Essens. **sinnv.**: schelten.

knusp|rig ⟨Adj.⟩: *(von etwas Gebratenem, Gebak-
kenem) mit harter, leicht platzender Kruste:*
knusprige Brötchen. **sinnv.**: kroß, resch.

k. o. [ka:'lo:] ⟨Adj.; nur prädikativ⟩: **1.** *beim Bo-
xen nach einem Niederschlag kampfunfähig und
besiegt:* k. o. sein; den Gegner k. o. schlagen.
sinnv.: kampfunfähig. **2.** (ugs.) *körperlich er-
schöpft:* nach der zehnstündigen Reise waren sie
völlig k. o. **sinnv.**: erschöpft.

ko-, Ko- ⟨Präfix; mit fremdsprachlichem Basis-
wort⟩: *mit anderen, einem anderen ... zusammen:*
1. ⟨substantivisch⟩ **a)** ⟨Personenbezeichnung als
Basiswort⟩ /weist auf die Partnerschaft zwischen
zwei oder mehr Personen hin/ Mit-: Koautor,
-pilot, -preisträger, -regisseur. **b)** ⟨Sachbezeich-
nung als Basiswort⟩ /weist auf eine Wechselbe-
ziehung hin/ Nebeneinander-, Zusammen-, ge-
meinschaftlich ...: Koartikulation, -edition, -edu-
kation, -existenz, -produktion, -text. **2.** ⟨seltener
adjektivisch⟩ koedukativ, -existent, -operativ. **3.**
⟨seltener verbal⟩ koexistieren, -operieren.

Koch, der; -[e]s, Köche, **Kö|chin,** die; -, -nen: *männliche bzw. weibliche Person, die im Zubereiten von Speisen ausgebildet ist, die berufsmäßig kocht.* **sinnv.:** Küchenbulle, Smutje. **Zus.:** Bei-, Chef-, Diät-, Schiffskoch.

ko|chen: 1. a) ⟨tr./itr.⟩ *(warme Speisen, Getränke) auf dem Herd o. ä. durch Einwirkenlassen von Hitze zubereiten:* das Essen, Suppe, Tee k.; sie kann gut k. **sinnv.:** abkochen, backen, braten, brühen, dämpfen, dünsten, grillen, rösten, schmoren, toasten. **b)** ⟨itr.⟩ *(bestimmte Nahrungsmittel) auf dem Herd o. ä. durch Einwirkenlassen von Hitze gar werden lassen:* der Brei muß fünf Minuten k. **sinnv.:** sieden. **Zus.:** durchkochen. **2. a)** ⟨tr.⟩ *bis zum Sieden erhitzen:* Wasser k. **sinnv.:** heiß machen. **b)** ⟨itr.⟩ *bis zum Siedepunkt erhitzt und in wallender Bewegung sein:* das Wasser kocht. **sinnv.:** brodeln, dampfen, sieden. **c)** ⟨itr.⟩ *zum Zweck des Garwerdens in kochendem Wasser liegen:* der Reis, die Kartoffeln müssen 20 Minuten k. **sinnv.:** ziehen.

Kö|chin: vgl. Koch.

Kö|der, der; -s, -: **1.** *[beim Angeln benutztes] Mittel, mit dem man Fische anlockt.* **sinnv.:** Lockspeise, Luder. **2.** (ugs.) *Anreiz, mit dem man versucht, jmdn. für etwas zu gewinnen.* **sinnv.:** Blickfang, Lockvogel.

kö|dern ⟨tr.⟩ (ugs.): *(jmdn. mit verlockenden Angeboten, Versprechungen o. ä.) für ein Vorhaben, einen Plan gewinnen:* jmdn. mit etwas k. **sinnv.:** anlocken, gewinnen, interessieren, werben.

Kof|fer, der; -s, -: *tragbarer Gegenstand mit aufklappbarem Deckel und Handgriff zum Tragen, der dazu bestimmt ist, Kleider und andere auf der Reise benötigte Dinge aufzunehmen:* die Koffer packen. **sinnv.:** Gepäck. **Zus.:** Hand-, Kosmetik-, Reise-, Überseekoffer.

Kohl, der; -[e]s, -e (bes. nordd.): *in vielen Arten vorkommendes, meist große Köpfe ausbildendes Gemüse:* K. anbauen. **sinnv.:** Kappes, Kohlrabi, Kraut. **Zus.:** Blumen-, China-, Grün-, Rosen-, Weiß-, Winterkohl.

Koh|le, die; -, -n: *schwarzglänzender, wie Stein aussehender, aus dem Erdinnern gewonnener Brennstoff:* mit Kohle[n] heizen; K. fördern. **sinnv.:** Anthrazit, Brikett, Koks. **Zus.:** Braun-, Holz-, Steinkohle.

Ko|je, die; -, -n: *in der Kajüte eines Schiffes eingebautes Bett.*

Koks, der; -es: *grauer bis schwarzer, fester und als Brennstoff verwendeter Rückstand, der verbleibt, wenn der Steinkohle durch Erhitzen unter Luftabschluß Gase entzogen werden.*

Kol|ben, der; -s, -: *sich auf und ab bewegender Teil im Zylinder eines Motors.*

Kol|le|ge, der; -n, -n, **Kol|le|gin,** die; -, -nen: **a)** *männliche bzw. weibliche Person, mit der man beruflich zusammenarbeitet oder die den gleichen Beruf hat:* wir sind Kollegen; sie ist eine meiner Kolleginnen. **sinnv.:** Arbeitskamerad, Kumpel. **Zus.:** Arbeits-, Berufs-, Fachkollege. **b)** *männliche bzw. weibliche Person, die der gleichen Organisation, bes. der Gewerkschaft, angehört.* **sinnv.:** Genosse.

kol|le|gi|al ⟨Adj.⟩: *für seine Kollegen eintretend, ihnen helfend o. ä.:* er hat sich k. verhalten. **sinnv.:** freundschaftlich.

Kol|le|gin: vgl. Kollege.

Kol|ler, der; -s, - (ugs.): *(durch etwas Bestimmt⟨ ausgelöste) heftige, anfallartige Entladung vo aufgestauten Emotionen:* wenn er lange allein is bekommt er einen K. **sinnv.:** Rappel, Wutanfal -ausbruch.

Ko|lo|nie, die; -, Kolonien: **1.** *auswärtige Besi zung eines Staates, die politisch und wirtschaftlic von diesem abhängig ist.* **sinnv.:** Niederlassun⟨ Siedlung. **2.** *Gruppe von Ausländern gleicher N⟨ tionalität in einem fremden Land:* die deutsche K in Paris.

Ko|lon|ne, die; -, -n: *aus Menschen (bes. Sold⟨ ten) bzw. aus Fahrzeugen bestehende, in geordn⟨ ter Fortbewegung befindliche Formation.* **sinnv.** Abteilung. **Zus.:** Fahrzeug-, Marsch-, Wagenk⟨ lonne.

Ko|loß, der; Kolosses, Kolosse (emotional): **a** *große, schwergewichtige, massige menschliche G⟨ stalt:* er ist ein K. von zwei Zentnern. **sinnv.:** Ri⟨ se. **b)** *Gebilde von gewaltigen Ausmaßen:* dies⟨ Lokomotive ist ein stählerner K.

ko|los|sal ⟨Adj.⟩: **1.** (emotional) *von ungewöhnl⟨ cher Größe und beeindruckender Wucht:* eine ko lossale Plastik. **sinnv.:** gewaltig. **2.** (ugs.) **a)** *se⟨ groß, stark (in bezug auf Ausmaß, Intensität, Wi⟨ kung):* sie hatten kolossales Glück. **b)** ⟨verstä⟨ kend bei Adjektiven und Verben⟩ *ganz besonder⟨ sehr:* die Sache hat ihn k. geärgert.

Kom|bi|na|ti|on, die; -, -en: **1.** *Zusammenste⟨ lung von Verschiedenem:* eine K. dieser Farbe macht den Raum heller. **sinnv.:** Synthese, Verbin dung, Zusammenfügung. **2. a)** *Anzug, dessen Jak⟨ ke und Hose zwar in Muster und Farbe verschie den, aber aufeinander abgestimmt sind.* **sinnv.** Garnitur. **b)** *aus einem Stück bestehender Anzu⟨ /für Flieger, Monteure o. ä./.* **3.** *gedankliche, log⟨ sche Folgerung, die zu einer bestimmten Mutma ßung oder Einsicht führt:* seine Kombinatione⟨ erwiesen sich als richtig. **sinnv.:** Assoziation, Fol gerung, Gedankenverbindung, Schluß, Schluß folgerung.

kom|bi|nie|ren ⟨tr./itr.⟩: **1.** *Verschiedenartige (zu einem bestimmten Zweck) zusammenstellen⟨ miteinander verbinden:* Farben k. **2.** *gedanklich⟨ Beziehungen zwischen verschiedenen Dingen, E⟨ eignissen o. ä. herstellen:* er hat gut, schnell kom biniert, daß beide Ergebnisse zusammenhängen⟨

Kom|fort [kɔmˈfoːɐ̯], der; -s: *der Annehmlichkei⟨ behaglichere Bequemlichkeit dienende, mit einen⟨ gewissen Luxus verbundene Einrichtung und tech⟨ nische Ausstattung bes. von Wohn- und Arbeitsräu⟨ men:* eine Wohnung mit allem K. **sinnv.:** An⟨ nehmlichkeit, Bequemlichkeit.

Ko|mik, die; -: *komische Wirkung (die von Wor⟨ ten, Gesten, Situationen usw. ausgeht):* er hatt⟨ keinen Sinn für die K. der Situation. **sinnv.:** Drol ligkeit, Lächerlichkeit. **Zus.:** Situationskomik.

ko|misch ⟨Adj.⟩: **a)** *seltsam, sonderbar und m⟨ jmds. Erwartungen, Vorstellungen nicht in Ein⟨ klang zu bringen:* ein komischer Mensch; er wa⟨ so k. zu mir. **sinnv.:** seltsam. **b)** *zum Lachen re⟨ zend, auf Komik beruhend:* eine komische Situa tion. **sinnv.:** lächerlich, spaßig. **Zus.:** tragi-, urko⟨ misch.

Kom|man|dant, der; -en, -en: *jmd., der eine be⟨ stimmte Gruppe von Personen führt, befehligt:* er⟨ war K. eines Schiffs, Flugzeugs. **sinnv.:** Befehls haber.

kom|man|die|ren: 1. ⟨tr.⟩ **a)** *(bes. im Bereich des Militärs) die Befehlsgewalt über Personen, Sachen haben:* eine Einheit k. **sinnv.:** anführen, befehligen, führen. **b)** *(im Bereich des Militärs) zur Erfüllung einer Aufgabe an einen bestimmten Ort entsenden:* er wurde an die Front kommandiert. **sinnv.:** abordnen. 2. ⟨itr.⟩ *jmdm. im Befehlston Anweisungen geben:* ich lasse mich nicht k. **sinnv.:** schikanieren, verfügen über. **Zus.:** herumkommandieren.

Kom|man|do, das; -s, -s: 1. *kurzer, meist in seinem Wortlaut festgelegter Befehl:* ein K. ertönte; Kommandos geben. **sinnv.:** Weisung. 2. *Befehlsgewalt bei der Durchführung einer Aufgabe:* er hat das K. über die Miliz erhalten. **sinnv.:** Oberbefehl.

kom|men, kam, ist gekommen ⟨itr.⟩: 1. **a)** *an einem bestimmten Ort anlangen:* pünktlich k.; ich komme mit der Bahn; der nächste Zug kommt in einer halben Stunde. **sinnv.:** ankommen, anreisen, anrücken, anspringen, antanzen, antreten, auftauchen, sich einfinden, einlaufen, sich einstellen, eintreffen, eintrudeln, erscheinen, ins Haus schneien, herangehen, hereinschneien, sich nähern. **b)** *sich auf ein Ziel hin bewegen und dorthin gelangen:* nach Hause, ans Ziel k.; wie komme ich am schnellsten auf die Autobahn?; ⟨in Verbindung mit einem Verb der Bewegung im 2. Partizip:⟩ angebraust k. **sinnv.:** erreichen, gelangen. **c)** *von irgendwoher eintreffen:* aus Berlin, von der Arbeit k.; der Wagen kam von rechts. 2. *jmdn. besuchen, in einer bestimmten Absicht aufsuchen:* wir kommen gern einmal zu euch. 3. ⟨k. + lassen⟩ *veranlassen, daß jmd. kommt* (1 a) *oder etwas gebracht wird:* ich habe [mir] ein Taxi k. lassen. **sinnv.:** bestellen, herbeirufen, rufen. 4. *[bei jmdm.] in Erscheinung treten:* die ersten Blüten kommen. **sinnv.:** hervorbrechen, sich zeigen. **Zus.:** herauskommen. 5. *irgendwo aufgenommen, untergebracht, eingestellt o. ä. werden:* zur Schule, ins Gefängnis k. 6. **a)** *ordnungsgemäß an einen bestimmten Platz gestellt, gelegt werden:* das Buch kommt ins Regal. **b)** *irgendwo seinen Platz erhalten:* er kommt auf den ersten Platz in der Rangliste. 7. *in einen bestimmten, eine bestimmte Lage geraten:* in Gefahr, Verlegenheit k. 8. *Zeit, Gelegenheit für etwas finden:* endlich komme ich dazu, dir zu schreiben. 9. *[langsam herankommend] eintreten:* die Nacht kommt; das kam für mich völlig überraschend. **sinnv.:** geschehen. 10. *etwas Wünschenswertes, Erstrebtes erlangen:* zu Geld, zu Kräften, zur Ruhe k. 11. *etwas Grundlegendes, äußerst Wichtiges verlieren:* um sein Geld, ums Leben k. **sinnv.:** verlieren. 12. *sich durch eigene Anstrengung in den Besitz von etwas bringen, etwas für sich erreichen:* wie bist du an das Foto gekommen? **sinnv.:** bekommen. 13. *in einem bestimmten Zahlenverhältnis entfallen:* bald wird auf jeden zweiten Einwohner ein Auto k. 14. *von etwas herstammen; seinen Ursprung, Grund in etwas haben:* woher kommt das viele Geld?; wie kommt es, daß ...? 15. (ugs.) *einen bestimmten Preis haben, kosten:* die Reparatur kommt [mich] auf etwa 50 Mark. **sinnv.:** kosten. 16. *verblaßt in festen Wendungen mit Verbalsubstantiven zur Umschreibung des Vollverbs* (z. B. zu Fall k. = fallen), *als Ersatz für ein Passiv* (z. B. zum Einsatz k. = eingesetzt werden).

Kom|men|tar, der; -s, -e: *Erklärung, die zu einem Text, Ereignis o. ä. gegeben wird:* einen K. abgeben. **sinnv.:** Aufsatz, Ausdeutung, Auslegung, Deutung, Erklärung, Interpretation, Stellungnahme.

kom|men|tie|ren ⟨tr.⟩: **a)** *einen Kommentar zu etwas geben:* er hat das Geschehen kommentiert. **sinnv.:** glossieren. **b)** *mit Erläuterungen, Erklärungen versehen:* einen Text k. **sinnv.:** darlegen.

Kom|mis|sar, der; -s, -e, **Kom|mis|sa|rin,** die; -, -nen: 1. *männliche bzw. weibliche Person, die von einem Staat mit einem besonderen Auftrag ausgestattet ist und spezielle Vollmachten hat:* einen Kommissar übernahm die Verwaltung des Gebietes. **sinnv.:** Funktionär. 2. *Träger bzw. Trägerin eines bestimmten Dienstgrades bes. bei der Polizei.* **Zus.:** Kriminal-, Polizeikommissar.

Kom|mo|de, die; -, -n: *kastenförmiges Möbelstück (meist etwa von Tischhöhe), das nur Schubladen aufweist.* **sinnv.:** Anrichte, Schränkchen, Sideboard. **Zus.:** Wäsche-, Wickelkommode.

Kom|mu|ni|on, die; -, -en: *Feier, Empfang des Abendmahls in der katholischen Kirche:* zur K. gehen. **sinnv.:** Abendmahl; Konfirmation. **Zus.:** Erstkommunion.

Ko|mö|die, die; -, -n: *Bühnenstück mit heiterem Inhalt (in dem menschliche Schwächen dargestellt und Konflikte heiter gelöst werden).* **sinnv.:** Burleske, Commedia dell'arte, Farce, Klamotte, Lustspiel, Posse, Schwank. **Zus.:** Tragikomödie.

Kom|paß, der; Kompasses, Kompasse: *Gerät zur Bestimmung der Himmelsrichtung.*

kom|plett ⟨Adj.⟩: *als Ganzes vorhanden, mit allen dazugehörenden Teilen, Stücken:* eine komplette Ausstattung. **sinnv.:** abgeschlossen, fertig, geschlossen, komplettiert, vervollständigt, vollständig, vollzählig.

Kom|pli|ment, das; -[e]s, -e: *lobende, schmeichelhafte Äußerung, die an jmdn. gerichtet wird:* jmdm. Komplimente machen. **sinnv.:** Artigkeit, Höflichkeit, Lobhudelei, Schmeichelei, Schmus.

Kom|pli|ze, der; -n, -n, **Kom|pli|zin,** die; -, -nen: *männliche bzw. weibliche Person, die einer bei einer Straftat hilft.* **sinnv.:** Eingeweihter, Hehler, Helfershelfer, Kumpan, Mitbeteiligter, Mitschuldiger.

kom|pli|ziert ⟨Adj.⟩: *in seiner Vielfältigkeit, Unübersichtlichkeit o. ä. schwer zu durchschauen, zu handhaben:* eine komplizierte Angelegenheit; diese Aufgabe ist k. **sinnv.:** schwierig.

kom|po|nie|ren ⟨tr.⟩: *ein Musikstück schaffen, verfassen:* eine Sonate k. **sinnv.:** vertonen.

Kom|po|nist, der; -en, -en, **Kom|po|ni|stin,** die; -, -nen: *männliche bzw. weibliche Person, die komponiert.* **sinnv.:** Liedermacher, Tonsetzer. **Zus.:** Opern-, Schlagerkomponist.

Kom|post, der; -[e]s, -e: *Gemisch aus pflanzlichen oder tierischen Abfällen, das als Dünger verwendet wird.* **sinnv.:** Dünger.

Kom|pott, das; -[e]s, -e: *mit Zucker gekochtes Obst, das zu bestimmten Speisen oder als Nachtisch gegessen wird.* **sinnv.:** Dessert. **Zus.:** Erdbeer-, Pflaumenkompott.

Kom|pro|miß, der; Kompromisses, Kompromisse: *Übereinkunft, Einigung durch gegenseitige Zugeständnisse:* einen K. schließen. **sinnv.:** Vereinbarung.

Kon|di|ti|on, die; -, -en: 1. ⟨ohne Plural⟩ *körper-*

lich-seelische Verfassung eines Menschen, bes. als Voraussetzung für eine Leistung: der Sportler hat eine gute K. **sinnv.:** Ausdauer, Form. **2.** *Zahlungs-, Lieferungsbedingung im Geschäftsverkehr:* etwas zu günstigen Konditionen anbieten. **sinnv.:** Bedingung.

Kon|di|tor, der; -s, Konditoren, **Kon|di|to|rin,** die; -, -nen: *männliche bzw. weibliche Person, die von Berufs wegen feines Gebäck und Süßigkeiten herstellt.* **sinnv.:** Bäcker.

Kon|fekt, das; -[e]s: *feine Süßigkeiten.*

Kon|fe|renz, die; -, -en: *Zusammenkunft mehrerer Personen, eines Kreises von Experten zur Beratung fachlicher, organisatorischer, politischer, wirtschaftlicher o. ä. Fragen:* eine K. einberufen. **sinnv.:** Tagung. **Zus.:** Abrüstungs-, Lehrer-, Presse-, Wirtschaftskonferenz.

Kon|fes|si|on, die; -, -en: *religiöse Gemeinschaft des gleichen [christlichen] Glaubens.* **sinnv.:** Bekenntnis, Religionsgemeinschaft, Religionszugehörigkeit.

Kon|fir|mand, der; -en, -en, **Kon|fir|man|din,** die; -, -nen: *Jugendlicher bzw. Jugendliche während der Vorbereitungszeit auf die Konfirmation und am Tage der Konfirmation selbst.*

Kon|fir|ma|ti|on, die; -, -en: *im Rahmen einer gottesdienstlichen Feier vollzogene Aufnahme von Jugendlichen in die kirchliche Gemeinschaft und Zulassung zum Abendmahl in der evangelischen Kirche.* **sinnv.:** Einsegnung, Kommunion.

kon|fir|mie|ren ⟨tr.⟩: *in die kirchliche Gemeinschaft der evangelischen Kirche aufnehmen und zum Abendmahl zulassen.* **sinnv.:** einsegnen.

Kon|flikt, der; -[e]s, -e: **a)** *durch widerstreitende Auffassungen, Interessen o. ä. hervorgerufene schwierige Situation:* einen K. diplomatisch lösen. **sinnv.:** Streit. **Zus.:** Ehe-, Rassenkonflikt. **b)** *innerer Widerstreit:* aus einem [inneren] K. wieder herauskommen; ich bin in einem K. **sinnv.:** Zwiespalt. **Zus.:** Gewissens-, Herzenskonflikt.

kon|gru|ent ⟨Adj.⟩: **1.** (geh.) *in allen Punkten übereinstimmend, völlig gleich:* ihre Ansichten waren in diesem Punkt k. **sinnv.:** identisch. **2.** *(von geometrischen Figuren) in der Größe der Winkel und der Länge der Seiten gleich:* kongruente Dreiecke. **sinnv.:** sich deckend, deckungsgleich.

Kö|nig, der; -s, -e: **1.** *oberster Herrscher in bestimmten Monarchien:* jmdn. zum K. krönen. **sinnv.:** Regent. **2.** *wichtigste Figur beim Schachspiel.* **3.** *in der Rangfolge von oben an zweiter Stelle stehende Spielkarte* (siehe Bildleiste „Spielkarten").

Kö|ni|gin, die; -, -nen: vgl. König (1).

kö|nig|lich ⟨Adj.⟩: **1.** ⟨nur attributiv⟩ *den König betreffend, ihm gehörend:* das königliche Schloß. **sinnv.:** adlig. **2.** *reichlich und oft auch wertvoll:* königliche Geschenke. **sinnv.:** kostbar. **3.** ⟨verstärkend bei Verben⟩ (ugs.) ↑*sehr:* sich k. freuen.

kon|ju|gie|ren ⟨tr.⟩: *ein Verb in seinen grammatischen Formen abwandeln.* **sinnv.:** flektieren.

Kon|junk|tur, die; -, -en: *gesamte wirtschaftliche Lage mit bestimmter Entwicklungstendenz:* eine steigende, rückläufige K. **sinnv.:** Marktlage.

kon|kret ⟨Adj.⟩: **a)** *wirklich [vorhanden], als etwas sinnlich Gegebenes erfahrbar:* die konkreten Dinge des Alltags; wie ist deine konkrete Meinung?; ein konkreter Anlaß. **sinnv.:** bildlich, ge-

genständlich. **b)** *fest umrissen, anschaulich und deutlich ausgedrückt* /Ggs. abstrakt/: eine konkrete Vorstellung haben.

Kon|kur|rent, der; -en, -en, **Kon|kur|ren|tin,** die; -, -nen: *männliche bzw. weibliche Person, die mit einer anderen auf einem bestimmten Gebiet in Wettstreit steht:* einen Konkurrenten ausschalten. **sinnv.:** Rivale.

Kon|kur|renz, die; -, -en: **1.** ⟨ohne Plural⟩ *das Konkurrieren bes. im wirtschaftlichen Bereich:* eine starke K.; sich, einander K. machen; mit jmdm. in K. treten, stehen, liegen. **sinnv.:** Existenzkampf, Gegnerschaft, Rivalität, Wettbewerb, Wettstreit, Wirtschaftskampf. **2.** *in einer sportlichen Disziplin stattfindender Wettbewerb:* in verschiedenen Konkurrenzen starten. **3.** ⟨ohne Plural⟩ *Konkurrent, Gesamtheit von Konkurrenten:* die K. verkauft billiger; zur K. gehen.

Kon|kurs, der; -es, -e: *wirtschaftlicher Zusammenbruch:* den K. abwenden; in K. gehen, geraten.

kön|nen, kann, konnte, hat gekonnt/⟨nach vorangehendem Infinitiv⟩ hat ... können ⟨itr.⟩: **1.** ⟨mit Infinitiv als Modalverb: hat ... können⟩ **a)** *imstande sein, etwas zu tun; etwas zu tun vermögen:* er kann Auto fahren; wer kann mir das erklären?; ich konnte vor Schmerzen nicht schlafen; ich kann mir vorstellen, wie es war. **sinnv.:** fähig/imstande/in der Lage sein zu, vermögen. **b)** *(auf Grund entsprechender Beschaffenheit, Umstände o. ä.) die Möglichkeit haben, etwas zu tun:* das Flugzeug kann bis zu 300 Passagiere aufnehmen; ich habe nicht kommen k.; da kann man nichts machen!; können Sie mir bitte sagen, wie spät es ist? **c)** *auf Grund bestimmter Umstände die Berechtigung zu einem Verhalten o. ä. haben:* du kannst ohne Sorge sein; darauf kannst du dich verlassen!; er kann einem leid tun; darin kann ich Ihnen nur zustimmen; können wir (ugs.; können wir gehen, anfangen usw.)? **d)** (schwächer als „dürfen") *insofern es freisteht, zugelassen ist, die Möglichkeit haben, etwas zu tun:* Sie können hier telefonieren; kann ich jetzt gehen?; so etwas kannst du doch nicht machen! **sinnv.:** dürfen. **e)** *möglicherweise ... + entsprechendes Verb:* das Paket kann verlorengegangen sein; der Arzt kann jeden Augenblick kommen. **2.** ⟨Vollverb: hat gekonnt⟩ **a)** *fähig, in der Lage sein, etwas auszuführen, zu leisten:* er kann etwas, viel; er kann [gut] Russisch, kein Russisch; diese Übungen habe ich früher alle gekonnt. **b)** *in bestimmter Weise zu etwas fähig, in der Lage sein:* er lief so schnell[, wie] er konnte; er lief, was er konnte (sehr schnell); ich kann nicht anders (ich kann mich nicht anders verhalten); ich kann nicht anders zu ablehnen (muß ablehnen). **c)** *die Möglichkeit, Erlaubnis haben, etwas zu tun:* Mutti, kann ich in den Garten? **d)** (ugs.) *weiterhin Kraft zu etwas haben:* kannst du noch?; der Läufer konnte nicht mehr und gab auf; er riß sich, bis er nicht mehr konnte.

kon|se|quent ⟨Adj.⟩: **1.** *logisch zwingend:* k. denken, handeln. **sinnv.:** planmäßig. **2.** *fest entschlossen und beharrlich bei etwas bleibend:* ein konsequenter Gegner des Regimes; die Untersuchungen k. zu Ende führen. **sinnv.:** zielstrebig.

Kon|se|quenz, die; -, -en: **1.** *sich ergebende Folge aus einer Handlung o. ä.:* die Konsequenzen tragen müssen, ziehen. **sinnv.:** Folge. **2.** ⟨ohne

Plural⟩ *beharrliche, zielstrebige, von Entschluß-kraft zeugende Haltung, Handlungsweise:* mit letzter K. arbeiten. **sinnv.:** Beständigkeit.
kon|ser|va|tiv ⟨Adj.⟩: *in Gewohnheiten, Anschauungen am Alten, Hergebrachten, Überlieferten festhaltend:* eine konservative Partei; er ist sehr k. **sinnv.:** altmodisch, reaktionär, rückständig. **Zus.:** erz-, stockkonservativ.
Kon|ser|ve, die; -, -n: *durch Sterilisieren haltbar gemachtes Nahrungs- oder Genußmittel in Büchsen, Gläsern.* **Zus.:** Fleisch-, Obstkonserve.
kon|ser|vie|ren ⟨tr.⟩: *durch spezielle Behandlung haltbar machen:* Gemüse, Fleisch k. **sinnv.:** einfrieren, einkochen, einlegen, einmachen, einwecken, pökeln, tiefkühlen.
kon|stant ⟨Adj.⟩: *ständig gleichbleibend:* ein konstanter Wert. **sinnv.:** unaufhörlich.
kon|sta|tie|ren ⟨tr.⟩: *[einen bestimmten Tatbestand] feststellen:* mit Befriedigung konstatierte er die Bereitschaft der Partner zu Verhandlungen. **sinnv.:** bemerken, betonen.
kon|stru|ie|ren ⟨tr.⟩: *maßgebend gestalten, entwerfen und bauen, zusammenfügen o. ä.:* ein Flugzeug k. **sinnv.:** bauen.
Kon|struk|ti|on, die; -, -en: **a)** ⟨ohne Plural⟩ *das Entwerfen, Planen (von technischen oder architektonischen Objekten):* die K. der Maschine bereitete Schwierigkeiten. **b)** *technischer Entwurf, Plan:* der Ingenieur reichte mehrere Konstruktionen ein. **c)** *mit besonderen technischen Mitteln oder Methoden errichtetes Bauwerk:* eine imposante K. aus Glas und Beton. **sinnv.:** Struktur. **Zus.:** Brücken-, Dach-, Eisenkonstruktion.
kon|sul|tie|ren ⟨tr.⟩: *um ein fachliches Urteil bitten:* einen Arzt, einen Anwalt k. **sinnv.:** fragen.
Kon|sum, der; -s: *Verbrauch (von Nahrungs-, Genußmitteln).* **sinnv.:** Verbrauch. **Zus.:** Bier-, Lebensmittel-, Weinkonsum.
Kon|su|ment, der; -en, -en, **Kon|su|men|tin,** die; -, -nen: *männliche bzw. weibliche Person, die etwas kauft und verbraucht.* **sinnv.:** Käufer, Verbraucher.
Kon|takt, der; -[e]s, -e: *Verbindung, die (einmal oder in bestimmten Abständen) für eine kurze Dauer hergestellt wird:* persönliche, diplomatische Kontakte; mit jmdm. in K. bleiben. **sinnv.:** Annäherung, Berührung, Fühlungnahme, Kommunikation, Verbindung. **Zus.:** Hautkontakt.
kon|tern ⟨itr.⟩: **a)** *(im sportlichen Wettkampf) den Gegner durch einen schnellen Gegenangriff aus der Verteidigung überraschen.* **b)** *scharf auf einen Angriff antworten:* der Politiker konterte geschickt. **sinnv.:** antworten.
Kon|ti|nent [auch: ...nent], der; -[e]s, -e: *eine der großen zusammenhängenden Landmasse der Erde:* die fünf Kontinente. **sinnv.:** Erdteil, Festland. **Zus.:** Subkontinent.
Kon|tin|gent, das; -[e]s, -e: *für etwas anteilmäßig zu erbringende, vorgesehene Menge, Anzahl, Leistung o. ä.:* die Kontingente für den Import von Waren erhöhen. **sinnv.:** Betrag.
kon|ti|nu|ier|lich ⟨Adj.⟩: *[ohne Veränderung] gleichmäßig sich fortsetzend, weiterbestehend:* eine kontinuierliche Entwicklung; Forschung k. betreiben. **sinnv.:** unaufhörlich.
Kon|to, das; -s, Konten: *(von einer Bank o. ä. für einen Kunden geführte) laufende Gegenüberstellung von geschäftlichen Vorgängen, besonders von*

Einnahmen und Ausgaben: ein K. bei der Bank eröffnen, einrichten; Geld auf das K. überweisen. **Zus.:** Gehalts-, Giro-, Postgiro-, Spendenkonto.
Kon|trast, der; -[e]s, -e: *starker Gegensatz, auffallender Unterschied:* die Farben bilden einen auffallenden K. **sinnv.:** Antagonismus, Divergenz, Gegensatz, Unterschied, Widerspruch.
Kon|trol|le, die; -, -n: **1.** *Überprüfung, der jmd./etwas unterzogen wird:* eine genaue, scharfe K.; die Kontrollen an der Grenze sind verschärft worden. **sinnv.:** Aufsicht, Beaufsichtigung, Beobachtung, Beschattung, Bespitzelung, Inspektion, Observation, Prüfung, Überwachung, Zensur. **Zus.:** Fahrkarten-, Geburten-, Gesichts-, Gewichts-, Grenz-, Polizei-, Rüstungs-, Verkehrs-, Zollkontrolle. **2.** ⟨ohne Plural⟩ *Beherrschung, Gewalt:* er hat die K. über das Auto verloren; der Brand wurde nach drei Stunden unter K. gebracht.
kon|trol|lie|ren ⟨tr.⟩: **1.** *zur Überwachung, Überprüfung, Untersuchung o. ä. Kontrollen ausüben:* die Qualität k.; beim Zoll wird [das Gepäck] scharf kontrolliert; der Pilot kontrollierte seine Instrumente. **sinnv.:** abnehmen, begutachten, checken, durchgehen, durchsuchen, einsehen, inspizieren, nachsehen, prüfen, überprüfen, überzeugen/vergewissern. **2.** *(in einem bestimmten Bereich) beherrschenden Einfluß haben:* der Konzern kontrolliert mit seiner Produktion den europäischen Markt. **sinnv.:** beherrschen, die Gewalt haben.
Kon|ver|sa|ti|on, die; -, -en: *unverbindliches, oft nur um der Unterhaltung willen geführtes, zwangloses Gespräch:* eine [lebhafte] K. führen.
Kon|zen|tra|ti|on, die; -, -en: **1.** *das Zusammenlegen, Zusammenballen, Vereinigen [wirtschaftlicher oder militärischer Kräfte] an einem Punkt, in einer Hand:* die K. der Industrie, der Presse. **Zus.:** Macht-, Truppenkonzentration. **2.** *geistige Anspannung, höchste Aufmerksamkeit, die auf eine bestimmte Tätigkeit o. ä. gerichtet ist:* er arbeitet mit großer K. **sinnv.:** Aufmerksamkeit.
kon|zen|trie|ren: **1.** ⟨tr.⟩ *[wirtschaftliche oder militärische Kräfte, Abteilungen] an einem Punkt, in einer Hand zusammenballen, zusammenlegen, vereinigen:* Truppen, die Verwaltung eines Konzerns k. **2. a)** ⟨tr.⟩ *seine Gedanken, seine Aufmerksamkeit auf etwas richten:* seine Bemühungen, Überlegungen auf jmdn./etwas k.; seine ganze Kraft auf das Examen k. **b)** ⟨sich k.⟩ *die geistigseelischen Kräfte ganz nach innen richten und Störendes, Ablenkendes nicht beachten:* ich muß mich bei der Arbeit k. **sinnv.:** aufpassen, sich sammeln; sich versenken.
Kon|zept, das; -[e]s, -e: *knapp gefaßter Entwurf, erste Fassung in Rede oder einer Schrift:* ein K. ausarbeiten.
Kon|zern, der; -[e]s, -e: *Zusammenschluß zweier oder mehrerer selbständiger Firmen gleicher, ähnlicher oder sich ergänzender Produktion.* **sinnv.:** Unternehmen. **Zus.:** Bank-, Öl-, Presse-, Rüstungskonzern.
Kon|zert, das; -[e]s, -e: **1.** *Komposition (aus mehreren Sätzen) für Orchester und eines oder mehrere Soloinstrumente:* ein K. für Klavier und Orchester. **Zus.:** Flöten-, Klavier-, Violinkonzert. **2.** *Aufführung eines oder mehrerer Musikwerke*

Kopfbedeckungen

Hut　　Prinz-Heinrich-Mütze　　Pudelmütze　　Turban　　Zylinder

meist in einer öffentlichen Veranstaltung: ein K. geben; ins K. gehen. **Zus.:** Abschieds-, Früh-, Kammer-, Kirchen-, Kur-, Opern-, Wohltätig-keits-, Wunschkonzert · Pfeifkonzert.

Kon|zes|si|on, die; -, -en: **1.** *Genehmigung einer Behörde für eine gewerbliche Tätigkeit:* die K. für die Eröffnung einer Bar erteilen, entziehen. **2.** ↑*Zugeständnis:* Konzessionen machen.

Kopf, der; -[e]s, Köpfe: *meist rundlicher, auf dem Hals sitzender Teil des menschlichen oder tierischen Körpers:* ein dicker, kahler K.; der K. einer Katze, eines Vogels; den K. neigen, schütteln. **sinnv.:** Haupt, Schädel. **Zus.:** Kinds-, Puppen-, Totenkopf.

Kopf|be|deckung, die; -, -en: *Teil der Kleidung, der zum Schutz, zum Schmuck auf dem Kopf getragen wird* (siehe Bildleiste): mit, ohne K. **sinnv.:** Haube, Helm, Hut, Mütze.

köp|fen: 1. ⟨tr.⟩ *(jmdm.) den Kopf abschlagen:* früher wurden Verbrecher geköpft. **sinnv.:** enthaupten; töten. **2.** ⟨tr./itr.⟩ *(den Ball) mit dem Kopf stoßen:* er köpfte [den Ball] in die untere Ecke des Tors.

kopf|los ⟨Adj.⟩: *unfähig, einen klaren Gedanken zu fassen:* er rannte k. aus dem Zimmer, als er die Nachricht vom Unfall hörte. **sinnv.:** hektisch.

kopf|ste|hen, stand kopf, hat kopfgestanden ⟨itr.⟩: *völlig überrascht, durcheinander, ganz bestürzt, verwirrt sein:* als sie die Nachricht erhielten, standen alle kopf. **sinnv.:** sich entsetzen.

Ko|pie, die; -, Kopien: **1.** *originalgetreue Wiedergabe eines im Original vorliegenden Textes o. ä.:* die K. einer Urkunde. **sinnv.:** Abschrift; Reproduktion. **Zus.:** Film-, Fotokopie. **2.** *genaue Nachbildung eines Gegenstandes, bes. eines Kunstwerks:* die K. des Haustürschlüssels, eines Gemäldes. **sinnv.:** Imitation.

Korb, der; -[e]s, Körbe: *aus biegsamem, meist von bestimmten Pflanzen stammendem Material geflochtener Behälter mit Griffen, Henkeln o. ä.:* der K. war voll Äpfel. **Zus.:** Brot-, Einkaufs-, Wäschekorb.

Kor|del, die; -, -n: **1.** *aus mehreren Fäden zusammengedrehte, bes. zur Zierde irgendwo verwendete, dicke Schnur.* **2.** ↑*Schnur.*

Kork, der; -[e]s: *aus der Rinde der Korkeiche gewonnenes, braunes, sehr leichtes Material.*

Kor|ken, der; -s, -: *Verschluß aus Kork (oder Plastik) für Flaschen:* **sinnv.:** Stöpsel. **Zus.:** Kron[en]-, Sektkorken.

Korn: I. das; -[e]s, Körner: **1.** *kleine, rundliche, mit einer festen Schale umgebene Frucht einer Pflanze:* die Körner des Weizens. **Zus.:** Getreide-, Pfeffer-, Senfkorn. **2.** ⟨ohne Plural⟩ *Getreide,*

bes. Roggen: das K. mahlen. **3.** *kleines, festes Teilchen in Form eines Korns* (1): einige Körner Salz. **Zus.:** Gold-, Salz-, Sandkorn. **II.** der; -[e]s, -: *aus Getreide gewonnener, klarer Schnaps.* **sinnv.:** Branntwein. **III.** das; -[e]s, Korne: *Teil der Vorrichtung zum Zielen beim Gewehr.*

kör|nig ⟨Adj.⟩: *aus kleinen Körnern bestehend:* körniger Sand; der Reis ist k. **Zus.:** fein-, grobkörnig.

Kör|per, der; -s, -: **1.** *Organismus eines Lebewesens, der die jeweilige Erscheinung, Gestalt eines Menschen oder Tieres ausmacht:* der menschliche, ein schöner K.; den ganzen K. waschen; er hat einen gedrungenen K. **sinnv.:** Leib, Rumpf; Gestalt. **Zus.:** Ober-, Tier-, Unterkörper. **2.** *Gegenstand, der eine begrenzte Menge eines bestimmten Stoffes, ein ringsum begrenztes Gebilde darstellt:* ein bewegter, fester K.; den Inhalt eines Körpers berechnen. **sinnv.:** Ding. **Zus.:** Anti-, Beleuchtungs-, Feuerwerks-, Flug-, Fremd-, Heiz-, Himmelskörper.

kör|per|lich ⟨Adj.⟩: *auf den Körper bezogen, ihn betreffend:* körperliche (Ggs. geistige) Anstrengungen. **sinnv.:** physisch.

kor|pu|lent ⟨Adj.⟩: *zu körperlicher Fülle neigend:* sie ist ziemlich k. **sinnv.:** dick.

kor|rekt ⟨Adj.⟩: *ohne Fehler; dem Sachverhalt, den Vorschriften entsprechend:* die Übersetzung ist k.; ein korrektes Benehmen. **sinnv.:** anständig; richtig. **Zus.:** in-, unkorrekt.

Kor|rek|tur, die; -, -en: *Berichtigung eines Fehlers, bes. in einem geschriebenen oder gedruckten Text:* kleine Korrekturen in einem Text anbringen. **sinnv.:** Berichtigung, Verbesserung. **Zus.:** Aufsatz-, Preiskorrektur.

Kor|re|spon|denz, die; -, -en: *Austausch schriftlicher Äußerungen:* mit jmdm. in K. stehen. **sinnv.:** Briefwechsel. **Zus.:** Geschäfts-, Privatkorrespondenz.

kor|ri|gie|ren ⟨tr.⟩: **a)** *von Fehlern frei machen:* einen Text k. **b)** *(etwas Fehlerhaftes, Ungenügendes) verbessern:* einen Irrtum k.; jmdn., jmds. Aussprache k. **sinnv.:** berichtigen.

kor|rupt ⟨Adj.⟩: **a)** *bestechlich, käuflich o. ä. und deshalb nicht vertrauenswürdig:* korrupte Beamte. **b)** *moralisch verdorben:* ein korruptes politisches System.

Kos|me|tik, die; -: *einem schöneren Aussehen dienende Behandlung des menschlichen Körpers, besonders des Gesichtes mit bestimmten Mitteln.* **sinnv.:** Körper-, Schönheitspflege. **Zus.:** Haut-, Naturkosmetik.

kos|me|tisch ⟨Adj.⟩: *die Kosmetik betreffend:* ein kosmetisches Mittel.

Kos|mo|naut, der; -en, -en, **Kos|mo|nau|tin,** die; -, -nen: *[sowjetischer] Teilnehmer bzw. Teilnehmerin an einer Weltraumfahrt.* **sinnv.:** Astronaut.

Kos|mos, der; -: ↑*Weltall.*

Kost, die; -: *Nahrung, bes. sofern sie für jmdn. speziell vorbereitet, zubereitet wurde:* einfache, gesunde K.; er hat freie K. **sinnv.:** Nahrung. **Zus.:** Bio-, Natur-, Rohkost.

kost|bar ⟨Adj.⟩: **1.** *aus teurem Material und daher sehr wertvoll:* kostbare Bilder, Möbel; kostbarer Schmuck. **sinnv.:** teuer, wertvoll. **2.** *für jmdn. so wichtig, wertvoll, daß es gut genutzt, nicht unnütz vertan werden sollte:* die Zeit ist k.

ko|sten, kostete, hat gekostet: **I.** ⟨tr./itr.⟩ *den Geschmack (von Speisen oder Getränken) feststellen:* er kostete die Soße/von der Soße. **sinnv.:** probieren, prüfen, versuchen. **II.** ⟨itr.⟩ **1.** *einen Preis von einer bestimmten Höhe haben:* das Buch kostet 10 Mark; das Haus hat mich 300 000 Mark gekostet. **2.** *(zur Verwirklichung von etwas) erforderlich machen, von jmdm. verlangen:* das kostet dich doch nur ein Wort, ein Lächeln. **sinnv.:** erfordern. **3.** *für jmdn. einen Verlust von etwas nach sich ziehen:* dieser Fehler kann dich/(selten:) dir die Stellung kosten; es kostete die Mannschaft den Sieg.

Ko|sten, die ⟨Plural⟩: *finanzielle Ausgaben, die für die Ausführung einer Arbeit o. ä. entstehen:* die K. für den Bau des Hauses waren hoch; die K. ersetzen. **sinnv.:** Preis. **Zus.:** Anschaffungs-, Arzt-, Fahrt-, Reisekosten.

ko|sten|los ⟨Adj.⟩: *keine Kosten verursachend:* eine kostenlose Untersuchung. **sinnv.:** frei, umsonst.

köst|lich ⟨Adj.⟩: **1.** *besonders gut, ausgezeichnet schmeckend:* eine köstliche Speise. **sinnv.:** appetitlich. **2.** *unterhaltsam und daher großes Vergnügen bereitend:* eine köstliche Geschichte.

kost|spie|lig ⟨Adj.⟩: *mit hohen Kosten verbunden:* ein kostspieliger Prozeß. **sinnv.:** teuer.

Ko|stüm, das; -s, -e: **1.** *aus Rock und Jacke bestehendes Kleidungsstück für weibliche Personen.* **sinnv.:** Ensemble, Komplet. **Zus.:** Reise-, Trachtenkostüm. **2.** *Kleidung, die in einer bestimmten Epoche typisch war, bzw. für Schauspieler, Artisten o. ä. bei Aufführungen zur Darstellung, Charakterisierung einer bestimmten Person od. Funktion dient oder auch zur Verkleidung bei bestimmten Anlässen verwendet wird.* **sinnv.:** Maske, Verkleidung. **Zus.:** Adams-, Narrenkostüm.

Kot, der; -[e]s: *Ausscheidung aus dem Darm.* **sinnv.:** Schmutz. **Zus.:** Hunde-, Tierkot.

Ko|te|lett, das; -s, -s: *Stück Fleisch von den Rippen von Kalb, Schwein oder Hammel, das als Speise gebraten wird* (siehe Bild „Schwein"). **Zus.:** Kalbs-, Schweine-, Stielkotelett.

Kö|ter, der; -s, - (abwertend): *Hund:* ständig kläfft dieser K., wenn ich vorbeigehe.

Krab|be, die; -, -n: *(vorwiegend im Meer lebendes) kleines, zu den Krebsen gehörendes Tier mit zurückgebildetem Hinterleib und oft großen Scheren an ersten Beinpaar* (siehe Bildleiste „Schalentiere"). **sinnv.:** Krebs.

krab|beln ⟨itr.⟩: *sich fortbewegen* ⟨ist⟩: **a)** *(von Käfern o. ä.) sich kriechend fortbewegen:* ein Käfer ist an der Wand gekrabbelt. **sinnv.:** kriechen. **b)** *sich auf Händen und Füßen fortbewegen:* das Baby fängt an zu k.

Krach, der; -[e]s, Kräche: **1.** ⟨ohne Plural⟩ **a)** *sehr lautes, unangenehmes Geräusch:* die Maschine macht viel K. **sinnv.:** Lärm. **Zus.:** Heiden-, Mords-, Riesenkrach. **b)** *plötzliches, hartes, sehr lautes Geräusch:* mit lautem K. stürzte das Haus ein. **sinnv.:** Knall. **2.** (ugs.) *heftige, laute Auseinandersetzung:* sie haben ständig K. **sinnv.:** Streit. **Zus.:** Ehe-, Familienkrach.

kra|chen, krachte, hat/ist gekracht ⟨itr.⟩: **a)** *einen lauten Knall von sich geben:* der Donner hat gekracht; ein Schuß krachte. **sinnv.:** knallen. **b)** *mit einem Knall, einem lauten Geräusch brechen:* das Eis ist gekracht. **sinnv.:** zerbrechen. **c)** *mit einem Knall, einem lauten Geräusch gegen etwas prallen:* das Auto ist gegen den Baum gekracht.

kräch|zen ⟨itr.⟩: *heiser klingende Laute von sich geben:* der Rabe krächzt. **sinnv.:** krähen, schnarren.

kraft ⟨Präp. mit Gen.⟩: *durch den Einfluß, das Gewicht, die Autorität von ...:* er veranlaßte dies k. [seines] Amtes; k. Gesetzes, richterlichen Urteils; eine Idee, k. deren ... **sinnv.:** wegen.

Kraft, die; -, Kräfte: **1.** *körperliche Stärke; Fähigkeit zu wirken:* der Junge hat viel, große K.; er ist wieder zu Kräften gekommen. **Zus.:** Muskelkraft. **2.** *in bestimmter Weise wirkende Gewalt, einer Sache als Ursache einer Wirkung innewohnende Macht:* die Kräfte der Natur; die K. der Wahrheit. **sinnv.:** Fähigkeit, Wille. **Zus.:** Anziehungs-, Kern-, Natur-, Schwer-, Zentrifugalkraft. **3.** ↑*Arbeitskraft* (2): wir brauchen noch eine neue K. **Zus.:** Halbtags-, Hilfs-, Spitzenkraft.

Kraft|fahr|zeug, das; -[e]s, -e: *durch einen Motor angetriebenes, nicht an Schienen gebundenes Fahrzeug.* **sinnv.:** Auto.

kräf|tig ⟨Adj.⟩: **1.** *Kraft habend, [in der äußeren Erscheinung] von körperlicher Kraft zeugend:* eine kräftige Konstitution; ein kräftiger Hieb. **sinnv.:** athletisch; stark. **2. a)** *in hohem Maße ausgeprägt, vorhanden:* ein kräftiges Hoch; einen kräftigen Schluck nehmen; kräftige Farben. **b)** *in sehr deutlicher, oft derber, grober Ausdrucksweise geäußert:* ein kräftiger Fluch, Ausdruck. **sinnv.:** derb. **3.** *reich an Nährstoffen:* eine kräftige Suppe. **sinnv.:** nahrhaft.

-kräf|tig ⟨adjektivisches Suffixoid⟩: **a)** *in als positiv angesehener Weise reichlich von dem im Basiswort Genannten habend:* beweis-, finanz-, kapitalkräftig. **sinnv.:** -intensiv, -reich, -stark. **b)** *zu dem im Basiswort Genannten in der Lage:* kauf-, zahlungskräftig.

kraft|los ⟨Adj.⟩: **1.** *wenig Kraft habend:* k. fiel er in den Sessel. **sinnv.:** entkräftet, geschwächt, schwach. **2.** *wenig nahrhaft:* eine kraftlose Suppe. **sinnv.:** fade.

kraft|voll ⟨Adj.⟩: *viel Kraft habend, davon zeugend:* ein kraftvoller Sprung. **sinnv.:** dynamisch; stark; wuchtig.

Kraft|werk, das; -[e]s, -e: *industrielle Anlage zur Gewinnung elektrischer Energie.* **Zus.:** Kern-, Kohlekraftwerk.

Kra|gen, der; -s, -: *am Hals befindlicher Teil eines Kleidungsstücks:* der K. am Hemd; den K. des Mantels hochschlagen. **Zus.:** Mantel-, Pelzkragen.

krä|hen ⟨itr.⟩: *(vom Hahn) einen hellen, lauten, gequetscht klingenden Laut von sich geben:* **sinnv.:** krächzen.

Kral|le, die; -, -n: *aus Horn bestehendes, langes, gebogenes, an den Enden spitz zulaufendes Gebilde an den letzten Gliedern der Zehen bestimmter Tiere.* **sinnv.:** Fingernagel.

Kram, der; -[e]s: **1.** *eine als wertlos betrachtete, nicht näher bezeichnete Menge von Gegenständen:* es befindet sich viel K. im Keller. **sinnv.:** Gerümpel, Krempel, Plunder, Zeug. **Zus.:** Papier-, Trödelkram. **2.** *Angelegenheit, die (vom Sprecher) als unwichtig, lästig empfunden wird:* am liebsten würde ich den ganzen K. hinschmeißen. **Zus.:** Büro-, Verwaltungskram.

kra|men ⟨itr.⟩: *zwischen (durcheinanderliegenden) Gegenständen herumwühlen [und nach etwas suchen]:* in allen Schubladen nach Bildern k.

Krampf, der; -[e]s, Krämpfe: *plötzliches, schmerzhaftes Sichzusammenziehen der Muskeln:* er hat einen K. in der Wade. **Zus.:** Muskel-, Schrei-, Waden-, Weinkrampf.

krampf|haft ⟨Adj.⟩: **1.** *als Krampf, wie ein Krampf verlaufend:* krampfhafte Zuckungen. **2.** *alle Kräfte aufbietend, mit Verbissenheit:* sich k. an etwas festhalten. **sinnv.:** beharrlich.

Kran, der; -[e]s, Kräne/(auch:) Krane: *aus einer fahr- und drehbaren Konstruktion (mit Führerhaus) bestehende Vorrichtung zum Heben und Versetzen schwerer oder sperriger Dinge.* **Zus.:** Bau-, Hebe-, Lastkran.

krank, kränker, kränkste ⟨Adj.⟩: *eine Krankheit habend, physisch oder psychisch leidend* /Ggs. gesund/: ein krankes Tier; er ist [schwer] k., liegt k. zu Bett. **sinnv.:** arbeitsunfähig, bettlägerig, leidend, unpäßlich. **Zus.:** herz-, krebs-, todkrank.

krän|keln ⟨itr.⟩: *über längere Zeit hin immer ein wenig krank sein.* **sinnv.:** leiden.

kran|ken ⟨itr.⟩: *durch einen Mangel in seiner Funktionstüchtigkeit o. ä. gestört, beeinträchtigt sein:* die Firma krankt an der schlechten Organisation.

krän|ken ⟨tr.⟩: *(jmdn.) seelisch verletzen, in seinem Selbstgefühl durch eine Tat oder Äußerung, durch die er sich gedemütigt, verkannt o. ä. fühlt, treffen:* diese Bemerkung hatte ihn sehr gekränkt. **sinnv.:** beleidigen, brüskieren, verletzen.

Kran|ken|haus, das; -es, Krankenhäuser: *Gebäude, in dem Kranke vorwiegend stationär behandelt werden:* der Kranke wurde ins/im K. aufgenommen. **sinnv.:** Anstalt, Heilanstalt, Hospital, Klinik, Lazarett, Sanatorium.

Kran|ken|schwe|ster, die; -, -n: *weibliche Person, die in der Krankenpflege ausgebildet ist.*

krank|haft ⟨Adj.⟩: **1.** *von einer Krankheit herrührend, sich als Krankheit äußernd:* eine krankhafte Veränderung des Gewebes. **2.** *sich wie eine Krankheit äußernd, nicht mehr normal:* ein krankhafter Ehrgeiz. **sinnv.:** extrem.

Krank|heit, die; -, -en: **1.** *Störung der normalen Funktion eines Organs oder Körperteils, auch des geistigen, seelischen Wohlbefindens* /Ggs. Gesundheit/: eine ansteckende K.; an einer K. leiden. **sinnv.:** Erkrankung, Gebrechen, Leiden, Seuche. **Zus.:** Berufs-, Geschlechts-, Haut-, Infektions-, Kinderkrankheit. **2.** ⟨ohne Plural⟩ *Zustand des Krankseins:* während meiner K. hat mich mein Freund oft besucht.

kränk|lich ⟨Adj.⟩: *stets etwas leidend und anfällig für Krankheiten:* ein kränkliches Aussehen. **sinnv.:** krank.

Kranz, der; -es, Kränze: *in Form eines Ringes ge flochtene oder gebundene Blumen, Zweige o. ä* **Zus.:** Blumen-, Lorbeer-, Siegeskranz.

kraß, krasser, krasseste ⟨Adj.⟩: *in seiner Art be sonders und in oft schroffer Weise extrem:* er is ein krasser Außenseiter.

krat|zen: 1. a) ⟨tr.⟩ *mit etwas Scharfem, Rauhem Spitzem (bes. mit Nägeln oder Krallen) ritzend schabend o. ä. Spuren auf etwas hinterlassen:* di Katze hat mich gekratzt. **b)** ⟨itr.⟩ *mit etwas Schai fem, Rauhem, Spitzem an oder auf etwas reiber scheuern [und ein entsprechendes Geräusch verur sachen]:* mit dem Messer im Topf k.; der Hun kratzt an der Tür. **sinnv.:** ritzen, schaben, schar ren, schrammen, schrappen, schürfen, schurren **c)** ⟨tr./sich k.⟩ *wegen eines Juckreizes mit den Fin gerspitzen, -nägeln an einer Körperstelle scheuern reiben:* jmdn. auf dem Rücken k.; ich kratze mich am Kopf. **d)** ⟨itr.⟩ *wegen der Haut verursa chen:* der Stoff des Kleides kratzt fürchterlich **sinnv.:** jucken, scheuern. **2.** ⟨tr.⟩ **a)** *durch Ritzen Schaben o. ä. auf, in etwas erzeugen:* ein Zeiche in die Wand k. **b)** *schabend, scharrend o. ä. entfer nen:* das Eis von der Scheibe k.

Krat|zer, der; -s, -: *vertiefte Linie, die durc Kratzen auf etwas entstanden ist.* **sinnv.:** Schram me.

krau|len: I. ⟨tr.⟩ *jmdn./ein Tier liebkosen in de Art, daß man z. B. in dessen Haaren, Fell seine Fin gerspitzen leicht hin und her bewegt:* jmdn. an Kinn, einen Hund am Hals k. **sinnv.:** kitzeln. **II** kraulte, hat/ist gekrault ⟨itr.⟩ *schwimmen, inder die Arme abwechselnd kreisförmig von hinten übe den Kopf nach vorn bewegt werden, während sic die gestreckten Beine leicht und abwechselnd auf und abwärts bewegen:* er kann gut k.

kraus ⟨Adj.⟩: **1. a)** *stark geringelt, gewellt, aus vie len sehr kleinen Locken bestehend:* er hat krause Haar. **sinnv.:** lockig. **b)** *voller unregelmäßiger L nien, Falten:* eine krause Stirn machen. **sinnv.** faltig. **2.** *[absonderlich und] ziemlich wirr, unge ordnet:* er hat nur krause Ideen. **sinnv.:** verwor ren; wirr.

kräu|seln: a) ⟨tr.⟩ *leicht kraus, wellig o. ä. ma chen:* der Wind kräuselte die Wasseroberfläche **b)** ⟨sich k.⟩ *sich in viele kleine Locken, Falten, Wei len legen, eine leicht krause Form annehmen:* di Haare kräuseln sich. **sinnv.:** sich ringeln.

Kraut, das; -[e]s, Kräuter: *Pflanze, die zum Hei len oder Würzen verwendet wird:* ein Tee au Kräutern. **Zus.:** Arznei-, Bohnen-, Farn-, Ge würz-, Heide-, Heil-, Küchen-, Suppen-, Würz kraut.

Kra|wall, der; -s, -e: **a)** *heftiger, tumultartige Aufruhr:* auf den Straßen kam es zu Demonstra tionen und Krawallen. **sinnv.:** Aufruhr; Streit **Zus.:** Straßenkrawall. **b)** ⟨ohne Plural⟩ (ugs.) *seh lebhaftes, erregtes Lärmen und Treiben:* mach doch nicht so einen K. **sinnv.:** Lärm. **Zus.** Mords-, Riesenkrawall.

Krebs, der; -es, -e: **1.** *im Wasser lebendes, durc Kiemen atmendes, sich kriechend fortbewegende Tier mit einem Panzer aus Chitin und mindesten vier Beinpaaren, von denen das vordere oft zu gro ßen Scheren umgebildet ist* ⟨siehe Bildleiste „Schalentiere"⟩. **sinnv.:** Krustentier, Schalen tier · Garnele, Hummer, Krabbe, Languste. **Zus.** Einsiedler-, Fluß-, Taschenkrebs. **2.** *gefährliche* *wuchernde Geschwulst im Gewebe menschlicher oder tierischer Organe:* sie starb an K. **sinnv.**: Geschwulst. **Zus.**: Darm-, Lungen-, Magenkrebs.

Krei|de, die; -, -n: **1.** ⟨ohne Plural⟩ *in unvermischter Form weißer, erdiger, weicher Kalkstein:* Felsen aus K. **2.** *als Stift, Mine o. ä. geformtes Stück aus weißem Kalkstein, festem Gips o. ä. zum Schreiben, Zeichnen, Markieren o. ä.:* etwas mit K. an die Tafel schreiben.

Kreis, der; -es,-e: **1.** */eine geometrische Figur/* (siehe Bildleiste „geometrische Figuren", S. 175). **Zus.**: Erd-, Längen-, Wendekreis. **2.** *kreisförmige, einem Kreis ähnliche Gruppierung, Bewegung o. ä.:* die Kinder bildeten einen K.; sich im K. drehen. **Zus.**: Dunst-, Strom-, Teufelskreis. **3.** ⟨K. + Attribut⟩ *Gruppe, Gruppierung, Gemeinschaft von Personen:* ein K. interessierter Leute, von jungen Leuten. **sinnv.**: Ausschuß, Gruppe. **Zus.**: Bekannten-, Familien-, Freundes-, Interessenten-, Leserkreis.

krei|schen ⟨itr.⟩: *mit mißtönender, schriller Stimme schreien:* der Papagei kreischt seit einer Stunde. **sinnv.**: schreien.

krei|sen, kreiste, hat/ist gekreist ⟨itr.⟩: *sich in einem Kreis [um etwas] bewegen:* das Flugzeug hat/ ist drei Stunden über der Stadt gekreist; der Hund kreist um die Herde. **sinnv.**: sich drehen, sich im Kreis drehen, rotieren, umlaufen.

Kreuz, das; -es, -e: **1. a)** *Zeichen, Gegenstand aus zwei sich meist rechtwinklig schneidenden Linien, Armen:* etwas mit einem K. kennzeichnen; ein K. aus Metall, aus zwei Ästen. **Zus.**: Achsen-, Ehren-, Faden-, Koordinaten-, Verdienstkreuz. **b)** *bes. in der Kunst dargestelltes, die Form des Kreuzes* (1 a) *zeigendes Symbol der christlichen Kirche, des Leidens:* ein verziertes K. auf dem Altar; im Zeichen des Kreuzes. **2.** *Leid, schwere Bürde, die jmd. zu tragen hat.* **sinnv.**: Last, Plage. **3.** *unterer Teil des Rückens:* mir tut das K. weh. **sinnv.**: Rücken. **Zus.**: Hohlkreuz. **4. a)** ⟨ohne Artikel; ohne Plural⟩ *[höchste] Farbe im Kartenspiel.* **b)** ⟨Plural Kreuz⟩ *Spielkarte mit Kreuz* (4 a) *als Farbe* (siehe Bildleiste „Spielkarten"): K. ausspielen.

kreuz- ⟨adjektivisches Präfixoid, auch das Basiswort wird betont⟩ (emotional verstärkend): *(aus der Sicht des Sprechers) ganz besonders ..., sehr* /in Verbindung mit einer Eigenschaft, einer Befindlichkeit/: kreuzanständig, -brav, -dumm, -elend, -fidel, -unglücklich. **sinnv.**: blitz-, hoch-, hunde-, mords-, sau-, stink-, tod-, ur-.

kreu|zen, kreuzte, hat/ist gekreuzt: **1.** ⟨tr.⟩ *schräg übereinanderlegen, -schlagen:* sie hat die Arme, Beine gekreuzt. **2. a)** ⟨tr.⟩ *schräg, quer über etwas hinwegführen, das [über]schneiden:* die Straße kreuzt nach 10 km die Bahn; die Straßen haben sich/einander gekreuzt. **b)** ⟨sich k.⟩ *sich zur gleichen Zeit in entgegengesetzter Richtung bewegen:* die Züge, unsere Briefe haben sich/einander gekreuzt. **3.** ⟨tr.⟩ *zwei verschiedene Arten, Rassen, Sorten beim Züchten vereinigen:* er hat einen Esel mit einem Pferd gekreuzt. **sinnv.**: züchten. **4.** ⟨itr.⟩ *(von Fahrzeugen, bes. von Schiffen) ohne angesteuertes Ziel hin und her fahren:* das Schiff kreuzt vor Kuba; die Flugzeuge haben/sind einige Male über dem Gelände gekreuzt. **sinnv.**: fahren.

Kreu|zung, die; -, -en: **1.** *Stelle, wo sich zwei oder mehrere Straßen treffen:* das Auto mußte an der K. halten. **Zus.**: Straßen-, Verkehrs-, Weg-kreuzung. **2. a)** *das Kreuzen, Paaren bei Pflanzen oder Tieren.* **b)** *züchterisches Ergebnis des Kreuzens:* das Maultier ist eine K. zwischen Esel und Pferd. **sinnv.**: Mischung.

krib|beln ⟨itr.⟩ (ugs.): *einen prickelnden Reiz spüren, von einem prickelnden Gefühl befallen sein:* es kribbelt mir in den Fingern. **sinnv.**: jucken.

krie|chen, kroch, ist gekrochen ⟨itr.⟩: *sich dicht am Boden fortbewegen:* eine braune Schlange kriecht durch das Gebüsch; er ist auf dem Bauch, auf allen vieren gekrochen. **sinnv.**: krabbeln, krauchen, robben.

Krieg, der; -[e]s, -e: *längerer mit Waffengewalt ausgetragener Konflikt, größere Auseinandersetzung zwischen Völkern mit militärischen Mitteln:* einem Land den K. erklären. **sinnv.**: bewaffnete/ kriegerische Auseinandersetzung, Feldzug, bewaffneter Konflikt, Konfrontation. **Zus.**: Angriffs-, Atom-, Bauern-, Bürger-, Eroberungs-, Glaubens-, Graben-, Klein-, Luft-, Papier-, Stellungs-, Verteidigungs-, Welt-, Zweifrontenkrieg.

krie|gen ⟨itr.⟩: **1.** ↑ *bekommen* (I): Verpflegung, einen Brief k.; Angst, Heimweh, Hunger k.; keine Arbeit k.; sie kriegt ein Kind *(ist schwanger);* kann man hier noch etwas zu essen k.?; etwas geschickt, gesagt k. **2.** (ugs.) *(mit etwas, was Schwierigkeiten macht) fertig werden, zum Erfolg kommen:* das kriegen wir schon noch. **sinnv.**: bewerkstelligen. **3.** *jmds. habhaft werden, ihn fangen können:* den Dieb, Flüchtling k. **sinnv.**: ergreifen.

Kri|mi|nal|po|li|zei, die; -: *Abteilung der Polizei, die für die Verhütung, Bekämpfung und Aufklärung von Verbrechen zuständig ist.* **sinnv.**: Kripo.

kri|mi|nell ⟨Adj.⟩: **1. a)** *zu strafbaren, verbrecherischen Handlungen neigend:* kriminelle Jugendliche. **b)** *als strafbare Handlung, Verbrechen geltend:* eine kriminelle Tat. **sinnv.**: gesetzwidrig. **2.** (ugs.) *besonders empörend, Aufsehen erregend; als unglaublich, skandalös anzusehen:* es ist k., wie er fährt. **sinnv.**: unerhört.

Krin|gel, der; -s, -: **1.** *kreisähnlicher Schnörkel, nicht exakt gezeichneter Kreis:* ein paar K. aufs Papier malen. **2.** *ringförmiges Gebilde, bes. Gebäck o. ä.:* ein K. aus Schokolade. **Zus.**: Schokoladen-, Zuckerkringel.

Kri|po, die; -: ↑ *Kriminalpolizei.*

Krip|pe, die; -, -n: **1.** *trogartiger Behälter für Futter von Vieh oder größerem Wild:* der Bauer warf frisches Heu in die K. **Zus.**: Futter-, Pferdekrippe. **2.** *Einrichtung zur Unterbringung von Säuglingen, Kleinkindern für bestimmte Stunden während des Tages.* **sinnv.**: Kindergarten. **Zus.**: Kinderkrippe.

Kri|tik, die; -, -en: **1.** *[wissenschaftliche, künstlerische] Beurteilung, Besprechung einer künstlerischen Leistung, eines Werkes (in einer Zeitung, im Rundfunk) nach sachlichen Gesichtspunkten:* eine K. über ein Buch, eine Aufführung schreiben; der Künstler bekam eine gute K. **sinnv.**: Besprechung, Referat, Rezension, Verriß, Würdigung. **Zus.**: Buch-, Film-, Konzert-, Literatur-, Theater-, Zeitungskritik. **2.** *prüfende, oft tadelnde, negativ sich äußernde Beurteilung:* eine sachliche, harte, konstruktive K.; keine K. vertragen können; an jmds. Entscheidung, Haltung K. üben. **Zus.**: Gesellschafts-, Manöver-, Selbst-, Sprach-, Zeitkritik.

kri|ti|sie|ren ⟨tr.⟩: **1.** *[als Kritiker nach bestimmten sachlichen Gesichtspunkten] fachlich beurteilen, besprechen:* ein Buch, eine Aufführung k.; etwas gut, negativ k. **sinnv.:** austeilen, besprechen. **2.** *mit jmdm./etwas nicht einverstanden sein und dies in tadelnden, mißbilligenden Worten zum Ausdruck bringen:* die Regierung k.; eine Entscheidung scharf k. **sinnv.:** anklagen, attackieren, beanstanden, schulmeistern.

krit|zeln: a) ⟨tr.⟩ *in kleiner, unregelmäßiger und schlecht lesbarer Schrift schreiben:* Bemerkungen an den Rand k. **sinnv.:** schreiben. **b)** ⟨itr.⟩ *wahllos Schnörkel, Striche o. ä. zeichnen:* das Kind kritzelt [mit seinen Stiften] auf einem Blatt Papier.

Kro|ko|dil, das; -s, -e: *(in tropischen und subtropischen Gewässern lebendes) großes, räuberisches Reptil mit einer von Schuppen oder Platten aus Horn bedeckten Haut, langgestrecktem Kopf und großem Maul mit scharfen, unregelmäßigen Zähnen und einem langen, kräftigen Schwanz.*

Kro|ne, die; -, -n: **1.** *als Zeichen der Macht und Würde eines Herrschers auf dem Kopf getragener, breiter, oft mit Edelsteinen verzierter goldener Reif mit Zacken, sich kreuzenden Bügeln o. ä.:* die K. der deutschen Kaiser. **Zus.:** Gold-, Kaiser-, Königs-, Märtyrer-, Papier-, Zackenkrone. **2.** *oberster, oft aufgesetzter oder in der Form etwas abgesetzter Teil von etwas:* die K. eines Baumes. **Zus.:** Baum-, Gischt-, Laub-, Mauer-, Schaumkrone.

Krö|te, die; -, -n: *dem Frosch ähnliches, plumpes Tier mit breitem Maul, vorquellenden Augen und warziger, giftige Sekrete absondernder Haut.* **Zus.:** Gift-, Schildkröte.

Krug, der; -[e]s, Krüge: *zylindrisches oder bauchig geformtes Gefäß (aus Steingut, Glas, Porzellan o. ä.) mit einem oder auch zwei Henkeln, das zum Aufbewahren, Ausschenken einer Flüssigkeit dient.* **sinnv.:** Gefäß; Kanne. **Zus.:** Bier-, Glas-, Milch-, Porzellan-, Ton-, Wasserkrug.

Krü|mel, der; -s, -: *sehr kleines [abgebröckeltes] Stück von Brot, Kuchen o. ä.* **Zus.:** Brot-, Tabakkrümel.

krumm ⟨Adj.⟩: *in seiner Form, seinem Wuchs nicht gerade, sondern eine oder mehrere bogenförmige Abweichungen aufweisend:* der Nagel ist k.; er hat krumme Beine. **sinnv.:** bauchig, gebaucht, gebogen, gekrümmt, geschweift, geschwungen, gewölbt, halbrund, rund, schief, verbogen, verkrümmt.

Kru|ste, die; -, -n: *harte, hart gewordene, oft trockene, spröde äußere Schicht, Oberfläche von etwas Weicherem:* auf der Wunde hat sich eine K. gebildet; die K. der Erde; die K. des Brotes. **Zus.:** Brot-, Erd-, Schmutz-, Zuckerkruste.

Kü|bel, der; -s, -: *größeres rundes oder ovales Gefäß (mit einem oder zwei Henkeln) für Flüssigkeiten:* ein K. mit Abfällen. **sinnv.:** Gefäß. **Zus.:** Abfall-, Eis-, Wasserkübel.

Ku|bik|me|ter, der, (auch:) das; -s, -: *Raummaß von je 1 m Länge, Breite und Höhe:* vier K. Beton, Gas.

Kü|che, die; -, -n: **1.** *Raum zum Kochen, Backen, Zubereiten der Speisen.* **sinnv.:** Kochnische, Kombüse. **Zus.:** Bauern-, Futter-, Gemeinschafts-, Groß-, Puppen-, Tee-, Wasch-, Werk[s]-, Wohnküche. **2.** *Art der Zubereitung von Speisen:* die französische, die Wiener K. **sinnv.:** Gastronomie. **Zus.:** Diätküche.

Ku|chen, der; -s, -: *etwas in großem, länglichem oder rundem Format Gebackenes, das aus Mehl, Eiern, Butter, Zucker usw. in mannigfacher Weise bereitet wird.* **sinnv.:** Gebäck. **Zus.:** Apfel-, Eier-, Geburtstags-, Hefe-, Käse-, Obst-, Pfeffer-, Reibe-, Rühr-, Schokoladen-, Streusel-, Zuckerkuchen.

Kuckuck, der; -s, -e: *(bes. in Wäldern lebender) größerer Vogel mit unauffälligem braungrauem Gefieder und langem Schwanz, der seine Eier zum Ausbrüten in die Nester anderer Vögel legt.*

Ku|gel, die; -, -n: **1.** *Gegenstand, der regelmäßig rund ist:* eine schwere, eiserne K.; die K. rollt. **sinnv.:** Perle. **Zus.:** Billard-, Christbaum-, Erd-, Glas-, Papier-, Weltkugel. **2.** *oft kugelförmiges Geschoß für Gewehr, Pistole, Kanone:* er wurde von einer K. tödlich getroffen. **sinnv.:** Munition. **Zus.:** Blei-, Gewehr-, Kanonen-, Leucht-, Revolver-, Schrotkugel.

ku|geln, kugelte, hat/ist gekugelt: **a)** ⟨itr.⟩ *wie eine Kugel sich um sich selbst drehend irgendwohin rollen:* der Ball ist unter die Bank gekugelt. **sinnv.:** rollen. **b)** ⟨tr./sich k.⟩ *wie eine Kugel rollen lassen:* er hat den Ball über die Dielen gekugelt; die Kinder kugelten sich *(rollten, wälzten sich)* auf der Wiese.

Kuh, die; -, Kühe: **1.** *weibliches Rind:* die K. melken. **sinnv.:** Rind. **Zus.:** Leit-, Melk-, Milchkuh. **2.** *weibliches Tier von Hirschen, Elefanten, Flußpferden u. a.* **Zus.:** Elefanten-, Hirschkuh.

kühl ⟨Adj.⟩: **1.** *mehr kalt als warm:* ein kühler Abend; es ist hier schön k.; das Wetter ist für die Jahreszeit zu k. **sinnv.:** kalt. **2.** *mit einer gewissen Distanz:* jmdn. k. empfangen. **sinnv.:** herb.

küh|len ⟨tr.⟩: *machen, daß etwas kühl wird:* Getränke k.; sie kühlte ihre heiße Stirn [mit Wasser].

kühn ⟨Adj.⟩: **1.** *in verwegener Weise wagemutig:* ein kühner Fahrer; eine kühne Tat. **sinnv.:** mutig. **Zus.:** tollkühn. **2.** *in dreister Weise gewagt:* er provozierte sie mit einer kühnen Frage. **sinnv.:** frech.

Kü|ken, das; -s, -: *Junges /bes. vom Huhn/:* das K. war gerade aus dem Ei geschlüpft. **sinnv.:** Huhn.

kul|lern, kullerte, ist gekullert ⟨itr.⟩: *ungleichmäßig rollen:* der Apfelkorb fiel um, und die Äpfel kullerten durch die Küche, über den Fußboden.

Kult- ⟨als Bestimmungswort⟩ */bezeichnet das im Basiswort Genannte als jmdn./etwas, der bzw. das dem Zeitgeschmack entspricht, mit dem sich die Mehrheit gefühlsmäßig identifiziert und in dem sie ihre Wünsche und Vorstellungen dargestellt oder verwirklicht findet/:* Kultautor, -buch, Kultfigur.

Kul|tur, die; -, -en: **1.** *Gesamtheit der geistigen und künstlerischen Äußerungen einer Gemeinschaft, eines Volkes:* die Griechen hatten eine hohe K. **sinnv.:** Zivilisation. **Zus.:** Gegen-, National-, Sub-, Volkskultur. **2.** ⟨ohne Plural⟩ *gepflegte, kultivierte Lebensweise, -art:* ein Mensch mit K. **sinnv.:** Benehmen, Bildung, Niveau, Stil. **Zus.:** Bau-, Eß-, Freikörper-, Sprach-, Wohnkultur. **3.** *angebaute (junge) Pflanzen:* ein Boden für anspruchsvolle Kulturen.

Kum|mer, der; -s: *durch eine akute Sorge, verbunden mit Befürchtungen in bezug auf die Zukunft, hervorgerufener traurig-niedergedrückter Gemütszustand:* mit jmdm. [großen] K. haben; die kranke Mutter machte ihr K. **sinnv.:** Leid. **Zus.:** Liebeskummer.

küm|mer|lich ⟨Adj.⟩: *(in seiner Art) nur dürftig [entwickelt]:* er ernährte seine Familie nur k. durch Klavierstimmen; er lebte k., in einem kümmerlichen Zimmer; sein Französisch, das Gehalt ist k. **sinnv.**: dürftig, karg, kläglich, klein, mick[e]rig, schwächlich, unzureichend, verkümmert, vermickert.

küm|mern, sich: *sich (einer Person/Sache) annehmen, sich (um jmdn./etwas) sorgen:* er kümmerte sich nicht um den Kranken; kümmere dich nicht um Dinge, die dich nichts angehen! **sinnv.**: Beachtung schenken, bemuttern, betreuen, schauen/sehen nach, sich sorgen um.

Küm|pel, der; -s, - und (ugs.:) -s: **1.** *Arbeiter im Tage- oder Untertagebau, der unmittelbar beim Abbauen und Fördern beschäftigt ist.* **2.** (ugs.) *[Arbeits]kamerad:* er ist ein dufter, richtiger K. **sinnv.**: Freund; Kollege.

Kun|de, der; -n, -n, **Kun|din**, die; -, -nen: *männliche bzw. weibliche Person, die [regelmäßig] in einem Geschäft kauft oder bei einer Firma einen Auftrag erteilt:* ein guter, langjähriger Kunde. **sinnv.**: Abnehmer, Auftraggeber, Endverbraucher, Interessent, Käufer, Kundschaft, Mandant, Patient. **Zus.**: Dauer-, Lauf-, Post-, Stammkunde.

Kund|ge|bung, die; -, -en: *öffentliche Zusammenkunft vieler Menschen, die ihren Willen, ihre Meinung zu einem bestimmten [politischen] Plan, Ereignis zum Ausdruck bringen wollen:* der Arbeitsminister sprach auf einer K. zum 1. Mai. **sinnv.**: Demonstration, Informationsveranstaltung, Manifestation.

kün|di|gen: **a)** ⟨tr.⟩ *eine vertragliche Vereinbarung zu einem bestimmten Termin für beendet erklären:* der Vermieter drohte, ihr die Wohnung zum Quartalsende zu k. **sinnv.**: aufheben, beenden, niederlegen. **b)** ⟨itr.⟩ *jmdn. aus einem Dienst entlassen:* jmdm. zum Ende des Monats k. **sinnv.**: entlassen.

Kun|din: vgl. Kunde.

Kund|schaft, die; -: *Gesamtheit der Kunden:* die unzufriedene K. blieb nach einiger Zeit weg. **sinnv.**: Geschäftsfreunde, -partner, Käufer, Klientel, Kunden, Kundenkreis. **Zus.**: Dauer-, Lauf-, Stammkundschaft.

Kunst, die; -, Künste. **1. a)** *die Schöpfungen des menschlichen Geistes in Dichtung, Malerei, Musik u. a.:* er ist ein Verehrer der antiken K. **b)** *schöpferische Tätigkeit des Menschen:* er ist ein Förderer der K. **Zus.**: Bau-, Dicht-, Erzähl-, Film-, Schauspiel-, Tanz-, Zeichenkunst. **2.** *besondere [erworbene] Fertigkeit auf einem bestimmten Gebiet:* die K. des Reitens, Fechtens. **sinnv.**: Fähigkeit, Fertigkeit, Geschick, Können, Perfektion, Technik. **Zus.**: Fahr-, Heil-, Koch-, Rede-, Zauberkunst.

Kunst- ⟨Bestimmungswort⟩: *künstlich; nicht echt, sondern industriell, synthetisch, chemisch hergestellt, nachgebildet:* Kunstblume, -darm, -dünger, -haar, -harz, -honig, -leder. **sinnv.**: Ersatz-.

Künst|ler, der; s, -, **Künst|le|rin**, die; -, -nen: *männliche bzw. weibliche Person, die ein Kunstwerk schafft oder es (als Schauspieler[in], Sänger[in] usw.) wiedergibt:* er ist ein begabter, genialer Künstler. **sinnv.**: Akrobat, Bildhauer, Dichter, Goldschmied, Maler, Meister, Musiker, Sänger, Schauspieler, Tänzer. **Zus.**: Hunger-, Lebens-, Rechen-, Verwandlungs-, Zauberkünstler.

künst|le|risch ⟨Adj.⟩: **a)** *die Kunst betreffend:* der künstlerische Wert dieses Gemäldes ist gering. **sinnv.**: kunstvoll, musisch, schöpferisch. **b)** *einem Künstler gemäß:* künstlerischer Gestaltungswille.

künst|lich ⟨Adj.⟩: *auf chemische oder technische Art [synthetisch] hergestellt:* künstliche Blumen; bei künstlichem Licht kann er nicht arbeiten. **sinnv.**: artifiziell, synthetisch, unecht, unnatürlich, unwirklich.

Kunst|stück, das; -[e]s, -e: *Tat, die Talent, besonderes Geschick erfordert:* der Clown führte einige Kunststücke vor. **sinnv.**: Kniff, Trick.

Kunst|werk, das; -[e]s, -e: *Ergebnis des künstlerischen Schaffens.*

Kup|fer, das; -s: *rötlich glänzendes, verhältnismäßig weiches, dehnbares Metall.*

Kup|pe, die; -, -n: *oberer abgerundeter Teil /bes. eines Berges o. ä./:* auf der K. des Berges stand eine kleine Kapelle. **sinnv.**: Gipfel. **Zus.**: Berg-, Fels-, Fingerkuppe.

Kupp|lung, die; -, -en: *Vorrichtung zum Herstellen oder Unterbrechen der Verbindung zwischen Motor und Getriebe bei Kraftfahrzeugen.*

Kur|bel, die; -, -n: *Gegenstand, mit dem eine Kreisbewegung ausgeführt werden kann, wodurch etwas in Bewegung gebracht wird.* **sinnv.**: Griff, Hebel.

Kurs, der; -es, -e: **1.** *eingeschlagene oder einzuschlagende Fahrtrichtung eines Schiffes od. Flugzeuges.* **sinnv.**: Richtung, Route, Weg. **Zus.**: Regierungs-, Schiffs-, Zickzackkurs. **2.** ↑*Kursus*.

Kur|sus, der; -, Kurse: *zusammengehörende Folge von Unterrichtsstunden, Vorträgen o. ä.:* an einem K. in Erster Hilfe teilnehmen. **sinnv.**: Fortbildung, Lehrgang, Unterricht.

Kur|ve, die; -, -n: *abbiegende Wegführung [einer Straße]:* der Wagen wurde aus der K. getragen; die Straße windet sich in vielen Kurven den Berg hinauf. **sinnv.**: Abbiegung, Abknickung, Biegung, Kehre, Krümmung, Schleife, Windung. **Zus.**: Doppel-, Links-, Rechtskurve, S-Kurve, Spitz-, Steil-, Zickzackkurve.

kurz, kürzer, kürzeste ⟨Adj.⟩: **1.** *von geringer Länge, Ausdehnung; geringe Länge habend /Ggs. lang/:* eine kurze Strecke; das Haar ist k. geschnitten. **2.** *nicht lange dauernd, von geringer Dauer:* eine kurze Pause. **sinnv.**: kurzfristig, -lebig, -zeitig, schnell, vorübergehend. **3.** *sich betont knapp fassend, um dadurch eine Zurechtweisung oder seine Ablehnung auszudrücken:* er war heute sehr k. zu mir. **sinnv.**: barsch.

kür|zen ⟨tr.⟩: *kürzer machen:* einen Rock, Text k. **sinnv.**: abschneiden, begrenzen, beschneiden, beschränken, herabsetzen, kupieren, verkürzen, vermindern, verringern. **Zus.**: ab-, verkürzen.

kürz|lich ⟨Adverb⟩: *vor nicht langer Zeit; irgendwann in letzter Zeit:* wir haben k. davon gesprochen. **sinnv.**: eben erst, jüngst, letztens, letzthin, neulich, unlängst, vorhin.

kurz|sich|tig ⟨Adj.⟩ /Ggs. weitsichtig/: **a)** *nur auf kurze Entfernung gut sehend:* er muß eine Brille tragen, weil er k. ist. **sinnv.**: sehbehindert. **b)** *zum eigenen Schaden noch nicht an die Folgen o. ä. in der Zukunft denkend, sie nicht mit bedenkend:* k. handeln. **sinnv.**: beschränkt, borniert, eng, engstirnig, verblendet.

kurz|um ⟨Adverb⟩: *um es kurz, zusammenfassend zu sagen:* er las Bücher, Zeitungen, Magazine, k. alles, was er sich verschaffen konnte. **sinnv.:** kurz.

ku|scheln, sich: *(aus einem Bedürfnis nach Wärme und Geborgenheit) sich an jmdn./in etwas schmiegen [wobei man Kopf u. Glieder an den Leib zieht]:* sie hatte sich an ihn, er hatte sich ins Bett gekuschelt. **sinnv.:** sich anlehnen, anschmiegen.

Ku|si|ne, die; -, -n: ↑ *Cousine.*

Kuß, der; Kusses, Küsse: *das Berühren von jmdm./etwas mit den Lippen zum Zeichen der Liebe, Verehrung, zur Begrüßung oder zum Abschied:* er gab ihr einen zarten K. [auf den Mund, die Stirn]. **sinnv.:** Busserl, Küßchen, Schmatz. **Zus.:** Abschieds-, Begrüßungs-, Bruder-, Freundschafts-, Gutenachtkuß.

küs|sen, küßte, hat geküßt ⟨tr./itr.⟩: *einen Kuß geben:* er küßte seine Frau, seine Freundin auf den Mund; er küßte ihr die Hand; sie küßten sich/einander stürmisch. **sinnv.:** abschmatzen, busse[r]ln, knutschen, liebkosen.

Kü|ste, die; -, -n: *der unmittelbar an das Meer grenzende Teil des Landes:* eine flache, felsige K. **sinnv.:** Ufer. **Zus.:** Felsen-, Flach-, Meeres-, Steilküste.

L

lä|cheln ⟨itr.⟩: *durch eine dem Lachen ähnliche Mimik Freude, Freundlichkeit o. ä. erkennen lassen:* er lächelte kühl, nachsichtig, freundlich. **sinnv.:** lachen.

la|chen ⟨itr.⟩: *Freude, Spott o. ä. durch Hervorbringen einzelner Laute ausdrücken* /Ggs. weinen/: *über einen Witz laut* l. **sinnv.:** sich ausschütten, belächeln, feixen, gackern, gickeln, grienen, grinsen, herausplatzen, kichern, sich kringeln, lächeln, losbrüllen, losplatzen, losprusten, prusten, schmunzeln, strahlen, wiehern. **Zus.:** hohnlachen.

lä|cher|lich ⟨Adj.⟩: **1.** *ärgerliche Ablehnung hervorrufend:* ihr affiges Getue wirkte einfach l. **sinnv.:** absurd, albern, blöde, blödsinnig, dumm, grotesk, komisch, lachhaft, sinnwidrig, töricht, überspannt, unsinnig. **2.** ⟨verstärkend vor Adjektiven⟩ *in einem [ärgerlicherweise] hohen Maß, viel zu:* l. wenig Geld verdienen. **sinnv.:** sehr.

Lachs, der; -es, -e: *großer, im Meer lebender, räuberischer Fisch mit rötlichem Fleisch.* **sinnv.:** Salm.

la|den, lädt, lud, hat geladen: **I.** ⟨tr./itr.⟩ **1.** *zum Transport (in oder auf etwas) bringen, (etwas mit einer Last, Fracht) versehen, anfüllen:* er lädt Holz auf den Wagen; das Schiff hat Weizen geladen; wir haben noch nicht geladen. **sinnv.:** befrachten, einschiffen, verschiffen, vollpacken. **Zus.:** ab-, auf-, aus-, be-, ein-, um-, über-, ver-, volladen. **2.** *elektrischen Strom (in etwas) speichern:* eine Batterie l. **3.** *(eine Schußwaffe) mit Munition versehen:* ein Gewehr l. **II.** ⟨tr.⟩ *zum Kommen auffordern:* er wird [als Zeuge] vor Gericht geladen; ein Vortrag vor geladenen *(eingeladenen)* Gästen. **sinnv.:** bitten, einladen, rufen. **Zus.:** aus-, ein-, vorladen.

La|den, der; -s, Läden: **1.** *Räumlichkeit zum Verkauf von Waren:* sonntags sind die Läden geschlossen; einen L. eröffnen. **sinnv.:** Basar, Boutique, Geschäft, Großmarkt, Handel, Handlung, Kaufhaus, Supermarkt, Verkaufsstätte. **Zus.:** Blumen-, Buch-, Discount-, Gemüse-, Milch-, Porzellan-, Zigarrenladen · Bauch-, Eck-, Kauf-, Keller-, Kram-, Saft-, Selbstbedienungsladen. **2.** *Vorrichtung, mit der ein Fenster von außen geschützt oder verdunkelt werden kann:* wegen des starken Sturms schloß sie alle Läden. **Zus.:** Fenster-, Rolladen.

La|dung, die; -, -en: *zum Transport bestimmter Inhalt eines Fahrzeugs.* **sinnv.:** Ballast, Fracht, Frachtgut, Fuder, Fuhre. **Zus.:** Schiffs-, Schrott-, Wagen-, Waren-, Zugladung.

La|ge, die; -, -n. **a)** *Art und Weise des Liegens:* der Kranke hatte eine unbequeme L. **sinnv.:** Stellung. **Zus.:** Bauch-, Rücken-, Ruhelage. **b)** *Stelle, wo etwas (in bezug auf seine Umgebung) liegt, gelegen ist:* ein Haus in sonniger, ruhiger, verkehrsgünstiger L. **sinnv.:** Stelle. **Zus.:** Hang-, Höhen-, Kamm-, Toplage. **c)** *[augenblickliche] Umstände, allgemeine Verhältnisse:* er ist in einer unangenehmen L.; ich bin in der L., dir zu helfen. **sinnv.:** Situation, Stand, Stellung, Verhältnisse, Zustand. **Zus.:** Ertrags-, Finanz-, Geschäfts-, Großwetter-, Not-, Rechts-, Sach-, Zwangslage. **2.** *in flächenhafter Ausdehnung und in einer gewissen Höhe über, unter etwas anderem liegende einheitliche Masse:* einige Lagen Papier. **sinnv.:** Decke, Schicht.

La|ger, das; -s, -: **1.** *für das vorübergehende Verbleiben einer größeren Anzahl Menschen eingerichteter [provisorischer] Wohn- oder Übernachtungsplatz:* ein L. aufschlagen, abbrechen; die Flüchtlinge sind in Lagern untergebracht. **sinnv.:** Baracke, Biwak, Camp, Campingplatz, Lagerstelle, Unterkunft, Zelt. **Zus.:** Flüchtlings-, Internierungs-, Trainings-, Zeltlager. **2.** *Magazin, Raum für die Lagerung von Warenbeständen, Vorräten o. ä.:* im Schlußverkauf räumen die Geschäfte ihre Lager. **sinnv.:** Depot, Lagerhaus, -raum, Magazin, Speicher, Vorrats-, Speicherraum, Warenbestand, -vorrat. **Zus.:** Auslieferungs-, Lebensmittel-, Munitions-, Verkaufs-, Waffen-, Warenlager. **3.** *Stelle, wo man liegt, Schlafplatz:* ein hartes L. von Stroh. **sinnv.:** Bett. **Zus.:** Kranken-, Nachtlager.

la|gern: 1. ⟨tr.⟩ *in eine bestimmte [ruhende] Stellung legen, Lage bringen:* du mußt das verletzte Bein hoch l. **sinnv.:** hinlegen, ruhigstellen. **2. a)** ⟨itr.⟩ *zur Aufbewahrung oder zur späteren Verwendung [an einem geeigneten Ort] liegen, stehen, bleiben:* das ganze Ware lagert in einem Schuppen; die Medikamente müssen kühl und trocken l.

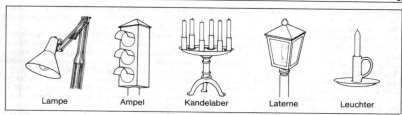

Lampe Ampel Kandelaber Laterne Leuchter

sinnv.: liegen. **Zus.**: zwischenlagern. **b)** ⟨tr.⟩ *zur Aufbewahrung oder zur späteren Verwendung [an einem geeigneten Ort] [liegen, stehen] lassen:* er hat im Keller viele Weinsorten gelagert. **sinnv.**: aufbewahren, speichern, verwahren. **Zus.**: aus-, einlagern. **3.** ⟨itr./sich l.⟩ *sein Lager haben; vorübergehend an einem Rast-, Ruheplatz bleiben, nachdem man sein Lager aufgeschlagen hat:* sie lagerten im Freien. **sinnv.**: campen, rasten, zelten.

lahm ⟨Adj.⟩: **1.** *die eigentlich dazugehörende Beweglichkeit und Kraft nicht besitzend:* ein lahmes Bein. **sinnv.**: gehbehindert, kraftlos. **Zus.**: flügel-, hüft-, kreuz-, lendenlahm. **2.** (ugs.) *(in der Art der Ausführung) nur schwach und daher wenig wirkungsvoll, wenig überzeugend:* eine lahme Diskussion; sie spielten sehr l. **sinnv.**: langweilig.

Laie, der; -n, -n: *jmd., der auf einem bestimmten Gebiet keine Fachkenntnisse hat:* er ist [ein] L. auf diesem Gebiet. **sinnv.**: Amateur, Dilettant, Liebhaber, Nichtfachmann.

lal|len ⟨tr./itr.⟩: *unverständlich sprechen, undeutlich artikulierte Laute hervorbringen:* der Betrunkene lallte ein paar Worte; das Baby lallt. **sinnv.**: sprechen, stottern.

Lamm, das; -[e]s, Lämmer: *junges Schaf.* **sinnv.**: Schaf.

Lam|pe, die; -, -n: *als Träger einer künstlichen Lichtquelle (besonders von Glühbirnen) dienendes, je nach Zweck unterschiedlich gestaltetes, irgendwo hängendes, stehendes oder auch frei bewegliches Gerät (siehe Bildleiste).* **sinnv.**: Ampel, Beleuchtungskörper, Deckenleuchte, Funzel, Lampion, Leuchte. **Zus.**: Bogen-, Decken-, Glüh-, Gruben-, Hänge-, Lese-, Nachttisch-, Petroleum-, Stab-, Taschenlampe.

Lam|pi|on [lam'pi̯oŋ], der; -s, -s: *bunte Laterne aus Papier.* **sinnv.**: Lampe.

Land, das; -[e]s, Länder: **1.** *geographisch oder politisch abgeschlossenes Gebiet:* die Länder Europas; er reist gern in ferne Länder. **sinnv.**: Staat. **Zus.**: Abend-, Agrar-, Aus-, Binnen-, Entwicklungs-, Gast-, Heimat-, Märchen-, Morgen-, Mutter-, Nachbar-, Niemands-, Reise-, Schlaraffen-, Vaterland. **2.** ⟨ohne Plural⟩ *nutzbares Stück Erdboden; bebautes, genutztes Gelände:* fruchtbares L.; ein Stück L. besitzen. **sinnv.**: Feld. **Zus.**: Acker-, Bau-, Neu-, Pacht-, Weide-, Wiesenland. **3.** ⟨ohne Plural⟩ *Teil der nicht vom Wasser bedeckten Erdoberfläche:* an L. gehen; diese Tiere leben im Wasser und auf dem L. **sinnv.**: Festland. **Zus.**: Berg-, Flach-, Gebirgs-, Grün-, Heide-, Hinter-, Hoch-, Hügel-, Ödland.

lan|den, landete, ist gelandet ⟨itr.⟩: **a)** *(vom Wasser her) an Land ankommen:* das Schiff ist pünkt-lich [im Hafen, auf der Insel] gelandet. **sinnv.**: ankern, ankommen, anlegen, festmachen. **b)** *(von der Luft aus) auf die Erde niedergehen* /Ggs. starten/: das Flugzeug ist sicher auf dem Flughafen gelandet. **sinnv.**: aufsetzen, niedergehen, wassern. **Zus.**: not-, zwischenlanden. **c)** (ugs.) *schließlich an eine bestimmte Stelle gelangen (die dafür eigentlich nicht vorgesehen war):* wenn er so weitermacht, landet er im Gefängnis. **sinnv.**: sich wiederfinden.

Land|kar|te, die; -, -n: *auf einem (meist zusammenfaltbaren) Blatt in maßstäblicher Verkleinerung dargestellte Abbildung der Erdoberfläche oder bestimmter Ausschnitte davon:* eine L. von Europa. **sinnv.**: Atlas, Globus, Karte, Meßtischblatt.

länd|lich ⟨Adj.⟩: *für das Land, das Leben auf dem Land charakteristisch, ihm entsprechend:* der Ort hat den ländlichen Charakter bewahrt. **sinnv.**: bäuerlich, dörflich, hinterwäldlerisch, kleinstädtisch, provinziell.

Land|schaft, die; -, -en: *hinsichtlich des äußeren Erscheinungsbildes (der Gestalt des Bodens, des Bewuchses, der Besiedelung o. ä) in bestimmter Weise geprägter Bereich der Erdoberfläche:* eine schöne L. **sinnv.**: Gebiet, Gegend; Natur. **Zus.**: Fluß-, Gebirgs-, Heide-, Hügel-, Industrie-, Küsten-, Winterlandschaft.

Land|stra|ße, die; -, -n: *außerhalb von Ortschaften verlaufende, befestigte Straße.* **sinnv.**: Chaussee.

Land|strich, der; -[e]s, -e: *kleinerer Bereich, schmaler Teil einer Landschaft:* ein hübscher L. **sinnv.**: Gebiet, Gegend.

Land|wirt, der; -[e]s, -e: ↑ *Bauer.*

Land|wirt|schaft, die; -, -en: **1.** ⟨ohne Plural⟩ *planmäßiges Betreiben von Ackerbau und Viehzucht zum Erzeugen von pflanzlichen und tierischen Produkten:* L. treiben. **sinnv.**: Ackerbau, Bodenkultur, Milchwirtschaft, Pflanzenzucht, Viehzucht, Weidewirtschaft. **2.** *landwirtschaftlicher Betrieb:* er hat eine kleine L. **sinnv.**: Bauernhof.

lang, länger, längste ⟨Adj.⟩: **1.** *räumlich in einer Richtung besonders ausgedehnt; eine größere Ausdehnung, besondere Länge habend* /Ggs. kurz/: ein langer Weg; langes Haar. **sinnv.**: ausführlich, ausgedehnt, groß, umfassend. **Zus.**: ellen-, halb-, schulterlang. **2.** (in Verbindung mit Angaben von Maßen) *eine bestimmte Länge habend:* das Brett ist 2 m l. **3.** *zeitlich besonders ausgedehnt; von größerer Dauer:* ein langes Leben; seit langem *(seit langer Zeit).* **sinnv.**: andauernd, langfristig, langlebig. **Zus.**: jahre-, lebens-, minuten-, nächte-, stunden-, tage-, wochenlang.

lan|ge ⟨Adverb⟩: **1.** *einen relativ großen Zeitraum lang; viel Zeit beanspruchend:* er mußte l. warten. **sinnv.:** ausgedehnt, ewig [und drei Tage], auf Jahre hinaus, langwierig. **2.** ⟨nur in Verbindung mit „nicht"⟩ *bei weitem:* das ist [noch] l. nicht alles. **sinnv.:** längst.

Län|ge, die; -, -n: **1. a)** ⟨ohne Plural⟩ *räumliche Ausdehnung in einer Richtung:* eine Stange von drei Meter[n] L. **sinnv.:** Ausmaß. **Zus.:** Arm[es]-, Hauptes-, Nasen-, Streichholz-, Wellen-, Zigarettenlänge. **b)** *(in der Geographie) Abstand eines Ortes der Erdoberfläche vom Nullmeridian (in Greenwich):* Berlin liegt 13 Grad östlicher L. **2. a)** ⟨ohne Plural⟩ *zeitliche Ausdehnung, längere Zeitspanne* /Ggs. Kürze/: die L. der Veranstaltung ist noch nicht bekannt. **sinnv.:** Dauer. **Zus.:** Tages-, Überlänge. **b)** ⟨Plural⟩ *als zu lang empfundene Stellen:* der Film hat einige Längen.

lan|gen (ugs.): **1.** ⟨tr.⟩ *mit der Hand packen, ergreifen; nehmen, holen:* lang mir mal den Teller vom Tisch! **sinnv.:** geben. **Zus.:** hin-, hinein-, hinüber-, zulangen. **2.** ⟨itr.⟩ **a)** *in einem Maß, einer Menge vorhanden sein, die für etwas reicht:* der Rest Stoff langt gerade noch für eine Bluse. **sinnv.:** ausreichen, genügen. **b)** *(bis zu einem bestimmten Ort, einer bestimmten Stelle) reichen:* der Rock langte ihr kaum bis an die Knie. **sinnv.:** sich erstrecken. **c)** *die Hand ausstrecken, um (etwas) zu fassen:* er langte in die Tasche und holte 5 Mark heraus. **sinnv.:** greifen. **Zus.:** hinlangen.

Lan|ge|wei|le, die; -: *Gefühl der Eintönigkeit infolge fehlender Anregung oder Beschäftigung:* L. haben; vor L. vergehen; wegen der Lange[n]weile; aus L./Langerweile. **sinnv.:** Eintönigkeit, Fadheit, Gleichförmigkeit, Monotonie, Öde, Stumpfsinn, Tristheit, Trostlosigkeit.

läng|lich ⟨Adj.⟩: *schmal und von einer gewissen Länge:* ein länglicher Kasten. **sinnv.:** lang, langgestreckt, schmal.

längs: 1. ⟨Adverb⟩ *der Längsachse nach* /Ggs. quer/: ein Brötchen l. durchschneiden. **2.** ⟨Präp. mit Gen. oder Dativ⟩ *an etwas in der ganzen Länge hin:* l. des Flusses; die Wälder l. dem Fluß. **sinnv.:** entlang.

lang|sam: I. ⟨Adj.⟩ *im Vergleich zu der beanspruchten Zeit wenig vorankommend* /Ggs. schnell/: ein langsames Tempo; die Sache macht nur langsame Fortschritte. **sinnv.:** bedächtig, behäbig, behutsam, bummelig, gemach, gemächlich, lahm, ruhig, säumig, saumselig, schleppend, im Schnecken-, Schrittempo, gemessenen Schrittes, schwerfällig, träge, umständlich, tranig. **II.** ⟨Adverb⟩ (ugs.) *nach und nach:* so l. habe ich die Nase voll davon. **sinnv.:** allmählich.

längst ⟨Adverb⟩: **1.** *seit langer, geraumer Zeit:* das habe ich l. gewußt. **sinnv.:** lange [vorher], seit langem/langer Hand, schon; vorher. **2.** ⟨nur in Verbindung mit *nicht*⟩ *bei weitem:* er ist l. nicht so fleißig wie du. **sinnv.:** bei weitem.

läng|stens ⟨Adverb⟩ (ugs.): *nicht später als:* l. in zwei Tagen bringe ich das Buch zurück. **sinnv.:** spätestens.

Lang|wei|le, die; -: ↑ Langeweile.

lang|wei|len: 1. ⟨tr.⟩ *(jmdm.) Langeweile bereiten:* er langweilt mich mit seinen Geschichten. **sinnv.:** anöden. **2.** (sich l.) *Langeweile haben, empfinden:* ich habe mich sehr gelangweilt. **sinnv.:** von etwas angeödet sein, Daumen/Däumchen

drehen, fast einschlafen bei etwas, sich ennuyieren, sich mopsen, sich die Zeit lang werden lassen, die Zeit totschlagen.

lang|wei|lig ⟨Adj.⟩: *voller Langeweile:* ein langweiliger Vortrag; es war l. auf der Party. **sinnv.:** einförmig, einschläfernd, eintönig, ermüdend, fade, flau, geisttötend, glanzlos, gleichförmig, grau [in grau], hausbacken, nicht kurzweilig, lahm, langstielig, monoton, öde, papieren, reizlos, stumpfsinnig, stupid, tranig, trist, trocken, trostlos, uninteressant, unlebendig. **Zus.:** kotz-, sterbens-, stink-, todlangweilig.

Lap|pen, der; -s, -: *[altes] Stück Stoff, Fetzen:* etwas mit einem L. putzen. **sinnv.:** Flicken. **Zus.:** Abwasch-, Aufwasch-, Fuß-, Leder-, Putz-, Staub-, Topf-, Waschlappen.

Lär|che, die; -, -n: *(in kühleren Regionen wachsender) Nadelbaum mit hellgrünen, büscheligen Nadeln, die im Herbst oder Winter abfallen* (siehe Bildleiste „Nadelbäume").

Lärm, der; -s: *als störend empfundenes Gewirr von lauten, durchdringenden Geräuschen (z. B. durch Schreien, Klappern):* die Kinder, die Maschinen machen L. **sinnv.:** Dröhnen, Geklapper, Geklirr, Geknatter, Gepolter, Gerassel, Geratter, Geräusch, Getöse, Heidenspektakel, Höllenspektakel, Klamauk, Krach, Krakeel, Krawall, Lautstärke, Rabatz, Radau, Ruhestörung, Rummel, Spektakel, Stimmengewirr, Tamtam, Trara, Trubel, Tumult, Unruhe. **Zus.:** Großstadt-, Heiden-, Kampf[es]-, Kinder-, Kriegs-, Mords-, Motoren-, Riesen-, Straßen-, Verkehrslärm.

lär|men ⟨itr.⟩: *Lärm machen:* die Schüler lärmen auf dem Hof. **sinnv.:** bumsen, donnern, dröhnen, klappern, Krach machen, krakeelen, Krawall machen, laut sein, poltern, Rabatz machen, Radau machen, randalieren, rasseln, rattern, rumoren, rumpeln, toben.

Lar|ve, die; -, -n: **1.** *aus einem Ei geschlüpftes Tier (z. B. Insekt), das eine Entwicklungsstufe zu einem höher entwickelten Tier darstellt.* **sinnv.:** Engerling, Kaulquappe, Made, Puppe, Raupe. **Zus.:** Ameisen-, Bienen-, Fliegen-, Frosch-, Mükkenlarve. **2.** *vor dem Gesicht getragene Maske:* die Schauspieler tragen Larven. **sinnv.:** Maske.

las|sen, läßt, ließ, hat gelassen/ (nach vorangehendem Infinitiv auch) hat ... lassen: **1.** ⟨itr.⟩ *veranlassen (daß etwas geschieht):* ich lasse mir einen Anzug machen; sie hat ihn rufen l. **sinnv.:** anordnen. **Zus.:** veranlassen. **2. a)** ⟨itr.⟩ *erlauben, dulden (daß etwas geschieht):* er läßt die Kinder toben. **sinnv.:** billigen. **Zus.:** zulassen. **b)** ⟨tr.⟩ *jmdm. etwas zugestehen, jmdn. nicht behindern:* sie ließ ihm den Spaß; er läßt uns nicht ins Zimmer. **sinnv.:** gewähren. **Zus.:** heraus-, herunter-, hinaus-, hinein-, vorbei-, vorüberlassen. **3.** (sich l.) *die Möglichkeit bieten, geeignet sein (daß etwas damit geschieht):* der Draht läßt sich gut biegen. **4.** ⟨tr.⟩ *einen Zustand nicht ändern:* wir lassen ihn schlafen; die Sachen im Koffer l.; laß mich in Ruhe! **Zus.:** belassen, bleibenlassen. **5.** ⟨itr.⟩ *nicht tun, von etwas absehen:* laß das!; er kann das Trinken nicht l. **sinnv.:** aufgeben. **Zus.:** ablassen, bleibenlassen, unterlassen. **6.** ⟨tr.⟩ *zur Verfügung stellen:* läßt du mir das Buch bis morgen? **sinnv.:** leihen. **Zus.:** hinterlassen, überlassen.

Last, die; -, -en: *etwas, was durch sein Gewicht nach unten drückt oder zieht:* eine L. tragen, heben. **sinnv.**: Ballast, Belastung, Bürde, Crux, Gewicht, Joch, Kreuz. **Zus.**: Beweis-, Zentnerlast.

La|ster: I. das; -s, -: *etwas (Gewohnheit o.ä.), was als tadelnswert, als schädlich, abträglich für den Betreffenden angesehen wird:* sein L. ist der Alkohol. **sinnv.**: Ausschweifung, Sünde, Untugend, Verbrechen. **II.** der; -s, -: *Lastkraftwagen.*

lä|stig 〈Adj.〉: *jmdn. in unangenehmer Weise beanspruchend, störend, ihn in seinem Tun behindernd:* eine lästige Arbeit; die Fliegen werden l. **sinnv.**: aufdringlich, beschwerlich, hinderlich, mühsam, störend, unangenehm.

Last|kraft|wa|gen, der; -s, -: *größeres Kraftfahrzeug mit Ladefläche zum Transport größerer Mengen von Gütern.* **sinnv.**: Laster, Lastwagen, Lkw, Tieflader.

La|ter|ne, die; -, -n: *zum Leuchten dienendes Gerät, dessen Lichtquelle von einem durchsichtigen Gehäuse geschützt ist* (siehe Bildleiste „Lampen"). **sinnv.**: Lampe. **Zus.**: Blend-, Gas-, Papier-, Stall-, Straßenlaterne.

lat|schen, latschte, ist gelatscht 〈itr.〉: **a)** *langsam schlurfend, schwerfällig oder nachlässig gehen:* er latscht in Pantoffeln über den Hof. **sinnv.**: sich fortbewegen, schlurfen, trotten. **b)** (emotional) *[ohne besondere Lust irgendwohin] gehen:* morgen muß ich schon wieder zum Finanzamt l.; am ersten Tag sind wir 40 km gelatscht.

Lat|te, die; -, -n: *längliches, schmales, meist kantiges Holz:* eine L. vom Zaun reißen. **sinnv.**: Brett, Stange. **Zus.**: Dach-, Holz-, Meß-, Quer-, Zaunlatte.

lau 〈Adj.〉: **a)** *(in bezug auf Flüssigkeiten, Essen) mäßig warm:* die Suppe ist nur l. **sinnv.**: handwarm, lauwarm, überschlagen. **b)** *(in bezug auf Luft o.ä.) angenehm mild, in angenehmer Weise leicht warm:* laue Lüfte. **sinnv.**: lind, mild.

Laub, das; -[e]s: *die Blätter der Bäume:* frisches L.; das L. wird bunt, fällt. **sinnv.**: Blatt, Blattwerk, Kraut, Laubwerk. **Zus.**: Eichen-, Espen-, Weinlaub.

Laub|baum, der; -[e]s, Laubbäume: *Baum, der Blätter trägt* /Ggs. Nadelbaum/.

lau|ern 〈itr.〉: *in feindlicher Absicht versteckt, hinterhältig auf jmdn./etwas angespannt warten:* die Katze lauert auf eine Maus. **sinnv.**: abpassen, im Hinterhalt liegen, auf der Lauer liegen, warten. **Zus.**: auflauern.

Lauf, der; -[e]s, Läufe: **1.** 〈ohne Plural〉 *das Laufen:* in schnellem L.; im L. anhalten. **sinnv.**: Gang, Spaziergang. **Zus.**: Spießruten-, Wald-, Wettlauf. **2.** *Laufen als Sport:* einen L. gewinnen. **sinnv.**: Rennen, Sprint. **Zus.**: Dauer-, Hindernis-, Hürden-, Marathon-, Skilauf. **3.** *Rohr einer Schußwaffe:* den L. des Gewehrs reinigen. **Zus.**: Gewehrlauf. **4.** *Bein, Fuß bestimmter Tiere:* die Läufe des Hasen. **sinnv.**: Bein. **Zus.**: Hinter-, Vorderlauf.

lau|fen, läuft, lief, hat/ist gelaufen: **1. a)** 〈itr.〉: *sich schnell vorwärts bewegen:* ein Kind, eine Katze ist über die Straße gelaufen; um die Wette l. **sinnv.**: flitzen, sich fortbewegen, gehen, rennen, sausen. **Zus.**: auseinander-, davon-, fort-, hinterher-, voran-, voraus-, weg-, zurücklaufen. **b)** 〈itr./tr.〉: *eine Strecke im Lauf zurücklegen:* er ist/hat 100 Meter in 12 Sekunden gelaufen. **sinnv.**: rennen, zurücklegen. **c)** 〈itr.〉 *sich mit einem an den Füßen befestigten Sportgerät fortbewegen:* ich bin/

habe Rollschuh gelaufen; Schlittschuhe, Ski l. **sinnv.**: fahren. **Zus.**: eislaufen. **d)** 〈itr.〉 *zu Fuß gehen, sich irgendwohin begeben:* er ist zum Bahnhof gelaufen, nicht gefahren; das Kind kann schon l. **sinnv.**: sich fortbewegen. **2.** 〈itr.〉 *in Tätigkeit, in Betrieb sein:* die Maschine ist gelaufen. **sinnv.**: funktionieren. **Zus.**: heißlaufen. **3.** 〈itr.〉 *fließen:* der Wein ist aus dem Faß gelaufen. **sinnv.**: heraustreten, tropfen. **Zus.**: heraus-, über-, vollaufen. **4.** 〈itr.〉 *in bestimmter Weise vor sich gehen:* die Sache ist bestens gelaufen; wie ist die Prüfung gelaufen? **sinnv.**: vonstatten gehen. **Zus.**: ablaufen, verlaufen. **5.** 〈itr.〉 *Gültigkeit haben:* der Wechsel ist auf meinen Namen gelaufen; der Vertrag läuft zwei Jahre. **sinnv.**: gelten, gültig sein, wirksam sein. **6.** 〈itr.〉 *eingeleitet, aber noch nicht abgeschlossen oder entschieden sein:* die Ermittlungen sind noch bis Jahresende gelaufen; meine Bewerbung läuft. **sinnv.**: andauern.

Läu|fer, der; -s, -: **1.** *langer, schmaler Teppich:* ein roter L. lag im Korridor. **sinnv.**: Teppich. **Zus.**: Kokos-, Linoleum-, Tisch-, Treppenläufer. **2.** *jmd., der das Laufen als Sport betreibt.* **sinnv.**: Skifahrer · Sprinter. **Zus.**: Schlittschuh-, Skiläufer. **3.** *Figur im Schachspiel, die man nur in diagonaler Richtung ziehen darf.*

Lau|ne, die; -, -n: **a)** 〈ohne Plural〉 *vorübergehende besondere Gemütsverfassung:* heitere, schlechte L.; guter L. sein. **sinnv.**: Gemütsverfassung, Gemütszustand, Stimmung, Verstimmung. **Zus.**: Geber-, Sekt-, Stinklaune. **b)** *einer Laune* (a) *entspringende, spontane Idee:* dieser Vorschlag war nur so eine L. von ihm. **sinnv.**: Anwandlung, Einfall, Idee. **c)** 〈Plural〉 *Stimmungen, mit denen jmd. seiner Umgebung lästig wird:* wir müssen seine Launen ertragen. **sinnv.**: Flausen, Grille, Kapriole, Mucke, Stimmungen.

lau|nisch 〈Adj.〉: *von wechselnden Stimmungen, Launen* (c) *beherrscht:* er ist sehr l. **sinnv.**: exzentrisch, kapriziös, launenhaft, mißmutig, unberechenbar, wetterwendisch.

Laus, die; -, Läuse: *kleines, an Menschen oder Tieren lebendes, Blut saugendes Insekt:* Läuse haben. **Zus.**: Blatt-, Blut-, Filz-, Kleider-, Kopf-, Reb-, Schildlaus.

lau|schen 〈itr.〉: *mit gespannter Aufmerksamkeit zuhören, (auf etwas) horchen:* der Musik, einer Erzählung l.; sie lauschte heimlich an der Tür. **sinnv.**: horchen.

laut: I. 〈Adj.〉 **a)** *auf weite Entfernung hörbar* /Ggs. leise/: l. singen, sprechen; laute Musik. **sinnv.**: durchdringend, gellend, grell, aus vollem Hals, hörbar, aus voller Kehle, lauthals, lautstark, aus Leibeskräften, durch Mark und Bein gehend, markerschütternd, schrill, vernehmbar, vernehmlich. **Zus.**: halb-, klein-, über-, vorlaut. **b)** *voller Lärm, Unruhe; nicht ruhig:* hier ist es zu l.; eine laute Straße. **sinnv.**: geräuschvoll, lärmerfüllt, ohrenbetäubend, unruhig. **II.** 〈Präp. mit Gen., auch mit Dativ〉 *nach den Angaben, dem Wortlaut des/der/von ...:* l. eines Gutachtens/einem Gutachten; l. beiliegender/beiliegenden Rechnungen; /im Plural mit Dativ, wenn ein stark flektierendes Substantiv ohne Artikel, Pronomen oder Attribut angeschlossen ist/ l. Gesetzen; /besonders ein stark flektierendes Substantiv im Singular oder ein unmittelbar angeschlossener Name bleibt ungebeugt/ l. Bericht; l. Bericht vom l.

Oktober; l. Gesetz; l. Paragraph 12; l. [Professor] Schmidt. **sinnv.:** gemäß.

Laut, der; -[e]s, -e: **a)** ↑ *Ton:* man hörte keinen L.; klagende Laute. **sinnv.:** Geräusch, Klang. **Zus.:** Wohllaut. **b)** *kleinste Einheit der gesprochenen Sprache:* der L. a; Laute bilden. **sinnv.:** Buchstabe, Konsonant, Vokal. **Zus.:** Ab-, An-, Aus-, In-, Mit-, Selbst-, Um-, Zwielaut.

läu|ten, läutete, hat geläutet: **1.** ⟨itr.⟩ *(von einer Glocke) in Schwingung gebracht werden und dadurch ertönen:* die Glocke läutet. **sinnv.:** bimmeln, gongen, klingen. **Zus.:** einläuten. **2. a)** ⟨tr./itr.⟩ *[die Glocke] ertönen lassen:* er läutet [die Glocke]. **b)** ⟨itr.⟩ ↑ *klingeln* (1): an der Tür l.; es hat geläutet.

lau|ter ⟨Adverb⟩: *nur, nichts als:* das sind l. Lügen; er redete l. dummes Zeug.

laut|los ⟨Adj.⟩: *nicht hörbar, ohne jedes Geräusch:* lautlose Stille. **sinnv.:** leise.

Laut|spre|cher, der; -s, -: *elektrisches Gerät, das Töne [verstärkt] wiedergibt:* der Vortrag wurde mit Lautsprechern übertragen; eine neue Meldung kam über den L. **sinnv.:** Box, Flüstertüte, Megaphon, Verstärker.

lau|warm ⟨Adj.⟩: *nur mäßig warm:* lauwarme Milch. **sinnv.:** lau.

La|va, die; -: *die beim Ausbruch eines Vulkans an die Oberfläche der Erde tretende flüssige Masse und das daraus entstehende Gestein.*

La|wi|ne, die; -, -n: *herabstürzende [und im Abrollen immer größer werdende] Masse von Schnee oder Eis:* eine L. begrub die Hütte. **Zus.:** Eis-, Preis-, Schneelawine.

-la|wi|ne, die; -, -n: **1.** ⟨Suffixoid⟩ (emotional): */besagt, daß das im Basiswort Genannte [in besorgniserregender Weise] immer mehr wird, nicht einzudämmen ist [und auf den Betroffenen zukommt]/:* Ausgaben-, Kosten-, Prozeß-, Schuldenlawine. **sinnv.:** -berg, -schwemme. **2.** ⟨als Grundwort⟩ *wie eine Lawine [von] ..., viel ...:* Erd-, Gäste-, Geröllawine; /elliptisch/ (ugs.) Blechlawine *(viele sich langsam vorwärtsbewegende Autos).*

le|ben ⟨itr.⟩: **1.** *am Leben sein:* das Kind lebt [noch]. **sinnv.:** lebendig sein. **2.** *auf der Welt sein, existieren:* dieser Maler lebte im 18. Jahrhundert. **sinnv.:** dasein, existieren. **3.** *sein Leben (in bestimmter Weise) verbringen:* gut, schlecht, in Frieden l.; leb[e] wohl! /Abschiedsgruß/. **sinnv.:** sein Dasein fristen, dastehen, sich durchschlagen, es sich gutgehen lassen, ein Hundeleben führen, schwelgen, vegetieren. **4.** *längere Zeit wohnen:* er hat in Köln gelebt. **sinnv.:** sich aufhalten. **5.** *sich ernähren, erhalten:* er lebt von den Zinsen seines Vermögens; diät l. **sinnv.:** sich ernähren.

Le|ben, das; -s, -: **1.** *Dasein, Existenz eines Lebewesens:* ein schönes, langes L.; sein L. genießen. **sinnv.:** Dasein, Existenz, Lebensweg, Sein. **Zus.:** Doppel-, Ehe-, Eigen-, Familien-, Soldaten-, Studentenleben. **2.** *Gesamtheit der Vorgänge und Regungen:* das gesellschaftliche, geistige L. [in dieser Stadt]. **Zus.:** Berufs-, Nacht-, Vereinsleben.

le|ben|dig ⟨Adj.⟩: **a)** *in munterer Weise lebhaft:* eine lebendige Phantasie. **sinnv.:** angeregt. **b)** quick-, springlebendig. **b)** *lebend [und nicht tot]:* der Fisch ist noch l. **sinnv.:** am Leben.

Le|bens|lauf, der; -[e]s, Lebensläufe: *[schriftlich dargestellter] Ablauf des Lebens eines Menschen,*

bes. seiner Ausbildung und beruflichen Entwicklung: seinen L. schreiben; bei seiner Bewerbung mußte er einen L. einreichen. **sinnv.:** Laufbahn; Vergangenheit.

Le|bens|mit|tel, das; -s, -: *Ware zum Essen oder Trinken, die zum Bedarf des täglichen Lebens gehört.* **sinnv.:** Eßwaren, Fressalien, Genußmittel, Nahrungsmittel, Naturalien, Viktualien.

Le|bens|un|ter|halt, der; -[e]s: *gesamter finanzieller Aufwand, den man für die Dinge braucht, die zum Leben nötig sind:* seinen L. als Zeichner/ mit Zeichnen verdienen. **sinnv.:** Ernährung, Haushaltungskosten, Lebenshaltung, Lebensunterhaltungskosten, Unterhalt.

Le|bens|wei|se, das; -s, -: *Art und Weise, wie jmd. (im Hinblick auf Ernährung, Bewegung, Gesundheit) sein Leben gestaltet:* eine gesunde, solide L. **sinnv.:** Lebensart, Lebensform, Lebensführung, Lebensgestaltung, Lebensgewohnheit, Lebensstil.

Le|bens|zei|chen, das; -s, -: *Anzeichen, Beweis dafür, daß jmd. noch lebt:* der Verunglückte gab kein L. mehr von sich; ein L. von jmdm. erhalten.

Le|ber, die; -, -n: *menschliches oder tierisches Organ, das der Regelung des Stoffwechsels sowie der Entgiftung des Blutes dient.* **sinnv.:** Innereien. **Zus.:** Gänse-, Hühner-, Kalbs-, Schweinsleber.

Le|be|we|sen, das; -s, -: *Wesen mit organischem Leben, bes. Mensch oder Tier.* **sinnv.:** Geschöpf.

leb|haft ⟨Adj.⟩: **a)** *viel Lebendigkeit, Mobilität und Vitalität erkennen lassend:* ein lebhafter Mensch; eine lebhafte Diskussion; lebhaftes Treiben auf der Straße. **sinnv.:** angeregt, ausgelassen, beweglich, dynamisch, explosiv, feurig, heißblütig, mobil, quecksilbrig, rassig, rege, sanguinisch, stürmisch, temperamentvoll, unruhig, vehement, vif, vital, wild. **b)** *(in bezug auf das Vorstellungsvermögen) sehr deutlich (bis in die Einzelheiten):* etwas in lebhafter Erinnerung haben; das kann ich mir l. vorstellen. **sinnv.:** anschaulich. **c)** *kräftig (in den Farben):* ein lebhaftes Rot; eine l. gemusterte Krawatte. **sinnv.:** bunt. **d)** *sehr stark:* lebhafter Beifall; das interessiert mich l. **sinnv.:** sehr.

leb|los ⟨Adj.⟩: *ohne Anzeichen von Leben:* l. daliegen. **sinnv.:** tot.

Leck, das; -[e]s, -s: *Loch, undichte Stelle, bes. in Schiffen:* ein L. haben. **sinnv.:** Riß.

le|cken: **I.** ⟨tr./itr.⟩ *(etwas) mit der Zunge streichend berühren:* das Kind leckt am Eis; der Hund leckt mir die Hand. **sinnv.:** abschlecken, lutschen, schlecken. **Zus.:** ab-, auslecken. **II.** ⟨itr.⟩ *ein Leck haben, Flüssigkeit durchlassen:* das Boot, das Faß leckt. **sinnv.:** fließen.

Le|der, das; -s, -: *aus Tierhaut durch Gerben gewonnenes Material (z. B. für Schuhe, Taschen):* L. verarbeiten; ein Buch in L. binden. **Zus.:** Krokodil-, Kunst-, Schweins-, Velours-, Wildleder.

Lee, die (in Fügungen) in/nach L.: *auf/nach der vom Wind abgewandten Seite [eines Schiffes].*

leer ⟨Adj.⟩: **a)** *nichts enthaltend, ohne Inhalt* /Gegs. voll/: ein leeres Faß; der Tank ist l.; mit leerem Magen zur Arbeit gehen. **b)** *ohne daß jmd./etwas auf/in etwas vorhanden ist:* ein leeres Nest; der Stuhl blieb l. **sinnv.:** frei. **Zus.:** menschenleer. **c)** *überraschend wenig besetzt, besucht o. ä.:* heute war es beim Arzt ganz l.; im Kino ist es gestern leer gewesen als heute. **d)** *Sinn und*

Inhalt vermissen lassend: leere Worte, Versprechungen. **sinnv.:** banal. **Zus.:** gedanken-, inhaltsleer.

-leer ⟨adjektivisches Suffixoid⟩: *ohne das im substantivischen Basiswort Genannte* /drückt Bedauern in bezug auf das Fehlen von etwas üblicherweise Vorhandenem, Kritik an dem Mangel aus/: ausdrucks-, gedanken-, inhaltsleer. **sinnv.:** -arm, -frei, -los, -schwach.

Lee|re, die; -: *das Leersein:* im Stadion herrschte gähnende L. **sinnv.:** Öde, Vakuum, Verlassenheit.

lee|ren: a) ⟨tr.⟩ *(etwas) leer machen:* ein Faß l. **sinnv.:** ausgießen, ausladen, auspacken, auspumpen, ausräumen, ausschütten, austrinken. **Zus.:** aus-, entleeren. b) ⟨sich l.⟩ *leer werden:* der Saal leerte sich schnell.

le|gen: 1. ⟨tr.⟩ *bewirken, daß jmd. oder etwas (an einer bestimmten Stelle) liegt:* das Buch auf den Tisch, das Brot in den Korb l.; ⟨auch sich l.⟩ sich ins Bett l. **sinnv.:** packen, plazieren, stellen, tun. **Zus.:** ab-, fort-, um-, zurücklegen. 2. ⟨sich l.⟩ *(in bezug auf etwas, was vorübergehend ein ungewöhnliches Ausmaß angenommen hat) wieder still werden, aufhören:* der Wind legt sich; sein Zorn hat sich gelegt. **sinnv.:** beenden, sich beruhigen, nachlassen.

Le|gen|de, die; -, -n: *von [einem] Heiligen handelnde religiöse Erzählung.* **sinnv.:** Heiligengeschichte, Heiligenleben. **Zus.:** Heiligen-, Marienlegende.

Lehm, der; -[e]s: *aus Ton und Sand bestehende, gelblichbraune Erde.* **sinnv.:** Erde.

Leh|ne, die; -, -n: *Stütze für Rücken oder Arme an Stühlen, Bänken o. ä.* **Zus.:** Arm-, Rücken-, Stuhllehne.

leh|nen: 1. ⟨tr.⟩ *schräg an einen stützenden Gegenstand stellen:* das Brett an/gegen die Wand l. 2. ⟨sich l.⟩ a) *sich schräg gegen oder auf etwas/ jmdn. stützen:* sie lehnte sich an ihn. **sinnv.:** sich aufstützen. b) *sich beugen:* er lehnt sich über den Zaun, aus dem Fenster. 3. ⟨itr.⟩ *schräg gegen etwas gestützt stehen oder sitzen:* das Fahrrad lehnt an der Wand. **sinnv.:** sich befinden.

Leh|re, die; -, -n: 1. *[Zeit der] Ausbildung für einen bestimmten Beruf, bes. in Handel und Gewerbe:* bei jmdm. in die L. gehen; eine L. abschließen. **sinnv.:** Ausbildung, Berufsausbildung, Lehrjahr, Lehrzeit. 2. *System der Anschauung und der belehrenden Darstellung auf einem bestimmten Gebiet:* die L. Hegels; die L. vom Schall. **sinnv.:** Doktrin, Gedankensystem, Lehrmeinung, Lehrsatz, Theorie, These, Weltanschauung. **Zus.:** Abstammungs-, Betriebswirtschafts-, Glaubens-, Irrlehre. 3. *Erfahrung, die man auf Grund bestimmter Vorfälle macht:* das soll eine L. für ihn / eine bittere L. sein. **sinnv.:** Erfahrung.

leh|ren ⟨tr.⟩: a) *(jmdn.) in etwas unterrichten; (jmdm.) Kenntnisse, Erfahrungen beibringen:* Deutsch, Geschichte l.; er lehrt die Kinder rechnen. **sinnv.:** anhalten, anleiten, beibringen, belehren, dozieren, einarbeiten, einprägen, eintrichtern, instruieren, nahebringen, unterrichten, unterweisen, vermitteln, vertraut machen, vormachen, zeigen. **Zus.:** belehren. b) *(als Sache) etwas ganz deutlich zeigen, deutlich werden lassen:* die Geschichte lehrt, ...; das wird die Zukunft l. **sinnv.:** zeigen.

Leh|rer, der; -s, -, **Leh|re|rin,** die; -, -nen: *männliche bzw. weibliche Person, die an einer Schule o. ä. Unterricht erteilt.* **sinnv.:** Ausbilder, Erzieher, Lehrkraft, Lehrmeister, Pädagoge, Pauker, Schulmeister. **Zus.:** Dorfschul-, Grundschul-, Gymnasial-, Hauptschul-, Haus-, Realschullehrer.

Lehr|gang, der; -[e]s, Lehrgänge: *Einrichtung zur planmäßigen Schulung mehrerer Teilnehmer innerhalb einer bestimmten Zeit:* einen L. mitmachen. **sinnv.:** Unterricht.

Lehr|ling, der; -s, -e: *jmd., der in einer Lehre ausgebildet wird.* **sinnv.:** Anlernling, Auszubildende[r], Azubi, Lehrbub, Lehrjunge, Lehrmädchen, Stift · Geselle. **Zus.:** Bank-, Fleischer-, Tischlerlehrling.

Leib, der; -[e]s, Leiber: a) (geh.) ↑*Körper.* b) *der untere Teil des Körpers:* jmdn. in den L. treten. **sinnv.:** Bauch. **Zus.:** Unterleib.

leib|haf|tig [auch: leib...] ⟨Adj.⟩: a) *mit den Sinnen unmittelbar wahrnehmbar, konkret vorhanden, körperhaft:* plötzlich stand sie l. vor uns. **sinnv.:** körperlich, in eigener Person, wirklich. b) (emotional) *(in bezug auf ein Lebewesen) ganz echt (wie man es sonst nie oder nur ganz selten sieht):* eine leibhaftige Prinzessin. **sinnv.:** in persona, richtig, wirklich.

leib|lich ⟨Adj.⟩: 1. *unmittelbar verwandt:* das ist nicht sein leiblicher Vater; /als Vorwurf verstärkend/ mein leiblicher Bruder hat mich angezeigt. **sinnv.:** blutsverwandt. 2. *den Leib betreffend:* auf das leibliche Wohl der Gäste bedacht sein. **sinnv.:** physisch.

Lei|che, die; -, -n: *toter menschlicher Körper:* eine L. sezieren. **sinnv.:** Leichnam, Mumie, Tote[r], sterbliche Überreste · Kadaver. **Zus.:** Bier-, Tier-, Wasserleiche.

leicht ⟨Adj.⟩: 1. a) *geringes Gewicht habend, nicht schwer [zu tragen]* /Ggs. schwer/: das Paket ist l. **Zus.:** federleicht. b) /scherzh. als Maßangabe für schwer in bezug auf ein bestimmtes, vergleichsweise geringes Gewicht/: sie ist 44 Kilo l. 2. *bekömmlich (weil es dem Magen nicht belastet):* eine leichte Reismahlzeit. **sinnv.:** leichtverdaulich, verträglich. 3. *nur schwach ausgeprägt, von geringem Ausmaß, kaum merklich:* eine leichte Verletzung; leichter Regen; sein Gesicht war l. gerötet. **sinnv.:** geringfügig, minimal, schwach. 4. *keine Schwierigkeiten bereitend, mühelos [zu bewältigen]:* leichte Arbeit; dieses Problem läßt sich l. lösen. **sinnv.:** mühelos. **Zus.:** baby-, kinder-, pflegeleicht. 5. *beim geringsten Anlaß:* er wird l. böse. **sinnv.:** schnell. 6. *ohne besonderen geistigen Anspruch, nur unterhaltend:* leichte Musik, Lektüre. **sinnv.:** einfach.

-leicht ⟨adjektivisches Suffixoid⟩: *in bezug auf das im Basiswort Genannte keine Schwierigkeiten o. ä. bereitend:* funktions-, gebrauchs-, pflegeleicht (pflegeleichte Oberhemden).

Leicht|ath|le|tik, die; -: *Gesamtheit der sportlichen Übungen, die Laufen, Springen, Werfen umfassen:* L. treiben.

leicht|fal|len, fällt leicht, fiel leicht, ist leichtgefallen ⟨itr.⟩: *keine Mühe machen:* diese Arbeit ist ihm leichtgefallen.

leicht|sin|nig ⟨Adj.⟩: *durch unvorsichtige, [allzu] sorglose Haltung bzw. durch fahrlässiges Verhalten gekennzeichnet:* 1. bei Rot über die Straße laufen. **sinnv.:** fahrlässig, gedankenlos, leichtfertig, ohne Sinn und Verstand, unachtsam, unbedacht, unbesonnen, unüberlegt, unverantwortlich, unvorsichtig.

leid: ⟨in der Fügung⟩ **jmdm. l. tun** *(Mitleid, Bedauern erregen):* das Kind tut mir l.; es tut mir l., daß ich dir nicht helfen kann. **sinnv.:** bedauern, bereuen, dauern.

Leid, das; -[e]s: **a)** *tiefer seelischer Schmerz als Folge erfahrenen Unglücks:* der Krieg hat unermeßliches L. über die Menschen gebracht. **sinnv.:** Drangsal, Gram, Jammer, Kummer, Kümmernis, Marter, Pein, Qual, Schmerz, Sorge, Tortur, Unglück, Weh. **Zus.:** Herzeleid. **b)** *Unrecht, Böses, das jmdm. zugefügt wird:* dir soll kein L. geschehen. **sinnv.:** Unrecht.

lei|den, litt, hat gelitten ⟨itr.⟩: **1.** *einen Zustand von schwerer Krankheit, seelischem Leiden oder Schmerzen zu ertragen haben:* er hat bei dieser Krankheit viel l. müssen. **sinnv.:** aushalten. **Zus.:** durch-, erleiden. **2.** *an einem bestimmten Leiden erkrankt sein, von etwas körperlich oder seelisch stark beeinträchtigt werden:* unter der Einsamkeit l.; an einer schweren Krankheit l. **sinnv.:** bedrückt sein, etwas mit sich herumschleppen, kränkeln, kranken, in Not sein, in der Tinte sitzen. **3.** ⟨als Funktionsverb⟩ *von etwas (Negativem) betroffen sein:* Mangel l.; Hunger l. **sinnv.:** betroffen sein, ertragen. **4.** * **jmdn./etwas nicht l. können:** *jmdn./etwas gern haben, nicht mögen; jmdm. nicht gut gesinnt sein:* ich kann ihn, diese Musik nicht l. **sinnv.:** hassen.

Lei|den, das; -s, -: **1.** *lang dauernde Krankheit:* ein schweres L. **sinnv.:** Krankheit. **Zus.:** Magen-, Nervenleiden. **2.** ⟨Plural⟩ *leidvolles Erleben:* die L. und Freuden des Lebens. **sinnv.:** Kummer, Schmerz.

Lei|den|schaft, die; -, -en: *heftiges, kaum zu beherrschendes, von innerer Spannung erfülltes Verlangen:* er spielt mit L. Schach. **sinnv.:** Begehren, Begehrlichkeit, Begeisterung, Begier, Begierde, Geilheit, Gelüst, Gier, Liebe, Lust, Sinnlichkeit, Trieb, Verlangen. **Zus.:** Jagd-, Sammel-, Theaterleidenschaft.

lei|den|schaft|lich ⟨Adj.⟩: **1.** *mit heftiger Leidenschaft [sich äußernd]:* jmdn. l. lieben; leidenschaftlicher Haß. **sinnv.:** heftig, sehr, stark. **2.** *mit großer Leidenschaft an etwas (dem genannten Tun) hängend, es betreibend:* er ist ein leidenschaftlicher Jäger. **sinnv.:** besessen.

lei|der ⟨Adverb⟩: *zu meinem Bedauern, unglücklicherweise:* ich kann l. nicht kommen. **sinnv.:** bedauerlicherweise, zu jmds. Bedauern, dummerweise, ein Jammer, jammerschade, zu meinem Leidwesen, schade, zu allem Unglück, unglücklicherweise, unglückseligerweise.

lei|hen, lieh, hat geliehen: **1.** ⟨tr.⟩ *(jmdm.) zum vorübergehenden Gebrauch geben:* er lieh mir hundert Mark. **sinnv.:** ausborgen, ausleihen, borgen, ein Darlehen gewähren, finanzieren, lassen, pumpen, zur Verfügung stellen. **Zus.:** aus-, verleihen. **2.** ⟨itr.⟩ *sich zu vorübergehendem Gebrauch geben lassen:* ich habe mir das Buch [von meinem Freund] geliehen. **sinnv.:** anpumpen, anzapfen, aufnehmen, [sich] ausleihen, borgen, entlehnen, entleihen, pumpen, Schulden machen, Verbindlichkeiten eingehen. **Zus.:** aus-, entleihen.

Leim, der; -[e]s, -e: *[zähflüssiges] Mittel zum Kleben von Holz o. ä.* **sinnv.:** Alleskleber, Bindemit-

tel, Kitt, Kleber, Klebstoff, Kleister. **Zus.:** Tischlerleim.

-lein, das; -s, - ⟨Suffix; bewirkt Umlaut⟩ /Verkleinerungssilbe entsprechend -chen, jedoch oft mit poetischem oder altertümlichem Charakter, auch landschaftlich; bes in Verbindung mit Substantiven auf -ch, -g, -ng; selten in Verbindung mit Substantiven auf -el und dann meist mit Ausfall des e, z. B. Spieglein; bei Substantiven mit auslautendem -e fällt die Endung aus, z. B. Katze/Kätzlein; vgl. -chen/: **1.** Äuglein, Bächlein, Bettlein. **2.** /fest in bestimmten Verbindungen und Bedeutungen/ Fähnlein, Fräulein.

Lei|ne, die; -, -n: *kräftige, längere Schnur, an oder mit der etwas befestigt wird:* die Wäsche hängt an der L.; den Hund an der L. führen. **sinnv.:** Seil. **Zus.:** Hunde-, Wäscheleine.

lei|se ⟨Adj.⟩: **1.** *schwach hörbar* /Ggs. laut/: eine l. Stimme; l. gehen. **sinnv.:** flüsternd, im Flüsterton, geräuschlos, heimlich, kaum hörbar, lautlos, ruhig, still. **2.** *kaum wahrnehmbar, nur schwach ausgeprägt:* noch eine l. Hoffnung haben; etwas l. berühren. **sinnv.:** leicht, minimal.

lei|sten, leistete, hat geleistet ⟨tr.⟩: **1.** *durch Arbeiten erreichen (daß etwas bestimmtes Ergebnis erzielt wird):* viel l.; er hat Großes geleistet. **sinnv.:** ausführen, bewältigen, schaffen, vollbringen. **Zus.:** ableisten. **2.** (ugs.) **a)** *sich etwas anschaffen, zukommen lassen, was (für den Sprecher) etwas Besonderes darstellt:* wir leisten uns ein neues Auto; jetzt leiste ich mir ein Eis. **sinnv.:** kaufen. **b)** *etwas zu tun wagen, ohne auf Normen o. ä. Rücksicht zu nehmen:* was der sich heute wieder geleistet hat! **sinnv.:** sich erlauben.

Lei|stung, die; -, -en: **1. a)** *Produkt einer körperlichen oder geistigen Arbeit:* große Leistungen vollbringen. **sinnv.:** Tat, Werk · Rekord; Verdienst. **Zus.:** Arbeits-, Best-, Glanz-, Höchst-, Meister-, Spitzen-, Vorleistung. **b)** *[finanzielle] Aufwendung:* die sozialen Leistungen einer Firma. **sinnv.:** Unkosten. **Zus.:** Eigen-, Gegen-, Sozialleistung. **2.** *nutzbare Kraft [einer Maschine]:* die Maschine erreichte sehr bald ihre volle L. **sinnv.:** Ausmaß, Fähigkeit, Leistungsfähigkeit.

lei|ten, leitete, hat geleitet: **1.** ⟨tr.⟩ *[als Vorgesetzter] lenken, führen:* einen Betrieb, Verband l.; ein leitender Beamter. **sinnv.:** dirigieren, führen, regieren. **Zus.:** anleiten. **2.** ⟨tr.⟩ *in eine bestimmte Bahn lenken, hinweisend führen:* Wasser in ein Becken l.; wir ließen uns vom Gefühl l. **sinnv.:** führen. **3.** ⟨tr./itr.⟩ *hindurchgehen lassen:* Kupfer leitet [Elektrizität] gut.

Lei|ter: **I.** der; -s, -: *jmd., der etwas leitet (1):* der L. einer Abteilung. **sinnv.:** Boß, Chef, Dezernent, Direktor, Führer, Geschäftsführer, Gruppenführer, Intendant, Meister, Referent, Vorarbeiter, Vorgesetzter, Vorsteher. **Zus.:** Abteilungs-, Delegations-, Filial-, Projekt-, Reiseleiter. **II.** die; -, -n: *Gerät mit Sprossen oder Stufen zum Hinauf- und Hinuntersteigen:* eine L. aufstellen; von der L. fallen. **sinnv.:** Treppe. **Zus.:** Feuerwehr-, Steh-, Strickleiter.

Lei|te|rin, die; -, -nen: vgl. Leiter (I).

Lei|tung, die; -, -en: **1. a)** ⟨ohne Plural⟩ *das Leiten, die Führung:* die L. übernehmen. **sinnv.:** Direktion, Führung, Management, Moderation, Präsidium, Regie, Vorsitz; Verwaltung. **b)** *leitende Personengruppe:* der L. des Unternehmens angehören. **sinnv.**: Direktion, Direktorium, Führung, Führungsgremium, Führungsstab, Management, Präsidium, Vorstand. **Zus.**: Gewerkschafts-, Parteileitung. **2.** *aus Rohren, Kabeln o. ä. bestehende Anlage zum Weiterleiten von Flüssigkeiten, Gas, Elektrizität:* eine L. verlegen. **sinnv.**: Pipeline, Röhre. **Zus.**: Rohr-, Telefon-, Wasserleitung.

Lei|tungs|was|ser, das; -s: *Wasser aus der Wasserleitung.* **sinnv.**: Wasser.

len|ken ⟨tr.⟩: **1.** *(einem Fahrzeug) eine bestimmte Richtung geben:* ein Auto l.; ⟨auch itr.⟩ du mußt richtig l.! **sinnv.**: führen, steuern. **2.** *veranlassen, daß sich etwas auf jmdn./etwas richtet:* den Verdacht auf jmdn. l.; das Gespräch auf ein anderes Thema l. **sinnv.**: leiten, richten. **Zus.**: ablenken.

Lenk|rad, das; -[e]s, Lenkräder: *Vorrichtung zum Lenken z. B. eines Autos.* **sinnv.**: Steuer.

-ler, der, -s, - ⟨Suffix; bewirkt in der Regel Umlaut, wenn das Basiswort ein Substantiv ist, das im Plural umlautfähig ist⟩ /häufig in der Journalistensprache/: *jmd., der durch das im Basiswort Genannte (z. B. Beruf, Wohnort, Zugehörigkeit, Tätigkeit, bestimmte Eigenschaft) charakterisiert ist, das tut, vertritt, dazu gehört, auf dem Gebiet arbeitet:* **1.** ⟨mit substantivischem Basiswort⟩ **a)** ⟨als eigenständiges Substantiv⟩: Ausflügler, Bürgerrechtler, Ersatzdienstler, Gewerkschaftler. **sinnv.**: -er. **b)** ⟨als substantivische Wortgruppe⟩: Freiberufler, Zweitkläßler *(Schüler der zweiten Klasse).* **c)** ⟨als Abkürzung⟩: DDRler. **2.** (selten) **a)** ⟨mit verbalem Basiswort⟩: Abweichler *(jmd., der von der Parteilinie abweicht).* **b)** ⟨verbales oder substantivisches Basiswort⟩: Umstürzler.

Ler|che, die; -, -n: *(am Boden nistender) Singvogel von unauffälliger Färbung, der mit trillerndem Gesang steil in die Höhe fliegt.* **Zus.**: Haubenlerche.

ler|nen: a) ⟨tr.⟩ *sich Kenntnisse und Fähigkeiten aneignen:* das Kind lernt sprechen; schwimmen l.; eine Sprache, einen Beruf l. **sinnv.**: sich aneignen, annehmen, sich zu eigen machen, sich einarbeiten, erarbeiten, erlernen, etwas gelehrt bekommen, sich Kenntnisse erwerben, studieren. **Zus.**: er-, verlernen. **b)** ⟨tr./itr.⟩ *sich (durch Übung) einprägen:* ein Gedicht [auswendig] l.; er lernt leicht. **sinnv.**: ackern, arbeiten, büffeln, einprägen, einstudieren, einüben, erarbeiten, exerzieren, ochsen, pauken, trainieren.

le|sen, liest, las, hat gelesen: **a)** ⟨tr./itr.⟩ *einen Text mit den Augen und dem Verstand erfassen:* ein Buch, einen Brief l.; in der Zeitung l. **sinnv.**: blättern, schmökern, studieren, überfliegen, verschlingen. **Zus.**: aus-, durchlesen. **b)** ⟨itr.⟩ *einen Text lesend vortragen:* der Dichter liest aus seinem neuen Buch. **sinnv.**: vor-, vorlesen. **c)** ⟨itr./tr.⟩ *Vorlesungen (an einer Hochschule) halten:* er liest [über] religiöse Literatur.

Le|ser, der; -s, -, **Le|se|rin,** die; -, -nen: *männliche bzw. weibliche Person, die (etwas) liest:* im Vorwort wendet sich der Verfasser des Buches an seine Leser. **sinnv.**: Bücherwurm, Leseratte. **Zus.**: Zeitungsleser.

le|ser|lich ⟨Adj.⟩: *gut zu lesen, zu entziffern* /Ggs. unleserlich/: eine leserliche Handschrift haben. **sinnv.**: lesbar.

letzt... ⟨Adj.⟩: **a)** *in einer Reihe oder Folge den Schluß bildend:* der letzte sein; das letzte Haus links. **b)** *von einer Qualität, die als besonders, als nicht zu übertreffen schlecht empfunden wird:* das sind wirklich die letzten Äpfel, völlig verschrumpelt. **sinnv.**: schlecht. **c)** *(als einzige) noch übriggeblieben:* mein letztes Geld. **sinnv.**: restlich. **Zus.**: allerletzt... **d)** *gerade vergangen, unmittelbar vor der Gegenwart liegend:* am letzten Dienstag habe ich ihn noch gesehen. **sinnv.**: vorig... **Zus.**: vorletzt...

Leuch|te, die; -, -n: *Gegenstand, der als Träger einer künstlichen Lichtquelle (bes. von Glühbirnen) dient.* **sinnv.**: Lampe. **Zus.**: Neon-, Wandleuchte.

leuch|ten, leuchtete, hat geleuchtet ⟨itr.⟩: **a)** *Licht von sich geben, verbreiten:* die Lampe leuchtet. **sinnv.**: blenden, blinken, blitzen, flimmern, funkeln, glänzen, glitzern, scheinen, schillern, schimmern, spiegeln, strahlen. **Zus.**: aufleuchten. **b)** *auf Grund seiner Farbe deutlich sichtbar werden:* das weiße Haus leuchtet durch die Bäume. **sinnv.**: blitzen, prangen, schillern. **Zus.**: hervorleuchten.

Leuch|ter, der; -s, -: *Gestell für eine oder für mehrere Kerzen* (siehe Bildleiste „Lampen"). **sinnv.**: Kerzenständer. **Zus.**: Arm-, Kerzen-, Kronleuchter.

leug|nen, leugnete, hat geleugnet ⟨tr.⟩: *behaupten, daß etwas von anderen Gesagtes nicht wahr sei:* eine Schuld l.; er leugnet, den Mann zu kennen; ⟨auch itr.⟩ der Angeklagte leugnete hartnäckig. **sinnv.**: bestreiten. **Zus.**: ab-, verleugnen.

Leu|te, die ⟨Plural⟩: *mit anderen zusammen auftretende, als Menge o. ä. gesehene Menschen:* das sind nette L. **sinnv.**: Mensch; Öffentlichkeit.

-leu|te ⟨Suffixoid⟩: *bezeichnet die im Basiswort genannte Personengruppe als Gesamtheit:* Nachbars-, Reitersleute. **sinnv.**: -volk.

-leu|te/-män|ner: ↑ -männer/-leute.

Li|bel|le, die; -, -n: *am Wasser lebendes, größeres Insekt mit langem, schlankem Körper und zwei Paar schillernden Flügeln.* **sinnv.**: Wasserjungfer.

-lich ⟨adjektivisches Suffix⟩: **a)** *das im Basiswort Genannte betreffend, sich darauf beziehend:* betrieblich, gewerblich, kindlich. **sinnv.**: -eigen. **b)** */dient der ungefähren, undeutlichen Qualitätsbezeichnung/:* bläulich, gelblich, länglich, rundlich.

-lich/-bar ⟨adjektivische Suffixe⟩: bei den konkurrierenden Wörtern bezeichnen die mit -lich gebildeten eine bestimmte Eigenschaft, während die mit -bar gebildeten eine Möglichkeit angeben: unbegreiflich/unbegreifbar, unvermeidlich/unvermeidbar, veränderlich (das Wetter ist veränderlich = unbeständig)/veränderbar (das Wetter ist veränderbar = kann man verändern).

-lich/-ig ⟨adjektivische Suffixe⟩: **a)** /in Verbindung mit einer Zeitangabe/ -lich kennzeichnet die Wiederholung, -ig die Dauer: halbjährlich (jedes halbe Jahr)/halbjährig (ein halbes Jahr dauernd; ein halbes Jahr alt). **b)** /in Verbindung mit einer Sprache/ -lich hat die betreffende Sprache als Gegenstand; -ig bedeutet, daß etwas in der betreffenden Sprache verfaßt o. ä. ist: fremdsprachlicher Unterricht ist Unterricht über eine fremde Sprache; fremdsprachiger Unterricht ist Unterricht, der in einer fremden Sprache abgehalten wird.

-lich/-isch: ↑ -isch/-lich.

Licht, das; -[e]s, -er: **1.** ⟨ohne Plural⟩ *Helligkeit, die von etwas ausgeht:* das L. der Sonne; die Pflanzen brauchen viel L.; bei diesem L. kann

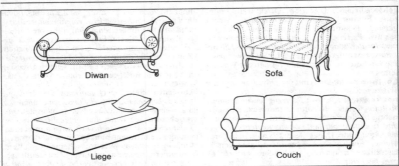

Diwan

Sofa

Liege

Couch

man wirklich nicht arbeiten. **sinnv.:** Beleuchtung, Helle, Helligkeit. **Zus.:** Dämmer-, Flut-, Kerzen-, Neon-, Tageslicht. 2. *etwas, was Licht ausstrahlt:* das L. anmachen, anknipsen, ausmachen. **sinnv.:** Lampe, Leuchte. **Zus.:** Brems-, Lebens-, Windlicht.

Lid, das; -[e]s, -er: *bewegliche Haut über den Augen.* **Zus.:** Augenlid.

lieb ⟨Adj.⟩: **1. a)** *Freundlichkeit, Zuneigung zum Ausdruck bringend:* ein lieber Brief; sei so l. und komm nicht zu spät! **sinnv.:** edel, freundlich, gut, herzlich, liebenswürdig, nett. **Zus.:** kinderlieb. **b)** *durch eine liebenswerte Wesensart Zuneigung auf sich ziehend, Freude bereitend:* ein lieber Freund. **sinnv.:** charmant, einnehmend, gehorsam, nett, reizend, sympathisch. **c)** *jmds. Zuneigung besitzend:* liebe Mutter!; der liebe Gott. **sinnv.:** geliebt, geschätzt, teuer, wert. **2.** *sehr willkommen:* es wäre mir l., wenn er nicht käme. **sinnv.:** angenehm.

Lie|be, die; -: *starkes [inniges] Gefühl der Zuneigung, des Hingezogenseins:* seine L. wurde von ihr nicht erwidert; die L. zur Heimat. **sinnv.:** Anhänglichkeit, Herzenswärme, Herzlichkeit, Hingabe, Hinneigung, Innigkeit, Leidenschaft, Schwäche für jmdn., Sex, Verbundenheit, Verliebtheit, Zärtlichkeit, Zuneigung. **Zus.:** Affen-, Eigen-, Freiheits-, Gegen-, Nächsten-, Vorliebe.

lie|ben: 1. ⟨tr.⟩ *innige Zuneigung zu jmdm./etwas empfinden:* ein Mädchen, die Eltern, seine Heimat l.; einander, sich [gegenseitig] l. **sinnv.:** auf jmdn. abfahren, einen Affen an jmdm. gefressen haben, begehren, jmdm. geneigt sein, jmdn. [zum Fressen] gern haben, jmdm. gewogen sein, gut sein, an jmdm. hängen, jmdm. sein Herz geschenkt haben, jmdn. ins Herz geschlossen haben, sich zu jmdm. hingezogen fühlen, jmdn. leiden können, liebhaben, mögen, an jmdm. einen Narren gefressen haben, scharf sein auf jmdn., jmdn. schätzen, eine Schwäche haben für jmdn., spitz sein auf jmdn., auf jmdn. stehen, etwas/viel übrig haben für jmdn., jmdn. verehren, vergöttern, wild nach jmdm. sein, jmdm. zugetan sein. **Zus.:** verlieben. **2.** ⟨tr./itr.⟩ *eine gewisse Vorliebe für etwas haben:* er liebt den Wein; sie liebt es nicht aufzufallen. **sinnv.:** bevorzugen, gern haben/tun, mögen.

lie|bens|wür|dig ⟨Adj.⟩: *(im Umgang mit andern) freundlich und entgegenkommend:* ein liebenswürdiger Gastgeber. **sinnv.:** aufmerksam, freundlich, gefällig, großzügig, hilfsbereit, sympathisch, zuvorkommend.

lie|ber ⟨Adverb⟩: **a)** *mit mehr Vergnügen:* ich möchte l. lesen. **sinnv.:** eher, vielmehr, vorzugsweise. **b)** *besser, mit mehr Nutzen:* ich hätte l. warten sollen; geh l. nach Hause! **sinnv.:** klugerweise, tunlichst, zweckmäßigerweise.

lieb|ha|ben, hat lieb, hatte lieb, hat liebgehabt ⟨itr.⟩: *jmdn. sehr gern haben:* man muß die Kleine einfach l. **sinnv.:** lieben, mögen.

lieb|lich ⟨Adj.⟩: *(in bezug auf Sanftheit, Milde) einen angenehmen Sinneseindruck hinterlassend:* eine liebliche Landschaft; es duftet l. **sinnv.:** hübsch.

Lieb|ling, der; -s, -e: *jmd., der von jmdm. besonders geliebt, bevorzugt wird:* sie war Mutters L.; dieser Sänger ist der L. des Publikums. **sinnv.:** Augapfel, Darling, Favorit, Goldkind, Hätschelkind, Herzblatt, Herzchen, Nesthäkchen, Schatz, Schätzchen, Schoßkind. **Zus.:** Frauen-, Publikumsliebling.

Lieb|lings- ⟨Präfixoid⟩: /besagt, daß das im Basiswort Genannte vor allen anderen Personen, Dingen dieser Art den Vorzug erhält/ *liebst...:* Lieblingsbeschäftigung, -buch, -essen.

lieb|los ⟨Adj.⟩: *persönliches Interesse, Zuneigung, Herzlichkeit, Freundlichkeit vermissen lassend:* er hatte eine lieblose Kindheit; ein l. gekochtes Essen. **sinnv.:** freudlos, interesselos, rüde.

Lied, das; -[e]s, -er: *zum Singen bestimmte Einheit aus Melodie und einem meist aus mehreren Strophen bestehenden Text.* **sinnv.:** Arie, Chanson, Choral, Couplet, Gedicht, Gesang, Gospel[song], Kanon, Kantate, Moritat, Ohrwurm, Schlager, Shanty, Song. **Zus.:** Kinder-, Liebes-, Seemanns-, Volkslied.

lie|fern ⟨tr.⟩: *(bestellte Waren) bringen oder schicken:* wir liefern Ihnen die Waren ins Haus. **sinnv.:** ausfahren, bringen, schicken, übergeben, zuleiten, zustellen. **Zus.:** an-, aus-, beliefern.

Lie|fe|rung, die; -, -en: **1.** *das Liefern:* die L. erfolgt in drei Tagen. **sinnv.:** Abgabe, Überbringung, Übergabe, Übermittlung, Überstellung, Versand, Zuleitung, Zusendung, Zustellung. **Zus.:** An-, Aus-, Belieferung. **2.** *die zu liefernde oder gelieferte Ware:* die lang erwartete L. ist eingetroffen. **Zus.:** Waffen-, Warenlieferung.

Lie|ge, die; -, -n: *flaches [gepolstertes] Möbelstück, das zum Liegen und Ausruhen dient* (siehe Bildleiste). **sinnv.:** Bett, Couch, Diwan, Sofa.

lie|gen, lag, hat/(südd., österr., schweiz.:) ist gelegen ⟨itr.⟩: **1.** *in waagerechter Lage sein, der Länge nach ausgestreckt auf etwas sein, ausruhen:* auf dem Rücken, im Bett l. **sinnv.:** lagern, ruhen, alle viere von sich strecken. **Zus.:** langliegen. **2. a)** *sich (als Gegenstand) in waagerechter Lage auf einer Grundfläche befinden (wobei die Ausdehnung in der Länge größer ist als die der Höhe):* einige Bücher stehen im Regal, einige liegen auf dem Schreibtisch. **sinnv.:** sich befinden, lasten, vorhanden sein. **b)** *eine bestimmte geographische Lage haben:* München liegt an der Isar. **3.** *jmds. Begabung, Einstellung entsprechen:* diese Arbeit liegt ihm nicht. **sinnv.:** angenehm sein, entgegenkommen, sympathisch sein.

lie|gen|blei|ben, blieb liegen, ist liegengeblieben ⟨itr.⟩: **1.** *in liegender Stellung bleiben:* als der Wecker klingelte, blieb sie noch liegen. **sinnv.:** nicht aufstehen, ausschlafen, im Bett bleiben. **2.** (ugs.) *(infolge einer Panne o. ä.) seinen Weg mit dem Auto o. ä. nicht fortsetzen können:* wir sind mit einer Panne auf der Autobahn liegengeblieben. **sinnv.:** festsitzen. **3.** *(von einem Gegenstand, der vergessen worden ist) weiterhin dort bleiben, wo er sich befindet:* ein Schirm und ein Paar Handschuhe sind im Zug liegengeblieben. **sinn.:** liegengelassen / stehengelassen / vergessen / zurückgelassen werden. **4.** (ugs.) *nicht erledigt werden:* da ich so viel anderes zu tun hatte, sind diese Arbeiten liegengeblieben. **sinnv.:** aufgeschoben/beiseite gelegt werden, unerledigt bleiben. **5.** *nicht schmelzen, nicht verschwinden* /von Schnee o. ä./: es war so kalt, daß der Schnee liegenblieb.

lie|gen|las|sen, läßt liegen, ließ liegen, hat liegen[ge]lassen ⟨tr.⟩: **a)** *etwas/jmdn. dort [zurück]lassen, wo es/er sich gerade befindet:* laß die Sachen auf dem Boden liegen! **sinnv.:** lassen, stehenlassen, zurücklassen. **b)** *etwas unabsichtlich zurücklassen:* er läßt oft seine Zigaretten liegen. **sinnv.:** lassen, mitnehmen, stehenlassen, vergessen.

li|la ⟨Adj.; indeklinabel⟩: *(in der Färbung) wie blauer Flieder [aussehend]:* l. Herbstastern. **sinnv.:** violett.

Li|lie, die; -, -n: *[Garten]blume mit einem langen Stengel, schmalen Blättern und trichterförmigen oder fast glockigen Blüten.* **Zus.:** Feuer-, Schwert-, Tag-, Wasserlilie.

Li|mo|na|de, die; -, -n: *erfrischendes [kohlensäurehaltiges] Getränk.* **sinnv.:** Brause, Limo. **Zus.:** Orangen-, Zitronenlimonade.

Lin|de, die; -, -n: *Laubbaum mit ausladender Krone und gelblichen, süß duftenden Blüten* (siehe Bildleiste „Blätter"). **Zus.:** Dorf-, Zimmerlinde.

in|dern ⟨tr.⟩: *(in bezug auf eine unangenehme Empfindung) verringern, erträglicher machen:* Not, Schmerzen l. **sinnv.:** abschwächen, bessern, dämpfen, erleichtern, mildern.

Li|ne|al, das; -s, -e: *mit einer Meßskala versehenes, langes, schmales, dünnes Stück aus Holz oder Plastik zum Ziehen gerader Linien.* **sinnv.:** Maß.

-ling, der; -s, -e ⟨Suffix⟩: **1.** *(ironisch oder abschätzig) männliche Person, die mit der im Basiswort genannten Eigenschaft oder dem genannten Bereich charakterisiert wird* /Basiswörter sind vor allem Adjektive, oft solche, die einsilbig oder nicht abgeleitet sind/: Ehrgeizling, Finsterling, Schönling, Widerling. **sinnv.:** -ant, -e (von Adjektiven, z. B. der Naive, Freche), -er (von Verben, z. B. Blender, Geiferer), -ier, -inski. **2.** /kennzeichnet wohlwollend besonders kleinere Wesen (z. B. Kinder) mit Hilfe eines oft verbalen Basiswortes/: Firmling, Impfling.

Li|nie, die; -, -n: **1.** *längerer Strich:* Linien ziehen. **sinnv.:** Strich · Diagonale, Kurve, Parallele, Strecke, Tangente, Zeile. **Zus.:** Grund-, Schlangen-, Verbindungslinie. **2.** *eine Anzahl von Personen, Dingen, die in einer Richtung nebeneinanderstehen oder -liegen, sich in die Länge ausdehnen:* in einer L. stehen. **sinnv.:** Reihe. **3. a)** *von [öffentlichen] Verkehrsmitteln regelmäßig benutzte Verkehrsstrecke zwischen bestimmten Punkten:* die stark beflogene L. Frankfurt–New York; die L. Schloß–Stadion. **sinnv.:** Strecke. **Zus.:** Verkehrslinie. **b)** *Verkehrsmittel auf einer bestimmten Linie* (3 a): die L. 16 der Straßenbahn. **4.** *Folge der Generationen:* in gerader L. von jmdm. abstammen. **sinnv.:** Ahnenreihe, Generationenfolge, Verwandtschaftszweig.

li|nie|ren, li|ni|ie|ren ⟨tr.⟩: *mit Linien versehen:* lin[i]iertes Papier.

link... ⟨Adj.⟩ /Ggs. recht.../: **1.** *sich auf der Seite befindend, auf der das Herz ist und die der rechten Seite entgegengesetzt ist:* die linke Hand. **2.** *(von Stoffen o. ä.) die nach innen zu tragende bzw. nach unten zu legende, weniger schöne Seite betreffend:* die linke Seite der Tischdecke. **3.** *(in politischer oder weltanschaulicher Hinsicht) die Linke* (3) *betreffend, zur Linken gehörend:* der linke Flügel der Partei.

Lin|ke, die; -n ⟨Ggs. Rechte/: **1.** *linke Hand:* etwas in der Linken tragen. **2.** *(im Boxsport) Schlag mit der linken Faust:* seine harte L. ist gefürchtet. **3.** *Gruppe von Leuten, die kommunistisches oder sozialistisches Gedankengut vertreten.*

links /Ggs. rechts/: **I.** ⟨Adverb⟩ **a)** *auf der linken* (1) *Seite:* jmdn. l. überholen; die Garage steht l. von dem Haus. **b)** *die linke* (2) *Seite betreffend:* den Stoff [von] l. bügeln. **c)** *eine linke* (3) *Auffassung habend:* l. stehen; l. eingestellt sein. **sinnv.:** fortschrittlich, linkslastig, progressiv, revolutionär, sozialistisch. **II.** ⟨Präp. mit Gen.⟩ *auf der linken* (1) *Seite von etwas gelegen:* der Ort liegt l. des Rheins.

Links|hän|der, der; -s, -: *jmd., der statt der rechten (üblichen) die linke Hand zum Arbeiten gebraucht.*

Lin|se, die; -, -n: *(in der Optik) Körper aus lichtdurchlässigem Material mit zwei lichtbrechenden Flächen (Vorder- und Rückseite), von denen mindestens eine kugelförmig gekrümmt ist.*

Lip|pe, die; -, -n: *einer der beiden rötlichen Ränder des Mundes beim Menschen.* **sinnv.:** Mund. **Zus.:** Ober-, Unterlippe.

List, die; -, -en: *listige Vorgehensweise:* er ersann eine L., um uns ins Haus zu locken. **sinnv.:** Diplomatie, Doppelspiel, Fallstrick, Finte, Heimtücke, Heuchelei, Hinterhältigkeit, Intrige, Kniff, Ränke, Schlauheit, Schliche, Trick, Tücke, Verrat, Verschlagenheit, Verstellung, Winkelzug. **Zus.:** Hinterlist.

Li|ste, die; -, -n: *[alphabetisch in Form einer Tabelle angeordnete] Zusammenstellung von unter ei-*

nem bestimmten Gesichtspunkt aufgeführten Personen oder Sachen: der Name fehlt in meiner L. **sinnv.:** Verzeichnis. **Zus.:** Redner-, Teilnehmer-, Wunschliste.

li|stig ⟨Adj.⟩: *so beschaffen, daß durch Anwendung besonderer Mittel, die der davon Betroffene nicht durchschaut, in intelligent-gewitzter Weise ein Ziel erreicht wird:* er hat die Sache sehr l. eingefädelt. **sinnv.:** schlau.

Li|ter, der, (auch:) das; -s, -: /Maß für Flüssigkeiten/: zwei L. Milch.

Li|te|ra|tur, die; -, -en: **1.** *alle [in einer Sprache vorhandenen] dichterischen und schriftstellerischen Werke.* **sinnv.:** Belletristik, Dichtung, Erzählung, schöne Literatur, Schriftgut, Schrifttum. **2.** *alle Bücher und Aufsätze, die über ein bestimmtes Thema geschrieben wurden:* er kennt die einschlägige L. **Zus.:** Fach-, Sekundärliteratur.

Lob, das; -[e]s: *anerkennende Worte, ermunternder Zuspruch /Ggs. Tadel/:* das L. seines Lehrers freute den Schüler. **sinnv.:** Anerkennung, Auszeichnung, Belobigung, Belobung, Ehre, Ehrung, Lobpreis[ung], Preis, Ruhm. **Zus.:** Eigenlob.

lo|ben ⟨tr.⟩: *jmdn., sein Tun, Verhalten o. ä. mit anerkennenden Worten (als Ermunterung, Bestätigung) positiv beurteilen und damit seiner Freude, Zufriedenheit Ausdruck geben /Ggs. tadeln/:* er wurde wegen seiner Hilfsbereitschaft gelobt. **sinnv.:** anerkennen, anpreisen, auszeichnen, belobigen, ehren, feiern, glorifizieren, in den Himmel heben, idealisieren, sich in Lobesworten ergehen, jmds. Loblied singen, lobpreisen, preisen, rühmen, schwärmen von, in den höchsten Tönen von jmdm. reden, verherrlichen, verklären, würdigen.

Loch, das; -[e]s, Löcher: **a)** *offene, leere Stelle in der Oberfläche von etwas [die durch Beschädigung, absichtliche Einwirkung o. ä. entstanden ist]:* der Strumpf hat ein L. **sinnv.:** Lücke, Öffnung, Riß. **Zus.:** Guck-, Schlupfloch. **b)** *(eine im Verhältnis zu ihrer Umgebung kleinere) runde Vertiefung:* ein L. in der Erde. **sinnv.:** Grube. **Zus.:** Erdloch.

Locke, die; -, -n: *Büschel von welligem, geringeltem Haar:* eine L. abschneiden. **sinnv.:** Haar. **Zus.:** Haarlocke, Naturlocken.

locken ⟨tr.⟩: **1.** *durch Rufe, Zeichen, Versprechungen o. ä. heranzuholen suchen:* die alte Frau lockte das Eichhörnchen mit Nüssen; jmdn. aus seinem Versteck, in einen Hinterhalt l. **sinnv.:** heranrufen, ködern. **Zus.:** anlocken. **2.** *so gut oder angenehm erscheinen, daß man die betreffende Sache gern tun, haben oder sich damit beschäftigen möchte:* diese Arbeit lockt mich nicht. **sinnv.:** reizen.

locker ⟨Adj.⟩: **1.** *in seinen einzelnen Teilen nur lose zusammenhängend, kleinere Zwischenräume habend, wodurch eine gewisse [unerwünschte] Beweglichkeit gegeben ist:* die Schraube ist l. **sinnv.:** lose. **2.** *so, daß eine gewisse [erwünschte] Beweglichkeit gegeben ist:* die Haare sind zu einem lockeren Knoten gesteckt. **sinnv.:** nicht straff. **3.** *lässig, zwanglos und entspannt:* er hat die Sendung l. moderiert; er war humorvoll und l.; **sinnv.:** flockig, mühelos, souverän, ungezwungen, unkonventionell. **4.** *leichtfertig in seiner Art zu leben, sich zu benehmen und davon zeugend:* ein lockerer Le-

benswandel; lockere Sitten. **sinnv.:** schamlos, unmoralisch.

lockern: 1. ⟨tr.⟩ *locker machen:* den Gürtel, die Muskeln l. **2.** ⟨sich l.⟩ *locker werden:* das Brett hat sich gelockert. **sinnv.:** sich lösen.

lockig ⟨Adj.⟩: *Locken habend:* lockiges Haar. **sinnv.:** gekräuselt, gelockt, geringelt, gewellt, kraus, wellig.

lo|dern ⟨itr.⟩: *mit großer Flamme in heftiger Bewegung brennen:* die Flammen lodern bis zum Himmel. **sinnv.:** brennen. **Zus.:** auf-, emporlodern.

Löf|fel, der; -s, -: **1.** *Gerät, mit dem man Brei, Suppe u. ä. essen kann (siehe Bild):* ein silberner L. **sinnv.:** Besteck. **Zus.:** Eß-, Kaffee-, Koch-, Suppen-, Teelöffel. **2.** *Ohr des Hasen und des Kaninchens (siehe Bild):* der Hase stellt die Löffel hoch. **sinnv.:** Ohr.

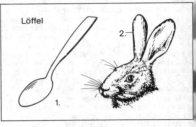

Löffel

löf|feln ⟨tr.⟩: *mit dem Löffel essen:* ohne Appetit löffelte er seine Suppe. **sinnv.:** essen. **Zus.:** auslöffeln.

lo|gisch ⟨Adj.⟩: *schlüssig, folgerichtig:* deine Argumente sind l. (Ggs. unlogisch); es war nur l., daß er von seinem Amt zurücktrat. **sinnv.:** folgerichtig.

Lohn, der; -[e]s, Löhne: *Vergütung für geleistete Arbeit; bes. die Bezahlung, die einem Arbeiter für einen bestimmten Zeitraum zusteht:* den L. erhöhen, kürzen; die Löhne auszahlen. **sinnv.:** Entgelt, Gehalt, Heuer, Sold. **Zus.:** Brutto-, Hunger-, Mindest-, Wochenlohn.

loh|nen ⟨tr.⟩: **1.** ⟨sich l.⟩ *in ideeller oder materieller Hinsicht ein Gewinn sein:* der Aufwand hat sich gelohnt. **sinnv.:** abwerfen, sich auszahlen, einträglich sein. **2.** ⟨tr.⟩ *(aufzuwendende Mühe oder Kosten) rechtfertigen:* das alte Auto lohnt keine Reparatur mehr.

Lok, die; -, -s: /Kurzform von Lokomotive/.

Lo|kal, das; -[e]s, -e: *Räumlichkeit, wo man gegen Bezahlung essen und trinken kann:* ein L. besuchen. **sinnv.:** Gaststätte. **Zus.:** Speise-, Tanz-, Weinlokal.

Lo|ko|mo|ti|ve, die; -, -n: *Fahrzeug auf Schienen zum Ziehen von Eisenbahnwaggons.* **sinnv.:** Dampfroß, Lok. **Zus.:** Dampf-, Elektrolokomotive.

los I. ⟨Adj.⟩ *[ab]getrennt, frei (von etwas):* der Knopf ist l.; der Hund ist [von der Kette] l. **sinnv.:** abgerissen, locker, losgelöst. **II.** ⟨Adverb⟩ *weg!, fort!, schnell!* /als Aufforderung/: l., beeil dich!

los- ⟨trennbares, stets betontes verbales Präfix⟩: **1.** *mit dem im Basiswort Genannten beginnen:* losarbeiten, losfahren, losheulen, loslaufen. **2.** *durch* *das im Basiswort Genannte etwas/jmdn. von etwas/jmdm.* lösen, trennen: losbinden, losdrehen, loslassen. **sinnv.:** ab-.

-los (adjektivisches Suffix): *ohne (das im Basiswort Genannte)/es kann sowohl erwünscht als auch nicht erwünscht sein, z. B.* er bevorzugt fleischlose Kost (erwünscht), es gab leider nur fleischlose Gerichte (nicht erwünscht)/: ärmellos, ausweglos, bargeldlos, baumlos. **sinnv.:** -arm, -leer, un-.

-los/-frei: **1.** */während -los ein Fehlen kennzeichnet, das sowohl erwünscht als auch nicht erwünscht sein kann, stellt -frei nur neutral das Nichtvorhandensein (aber nie als etwas Negatives) fest:* fehlerlos/fehlerfrei, geruchlos/geruchsfrei, gewaltlos/ gewaltfrei. **2.** */mit deutlichen inhaltlichen Unterschieden; wobei die -los-Bildungen emotionale Bewertungen sind, während die Bildungen mit -frei sachlich-feststellend, beschreibend sind:* arbeitslos/arbeitsfrei, zwecklos (Bitten)/zweckfrei (Forschung); vgl. -frei; vgl. -los.

Los, das; -es, -e: **1. a)** *verdeckt gekennzeichneter Zettel oder sonstiger Gegenstand, dessen man sich als Mittel bedient, um den Zufall (z. B. durch willkürliches Herausziehen) über etwas entscheiden zu lassen:* das L. soll entscheiden; die Reihenfolge wird durch das L. bestimmt. **sinnv.:** Auslosung, Verlosung. **b)** *mit einer Nummer versehener, käuflich zu erwerbender Zettel, durch den man einen Gewinn bei einer Lotterie erzielen kann:* ein Gewinn von 10 000 Mark entfiel auf das L. mit der Nummer ...; er hat das Große Los gezogen. **Zus.:** Glücks-, Klassen-, Lotterielos. **2.** *das, was einem Menschen als Unvermeidliches widerfährt:* mit seinem L. zufrieden sein. **sinnv.:** Geschick, Schicksal.

lö|schen: I. ⟨tr.⟩ **a)** *machen, daß etwas zu brennen aufhört:* die Kerzen l.; das Feuer wurde schnell gelöscht. **sinnv.:** ausblasen, austreten, ersticken. **Zus.:** aus-, er-, verlöschen. **b)** *(durch Betätigen einer Mechanik) ausschalten:* er hat das Licht gelöscht. **c)** *etwas, was durch Schrift o. ä. auf etwas festgehalten worden ist, wieder auf entsprechende Weise beseitigen:* eine Tonbandaufnahme l.; eine Eintragung in das/im Strafregister l. **sinnv.:** abwaschen, auswischen, beseitigen, streichen, tilgen. **II.** ⟨tr.⟩ *(aus einem Schiff) ausladen:* die Ladung eines Schiffes l.

lo|se ⟨Adj.⟩: **1.** *sich nur locker an etwas befindend:* ein loses Blatt; der Knopf ist, hängt l. **sinnv.:** locker, wack[e]lig. **2.** *unbekümmert und ein wenig leichtfertig:* mit seinem losen Mundwerk verspottet er alles. **sinnv.:** ausgelassen, dreist, flott, frech, freizügig, frivol, keck, kess, lebenslustig, leichtsinnig, munter. **3.** *frei von Verpackung o. ä.:* Zucker, Marmelade l. verkaufen. **sinnv.:** nicht abgepackt, vom Faß, unverpackt.

o|sen ⟨itr.⟩: *eine Entscheidung durch das Los herbeiführen:* um etwas l. **Zus.:** aus-, verlosen.

ö|sen: 1. a) ⟨tr.⟩ *bewirken, daß etwas lose wird:* Fesseln, einen Knoten l. **sinnv.:** aufbinden, lokkern, losmachen. **Zus.:** ab-, loslösen. **b)** ⟨sich l.⟩ *lose werden:* ein Ziegel hat sich gelöst. **sinnv.:** abfallen, abgehen. **c)** ⟨tr.⟩ *nicht länger bestehen lassen:* einen Vertrag l. **sinnv.:** annullieren, aufheben, für nichtig erklären. **Zus.:** auflösen. **d)** ⟨tr.⟩ *in einer Flüssigkeit) zergehen [lassen]:* Salz in Wasser l. **Zus.:** auflösen. **2.** ⟨tr.⟩ *(durch Nachden*

ken) klären: ein Problem, ein Rätsel l. **sinnv.:** bewältigen, enträtseln, meistern. **3.** ⟨tr.⟩ *(einen Berechtigungsschein) käuflich erwerben:* eine Fahrkarte l. **sinnv.:** kaufen. **Zus.:** nachlösen.

Lö|sung, die, -, -en: **1. a)** ⟨ohne Plural⟩ *das Lösen:* die L. des Rätsels war schwer. **Zus.:** Auflösung. **b)** *Ergebnis des Nachdenkens darüber, wie etwas Schwieriges zu bewältigen ist:* diese war eine befriedigende L. des Problems. **sinnv.:** Antwort, Ausweg, Patentrezept, Resultat, Schlüssel. **2.** *Flüssigkeit, in der ein anderer Stoff gelöst ist:* diese L. enthält keinen Zucker. **sinnv.:** Flüssigkeit.

Lot|se, der; -n, -n: *erfahrener, ortskundiger Seemann, der Schiffe durch Hafeneinfahrten, Flußmündungen usw. leitet.* **Zus.:** Fluß-, Hafen-, Schiffs-, Schüler-, Verkehrslotse.

Lot|to, das; -s, -s: *eine Art Lotterie, bei der die Gewinne nach der Anzahl der richtig getippten Zahlen (aus einer begrenzten Anzahl) gestaffelt werden:* vier Richtige im L. haben. **sinnv.:** Lotterie. **Zus.:** Zahlenlotto.

Lö|we, der; -n, -n: *in Afrika heimisches, großes, katzenartiges Raubtier mit kurzem, graugelbem bis ockerfarbenem Fell, langem Schwanz und (beim männlichen Tier) üppiger Mähne am Nacken und Schultern.* **sinnv.:** König der Tiere/Wüste, Leu. **Zus.:** Bau-, Salon-, Seelöwe.

Luchs, der; -es, -e: *kleines, hochbeiniges, katzenartiges Raubtier mit gelblichem, häufig dunkel geflecktem Fell, kleinerem, rundlichem Kopf und kurzem Schwanz.*

Lücke, die; -, -n: *Stelle, an der etwas fehlt (in bezug auf ein zusammenhängendes Ganzes):* eine L. im Zaun. **sinnv.:** Loch, Riß, Zwischenraum. **Zus.:** Bildungs-, Gedächtnis-, Markt-, Zahnlücke.

Luft, die; -: *das (gasförmiger Stoff), was Menschen und Tiere zum Atmen (und damit zum Leben) brauchen:* frische, gute, verbrauchte, verschmutzte L. **sinnv.:** Atem, Äther, Atmosphäre, Hauch, Lufthauch, Mief, Ozon, Sauerstoff. **Zus.:** Ab-, Festlands-, Frisch-, Frühlings-, Höhen-, Land-, See-, Treibhaus-, Um-, Winterluft.

Luft|bal|lon [...baloŋ], der; -s, -s; (bes. südd.:) [...balo:n] -s, -e: *kleinerer, mit Gas oder Luft gefüllter und dadurch meist einem Ball ähnlicher Körper als Spielzeug für Kinder:* ein roter L.

Luft|druck, der; -[e]s: *von der Luft auf eine Fläche ausgeübter Druck:* der L. steigt, fällt.

lüf|ten, lüftete, hat gelüftet: **1.** ⟨itr./tr.⟩ *Luft in einen Raum o. ä. lassen:* [das Zimmer] l. **Zus.:** durch-, entlüften. **2.** ⟨tr.⟩ *von [frischer] Luft durchdringen lassen:* die Betten l. **Zus.:** aus-, belüften.

luf|tig ⟨Adj.⟩: **a)** *(besonders in bezug auf einen Raum) [hell und groß und] mit genügend Luftzufuhr:* ein luftiger Raum. **sinnv.:** windig, zugig. **b)** *leicht und luftdurchlässig (besonders in bezug auf Kleidung):* luftige Sommerkleider.

Lüge, die; -, -n: *falsche Aussage, die bewußt gemacht wird und jmdn. täuschen soll:* eine glatte L. **sinnv.:** Ammenmärchen, Bluff, Dichtung und Wahrheit, Erfindung, Finte, Flunkerei, Geflunker, Heuchelei, Jägerlatein, Legende, Lügenmärchen, Lug und Trug, Meineid, Schwindel, Seemannsgarn, -latein, Unaufrichtigkeit, Unredlichkeit, Unwahres, Unwahrheit - Geheimnistuerei, Hinterhältigkeit, Räuberpistole, Story, Verschleierungstaktik, Versteckspiel. **Zus.:** Lebens-, Notlüge.

lü|gen, log, hat gelogen ⟨itr.⟩: *bewußt die Unwahrheit sagen, um jmdn. zu täuschen:* du lügst, wenn du behauptest, du hättest mich nicht gesehen. **sinnv.:** anschwindeln, belügen, beschwindeln, bluffen, jmdm. blauen Dunst vormachen, erdichten, erfinden, fabeln, fabulieren, färben, sich aus den Fingern saugen, flunkern, kohlen, etwas aus der Luft greifen, phantasieren, schwindeln, spintisieren, unaufrichtig sein, die Unwahrheit sagen, verkohlen, vorgeben, jmdm. etwas vormachen/vorschwindeln, nicht bei der Wahrheit bleiben, es mit der Wahrheit nicht so genau nehmen, neckisch, weismachen, zusammenphantasieren. **Zus.:** an-, belügen.

Lüg|ner, der; -s, -, **Lüg|ne|rin,** die; -, -nen: *männliche bzw. weibliche Person, die lügt.* **sinnv.:** Heuchler, Schwindler.

Lu|ke, die; -, -n: a) *kleines Fenster zum Auf- und Zuklappen [in einem Dach]:* er öffnete die L., so daß ein Luftzug entstand. **sinnv.:** Fenster. **Zus.:** Dach-, Kellerluke. b) *verschließbare Öffnung im Deck oder in der Wand des Schiffes:* die Luken aufdecken, schließen. **Zus.:** Lade-, Schiffsluke.

Lun|ge, die; -, -n: *Organ des Menschen und der höheren Tiere, das der Atmung dient:* eine kräftige, gesunde L. haben. **Zus.:** Raucher-, Staublunge.

Lu|pe, die; -, -n: *optisches Gerät, dessen Linse beim Durchsehen ein vergrößertes Bild liefert:* mit der L. lesen; etwas unter der L. betrachten. **sinnv.:** Mikroskop, Vergrößerungsglas.

Lurch, der; -[e]s, -e: *Tier, das sowohl am als auch im Wasser lebt (Frosch, Kröte u. ä.).* **sinnv.:** Amphibie, Laubfrosch, Unke, Wasserfrosch. **Zus.:** Frosch-, Schwanzlurch.

Lust, die; -, Lüste: 1. *hoher Grad [sinnlich] angenehmer Empfindung:* große L. empfinden; es war eine L., sie singen zu hören. **sinnv.:** Auftrieb, Entzücken, Freude, Glück, Spaß, Vergnügen, Wohlgefallen, Wollust, Wonne. **Zus.:** Sinnen-, Wollust. 2. ⟨in Verbindungen mit *zu, auf*⟩ *auf die Befriedigung eines Wunsches gerichtetes, stärkeres Verlangen:* keine große L. zum Arbeiten haben; L. auf ein Stück Preiselbeerkuchen haben. **sinnv.:** Begier[de], Bock, Gier, Verlangen.

lu|stig ⟨Adj.⟩: *Vergnügen bereitend:* ein lustiger Bursche; lustige Geschichten, Streiche. **sinnv.:** amüsant, aufgedreht, aufgekratzt, aufgeräumt, ausgelassen, erheiternd, fidel, freudig, froh, frohgemut, fröhlich, heiter, humorig, humoristisch, komisch, lebenslustig, leichtlebig, locker, lose, munter, neckisch, putzmunter, quietschvergnügt, spaßig, unbekümmert, unbeschwert, unkompliziert, vergnügt; unbesorgt.

Lust|spiel, das; -[e]s, -e: ↑ *Komödie.*

lut|schen ⟨tr./itr.⟩: *über etwas, was man in den Mund gesteckt hat, mit der Zunge hin und her fahren [es mit der Zunge im Mundraum hin und her bewegen und dadurch zergehen lassen]:* am Daumen, an einem Eis l.; ein Bonbon l. **sinnv.:** lecken. **Zus.:** ab-, auslutschen.

Luv [lu:f] ⟨in den Wendungen⟩ in/nach/von L.: *(auf/nach/von der dem Wind zugewandten Seite [eines Schiffes]).*

Lu|xus, der; -: *kostspieliger, verschwenderischer, den üblichen Rahmen (der Lebenshaltung) stark übersteigender, nur dem Genuß und Vergnügen dienender Aufwand:* diesen L. kann ich mir nicht leisten, erlauben; ich gönne mir der L. einer Fernostreise. **sinnv.:** Prunk, Überfluß, Verschwendung.

Ly|rik, die; -: *literarische Gattung, in der subjektives Erleben, Gefühle, Stimmungen oder Gedanken mit den formalen Mitteln von Reim, Rhythmus u. a. ausgedrückt werden:* die französische L. **sinnv.:** Dichtung. **Zus.:** Alters-, Gedanken-, Liebes-, Naturlyrik.

ly|risch ⟨Adj.⟩: *die Lyrik betreffend, in der Art der Lyrik:* Goethes lyrisches Werk. **sinnv.:** dichterisch.

M

ma|chen: 1. ⟨tr.⟩ a) *aus/mit etwas herstellen:* sich ein Kleid m. lassen; Fotos, eine Tasse Kaffee m. **sinnv.:** anfertigen. **Zus.:** fertig-, zurechtmachen. b) *etwas Bestimmtes durchführen, erledigen; sich in einer bestimmten Weise mit etwas beschäftigen:* Hausaufgaben m.; einen Spaziergang, das Abitur m. **sinnv.:** ausführen, durchführen, treiben, tun, veranstalten. c) *in einen bestimmten Zustand o. ä. bringen:* die Hosen länger m.; jmdn. zu seinem Vertrauten m. **Zus.:** kaputt-, saubermachen. 2. ⟨itr.⟩ ↑ *tun:* was machst du gerade?; die Kinder durften alles m. 3. ⟨sich m.⟩ *in einer bestimmten Weise wirken:* der Blazer macht sich gut zu diesem Rock. **sinnv.:** harmonieren. 4. ⟨als Funktionsverb⟩ einen Sprung m. *(springen);* den Anfang m. *(anfangen);* einen Fehler m. *(sich irren);* Musik m. *(musizieren).*

Ma|cher, der; -s, -: *jmd., der bei einem Unterneh-* men die treibende Kraft ist: der M. dieses neuen Vereins ist ein junger, tüchtiger Kerl. **sinnv.:** Manager.

Macht, die; -, Mächte: 1. ⟨ohne Plural⟩ *die Befugnis und die Fähigkeit, über jmdn./etwas zu bestimmen:* die M. haben, ausüben; M. gewinnen [über jmdn.]. **sinnv.:** Einfluß, Fähigkeit, Gewalt, Stärke. **Zus.:** All-, Über-, Vollmacht. 2. *etwas was über besondere Kräfte, Einfluß, Mittel verfügt:* geheimnisvolle Mächte; die verbündeten Mächte England und Frankreich. **Zus.:** Atom-Feind[es]-, Groß-, Seemacht, Westmächte.

mäch|tig ⟨Adj.⟩: 1. *Macht, Gewalt habend:* ein mächtiger Herrscher; die wirtschaftlich mächtigen Unternehmer. **sinnv.:** einflußreich, gewaltig, machtvoll, maßgebend, potent, stark, tonangebend. **Zus.:** all-, eigenmächtig. 2. *(in bezug auf Umfang o. ä.) groß:* ein mächtiger Balken; ein mäch-

mächtige Eiche, Stimme. **sinnv.:** achtunggebietend, beeindruckend, beträchtlich, dick, gewaltig. **3.** (ugs.) ⟨verstärkend bei Adjektiven und Verben⟩ ↑*sehr:* der Junge ist m. gewachsen.

Mäd|chen, das; -s, -: **1.** /Ggs. Junge/ *Kind oder jüngere Person weiblichen Geschlechts:* sie hat ein M. bekommen; ein nettes M. **sinnv.:** Biene, Ding, Fratz, Frau, Fräulein, Girl, Göre, Halbwüchsige, Käfer, Kleine, Mädel, Mensch, Mieze, Puppe, Schwester, Tante, Teenager, Teenie, Tochter, Tussi, Twen. **Zus.:** Blumen-, Freuden-, Schul-, Straßenmädchen. **2.** *weibliche Angestellte in einem Haushalt, die Hausarbeiten verrichtet.* **sinnv.:** Hausangestellte, Hausgehilfin, Haushälterin, Haushaltshilfe, Haustochter, Putzfrau. **Zus.:** Aupair-Mädchen, Dienst-, Kinder-, Zimmermädchen.

Ma|de, die; -, -n: *Larve eines Insekts.* **sinnv.:** Larve.

ma|dig ⟨Adj.⟩: *(vom Obst) Maden oder eine Made enthaltend:* der Apfel ist m.

Ma|don|na, die; -, Madonnen: *Statue, die die Jungfrau Maria darstellt:* in dieser Kirche steht eine berühmte barocke M.

Ma|ga|zin, das; -s, -e: **1.** *[größerer] Raum zum Lagern von Waren:* etwas aus dem M. holen. **sinnv.:** Lager. **2.** *unterhaltsame, reich bebilderte oder auch politisch informierende Zeitschrift.* **sinnv.:** Zeitschrift. **Zus.:** Mode-, Nachrichtenmagazin. **3.** *der Teil in oder an einer Handfeuerwaffe, aus dem die Patronen durch einen Mechanismus nacheinander in den Lauf gelangen:* das M. leer geschossen haben.

Ma|gen, der; -s, Mägen: *Körperorgan, das die zugeführte Nahrung (nachdem sie bis zu einem bestimmten Grad verdaut ist) in den Darm weiterleitet:* mit leerem M. zur Schule gehen.

ma|ger ⟨Adj.⟩: **1. a)** *wenig Fleisch am Körper habend (so daß die Knochen zum Teil hervortreten):* er ist richtig m. **sinnv.:** hager, schlank. **b)** *wenig oder gar kein Fett habend (in bezug auf Fleisch als Nahrungsmittel)* /Ggs. fett/: manche mögen mageres, andere wieder fettes Fleisch. **sinnv.:** fettarm. **2. a)** *wenig von dem enthaltend, was Wachstum und Fruchtbarkeit fördert:* magerer Boden. **sinnv.:** karg, unfruchtbar. **b)** *wenig Ertrag bringend:* eine magere Ernte. **sinnv.:** kümmerlich, spärlich.

Ma|gnet, der; -[e]s und -en, -e[n]: *Eisen- oder Stahlstück, das die Eigenschaft hat, Eisen u. a. anzuziehen und an sich haften zu lassen.* **Zus.:** Elektro-, Kassenmagnet.

mä|hen ⟨tr.⟩: *mit einer Sense o. ä. über dem Erdboden abschneiden:* Gras, Getreide m. **sinnv.:** schneiden. **Zus.:** ab-, niedermähen.

Mahl, das; -[e]s, Mähler und -e (geh.): ↑*Essen:* ein einfaches, reichliches, ländliches, festliches M. **Zus.:** Abend-, Fest-, Nachtmahl.

mah|len, mahlte, hat gemahlen ⟨tr.⟩: **a)** *(körniges o. ä. Material) in sehr kleine Teile zerkleinern:* Kaffee, Korn, Getreide m. **sinnv.:** pulverisieren, zerquetschen, zerreiben, zerstampfen. **Zus.:** ver-, zermahlen. **b)** *durch Mahlen herstellen:* der Müller mahlt Mehl.

Mahl|zeit, die; -, -en: *[das zu bestimmten Zeiten eingenommene] Essen:* eine warme M.; drei Mahlzeiten am Tag. **sinnv.:** Essen. **Zus.:** Haupt-, Henkers-, Zwischenmahlzeit.

Mäh|ne, die; -, -n: *dichtes, langes Haar am Kopf, Hals und Nacken bestimmter Säugetiere:* die M. des Pferdes, des Löwen. **sinnv.:** Haar. **Zus.:** Löwenmähne.

mah|nen ⟨tr.⟩: **a)** *an eine Verpflichtung erinnern:* jmdn. öffentlich m.; jmdn. wegen einer Schuld m. **sinnv.:** appellieren. **Zus.:** an-, gemahnen. **b)** *nachdrücklich zu einem bestimmten, gebotenen erscheinenden Verhalten oder Tun auffordern:* jmdn. zur Ruhe, Eile m. **sinnv.:** anhalten, aufrütteln, beeinflussen, beschwören, bitten, drängen, ersuchen, predigen, zureden. **Zus.:** ab-, ermahnen.

Mah|nung, die; -, -en: **a)** *[amtliche] schriftliche Erinnerung an eine Verpflichtung:* er bekam eine M.; die Steuern zu bezahlen. **sinnv.:** Mahnbrief, Mahnschreiben. **Zus.:** Anmahnung. **b)** *eindringliche Worte, die jmdn. zu etwas auffordern sollen:* M. zur Eile, zum Frieden. **sinnv.:** Aufruf. **Zus.:** Ab-, Ermahnung.

Mai, der; -[s]: *fünfter Monat des Jahres.* **sinnv.:** Wonnemonat, Wonnemond.

Mai|glöck|chen, das; -s, -: *Blume, die im Frühjahr blüht und deren kleine, weiße, duftende Blüten dicht übereinander an einem Stengel sitzen.*

Mai|kä|fer, der; -s, -: *größerer Käfer mit braunen Flügeldecken, der im Mai schwärmt und sich von Laubblättern ernährt.*

Mais, der; -es: *hochwachsende Pflanze mit breiten, langen Blättern und einem großen, als Kolben wachsenden Fruchtstand mit leuchtendgelben Körnern.* **sinnv.:** Kukuruz.

Ma|kel, der; -s, -: *etwas (ein Fehler, Mangel o. ä.), was für jmdn. in seinen eigenen Augen oder im Urteil anderer als Schmach, als herabsetzend empfunden wird:* seine bäuerliche Herkunft wird von ihm als M. empfunden. **sinnv.:** Minus, Negativum, Odium, Schandfleck.

mä|keln ⟨itr.⟩ (ugs.): *an jmdm. oder einer Sache (besonders am Essen) etwas auszusetzen haben:* er hat immer etwas zu m. **sinnv.:** beanstanden. **Zus.:** bemäkeln, herummäkeln.

Mak|ka|ro|ni, die (Plural): *lange, röhrenförmige Nudeln.* **sinnv.:** Teigware.

Mal, das; -[e]s, -e: **I.** (geh.) *kennzeichnender Fleck auf der Haut:* an diesem M. erkennt man ihn. **Zus.:** Mutter-, Wundmal. **II.** *durch eine bestimmte Angabe o. ä. gekennzeichneter Zeitpunkt eines sich wiederholenden oder als wiederholbar geltenden Geschehens:* das nächste, einzige M.; mehrere Male; vom M. zu M.

ma|len ⟨tr./itr.⟩: **a)** *mit Pinsel und Farbe herstellen:* ein Bild, Gemälde m. **sinnv.:** klecksen, pinseln, schmieren; zeichnen. **b)** *(als Künstler) etwas/ jmdn. mit Pinsel und Farbe darstellen:* eine Landschaft m.; nach der Natur m. **sinnv.:** darstellen, porträtieren, zeichnen. **Zus.:** ab-, an-, ausmalen.

Ma|ler, der; -s, -: **a)** *Künstler, der malt.* **sinnv.:** Bohemien, Designer, Graphiker, Künstler, Kupferstecher, Zeichner. **Zus.:** Historien-, Kunst-, Landschafts-, Pflastermaler. **b)** *Handwerker, der Wände o. ä. streicht.* **sinnv.:** Anstreicher, Tapezierer, Tüncher, Weißbinder. **Zus.:** Plakat-, Schildermaler.

Ma|le|rei, die; -, -en: **1.** ⟨ohne Plural⟩ *Kunst des Malens:* die M. des 20. Jahrhunderts. **Zus.:** Buch-, Landschafts-, Öl-, Schwarzmalerei. **2.** *einzelnes Werk der Malerei (1):* an den Wänden der Kirche waren Malereien zu sehen. **sinnv.:** Bild,

Gemälde, Ölbild, -gemälde. **Zus.:** Decken-, Wandmalerei.

Ma|le|rin, die; -, -nen: vgl. Maler (a).

Malz, das; -es: *bis zu einem gewissen Grad zum Keimen gebrachtes Getreide, das für die Herstellung von Bier o. ä. verwendet wird.*

Ma|ma [geh.: Mamá], die; -, -s: (in familiärer Redeweise) ↑*Mutter.*

man ⟨Indefinitpronomen, nur im Nominativ⟩ **a)** *(in einer bestimmten Situation) der/die Betreffende:* von dort oben hat m. eine tolle Aussicht; m. nehme ... **sinnv.:** frau, jedermann. **b)** *bestimmte oder irgendwelche Leute; irgendeiner:* m. klopft; m. vermutete, daß du krank seiest; m. denkt heute anders darüber. **sinnv.:** irgendeine[r], irgend jemand, irgendwer, die Leute. **c)** *ich, wir; du, ihr:* bei dem Lärm versteht m. ja sein eigenes Wort nicht; mit ihr kann m. Pferde stehlen. **sinnv.:** eine[r].

manch ⟨Indefinitpronomen und unbestimmtes Zahlwort⟩ **a)** man|cher, man|che, man|ches; /unflektiert/ manch ⟨Singular⟩ *der, die, das eine oder andere:* manch einer/mancher hat sich schon darüber gewundert; manch nettes Wort/manches nette Wort; die Ansicht manches bedeutenden Gelehrten; in manchem schwierigen Fall; mancher Beamte. **sinnv.:** einzeln. **b)** man|che ⟨Plural⟩ *einige Personen, Sachen o. ä. unter anderen:* die Straße ist an manchen Stellen beschädigt; für manche ältere/(auch): älteren Leute; manche Grüne/Grünen. **sinnv.:** einzelne.

manch|er|lei ⟨unbestimmtes Zahlwort⟩: *verschiedene einzelne Dinge, Arten o. ä. umfassend:* ich habe in der Zeit m. gelernt; m. gute Ratschläge. **sinnv.:** vielerlei.

manch|mal ⟨Adverb⟩: *öfter, aber nicht regelmäßig:* ich treffe ihn m. auf der Straße. **sinnv.:** ab und an, ab und zu, bisweilen, dann und wann, gelegentlich, hie und da, hin und wieder, ein oder das andere Mal, mitunter, öfter, des öfteren, vereinzelt, von Zeit zu Zeit, zuweilen, zuzeiten.

Man|da|ri|ne, die; -, -n: *der Apfelsine ähnliche, aber kleinere und süßere Zitrusfrucht mit leicht ablösbarer Schale.* **sinnv.:** Klementine.

Man|del, die; -, -n: **I.** *von einer dünnen braunen Haut umgebener, harter, gelblichweißer Samenkern der Frucht des Mandelbaums.* **sinnv.:** Nuß. **Zus.:** Bitter-, Salzmandel. **II.** *mandelförmiges Organ, das beiderseits in den Nischen des hinteren Gaumens und im Rachen liegt:* seine Mandeln sind gerötet. **Zus.:** Gaumen-, Rachenmandel.

Man|do|li|ne, die; -, -n: *lautenähnliches Musikinstrument mit meist bauchigem Schallkörper* (siehe Bildleiste „Zupfinstrumente").

Ma|ne|ge [ma'ne:ʒə], die; -, -n: *runder Platz im Zirkus, auf dem die Darbietungen stattfinden.* **sinnv.:** Arena. **Zus.:** Zirkusmanege.

Man|gel, der; -s, Mängel: **1.** ⟨ohne Plural⟩ *das Fehlen von etwas, was man braucht:* wegen des Mangels an Facharbeitern kann die Firma den Auftrag nicht annehmen. **sinnv.:** Defizit, Entbehrung, Flaute, Minus, Nachteil, Schattenseite. **Zus.:** Eiweiß-, Lehrer-, Vitaminmangel. **2.** *etwas, was nicht so ist, wie es sein sollte:* an der Maschine traten schwere Mängel auf. **sinnv.:** Defekt, Fehler, Kinderkrankheit, Macke, Makel, Manko, Schaden, Schönheitsfehler, Schwäche, Versager.

man|gel|haft ⟨Adj.⟩: *schlecht, nicht den Anforde-*

rungen entsprechend: die Ware ist m. verpackt; eine mangelhafte Durchblutung; er spricht Französisch nur sehr m. **sinnv.:** unzulänglich.

man|gels ⟨Präp. mit Gen.⟩: *aus Mangel an:* m. [eines] Beweises; m. eines Reizes; m. jeglichen guten Willens; er wurde m. genügender Beweise freigesprochen; ⟨aber: starke Substantive bleiben im Singular ungebeugt, wenn sie ohne Artikel und ohne adjektivisches Attribut stehen; im Plural stehen sie dann im Dativ⟩ m. Gewinn; m. Beweisen.

Ma|nier, die; -, -en: **1.** ⟨ohne Plural⟩ *typischer Stil eines Künstlers:* er malt in Breughelscher M. **sinnv.:** Art [und Weise], Form, Masche, Zuschnitt. **2.** ⟨Plural⟩ *Art, sich zu benehmen:* feine, schlechte Manieren haben. **sinnv.:** Benehmen, Form. **Zus.:** Tischmanieren.

ma|nier|lich ⟨Adj.⟩: **a)** *guten Manieren entsprechend:* sich m. benehmen; die Kinder saßen m. am Tisch. **sinnv.:** gehorsam. **b)** *ohne daß etwas oder viel auszusetzen wäre:* er spielt ganz m. Klavier. **sinnv.:** genug.

Mann, der; -[e]s, Männer und /als Mengenangabe nach Zahlen/ -: **1.** *erwachsene Person männlichen Geschlechts:* ein junger, alter M. **sinnv.:** Er, Herr, Mannsbild, Mannsperson. **Zus.:** Fach-, Haus-, Hinter-, Kauf-, Muskel-, Stroh-, Vordermann. **2.** ↑*Ehemann:* darf ich Ihnen meinen M. vorstellen?

-mann, der; -[e]s ⟨Suffixoid; vgl. -männer/-leute⟩: *bezeichnet nur ganz allgemein einen Mann, der als Mensch in bezug auf seine im Basiswort genannte Tätigkeit o. ä. gesehen wird:* Bank- *(der im Bankwesen tätig ist),* Kirchen- *(der ein Vertreter der Kirche ist),* Zeitungsmann. **sinnv.:** -ant, -er, -erich, -fritze, -huber, -ler, -maxe, -meier.

-män|ner/-leu|te ⟨Plurale von Substantiven auf -mann⟩: *der Plural -männer kennzeichnet noch deutlich das männliche Geschlecht und drückt stärker die Individualität aus, während -leute eine Sammelbezeichnung ist, die eine Gruppe von Menschen, einen bestimmten Beruf oder Stand, eine Gesamtheit bezeichnet, die auch Frauen (z. B. Geschäftsleute) mit einschließen kann:* Fachmänner/-leute, Feuerwehrmänner/-leute, Geschäftsmänner/-leute.

man|nig|fach ⟨Adj.⟩: *in großer Anzahl und von verschiedener, auf verschiedene Art:* Gewalt kann in mannigfachen Formen auftreten. **sinnv.:** abwechslungsreich, allerhand, divers..., kunterbunt, mancherlei, mannigfaltig, mehrer..., reichhaltig, verschiedenartig, verschiedenerlei, vielfältig, vielförmig, viefgestaltig.

man|nig|fal|tig ⟨Adj.⟩: *[in großer Anzahl vorhanden und] auf vielerlei Art gestaltet.* **sinnv.:** mannigfach.

männ|lich ⟨Adj.⟩ /Ggs. weiblich/: **1.** *zum Geschlecht des Mannes gehörend:* ein Kind männlichen Geschlechts. **2.** *Eigenschaften des männlichen (1) Geschlechts in Aussehen und Verhalten in ausgeprägter Weise besitzend:* männliches Auftreten; er wirkt sehr m. **sinnv.:** maskulin, viril.

Mann|schaft, die; -, -en: **a)** *Gruppe von Sportlern, die für ein gemeinsames Ziel einen Wettkampf bestreitet:* die siegreiche M. **sinnv.:** Achter, Crew, Duo, Elf, Equipe, Kleeblatt, Riege, Staffel, Team, Trio, Vierer. **Zus.:** Fußball-, National-, Olympiamannschaft. **b)** *Besatzung eines Schiffes* *lugzeuges.* **sinnv.:** Crew, Flugzeugbesatzung, chiffsbesatzung. **Zus.:** Boots-, Schiffsmannchaft. **c)** *alle Soldaten einer militärischen Einheit hne Offiziere.* **sinnv.:** Gemeinschaft, Gruppe. **d)** (argon) *Gruppe von Leuten, mit denen man zuammen arbeitet:* der Kanzler und seine M. **nnv.:** Crew, Team, Truppe. **Zus.:** Regierungsannschaft.

Ma|nö̱|ver, das; -s, -: **1.** *größere Übung eines leeres im Gelände unter kriegsmäßigen Bedinungen:* die Truppen nehmen an einem M. teil. **nnv.:** [Gefechts]übung. **Zus.:** Flotten-, Herbstanöver. **2.** *geschicktes Ausnutzen von Personen der Situationen, um ein bestimmtes Ziel zu erreihen:* er konnte durch ein taktisches M. den Veragsabschluß hinauszögern. **sinnv.:** Winkelzug. **us.:** Ablenkungsmanöver. **3.** *Bewegung, Richungsänderung eines Fahrzeuges, die eine gewisse eschicklichkeit und Überlegung erfordert:* er berholte das vor ihm fahrende Auto in einem efährlichen M. **Zus.:** Anlege-, Kopplungs-, Lane-, Überhol-, Wendemanöver.

Ma̱n|tel, der; -s, Mäntel: **1.** *zum Schutz gegen ie Witterung über der sonstigen Kleidung getragees, vorne durchgeknöpftes Kleidungsstück mit ingen Ärmeln:* ein dicker, warmer, leichter M.; en M. anziehen, ausziehen. **sinnv.:** Cape, Palet, Redingote, Trenchcoat. **Zus.:** Damen-, Heren-, Leder-, Pelz-, Staub-, Übergangs-, Winterantel. **2.** *etwas, was sich zum Schutz um etwas efindet* (z. B. beim Reifen des Fahrrads): der M. es Fahrrads muß erneuert werden. **sinnv.:** Hül, Umhüllung. **Zus.:** Fahrrad-, Geschoß-, Stahlantel.

Ma̱p|pe, die; -, -n: **a)** *rechteckige, flache Tasche.* **nnv.:** Aktenkoffer, Aktenköfferchen, Aktentahe, Diplomatenköfferchen, Diplomatentasche, ollegtasche, Ranzen, Schultasche. **Zus.:** Akn-, Diplomaten-, Kolleg-, Schulmappe. **b)** *Pape o.ä., die in der Mitte umgeknickt ist und als ülle zum Aufbewahren von Papieren o.ä. dient.* **nnv.:** Ordner. **Zus.:** Brief-, Kunst-, Sammel-, eichenmappe.

Mä̱r|chen, das; -s, -: *ursprünglich im Volk übereferte, phantastische Geschichte, in der übernatürliche Kräfte und Gestalten in das Leben der (enschen eingreifen:* die Großmutter erzählt den indern die Märchen aus 1001 Nacht. **sinnv.:** Erhlung, Fabel, Fantasy, Legende, Mythos, Sage, cience-fiction. **Zus.:** Ammen-, Greuel-, Kinder-, unst-, Volksmärchen.

Ma̱r|der, der; -s, -: *kleines, hauptsächlich von agetieren lebendes Säugetier mit langestrecktem Körper, kurzen Beinen, langem chwanz und dichtem, feinem Fell.*

Mar|ge|ri̱|te, die; -, -n: *[Wiesen]blume mit einer roßen Blüte, die aus einem Kranz weißer, zungenörmiger Blütenblätter gebildet wird, die ein gelbes örbchen umsäumen.* **sinnv.:** Wucherblume.

Ma|ri̱|en|kä̱|fer, der; -s, -: *kleiner Käfer mit eist roter Oberseite und schwarzen Punkten daruf.* **sinnv.:** Glückskäfer, Herrgottskäfer, Johanskäfer, Marienwürmchen, Muttergotteskäfer.

Ma̱|ri|ne, die; -: *Gesamtheit der Schiffe und der r die Seefahrt notwendigen Einrichtungen eines taates.* **sinnv.:** Flotte. **Zus.:** Handels-, Kriegsarine.

Ma|rio|ne̱t|te, die; -, -n: *mit Hilfe von Fäden,*

die an den einzelnen Gliedern angebracht sind, zu bewegende Puppe. **sinnv.:** Gliederpuppe.

Ma̱rk: I. die; -, -: */deutsche Währungseinheit (100 Pfennig)/:* die Deutsche M.; der Eintritt kostet zwei M. **II.** das; -[e]s: *Substanz im Innern von Knochen o.ä.* **Zus.:** Knochen-, Rückenmark.

Ma̱r|ke, die; -, -n: **1.** †*Briefmarke:* eine M. auf den Brief kleben. **2.** *unter einem bestimmten Namen, Warenzeichen hergestellte Warensorte:* welche M. rauchst du? **sinnv.:** Art. **Zus.:** Auto-, Zigarettenmarke. **3.** *kleiner Gegenstand (aus Metall o.ä.), Schein, der als Ausweis dient o zu etwas berechtigt:* der Hund trägt eine M. am Hals. **sinnv.:** Bon. **Zus.:** Dienst-, Erkennungs-, Essen-, Hundemarke.

Ma̱rkt, der; -[e]s, Märkte: **1.** *größerer Platz [auf dem Markt (2) stattfindet]:* das Rathaus steht am M. **sinnv.:** Marktplatz. **2.** *Verkauf und Kauf von Waren, Handel mit Waren:* jeden Donnerstag ist M. **Zus.:** Floh-, Vieh-, Weihnachts-, Wochenmarkt. **3.** *Gesamtheit von Waren und Geldverkehr:* Japan erobert mit seinen Waren den europäischen M. **Zus.:** Arbeits-, Auslands-, Bau-, Weltmarkt.

Mar|me|la|de, die; -, -n: *Aufstrich aus eingekochten Früchten:* M. aufs Brot streichen. **sinnv.:** Gelee, Konfitüre, Mus, Pflaumenmus, Sirup. **Zus.:** Aprikosen-, Erdbeer-, Himbeermarmelade.

Ma̱r|mor, der; -s, -e: *ein sehr hartes, in verschiedenster Färbung auftretendes Kalkgestein mit leichter Zeichnung (das besonders in der Bildhauerei verwendet wird):* eine Statue aus M.

Ma̱rsch: I. der; -[e]s, Märsche: **1.** *das Zurücklegen einer längeren Strecke zu Fuß in relativ schnellem Tempo:* nach einem M. von zwei Stunden/ über 20 Kilometer erreichten wir ein Gasthaus. **sinnv.:** Spaziergang. **Zus.:** Gewalt-, Nacht-, Oster-, Protest-, Schweigemarsch. **2.** *Musikstück, das im Takt dem Marschieren entspricht:* einen M. spielen. **Zus.:** Hochzeits-, Trauermarsch. **II.** die; -, -en: *flaches Land hinter den Deichen an der Nordseeküste mit sehr fruchtbarem Boden:* die Kühe weiden auf der M. **sinnv.:** Schwemmland. **Zus.:** Brack-, Fluß-, Seemarsch.

mar|schie̱|ren, marschiere, ist marschiert (itr.): **a)** *in geschlossener Reihe [und gleichem Schritt] gehen:* die Soldaten marschierten aus der Stadt. **b)** *in relativ schnellem Tempo eine größere Strecke zu Fuß zurücklegen:* er ist heute drei Stunden marschiert. **sinnv.:** sich fortbewegen. **Zus.:** ab-, los-, zurückmarschieren.

Mä̱rz, der; -: *dritter Monat des Jahres.* **sinnv.:** Lenzing, Lenzmonat, Lenzmond.

Mar|zi|pan [auch: Marzipan], das und (österr.:) der; -s, -e: *weiche Masse aus Mandeln, Aromastoffen und Zucker, die zu Süßigkeiten verarbeitet wird:* ein Schweinchen aus M. **sinnv.:** Süßigkeit.

Ma̱|sche, die; -, -n: *beim Häkeln oder Stricken entstandene Schlinge:* an ihrem Strumpf läuft eine M. **sinnv.:** Schlaufe. **Zus.:** Lauf-, Luftmasche.

Ma|schi̱|ne, die; -, -n: **1.** *Vorrichtung, Apparat, der selbständig Arbeit leistet:* etwas mit einer M. herstellen. **sinnv.:** Apparat. **Zus.:** Bohr-, Dampf-, Geschirrspül-, Kaffee-, Näh-, Rechen-, Schreib-, Waschmaschine. **2. a)** †*Flugzeug:* die M. nach Paris. **Zus.:** Charter-, Düsen-, Linien-, Militär-, Transport-, Verkehrsmaschine. **b)** †*Schreibmaschine:* sie schreibt den Brief mit der M.

Mas|ke, die; -, -n: 1. *etwas, was man vor dem Gesicht trägt, um nicht erkannt zu werden:* er trug beim [Faschings]ball die M. eines Teufels. **sinnv.:** Fastnachtsgesicht, Larve. **Zus.:** Fastnachts-, Strumpf-, Teufelsmaske. 2. *kosmetisches Präparat, das aufs Gesicht aufgetragen wird.* **sinnv.:** Creme, Lotion. **Zus.:** Gesichtsmaske.

mas|kie|ren, sich: *eine Maske, ein Kostüm anlegen:* die Gangster waren alle maskiert; sie maskierte sich als Bäuerin. **sinnv.:** sich verkleiden.

Maß, das; -es, -e: 1. *Einheit, mit der die Größe oder Menge von etwas gemessen wird:* das M. für die Bestimmung der Länge ist das Meter. **sinnv.:** Einheit, Meß-, Zählgröße. **Zus.:** Augen-, Band-, Einheits-, Flächen-, Hohl-, Längen-, Liter-, Meter-, Raum-, Winkelmaß. 2. *Zahl, Größe, die durch Messen ermittelt worden ist:* die Maße des Zimmers. **sinnv.:** Abmessung, Größe. **Zus.:** Ideal-, Körpermaß. 3. *Größe, Menge o. ä. des Vorhandenseins einer Eigenschaft, eines Zustandes:* sie brachte uns ein hohes M. an Vertrauen entgegen. **sinnv.:** Ausmaß, Grad, Umfang. **Zus.:** Gleich-, Höchst-, Mindest-, Mittel-, Übermaß.

Mas|se, die; -, -n: 1. *ungeformter, meist breiiger Stoff:* eine weiche, klebrige, zähe M. **sinnv.:** Material. 2. a) *große Anzahl von Menschen:* die Massen strömten zum Sportplatz. **sinnv.:** Menge. b) *als undifferenziert empfundener großer Teil der Bevölkerung:* die M. wird immer die Partei wählen, die ihr das meiste verspricht. **sinnv.:** Menge, Meute, Plebs, Pöbel, Volk. **Zus.:** Volksmasse.

-ma|ße ⟨adverbiales Suffix⟩: *in der im Basiswort (Adjektiv, bes. Partizip II + -er-) genannten Weise/* a) *was [auch] ... ist:* bekannter-, eingestandener-, zugegebenermaßen. **sinnv.:** -weise. b) *weil ..., da ...:* diese Eigenschaften sind ererbtermaßen (da sie ererbt sind) festgelegt.

Mas|sen- ⟨Bestimmungswort⟩: a) /besagt, daß das im Grundwort Genannte in großer Zahl erfolgt/: Massenabfertigung, -absatz, -andrang, -fabrikation. b) /besagt, daß von dem im Grundwort Genannten sehr viele betroffen sind/: Massenarbeitslosigkeit, -entlassungen, -karambolage. c) /besagt, daß das im Grundwort Genannte für viele bestimmt ist/: Massengrab, -medien, -sport.

maß|hal|ten, hielt maß, hielt maß, hat maßgehalten ⟨itr.⟩: *das rechte Maß einhalten; Mäßigung üben:* beim Essen m. **sinnv.:** sparen.

mä|ßig ⟨Adj.⟩: a) *das rechte Maß einhaltend:* m. trinken; mäßige *(nicht zu hohe)* Preise. **sinnv.:** enthaltsam, maßvoll. b) *als zu gering, nicht ausreichend empfunden:* ein mäßiges Einkommen; seine Leistungen sind nur m. **sinnv.:** durchschnittlich, mittelmäßig, mittelprächtig, unbefriedigend, nur das Wahre.

-mä|ßig ⟨adjektivisches Suffix⟩: 1. *in der Art von ..., nach Art, wie ...:* geschäfts-, gewohnheits-, routinemäßig. **sinnv.:** -artig, -getreu, -haft, -ig. 2. /entsprechend dem im Basiswort Genannten/ *wie es ... verlangt, vorsieht* /Ggs. -widrig/: fahrplan-, gesetz-, plan-, recht-, vorschriftsmäßig. **sinnv.:** -gemäß, -gerecht. 3. /das im Basiswort Genannte nennt das Mittel, die Bedingung oder Ursache eines Vorgangs bzw. Zustands/ *mit Hilfe von, durch:* fabrikmäßig hergestellt, werbemäßig vertreiben. 4. (ugs.) *in bezug auf, hinsichtlich, was das im Basiswort Genannte betrifft:* zahlenmäßig. **sinnv.:** -al, -technisch.

mas|siv ⟨Adj.⟩: a) *von fester, stabiler, solider B schaffenheit und dabei oft schwer, wuchtig w kend:* ein massiver Tisch; m. gebaute Häuse **sinnv.:** gewaltig. b) *(von etwas Unangenehmer heftig; in grober Weise erfolgend:* eine massiv Drohung, Forderung; m./massiven Druck a jmdn. ausüben. **sinnv.:** nachdrücklich, star streng.

maß|los ⟨Adj.⟩: 1. *(im Urteil des Sprechers) nic das richtige Maß einhaltend:* er ist m. in seine Forderungen. **sinnv.:** ausschweifend, extren übertrieben, unersättlich, unmäßig. 2. a) *se groß, heftig:* eine maßlose Wut. b) ⟨verstärken bei Adjektiven und Verben⟩ ↑*sehr:* er übertrei m.

Maß|nah|me, die; -, -n: *Handlung, Regelur o. ä., die etwas veranlassen oder bewirken soll:* [g eignete] Maßnahmen gegen die Inflation, z Verhütung von Unfällen ergreifen, treffe **sinnv.:** Aktion. **Zus.:** Abwehr-, Gegen-, Schutz Spar-, Vergeltungs-, Vorsichts-, Zwangsmaßna me.

Maß|stab, der; -[e]s, Maßstäbe: 1. *Verhältr zwischen nachgebildeter und natürlicher Größ* die Karte ist im M. 1 : 100 000 gezeichnet. **sinnv** Metermaß. 2. *Norm, mit der eine Leistung oder d Güte einer Sache verglichen wird und die als Vo bild dient:* ein M. für eine Leistungsbewertun **sinnv.:** Prinzip, Prüfstein, Regel, Richtlinie Richtschnur. **Zus.:** Bewertungs-, Vergleichsma stab.

Mast: I. der; -[e]s, -e und -en: *hoch aufragen Stange* (siehe Bild „Segelboot“): der M. eines S gelschiffs, eines Zirkuszeltes; die Antenne ist a einem M. befestigt. **sinnv.:** Pfahl. II. die; -, -e das Mästen: die M. von Schweinen. **sinnv.:** M stung.

mä|sten, mästete, hat gemästet ⟨tr.⟩: *(besonde von Schlachtvieh) reichlich mit Futter versorge um zur Zunahme an Fleisch, Fett zu bewirke* Schweine m. **sinnv.:** ernähren, füttern.

Ma|te|ri|al, das; -s, Materialien: 1. *Rohsto Werkstoff, aus dem etwas besteht, gefertigt wir* hochwertiges, strapazierfähiges M. **sinnv.:** Ma se, Materie, Stoff, Substanz, Zeug. **Zus.:** Arbeits Bau-, Film-, Heiz-, Menschen-, Roh-, Schreib Verpackungsmaterial. 2. *Unterlagen, Belege, Nac weise o. ä.:* statistisches, belastendes M.; M. z sammentragen, auswerten, sichten. **sinnv.:** Vo rat. **Zus.:** Akten-, Alt-, Anschauungs-, Bild-, B weis-, Informations-, Studien-, Zahlenmateria

-ma|te|ri|al, das; -s ⟨Suffixoid⟩: *eine bestimm Anzahl von den im Basiswort genannten Persone die als Grundlage für eine bestimmte Aufgabe z Verfügung stehen:* Menschen-, Schüler-, Spiele material.

Ma|te|rie, die; -, -n: a) ⟨ohne Plural⟩ *rein Stoff ches als Grundlage von dinglich Vorhandenem:* o ganische, licht[un]durchlässige, tote M. **sinnv** Material. b) *Gegenstand, Thema eines Wissensg biets, eines Gesprächs o. ä.; spezielle Angelege heit:* sich mit einer schwierigen M. vertraut m chen, sie beherrschen; in dieser M. bin ich nic bewandert. **sinnv.:** Fach, Sache, Sachgebie Stoff.

ma|te|ri|ell ⟨Adj.⟩: *die lebensnotwendigen Ding Güter, Mittel betreffend, zu ihnen gehörend:* er i m. sehr gut gestellt; die materiellen Grundlage

ür den neuen Plan wurden geschaffen. **sinnv.**: fi-
anziell, geldlich, wirtschaftlich.

Ma|the|ma|tik, die; -: *Wissenschaft, die sich mit
den Beziehungen zahlenmäßiger oder räumlicher
Verhältnisse beschäftigt.* **sinnv.**: Algebra, Arith-
metik, Bruchrechnung, Differentialrechnung,
Dreisatzrechnung, Geometrie, Infinitesimalrech-
ung, Integralrechnung, Prozentrechnung, Rech-
en, Stereometrie, Trigonometrie, Vektorrech-
ung, Wahrscheinlichkeitsrechnung, Zahlen-
heorie.

Ma|trat|ze, die; -, -n: **a)** *Rahmen mit aufrecht
tehenden oder waagerecht gespannten Federn aus
Stahl, der in das Gestell eines Bettes gelegt wird.*
sinnv.: Lattenrost, Sprung[feder]rahmen. **b)** *festes
Polster in der Größe eines Bettes, das der Matratze
a) aufliegt.* **sinnv.**: Polster. **Zus.**: Federkern-,
Roßhaar-, Schaumgummi-, Seegrasmatratze.

Ma|tro|se, der; -n, -n: *Seemann, der die einfache
Tätigkeiten bei der Handelsschiffahrt oder bei der
Marine ausübt.* **sinnv.**: Bootsmann, Maat,
Schiffsjunge, Seemann. **Zus.**: Leicht-, Vollmatro-
se.

Matsch, der; -[e]s (ugs.): *aufgeweichter Boden;
breiartige, feuchte Masse [aus Schnee oder
Schlamm]:* wenn es taut, ist viel M. auf der Stra-
ße. **sinnv.**: Schlamm. **Zus.**: Schneematsch.

matt ⟨Adj.⟩: **1.** *von Müdigkeit, Erschöpfung o. ä.
schwach:* er ist nach dieser Anstrengung ganz m.
sinnv.: kraftlos. **Zus.**: schach-, sterbens-, todmatt.
, ohne rechten Glanz; nur schwach leuchtend:
mattes Licht; matte Farben. **sinnv.**: blaß, blind,
glanzlos, stumpf.

Mat|te, die; -, -n: *etwas, was als Vorleger, Unter-
lage o. ä. dient:* auf der M. turnen; sie legte eine
1. vor die Tür. **sinnv.**: Teppich. **Zus.**: Bade-,
Filz-, Fuß-, Hänge-, Kokos-, Ringer-, Schilf-,
Turnmatte.

Mau|er, die; -, -n: *Wand aus Steinen [und Mör-
tel], Beton o. ä.:* eine M. hochziehen. **sinnv.**: Wall,
Wand.

mau|ern: 1. ⟨itr./tr.⟩ *aus [Bau]steinen [und Mör-
tel] bauen, errichten:* eine Wand, eine Treppe m.;
sie haben bis in die Nacht hinein gemauert.
sinnv.: bauen. **Zus.**: ein-, zumauern. **2.** ⟨itr.⟩ **a)**
⟨Ballspiele Jargon⟩ *das eigene Tor mit [fast] allen
Spielern verteidigen; übertrieben defensiv spielen:*
a der zweiten Halbzeit hat die Mannschaft nur
noch gemauert. **sinnv.**: abwehren, blockieren,
dichtmachen, verteidigen. **b)** ⟨Jargon⟩ *beim Kar-
tenspiel trotz guter Karten zurückhaltend spielen,
kein Spiel wagen:* beim Skat mauern er. **sinnv.**:
ch entziehen.

Maul, das; -[e]s, Mäuler: **1.** *dem Aufnehmen der
Nahrung dienende Öffnung an der Vorderseite des
Kopfes bei Säugetieren und Wirbeltieren:* einem
Pferd ins M. schauen. **sinnv.**: Mund. **Zus.**: Fisch-,
Frosch-, Löwenmaul. **2.** (derb) ↑*Mund:* halt's M.
bei still, schweig!). **sinnv.**: Groß-, Klatsch-, Lä-
ster-, Lügen-, Plapper-, Schand-, Schleckermaul.

Mau|rer, der; -s, -: *Handwerker, der beim Bau
eines Hauses] die Mauern errichtet, verputzt usw.*
sinnv.: Gipser, Polier, Verputzer.

Maus, die; -, Mäuse: *kleines [graues] Nagetier
mit spitzer Schnauze, nackten Ohren und nacktem,
langem Schwanz.* **Zus.**: Erd-, Feld-, Fleder-, Ha-
sel-, Haus-, Kirchen-, Spitz-, Wald-, Wühlmaus.

Me|cha|nik, die; -: **a)** *Teil der Physik, der sich*

mit den Bewegungen der Körper und den Bezie-
hungen der dadurch wirkenden Kräfte befaßt:
diese Maschine ist ein Wunder der M. **Zus.**:
Feinmechanik. **b)** *Art der Konstruktion und des
Funktionierens einer Maschine:* die M. der Ma-
schine ist ausgezeichnet. **sinnv.**: Mechanismus,
Technik.

me|cha|nisch ⟨Adj.⟩: **a)** *automatisch, mit Hilfe
einer Maschine:* etwas m. fertigen. **sinnv.**: maschi-
nell, mechanisiert. **Zus.**: fotomechanisch. **b)** *ohne
Nachdenken, Überlegung [vor sich gehend]:* eine
mechanische Bewegung, Arbeit; m. antworten.
sinnv.: automatisch, instinktiv.

Me|cha|nis|mus, der; -, Mechanismen: **a)** *et-
was, was ein Funktionieren auf mechanischer
Grundlage ermöglicht:* die Maschine hat einen
komplizierten M. **sinnv.**: Konstruktion, Trieb-
werk. **b)** *alles Geschehen, das gesetzmäßig und wie
selbstverständlich abläuft:* psychische Prozesse
sind durch bestimmte Mechanismen gekenn-
zeichnet. **sinnv.**: Automatismus.

meckern ⟨itr.⟩: **a)** *(von Ziegen) helle, in schneller
Folge stoßweise unterbrochene Laute von sich ge-
ben.* **b)** (ugs.) *in einer als unfreundlich empfunde-
nen Weise ärgerlich seine Unzufriedenheit äußern:*
er meckerte über das Essen; er hat immer etwas
zu m. **sinnv.**: beanstanden. **Zus.**: [he]rummek-
kern.

Me|dail|le [me'daljə], die; -, -n: *runde oder ovale
Plakette zum Andenken (an etwas) oder als Aus-
zeichnung für besondere Leistungen:* jmdm. eine
M. [für etwas] verleihen. **sinnv.**: Gedenkmünze.
Zus.: Bronze-, Erinnerungs-, Gedenk-, Gold-,
Rettungs-, Silbermedaille.

Me|di|ka|ment, das; -[e]s, -e: *Mittel, das der
Heilung von Krankheiten, der Vorbeugung dient.*
sinnv.: Arznei, Droge, Heilmittel, Linderungs-
mittel, Medizin, Mittel, Mittelchen, Präparat.

Me|di|zin, die; -, -en: **1.** ⟨ohne Plural⟩ *Wissen-
schaft vom gesunden und kranken Organismus des
Menschen, von seinen Krankheiten, ihrer Verhü-
tung und Heilung.* **sinnv.**: Heilkunde, Heilkunst.
Zus.: Arbeits-, Gerichts-, Human-, Sport-, Vete-
rinär-, Zahnmedizin. **2.** (ugs.) ↑*Medikament.*

Meer, das; -[e]s, -e: *sich weithin ausdehnende
Wassermasse auf der Erdoberfläche.* **sinnv.**: At-
lantik, Ozean, Pazifik, See. **Zus.**: Binnen-, Eis-,
Mittel-, Watten-, Weltmeer.

Mee|res|spie|gel, der; -s: *bestimmter Wasser-
stand des Meeres, der als Grundlage für Höhen-
messungen auf dem Festland dient:* der Ort liegt
200 m über dem M. **sinnv.**: Pegel, Wasserspiegel.

Mehl, das; -[e]s: *pulver-, puderförmiges Nah-
rungsmittel, das durch Mahlen von Getreidekör-
nern entsteht und vorwiegend zum Backen verwen-
det wird.* **Zus.**: Futter-, Mais-, Panier-, Roggen-,
Schrot-, Stärke-, Weizenmehl.

mehr: I. ⟨Indefinitpronomen und unbestimmtes
Zahlwort⟩ /*drückt aus, daß etwas über ein be-
stimmtes Maß hinausgeht, eine vorhandene Menge
übersteigt/:* wir brauchen m. Geld; es kamen im-
mer m. Gäste; ein als die Hälfte war/waren er-
krankt. **II.** ⟨Adverb⟩ **1. a)** *in höherem Maße:* sie
raucht m. als ich; du mußt m. aufpassen. **b)** ↑*eher:*
die Erkrankten fühlten sich m. tot als lebendig;
die Plastik steht besser m. links. **2.** /*drückt in Ver-
bindung mit einer Negation aus, daß ein Gesche-
hen, ein Zustand, eine Reihenfolge o. ä. nicht fort-*

gesetzt wird/: es war niemand m. da; es blieb nichts m. übrig.

mehr|deu|tig ⟨Adj.⟩: *auf verschiedene Art deutbar, auszudeuten:* diese Formulierung ist m. **sinnv.:** doppeldeutig, doppelsinnig, mißverständlich, zweideutig.

meh|rer... ⟨Indefinitpronomen und unbestimmtes Zahlwort⟩: **a)** *eine unbestimmte größere Anzahl, Menge; ein paar; nicht viele:* er war mehrere Tage unterwegs; die Wahl mehrerer Abgeordneter/Abgeordneten. **sinnv.:** einig... **b)** *nicht nur ein oder eine; verschiedene:* es gibt mehrere Möglichkeiten. **sinnv.:** einzelne.

mehr|fach ⟨unbestimmtes Zahlwort⟩: *sich in gleicher Form oder auf verschiedene Weise wiederholend:* m. vorbestraft sein; mehrfacher Meister im Tennis. **sinnv.:** oft.

Mehr|heit, die; -, -en /Ggs. Minderheit/: *der größere Teil einer bestimmten Anzahl von Personen (als Einheit):* wechselnde Mehrheiten; die schweigende M.; diese Partei hat im Stadtrat die M.; die M. der Abgeordneten stimmte/stimmten zu. **sinnv.:** Gros, Großteil, über/mehr als die Hälfte, Majorität, Mehrzahl, die meisten, der überwiegende Teil, Überzahl. **Zus.:** Zweidrittelmehrheit.

mehr|mals ⟨Adverb⟩: *mehrere Male; des öfteren:* er hat mich schon m. besucht. **sinnv.:** oft.

Mehr|zahl, die; -: *der größere Teil einer bestimmten Anzahl:* die M. der Schüler lernt Englisch; die Teilnehmer sind in der M. junge Männer. **sinnv.:** Mehrheit.

mei|den, mied, hat gemieden ⟨tr.⟩: *jmdm., einer Sache, mit der man nicht in Berührung kommen will, aus dem Wege gehen:* die beiden meiden sich/einander; er mied laute Veranstaltungen. **sinnv.:** sich entziehen.

mein ⟨Possessivpronomen⟩: */bezeichnet ein Besitz- oder Zugehörigkeitsverhältnis zur eigenen Person/:* mein Buch; meine Freunde.

mei|nen ⟨itr.⟩: **1. a)** *(in bezug auf jmdn./etwas) eine bestimmte Ansicht haben:* ich meine, daß er recht hat; was meinst du zum Wetter? **sinnv.:** annehmen, denken, finden, glauben. **b)** *(als Ansicht) äußern:* er meinte zu Klaus, er habe nun Gelegenheit, sich zu bewähren. **2.** *(bei einer Äußerung, Handlung o. ä.) im Sinne haben:* welches Buch meinst du? **sinnv.:** abzielen auf, im Auge haben.

mei|net|we|gen ⟨Adverb⟩: *von mir aus; was mich betrifft:* m. kannst du heute länger bleiben. **sinnv.:** meinethalben, mir zuliebe.

Mei|nung, die; -, -en: *das, was jmd. glaubt, für richtig hält, als Tatsache annimmt:* was ist ihre M. zu diesem Vorfall? **sinnv.:** Ansicht. **Zus.:** Gegen-, Lehr-, Volksmeinung.

Mei|se, die; -, -n: *(in zahlreichen Arten vorkommender) kleiner Singvogel mit spitzem Schnabel und verschiedenfarbigem Gefieder.* **Zus.:** Blau-, Hauben-, Kohl-, Tannenmeise.

Mei|ßel, der; -s, -: *Werkzeug (aus Stahl), das an einem Ende keilförmig ist und eine scharfe Schneide hat.* **sinnv.:** Brechstange, Keil, Stemmeisen.

mei|ßeln: 1. ⟨itr.⟩ *mit einem Meißel arbeiten:* er mußte lange an dem Stein m. **sinnv.:** behauen. **2.** ⟨tr.⟩ *durch Meißeln* (1) *schaffen:* er hat schöne Figuren gemeißelt. **sinnv.:** anfertigen.

meist ⟨Adverb⟩: *gewöhnlich; fast immer:* er geht m. diesen Weg. **sinnv.:** oft.

meist... ⟨Adj.⟩: *die größte Anzahl, Menge von e was:* die meisten Menschen; die meiste Zeit; da meiste Geld.

mei|stens ⟨Adverb⟩: *in den meisten Fällen, fa* immer: er macht seine Reisen m. im Somme **sinnv.:** oft.

Mei|ster, der; -s, -: **1.** *Handwerker, der mit Ausbildung mit der Meisterprüfung abgeschlosse hat:* bei einem M. in die Lehre gehen. **Zus.:** Bäk ker-, Elektro-, Fleischer-, Schneider-, Tischle meister. **2.** ⟨M. + Attribut⟩ *jmd., der ein Fach, e ne Kunst o. ä. hervorragend beherrscht:* ein be rühmter M.; die alten M. der Malerei; er ist ei M. seines Faches, der Sprache. **sinnv.:** Fach mann, Künstler. **Zus.:** Fußball-, Hexen-, Welt meister.

Mei|ster- ⟨Präfixoid⟩: **a)** *jmd., der die im Basi wort genannte, in bestimmter Weise tätige Perso in meisterhafter Weise verkörpert, seine Tätigke meisterhaft beherrscht; jmd., der als ... ein groß Könner ist:* Meisterdetektiv, -dieb, -fahrer, -koch -schütze, -spion. **sinnv.:** Chef-, General-, Haupt Klasse-, Ober-, Spitzen-, Top-. **b)** *etwas, was hervorragender, vollendeter, geschickter, perfekt Weise ausgeführt ist:* Meisterleistung, -schu -streich.

Mei|ste|rin, die; -, -nen: vgl. Meister (1).

Mei|ster|schaft, die; -, -en: **1.** ⟨ohne Plura *meisterhaftes Können (auf einem bestimmten Ge biet):* er hat es in der Malerei zur M. gebrach **sinnv.:** Bravour, Perfektion. **2. a)** *[Wett]kam, oder eine Reihe von [Wett]kämpfen, durch die d beste Sportler oder die beste Mannschaft in ein bestimmten Disziplin ermittelt wird:* die deutsch M. im 100-m-Lauf. **sinnv.:** Turnier. **Zus.:** Fuß ball-, Leichtathletik-, Tennismeisterschaft. ⟨ohne Plural⟩ *Sieg in einer Meisterschaft* (2 a): d Borussen haben die [deutsche] M. errunger **sinnv.:** Titelgewinn.

me|lan|cho|lisch ⟨Adj.⟩: *zu Depressivität un Schwermütigkeit neigend, davon erfüllt, zeugend ein melancholischer Mensch;* er macht eine melancholischen Eindruck. **sinnv.:** bedrückt, be kümmert, depressiv, elegisch, gemütskrank, ma sepetrig, pessimistisch, schwermütig, traurig, u glücklich, wehmütig.

mel|den, meldete, hat gemeldet: **1.** ⟨tr.⟩ **a)** *(ein zuständigen Stelle) zur Kenntnis bringen:* eine Unfall [bei] der Polizei m. **sinnv.:** mitteilen. **b)** *a Nachricht bekanntgeben:* der Rundfunk melde schönes Wetter. **sinnv.:** mitteilen. **Zus.:** verme den. **2.** ⟨sich m.⟩ **a)** *von sich hören lassen, Nac richt geben:* wenn ich auf dem Bahnhof bin, me de ich mich gleich bei dir. **sinnv.:** sich ankündi gen, sich bemerkbar machen. **Zus.:** sich ab-, zurückmelden. **b)** *sich für etwas anbieten, zur Ve fügung stellen:* er meldete sich zur Hilfe bei eine Katastrophe.

Mel|dung, die; -, -en: **a)** *das Melden:* eine M für eine Prüfung, einen sportlichen Wettkamp **sinnv.:** Anmeldung. **Zus.:** An-, Krank-, Rück Such-, Verlust-, Vermißten-, Wortmeldung. **b)** *e was, was der Öffentlichkeit (besonders durch d Massenmedien) zur Kenntnis gebracht wird:* ein aktuelle, wichtige, die letzte M. **sinnv.:** Nach richt. **Zus.:** Agentur-, Falsch-, Kurz-, Presse Rundfunk-, Verkehrs-, Wasserstands-, Wetter Zeitungsmeldung.

ᴎᴇl|ken, molk/melkte, hat gemolken ⟨tr.⟩: *(bei nem milchgebenden Haustier) die Milch (durch ressendes Streichen mit den Händen bzw. maschi- ell) aus dem Euter zum Heraustreten bringen:* ühe [mit der Melkmaschine] m.

ᴎᴇl|lo|die, die; -, Melodien: *singbare, in sich ge- hlossene Folge von Tönen:* eine M. pfeifen; die ᴌ. eines Liedes. **sinnv.:** Musik, Weise.

ᴎᴇn|ge, die; -, -n: **1. a)** *bestimmte Anzahl, Grö- enordnung:* das Mittel darf nur in kleinen Men- ᴇn angewendet werden. **sinnv.:** Batzen, Dosis, ülle, Masse, Portion, Quantität, Quantum, ʒhuß, Zahl. **Zus.:** Teilmenge. **b)** **eine M.:* elʃeʃ: eine M. Geld, Freunde; eine M. Leute ᴌm/kamen zusammen; in unserer Gruppe sind ᴎe ganze M. Jugendlicher/(seltener:) Jugendli- ᴌe, denen das nicht schwerfällt. **sinnv.:** -berg ᴌ B. Schuldenberg), -lawine (z. B. Antragslawi- ᴇ), -schwemme (z. B. Lehrerschwemme), -welle ᴌ B. Reisewelle); Legion. **2.** *große Anzahl von ᴌcht beieinander befindlichen Menschen:* eine ᴌoße M. drängte sich auf dem Marktplatz. **ᴎnv.:** Ansammlung, Heer, Menschenmassen, ʒhar, Volk. **Zus.:** Menschenmenge.

ᴎensch, der; -en, -en: *mit Vernunft und Sprache ᴌsgestattetes höchstentwickeltes Lebewesen:* ei- ᴇn Menschen lieben, verachten; die Menschen ᴎd gut, bloß die Leute sind schlecht. **sinnv.:** ᴌenbild Gottes, Erdenbürger, Geschöpf, Homo piens, Individuum, Krone der Schöpfung, Leu- ᴌ, Person, Persönlichkeit, Sterblicher, Wesen. **ᴌs.:** Durchschnitts-, Gemüts-, Höhlen-, Mars-, ᴌt-, Nacht-, Schlangen-, Über-, Un-, Willens- ᴇnsch.

ᴎensch|heit, die; -: *Gesamtheit der Menschen:* ᴌrebs, eine Geißel der M. **sinnv.:** Erdbevölke- ng.

ᴇnsch|lich ⟨Adj.⟩: **a)** *zum Menschen gehö- ᴎd:* der menschliche Körper; menschliches ᴇrsagen. **Zus.:** mit-, über-, zwischenmenschlich. *andere Menschen gütig und voll Verständnis be- ᴌndelnd* /Ggs. unmenschlich/: der Chef behan- ᴌlt seine Leute immer m. **sinnv.:** barmherzig, ᴌtgegenkommend, freundlich, gut, gutherzig, ᴌfsbereit, human, humanitär, menschenfreund- ʒh, mitfühlend, philanthropisch, sozial, tole- ᴌnt, wohltätig, wohlwollend.

e|nü, das; -s, -s: *aus mehreren Gängen beste- ᴎde Mahlzeit.* **sinnv.:** Essen, Speisenfolge.

ᴇr|ken: 1. ⟨itr.⟩ *gefühlsmäßig, beobachtend ᴌhrnehmen:* er merkte gar nicht, daß man sich ᴌer ihn lustig machte. **sinnv.:** bemerken, mitbe- ᴌmmen, wahrnehmen. **2.** ⟨sich m.⟩ *im Gedächt- ᴌs behalten:* sich Zahlen, Namen m.; ich habe ᴌr deine Telefonnummer gemerkt.

ᴇrk|mal, das; -[e]s, -e: *Zeichen, Eigenschaft, ᴌran man etwas erkennen kann:* ein typisches, ᴌtrügliches M.; keine besonderen Merkmale. **ᴌnv.:** Anzeichen, Attribut, Besonderheit, Cha- ᴌkteristikum, Erkennungszeichen, Kennzei- ᴇn. **Zus.:** Geschlechts-, Qualitäts-, Unterschei- ᴌngsmerkmal.

ᴇrk|wür|dig ⟨Adj.⟩: *Staunen, Verwunderung, ᴌnchmal auch leises Mißtrauen hervorrufend:* ei- ᴌmerkwürdige Geschichte. **sinnv.:** seltsam.

ᴇs|se, die; -, -n: **I. a)** *katholischer Gottesdienst:* ᴇ heilige M.; eine M. feiern, lesen. **sinnv.:** Got- ᴌdienst. **Zus.:** Christ-, Früh-, Mitternachts-,

Seelen-, Toten-, Weihnachtsmesse. **b)** *Komposi- tion als Vertonung der liturgischen Bestandteile der Messe:* eine M. von Bach aufführen. **sinnv.:** Ora- torium. **II.** *große [internationale] Ausstellung von Warenmustern eines oder mehrerer Wirtschafts- zweige:* die Frankfurter, Leipziger M. **sinnv.:** Ausstellung. **Zus.:** Buch-, Herbst-, Verkaufsmes- se.

mes|sen, mißt, maß, hat gemessen: **1. a)** ⟨tr.⟩ *nach einem Maß bestimmen:* die Länge von etwas m.; [bei jmdm.] Fieber m.; die Zeit mit der Stopp- uhr m. **sinnv.:** ermitteln, feststellen. **Zus.:** ab-, aus-, be-, nach-, vermessen. **b)** ⟨itr.⟩ *(ein bestimm- tes Maß) haben:* er mißt 1,85 m. **sinnv.:** ausma- chen, betragen, sich erstrecken auf. **2.** ⟨sich m.⟩ *die eigenen Kräfte, Fähigkeiten im Vergleich mit denen eines anderen im Wettstreit zu ermitteln, festzustellen suchen:* er wollte sich mit ihm einmal m.

Mes|ser, das; -s, -: *Gegenstand mit einem Griff und einer scharfen Klinge zum Schneiden:* ein spitzes M. **sinnv.:** Besteck, Stichwaffe. **Zus.:** Brot-, Klapp-, Küchen-, Taschenmesser.

Me|tall, das; -s, -e: *nicht durchsichtiger [glänzen- der], Wärme und Elektrizität gut leitender, fester Stoff (der als Material für etwas dient):* edle Me- talle wie Gold und Silber. **Zus.:** Bunt-, Edel-, Halb-, Leicht-, Schwermetall.

Me|ter, der, (auch:) das; -s, -: *Maßeinheit der Länge:* die Mauer ist drei M. hoch; mit drei Me- ter Stoff/mit drei Metern kommen wir aus. **sinnv.:** Längenmaß. **Zus.:** Dezi-, Kilo-, Kubik-, Milli-, Quadrat-, Zentimeter.

Me|tho|de, die; -, -n: *Art der Durchführung; Weg, wie man zu einem angestrebten Ziel gelangen kann.* **sinnv.:** Mittel, Verfahren, Weg; Technik. **Zus.:** Arbeits-, Holzhammer-, Unterrichtsmetho- de.

Metz|ger, der; -s, - (besonders westd., südd.): ↑ *Fleischer.*

Meu|te, die; -: *[mit innerer Ablehnung betrachte- te] größere Zahl, Gruppe von Menschen, die ge- meinsam auftreten, agieren o. ä.:* eine M. Halb- starker; unsere ganze M. macht einen Ausflug. **sinnv.:** Gruppe.

Meu|te|rei, die; -, -en: *das gemeinsame Auflen- nen gegen jmdn./etwas und das Verweigern des Ge- horsams durch Soldaten o. ä.:* auf dem Schiff gab es eine M. **sinnv.:** Aufruhr, Verschwörung. **Zus.:** Gefangenenmeuterei.

meu|tern ⟨itr.⟩: **a)** *sich gegen einen Vorgesetzten, gegen Anordnungen, Zustände auflehnen:* die Truppe meuterte [gegen die Offiziere]. **sinnv.:** den Gehorsam verweigern, rebellieren. **b)** (ugs.) *sei- nen Unwillen über etwas äußern:* du mußt nicht immer gleich m. **sinnv.:** aufbegehren, sich um Kopf und Kragen reden, protestieren.

mick|rig ⟨Adj.⟩ (ugs.): *(im Urteil eines Sprechers) schwächlich, zurückgeblieben oder zu dürftig aus- sehend:* ein kleiner, mickriger Kerl. **sinnv.:** küm- merlich.

Mie|ne, die; -, -n: *Ausdruck des Gesichtes, der ei- ne Stimmung, Meinung o. ä. erkennen läßt:* eine saure, finstere M. machen. **sinnv.:** Ausdruck, Fratze, Gesicht, Gesichtsausdruck, Grimasse, Mienenspiel, Mimik. **Zus.:** Leichenbitter-, Lei- dens-, Unschuldsmiene.

mies ⟨Adj.⟩: **1.** *in Verdruß, Ärger, Ablehnung her-*

vorrufender Weise schlecht: ein mieser Charakter, Kerl; das Geschäft geht m. **sinnv.:** schlecht. **2.** *(im Hinblick auf die gesundheitliche Verfassung) unwohl:* ihm geht es m.; sie fühlt sich schon seit Tagen ziemlich m. **sinnv.:** krank.

Mie|te, die; -, -n: *Preis, den man für das Mieten (von etwas) bezahlen muß:* die M. für die Wohnung erhöhen; die M. ist fällig. **sinnv.:** Mietzins, Pacht. **Zus.:** Kalt-, Laden-, Saal-, Wohnungsmiete.

mie|ten, mietete, hat gemietet ⟨tr.⟩ /Ggs. vermieten/: *gegen Bezahlung die Berechtigung erwerben, etwas zu benutzen:* eine Wohnung, ein Zimmer m.; ein Auto m. **sinnv.:** chartern, heuern, leasen, leihen, pachten. **Zus.:** ent-, vermieten.

Milch, die; -: *besonders von Kühen durch Melken gewonnene und vielseitig als Nahrungsmittel genutzte, weißliche Flüssigkeit:* kondensierte, saure M.; frische M. trinken. **sinnv.:** Joghurt, Kefir, Sahne. **Zus.:** Büchsen-, Butter-, Dick-, Dosen-, Frischmilch, H-Milch, Kondens-, Kuh-, Mager-, Mutter-, Sauer-, Trink-, Trocken-, Vorzugs-, Ziegenmilch.

mild ⟨Adj.⟩: **a)** *in angenehmer Weise leicht warm:* mildes Klima; ein milder Abend. **sinnv.:** lau. **b)** *von nachsichtiger Beurteilung o. ä. zeugend:* kein strenger, sondern ein milder Richter. **sinnv.:** behutsam, nachsichtig, sanft.

mil|dern ⟨tr.⟩: *milder machen:* ein Urteil m. **sinnv.:** entschärfen.

Mi|lieu [mi'liø:], das; -s, -s: *soziales Umfeld, Umgebung, in der ein Mensch lebt und die ihn prägt:* das soziale, häusliche M. **sinnv.:** Umwelt.

Mi|li|tär, das; -s: **a)** *Gesamtheit der Soldaten eines Landes:* das englische M. **sinnv.:** Armee, Heer, Luftwaffe, Marine, Miliz, Streitkräfte. **b)** *(eine bestimmte Anzahl von) Soldaten:* gegen die Demonstranten wurde M. eingesetzt.

Mil|li|ar|de, die; -, -n: *tausend Millionen.*

Mil|li|me|ter, der, (auch:) das; -s, -: *der tausendste Teil eines Meters:* eine Schraube von fünf M. Durchmesser. **sinnv.:** Längenmaß.

Mil|lio|när, der; -s, -e, **Mil|lio|nä|rin,** die; -, -nen: *männliche bzw. weibliche Person, die ein Millionenvermögen besitzt.* **sinnv.:** Kapitalist, Krösus, Milliardär, Nabob, Plutokrat.

mi|men ⟨tr.⟩: *(durch entsprechenden Gesichtsausdruck, durch Gesten) so tun, als ob man jmd. Bestimmtes sei oder als ob man eine bestimmte Regung o. ä. habe:* er mimt gern den Mann von Welt; Bewunderung m. **sinnv.:** vortäuschen.

min|der ⟨Adverb⟩: *in geringerem Grade; nicht so sehr:* ein m. kompliziertes Verfahren. **sinnv.:** kaum, weniger.

min|der... ⟨Adj.⟩: ↑*gering:* eine mindere Qualität. **sinnv.:** minderwertig.

Min|der|heit, die; -, -en: *kleinerer Teil einer bestimmten Anzahl von Personen* /Ggs. Mehrheit/: eine religiöse M.; in der M. sein. **sinnv.:** Minderzahl, Minorität.

min|der|jäh|rig ⟨Adj.⟩: *noch nicht das Erwachsenenalter erreicht habend* /Ggs. volljährig/: er ist [mit 17 Jahren noch] m. **sinnv.:** halbwüchsig, minorenn, unmündig, unreif.

min|dern ⟨tr.⟩: *geringer werden, erscheinen lassen:* der kleine Fehler mindert die gute Leistung des Schülers keineswegs. **sinnv.:** verringern.

min|der|wer|tig ⟨Adj.⟩: *von geringerer Qualität:*

minderwertige Waren. **sinnv.:** billig, dürftig, [e] bärmlich, inferior, lausig, minder..., miserab[el,] saumäßig, schäbig, schlecht, schwach, wertlos.

min|dest... ⟨Adj.⟩: */drückt aus, daß etwas nur [im] geringsten Maße vorhanden ist/:* ich habe dav[on] nicht die mindeste Ahnung; etwas ohne die m[in]desten Vorkehrungen wagen.

min|de|stens ⟨Adverb⟩: *auf keinen Fall weni[g]* als /Ggs. höchstens/: das Zimmer ist m. fünf M[eter] ter lang. **sinnv.:** wenigstens.

Mi|ne, die; -, -n: **I.** *hochexplosiver Sprengkörp[er],* der durch einen Zünder oder bei Berührung zur E[x]plosion gebracht wird:* an der Grenze sind Min[en] gelegt; auf eine M. treten. **sinnv.:** Sprengkörp[er.] **Zus.:** Land-, See-, Teller-, Treib-, Tretmine. **[II.]** *dünnes Stäbchen in einem Bleistift, Kugelschreib[er] o. ä., mit dem geschrieben wird:* eine rote M.; d[ie] M. auswechseln.

Mi|ni- ⟨Präfix⟩: **1.** *sehr klein, winzig, niedrigst[e]* in Miniatur: Miniauto, -bar, -bikini, -küche, -p[ar]tei, -preise, -slip, -verbrauch, -wert. **sinnv.:** -ch[e]-lein, Liliput-, Mikro-. **2.** *sehr kurz ...:* Minikle[id] -mode, -rock.

mi|ni|mal ⟨Adj.⟩: *nur ein sehr geringes Ausm[aß]* an Größe, Stärke o. ä. aufweisend:* ein minimal[er] Preis; die Verluste waren m. **sinnv.:** gering, klei[n,] leicht, unbedeutend, winzig.

Mi|ni|ster, der; -s, -, **Mi|ni|ste|rin,** die; -, -ne[n:] *männliche bzw. weibliche Person als Mitglied ein[er] Regierung, die einen bestimmten Geschäftsber[eich] verwaltet:* jmdn. zum Minister ernennen; die S[e]kretärin Minister Meyers/des Ministers Mey[er.] **sinnv.:** Kabinettsmitglied, Regierungsmitgli[ed.] Ressortchef. **Zus.:** Außen-, Familien-, Finan[z-,] Innen-, Justiz-, Premier-, Staats-, Verteidigung[s]minister.

Mi|ni|ste|ri|um, das; -s, Ministerien: *ober[ste] Verwaltungsbehörde eines Staates mit bestimmt[em] Aufgabenbereich:* das M. für Wohnungsba[u.] **sinnv.:** Amt.

mi|nus /Ggs. plus/: **I.** ⟨Konj.⟩ */drückt aus, d[aß]* die folgende Zahl von der vorangehenden abg[e]zogen wird/ weniger:* fünf m. drei ist, macht, g[ibt] zwei. **sinnv.:** abzüglich. **II.** ⟨Präp. mit Ge[n.]* /drückt aus, daß etwas um eine bestimmte Sum[me]* vermindert ist/: dieser Betrag m. der üblichen A[b]züge; 24 000 Mark m. des üblichen Verlegera[n]teils; ⟨aber: starke Substantive bleiben im Sing[u]lar ungebeugt, wenn sie ohne Artikel und o[hne] adjektivisches Attribut stehen; im Plural steh[en] sie dann im Dativ⟩ m. Rabatt; m. Abzüge[n.] **sinnv.:** abzüglich. **III.** ⟨Adverb⟩ **1.** */drückt a[us,]* daß eine Zahl, ein Wert negativ, kleiner als n[ull] ist/:* m. drei; die Temperatur beträgt m. fü[nf] Grad/fünf Grad m. **2.** */drückt aus, daß die L[ei]stungsbewertung ein bißchen unter der genann[ten] Note liegt/:* im Diktat hatte er zwei m. **3.** */dr[ückt]* aus, daß eine negative elektrische Ladung vorha[n]den ist/:* der Strom fließt von plus nach m.

Mi|nu|te, die; -, -n: *Zeitspanne von 60 Seku[n]den:* der Zug kommt in wenigen Minuten. **sinn[v.:]** Zeitraum. **Zus.:** Gedenk-, Schweigeminute.

misch-, Misch- ⟨als erster Wortbestandteil[e]* /weist auf die verschiedenartigen Anteile, Aufg[a]ben, Stoffe o. ä. in bezug auf das im Basisw[ort] Genannte hin/ aus einer Mischung von etwas [be]stehend:* **a)** ⟨substantivisch⟩ Mischarbeitspl[atz] (z. B. in einem Hotel, in dem sowohl Korrespo[n]

enzabwicklung als auch Gästebetreuung erle-
igt werden müssen); -bauweise, -bestand, -brot,
:he, -finanzierung, -form, -kalkulation, -klassifi-
ation, -konzern -volk, -wald. **b)** ⟨adjektivisch⟩
πischerbig. **c)** ⟨verbal; nicht trennbar⟩ misch-
nanzieren.

πi|schen: 1. ⟨tr.⟩ *verschiedene Flüssigkeiten oder
toffe so zusammenbringen, daß eine [einheitliche]
lüssigkeit, Masse, ein Gemisch entsteht:* Sirup
nd Wasser m.; der Maler mischt die Farben für
as Bild. **sinnv.:** mengen, mixen, vernetzen mit,
ısammenbrauen. **Zus.:** bei-, durch-, unter-, ver-,
ımischen. **2.** ⟨itr./tr.⟩ *(Spielkarten) vor dem Aus-
zeilen in eine absichtlich ungeordnete Reihenfolge
ringen:* er hat [die Karten] gut gemischt.

πisch|ling, der; -s, -e: a) *Mensch, dessen Eltern
erschiedenen Rassen angehören.* **sinnv.:** Bastard,
Íalbblut, Ladino, Mestize, Mischblut, Mulatte,
πambo. **b)** *Tier, Pflanze, die Merkmale verschiede-
er Rassen oder Gattungen geerbt hat.* **sinnv.:** Ba-
ard, Hybride, Maultier, Promenadenmischung.

πi|schung, die; -, -en: **a)** *etwas, was durch Mi-
:hen mehrerer Sorten oder Bestandteile entstan-
en ist:* eine kräftige M.; dieser Tabak ist eine M.
delster Sorten. **sinnv.:** Allerlei, Durcheinander,
πmulsion, Gemenge, Gemisch, Klitterung, Kon-
πomerat, Kreuzung, Kunterbunt, Legierung,
Íelange, Mischmasch, Mixtur, Pelemele, Pot-
ourri, Sammelsurium, Sammlung. **Zus.:** Prome-
adenmischung. **b)** *das Mischen:* bei der M. die-
er Stoffe muß auf das richtige Verhältnis geach-
et werden.

πiß- ⟨Präfix⟩: **1.** ⟨verbal; nicht trennbar⟩ **a)** *das
π Basiswort Genannte falsch, nicht richtig, nicht
ut tun:* mißdeuten, -mißinterpretieren, -leiten. **b)** *be-
ıgt, daß das im im Basiswort Genannte in einer
/eise geschieht, die das Gegenteil des Basiswortes
t:* mißachten, -billigen, -fallen, -glücken, -gön-
en, -lingen, -raten, -trauen. **2.** ⟨substantivisch⟩ **a)**
entsprechend dem verbalen Gebrauch unter 1.a/:
Íißbildung, -ernte, -geburt, -griff, -management,
on, -wirtschaft. **sinnv.:** Falsch-, Fehl-. **b)** */ent-
rechend dem verbalen Gebrauch unter 1.b/:*
Íißerfolg, -gunst, -vergnügen. **sinnv.:** Un-. **3.**
djektivisch; meist Partizip als Basiswort⟩ **a)**
·hlecht:* mißgelaunt, -gestimmt. **b)** *nicht:* mißver-
nügt.

πiß|ach|ten, mißachtete, hat mißachtet ⟨tr.⟩:
·ch über etwas hinwegsetzen, nicht beachten:* ei-
en Rat, ein Verbot m. **sinnv.:** außer acht lassen,
πcht ernst nehmen, pfeifen auf, überfahren,
·ergehen, verkennen, in den Wind schlagen.

πiß|bil|dung, die; -, -en: *(in unschöner Weise)
·m Korrekten abweichende Bildung, Ausgestal-
ung eines Körperteils, eines Organs:* Contergan-
πnder mit Mißbildungen an Armen und Beinen.
πnv.: Abnormität, Abweichung, Anomalie,
·eformation, Deformierung.

πiß|bil|li|gen ⟨tr.⟩: *seine ablehnende Haltung in
·ezug auf etwas deutlich zum Ausdruck bringen
πd es nicht billigen:* einen Entschluß, ein Verhal-
·n m.; er sah ihn mißbilligend an. **sinnv.:** ableh-
en, beanstanden.

πiß|brau|chen ⟨tr.⟩: **a)** *(vorsätzlich) falsch, der
·gentlichen Bestimmung o.ä. zuwiderlaufend ge-
·rauchen:* jmds. Güte in schamloser Weise m.; er
·ißbrauchte seine Macht. **sinnv.:** ausnutzen,
Íißbrauch treiben/begehen. **b)** ↑*vergewaltigen:*

der Verbrecher hat die Frau überfallen und miß-
braucht.

Miß|er|folg, der; -[e]s, -e: *negatives Ergebnis ei-
ner Bemühung* /Ggs. Erfolg/: das Konzert wurde
ein M. **sinnv.:** Bankrott, Desaster, Fehlschlag, Fi-
asko, Flop, Konkurs, Mißgeschick, Mißlingen,
Niederlage, Pech, Pleite, Reinfall, Schlag ins
Wasser, Schlappe.

miß|fal|len, mißfällt, mißfiel, hat mißfallen
⟨itr.⟩: *Unzufriedenheit, Mißteinverstandensein mit
einem Vorgang, einer Verhaltensweise o.ä. aus-
lösen, hervorrufen:* mir mißfiel die Art, wie er be-
handelt wurde.

miß|han|deln ⟨tr.⟩: *(durch Schlagen Quälen
o.ä.) körperliche Schmerzen zufügen:* ein Kind
grausam m.; die Gefangenen wurden mißhan-
delt. **sinnv.:** foltern, martern, massakrieren, quä-
len, schikanieren.

miß|lin|gen, mißlang, ist mißlungen ⟨itr.⟩: *nicht
so werden wie beabsichtigt, gewünscht:* das Unter-
nehmen ist mißlungen; ein mißlungener Auf-
satz.

miß|mu|tig ⟨Adj.⟩: *durch etwas gestört oder ent-
täuscht und daher schlecht gelaunt:* ein mißmuti-
ges Gesicht machen. **sinnv.:** ärgerlich, bärbeißig,
brummig, fuchsteufelswild, fuchtig, gekränkt,
griesgrämig, grimmig, launisch, maulig, mißge-
launt, mißgestimmt, mißlaunig, mißvergnügt,
muffig, mürrisch, sauer, säuerlich, sauertöpfisch,
schweigsam, ungnädig, unleidlich, unwirsch, un-
zufrieden, verdrießlich, verdrossen, verschlos-
sen, wutschnaubend, zähneknirschend.

miß|ra|ten, mißriet, ist mißraten ⟨itr.⟩: *nicht den
Vorstellungen, der Absicht gemäß ausfallen, gera-
ten:* der Kuchen ist ihr mißraten; ein mißratenes
Kind. **sinnv.:** scheitern.

miß|trau|en ⟨itr.⟩: *kein Vertrauen zu jmdm./et-
was haben; Böses hinter jmdm./etwas vermuten:* er
mißtraute dem Mann, seinen eigenen Fähigkei-
ten; wir mißtrauten ihren Worten. **sinnv.:** arg-
wöhnen; zweifeln an.

Miß|trau|en, das; -s: *skeptisch-argwöhnische
Einstellung jmdm./einer Sache gegenüber:* sie sah
ihn mit unverhohlenem M. an. **sinnv.:** Argwohn,
Eifersucht, Skepsis.

Miß|ver|ständ|nis, das; -ses, -se: *(unbeabsich-
tigtes) falsches Auslegen einer Aussage oder Hand-
lung:* sein Einwand beruht auf einem M. **sinnv.:**
Fehler.

miß|ver|ste|hen, mißverstand, hat mißverstan-
den ⟨tr.⟩: *eine Aussage, eine Handlung (unbeab-
sichtigt) falsch deuten, auslegen:* ich habe es an-
ders gemeint, du hast mich mißverstanden.
sinnv.: mißdeuten, sich täuschen, sich verhören,
verkennen, vorbeireden an.

Mist, der; -[e]s: **1.** *mit Kot und Urin bestimmter
Haustiere vermischte Streu, die als Dünger verwen-
det wird:* M. streuen; eine Fuhre M. **sinnv.:** Dün-
ger. **Zus.:** Hühner-, Pferde-, Schaf-, Stallmist. **2.**
(ugs.) *etwas, was als in ärgerlicher Weise wertlos,
schlecht, unnütz angesehen wird:* ich werfe den
ganzen M. weg; rede keinen M.! **sinnv.:** Unsinn.

mịt: I. ⟨Präp. mit Dativ⟩: **1. a)** */drückt die Ge-
meinsamkeit, das Zusammensein, Zusammenwir-
ken mit einem oder mehreren anderen bei einer Tä-
tigkeit o.ä. aus/:* willst du m. uns essen? **b)**
*/drückt die Wechselseitigkeit bei einer Handlung
aus/:* sich m. jmdm. streiten, abwechseln. **c)**

/drückt eine aktive oder passive Beteiligung an einer Handlung, einem Vorgang aus/: Verkehrsunfälle m. Kindern *(in die Kinder verwickelt sind).* **2. a)** */drückt eine Zugehörigkeit aus/:* eine Flasche m. Schraubverschluß; ein Haus m. Garten; ein Hotel mit 70 Zimmern. **b)** */drückt ein Einbezogensein aus/: einschließlich; samt:* die Flasche kostet m. Pfand 2,70 DM; Zimmer m. Frühstück; m. mir waren es 8 Gäste. **3.** */drückt aus, daß ein Behältnis verschiedenster Art etwas enthält/:* ein Glas m. Honig; ein Sack m. Kartoffeln. **4.** */gibt die Begleitumstände, die Art und Weise o. ä. einer Handlung an/:* sie aßen m. Appetit; das hat er m. Absicht getan; er lag m. Fieber im Bett. **5.** */bezeichnet das [Hilfs]mittel oder Material, mit dem etwas ausgeführt oder das für etwas verwendet wird/:* sich die Hände m. Seife waschen; er ist m. der Bahn gefahren. **6. a)** */stellt einen bestimmten allgemeinen Bezug zwischen Verb und Objekt her/:* was ist los m. dir?; es geht langsam voran m. der Arbeit. **b)** */als Teil eines präpositionalen Attributes/ (ugs.) in bezug (auf etwas/jmdn.), in Anbetracht (einer Sache):* trink nicht so viel, du m. deiner kranken Leber. **7.** */kennzeichnet das Zusammenfallen eines Vorganges, Ereignisses o. ä. mit einem anderen/:* m. [dem] Einbruch der Nacht; m. dem Tode des Vaters änderte sich die Lage. **8.** */in Abhängigkeit von bestimmten Wörtern/:* sich beschäftigen, befassen m. etwas; Ärger m. jmdm. haben. **II. 1.** */in Verbindung mit einem Personalpronomen in Konkurrenz zu* damit*; bezogen auf eine Sache* (ugs.)/: hier ist die neue Maschine. Mit ihr (statt: damit) kann man gut arbeiten. **2.** */in Verbindung mit „was" in Konkurrenz zu* womit*; bezogen auf eine Sache* (ugs.)/: **a)** /in Fragen/: m. was (besser: womit) hast du dich beschäftigt? **b)** /in relativer Verbindung/: ich weiß nicht, m. was (besser: womit) sie ihren Lebensunterhalt verdient. **III.** ⟨Adverb⟩ **1.** *neben anderem, neben [einem, mehreren] anderen; auch; ebenfalls:* **a)** das gehört m. zu deinen Aufgaben; er lag m. an ihm, daß ... **b)** */selbständig in Verbindung mit Verben, wenn nur eine vorübergehende Beteiligung ausgedrückt wird/:* kannst du ausnahmsweise mal m. arbeiten?; das mußt du m. berücksichtigen. **2.** /als Teil eines zusammengesetzten Verbs vor einer adverbialen Bestimmung/: ich weiß nicht, ob ich m. an diesem Projekt arbeite (... ob ich an diesem Projekt mitarbeite); ich nehme das Buch m. nach Hause (ich nehme das Buch nach Hause mit). **3.** ⟨in Verbindung mit einem Superlativ⟩: das ist m. das wichtigste der Bücher (eines der wichtigsten). **4.** /elliptisch als Teil eines Verbs/ (ugs.): da darfst du nicht m. (mitkommen); ich will m. nach Berlin (nach Berlin mitfahren).

mit- ⟨trennbares, betontes verbales Präfix⟩: **1.** *das im Basiswort Genannte mit einem oder anderen gemeinsam tun, auch daran beteiligt sein:* -machen, -schreiben (eine Klassenarbeit m.), -verantworten. **2.** */bezeichnet die Gleichzeitigkeit eines Vorgangs, Geschehens mit einem anderen Vorgang, Geschehen/:* mithören, -schreiben (bitte schreiben Sie mit, was ich diktiere).

Mit- ⟨Präfix; das Basiswort bezeichnet eine Person⟩: *jmd. zusammen mit anderen, einem anderen ...:* Mitangeklagter, -autor, -begründer, -bürger, -mensch. **sinnv.:** Ko-.

Mit|ar|bei|ter, der; -s, -, **Mit|ar|bei|te|rin** die; -, -nen: *männliche bzw. weibliche Person, die einem Betrieb, Unternehmen o. ä. angehört od die bei etwas mitarbeitet:* er arbeitet als freier Mi arbeiter einer Zeitung, an/bei einer Zeitung.

mit|be|kom|men, bekam mit, hat mitbekom men ⟨tr.⟩: **1.** *[auf einen Weg, als Ausstattung o. ä zum Mitnehmen bekommen:* ein Lunchpaket m sie hat nichts bei ihrer Heirat mitbekommen. etwas, was eigentlich nicht für einen bestimmt is hören, wahrnehmen:* die Kinder haben den Stre der Eltern mitbekommen. **sinnv.:** bemerken, e fahren. **3.** *eine Äußerung o. ä. akustisch bzw. in i rer Bedeutung erfassen, aufnehmen:* er war so m de, daß er nur die Hälfte mitbekommen ha **sinnv.:** verstehen.

mit|brin|gen, brachte mit, hat mitgebracht ⟨tr. **a)** *mit an den Ort bringen, an den man sich begib* er bringt seiner Frau Blumen mit; einen Freun [zum Essen] m. **sinnv.:** anschleppen. **b)** *als Vo aussetzung haben, aufweisen:* für eine Arbeit b stimmte Fähigkeiten m. **sinnv.:** können.

mit|ein|an|der ⟨Adverb⟩: **a)** *einer zusammen m [einem] andern:* sie gehen m. nach Hause. **sinnv** gemeinsam. **b)** *einer mit dem andern:* wir kon men gut m. aus. **sinnv.:** untereinander, wechse seitig.

mit|ge|ben, gibt mit, gab mit, hat mitgegebe ⟨tr.⟩: **a)** *zum Mitnehmen geben:* dem Kind Gel für die Reise m. **sinnv.:** schenken. **b)** *zuteil werde lassen:* er hat seinen Kindern eine gute Erzi hung ermöglichen. **sinnv.:** ermöglichen.

mit|ge|hen, geht mit, ging mit, ist mitgegange ⟨itr.⟩: **a)** *(mit jmdm.) gemeinsam gehen:* darf ic ins Kino m.? **sinnv.:** begleiten. **b)** *einem Vortr genden o. ä. aufmerksam zuhören, sich von ih mitreißen lassen:* die Zuschauer gingen begeiste mit.

Mit|glied, das; -[e]s, -er: *Angehöriger einer [fe organisierten] Gemeinschaft:* einem Verein, ein Partei als M. beitreten. **sinnv.:** Angehöriger. **Zus** Ehren-, Familien-, Gemeinde-, Klub-, Partei Vereins-, Vorstandsmitglied.

Mit|leid, das; -[e]s: *stärkere (sich in einem Impu zum Helfen, Trösten o. ä. äußernde) innere Ante nahme am Leid, an der Not o. ä. anderer:* M. ha ben, fühlen [mit jmdm.]; er tat es nur aus M **sinnv.:** Mitgefühl.

mit|ma|chen, machte mit, hat mitgemacht: ⟨tr.⟩ *bei etwas (mit) dabeisein; (an etwas) [akti teilnehmen:* einen Kurs, Ausflug m.; jede Mod m. **sinnv.:** teilnehmen. **b)** ⟨itr.⟩ (ugs.) *sich einer U ternehmung anschließen:* er hat bei allen unsere Spielen mitgemacht. **sinnv.:** sich beteiligen, mi halten. **c)** ⟨tr.⟩ (ugs.) *(Schweres, Schwieriges o. ä durchmachen, durchstehen:* er hat im Krieg vi mitgemacht. **sinnv.:** aushalten, erleben, erleide

mit|rei|ßen, riß mit, hat mitgerissen ⟨tr.⟩: *durc seinen inneren Schwung, seine Überzeugungskra o. ä. für etwas begeistern:* seine Rede riß alle mi **sinnv.:** anmachen, begeistern.

mit|spie|len, spielte mit, hat mitgespielt ⟨itr. **a)** *bei einem Spiel mitmachen:* laßt den Kleine auch m.! **sinnv.:** teilnehmen. **b)** *unter andere auch Ursache sein (für etwas):* bei der geringe Ernte dieses Sommers hat auch das schlech Wetter mitgespielt. **sinnv.:** sich mit auswirke mit im Spiel sein.

mit|tag ⟨Adverb; stets der Angabe eines bestimmten Tages nachgestellt⟩: *am, zu Mittag, um die Mittagszeit:* gestern, heute, morgen m.; Montag m.

Mit|tag, der; -s, -e: *Zeit um die Mitte des Tages (gegen und nach 12 Uhr):* ich treffe ihn zu, gegen M. **sinnv.:** High-noon, Mittagsstunde; zwölf [Uhr mittags].

mit|tags ⟨Adverb⟩: *jeden Mittag, zu Mittag:* m. um eins; [bis] m. hatte es geregnet. **sinnv.:** am Mittag, mittäglich, in der/um die Mittagszeit, um zwölf Uhr.

Mit|te, die; -, -n: *Punkt in einem Raum, auf einer Strecke oder in einem Zeitraum, von dem aus die Enden gleich weit entfernt sind:* die M. eines Kreises; in der M. der Straße, des Monats. **sinnv.:** Mittelpunkt.

mit|tei|len, teilte mit, hat mitgeteilt ⟨tr.⟩: *jmdn. über etwas informieren, ihn etwas wissen lassen:* jmdm. etwas schriftlich, mündlich m.; ich teile ihm mit, daß du krank bist. **sinnv.:** angeben, ankünden, ankündigen, anzeigen, auftischen, Auskunft erteilen/geben, ausplaudern, ausposaunen, ausrichten, aussagen, äußern, beibringen, bekanntgeben, bekanntmachen, benachrichtigen, berichten, Bescheid geben, darlegen, darstellen, durchblicken/verlauten lassen, erklären, erzählen, informieren, in Kenntnis/ins Bild setzen, kundgeben, melden, nennen, reden, referieren, sagen, sprechen, unterbreiten, unterrichten, verkünden, verkündigen, verlautbaren, verlauten lassen, vermelden, verständigen, zutragen.

Mit|tei|lung, die; -, -en: *etwas, was man jmdm. mitteilt:* eine kurze, geheime M.; jmdm. eine M. machen. **sinnv.:** Ankündigung, Aussage, Bekanntgabe, Bekanntmachung, Benachrichtigung, Bericht, Bulletin, Information, Kundgabe, Kundmachung, Meldung, Nachricht.

Mit|tel, das; -s, -: **I. a)** *etwas, was die Erreichung eines Zieles ermöglicht:* ein gutes, erlaubtes M.; jmdn. mit allen Mitteln bekämpfen. **sinnv.:** Handhabe, Instrument, Methode, Möglichkeit, Vehikel, Zweck. **Zus.:** Desinfektions-, Kommunikations-, Produktions-, Putz-, Stil-, Unterrichts-, Waschmittel. **b)** ↑*Heilmittel:* ein wirksames M. gegen Husten. **c)** *Gelder, Geldmittel:* der Staat muß die Mittel für neue Schulen bereitstellen. **sinnv.:** Geld. **II.** *mittlerer Wert, Durchschnittswert:* das M. ausrechnen. **sinnv.:** Durchschnitt. **Zus.:** Jahres-, Tagesmittel.

mit|tel|mä|ßig ⟨Adj.⟩: *nur durchschnittlich:* eine mittelmäßige Leistung; seine Bilder sind m. **sinnv.:** einigermaßen, mäßig.

Mit|tel|punkt, der; -[e]s, -e: **a)** *Punkt in der Mitte eines Kreises oder einer Kugel, von dem aus alle Punkte des Umfanges oder der Oberfläche gleich weit entfernt sind:* der M. des Kreises, der Erde. **sinnv.:** Achse, Kern, Mitte, Pol, Schnittpunkt, Schwerpunkt, Zentrum. **Zus.:** Erdmittelpunkt. **b)** *jmd., der /etwas, was im Zentrum des Interesses steht:* sie war der M. des Abends; diese Stadt ist der geistige M. des Landes. **sinnv.:** Brennpunkt, Herz[stück], Hochburg, Nabel, Sammelpunkt, Zentrale, Zentralpunkt.

mit|ten ⟨Adverb⟩: *in der/die Mitte von etwas/ jmdm. /oft in Verbindung mit einer Präposition/:* der Teller brach m. durch; der Zug hielt m. auf der Strecke; m. im Zimmer; der Verkehr geht m.

durch die Stadt; m. in der Nacht; sich m. unter die Leute mischen. **sinnv.:** direkt, mittendrin, unmittelbar. **Zus.:** inmitten.

Mit|ter|nacht, die; -, Mitternächte: *[Zeitpunkt um] 12 Uhr nachts, 24 Uhr:* er hat bis M. gearbeitet. **sinnv.:** Geisterstunde.

mitt|ler... der; **a)** *in der Mitte (von mehreren) liegend:* im mittleren Haus wohne ich. **b)** *in Ausmaß, Zeitraum, Rang usw. nicht sehr niedrig und nicht sehr hoch:* eine mittlere Größe, Temperatur. **sinnv.:** durchschnittlich.

Mitt|woch, der; -[e]s, -e: *dritter Tag der mit Montag beginnenden Woche.*

mit|un|ter ⟨Adverb⟩: *es kann schon vorkommen, daß...; man aber doch ab und zu einmal [vorkommend] /in bezug auf etwas innerhalb einer Abfolge/:* diese Praktiken muten m. seltsam an; m. wurde ihr schlecht vor Beklemmung. **sinnv.:** manchmal.

mit|wir|ken, wirkte mit, hat mitgewirkt ⟨itr.⟩: *mit [einem] anderen zusammen an/bei der Durchführung o. ä. von etwas wirken, tätig sein:* bei einer Aufführung, bei der Aufklärung eines Verbrechens m. **sinnv.:** mitarbeiten, teilnehmen.

mi|xen ⟨tr.⟩: *durch Mischen (von verschiedenen Getränken o. ä.) zubereiten:* einen Cocktail, [sich] einen Drink m. **sinnv.:** mischen. **Zus.:** zusammenmixen.

Mö|bel, das; -s, -: *Einrichtungsgegenstand, z. B. Schrank, Tisch, Stuhl:* neue Möbel kaufen. **sinnv.:** Einrichtung, Mobiliar. **Zus.:** Anbau-, Büro-, Garten-, Klein-, Küchen-, Polster-, Stil-, Wohnzimmermöbel.

mo|bi|li|sie|ren ⟨tr.⟩: **1.** *dazu bringen, (in einer Angelegenheit) [politisch, sozial] aktiv zu werden, sich (dafür) einzusetzen:* die Parteimitglieder m.; die Gewerkschaften mobilisierten die Massen. **sinnv.:** aufwenden, einsetzen. **2.** *für den [Kriegs]einsatz bereitstellen, verfügbar machen:* das Heer m. **sinnv.:** aktivieren, mobil machen, rüsten.

mö|bliert ⟨Adj.⟩: *mit zum Wohnen nötigen Möbeln eingerichtet:* ein möbliertes Zimmer; eine möblierte Wohnung mieten. **sinnv.:** eingerichtet.

Möch|te|gern- ⟨Präfixoid⟩ (ironisch) /*charakterisiert so oder Bezeichneten als eine Person, die das im Basiswort Genannte gern sein möchte, sich dafür hält, es aber in Wirklichkeit nicht oder nur schlecht ist/:* ein Möchtegerncasanova, -rennfahrer, -schriftsteller, -star.

Mo|de, die; -, -n: **a)** *Geschmack einer Zeit, besonders in der Kleidung:* sich nach der neuesten M. kleiden; in der M. gehen. **Zus.:** Damen-, Herren-, Hut-, Sommer-, Wintermode. **b)** *etwas, was gerade sehr beliebt ist und von vielen getan wird:* es ist jetzt große M., nach Ibiza zu reisen. **sinnv.:** Brauch. **Zus.:** Tages-, Zeitmode.

Mo|dell, das; -s, -e: **1.** *verkleinerte plastische Ausführung eines Bauwerks, eines Flugzeugs usw.:* der Architekt legt ein M. des geplanten Gebäudes vor. **sinnv.:** Exemplar, Miniatur, Schaustück. **Zus.:** Eisenbahn-, Flugzeug-, Schiffsmodell. **2. a)** *Muster, Vorlage für ein Objekt, für die (serienweise) Herstellung von etwas:* er entwirft ein M. für eine neue Universität. **sinnv.:** Entwurf. **Zus.:** Ausstellungsmodell. **b)** *Ausführungsart eines Fabrikats:* sein Auto ist ein ganz neues M. **sinnv.:** Bauart, Baureihe, Produktionsreihe, Serie, Typ.

Zus.: Luxus-, Spitzen-, Standardmodell. **3.** *Objekt, Lebewesen usw., das als Vorlage für das Werk eines Künstlers dient:* einem Maler M. stehen. **Zus.**: Akt-, Fotomodell. **4.** *Kleidungsstück, das nach einem eigens dafür geschaffenen Entwurf hergestellt wurde:* ein Pariser M.

mo|dern: **I.** **modern,** moderte, hat/ist gemodert ⟨itr.⟩: *durch Feuchtigkeit aufgelöst werden und verwesen /bes. von Pflanzlichem/:* das Holz modert im Keller. **Zus.**: vermodern. **II. modern** ⟨Adj.⟩: **a)** *dem neuesten Stand der kulturellen, geschichtlichen, gesellschaftlichen, technischen o. ä. Entwicklung entsprechend:* die moderne Physik, Literatur. **sinnv.**: fortschrittlich, heutig, neuzeitlich, zeitgemäß, zeitgenössisch. **b)** *dem Geschmack und dem Stil der Gegenwart entsprechend* /Ggs. altmodisch/: die Wohnung ist m. eingerichtet. **sinnv.**: in, modebewußt, modernistisch, modisch, neu, neuartig, neumodisch, up to date. **Zus.**: hoch-, hyper-, post-, super-, übermodern.

mo|disch ⟨Adj.⟩: *dem gerade aktuellen Geschmack entsprechend, nach dem neuesten Chic:* ein modisches Kostüm; sich m. kleiden. **sinnv.**: chic, kleidsam, modern.

Mo|fa, das; -s, -s: *einsitziges Kraftrad (mit einer Höchstgeschwindigkeit bis 25 Stundenkilometer).* **sinnv.**: Fahrrad, Motorrad.

mo|geln ⟨itr.⟩: *(z. B. beim Kartenspiel, bei einer Prüfung) nicht ganz ehrlich spielen, sein, sich nicht korrekt an die Vorschriften halten, um auf diese Weise den Ausgang des Spiels, der Prüfung o. ä. für sich positiv zu beeinflussen:* beim Schachspiel, Mensch-ärgere-dich-nicht m.; in der Schule hat er immer ein bißchen gemogelt, schummeln.

mö|gen, mag, mochte, hat gemocht/(nach vorangehendem Inf.) hat ... mögen: **1.** ⟨mit Inf. als Modalverb; hat ... mögen⟩ ⟨itr.⟩ **a)** /zum Ausdruck der Vermutung/ *vielleicht, möglicherweise sein, geschehen, tun o. ä.:* jetzt mag er denken, wir legten keinen Wert auf seinen Besuch; es mochten dreißig Leute sein *(es waren schätzungsweise dreißig Leute);* Hinz, Kunz und wie sie alle heißen mögen. **b)** *zum Ausdruck der Einräumung od. des Zugeständnisses:* er mag es [ruhig] tun; wenn auch das Geschrei groß sein mag, ich bleibe dabei. **c)** ⟨Konjunktiv Präteritum meist in der Bedeutung eines Indikativs Präsens⟩ *den Wunsch haben:* ich möchte [gern] kommen; ich möchte nicht *(hätte nicht gern),* daß du das tust; **d)** *wollen, geneigt sein, Neigung od. die Möglichkeit haben* (besonders verneint): ich mag keinen Fisch essen; Bier hat er noch nie trinken m. **e)** /zum Ausdruck der [Auf]forderung o. ä./ *sollen:* er mag sich ja in acht nehmen!; dieser Hinweis mag *(sollte)* genügen; sag ihm, er möge/möchte zu mir kommen. **2.** (Vollverb; mochte, hat gemocht) **a)** ⟨tr.⟩ *für etwas eine Neigung, Vorliebe haben; etwas nach seinem Geschmack finden; gern haben o. ä.:* er mag klassische Musik, Rosen. **sinnv.**: gefallen. **b)** ⟨tr.⟩ *für jmdn. Sympathie od. Liebe empfinden:* jmdn. m.: die beiden mögen sich, einander nicht; **sinnv.**: lieben. **c)** ⟨itr.⟩ *den Wunsch haben:* er hat nicht in die Schule gemocht; wenn du noch magst, sag es ruhig. **sinnv.**: wollen, sich wünschen.

mög|lich ⟨Adj.⟩: *so, daß es sein, geschehen oder durchgeführt werden kann:* alle möglichen Fälle untersuchen; das ist leicht m.; so schnell wie m. **sinnv.**: anscheinend, ausführbar, denkbar, durchführbar, erdenklich, machbar, potentiell. **Zus.**: bald-, best-, frühest-, größt-, menschen-, un-, womöglich.

mög|lichst ⟨Adverb⟩: **1.** *so ... wie möglich* /in Verbindung mit Adjektiven/: er soll m. schnell kommen; m. gut, viel, schön. **sinnv.**: tunlichst. **Zus.**: baldmöglichst. **2.** *nach Möglichkeit:* ich will mich da m. raushalten; er sucht eine Wohnung, m. mit Balkon.

Möh|re, die; -, -n: *Pflanze mit roter bis gelber Wurzel, die als Gemüse verwendet wird.* **sinnv.**: gelbe Rübe, Karotte, Mohrrübe, Rübli, Wurzel.

mol|lig ⟨Adj.⟩: **a)** *weiche, runde Körperformen habend:* ein molliges Mädchen. **sinnv.**: dick. **b)** *eine angenehm warme, behagliche Zimmertemperatur aufweisend:* ein molliges Zimmer; hier ist es m. warm. **sinnv.**: warm.

Mo|ment: **I.** der; -[e]s, -e: **a)** *sehr kurzer Zeitraum:* warte einen M., ich komme gleich. **sinnv.**: Augenblick. **b)** *bestimmter Zeitpunkt:* ein wichtiger, entscheidender M.; im M., auf den es ankommt. **II.** das; -[e]s, -e: *Gesichtspunkt, der etwas bewirkt:* das wichtigste M. für seine Verurteilung waren die Fingerabdrücke. **sinnv.**: Umstand. **Zus.**: Gefahren-, Gefühls-, Spannungs-, Verdachts-, Vergleichsmoment.

Mo|nat, der; -[e]s, -e: *Zeitraum von 30 bzw. 31 (im Falle des Februar von 28 bzw. 29) Tagen:* das Jahr hat 12 Monate. **sinnv.**: Zeitraum. **Zus.**: Ernte-, Herbst-, Vergleichs-, Winter-, Wonnemonat. **-mo|na|tig** ⟨2. Bestandteil einer Zusammenbildung⟩: *... Monate dauernd, alt:* ein dreimonatiges Baby wurde aus den Trümmern gerettet; ein zweimonatiger Kursus.

mo|nat|lich ⟨Adj.⟩: *in jedem Monat [vorkommend, fällig]:* das monatliche Gehalt; die Miete wird m. bezahlt. **sinnv.**: periodisch, regelmäßig. **Zus.**: zweimonatlich.

Mönch, der; -[e]s, -e: *Angehöriger eines Männerordens:* der M. trägt eine Kutte. **sinnv.**: Frater, Klosterbruder, Laienbruder, Ordensmann, Pater. **Zus.**: Benediktiner-, Bettel-, Dominikaner-, Wandermönch.

Mond, der; -[e]s: *die Erde umkreisender und die Nacht erhellender Himmelskörper:* das Raumschiff umkreiste den M. **sinnv.**: Erdtrabant, Himmelskörper, Luna, Nachtgestirn. **Zus.**: Halb-, Neu-, Vollmond.

Mon|ster, das; -s, -: *furchterregendes, häßliches Fabelwesen, Ungeheuer von phantastischer, meist riesenhafter Gestalt.* **sinnv.**: Ungeheuer. **Zus.**: Filmmonster.

Mon|ster- ⟨Präfixoid⟩ (verstärkend): *von überaus großen, in ihrer Überdimensionalität auffallenden Ausmaßen (in räumlicher oder zeitlicher Hinsicht):* Monsteranlage, -bau, -film, -manöver, -prozeß, -show, -veranstaltung. **sinnv.**: Heiden-, Mammut-, Riesen-, Super-, Top-.

Mon|tag, der; -[e]s, -e: *erster Tag der mit dem Sonntag endenden Woche.*

Mon|ta|ge [mɔn'taːʒə], die; -, -n: *Aufbau, Zusammenbau (von Maschinen, technischen Anlagen o. ä.):* die M. der Maschinen, der Brücke. **sinnv.**: Konstruktion. **Zus.**: Bild-, Fahrzeug-, Film-, Foto-, Heizungsmontage.

Mon|teur [mɔn'tøːɐ̯], der; -s, -e: *[Fach]arbeiter,*

der Montagen ausführt. **sinnv.:** Schlosser. **Zus.:** Elektro-, Heizungsmonteur.

mon|tie|ren ⟨tr.⟩: **a)** *mit technischen Hilfsmitteln an einer bestimmten Stelle anbringen:* die Lampe an der Decke m. **sinnv.:** befestigen. **b)** *aus einzelnen Teilen zusammenbauen, betriebsbereit machen:* einen Bausatz m. **sinnv.:** installieren.

Mo|nu|ment, das; -[e]s, -e: *großes Denkmal:* ein M. für die Gefallenen errichten. **sinnv.:** Ehrenmal, [Mahn]mal, Obelisk.

Moor, das; -[e]s, -e: *sumpfähnliches Gelände mit weichem, schwammartigem, großenteils aus unvollständig zersetzten Pflanzen bestehendem Boden:* im M. versinken. **sinnv.:** Sumpf.

Moos, das; -es: *bes. an feuchten, schattigen Stellen den Boden, Baumstämme o. ä. überziehendes Polster aus kleinen, immergrünen Pflanzen:* weiches, grünes M.; die Steine sind mit M. bedeckt. **Zus.:** Torf-, Weißmoos.

Mo|ped, das; -s, -s: *Kleinkraftrad (mit geringem Hubraum und begrenzter Höchstgeschwindigkeit).* **sinnv.:** Motorrad.

Mo|ral, die; -: **a)** *sittliche Grundsätze des Verhaltens:* bürgerliche, sexuelle M; er hat keine M. **sinnv.:** Ethik, Sitte. **Zus.:** Doppel-, Zahlungsmoral. **b)** *gefestigte innere Haltung, Selbstvertrauen; Bereitschaft, sich einzusetzen:* die M. der Mannschaft ist gut. **sinnv.:** Disziplin. **c)** ⟨M. + Attribut⟩ *Lehre, die aus etwas gezogen wird:* die M. einer Geschichte, eines Theaterstückes. **sinnv.:** Beurteilung, Lehre, Urteil, Weisheit.

Mord, der; -[e]s, -e: *vorsätzliche Tötung:* ein heimtückischer, grausamer, feiger M.; einen M. begehen. **sinnv.:** Bluttat, Ermordung, Totschlag, Tötung. **Zus.:** Bruder-, Doppel-, Gift-, Lust-, Massen-, Raub-, Ruf-, Selbst-, Sexual-, Völkermord.

mor|den, mordete, hat gemordet: **1.** ⟨tr./itr.⟩ *einen Mord begehen:* jmdn. kaltblütig m.; er hat aus Liebe gemordet. **sinnv.:** töten. **Zus.:** ermorden. **2.** ⟨tr.⟩ (emotional abwertend) *töten:* in Kriegen wurden Millionen gemordet. **Zus.:** hinmorden.

Mör|der, der; -s, -, **Mör|de|rin,** die; -, -nen: *männliche bzw. weibliche Person, die einen Mord begangen hat.* **sinnv.:** Attentäter, Blaubart, Killer, Verbrecher, Würger. **Zus.:** Lust-, Massen-, Meuchel-, Raub-, Serien-, Vatermörder.

mör|de|risch ⟨Adj.⟩: *in einer als unerträglich hoch, stark empfundenen Weise [sich äußernd]:* eine mörderische Hitze.

mords-, Mords- ⟨Präfixoid; auch das Basiswort wird betont⟩ (ugs. verstärkend) /kennzeichnet das große, positiv oder negativ beeindruckende Ausmaß, die hohe Intensität des im Basiswort Genannten/: **1.** ⟨adjektivisch⟩ *überaus:* mordsdumm, -groß, -häßlich, -komisch, -wenig. **2.** ⟨substantivisch⟩ **a)** *überaus groß, viel:* Mordsangst, -arbeit, -gaudi, -geschrei, -wut. **b)** /drückt Bewunderung, Anerkennung aus/ *in seiner Art imponierend, großen Eindruck machend:* Mordsauto, -kerl, -weib.

mor|gen ⟨Adverb⟩: **1.** *an dem Tag, der dem heutigen folgt:* m. früh, abend; der Stil von m. *(der Stil der Zukunft).* **Zus.:** übermorgen. **2.** (in Verbindung mit der Angabe eines bestimmten Tages) *am Morgen* /Ggs. abend/: gestern, heute m.; Dienstag m. **sinnv.:** morgens.

Mor|gen, der; -s, -: *Beginn des Tages* /Ggs.

Abend /: ein sonniger M.; vom M. bis zum Abend; am M.; guten M.! *(Gruß zu Beginn des Tages).* **sinnv.:** Sonnenaufgang, Tagesanbruch, Vormittag. **Zus.:** Mai-, Montag-, Oster-, Wintermorgen.

mor|gend|lich ⟨Adj.⟩: *zum Morgen gehörend; am Morgen geschehend:* die morgendliche Stille; die morgendliche Fahrt zur Arbeit.

mor|gens ⟨Adverb⟩: *zur Zeit des Morgens; jeden Morgen* /Ggs. abends/: er steht m. sehr früh auf; m. um acht Uhr. **sinnv.:** allmorgendlich, früh [am Tag], in aller Frühe, (gestern, heute, Dienstag usw.) morgen, am frühen Morgen, beim Morgengrauen, des Morgens, bei Tagesanbruch, vormittags. **Zus.:** frühmorgens.

mor|gig ⟨Adj.; nur attributiv⟩: *den Tag betreffend, der dem heutigen folgt:* er kann den morgigen Tag kaum erwarten.

morsch ⟨Adj.⟩: *bes. durch Fäulnis, auch durch Alter, Verwitterung o. ä. brüchig, leicht zerfallend:* morsche Balken. **sinnv.:** alt, altersschwach, baufällig, brüchig, schrottreif, spröde, verfallen, zerfallen.

Mör|tel, der; -s: *Masse, mit der Ziegel, Steine o. ä. zu einer festen Mauer verbunden werden können.* **sinnv.:** Zement.

Most, der; -[e]s, -e: *aus Obst gewonnener [noch nicht gegorener] Saft.* **sinnv.:** Saft, Wein. **Zus.:** Apfel-, Kirsch-, Süßmost.

Mo|tel, das; -s, -s: *an Autostraßen gelegenes Hotel mit Garagen.* **sinnv.:** Hotel.

Mo|tor, der; -s, Motoren: *Maschine, die durch Umwandlung von Energie Kraft zum Antrieb (z. B. eines Fahrzeugs) erzeugt:* das Fahrzeug wird mit einem M. betrieben; den M. laufen lassen, abstellen. **sinnv.:** Aggregat, Antrieb, Kraftquelle, Triebwerk. **Zus.:** Diesel-, Elektro-, Schiffs-, Verbrennungs-, Wankel-, Zweitaktmotor.

Mo|tor|rad, das; -[e]s, Motorräder: *im Reitsitz zu fahrendes Kraftfahrzeug mit zwei hintereinander angeordneten gummibereiften Rädern und einem Tank zwischen Sitz und Lenker.* **sinnv.:** Krad, Kraftrad, Mofa, Mokick, Moped, Motorroller.

Mot|te, die; -, -n: *kleines fliegendes (zu den Schmetterlingen gehörendes) Insekt [das als Kleidermotte im Stadium der Raupe Pelze und Wollsachen zerfrißt].* **sinnv.:** Nachtfalter, Schmetterling. **Zus.:** Kleider-, Mehlmotte.

Mot|to, das; -s, -s: *Leitsatz, der Inhalt oder Absicht einer Veranstaltung, eines Buches u. a. kennzeichnen soll:* der Parteitag findet unter einem bestimmten M. statt. **sinnv.:** Ausspruch.

Mücke, die; -, -n: *kleines [blutsaugendes] Insekt, das stechen kann und oft in einem größeren Schwarm auftritt.* **sinnv.:** Schnake. **Zus.:** Malaria-, Stechmücke.

mü|de ⟨Adj.⟩: **1.** *in einem Zustand, der nach Schlaf verlangt* /Ggs. munter/: zum Umfallen m. sein; Bier macht m. **sinnv.:** schlafbedürftig, schläfrig, verschlafen. **Zus.:** hunde-, sterbens-, todmüde. **2.** *von einer Anstrengung erschöpft, ohne Kraft und Schwung:* wir waren m. vom Wandern. **sinnv.:** erschöpft, kraftlos, matt, ruhebedürftig, schlapp, übermüdet, überwächtigt. **Zus.:** frühjahrs-, nimmer-, pflastermüde. **3.** * einer Sache m. werden, sein:* die Lust zu/an etwas verlieren.

-mü|de ⟨adjektivisches Suffixoid⟩: *des im Basiswort Genannten überdrüssig, daran keine Freude,*

Lust mehr habend, es nicht mehr wollend: ehe-, kino-, zivilisationsmüde.

Muf|fel, der; -s, -: *Mann, der (im Urteil des Sprechers) mürrisch, unfreundlich ist:* dieser Pförtner ist ein richtiger M. **sinnv.:** Langweiler, Miesepeter, Nieselpriem, Trauerkloß.

-muf|fel, der; -s, - ⟨Suffixoid⟩ (abwertend): *jmd., der dem im Basiswort Genannten [im Unterschied zu anderen] gleichgültig, desinteressiert gegenübersteht, sich nicht darum kümmert:* Ehe-, Gurt-, Krawatten-, Mode-, Sex-, Sportmuffel.

muf|fig ⟨Adj.⟩: **1.** *modrig, dumpf, schlecht riechend:* im Keller riecht es m. **sinnv.:** miefig, stinkig, ungelüftet. **2.** *in einer als mürrisch, unfreundlich empfundenen Weise:* er sitzt m. in der Ecke. **sinnv.:** mißmutig.

Mü|he, die; -, -n: *mit Schwierigkeiten, Belastungen verbundene Anstrengung; zeitraubender [Arbeits]aufwand:* alle Mühen waren umsonst; **sinnv.:** Anstrengung. **Zus.:** Liebesmühe.

mü|he|los ⟨Adj.⟩: *ohne Mühe; wenig Anstrengung verursachend:* er erreichte m. den Gipfel des Berges. **sinnv.:** babyleicht, bequem, einfach, glatt, idiotensicher, kinderleicht, leicht, mit Leichtigkeit.

Müh|le, die; -, -n: **1.** *Anlage, Maschine o. ä. zum Zermahlen, Zerkleinern bes. von Getreide.* **Zus.:** Gewürz-, Kaffee-, Mandel-, Pfeffermühle. **2.** *Haus mit einer Mühle:* eine idyllisch gelegene M. **Zus.:** Papier-, Säge-, Wasser-, Windmühle.

Müh|sal, die; -, -e: *große mit Mühe und Beschwerlichkeiten verbundene Anstrengung:* unter großer M. erreichten wir den Gipfel. **sinnv.:** Anstrengung.

müh|sam ⟨Adj.⟩: *mit großer Mühe verbunden:* eine mühsame Aufgabe. **sinnv.:** beschwerlich, lästig.

müh|se|lig ⟨Adj.⟩: *mit Mühe, Plage verbunden [und viel Geduld erfordernd]:* es ist eine mühselige Arbeit, diese Zettel zu ordnen. **sinnv.:** beschwerlich.

Mul|de, die; -, -n: *leichte [natürliche] Vertiefung im Boden, in einem Gelände:* das Haus liegt in einer M. **sinnv.:** Grube.

Müll, der; -[e]s: *Abfälle, Abfallstoffe aus Haushalt, Gewerbe und Industrie, die zum Abtransport in bestimmten Behältern gesammelt werden.* **sinnv.:** Abfall, Kehricht. **Zus.:** Atom-, Gift-, Haus-, Sperr-, Wohlstandsmüll.

mul|mig ⟨Adj.⟩: **a)** *sich aus Angst, Beklemmung unwohl fühlend:* bei dem hohen Seegang wurde mir ganz m. **b)** *gefährlich, bedrohlich wirkend:* als es m. wurde, verließ er schnell das Lokal. **sinnv.:** unangenehm, unbehaglich, unerfreulich.

Mul|ti|pli|ka|ti|on, die; -, -en: *Rechnung, bei der eine Zahl, Größe multipliziert wird* /Ggs. Division/.

mul|ti|pli|zie|ren ⟨tr.⟩: *um eine bestimmte Zahl vervielfachen/*Ggs. dividieren/: zwei multipliziert mit drei gibt sechs. **sinnv.:** malnehmen.

Mund, der; -[e]s, Münder: **a)** *von den Lippen gebildeter Teil des Gesichts:* sie nahm die Zigarette aus dem M. **sinnv.:** Lippen, Schnute. **Zus.:** Kirschen-, Kuß-, Schmollmund. **b)** *hinter den Lippen sich befindender Raum, der von den Kiefern gebildet wird:* er hatte einen Bonbon im M. **sinnv.:** Klappe, Maul, Rachen, Schnabel, Schnauze.

Mund|art, die; -, -en: *besondere Form der Spra-*che einer Landschaft innerhalb eines Sprachgebietes im Gegensatz zur Hochsprache. **sinnv.:** Dialekt, Idiolekt, Idiom. **Zus.:** Heimat-, Orts-, Stadtmundart.

mün|den, mündete, ist gemündet ⟨itr.⟩: *in etwas hineinfließen:* der Neckar mündet in den Rhein. **sinnv.:** enden, zusammenfließen. **Zus.:** einmünden.

mün|dig ⟨Adj.⟩: *alt genug für bestimmte rechtliche Handlungen:* mit 18 Jahren wird man m. **sinnv.:** volljährig. **Zus.:** straf-, unmündig.

münd|lich ⟨Adj.⟩: *in der Form des Gesprächs stattfindend, sich vollziehend* /Ggs. schriftlich/: eine mündliche Prüfung; einen Termin m. vereinbaren. **sinnv.:** gesprächsweise, gesprochen, verbal. **Zus.:** fernmündlich.

Mün|dung, die; -, -en: *Stelle, an der ein Fluß o. ä. mündet.* **sinnv.:** Delta. **Zus.:** Flußmündung.

Mu|ni|ti|on, die; -, -en: *Material zum Schießen für Gewehre, Kanonen usw.* **sinnv.:** Geschoß, [Gewehr]kugel, Granate, Patrone, Projektil, Schrot.

Mün|ster, das; -s, -: *große Kirche eines Klosters oder Domkapitels.* **sinnv.:** Kirche.

mun|ter ⟨Adj.⟩: **a)** *nicht mehr oder noch nicht schläfrig* /Ggs. müde/: er war bereits um 6 Uhr m. **sinnv.:** wach. **b)** *von Heiterkeit, Fröhlichkeit, Lebhaftigkeit zeugend:* ein munteres Kind, Lied. **sinnv.:** angeregt, lose, lustig. **Zus.:** putzmunter.

Mün|ze, die; -, -n: *mit einer Prägung versehenes Geldstück aus Metall:* in Münzen zahlen. **sinnv.:** Geldstück, Hartgeld, Kleingeld, Pfennig[stück]. **Zus.:** Silbermünze.

mür|be ⟨Adj.⟩: *so beschaffen, daß die nicht bestehende gewisse Festigkeit leicht verlorengeht; leicht zerfallend:* ein mürber Apfel, Kuchen. **sinnv.:** bröcklig, brüchig, morsch, weich; zart.

mur|meln ⟨tr.⟩: *mit tiefer Stimme und wenig geöffnetem Mund undeutlich vor sich hin sprechen:* er murmelte unverständliche Worte. **sinnv.:** flüstern.

mur|ren ⟨itr.⟩: *seine Unzufriedenheit, Auflehnung mit brummender Stimme und unfreundlichen Worten zum Ausdruck bringen:* er murrt immer über das Essen; er ertrug alles, ohne zu m. **sinnv.:** brummen, klagen, knurren, maulen, protestieren, schmollen.

mür|risch ⟨Adj.⟩: *Unzufriedenheit, Übellaunigkeit durch eine unfreundliche, einsilbige, abweisende Art erkennen lassend:* ein mürrisches Gesicht. **sinnv.:** ärgerlich, bärbeißig, brummig, griesgrämig, mißmutig.

Mus, das; -es: *bes. aus Obst für den Verzehr hergestellte breiartige Masse:* M. kochen. **sinnv.:** Brei. **Zus.:** Apfel-, Pflaumenmus.

Mu|schel, die; -, -n: *im Wasser lebendes (Weich)tier mit zwei die weichen Teile des Körpers umschließenden Schalen aus Kalk, die durch einen Muskel zusammengehalten werden* (siehe Bildleiste „Schalentiere"). **sinnv.:** Auster. **Zus.:** Fluß-, Meer-, Mies-, Perlmuschel.

Mu|se|um, das; -s, Museen: *Sammlung von [künstlerisch, historisch] wertvollen Gegenständen, die besichtigt werden kann:* wir gehen ins M. **sinnv.:** Ausstellung, Galerie, Kunsthalle, [Kunst]sammlung, Pinakothek. **Zus.:** Freilicht-, Heimat-, Landes-, Naturkundemuseum.

Mu|sik, die; -, -en: **a)** ⟨ohne Plural⟩ *Kunst, Töne in bestimmter Gesetzmäßigkeit hinsichtlich Rhyth-*

mus, Melodie, Harmonie zu einer Komposition zu ordnen: klassische, moderne M. **sinnv.:** Tonkunst. **Zus.:** Barock-, Country-, Rokokomusik. **b)** *Erzeugnis, Werk[e] der Musik (a):* aus dem Radio tönte, kam laute, ernste M.; die M. zu einem Film schreiben. **sinnv.:** Komposition, Melodie. **Zus.:** Blas-, Film-, Instrumental-, Kammer-, Marsch-, Opern-, Tanzmusik.

mu|si|ka|lisch ⟨Adj.⟩: **a)** *zur Musik gehörend:* musikalische Darbietungen. **b)** *für Musik begabt:* das Kind ist sehr m.

Mu|si|ker, der; -s, -, **Mu|si|ke|rin,** die; -, -nen: *männliche bzw. weibliche Person, die [in einem Orchester o. ä.] ein Musikinstrument spielt.* **sinnv.:** Instrumentalist, Interpret, Künstler, Musikant, Tonkünstler, Virtuose. **Zus.:** Kammer-, Laienmusiker.

Mu|sik|in|stru|ment, das; -[e]s, -e: *Instrument, auf dem Musik gespielt wird.* **sinnv.:** Instrument.

Mus|kel, der; -s, -n: *aus elastischen Fasern bestehendes Gewebe, das beim menschlichen und tierischen Körper die Bewegung ermöglicht.* **Zus.:** Herz-, Kau-, Schließ-, Streckmuskel.

müs|sen, mußte, hat gemußt/(nach vorangehendem Infinitiv) hat ... müssen ⟨itr.⟩: **1.** ⟨mit Infinitiv als Modalverb: hat ... müssen⟩ **a)** *einem [von außen kommenden] Zwang unterliegen, gezwungen sein, etwas zu tun; zwangsläufig notwendig sein, daß etwas Bestimmtes geschieht:* er muß um 8 Uhr im Büro sein; ich habe es tun, sagen müssen. **b)** *auf Grund gesellschaftlicher Normen, einer inneren Verpflichtung nicht umhinkönnen, etwas zu tun; verpflichtet sein, sich verpflichtet fühlen, etwas Bestimmtes zu tun:* ich muß ihre Einladung annehmen. **c)** *auf Grund bestimmter vorangegangener Ereignisse, aus logischer Konsequenz o. ä. notwendig sein, daß etwas Bestimmtes geschieht:* der Brief muß heute noch abgeschickt werden; muß es denn ausgerechnet heute sein? **d)** (nordd.) für *dürfen, sollen* (verneint): das mußt du nicht tun. **e)** */drückt eine hohe, sich auf bestimmte Tatsachen stützende Wahrscheinlichkeit aus; drückt aus, daß man etwas als ziemlich sicher annimmt/:* so muß es gewesen sein; er muß jeden Moment kommen. **f)** ⟨nur 2. Konjunktiv⟩ */drückt aus, daß etwas erstrebenswert, wünschenswert ist/:* Geld müßte man haben. **2.** ⟨Vollverb; hat gemußt⟩ **a)** *gezwungen sein, etwas zu tun, sich irgendwohin zu begeben:* er hat gemußt, ob er wollte oder nicht; er hat zum Chef gemußt. **b)** *notwendig sein, daß etwas Bestimmtes geschieht:* der Brief muß noch zur Post.

Mu|ster, das; -s, -: **1.** *Vorlage, Modell, nach dem etwas gefertigt, hergestellt wird:* ein Kleid nach ei-

nem M. schneidern. **sinnv.:** Ideal, Leitbild, Modell, Plan, Schnitt, Typ, Vorbild. **Zus.:** Druck-, Schnitt-, Strickmuster. **2.** *sich auf einer Fläche, auf Stoff, Papier o. ä. wiederholende Verzierung:* das M. des Kleides. **sinnv.:** Aufdruck, Dekor, Dessin, Musterung, Ornament, Verzierung. **Zus.:** Stick-, Stoff-, Tapetenmuster. **3.** *Probe, kleine Menge zur Ansicht, an der man die Beschaffenheit des Ganzen erkennen kann:* M. von Tapeten. **sinnv.:** Auswahl, Beispiel, Probe, Vorschlag. **Zus.:** Warenmuster.

Mut, der; -[e]s: *Bereitschaft, etwas zu unternehmen, auch wenn es schwierig oder gefährlich ist:* M. zu unkonventionellen Methoden haben. **sinnv.:** Courage, Draufgängertum, Furchtlosigkeit, Herzhaftigkeit, Kühnheit, Mumm, Schneid, Tapferkeit, Unerschrockenheit, Zivilcourage. **Zus.:** Bekenner-, Helden-, Wagemut.

mu|tig ⟨Adj.⟩: *Mut habend; von Mut zeugend:* eine mutige Tat. **sinnv.:** beherzt, couragiert, draufgängerisch, furchtlos, heldenhaft, heroisch, kühn, mannhaft, tapfer, tollkühn, unerschrocken, unverzagt, waghalsig. **Zus.:** kampfes-, lebens-, miß-, todes-, wagemutig.

mut|los ⟨Adj.⟩: *ohne Mut und Zuversicht:* er war schon ganz m., weil ihm nichts gelang. **sinnv.:** ängstlich, kleingläubig, kleinmütig, niedergeschlagen.

mut|maß|lich ⟨Adj.⟩: *wie man auf Grund bestimmter Tatsachen, Anzeichen als möglich annehmen kann:* der mutmaßliche Täter. **sinnv.:** vermutlich.

Mut|ter: **I.** die; -, Mütter: **a)** *Frau, die ein oder mehrere Kinder geboren hat:* sie ist M. von drei Kindern. **sinnv.:** Alte, Mama, Mami, Mutti. **Zus.:** Groß-, Leih-, Schwieger-, Stammutter. **b)** *Frau, die in der Rolle einer Mutter ein oder mehrere Kinder versorgt:* es wäre gut, wenn die Kinder wieder eine M. hätten. **Zus.:** Pflege-, Stief-, Tages-, Ziehmutter. **II.** die; -, -n: *innen mit einem Gewinde versehener [flacher] zylindrischer Hohlkörper [aus Metall], der das Gewinde einer Schraube drehbar umschließt:* die M. fest anziehen. **Zus.:** Flügel-, Rad-, Schrauben-, Vierkantmutter.

müt|ter|lich ⟨Adj.⟩: **1.** ⟨nur attributiv⟩ *von der Mutter kommend, stammend:* die Firma stammt aus dem mütterlichen Erbteil. **2.** *in der Art einer Mutter; liebevoll und besorgt:* die Lehrerin behandelt die Kinder sehr m. **sinnv.:** fürsorglich.

Müt|ze, die; -, -n: *(überwiegend aus weichem Material bestehende) Kopfbedeckung mit oder ohne Schirm:* eine wollene M. aufsetzen. **Zus.:** Bade-, Basken-, Bischofs-, Dienst-, Golf-, Jockei-, Matrosen-, Pelz-, Pudel-, Schirm-, Strick-, Woll-, Zipfelmütze.

N

Na|bel, der; -s, -: *kleine, rundliche Vertiefung mit einer mehr oder weniger wulstigen Vernarbung in der Mitte des menschlichen Bauches.* **Zus.:** Bauchnabel.

nach: **I.** ⟨Präp. mit Dativ⟩ **1.** (räumlich) **a)** */be-*

zeichnet eine bestimmte Richtung/: n. oben, innen, links; von Osten n. Westen. **b)** */bezeichnet ein bestimmtes Ziel/:* n. Amerika fliegen; n. Hause gehen. **2.** (zeitlich) */drückt aus, daß etwas dem genannten Zeitpunkt oder Vorgang [unmittelbar]* *folgt/:* n. wenigen Minuten; n. Weihnachten; fünf Minuten n. drei. **3.** */zur Angabe einer Reihenfolge oder Rangfolge/:* wer kommt n. Ihnen dran?; eins n. dem andern. **4. a)** *so, wie ... ist:* meiner Meinung n./n. meiner Meinung; aller Wahrscheinlichkeit n.; [ganz] n. Wunsch. **sinnv.:** gemäß. **b)** */bezeichnet das Muster, Vorbild o. ä. für etwas/:* n. Vorschrift, geltendem Recht; seinem Wesen n. ist er eher ruhig; der Größe n./n. der Größe antreten lassen. **II. 1.** /in Verbindung mit einem Personalpronomen in Konkurrenz zu *danach;* bezogen auf eine Sache (ugs.)/: es gibt eine Reihe von Vorschriften. Nach ihnen (statt: danach) muß der Anbau genehmigt werden. **2.** /in Verbindung mit „was" in Konkurrenz zu *wonach;* bezogen auf eine Sache (ugs.)/: **a)** /in Fragen/: n. was (besser: wonach) soll ich mich richten? **b)** /in relativer Verbindung/: er hat erreicht, n. was (besser: wonach) er verlangte. **III.** ⟨Adverb⟩ **a)** */drückt aus, daß jmd. jmdm./einer Sache folgt, nachgeht/:* mir n.! **b)** (in Wortpaaren): n. und n. *(allmählich, schrittweise erfolgend):* sich n. und n. wieder erholen; n. wie vor *(noch immer [in gleicher Weise fortbestehend]).*

nach-: **I.** ⟨trennbares, betontes verbales Präfix⟩ **1.** *hinterher-* **a)** ⟨räumlich⟩: jmdm. nachfahren, nachrufen, nachstarren, (jmdm. etwas) nachwerfen. **b)** ⟨zeitlich⟩: (den Geburtstag) nachfeiern (der Jugend) nachtrauern, (reines Wasser) nachtrinken. **2. a)** */besagt, daß das im Basiswort genannte Tun, Geschehen [zur Ergänzung] noch einmal erfolgt/:* etwas nachbestellen, nachgießen, nachkassieren, nachliefern, nachwachsen. **b)** */besagt, daß das im Basiswort genannte Tun noch einmal, und zwar zur Verbesserung, erfolgt/* nachbessern, nachbohren, nachfärben, nachpolieren, nachsalzen, nachschleifen, nachwürzen. **c)** */besagt, daß der im Basiswort genannte Vorgang nach der eigentlichen Beendigung noch fortdauert/:* nachglühen, nachhallen, nachwirken. **d)** */besagt, daß das im Basiswort genannte Tun zur Überprüfung erfolgt/:* nachmessen, nachprüfen, nachzählen. **3. a)** */besagt, daß das im Basiswort genannte Tun eine Vorlage, ein Muster kopiert, noch einmal herstellt/:* etwas nachbauen, nachdrucken, nachmachen, (Erlebnisse) nachzeichnen. **b)** */besagt, daß mit dem im Basiswort genannten Tun das getan, wiederholt wird, was bereits ein anderer vorgemacht hat/:* etwas nachbeten, nachplappern, nachsprechen. **c)** */besagt, daß das im Basiswort genannte Tun, Erleben o. ä. ebenso ist wie das (vorausgegangene) eines anderen/:* etwas nachempfinden, nachfühlen, jmdm. nachgeraten, nachvollziehen. **4.** */besagt, daß ein Tun auf ein Ziel gerichtet ist und intensiv erfolgt/:* nachforschen, nachspionieren. **5.** */besagt, daß das im Basiswort genannte Tun über die vorgesehene Zeit hinaus verlängert wird/:* (eine Stunde) nachsitzen, (ein Spiel) nachspielen lassen. **II.** (adjektivisches und substantivisches Präfix) */zeitlich nach dem im Basiswort Genannten;* Ggs. vor-/: **a)** (adjektivisch): nachklassisch *(nach der Klassik),* nachösterlich *(nach Ostern),* nachstalinistisch *(nach Stalin).* **sinnv.:** post-. **b)** (substantivisch) Nachkriegsroman, Nachsaison *(die Zeit nach der Saison).*

nach|ah|men, ahmte nach, hat nachgeahmt ⟨tr.⟩: *(etwas in Eigenart, Verhalten o. ä.) möglichst genauso tun wie ein anderer:* einen Vogelruf,

jmds. Art zu sprechen n. **sinnv.:** imitieren, kopieren, nachäffen, nachmachen.

Nach|bar, der; -n und -s, -n, **Nach|ba|rin,** die; -, -nen: **a)** *männliche bzw. weibliche Person, die neben jmdm. wohnt, deren Haus, Grundstück [unmittelbar] in der Nähe liegt:* ein ruhiger Nachbar; gute Nachbarn sein. **sinnv.:** Anwohner. **b)** *männliche bzw. weibliche Person, die sich in jmds. [unmittelbarer] Nähe befindet, bes. neben ihm sitzt:* er ist mein Nachbar am Tisch. **sinnv.:** Hintermann, Nebenmann, Vordermann. **Zus.:** Bett-, Tisch-, Zimmernachbar.

nach|dem ⟨Konj.⟩: **1.** ⟨temporal⟩ *nach dem Zeitpunkt, als:* n. er sie begrüßt hatte, kam er zu dem eigentlichen Thema. **2.** ⟨kausal mit gleichzeitig temporalem Sinn⟩ (landsch.) */drückt eine Begründung des Geschehens im Gliedsatz aus/:* n. sich die Arbeiten verzögerten, verloren viele das Interesse daran.

nach|den|ken, dachte nach, hat nachgedacht ⟨itr.⟩: *sich in Gedanken eingehend mit jmdm./etwas beschäftigen, gründlich überlegen:* er hat über dieses Ereignis lange nachgedacht. **sinnv.:** sich bedenken, sich besinnen, brüten, denken, durchdenken, sich fragen, sich Gedanken machen, einem Gedanken/seinen Gedanken nachhängen, seinen Geist anstrengen, grübeln, herumrätseln, sich das Hirn zermartern, knobeln, sich den Kopf zerbrechen, meditieren, nachgrübeln, nachsinnen, philosophieren, rätseln, reflektieren, sinnen, sinnieren, überdenken, überlegen.

nach|denk|lich ⟨Adj.⟩: *mit etwas gedanklich beschäftigt, in Gedanken versunken:* ein nachdenkliches Gesicht. **sinnv.:** gedankenvoll, grüblerisch.

Nach|druck: **I.** der; -[e]s: *besondere Betonung, Eindringlichkeit, mit der die Wichtigkeit einer Sache hervorgehoben wird:* einer Sache N. verleihen. **sinnv.:** Akzent, Bestimmtheit, Betonung, Deutlichkeit, Drastik, Emphase, Gewicht, Gewichtigkeit, Nachdrücklichkeit, Überzeugungskraft, Unmißverständlichkeit. **II.** der; -[e]s, -e: *unveränderter Abdruck (eines Buches, Bildes o. ä.):* N. verboten. **sinnv.:** Reproduktion.

nach|ein|an|der ⟨Adverb⟩: **1.** *einer, eine, eines nach dem anderen; in kurzen Abständen [unmittelbar] aufeinanderfolgend:* n. reichte sie ihnen die Hand; die Wagen starten n. **sinnv.:** aufeinanderfolgend, darauffolgend, folgend, im Gänsemarsch, hintereinander, nachfolgend, der Reihe nach, in Reih und Glied. **2.** *(wechselseitig) einer nach dem andern:* sie sehnten sich n.

Nach|fol|ger, der; -s, -, **Nach|fol|ge|rin,** die; -, -nen: *männliche bzw. weibliche Person, die jmds. Arbeit, Aufgabe, Amt übernimmt* /Ggs. Vorgänger/: jmdn. zum Nachfolger ernennen, berufen. **sinnv.:** Kronprinz, Wachablösung. **Zus.:** Amts-, Rechtsnachfolger.

Nach|fra|ge, die; -: *Bereitschaft, Verlangen der Käufer nach bestimmten Waren:* es herrschte eine starke N. nach dieser Neuheit. **sinnv.:** Bedarf.

nach|ge|ben, gibt nach, gab nach, hat nachgegeben ⟨itr.⟩: **1.** *dem Willen oder den Forderungen eines anderen nach anfänglichem Widerstand entsprechen, schließlich doch zustimmen, sich überreden lassen:* nach langer Diskussion gab er endlich nach. **sinnv.:** aufgeben, sich beugen, sich ergeben, erhören, sich erweichen lassen, sich fügen, kapitulieren, kuschen, passen, resignieren, einen Rückzieher machen, den Rückzug antreten, schwach/weich werden, den Schwanz einziehen, sich unterordnen/unterwerfen, weichen, willfahren, Zugeständnisse machen, zurückstecken. **2.** *einem Druck nicht standhalten:* der Boden, die Wand gibt nach.

nach|ge|hen, ging nach, ist nachgegangen ⟨itr.⟩: **1. a)** *(hinter jmdm./etwas) hergehen, folgen:* er ist dem Mädchen nachgegangen; einer Spur n. **sinnv.:** folgen, hinterhergehen, hinterherlaufen, nacheilen, nachfolgen, nachlaufen, nachrennen, nachschleichen, verfolgen. **b)** *(etwas) genau überprüfen, in seinen Einzelheiten zu klären suchen:* einem Hinweis n. **sinnv.:** nachforschen. **2.** *(eine [berufliche] Tätigkeit) regelmäßig ausüben:* seinem Beruf n. **sinnv.:** arbeiten. **3.** *(jmdn.) noch lange innerlich beschäftigen:* dieses Erlebnis ging ihm noch lange nach. **sinnv.:** beschäftigen. **4.** *(von Meßgeräten) zu wenig anzeigen, zu langsam gehen:* die Uhr geht fünf Minuten nach.

nach|gie|big ⟨Adj.⟩: *so veranlagt, daß die Neigung besteht, sich dem Willen anderer anzupassen; leicht umzustimmen:* ein nachgiebiger Mensch; du bist ihm gegenüber viel zu n.

nach|her [auch: nachher] ⟨Adverb⟩: **a)** *etwas später; in näherer, nicht genau bestimmter Zukunft:* n. gehen wir einkaufen. **b)** *unmittelbar nach einem Geschehen; dann, wenn etwas vorbei ist:* vorher hatte er keine Zeit und n. kein Geld. **sinnv.:** hinterher.

nach|ho|len, holte nach, hat nachgeholt ⟨tr.⟩: **1.** *nachträglich an einen bestimmten Ort holen:* seine Familie an den neuen Wohnort n. **2.** *(Versäumtes oder bewußt Ausgelassenes) später erledigen:* er hat alles nachgeholt. **sinnv.:** aufholen.

Nach|kom|me, der; -n, -n: *Lebewesen, das in gerader Linie von einem anderen Lebewesen abstammt:* ohne Nachkommen sterben. **sinnv.:** Sproß.

nach|läs|sig ⟨Adj.⟩: **a)** *ohne die nötige Sorgfalt, nicht gründlich:* eine nachlässige Arbeit; ein nachlässiger Schüler. **sinnv.:** flüchtig, huschelig, lax, liederlich, oberflächlich, schlampig, schludrig, ungenau, unordentlich. **b)** *weder Interesse noch Teilnahme, Aufmerksamkeit erkennen lassend; voller Gleichgültigkeit:* du gehst mit deinen Sachen sehr n. um. **sinnv.:** unachtsam.

nach|mit|tag ⟨Adverb; in Verbindung mit der Angabe eines bestimmten Tages⟩: *am Nachmittag:* heute n.

Nach|mit|tag, der; -s, -e: *Zeit vom Mittag bis zum Beginn des Abends:* den N. im Schwimmbad verbringen; am späten N. **Zus.:** Spätnachmittag.

nach|mit|tags ⟨Adverb⟩: *am Nachmittag; jeden Nachmittag:* wir sind n. zu Hause.

Nach|na|me, der; -ns, -n: ↑Familienname.

Nach|richt, die; -, -en: **1.** *Mitteilung von neuesten Ereignissen und Zuständen von oft besonderer Wichtigkeit:* eine schlechte, amtliche, politische N.; eine N. überbringen. **sinnv.:** Anzeige, Auskunft, Benachrichtigung, Bescheid, Bestellung, Botschaft, Durchsage, Info, Information, Kunde, Meldung, Mitteilung, Neuigkeit, Notiz. **Zus.:** Kultur-, Todesnachricht. **2.** ⟨Plural⟩ *Sendung im Rundfunk oder Fernsehen, in der die aktuellen, bes. die politischen Ereignisse mitgeteilt werden:* die Nachrichten hören. **Zus.:** Abend-, Kurznachrichten.

nach|rü|sten, rüstete nach, hat nachgerüstet ⟨itr.⟩: *den Bestand an militärischen Waffen, Kampfmitteln ergänzen, vergrößern, um gegenüber einem möglichen Gegner das als verloren betrachtete Gleichgewicht wiederzugewinnen.* **sinnv.:** aufrüsten; rüsten.

nach|schla|gen, schlägt nach, schlug nach, hat nachgeschlagen: **1.** ⟨tr./itr.⟩ *sich in einem Lexikon oder [Wörter]buch Auskunft holen (über etwas/jmdn.):* ein Zitat, ein Wort n.; in einem Buch n. **sinnv.:** aufsuchen, durchsehen, in etwas nachblättern/nachlesen, nachsehen, suchen. **2.** ⟨itr.⟩ *im Wesen einer verwandten Person ähnlich sein, werden:* der Sohn schlägt dem Vater nach. **sinnv.:** ähneln.

nach|se|hen, sieht nach, sah nach, hat nachgesehen: **1.** ⟨itr.⟩ *hinter jmdm./etwas hersehen; mit den Blicken folgen:* er sah dem Auto nach. **sinnv.:** hinterherschauen, hinterhersehen, nachschauen. **2.** ⟨itr.⟩ *prüfen, sich mit prüfenden Blicken überzeugen, ob etwas im gewünschten Zustand ist oder in gewünschter Weise geschehen ist:* n., ob das Fenster geschlossen ist. **sinnv.:** kontrollieren. **3.** ⟨tr./itr.⟩ ↑nachschlagen (1): n., wie das Gedicht genau lautet. **4.** ⟨tr.⟩ *kontrollierend, prüfend auf Fehler, Mängel hin ansehen, durchsehen:* Rechnungen auf Fehler, die Schularbeiten n. **5.** ⟨tr.⟩ *mit jmdm. (in bezug auf etwas zu Beanstandendes, Tadelndes o. ä.) nachsichtig sein:* er sah seinem Sohn vieles nach. **sinnv.:** verzeihen.

Nach|sicht, die; -: *verzeihendes Verständnis für die Schwächen eines anderen:* **sinnv.:** Langmut, Schonung.

Nach|spiel, das; -[e]s, -e: *meist unangenehme Folge, Nachwirkung einer Handlung, Angelegenheit:* die Sache wird noch ein gerichtliches N. haben.

nächst... ⟨Adj.; nur attributiv⟩: **1.** *räumlich als erstes folgend, unmittelbar in der Nähe befindlich:* an der nächsten Ecke; die nächste Strophe. **2.** *zeitlich als erstes, unmittelbar folgend:* wir machen im nächsten Monat Urlaub; der nächste [Patient], bitte!

nach|ste|hend ⟨Adj.; nur attributiv⟩: *(in einem Text) an späterer Stelle stehend:* die nachstehenden Bemerkungen.

näch|stens ⟨Adverb⟩: *in nächster Zeit, in naher Zukunft:* sie wollen n. heiraten.

nacht ⟨Adverb; in Verbindung mit der Angabe eines bestimmten Tages⟩: *in der Nacht:* heute n. hat es bei uns geklingelt.

Nacht, die; -, Nächte: *Zeit der Dunkelheit zwischen Abend und Morgen:* eine kalte N.; bei Anbruch der N.; in der N. von Samstag auf Sonntag. **Zus.:** Fast-, Frühlings-, Hochzeits-, Schreckens-, Weihnacht.

Nach|teil, der; -[e]s, -e: *ungünstiger Umstand; etwas, was sich für jmdn. gegenüber anderen negativ auswirkt* /Ggs. Vorteil/: dieser Vertrag brachte ihm nur Nachteile; er ist im N. *(ist benachteiligt).* **sinnv.:** Mangel.

nach|tei|lig ⟨Adj.⟩: *Nachteile bringend:* nachteilige Folgen; etwas wirkt sich n. aus. **sinnv.:** hinderlich, ungünstig, unerfreulich, unvorteilhaft.

Nach|ti|gall, die; -, -en: *versteckt lebender, unscheinbar rötlichbrauner Singvogel, dessen sehr melodisch klingender Gesang bes. nachts ertönt.*

Nach|tisch, der; -[e]s, -e: *nach dem eigentlichen*

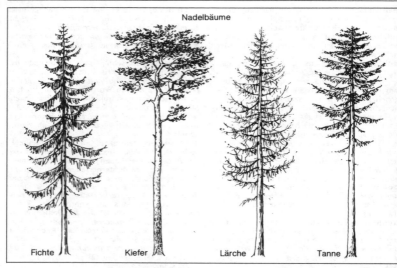

Nadelbäume

Fichte　　　　Kiefer　　　　Lärche　　　　Tanne

Essen gereichte, meist süße Speise. **sinnv.:** Dessert.

nächt|lich ⟨Adj.; nur attributiv⟩: *in, während der Nacht [stattfindend, vorhanden]:* die nächtliche Kühle; ein nächtlicher Spaziergang.

nach|tra|gen, trägt nach, trug nach, hat nachgetragen: **1.** ⟨tr.⟩ *jmdm. tragend nachbringen:* er hat ihm seinen Schirm, den er vergessen hatte, nachgetragen. **2.** ⟨itr.⟩ *jmdm. längere Zeit seine Verärgerung (über etwas von ihm Gesagtes, Getanes) spüren lassen; nicht verzeihen können:* sie trug ihm seine Äußerung noch lange nach. **sinnv.:** übelnehmen. **3.** ⟨tr.⟩ *nachträglich ergänzend hinzufügen:* ich muß in dem Aufsatz noch etwas n. **sinnv.:** vervollständigen.

nach|träg|lich ⟨Adj.; nicht prädikativ⟩: *hinterher erfolgend, nach dem Zeitpunkt des Geschehens:* n. sah er alles ein; ein nachträglicher Glückwunsch.

nachts ⟨Adverb⟩: *in der Nacht, während der Nacht:* er arbeitet häufig n.; um 3 Uhr n.; spät n./n. spät nach Hause kommen.

Nach|weis, der; -es, -e: *das Beschaffen, Vorlegen von Beweismaterial, mit dem eine Behauptung belegt wird; die Richtigkeit, das Vorhandensein von etwas eindeutig bestätigende Feststellung:* der N. seiner Unschuld ist gelungen; einen N. führen. **sinnv.:** Alibi, Beweis, Beweisgrund, Beweismaterial, Beweismittel, Beweisstück, Indiz, Rechtfertigung. **Zus.:** Arbeits-, Befähigungs-, Literatur-, Stellen-, Zimmernachweis.

nach|wei|sen, wies nach, hat nachgewiesen ⟨tr.⟩: **1.** *den Nachweis für etwas erbringen:* etwas läßt sich nur schwer n.; jmdm. einen Irrtum n. **sinnv.:** aufzeigen, belegen, beweisen, dokumentieren. **2.** *jmdm. etwas, was ihm vermittelt werden soll, angeben und ihm entsprechende Informationen darüber geben:* jmdm. eine Stellung n.

Nach|wort, das; -[e]s, -e: *einer größeren schriftlichen Arbeit oder Darstellung nachgestellter, ergänzender, erläuternder o. ä. Text* /Ggs. Vorwort/ **sinnv.:** Anhang, Epilog, Nachsatz, Nachschrift, Nachtrag, Postskriptum, Schlußwort.

Nach|wuchs, der; -es: **1.** *Kind oder Kinder (in einer Familie):* wir haben N. bekommen. **2.** *jünge re, heranwachsende Kräfte, Mitarbeiter:* die Industrie klagt über den Mangel an N. **Zus.:** Film-, Handwerkernachwuchs.

Nacken, der; -s, -: *hinterer, unterer Teil des Halses, der in einer Wölbung in den Rücken übergeht:* den N. beugen; den Kopf in den N. legen. **sinnv.:** Genick, Hals. **Zus.:** Speck-, Stiernacken.

nackt ⟨Adj.⟩: *ohne Bekleidung, Bedeckung (soweit sie im allgemeinen üblich ist):* mit nacktem Oberkörper; n. baden. **sinnv.:** im Adamskostüm, ausgezogen, bar, barfuß bis zum Hals, blank, bloß, entblößt, enthüllt, entkleidet, im Evaskostüm, frei, wie Gott ihn/sie schuf, hüllenlos, nakkend, textilarm, textilfrei, unangezogen, unbedeckt, unbekleidet. **Zus.:** pudel-, splitterfaser-, splitternackt.

Na|del, die; -, -n: **1.** *dünner, langgestreckter, meist spitzer Gegenstand, der aus Metall (oder einem ähnlich festen Material) besteht und je nach Verwendungszweck (wie Nähen, Stopfen, Stricken, Stecken, Spritzen u. a.) in Einzelheiten unterschiedlich geformt ist:* eine N. einfädeln; etwas mit Nadeln feststecken; sie trug eine N. *(schmale Brosche);* die N. des Kompasses. **sinnv.:** Dorn, Stachel, Stift. **Zus.:** Ansteck-, Haar-, Häkel-, Hut-, Kompaß-, Krawatten-, Magnet-, Näh-, Radier-, Sicherheits-, Steck-, Stopf-, Stricknadel. **2.** *in der Funktion dem Blatt vergleichbares Gebilde von nadelähnlicher Form an Nadelbäumen:* die Fichte verliert die Nadeln. **Zus.:** Fichten-, Kiefern-, Tannennadel.

Na|del|baum, der; -[e]s, Nadelbäume: *Baum, der Nadeln* (2) *hat* /Ggs. Laubbaum/.

Na|gel, der; -s, Nägel: **1.** *Stift aus Metall mit spitze und meist flachem, abgerundetem Kopf, der zum Befestigen, Aufhängen von etwas) in etwas ineingetrieben wird:* er schlug einen N. in die Wand; etwas mit Nägeln befestigen. **sinnv.:** Bolen, Drahtstift, Dübel, Haken, Holzstift, Krame, Metallstift, Niete, Reißzwecke, Schraube, tift, Zapfen, Zimmermannsstift. **Zus.:** Draht-, .isen-, Haken-, Huf-, Kopf-, Polster-, Sarg-, .chrauben-, Schuhnagel. **2.** *hornartiger Teil an 'en äußeren Enden von Fingern und Zehen:* die Vägel schneiden. **sinnv.:** Fingernagel. **Zus.:** Daunen-, Fuß-, Zehennagel.

na|geln ⟨tr.⟩: **1. a)** *mit einem Nagel befestigen:* in Bild an die Wand n. **b)** *mit Nägeln versehen:* chuhe n. **c)** *mit Hilfe von Nägeln zusammenfüen:* eine Kiste aus Brettern n. **2.** *mit einem speiellen Stift wieder zusammenfügen:* der Knochen, as Bein, der Bruch muß genagelt werden.

na|gen: a) ⟨itr.⟩ *(bes. von bestimmten Tieren) mit 'en Zähnen kleine Stücke von einem harten Geenstand abbeißen:* der Hund nagt an einem .nochen. **sinnv.:** kauen. **b)** ⟨tr.⟩ *durch Abbeißen on etwas entfernen:* das Wild hat die Rinde von en Bäumen genagt.

nah, na|he: I. ⟨Adj.⟩ näher, nächste **1.** *nicht weit ntfernt; in kurzer Entfernung befindlich:* der nahe Vald; in der näheren Umgebung; nahe bei der .irche. **sinnv.:** benachbart, dicht an/bei, gleich m die Ecke, hart, [nur] ein Katzensprung, in der Vähe, nahebei, nebenan, umliegend, unweit. **2.** *ald, in absehbarer Zeit eintretend, bevorstehend, olgend* /Ggs. fern/: in naher Zukunft; Hilfe war .ahe. **3.** *in enger, direkter Beziehung zu jmdm./etas stehend:* ein naher Angehöriger. **sinnv.:** eng. .us.: lebens-, natur-, zeitnah[e]. **II.** ⟨Präp. mit)ativ⟩ (geh.): *in der Nähe (einer Person, Sache):* ahe dem Fluß. **sinnv.:** unweit.

nah ⟨adjektivisches Suffixoid⟩ /Ggs. -fern/: **1.** *in iner als positiv empfundenen Weise mit direktem 'ezug zu dem im Basiswort Genannten, darauf geichtet, daran orientiert:* bürger-, gegenwarts-, raxis-, wirklichkeits-, zeitnah. **sinnv.:** -betont, oezogen, -orientiert. **2. a)** *dem im Basiswort Geannten in Art o. ä. nahestehend, ihm ähnelnd, 'erbindungen dazu aufweisend:* gewerkschafts-, .andwirtschaftsnah, SPD-nah. **b)** *in der Nähe von 'em im Basiswort Genannten, sich dicht daran beindend:* front-, grenz-, körpernah.

Nä|he, die; -: *geringe räumliche oder zeitliche Entfernung:* das Theater liegt ganz in der N. .us.: Boden-, Erd-, Körpernähe.

na|he|lie|gen, lag nahe, hat nahegelegen ⟨itr.⟩: *ich beim Überlegen sogleich einstellen, anbieten; in eager sein, sich sinnvoll ergeben:* in diesem 'all läge er der Gedanke nahe, daß ...; eine solche 'ermutung liegt nahe; aus naheliegenden Grünen. **sinnv.:** sich anbieten.

nä|hen: a) ⟨itr.⟩ *Teile von Textilien, Leder o. ä. mit lilfe von Nadel und Faden fest miteinander verinden:* mit der Maschine, mit der Hand n. **sinnv.:** flicken, mit Nadel und Faden umgehen, äumen, schneidern, steppen, sticheln, stopfen. .us.: ab-, aneinander-, fest-, zusammennähen. **b)** .r.) *mit Hilfe von Nadel und Faden herstellen:* ein .leid n. **c)** ⟨tr.⟩ *mit Hilfe von Nadel und Faden be-*

festigen: Knöpfe an das Kleid, eine Borte auf die Schürze n. **sinnv.:** annähen.

nä|hern: sich: **1.** *sich [langsam] auf jmdn./etwas zubewegen; näher herankommen:* der Feind nähert sich der Stadt; niemand darf sich dem Kranken n. **sinnv.:** herangehen, herankommen, sich heranmachen, heranziehen, sich, nahen, zugehen auf. **2.** *in zeitliche Nähe von etwas kommen; eine bestimmte Zeit bald erreichen:* wir nähern uns dem Jahr 2000. **sinnv.:** bevorstehen.

na|he|ste|hen, stand nahe, hat nahegestanden ⟨itr.⟩: *zu jmdm. in enger Beziehung stehen, mit jmdm. gut bekannt sein:* der Verstorbene hat uns nahegestanden.

na|he|zu ⟨Adverb⟩: *einer genannten Angabe in Zahl, Grad o. ä. ziemlich nahe; nicht ganz:* n. 5 000 Zuschauer sahen das Spiel. **sinnv.:** beinahe.

näh|ren: 1. ⟨tr.⟩ *auf eine bestimmte Weise mit Nahrung versorgen:* ein Kind mit Muttermilch, Brei n. **sinnv.:** ernähren; stillen. **2.** ⟨itr.⟩ *nahrhaft sein:* Brot nährt. **3.** *tr.) im jmdm./sich entstehen lassen und aufrechterhalten:* einen Verdacht, eine Idee, Hoffnung n.

nahr|haft ⟨Adj.⟩: *reich an Stoffen, die für das Wachstum und die Kräftigung des Körpers wichtig sind: eine nahrhafte Speise;* Brot ist sehr n. **sinnv.:** deftig, gehaltvoll, gesund, handfest, kalorienreich, kräftig, kräftigend, nährend, nährstoffreich, sättigend.

Nah|rung, die; -, -en: *alles Eßbare, Trinkbare, was ein Mensch oder ein Tier zur Ernährung, zum Aufbau und zur Erhaltung des Organismus braucht und zu sich nimmt:* fette, flüssige, pflanzliche N. **sinnv.:** Ernährung, Essen, Essen und Trinken, Fressalien, Fressen, Futter, Kost, Nahrungsmittel, Speise und Trank. **Zus.:** Baby-, Fertig-, Haupt-, Kinder-, Kraftnahrung.

Naht, die; -, Nähte: *Linie, die beim Zusammennähen von etwas an der Verbindungsstelle entsteht:* eine N. auftrennen. **Zus.:** Hosen-, Quer-, Saum-, Stepp-, Ziernaht.

na|iv ⟨Adj.⟩: **a)** *kindlich unbefangen, von argloser Gemüts-, Denkart:* naive Freude. **sinnv.:** arglos; einfältig. **b)** *wenig Erfahrung, Sachkenntnis oder Urteilsvermögen besitzend, erkennen lassend und dadurch oft lächerlich wirkend:* alle haben über seine naiven Fragen gelacht.

Na|me, der; -ns, -n: **1.** *besondere Benennung eines Wesens oder Dinges, durch die es von ähnlichen Wesen oder Dingen unterschieden wird:* das Kind erhielt den Namen Peter; den Namen des Dorfes habe ich vergessen. **Zus.:** Bei-, Deck-, Doppel-, Familien-, Firmen-, Länder-, Mädchen-, Marken-, Monats-, Orts-, Nach-, Phantasie-, Ruf-, Spitz-, Tauf-, Vor-, Zuname. **2.** *Wort, mit dem etwas als Vertreter einer Art, Gattung von Gleichartigem benannt wird:* wie lautet der N. dieser Tiere, Pflanzen? **sinnv.:** Appellativ, Gattungsname. **3.** *mit einem gewissen Ansehen verbundener Bekanntheitsgrad:* der Autor hat bereits einen Namen. **sinnv.:** Ansehen.

näm|lich: I. ⟨Adj.⟩ (geh.): *der-, die-, dasselbe:* die nämlichen Leute; am nämlichen Tag. **II.** ⟨Adverb⟩: **1.** */drückt eine Begründung der vorangehenden Aussage aus/:* ich komme sehr früh an, ich fahre n. mit dem ersten Zug. **sinnv.:** denn. **2.** *und zwar, genauer gesagt:* einmal in der Woche, n. am Mittwoch.

Nar|be, die; -, -n: *auf der Hautoberfläche sichtbare Spur einer verheilten Wunde.* **sinnv.:** Mal, Schmiß, Wundmal. **Zus.:** Brand-, Operations-, Pocken-, Schußnarbe.

Narr, der; -en, -en: **1.** *männliche Person, die (vom Sprecher) für dumm, einfältig gehalten wird:* du bist ein N., wenn du ihm noch länger glaubst. **sinnv.:** Dummkopf, Einfaltspinsel, Gimpel, Hinterwäldler, Kindskopf, Simpel, Tolpatsch, Tölpel, Tor, Tropf. **Zus.:** Blumen-, Bücher-, Hunde-, Kinder-, Pferdenarr. **2.** *(früher an Fürstenhöfen, im Theater) männliche Person, deren Aufgabe es war, andere durch ihre Späße zum Lachen zu bringen.* **sinnv.:** Hofzwerg, Possenreißer, Spaßmacher. **Zus.:** Hofnarr.

När|rin, die; -, -nen: vgl. Narr (1).

na|schen: 1. ⟨tr./itr.⟩ *weil es einem gut schmeckt und weniger aus Hunger kleine Mengen von etwas (z. B. Süßigkeiten) essen:* Schokolade n.; sie nascht gern. **sinnv.:** essen. **2.** ⟨itr.⟩ *[heimlich] (etwas von einer größeren Menge) wegnehmen und essen:* sie hat vom Teig genascht.

Na|se, die; -, -n: *über dem Mund herausragender Teil des Gesichts, den man Gerüche wahrgenommen werden (siehe Bildleiste).* **sinnv.:** Geruchsorgan, Gurke, Riechorgan, Rüssel, Zinken. **Zus.:** Adler-, Haken-, Himmelfahrts-, Papp-, Schnaps-, Stupsnase.

naß, nasser, nasseste ⟨Adj.⟩: **1.** *viel Feuchtigkeit, meist Wasser, enthaltend oder damit bedeckt:* seine Kleider waren völlig n. **sinnv.:** beschlagen, durchnäßt, feucht, klamm, [vor Nässe] triefend. **Zus.:** klatsch-, patsch-, regen-, tropfnaß. **2.** *durch häufiges Regnen gekennzeichnet:* es war ein nasser Sommer. **sinnv.:** regenreich, verregnet.

Na|ti|on, die; -, -en: *größere Gemeinschaft von Menschen mit gleicher Abstammung, Geschichte, Sprache, Kultur und dem Bewußtsein politisch-kultureller Zusammengehörigkeit, die ein politisches Staatswesen bilden:* die europäischen Nationen; eine geteilte N. **sinnv.:** Volk. **Zus.:** Fußball-, Industrienation.

na|tio|nal ⟨Adj.⟩: **a)** *die Nation betreffend:* nationale Eigentümlichkeiten; die nationale Unabhängigkeit. **sinnv.:** staatlich. **b)** *überwiegend und in oft übertriebene Weise die Interessen der eigenen Nation vertretend:* n. denken, fühlen. **sinnv.:** chauvinistisch, nationalistisch, patriotisch, rechtsextremistisch, vaterländisch, völkisch.

Na|tur, die; -, -en: **1.** ⟨ohne Plural⟩ *Gesamtheit aller organischen und anorganischen, ohne menschliches Zutun entstandenen, existierenden,*

sich entwickelnden Erscheinungen: die unbelebt[] N.; die Kräfte der N. nutzen. **2.** ⟨ohne Plural[]⟩ *Pflanzen, Tiere, Gewässer, Gesteine als Teil ein[] bestimmten Gebietes, der Erdoberfläche überhaup[] (bes. im Hinblick auf das noch nicht vom Mensche[] Berührt-, Umgestaltet-, Besiedeltsein):* die unve[] fälschte N.; diese Pflanze gedeiht nur in der [frei] en] N. **sinnv.:** Feld und Wald, das Freie, das Grü[] ne, Landschaft, frische Luft, Umwelt. **3.** *Art, We[] sen, Charakter, körperliche Eigenart einer Person[] eines Tieres:* die männliche N.; ihre Naturen sin[] zu verschieden. **sinnv.:** Individualität. **Zus.[]** Froh-, Kämpfer-, Künstlernatur. **4.** ⟨ohne Plura[]⟩ *einer Sache eigentümliche Beschaffenheit:* Frage[] von allgemeiner N.; es liegt in der N. der Sache[] daß Schwierigkeiten entstehen.

na|tür|lich: I. ⟨Adj.⟩ **1. a)** *zur Natur gehörend, i[] der Natur vorkommend, von der Natur geschaffen[]* natürliche Blumen; der Fluß ist eine natürlich[] Grenze. **sinnv.:** echt; rein. **b)** *in der Natur liegen[] durch die Natur bedingt:* die natürlichen Funktio[] nen des Körpers. **Zus.:** über-, un-, widernatür[] lich. **c)** *der Wirklichkeit entsprechend:* eine Figu[] in natürlicher Größe. **2.** *nicht gekünstelt, sonder[] frei, locker und ohne falsche Zwänge:* sie hat ei[] natürliches Wesen. **sinnv.:** ungezwungen. **3.** *in de[] Natur der Sache begründet und daher ganz in de[] Erwartung liegend, ganz folgerichtig:* es ist doc[] ganz n., daß er jetzt traurig ist. **II.** ⟨Adverb⟩ *wie z[] erwarten ist; ganz sicher, ganz selbstverständlich[]* n. käme ich gerne, aber ich habe keine Zeit[] **sinnv.:** ja; zwar; zweifellos.

Ne|bel, der; -s, -: *dichter, weißer Dunst, Trübun[] der Luft durch sehr kleine Wassertröpfchen:* di[] Sicht war durch dichten N. behindert. **sinnv.[]** Dunst, Smog, Suppe, Waschküche. **Zus.[]** Abend-, Früh-, Herbst-, Hoch-, Morgen-, No[] vembernebel.

ne|ben ⟨Präp. mit Dativ und Akk.⟩: **I. 1. a)** ⟨mi[] Dativ⟩ *unmittelbar an der Seite von; dicht bei:* e[] sitzt n. seinem Bruder; der Schrank steht dicht n[] der Tür; /in Verbindung mit zwei gleichen Sub[] stantiven zur Angabe der Aufeinanderfolge ohne[] Auslassung/: auf dem Parkplatz steht Auto n[] Auto *(ein Auto dicht neben dem anderen).* **sinnv.[]** seitlich. **b)** ⟨mit Akk.⟩ *unmittelbar an die Seite vo[] dicht bei:* er stellte seinen Stuhl n. den meinen[] /in Verbindung mit zwei gleichen Substantive[] zur Angabe der Aufeinanderfolge ohne Auslas[] sung/: sie bauten Bungalow n. Bungalow. **sinnv.[]** seitlich. **2.** ⟨mit Dativ⟩ *zugleich mit:* n. ihrem Be[] ruf hat sie einen großen Haushalt zu versorgen[]

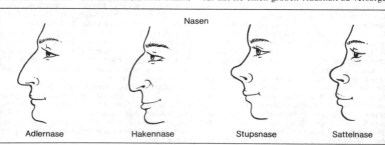

Nasen

Adlernase   Hakennase   Stupsnase   Sattelnase

wir brauchen n. *(zusätzlich zu)* Papier und Schere auch Leim. **sinnv.**: außer. **3.** ⟨mit Dativ⟩ *verglichen mit; im Vergleich zu:* n. ihm bist du ein Waisenknabe. **II. 1.** /in Verbindung mit einem Personalpronomen in Konkurrenz zu *daneben;* bezogen auf eine Sache (ugs.)/: dort drüben liegt die Stadtkirche. Neben ihr (statt: daneben) findest du die Apotheke. **2.** in Verbindung mit „was" in Konkurrenz zu *woneben;* bezogen auf eine Sache (ugs.)/: **a)** /in Fragen/: n. was (besser: woneben) soll ich die Blumen stellen? **b)** /in relativer Verbindung/: ich weiß schon längst nicht mehr, n. was (besser: woneben) dieses Gemälde in der Galerie hing.

ne|ben|an ⟨Adverb⟩: *unmittelbar daneben, in umittelbarer Nachbarschaft:* das Haus n.; der Herr von n. **sinnv.**: nahe.

ne|ben|bei ⟨Adverb⟩: **1.** *gleichzeitig mit etwas anderem, noch außerdem:* diese Arbeit kann ich noch n. tun. **2.** *ohne besonderen Nachdruck, wie zufällig:* er erwähnte dies nur n. **sinnv.**: beiläufig, gesprächsweise, nebenher, obenhin, en passant, am Rande.

ne|ben|ein|an|der ⟨Adverb⟩: **a)** *einer neben den anderen:* die Bilder n. legen, nicht stellen. **b)** *einer neben dem anderen:* n. die Treppe hinaufgehen.

ne|ben|säch|lich ⟨Adj.⟩: *als Nebensache geltend, von geringer Bedeutung:* es ist jetzt n., ob es teuer ist oder nicht. **sinnv.**: marginal, sekundär, unbedeutend, unwichtig.

neb|lig ⟨Adj.⟩: *durch Nebel getrübt, von Nebel erfüllt:* heute ist es sehr n. **sinnv.**: dunstig.

Nef|fe, der; -n, -n: *Sohn von jmds. Bruder, Schwester, Schwager oder Schwägerin.*

ne|ga|tiv ⟨Adj.⟩: **1.** *Ablehnung, Verneinung ausdrückend, enthaltend* /Ggs. positiv/: er erhielt einen negativen Bescheid. **sinnv.**: ablehnend, abschlägig, verneinend, zurückweisend. **2.** *nicht wünschenswert, nicht günstig, kein positives Ergebnis bringend:* /Ggs. positiv/: eine negative Entwicklung; die Verhandlungen verliefen n. **sinnv.**: unangenehm; unerfreulich. **3.** *bei einer Wertung im unteren Bereich angesiedelt* /Ggs. positiv/: negative Leistungen; etwas n. bewerten. **4.** *unter Null liegend:* negative Zahlen.

Ne|ger, der; -s, -: *Mensch einer (in Afrika beheimateten) Rasse mit dunkelbrauner bis schwarzer Hautfarbe und krausen schwarzen Haaren.* **sinnv.**: Afrikaner, Farbiger, Mohr, Nigger, Schwarzer.

neh|men, nimmt, nahm, hat genommen ⟨tr.⟩: **1. a)** *mit der Hand greifen, erfassen u. festhalten:* er nahm seinen Mantel und ging. **b)** *[ergreifen und] an sich, in seinen Besitz bringen:* er nahm, was er bekommen konnte. **2.** *(etwas Angebotenes) annehmen:* er nimmt kein [Trink]geld; nehmen Sie noch eine Zigarette? **sinnv.**: sich bedienen; entgegennehmen. **3. a)** *(fremdes Eigentum) in seinen Besitz bringen:* die Einbrecher nahmen alles, was ihnen wertvoll erschien. **sinnv.**: sich aneignen, angeln, sich einer Sache bemächtigen, Besitz ergreifen/nehmen von, einheimsen, erbeuten, erhaschen, grapschen, greifen, sich unter den Nagel reißen, an sich reißen, schnappen, wegnehmen, wegschnappen, zusammenraffen. **b)** *jmdn. um etwas bringen; entziehen:* jmdm. die Sicht n.; dieses Recht kann ihm niemand n. **c)** *bewirken, daß sich jmd. von etwas Unangenehmem befreit fühlt:* die Angst, den [Alp]druck von jmdm. n. **4.** *(für einen*

bestimmten Zweck) benutzen, verwenden: sie nimmt nur Öl zum Braten; man nehme: 250 g Zucker, 300 g Mehl ... **sinnv.**: verarbeiten. **5. a)** *[ergreifen und] an eine [bestimmte] Stelle bei sich bringen, bewegen:* die Tasche unter den Arm n.; er hat das Kind auf den Schoß genommen. **sinnv.**: aufbewahren. **b)** *ergreifen und von etwas weg-, aus etwas herausbringen:* Geschirr aus dem Schrank, Geld aus der Brieftasche n. **sinnv.**: entnehmen. **6.** *sich (einer Person oder Sache) bedienen:* [sich] einen Anwalt n.; den Bus, das Auto n. **7.** *für seine Zwecke aussuchen, sich (für jmdn./etwas) entscheiden:* diese Wohnung nehmen wir. **8.** *bei sich unterbringen, aufnehmen:* eine Waise ins Haus n.; jmdn. zu sich n. **9.** *in Anspruch nehmen, sich geben lassen:* Unterricht in Latein n.; Urlaub n. **10.** *(ein Medikament) einnehmen:* seine Arznei n.; sie nimmt die Pille. **11.** *in einer bestimmten Weise betrachten, auffassen, bewerten, einschätzen:* etwas [sehr] ernst n. **12.** /in verblaßter Bedeutung/: den, seinen Abschied n. (geh.: *entlassen werden, aus dem Amt scheiden*); von etwas Abstand n. *(etwas unterlassen);* an etwas Anstoß n. *(sich über etwas ärgern);* etwas in Betrieb, in Dienst n. *(beginnen, etwas zu benutzen, einzusetzen);* in etwas Einsicht, Einblick n. *(etwas einsehen);* auf jmdn./etwas Einfluß n. *(jmdn./etwas beeinflussen);* jmdn. ins Verhör n. *(verhören).*

Neid, der; -[e]s: *Empfindung, Haltung, bei der jmd. einem anderen einen Erfolg oder einen Besitz nicht gönnt oder Gleiches besitzen möchte:* vor N. vergehen. **sinnv.**: Mißgunst. **Zus.**: Amts-, Brot-, Futter-, Konkurrenzneid.

nei|disch ⟨Adj.⟩: *von Neid erfüllt, bestimmt:* neidische Nachbarn. **sinnv.**: eifersüchtig, mißgünstig, scheel.

nei|gen: ⟨tr.⟩ **1. a)** *zur Seite drehen, in eine schräge Lage bringen oder nach unten biegen, senken:* den Kopf zum Gruß n.; der Baum neigt seine Zweige bis zur Erde. **b)** ⟨sich n.⟩ *sich in eine schräge Lage bringen und nach unten biegen, senken:* das Schiff neigt sich zur Seite. **sinnv.**: sich beugen. **2.** ⟨sich n.⟩ (geh.) *zu Ende gehen:* der Tag hat sich geneigt. **sinnv.**: enden. **3.** ⟨itr.⟩ **a)** *einen Hang (zu etwas) haben:* er neigt zur Schwermut. **b)** *eine bestimmte Richtung im Denken oder Handeln erkennen lassen, vertreten:* er neigt zur Verschwendung; ich neige mehr zu deiner Ansicht. **sinnv.**: tendieren.

Nei|gung, die; -, -en: **1.** *das Geneigtsein, Schrägabfallen:* die N. einer Straße. **sinnv.**: Gefälle. **2.** *besonderes Interesse für etwas, bestimmter Hang zu etwas:* etwas aus N. tun; ein Mensch mit starken künstlerischen Neigungen. **sinnv.**: Drang, Drift, Einschlag, Färbung, Geneigtheit, Geschmack, Gusto, Hang, Impetus, Impuls, Manie, Richtung, Strömung, Sucht, Tendenz, Trend, Trieb, Vorliebe, Zug. **3.** *liebevolle Gesinnung, herzliches Gefühl des Hingezogenseins:* seine N. zu diesem Mädchen wurde nicht erwidert. **sinnv.**: Zuneigung.

nein ⟨Adverb⟩ /drückt eine verneinende Antwort oder eine Bekräftigung der Ablehnung aus/: n. danke; „Bist du fertig?" – „Nein!". **sinnv.**: absolut nicht, ausgeschlossen, unter keiner Bedingung, beileibe nicht, durchaus nicht, ganz und gar nicht, auf keinen Fall, kommt nicht in Frage, kein Gedanke, keinesfalls, keineswegs, mitnichten, nicht, nie, nie und nimmer, niemals, um keinen Preis, keine Spur, unter keinen Umständen, undenkbar, unmöglich, in keiner Weise, nicht um alles in der Welt. **II.** ⟨Partikel⟩ **1.** ⟨unbetont⟩ /leitet einen Ausruf des Erstaunens, der Überraschung, Freude o. ä. ein/: n., so ein Glück!; n., sowas! **2.** ⟨unbetont⟩ /zur steigernden Anreihung von Sätzen od. Satzteilen/ mehr noch, sogar: er schätzte [ihn], n., er verehrte ihn. **3.** /schließt einen Satzteil od. Satz an, in dem die vorangegangene Aussage verneint wird [und verstärkt diese Verneinung]/: n., das kann ich nicht glauben; n., das ist unmöglich.

Nel|ke, die; -, -n: Pflanze mit schmalen Blättern und Blüten mit gefransten oder geschlitzten Blütenblättern in verschiedenen Farben. Zus.: Garten-, Pech-, Steinnelke.

nen|nen, nannte, hat genannt ⟨tr.⟩: **1. a)** mit einem bestimmten Namen bezeichnen, (jmdm.) einen bestimmten Namen geben: wie wollt ihr das Kind n.?; als Künstler nannte er sich Reno. **b)** ↑bezeichnen (2 a): jmdn. einen Lügner n.; das nenne ich (das ist wirklich) Mut/mutig. **c)** mit einer bestimmten Anrede ansprechen: sie nannte ihn beim/bei seinem/mit seinem Vornamen; du kannst mich ruhig Kalle n. **2.** als Angabe, Auskunft o. ä. mitteilen, sagen: er nannte seinen Namen; jmdm. den Grund für etwas n. **sinnv.:** anführen, erwähnen; mitteilen. **3.** ⟨sich n.⟩ **a)** einen bestimmten Namen haben: die Kneipe nennt sich "Zum Ochsen". **sinnv.:** lauten. **b)** für sich in Anspruch nehmen; zu sein behaupten: und so was nennt sich nun dein Freund.

Nerv, der; -s, -en: Faserstrang im Körper, der Reize zwischen dem Zentralnervensystem und den übrigen Organismus vermittelt: bei der Spritze wurde ein N. getroffen. Zus.: Geruchs-, Geschmacks-, Haut-, Seh-, Sehnerv.

ner|vös ⟨Adj.⟩: von innerer Unruhe, Zerfahrenheit, Unsicherheit erfüllt: der Lärm macht mich n. **sinnv.:** aufgeregt, außer sich, erregt, fahrig, fickrig, fiebrig, gereizt, hektisch, kribbelig, nervenschwach, neurasthenisch, reizbar, ruhelos, schußlig, ungeduldig, unruhig, unstet, zappelig.

Nerz, der; -es, -e: **1.** (zu den Mardern gehörendes) kleines Tier mit braunem Fell, das wegen seines wertvollen Fells auch gezüchtet wird. **2.** Pelz aus Nerzfellen: sie trägt einen N.

Nest, das; -[e]s, -er: aus Zweigen, Gräsern, Lehm o. ä. geformte Wohn- und Brutstätte bes. von Vögeln und kleinen Säugetieren: die Vögel verlassen ihre Nester. **sinnv.:** Horst, Nistplatz. Zus.: Eulen-, Schlangen-, Schwalben-, Storchen-, Wespennest.

nett ⟨Adj.⟩: **a)** freundlich und liebenswürdig, angenehm im Wesen: nette Leute; er war sehr n. zu mir. **sinnv.:** anständig; freundlich; lieb; sympathisch. **b)** jmds. Gefallen erweckend, hübsch und ansprechend: es war ein netter Abend; das Kleid ist recht n. **sinnv.:** hübsch.

Netz, das; -es, -e: **1.** durch Flechten oder Verknoten von Fäden oder Seilen entstandenes Gebilde aus Maschen: zum Fischen die Netze auswerfen; den Ball ins N. schlagen. **sinnv.:** Gewebe. Zus.: Einkaufs-, Fang-, Fischer-, Gepäck-, Haar-, Maschen-, Moskito-, Schmetterlings-, Stahl-, Tennis-, Vogelnetz. **2.** vielfältig verflochtenes, netzartig verzweigtes System, verzweigte Anlage: das N. von Schienen, elektrischen Leitungen, Kanälen.

Zus.: Eisenbahn-, Funk-, Linien-, Schienen-, Straßen-, Verkehrsnetz.

neu ⟨Adj.⟩: **1. a)** vor kurzer Zeit hergestellt, entstanden, begonnen; seit kurzer Zeit vorhanden /Ggs. alt/: ein neues Haus; zum neuen Jahr Glück wünschen; neuer Wein. **b)** frisch, noch nicht verbraucht, berührt, getragen, benutzt /Ggs. gebraucht/: ein neues Auto; das Geschirr sieht noch aus wie n. **sinnv.:** frisch. Zus.: brand-, fabrik-, funkelnagel-, nagelneu. **c)** bisher unbekannt, noch nicht dagewesen, noch nicht üblich: eine neue Methode entdecken; die neuesten Nachrichten. **sinnv.:** neuartig; modern. **2.** noch nicht lange irgendwo anwesend [und daher noch nicht Bescheid wissend]; seit kurzer Zeit erst dazugehörend: neue Mitglieder; er ist n. in diesem Beruf. **sinnv.:** fremd. **3.** noch zur Gegenwart gehörend, noch nicht lange zurückliegend: in neuerer, neuester Zeit; das ist neueren Datums. **4.** gerade erst an die Stelle einer anderen Person oder Sache getreten oder zu dieser gerade hinzukommend: eine neue Stellung, Wohnung haben; der neue Chef; etwas n. formulieren.

Neue|rung, die; -, -en: etwas Neues, Ungewohntes (neue Methode o. ä.), dessen Einführung eine Änderung, Neugestaltung des Bisherigen bedeutet: eine technische, sensationelle N. **sinnv.:** Neuheit.

Neu|gier, Neu|gier|de, die; -: Verlangen, etwas [Neues] zu erfahren, zu wissen: bes. aus dem Privatleben anderer): seine N. befriedigen; ich frage aus reiner N. **sinnv.:** Interesse.

neu|gie|rig ⟨Adj.⟩: von Neugier erfüllt, voller Neugier: neugierige Blicke; n. fragen; Kinder sind nun einmal n. **sinnv.:** interessiert, wißbegierig, wissensdurstig.

Neu|heit, die; -, -en: etwas, was neu erschienen ist, erst kürzlich auf den Markt gekommen ist: das Geschäft führt die letzten Neuheiten der Mode; die Neuheiten auf dem Buchmarkt. **sinnv.:** Dernier cri, Neubearbeitung, Neuerscheinung, Neuerung, Novität, Novum. Zus.: Messeneuheit.

Neu|ig|keit, die; -, -en: etwas, was noch nicht allgemein bekannt ist, etwas Neues: jmdm. eine N. erzählen. **sinnv.:** Nachricht.

Neu|jahr [auch: ... jahr], das; -[e]s: erster Tag des Jahres: N. fällt diesmal auf einen Sonntag. **sinnv.:** Jahreswechsel.

neu|lich ⟨Adverb⟩: vor kurzer Zeit, vor einiger Zeit: ich bin ihm n. begegnet. **sinnv.:** kürzlich.

neu|mo|disch ⟨Adj.⟩: (im Urteil des Sprechers) in kritikwürdiger Weise allzu modern: neumodische Sitten, Ansichten. **sinnv.:** modern.

neun ⟨Kardinalzahl⟩: 9: n. Personen; die n. Musen.

neunt... ⟨Ordinalzahl⟩: 9.: der neunte Mann.

neun|zig ⟨Kardinalzahl⟩: 90: n. Personen.

neu|tral ⟨Adj.⟩: **1.** nicht an eine bestimmte Interessengruppe, Partei o. ä. gebunden, keine von diesen unterstützend: ein neutrales Land; ein neutraler Beobachter. **sinnv.:** unparteiisch. **2.** nichts Hervorstechendes, Einengendes, Besonderes aufweisend und deshalb mit anderem harmonierend, für alle möglichen Zwecke o. ä. geeignet: eine neutrale Farbe; neutrales Briefpapier.

nicht: I. ⟨Adverb⟩ /drückt eine Verneinung aus/: ich habe ihn n. gesehen; die Pilze sind n. eßbar. **II.** ⟨Partikel; meist unbetont⟩ /drückt bei Fragen, Ausrufen, Ausdrücken des Sichwunderns, Stau-

nens eine Verstärkung aus/: hast du n. gehört?; was du n. alles kannst!; was es n. alles gibt!

Nich|te, die; -, -n: *Tochter von jmds. Bruder, Schwester, Schwager oder Schwägerin.*

nichts ⟨Indefinitpronomen⟩: **a)** *nicht das mindeste, geringste; in keiner Weise etwas:* n. sagen; er ist mit n. zufrieden. **sinnv.:** kein bißchen, nicht die Bohne/Spur, nicht das geringste/mindeste. **b)** *nicht etwas:* er kauft n. Unnötiges; er spricht von n. anderem mehr.

ni|cken ⟨itr.⟩: *(zum Zeichen der Zustimmung, des Verstehens o. ä. oder als Gruß) den Kopf [mehrmals] leicht und kurz senken und wieder heben:* beifällig, nachdenklich n.

nie ⟨Adverb⟩: *zu keiner Zeit, unter keinen Umständen, überhaupt nicht:* das werde ich n. vergessen; n. wieder [Krieg]! **sinnv.:** nein; niemals.

nie|der: I. ⟨Adj.⟩ **1.** *in einer Rangordnung, Hierarchie unten stehend:* der niedere Adel; dem niederen Stand [des Volkes] angehören. **2.** *nicht sehr hoch entwickelt:* niedere Tiere, Pflanzen. **II.** ⟨Adverb⟩ *nach unten, zu Boden:* n. mit ihm!; auf und n. schwingen; hin.

nie|der- ⟨trennbares, betontes verbales Präfix⟩: *nach unten, zu Boden:* niederbrennen, -drücken, -gehen, -halten, -knien, -reißen, -schlagen, -walzen. **sinnv.:** ab-, herab-, herunter-, hinab-, hinunter-, zusammen-.

nie|der|ge|schla|gen ⟨Adj.⟩: *durch einen Mißerfolg, eine Enttäuschung o. ä. traurig, unglücklich und ratlos:* nach dem Besuch im Krankenhaus war er sehr n. **sinnv.:** deprimiert, down, entmutigt, gebrochen, gedrückt, geknickt, kleinlaut, kleinmütig, mutlos, niedergedrückt, niedergeschmettert, resigniert, verzagt, verzweifelt.

Nie|der|la|ge, die; -, -n: *das Verlieren, Unterliegen in einer Auseinandersetzung, im Wettkampf, Kampf:* eine schwere N. erleiden, hinnehmen müssen. **sinnv.:** Mißerfolg. **Zus.:** Abstimmungs-, Heim-, Wahlniederlage.

nie|der|las|sen, sich; läßt sich nieder, ließ sich nieder, hat sich niedergelassen: **1.** *sich ↑setzen:* er hat sich auf dem Sofa niedergelassen. **2.** *an einen bestimmten Ort ziehen, dort ansässig werden [und eine selbständige Tätigkeit ausüben]:* die Firma hat sich in Mannheim niedergelassen; er hat sich als Arzt niedergelassen. **sinnv.:** sich ansiedeln, besiedeln, eine Existenz aufbauen, Fuß fassen, ein Geschäft/eine Praxis eröffnen, sich selbständig machen, Wurzeln schlagen.

nie|der|le|gen, legte nieder, hat niedergelegt ⟨tr.⟩: **1.** *aus der Hand, auf etwas, auf den Boden legen:* sie legten Kränze am Grabe nieder. **2.** *nicht weitermachen, ausüben:* er legte sein Amt, die Arbeit nieder. **sinnv.:** kündigen. **3.** (geh.) *schriftlich festhalten:* er legte seine Gedanken schriftlich nieder. **sinnv.:** aufschreiben; fixieren.

Nie|der|schlag, der; -[e]s, Niederschläge: **1.** *(in Form von Regen, Schnee, Tau o. ä.) aus der Atmosphäre auf die Erde fallendes Wasser:* es gab Niederschläge in Form von Regen und Schnee. **sinnv.:** Regen, Reif, Schnee. **2.** *Schlag (bes. beim Boxen), durch den jmd. zu Boden sinkt:* er gab nach zwei Niederschlägen auf.

nie|der|schla|gen, schlägt nieder, schlug nieder, hat niedergeschlagen: **1.** ⟨tr.⟩ *durch einen Schlag zu Boden werfen:* er hat ihn niedergeschlagen. **sinnv.:** prügeln. **2.** ⟨tr.⟩ *sich nicht weiter ent-*

wickeln lassen; einer Sache ein Ende setzen: er hat den Aufstand niedergeschlagen. **sinnv.:** beenden. **3.** ⟨tr.⟩ *(den Blick o. ä.) nach unten lenken:* die Lider, den Blick n. **sinnv.:** senken. **4.** ⟨sich n.⟩ *als Niederschlag auf etwas entstehen, ablagern:* der Nebel hat sich am nächsten Morgen als Tau niedergeschlagen.

nie|der|schrei|ben, schrieb nieder, hat niedergeschrieben ⟨tr.⟩: *etwas, was man erlebt oder überlegt hat, aufschreiben:* er hat seine Gedanken, Erlebnisse niedergeschrieben. **sinnv.:** aufschreiben; fixieren.

nied|lich ⟨Adj.⟩: *durch seine Kleinheit, Zierlichkeit, Anmut hübsch anzusehen, Gefallen erregend:* ein niedliches Mädchen, Kätzchen. **sinnv.:** hübsch.

nied|rig ⟨Adj.⟩: **1. a)** *von geringer Höhe:* ein niedriger Wasserstand; der Stuhl ist mir zu n. **sinnv.:** flach, klein, nieder. **b)** *sich in geringer Höhe befindend:* die Lampe hängt sehr n. **2.** *zahlen-, mengenmäßig gering, wenig:* ein niedriges Einkommen; niedrige Temperaturen. **sinnv.:** gering. **3.** *gesellschaftlich wenig geachtet:* von niedriger Herkunft; die Arbeit war ihr zu n. **sinnv.:** gering. **4.** *moralisch, sittlich tiefstehend:* aus niedrigen Beweggründen handeln. **sinnv.:** gemein.

nie|mals ⟨Adverb⟩: ↑nie: das werde ich n. tun. **sinnv.:** keinen Augenblick, auf keinen Fall, nie [und nimmer], nie im Leben, nimmer, nimmermehr, keine Sekunde, zu keinem Zeitpunkt/keiner Zeit.

nie|mand ⟨Indefinitpronomen⟩: *nicht ein einziger, überhaupt keiner, kein Mensch* /Ggs. jemand/: n. hat mich besucht; ich habe den Plan niemandem erzählt.

Nie|re, die; -, -n: *paariges, in der oberen Bauchhöhle liegendes Organ, das Harn bildet und ausscheidet.* **Zus.:** Kalbs-, Neben-, Schweine-, Wanderniere.

nie|seln ⟨itr.⟩: *leicht, in feinen Tropfen regnen:* es nieselt heute den ganzen Tag. **sinnv.:** regnen.

nie|sen ⟨itr.⟩: *(infolge einer Reizung in der Nase) die Luft ruckartig [und meist mit einem lauten Geräusch] durch Nase und Mund ausstoßen:* heftig n. müssen.

Nie|te, die; -, -n: **I.** *Bolzen aus Metall mit verbreitertem Ende, mit dem etwas fest verbunden werden kann:* Bleche mit Nieten verbinden. **sinnv.:** Nagel. **II. 1.** *Los, das keinen Gewinn bringt:* er hat eine N. gezogen. **2.** (ugs.) *jmd., der (in den Augen des Sprechers) nichts leistet, zu nichts taugt:* er ist eine ausgesprochene N. **sinnv.:** Versager.

nip|pen ⟨itr.⟩: *mit kurz geöffneten Lippen nur wenig trinken; nur einen kleinen Schluck nehmen:* er hat [am Glas, am Wein] genippt. **sinnv.:** trinken.

nir|gends ⟨Adverb⟩: *an keinem Ort, an keiner Stelle* /Ggs. überall/: er fühlt sich n. so wohl wie hier; n. sonst/sonst n. ist es so schön. **sinnv.:** nirgendwo.

no|bel ⟨Adj.⟩: **1.** *in bewundernswerter Weise großzügig und edel gesinnt:* ein nobler Mann, Charakter. **sinnv.:** edel, hochherzig, vornehm. **2.** (in Eleganz, Luxus o. ä.) hohen Ansprüchen genügend: ein nobles Hotel. **sinnv.:** geschmackvoll. **3.** *Großzügigkeit zeigend, erkennen lassend:* er zeigt sich sehr n.; noble Geschenke machen. **sinnv.:** freigebig.

noch: I. ⟨Adverb⟩ **1. a)** */drückt aus, daß ein Zu-*

stand, Vorgang weiterhin anhält [aber möglicherweise bald beendet sein wird]/: sie ist n. krank; ein n. ungelöstes Problem; das gibt es n. heute/heute n. **b)** */drückt aus, daß es sich um etwas handelt, was von etwas übriggeblieben ist/:* ich habe [nur] n. zwei Mark; es dauert jetzt n. fünf Minuten. **2. a)** *bevor etwas anderes geschieht:* ich mache das n. fertig. **b)** *irgendwann später einmal, zu gegebener Zeit:* er wird n. kommen; vielleicht kann man es n. mal gebrauchen. **3. a)** */drückt aus, daß der genannte Zeitpunkt relativ kurz vor einem bestimmten anderen liegt/:* gestern habe ich n./n. gestern habe ich mit ihm gesprochen. **b)** */räumt ein, daß es sich um einen den Umständen nach sehr frühen Zeitpunkt, sehr begrenzten Zeitraum handelt, und betont gleichzeitig die Zeit- bzw. Ortsangabe/:* ehe er/ehe er n. antworten konnte, legte sie auf; er wurde n. am Unfallort operiert. **4. a)** */drückt aus, daß etwas [Gleiches] zu etwas anderem, bereits Vorhandenem hinzukommt, oft als Verstärkung anderer Adverbien/:* dumm und dazu n. dazu frech; er ist nebenbei n. Maler. **b)** */betont den höheren Grad o. ä./:* es ist heute n. wärmer als gestern. **II.** ⟨Konj.⟩ */schließt in Korrelation mit einer Negation ein zweites Glied [und weitere Glieder] einer Aufzählung an/ und auch nicht:* er kann weder lesen n. schreiben; nicht er n. seine Frau.

noch|mals ⟨Adverb⟩ *ein weiteres Mal; noch einmal:* den Text n. schreiben. **sinnv.:** wieder.

Non|ne, die; -, -n: *Angehörige eines Frauenordens.* **sinnv.:** Klosterfrau, Konventualin, Ordensfrau, Ordensschwester, geistliche Schwester.

Nor|den, der; -s: **1.** ⟨meist ohne Artikel; gewöhnlich in Verbindung mit einer Präposition⟩ *Himmelsrichtung, die dem Süden entgegengesetzt ist:* von, im, nach N. **sinnv.:** Nord. **2. a)** *im Norden (1) gelegener Teil eines Landes, einer Stadt o. ä.:* der N. Deutschlands. **b)** *nördlicher Bereich der Erde, bes. Skandinavien:* diese Tiere leben im hohen N.

nörd|lich: I. ⟨Adj.; attributiv⟩ **1.** *im Norden liegend:* der nördliche Teil der Stadt. **2.** *nach Norden gerichtet:* das Schiff steuert nördlichen Kurs. **II.** ⟨Präp. mit Gen.⟩ *im Norden von:* die Autobahn verläuft n. der Stadt. **III.** ⟨Adverb; in Verbindung mit von⟩: n. von Mannheim.

nör|geln ⟨itr.⟩ *in ärgerlicher Weise an allen Dingen auf kleinliche, verdrossene Art Kritik üben:* er hat heute an allem zu n. **sinnv.:** beanstanden. **Zus.:** herumnörgeln.

nor|mal ⟨Adj.⟩: **a)** *der Regel entsprechend:* ein normales Gewicht haben; die Apparate arbeiten wieder n. **sinnv.:** ohne Abweichung, einwandfrei, regelgemäß, regelmäßig, ohne Störung. **b)** *geistig, körperlich gesund:* ihr Blutdruck ist n. **sinnv.:** zurechnungsfähig; gesund.

Not, die; -, Nöte: **1.** ⟨Plural selten⟩ *Zustand der Entbehrung, des Mangels an lebenswichtigen Dingen:* N. leiden; es sind in wirtschaftliche N. geraten. **sinnv.:** Armut, Elend, Entbehrung, Misere, Notlage. **Zus.:** Geld-, Raum-, Wohnungsnot. **2.** *schlimme [gefahrvolle] Lage, in die jmd. geraten ist:* Rettung aus höchster N.; jmdm. in der Stunde der N. beistehen. **sinnv.:** Bedrängnis, Bredouille, Dilemma, Gefahr, Kalamität, Schlamassel. **Zus.:** Berg-, Feuers-, Todesnot. **3.** ⟨häufig Plural⟩ *durch ein Gefühl von Ausweglosigkeit,*

durch Verzweiflung, Angst gekennzeichneter seelischer Zustand: innere Nöte; mit seinen Nöten zu jmdm. kommen. **sinnv.:** Angst, Ausweglosigkeit, Dilemma, Hoffnungslosigkeit, Krise, Sackgasse, Zwickmühle.

not|dürf|tig ⟨Adj.⟩: *so, daß es kaum oder gerade ausreicht:* etwas n. reparieren. **sinnv.:** behelfsmäßig, einigermaßen, zur Not, provisorisch, schlecht und recht, vorläufig, vorübergehend.

No|te, die; -, -n: **1.** *(in der Musik) graphisches Zeichen für einen bestimmten Ton, der zu singen oder auf einem bestimmten Instrument zu spielen ist:* Noten lesen können; eine halbe, ganze N. **sinnv.:** Neume, Notenzeichen. **Zus.:** Achtel-, Sechzehntel-, Viertelnote. **2.** *(durch eine Ziffer oder ein Wort ausgedrückte) Bewertung:* er hat die Prüfung mit der N. „gut" bestanden. **sinnv.:** Zensur. **Zus.:** Aufsatz-, Zeugnisnote. **3.** *diplomatisches Schriftstück:* der Botschafter überreichte eine N. **sinnv.:** Denkschrift. **Zus.:** Protest-, Verbalnote. **4.** *persönliche Eigenart:* er gab der Aufführung eine besondere N. **sinnv.:** Anstrich; Look. **Zus.:** Geruchs-, Geschmacksnote.

not|falls ⟨Adverb⟩: *wenn es nicht anders geht, wenn es sein muß:* n. bleiben wir hier. **sinnv.:** im Ausnahmefall, zur Not, im Notfall, wenn alle Stränge/Stricke reißen.

not|ge|drun|gen ⟨Adj.; nicht prädikativ⟩: *aus der gegebenen Situation heraus zu einem bestimmten Tun gezwungen:* er mußte n. auf die Fahrt verzichten. **sinnv.:** in Ermangelung eines Besseren, gezwungenermaßen, schweren Herzens, der Not gehorchend, unfreiwillig, ungern, ob man will oder nicht, wohl oder übel, zwangsläufig, zwangsweise.

no|tie|ren ⟨tr.⟩: *aufschreiben, damit man es nicht vergißt:* hast du [dir] die Autonummer notiert? **sinnv.:** aufschreiben.

nö|tig ⟨Adj.⟩: *für einen bestimmten Zweck unerläßlich, erforderlich:* die nötige Zeit, das nötige Geld nicht haben. **sinnv.:** erforderlich, geboten, notwendig, obligat, unausweichlich, unentbehrlich, unerläßlich, unumgänglich, unvermeidlich.

nö|ti|gen ⟨tr.⟩: **a)** *mit Worten heftig bedrängen, auffordern, etwas Bestimmtes zu tun:* jmdn. zum Bleiben n.; er nötigte uns ins Haus. **sinnv.:** überreden. **Zus.:** ab-, aufnötigen. **b)** *(jmdn.) gegen dessen Willen, unter Androhung oder Anwendung von Gewalt zu etwas zwingen:* die Gangster nötigten den Kassierer, das Geld herauszugeben. **sinnv.:** bedrohen, unter Druck setzen, erpressen, zwingen. **c)** *(von einem Sachverhalt, Umstand o. ä.) jmdn. zu einem bestimmten Verhalten, Tun zwingen:* der Wetterumschlag nötigte die Bergsteiger zum Umkehren. **sinnv.:** veranlassen; zu etwas bringen.

No|tiz, die; -, -en: *kurze Aufzeichnung (als Gedächtnisstütze):* sich Notizen machen.

Not|lan|dung, die; -, -en: *durch einen technischen Schaden oder durch schlechtes Wetter verursachte Landung eines Flugzeuges außerhalb eines Flugplatzes.*

not|wen|dig ⟨Adj.⟩: **a)** *in einem bestimmten Zusammenhang unbedingt erforderlich:* die für eine Arbeit notwendige Zeit; etwas für n. erachten. **sinnv.:** nötig. **Zus.:** lebens-, naturnotwendig. **b)** *nicht zu vermeiden:* der Verkauf des Hauses war n. **sinnv.:** nötig.

No|vem|ber, der; -[s], -: *elfter Monat des Jahres.* **sinnv.**: Nebelmonat, Nebelmond, Neb[e]llung.

Nu|an|ce ['nÿä:sə], die; -, -n: **1.** *feine Abstufung (einer Farbe):* ein Blau in vielen verschiedenen Nuancen. **sinnv.**: Farbe. **Zus.**: Farbnuance. **2.** *ein wenig, in einem ganz geringen Grad:* die Farbe ist eine N. zu hell; der Wein müßte um eine N. kälter sein. **sinnv.**: ein Geringes, Hauch, Spur; Anflug.

nüch|tern ⟨Adj.⟩: **1. a)** *ohne (nach dem nächtlichen Schlaf) schon etwas gegessen zu haben:* n. zur Arbeit gehen. **sinnv.**: ungefrühstückt, ungegessen. **b)** *nicht [mehr] unter Alkoholeinwirkung stehend* /Ggs. betrunken/: der Fahrer muß heute abend n. bleiben; am nächsten Morgen war er wieder n. **2. a)** *ohne Beteiligung des Gefühls, der Phantasie; ohne Illusion:* er betrachtet alles sehr n. **sinnv.**: sachlich. **b)** *ohne etwas, was das Gefühl anspricht; ohne Reiz, Schmuck:* die Zimmer sind alle sehr n. eingerichtet. **sinnv.**: kahl, schmucklos; einfach.

Nu|del, die; -, -n ⟨meist Plural⟩: *aus einem Eierteig hergestelltes Nahrungsmittel (in unterschiedlichen Formen), das vor dem Verzehr in Wasser gar gemacht wird:* Nudeln kochen; Suppe mit Nudeln. **sinnv.**: Teigware. **Zus.**: Band-, Eier-, Suppennudel.

null: 1. ⟨Kardinalzahl⟩: 0: n. Komma eins; das Thermometer zeigt n. Grad. **2.** ⟨Adj.; indeklinabel⟩ (ugs.): *überhaupt kein, nicht der/die/das geringste:* er hat n. Ahnung von der Sache; n. Bock haben.

Null- ⟨Präfixoid⟩: */kennzeichnet das Nichtvorhandensein des im Basiswort Genannten/:* -emission, -ergebnis, -tarif, -wachstum.

Null|acht|fünf|zehn- ⟨Präfixoid⟩: */besagt, daß das im Basiswort Genannte ohne Originalität, nicht mehr als nur unbedeutender Durchschnitt ist/:* Nullachtfünfzehnaufführung, -frisur, -mode, -soße. **sinnv.**: Allerwelts-, Durchschnitts-, Feld-Wald-und-Wiesen- · alltäglich.

Num|mer, die; -, -n: *Zahl, mit der etwas gekennzeichnet wird:* die N. des Loses; er wohnt [im Zimmer] N. 10. **sinnv.**: Zahl. **Zus.**: Auto-, Haus-, Konto-, Zimmernummer.

nun: I. ⟨Adverb⟩ */bezeichnet einen Zeitpunkt, zu dem etwas eintritt, einsetzt/ jetzt:* von n. an soll alles anders werden; n. kann ich ruhig schlafen. **sinnv.**: jetzt. **II.** ⟨Partikel⟩ **a)** */unterstreicht die Einsicht in einen Tatbestand, der für unabänderlich gehalten wird/ eben:* es ist n. [einmal] nicht anders. **b)** */leitet am Satzanfang eine resümieren-

de Feststellung ein oder bildet den Auftakt zu einer Frage/ also:* n., so sprich doch!

nur: I. ⟨Adverb⟩ **a)** *nicht mehr als:* es war n. ein Traum; n. noch zwei Minuten; ich habe n. [noch] eine Mark. **sinnv.**: bloß. **b)** *nichts anderes als:* ich konnte n. staunen. **c)** *nichts weiter als:* ich habe ihr n. gesagt, sie solle nichts erzählen. **sinnv.**: allein, bloß, lediglich. **d)** /Nachdruck verleihend/ *doch:* er soll n. kommen; wenn er dies n. nicht getan hätte! **II.** ⟨Konj.⟩ */schränkt die Aussage des vorangegangenen Hauptsatzes ein/ aber:* sie ist schön, n. müßte sie schlanker sein. **III.** ⟨Partikel⟩ */gibt einer Frage, Aussage, Aufforderung oder einem Wunsch eine bestimmte Nachdrücklichkeit/:* was hat er sich n. dabei gedacht?; was hat er n.? **sinnv.**: bloß.

nu|scheln ⟨itr./tr.⟩ (ugs.): *undeutlich sprechen:* man versteht ihn kaum, weil er so nuschelt; er nuschelte einige Worte. **sinnv.**: sprechen.

Nuß, die; -, Nüsse: *Frucht mit harter, holziger Schale, die einen ölhaltigen, meist eßbaren Kern enthält.* **sinnv.**: Mandel, Mandel-, Nußkern. **Zus.**: Erd-, Hasel-, Kokos-, Para-, Walnuß.

nutz|bar ⟨Adj.⟩: *so beschaffen, daß es für einen bestimmten Zweck genutzt werden kann:* etwas in nutzbare Energie umwandeln; etwas n. machen. **sinnv.**: brauchbar, geeignet, praktikabel, praktisch, tauglich.

nüt|zen, nut|zen: 1. ⟨tr.⟩ *eine bestehende Möglichkeit, eine Gelegenheit ausnutzen, sie sich zunutze machen; aus einer gegebenen Situation Vorteil ziehen:* in diesem Gebiet nutzt/nützt man die Wasserkraft der großen Flüsse [zur Stromerzeugung]; er nutzt/ nützt jede Gelegenheit, Geld zu verdienen. **sinnv.**: anwenden, auswerten, gebrauchen, Kapital schlagen aus. **Zus.**: aus-, benutzen. **2.** ⟨itr.⟩ *für das Erreichen eines Zieles geeignet sein:* seine Erfahrungen nützen ihm sehr viel. **sinnv.**: fruchten; zustatten kommen.

Nut|zen, der; -s, -: *Vorteil, Gewinn, den man aus dem Gebrauch einer Sache o. ä. zieht:* aus etwas N. ziehen. **sinnv.**: Vorteil.

nütz|lich ⟨Adj.⟩: *für einen bestimmten Zweck sehr brauchbar, Nutzen bringend:* das Lexikon erweist sich als n. für meine Arbeit. **sinnv.**: brauchbar, dienlich, ergiebig, förderlich, fruchtbar, gut, heilsam, hilfreich, konstruktiv, lohnend, nutzbringend, tauglich, wirksam, zweckmäßig.

nutz|los ⟨Adj.⟩: *keinen Nutzen, Gewinn bringend:* nutzlose Anstrengungen; die Bemühungen waren nicht völlig n. **sinnv.**: entbehrlich, illusorisch, überflüssig, unnötig, unnütz, wirkungslos.

O

-o, der; -s, -s ⟨Auslaut, der eine durch die Basis bestimmte Art von Mann kennzeichnet⟩ (ugs.): Brutalo *(brutaler Mann)*, Fascho, Fundamentalo, Prolo, Realo. **sinnv.**: -nik, -ist.

Oa|se, die; -, -n: *fruchtbare Stelle mit Wasser und üppiger Vegetation inmitten einer Wüste:* in einer O. übernachten.

ob ⟨Konj.⟩: **1.** */leitet einen indirekten Fragesatz ein/:* er fragte mich, ob du morgen kommst. **2.** /als Wortpaar/ *sei es ... sei es:* alle, ob arm, ob reich, waren von der Sache betroffen.

oben ⟨Adverb⟩ /Ggs. unten/: **1. a)** *an einer (vom Sprecher aus betrachtet) höher gelegenen Stelle:* die Flasche steht im Regal o. links; der Ort liegt weiter o. in den Bergen. **sinnv.**: oberhalb. **b)** *am oberen Ende von etwas:* den Sack o. zubinden. **c)** *von der Unterseite abgewandt:* die glänzende Seite des Papiers gehört nach o. **d)** *in/aus der Höhe:* hier o. liegt noch Schnee. **2.** (ugs.) *an der Spitze einer Hierarchie, einer Rangordnung:* die da o. haben keine Ahnung; wenn er erst o. ist, wird er uns nicht mehr kennen.

oben|drein ⟨Adverb⟩: *noch zusätzlich zu anderem (Negativem):* er hat mich betrogen und o. ausgelacht. **sinnv.**: auch, außerdem, überdies.

Ober, der; -s, -: ↑*Kellner:* [Herr] O., bitte ein Bier!

ober... ⟨Adj.; nur attributiv⟩: **1.** *sich (räumlich gesehen) [weiter] oben befindend:* die obere Hälfte; in der oberen Schublade; in einem der oberen Stockwerke. **2.** *dem Rang nach über anderem, anderen stehend:* die oberen Schichten der Bevölkerung.

ober-, Ober-: I. ⟨Präfixoid⟩ **1.** (emotional verstärkend) */das im Basiswort Genannte in ganz besonderer, kaum zu übertreffender Weise/* **a)** ⟨substantivisch⟩ *größt...:* Oberbonze, -gangster, -zicke. **sinnv.**: Chef-, Meister-, Riesen-. **b)** ⟨adjektivisch⟩ *besonders, höchst:* oberbeschissen, -doof, -mies, -schlau. **sinnv.**: Edel-, grund-, hunde-, knall-, mords-, riesen-, sau-, stink-, stock-, tod-. **2.** */kennzeichnet einen höheren oder den höchsten Rang in bezug auf das im Basiswort genannten Personenkreis/:* Oberarzt, -bürgermeister, -förster, -kriminalrat, -lehrer, -leutnant, -melker, -schwester, -staatsanwalt, -studienrat; /auch innerhalb des Wortes/: Brandobermeister, Justizoberwachtmeister, Kriminaloberkommissar, Polizeioberwachtmeister. **II.** ⟨Präfix⟩ **a)** *über etwas anderem:* Oberbekleidung. **b)** */kennzeichnet die Lage oberhalb/:* Oberhitze (Ggs. Unterhitze), Oberkiefer, Oberlippe, Oberschenkel.

Ober|flä|che, die; -, -n: **a)** *Gesamtheit der Flächen, die einen Körper von außen begrenzen:* eine polierte O.; die O. einer Kugel. **sinnv.**: Äußeres. **Zus.**: Erdoberfläche. **b)** *waagerechte Fläche, die einen flüssigen Stoff (in einem Gefäß o. ä.) nach oben begrenzt:* die verschmutzte O. des Tümpels. **Zus.**: Wasseroberfläche.

ober|fläch|lich ⟨Adj.⟩: **1.** *sich an/auf der Oberfläche von etwas befindend:* die Wunde ist nur o. **sinnv.**: äußerlich. **2. a)** *am Äußeren haftend, ohne Gefühlstiefe oder Innerlichkeit.* **sinnv.**: flach, geistlos, glatt, niveaulos, seicht, ohne Tiefgang, trivial. **b)** *nicht gewissenhaft oder gründlich:* etwas nur o. untersuchen. **sinnv.**: flüchtig, vordergründig.

ober|halb ⟨Ggs. unterhalb⟩: **I.** ⟨Präp. mit Gen.⟩ *höher (gelegen, stehend o. ä.) als:* die Burg liegt o. des Dorfes. **sinnv.**: ob, über. **II.** ⟨Adverb; in Verbindung mit „von"⟩ *über etwas [gelegen]:* die Strahlenburg liegt o. von Schriesheim. **sinnv.**: ob, über.

Ober|haupt, das; -[e]s, Oberhäupter: *jmd., der als Autorität an der Spitze einer Institution o. ä. steht:* seit dem Tod seines Vaters ist er das O. der Familie; das o. des Staates war der Staatspräsident. **sinnv.**: Ältester, Haupt, Häuptling, Herr, Machthaber, Präsident, Regent. **Zus.**: Familien-, Staatsoberhaupt.

Ober|schen|kel, der; -s, -: *(beim menschlichen Körper) Teil des Beines zwischen Knie und Hüfte.*

oberst... ⟨Adj.; Superlativ von ober...; nur attri-

butiv⟩: **1.** *sich (räumlich gesehen) ganz oben, an der höchsten Stelle befindend* /Ggs. unterst.../: im obersten Stockwerk. **2.** *dem Rang nach an höchster Stelle stehend:* die oberste Behörde, Schicht der Bevölkerung. **sinnv.**: best...

ob|gleich ⟨konzessive Konj.⟩: ↑*obwohl:* er kam sofort, o. er nicht viel Zeit hatte. **sinnv.**: dabei, obschon, obwohl, obzwar, wenngleich, wennschon; wenn.

obig ⟨Adj.; nur attributiv⟩: *(in einem Text) weiter oben stehend:* das obige Zitat. **sinnv.**: besagt, betreffend, bewußt, fraglich, genannt, obengenannt, in Rede stehend, vorerwähnt, vorgenannt, vorstehend.

Ob|jekt, das; -[e]s, -e: *Person, auf die, Gegenstand, auf den das Denken, Handeln, jmds. Interesse gerichtet ist:* die Fremden waren das O. der Neugier; das Grundstück erschien ihnen als geeignetes O. für ihr Vorhaben. **sinnv.**: Ding, Gegenstand. **Zus.**: Lust-, Tausch-, Wertobjekt.

ob|jek|tiv ⟨Adj.⟩: *nicht von Gefühlen und Vorurteilen bestimmt:* ein objektives Urteil abgeben; etwas o. betrachten. **sinnv.**: sachlich.

Ob|rig|keit, die; -, -en: *Behörde o. ä. (als Träger der Staatsgewalt):* etwas geschieht auf Anordnung der O. **sinnv.**: Behörde, Instanz, Regierung, Regime.

ob|schon ⟨konzessive Konj.⟩ (geh.): ↑*obwohl:* er tat es, o. er wußte, daß es nicht gern gesehen wurde. **sinnv.**: obgleich.

Obst, das; -[e]s: *eßbare, meist süße Früchte bestimmter Bäume und Sträucher:* frisches, reifes O.; O. pflücken, einmachen. **sinnv.**: Früchte. **Zus.**: Beeren-, Dörr-, Fall-, Spalier-, Stein-, Tafelobst.

ob|wohl ⟨konzessive Konj.⟩: *ungeachtet der Tatsache, daß ...:* wir gingen spazieren, o. es regnete. **sinnv.**: obgleich; wenn.

Qch|se, der; -n, -n: *kastriertes männliches Rind:* mit Ochsen pflügen. **sinnv.**: Rind · Vieh. **Zus.**: Auer-, Buckel-, Horn-, Mast-, Moschus-, Pfingstochse.

öde ⟨Adj.⟩: **a)** ⟨nicht adverbial⟩ *(von einer Örtlichkeit o. ä.) verlassen und menschenleer, ein Gefühl von Trostlosigkeit vermittelnd:* eine öde Gegend. **sinnv.**: einsam. **b)** *ohne Sinn und Gehalt, ohne Leben und daher jmdm. langweilig, leer erscheinend:* ein ödes Dasein; die Unterhaltung war ihm zu ö. **sinnv.**: langweilig.

oder ⟨nebenordnende Konj.⟩: **1.** */verbindet Satzteile, Satzglieder, die alternative Möglichkeiten darstellen, von denen eine in Frage kommt/:* einer muß die Arbeit machen: du o. dein Bruder; der Arbeitgeber o. der Arbeitnehmer muß Abstriche machen. **2. a)** */verbindet Sätze, Satzglieder, die Möglichkeiten für eine bestimmte Entscheidung anbieten/:* das Papier kann weiß o. rot o. [auch] blau sein. **b)** */leitet einen Satz ein, der enthält, was eintritt, wenn das zuvor Genannte nicht gemacht wird oder nicht eintritt/ sonst, andernfalls:* komm jetzt endlich, o. ich gehe allein! **c)** */verknüpfung mit einem vorausgehenden entweder ...⟩ entweder du kommst jetzt, o. ich gehe allein* **c)** */leitet eine Art Apposition, eine Zweitbezeichnung für das vorher Genannte ein/:* Das Käthchen von Heilbronn o. Die Feuerprobe. **3.** (elliptisch) **a)** */als provokative, einen ganzen Satz vertretende Scheinfrage, die nur die vom Sprecher gemachte

Aussage bekräftigen soll/: wir leben doch hier nicht in einer Diktatur, o.? (erwartete Antwort: nein); daß ich viel Arbeit habe, weißt du ja. Oder? (erwartete Antwort: ja). **b)** /als [rhetorische] Frage im Anschluß an eine selbst geäußerte Vermutung, Feststellung, deren Richtigkeit der Sprecher bestätigt haben möchte/ *das ist doch so, nicht wahr?; etwa nicht?:* du gehst doch auch bald in Urlaub, o.?

Ofen, der; -s, Öfen: *Vorrichtung zum Heizen eines Raumes mit Hilfe brennbaren Materials wie Holz, Kohlen, Öl:* den O. ausgehen lassen. **sinnv.:** Heizkörper, Heizung, Herd, Kamin. **Zus.:** Kachel-, Kohle-, Ölofen.

of|fen ⟨Adj.⟩: **1.** *(von etwas, was geschlossen bzw. verschlossen werden kann) nicht verschlossen; nicht versperrt bzw. frei zugänglich:* er hat etwas aus der offenen Schublade gestohlen; die Tür ist o. **sinnv.:** aufgeschlossen, aufgesperrt, geöffnet, offenstehend, unverschlossen. **2.** *(in bezug auf Ausgang oder Ende von etwas) noch nicht entschieden, noch in der Schwebe:* der Ausgang, die Angelegenheit ist noch völlig o. **sinnv.:** fließend; ungewiß. **3.** *(jmds. Verhalten oder jmds. Äußerungen anderen gegenüber betreffend) ehrlich und aufrichtig; seine jeweilige Meinung unverstellt erkennen lassend:* offene Worte; etwas o. zugeben. **sinnv.:** aufrichtig.

of|fen|bar [auch: ...bar]: **I.** ⟨Adj.⟩ *klar ersichtlich, offen zutage tretend:* ein offenbarer Irrtum. **sinnv.:** augenfällig, augenscheinlich, deutlich, eklatant, erwiesen, flagrant, handgreiflich, manifest, offenkundig, offensichtlich, sichtlich. **II.** ⟨Adverb⟩ *allem Anschein nach; wie man annehmen muß:* er hat sich o. verspätet. **sinnv.:** anscheinend; zweifellos.

of|fen|sicht|lich [auch: ...sicht...]: **I.** ⟨Adj.⟩ *so, daß man es nicht übersehen kann:* er hörte mit offensichtlichem Interesse zu. **sinnv.:** offenbar. **II.** ⟨Adverb⟩ *wie es scheint:* er hatte o. zuviel getrunken. **sinnv.:** anscheinend.

of|fen|siv ⟨Adj.⟩: *angreifend, den Angriff bevorzugend* /Ggs. defensiv/: eine offensive Politik; die Mannschaft spielte o. **sinnv.:** angriffslustig, kampfbereit, kämpferisch, provokativ.

of|fen|ste|hen, stand offen, hat offengestanden ⟨itr.⟩: **1.** *geöffnet sein:* das Tor stand offen. **sinnv.:** aufsein, aufstehen. **2.** *noch bezahlt werden müssen:* zwei Rechnungen stehen noch offen. **sinnv.:** unbezahlt sein. **3.** *jmds. freier Entscheidung überlassen sein:* es steht dir offen zu gehen. **sinnv.:** freistehen.

öf|fent|lich ⟨Adj.⟩: **1. a)** *für alle hörbar, sichtbar:* etwas o. verkünden; öffentliches Auftreten. **sinnv.:** coram publico; vor allen Leuten, in/vor aller Öffentlichkeit, vor aller Welt. **b)** *für alle zugänglich:* eine öffentliche Sitzung; die Verhandlung ist nicht ö. **2.** *den Staat, die Allgemeinheit betreffend, ihr zugehörend:* öffentliche Gebäude, Gelder.

Öf|fent|lich|keit, die; -: *die Gesellschaft, die Allgemeinheit, in der sich das öffentliche Leben abspielt:* mit etwas vor die [breite] Ö. treten; unter Ausschluß der Ö. tagen. **sinnv.:** Allgemeinheit, Bevölkerung, Bürger, Gesellschaft, die Leute, Menschen, Mitbürger. **Zus.:** Weltöffentlichkeit.

of|fi|zi|ell ⟨Adj.⟩: **a)** *von einer Regierung, Behörde ausgehend, bestätigt:* eine offizielle Nachricht,

Verlautbarung. **sinnv.:** amtlich. **b)** *sehr förmlich und unpersönlich, ohne Privatheit:* ein offizieller Empfang; jmdm. einen offiziellen Besuch abstatten. **sinnv.:** formell. **Zus.:** hochoffiziell.

Of|fi|zier, der; -s, -e: *Vertreter, Träger eines militärischen Rangs (vom Leutnant aufwärts).* **Zus.:** Berufs-, Reserve-, Sanitäts-, Schiffs-, Stabsoffizier.

öff|nen: 1. ⟨tr.⟩ **a)** *(durch Aufschließen o. ä.) zugänglich machen* /Ggs. schließen/: die Tür ö.; das Geschäft wird um 8 Uhr geöffnet. **sinnv.:** aufmachen, aufschieben, aufschließen, aufsperren, aufstoßen, auftun, einlassen; aufbrechen. **Zus.:** eröffnen. **b)** *durch Entfernen, Lösen der Verschlußvorrichtung o. ä. bewirken, daß etwas offen ist:* die Dose, die Tube ö. **sinnv.:** aufklappen, aufknacken, aufknöpfen, aufreißen, aufschrauben, aufschneiden; knacken; aufbrechen. **Zus.:** eröffnen. **2.** ⟨sich ö.⟩ **a)** *sich (von selbst) entfalten, auseinanderfalten:* die Blüten haben sich über Nacht geöffnet; einer der Fallschirme öffnete sich nicht. **sinnv.:** aufgehen, aufplatzen, sich auftun. **b)** *geöffnet werden:* auf sein Klopfen hin öffnete sich die Tür; das Tor öffnet sich selbsttätig. **sinnv.:** auffliegen, aufgehen, sich auftun.

Öff|nung, die; -, -en: *Stelle, an der etwas offen ist:* eine Ö. im Zaun; aus einer Ö. in der Wand strömte Wasser. **sinnv.:** Loch.

oft ⟨Adverb⟩ /Ggs. selten/: **a)** *viele Male; immer wieder:* ich bin o. dort gewesen; so etwas erlebt man [nicht so] o. **sinnv.:** gehäuft, häufig, mehrfach, mehrmals, meist, meistens, öfter, des öfteren, oftmals, vielfach, wiederholt, x-mal, zumeist. **b)** *in kurzen Zeitabständen:* der Bus verkehrt ziemlich o.

öf|ter ⟨Adverb⟩: *ziemlich oft:* wir haben uns ö. gesehen. **sinnv.:** manchmal, oft.

oh|ne: I. ⟨Präp. mit Akk.⟩ */drückt aus, daß jmd./ etwas nicht mit jmdm./etwas versehen ist/:* ein Kind o. Eltern; o. Mantel gehen. **sinnv.:** abzüglich; ausgenommen. **II.** ⟨Konj.⟩ *in Verbindung mit „daß" oder Infinitiv mit „zu") /drückt aus, daß jmd. etwas unterläßt, nicht tut oder daß etwas nicht geschieht/:* er half uns, o. daß ihn einer dazu aufgefordert hatte; er nahm das Geld, o. zu fragen.

oh|ne|hin ⟨Adverb⟩: *ja bereits:* nimm dich in acht, du bist o. schon erkältet. **sinnv.:** eh, auf jeden Fall, ohnedies, sowieso.

Ohn|macht, die; -, -en: **1.** *vorübergehende Bewußtlosigkeit:* eine tiefe O. **2.** ⟨ohne Plural⟩ *Unfähigkeit zu handeln; das Gefühl menschlicher O.* **sinnv.:** Hilflosigkeit, Kraftlosigkeit, Machtlosigkeit, Schwäche, Unvermögen.

ohn|mäch|tig ⟨Adj.⟩: **1.** *für eine kürzere Zeit ohne Bewußtsein.* **sinnv.:** ohne Besinnung, besinnungslos, bewußtlos, ohne Bewußtsein. **2.** *(in bezug auf ein Geschehen o. ä.) nichts ausrichten könnend:* ohnmächtige Wut; die Feuerwehr mußte den Flammen o. zusehen. **sinnv.:** machtlos.

Ohr, das; -[e]s, -en: *an beiden Seiten des Kopfes sitzendes, dem Hören dienendes Organ (bei Menschen und bei Wirbeltieren):* abstehende Ohren haben; jmdm. etwas ins O. flüstern. **sinnv.:** Gehörorgan, Löffel, Schalltrichter. **Zus.:** Esels-, Innen-, Schlitz-, Schweine-, Schweinsohr.

Öhr, das; -[e]s, -e: *kleine Öffnung am oberen En-*

de einer Nähnadel, durch die der Nähfaden gezogen wird. **Zus.:** Nadelöhr.

Ohr|fei|ge, die; -, -n: *Schlag mit der flachen Hand auf jmds. Backe:* eine schallende O. **sinnv.:** Backpfeife, Knallschote, Maulschelle, Watsche.

okay [o'ke:] ⟨in bestimmten Verbindungen oder als bestätigende Partikel⟩: *in Ordnung:* die Sache, er ist o.; o., das machen wir! **sinnv.:** abgemacht, einverstanden, ist gebongt/geritzt, alles paletti.

Öko- ⟨als erster Wortbestandteil; verkürzt aus Ökologie⟩: */besagt, daß der, die oder das im zweiten Wortbestandteil Genannte in einer bestimmten Beziehung zum Lebensraum, zur Ökologie, zur bewußten Beschäftigung mit Umweltproblemen steht/:* Ökoarchitekt, -bauer, -bewegung, -laden, -partei, -pax *(Umweltschützer und Anhänger der Friedensbewegung),* -system, -zentrum.

Öko|lo|gie, die; -: *Wissenschaft von den Wechselbeziehungen zwischen den Lebewesen und ihrer Umwelt.*

öko|no|misch ⟨Adj.⟩: **1.** *die Wirtschaft betreffend:* ökonomische Faktoren; ein Land ö. stärken. **sinnv.:** wirtschaftlich. **2.** *sparsam, mit überlegt eingesetzten Mitteln:* die vorhandenen Gelder, Vorräte ö. einsetzen. **sinnv.:** sparsam.

Ok|to|ber, der; -[s]: *zehnter Monat des Jahres.* **sinnv.:** Gilbhard, Weinmonat, Weinmond.

Öl, das; -[e]s, -e: **1.** *dickflüssiges Speisefett pflanzlicher Herkunft:* Salat mit Essig und Öl anrichten. **sinnv.:** Fett. **Zus.:** Oliven-, Salat-, Sonnenblumen-, Speise-, Tafelöl. **2.** *Erdöl:* nach Öl bohren. **sinnv.:** Brennstoff.

Olym|pi|a|de, die; -, -n: *alle vier Jahre stattfindendes Treffen der Sportler der Welt zum sportlichen Wettkampf:* er nimmt an der O. teil. **sinnv.:** Olympia, Olympische Spiele, die Spiele.

olym|pisch ⟨Adj.; nur attributiv⟩: *die Olympiade betreffend:* das olympische Feuer; olympischen Ruhm erringen.

Oma, die; -, -s: *(in familiärer Redeweise) Großmutter.* **sinnv.:** Greisin. **Zus.:** Uroma.

Om|ni|bus, der; -ses, -se: *größerer Kraftwagen mit vielen Sitzen zur Beförderung einer größeren Zahl von Fahrgästen.* **sinnv.:** Autobus, Bus.

On|kel, der; -s, - **a)** *Bruder oder Schwager der Mutter oder des Vaters.* **sinnv.:** Oheim; Ohm. **Zus.:** Erb-, Groß-, Patenonkel. **b)** *(aus der Sicht von Kindern oder im Umgang mit Kindern) [bekannter] männlicher Erwachsener:* sag dem O. guten Tag! **Zus.:** Briefkasten-, Nennonkel.

Opa, der; -s, -s: *(in familiärer Redeweise) Großvater.* **sinnv.:** Greis. **Zus.:** Uropa.

Oper, die; -, -n: *Bühnenstück, dessen Handlung durch Gesang und Musik dargestellt wird:* eine O. komponieren. **sinnv.:** Musikdrama, Opera buffa/ seria.

Ope|ra|ti|on, die; -, -en: *größerer ärztlicher Eingriff:* sich einer O. unterziehen. **Zus.:** Augen-, Magen-, Not-, Totaloperation.

Ope|ret|te, die; -, -n: *heiteres, der musikalischen Unterhaltung dienendes Bühnenstück:* eine O. aufführen, einstudieren. **sinnv.:** Musical, Singspiel.

ope|rie|ren ⟨tr.⟩: *(bei jmdm.) einen ärztlichen Eingriff vornehmen:* der Kranke ist operiert worden. **sinnv.:** jmdn. unters Messer nehmen, jmdn. unterm Messer haben, eine Operation vornehmen, schneiden.

Opfer, das; -s, -: **1.** *durch persönlichen Verzicht möglich gemachte Aufwendung für andere:* er hat für die Erziehung seiner Kinder große Opfer gebracht. **sinnv.:** Aufopferung, Hingabe, Verzicht. **2.** *einer Gottheit dargebrachte Gabe:* die Götter durch Opfer versöhnen. **sinnv.:** Opfergabe, Opfergeld. **Zus.:** Dank-, Menschen-, Sühneopfer. **3.** *jmd., der durch Krieg oder Unfall ums Leben kommt oder Schaden erleidet:* die Überschwemmung forderte viele Opfer. **Zus.:** Verkehrsopfer.

op|fern: 1. ⟨tr.⟩ *als freiwillige Gabe, Spende geben:* Geld für eine gute Sache o. **sinnv.:** geben, hingeben; darbringen; hergeben; schenken, spenden, stiften. **Zus.:** hinopfern. **2.** ⟨sich o.⟩ **a)** *sein Leben für etwas/jmdn. hingeben:* er hat sich für seine Kameraden geopfert. **sinnv.:** sich aufopfern, sich das letzte Hemd vom Leibe reißen. **b)** (ugs.) *[an Stelle eines anderen] etwas Unangenehmes auf sich nehmen:* ich habe mich geopfert und den Brief für dich geschrieben.

Op|po|si|ti|on, die; -, -en: **1.** *entschiedener, sich in Worten und Handlungen äußernder Widerstand:* in O. gegen jmdn./etwas, zu jmdm./etwas stehen; O. treiben, machen. **sinnv.:** Gegensatz, Gegensätzlichkeit. **2.** *Partei oder Gesamtheit der Parteien (innerhalb des Parlaments), die nicht an der Regierung beteiligt sind:* die O. griff den Minister heftig an. **sinnv.:** Gegenpartei, Gegenseite, Oppositionspartei.

op|ti|mal ⟨Adj.⟩: *bestmöglich, so gut wie nur möglich:* optimale Bedingungen, Voraussetzungen für etwas; etwas o. planen, nutzen. **sinnv.:** best...

op|ti|mi|stisch ⟨Adj.⟩: *[nur] das Gute, Positive sehend, erwartend* /Ggs. pessimistisch/: die Lage o. beurteilen. **sinnv.:** frohgemut, zuversichtlich.

Oran|ge [o'rãːʒə], die; -, -n: ↑ *Apfelsine.* **Zus.:** Blut-, Navelorange.

Or|che|ster [ɔr'kɛstɐ], das; -s, -: *größeres Ensemble von Instrumentalisten, die unter der Leitung eines Dirigenten Musikwerke bestimmter Art spielen:* das O. wurde von Furtwängler dirigiert; in einem O. mitspielen. **sinnv.:** Band, Combo, Kapelle, Solistenvereinigung. **Zus.:** Blas-, Kammer-, Kur-, Laien-, Schul-, Sinfonie-, Streich-, Tanz-, Unterhaltungsorchester.

Or|chi|dee, die; -, -n: *(in den Tropen und Subtropen heimische, in vielen Arten vorkommende) Pflanze mit auffallenden, exotischen Blüten.*

Or|den, der; -s, -: **1.** *meist religiöse Gemeinschaft von Männern oder Frauen, die nach bestimmten Regeln leben:* in einen O. eintreten; einem O. angehören. **sinnv.:** Bruderschaft; Kongregation. **Zus.:** Bettel-, Frauen-, Mönchs-, Predigerorden. **2.** *als Auszeichnung für besondere Verdienste verliehenes Ehrenzeichen (in Form einer Medaille o. ä.), das an der Kleidung getragen wird:* einen O. bekommen. **sinnv.:** Abzeichen, Auszeichnung, Ehrenplakette, Verdienstkreuz. **Zus.:** Kriegs-, Verdienstorden.

or|dent|lich ⟨Adj.⟩: **1. a)** *auf Ordnung haltend.* **sinnv.:** ordnungsliebend, pedantisch, penibel; diszipliniert. **Zus.:** unordentlich. **b)** *in Ordnung gehalten:* ein ordentliches Zimmer; o. aussehen. **sinnv.:** akkurat, aufgeräumt, geordnet; adrett. **Zus.:** unordentlich. **2. a)** *(emotional) eine bestimmte Qualität darstellend; sehr groß:* er nahm einen ordentlichen Schluck. **sinnv.:** gehörig. **b)** ⟨verstärkend bei Verben⟩ ↑ *sehr:* daran hat er o. verdient; o. frieren.

ọrd|nen ⟨tr.⟩: **1.** *in eine bestimmte Reihenfolge, einen bestimmten Zusammenhang bringen:* Briefmarken o. **sinnv.:** anordnen, gliedern. **Zus.:** an-, bei-, ein-, neben-, über-, umordnen. **2.** *[wieder] in einen ordentlichen Zustand bringen:* seine Kleider, sein Haar o.

Ọrd|nung, die; -, -en: **1.** ⟨ohne Plural⟩ *(durch Ordnen hergestellter oder bewahrter) Zustand, in dem sich etwas befindet:* die O. wiederherstellen; auf dem Schreibtisch O. machen. **2.** *Abteilung, Klasse in einem System:* eine Straße erster, zweiter O.

Or|gan, das; -s, -e: **1.** *jeweils ein in sich geschlossenes selbständiges System darstellender Teil des menschlichen und tierischen Körpers, der eine bestimmte Aufgabe erfüllt:* die inneren Organe; ein O. verpflanzen. **Zus.:** Atmungs-, Ausscheidungs-, Fortpflanzungs-, Geschlechts-, Gleichgewichts-, Sinnes-, Verdauungsorgan. **2. a)** *menschliche Stimme:* er hat ein lautes O. **sinnv.:** Sprechwerkzeug, Stimme. **Zus.:** Sprechorgan. **b)** *Zeitung, Zeitschrift einer politischen oder gesellschaftlichen Interessengruppe, Partei o. ä.:* dieses Blatt ist das O. unseres Vereins. **sinnv.:** Zeitung. **Zus.:** Fach-, Parteiorgan. **3.** *Institution oder Behörde mit bestimmten Aufgaben:* die Organe der staatlichen Verwaltung. **Zus.:** Kontroll-, Staatsorgan.

Or|ga|ni|sa|ti|on, die; -, -en: **1.** ⟨ohne Plural⟩ **a)** *das Organisieren:* die O. eines Gastspiels übernehmen. **b)** *innere Gliederung (einer Institution o. ä.):* die O. der Polizei. **sinnv.:** Aufbau, Gefüge, Struktur, Zusammensetzung. **2.** *Gruppe, Verband mit bestimmten Aufgaben, Zielen:* die politischen Organisationen; einer O. angehören. **sinnv.:** Genossenschaft; Partei; Verein, Vereinigung. **Zus.:** Dach-, Untergrund-, Weltgesundheitsorganisation.

or|ga|ni|sie|ren ⟨tr.⟩: **1.** *planmäßig aufbauen, einrichten:* eine Ausstellung o. **sinnv.:** veranstalten. **Zus.:** durch-, umorganisieren. **2.** (ugs.) *[nicht ganz rechtmäßig, auf einem Schleichweg o. ä.] beschaffen:* er organisierte uns ein paar Zigaretten. **sinnv.:** beschaffen. **3.** *[sich] zu einem Verband zusammenschließen:* sich politisch o.; organisierte Arbeiter. **sinnv.:** vereinigen.

Or|ga|nis|mus, der; -, Organismen: **a)** ⟨ohne Plural⟩ *der menschliche, tierische Körper (als einheitliches System zusammenwirkender Organe:* ein gesunder, kranker O. **sinnv.:** Körper. **Zus.:** Mikroorganismus. **b)** ⟨Plural⟩ *Lebewesen:* höhere, niedere Organismen.

Ọr|gel, die; -, -n: *(meist in Kirchen zu findendes) großes Tasteninstrument mit mehreren Manualen und einem Pedal, durch die eine große Zahl von zu Registern geordneten Pfeifen zum Tönen gebracht wird:* [die] O. spielen. **Zus.:** Elektronen-, Hammond-, Kinoorgel.

Ori|ent, der; -s: *vorderer und mittlerer Teil Asiens.* **sinnv.:** Mittlerer Osten, Morgenland, Naher Osten, Nahost.

ori|en|tie|ren ⟨tr.⟩: **1.** ⟨sich o.⟩ *sich (in einer unbekannten Umgebung) in bestimmter Weise zurechtfinden:* sich leicht, schnell o.; er orientiert sich nach/an den Sternen. **sinnv.:** sich durchfinden. **Zus.:** sich umorientieren. **2.** ⟨sich o.⟩ *sich nach*

jmdm./etwas richten: wir haben uns an diesen Voraussagen orientiert. **3.** ⟨tr.⟩ *einen Überblick (über etwas) verschaffen:* er orientierte ihn/sich über die Vorgänge. **sinnv.:** informieren, unterrichten.

Ori|gi|nal, das; -s, -e: **1.** *ursprüngliches, echtes Stück:* eine Abschrift des Originals anfertigen. **sinnv.:** Urfassung, Urschrift, Urtext. **2.** *seltsamer, durch eigenartige Kleidung oder Lebensweise auffallender Mensch:* er, sie war ein O.

Ori|gi|na|li|tät, die; -: *geistige Selbständigkeit, Ursprünglichkeit:* er wirft dem Autor mangelnde O. vor. **sinnv.:** Einfallsreichtum, Erfindungsgabe, Ideenreichtum, Ingeniosität, Kreativität.

ori|gi|nell ⟨Adj.⟩: *sich durch Einfallsreichtum und Witz auszeichnend:* er ist ein origineller Kopf. **sinnv.:** schöpferisch. **Zus.:** unoriginell. **-orisch/-ig:** ↑ iv/-orisch.

Or|kan, der; -[e]s, -e: *sehr heftiger Sturm:* der Sturm schwoll zum O. an. **sinnv.:** Wind.

Ọrt, der; -[e]s, -e: **1.** *bestimmter Platz, bestimmte Stelle (an der sich jmd./etwas befindet, an die jmd./etwas hingehört):* etwas wieder an seinen O. legen. **sinnv.:** Stelle. **2.** *kleinere Siedlung (bäuerlichen oder städtischen Charakters):* ein ruhiger, schön gelegener, mondäner O. **sinnv.:** Ansiedlung, Dorf, Flecken, Kaff, Kleinstadt, Nest, Ortschaft, Siedlung; Stadt.

ọrt|lich ⟨Adj.⟩: **1.** *nur eine bestimmte, eng umschriebene Stelle betreffend:* etwas ö. festlegen; jmdn. ö. betäuben. **sinnv.:** lokal. **2.** *den jeweiligen Ort (mit seinen besonderen Gegebenheiten) betreffend:* die örtlichen Verhältnisse berücksichtigen, erkunden. **sinnv.:** lokal.

Ọrt|schaft, die; -, -en: *kleinere Gemeinde.* **sinnv.:** Ort.

Öse, die; -, -n: *kleine Schlinge, kleiner Ring aus Draht (als Teil eines zu hakenden Verschlusses an Kleidungsstücken):* ein Kleid mit Haken und Ösen schließen.

Ọsten, der; -s: **1.** ⟨meist ohne Artikel; gewöhnlich in Verbindung mit einer Präposition⟩ *Himmelsrichtung, in der die Sonne aufgeht:* von, nach, im O. **sinnv.:** Ost; Himmelsrichtung. **2. a)** *im Osten* (1) *gelegener Teil eines Landes, einer Stadt o. ä.:* der O. Deutschlands. **b)** *die Länder Osteuropas, Asiens:* die Völker des Ostens. **3.** *die sozialistischen Länder Osteuropas, bes. die Ostblockstaaten:* der O. ist nicht verhandlungsbereit. **sinnv.:** sozialistisches Lager, Länder hinter dem Eisernen Vorhang, Ostblock.

Ọstern, das; -, - ⟨meist ohne Artikel; landschaftlich und in bestimmten Wunschformeln und Fügungen auch als Plural⟩: *Fest der Auferstehung Christi:* [(bes. nordd.:) zu/(bes. südd.:) an] O. verreisen; ein schönes O.; die Ostern waren verregnet; fröhliche Ostern! **sinnv.:** Osterfest.

ọst|lich: **I.** ⟨Adj.; attributiv⟩ **1.** *im Osten liegend:* der östliche Teil der Stadt. **2.** *nach Osten gerichtet:* in östlicher Richtung fahren. **II.** ⟨Präp. mit Gen.⟩ *im Osten von ...:* die Grenze verläuft ö. des Flusses. **III.** ⟨Adverb; in Verbindung mit *von*⟩: ö. von Hamburg.

oval [o'va:l] ⟨Adj.⟩: *von länglichrunder Form:* ein ovales Gesicht haben; der Kreis ist nicht rund, sondern o. **sinnv.:** eirund, elliptisch.

Oze|an, der; -s, -e: *Meer zwischen den Kontinenten.* **sinnv.:** Meer.

P

paar: ⟨in der Fügung⟩ ein p.: *einige wenige; nicht sehr viele:* mit ein p. Worten beschrieb er den Vorfall; nur ein p. Leute waren gekommen. **sinnv.:** einig..., einzeln.

Paar, das; -[e]s, -e: **1.** *zwei zusammengehörige, eng miteinander verbundene Personen:* sie sind ein ungleiches P. **sinnv.:** Gespann. **Zus.:** Braut-, Ehe-, Freundes-, Hochzeits-, Liebespaar. **2.** *zwei zusammengehörige, gleichartige Dinge:* ein P. Pantoffeln steht/stehen in der Ecke; /als Maßangabe/ ein, drei P. Schuhe, Würstchen. **Zus.:** Augen-, Wortpaar.

paa|ren: 1. ⟨tr.⟩ *miteinander zu einem Ganzen verbinden, vereinigen:* in dieser Arbeit waren Verstand und Gefühl gepaart. **sinnv.:** vereinigen. **2. a)** ⟨sich p.⟩ *sich geschlechtlich vereinigen /von Tieren/:* Schwalben paaren sich gewöhnlich zweimal im Jahr. **sinnv.:** koitieren. **b)** ⟨tr.⟩ *(Tiere) für die Züchtung zur Paarung zusammenbringen:* Tiere mit verschiedenen Eigenschaften p. **sinnv.:** züchten. **Zus.:** verpaaren.

pach|ten, pachtete, hat gepachtet ⟨tr.⟩: *Räumlichkeiten, ein Grundstück o. ä. für längere Zeit zur Nutzung gegen Zahlung eines bestimmten Betrages von dem Eigentümer übernehmen:* einen Garten p. **sinnv.:** mieten. **Zus.:** verpachten.

Pack: I. der; -[e]s, -e und Päcke: *etwas zu einem Bündel o. ä. Zusammengeschnürtes oder mit der Hand Gepacktes, Zusammengepacktes:* ein P. Zeitungen. **sinnv.:** Packen. **II.** das; -[e]s (emotional): *Menschen, die man verachtet, für heruntergekommen, betrügerisch o. ä. hält:* so ein P.! **sinnv.:** Abschaum. **Zus.:** Bettel-, Diebes-, Lumpenpack.

Päck|chen, das; -s, -: **1.** *kleinere, fest verpackte und verschnürte o. ä. Postsendung (bis zu einem bestimmten Gewicht):* etwas als P. verschicken. **sinnv.:** Paket, Packung. **Zus.:** Eil-, Einschreibepäckchen. **2.** *kleine Packung aus Papier o. ä., die eine kleinere Menge einer Ware fertig abgepackt enthält:* ein P. Backpulver. **sinnv.:** Briefchen, Tütchen.

packen: 1. ⟨tr.⟩ *mit den Händen ergreifen und festhalten:* er packte ihn an Arm und drängte ihn aus dem Zimmer. **sinnv.:** erfassen, ergreifen, fassen, beim Kanthaken nehmen, kaschen, nehmen, schnappen. **Zus.:** an-, zupacken. **2. a)** ⟨tr.⟩ *zusammenlegen und in ein Behältnis o. ä. legen:* die Kleider in die Koffer p. **sinnv.:** legen, stecken, stopfen, tun. **Zus.:** zusammenpacken. **b)** ⟨tr./itr.⟩ *ein Behältnis mit Dingen füllen:* die Koffer p.; ich muß noch p. **sinnv.:** einpacken. **Zus.:** aus-, vollpacken. **c)** ⟨tr.⟩ *(durch Einwickeln, Verschnüren o. ä.) zum Verschicken fertigmachen:* ein Paket, ein Päckchen p. **Zus.:** aufpacken.

Packung, die; -, -en: **a)** *Ware mit der sie umgebenden Hülle:* eine P. Zigaretten. **sinnv.:** Dose, Karton, Kasten, Päckchen, Paket, Schachtel. **Zus.:** Geschenk-, Haushalts-, Probepackung. **b)** *Hülle, Umhüllung bestimmter Art, in der eine Ware fertig abgepackt ist:* Pralinen in einer hübschen P.

Zus.: Frischhalte-, Mogel-, Original-, Schau- Verpackung.

Pad|del, das; -s, -: *eine Stange mit breitem, flachem Blatt an einem bzw. an beiden Enden, die mit beiden Händen geführt wird und zum Fortbewegen eines Kanus bzw. eines Paddelbootes dient:* das P ins Wasser tauchen. **sinnv.:** Ruder. **Zus.:** Doppel-, Stechpaddel.

Pad|del|boot, das; -[e]s, -e: *kleineres Boot mit einem oder mehreren Sitzen, das mit dem Paddel fortbewegt wird:* mit dem P. fahren. **sinnv.:** Kajak.

pad|deln, paddelte, hat/ist gepaddelt ⟨itr.⟩: **a)** *Paddelboot fahren:* ich habe/bin in meiner Jugend viel gepaddelt. **sinnv.:** rudern. **Zus.:** ab-, anpaddeln. **b)** *sich mit einem Paddelboot fortbewegen, an einen bestimmten Ort begeben:* sie sind mit dem Kajak zur Insel, über den See gepaddelt. **sinnv.:** rudern.

Pa|ket, das; -[e]s, -e: **1.** *etwas fest Verpacktes und Verschnürtes o. ä., das mit der Post verschickt werden soll:* ein P. an seinen Sohn schicken. **sinnv.:** Päckchen. **Zus.:** Eil-, Post-, Schnell-, Wertpaket. **2.** *[verschnürter] mit Papier o. ä. umhüllter Packen von etwas:* ein P. Bücher, Wäsche. **sinnv.:** Packen. **Zus.:** Bücher-, Freß-, Wäschepaket.

Pakt, der; -[e]s, -e: *Vertrag, Bündnis [über gegenseitige politische oder militärische Unterstützung]:* einen P. schließen. **sinnv.:** Vereinbarung. **Zus.:** Beistands-, Nichtangriffspakt.

Pa|nik, die; -: *durch eine plötzliche echte oder vermeintliche Gefahr hervorgerufene, übermächtige Angst, die (bei einzelnen oder Ansammlungen von Menschen) zu völlig unüberlegten Reaktionen führt:* unter den Passagieren brach eine P. aus; von P. ergriffen werden; mit P. auf etwas reagieren. **sinnv.:** Angst. **Zus.:** Torschlußpanik.

Pan|ne, die; -, -n: **1.** *(bes. bei Kraftfahrzeugen während der Fahrt) plötzlich auftretender Schaden oder technische Störung, die im Weiterfahren vorübergehend unmöglich macht:* sie hatten unterwegs eine P. mit dem neuen Wagen. **sinnv.:** Schaden, Störung. **Zus.:** Reifenpanne. **2.** *peinlicher, durch Ungeschicklichkeit, Unüberlegtheit o. ä. verursachter Vorfall (beim Ablauf von etwas):* bei dem Empfang des Staatsgastes hatte es einige Pannen gegeben. **sinnv.:** Mißgeschick; Unglück.

Pan|tof|fel, der; -s, -n: *flacher Hausschuh aus Stoff oder Leder:* in Pantoffeln herumlaufen. **sinnv.:** Hausschuh, Latschen, Schlappen. **Zus.:** Filzpantoffel.

Pan|zer, der; -s, -: *gepanzertes, meist mit einem Geschütz ausgerüstetes, schweres militärisches Kettenfahrzeug.*

Pa|pa [geh.: Papa], der; -, -s: ↑*Vater.*

Pa|pa|gei, der; -s, -en: *in den Tropen heimischer, meist größerer Vogel mit farbenprächtigem Gefieder und stark gekrümmtem Schnabel, der leicht lernt, Stimmen zu imitieren.*

Pa|pier, das; -s, -e: **1.** *zu einer dünnen, platten*

Schicht gepreßtes Material, das vorwiegend zum Beschreiben oder zum Verpacken dient: ein Blatt, Stück P.; etwas in P. einwickeln. **sinnv.:** Folie, Pappe. **Zus.:** Alt-, Brief-, Bunt-, Butterbrot-, Konzept-, Millimeter-, Pack-, Paus-, Pergament-, Schreib-, Seiden-, Silber-, Umwelt[schutz]-, Zeichen-, Zeitungs-, Zigarettenpapier. **2.** ⟨meist Plural⟩ *amtliches Schriftstück (von bestimmter äußerer Form), das als Ausweis o. ä. dient:* ich habe meine Papiere verloren. **sinnv.:** Ausweis. **Zus.:** Ausweis-, Auto-, Legitimations-, Personal-, Zulassungspapier.

Pap|pe, die; -, -n: *dem Papier ähnliches, jedoch dickeres, steifes Material, das meist als Verpackung verwendet wird.* **sinnv.:** Fotokarton, Karton, Papier, Pappdeckel, Pappkarton, Pappmaché. **Zus.:** Dach-, Teer-, Wellpappe.

Pap|pel, die; -, -n: *hochwüchsiger Laubbaum, dessen Astwerk eine in vertikale Richtung strebende, spitz zulaufende Krone bildet.*

Pa|ra|bel, die; -, -n: **1.** /eine geometrische Figur/ (siehe Bildleiste „geometrische Figuren", S. 175). **2.** *lehrhafte, auf einem Vergleich beruhende Dichtung.*

Pa|ra|dies, das; -es, -e: **1.** ⟨ohne Plural⟩ *Ort oder Zustand der Vollkommenheit, der Seligkeit:* Adam und Eva wurden aus dem P. vertrieben. **sinnv.:** Arkadien, Eden, Elysium, Garten Eden, Gefilde der Seligen. **2.** *überaus schöner, fruchtbarer Ort:* hier ist wirklich ein P. **sinnv.:** Arkadien, Dorado, Eldorado, das Land, wo Milch und Honig fließt, Oase, Orplid, Schlaraffenland, Utopia.

par|al|lel ⟨Adj.⟩: **1.** *in gleicher Richtung, in gleichem Abstand voneinander verlaufend:* parallele Linien zeichnen; die Straße verläuft p. zur Bahn. **sinnv.:** gleichlaufend. **2.** *gleichzeitig nebeneinander bestehend, ablaufend o. ä.:* die Arbeiten an den neuen Grünanlagen und am Neubau der Schule laufen p. **sinnv.:** gleichzeitig.

Pa|ral|le|le, die; -, -n: *Linie, die parallel zu einer anderen Linie verläuft:* Parallelen schneiden sich im Unendlichen. **sinnv.:** gleichlaufende Linie.

Pa|ral|le|lo|gramm, das; -s, -e: /eine geometrische Figur/ (siehe Bildleiste „geometrische Figuren", S. 175). **sinnv.:** Viereck.

Par|füm, das; -s, -e und -s: *alkoholische Flüssigkeit, in der Duftstoffe gelöst sind (als Kosmetikartikel):* nach P. riechen; sich mit P. besprühen. **sinnv.:** Duft, Duftstoff, Duftwasser, Eau de Cologne, Eau de toilette, Kölnischwasser.

Park, der; -s, -s: *große, künstlich angelegte, von Spazierwegen durchzogene [öffentliche] Grünfläche mit Bäumen, Sträuchern, Rabatten u. ä.:* **sinnv.:** Anlage, Garten, Grünanlage, grüne Lunge, Lustgarten, Parkanlage. **Zus.:** Kur-, National-, Natur-, Schloß-, Stadt-, Tier-, Volks-, Wald-, Wildpark.

par|ken ⟨tr./itr.⟩: *ein Kraftfahrzeug vorübergehend abstellen:* den Wagen vor dem Laden p.; hier kann ich eine Stunde lang p.; wir parkten unter einer Laterne. **sinnv.:** abstellen, halten. **Zus.:** aus-, einparken.

Park|platz, der; -es, Parkplätze: **a)** *Platz, auf dem ein Fahrzeug geparkt werden kann.* **sinnv.:** Abstellplatz, Einstellplatz, Platz, Stellplatz. **b)** *für das Parken von Autos vorgesehene Fläche mit markierten einzelnen Stellplätzen:* ein bewachter P. neben dem Einkaufszentrum. **sinnv.:** Depot.

Par|la|ment, das; -[e]s, -e: **a)** *gewählte Vertretung des Volkes mit beratender und gesetzgebender Funktion:* das P. auflösen, wählen. **sinnv.:** Abgeordnetenhaus, Bundestag, Senat, Volkskammer. **b)** *Gebäude, in dem die Volksvertretung untergebracht ist:* eine Demonstration vor dem P. **sinnv.:** Parlamentsgebäude.

Par|tei, die; -, -en: **1.** *politische Organisation mit einem bestimmten Programm, in der sich Menschen mit der gleichen politischen Überzeugung zusammengeschlossen haben:* in eine Partei eintreten; [nicht] in einer P. sein; eine bestimmte P. wählen. **sinnv.:** Bund, Gliederung, Gruppe, Klub, Organisation, Splittergruppe, Vereinigung. **Zus.:** Bruder-, Einheits-, Links-, Massen-, Oppositions-, Rechts-, Regierungs-, Splitter-, Volkspartei. **2.** *einer der [beiden] Gegner in einem Rechtsstreit:* die streitenden Parteien. **3.** *Mieter einer bestimmten Wohnung in einem Mietshaus:* in dem Haus wohnen 10 Parteien. **sinnv.:** Mieter.

Par|tie, die; -, Partien: **1.** *Abschnitt, Ausschnitt, Teil eines größeren Ganzen:* die untere P. des Gesichts; die schönsten Partien der Landschaft fotografieren. **sinnv.:** Teil. **Zus.:** Mund-, Rückenpartie. **2.** *einzelne Runde (bei bestimmten Spielen):* wir spielen eine P. Schach; eine P. gewinnen. **sinnv.:** Spiel. **Zus.:** Hänge-, Schach-, Skatpartie. **3.** *Rolle (in gesungenen Werken):* sie singt die P. der Aida; für diese P. ist er nicht geeignet. **sinnv.:** Gestalt, Rolle. **Zus.:** Alt-, Baß-, Gesangs-, Solopartie.

Part|ner, der; -s, -, **Part|ne|rin,** die; -, -nen: **1.** *männliche bzw. weibliche Person, die mit einer anderen etwas gemeinsam unternimmt oder die an etwas beteiligt ist:* die Partner des Vertrages; sie will sich für ihr Geschäft einen neuen [männlichen oder weiblichen] Partner/eine neue Partnerin suchen. **sinnv.:** Teilhaber. **Zus.:** Ansprech-, Bündnis-, Geschäfts-, Koalitions-, Vertragspartner. **2.** *männliche bzw. weibliche Person, die mit einer anderen Person (in einer Ehe oder dieser ähnlichen Verbindung) zusammenlebt:* er hat seine Partnerin/sie hat ihren Partner verloren. **sinnv.:** Geliebte, Geliebter. **Zus.:** Ehe-, Geschlechts-, Lebenspartner.

Par|ty ['pa:ɐ̯ti], die; -, -s und Parties: *geselliges Beisammensein, zwangloses Fest zu Hause:* eine P. veranstalten; auf eine/zu einer P. eingeladen sein. **sinnv.:** Fest.

Paß, der; Passes, Pässe: **1.** *amtlicher Ausweis zur Legitimation einer Person (bei Reisen ins Ausland):* der P. ist abgelaufen, ist gefälscht. **sinnv.:** Ausweis. **Zus.:** Diplomaten-, Reise-, Wehrpaß. **2.** *niedrigste Stelle eines größeren Gebirges, die als Übergang benutzt wird:* die meisten Pässe der Alpen haben Wintersperre. **sinnv.:** Bergübergang, Col, Joch, Sattel. **Zus.:** Eng-, Gebirgspaß.

Pas|sa|gier [pasa'ʒiːɐ̯], der; -s, -e, **Pas|sa|gie|rin,** die; -, -nen: *Reisender bzw. Reisende (bes. mit Flugzeug oder Schiff).* **sinnv.:** Fahrgast, Schwarzfahrer. **Zus.:** Flug-, Schiffspassagier.

pas|sen, paßt, paßte, hat gepaßt ⟨itr.⟩: **1. a)** *(von Kleidung o. ä.) jmds. Figur entsprechen, nicht zu eng, zu weit, zu groß oder zu klein o. ä. sein:* der Rock paßt dir nicht, paßt wie angegossen. **sinnv.:** eine bestimmte Paßform haben, einen bestimmten Sitz haben, sitzen. **b)** *mit jmdm./etwas zusammenstimmen, so daß eine harmonische Gesamtwir-*

kung o. ä. zustande kommt: die Farbe paßt nicht zu dir; die Schuhe passen gut zu diesem Kleid; diese Freunde passen nicht zu ihm, zu uns *(sind zu verschieden).* **sinnv.:** sich eignen, harmonieren, hinkommen. **Zus.:** hin-, hinein-, zueinander-, zusammenpassen. **2.** (meist verneint) *jmdm. angenehm, sympathisch o. ä. sein:* die Sache, der Termin paßt mir nicht; es paßt mir nicht, daß ... **sinnv.:** gefallen. **3.** *eingestehen, etwas nicht zu wissen:* ich weiß auf die Frage keine Antwort, ich passe. **sinnv.:** nachgeben.

pas|sie|ren, passierte, hat/ist passiert: **I.** ⟨tr./itr.⟩ *ein bestimmtes Gebiet durchqueren, durchfahren, an einer bestimmten Stelle vorbeigehen, -fahren:* wir haben die Grenze passiert. **sinnv.:** durchqueren, überfahren, überfliegen, überqueren, überschreiten, vorbeifahren. **II.** ⟨itr.⟩ *(von Unangenehmem, Unbeabsichtigtem o. ä.) sich ereignen:* mir ist etwas Seltsames passiert; hoffentlich ist nichts passiert. **sinnv.:** begegnen; geschehen.

pas|siv ⟨Adj.⟩ /Ggs. aktiv/: **a)** *keine Funktionen übernehmend, nicht an den zugehörenden Aktivitäten teilnehmend:* er ist nur passives Mitglied des Vereins. **b)** *untätig bleibend; ohne Initiative:* er hat sich bei der Auseinandersetzung p. verhalten. **sinnv.:** abwartend, inaktiv, reserviert, stumpf, tatenlos, teilnahmslos, untätig, zurückhaltend.

Pa|ti|ent, der; -en, -en, **Pa|ti|en|tin,** die; -, -nen: *männliche bzw. weibliche Person (in Behandlung eines Arztes oder eines Angehörigen anderer Heilberufe):* er ist Patient von Dr. Schmidt; Dr. Schmidt hat viele Patienten. **sinnv.:** Bettlägeriger, Kranker, Leidender, Siecher, Schwerkranker. **Zus.:** Kassen-, Privatpatient.

Pa|tro|ne, die; -, -n: **1.** *aus einer Metallhülse mit Sprengstoff und Geschoß bestehende Munition (für Gewehr, Pistole o. ä.):* eine P. in den Lauf des Gewehres schieben. **sinnv.:** Munition. **Zus.:** Gas-, Platzpatrone. **2.** *lichtundurchlässige Hülse für Filme:* die P. ist leer.

Pau|ke, die; -, -n: *Schlaginstrument mit etwa halbkugeligem, mit einer Membran aus Kalbfell bespanntem Resonanzkörper* (siehe Bildleiste „Schlaginstrumente"): die P. schlagen. **sinnv.:** Schlaginstrument. **Zus.:** Kesselpauke.

pau|ken ⟨itr.⟩ (ugs.): *sich einen Wissensstoff durch intensives, häufig mechanisches Auswendiglernen anzueignen suchen:* er paukt Latein vor jeder Klassenarbeit. **sinnv.:** lernen. **Zus.:** einpauken.

Pau|se, die; -, -n: *kürzere Unterbrechung einer Tätigkeit [die der Erholung o. ä. dienen soll]:* eine P. einlegen, machen. **sinnv.:** Rast, Unterbrechung. **Zus.:** Atem-, Denk-, Erholungs-, Essens-, Frühstücks-, Gesprächs-, Kunst-, Ruhe-, Verschnauf-, Zigarettenpause.

Pech, das; -s: *unglückliche Fügung, die jmds. Pläne, Vorhaben durchkreuzt* /Ggs. Glück/: er hat viel P. gehabt; vom P. verfolgt sein. **sinnv.:** Fehlschlag, Fiasko, Mißerfolg, Mißgeschick, Pechsträhne, Rückschlag; Unglück. **Zus.:** Künstlerpech.

Pe|dal, das; -s, -e: **1.** *(bes. im Auto) Hebel, der mit dem Fuß bedient wird (und unterschiedliche Funktionen hat):* auf das P. treten. **Zus.:** Brems-, Gas-, Kupplungspedal. **2.** *Tretkurbel am Fahrrad* (siehe Bild „Fahrrad"): in die Pedale treten *(schnell fahren).*

pein|lich ⟨Adj.⟩: **1.** *jmdm. unangenehm, ihn in Verlegenheit bringend:* das Bekanntwerden seines Planes war ihm p.; eine peinliche Frage. **sinnv.:** unangenehm; unerfreulich. **2. a)** *(in einer Weise die steril bzw. sehr pedantisch wirkt) äußerst sorgfältig:* hier herrscht peinliche Ordnung. **sinnv.:** gewissenhaft. **Zus.:** hochnotpeinlich. **b)** (intensivierend bei Adjektiven) *sehr, äußerst:* etwas p. genau registrieren.

Peit|sche, die; -, -n: *aus einem Stock und einem daran befestigten Riemen bestehender Gegenstand zum Antreiben von Tieren:* mit der P. knallen, schlagen. **sinnv.:** Geißel, Gerte, Karbatsche, neunschwänzige Katze, Knute, Ochsenziemer, Reitgerte, Ziemer. **Zus.:** Klopf-, Reit-, Riemenpeitsche.

Pelz, der; -es, -e: *Fell bestimmter Tiere, das zu Kleidungsstücken verarbeitet wird:* ein weicher, echter P.; sie trägt einen teuren P. **sinnv.:** Fell. **Zus.:** Faul-, Fuchs-, Schafs-, Web-, Zobelpelz.

Pen|del, das; -s, -: *Körper, der an einem Punkt aufgehängt ist und – verursacht durch die Schwerkraft – hin- und herschwingt:* das P. der Uhr anstoßen. **sinnv.:** Perpendikel. **Zus.:** Uhrpendel.

pen|deln, pendelte, hat/ist gependelt ⟨itr.⟩: **1.** *(in der Luft frei hängend) hin- und herschwingen:* die Kiste hat an dem Kran gependelt. **sinnv.:** schwingen. **Zus.:** auspendeln. **2.** *(bes. zur Arbeit) zwischen seinem Wohnort und dem Ort, an dem man arbeitet o. ä., hin- und herfahren:* er ist zwischen Frankfurt und Mannheim gependelt.

Pe|nis, der; -, -se: *Teil des Geschlechtsorgans einer männlichen Person.* **sinnv.:** Glied, Phallus, Pimmel, Schwanz, Zipfel.

Pen|si|on [pã'sio:n; südd., österr., schweiz.: pɛn'zio:n], die; -, -en: **1. a)** *Bezüge für einen Beamten im Ruhestand:* eine gute P. bekommen. **sinnv.:** Rente. **Zus.:** Beamten-, Lehrer-, Witwenpension. **b)** ⟨ohne Plural⟩ *Ruhestand eines Beamten:* er geht in P. **sinnv.:** Rente. **2. a)** *kleineres, einfacheres Haus, das Gäste aufnimmt und verköstigt:* wir wohnten in der P. Balzer. **sinnv.:** Hotel. **Zus.:** Fremden-, Hotelpension. **b)** *Unterkunft und Verpflegung (in einem Hotel o. ä.):* ich habe das Zimmer mit voller P. gemietet. **sinnv.:** Unterkunft. **Zus.:** Halb-, Vollpension.

Pen|sum, das; -s, Pensen und Pensa: *Arbeit, die in einem bestimmten Zeitraum erledigt werden muß:* ich habe mein heutiges P. noch nicht geschafft. **sinnv.:** Arbeit, Aufgabe, Obliegenheit, Soll. **Zus.:** Arbeits-, Pflicht-, Tages-, Unterrichtspensum.

per ⟨Präp. mit Akk.⟩: /gibt das Mittel an, mit dessen Hilfe etwas geschieht/ *mit, durch, mittels:* einen Brief p. Luftpost befördern; etwas p. Nachnahme senden; p. Gesetz; p. Satellit, Boten; ich habe ihn p. Zufall getroffen; mit jmdm. p. du sein. **sinnv.:** durch.

per|fekt ⟨Adj.⟩: **a)** *(im Hinblick auf bestimmte Fähigkeiten, die Ausführung von etwas) so gut, daß nicht das geringste daran auszusetzen ist:* sie ist eine perfekte Köchin; er spricht p. Englisch. **sinnv.:** fließend; gut; meisterhaft. **b)** *abgemacht, abgeschlossen, gültig:* der Vertrag ist p.

Pe|ri|ode, die; -, -n: *Teil eines zeitlich in sich gegliederten Geschehens, das für sich eine Einheit bildet:* eine historische P.; eine P. rastlosen Schaffens in seinem Leben. **sinnv.:** Zeitraum. **Zus.:**

Amts-, Heiz-, Hitze-, Kälte-, Legislatur-, Schönwetter-, Wachstums-, Wahlperiode.

Per|le, die; -, -n: *(in/zu Schmuck verarbeitetes) [helles] schimmerndes Kügelchen, das in der Perlmuschel entsteht:* eine Kette aus Perlen; nach Perlen tauchen. **Zus.:** Barock-, Japan-, Zuchtperle.

Per|son, die; -, -en: *der Mensch als individuelles Wesen:* eine Familie von vier Personen; beide Ämter sind in einer P. vereinigt *(werden von einem Menschen geleitet).* **sinnv.:** Individualität; Mensch. **Zus.:** Amts-, Frauens-, Haupt-, Neben-, Weibsperson.

Per|so|nal, das; -s: a) *Gesamtheit der beschäftigten Personen (bes. im Dienstleistungsbereich):* das technische P. der Bahn; das fliegende P. der Fluggesellschaft; die Firma hat freundliches P. **sinnv.:** Arbeiterschaft, Belegschaft, Betriebsangehörige. **Zus.:** Begleit-, Flug-, Boden-, Stamm-, Wachpersonal. b) *Gesamtheit des Dienstpersonals in einem privaten Haushalt:* das P. der gräflichen Familie. **sinnv.:** Bedienung, Dienerschaft, Gesinde. **Zus.:** Haus-, Küchenpersonal.

Per|so|na|lie, die; -, -n: 1. ⟨Plural⟩ *(amtlich registrierte) Angaben zur Person, wie Name, Datum und Ort der Geburt:* die Personalien feststellen, aufnehmen. **sinnv.:** persönliche Daten. 2. *etwas Privates, private Angelegenheit, die einen betrifft:* diese P. ist nicht für die Öffentlichkeit bestimmt. **sinnv.:** Privatangelegenheit, Privatsache.

per|sön|lich ⟨Adj.⟩: *die jeweils eigene Person betreffend, von ihr ausgehend; in eigener Person:* eine persönliche Angelegenheit; ich kenne ihn p.; ich werde mich p. *(selbst)* darum kümmern. **sinnv.:** direkt, eigen, eigenhändig, eigenmächtig, individuell, in natura, leibhaftig, selbst.

Per|sön|lich|keit, die; -, -en: 1. *Mensch mit ausgeprägter individueller Eigenart:* er ist eine P. **sinnv.:** Individualität; Mensch. 2. *jmd., der eine führende Position im öffentlichen Leben innehat:* zahlreiche prominente Persönlichkeiten waren anwesend. **sinnv.:** Vertreter der Öffentlichkeit/ des öffentlichen Lebens. **Zus.:** Künstlerpersönlichkeit.

pes|si|mi|stisch ⟨Adj.⟩: *immer nur Schlechtes oder Mißerfolg erwartend* /Ggs. optimistisch/: er ist von Natur aus p.; eine pessimistische Beurteilung der Lage. **sinnv.:** defätistisch, fatalistisch, schwarzseherisch · melancholisch, nihilistisch.

Pe|ter|si|lie, die; -, -n: *(im Garten gezogene) Pflanze mit krausen oder auch glatten, mehrfach gefiederten Blättern, die zum Würzen von Speisen verwendet wird.*

Pe|tro|le|um, das; -s: *aus Erdöl gewonnene, farblose Flüssigkeit, die als Brennstoff und als chemischer Rohstoff verwendet wird.* **sinnv.:** Erdöl.

Pfad, der; -[e]s, Pfade: *schmaler Weg, der nur von Fußgängern benutzt wird:* durch die Wiesen zog sich ein P. bis an den Waldesrand. **sinnv.:** Weg. **Zus.:** Fuß-, Lehr-, Lein-, Saum-, Trampel-, Wiesenpfad.

Pfahl, der; -[e]s, Pfähle: *dicke Stange, die in den Boden eingerammt wird und an der etwas befestigt wird:* man hat die Ziege an einen P. gebunden. **sinnv.:** Mast, Pflock, Pfosten. **Zus.:** Grenz-, Laternen-, Marter-, Zaunpfahl.

Pfand, das; -[e]s, Pfänder: 1. *Gegenstand, der als Sicherheit für eine geschuldete Summe dient, dem*

Gläubiger ausgehändigt wird: jmdm. etwas als P. geben; etwas als P. behalten. **sinnv.:** Sicherheit. **Zus.:** Faust-, Unterpfand. 2. *(meist kleinerer) Geldbetrag, der für einen geliehenen Gegenstand hinterlegt und bei dessen Rückgabe erstattet wird:* P. für etwas bezahlen; auf den Flaschen ist 30 Pfennig P. **sinnv.:** Gebühr, Leihgebühr. **Zus.:** Flaschenpfand.

Pfan|ne, die; -, -: *flaches, bes. zum Braten verwendetes Küchengerät (aus Metall) mit langem, waagerecht am Rand angebrachtem Stiel:* Eier in die P. schlagen. **sinnv.:** Kochtopf. **Zus.:** Brat-, Stielpfanne.

Pfann|ku|chen, der; -s, -: *in der Pfanne gebakkener, dünner Teig aus Eiern, Mehl und Milch.* **Zus.:** Eierpfannkuchen.

Pfar|rer, der; -s, -, **Pfar|re|rin,** die; -, -nen: *männliche bzw. weibliche Person, die einer kirchlichen Gemeinde als Seelsorger vorsteht.* **sinnv.:** Geistlicher. **Zus.:** Gefängnis-, Jugend-, Krankenhaus-, Studentenpfarrer.

Pfef|fer, der; -s, -: *scharfes Gewürz, das aus den Samen des Pfefferstrauchs gewonnen wird:* etwas mit P. würzen.

Pfef|fer|min|ze, die; -: *krautige Pflanze mit kleinen lilafarbenen Blüten, die ein stark aromatisches ätherisches Öl enthält (und als Heilpflanze verwendet wird):* Tee aus P. kochen.

pfef|fern ⟨tr.⟩: *mit Pfeffer würzen:* Speisen p. **sinnv.:** würzen.

Pfei|fe, die; -, -n: 1. *kleines, einfaches Instrument von der Form eines Röhrchens mit einem Mundstück, das beim Hineinblasen einen lauten, schrillen Ton hervorbringt:* die P. des Schiedsrichters. **Zus.:** Signal-, Stimm-, Trillerpfeife. 2. *aus Pfeifenkopf und Pfeifenrohr bestehender Gegenstand, in dem man Tabak raucht:* er raucht nur noch P. **Zus.:** Friedens-, Meerschaum-, Shag-, Tabaks-, Ton-, Wasserpfeife.

pfei|fen, pfiff, hat gepfiffen: 1. a) ⟨itr.⟩ *einen Pfeifton hervorbringen:* laut, leise p.; er pfiff, um auf sich aufmerksam zu machen; ein pfeifender Vogel. **sinnv.:** singen. b) ⟨tr.⟩ *pfeifend* (1 a) *hervorbringen:* ein Lied, eine Melodie p. **sinnv.:** singen. 2. ⟨itr.⟩ *(in bestimmter Absicht, zu einem bestimmten Zweck) mit einer Pfeife einen (lauten, schrillen) Ton hervorbringen:* der Schiedsrichter pfeift. **Zus.:** aus-, mit-, zurückpfeifen. 3. ⟨itr.⟩ *(durch schnelle Bewegung) ein scharfes, pfeifendes Geräusch hervorbringen:* der Wind pfeift; Kugeln pfiffen um ihre Ohren. **sinnv.:** rauschen, stürmen.

Pfeil, der; -[e]s, -e: 1. *längerer Stab mit Spitze, der als Geschoß bes. bei Bogen und Armbrust dient:* einen P. auflegen, abschießen. 2. *graphisches Zeichen von der Form eines stilisierten Pfeils (das eine Richtung angibt bzw. auf etwas hinweist):* der P. zeigt nach Norden.

Pfei|ler, der; -s, -: *freistehende Stütze aus Mauerwerk, Stein o. ä., meist mit eckigem Querschnitt (als tragender Teil eines größeren Bauwerks):* Reihen mächtiger Pfeiler tragen das Gewölbe des Kirchenbaus. **sinnv.:** Säule. **Zus.:** Beton-, Brükken-, Bündel-, Eck-, Grund-, Mauer-, Strebe-, Stützpfeiler.

Pfen|nig, der; -s, -e: *kleinste Einheit der deutschen Währung in Form einer Münze:* keinen P. mehr haben; mit dem P. rechnen müssen *(sehr sparsam sein müssen);* das ist keinen P. wert *(das* *ist nichts wert).* **sinnv.:** Münze. **Zus.:** Glücks-, Heck-, Kupfer-, Zehrpfennig.

Pferd, das; -[e]s, -e: **1.** *als Reit- oder Zugtier gehaltenes, großes (zu den Säugetieren gehörendes) Tier mit glattem Fell, langer Mähne und einem langhaarigen Schwanz (siehe Bild):* das P. satteln, reiten, besteigen. **sinnv.:** Gaul, Klepper, Mähre, Pegasus, Rosinante, Roß, Schindmähre · Hengst, Stute, Wallach · Fohlen, Füllen · Falbe, Fuchs, Rappe, Schimmel · Pony. **Zus.:** Acker-, Arbeits-, Fjord-, Fluß-, Heu-, Kutsch-, Nil-, Panje-, Reit-, Renn-, Schaukel-, See-, Stecken-, Zirkus-, Zugpferd. **2.** *Turngerät, an dem Sprungübungen gemacht werden (siehe Bild):* eine Grätsche übers P. machen.

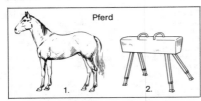

Pferd

Pfiff, der; -[e]s, -e: **1.** *kurzer, schriller Ton, der durch Pfeifen hervorgebracht wird:* nach dem Foul hörte man den P. des Schiedsrichters. **sinnv.:** Signal. **2.** ⟨ugs.⟩ *etwas, was – als Zutat – den besonderen Reiz einer Sache ausmacht:* das farbige Tuch gibt dem Kleid erst den richtigen P. **sinnv.:** Reiz.

Pfifferling, der; -s, -e: *eßbarer, gelblicher Pilz von trichterähnlicher Gestalt.* **sinnv.:** Eierschwamm.

Pfingsten, das; -, - ⟨meist ohne Artikel; landschaftlich und in bestimmten Wunschformeln und Fügungen auch als Plural⟩: *christliches Fest, das 50 Tage nach Ostern gefeiert wird:* wir wollen [(bes. nordd.:) zu/(bes. südd.:) an] P. verreisen; ein fröhliches P.!; fröhliche Pfingsten! **sinnv.:** Fest der Ausgießung des Heiligen Geistes, Pfingstfest, die Pfingsttage.

Pfirsich, der; -s, -e: *kugelige, saftige, aromatische Frucht des Pfirsichbaums.*

Pflanze, die; -, -n: *(im ganzen oder in Teilen grünes) Gewächs aus Wurzeln, Stiel oder Stamm und Blättern:* die P. wächst, blüht, trägt Früchte, welkt, stirbt ab. **sinnv.:** Baum · Gewächs · Blume · Kraut · Staude · Strauch. **Zus.:** Gewürz-, Gift-, Grün-, Heil-, Kletter-, Salat-, Schling-, Topf-, Wild-, Zier-, Zimmerpflanze.

pflanzen ⟨tr.⟩: *(von Pflanzen) an vorgesehener Stelle in die Erde setzen:* er hat Bäume, Sträucher und viele Blumen in seinen Garten gepflanzt. **sinnv.:** legen, setzen, stecken. **Zus.:** an-, aus-, be-, ein-, um-, verpflanzen.

Pflaster, das; -s, -: **I.** *aus fest aneinandergefügten [Natur]steinen, auch aus Asphalt, Beton o. ä. bestehende Straßendecke:* ein holpriges P. aus Kopfsteinen. **sinnv.:** Straßenbelag, -decke. **Zus.:** Asphalt-, Beton-, Großstadt-, Kopfstein-, Straßenpflaster. **II.** *mit einer kleinen Mullauflage versehener Streifen, der zum Schutz von Wunden auf die Haut geklebt wird:* ein P. auf die Wunde kleben. **sinnv.:** [Wund]verband. **Zus.:** Heftpflaster.

Pflaume, die; -, -n: *dunkelblaue, eiförmige Frucht des Pflaumenbaums mit gelblichgrünem, aromatischem Fruchtfleisch und einem länglichen Stein.* **sinnv.:** Zwetsche, Zwetschge. **Zus.:** Eierpflaume.

Pflege, die; -, -: **a)** *Versorgung, Betreuung, deren ein Mensch (oder ein anderes Lebewesen) aus bestimmten Gründen bedarf:* sie übernahm die P. ihres kranken Vaters; sie haben unsere Haustiere, Blumen vorübergehend in P. genommen. **sinnv.:** Behandlung, Fürsorge, Hege. **Zus.:** Brut-, Kranken-, Säuglings-, Tierpflege. **b)** *das beständige Vornehmen bestimmter Handlungen zur Erhaltung oder Verbesserung eines bestimmten Zustandes:* etwas erfordert viel, wenig P.; die P. der Hände, der Blumen. **sinnv.:** Instandhaltung. **Zus.:** Denkmals-, Fuß-, Gesichts-, Gesundheits-, Schönheits-, Zahnpflege.

pflegen: 1. ⟨tr.⟩ **a)** *(bes. einen Hilfsbedürftigen, Kranken o. ä.) betreuen, ihn mit seiner Fürsorge umgeben:* sie pflegte ihre alte Mutter. **sinnv.:** hegen, Fürsorge/Pflege angedeihen lassen, umhegen, umsorgen. **b)** *zum Zweck der Erhaltung bzw. Verbesserung eines Zustandes behandeln:* er pflegt seine Hände, den Garten, die Blumen; er hat ein gepflegtes Äußeres. **2.** ⟨tr.⟩ *sich aus innerer Neigung (mit etwas) beschäftigen:* er pflegt die Musik, die Freundschaft. **sinnv.:** ausüben, betreiben. **3.** ⟨p. + zu + Inf.⟩ *die Gewohnheit haben, etwas Bestimmtes zu tun:* er pflegt zum Essen Wein zu trinken.

Pflicht, die; -, -en: **1. a)** *etwas, was zu tun jmd. als eine Verpflichtung ansieht, was seine eigenen bzw. die gesellschaftlichen Normen von ihm fordern:* eine selbstverständliche P. erfüllen; sich etwas zur P. machen; die P. haben, etwas Bestimmtes zu tun; es für seine P. halten zu helfen. **sinnv.:** Muß, [Pflicht und] Schuldigkeit. **Zus.:** Dankes-, Kindes-, Sohnespflicht. **b)** ⟨häufig Plural⟩ *Aufgabe, die jmd. zu erledigen hat, die eine ihm obliegende, zugewiesene Arbeit o. ä. ist:* sie hat viele Pflichten; seine Pflichten sind ihm zur Bürde geworden. **sinnv.:** Aufgabe. **Zus.:** Alltags-, Repräsentationspflichten. **2.** *bei einem Wettkampf vorgeschriebene Übungen (im Unterschied zur Kür):* die P. im Eiskunstlauf, im Kunstturnen. **sinnv.:** Übung.

-pflichtig ⟨Suffix⟩: *verpflichtet zu dem im Basiswort Genannten; dem im Basiswort als [offiziell] beschlossene Verpflichtung zu etwas Genanntem unterliegend /vor allem in Rechts- und Verwaltungstexten; Ggs. -frei/:* anmeldepflichtige Ware *(die angemeldet werden muß),* anzeige- *(muß angezeigt werden),* porto-, rezeptpflichtiges Medikament *(für das man ein Rezept braucht, das nur auf Rezept verkauft wird).*

Pflock, der; -[e]s, Pflöcke: *kurzes, dickeres Holzstück, das mit seinem angespitzten Ende in den Boden geschlagen wird und an dem man etwas befestigt:* er hat die Ziege an einen P. gebunden. **sinnv.:** Hering, Pfahl.

pflücken ⟨tr.⟩: **a)** *eine einzelne Frucht, die Früchte o. ä. von Baum, Strauch oder Pflanze abnehmen:* Äpfel, Beeren, Bohnen p. **sinnv.:** ernten. **b)** *Blumen o. ä. von der Pflanze abbrechen, abschneiden o. ä.:* Veilchen, Margeriten p.

Pflug, der; -[e]s, Pflüge: *Gerät, mit dem die Erde eines Ackers zu Schollen umbrochen wird (siehe*

Pflug

Bild): er ging hinter dem P. **sinnv.:** Pflugschar. **Zus.:** Schneepflug.
pflü|gen: a) ⟨itr.⟩ *mit dem Pflug arbeiten:* der Bauer pflügt. **b)** ⟨tr.⟩ *mit dem Pflug bearbeiten:* den Acker p. **sinnv.:** ackern, umackern, umbrechen, umgraben. **Zus.:** umpflügen.
Pfo|sten, der; -s, -: *senkrecht stehendes, rundes oder kantiges Stück Holz, bes. als stützender, tragender Bauteil:* er spannte den Draht von P. zu P. **sinnv.:** Pfahl. **Zus.:** Bett-, Brücken-, Türpfosten.
Pfo|te, die; -, -n: *in Zehen gespaltener Fuß verschiedener (Säuge)tiere (meist von Katzen und Hunden).* **sinnv.:** Fuß, Glied, Hand, Pranke, Tatze.
Pfund, das; -[e]s, -e: *Gewicht von 500 Gramm, ein halbes Kilo:* zwei P. Äpfel kaufen. **sinnv.:** Gewicht.
pfu|schen ⟨itr.⟩ (ugs.): *(eine handwerkliche Arbeit) häufig schnell und dadurch schlecht, schlampig, unsorgfältig ausführen:* bei der Reparatur hat er gepfuscht. **sinnv.:** schlechte Arbeit leisten, hudeln, murksen, schlampen, schludern, stümpern · etwas zusammenhauen, -schustern, -stoppeln.
Pfüt|ze, die; -, -n: *in einer leichten Vertiefung des Bodens stehendes [Regen]wasser:* nach dem Regen standen auf dem Weg viele Pfützen, hatten sich viele Pfützen gebildet. **sinnv.:** Lache, Wasserlache. **Zus.:** Regen-, Wasserpfütze.
Phan|ta|sie, die; -, Phantasien: **1.** ⟨ohne Plural⟩ *Fähigkeit, sich etwas in Gedanken auszumalen, etwas zu erfinden, sich auszudenken:* etwas regt die P. an; es mangelt ihm an P.; etwas beschäftigt die P. der Menschen. **sinnv.:** Einbildung, Einbildungskraft, -vermögen, Einfallsreichtum, Ideenreichtum, Imagination; Kreativität, Vorstellungskraft, -vermögen. **2.** *nicht der Wirklichkeit entsprechende Vorstellung als Produkt der Phantasie* (1): das ist nur eine P., ist reine P. **sinnv.:** Fiktion. **Zus.:** Fieber-, Traumphantasie.
phan|ta|sie|ren ⟨itr.⟩: **1.** *von etwas träumen, sich etwas in seiner Phantasie vorstellen [und davon reden]:* du phantasierst doch!; er phantasiert immer von einem Auto. **sinnv.:** lügen, schwärmen, träumen. **2.** *in einem Fieberzustand wirr reden:* der Kranke phantasierte die ganze Nacht. **sinnv.:** delirieren, durcheinanderreden, irrereden.
phan|ta|sie|voll ⟨Adj.⟩: *voll Phantasie und schöpferischer Einbildungskraft:* p. erzählen. **sinnv.:** schöpferisch.
phan|ta|stisch ⟨Adj.⟩: **1.** *begeisternd und großartig:* das ist ein phantastischer Plan. **sinnv.:** großartig. **2. a)** (ugs.) *unglaublich (in Art, Ausmaß o. ä.):* das Auto hat eine phantastische Beschleunigung; die Preise sind p. gestiegen. **b)** ⟨intensivierend bei Adjektiven⟩ ↑ *sehr:* der Wagen fährt p. gut.
Phi|lo|so|phie, die; -, Philosophien: *Wissen-*

schaft, die sich um Welterkenntnis bemüht. **sinnv.:** Lebensweisheit. **Zus.:** Geschichts-, Lebens-, Natur-, Religions-, Sprachphilosophie.
Pho|to: vgl. Foto.
pho|to..., **Pho|to...:** vgl. foto..., Foto....
Phy|sik, die; -: *Wissenschaft, die die Gesetze der Natur erforscht.*
phy|si|ka|lisch ⟨Adj.⟩: *die Physik betreffend, zu ihr gehörend, von ihr herrührend:* physikalische Gesetze.
Pickel, der; -s, -: *(durch eine Entzündung hervorgerufene) kleine Erhebung auf der Haut:* er hat das Gesicht voller Pickel. **sinnv.:** Akne, Ausschlag. **Zus.:** Eiterpickel.
pic|ken: **1.** ⟨tr./itr.⟩ *mit dem Schnabel hackend Nahrung aufnehmen:* die Hühner pickten die Körner vom Boden. **sinnv.:** fressen. **Zus.:** ab-, an-, auf-, herauspicken. **2.** ⟨itr.⟩ *mit dem Schnabel hacken:* der Kanarienvogel pickte nach meinem Finger.
Pick|nick, das; -s, -e und -s: *Mahlzeit aus mitgebrachten Speisen und Getränken im Grünen (während eines Ausfluges):* sie hielten/machten P. auf einer Waldwiese; das Bild zeigt eine Gruppe beim P. **sinnv.:** Rast.
pie|pen ⟨itr.⟩: *(bes. von [jungen] Vögeln) in kurzen Abständen feine, hohe Töne hervorbringen:* der junge Vogel piepte leise. **sinnv.:** flöten, pfeifen, piepsen, quinkelieren, rufen, tirilieren, schlagen, zwitschern.
Pik, das; -s, -: **a)** ⟨ohne Artikel; ohne Plural⟩ *[zweithöchste] Farbe im Kartenspiel.* **b)** *Spielkarte mit Pik* (a) *als Farbe* (siehe Bildleiste „Spielkarten"): P. ausspielen.
pi|ken ⟨itr./tr.⟩ (ugs.): *(von einem dünnen, spitzen Gegenstand o. ä.) stechen:* die Nadeln des Tannenbaumes piken [mich]. **sinnv.:** stechen.
Pil|le, die; -, -n: *Medikament in Form eines Kügelchens zum Einnehmen:* Pillen schlucken; Pillen für/gegen eine Krankheit verschreiben, einnehmen. **sinnv.:** Medikament; Dragee, Pastille, Tablette. **Zus.:** Abführ-, Beruhigungs-, Gift-, Schlafpille.
Pi|lot, der; -en, -en, **Pi|lo|tin,** die; -, -nen: *männliche bzw. weibliche Person, die ein Flugzeug steuert.* **sinnv.:** Flieger, Flugkapitän, Flugzeugführer. **Zus.:** Ko-, Test-, Verkehrspilot.
Pilz, der; -es, -e: *blatt- und blütenlose Pflanze, meist aus fleischigem Stiel und unterschiedlich geformtem Hut bestehend:* Pilze suchen, putzen. **sinnv.:** Schwamm, Schwammerl. **Zus.:** Atom-, Blätter-, Fuß-, Gift-, Röhren-, Speise-, Steinpilz.
Pin|sel, der; -s, -: *zum Auftragen von flüssiger Farbe o. ä. bestimmtes Werkzeug, das aus einem Stiel mit einem an seinem oberen Ende sitzenden Büschel von Haaren bzw. Borsten besteht:* er malt mit einem dünnen P.; **Zus.:** Borsten-, Haar-, Rasier-, Tuschpinsel.
Pi|ste, die; -, -n: **1.** *Rennstrecke (im Rad- und Motorsport).* **sinnv.:** Bahn, Rennbahn. **Zus.:** Beton-, Rennpiste. **2.** *Strecke für Abfahrten an einem Hang (im Skisport).* **sinnv.:** Abfahrt, Hang, Idiotenhügel, Skiwiese. **Zus.:** Abfahrts-, Skipiste. **3.** *Startbahn (auf einem Flughafen).* **sinnv.:** Rollbahn, Rollfeld. **Zus.:** Flug-, Landepiste.
Pi|sto|le, die; -, -n: *Schußwaffe mit kurzem Lauf* (siehe Bildleiste „Schußwaffen").
Piz|za, die; -, -s und Pizzen: *in flacher, runder*

Form gebackener Hefeteig mit einem Belag aus Tomaten, Käse, Sardellen o. ä.

pla|gen: a) ⟨tr.⟩ *mit ständigen Forderungen, Wünschen o. ä. bedrängen und lästig werden:* die Kinder plagen die Mutter den ganzen Tag mit Wünschen und Bitten. **sinnv.:** schikanieren. **b)** ⟨tr.⟩ *(von einer einzelnen Mißempfindung o. ä.) jmdn. sehr quälen:* Kopfschmerzen plagen ihn seit Tagen; der Hunger plagt mich. **sinnv.:** peinigen. **Zus.:** herumplagen. **c)** ⟨sich p.⟩ *schwer arbeiten müssen:* sie hat sich ihr Leben lang [für andere] geplagt. **sinnv.:** sich abmühen. **Zus.:** sich abplagen. **d)** ⟨tr.⟩ (ugs.) *beständig quälend, beunruhigend in jmds. Bewußtsein sein:* Sorgen, Gedanken an die Zukunft plagen ihn; er wird von der Neugier geplagt.

Pla|kat, das; -[e]s, -e: *(an Litfaßsäulen oder anderen dafür vorgesehenen Stellen angeklebtes) Blatt, das eine für die Werbung, der Information über eine Veranstaltung o. ä. dienende Mitteilung (in effektvoller, gelegentlich künstlerischer graphischer Ausgestaltung) enthält:* Plakate kleben, ankleben. **sinnv.:** Anschlag, Aushang, Bekanntmachung · Poster · Spruchband, Transparent. **Zus.:** Film-, Kino-, Wahl-, Werbeplakat.

Pla|ket|te, die; -, -n: *kleines, ovales oder eckiges Schildchen zum Anstecken bzw. zum Anheften (das ein Emblem bzw. eine bestimmte Aufschrift trägt):* eine P. am Revers tragen. **sinnv.:** Abzeichen · Aufkleber, Sticker.

Plan, der; -[e]s, Pläne: **1.** *Überlegung, die sich auf die Verwirklichung eines Zieles oder einen Absicht richtet:* er hat große Pläne für das nächste Jahr; seine Pläne verwirklichen; dieser P. ist gescheitert. **sinnv.:** Absicht; Einfall. **2.** *Entwurf für etwas zu Schaffendes in Form von technischen Zeichnungen, Aufrissen o. ä.:* einen P. für den Bau der Brücke aufstellen, entwerfen; sich an den P. halten. **sinnv.:** Anlage; Entwurf; Grundriß · Muster; Programm.

Pla|ne, die; -, -n: *wasserdichte Decke zum Schutz gegen Regen und Feuchtigkeit:* ein Boot, ein Fahrzeug mit einer P. abdecken. **sinnv.:** Decke, Verdeck, Wagendecke. **Zus.:** Wagen-, Zeltplane.

pla|nen ⟨tr./itr.⟩: **a)** *einen Plan für etwas, für ein Vorhaben o. ä. machen, aufstellen:* etwas auf lange Sicht, sorgfältig p. **sinnv.:** einteilen. **b)** *etwas Bestimmtes zu tun beabsichtigen:* man plant, an dieser Stelle ein Hochhaus zu bauen; die geplante Reise ist ins Wasser gefallen. **sinnv.:** ansetzen, festlegen, vorbereiten, die Vorbereitungen treffen, vorsehen, die Weichen für etwas stellen. **Zus.:** ein-, mit-, ver-, vor-, vorausplanen.

Pla|net, der; -en, -en: *(nicht selbst leuchtender) Himmelskörper im Sonnensystem (der sein Licht von der Sonne empfängt):* Erde, Mars und Venus sind Planeten. **sinnv.:** Wandelstern.

Plan|ke, die; -, -n: *dickes, bohlenartiges Brett (das verschiedenen Bauzwecken dient):* das Baugerüst ist mit Planken belegt.

plan|los ⟨Adj.⟩: *ohne Plan und Ziel, ohne genügende Überlegung:* sie liefen p. in der Stadt herum; ihre Arbeiten waren allzu p. **sinnv.:** chaotisch, gedankenlos, improvisiert, leichtsinnig, ohne Methode/Plan/Sinn [und Verstand]/System, unsystematisch, unüberlegt.

plan|schen ⟨itr.⟩: *(von Kindern) sich im flachen Wasser tummeln und dabei das Wasser in Bewegung bringen, daß es spritzt:* die Kinder planschen in der Badewanne. **sinnv.:** paddeln, panschen, patschen, spritzen. **Zus.:** herumplanschen.

Pla|stik, das; -s ⟨meist ohne Artikel⟩: *Kunststoff (aus dem bes. Gebrauchsgegenstände unterschiedlicher Art hergestellt werden):* Folien, Tüten Schüsseln aus P. **sinnv.:** Kunststoff.

plät|schern plätscherte, hat/ist geplätschert ⟨itr.⟩: **a)** *mit leise klatschendem Geräusch fließen* der Bach ist über die Steine geplätschert. **sinnv.:** fließen. **Zus.:** dahinplätschern. **b)** *fließend ein leise klatschendes Geräusch hervorbringen:* der Brunnen hat eintönig geplätschert. **sinnv.:** gluckern, murmeln, rieseln.

platt ⟨Adj.⟩: **a)** *ganz flach:* eine platte Nase haben. **b)** *(in horizontaler Erstreckung) gerade ausgestreckt:* sich p. auf den Boden legen. **sinnv.:** flach

Plät|te, die; -, -n: **1.** *flaches, dünnes Stück eines harten Materials:* eine P. aus Metall, aus Stein Holz. **sinnv.:** Scheibe. **Zus.:** Glas-, Holz-, Span-Wandplatte. **2.** *größerer Teller, auf dem Speise angerichtet werden:* eine P. mit Wurst und Käse **Zus.:** Käse-, Salat-, Tortenplatte. **3.** ↑ *Schallplatte:* eine neue P. auflegen; die P. ist abgelaufen **Zus.:** Grammophon-, Jazz-, Langspielplatte.

Platz, der; -es, Plätze: **1.** *[umbaute] freie Fläch [innerhalb eines Wohnbereichs]:* vor dem Schlo ist ein großer P. **sinnv.:** Forum, Markt, Piazza **Zus.:** Dom-, Dorf-, Markt-, Münster-, Sammel-Schloßplatz. **2.** ↑ *Sitzplatz:* hier sind noch zwe Plätze frei. **sinnv.:** Sitzgelegenheit. **Zus.:** Arbeits-Balkon-, Eck-, Ehren-, Fenster-, Tribünenplatz **3.** *als Spielfeld dienende [mit Rasen bedeckte ode in anderer bestimmter Weise für die jeweilig Sportart eingerichtete] Fläche eines Sportgelände o. ä.:* der P. ist nicht zu bespielen. **sinnv.:** Rasen Spielfeld. **Zus.:** Fußball-, Golf-, Rasen-, Reit-Renn-, Sand-, Sport-, Tennisplatz. **4.** ⟨ohne Plural⟩ *freie, nicht belegte Stelle, an der etwas untergebracht, verstaut werden bzw. an der jmd. sich auf halten kann:* hier ist noch P.; ich muß für di neuen Bücher P. schaffen. **sinnv.:** Fläche, Raum Stelle. **Zus.:** Ablage-, Abstell-, Lager-, Stellplatz **5.** ⟨ohne Plural⟩ *Stellung, Position, die jmd. einnimmt:* seinen P. verteidigen. **sinnv.:** Rang.

Plätz|chen, das; -s, -: *einzelnes Stück Kleinge bäck:* Plätzchen backen. **sinnv.:** Gebäck. **Zus.** Anis-, Käse-, Weihnachtsplätzchen.

plat|zen, platzte, ist geplatzt ⟨itr.⟩: **1. a)** *durc übermäßigen Druck von innen mit lautem Kna zerbersten:* der Reifen des Autos platzte währen der Fahrt; das Rohr ist geplatzt. **sinnv.:** aufplat zen, auseinanderfliegen, bersten, detonieren, sich entladen, explodieren, implodieren, in die Luf fliegen, (in Stücke) springen, zerknallen, zer springen. **Zus.:** auseinander-, zerplatzen. **b)** *(vo etwas, was zu eng geworden ist) an einer Nahtstell o. ä. aufgehen, aufplatzen:* die Naht ist geplatzt **sinnv.:** aufgehen, sich auflösen, sich lösen, rei ßen. **2.** (ugs.) *(von einem Vorhaben o. ä.) plötzlic (durch widrige Umstände) scheitern, nicht zustand kommen bzw. nicht mehr fortgeführt werden:* sei Vorhaben ist geplatzt. **sinnv.:** scheitern.

plau|dern ⟨itr.⟩: *sich mit jmdm. gemütlich un zwanglos unterhalten:* nach dem Theater plaude ten wir noch eine Stunde bei einem Glas Wein **sinnv.:** sich unterhalten. **Zus.:** verplaudern.

pla|zie|ren: 1. ⟨tr.⟩ *(jmdm., einer Sache) einen be*

stimmten Platz geben, zuweisen: an den Ausgängen wurden zur Sicherheit Polizeiposten plaziert; man hat die Ehrengäste in der ersten Reihe plaziert. **sinnv.:** aufstellen, deponieren, hinlegen, -stellen, -tun, legen, niederlegen, -setzen, -stellen, postieren, stellen. **Zus.:** hinplazieren. **2.** ⟨tr.⟩ (einen Schuß, Wurf, Schlag, Hieb) so ausführen, daß eine bestimmte Stelle getroffen wird: einen Schuß, Hieb p. **3.** ⟨sich p.⟩ einen bestimmten Platz erreichen, belegen: der Läufer plazierte sich nicht unter den ersten zehn.

Plei|te, die; -, -n (ugs.): **a)** wirtschaftlicher Zusammenbruch eines Unternehmens: die Firma, der Geschäftsmann steht vor der P.; er hat [mit seinem Geschäft] P. gemacht (sein Geschäft ist in Konkurs gegangen). **sinnv.:** Bankrott. **b)** etwas, was sich als Reinfall entpuppt, was sehr enttäuschend endet: das gibt eine große, völlige P.; die Unternehmung, die Reise war eine schöne P.! **sinnv.:** Mißerfolg. **Zus.:** Riesenpleite.

plötz|lich ⟨Adj.⟩: unerwartet von einem Augenblick zum anderen eintretend, geschehend: sein plötzlicher Entschluß, Abschied; er stand p. auf und lief aus dem Zimmer. **sinnv.:** abrupt, auf einmal, aus heiler Haut, von heute auf morgen, wie ein Blitz aus heiterem Himmel, jäh, jählings, Knall und Fall, mit einem Mal, über Nacht, schlagartig, schroff, sprunghaft, überraschend, unerwartet, unverhofft, unvermittelt, unvermutet, unversehens, unvorhergesehen. **Zus.:** urplötzlich.

plump ⟨Adj.⟩: **1.** von dicker, unförmiger Gestalt: ein plumper Körper. **sinnv.:** athletisch, bäurisch, breit, grobschlächtig, klobig, klotzig, ungefüge, ungeschlacht, vierschrötig. **2.** im Umgang mit anderen aufdringlich, ohne Distanz: seine plumpe Vertraulichkeit; ein plumper Annäherungsversuch. **sinnv.:** unhöflich. **3.** ungeschickt und dreist und daher leicht zu durchschauen: eine plumpe Falle; der Schwindel ist viel zu p., als daß er nicht sofort erkannt würde. **sinnv.:** frech.

plün|dern: a) ⟨itr.⟩ (unter Ausnutzung einer Ausnahmesituation) in Geschäfte, Wohnungen raubend und zerstörend eindringen: nach der Erdbebenkatastrophe wurde überall in der Stadt geplündert. **sinnv.:** brandschatzen, marodieren, stehlen. **b)** ⟨tr.⟩: überfallen und ausrauben: Geschäfte p. **sinnv.:** ausrauben. **Zus.:** ausplündern.

plus /Ggs. minus-/: **I.** ⟨Konj.⟩ /drückt aus, daß die folgende Zahl zu der vorangehenden addiert wird/ ↑und: fünf p. drei [ist] gleich acht. **II.** ⟨Präp. mit Gen.⟩ (bes. Kaufmannsspr.) /drückt aus, daß etwas um eine bestimmte Summe o. ä. vermehrt ist/: der Betrag der Zinsen; ⟨aber: starke Substantive bleiben im Singular ungebeugt, wenn sie ohne Artikel und ohne adjektivisches Attribut stehen; im Plural stehen sie dann im Dativ⟩ p. Rabatt; p. Abzügen. **sinnv.:** zuzüglich. **III.** ⟨Adverb⟩ **1.** /drückt aus, daß eine Zahl, ein Wert positiv, größer als null ist/: minus drei mal minus drei ist p. neun; die Temperatur beträgt p. fünf Grad/fünf Grad p. **2.** ⟨drückt aus, daß ein Leistungsbewertung etwas über der genannten Norm liegt/: sie hat zwei p. im Aufsatz. **3.** /drückt aus, daß eine positive elektrische Ladung vorhanden ist/: der Strom fließt von p. nach minus.

Plüsch, der; -[e]s, -e: Samt mit langem Flor.

po|chen ⟨itr.⟩: sich energisch auf etwas berufen

und damit auf einer Forderung beharren: er pocht auf sein Recht, Geld. **sinnv.:** bestehen (auf).

Po|di|um, das; -s, Podien: erhöhter Platz für einen Redner, einen Dirigenten, eine Gruppe von Diskutierenden o. ä. in einem Saal: auf dem P. stehen. **sinnv.:** Bühne, Katheder, Podest.

Pol, der; -s, -e: Schnittpunkt von Achse und Oberfläche der Erde: der Flug von Kopenhagen nach San Franzisco führt über den P. **sinnv.:** Drehpunkt. **Zus.:** Himmels-, Kälte-, Nord-, Südpol.

po|lar ⟨Adj.; nur attributiv⟩: die Pole der Erde betreffend, zu ihnen gehörend: polare Strömungen, Luftmassen.

po|lie|ren ⟨tr.⟩: durch Reiben oder Schleifen glatt und glänzend machen: einen Schrank, ein Metall p.; polierte Möbel. **sinnv.:** blank reiben, bohnern, feilen, fräsen, glätten, hobeln, raspeln, schleifen, schmirgeln, wienern; säubern; wachsen.

Po|lit- ⟨Präfixoid; gekürzt aus politisch⟩: politisch geprägt /kennzeichnet im Basiswort Genannte in bezug auf dessen politisches Engagement, politische Motivation, politischen Inhalt/: -rock, -sänger, -song.

Po|li|tik, die; -: **1.** alle Maßnahmen, die sich auf die Führung einer Gemeinschaft, eines Staates beziehen: die innere, äußere P. eines Staates, einer Regierung; eine P. der Entspannung treiben. **sinnv.:** Staatsführung, Staatskunst. **Zus.:** Außen-, Bevölkerungs-, Entspannungs-, Innen-, Kommunal-, Kultur-, Macht-, Ost-, Wirtschaftspolitik. **2.** Methode, Art und Weise, bestimmte eigene Vorstellungen gegen andere Interessen durchzusetzen: es ist seine P., sich alle Möglichkeiten offenzulassen und lange zu verhandeln. **sinnv.:** Strategie, Taktik. **Zus.:** Personal-, Preispolitik.

Po|li|ti|ker, der; -s, -, **Po|li|ti|ke|rin,** die; -, -nen: männliche bzw. weibliche Person, die aktiv mit Politik beschäftigt. **sinnv.:** Staatsmann. **Zus.:** Kommunal-, Realpolitiker.

po|li|tisch ⟨Adj.⟩: die Politik betreffend, von ihr bestimmt: politische Bücher; diese Entscheidung ist p. unklug.

-po|li|tisch ⟨adjektivisches Suffixoid⟩: Absichten, Pläne in bezug auf das im Basiswort Genannte verfolgend und in entsprechender Weise vorgehend: arbeitsmarkt-, beschäftigungs-, wohnungspolitisch. **sinnv.:** -bezogen, -mäßig, -technisch.

Po|li|zei, die; -, -en: Institution, die für die öffentliche Ordnung und Sicherheit sorgt: die P. regelt den Verkehr. **sinnv.:** Gendarmerie, Polente · FBI, Interpol, Scotland Yard. **Zus.:** Bahn-, Bau-, Bereitschafts-, Geheim-, Gesundheits-, Grenz-, Hafen-, Kriminal-, Militär-, Schutz-, Sicherheits-, Verkehrs-, Wasserschutzpolizei.

Po|li|zist, der; -en, -en, **Po|li|zi|stin,** die; -, -nen: uniformierter Angehöriger bzw. Angehörige der Polizei. **sinnv.:** Auge des Gesetzes, Beamter, Blauer, Bulle, Gendarm, Gesetzeshüter, Grüner, Landjäger, weiße Maus, Ordnungshüter, Polizeibeamter, Polyp, Schupo, Schutzmann, Wachmann, Wachtmeister · Feldjäger · Politesse. **Zus.:** Geheim-, Hilfs-, Militär-, Orts-, Verkehrs-, Volkspolizist.

Pol|ster, das; -s, -: Auflage aus kräftigem, elastischem Material zum Dämpfen von Stößen oder zum weichen Sitzen oder Lagern: der Stuhl hatte ein P. aus Schaumgummi. **sinnv.:** Kissen. **Zus.:** Schaumgummi-, Sitz-, Stuhl-, Wattepolster.

pol|tern, polterte, hat/ist gepoltert ⟨itr.⟩: **1. a)** *sich wiederholende laute und dumpfe Geräusche verursachen, hervorbringen:* die Familie über uns hat den ganzen Tag gepoltert. **sinnv.:** lärmen. **b)** *mit lautem und dumpfem Geräusch fallen oder sich bewegen:* die Steine sind vom Wagen gepoltert. **2.** *mit lauter Stimme schimpfen:* der Alte hat oft gepoltert. **sinnv.:** schelten.

Po|ny: **I.** das; -s, -s: *kleines Pferd einer besonderen Rasse:* die Kinder durften auf Ponys reiten. **sinnv.:** Pferd. **Zus.:** Island-, Polo-, Shetlandpony. **II.** der; -s, -s: *in die Stirn gekämmtes, meist gleichmäßig geschnittenes, glattes Haar:* sie ließ sich einen P. schneiden.

Po|re, die; -, -n: *kleine Öffnung in der Haut:* die Poren sind verstopft.

Por|tal, das; -s, -e: *großes Tor, prunkvoller Eingang bei Schlössern oder Kirchen.* **sinnv.:** Tür. **Zus.:** Haupt-, Kirch[en]-, Schloßportal.

Porte|mon|naie [portmɔ'ne:], das; -s, -s: *kleines Behältnis zum Aufbewahren von Geld, das man bei sich trägt:* ein P. aus Leder. **sinnv.:** Börse, Brustbeutel, Geldbeutel, Geldbörse, Geldtasche.

Por|ti|on, die; -, -en: *meist für eine Person bestimmte, abgemessene Menge [von Speisen]:* die Portionen in der Kantine sind sehr klein. **sinnv.:** Teil. **Zus.:** Fleisch-, Kinder-, Riesenportion.

Por|to, das; -s, -s und Porti: *Gebühr für die Beförderung von Briefen oder Paketen durch die Post.* **Zus.:** Brief-, Nach-, Rück-, Strafporto.

Por|trät [por'trɛ:], das; -s, -s: *künstlerische Darstellung eines Menschen, meist nur Kopf und Brust.* **sinnv.:** Bildnis; Fotografie. **Zus.:** Selbstporträt.

Por|zel|lan, das; -s, -e: **1.** *weißer keramischer Werkstoff, aus dem bes. Gefäße unterschiedlicher Art hergestellt werden:* eine Vase aus P. **sinnv.:** Keramik, Steingut. **2.** ⟨ohne Plural⟩ *aus dem gleichnamigen Material hergestelltes Geschirr:* auf der festlich gedeckten Tafel stand erlesenes P. **sinnv.:** Geschirr; Keramik. **Zus.:** Gebrauchs-, Zierporzellan.

Po|sau|ne, die; -, -n: *Blechblasinstrument mit dreiteiliger, doppelt U-förmig gebogener, sehr langer, enger Schallröhre, die durch einen ausziehbaren Mittelteil in der Länge veränderbar ist* (siehe Bildleiste „Blechblasinstrumente"): er bläst P./ [eine Melodie] auf der P. **sinnv.:** Blechblasinstrument. **Zus.:** Zugposaune.

Po|si|ti|on, die; -, -en: **1.** *[berufliche] Stellung:* er hat eine führende P. in dieser Firma. **sinnv.:** Anstellung; Beruf. **Zus.:** Macht-, Schlüssel-, Spitzenposition. **2.** *Standort eines Schiffes oder Flugzeuges:* das Schiff gab seine P. an. **sinnv.:** Lage, Stand, Stellung. **Zus.:** Ausgangs-, Schiffsposition.

po|si|tiv ⟨Adj.⟩ /Ggs. negativ/: **1.** *zustimmend, bejahend:* jmdm. eine positive Antwort geben. **sinnv.:** beifällig. **2.** *günstig, vorteilhaft, gut:* die Wirtschaft zeigt eine positive Entwicklung; die Aussichten waren p. **sinnv.:** erfreulich. **3.** *ein Ergebnis, einen Erfolg bringend, habend:* die Experimente verliefen p.; die Verhandlung wurde zu einem positiven Ende gebracht.

Post, die; -, -: **1.** *öffentliche Einrichtung, Institution, die Nachrichten, Briefe, Pakete usw. befördert:* einen Brief, ein Paket mit der P. schicken. **sinnv.:** Bundespost. **Zus.:** Feld-, Luft-, Paketpost.

2. *von der gleichnamigen Institution beförderte Sendungen:* wir haben heute viel P. bekommen. **sinnv.:** Brief, Drucksache, Einschreiben, Nachnahme[sendung], Päckchen, Paket, Postkarte, Postsendung, Sendung. **Zus.:** Fan-, Flaschen-, Geschäfts-, Trauerpost. **3.** *Postamt:* die P. ist heute geschlossen; auf die/zur P. gehen. **Zus.:** Hauptpost.

Po|sten, der; -s, -: **1.** *berufliche Stellung, Position:* er hat bei der Firma einen guten P. **sinnv.:** Anstellung; Beruf. **Zus.:** Vertrauens-, Vertreter-, Verwaltungsposten. **2.** *militärische Wache:* ein vorgeschobener P.; [auf] P. stehen. **sinnv.:** Wache, Wach[t]posten. **Zus.:** Ausguck-, Beobachtungs-, Grenz-, Horch-, Streik-, Vorposten. **3.** *einzelner Betrag einer Rechnung; einzelne Ware einer Liste; bestimmte Menge einer Ware:* die verschiedenen Posten addieren. **sinnv.:** Betrag. **Zus.:** Aktiv-, Rest-, Warenposten.

Po|ster, das und der; -s, -[s]: *plakatartiges, großformatig auf Papier gedrucktes Bild.* **sinnv.:** Plakat.

Post|kar|te, die; -, -n: *Karte für Mitteilungen, die von der Post befördert wird:* eine P. schreiben, senden. **sinnv.:** Ansichtskarte, Karte; Post; Schreiben. **Zus.:** Ansichts-, Kunstpostkarte.

Pracht, die; -: *reiche [kostbare] Ausstattung:* das Schloß von einmaliger P. **sinnv.:** Erhabenheit, Glanz, Herrlichkeit, Schönheit; Prunk. **Zus.:** Blumen-, Blüten-, Farben-, Lockenpracht.

präch|tig ⟨Adj.⟩: **a)** *sehr schön, herrlich:* Rom ist eine prächtige Stadt; das Wetter war gestern p. **sinnv.:** prunkvoll; schön. **Zus.:** farben-, mittelprächtig. **b)** *tüchtig, qualitativ sehr gut:* ein prächtiger Mensch; er hat eine prächtige Arbeit vorgelegt. **sinnv.:** blendend; meisterhaft; schön.

prä|gen ⟨tr.⟩: **1.** *Metall durch Pressen mit einem bestimmten Muster, Bild oder Text versehen:* Münzen p. **sinnv.:** formen. **2.** *neu bilden, formulieren:* ein Wort, einen Satz p.

prah|len ⟨itr.⟩: *vorhandene Vorzüge oder Vorteile gegenüber einem anderen übermäßig betonen, sie bewußt zur Schau stellen oder sie durch Übertreibungen vergrößern:* er prahlt gerne mit seinem Geld, mit seinen Erfolgen. **sinnv.:** angeben, sich aufblähen/aufblasen/aufplustern, aufschneiden, sich aufspielen, dick auftragen, auftrumpfen, sich in die Brust werfen, sich brüsten, sich dicketun, großtun, den Mund voll nehmen, protzen, große Reden schwingen, renommieren, sich rühmen, eine Schau abziehen, Schaum schlagen, ein Schaumschläger sein, sich spreizen, Sprüche machen, sich in Szene setzen, große Töne spucken, sich in den Vordergrund stellen, sich wichtig machen/tun, Wind machen.

prah|le|risch ⟨Adj.⟩: *die eigenen Vorzüge oder Vorteile übermäßig betonend:* er hielt eine prahlerische Rede. **sinnv.:** angeberisch, aufgeblasen, großkotzig, großsprecherisch, großspurig, großtuerisch, protzig.

prak|tisch: **I.** ⟨Adj.⟩ **1.** *auf die Praxis, auf die Wirklichkeit bezogen; in der Wirklichkeit auftretend:* praktische Erfahrungen besitzen; seine Sorgen galten den praktischen Schwierigkeiten. **sinnv.:** pragmatisch; wirklich. **2.** *zweckmäßig, gut zu handhaben:* dieser Büchsenöffner ist wirklich p. **sinnv.:** zweckmäßig. **3.** *geschickt in der Bewältigung täglicher Probleme; manuelle Fähigkeiten be-*

itzend: ein praktischer Mensch; der Schüler ist
». veranlagt. **sinnv.**: gewandt. **II.** ⟨Adverb⟩ *so gut
wie; in der Tat; in Wirklichkeit:* der Sieg ist ihm p.
icht mehr zu nehmen; mit ihm hat man p. keine
chwierigkeiten. **sinnv.**: beinahe; regelrecht.

›ra|li|ne, die; -, -n: *kleines, mit Schokolade über-
ogenes, gefülltes Stück Konfekt:* mit Likör gefüll-
e Pralinen. **sinnv.**: Fondant; Bonbon; Süßigkeit.

›rall ⟨Adj.⟩: *voll gefüllt; straff und fest:* ein p. ge-
üllter Sack; pralle Arme haben. **sinnv.**: stramm.

›ral|len, prallte, ist geprallt ⟨itr.⟩: *mit Wucht,
chwung (gegen jmdn./etwas) stoßen:* als der Wa-
en plötzlich bremste, prallte der Beifahrer mit
em Kopf gegen die Windschutzscheibe. **sinnv.**:
nrennen, anstoßen, zusammenstoßen.

›ran|ke, die; -, -n: *Pfote großer Raubtiere, Tat-
e:* der Tiger hob drohend seine P. **sinnv.**: Pfote.
Zus.: Löwenpranke.

›rä|pa|rat, das; -[e]s, -e: *künstlich, chemisch her-
estelltes Medikament.* **sinnv.**: Medikament. **Zus.**:
.isen-, Eiweiß-, Kohle-, Vitaminpräparat.

›rä|rie, die; -, Prärien: *mit Gras bewachsene
teppe Nordamerikas.*

›rä|si|dent, der; -en, -en, **Prä|si|den|tin**, die;
-nen: **a)** *Leiter, Vorsitzender bzw. Leiterin, Vor-
itzende:* mit Präsident Möbius zusammen/
aber:) mit dem Präsidenten Möbius zusammen;
er Präsident der Gesellschaft. **sinnv.**: Rektor;
'orsitzender; Vorstand. **Zus.**: Alters-, Bundes-
gs-, Ehren-, Gerichts-, Kirchen-, Landgerichts-,
1inister-, Parlaments-, Polizei-, Senats-, Vize-,
'olkskammerpräsident. **b)** *männliches bzw. weib-
ches Oberhaupt eines Staates:* der Präsident der
ereinigten Staaten. **sinnv.**: Oberhaupt. **Zus.**:
undes-, Regierungs-, Reichs-, Staatspräsident.

›rä|si|di|um, das; -s, Präsidien: **1.** ⟨ohne Plu-
al): *[Versammlungs]leitung, Vorsitz:* er über-
ahm das P. des Vereins. **sinnv.**: Leitung. **2.** *lei-
endes Gremium:* die Mitglieder wählten ein neu-
s P. **sinnv.**: Leitung. **Zus.**: Ehren-, Parteipräsidi-
m. **3.** *Gebäude, in dem ein Präsident (bes. der
'olizei) mit seinem Amt untergebracht ist:* er muß
ch auf dem P. melden. **Zus.**: Polizeipräsidium.

ras|seln, prasselte hat/ist geprasselt ⟨itr.⟩: **1.**
iit trommelndem Geräusch aufschlagen:* der Re-
en ist auf das Dach geprasselt; die Steine pras-
elten gegen das Fenster. **sinnv.**: klatschen, peit-
chen, trommeln. **2.** *knatternd brennen:* ein lusti-
es Feuer hatte im Ofen geprasselt.

ra|xis, die; -, Praxen: **1.** ⟨ohne Plural⟩ **a)** *Be-
ufsausübung, Tätigkeit:* dies wies auf eine lang-
ährige P. mit reichen Erfahrungen hin. **Zus.**:
ühnen-, Fahr-, Rechts-, Schul-, Unterrichts-,
erkaufs-, Verkehrspraxis. **b)** *tätige Auseinander-
etzung mit der Wirklichkeit:* ob diese Methode
chtig ist, wird die P. zeigen; in der P. sieht vieles
nders aus; der Gegensatz von Theorie und P. **c)**
raktische Erfahrung:* ein Mann mit viel P. **sinnv.**:
rfahrung; Gewandtheit. **2.** *Tätigkeitsbereich ei-
es Arztes oder Anwaltes, auch Bezeichnung für die
rbeitsräume dieser Personen:* er hat eine große
.; seine P. geht gut. **sinnv.**: Ordination, Sprech-
mmer. **Zus.**: Anwalts-, Arzt-, Gemeinschafts-,
assen-, Privatpraxis.

rä|zis, prä|zi|se ⟨Adj.⟩: *bis ins einzelne gehend,
enau [umrissen], angegeben]:* du mußt sehr p. ar-
eiten; eine präzise Antwort geben. **sinnv.**: klar.

re|di|gen: **a)** ⟨itr.⟩ *im Gottesdienst eine Predigt

halten: der Pfarrer predigte über die Liebe.
sinnv.: von der Kanzel reden, das Wort Gottes
verkünd[ig]en. **b)** ⟨tr.⟩ (ugs.) *besonders eindringlich
empfehlen, zu etwas mahnen:* er predigt [dem
Volk] ständig Toleranz, Vernunft. **sinnv.**: mahnen
zu.

Pre|digt, die; -, -en: *während des Gottesdienstes
gehaltene religiöse Ansprache:* er hat gestern die
P. gehalten. **sinnv.**: Rede. **Zus.**: Buß-, Fasten-,
Weihnachtspredigt.

Preis, der; -es, -e: **1.** *Betrag in Geld, den man
beim Kauf einer Ware zu zahlen hat:* die Preise
steigen; einen hohen, angemessenen P. zahlen.
sinnv.: Ausgaben, Gebühr, Kosten, Kostenauf-
wand, Unkosten. **Zus.**: Brot-, Einkaufs-, Ein-
tritts-, Fahr-, Höchst-, Kauf-, Lebensmittel-,
Miet-, Netto-, Schleuder-, Selbstkosten-, Ver-
kaufs-, Vorzugs-, Wucherpreis. **2.** *als Gewinn für
den Sieger in Wettkämpfen oder bei Wettbewerben
ausgesetzter Betrag oder wertvoller Gegenstand:*
den ersten P. gewinnen. **sinnv.**: Auszeichnung,
Belohnung, Gewinn, Medaille, Orden, Trophäe.
Zus.: Friedens-, Kunst-, Literatur-, Nobel-,
Trostpreis.

Preis|aus|schrei|ben, das; -s, -: *öffentlich aus-
geschriebener Wettbewerb, bei dem auf die einge-
henden richtigen Lösungen eines Rätsels o. ä. Prei-
se ausgesetzt sind:* sie hat bei dem P. eine Reise
gewonnen. **sinnv.**: Quiz.

prei|sen, pries, hat gepriesen ⟨tr.⟩ (geh.): *die
Vorzüge einer Person oder Sache begeistert hervor-
heben, rühmen, loben:* er pries die Tüchtigkeit des
Mitarbeiters. **sinnv.**: loben.

preis|ge|ben, gibt preis, gab preis, hat preisge-
geben ⟨tr.⟩: **1.** *nicht mehr (vor jmdm.) schützen:* sie
haben ihn den Feinden preisgegeben. **sinnv.**: aus-
liefern; aussetzen; opfern. **2.** ↑*aufgeben:* seine
Grundsätze p. **3.** *nicht mehr geheimhalten; verra-
ten:* er hat die Geheimnisse preisgegeben. **sinnv.**:
ausplaudern; verraten; mitteilen.

prel|len ⟨tr.⟩: **1.** *durch heftiges Anstoßen innerlich
verletzen:* ich habe mir den Arm geprellt. **sinnv.**:
verletzen. **2.** *jmdn. um etwas, was ihm zusteht,
bringen:* jmdn. um den Erfolg, das Verdienst p.
sinnv.: betrügen.

Prel|lung, die; -, -en: *nach einem Stoß, Schlag
o. ä. durch Bluterguß hervorgerufene innere Verlet-
zung.* **sinnv.**: Verletzung.

pre|schen, preschte, ist geprescht ⟨itr.⟩: *schnell,
wild laufen:* erschreckt preschte das Pferd über
die Wiese. **sinnv.**: sich fortbewegen.

Pres|se, die; -, -n: **1. a)** *Maschine, mit der durch
hohen Druck etwas geformt wird:* eine P. für Ka-
rosserien. **b)** *Gerät, mit dem bes. Saft aus Obst ge-
wonnen wird:* Trauben durch die P. treiben.
sinnv.: Entsafter, Kelter. **Zus.**: Zitronenpresse. **2.**
⟨ohne Plural⟩ *alle regelmäßig erscheinenden Zei-
tungen und Zeitschriften:* die P. berichtete aus-
führlich darüber. **sinnv.**: Blätterwald. **Zus.**: Aus-
lands-, Boulevard-, Fach-, Lokal-, Regenbogen-,
Revolver-, Sensations-, Skandal-, Sport-, Tages-,
Weltpresse.

pres|sen, preßt, preßte, hat gepreßt ⟨tr.⟩: **a)** *mit
hohem Druck zusammendrücken:* Obst, Pflanzen,
Papier p. **sinnv.**: drücken, quetschen. **Zus.**: aus-,
zusammenpressen. **b)** *durch Zusammendrücken
gewinnen:* den Saft aus der Zitrone p. **Zus.**: ab-,
herauspressen. **c)** *durch hohen Druck eine be-

stimmte Form herstellen: eine Karosserie p. **d)** *mit großer Kraft an, auf, durch etwas oder irgendwohin drücken:* den Kopf an die Scheibe p. **sinnv.:** drücken, quetschen, zwängen. **Zus.:** aneinander-, aufeinander-, hineinpressen.

prickeln ⟨itr.⟩: *ein Empfinden erzeugen, wie von vielen kleinen, feinen Stichen verursacht:* der Sekt prickelt auf der Zunge. **sinnv.:** kitzeln.

prilma ⟨Adj.; indeklinabel⟩ (ugs.): *(vom Urteilenden) als in einer bestimmten Weise positiv empfunden:* das hast du p. gemacht. **sinnv.:** vortrefflich.

Prilmel, die; -, -n: *im Frühling blühende Pflanze mit trichter- oder tellerförmigen Blüten und rosettenartig angeordneten Blättern.*

Prinz, der; -en, -en, **Prin|zęs|sin,** die; -, -nen: *Sohn bzw. Tochter aus einem regierenden Fürstenhaus (der/die selbst nicht regiert):* der Besitz Prinz Tassilos/des Prinzen Tassilo. **Zus.:** Erb-, Kron-, Märchen-, Traumprinz.

Prin|zip, das; -s, -ien und -e: **a)** *Grundsatz, den jmd. seinem Handeln und Verhalten zugrunde legt:* er beharrte auf seinem P.; etwas aus P. tun. **sinnv.:** Grundsatz, Maßstab, Maxime. **b)** *allgemeingültige Regel, bestimmte Idee, bestimmte Grundlage, auf der etwas aufgebaut ist, nach der etwas abläuft:* diese Maschine beruht auf einem sehr einfachen P. **sinnv.:** Idee, Schema. **Zus.:** Grundprinzip.

Pris|ma, das; -s, Prismen: **1.** */eine geometrische Figur/* (siehe Bildleiste „geometrische Figuren", S. 175). **2.** *lichtdurchlässiger und lichtbrechender (besonders als Bauteil in der Optik verwendeter) Körper aus Glas o. ä. mit mindestens zwei zueinandergeneigten Flächen.*

pri|vat ⟨Adj.⟩: **1.** *nur die eigene Person betreffend:* dies sind private Angelegenheiten. **sinnv.:** eigen, individuell, persönlich. **2.** *nur für die betreffende[n] Person[en] bestimmt:* er sagte es ihm ganz p. **sinnv.:** unter vier Augen, unter dem Siegel der Verschwiegenheit, im Vertrauen, vertraulich. **3.** *durch eine persönlich-familiäre Atmosphäre geprägt:* eine Feier in privatem Kreis. **sinnv.:** familiär, häuslich, heimisch, vertraut. **4.** *in persönlichem Besitz o. ä. befindlich:* die private Industrie. **sinnv.:** nicht öffentlich, nicht staatlich.

pro: **I.** ⟨Präp. mit Akk.⟩ *für (jede einzelne Person oder Sache):* p. Angestellten; es gibt 300 Mark p. beschäftigten Arbeitnehmer. **sinnv.:** je. **II.** ⟨Adverb⟩ **1.** *je:* p. beteiligter Beamter; p. Soldat zwei Flaschen Bier. **2.** *(eine Person, Sache) bejahend, ihr gegenüber positiv eingestellt:* eine Politik p. Industrie und kontra Umwelt; er ist p. eingestellt. **sinnv.:** dafür, für.

Pro|be, die; -, -n: **1.** *einer Aufführung beim Theater, den Aufnahmen beim Film usw. vorangehende vorbereitende Arbeit (bes. der Künstler):* sie haben mit den Proben begonnen. **sinnv.:** Einarbeitung, Übung. **Zus.:** General-, Kostüm-, Orchester-, Theaterprobe. **2.** *kleine Menge, Teil von etwas, woraus die Beschaffenheit des Ganzen zu erkennen ist:* er untersuchte eine P. der Flüssigkeit. **sinnv.:** Muster, Testexemplar, Versuchsballon, Versuchsstück. **Zus.:** Kost-, Stich-, Waren-, Wasserprobe. **3.** *Versuch, durch den Fähigkeiten, Eigenschaften o. ä. einer Person oder Sache festgestellt wird:* er hat die P. bestanden; der Wein hat bei der P. gut abgeschnitten. **sinnv.:** Experiment, Test. **Zus.:** Brems-, Kraft-, Mutprobe.

pro|ben ⟨tr./itr.⟩: *für eine Aufführung, Darbie tung o. ä. üben:* eine Szene, ein Musikstück p der Regisseur probt intensiv mit den Schauspie lern. **sinnv.:** einstudieren. **Zus.:** erproben.

pro|bie|ren: a) ⟨itr.⟩ *versuchen, ob etwas möglic durchzuführen ist:* ich werde p., ob der Motor ar springt. **sinnv.:** experimentieren, prüfen; versu chen. **Zus.:** ausprobieren. **b)** ⟨tr.⟩ *eine Speise o. ä auf ihren Geschmack prüfen:* die Suppe, den Wei p. **sinnv.:** kosten. **c)** ⟨tr./itr.⟩ ↑ proben.

Pro|blem, das; -s, -e: **a)** *schwer zu lösende Au gabe; nicht entschiedene Frage:* ein technische P.; schwierige, ungelöste Probleme. **Zus.:** Ar beitslosen-, Minderheiten-, Rechts-, Verkehrs problem. **b)** *etwas, was Ärger, Unannehmlichke ten bereitet:* sie hat Probleme mit ihren Elterr mit seinem P. allein fertig werden müssen. **sinnv.** Schwierigkeit, Unannehmlichkeit.

Pro|dukt, das; -[e]s, -e: *etwas, was als Ergebn menschlicher Arbeit aus bestimmten Stoffen herg stellt, entstanden ist:* landwirtschaftliche Produk te; Produkte der chemischen Industrie. **sinnv.** Erzeugnis; Ware. **Zus.:** End-, Fertig-, Naturpr dukt.

Pro|duk|ti|on, die; -, -en: *das Herstellen, Erze gen von Waren, Gütern o. ä.:* die tägliche P. vo Autos erhöhen. **sinnv.:** Anfertigung, Erstellun Erzeugung, Fabrikation, Fertigung, Herstellun Schöpfung. **Zus.:** Film-, Jahresproduktion.

pro|du|zie|ren: 1. ⟨tr./itr.⟩ *etwas (z. B. eine Wa re) als Resultat verschiedener Arbeitsgänge gewin nen:* wir können das neue Auto erst ab Frühjah p. **sinnv.:** anfertigen, auswerfen, erzeugen, he stellen; hervorbringen. **2.** ⟨sich p.⟩ *sich in be stimmter, meist auffälliger Weise benehmen, au führen, bes. um zu zeigen, was man kann:* sic gern [vor andern] p.; er produzierte sich als Clown.

Pro|fes|sor, der; -s, Professoren, **Pro|fes|so rin,** die; -, -nen: **a)** *höchster akademischer Titel und dessen Träger[in] – für beamtete Lehrer[inne an Universitäten o. ä. und für verdiente Wisse schaftler[innen], Künstler[innen] o. ä.:* er ist or dentlicher Professor an der Universität Heide berg; er wurde zum Professor ernannt. **Zus** Gymnasial-, Hochschulprofessor.

Pro|fi, der; -s, -s (ugs.): *jmd., der etwas, bes. e nen Sport, als Beruf ausübt und daher besonder Können und viel Erfahrung besitzt:* er spielt wi ein P. **sinnv.:** Berufssportler, Professional. **Zus** Box-, Fußball-, Radprofi.

Pro|fil, das; -s; -e: **1.** *Ansicht des Kopfes, des G sichts, des Körpers von der Seite:* jmdn. im P. fot grafieren; er hat ein scharf geschnittenes ▮ **sinnv.:** Silhouette. **2.** *charakteristisches Ersche nungsbild:* dieser Minister hat kein P. **sinnv.:** Ar sehen, Ausstrahlung[skraft], Charisma, Persona lity, Persönlichkeit. **3.** *mit Erhebungen versehen Oberfläche eines Reifens, einer Schuhsohle u. a* das P. ist völlig abgefahren. **sinnv.:** Kerbung Oberflächenstruktur, Struktur. **Zus.:** Reifenpro fil.

pro|fi|tie|ren ⟨itr.⟩: *aus etwas Gewinn, Nutze ziehen:* er profitiert von der Uneinigkeit der ar deren. **sinnv.:** Gewinner/Nutznießer sein.

Pro|gramm, das; -s, -e: **1.** *Gesamtheit v [schriftlich] dargelegten Konzeptionen, von Grune sätzen, die zum Erreichen eines bestimmten Ziele* angewendet werden sollen: die Partei wird ein neues P. vorlegen; das P. für die Produktion im nächsten Jahr festlegen. **sinnv.**: Grundsatzerklärung, Konzept, Manifest, Plan. **Zus.**: Grundsatz-, Partei-, Regierungsprogramm. **2.** *festgelegte Folge, vorgesehener Ablauf:* das P. der Tagung, eines Konzertes. **sinnv.**: Spielplan. **3.** *Heft, Zettel, auf dem der Ablauf von etwas mitgeteilt wird:* das P. kostet eine Mark. **sinnv.**: Programmheft, -zeitschrift. **Zus.**: Konzert-, Theaterprogramm. **4.** *Arbeitsanweisung für eine Datenverarbeitungsanlage:* er hat das P. für diese Aufgabe geschrieben. **sinnv.**: Einsatzanweisung, Software. **Zus.**: Computerprogramm.

pro|gram|mie|ren ⟨tr./itr.⟩: *ein Programm (4) erstellen, eingeben:* in dem großen Unternehmen wurde die gesamte Buchhaltung programmiert. **Zus.**: umprogrammieren.

Pro|jekt, das; -[e]s, -e: *geplante oder bereits begonnene größere öffentliche Unternehmung;* der Bau eines Stausees ist ein gigantisches P. **sinnv.**: Konzept, Plan, Programm, Unternehmung, Vorhaben. **Zus.**: Bau-, Groß-, Pilot-, Teil-, Zukunftsprojekt.

Pro|me|na|de, die; -, -n: *schön angelegter, oft baumbestandener, durch Grünanlagen führender Weg zum Promenieren.* **sinnv.**: Allee, Boulevard, Chaussee, Prachtstraße; Straße. **Zus.**: Kur-, Strand-, Uferpromenade.

Pro|mi|nenz, die; -: **a)** *Gesamtheit der prominenten Persönlichkeiten:* die P. blieb der Veranstaltung fern. **b)** *das Prominentsein:* seine P. nützte dem Angeklagten nichts.

prompt ⟨Adj.⟩: **1.** *unmittelbar (als Reaktion auf etwas) erfolgend:* er hat auf meinen Brief p. geantwortet; prompte Bedienung. **sinnv.**: sofort, sofortig. **2.** *einer (nur innerlichen) Erwartung, Befürchtung o.ä. entsprechend:* als wir spazierengehen wollten, hat es p. geregnet. **sinnv.**: wie leider zu erwarten, natürlich, doch tatsächlich.

Pro|pa|gan|da, die; -: *intensive Werbung für politische, weltanschauliche Ideen, Meinungen o.ä. mit dem Ziel, das allgemeine [politische] Bewußtsein in bestimmter Weise zu beeinflussen:* eine geschickte P.; für eine Partei P. machen. **sinnv.**: Agitation, Demagogie, Hetze, Öffentlichkeitsarbeit, PR, Public Relations, Reklame, Werbung. **Zus.**: Flüsterpropaganda.

Pro|sa, die; -: *freie, ungebundene, nicht durch Reim, Rhythmik und Vers gebundene Form der Sprache:* etwas ist in P. geschrieben.

Pro|spekt, der; -[e]s, -e: *kleineres, meist bebildertes Druckwerk zur Information und Werbung:* einen farbigen P. drucken, herausgeben. **sinnv.**: Katalog, Klappentext, Reklamezettel, Waschzettel, Werbeschrift. **Zus.**: Falt-, Reise-, Verlags-, Werbeprospekt.

Pro|sti|tu|ier|te, die; -n, -n: *weibliche Person, die sich gewerbsmäßig zum Geschlechtsverkehr anbietet.* **sinnv.**: Callgirl, Dirne, Freudenmädchen, Gunstgewerblerin, Hetäre, Hure, Kokotte, Nutte, Straßenmädchen, Strichmädchen.

Pro|test, der; -[e]s, -e: *meist spontane und temperamentvolle Bekundung des Nichteinverstandenseins:* gegen etwas scharfen P. erheben, anmelden, einlegen. **sinnv.**: Anklage, Auflehnung, Demonstration, Einspruch, Einwand, Mißfallen,

Renitenz, Widerstand. **Zus.**: Bauern-, Bürger-, Massenprotest.

pro|te|stan|tisch ⟨Adj.⟩: *zu einer Glaubensbewegung gehörend, die aus der Reformation des 16. Jahrhunderts hervorgegangen ist und die die verschiedenen evangelischen Kirchengemeinschaften umfaßt.* **sinnv.**: evangelisch.

pro|te|stie|ren ⟨itr.⟩: *Protest erheben:* gegen jmdn./etwas heftig p. **sinnv.**: ankämpfen, sich aufbäumen, aufbegehren, aufmucken, aufstehen, auftrumpfen, auf die Barrikaden gehen, demonstrieren, sich entgegenstellen, sich erheben, meckern, meutern, mosern, mucksen, murren, opponieren, rebellieren, revoltieren, sich sperren, sich stemmen gegen, trotzen, sich widersetzen.

Pro|to|koll, das; -s, -e: *wortgetreue oder auf die wesentlichen Punkte beschränkte schriftliche Fixierung der Aussagen, Beschlüsse während einer Sitzung o.ä.:* das P. führen; etwas im P. festhalten. **sinnv.**: Aufzeichnung, Bericht. **Zus.**: Gedächtnis-, Gerichts-, Sitzungs-, Tonband-, Vernehmungsprotokoll.

prot|zen ⟨itr.⟩: *eigene [vermeintliche] Vorzüge oder Vorteile in einer als übertrieben empfundenen Weise zur Geltung bringen, zur Schau tragen:* er protzt mit seinem vielen Geld. **sinnv.**: prahlen.

Pro|vi|ant, der; -[e]s, -e: *auf eine Wanderung, Reise o.ä. mitgenommener Vorrat an Nahrungsmitteln:* er hat den P. im Rucksack. **sinnv.**: Marschverpflegung, Mundvorrat, eiserne Ration, Verpflegung. **Zus.**: Reiseproviant.

Pro|vinz, die; -, -en: **1.** *Verwaltungseinheit [in bestimmten Ländern]:* das Land ist in Provinzen eingeteilt. **sinnv.**: Bezirk, Departement, Distrikt, Kreis, Landkreis, Regierungsbezirk, Verwaltungsbezirk. **2.** ⟨ohne Plural⟩ **a)** *ländliche Gegend im Unterschied zur Großstadt:* sie wohnt in der P. **sinnv.**: Dorf, Land. **b)** *vom Sprecher als kulturell, gesellschaftlich besonders rückständig empfundenes Gebiet:* was das kulturelle Angebot angeht, ist diese Stadt P.

pro|vi|so|risch ⟨Adj.⟩: *als Notbehelf dienend:* eine provisorische Maßnahme; etwas p. reparieren. **sinnv.**: notdürftig.

Pro|zent, das; -[e]s, -e: *hundertster Teil:* bei sofortiger Zahlung werden drei P. Rabatt gewährt; 10 P. [der Abgeordneten] haben zugestimmt.

Pro|zeß, der; Prozesses, Prozesse: **1.** *gerichtliches Verfahren zur Entscheidung eines Rechtsstreites:* der P. Meyer gegen Schulze wird wieder aufgerollt. **sinnv.**: Gerichtsverhandlung, Verhandlung. **Zus.**: Arbeits-, Schau-, Straf-, Zivilprozeß. **2.** *über eine gewisse Zeit sich erstreckender Vorgang, bei dem etwas entsteht oder abläuft:* ein chemischer P.; der P. der Zerstörung. **sinnv.**: Ablauf, Entwicklung, Gang, Hergang, Lauf, Prozedur, Verlauf. **Zus.**: Entwicklungs-, Produktions-, Reifungsprozeß.

prü|de ⟨Adj.⟩: *alles, was auf Sexuelles Bezug hat, als peinlich empfindend, es nach Möglichkeit meidend:* sie war so p., daß sie bei der leisesten Anzüglichkeit errötete. **sinnv.**: empfindlich, spröde, verlegen, verschämt, zimperlich.

prü|fen ⟨tr.⟩: **1.** *kontrollierend untersuchen:* jmds. Angaben auf ihre Richtigkeit p.; die Qualität des Materials p. **sinnv.**: analysieren, ausprobieren, Einsicht nehmen, erproben, kontrollieren, kosten, probieren, auf dem Prüfstand sein, einer

Prüfung unterziehen, recherchieren, testen, versuchen. **Zus.:** durch-, überprüfen. **2.** *jmds. Wissen, Fähigkeiten durch entsprechende Aufgabenstellung, durch Fragen, durch forschendes Beobachten o. ä. festzustellen suchen:* einen Schüler mündlich p.; jmdn. auf seine Reaktionsfähigkeit p. **sinnv.:** examinieren, testen, auf den Zahn fühlen.

Prü|fung, die; -, -en: **a)** *das Prüfen:* die P. von Lebensmitteln; Argumente einer genauen P. unterziehen. **sinnv.:** Analyse, Kontrolle, Nachforschung, Recherche. **Zus.:** Nachprüfung. **b)** *[durch Vorschriften] geregeltes Verfahren, das dazu dient, jmdn. zu prüfen (2):* sie hat die P. in Chemie bestanden. **sinnv.:** Examen, Test. **Zus.:** Eignungs-, Fahr-, Meister-, Reife-, Zwischenprüfung.

Prü|gel, der; -s, -: **a)** *dicker, längerer Stock zum Schlagen:* mit einem P. auf jmdn. einschlagen. **sinnv.:** Gerte, Knüppel, Knüttel, Rute. **b)** ⟨Plural⟩ *Schläge (aus Zorn, Ärger o. ä.):* Prügel bekommen. **sinnv.:** Abreibung, Dresche, Haue, Keile, Saures, Senge, Wichse · Ohrfeige.

prü|geln: **1.** ⟨tr.⟩ *heftig schlagen:* immer wenn er betrunken ist, prügelt er die Kinder. **sinnv.:** schlagen. **Zus.:** durch-, nieder-, totprügeln. **2.** ⟨sich p.⟩ *einen Streit mit Tätlichkeiten austragen:* die Schüler prügeln sich auf dem Schulhof. **sinnv.:** sich raufen. **Zus.:** durch-, nieder-, verprügeln.

Prunk, der; -[e]s: *Reichhaltigkeit in der Ausstattung o. ä., die als glanzvoll oder aber als übertrieben empfunden wird:* die Revue war mit unvorstellbarem P. ausgestattet. **sinnv.:** Aufwand, Glanz, Herrlichkeit, Kostbarkeit, Luxus, Pomp, Pracht, Reichtum, Üppigkeit.

prunk|voll ⟨Adj.⟩: *mit viel Prunk, großartiger Ausgestaltung:* ein prunkvoller Saal. **sinnv.:** aufwendig, glanzvoll, luxuriös, prächtig, prachtvoll, prahlerisch, protzig.

Psy|cho|lo|gie, die; -: *Wissenschaft von den bewußten und unbewußten seelischen Vorgängen, vom Erleben und Verhalten des Menschen.* **sinnv.:** Bewußtseinslehre, Seelenkunde. **Zus.:** Entwicklungs-, Kinder-, Lern-, Massen-, Para-, Wahrnehmungs-, Werbepsychologie.

psy|cho|lo|gisch ⟨Adj.⟩: **1.** *die Psychologie betreffend:* ein p. geschulter Trainer. **Zus.:** arbeits-, betriebs-, lern-, massen-, para-, sprach-, tiefenpsychologisch. **2.** *das Seelische, die Psyche betreffend:* eine große psychologische Belastung. **sinnv.:** psychisch.

Pu|ber|tät, die; -: *zur Geschlechtsreife führende Entwicklungsphase des Jugendlichen.* **sinnv.:** Adoleszenz, Entwicklungsjahre, Entwicklungszeit, Flegeljahre, Jugend, Reifezeit.

Pu|bli|kum, das; -s: *Gesamtheit der Zuhörer, Besucher, der an Kunst, Wissenschaft o. ä. interessierten Menschen:* das P. applaudierte lange; man hörte Pfiffe aus dem P. **sinnv.:** Auditorium, Besucher, Hörerschaft, Teilnehmer, Zuhörer, Zuhörerschaft, Zuschauer. **Zus.:** Fernseh-, Kino-, Stamm-, Theaterpublikum.

Pud|ding, der; -s, -e und -s: *Süßspeise, die als Nachtisch gegessen wird:* P. kochen. **sinnv.:** Flammeri.

Pu|del, der; -s, -: *kleinerer Hund mit dichtem, wolligem, gekräuseltem Fell.* **Zus.:** Klein-, Zwergpudel.

Pu|der, der; -s, -: *feine pulverförmige Substanz vor allem zu medizinischen oder kosmetischen Zwecken.* **Zus.:** Baby-, Kompakt-, Körper-, Wundpuder.

pu|dern ⟨tr.⟩: *mit Puder bestreuen:* ein Kind, eine Wunde, die Füße p.; ⟨auch sich p.⟩ sie hat sich stark gepudert. **sinnv.:** bestreuen, einstäuben. **Zus.:** be-, einpudern.

Pull|over [pʊˈloːvɐ], der; -s, -: *gestricktes oder gewirktes Kleidungsstück (das den Oberkörper bedeckt).* **sinnv.:** Nicki, Pulli, Pullunder, Sweatshirt, Tennishemd, T-Shirt, Westover. **Zus.:** Baumwoll-, Damen-, Herren-, Rollkragenpullover.

Puls, der; -es, -e: *rhythmisches Anschlagen der durch den Herzschlag weitergeleiteten Blutwelle an die Wand der Ader, das besonders stark hinter dem Gelenk der Hand fühlbar ist:* den P. messen, zählen.

Pult, das; -[e]s, -e: *schmales, hohes Gestell mit schräg liegender Platte zum Lesen, Schreiben o. ä.:* der Redner trat an das P. **sinnv.:** Katheder. **Zus.:** Dirigenten-, Noten-, Schalt-, Schreib-, Stehpult.

Pul|ver, das; -s, -: **a)** *so fein wie Staub oder Sand zermahlener Stoff:* Kaffee in Form von P. **sinnv.:** Mehl, Puder, Staub. **Zus.:** Brause-, Ei-, Milch-, Nies-, Pudding-, Trocken-, Waschpulver. **b)** *explosive Mischung von verschiedenen Stoffen zum Schießen.* **Zus.:** Schießpulver.

pum|me|lig ⟨Adj.⟩: *(bes. von weiblichen Personen und Kindern) ein wenig dick und nicht sehr groß:* sie ist nicht gerade dick, aber p. ist sie schon. **sinnv.:** dicklich, füllig, mollig, rundlich, vollschlank, wohlgenährt.

Pum|pe, die; -, -n: *Gerät oder Maschine zum Anoder Absaugen und Befördern von Flüssigkeiten oder Gasen.* **Zus.:** Benzin-, Luft-, Wasserpumpe.

pum|pen: **1.** ⟨tr./itr.⟩ *mit einer Pumpe an-, absaugen [und irgendwohin befördern]:* das Wasser aus dem Keller p.; die Maschine pumpt zu langsam. **2.** ⟨tr.⟩ (ugs.) ↑*leihen (2):* Geld von jmdm. p. **3.** ⟨tr./itr.⟩ (ugs.) ↑*leihen (1):* er pumpt ihm nicht gern [das Geld].

Punk [paŋk], der; -[s], -s: ↑ *Punker.*

Pun|ker [ˈpaŋkɐ], der; -s, -, **Pun|ke|rin,** die; -, -nen: *Angehöriger bzw. Angehörige einer Protestbewegung von Jugendlichen, die durch ihre auffällige, grelle Aufmachung und oft rüde Verhaltensweise die Gesellschaft provozieren und ihre Gegenposition zum Ausdruck bringen wollen.* **sinnv.:** Gammler.

Punkt, der; -[e]s, -e: **1. a)** *[sehr] kleiner runder Fleck:* ein weißer Stoff mit blauen Punkten. **sinnv.:** Tupfer. **b)** *Zeichen in Form eines Punktes* (1a): den P. auf das i setzen; den Satz mit einem P. abschließen. **Zus.:** Abkürzungs-, Doppel-, Strichpunkt. **2.** *Stelle, geographischer Ort:* die Straßen laufen in einem P. zusammen; der höchste P. Deutschlands liegt in Bayern. **Zus.:** Brenn-Gefrier-, Halte-, Höhe-, Mittel-, Stütz-, Tief-Treffpunkt. **3.** ⟨ohne Plural⟩ /in Verbindung mit einer Uhrzeitangabe/ *genau um ...:* das Spiel beginnt P. 15 Uhr. **4.** *Gegenstand der Erörterung, Beschäftigung oder Auseinandersetzung innerhalb eines größeren Themenkomplexes:* auf diesen P. werden wir noch zu sprechen kommen. **sinnv.** Frage. **Zus.:** Beratungs-, Kern-, Knack-, Streit-Verhandlungspunkt. **5.** *Einheit zur Bewertung bestimmter Wettkämpfe:* der Athlet erreichte be esem Wettkampf 20 Punkte. **Zus.**: Plus-, Straf-, ˈertungspunkt.

ünkt|lich ⟨Adj.⟩: *den Zeitpunkt genau einhalnd*: er ist immer p. **sinnv.**: fahrplanmäßig, frist-ˈmäß, fristgerecht, nicht zu früh und nicht zu ˈät, mit dem Glockenschlag, auf die Minute, ˈchtzeitig, zur rechten/richtigen/vereinbarten ˈeit. **Zus.**: unpünktlich.

u|pil|le, die; -, -n: *als schwarzer Punkt erschei-ˈnde Öffnung im Auge, durch die das Licht ein-ˈingt.*

up|pe, die; -, -n: *verkleinerte Nachbildung be-ˈnders eines weiblichen Kindes (als Kinderspiel-ug)*: mit Puppen spielen. **sinnv.**: Kasper, Ma-ˈnette, Wachsfigur. **Zus.**: Holz-, Stoff-, Trach-ˈnpuppe.

ur ⟨Adj.⟩: *ohne [fremden] Zusatz*: eine Schale ˈs purem Gold; Whisky p. trinken. **sinnv.**: na-rrein, rein, schier, unverfälscht, unvermischt.

ü|ree, das; -s, -s: *Speise aus gekochtem Gemüse, ˈkochten Kartoffeln oder Hülsenfrüchten, die zer-ˈückt oder durch ein Sieb gestrichen werden*: ein ˈines P. aus gekochten Kartoffeln, Erbsen zube-ˈiten. **sinnv.**: Brei, Mus. **Zus.**: Kartoffelpüree.

ur|zeln, purzelte, ist gepurzelt ⟨itr.⟩: *[stolpernd, ˈch überschlagend] hinfallen*: die Kinder purzel-

ten in den Schnee; der Junge war vom Stuhl ge-purzelt. **sinnv.**: fallen. **Zus.**: herab-, heraus-, hin-einpurzeln.

Pu|ste, die; - ⟨ugs.⟩: *Atem[luft] (als etwas, was für eine Leistung o. ä. nötig ist, deren Vorhanden-sein aber in Frage gestellt ist)*: schon nach der er-sten Runde ging ihm die P. aus. **sinnv.**: Atem.

pu|sten: 1. ⟨tr./itr.⟩ *Atemluft irgendwohin blasen*: den Staub von den Büchern p. **sinnv.**: blasen. **2.** ⟨itr.⟩ *schwer atmen*: er mußte sehr p., weil er schnell gelaufen war. **sinnv.**: schnaufen.

Putsch, der; -[e]s, -e: *illegale [gewaltsame] Ak-tion einer Gruppe [von Militärs] mit dem Ziel, die Regierung zu stürzen und die Macht an sich zu rei-ßen*: der Diktator ist durch einen P. an die Macht gekommen. **sinnv.**: Revolution, Staatsstreich, Umsturz. **Zus.**: Militärputsch.

put|zen ⟨tr./itr.⟩: *Schmutz von, aus etwas entfer-nen*: die Schuhe, die Wohnung p.; ich kann nicht mitkommen, ich muß noch bei mir p. **sinnv.**: säu-bern. **Zus.**: ab-, ver-, wegputzen.

Py|ra|mi|de, die; -, -n: **a)** /eine geometrische Fi-gur/ (siehe Bildleiste „geometrische Figuren", S. 175). **b)** *monumentaler Grabbau in Form einer Pyramide* (a), *besonders in der altägyptischen Kul-tur*: die Pyramiden in Ägypten besichtigen.

Q

ua|der, der; -s, -, auch: die; -, -n: /eine geome-sche Figur/ (siehe Bildleiste „geometrische Fi-ˈren", S. 175). **Zus.**: Marmor-, Steinquader.

ua|drat, das; -[e]s, -e: /eine geometrische Fi-ur/ (siehe Bildleiste „geometrische Figuren", 175). **sinnv.**: Viereck. **Zus.**: Planquadrat.

ua|ken ⟨itr.⟩: *(von Fröschen und Enten) einen ˈut von sich geben, der so ähnlich wie „quak" ˈngt.*

ual, die; -, -en: *sehr starker, länger anhaltender ˈirperlicher oder seelischer Schmerz*: große Qua-ˈn ertragen müssen; die Arbeit in dieser Hitze ˈurde für uns zur Q. **sinnv.**: Leid, Marter. **Zus.**: ˈewissens-, Herzens-, Höllen-, Seelenqual.

uä|len: 1. ⟨tr.⟩ *Qualen zufügen*: ein Tier q. ˈnv.: mißhandeln, peinigen, piesacken, schika-ˈeren. **2.** ⟨sich q.⟩ *sich mit etwas unter so großen ˈnstrengungen beschäftigen, daß es schon fast zur ˈual wird*: der Schüler quälte sich mit dieser ˈufgabe. **sinnv.**: sich abmühen. **Zus.**: ab-, herum-ˈälen.

ua|li|fi|zie|ren, sich: *sich als geeignet erweisen*: ˈr Sportler hat sich für die Teilnahme an der ˈlympiade qualifiziert; qualifizierte Mitarbeiter ˈben. **Zus.**: ab-, dis-, weiterqualifizieren.

ua|li|tät, die; -, -en: **a)** *[positiv bewertete] Be-ˈhaffenheit*: ein Stoff von bester Q.; er achtet auf ˈ **sinnv.**: Güte, Niveau, Wert. **Zus.**: Bild-, ˈlang-, Tonqualität. **b)** ⟨Plural⟩ *bestimmte positiv ˈwertete Eigenschaft einer Person*: ein Mann mit ˈenschlichen Qualitäten. **sinnv.**: Format.

ualm, der; -[e]s: *in dicken Wolken aufsteigen-

der Rauch*: die Lokomotive macht viel Q. **sinnv.**: Rauch.

qual|men: 1. ⟨itr.⟩ *Qualm entwickeln, erzeugen*: der Ofen qualmt. **2.** ⟨tr./itr.⟩ ⟨ugs.⟩ **a)** *viel, stark rauchen*: er qualmt pro Tag zwanzig Zigaretten. **sinnv.**: rauchen. **Zus.**: verqualmen, vollqualmen. **b)** ↑*rauchen*: er qualmt ab und zu mal eine.

Quan|ti|tät, die; -, -en: *Anzahl (als Gegensatz zur Beschaffenheit gesehen)*: es kommt weniger auf die Q. als vielmehr auf die Qualität an. **sinnv.**: Menge.

Quark, der; -s: **1.** *aus saurer Milch hergestelltes, weißes, breiiges Nahrungsmittel*. **sinnv.**: weißer Käse, Topfen, Weißkäse; Crème fraîche, Dick-milch, Hüttenkäse, Joghurt, Kefir, saure Sahne, Schichtkäse. **Zus.**: Mager-, Sahne-, Speisequark. **2.** ⟨ugs.⟩ *als wertlos, belanglos eingeschätzte Sa-che*: red' nicht solchen Q.!; der Film war [ein] ab-soluter Q. **sinnv.**: Unsinn.

Quar|tier, das; -s, -e: *Räumlichkeit, in der jmd. vorübergehend (z. B. auf einer Reise) wohnt*: ein Q. suchen, beziehen. **sinnv.**: Unterkunft. **Zus.**: Elends-, Massen-, Nacht-, Not-, Privatquartier.

Quarz, der; -es, -e: *kristallisiertes, Gesteine bil-dendes, sehr häufig und in vielen Arbaten vorkom-mendes Mineral*. **Zus.**: Rauch-, Rosenquarz.

qua|si ⟨Adverb⟩: *gleichsam, sozusagen*: wenn auch nicht ausdrücklich, so hat sie es mir doch q. versprochen. **sinnv.**: in etwa, fast, gewisserma-ßen, nahezu, ungefähr.

quas|seln ⟨itr./tr.⟩ ⟨ugs.⟩: *(in einer vom Sprecher als störend empfundenen Weise) schnell, viel re-

den: die Gastgeberin quasselte den ganzen Abend lang [dummes Zeug] und ging damit allen auf die Nerven. **sinnv.:** daherreden, plappern, quatschen, wie ein Buch/wie ein Wasserfall/ohne Punkt und Komma reden, schnattern, schwatzen, B[r]abbelwasser/Quasselwasser getrunken haben. **Zus.:** daher-, losquasseln.

Quatsch, der; -[e]s (ugs.): *Äußerung, Handlung o. ä., die als dumm, falsch, läppisch oder wertlos angesehen wird:* in dem Artikel steht nur Q.; laß den Q. und hilf mir lieber! **sinnv.:** Unsinn.

quat|schen (ugs.): **a)** ⟨itr./tr.⟩ *(emotional) (in einer vom Sprecher als störend empfundenen Weise) [viel] reden:* quatsch nicht soviel!; mußt du im Unterricht ständig q.? **sinnv.:** quasseln; sprechen. **Zus.:** an-, daher-, dazwischenquatschen. **b)** ⟨itr.⟩ *sich unterhalten:* wir haben die ganze Nacht nur miteinander gequatscht. **sinnv.:** sprechen.

Quel|le, die; -, -n: **1.** *an bestimmter Stelle aus der Erde tretendes, den Anfang eines Bachs, Flusses bildendes Wasser:* sich im Wald an einer Q. erfrischen. **Zus.:** Erdöl-, Heil-, Mineral-, Thermalquelle. **2.** *etwas, wovon etwas seinen Ausgang nimmt, wodurch etwas entsteht:* die Q. dieser Kunst liegt in der Antike; er bezieht seine Nachrichten aus geheimen Quellen. **sinnv.:** Anlaß, Ausgangspunkt, Fundgrube, Herd, Ursache, Ursprung. **Zus.:** Energie-, Erwerbs-, Fehler-, Gefahren-, Informations-, Licht-, Rohstoffquelle.

quel|len: **I.** quillt, quoll, ist gequollen ⟨itr.⟩: **1.** *[mit Druck] hervordringen:* schwarzer Rauch quillt aus dem Kamin; aus ihren Augen quollen Tränen. **sinnv.:** fließen. **Zus.:** heraus-, hervorquellen. **2.** *sich durch Aufnahme von Feuchtigkeit von innen heraus ausdehnen:* Erbsen, Bohnen quellen, wenn sie im Wasser liegen. **sinnv.:** anschwellen. **Zus.:** aufquellen. **II.** quellte, hat gequellt ⟨tr.⟩: *bewirken, daß etwas (z. B. Hülsenfrüchte) quillt* (I. 2.): Erbsen, Bohnen q., damit sie beim Kochen schneller weich werden.

quen|geln ⟨itr.⟩ (ugs.): *mit weinerlicher Stimme immer wieder etwas verlangen, seine Unzufriedenheit ausdrücken:* der Kleine ist müde und quen-

gelt nur noch. **sinnv.:** bitten, herumnörgeln, k[l] gen, quäken.

quer ⟨Adverb⟩: **1.** *im rechten Winkel zu einer c Länge angenommenen Linie* /Ggs. längs/: d[e] Tisch q. stellen. **sinnv.:** der Breite nach. **2.** ⟨in Ve bindung mit den Präpositionen „durch", „über *[schräg von einer Seite zur anderen, von eine Ende zum anderen:* er lief q. über die Straße, durch den Garten. **sinnv.:** diagonal, schräg.

Quer|schnitt, der; -[e]s, -e: **1.** *Schnitt senkrec zu der längs verlaufenden Achse eines Körper* von etwas einen Q. zeichnen. **2.** *Zusammenst[.] lung von charakteristischen Dingen, Ereignissen nes größeren Bereiches:* einen Q. durch die Mus der Klassik geben. **sinnv.:** Auswahl, Auszu[.] Überblick, Übersicht.

quet|schen: **1.** ⟨tr.⟩ *unter Anwendung von Kr[.] oder Gewalt irgendwohin drücken:* jmdn. an/g[.] gen die Mauer q. **sinnv.:** klemmen, kneten, pre[.] sen, zwängen. **Zus.:** dazwischen-, heraus-, hi[.] einquetschen. **2.** ⟨tr./sich q.⟩ *durch Druck verle[.] zen:* bei dem Unfall wurde sein Arm gequetsch[.] ich habe mich gequetscht. **sinnv.:** einklemme[.] klemmen, pressen. **3.** ⟨sich q.⟩ *sich in/durch ei[.] Menge o. ä. schiebend, drängend irgendwohin [.] wegen:* er quetschte sich in die volle Straße[.] bahn. **sinnv.:** drängen, pressen, zwängen. Zu[.] hinaus-, hineinquetschen.

quiet|schen ⟨itr.⟩: **1.** *einen hellen, als unang[.] nehm empfundenen Ton von sich geben:* die T[.] quietscht, sie muß geölt werden. **2.** *als Ausdru[.] einer bestimmten Gemütsbewegung helle, schri[.] Laute ausstoßen:* die Kinder quietschten vor Ve gnügen. **sinnv.:** quieken.

Quit|tung, die; -, -en: *Bescheinigung, mit der [.] was bestätigt wird:* eine Q. für/über den eing[.] zahlten Betrag. **sinnv.:** Bescheinigung, Bon, Ka[.] senzettel, Liquidation, Rechnung. **Zus.:** Einza[.] lungsquittung.

Quiz [kvɪs], das; -, -: *unterhaltsames Frage-un[.] Antwort-Spiel (besonders im Fernsehen, Run[.] funk):* an einem Q. im Fernsehen teilnehme[.] **sinnv.:** Preisrätsel, Rätsel, Rätselspiel. Zu[.] Fernseh-, Musik-, Städtequiz.

R

Ra|batt, der; -[e]s, -e: *Preisnachlaß, der unter bestimmten Bedingungen dem Käufer gewährt wird:* jmdm. drei Prozent R. auf alle Waren geben, gewähren. **sinnv.:** Abzug, Ermäßigung, Skonto. **Zus.:** Mengenrabatt.

Ra|be, der; -n, -n: *großer, kräftiger Vogel mit schwarzem Gefieder, der krächzende Laute von sich gibt.* **Zus.:** Kolkrabe.

ra|bi|at ⟨Adj.⟩: *zu Gewalttätigkeit neigend, rücksichtslos vorgehend:* ich habe Angst vor ihm, er ist ein rabiater Kerl. **sinnv.:** aggressiv, barbarisch, brutal, gewalttätig, grob, heftig, roh, rüpelhaft, verroht, wüst.

Ra|che, die; -: *[von Emotionen geleitete] persönli-*

che Vergeltung für eine als böse, besonders als pe sönlich erlittenes Unrecht empfundene Tat: R. fo[.] dern, schwören; auf R. sinnen. **sinnv.:** Verge[.] tung. **Zus.:** Blutrache.

Ra|chen, der; -s, -: *hinter der Mundhöhle geleg[.] ner Teil des Schlundes:* er hat einen entzündete[.] R. **sinnv.:** Gurgel, Hals, Kehle, Pharyn[.] Schlund. **Zus.:** Wolfsrachen.

rä|chen: **1.** ⟨sich r.⟩ *(an jmdm.) Rache üben:* i[.] werde mich [für diese Beleidigung] an ihm [.] **sinnv.:** sein Mütchen kühlen. **2.** ⟨tr.⟩ *eine [.] schlecht, unrecht empfundene Tat vergelten:* i[.] werde diese schwere Beleidigung r. **sinnv.:** b[.] strafen.

ackern ⟨itr.⟩ (ugs.): *schwer arbeiten* (1 a), *sich* ⟨*bmühen:* er hat den ganzen Tag gerackert; ⟨auch ⟨ch r.⟩ sie rackert sich für ihre Kinder zu Tode. **nnv.:** sich abmühen. **Zus.:** abrackern.

ad, das; -[e]s, Räder: **a)** *kreisrunder, scheiben-⟩rmiger, sich um eine Achse drehender Gegen-⟨and:* die Räder der Maschine drehen sich. **nnv.:** Kreis, Scheibe. **Zus.:** Ersatz-, Hinter-, Re-⟩rve-, Riesen-, Schaufel-, Steuer-, Zahnrad. **b)** *Fahrrad.* **Zus.:** Damen-, Drei-, Holland-, lapp-, Renn-, Tourenrad.

aldar, der und das; -s, -e: *Verfahren zur Ortung ⟩n Gegenständen mit Hilfe gebündelter elektro-⟨agnetischer Wellen:* den Standort der Raketen ⟩rch R. feststellen.

aldau, der; -s (emotional): *als unangenehm ⟩npfundene Geräusche:* macht nicht wieder sol-⟩en R., wenn ihr nach Hause kommt. **sinnv.:** ⟩ärm.

ad|fah|ren, fährt Rad, fuhr Rad, ist radgefah-n ⟨itr.⟩: *mit dem Fahrrad fahren:* er kann weder ⟨d- noch Auto fahren. **sinnv.:** radeln, strampeln.

ad|fah|rer, der; -s, -, **Rad|fah|re|rin,** die; -, ⟨en: *männliche bzw. weibliche Person, die mit ⟩m Fahrrad fährt.* **sinnv.:** Fahrradfahrer, Radler.

a|die|ren ⟨itr.⟩: *Geschriebenes oder Gezeichnetes ⟩t Hilfe eines Radiergummis entfernen:* er hat in ⟩nem Aufsatz oft radiert. **sinnv.:** ausstreichen. **us.:** aus-, wegradieren.

a|di|kal ⟨Adj.⟩: **a)** *bis zum Äußersten gehend:* ra-kale Forderungen stellen. **sinnv.:** extrem, hart, ⟩mpromißlos, rigoros. **Zus.:** links-, rechtsradi-⟩l. **b)** *von Rücksichtslosigkeit und Härte gekenn-⟨ichnet:* seine Methoden sind sehr r. **sinnv.:** hart, ⟩biat, rigoros, rücksichtslos. **c)** *von Grund aus:* ⟩was r. ändern, beseitigen. **sinnv.:** ganz.

a|dio, das; -s, -s: **a)** ⟨ohne Plural⟩ ↑ *Rundfunk:* ⟩s R. bringt ausführliche Nachrichten. **b)** ⟩dd., schweiz. auch: der⟩ *Gerät, mit dem Sen-⟩ungen des Rundfunks empfangen werden kön-⟩n:* das R. einschalten; eine Nachricht im R. hö-⟩n. **sinnv.:** Empfänger, Empfangsgerät, Emp-⟩ngsteil, Radioapparat, Radiogerät, Rundfunk-⟩parat, Rundfunkempfänger, Rundfunkgerät, ⟩ner. **Zus.:** Auto-, Koffer-, Transistorradio.

ad|tour, die; -, -en: *Ausflug per Fahrrad.* **Zus.:** ⟩hrradtour.

af|fen: 1. ⟨tr.⟩ *(Stoff) an einer bestimmten Stelle zusammenziehen, daß er in Falten fällt und da-⟩rch ein wenig hochgezogen wird:* sie raffte ihren ⟩ck und rannte los. **sinnv.:** aufnehmen. 2. ⟨itr.⟩ *etwas (meist mehrere Dinge) eilig an sich reißen:* raffte das Wichtigste an sich, als das Feuer ⟩sbrach. **Zus.:** auf-, hinweg-, zusammenraffen. *voller Habgier in seinen Besitz bringen:* Geld an ⟩h r. **sinnv.:** scheffeln.

lgen, ragte, hat/ist geragt ⟨itr.⟩: *höher oder län-r als die Umgebung sein und sich deshalb abhe-⟩n:* ein Eisberg ragt aus dem Meer; der Turm ⟩gte zum/in den Himmel. **sinnv.:** vorspringen, ⟩rstehen. **Zus.:** auf-, empor-, heraus-, hinein-, ⟩erragen.

h|men ⟨tr.⟩: *mit einem Rahmen versehen, in ei-⟩m Rahmen fassen:* ein Bild, eine Fotografie r. **nv.:** einfassen. **Zus.:** ein-, umrahmen.

ah|men, der; -s, -: 1. *festgefügter, um etwas be-⟩stigter Teil, der dem Ganzen Halt gibt:* der R. ei-⟩s Bildes, eines Fensters. **sinnv.:** Einfassung;

Mantel. **Zus.:** Bilder-, Fenster-, Gold-, Holz-, Tür-, Wechselrahmen. 2. ⟨R. + Attribut⟩ *etwas, was einen bestimmten Bereich umfaßt und in ge-gen andere abgrenzt:* dies soll im R. des Mögli-chen geschehen. **sinnv.:** Bereich, Grenze. **Zus.:** Handlungs-, Strafrahmen.

Ra|ke|te, die; -, -n: 1. *bes. in der Raumfahrt und beim Militär verwendeter langgestreckter, zylindri-scher, nach oben spitz zulaufender Flugkörper:* die R. startete zum Mond. **Zus.:** Forschungs-, Mehr-stufen-, Träger-, Weltraumrakete. 2. *Feuerwerks-körper von der Form einer kleinen Rakete* (1): Ra-keten stiegen in den Himmel. **sinnv.:** Cracker, bengalisches Feuer, Knallfrosch, Wunderkerze. **Zus.:** Leuchtrakete.

ram|men ⟨tr.⟩: 1. *mit einem besonderen Gerät aus Holz oder Metall mit Wucht in den Boden, in eine Wand o. ä. treiben:* er rammte Pfähle in den Bo-den. **sinnv.:** einschlagen, hineinstoßen, hinein-treiben, schlagen in, treiben in. **Zus.:** ein-, hinein-rammen. 2. *[von der Seite her] heftig, mit Wucht (an, auf, gegen etwas) stoßen:* der Lastkraftwagen rammte den Personenkraftwagen. **sinnv.:** anfah-ren, auffahren auf, prallen, rumsen auf.

Ram|pe, die; -, -n: 1. **a)** *waagerechte Fläche (z. B. an einem Lagergebäude) zum Be- und Entladen von Fahrzeugen:* den Lkw rückwärts an die R. fahren. **Zus.:** Lade-, Start-, Verladerampe. **b)** *schiefe Ebene zum Ausgleichen der unterschiedli-chen Höhe zweier Flächen:* eine steile R. vor der Brücke. **sinnv.:** Auffahrt, Aufgang, Zugang. 2. *vorderer Rand einer Bühne:* er trat an die R. **Zus.:** Bühnen-, Orchesterrampe.

Ramsch, der; -[e]s: *Ware, die (im Urteil des Spre-chers) von geringem Wert ist:* sie kaufte für ein paar Mark den ganzen R. **sinnv.:** Ausschuß.

ran- ⟨trennbares verbales Präfix⟩ (ugs.): *[an jmdn./etwas] heran-:* rangehen, -kommen, -schaf-fen, -schleichen. **sinnv.:** herbei-.

Rand, der; -[e]s, Ränder: 1. *äußerer oder oberer Teil einer Fläche, eines Gegenstandes:* am Rande des Waldes; ein Glas bis zum R. füllen. **sinnv.:** Begrenzung, Grenzstreifen, Kante, Peripherie. **Zus.:** Feld-, Krater-, Stadt-, Straßen-, Teller-, Trauer-, Wiesenrand. 2. *seitlicher Teil auf einem bedruckten oder beschriebenen Blatt Papier o. ä., der frei bleibt:* etwas an den R. eines Briefes schreiben. **Zus.:** Seiten-, Zeitungsrand.

ran|da|lie|ren ⟨itr.⟩: *sich zügellos und lärmend aufführen und dabei Sachen beschädigen oder zer-stören:* die Jugendlichen begannen zu r., so daß die Polizei eingreifen mußte. **sinnv.:** Krawall/Ra-batz/Randale machen.

Rang, der; -[e]s, Ränge: 1. *berufliche oder gesell-schaftliche Stellung, Stufe, die jmd. in einer [hier-archisch] gegliederten [Gesellschafts]ordnung inne-hat:* einen hohen R. einnehmen; er ist hat den R. eines Generals. **sinnv.:** Dienstgrad, Grad, Kaste, Klasse, Platz, Stand, Stufe, Titel. 2. ⟨ohne Plural⟩ *hoher Stellenwert, den jmd. oder etwas in bezug auf Bedeutung o. ä. einnimmt:* ein Ereignis ersten Ranges; ein Wissenschaftler, Künstler von [ho-hem] R. **sinnv.:** Ansehen, Bedeutung, Ernst, For-mat. **Zus.:** Weltrang. 3. *höher gelegener [in der Art eines Balkons hervorspringender] Teil im Zuschau-erraum eines Theaters, Kinos usw.:* das Theater hat drei Ränge. **sinnv.:** Galerie.

Ran|zen, der; -s, -: 1. *auf dem Rücken zu tragen-*

de Schultasche (insbesondere eines jüngeren Schülers): seine Bücher in den R. packen. **sinnv.**: Kollegmappe, Kollegtasche, Mappe, Ränzel, Ranzenmappe, Schulmappe, Tornister. **Zus.**: Schulranzen. **2.** (ugs.) **a)** dicker Bauch: in fünf Jahren Ehe hat er sich einen hübschen R. zugelegt. **sinnv.**: Bierbauch, Schmerbauch, Spitzbauch, Wamme, Wampe, Wanst. **b)** Bauch: nach der Wanderung haben wir uns erst mal den R. vollgeschlagen.

ra|pid, ra|pi|de ⟨Adj.⟩: in schnellem Tempo vor sich gehend: die Preise steigen r.; ein rapider Anstieg der Produktion. **sinnv.**: rasant, rasch, rasend, stürmisch; schnell.

rar ⟨Adj.⟩: nur schwer erreichbar oder erhältlich: dieser Artikel ist zur Zeit r. **sinnv.**: selten.

rasch ⟨Adj.⟩: schnell (durch heftigen inneren Antrieb); schnell und energisch: sich r. zu etwas entschließen; rasche Fortschritte machen. **sinnv.**: schnell.

ra|scheln ⟨itr.⟩: ein Geräusch erzeugen, von sich geben, das sich so anhört, als ob der Wind trockenes Laub bewegt: mit Papier r.; die Mäuse rascheln im Stroh. **sinnv.**: knacken, knirschen, knistern, prasseln.

ra|sen, raste, hat/ist gerast ⟨itr.⟩: **1.** mit sehr hoher Geschwindigkeit fahren, laufen: er ist mit dem Auto durch die Stadt gerast. **sinnv.**: sich fortbewegen. **Zus.**: davon-, durch-, entlang-, hin-, vorbei-, weiterrasen. **2.** von Sinnen sein und sich wie wahnsinnig gebärden: er hat vor Zorn, Eifersucht gerast; diese Ungerechtigkeit macht ihn rasend. **sinnv.**: sich aufregen, toben, wütend sein.

Ra|sen, der; -s, -: dicht mit angesätem, kurz gehaltenem Gras bewachsene Fläche: den R. mähen, sprengen. **sinnv.**: Gras, Grasdecke, Grasnarbe, Grünfläche, Rasendecke, Rasenfläche, Wasen. **Zus.**: Zierrasen.

ra|sie|ren ⟨tr./sich r.⟩: Haare unmittelbar über der Haut mit einem entsprechenden Apparat oder Messer entfernen: der Friseur hat ihn rasiert; er hat sich noch nicht rasiert. **Zus.**: ab-, glatt-, wegrasieren.

Ras|se, die; -, -n: Gruppe von Menschen oder Tieren, die nach ihrer Herkunft, ihren Merkmalen und ihrem Aussehen zusammengehören: die weiße, gelbe R.; einer anderen R. angehören. **Zus.**: Hunde-, Menschenrasse.

ras|seln ⟨itr.⟩: ein klapperndes, klirrendes Geräusch von sich geben: mit einer Kette r.; der Wecker rasselte. **sinnv.**: klappern, klatschen, rattern. **Zus.**: heran-, herein-, herunterrasseln.

ras|sig ⟨Adj.⟩: **a)** eine edle, ausgeprägte Art besitzend; aus edler Zucht: ein rassiges Pferd. **sinnv.**: edel, kostbar. **Zus.**: reinrassig. **b)** von temperamentvoller, feuriger Art: ein rassiges Weib; ein rassiger Wein. **sinnv.**: feurig, lebhaft, schnittig, schwungvoll, temperamentvoll.

Rast, die; -, -en: Pause zum Essen und Ausruhen bei einer Wanderung oder bei einer Fahrt mit dem Auto: R. machen; eine R. einlegen. **sinnv.**: Halt, Pause, Stopp. **Zus.**: Mittagsrast.

rast|los ⟨Adj.⟩: sich keine Ruhe gönnend: er arbeitet r.; sein rastloser Eifer wurde belohnt. **sinnv.**: fleißig, ruhelos, unablässig, unermüdlich, ununterbrochen.

Rat, der; -[e]s, Räte: **1.** ⟨ohne Plural⟩ Empfehlung an jmdn., sich in einer bestimmten Weise zu verhal-

ten: jmdn. um R. fragen, bitten; auf jmds. R. hÖ ren. **sinnv.**: Vorschlag. **2.** beratendes [und b schlußfassendes] Gremium: der R. einer Stad **sinnv.**: Ausschuß. **Zus.**: Ältesten-, Arbeiter-, Au sichts-, Betriebs-, Kirchen-, Kriegs-, Sicherheits Soldatenrat.

Ra|te, die; -, -n: in regelmäßigen Zeitabstände zu zahlenden Teilbetrag einer größeren Geldsumm me: er bezahlte den Kühlschrank in vier Rate **sinnv.**: Anteil, Ratenbetrag, Teilzahlungsbetra **Zus.**: Abzahlungs-, Leasing-, Monatsrate.

ra|ten, rät, riet, hat geraten: **1.** ⟨itr.⟩ einen Rat g ben: jmdm. [zu etwas] r.; ich rate Ihnen dringen das Angebot anzunehmen. **sinnv.**: bedeuten, gut Ratschläge geben, vorschlagen. **Zus.**: ab-, an be-, zuraten. **2.** ⟨tr./itr.⟩ ein Rätsel lösen; etwas n durch Vermutung herausfinden: ein Rätsel r richtig r.; rate doch einmal, wie das Spiel ausge gangen ist. **sinnv.**: vermuten. **Zus.**: daneben-, er herumraten.

rat|los ⟨Adj.⟩: sich keinen Rat wissend: r. saße sie da und wußten nicht weiter. **sinnv.**: aufge schmissen, durcheinander, hilflos, hoffnungslo konfus, in Nöten, verwirrt, verzweifelt.

Rät|sel, das; -s, -: **1.** als Frage gestellte, durc Nachdenken zu lösende Aufgabe: wie lautet das I der Sphinx? **sinnv.**: Denkaufgabe, Denksportau gabe, Rätselfrage; Frage. **Zus.**: Bilder-, Kreuz wort-, Preis-, Silbenrätsel. **2.** etwas Unerklärba res: es ist mir ein R., wie so etwas geschehe konnte. **sinnv.**: Geheimnis, Mysterium.

rät|sel|haft ⟨Adj.⟩: nicht zu durchschauen ode zu erklären: er starb unter rätselhaften Umstä den. **sinnv.**: dunkel, geheim, geheimnisvol mehrdeutig, mysteriös, nebulös, orakelhaft, übe natürlich, unerklärlich, unfaßbar.

rät|seln ⟨itr.⟩: über eine längere Zeit hinweg ein Erklärung für etwas suchen: über das Tatmotiv r er rätselt, wie so etwas passieren konnte. **sinnv** mutmaßen, nachdenken, vermuten. **Zus.**: herum rätseln.

Rat|te, die; -, -n: Nagetier mit langem, dünne Schwanz, das besonders in Kellern und in der Ke nalisation lebt. **Zus.**: Ballett-, Lese-, Wasserratt

rat|tern, ratterte, hat/ist gerattert ⟨itr.⟩: **a)** ei Geräusch [wie] von kurzen, heftigen Stößen hervo bringen: die Maschine hat gerattert. **sinnv.**: kna tern, poltern, rasseln; lärmen. **Zus.**: losrattern. **b** sich ratternd ⟨a⟩ fortbewegen: der Wagen ist übe die holprige Straße gerattert. **sinnv.**: holper **Zus.**: heran-, hinein-, vorbeirattern.

Raub, der; -[e]s: das Wegnehmen von fremde Eigentum unter Androhung oder Anwendung vc Gewalt: er ist wegen schweren Raubes angekla worden. **sinnv.**: Diebstahl. **Zus.**: Bank-, Juwelen Menschen-, Mund-, Straßenraub.

rau|ben ⟨tr.⟩: einen Raub begehen; er hat [ih das Geld und den Schmuck geraubt. **sinnv.**: stel len. **Zus.**: aus-, berauben.

Raub|tier, das; -[e]s, -e: ⟨Säuge⟩tier, das sich vo wiegend von anderen (Säuge)tieren ernährt.

Rauch, der; -[e]s: bei Verbrennungsprozessen en stehendes, sichtbares Gasgemisch: R. drang au dem brennenden Haus. **sinnv.**: Dampf, Duns Nebel, Qualm, Rauchfahne. **Zus.**: Pfeifen-, Pu ver-, Tabak-, Weih-, Zigaretten-, Zigarrenrauc

rau|chen: **1.** ⟨tr./itr.⟩: Tabakrauch (aus ein brennenden Zigarette o. ä.) in sich hineinziehe *einatmen und wieder ausstoßen:* eine Zigarette r.; ich darf nicht mehr r. **sinnv.:** paffen, qualmen, Raucher sein, schmauchen. **Zus.:** auf-, voll-, weiterrauchen. **2.** ⟨itr.⟩ *Rauch bilden, von sich geben:* der Ofen raucht. **sinnv.:** qualmen.

Rau|cher, der; -s, -: **1.** *jmd., der aus Gewohnheit raucht:* als starker R. braucht er mindestens vierzig Zigaretten am Tag. **Zus.:** Haschisch-, Ketten-, Nicht-, Pfeifen-, Zigarrenraucher. **2.** *Eisenbahnabteil, in dem geraucht werden darf:* im R. sitzen.

Rau|che|rin, die; -, -nen: vgl. Raucher (1).

rauf- ⟨trennbares verbales Präfix⟩ (ugs.): *[auf jmdn./etwas] herauf-, hinauf-:* in den ersten Stock raufgehen *(hinaufgehen),* raufkommen, raufspucken.

Rauf|bold, der; -[e]s, -e: *jmd., der oft [und gern] rauft:* jeder geht diesem R. aus dem Wege. **sinnv.:** Flegel, Hooligan, Rabauke, Rowdy, Schläger, Schlägertyp, Schlagetot.

rau|fen ⟨itr./sich r.⟩: *prügeln mit jmdm.* *kämpfen:* die Kinder rauften [sich] auf dem Schulhof; ich habe mich mit ihm gerauft. **sinnv.:** sich balgen, handgemein werden, sich hauen, sich katzbalgen, sich keilen, sich kloppen, sich prügeln, miteinander ringen, sich schlagen. **Zus.:** sich zusammenraufen.

rauh ⟨Adj.⟩: **1.** *auf der Oberfläche kleine Unebenheiten o. ä. aufweisend:* eine rauhe Oberfläche; rauhe Hände haben. **sinnv.:** aufgesprungen, holprig, kraus, narbig, rissig, spröde, stopplig, uneben. **2.** *im Umgang mit andern Feingefühl vermissen lassend:* er ist ein rauher Bursche; hier herrscht ein rauher Ton. **sinnv.:** derb, unhöflich. **3. a)** *(vom Wetter, Klima) als kalt, unwirtlich empfunden:* ein rauhes Klima; der rauhe Norden, Wind. **sinnv.:** beißend, eisig, frisch, frostig, scharf, streng, stürmisch, unangenehm, ungesund, windig. **b)** *(von einer Landschaft o. ä.) durch Herbheit und Strenge gekennzeichnet:* eine rauhe Gegend. **sinnv.:** hart, herb, schroff, streng, trist, ungemütlich, unwirtlich.

Rauh|reif, der; -[e]s: *Reif in Form von einzelnen, gut unterscheidbaren Kristallen, der sich bei nebligem Frostwetter besonders an Pflanzen ansetzt:* an diesem kalten Morgen waren sämtliche Bäume mit R. bedeckt. **sinnv.:** Reif.

Raum, der; -[e]s, Räume: **1.** *von Wänden, Boden und Decke umschlossener Teil eines Gebäudes o. ä.:* die Wohnung hat 5 Räume; im engen R. des Fahrstuhls drängten sich die Leute. **sinnv.:** Bude, Gelaß, Gemach, Halle, Kabäuschen, Kabine, Kabuff, Kajüte, Kammer, Klause, Mansarde, Räumlichkeit, Saal, Salon, Stube, Zelle, Zimmer. **Zus.:** Abstell-, Innen-, Koffer-, Maschinen-, Vorratsraum. **2.** ⟨ohne Plural⟩ (geh.) *für jmdn. oder etwas zur Verfügung stehender Platz:* ich habe keinen R. für meine Bücher. **sinnv.:** Platz; Spielraum. **Zus.:** Bewegungs-, Frei-, Spiel-, Wohnraum. **3. a)** *geographisch-politischer Bereich:* der mitteleuropäische R.; der R. um Hamburg. **sinnv.:** Gebiet, Gegend, Region. **Zus.:** Sprachraum. **b)** *Bereich, in dem etwas wirkt:* der kirchliche, geistige R. **sinnv.:** Aktionsbereich, Wirkungsbereich, Wirkungsfeld. **4.** *in Länge, Breite und Höhe nicht eingegrenzte Ausdehnung:* der unendliche R. des Universums. **sinnv.:** Weite, Weltall. **Zus.:** Himmels-, Luft-, Weltraum.

räu|men ⟨tr.⟩: **a)** *einen Raum durch Verlassen*

oder Räumen (b) *frei machen:* die Wohnung, den Platz, eine Stadt r. **sinnv.:** leeren, weggehen. **b)** *[störende] Dinge wegnehmen und an einen anderen Platz bringen, um dadurch einen größeren freien Raum zu schaffen:* Geschirr vom Tisch r. **sinnv.:** entfernen. **Zus.:** aus-, ein-, fort-, wegräumen.

räum|lich ⟨Adj.⟩: *auf die Ausdehnung, den Raum bezogen:* wir sind r. sehr beengt; wir meinten, eine räumliche Trennung wäre gut für unsere Beziehung. **sinnv.:** lokal.

Rau|pe, die; -, -n: *kleine, langgestreckte Larve des Schmetterlings mit behaartem, gegliedertem Körper, die sich auf mehreren kleinen Beinpaaren fortbewegt.* **sinnv.:** Larve. **Zus.:** Planier-, Seidenraupe.

raus- ⟨trennbares verbales Präfix⟩ (ugs.): *[aus etwas] heraus-, hinaus-:* aus dem Zimmer rausbringen *(herausbringen),* keinen Ton rausbringen, rausholen, rauswerfen.

Rausch, der; -[e]s, Räusche: **a)** *durch bewußtseinsverändernde Mittel hervorgerufener Zustand, in dem der Bezug zur Wirklichkeit teilweise verlorengegangen und eine Verwirrung der Gedanken und Gefühle eingetreten ist:* einen schweren R. haben; seinen R. ausschlafen. **sinnv.:** Besoffenheit, Betrunkenheit, Dusel, Reise, Schwips, Suff, Trip, Trunkenheit, Turn, Weinseligkeit. **Zus.:** Bier-, Vollrausch. **b)** *übersteigerter ekstatischer Bewußtseinszustand:* im R. des Sieges; ein R. der Leidenschaft. **sinnv.:** Ekstase, Erregung, Euphorie, Lust, Orgasmus. **Zus.:** Freuden-, Gold-, Machtrausch.

rau|schen ⟨itr.⟩: *ein länger anhaltendes Geräusch hervorbringen wie das von starkem Wind bewegte Laub:* der Regen rauschte in den Bäumen; rauschender Beifall. **sinnv.:** brausen, pfeifen, sausen, toben, tosen. **Zus.:** ab-, an-, be-, los-, vorbeirauschen.

Rausch|gift, das; -[e]s, -e: *Stoff, der auf das Zentralnervensystem des Menschen erregend oder lähmend wirkt und so zu Bewußtseinsveränderungen und Euphorie führt und psychische wie körperliche Abhängigkeit hervorrufen kann.* **sinnv.:** Droge, Rauschmittel, Stoff · Betäubungsmittel, Halluzinogene, Suchtmittel.

räus|pern, sich: *mit rauhem, krächzendem Laut sich die verschleimte Kehle frei machen:* während seiner Rede mußte er sich mehrmals r. **sinnv.:** husten.

Raz|zia, die; -, Razzien: *überraschend durchgeführte polizeiliche Fahndungsaktion in einem begrenzten Bezirk:* bei einer R. wurde der lange gesuchte Verbrecher festgenommen. **sinnv.:** Durchsuchung. **Zus.:** Großrazzia.

rea|gie|ren ⟨itr.⟩: *(auf etwas) in irgendeiner Weise ansprechen und eine Wirkung zeigen:* er hat auf diese Vorwürfe heftig reagiert; er reagierte schnell. **sinnv.:** ansprechen, antworten, aufnehmen, eingehen. **Zus.:** sich abreagieren, überreagieren.

Re|ak|ti|on, die; -, -en: *das Reagieren:* keinerlei R. zeigen. **sinnv.:** Antwort, Gegenhandlung, Gegenwirkung, Rückwirkung, Wirkung. **Zus.:** Kern-, Ketten-, Kurzschluß-, Überreaktion.

rea|li|sie|ren ⟨tr.⟩: *etwas in die Tat umsetzen:* einen Plan, Ideen r. **sinnv.:**

rea|li|stisch ⟨Adj.⟩: **a)** *der Wirklichkeit entsprechend:* eine realistische Darstellung. **sinnv.:** lebensecht, lebensnah, wirklichkeitsnah. **Zus.:**

neo-, surrealistisch. **b)** *sachlich-nüchtern, ohne Illusion, ohne Gefühlsregung:* etwas ganz r. beurteilen. **sinnv.:** emotionslos, gefühllos, illusionslos, nüchtern, prosaisch, sachlich, trocken.

Rea|li|tät, die; -, -en: *wirklicher Zustand, tatsächliche Lage:* von den Realitäten ausgehen. **sinnv.:** Tatsache. **Zus.:** Irrealität.

Re|be, die; -, -n: ↑ *Weinrebe.*

re|bel|lie|ren ⟨itr.⟩: *eine Rebellion veranstalten:* die Gefangenen rebellieren gegen die unmenschliche Behandlung. **sinnv.:** protestieren.

Re|bel|li|on, die; -, -en: *von einer Gruppe von Leuten unternommenes offenes Aufbegehren gegen den oder die Inhaber der Macht o. ä.* **sinnv.:** Aufruhr, Verschwörung. **Zus.:** Gefangenen-, Militärrebellion.

rech|nen, rechnete, hat gerechnet: **1. a)** ⟨itr./tr.⟩ *Zahlengrößen nach bestimmten Regeln zu Ergebnissen verbinden:* hast du auch richtig gerechnet?; er hat die Aufgabe richtig gerechnet. **sinnv.:** ausrechnen. **Zus.:** be-, er-, verrechnen. **b)** ⟨itr.⟩ *(mit dem Geld) haushälterisch umgehen:* sie rechnet mit jedem Pfennig. **sinnv.:** haushalten. **2.** ⟨itr.⟩ *darauf vertrauen, daß etwas Erwartetes eintritt oder daß jmd. das, was man erwartet, auch leistet:* auf ihn kannst du bei dieser Arbeit bestimmt r.; mit seiner Hilfe ist nicht zu r. **sinnv.:** entgegensehen, glauben. **3.** ⟨tr.⟩ *jmdn./etwas zu jmdm./einer Sache zählen:* wir rechnen ihn zu unseren besten Mitarbeitern. **sinnv.:** angehören, halten für.

Rech|nung, die; -, -en: **1.** *etwas, was zu errechnen ist oder errechnet worden ist:* die R. stimmt nicht. **sinnv.:** Aufgabe, Ausrechnung, Berechnung, Zahlenaufgabe. **Zus.:** Bruch-, Differential-, Hoch-, Integral-, Prozentrechnung. **2.** *Aufstellung und Zusammenfassung aller Kosten für einen gekauften Gegenstand oder für eine Leistung:* eine R. ausstellen, bezahlen. **sinnv.:** Forderung, Liquidation; Quittung. **Zus.:** Milchmädchenrechnung.

recht: I. ⟨Adj.⟩: **1.** *richtig, geeignet, passend (für einen bestimmten Zweck):* er kam zur rechten Zeit; ist dir dieser Termin r.? **sinnv.:** geeignet, gerecht, richtig. **2.** *⟨verstärkend bei Adjektiven⟩ in einem Maß, das eine gewisse Grenze nicht überschreitet:* er war heute r. freundlich zu mir; das ist eine r. gute Arbeit. **sinnv.:** einigermaßen, ganz, ziemlich. **II.** ⟨in den Verbindungen⟩ **jmdm. r. ge-ben:** *jmds. Standpunkt als zutreffend anerkennen; jmdm. zustimmen;* **r. haben:** *eine richtige Meinung haben;* **r. bekommen:** *bestätigt bekommen, daß man recht hat.*

Recht, das; -[e]s, -e: **1.** *berechtigter, von Rechts (2) wegen zuerkannter Anspruch:* ein R. auf Arbeit haben; seine Rechte verteidigen. **sinnv.:** Berechtigung. **Zus.:** Bürger-, Faust-, Selbstbestimmungs-, Stimm-, Vorrecht. **2.** *⟨ohne Plural⟩ Gesamtheit der Gesetze, der allgemeinen Normen, Prinzipien:* das römische, deutsche, kirchliche R.; R. sprechen; das R. mißachten. **sinnv.:** Rechtsordnung. **Zus.:** Arbeits-, Beamten-, Familien-, Jugendstraf-, Natur-, Patent-, Prozeß-, Straf-, Völker-, Zivilrecht. **3.** *⟨ohne Plural⟩ das, was dem Rechtsempfinden gemäß ist:* nach R. und Gewissen handeln; mit vollem R. hat er sich gegen diese Anschuldigungen gewehrt. **Zus.:** Unrecht.

recht... ⟨Adj.; nur attributiv⟩ /Ggs. link.../: **1.** *sich auf derjenigen Seite befindend, die der Seite,* auf der das Herz ist, entgegengesetzt ist: das rechte Bein. **2.** *(von Stoffen o. ä.) die nach außen zu tragende bzw. nach oben zu legende schönere Seite betreffend:* diese kostbare Bluse darfst du nicht auf der rechten Seite bügeln. **3.** *(in politischer oder weltanschaulicher Hinsicht) konservativ:* innerhalb der Partei gehört sie zum rechten Flügel.

Recht|eck, das; -[e]s, -e: /eine geometrische Figur/ (siehe Bildleiste „geometrische Figuren", S. 175). **sinnv.:** Viereck.

recht|fer|ti|gen ⟨tr./sich r.⟩: *etwas, das eigene Verhalten oder das Verhalten eines anderen so erklären, daß es als berechtigt erscheint:* er braucht sich nicht zu r.; ich versuchte sein Benehmen zu r. **sinnv.:** abwehren, entlasten, entschuldigen, lossprechen, rehabilitieren, verantworten, verteidigen.

recht|ha|be|risch ⟨Adj.⟩: *die eigene Meinung immer für die richtige haltend und auf ihr beharrend:* selbst als man ihm das Gegenteil beweisen konnte, hielt dieser rechthaberische Mensch an seiner Behauptung fest. **sinnv.:** besserwisserisch, dickköpfig, eigensinnig, eisern, halsstarrig, starrköpfig, starrsinnig, störrisch, stur, trotzig, unnachgiebig, verbohrt, verstockt.

recht|lich ⟨Adj.⟩: *nach dem [gültigen] Recht, auf ihm beruhend:* dieses Vorgehen ist r. nicht zulässig. **sinnv.:** juristisch, rechtmäßig. **Zus.:** arbeits-, formal-, straf-, völkerrechtlich.

recht|mä|ßig ⟨Adj.⟩: *dem Recht, Gesetz entsprechend:* die r. gewählte Regierung; er ist der rechtmäßige Erbe. **sinnv.:** befugt, gerecht, gesetzlich, de jure, legal, legitim, rechtlich, vorschriftsmäßig.

rechts /Ggs. links/: **I.** ⟨Adverb⟩ **a)** *auf der rechten (1) Seite:* sich nach r. wenden; die Garage steht r. von dem Haus. **b)** *die rechte (2) Seite betreffend:* den Stoff nicht [von] r. bügeln. **c)** *eine rechte (3) Auffassung habend.* **sinnv.:** konservativ, reaktionär, rückständig. **Zus.:** stock-, ultrarechts. **II.** ⟨Präp. mit Gen.⟩ *auf der rechten (1) Seite von etwas gelegen:* die Garage steht r. des Hauses.

recht|schaf|fen ⟨Adj.⟩: *tüchtig und von hohem moralischen Rang.* **sinnv.:** anständig, brav, honorabel, honorig, integer, lauter, loyal, ordentlich, pflichtbewußt, redlich, solide, unbestechlich, untadelig, vertrauenswürdig.

recht|wink|lig ⟨Adj.⟩: *einen Winkel von 90° habend:* ein rechtwinkliges Dreieck.

recht|zei|tig ⟨Adj.⟩: *zum richtigen Zeitpunkt (so daß es noch früh genug ist):* wir wollen r. ins Kino gehen, damit wir noch gute Plätze bekommen. **sinnv.:** früh, pünktlich.

recken ⟨tr./sich r.⟩: *[sich] gerade-, auf-, hochrichten, in die Höhe, irgendwohin strecken, dehnen:* den Kopf [in die Höhe] r., um etwas besser zu sehen; er reckte und streckte sich, um wach zu werden. **sinnv.:** ausdehnen, ausstrecken, dehnen, [sich] strecken. **Zus.:** empor-, heraus-, hervorrecken.

Re|cor|der [reˈkɔrdɐ], der; -s, -: *Gerät zur (elektromagnetischen) Aufzeichnung auf Bändern (z. B. in Musik-, Videokassetten) und deren Wiedergabe.* **Zus.:** Kassetten-, Videorecorder.

Re|de, die; -, -n: **1.** *aus einem bestimmten Anlaß gehaltener Vortrag (meist in der Absicht, nicht nur Fakten darzulegen, sondern auch zu überzeugen, Meinungen zu prägen):* er hielt eine R. vor dem

Parlament. **sinnv.**: Ansprache, Philippika, Plädoyer, Predigt, Referat, Toast, Vorlesung, Vortrag. **Zus.**: Brand-, Bütten-, Jungfern-, Sonntags-, Thron-, Wahlrede. **2.** ⟨ohne Plural⟩ *das Sprechen:* die R. auf etwas/jmdn. lenken; wovon war die R.? **sinnv.**: Gespräch. **Zus.**: An-, Aus-, Gegen-, Widerrede.

re|den, redete, hat geredet: **1.** ⟨itr./tr.⟩ *etwas Zusammenhängendes sagen; sich in Worten äußern:* undeutlich, langsam r.; mit jmdm. [über etwas] r. **sinnv.**: sich äußern, mitteilen, sprechen. **Zus.**: an-, aus-, dazwischen-, drumrum-, mit-, über-, unter-, vorbei-, zureden. **2.** ⟨itr.⟩ *eine Rede halten:* im Radio, vor einer großen Zuhörerschaft r. **sinnv.**: sprechen.

red|lich ⟨Adj.⟩: *rechtschaffen und aufrichtig:* es r. [mit jmdm.] meinen; er hat sich r. durchs Leben geschlagen. **sinnv.**: loyal, rechtschaffen.

Red|ner, der; -s, -, **Red|ne|rin,** die; -, -nen: *männliche bzw. weibliche Person, die eine Rede hält.* **sinnv.**: Referent, Vortragender. **Zus.**: Bauch-, Bütten-, Fest-, Haupt-, Vorredner.

red|se|lig ⟨Adj.⟩: *zu langem Sprechen und ausführlichen Schilderungen neigend; viel und gerne redend:* wenn er getrunken hat, wird dieser schweigsame Mensch richtig r. **sinnv.**: gesprächig.

re|du|zie|ren ⟨tr.⟩: *(in Wert, Ausmaß, Anzahl) vermindern:* die Regierung beschloß, ihre Truppen im Ausland zu r. **sinnv.**: verringern.

Re|fe|rat, das; -[e]s, -e: *Abhandlung über ein bestimmtes Thema [die vor Fachleuten vorgetragen wird]:* ein R. ausarbeiten, halten. **sinnv.**: Aufsatz, Rede. **Zus.**: Grundsatz-, Haupt-, Ko-, Kor-, Kurzreferat.

Re|flex, der; -es, -e: **1.** *Widerschein:* auf der Wasserfläche zeigte sich ein schwacher R. der Sterne. **sinnv.**: Abglanz, Reflexion, Spiegelung. **Zus.**: Lichtreflex. **2.** *unwillkürliche Reaktion auf einen von außen kommenden Reiz:* die Blässe in ihrem Gesicht war ein R. der eben erlebten Schrecken.

Re|form, die; -, -en: *Umgestaltung, Verbesserung des Bestehenden:* sich für die R. der Universitäten einsetzen. **sinnv.**: Erneuerung, Neubelebung, Neuerung, Neugestaltung, Reformierung, Revolution, Umgestaltung. **Zus.**: Bildungs-, Boden-, Hochschul-, Rechtschreib-, Steuer-, Strafrechts-, Währungs-, Wirtschaftsreform.

re|for|mie|ren ⟨tr./itr.⟩: *verändern und dabei verbessern; neu gestalten:* die Kirche, das System des akademischen Unterrichts r. **sinnv.**: verbessern.

Re|gal, das; -s, -e: *Gestell für Bücher oder Waren:* Bücher ins R. stellen, aus dem R. nehmen. **sinnv.**: Gestell. **Zus.**: Akten-, Bücher-, Verkaufs-, Wandregal.

re|ge ⟨Adj.⟩: **1.** *von Aktivität[en] zeugend:* ein reger Briefwechsel, Verkehr. **sinnv.**: betriebsam, hektisch, lebhaft. **2.** *schnell Zusammenhänge erfassend:* er ist geistig sehr r. **sinnv.**: helle, klug.

Re|gel, die; -, -n: **a)** *Übereinkunft, Vorschrift für ein Verhalten, Verfahren:* er hat die Regeln nicht beachten. **sinnv.**: Gesetz, Gesetzmäßigkeit, Grundsatz, Leitlinie, Leitsatz, Leitschnur, Maßstab, Norm, Prinzip, Regelmäßigkeit, Richtlinie, Richtschnur, Satzung, Standard, Statut. **Zus.**: Anstands-, Bauern-, Faust-, Grund-, Verkehrs-, Wetterregel. **b)** *Regelmäßigkeit, die einer Sache*

innewohnt: eine solche Höflichkeit ist nicht die R. **sinnv.**: Brauch.

re|gel|mä|ßig ⟨Adj.⟩: *einer Regel, Ordnung (die besonders durch gleichmäßige Wiederkehr, Aufeinanderfolge gekennzeichnet ist) entsprechend:* der Kranke muß r. seine Tabletten einnehmen. **sinnv.**: laufend; monatlich, periodisch.

re|geln ⟨tr.⟩: *(bei etwas) geordnete, klare Verhältnisse schaffen:* den Verkehr r.; die finanziellen Angelegenheiten müssen zuerst geregelt werden; ⟨auch sich r.⟩ etwas regelt sich von selbst. **sinnv.**: normen; anordnen.

re|gel|recht ⟨Adj.⟩: *in vollem Maße:* er hat r. versagt; das war ein regelrechter Reinfall. **sinnv.**: buchstäblich, direkt, förmlich, ganz und gar, geradezu, nachgerade, praktisch, rein, richtig.

Re|ge|lung, die; -, -en: *das Regeln; Art, wie etwas geregelt wird:* sie müssen noch eine R. für ihr Zusammenleben finden. **sinnv.**: Festlegung, Kanonisierung, Normalisierung, Normierung, Normung, Regulierung, Standardisierung, Typisierung, Uniformierung, Vereinheitlichung. **Zus.**: Geburten-, Grenz-, Sprach-, Temperatur-, Übergangs-, Verkehrsregelung.

re|gen, sich: *sich leicht, ein wenig bewegen:* vor Angst regte er sich nicht; kaum ein Blatt regte sich. **sinnv.**: sich rühren.

Re|gen, der; -s, -: *Niederschlag, der aus Wassertropfen besteht:* heftiger, feiner R. **sinnv.**: Regenfälle, Regentropfen, Schauer, Tropfen, Wolkenbruch; Niederschlag. **Zus.**: Dauer-, Eis-, Frühlings-, Gewitter-, Graupel-, Konfetti-, Kugel-, Land-, Monsun-, Niesel-, Platz-, Schneeregen.

Re|gen|schirm, der; -[e]s, -e: *Schirm zum Schutz gegen Regen:* den R. aufspannen, zumachen. **sinnv.**: Musspritze, Regendach, Schirm, Taschenschirm.

Re|gent, der; -en, -en, **Re|gen|tin,** die; -, -nen: *mit der Regierungsgewalt ausgestattete männliche bzw. weibliche Person / in Monarchien /:* der Briefwechsel zwischen Regent und Minister/zwischen dem Regenten und dem Minister. **sinnv.**: Fürst, Gebieter, Herrscher, Kaiser, König, Landesherr, Landesmutter, Landesvater, Monarch, Souverän, Zar; Oberhaupt. **Zus.**: Prinzregent.

Re|gie [re'ʒi:], die; -, Regien: *verantwortliche künstlerische Leitung beim Theater, Film o. ä.:* er hat bei diesem Film [die] R. geführt. **sinnv.**: Choreographie, Inszenierung, Management. **Zus.**: Bild-, Film-, Opern-, Schauspiel-, Tonregie.

re|gie|ren ⟨tr./itr.⟩: *die politische Führung haben (über jmdn./etwas):* ein reiches Land r.; Friedrich der Große regierte von 1740–1786. **sinnv.**: beherrschen, gebieten/herrschen über, leiten, lenken, verwalten; führen.

Re|gie|rung, die; -, -en: *Gesamtheit der Minister eines Landes oder Staates, die die politische Macht ausüben:* eine neue R. bilden; die R. ist zurückgetreten. **sinnv.**: Junta, Kabinett, Ministerrat, Senat, Staatsrat. **Zus.**: Exil-, Gegen-, Landes-, Marionetten-, Militär-, Minderheits-, Räte-, Staats-, Übergangs-, Zentralregierung.

Re|gi|on, die; -, -en: *bestimmter [geographischer] Bereich von einer gewissen Ausdehnung:* in den höheren Regionen des Gebirges schneite es; die einzelnen Regionen des menschlichen Körpers. **sinnv.**: Gebiet, Zone. **Zus.**: Eis-, Schnee-, Schulterregion.

re|gi|strie|ren ⟨tr.⟩: **1.** *in ein Verzeichnis eintragen:* alle Kraftfahrzeuge werden von der Behörde registriert. **sinnv.:** buchen; einschreiben. **2.** *selbsttätig aufzeichnen:* die Kasse registriert alle Einnahmen. **3.** *in das Bewußtsein aufnehmen:* er registrierte mit scharfem Blick die Schwächen des Gegners. **sinnv.:** bemerken.

reg|nen, regnete, hat geregnet ⟨itr.⟩: *als Regen auf die Erde fallen:* es regnet seit drei Stunden. **sinnv.:** gießen, nieseln, pieseln, pladdern, schiffen, schütten, sprühen, tröpfeln.

reg|ne|risch ⟨Adj.⟩: *zu Regen neigend, gelegentlich leicht regnend:* ein regnerischer Tag; regnerisches Wetter.

re|gu|lie|ren ⟨tr.⟩: *[wieder] in Ordnung, in einen richtigen Ablauf, Verlauf bringen:* den Schaden bei der Versicherung r.

Re|gung, die; -, -en: *Empfindung, Äußerung des Gefühls:* eine R. des Mitleids; den Regungen des Herzens folgen. **sinnv.:** Gefühl.

Reh, das; -[e]s, -e: *dem Hirsch ähnliches, aber kleineres, zierlicher gebautes Tier mit kurzem Geweih, das vorwiegend in Wäldern lebt (und sehr scheu ist).* **sinnv.:** Bambi, Bock, Kitz, Rehbock, Rehkalb, Rehkitz, Ricke.

rei|ben, rieb, hat gerieben: **1.** ⟨tr.⟩ *fest gegen etwas drücken und hin und her bewegen:* beim Waschen den Stoff r.; Metall [mit einem Tuch] blank r. **sinnv.:** abfrottieren, abreiben, abrubbeln, abschrubben, frottieren, rubbeln, schrubben. **2.** ⟨itr.⟩ *sich so auf der Haut hin und her bewegen, daß eine wunde Stelle entsteht:* der Kragen reibt am Hals. **sinnv.:** kratzen, schaben, scheuern.

Rei|be|rei, die; -, -en: *Streitigkeit, die durch unterschiedliche Ansichten o. ä. der Beteiligten entsteht:* es kam immer wieder zu Reibereien. **sinnv.:** Streit.

rei|bungs|los ⟨Adj.⟩: *ohne Störung, ohne Schwierigkeit:* für einen reibungslosen Ablauf des Programms sorgen.

reich ⟨Adj.⟩: **1.** *vermögend, viel besitzend*/Ggs. arm/: ein reicher Mann. **sinnv.:** begütert, bemittelt, betucht, finanzkräftig, mit Glücksgütern gesegnet, gutsituiert, kapitalkräftig, liquid, potent, steinreich, vermögend, wohlhabend, zahlungskräftig. **2.** ⟨nicht prädikativ⟩ *ergiebig, gehaltvoll:* eine reiche Ernte. **3.** ⟨nicht prädikativ⟩ *vielfältig, reichhaltig, in hohem Maße:* eine reiche Auswahl; das Buch ist r. bebildert. **4.** ⟨nicht prädikativ⟩ *mit teuren Dingen ausgestattet, luxuriös:* ein Haus mit reicher Ausstattung. **sinnv.:** üppig. **5.** ⟨nur attributiv⟩ *groß, umfassend:* reiche Kenntnisse haben. **sinnv.:** gewaltig.

-reich ⟨adjektivisches Suffixoid⟩: *das im Basiswort Genannte in hohem Maße, in großer Menge besitzend, enthaltend* /Ggs. -arm/: arten-, fett-, fisch-, kalorien-, kenntnis-, kinder-, kontrast-, vitamin-, wald-, wasserreich. **sinnv.:** -haft, -ig, -intensiv, -schwer, -selig, -stark, -trächtig, -voll.

Reich, das; -[e]s, -e: **1.** *großer und mächtiger Staat:* das Römische R. **sinnv.:** Staat. **Zus.:** Geister-, Himmel-, Kaiser-, Kolonial-, König-, Toten-, Welt-, Zarenreich. **2.** ⟨R. + Attribut⟩ *[größerer] Bereich, in dem etwas (Genanntes) [allein] herrscht:* im R. der Phantasie; das R. der Töne. **sinnv.:** Paradies. **Zus.:** Fabel-, Pflanzen-, Tierreich.

rei|chen: 1. ⟨tr.⟩ *(jmdm. etwas) so hinhalten, daß*

er es ergreifen kann: jmdm. ein Buch r.; er reichte ihm die Hand. **sinnv.:** geben. **2.** ⟨itr.⟩ *genügend vorhanden sein:* das Geld reicht nicht bis zum Ende des Monats. **sinnv.:** ausreichen. **3.** ⟨itr.⟩ *sich* ↑*erstrecken:* er reicht mit dem Kopf bis zur Decke.

reich|hal|tig ⟨Adj.⟩: *viel enthaltend, vieles bietend:* ein reichhaltiges Mittagessen, Programm. **sinnv.:** inhaltsreich, inhaltsvoll, substantiell, substanzhaltig, substanzreich; mannigfach; üppig.

reich|lich ⟨Adj.⟩: **a)** *das normale Maß von etwas überschreitend:* r. spenden; die Portionen sind r.; **sinnv.:** anständig, ausgiebig, [mehr als] genug, ein Haufen, haufenweise, in Hülle und Fülle, knüppeldick, ein gerüttelt Maß, en masse, in Massen, massenhaft, massenweise, massig, in rauhen Mengen, reihenweise, wie Sand am Meer, scharenweise, viel, nicht wenig, ungezählt, unzählige, in großer Zahl, zahllos, zahlreich. **Zus.:** überreichlich. **b)** *mehr als:* vor r. zehn Jahren. **c)** ⟨verstärkend bei Adjektiven⟩ *sehr, ziemlich* /enthält leichte Kritik/: er kam r. spät; sie trägt einen r. kurzen Rock.

Reich|tum, der; -s, Reichtümer: *großer Besitz an Vermögen, wertvollen Dingen:* zu R. kommen. **sinnv.:** Besitz; Prunk; Überfluß; Vermögen. **Zus.:** Arten-, Einfallsreichtum.

reif ⟨Adj.⟩: **1.** *im Wachstum voll entwickelt und für die Ernte, zum Pflücken geeignet:* reifes Obst, Getreide. **sinnv.:** ausgereift, gereift, pflückreif, überreif, vollreif. **2. a)** *durch Lebenserfahrung geprägt, innerlich gefestigt.* **sinnv.:** abgeklärt, besonnen; erwachsen. **b)** *durchdacht, hohen Ansprüchen genügend:* reife Leistungen; reife Gedanken. **sinnv.:** vollkommen.

-reif ⟨adjektivisches Suffixoid⟩: **a)** *in solch einem schlechten o. ä. Zustand, daß ... sollte, nötig hat, muß:* abbruchreif *(sollte abgebrochen werden),* bettreif *(sollte ins Bett gehen),* schrott-, urlaubsreif. **b)** *(in positiver Hinsicht) so weit gediehen, entwickelt, daß ... werden kann; die Qualifikation für das im Basiswort Genannte habend:* baureife Grundstücke, Pläne *(daß mit dem Bau begonnen werden kann),* bühnenreif *(kann auf die Bühne gebracht werden),* unterschriftsreif. **sinnv.:** -bar, -fähig, -tauglich, -würdig.

Reif, der; -[e]s, -e: **I.** ⟨ohne Plural⟩ *Niederschlag in Form von feinen Kristallen, die bei Kälte am Morgen einen weißen Belag auf dem Boden, auf Bäumen usw. bilden:* am Morgen lag R. auf den Wiesen. **sinnv.:** Tau. **Zus.:** Rauhreif. **II.** *ringförmiger Schmuck für Kopf, Arm oder Finger:* sie trug einen schimmernden R. im Haar. **sinnv.:** Ring. **Zus.:** Arm-, Gold-, Stirnreif.

Rei|fe, die; -: *Zustand des Reifseins:* sein Verhalten zeugt von mangelnder R. **Zus.:** Geschlechts-, Hochschulreife.

rei|fen, reifte, ist gereift ⟨itr.⟩: **1.** *reif werden:* das Obst ist in dem warmen Sommer schnell gereift. **sinnv.:** ausreifen. **2.** *den Zustand der vollen Reife erreichen:* Entscheidungen müssen r. **sinnv.:** sich entwickeln, zur Reife/Vollendung gelangen, sich vollenden, werden.

Rei|fen, der; -s, -: **1.** *Eisenring, der ein Faß zusammenhält:* er hat die Reifen des Fasses erneuert. **Zus.:** Faßreifen. **2.** *auf einer Felge liegende, entweder den Schlauch enthaltende oder selbst mit Luft gefüllte Decke aus Gummi, bes. bei Fahrrä-*

dern und *Autos* (siehe Bild „Auto", „Fahrrad"): er hat den R. gewechselt. **sinnv.:** Autoreifen. **Zus.:** Ballon-, Ersatz-, Fahrrad-, Gürtel-, Reserve-, Winterreifen.

reif|lich ⟨Adj.⟩: *(bes. in bezug auf eine endgültige Entscheidung, Wahl o.ä.) sehr gründlich und genau:* der Entschluß sollte erst nach reiflicher Überlegung gefaßt werden. **sinnv.:** ausführlich.

Rei|he, die; -, -n: **1.** *mehrere in einer Linie stehende Personen oder Dinge:* sich in einer R. aufstellen. **sinnv.:** Front, Linie, Schlange, Zeile. **Zus.:** Ahnen-, Häuser-, Knopf-, Säulen-, Schlacht-, Sitz-, Zahn-, Zuschauerreihe. **2.** *größere Zahl (von etwas):* er hat eine R. von Vorträgen gehalten; eine [ganze] R. [von] Frauen hat/haben protestiert. **Zus.:** Aufsatz-, Schriften-, Sende-, Versuchs-, Vortrags-, Zahlenreihe.

Rei|hen|fol|ge, die; -, -n: *geordnete Aufeinanderfolge:* etwas in zeitlicher, alphabetischer R. behandeln. **sinnv.:** Abfolge, Ablauf, Aufeinanderfolge, Folge, Hintereinander, Nacheinander, Sequenz, Turnus, Zyklus.

Reim, der; -[e]s, -e: *gleich klingender Ausgang zweier Verse:* ein Gedicht in Reimen. **Zus.:** Binnen-, End-, Stabreim · Abzähl-, Kehr-, Kinder-, Schüttelreim.

rei|men: a) ⟨sich r.⟩ *die Form des Reims haben; gleich klingen:* diese Wörter reimen sich. **b)** ⟨tr.⟩ *Reime bilden, machen:* ein Wort auf ein anderes r. **sinnv.:** dichten.

rein ⟨Adj.⟩: **1.** ⟨nur attributiv⟩ *nicht mit etwas vermischt, ohne fremde Bestandteile:* reiner Wein; ein Kleid aus reiner Seide. **sinnv.:** echt, lauter, naturbelassen, natürlich, naturrein, pur. **Zus.:** klang-, lupen-, rasserein. **2.** ↑*sauber:* reine Wäsche. **sinnv.:** frisch; hell; klar. **Zus.:** besen-, blüten-, stubenrein. **3.** *schuldlos, ohne Sünde:* er hat ein reines Gewissen, ein reines Herz. **sinnv.:** anständig, ehrenhaft, makellos, unverdorben. **Zus.:** ast-, engel-, tugendrein. **4.** (ugs. abwertend) *vollständig und nicht zu überbieten (in seiner negativen Beschaffenheit o.ä.):* das ist ja reiner, reinster Unsinn. **sinnv.:** bar.

rein- ⟨trennbares verbales Präfix⟩ (ugs.): *[in etwas] herein-, hinein-:* in das Zimmer reingehen (hineingehen), in das Zimmer reinkommen (hereinkommen), reinholen, reinspringen, reinziehen.

Rein|heit, die; -: **1.** *Beschaffenheit, bei der ein Stoff mit keinem anderen Stoff vermischt ist:* die R. des Weines. **Zus.:** Klang-, Rasse-, Sprachreinheit. **2.** *Sauberkeit:* die R. des Wassers, der Luft. **3.** *Unschuld, Aufrichtigkeit:* die R. des Herzens. **Zus.:** Herzens-, Sittenreinheit.

rei|ni|gen ⟨tr.⟩: ↑*säubern:* die Straße r.; die Kleider chemisch r. lassen.

Rei|ni|gung, die; -, -en: **1.** ⟨ohne Plural⟩ *das Reinigen:* die R. des Anzugs. **Zus.:** Abwasser-, General-, Straßenreinigung. **2.** *Unternehmen, das Kleidung reinigt:* in der Hauptstraße ist eine R. eröffnet worden. **Zus.:** Expreß-, Schnellreinigung.

Reis, der; -es: **a)** *(in warmen Ländern wachsende) hochwachsende Pflanze mit langen Rispen (deren Früchte in bestimmten Ländern ein Grundnahrungsmittel darstellen):* R. anbauen, pflanzen, ernten. **sinnv.:** Getreide. **b)** *Frucht des Reises:* ein Drittel der Menschheit ernährt sich von R. **Zus.:** Bouillon-, Brüh-, Milch-, Puffreis.

Rei|se, die; -, -n: *weitere und längere Fahrt vom Heimatort weg:* eine R. in die Schweiz, nach Finnland. **sinnv.:** Ausflug, Fahrt, Kreuzfahrt, Odyssee, Passage, Safari, Spritztour, Tour, Trip. **Zus.:** Ab-, An-, Bildungs-, Bus-, Dienst-, Entdeckungs-, Flug-, Gastspiel-, Geschäfts-, Gesellschafts-, Gruppen-, Hochzeits-, Pauschal-, Pilger-, Rund-, Tage[s]-, Winterreise.

rei|sen, reiste, ist gereist ⟨itr.⟩: *eine Reise machen:* er will bequem r.; wir reisen ans Meer, in die Berge, nach Paris. **sinnv.:** fahren, fliegen, eine Reise/eine Tour machen, auf Reisen gehen, trampen, sich verfügen, verreisen; bereisen; fortfahren.

rei|ßen, riß, hat/ist gerissen: **1. a)** ⟨tr.⟩ *gewaltsam, durch kräftiges, ruckartiges Ziehen in Stücke zerteilen:* er hat den Brief in Stücke gerissen. **sinnv.:** brechen. **b)** ⟨itr.⟩ *auseinanderbrechen, seinen Zusammenhalt verlieren:* unter der großen Last ist das Seil gerissen. **sinnv.:** platzen; zerbrechen. **2.** ⟨tr.⟩ *mit raschem und festem Griff gewaltsam wegnehmen:* jmdm. ein Buch aus der Hand r.; man hat ihm die Kleider vom Leib gerissen. **sinnv.:** nehmen. **3.** ⟨tr./itr.⟩ *heftig ziehen, mitschleifen:* der Hund hat ständig an der Leine gerissen; die Lawine hat die Menschen in die Tiefe gerissen. **sinnv.:** zerren.

rei|ße|risch ⟨Adj.⟩: *(im Urteil des Sprechers) auf billige, primitive Art wirkungsvoll:* reißerische Schlagzeilen. **sinnv.:** marktschreierisch.

Reiß|ver|schluß, der; Reißverschlusses, Reißverschlüsse: *Verschluß [an Kleidungsstücken] aus kleinen Metall- oder Kunststoffgliedern, die sich durch Ziehen eines Schiebers verzahnen* (siehe Bild): den R. öffnen, zumachen.

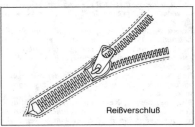

Reißverschluß

rei|ten, ritt, hat/ist geritten: **1.** ⟨itr.⟩ *sich auf einem Pferd sitzend fortbewegen:* ich bin/(seltener:) habe oft geritten. **sinnv.:** galoppieren, traben. **2.** ⟨tr.⟩ **a)** *ein Reittier reitend an einen bestimmten Ort bringen:* ich habe das Pferd in den Stall geritten. **b)** *ein Pferd (in bestimmter Gangart reiten)* (1): er ist Galopp geritten.

Reiz, der; -es, -e: **1.** *eine von außen oder innen ausgehende Wirkung auf einen Organismus:* das grelle Licht übte einen starken R. auf ihre Augen aus. **Zus.:** Brech-, Husten-, Juck-, Sinnesreiz. **2.** *angenehme Wirkung; Verlockung:* alles Fremde übt einen starken R. auf ihn aus; er ist den Reizen dieser Frau verfallen. **sinnv.:** Anreiz, Anziehungskraft, Faszination, Kitzel, Magie, Pfiff, Stachel, Stimulus, Verlockung, Zauber. **Zus.:** Liebreiz.

reiz|bar ⟨Adj.⟩: *leicht zu reizen, zu verärgern:* der

Chef ist heute sehr r. **sinnv.**: aufgeregt, leicht erregbar, heftig, hitzig, nervös, ungeduldig; empfindlich.

rei|zen: 1. ⟨tr.⟩ *(durch eine bestimmte Handlung o.ä.) sehr ärgern, in heftige Erregung versetzen:* du reizt ihn mit deinem Widerspruchsgeist. **sinnv.**: ärgern; provozieren. **2.** ⟨tr.⟩ *eine Wirkung auf einen Organismus auslösen:* die grelle Sonne hat seine Augen gereizt. **3.** ⟨tr.⟩ *eine angenehme Wirkung, einen Zauber, eine Verlockung auslösen:* der Duft der Speisen reizte seinen Magen; diese Frau reizt alle Männer. **sinnv.**: anmachen, anreizen, aufgeilen, aufreizen, entflammen, locken, jmdm. den Mund wäßrig machen, jmdn. scharf/ verrückt machen, stimulieren, verlocken. **4.** ⟨itr./ tr.⟩ *(bei verschiedenen Kartenspielen) durch Abgabe des Angebots, daß man ein bestimmtes Spiel machen möchte, den Gegner zu einem Gegenangebot herausfordern:* er reizte 48.

rei|zend ⟨Adj.⟩: *(durch seine Art, sein Wesen) besonderes Gefallen erregend:* ein reizendes Kind. **sinnv.**: hübsch; lieb.

re|keln, sich: *sich mit großem Behagen dehnen und strecken:* er rekelte sich auf dem Sofa. **sinnv.**: sich aalen, sich ausstrecken, sich fläzen, sich flegeln, sich hinlümmeln, sich lümmeln.

Re|kla|me, die; -, -n: *Anpreisung von etwas mit dem Ziel, eine möglichst große Zahl von Interessenten zu gewinnen:* für etwas R. machen. **sinnv.**: Werbung. **Zus.**: Kino-, Leucht-, Licht-, Waschmittelreklame.

re|kon|stru|ie|ren ⟨tr.⟩: **1.** *in seinem ursprünglichen Zustand aus einzelnen bekannten Teilen bis in Einzelheiten genau nachbilden:* einen Tempel r. **sinnv.**: nachbilden. **2.** *(den Ablauf von etwas, was sich in der Vergangenheit ereignet hat) genau wiedergeben:* der Hergang der Tat wurde rekonstruiert.

Re|kord, der; -[e]s, -e: *bisher noch nicht erreichte Leistung:* mit diesem Sprung stellte er einen neuen R. auf. **sinnv.**: Bestleistung, Höchstleistung. **Zus.**: Bahn-, Europa-, Landes-, Schanzen-, Weltrekord.

Re|krut, der; -en, -en: *Soldat in der ersten Ausbildungszeit:* Rekruten wurden ausgehoben. **sinnv.**: Soldat.

Rek|tor, der; -s, Rektoren, **Rek|to|rin,** die; -, -nen: **1.** *(aus dem Kreis der ordentlichen Professoren) für eine bestimmte Zeit gewählter Repräsentant bzw. gewählte Repräsentantin einer Hochschule.* **sinnv.**: Magnifizenz, Präsident. **2.** *Leiter bzw. Leiterin einer Grund-, Haupt-, Real- oder Sonderschule.*

re|la|tiv ⟨Adj.⟩: *einem Verhältnis entsprechend; im Verhältnis zu, verhältnismäßig, vergleichsweise:* ein r. günstiger Preis; er braucht keine absolute Mehrheit, die relative Mehrheit genügt. **sinnv.**: bedingt; verhältnismäßig.

Re|li|gi|on, die; -, -en: *Glaube an Gott oder an ein göttliches Wesen und der sich daraus ergebende Kult:* die christliche, buddhistische, mohammedanische R. **Zus.**: Natur-, Staats-, Weltreligion.

re|li|gi|ös ⟨Adj.⟩: *einer Religion angehörend, von ihr bestimmt:* die religiöse Erziehung der Kinder; sie ist sehr r. **sinnv.**: fromm. **Zus.**: freireligiös.

rem|peln ⟨tr./itr.⟩ (ugs.): *[absichtlich] mit dem Körper stoßen, wegdrängen:* er rempelte mich. **sinnv.**: anrempeln.

Ren|dez|vous [rãde'vu:], das; - [rãde'vu:(s)], - [rãde'vu:s]: *Verabredung, Treffen [von Verliebten]:* sie kam in das Café zum R. **sinnv.**: Date, Schäferstündchen, Stelldichein, Tête-à-tête, Treffen, Verabredung.

ren|nen, rannte, ist gerannt ⟨itr.⟩: **1. a)** *sehr schnell laufen:* er rannte, um die Bahn noch zu erreichen. **sinnv.**: laufen; sich fortbewegen. **b)** (ugs.) *gehen:* renn doch schnell mal zum Bäcker! **c)** *(zum Ärger des Sprechers) sich irgendwohin begeben:* oft ins Kino r.; er rennt immer gleich zum Arzt, zur Polizei. **2.** *mit einer gewissen Wucht an jmdn./etwas stoßen:* er ist im Dunkeln gegen den Türpfosten gerannt. **sinnv.**: anrennen; sich stoßen.

Ren|nen, das; -s, -: *Wettkampf im Laufen, Reiten oder Fahren:* an einem R. teilnehmen. **sinnv.**: Derby, Grand Prix, Moto-Cross, Rallye, Sternfahrt; Lauf. **Zus.**: Abfahrts-, Auto-, Bahn-, Berg-, Galopp-, Hunderennen, Kopf-an-Kopf-Rennen, Motorrad-, Pferde-, Rad-, Sandbahn-, Sechstage-, Steher-, Straßen-, Trab-, Wett-, Wildwasserrennen.

Ren|ner, der; -s, -: **1.** *gutes, schnelles Rennpferd.* **2.** (Jargon) *Ware, die sich besonders gut verkauft:* das Buch ist der R. der Saison. **sinnv.**: Schlager.

re|no|vie|ren ⟨tr.⟩: *(schadhaft, unansehnlich Gewordenes) wieder instand setzen, neu herrichten:* eine Wohnung, ein Haus r. **sinnv.**: erneuern.

Ren|te, die; -, -n: *Einkommen in Form regelmäßiger monatlicher Zahlungen aus einer gesetzlichen Versicherung oder aus entsprechend angelegtem Vermögen:* er hat nur eine kleine R. **sinnv.**: Pension, Ruhegehalt, Ruhegeld. **Zus.**: Hinterbliebenen-, Invaliden-, Witwen-, Zusatzrente.

ren|tie|ren, sich: *von Nutzen sein; Gewinn, Ertrag abwerfen:* der Laden rentiert sich [nicht]; diese Ausgabe hat sich nicht rentiert. **sinnv.**: abwerfen.

Rent|ner, der; -s, -, **Rent|ne|rin,** die; -, -nen: *männliche bzw. weibliche Person, die eine Rente bezieht.* **sinnv.**: Pensionär, Pensionist, Privatier, Privatmann, Rentier, Ruheständler.

Re|pa|ra|tur, die; -, -en: *das Reparieren; Arbeit, die ausgeführt wird zur Beseitigung eines Mangels, Schadens:* eine R. ausführen. **sinnv.**: Erneuerung, Instandsetzung, Rekonstruktion, Renovierung, Restauration, Wiederherrichtung, Wiederherstellung. **Zus.**: Auto-, Schönheitsreparatur.

re|pa|rie|ren ⟨tr.⟩: *wieder in den früheren intakten, gebrauchsfähigen Zustand bringen:* ein Auto r.; er hat das Türschloß notdürftig repariert. **sinnv.**: ausbessern, ausflicken, beheben, beseitigen, erneuern, flicken, wieder ganz machen, instand setzen, in Ordnung bringen, richten, stopfen, überholen.

Re|por|ta|ge [repor'ta:ʒə], die; -, -n: *ausführlicher, lebendiger, mit Interviews o.ä. versehener Bericht in Presse, Rundfunk, Fernsehen über ein aktuelles Ereignis:* eine R. schreiben, machen. **sinnv.**: Bericht.

Re|por|ter, der; -s, -, **Re|por|te|rin,** die; -, -nen: *männliche bzw. weibliche Person, die berufsmäßig Reportagen macht.* **sinnv.**: Journalist.

re|prä|sen|tie|ren: 1. ⟨itr.⟩ *seiner Stellung, Funktion entsprechend in der Öffentlichkeit auftreten:* er kann gut r. **2.** ⟨tr.⟩ *(etwas, eine Gesamtheit von Personen) nach außen vertreten:* er repräsentiert eine der führenden Firmen. **Zus.**: über-, unterrepräsentieren. **3.** ⟨tr.⟩ *wert sein, den Wert von etwas darstellen:* das Grundstück repräsentiert einen Wert von vielen tausend Mark. **sinnv.**: bedeuten. **4.** ⟨tr.⟩ *in typischer, das Wesen von etwas erfassender Weise darstellen, vertreten; (für etwas) typisch sein:* diese Auswahl repräsentiert das Gesamtschaffen des Künstlers.

Rep|til, das; -s, -ien: *(zu einer Klasse der Wirbeltiere gehörendes) wechselwarmes Tier mit einer meist von Schuppen aus Horn bedeckten Haut.* **sinnv.**: Kriechtier.

Re|pu|blik, die; -, -en: *Staatsform, bei der die oberste Gewalt durch Personen ausgeübt wird, die für eine bestimmte Zeit vom Volk oder dessen Vertretern gewählt werden.* **Zus.**: Bananen-, Räte-, Volksrepublik.

Re|ser|ve, die; -, -n: **1.** *etwas für den Bedarfs- oder Notfall vorsorglich Angesammeltes, Zurückbehaltenes:* sich eine R. an Lebensmitteln anlegen. **sinnv.**: Vorrat. **Zus.**: Energie-, Gold-, Kraftreserve. **2.** *Ersatz für eine aktive Gruppe von Personen, besonders beim Militär und im Sport:* zur R. gehören; er spielt in der R. **3.** ⟨ohne Plural⟩ *sehr zurückhaltendes, abwartendes, oft auch kühles, abweisendes Verhalten:* jmdn. aus der R. locken; auf R. im eigenen Lager stoßen. **sinnv.**: Bedenken.

re|ser|vie|ren ⟨tr.⟩: *für jmdn. bis zur Inanspruchnahme, Abholung o. ä. freihalten, zurücklegen:* ich werde die Karten für sie an der Kasse r.; [jmdm.] einen Platz r. **sinnv.**: belegen, freihalten, vormerken, zurücklegen.

re|ser|viert ⟨Adj.⟩: *anderen Menschen, einer Sache gegenüber voller Zurückhaltung, oft abweisend:* er steht dem Vorschlag sehr r. gegenüber; sich r. verhalten. **sinnv.**: herb, passiv, unzugänglich.

re|si|gnie|ren ⟨itr.⟩: *auf Grund von Mißerfolgen, Enttäuschungen o. ä. seine Pläne aufgeben, sich entmutigt (mit etwas) abfinden:* nach dem ergebnislosen Kampf mit den Behörden resignierte er endlich. **sinnv.**: aufgeben; nachgeben; verzagen.

re|so|lut ⟨Adj.⟩: *sehr entschlossen und energisch; den Willen, sich durchzusetzen, deutlich erkennen lassend:* sie ist eine sehr resolute Person. **sinnv.**: forsch; zielstrebig.

Re|spekt, der; -[e]s: *bes. auf Anerkennung, Bewunderung o. ä. beruhende Achtung:* jmdm. seinen R. erweisen; vor jmdm. R. haben. **sinnv.**: Achtung. **Zus.**: Heiden-, Mordsrespekt.

re|spek|tie|ren ⟨tr.⟩: **a)** *Achtung entgegenbringen:* jmdn., jmds. Haltung r. **sinnv.**: achten. **b)** *als vertretbar, legitim o. ä. anerkennen, gelten lassen:* einen Standpunkt, eine Entscheidung r. **sinnv.**: billigen.

Rest, der; -[e]s, -e: **1.** *etwas, was als meist kleinerer, geringerer Teil von etwas übriggeblieben, noch vorhanden ist:* ein kleiner R. von Wein; ein R. Farbe. **sinnv.**: Relikt, Überbleibsel, Überrest, Übriges, Übriggebliebenes. **Zus.**: Brot-, Farb-, Kuchen-, Wollrest. **2.** *etwas, was zur Vervollständigung, Abgeschlossenheit von etwas noch fehlt:* den R. des Weges zu Fuß gehen.

Re|stau|rant [rɛstoˈrãː], das; -s, -s: *Gaststätte, die bes. des Essens wegen aufgesucht wird:* ein berühmtes, teures R. **sinnv.**: Gaststätte. **Zus.**: Bahnhofs-, Garten-, Luxus-, Speiserestaurant.

rest|lich ⟨Adj.; nur attributiv⟩: *einen Rest dar-stellend:* das restliche Geld; ich werde die restlichen Arbeiten später erledigen. **sinnv.**: letzt..., übrig, übrigbleibend, übriggeblieben, übriggelassen, verbleibend, noch vorhanden, zurückbleibend.

rest|los ⟨Adj.; verstärkend bes. bei Verben⟩ (ugs.): *ganz und gar:* er hat r. versagt. **sinnv.**: ganz.

Re|sul|tat, das; -[e]s, -e: ↑*Ergebnis:* das R. der Rechnung stimmte; der Versuch erbrachte kein R. **sinnv.**: Erfolg; Lösung. **Zus.**: End-, Gesamt-, Prüfungsresultat.

ret|ten, rettete, hat gerettet ⟨tr.⟩: **1.** *(aus einer Gefahr, einer bedrohlichen Situation) befreien:* jmdn. das Leben r.; er konnte sich durch einen Sprung aus dem Fenster r. **sinnv.**: befreien, bergen, erlösen, erretten. **2.** *vor (durch Zerstörung, Verfall, Abhandenkommen o. ä.) drohendem Verlust bewahren:* den Baumbestand r.; das Gemälde r. **sinnv.**: erhalten, haltbar machen, konservieren. **3.** *in Sicherheit bringen; aus einem Gefahrenbereich wegschaffen:* seine Habe, sich ins Ausland, über die Grenze r.

Reue, die; -: *tiefes Bedauern über eine als übel, unrecht, falsch erkannte Handlungsweise:* [keine] R. zeigen, empfinden.

reu|mü|tig ⟨Adj.⟩: *von Reue erfüllt, Reue zeigend:* der Junge kehrte r. zu den Eltern zurück. **sinnv.**: bußfertig, reuevoll, reuig, schuldbewußt, zerknirscht.

re|van|chie|ren [revãˈʃiːrən], sich: **1.** *eine üble Tat vergelten, dafür Rache nehmen; eine erlittene Niederlage wettmachen, ausgleichen:* für deine Bosheiten werde ich mich später r.; sich mit einem 2:0 im Gegenspiel r. **sinnv.**: bestrafen. **2.** *auf eine Freundlichkeit, eine freundliche Tat, eine Hilfe o. ä. mit einer Gegenleistung, Gegengabe reagieren:* wir werden uns für ihre Einladung r. **sinnv.**: belohnen.

Re|vier, das; -s, -e: **1.** *Fläche bestimmter Ausdehnung, Begrenzung, die unter verschiedenen Gesichtspunkten (häufig als jmds. Zuständigkeitsbereich) eine bestimmte Einheit darstellt:* das R. eines Försters; der Hirsch verteidigt sein R. **sinnv.**: Gebiet. **Zus.**: Forst-, Jagd-, Kohle-, Wildrevier. **2.** *Aufgabenbereich, in dem jmd. tätig ist, sich zuständig fühlt:* die Musik ist sein R. **sinnv.**: Bereich. **3.** *polizeiliche Dienststelle, die für einen bestimmten Bezirk zuständig ist:* jmdn. aufs R. bringen. **sinnv.**: Polizeibüro, Polizeidienststelle, Polizeirevier, Polizeistation, Polizeiwache, Wache.

re|vol|tie|ren ⟨itr.⟩: *sich heftig gegen jmdn./etwas auflehnen:* die Gefangenen revoltierten; die Jugend revoltiert gegen die Gesellschaft. **sinnv.**: protestieren.

Re|vo|lu|ti|on, die; -, -en: **1.** *auf radikale Veränderung der bestehenden politischen und gesellschaftlichen Verhältnisse ausgerichteter [gewaltsamer] Umsturz:* eine R. ist ausgebrochen. **sinnv.**: Aufruhr; Putsch. **Zus.**: Konter-, Palast-, Weltrevolution. **2.** *Umwälzung der bisher geltenden Maßstäbe, Techniken o. ä.; grundlegende Neuerung:* die industrielle R.; seine Erfindung bedeutet für diesen Bereich eine R. **sinnv.**: Reform.

Re|zept, das; -[e]s, -e: **1.** *schriftliche Anordnung des Arztes an den Apotheker zur Abgabe bestimmter Medikamente:* der Arzt schrieb ein R. **sinnv.**: Verordnung, Verschreibung. **Zus.**: Arzneirezept.

2. *Anleitung für die Zubereitung von Speisen:* sie kocht genau nach R. **sinnv.:** Backvorschrift, Kochvorschrift. **Zus.:** Back-, Familien-, Koch-, Kuchen-, Originalrezept · Erfolgs-, Geheim-, Patentrezept.

Rhom|bus, der; -, Rhomben: /eine geometrische Figur/ (siehe Bildleiste „geometrische Figuren", S. 175).

rhyth|misch ⟨Adj.⟩: **a)** *den Rhythmus betreffend, für den Rhythmus bestimmt:* rhythmische Instrumente; r. exakt spielen. **b)** *nach bestimmtem Rhythmus erfolgend:* rhythmische Gymnastik; das rhythmische Stampfen der Maschine. **sinnv.:** gleichmäßig.

Rhyth|mus, der; -, Rhythmen: **1.** *Gliederung des Zeitmaßes, Ablauf von Bewegungen oder Tönen in einem bestimmten Takt:* ein bewegter, schneller R.; der Tänzer geriet aus dem R. **2.** *gleichmäßig gegliederte Bewegung, periodischer Wechsel, regelmäßige Wiederkehr:* der R. der Jahreszeiten. **sinnv.:** Gleichmaß.

richten, richtete, hat gerichtet: **1.** ⟨tr.⟩ **a)** *in eine bestimmte Richtung bringen:* das Fernrohr auf etwas r.; den Blick in die Ferne r. **sinnv.:** ausrichten, lenken. **b)** *sich mit einer mündlichen oder schriftlichen Äußerung an jmdn. wenden:* eine Bitte, Aufforderung an jmdn. r. **2.** ⟨sich r.⟩ **a)** *(von Sachen) sich in eine bestimmte Richtung wenden:* die Scheinwerfer richteten sich plötzlich alle auf einen Punkt. **b)** *sich in kritisierender Absicht gegen jmdn./etwas wenden:* sich in/mit seinem Werk gegen soziale Mißstände r.; gegen wen richtet sich Ihr Verdacht? **3.** ⟨sich r.⟩ **a)** *sich ganz auf jmdn./etwas einstellen und sich in seinem Verhalten entsprechend beeinflussen lassen:* sich nach jmds. Wünschen r. **sinnv.:** sich anlehnen; sich anpassen; befolgen. **b)** *von anderen Bedingungen abhängen und entsprechend verlaufen, sich gestalten:* die Bezahlung richtet sich nach der Leistung. **4.** ⟨tr.⟩ **a)** *in eine gerade Linie, Fläche bringen:* sich gerade r.; einen [Knochen]bruch r. **sinnv.:** einrenken. **b)** *richtig einstellen:* eine Antenne r. **5.** ⟨tr.⟩ **a)** *in einen ordentlichen, gebrauchsfertigen, besseren Zustand bringen:* sich den Schlips, die Haare r. das kann ich schon r. *(einrichten).* **sinnv.:** reparieren. **b)** *aus einem bestimmten Anlaß vorbereiten:* die Betten [für die Gäste] r.; ich habe euch das Frühstück gerichtet. **6.** ⟨itr.⟩ **a)** *ein gerichtliches Urteil über jmdn./etwas fällen:* nach dem Recht r. **b)** *über jmdn./etwas urteilen, ein schwerwiegendes, negatives Urteil abgeben:* wir haben über diesen Menschen nicht zu r.

Rich|ter, der; -s, -, **Rich|te|rin,** die; -, -nen: *männliche bzw. weibliche Person, die die Rechtsprechung ausübt, über jmdn./etwas gerichtliche Entscheidungen trifft:* der Richter ließ Milde walten. **sinnv.:** Jurist. **Zus.:** Amts-, Jugend-, Laien-, Straf-, Untersuchungsrichter · Kampf-, Linien-, Preis-, Punkt-, Ringrichter.

rich|tig: **I.** ⟨Adj.⟩ **1. a)** *als Entscheidung, Verhalten o. ä. dem tatsächlichen Sachverhalt, der realen Gegebenheit entsprechend:* der richtige Weg; ich halte das nicht für r. **b)** *keinen [logischen] Fehler, keine Unstimmigkeiten enthaltend:* eine richtige Lösung; ein Wort r. schreiben. **sinnv.:** einwandfrei, fehlerfrei, korrekt, recht. **2. a)** *für jmdn./etwas am besten geeignet:* den richtigen Zeitpunkt wählen; eine Sache r. anfassen. **sinnv.:** geeignet.

b) *den Erwartungen entsprechend:* seine Kinder sollten alle erst einen richtigen Beruf lernen; wir haben lange Jahre keinen richtigen Sommer mehr gehabt. **sinnv.:** wie es sich gehört, ordentlich. **3 a)** *in der wahren Bedeutung des betreffenden Wortes; nicht scheinbar, sondern echt:* die Kinder spielen mit richtigem Geld; sie ist nicht die richtige Mutter der Kinder. **sinnv.:** wahr; wirklich. **b)** (oft ugs.) †*regelrecht:* du bist ein richtiger Feigling; r. wütend, froh sein. **II.** ⟨Adverb⟩ *in der Tat, wie man mit Erstaunen feststellt:* sie sagte, er komme sicher bald, und r., da trat er in die Tür.

Rich|tung, die; -, -en: **1.** *das Gerichtetsein, Verlauf auf ein bestimmtes Ziel zu:* die R. nach Westen einschlagen; ein Schritt in die richtige R. **sinnv.:** Route. **Zus.:** Blick-, Fahrt-, Flug-, Himmels-, Längs-, Marsch-, Schußrichtung. **2.** *spezielle Ausprägung innerhalb eines geistigen Bereichs:* die politische R. bestimmen; die verschiedenen Richtungen in der Kunst. **sinnv.:** Neigung; Stellung. **Zus.:** Fach-, Forschungs-, Geistes-, Kunst-, Stilrichtung.

rie|chen, roch, hat gerochen: **1. a)** ⟨tr.⟩ *durch den Geruchssinn, mit der Nase einen Geruch wahrnehmen:* ich habe Gas, den Käse gerochen. **sinnv.:** schnüffeln, schnuppern. **b)** ⟨itr.⟩ *durch prüfendes Einziehen der Luft durch die Nase den Geruch von etwas wahrzunehmen suchen:* an einer Rose r. ⟨itr.⟩ *einen bestimmten Geruch haben, verbreiten:* der Kaffee riecht gut. **sinnv.:** duften, dunsten, dünsten, stinken.

Rie|gel, der; -s, -: **1.** *Vorrichtung zum Verschließen von Türen, Toren, Fenstern:* den R. an der Tür vorschieben, zurückschieben. **sinnv.:** Riegelholz, Schieber, Schuber, Sperre. **Zus.:** Eisen-, Fenster-, Türriegel. **2.** *meist unterteiltes stangenartiges Stück von etwas:* ein R. Schokolade, Seife. **Zus.:** Schoko[laden]-, Seifenriegel.

Rie|men, der; -s, -: **1.** *schmaler, längerer Streifen aus Leder, festem Gewebe oder Kunststoff:* er hat den Koffer mit einem R. verschnürt. **sinnv.:** Gurt. **Zus.:** Keil-, Leder-, Tragriemen. **2.** *längeres, mit beiden Händen zu fassendes Ruder:* sich in die Riemen legen. **sinnv.:** Ruder.

Rie|se, der; -n, -n: *(in Märchen, Sagen, Mythen auftretendes) Wesen von übernatürlich großer menschlicher Gestalt /Ggs. Zwerg/.* **sinnv.:** Gigant, Goliath, Hüne, Koloß, Lulatsch.

rie|seln, rieselte, ist gerieselt ⟨itr.⟩: **1.** *in nicht allzu großer Menge und oft mit feinem hellem Geräusch [irgendwohin] fließen:* das Wasser rieselt über die Steine; aus der Wunde rieselt Blut. **sinnv.:** fließen; plätschern. **2.** *in vielen kleinen Teilchen, kaum hörbar und in leichter stetiger Bewegung [irgendwohin] fallen, gleiten, sinken:* der Schnee rieselte leise; an den Wänden rieselt der Kalk.

Rie|sen- ⟨Präfixoid, auch das Basiswort wird betont⟩ (verstärkend): *außergewöhnlich, sehr groß; riesig, gewaltig:* Riesenauflage, -auswahl, -defizit, -enttäuschung, -erfolg, -spaß, -überraschung. **sinnv.:** Heiden-, Mammut-, Monster-, Super-, Top-.

rie|sig ⟨Adj.⟩: **1. a)** *außerordentlich, übermäßig groß:* ein riesiger Elefant. **sinnv.:** astronomisch; gewaltig. **b)** *einen übermäßig hohen Grad aufweisend:* eine riesige Freude. **2.** (ugs.) **a)** †*großartig.*

eine riesige Party; das finde ich r. **sinnv.**: außergewöhnlich. **b)** ⟨verstärkend bei Adjektiven und Verben⟩ ↑*sehr*: r. lang; ich habe mich r. gefreut.

ri|go|ros ⟨Adj.⟩: *sehr streng, hart und oft rücksichtslos*: die Polizei greift r. durch; rigorose Maßnahmen ergreifen. **sinnv.**: radikal; streng.

Ri|l|le, die; -, -n: *schmale, längere Vertiefung in der Oberfläche von etwas*: die Rillen einer Säule, in Glas. **sinnv.**: Riß.

Rind, das; -[e]s, -er: *(als Milch und Fleisch lieferndes Nutztier gehaltenes) größeres Tier mit braunem bis schwarzem, oft weiß geflecktem, auch falbem Fell, Hörnern, langem Schwanz und einem großen Euter beim weiblichen Tier* (siehe Bild). **sinnv.**: Bulle, Farren, Färse, Kalb, Kuh, Ochse, Stier. **Zus.**: Haus-, Schlacht-, Zuchtrind.

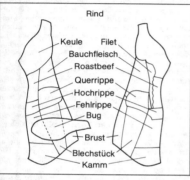

Rind

Keule — Filet
Bauchfleisch
Roastbeef
Querrippe
Hochrippe
Fehlrippe
Bug
Brust
Blechstück
Kamm

Rin|de, die; -, -n: **1.** *äußere, feste, oft harte, borstige Schicht von Bäumen und Sträuchern*: rauhe, rissige, glatte R. **sinnv.**: Borke. **Zus.**: Baum-, Birken-, Tannenrinde. **2.** *äußere, härtere Schicht von etwas Weichem*: die R. vom Käse, Brot. **sinnv.**: Kruste. **Zus.**: Brot-, Käserinde.

Ring, der; -[e]s, -e: **1.** *gleichmäßig runder, kreisförmig in sich geschlossener Gegenstand*: einen goldenen R. am Finger tragen. **sinnv.**: Reif. **Zus.**: Dichtungs-, Ehe-, Finger-, Freundschafts-, Gold-, Gummi-, Rettungs-, Verlobungsring. **2.** *ringförmiges Gebilde*: das Glas hinterließ einen feuchten R.; einen R. um jmdn. bilden. **Zus.**: Augen-, Baum-, Jahresring. **2.** *durch Seile begrenzter, quadratischer Platz für Boxkämpfe*: den R. als Sieger verlassen. **Zus.**: Boxring. **3.** *Vereinigung von Personen, die sich zur Durchsetzung bestimmter Ziele zusammengeschlossen haben*: ein internationaler R. von Rauschgifthändlern; die Firmen wollen sich zu einem R. zusammenschließen. **sinnv.**: Syndikat, Vereinigung. **Zus.**: Lese-, Spionagering.

rin|gen, rang, hat gerungen: **1.** ⟨itr.⟩ *mit körperlichem Einsatz [nach bestimmten Regeln] so kämpfen, daß der Gegner bezwungen wird*: er hat mit ihm gerungen. **2. a)** ⟨tr.; mit näherer Bestimmung⟩ *(jmdm.) gegen heftigen Widerstand (aus den Händen) winden*: er hat ihm die Pistole aus der Hand gerungen. **b)** ⟨itr.⟩ *(die Hände aus Verzweiflung o. ä. ineinander verschränkt halten und so [heftig] bewegen*: weinend die/seine Hände r.

3. ⟨itr.⟩ **a)** *sich angestrengt, unter Einsatz aller Kräfte [gleichzeitig mit einem anderen] bemühen, etwas Bestimmtes zu erreichen, zu verwirklichen*: um Erfolg r.; sie rangen alle drei um dieses Amt. **sinnv.**: streben. **b)** *sich innerlich heftig mit etwas auseinandersetzen*: mit einem Problem r.

rings ⟨Adverb⟩: *im Kreis, im Bogen um jmdn./etwas*: der Ort ist r. von Bergen umgeben; sich r. im Kreise drehen. **sinnv.**: überall.

Rin|ne, die; -, -n: *schmale, längere Vertiefung zum Ableiten von Wasser*: Rinnen durchziehen das Gelände; eine R. graben. **sinnv.**: Dachrinne; Graben. **Zus.**: Abfluß-, Dach-, Regen-, Wasserrinne.

rin|nen, rann, ist geronnen ⟨itr.⟩: *in kleineren Mengen langsam und stetig fließen, sich irgendwohin bewegen*: der Regen rinnt [von den Dächern]; Sand rinnt ihm durch die Finger. **sinnv.**: fließen.

Rip|pe, die; -, -n: **1.** *schmaler bogenförmiger Knochen im Oberkörper des Menschen und bestimmter Tiere (der mit anderen zusammen den Brustkorb bildet)*: er hat eine R. gebrochen. **2.** ⟨R. + Attribut⟩ *Gegenstand, der einer Rippe ähnlich ist, daran erinnert*: die Rippen eines Blattes; eine R. Schokolade.

Ri|si|ko, das; -s, -s und Risiken: *mit einem Vorhaben o. ä. verbundenes Wagnis, möglicher negativer Ausgang bei einer Unternehmung, Möglichkeit des Verlustes, Mißerfolges*: das R. tragen. **sinnv.**: Wagnis. **Zus.**: Berufs-, Sicherheitsrisiko.

ris|kant ⟨Adj.⟩: *mit einem Risiko, mit Gefahr verbunden und daher ziemlich gewagt*: der Plan ist r. **sinnv.**: gefährlich.

ris|kie|ren ⟨tr.⟩: **a)** *die Möglichkeit eines Fehlschlags, die Gefahr des Verlustes o. ä. heraufbeschwören, sie bei etwas in Kauf nehmen*: einen Unfall r.; seine Stellung, sein Leben r. **sinnv.**: wagen. **b)** *(etwas) vorsichtig, nur mit gewisser Zurückhaltung tun*: ein zaghaftes Lächeln, einen Blick r.

Riß, der; Risses, Risse: *durch Reißen, Brechen entstandener Spalt; Stelle, an der etwas gerissen, eingerissen ist*: ein R. im Stoff; ein tiefer R. in der Mauer. **sinnv.**: Knacks, Leck, Loch, Lücke, Rille, Ritz, Ritze, Schlitz, Spalt, Spalte, Sprung. **Zus.**: Haar-, Muskelriß.

Ritt, der; -[e]s, -e: *das Reiten*: ein langer, anstrengender R. **Zus.**: Aus-, Spazierritt.

Rit|ter, der; -s, - : **a)** *(im Mittelalter) in einer Rüstung und zu Pferd kämpfender Krieger gehobenen Standes*. **Zus.**: Grals-, Raubritter. **b)** *(im Mittelalter) Angehöriger des mit bestimmten Privilegien ausgestatteten Adelsstandes*. **Zus.**: Kreuz-, Ordensritter.

Rit|ze, die; -, -n: *sehr schmale Spalte oder Vertiefung; schmaler Zwischenraum*: Staub setzt sich in die Ritzen; der Wind pfiff durch die Ritzen des alten Hauses. **sinnv.**: Riß, Spalt. **Zus.**: Fenster-, Mauer-, Türritze.

rit|zen: **1.** ⟨tr.⟩ *(in etwas) einen Ritz, Ritze machen; mit einem scharfen Gegenstand eine Vertiefung, Einkerbung einschneiden*: Glas [mit einem Diamanten] r.; einen Namen in den Baum r. **sinnv.**: kratzen. **2.** ⟨sich r.⟩ *sich durch einen spitzen harten Gegenstand die Haut verletzen*: ich habe mich an einem Nagel geritzt. **sinnv.**: aufreißen.

Ri|va|le, der; -n, -n, **Ri|va|lin**, die; -, -nen: *männliche bzw. weibliche Person, die sich um die gleiche Sache oder Person bewirbt*: er schlug seine

Rivalen aus dem Felde. **sinnv.:** Konkurrent, Konkurrenz, Mitbewerber, Nebenbuhler, Widersacher.

Rob|be, die; -, -n: *großes, im Meer lebendes (Säuge)tier mit langgestrecktem plumpem Körper und flossenartigen Gliedmaßen.*

Ro|bo|ter, der; -s, -: *der Gestalt eines Menschen ähnliche Maschine mit beweglichen Gliedern, die bestimmte mechanische Funktionen ausüben kann:* diese Aufgaben werden von einem R. ausgeführt.

ro|bust ⟨Adj.⟩: **1.** *körperlich oder seelisch stabil, nicht empfindlich:* eine robuste Natur, Gesundheit. **sinnv.:** dickfellig; stark; widerstandsfähig. **2.** *Belastungen gut standhaltend und daher im Gebrauch meist unkompliziert:* ein robuster Motor. **sinnv.:** haltbar.

rö|cheln ⟨itr.⟩: *mit rasselndem Geräusch, keuchend atmen:* der Kranke röchelte. **sinnv.:** atmen.

Rock: **I.** der; -[e]s, Röcke: **1.** *Kleidungsstück, Teil eines Kleidungsstücks für Frauen und Mädchen, das von der Hüfte abwärts reicht:* ein Kleid mit langem R. **Zus.:** Falten-, Glocken-, Hosen-, Mini-, Reif-, Unterrock. **2.** (landsch.) ↑ *Jacke:* er zog seinen R. wegen der Hitze aus. **Zus.:** Braten-, Priester-, Uniform-, Waffenrock. **II.** der; -[s], -[s]: *auf elektronisch verstärkten Instrumenten gespielte, stark rhythmisierte Musik.* **Zus.:** Country-, Jazz-, Punkrock.

ro|deln, rodelte, hat/ist gerodelt ⟨itr.⟩: **a)** *mit einem Schlitten im Schnee fahren:* wir haben/sind den ganzen Nachmittag gerodelt. **b)** *mit einem Schlitten irgendwohin, auf ein Ziel zufahren:* wir sind ins Tal gerodelt.

Rog|gen, der; -s: *Getreide, dessen Frucht bes. zu Brotmehl verarbeitet wird* (siehe Bildleiste „Getreide"). **sinnv.:** Getreide. **Zus.:** Futter-, Winterroggen.

roh ⟨Adj.⟩: **1.** *nicht gekocht, nicht gebraten, nicht zubereitet:* rohe Eier; das Fleisch ist noch r. **2.** *anderen gegenüber gefühllos und grob, sie oft körperlich oder seelisch verletzend:* er hat sie r. und gemein behandelt. **sinnv.:** rabiat; unbarmherzig.

Roh|heit, die; -: *das Rohsein, rohe Gesinnung, Wesensart:* ihr Spott war ein Zeichen ihrer R. **sinnv.:** Brutalität, Empfindungslosigkeit, Erbarmungslosigkeit, Gefühllosigkeit, Gefühlskälte, Gnadenlosigkeit, Härte, Herzlosigkeit, Kälte, Kaltherzigkeit, Lieblosigkeit, Mitleidlosigkeit, Schonungslosigkeit, Unbarmherzigkeit, Unmenschlichkeit; Sadismus; Zynismus.

Rohr, das -[e]s, -e: *aus einem festen Material bestehender, zylindrischer Hohlkörper:* die Rohre der Wasserleitung; Rohre verlegen. **sinnv.:** Röhre, Rohrleitung, Zylinder. **Zus.:** Abfluß-, Blas-, Fern-, Heizungs-, Ofen-, Sprach-, Zuleitungsrohr.

Röh|re, die; -, -n: **1.** *von einem Körper umschlossener langgestreckter, zylindrischer Hohlraum als Teil eines Ganzen oder als selbständiger langer, zylindrischer Hohlkörper aus festem Material:* Röhren aus Stahl; eine R. mit großem Durchmesser. **sinnv.:** Rohr. **Zus.:** Back-, Harn-, Luft-, Neon-, Speise-, Stahlröhre. **2.** *meist kleinerer röhrenförmiger Behälter:* eine R. mit Tabletten. **sinnv.:** Behälter.

Rol|le, die; -, -n: **1. a)** *Gestalt, die ein Künstler im*

Theater oder im Film verkörpert: er spielt, singt die R. des Königs. **sinnv.:** Charge, Figur, Gestalt, Part, Partie. **Zus.:** Bomben-, Charakter-, Doppel-, Film-, Haupt-, Hosen-, Neben-, Titelrolle. **b)** *Stellung, Funktion, [erwartetes] Verhalten innerhalb der Gesellschaft:* die R. der Frau; die Rollen tauschen. **Zus.:** Führungs-, Vermittlerrolle. **2.** *Rad, Kugel oder Walze, worauf etwas rollt oder gleitet:* ein Sessel auf Rollen; das Seil läuft über Rollen. **3.** *etwas, was so zusammengerollt ist, daß es einer Walze gleicht:* eine R. Papier; drei Rollen Draht. **Zus.:** Biskuit-, Papier-, Schrift-, Zwinrolle. **4.** *Drehung um die quer zum Körper verlaufende Achse als Übung beim Turnen o. ä.:* die R. vorwärts, rückwärts. **sinnv.:** Übung.

rol|len, rollte, hat/ist gerollt: **1.** ⟨itr.⟩ **a)** *sich um die Achse drehend fortbewegen, irgendwohin bewegen:* der Ball ist ins Tor gerollt; die Kugel ist unter den Schrank gerollt. **sinnv.:** sich drehen, kreisen, kugeln, kullern, laufen, trudeln, sich wälzen. **b)** *sich auf Rädern fortbewegen:* der Wagen ist noch ein Stück gerollt. **2.** ⟨tr.⟩ **a)** *in eine drehende Bewegung bringen, drehend, schiebend transportieren:* er hat das Faß in den Keller, den Stein zur Seite gerollt; er hat sich in eine Decke gerollt. **sinnv.:** befördern, schieben. **b)** *(einen Körperteil o. ä.) drehend hin und her, im Kreis bewegen:* er hat wütend die Augen/⟨auch itr.⟩: mit den Augen gerollt. **3. a)** ⟨tr.⟩ *einem Gegenstand durch drehende o. ä. Bewegungen die Form einer Walze geben:* er hat den Teig zu einer Wurst gerollt. **b)** ⟨sich r.⟩ *die Form einer Walze, einer Spirale o. ä. annehmen:* das Papier, die Schlange hat sich gerollt. **4.** ⟨itr.⟩ *ein dumpfes, rumpelndes, polterndes o. ä. Geräusch erzeugen, von sich geben:* der Donner hat in der Ferne gerollt. **sinnv.:** krachen.

Ro|man, der; -s, -e: *literarisches Werk in Prosa, in dem oft das Schicksal von Menschen in der Auseinandersetzung mit der Umwelt, der Gesellschaft geschildert wird:* einen R. schreiben, lesen. **sinnv.:** Erzählung. **Zus.:** Abenteuer-, Arzt-, Erziehungs-, Familien-, Fortsetzungs-, Gesellschafts-, Kriminal-, Liebes-, Schlüssel-, Spionage-, Unterhaltungsroman.

ro|man|tisch ⟨Adj.⟩: **a)** *in oft falscher, überschwenglicher Gefühlsbetontheit die Wirklichkeit unrealistisch sehend, schwärmerisch idealisierend:* romantische Vorstellungen von etwas haben; er hat ein romantisches Gemüt. **sinnv.:** nostalgisch, schnulzig; innerlich. **b)** *von einer das Gemüt ansprechenden, oft malerisch reizvollen Stimmung geprägt:* ein romantisches Tal; ein r. gelegener Ort. **sinnv.:** malerisch. **Zus.:** wildromantisch.

ro|sa ⟨Adj.; indeklinabel⟩: **1.** *von zartem, hellem Rot, in der Färbung wie Heckenrosen [aussehend]:* ein r. Kleid; etwas r. färben. **sinnv.:** blaßrot, pink, rosafarben, rosenfarbig, rosé, rosig. **Zus.:** altblaß, zartrosa. **2.** *in irgendeiner Weise als angenehm, günstig empfunden:* die Experten sehen r. Zeiten voraus.

Ro|se, die; -, -n: *Stacheln tragende Pflanze mit vielblättrigen, angenehm duftenden, gefüllten Blüten in verschiedenen Farben:* **Zus.:** Busch-, Hecken-, Kletter-, Teerose · Alpen-, Christ-, Pfingst-, Seerose.

ro|sig ⟨Adj.⟩: **1.** *hell rötlich schimmernd, zart rot aussehend:* ein rosiges Gesicht; rosige Haut haben. **sinnv.:** rosa. **2.** *sehr positiv, erfreulich; durch* *nichts Unerfreuliches getrübt:* etwas in den rosigsten Farben schildern; rosigen Zeiten entgegengehen. **sinnv.:** erfreulich.

Rost, der; -[e]s, -e: **I.** *verschiedenen Zwecken dienendes Gitter bzw. gitterartiger Gegenstand aus Stäben, Drähten, Latten o. ä.:* Fleisch auf dem R. braten. **sinnv.:** Grill. **Zus.:** Brat-, Gitter-, Ofenrost. **II.** ⟨ohne Plural⟩ *an der Oberfläche von Gegenständen aus Eisen und Stahl sich bildende poröse, braun-gelbe Schicht, die durch Feuchtigkeit entsteht:* etwas vor R. schützen. **sinnv.:** Belag.

ro|sten, rostete, hat/ist gerostet ⟨itr.⟩: *Rost bilden, ansetzen; sich allmählich in Rost verwandeln:* das Auto fängt an zu r.

rö|sten, röstete, hat geröstet ⟨tr.⟩: *ohne Zusatz von Fett oder Wasser durch Erhitzen bräunen, knusprig werden lassen:* Brot, Kaffee, Kastanien r. **sinnv.:** braten.

rot, röter, röteste ⟨Adj.⟩: *von der Farbe frischen Blutes:* rote Rosen; r. glühen. **sinnv.:** purpurfarben, purpurn, rötlich, rubin. **Zus.:** blaß-, blau-, blut-, dunkel-, erdbeer-, feuer-, fuchs-, hell-, hoch-, knall-, korallen-, krebs-, rost-, scharlach-, wein-, ziegelrot.

Rot, das; -s: *rote Farbe:* ein leuchtendes R.; bei R. über die Straße gehen. **Zus.:** Abend-, Infra-, Lippen-, Morgen-, Wangenrot.

Rou|ti|ne [ru'ti:nə], die; -, -n: **1.** *auf Grund vielfacher Wiederholung einer Tätigkeit erworbene Fertigkeit, Gewandtheit, Erfahrung (im Ausführen der betreffenden Tätigkeit):* er hat im Laufe der Zeit schon R. bekommen. **sinnv.:** Gewandtheit. **2.** *aus ständiger Wiederholung einer Tätigkeit entstandene Gewohnheit (etwas zu tun) ohne einen akuten Anlaß, ohne inneres Beteiligtsein:* das ist schon zur R. geworden, nur noch R. **sinnv.:** Schablone, Schema F.

rub|beln ⟨tr.⟩ (ugs.): *kräftig reiben:* nach dem Bad rubbelte ich ihn, mich mit dem Tuch. **sinnv.:** reiben.

rü|ber- ⟨trennbares verbales Präfix⟩ (ugs.): *[über jmdn./etwas] herüber-, hinüber-:* zu jmdm. rübergehen (hinübergehen), er kommt zu mir rüber (kommt herüber); rüberschicken.

Ruck, der; -[e]s: *plötzlicher heftiger Stoß; kurze kräftige Bewegung, die abrupt, stoßartig einsetzt oder aufhört:* der Zug fuhr mit einem kräftigen R. an; mit einem R. hob er die Kiste hoch. **sinnv.:** Stoß.

rück-, Rück- ⟨Präfix⟩: **1.** /in der Bedeutung von *zurück/* **a)** ⟨substantivisch⟩ Rückantwort, -besinnung, -fahrkarte, -flug -kopplung, -stau, -strahler, -tritt, -zahlung; /negativ/ Rückfall, -gang, -schritt. **b)** ⟨verbal; nicht trennbar⟩ rückblicken, -datieren, -rufen, -vergüten. **2.** /in der Bedeutung von *hinten befindlich, hintere, nach hinten/:* Rückansicht, -licht, -sitz, -spiegel.

Rück|blick, der; -[e]s, -e: *gedankliches Betrachten von Vergangenem:* ein R. auf die Zeit der Jahrhundertwende. **sinnv.:** Reminiszenz. **Zus.:** Jahresrückblick.

rücken, rückte, hat/ist gerückt ⟨1. ⟨tr.⟩ *ruckweise, oft mühsam über eine kurze Strecke schieben oder ziehen:* er hat den Schrank von der Wand gerückt. **sinnv.:** schieben. **2.** ⟨itr.⟩ *sich [im Sitzen] etwas zur Seite bewegen:* näher an den Tisch r.; er ist zur Seite gerückt. **sinnv.:** aufrücken, rutschen.

Rücken, der; -s, -: **1.** *hintere Seite des menschlichen Rumpfes; Oberseite des tierischen Körpers:* jmdm. den R. zuwenden; auf dem R. des Pferdes. **sinnv.:** Buckel, Kreuz; **Zus.:** Hasen-, Pferde-, Reh-, Schweinerücken. **2.** ⟨R. + Attribut⟩ *oberer oder hinterer flächiger Teil von etwas Länglichem, Langgestrecktem:* der R. eines Buches, des Messers. **sinnv.:** Rückseite. **Zus.:** Buch-, Fuß-, Handrücken.

Rück|fahrt, die; -, -en: *Fahrt, Reise zum Ausgangspunkt zurück* /Ggs. Hinfahrt/: eine Fahrkarte für die Hin- und Rückfahrt.

Rück|fall, der; -[e]s, Rückfälle: **1.** *erneutes Auftreten, Vorkommen einer Krankheit, die bereits als überwunden galt:* der Patient erlitt einen erneuten R. **2.** *das Zurückkehren zu früherem, schlechterem, üblerem Verhalten:* ein R. in die Kriminalität. **sinnv.:** Rückschlag, Wiederholung, Wiederkehr.

Rück|gang, der; -[e]s: *Verminderung, Abnahme von etwas:* einen merklichen R. der Besucherzahlen zu verzeichnen haben; ein R. des Fiebers. **sinnv.:** Abfall, Abnahme, Degeneration, Dekadenz, Flaute, Minderung, Niedergang, Rezession, Rückschlag, Rückschritt, Schwund, Stagnation, Stillstand, Stockung, Verkleinerung. **Zus.:** Auftrags-, Bevölkerungs-, Bewölkungs-, Geburten-, Produktions-, Umsatzrückgang.

Rück|grat, das; -[e]s, -e: *aus Wirbeln und den dazwischenliegenden Bandscheiben gebildete Achse des Skeletts bei Wirbeltieren und Menschen, die den Schädel trägt und dem Rumpf als Stütze dient.* **sinnv.:** Wirbelsäule.

Rück|kehr, die; -: *das Zurückkommen nach längerer Abwesenheit, bes. von einer Reise:* der Zeitpunkt seiner R. ist nicht genau bekannt. **sinnv.:** Heimkehr, Heimreise, Rückreise, Wiederkehr.

rück|läu|fig ⟨Adj.⟩: *im Rückgang, Schwinden begriffen:* rückläufige Besucherzahlen; eine rückläufige Entwicklung. **sinnv.:** nachlassend, regressiv, rezessiv, schwindend, stagnierend, zurückgehend.

Rück|schlag, der; -[e]s, Rückschläge: *plötzliche Wendung ins Negative:* es schien ihm gesundheitlich schon besser zu gehen, da erlitt er einen schweren R. **sinnv.:** Rückfall.

Rück|schritt, der; -[e]s, -e: *Rückfall in Zustände, die bereits als überwunden galten:* die Verwirklichung seines Planes würde einen R. bedeuten. **sinnv.:** Fortschrittsfeindlichkeit, Reaktion, Restauration; Rückgang.

Rück|sicht, die; -, -en: **1.** *Verhalten, das die Gefühle und Interessen anderer berücksichtigt:* R. kennt er nicht. **sinnv.:** Fingerspitzengefühl, Schonung. **2. a)** *Berücksichtigung:* mit R. auf die Eltern sagte man nichts. **b)** ⟨Pl.⟩ *Berücksichtigung erfordernde Gründe:* gesellschaftliche Rücksichten bewogen ihn, so zu handeln. **sinnv.:** Anlaß.

rück|sichts|los ⟨Adj.⟩: *ohne jede Rücksicht (auf Personen) handelnd* /Ggs. rücksichtsvoll/: ein rücksichtsloses Benehmen. **sinnv.:** bedenkenlos, gewissenlos, radikal, schamlos, skrupellos; hemmungslos; unbarmherzig; rostselig, draufstrebig.

rück|sichts|voll ⟨Adj.⟩: *in taktvoller, schonender Art und Weise handelnd, vorgehend* /Ggs. rücksichtslos/: der Kranke muß r. behandelt werden. **sinnv.:** einfühlend, taktvoll, zartfühlend; anständig; feinfühlig; höflich.

rück|stän|dig ⟨Adj.⟩: *hinter der Entwicklung zu-*

rückgeblieben; am Alten hängend; nicht fortschritt-
lich: er ist in seinen Ansichten sehr r.; ein rück-
ständiger Betrieb. **sinnv.:** altmodisch, beharrend,
fortschrittsfeindlich, konservativ, provinziell, re-
aktionär, rechts, restaurativ, rückschrittlich,
überholt, überlebt, unmodern, unzeitgemäß, ver-
harrend, zurückgeblieben.

Rück|tritt, der; -[e]s, -e: *das Aufgeben, Niederle-*
gen eines Amtes: den R. des Ministers bekanntge-
ben. **sinnv.:** Abdankung, Abschied, Amtsverzicht,
Ausscheiden, Austritt, Demission.

rück|wärts ⟨Adverb⟩: *nach hinten; der ursprüng-*
lichen Bewegung entgegengesetzt /Ggs. vorwärts/:
r. fahren, gehen. **sinnv.:** nach hinten, retour, zu-
rück.

Rück|zug, der; -[e]s, Rückzüge: *das Sichzurück-*
ziehen, das Zurückweichen, weil man unterlegen
ist: den R. antreten; sich auf dem R. befinden.
sinnv.: Widerruf.

rü|de ⟨Adj.⟩: *(im Benehmen, im Umgang) rück-*
sichtslos, grob: ein rüdes Benehmen, Auftreten.
sinnv.: barsch, frech, lieblos, unhöflich.

Ru|der, das; -s, -: 1. *Vorrichtung zum Steuern ei-*
nes Schiffes (siehe Bild „Segelboot"): das R. füh-
ren; das R. ist gebrochen. **sinnv.:** Steuer. **Zus.:**
Höhen-, Quer-, Seitenruder, Steuerruder. 2.
Stange mit flachem Ende zum Fortbewegen eines
Bootes: die Ruder auslegen, einziehen. **sinnv.:**
Paddel, Riemen.

ru|dern, ruderte, hat/ist gerudert: a) ⟨itr./tr.⟩ *ein*
Boot mit Rudern fortbewegen: er hat/ist drei Stun-
den gerudert. **sinnv.:** paddeln, pullen, segeln, sta-
ken, surfen. b) ⟨itr.⟩ *Bewegungen ausführen wie*
mit einem Ruder: die Ente rudert mit den Füßen;
er hat beim Gehen mit den Armen gerudert.

Ruf, der; -[e]s, -e: 1. *das Rufen; der Schrei:* der R.
eines Vogels; die anfeuernden Rufe der Zu-
schauer. **sinnv.:** Aufruf; Ausruf. **Zus.:** Bravo-,
Buh-, Hilfe-, Kassandra-, Lock-, Ordnungs-,
Schlacht-, Vogel-, Warn-, Zwischenruf. 2. ⟨ohne
Plural⟩ *Aufforderung, eine Stelle zu übernehmen:*
der Professor erhielt einen R. an die neue Univer-
sität. **sinnv.:** Berufung. 3. ⟨ohne Plural⟩ *Ansehen*
in der Öffentlichkeit: einen guten, schlechten R.
haben. **sinnv.:** Achtung; Ansehen. **Zus.:** Weltruf.

ru|fen, rief, hat gerufen: 1. ⟨itr.⟩ *seine Stimme*
weit hallend ertönen lassen: er rief mit lauter
Stimme; der Kuckuck ruft. **sinnv.:** pfeifen;
schreien. 2. ⟨itr.⟩ *tönend auffordern (zu etwas):* die
Glocke ruft zum Gebet; die Mutter ruft zum Es-
sen. **Zus.:** wachrufen. 3. ⟨itr./tr.⟩ *verlangen (nach*
jmdm./etwas), auffordern zu kommen: das Kind
ruft nach der Mutter; er ruft [um] Hilfe; der Gast
ruft nach der Bedienung. **sinnv.:** (zu sich) befeh-
len, beordern, berufen, (zu sich) bescheiden, be-
stellen, (zu sich) bitten, einberufen, einbestellen,
laden, kommen lassen, vorladen, (vor jmdn.) zi-
tieren. 4. ⟨tr.⟩ ↑*nennen* (1a): seine Mutter hat ihn
immer nur Hans gerufen.

Rüf|fel, der; -s, -: *tadelnde Äußerung, die Ärger*
und Unzufriedenheit über das Tun oder Verhalten
des Betroffenen ausdrückt: einen R. für etwas er-
halten. **sinnv.:** Vorwurf.

rü|gen ⟨tr.⟩: a) *jmdm. eine Rüge erteilen:* jmdn.
wegen etwas r. **sinnv.:** schelten. b) *(jmds. Verhal-*
ten oder Tun) beanstanden; (etwas) kritisieren, ver-
urteilen: sein Leichtsinn ist zu r. **sinnv.:** beanstan-
den.

Ru|he, die; -: 1. *das Aufhören der Bewegung;*
Stillstand: das Pendel ist, befindet sich in R. 2.
das Entspannen, Sichausruhen; Erholung: das Be-
dürfnis nach R. haben; er gönnt sich keine R.
sinnv.: Entspannung; Muße, Siesta. 3. *das Ruhen*
im Bett: sich zur R. begeben. **sinnv.:** Schlaf. **Zus.:**
Bett-, Mittags-, Nachtruhe. 4. *das Ungestörtsein,*
Nichtgestörtwerden: eine Arbeit in R. erledigen;
er will seine R. haben. **sinnv.:** Friede. **Zus.:** Fried-
hofs-, Grabes-, Kirchhofs-, Waffenruhe. 5. ↑ *Stil-*
le: die nächtliche R. stören; in der Kirche
herrscht völlige R. **Zus.:** Mittags-, Nachtruhe. 6.
innere, seelische Ausgeglichenheit: er bewahrt in
schwierigen Situationen immer die R. **sinnv.:**
Gleichmut; Umsicht. **Zus.:** Bier-, Gemüts-, See-
lenruhe.

ru|he|los ⟨Adj.⟩: *ohne [innere] Ruhe, in ständiger*
Bewegung befindlich: r. ging er auf und ab; er
führte ein ruheloses Leben. **sinnv.:** getrieben,
rastlos, umhergetrieben, umherirrend, unruhig,
unstet; fahrig; nervös.

ru|hen ⟨itr.⟩: 1. *liegen, um sich auszuruhen:* nach
dem Essen eine Stunde r. **sinnv.:** ausruhen, sich
entspannen, sich erholen, faulenzen, liegen, ra-
sten, relaxen, sich Ruhe gönnen, der Ruhe pfle-
gen, schlafen, verschnaufen. 2. (geh.) *begraben*
sein: hier ruhen seine Angehörigen. **sinnv.:** lie-
gen. 3. *nicht in Bewegung, Gang, Tätigkeit sein:*
die Kugel, die Maschine ruht. **sinnv.:** aussetzen.
4. *fest stehen (auf etwas); getragen werden (von et-*
was): die Brücke ruht auf drei Pfeilern; das
Denkmal ruht auf einem hohen Sockel. **sinnv.:**
aufruhen.

ru|hig: I. ⟨Adj.⟩ 1. *ohne Geräusch, Lärm:* eine ru-
hige Gegend; die Wohnung liegt r. **sinnv.:** leise;
still. 2. *nicht aufgeregt; frei von Erregung:* in der
gespannten Situation blieb er völlig r. **sinnv.:** ab-
geklärt, ausgeglichen, bedacht, mit Bedacht, be-
dächtig, bedachtsam, beherrscht, besonnen,
friedlich, friedvoll, gefaßt, geistesgegenwärtig,
gelassen, gemach, gemächlich, gemessen, geru-
hig, geruhsam, gesetzt, gezügelt, gleichmütig,
harmonisch, kaltblütig, langsam, in aller Ruhe/
Gemütsruhe/Seelenruhe, ruhevoll, seelenruhig,
sicher, sorglos, still, stoisch, überlegen, umsich-
tig, unbesorgt, würdevoll. II. ⟨Adverb⟩ *durchaus;*
ohne Bedenken; ohne weiteres: du kannst r. unter-
schreiben.

Ruhm, der; -[e]s: *durch hervorragende Leistung*
erworbenes, hohes öffentliches Ansehen: mit ei-
nem Werk [viel] R. gewinnen. **sinnv.:** Achtung;
Ansehen; Lob. **Zus.:** Nach-, Weltruhm.

rüh|men: 1. ⟨tr.⟩ *nachdrücklich, überschwenglich*
loben: er rühmte [an ihm] vor allem seinen Fleiß.
sinnv.: loben. 2. ⟨sich r.⟩ *mit Genitiv) eine eigene*
Leistung besonders betonen: sich eines Erfolges r.
sinnv.: prahlen.

rühm|lich ⟨Adj.⟩: *wert, gelobt zu werden:* etwas
zu einem rühmlichen Ende führen. **sinnv.:** ach-
tenswert, anerkennenswert, dankenswert, lobens-
wert, löblich, verdienstlich, verdienstvoll.

rüh|ren: 1. ⟨tr.⟩ *durch Bewegen eines Löffels o. ä.*
im Kreis eine Flüssigkeit o. ä. in Bewegung halten:
die Suppe, den Teig r. **sinnv.:** anrühren, durch-
rühren, quirlen, umrühren, verquirlen, verrühren,
zusammenrühren. 2. ⟨itr./sich r.⟩ ↑*bewegen:* die
Glieder, Füße r.; sich [vor Schmerzen, Enge]
nicht r. können. **sinnv.:** arbeiten. 3. ⟨itr.⟩ *(bei*

jmdn.) innere Erregung, Anteilnahme bewirken: das Unglück rührte ihn nicht; eine rührende Geschichte. **sinnv.:** erschüttern. **4.** ⟨itr.⟩ *seinen Ursprung haben (in etwas):* die Krankheit rührt daher, daß ... **sinnv.:** stammen.

rühr|se|lig ⟨Adj.⟩: *übermäßig stark das Gefühl ansprechend:* eine rührselige Erzählung. **sinnv.:** gefühlsduselig, gefühlsselig, larmoyant, schmalzig, sentimental, tränenselig, weinerlich.

Ru|in, der; -s: *[wirtschaftlicher, finanzieller] Zusammenbruch:* das Geschäft geht dem R. entgegen. **sinnv.:** Bankrott, Untergang.

Rui|ne, die; -, -n: *stehengebliebene Reste eines zum [größeren] Teil zerstörten oder verfallenen [historischen] Bauwerks.* **Zus.:** Burg-, Kloster-, Schloßruine.

ru|i|nie|ren ⟨tr./sich r.⟩: *zerstören, zugrunde richten:* jmdn. wirtschaftlich r.; sich durch starkes Rauchen gesundheitlich r. **sinnv.:** ausbeuten; beschädigen; zerstören.

rum- ⟨trennbares, betontes verbales Präfix⟩ (ugs.): **a)** */charakterisiert das im Basiswort genannte, sich über einen gewissen [Zeit]raum erstreckende Tun o. ä. als weitgehend ziellos, planlos, wahllos, als nicht genau auf ein bestimmtes Ziel, mal hier[hin] und mal dort[hin] gerichtet/:* sich rumaalen, -ballern, -brüllen, -flippen, -fuchteln, rumtreiben. **b)** */besagt, daß sich das im Basiswort genannte, oft als unnütz oder sinnlos angesehene Geschehen über eine gewisse Zeit hinzieht, daß man damit eine Zeit beschäftigt ist/:* rumalbern, sich rumärgern, sich rumqälen, -schäkern, -schmusen, -toben. **c)** */bedeutet eine Kritik an dem im Basiswort genannten Tun/:* rumerziehen, -nörgeln. **d)** *herum, auf die andere Seite:* rumdrehen, -kommen, -kriegen. **e)** *um...herum:* rumbinden, -legen.

Rum|mel, der; -s (ugs.): *als lästig, laut, störend empfundene Betriebsamkeit:* einen großen R. um jmdn./etwas machen. **sinnv.:** Getue; Lärm. **Zus.:** Propaganda-, Reklame-, Weihnachtsrummel.

rum|peln, rumpelte, hat/ist gerumpelt ⟨itr.⟩ (ugs.): **a)** *ein dumpfes Geräusch hören lassen; poltern:* im Stockwerk über uns hat es eben mächtig gerumpelt. **sinnv.:** lärmen. **b)** *polternd und rüttelnd fahren:* der Wagen ist über die schlechte Straße gerumpelt. **sinnv.:** holpern.

Rumpf, der; -[e]s, Rümpfe: **a)** *menschlicher oder tierischer Körper ohne Kopf und Glieder:* den R. beugen. **sinnv.:** Körper, Leib. **b)** *Körper eines Schiffes oder Flugzeugs ohne Masten, Tragflächen, Fahrgestell u. a.:* Autos im R. des Schiffes verstauen. **Zus.:** Flugzeug-, Schiffsrumpf.

rund: I. ⟨Adj.⟩ **1.** *in/von der Form eines Bogens oder Kreises:* ein runder Tisch. **sinnv.:** bauchig, gebogen, gekrümmt, gerundet, gewölbt, kreisförmig, krumm, oval, ringförmig, rundlich. **Zus.:** ei-, halb-, kreis-, kugelrund. **2.** *(vom Körper, einem Körperteil) dick:* runde Arme; runde Bäckchen. **3.** *(von Gezähltem, Gemessenem) ganz oder so gut wie ganz:* in rundes Dutzend. **sinnv.:** voll. **II.** ⟨Adverb⟩ *↑ungefähr:* der Anzug kostet r. 300 Mark. **III. * r. um** *(um ... herum):* ein Flug r. um die Erde. **sinnv.:** ringsum.

Run|de, die; -, -n: **1. a)** *(ohne Plural) kleinerer Kreis von Personen:* wir nehmen ihn in unsere R. auf. **sinnv.:** Beisammensein, Gesellschaft, Gesellschaft; Gruppe. **Zus.:** Skat-, Stammtisch-, Tafel-,

Tischrunde. **b)** *Bestellung von einem Glas Bier oder Schnaps für jeden Anwesenden auf Kosten eines einzelnen:* er bestellte eine R. Bier. **sinnv.:** Lage. **2. a)** *Durchgang auf einem Rundkurs, einer zum Ausgangspunkt zurückführenden Fahr-, Laufstrecke o. ä.:* nach 10 Runden hatte er einen Vorsprung von hundert Metern. **Zus.:** Ehren-, Proberunde. **b)** *Kontrollgang:* der Wächter machte seine R. **sinnv.:** Rundgang. **Zus.:** Nachtrunde. **3.** *zeitliche Einheit beim Boxen:* der Kampf ging über 3 Runden. **4.** *Durchgang in einem Wettbewerb:* die Mannschaft ist in der dritten R. des Pokalwettbewerbs ausgeschieden. **Zus.:** End-, Rück-, Schluß-, Vorrunde.

Rund|funk, der; -s: *Einrichtung, bei der akustische Sendungen drahtlos ausgestrahlt und mit Hilfe eines Empfängers gehört werden:* der R. überträgt das Konzert. **sinnv.:** Funk, Hörfunk, Radio.

rund|her|aus ⟨Adverb⟩ (ugs.): *offen und ohne Bedenken, ohne Umschweife:* etwas r. sagen. **sinnv.:** aufrichtig, direkt, einfach, freiheraus, freiweg, geradeheraus, geradewegs, glatt, glattweg, klar, kurzerhand, rückhaltlos, rundweg, schlankweg, ohne Umschweife, unumwunden, unverblümt, unverhohlen, ohne Zaudern/Zögern.

rund|her|um ⟨Adverb⟩: *an allen Seiten; rings:* das Haus ist r. von Wald umgeben. **sinnv.:** im Kreise, ringsum, in der Runde, rundum; überall.

rund|lich ⟨Adj.⟩: *mollig, etwas dick:* eine rundliche Frau. **sinnv.:** dick.

run|ter ⟨Adverb⟩ (ugs.): *für ↑herunter, ↑hinunter,* **sinnv.:** hin.

run|ter- ⟨trennbares verbales Präfix⟩ (ugs.): *[unter jmdn./etwas] herunter-, hinunter-:* zu jmdm. runtergehen *(hinuntergehen),* er kommt zu mir runter *(kommt herunter);* runterlaufen, runterspringen.

Run|zel, die; -, -n: *[kleine] Falte in der gealterten Haut [des Gesichts]:* er hat ein Gesicht voller Runzeln; das Obst bekommt Runzeln. **sinnv.:** Falte, Furche, Krähenfüße.

run|zeln ⟨tr.⟩: *in viele Falten ziehen:* die Stirn r.

Rü|pel, der; -s, -: *jmd., der sich frech und ungestüt benimmt;* so ein R.! **sinnv.:** Flegel.

rup|fen ⟨tr.⟩: *mit einem Ruck ausreißen:* Gras, Unkraut r. **sinnv.:** ausreißen.

rüp|pig ⟨Adj.⟩: *unhöflich-frech:* der Ober wies uns r. einen Tisch an der Tür an. **sinnv.:** unhöflich.

Rüs|sel, der; -s, -: *röhrenförmige Verlängerung am Kopf verschiedener Säugetiere und Insekten* (siehe Bildleiste „Schwein"): der Elefant hat einen großen R. **sinnv.:** Nase. **Zus.:** Elefanten-, Saug-, Stechrüssel.

rü|sten, rüstete, hat gerüstet: **1.** ⟨itr.⟩ *sich durch [verstärkte] Produktion von Waffen und Vergrößerung der Armee militärisch stärken:* die Staaten rüsten weiter. **sinnv.:** aufrüsten, bewaffnen, mobilisieren. **2.** ⟨sich r.⟩ *sich vorbereiten:* sich zum Gehen, zur Abreise r. **sinnv.:** sich einrichten, sich einstellen auf, sich wappnen; sich anschicken.

rü|stig ⟨Adj.⟩: *im höheren Alter noch gesund, beweglich, leistungsfähig:* ein rüstiger Rentner. **sinnv.:** frisch; gesund; stark.

Rü|stung, die; -, -en: **1.** *das Rüsten:* viel Geld für die R. ausgeben. **sinnv.:** Aufrüstung, Bewaffnung, Mobilisierung, Mobilmachung. **2.** *(beson-*

ders im Mittelalter übliche) Schutzkleidung der Krieger aus Metall: eine R. tragen. **sinnv.:** Harnisch, Panzer. **Zus.:** Ritterrüstung.

rut|schen, rutschte, ist gerutscht ⟨itr.⟩: **a)** *[auf glatter Fläche] nicht fest stehen, sitzen oder haften:* ich bin auf dem Schnee gerutscht; seine Hose rutschte ständig; ihm rutschte der Teller aus der Hand. **sinnv.:** ausrutschen. **b)** *sich sitzend und*

gleitend fortbewegen: du sollst nicht auf dem Boden r.; er rutschte auf der Bank etwas zur Seite und machte mir Platz. **sinnv.:** rücken. **Zus.:** durch-, hin-, wegrutschen.

rüt|teln ⟨itr.⟩: *ruckartig, kräftig und schnell hin und her ziehen:* der Sturm rüttelt an der Tür; jmdn. aus dem Schlaf r. **sinnv.:** schütteln. **Zus.:** wachrütteln.

S

Saal, der; -[e]s, Säle: *großer [und hoher] Raum für Feste, Versammlungen o. ä.:* der S. war bei diesem Konzert überfüllt. **sinnv.:** Raum; Gaststube. **Zus.:** Ball-, Fest-, Gerichts-, Hör-, Konzert-, Kreiß-, Schlaf-, Speise-, Warte-, Zeitschriftensaal.

Saat, die; -, -en: **a)** ⟨ohne Plural⟩ *Samen, vorwiegend von Getreide, der zum Säen bestimmt ist:* die Bauern hatten die S. schon in die Erde gebracht. **sinnv.:** Aussaat, Pflanzgut, Saatgut, Samen, Sämerei. **Zus.:** Weizensaat. **b)** *noch junges Getreide:* die S. auf dem Feld steht gut. **Zus.:** Wintersaat. **c)** ⟨ohne Plural⟩ *das Säen:* es ist Zeit zur S. **sinnv.:** Aussaat.

Sä|bel, der; -s, -: *lange Hiebwaffe, die nur auf einer Seite eine Schneide hat* (siehe Bildleiste „Waffen"). **sinnv.:** Degen, Schwert · Streitaxt, Tomahawk. **Zus.:** Krumm-, Offiziers-, Türkensäbel.

Sa|bo|ta|ge [zabo'ta:ʒə], die; -, -n: *planmäßige Störung, Behinderung von Arbeiten o. ä.:* die Behörden vermuten, daß S. vorliegt; S. begehen.

Sa|che, die; -, -n: **1.** ⟨S. + Attribut⟩ ↑*Angelegenheit:* das ist eine S. des Vertrauens, des guten Geschmacks. **sinnv.:** Frage; Materie. **Zus.:** Ehren-, Form-, Haupt-, Privatsache. **2.** *(nicht näher bezeichneter) Gegenstand:* diese Sachen müssen noch zur Post. **sinnv.:** Ding. **Zus.:** Fund-, Verschluß-, Wertsache. **3.** ⟨Plural⟩ (ugs.) *Gegenstände zum persönlichen Gebrauch wie Kleidungsstücke o. ä.:* räum doch mal deine Sachen auf! **sinnv.:** Kleidung. **Zus.:** Baby-, Bade-, Schmuck-, Schul-, Sieben-, Spiel-, Wintersachen.

-sa|che, die; -, -n (Suffixoid; oft in der Verbindung: das ist ...sache): **1.** *Angelegenheit, von dem im Basiswort Genannten abhängt, davon im wesentlichen bestimmt wird:* Ansichts-, Erfahrungs-, Glück[s]-, Nerven-, Willenssache. **2.** *Angelegenheit, die das im Basiswort Genannte betrifft:* Frauen-, Männer-, Regierungssache.

sach|lich ⟨Adj.⟩: *nicht von Gefühlen und Vorurteilen bestimmt:* sachliche Bemerkungen; er blieb bei diesem Gespräch s. **sinnv.:** emotionslos, frei von Emotionen, nüchtern, objektiv, sine ira et studio, trocken, unpersönlich; pragmatisch; rational; realistisch; unparteiisch.

Sack, der; -[e]s, Säcke: *Behälter aus Stoff, Papier o. ä.:* er band den S. zu; /als Maßangabe/ vier S. Mehl. **sinnv.:** Beutel. **Zus.:** Dudel-, Fuß-, Geld-, Hoden-, Kartoffel-, Kohlen-, Mehl-, Papier-,

Pfeffer-, Post-, Preß-, Ruck-, Schlaf-, See-, Stroh-, Tränensack.

sä|en ⟨tr.⟩: *(Samen) auf Felder oder Beete streuen, in die Erde bringen:* der Bauer säte den Weizen. **sinnv.:** pflanzen, Samen aussäen/legen.

Sa|fa|ri, die; -, -s: *Fahrt in Afrika, auf der die Teilnehmer bes. Großwild jagen bzw. fotografieren können.* **sinnv.:** Reise. **Zus.:** Fotosafari.

Safe [ze:f], der (auch: das); -s, -s: *Schrank o. ä., der gegen Feuer und Einbruch besonders gesichert ist und in dem man Geld, wertvolle Gegenstände o. ä. aufbewahrt.* **sinnv.:** Tresor.

Saft, der; -[e]s, Säfte: **a)** *Getränk, das durch Auspressen von Obst oder Gemüse gewonnen wird:* er trank ein Glas S. **sinnv.:** Juice, Most, Sirup. **Zus.:** Apfel-, Orangen-, Tomatensaft. **b)** *im Gewebe von Früchten und Pflanzen enthaltene Flüssigkeit:* der S. steigt in die Bäume.

saf|tig ⟨Adj.⟩: **a)** *viel Saft enthaltend:* saftige Früchte; ein saftiger Pfirsich. **b)** (ugs.) *von so großer Stärke, Intensität o. ä. (daß es jmdn. in unangenehmer Weise berührt):* eine saftige Rechnung, Ohrfeige. **sinnv.:** derb, gepfeffert, hoch, kräftig, stark.

Sa|ge, die; -, -n: *mündliche Überlieferung, die an historische Ereignisse anknüpft:* die S. von den Nibelungen. **sinnv.:** Erzählung; Märchen.

Sä|ge, die; -, -n: *Werkzeug mit einem dünnen, gezähnten Teil aus Stahl, mit dem Holz u. a. durchtrennt werden kann.* **Zus.:** Hand-, Kreis-, Laub-, Metall-, Stichsäge.

sa|gen ⟨tr.⟩: **a)** *Wörter, Sätze o. ä. als lautliche Äußerung, als Mitteilung o. ä. von sich geben:* Mutter hat nein dazu gesagt; sag doch nicht immer solche Schimpfwörter. **sinnv.:** sprechen. **b)** *[jmdm.] etwas mündlich mitteilen:* der Zeuge sagte vor Gericht die volle Wahrheit; er sagte: „Ich komme nicht"; nun sag schon, wie deine neue Freundin heißt. **sinnv.:** sich äußern, mitteilen. **c)** *mit Bestimmtheit aussprechen, als Tatsache hinstellen:* das will ich nicht s.; man sagt von ihm, daß er gute Kontakte zur Unterwelt hat. **d)** *einen bestimmten Sinn (für jmdn.) haben:* das Bild sagt mir gar nichts; das hat nichts zu s. **sinnv.:** bedeuten.

sä|gen: **a)** ⟨tr.⟩ *mit der Säge durchtrennen:* er sägt Bäume, das Brett in zwei Teile. **b)** ⟨itr.⟩ *mit der Säge arbeiten:* er sägt draußen auf dem Hof. **sinnv.:** schneiden.

sa|gen|haft ⟨Adj.⟩: **1.** *dem Bereich der Sage angehörend; aus alter Zeit stammend:* ein sagenhafter König von Kreta. **sinnv.:** legendär. **2.** (ugs.) *(wegen des positiv oder negativ empfundenen besonderen Ausmaßes) staunende Überraschung hervorrufend und beeindruckend:* eine sagenhafte Unordnung. **sinnv.:** außergewöhnlich.

Sah|ne, die; -: **a)** *viel Fett enthaltender Bestandteil der Milch (der sich als besondere Schicht an der Oberfläche absetzt).* **sinnv.:** Obers, Rahm, Schmant, Schmetten. **b)** *schaumig geschlagene Sahne:* ein Stück Torte mit S. **sinnv.:** Schlagobers, Schlagrahm, -sahne.

Sai|son [zɛ'zõ:, auch: zɛ'zɔŋ], die; -, -s: **a)** *wichtigster Zeitabschnitt innerhalb eines Jahres, in dem etwas Bestimmtes am meisten vorhanden ist, stattfindet:* da die S. beendet ist, ist das Hotel geschlossen. **sinnv.:** Hauptreisezeit, Urlaubszeit · Spielzeit. **Zus.:** Haupt-, Hoch-, Nach-, Sommer-, Vor-, Wintersaison. **b)** *Zeitabschnitt (im Hinblick auf Aktuelles):* auf der Messe werden die Autos der kommenden S. vorgestellt.

Sai|te, die; -, -n: *fadenartiger Teil aus Tierdarm, Metall, Kunststoff o. ä. bei bestimmten Musikinstrumenten, der durch Streichen, Zupfen oder Schlagen in Schwingung versetzt wird und so Töne erzeugt:* eine S. ist gerissen.

Sak|ko, der (auch:) das; -s, -s: *[sportliches] Jakkett für Herren.* **sinnv.:** Jacke.

Sa|lat, der; -[e]s, -e: **1.** *Pflanze mit hellgrünen, welligen Blättern, die einen rundlichen, kopfähnlichen Teil bilden und die als Salat (2) zubereitet werden kann.* **Zus.:** Blatt-, Feld-, Kopfsalat. **2.** *aus kleingeschnittenen rohen oder gekochten Gemüsen, aus Obst, Fleisch, Fisch u. a. und meist Essig, Öl, Salz und Gewürzen oder Mayonnaise zubereitete kalte Speise.* **Zus.:** Eier-, Fleisch-, Geflügel-, Gurken-, Herings-, Kartoffel-, Obst-, Tomatensalat.

Sal|be, die; -, -n: *Heilmittel, das aus einer streichfähigen Masse besteht und auf die Haut aufgetragen wird:* S. auftragen, verreiben. **sinnv.:** Balsam, Creme, Gesichtsmilch, Lotion, Paste, Vaseline. **Zus.:** Brand-, Heil-, Wund-, Zinksalbe.

Sa|lon [za'lɔŋ], der; -s, -s: **1.** *repräsentativer, für Besuch oder festliche Anlässe bestimmtes größeres Zimmer.* **sinnv.:** Raum. **Zus.:** Empfangs-, Rauchsalon. **2.** *[großzügig und elegant ausgestattetes] Geschäft im Bereich der Mode, Kosmetik o. ä.* **Zus.:** Damen-, Frisier-, Herren-, Hunde-, Kosmetik-, Modesalon.

sa|lopp ⟨Adj.⟩: *sich (in Kleidung, Sprache usw.) in ungezwungener Weise gebend:* er ist immer s. gekleidet; deine saloppe Ausdrucksweise gefällt ihm. **sinnv.:** ungezwungen.

Sal|to, der; -s, -s: *Sprung, bei dem sich der Springende in der Luft überschlägt:* er sprang mit einem S. ins Wasser.

Salz, das; -es, -e: *aus der Erde oder dem Wasser des Meeres gewonnene weiße, körnige Substanz, die zum Würzen der Speisen dient.* **Zus.:** Koch-, Meer-, Speise-, Stein-, Tafelsalz.

-sam (adjektivisches Suffix): **1.** *was ... werden kann:* anratsamer Aufenthalt *(Aufenthalt, der angeraten werden kann),* der aufhaltsame Aufstieg *(Aufstieg, der aufgehalten werden kann),* betrachtsam, biegsam. **sinnv.:** -bar. **2.** *das im Basiswort Genannte bereitend, voll davon:* betriebsam, er-

holsam. **sinnv.:** -lich. **3.** *so, daß der/das Betreffende das im Basiswort Genannte tut:* anschmiegsam, mitteilsam, wirksam.

Sa|men, der; -s, -: **1.** *aus der Blüte einer Pflanze sich entwickelndes Gebilde, aus dem eine neue Pflanze entstehen kann:* der S. keimt, geht auf. **sinnv.:** Ableger, Keim[zelle], Sproß. **Zus.:** Blumen-, Flug-, Leinsamen. **2.** ⟨ohne Plural⟩ *Substanz (Sperma), die in einer von den Geschlechtsdrüsen beim Mann und beim männlichen Tier gebildeten milchigtrüben Flüssigkeit enthalten ist und die der Befruchtung der Eizelle dient.* **sinnv.:** Ejakulat, Keimzelle, Samenflüssigkeit, Sperma, Spermium.

sam|meln: **1.** ⟨tr.⟩ **a)** *nach etwas suchen und das Gefundene zu einer größeren Menge von verschiedenen Stellen her zusammentragen, um es dann zu verbrauchen, zu verarbeiten o. ä.:* Pilze, Brennholz s.; er sammelt Material für einen Vortrag; die Bienen sammeln Honig. **sinnv.:** horten. **Zus.:** auf-, einsammeln. **b)** *Gleichartiges, für das man sich interessiert, zusammentragen und es wegen seines Wertes, seiner Schönheit o. ä. aufbewahren:* Briefmarken und Münzen s. **2.** ⟨tr./itr.⟩ *[jmdn.] bitten, etwas zu geben, zu spenden, um so eine größere Menge davon zusammenzubekommen:* Kleider s.; für das Rote Kreuz [Geld] s. **3.** ⟨sich s.⟩ **a)** *sich an einem bestimmten Ort einfinden, an einem bestimmten Ort zusammenkommen:* die Besucher sammelten sich um den Museumsführer. **sinnv.:** sich versammeln. **b)** *seine Gedanken auf einen bestimmten Gegenstand lenken und so zu innerer Ruhe kommen:* kurz vor seiner Rede zog er sich in sein Zimmer zurück, um sich zu s. **sinnv.:** sich konzentrieren.

Samm|lung, die; -, -en: **1.** *das Sammeln (2):* eine S. durchführen. **sinnv.:** Kollekte. **Zus.:** Altpapier-, Kleider-, Straßensammlung. **2.** *Ergebnis des Sammelns (1 b), Gesamtheit der gesammelten (1 b) Gegenstände:* mein Vater besitzt eine wertvolle S. alter Münzen. **sinnv.:** Anhäufung, Ansammlung, Kollektion. **Zus.:** Briefmarken-, Material-, Münz-, Stoffsammlung. **3.** *das Gesammeltsein (3 b), das Ausgerichtetsein der Gedanken auf einen bestimmten Gegenstand:* es fehlt mir im Moment an der nötigen S. **sinnv.:** Aufmerksamkeit.

Sams|tag, der; -[e]s, -e: *sechster Tag der mit Montag beginnenden Woche.* **sinnv.:** Sonnabend.

samt ⟨Präp. mit Dativ⟩: *zusammen mit; und [damit in Verbindung] auch:* das Haus s. allem Inventar wurde verkauft.

Samt, der; -[e]s, -e: *Gewebe mit seidig-weicher Oberfläche von kurzem Flor.* **Zus.:** Cordsamt.

sämt|lich ⟨Indefinitpronomen und unbestimmtes Zahlwort⟩: **1.** **sämtlicher, sämtliche, sämtliches** ⟨Singular⟩ *ohne irgendeine Ausnahme; in seiner Gesamtheit:* sämtliches gedruckte Material; sämtliches Schöne; der Verlust sämtlicher vorhandenen Energie. **sinnv.:** all. **2.** **sämtliche** ⟨Plural⟩ *ausnahmslos jede Person oder Sache einer Gruppe:* zu e kamen sämtliche Anwesenden; die richtige Betonung sämtlicher vorkommenden/ vorkommender Namen; ⟨auch unflektiert⟩ sie waren s. erschienen. **sinnv.:** all.

Sand, der; -[e]s, -e und Sände: *(durch Verwitterung von Gestein entstandene und) aus feinen Körnern bestehende Substanz:* gelber, grober S.; die

Kinder spielen im S. **sinnv.**: Erde. **Zus.**: Flug-, Scheuer-, Streu-, Treib-, Wüstensand.

San|da|le, die; -, -n: *leichter, meist flacher Schuh, dessen Oberteil aus Riemen oder durchbrochenem Leder besteht.* **sinnv.**: Sandalette; Schuh. **Zus.**: Holzsandale.

sanft ⟨Adj.⟩: **a)** *zart und vorsichtig;* er faßte das Kind s. an. **sinnv.**: behutsam. **b)** *angenehm wirkend auf Grund einer Art, die Freundlichkeit, Ruhe und Güte ausstrahlt:* sie hat das gleiche sanfte Wesen wie ihre Mutter. **sinnv.**: freundlich, mild, weich. **c)** *nur schwach spürbar; nicht stark hervortretend und dadurch eine vorhandene Harmonie nicht beeinträchtigend:* ein sanfter Wind; die Straße stieg s. an. **sinnv.**: leicht, mild, sacht.

Sanft|mut, die; -: *sanft-geduldige Gemütsart:* sie bat ihn mit leiser S. um einen Gefallen. **sinnv.**: Freundlichkeit, Geduld, Güte, Gutmütigkeit, Langmut.

Sän|ger, der; -s, -, **Sän|ge|rin,** die; -, -nen: *männliche Person, die singt, die im Singen ausgebildet ist.* **sinnv.**: Chorist, Gesangskünstler, Vokalist. **Zus.**: Konzert-, Opern-, Schlagersänger.

Sa|ni|tä|ter, der; -s, -: *jmd., der ausgebildet ist, Erste Hilfe zu leisten oder Kranke zu pflegen:* Sanitäter trugen den verletzten Spieler vom Platz. **sinnv.**: Ersthelfer, Krankenpfleger.

Sarg, der; -[e]s, Särge: *eine Art länglicher Kasten (mit einem Deckel), in dem ein Toter begraben wird:* unter den Klängen eines Trauermarsches wurde der S. ins Grab gesenkt. **sinnv.**: Sarkophag, Totenlade, Totenschrein, Urne. **Zus.**: Eichen-, Holz-, Prunk-, Zinksarg.

Sa|tel|lit, der; -en, -en: 1. *Himmelskörper, der einen Planeten umkreist:* der Mond ist ein S. der Erde. **sinnv.**: Trabant. 2. *Flugkörper, der auf eine Bahn um die Erde gebracht worden ist (und der bestimmte wissenschaftliche oder technische Aufgaben erfüllt):* über S. mit Kommerzfernsehen versorgt werden. **sinnv.**: künstlicher Mond, Rakete, Raumschiff, Raumstation, Weltraumlaboratorium. **Zus.**: Fernseh-, Killer-, Nachrichten-, Wettersatellit.

Sa|ti|re, die; -, -n: *ironisch-witzige literarische oder künstlerische Darstellung, die durch Übertreibung, Ironie und Spott an Personen oder Ereignissen Kritik übt, menschliche Schwächen und Laster verspottet:* eine S. auf/gegen das Establishment schreiben. **sinnv.**: Karikatur, Parodie. **Zus.**: Gesellschafts-, Zeitsatire.

satt ⟨Adj.⟩: 1. *seinen Hunger gestillt habend:* nach dem reichhaltigen Frühstück war ich bis zum Abend s. **sinnv.**: gesättigt, voll, vollgefressen, vollgegessen. 2. *alles, was man braucht, reichlich habend und daher auf eine unterschiedliche Art und Weise mit sich, seiner Umwelt, den gesellschaftlichen Verhältnissen o. ä. zufrieden:* welcher satte Wohlstandsbürger läßt sich heute noch von Nachrichten über Hungerkatastrophen schrecken? **sinnv.**: saturiert, selbstzufrieden, übersättigt. 3. *(als Farbe auf den Betrachter) intensiv-kräftig wirkend:* ein sattes Grün. **sinnv.**: bunt. 4. (ugs.) *(in bezug auf eine Menge o. ä.) als beträchtlich, beachtlich empfunden:* das sind ja satte Preise; er konnte satte Erfolge vorweisen. **sinnv.**: groß.

Sat|tel, der; -s, Sättel: **a)** *Sitz in geschwungener Form, der auf Reittieren festgeschnallt wird und für*

den Reiter bestimmt ist. **Zus.**: Damen-, Reit-, Tragsattel. **b)** *Sitz für den Fahrer auf Fahrrädern, Motorrädern o. ä.* (siehe Bild „Fahrrad"): er sitzt kerzengerade auf dem S. **Zus.**: Fahrrad-, Motorradsattel.

sät|ti|gen ⟨itr.⟩: *(von Speisen) schnell satt machen:* Erbsensuppe sättigt. **sinnv.**: den Hunger stillen, satt machen.

Satz, der; -es, Sätze: 1. **a)** *im allgemeinen aus mehreren Wörtern bestehende, in sich geschlossene sprachliche Einheit, die eine Aussage, Frage oder eine Aufforderung enthält.* **sinnv.**: Periode, Phrase, Satzgefüge, Satzreihe. **Zus.**: Aufforderungs-, Ausrufe-, Aussage-, Frage-, Haupt-, Kausal-, Neben-, Relativ-, Zwischensatz. **b)** *(in einem oder mehreren Sätzen (1 a) formulierte) [philosophische oder wissenschaftliche] Erkenntnis, Behauptung oder These:* der S. des Pythagoras. **sinnv.**: These. **Zus.**: Glaubens-, Kern-, Lehrsatz. 2. **a)** *in sich abgeschlossener Teil einer Musikstücks:* eine Sinfonie hat gewöhnlich vier Sätze. **Zus.**: Choral-, Fugen-, Sonatensatz. **b)** *in sich abgeschlossener Teil eines sportlichen Wettkampfes:* er verlor beim Tennis den ersten Satz. 3. *eine bestimmte Anzahl zusammengehörender Dinge, Gegenstände:* ein S. Briefmarken. **sinnv.**: Garnitur. **Zus.**: Schlüssel-, Werkzeugsatz. 4. *in seiner Höhe festgelegter Betrag, Tarif für etwas [regelmäßig] zu Zahlendes oder zu Vergütendes:* diese Summe überschreitet den für Spesen festgelegten S. **sinnv.**: Gebühr. **Zus.**: Beitrags-, Höchst-, Mindest-, Prozent-, Zinssatz. 5. *[großer] Sprung, großer [eiliger] Schritt:* in drei Sätzen war er an der Tür.

Sau, die; -, Säue und Sauen: 1. **a)** ⟨Plural: Säue⟩ *weibliches Hausschwein.* **sinnv.**: Schwein. **Zus.**: Mutter-, Zuchtsau. **b)** ⟨Plural: Sauen⟩ *[weibliches] Wildschwein.* 2. ⟨Plural: Säue⟩ (derb) **a)** *jmd., dessen Verhalten man als anstößig o. ä. empfindet:* die alte S. hat wieder versucht, in der Damentoilette durchs Schlüsselloch zu gucken. **sinnv.**: Schmutzfink. **b)** *jmd., der in einer als anstößig empfundenen Weise schmutzig und ungepflegt ist:* du könntest dich auch mal wieder waschen, du S. **sinnv.**: Schmutzfink, Schwein. **Zus.**: Drecksau.

sau-, Sau- ⟨Präfixoid (auch verstärkend)⟩: **1.** ⟨adjektivisch⟩ *überaus, sehr* /in Verbindung mit negativ, seltener positiv wertenden Basiswörtern; oft in bezug auf Verhaltensweisen von Personen oder auf Wetterzustände/: saublöd, -dumm, -frech, -kalt, -komisch, -schwer, -teuer, -wütend. **2.** ⟨substantivisch⟩ **a)** *sehr schlecht, minderwertig* /in Verbindung mit Basiswörtern, die dadurch in bezug auf Qualität o. ä. negativ bewertet, verächtlich abgelehnt werden/: Sauarbeit, -betrieb, -fraß, -laden, -wetter, -wirtschaft. **b)** *sehr groß* /kennzeichnet den als besonders negativ oder – selten – als besonders positiv empfundenen Grad des im Basiswort Genannten/: Sauglück, -hitze, -kälte, -wut.

sau|ber ⟨Adj.⟩: 1. **a)** *frei von Schmutz:* ein sauberes Glas aus dem Schrank nehmen. **sinnv.**: blank, fleckenlos, gereinigt, gesäubert, hygienisch, keimfrei, makellos, proper, rein, reinlich. **Zus.**: blitz-, piek-, unsauber. **b)** *sorgfältiger und wohlgefälliger, manchmal schon pedantischer Sauberkeit und Reinlichkeit:* sie hat eine sehr saubere Schrift. **sinnv.**: adrett, appetitlich, hübsch, ordentlich, proper, reinlich, schmuck. **2. a)** *in einer*

Weise, die man auf Grund bestimmter sittlicher o. ä. Vorstellungen erwartet, wünscht: er hat einen sauberen Charakter. **sinnv.:** nicht anfechtbar, anständig, einwandfrei, korrekt, lauter. **b)** (ugs. iron.) *sich in Ablehnung, Verachtung o. ä. hervorrufender Weise verhaltend:* dein sauberer Herr Bruder hat mir das eingebrockt. **sinnv.:** gemein, schuftig, unzuverlässig.

sau|ber|ma|chen, machte sauber, hat saubergemacht ⟨tr.⟩: *vom Schmutz befreien:* wir haben am Samstag die Wohnung saubergemacht; ⟨auch itr.⟩ wir müssen heute unbedingt noch s. **sinnv.:** säubern.

säu|bern ⟨tr.⟩: **1.** *den Schmutz von etwas entfernen, (etwas) in einen sauberen Zustand bringen:* der Arzt säuberte zuerst die Wunde. **sinnv.:** abbürsten, abfegen, abkehren, abklopfen, abputzen, abreiben, abschütteln, abspülen, abstauben, abtreten, abwaschen, abwischen, auffegen, aufkehren, aufräumen, aufsaugen, aufwischen, ausbürsten, ausfegen, auskehren, ausspülen, auswaschen, auswischen, bürsten, fegen, kehren, putzen, rein machen, reinigen, saubermachen, saugen, scheuern, schrubben, spülen, staubsaugen, waschen, wegwischen, wischen. **2.** *von Störendem, Lästigem, Unerwünschtem o. ä. frei machen:* der Gärtner säubert das Beet von Unkraut; die Junta hat die Verwaltung gesäubert. **sinnv.:** befreien, entfernen, liquidieren.

sau|er ⟨Adj.⟩: **1. a)** *in der Geschmacksrichtung von Essig oder Zitronensaft liegend:* saure Gurken; der Wein schmeckt s. **sinnv.:** durchsäuert, gesäuert, säuerlich. **Zus.:** essig-, süß-, zitronensauer. **b)** *durch Gärung geronnen und dickflüssig geworden:* saure Milch, Sahne. **sinnv.:** dick, geronnen, gestockt. **c)** *durch Gärung verdorben:* die Dosenmilch ist s. geworden. **sinnv.:** gegoren, schlecht, einen Stich habend, stichig, ungenießbar. **2.** (ugs.) **a)** *(über jmdn./etwas) ungehalten, verärgert:* sie waren s. wegen des miesen Hotels. **sinnv.:** ärgerlich. **Zus.:** stocksauer. **b)** *Verdruß, Mißmut ausdrückend:* er macht ein saures Gesicht. **sinnv.:** mißmutig. **3.** *mit viel Mühe und Arbeit verbunden:* s. verdientes Geld. **sinnv.:** beschwerlich.

sau|fen, säuft, soff, hat gesoffen: **1.** /von Tieren/ **a)** ⟨itr.⟩ *Flüssigkeit zu sich nehmen:* der Hund säuft aus dem Napf. **b)** ⟨tr.⟩ *als Flüssigkeit zu sich nehmen:* die Katze säuft Milch. **2.** ⟨itr./tr.⟩ /in bezug auf Menschen/ **a)** (derb) ↑trinken (1 a, b). **b)** (emotional) *recht viel [und in unkultivierter Weise] trinken:* ich hatte so großen Durst, daß ich das Wasser nicht nur getrunken, sondern schon gesoffen habe. **3.** ⟨itr.⟩ (derb) ↑trinken (2).

sau|gen ⟨tr.⟩: **I.** sog/saugte, hat gesogen/gesaugt: *(Flüssigkeit, Luft o. ä.) in sich hineinziehen, einziehen:* er sog/saugte die Luft durch die Zähne; die Bienen saugen Nektar aus den Blüten. **sinnv.:** lutschen, nuckeln, suckeln. **Zus.:** ab-, auf-, aus-, ein-, vollsaugen. **II.** saugte, hat gesaugt: *mit einem Staubsauger reinigen:* den Teppich, das Wohnzimmer s. **sinnv.:** säubern. **Zus.:** ab-, aufsaugen.

säu|gen ⟨tr.⟩: *(einen Säugling oder ein Jungtier an der Brust bzw. an Euter oder Zitzen der Mutter) saugend trinken lassen und auf diese Weise nähren:* ein Kind s.; die Kuh säugte das Kalb. **sinnv.:** stillen.

Säu|ge|tier, das; -[e]s, -e: *Tier, das lebende Junge zur Welt bringt und säugt.* **sinnv.:** Säuger.

Säug|ling, der; -s, -e: *Kind, das noch an der Brust (der Mutter) oder mit der Flasche ernährt wird.* **sinnv.:** Baby.

Säu|le, die; -, -n: *senkrechte, zumeist runde Stütze bei größeren Bauwerken (siehe Bildleiste):* ein Haus mit hohen, weißen Säulen. **sinnv.:** Pfeiler, Strebe. **Zus.:** Marmor-, Pest-, Siegessäule.

Säulen

dorische   ionische

korinthische

Saum, der; -[e]s, Säume: *umgelegter und festgenähter Rand an Kleidungsstücken o. ä.:* den S. eines Kleides auftrennen. **sinnv.:** Borte, Bund. **Zus.:** Hohl-, Kleider-, Rocksaum.

säu|men ⟨tr.⟩: **a)** *(ein Kleidungsstück o. ä.) mit einem Saum versehen:* sie muß den Rock noch s. **sinnv.:** nähen. **b)** *(als Rand) umgeben, die Begrenzung (von etwas) bilden:* Sträucher und Bäume säumten die Wiese. **sinnv.:** einfassen.

Sau|na, die; -, Saunen und -s: **1.** *Raum, in dem sehr große trockene Hitze herrscht und durch periodische Güsse von Wasser auf heiße Steine Dampf erzeugt wird:* in die S. gehen. **sinnv.:** Dampfbad. **Zus.:** Familien-, Heim-, Herrensauna. **2.** *dem Schwitzen dienender Aufenthalt in einer Sauna (1):* die S. hat mir gutgetan: **sinnv.:** irisch-römisches/russisch-römisches Bad, Dampfbad, Heißluftbad, Schwitzbad.

Säu|re, die; -, -n: **1.** *bestimmte chemische Verbindung [mit einem kennzeichnenden Geschmack]:* eine ätzende S. **Zus.:** Ameisen-, Essig-, Fett-, Harn-, Kohlen-, Salpeter-, Salz-, Schwefel-, Zitronensäure. **2.** *saurer Geschmack:* der Wein hat viel S.

sau|sen, sauste, hat/ist gesaust ⟨itr.⟩: **a)** *in sehr starker Bewegung sein und ein brausendes, zischendes Geräusch hervorrufen:* der Wind sauste in den Bäumen; das Blut hat ihm in den Ohren gesaust. **sinnv.:** rauschen, surren. **b)** (ugs.) *sich sehr schnell irgendwohin bewegen:* das Auto ist mit hoher Geschwindigkeit durch die Stadt gesaust. **sinnv.**: sich fortbewegen. **Zus.**: ab-, davon-, los-, wegsausen.

scha|ben ⟨tr.⟩: a) *durch wiederholtes und festes Darüberstreichen mit etwas Scharfem, Rauhem entfernen, (etwas) von einer Schicht befreien:* er schabte den Lack von dem Brett; Mohrrüben s. **sinnv.**: kratzen. **Zus.**: ab-, aus-, wegschaben. b) *durch Schaben (a), Raspeln oder Reiben in feinen Streifen und Stücken abtrennen und so kleinschneiden:* Fleisch s. **sinnv.**: schneiden, zerkleinern.

schä|big ⟨Adj.⟩: a) *in als unansehnlich empfundener Weise abgenutzt o. ä.:* er hat einen schäbigen Mantel an. **sinnv.**: alt, minderwertig. b) *sehr gering und als unzureichend empfunden:* die Bezahlung ist sehr s. **sinnv.**: geizig; wenig. c) *(in bezug auf jmds. Verhaltens-, Handlungsweise) in beschämender Weise schlecht:* er hat sie sehr s. behandelt. **sinnv.**: gemein.

Schach, das; -s, -s: a) *Brettspiel für zwei Personen mit je sechzehn schwarzen bzw. weißen Schachfiguren:* mit jmdm. eine Partie S. spielen. b) *im Schachspiel Warnung an den Gegner, daß sein König angegriffen ist:* S. [dem König]!

Schacht, der; -[e]s, Schächte: *senkrecht in die Tiefe oder nach oben führender hohler Raum, dessen Durchschnitt meist gleich lang und breit oder rund ist.* **Zus.**: Brunnen-, Fahrstuhl-, Licht-, Luftschacht.

Schach|tel, die; -, -n: *zum Verpacken, Aufbewahren dienender, rechtwinkliger oder runder Behälter [aus Pappe] mit einem Deckel:* eine S. Zigaretten, Streichhölzer. **sinnv.**: Behälter, Box, Karton, Packung. **Zus.**: Hut-, Keks-, Papp-, Pralinen-, Streichholz-, Zigarettenschachtel.

scha|de: *(in bestimmten Wendungen):* a) *etwas ist s.: etwas ist nicht erfreulich, ist zu bedauern:* [es ist] s., daß du nicht kommen kannst. **sinnv.**: leider. **Zus.**: jammerschade. b) *es ist s. um jmdn./etwas: es ist zu bedauern, was mit jmdm./etwas geschieht.* **sinnv.**: bedauerlich. **Zus.**: jammerschade. c) *für jmdn./etwas zu s. sein: zu wertvoll, zu gut für jmdn./etwas sein und daher einem besseren Zweck, einer besseren Bestimmung angemessen sein:* für die Arbeit ist dieser Anzug zu s. d) *sich* ⟨Dativ⟩ *zu s. für/zu etwas sein: sich so hoch einschätzen, daß man eine bestimmte Tätigkeit o. ä. als minderwertig erachtet und sich nicht zumuten will:* du bist dir wohl für diese Arbeit zu s.?

Schä|del, der; -s, -: a) *Kopf (als Gesamtheit der Knochen, die ihn bilden):* im Waldboden hat man einen S. gefunden. b) *der breitere, gewölbte obere Teil des Kopfes:* ein breiter, kahler S.

scha|den, schadete, hat geschadet ⟨itr.⟩: *für jmdn./etwas von Nachteil sein, einen Verlust darstellen:* diese Tat schadete seinem Ansehen; er schadet damit nur seiner Gesundheit. **sinnv.**: anhaben, antun, jmdm. einen Bärendienst erweisen, jmdm. einen schlechten Dienst erweisen, kaputtmachen, (Schaden) zufügen, von Schaden sein, schädigen, treffen, zerrütten, zerstören, jmdm. etwas zuleide tun.

Scha|den, der; -s, Schäden: 1. *(durch ungünstige Umstände, negative Einwirkungen o. ä. bewirkte) materielle, funktionelle o. ä. Beeinträchtigung einer Sache:* für einen S. aufkommen. **sinnv.**: Einbuße, Minderung, Verlust. **Zus.**: Gesamt-, Vermögensschaden. 2. *beschädigte Stelle:* der Hagel

hat gewaltige Schäden angerichtet. **sinnv.**: Beschädigung. **Zus.**: Bagatell-, Blech-, Feuer-, Maschinen-, Motor-, Totalschaden. 3. *negative Folge; etwas, was für jmdn./etwas ungünstig ist:* wenn du dich nicht beteiligst, so ist es dein eigener S. **sinnv.**: Mangel. 4. *körperliche, gesundheitliche Beeinträchtigung:* von Geburt an hatte sie am rechten Auge einen S. **sinnv.**: Verletzung. **Zus.**: Bandscheiben-, Dauer-, Früh-, Leber-, Unfallschaden.

schä|di|gen ⟨tr.⟩: *(bei jmdm./etwas) einen Schaden hervorrufen:* jmdn. gesundheitlich s.; jmds. Ruf s. **sinnv.**: schaden.

schäd|lich ⟨Adj.⟩: *Schäden, Schädigungen verursachend, hervorrufend:* schädliche Tiere; das hat für ihn keine schädlichen Folgen. **sinnv.**: giftig; unerfreulich, unvorteilhaft.

Schaf, das; -[e]s, -e: *mittelgroßes (Säuge)tier mit dickem, wolligem Fell, das bes. wegen seiner Wolle als Nutztier gehalten wird.* **sinnv.**: Hammel, Heidschnucke, Lamm, Merino, Mufflon, Widder. **Zus.**: Haus-, Mutter-, Wollschaf.

schaf|fen: I. schuf/schaffte, hat geschaffen/geschafft ⟨tr.⟩: 1. ⟨schuf, hat geschaffen⟩ *durch eigene schöpferische Leistung hervorbringen, schöpferisch gestalten:* der Künstler hat ein neues Bild geschaffen. **sinnv.**: anlegen; erschaffen; gründen. 2. ⟨schuf/schaffte, hat geschaffen/geschafft⟩ a) *bewirken, daß etwas zustande kommt, entsteht:* er schuf /(auch:) schaffte die Voraussetzungen für den erfolgreichen Ablauf; wir haben uns mehr Raum geschaffen /(auch:) geschafft. **sinnv.**: herstellen. b) */in verblaßter Bedeutung/:* er hat endlich Abhilfe, Ordnung geschaffen /(auch:) geschafft. II. schaffte, hat geschafft: 1. ⟨itr.⟩ (bes. südd.) a) *Arbeit leisten, tätig sein:* er schaffte den ganzen Tag auf dem Felde. **sinnv.**: arbeiten. b) *beruflich tätig sein:* er schafft bei der Straßenbahn. **sinnv.**: arbeiten. 2. ⟨tr.⟩ *(in einem bestimmten Zeitraum) bewältigen, (mit etwas) fertig werden, zurechtkommen:* er schafft diese schwere Arbeit allein nicht mehr. **sinnv.**: bewältigen. 3. ⟨tr.⟩ *an einen bestimmten Ort bringen, von einem bestimmten Ort wegbringen:* sie schafften die Verwundeten ins Lazarett. **sinnv.**: befördern; entfernen. 4. ⟨itr.⟩ (ugs.) *nervös, müde machen; zur Verzweiflung bringen:* die Hitze hat mich heute geschafft. **sinnv.**: ärgern; schikanieren.

Schaft, der; -[e]s, Schäfte: 1. *oberer, das Bein umschließender Teil des Stiefels.* **Zus.**: Stiefelschaft. 2. *langer, gerader und schlanker Teil eines Gegenstutes; einer Stange ähnlicher Griff an einem Werkzeug:* der S. eines Speeres, eines Meißels. **sinnv.**: Griff. **Zus.**: Fahnen-, Speerschaft. 3. *[hölzerner] Teil eines Gewehres o. ä., in dem der Lauf u. a. liegt.* **Zus.**: Gewehrschaft.

-schaft, die; -, -en ⟨Suffix⟩: 1. */bezeichnet eine Gesamtheit von mehreren Personen, seltener Sachen der gleichen oder einer ähnlichen Art/ alle, die im Basiswort Genannten; alle, die gesamten ...:* a) */Personen/* Arbeiterschaft, Leserschaft, Verwandtschaft, Wählerschaft, Zuhörerschaft. **sinnv.**: -tum. b) */Sachen/* Erbschaft *(das, was von jmdm. geerbt wird),* Gerätschaft *(alle Geräte),* Hinterlassenschaft. 2. */bezeichnet eine bestimmte Beschaffenheit, einen Zustand, das Verhältnis einer Person zu [einer] anderen/zu einer Sache:* Bereitschaft, Feindschaft, Knechtschaft, Mitglied-

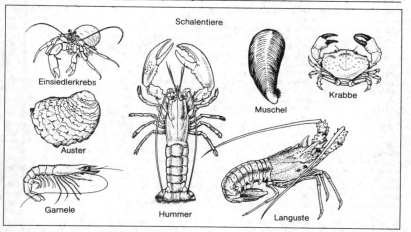

Schalentiere

Einsiedlerkrebs

Auster

Garnele

Hummer

Muschel

Krabbe

Languste

schaft, Mitwisserschaft, Partnerschaft, Patenschaft, Zeugenschaft. **sinnv.:** -heit, -tum.

Schal, der; -s, -s: *langes, schmales Halstuch:* er wickelte sich den S. um den Hals. **sinnv.:** Halstuch, Tuch. **Zus.:** Seiden-, Wollschal.

Scha̱le, die; -, -n: **I.** *flaches, rundes oder ovales offenes Gefäß:* in der S. lag Obst. **sinnv.:** Schüssel. **II. 1.** *äußere [dem Schutz dienende] mehr oder weniger harte Schicht von Früchten, Samen, Nüssen o.ä.:* die Schalen der Mandeln; dieser Apfel hat eine harte S. **sinnv.:** Haut, Hülle, Hülse, Kruste, Pelle, Rinde, Schote. **2.** *das Innere eines Vogeleis umschließende, harte, zerbrechliche Hülle:* ein Hühnerei mit brauner S. **3.** *bestimmte Tiere umgebendes panzerartiges Gehäuse:* die Schalen des Krebses, der Muschel.

schä̱len: 1. ⟨tr.⟩ **a)** *durch Wegschneiden, Abziehen von seiner Schale befreien:* er muß noch Kartoffeln s. **sinnv.:** abziehen. **b)** *(die Schale, Haut o.ä.) von etwas durch Wegschneiden, Abziehen o.ä. entfernen:* die Rinde von den Baumstämmen s. **2.** ⟨sich s.⟩ **a)** *sich in kleinen abgestorbenen Teilen ablösen:* nach dem Sonnenbrand schälte sich die Haut. **b)** *kleine abgestorbene Teilchen der Haut verlieren, eine sich schälende Haut haben:* der Kranke schälte sich am ganzen Körper.

Scha̱len|tier, das; -[e]s, -e: *Tier, das von einem panzerartigen Gehäuse umgeben ist* (siehe Bildleiste).

Schall, der; -[e]s: **1.** *nachhallendes Geräusch, schallender Klang, weithin vernehmbarer [heller] Ton:* der S. der Trompeten. **sinnv.:** Klang. **Zus.:** Glocken-, Hörnerschall. **2.** *wellenförmig sich ausbreitende Schwingungen, die vom menschlichen Gehör wahrgenommen werden können:* schneller als der S.

schaḻlen, schallte/scholl, hat geschallt ⟨itr.⟩: *laut tönen, weithin hörbar sein:* lautes Gelächter schallte/(seltener:) scholl aus dem Nebenraum; eine schallende Ohrfeige. **sinnv.:** dröhnen, erdröhnen, erklingen, erschallen, ertönen, gellen, hallen, klingen, schmettern, schrillen, tönen.

Zus.: entgegen-, herauf-, herüber-, zurückschallen.

Schall|plaṯte, die; -, -n: *aus Kunststoff gepreßte, runde Scheibe mit feinen, spiralförmig verlaufenden Rillen, in denen Tonaufnahmen gespeichert sind, die akustisch wiedergegeben werden können:* eine S. produzieren, auflegen, abspielen. **sinnv.:** CD-Platte, Kompaktschallplatte, Langspielplatte, Maxisingle, Platte, Scheibe, Single.

schaḻten, schaltete, hat geschaltet: **1.** ⟨tr.⟩ *(bei einem Gerät, einer technischen Anlage o.ä.) durch Betätigen eines Schalters, Hebels o.ä. etwas Bestimmtes regulieren, sie in eine bestimmte Funktion bringen:* er hat den Apparat auf ›ein‹ geschaltet; ⟨auch itr.⟩ du mußt zweimal s. **Zus.:** aus-, parallel-, um-, zusammenschalten. **2.** ⟨itr.⟩ *bei Kraftfahrzeugen einen [anderen] Gang wählen:* er schaltete in den 4. Gang. **3.** ⟨tr.⟩ *in bestimmter Weise in einen Stromkreis einfügen, zusammenschließen:* etwas in Reihe s. **4.** ⟨tr.⟩ *(als zusätzliches Element o.ä.) in etwas eingliedern, einfügen:* zwischen die beiden großen Aufgaben schaltete er ein paar Tage der Ruhe. **5.** ⟨itr.⟩ *in einer bestimmten Weise, bes. nach eigenem Belieben, in uneingeschränkter Freiheit handeln, verfahren:* frei s. [und walten]; er kann s., wie es ihm beliebt. **sinnv.:** unternehmen. **6.** ⟨itr.⟩ (ugs.) *etwas Bestimmtes [endlich] begreifen:* er schaltet immer ein wenig langsam. **sinnv.:** verstehen.

Schaḻter, der; -s, -: **1.** *Vorrichtung (in Form eines Hebels, Knopfs o.ä.) zum Ein-, Aus- oder Umschalten von elektrischen Geräten, Maschinen, Lampen o.ä.:* einen S. betätigen; er drehte am S. **Zus.:** Kipp-, Licht-, Wechselschalter. **2.** *in Ämtern, bei der Post o.ä. kleiner Raum oder abgetrennter Platz [mit Schiebefenster] in einem größeren Raum, von dem aus die Kunden bedient werden:* er gab den Brief am S. ab. **Zus.:** Bank-, Fahrkarten-, Gepäck-, Postschalter.

Scham, die; -: *quälendes Gefühl der Schuld, versagt zu haben; peinliche Empfindung der Verlegenheit, der Reue o.ä.:* vor S. rot werden.

schä|men, sich: *Scham empfinden:* ich habe mich wegen dieses Verhaltens sehr, zu Tode geschämt; sich seiner Herkunft s. **sinnv.:** erröten, sich genieren, rot/schamrot werden, vor Scham vergehen.

scham|los ⟨Adj.⟩: **1. a)** *ohne jede Scheu und Zurückhaltung; sehr dreist und oft unverschämt:* eine schamlose Lüge. **sinnv.:** frech. **b)** *in oft skrupelloser, gewissenloser Weise gegen die guten Sitten verstoßend:* eine schamlose Ausbeutung. **sinnv.:** rücksichtslos. **2.** *ohne jedes Gefühl für Anstand; gegen Sitte und Anstand verstoßend:* schamlose Person. **sinnv.:** unanständig.

Schan|de, die, -: *etwas, wodurch jmd. sein Ansehen, seine Ehre verliert; etwas, wessen sich jmd. schämen muß:* jmdm. große S. machen. **sinnv.:** Blamage, Ehrenrührigkeit.

schänd|lich ⟨Adj.⟩: **1.** *so geartet, daß es als niederträchtig empfunden wird; Schande bringend:* schändliche Taten. **sinnv.:** gemein. **2. a)** *als empörend schlecht empfunden:* die Straße ist in einem schändlichen Zustand. **b)** ⟨verstärkend bei Adjektiven und Verben⟩ *sehr, ungeheuer:* s. wenig verdienen.

Schar, die, -, -en: *größere [zusammengehörende] Anzahl von Menschen oder Tieren:* eine S. von Flüchtlingen; eine S. Jugendliche/ (auch:) Jugendliche sang/ (auch:) sangen auf dem Platz. **sinnv.:** Abteilung, Gruppe, Horde, Menge. **Zus.:** Kinder-, Vogelschar.

scha|ren: **a)** ⟨sich.⟩ *sich (zu einer Schar) [ver]sammeln, vereinigen:* die Schüler scharten sich um den Lehrer; sich zu einer Gruppe s. **sinnv.:** sich versammeln. **b)** *als Anhänger o. ä. für sich gewinnen und um sich sammeln:* die Jugend um sich s.

scharf, schärfer, schärfste ⟨Adj.⟩: **1. a)** *[gut geschliffen und daher] leicht und gut schneidend:* ein scharfes Messer. **sinnv.:** geschärft, geschliffen. **b)** *nicht abgerundet, stumpf, sondern in eine [leicht verletzende] Spitze, spitze Kante o. ä. auslaufend:* scharfe Zähne, Dornen. **sinnv.:** eckig, kantig, schartig, spitz. **Zus.:** messerscharf. **2. a)** *in bestimmter, sehr kräftiger und ausgeprägter Weise schmeckend oder riechend:* scharfer Senf, Essig; die Suppe war sehr s. **sinnv.:** beißend, gepfeffert, gewürzt, herb, papriziert, versalzen, würzig. **b)** *zerstörend, ätzend auf etwas wirkend:* eine scharfe Säure. **c)** *streng, stechend im Geruch:* scharfe Dämpfe. **sinnv.:** penetrant. **3.** *in unangenehmer Weise intensiv, durchdringend, heftig, hell o. ä.:* ein scharfes Zischen; ein scharfer Wind. **sinnv.:** hart, rauh. **4.** *mit großer, rücksichtsloser Genauigkeit, Strenge, Schonungslosigkeit, Verbissenheit o. ä. [durchgeführt]; ohne Nachsicht und Schonung:* scharfe Kritik; jmdn. s. tadeln. **sinnv.:** extrem, hart, polemisch. **5. a)** *besonders befähigt (etwas klar zu erkennen oder wahrzunehmen), in hohem Grade ausgebildet, für Reize empfänglich:* ein scharfes Auge; er dachte s. nach. **sinnv.:** fein. **Zus.:** haar-, messerscharf. **b)** *klar [in seinem Umriß sich abhebend, hervortretend] deutlich erkennbar:* der Turm hob sich s. vom Horizont ab; die Fotografie ist nicht, ist gestochen s. **6.** *stark ausgeprägt [und daher streng wirkend]:* das Gesicht ist s. geschnitten. **7.** *sehr schnell, sehr heftig, abrupt [geschehend, verlaufend]:* ein scharfer Ritt; s. bremsen. **8.** (ugs.) *Bewunderung auslösend, sehr eindrucksvoll; kaum noch zu überbieten:* ein ganz scharfer Wagen. **sinnv.:** vortrefflich. **9.** (ugs.) *vom Sexualtrieb beherrscht, sexuell sehr aktiv:* ein scharfer Bursche. **sinnv.:** begierig, geil.

scharf|sin|nig ⟨Adj.⟩: *etwas mit dem Verstand genau erfassend und durchdringend:* ein scharfsinniger Denker, eine scharfsinnige Bemerkung. **sinnv.:** klug.

Schar|nier, das; -s, -e: *bewegliche Verbindung zur Befestigung von Türen, Deckeln o. ä. (bei der ein Zapfen o. ä. in einer Führung sich um eine Achse dreht).*

schar|ren ⟨itr.⟩: *die Füße, Krallen o. ä. wiederholt schleifend über eine Oberfläche bewegen und dabei ein entsprechendes Geräusch verursachen:* der Hund scharrt an der Tür; die Hühner scharren im Sand [nach Würmern]. **sinnv.:** kratzen.

Schar|te, die; -, -n: *schadhafte Stelle an dem glatten, geschliffenen Rand von etwas, bes. in der Schneide eines Messers.* **sinnv.:** Kerbe.

Schat|ten, der; -s, -: **1. a)** *dunkle Stelle, die hinter einem von einer Lichtquelle getroffenen Körper auf einer sonst beleuchteten Fläche entsteht und die den Umriß dieses Körpers zeigt:* die langen Schatten der Bäume. **Zus.:** Erd-, Kern-, Schlagschatten. **b)** ⟨ohne Plural⟩ *nicht unmittelbar von der Sonne oder einer anderen Lichtquelle getroffener Bereich, in dem nur gedämpfte Helligkeit, Halbdunkel [und zugleich Kühle] herrscht:* die Häuser spenden S. **sinnv.:** Dämmerung. **2.** *Figur, Gestalt, die nur schemenhaft, als Silhouette erkennbar ist:* ein S. taucht aus der Dämmerung auf. **3.** *dunkle oder dunkel getönte Stelle:* sie hat blaue S. unter den Augen. **Zus.:** Augen-, Lidschatten.

schat|tie|ren ⟨tr.⟩: *mit dunkleren Stellen, Flächen, dunklen, farblichen Abstufungen versehen und so nuancieren [räumlich, plastischer erscheinen lassen]:* eine Zeichnung, ein Bild s.

schat|tig ⟨Adj.⟩: *Schatten aufweisend, spendend, im Schatten liegend:* einen schattigen Platz suchen. **sinnv.:** dämmerig.

Schatz, der; -es, Schätze: **1.** *kostbarer Besitz, wertvolles Gut; Ansammlung von kostbaren Dingen oder Dingen von persönlichem Wert:* einen vergrabenen S. finden; stolz zeigte er uns seinen S., seine Schätze. **sinnv.:** Hort, Kostbarkeiten, Reichtümer, Wertsachen. **Zus.:** Gold-, Kirchen-, Kunst-, Silberschatz. **2.** *jmd., der von jmdm. geliebt, besonders bevorzugt wird* /meist nur noch in der Anrede/: komm her, mein S. **sinnv.:** Liebling.

schät|zen: **1.** ⟨tr.⟩ *hinsichtlich Größe, Alter, Wert, Maß o. ä. ungefähr zu bewerten, festzulegen versuchen:* den Abstand richtig s.; jmdn. jünger s.; ein Grundstück s. (seinen Wert bestimmen) lassen. **sinnv.:** abschätzen, ansetzen, über den Daumen peilen, taxieren, überschlagen, veranschlagen. **2.** ⟨tr.⟩ *eine hohe Meinung (von jmdm./etwas) haben, (jmdn./etwas) sehr hoch achten:* alle schätzen den neuen Mitarbeiter sehr; er schätzt (liebt) guten Wein. **sinnv.:** achten, lieben. **3.** ⟨itr.⟩ (ugs.) *für sehr wahrscheinlich oder möglich halten:* ich schätze, daß er heute kommt. **sinnv.:** sich ausrechnen, vermuten.

Schau, die; -, -en: **1.** *größere Veranstaltung, bei der etwas ausgestellt, dargeboten wird:* eine landwirtschaftliche S. **sinnv.:** Ausstellung. **Zus.:** Blumen-, Leistungs-, Moden-, Tier-, Verkaufsschau. **2.** ↑Show. **sinnv.:** Darbietung, Revue.

Schau|der, der; -s, -: **a)** *plötzliche Empfindung von Frösteln, Kälte:* Schauder durchrieselten ihn in der Kälte. **sinnv.:** Schauer. **b)** *heftige, innere Empfindung des Grauens, der Angst, des Entsetzens, auch der Ehrfurcht, die jmdn. plötzlich befällt:* ein S. ergriff ihn. **sinnv.:** Entsetzen.

schau|der|haft ⟨Adj.⟩: **1.** *Schauder erregend; gräßlich:* ein schauderhaftes Verbrechen. **2.** (emotional) *in einer Art und Weise, die als im höchsten Maße unangenehm empfunden wird:* eine schauderhafte Enge; die Medizin schmeckt s.

schau|dern ⟨itr.⟩: **1.** *für einen Augenblick ein heftiges [von Zittern begleitetes] Gefühl der Kälte empfinden:* beim Betreten des Kellers schauderte ihn/(auch:) ihm. **sinnv.:** frieren. **2.** *ein Grauen, Entsetzen, einen Schauder empfinden:* mich/(auch:) mir schaudert bei dem Gedanken; sie schaudern vor Angst. **sinnv.:** sich entsetzen.

schau|en: 1. ⟨itr.⟩ (bes. südd.) *in eine bestimmte Richtung sehen, in bestimmter Weise dreinschauen:* freundlich, traurig s.; durchs Fernglas s. **sinnv.:** blicken, sehen. **2.** ⟨tr.⟩ (geh.) *intuitiv erkennen, erfassen:* die Unendlichkeit, Gott s. **3.** ⟨itr.⟩ (bes. südd.) *sich kümmern (um jmdn./etwas):* die Nachbarin schaut nach den Blumen. **4.** ⟨itr.⟩ (bes. südd.) *sich bemühen, etwas Bestimmtes zu erreichen:* er soll s., daß er fertig wird. **sinnv.:** sich befleißigen.

Schau|er, der; -s, -: **1. a)** ↑*Schauder* (a). **Zus.:** Kälteschauer. **b)** *heftige Empfindung der Ehrfurcht, Ergriffenheit, auch des Grauens, der Angst, die jmdn. plötzlich befällt.* **sinnv.:** Entsetzen. **Zus.:** Todes-, Wonneschauer. **2.** *kurzer, heftiger Niederschlag, bes. Regen:* örtliche, gewittrige Schauer; wir sind in einen S. geraten. **Zus.:** Gewitter-, Regenschauer.

Schau|fel, die; -, -n: *(zum Aufnehmen und Weiterbefördern von Erde, Sand o. ä. bestimmtes) Gerät, das aus einem flächigen, in der Mitte etwas*

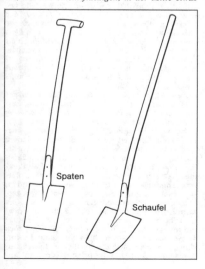

Spaten

Schaufel

vertieften Teil besteht, das in mehr oder weniger leichtem Winkel an einem meist langen Stiel befestigt ist (siehe Bildleiste): ein wenig Erde auf die S. nehmen; ein paar Schaufeln Kohle. **sinnv.:** Schippe, Spaten. **Zus.:** Kohlen-, Schnee-, Tortenschaufel.

schau|feln ⟨tr.⟩: **a)** *mit einer Schaufel ausheben:* einen Graben s.; ⟨auch itr.⟩ sie schaufelten, bis die Grube fertig war. **sinnv.:** graben. **b)** *mit einer Schaufel von einer Stelle an eine andere bringen, befördern:* Kohlen in den Keller s. **sinnv.:** schippen.

Schau|fen|ster, das; -s, -: *nach der Straße hin mit einer großen Glasscheibe abgeschlossener Raum eines Geschäftes, in dem Waren zur Ansicht ausgestellt werden:* etwas liegt im S. **sinnv.:** Auslage, Fenster, Vitrine.

Schau|kel, die; -, -n: **a)** *an zwei Seilen, Ketten o. ä. waagerecht aufgehängtes Brett o. ä., auf dem sitzend man, bes. Kinder, hin und her schwingen kann:* sich auf die S. setzen. **sinnv.:** Trapez. **Zus.:** Hollywood-, Luft-, Schiffschaukel. **b)** ↑*Wippe.*

schau|keln: 1. a) ⟨itr.⟩ *mit Hilfe einer Schaukel o. ä. auf und nieder, vor und zurück, hin und her schwingen:* die Kinder schaukeln auf dem Hof; am Reck s. **sinnv.:** wippen. **b)** ⟨tr.⟩ *in eine schwingende o. ä. Bewegung versetzen:* ein Kind [in der Wiege] s. **sinnv.:** wiegen. **2.** ⟨tr.⟩ (ugs.) *durch geschicktes Handeln, Taktieren o. ä. bewerkstelligen:* er hat die Sache geschaukelt.

schau|lu|stig ⟨Adj.⟩: *neugierig zuschauend:* die schaulustige Menge. **sinnv.:** neugierig.

Schaum, der; -[e]s: *lockere, weiche, aus einer Vielzahl von luftgefüllten Bläschen bestehende Masse (die sich aus Flüssigkeiten bildet):* der S. des Bieres; Eiweiß zu S. schlagen. **Zus.:** Bier-, Eier-, Seifenschaum.

schäu|men ⟨itr.⟩: **1. a)** *(von flüssigen Stoffen) an der Oberfläche Schaum bilden:* das Bier schäumt im Glas; die Brandung schäumt. **b)** *dazu geeignet sein, Schaum zu entwickeln:* die Seife schäumt gut. **2.** *(vor Wut, Zorn o. ä.) außer sich sein; sehr zornig, wütend sein:* er schäumte vor Wut. **sinnv.:** sich aufregen.

schau|mig ⟨Adj.⟩: *aus Schaum bestehend:* schaumiges Bier; Butter und Eier s. rühren *(so lange rühren, bis die Masse leicht schäumt).*

schau|rig ⟨Adj.⟩: **1.** *bes. wegen seiner unheimlichen, gruseligen Wirkung Schauder hervorrufend, Grauen erregend:* eine schaurige Geschichte; eine schaurige Landschaft. **sinnv.:** schrecklich, unheimlich. **2. a)** *jmdm. im höchsten Maße mißfallend; sehr unangenehm auf jmdn. wirkend:* schauriges Wetter; die Aufführung war ja s. **sinnv.:** gräßlich. **b)** ⟨verstärkend bei Adjektiven und Verben⟩ *sehr:* es ist s. kalt.

Schau|spiel, das; -[e]s, -e: **1.** *Theaterstück, Bühnenstück ernsten Inhalts mit einem für den Helden positiven Ausgang:* ein S. schreiben, aufführen. **sinnv.:** Bühnendichtung, -stück, -werk, Drama, Dreiakter, Einakter, Fünfakter, Komödie, Spiel, Stück, Theaterstück, Tragödie. **2.** *interessanter, die Aufmerksamkeit auf sich ziehender Vorgang, Anblick:* der Untergang der Sonne war ein packendes S.

Schau|spie|ler, der; -s, -: **Schau|spie|le|rin,** die; -, -nen: *männliche bzw. weibliche Person, die (nach entsprechender Ausbildung) bestimmte Rol-*

len auf der Bühne, im Film o. ä. künstlerisch gestaltet, darstellt: ein genialer Schauspieler; er ist Schauspieler. **sinnv.:** Akteur, Aktrice, Barde, Darsteller, Diva, Filmkünstler, Filmstar, Filmsternchen, Heroine, Komödiant, Leinwandgröße, Mime, Pantomime, Star, Starlet, Sternchen, Tragöde. **Zus.:** Film-, Nachwuchs-, Theater-, Volksschauspieler.

Scheck, der; -s, -s: *Formular zur Anweisung an eine Bank o. ä., aus dem Guthaben des Ausstellenden eine bestimmte Summe zu zahlen:* einen S. über 100 Mark ausstellen. **sinnv.:** Wechsel. **Zus.:** Bar-, Blanko-, Post-, Traveller-, Verrechnungsscheck.

scheckig ⟨Adj.⟩: *Flecken mit unterschiedlicher, meist weißer und schwarzer oder brauner Farbe aufweisend:* ein scheckiges Pferd. **sinnv.:** bunt, fleckig.

scheffeln ⟨tr.⟩ (ugs.): *in großen Mengen einnehmen und anhäufen:* Geld s. **sinnv.:** verdienen.

Scheibe, die; -, -n: **1.** *flacher, kreisförmiger Gegenstand:* der Diskus ist eine S. **sinnv.:** Platte, Rad. **Zus.:** Band-, Brems-, Dichtungs-, Dreh-, Gummi-, Knie-, Schieß-, Töpfer-, Wurf-, Zielscheibe. **2.** *dünnere Platte aus Glas, die in einen Rahmen eingesetzt ist:* die Scheiben klirrten, zersprangen. **sinnv.:** Fenster. **Zus.:** Butzen-, Fenster-, Glas-, Heck-, Matt-, Schaufenster-, Windschutzscheibe. **3.** *etwas, was von etwas flächig, mehr oder weniger dünn abgeschnitten ist:* eine S. Brot, Wurst; etwas in Scheiben schneiden. **sinnv.:** Schnitte. **Zus.:** Apfel-, Zwiebelscheibe.

Scheide, die; -, -n: **1.** *schmale, längliche (der Form der jeweiligen Klinge angepaßte) schützende Hülle für Hieb- und Stichwaffen:* er steckte das Schwert in die S. **sinnv.:** Hülle. **Zus.:** Degen-, Säbelscheide. **2.** ↑ *Vagina.*

scheiden, schied, hat/ ist geschieden: **1.** ⟨tr.⟩ *(eine Ehe) gesetzlich auflösen, für aufgelöst erklären:* der Richter hatte ihre Ehe geschieden; sich s. lassen *(seine Ehe gesetzlich auflösen lassen).* **2. a)** ⟨tr.⟩ *eine Trennung, eine deutliche Unterscheidung zwischen Personen oder Dingen bewirken:* er hat „Bedeutung" begrifflich von „Inhalt" geschieden. **sinnv.:** unterscheiden. **b)** ⟨sich s.⟩ *sich als verschieden erweisen, auseinandergehen:* bei dieser Frage haben sich unsere Meinungen geschieden. **sinnv.:** kontrastieren. **3.** ⟨itr.⟩ (geh.) **a)** *(von Personen) auseinandergehen, in bestimmter Weise voneinander weggehen:* sie sind grußlos, als Freunde geschieden. **b)** *für längere Zeit, für immer von einem Ort weggehen, einen Aufenthalt beenden:* er war fröhlich von ihnen geschieden. **sinnv.:** sich trennen.

Scheidung, die; -, -en: *gesetzliche Auflösung, Trennung der Ehe.* **Zus.:** Ehescheidung.

Schein, der; -[e]s, -e: **I.** ⟨ohne Plural⟩ **1.** *einen mehr oder weniger großen Umkreis erhellendes Licht, das von einer Lichtquelle, von etwas Blankem o. ä. ausgeht:* der helle S. einer Kerze. **sinnv.:** Geflimmer, Gefunkel, Geglitzer, Glanz, Glast, Licht, Lichtschimmer, Schimmer. **Zus.:** Heiligen-, Kerzen-, Licht-, Mond-, Sonnen-, Widerschein. **2.** *äußeres Ansehen, Bild von etwas; Art, wie etwas jmdm. erscheint; [täuschender] äußerer Eindruck:* der S. spricht gegen ihn. **sinnv.:** Anschein. **Zus.:** Augenschein. **II. 1.** *[amtliches] Papier, das etwas Bestimmtes bescheinigt:* er hat mir

einen S. ausgestellt, damit ich die Grenze passieren kann. **sinnv.:** Bescheinigung. **Zus.:** Fahr-, Führer-, Garantie-, Gut-, Kranken-, Liefer-, Trau-, Waffen-, Zulassungsschein. **2.** ↑ *Banknote:* er hat nur Scheine in der Tasche. **Zus.:** Geld-, Zwanzigmarkschein.

scheinbar ⟨Adj.⟩: *nur dem äußeren Eindruck nach; in Wirklichkeit nicht vorhanden, nicht wirklich:* das ist nur ein scheinbarer Widerspruch. **sinnv.:** angeblich, sogenannt, vorgeblich, wie man behauptet/vorgibt.

scheinen, schien, hat geschienen ⟨itr.⟩: **1.** *Licht ausstrahlen, Helligkeit von sich geben:* die Lampe schien ihm ins Gesicht; die Sonne schien den ganzen Tag. **sinnv.:** leuchten, strahlen. **2.** ⟨s. + zu + Inf.⟩ *einen bestimmten Eindruck machen, einen bestimmten Anschein erwecken:* sie scheinen wegzugehen; /auch in Verbindung mit „daß"/: mir will [es] s., daß einiges auf dem Spiel steht. **sinnv.:** anmuten.

scheinheilig ⟨Adj.⟩: *eine gute Gesinnung, ein bestimmtes Interesse, Freundlichkeit, Nichtwissen o. ä. nur vortäuschend; voller Verstellung:* dieser scheinheilige Bursche. **sinnv.:** unredlich.

Scheinwerfer, der; -s, -: *Lampe, deren Licht in eine Richtung gelenkt wird und die deshalb sehr weit leuchtet, einen hellen, weitreichenden Lichtstrahl aussendet* (siehe Bild „Auto"): das Auto hatte vier Scheinwerfer. **Zus.:** Nebelscheinwerfer.

scheiß-, Scheiß- ⟨Präfixoid; auch das Basiswort wird betont⟩ (derb verstärkend): */drückt ärgerliche Ablehnung, Kritik oder Ironie aus/:* **a)** ⟨adjektivisch⟩ *in Verbindung mit meist positiv wertenden Basiswörtern in bezug auf menschliches Verhalten/:* scheißegal, -freundlich, -vornehm. **b)** ⟨substantivisch⟩: Scheißangst, -arbeit, -beruf, -krieg, -laden, -spiel, -typ, -wetter.

Scheiße, die; - (derb): **1.** *Kot:* in S. treten. **sinnv.:** Exkrement. **2.** *etwas, was als schlecht, unangenehm, fehlerhaft o.ä. empfunden wird:* der Film ist große S.; so ein S.! **sinnv.:** Unsinn.

scheißen, schiß, hat geschissen (derb): **1.** ⟨itr./tr.⟩ *Kot ausscheiden:* s. gehen; man hat ihm einen Haufen vor die Tür geschissen. **sinnv.:** ausscheiden. **Zus.:** ausscheißen. **2.** ⟨itr.⟩ *sehr geringschätzen, für vollkommen überflüssig, entbehrlich halten:* ich scheiße auf ihn. **sinnv.:** ablehnen; mißbilligen.

Scheitel, der; -s, -: **1.** *Linie, die das Haar des Kopfes teilt:* einen S. ziehen. **Zus.:** Mittel-, Seitenscheitel. **2.** *höchster Punkt, oberste Stelle von etwas:* der S. des Gewölbes.

scheitern, scheiterte, ist gescheitert ⟨itr.⟩: *gänzlich ohne Erfolg bleiben:* er ist [mit seinen Plänen] an den Widerständen der andern gescheitert; ihre Ehe ist gescheitert. **sinnv.:** auffliegen, danebengehen, durchfallen, einbrechen, zu Fall kommen, fehlschlagen, mißglücken, mißraten, platzen, schiefgehen, Schiffbruch erleiden, stranden, straucheln, verunglücken, ins Wasser fallen, zerbrechen an, sich zerschlagen.

schelten, schilt, schalt, hat gescholten: **1. a)** ⟨itr.⟩ (landsch.) ↑ *schimpfen* (1): er hat furchtbar mit ihm gescholten. **b)** ⟨tr.⟩ (geh.) *mit ärgerlichen Worten tadeln:* sie schalt ihn wegen seines Leichtsinns. **sinnv.:** abkanzeln, anbrüllen, anfahren, anfauchen, angreifen, anherrschen, anranzen, ancheißen, anschnauzen, anschreien, anzischen, ttacksieren, ausschelten, ausschimpfen, auszanen, beschimpfen, jmdm. aufs Dach steigen, ndm. eins auf den Deckel geben, deckeln, eutsch mit jmdm. reden, ein Donnerwetter lossen, fertigmachen, jmdm. etwas flüstern, ndm. eine Gardinenpredigt halten, es jmdm. geen, jmdm. ins Gebet nehmen, geifern, giften, erunterkanzeln, heruntermachen, sich jmdn. aufen, keifen, kläffen, knurren, jmdm. den opf waschen/zurechtrücken, jmdm. etwas an en Kopf werfen, jmdm. eine Lektion erteilen, ndm. die Leviten lesen, jmdm. den Marsch blaen, jmdm. die Meinung geigen/sagen, jmdn. zur Minna/Schnecke machen, an jmdm. sein Müthen kühlen, jmdn. zur Ordnung rufen, plärren, oltern, jmdm. eins reinwürgen, rüffeln, rügen, unternehmen, runterputzen, jmdn. zur Sau mahen, schimpfen, jmdm. eine Standpauke halten, ndm. seinen Standpunkt klarmachen, jmdm. eie Strafpredigt halten, jmdm. eine Szene mahen, Tacheles mit jmdm. reden, tadeln, sich ndn. vorknöpfen/vornehmen, jmdm. etwas vorerfen, jmdm. Vorwürfe machen, wettern, zeern, jmdm. eine Zigarre verpassen, zurechtstuten, zurechtweisen, zusammenstauchen. 2. ⟨tr.⟩ geh.⟩ *beleidigend, herabsetzend (als etwas) beeichnen:* er schalt ihn einen Narren.

Sche|mel, der; -s, -: **1.** *Möbel zum Sitzen ohne .ehne von der Höhe eines Stuhles (oder etwas niediger), auf dem eine Person Platz hat* (siehe Bildeiste „Sitzmöbel"). **sinnv.:** Hocker. **Zus.:** Areits-, Melkschemel. **2.** *einer kleinen, niedrigen Bank ähnliches Möbelstück, das beim Sitzen als Stütze für die Füße dient.*

Schen|kel, der; -s, -: **1.** ↑Oberschenkel. **2.** *eine er beiden Geraden, die einen Winkel bilden* (siehe Bildleiste „geometrische Figuren", S. 175).

.chen|ken: **1.** ⟨tr.⟩ *unentgeltlich als Eigentum geen; zum Geschenk machen:* jmdm. Schokolade s. **innv.:** bedenken, beschenken, bescheren, geben, erschenken, hinterlassen, mitgeben, opfern, bereignen, verehren, vermachen, verschenken, egschenken. **2.** ⟨itr.⟩ *jmdm./sich etwas, was läig, mühevoll o. ä. ist, ersparen:* wir können uns liesen Besuch s. **sinnv.:** befreien. **3.** ⟨in verblaßter Bedeutung⟩ */drückt aus, daß etwas jmdm. gewährt der zuteil wird/:* jmdm./einer Sache Aufmerkamkeit, Beachtung s. *(jmd./etwas beachten);* ndm./einer Sache Glauben s. *(jmdm./einer Sahe glauben, vertrauen).*

Scher|be, die; -, -n: *Stück von einem zerbrochelen Gegenstand aus Glas, Porzellan o. ä.:* die cherben des Tellers; die Scherben aufsammeln. **innv.:** Bruchstück, Splitter. **Zus.:** Glas-, Spiegel-, Tonscherbe.

Sche|re, die; -, -n: *Werkzeug zum Schneiden, das im wesentlichen aus zwei über Kreuz drehbar miteinander verbundenen Klingen besteht:* etwas mit der S. abschneiden. **Zus.:** Nagel-, Papier-, Schneiderschere.

Scherz, der; -es, -e: *nicht ernstgemeinte Äußeung, Handlung o. ä., die Heiterkeit erregen oder Vergnügen bereiten soll:* er hat einen S. gemacht. **innv.:** Eulenspiegelei, Flachs, Gaudium, Jokus, ux, Klamauk, Nonsens, Schabernack, Schelmenstreich, Spaß, Streich, Ulk, Witz. **Zus.:** April-, Silvesterscherz.

scherz|haft ⟨Adj.⟩: *nicht [ganz] ernst [gemeint]:* eine scherzhafte Bemerkung. **sinnv.:** spaßig.
scheu ⟨Adj.⟩: **a)** *voller Scheu; sich aus Ängstlichkeit von jmdm./etwas fernhaltend:* das Mädchen ist sehr s. **sinnv.:** ängstlich. **Zus.:** arbeits-, menschen-, wasserscheu. **b)** *(von bestimmten Tieren) stets auf Gefahren achtend und sofort bereit zu fliehen; nicht zutraulich:* ein scheuer Vogel.
Scheu, die; -: *banges und hemmendes Gefühl der Unterlegenheit, der Furcht oder Ehrfurcht; zaghafte Zurückhaltung:* er hat die S. vor seinem Lehrer überwunden. **sinnv.:** Angst.
scheu|chen ⟨tr.⟩: *aufscheuchen und verjagen, irgendwohin treiben:* er hat die Vögel vom Baum gescheucht. **sinnv.:** vertreiben. **Zus.:** auf-, fort-, hinaus-, hoch-, wegscheuchen.
scheu|en: 1. a) ⟨tr.⟩ *aus Scheu, Hemmung, Angst umgehen wollen, zu vermeiden suchen:* keine Mühe, Arbeit s. **sinnv.:** fürchten. **Zus.:** verab-, zurückscheuen. **b)** ⟨sich s.⟩ *Angst, Hemmungen, Bedenken haben; (vor etwas) zurückschrecken:* ich scheue mich nicht, ihn um seine Hilfe zu bitten. **2.** ⟨itr.⟩ *(bes. von Pferden) durch etwas erschreckt in Panik geraten, wild werden:* das Pferd scheute.
scheu|ern: 1. ⟨tr.⟩ **a)** *stark reiben, um es zu reinigen:* Töpfe s. **b)** *durch kräftiges Reiben entfernen:* den Schmutz von den Dielen s. **2.** ⟨itr.⟩ *[in unangenehmer Weise] sich reibend ständig über etwas hinbewegen:* das Tau scheuert an der Bordwand. **sinnv.:** reiben. **Zus.:** auf-, durchscheuern.
Scheu|ne, die; -, -n: *landwirtschaftliches Gebäude, in dem vor allem Heu, Stroh, Getreide o. ä. gelagert wird.* **sinnv.:** Heuboden, Heuspeicher, Heustadel, Scheuer, Schober, Stadel.
scheuß|lich ⟨Adj.⟩: **1. a)** *sehr unangenehm, kaum erträglich in seiner Wirkung auf die Sinne:* ein scheußlicher Anblick; die Suppe schmeckt s. **sinnv.:** gräßlich. **b)** *durch Gemeinheit, Roheit o. ä. Entsetzen erregend:* ein scheußliches Verbrechen. **sinnv.:** schrecklich. **2. a)** *in höchstem Grade unangenehm:* scheußliches Wetter. **b)** ⟨verstärkend bei Adjektiven und Verben⟩ *sehr:* es war s. kalt.
Schi, der; -s, -er: ↑Ski.
Schicht, die; -, -en: **1.** *über, unter oder zwischen anderem flächenhaft ausgebreitete Masse eines Stoffes o. ä.:* eine dicke S. Staub. **sinnv.:** Decke, Lage. **Zus.:** Eis-, Erd-, Farb-, Gesteins-, Wolkenschicht. **2.** *Gruppe, Klasse innerhalb einer Gesellschaft: zu einer bestimmten sozialen S. gehören.* **sinnv.:** Stand. **Zus.:** Bevölkerungs-, Gesellschafts-, Ober-, Unterschicht. **3.** *Abschnitt eines Arbeitstages in durchgehend arbeitenden Betrieben:* die erste S. ist vorbei; die S. wechseln. **sinnv.:** Turnus. **Zus.:** Früh-, Nacht-, Tagschicht.
schicken ⟨tr.⟩: **a)** *(jmdn.) veranlassen, sich (zu einem bestimmten Zweck o. ä.) an einen bestimmten Ort zu begeben, einen bestimmten Ort zu verlassen:* er schickte ihn einkaufen/zum Einkaufen, nach Hause. **sinnv.:** abordnen. **b)** *veranlassen, daß etwas an einen bestimmten Ort gebracht, befördert wird:* er schickte seinem Vater/an seinen Vater ein Päckchen; etwas nach Berlin s. **sinnv.:** anweisen, senden, übermitteln, überweisen, versenden, zugehen lassen, zuleiten. **Zus.:** ab-, ein-, mit-, nach-, verschicken.
Schick|sal, das; -s, -e: **a)** *Gesamtheit des von einer höheren Macht dem einzelnen Menschen Zugedachten, über ihn Verhängten, was sich menschli-*

cher Berechnung und menschlichem Einfluß entzieht und das Leben des einzelnen in entscheidender Weise bestimmt: er fügte sich in sein S. **sinnv.:** Bestimmung, Fatum, Geschick, Los, Prädestination. **Zus.:** Einzel-, Emigranten-, Menschenschicksal. **b)** ⟨ohne Plural⟩ *höhere Macht, die das Leben des Menschen bestimmt und lenkt:* das S. bestimmte ihn zum Retter des Landes. **sinnv.:** Fügung, Vorsehung.

schie|ben, schob, hat geschoben: **1.** ⟨tr.⟩ **a)** *ohne die Berührung mit der Standfläche aufzuheben, durch von einer Seite ausgeübten Druck von einer Stelle fortbewegen:* den Schrank in die Ecke s.; ⟨auch itr.⟩ unser Auto sprang nicht an, also schoben wir. **sinnv.:** drücken, an einen anderen Platz stellen, rücken, verlagern, verrücken, verschieben. **Zus.:** ein-, weg-, zurück-, zusammenschieben. **b)** *etwas, das Räder hat, angefaßt halten und beim Gehen mit vorwärts bewegen:* ein Fahrrad s. **sinnv.:** drücken, fahren, rollen. **Zus.:** fort-, hinschieben. **2.** ⟨tr.⟩ **a)** *nur leicht mit den Fingern gegen etwas drücken und dadurch seine Lage in eine bestimmte Richtung hin verändern:* den Hut in den Nacken s. **b)** *in gleitender Weise von etwas weg-, irgendwohin bewegen:* den Riegel vor die Tür s.; die Hände in die Manteltaschen s. **Zus.:** hinein-, vorschieben. **3. a)** ⟨tr.⟩ *durch Schieben* (1 a) *jmdn. irgendwohin drängen:* die Mutter schiebt die Kinder hastig aus dem Zimmer. **b)** ⟨sich s.⟩ *sich mit leichtem Schieben* (1 a) *durch etwas hindurch- oder in etwas hineinbewegen:* er schob sich durchs Gewühl. **sinnv.:** sich fortbewegen. **4.** ⟨tr.⟩ *jmdn./etwas für etwas Unangenehmes verantwortlich machen:* die Schuld auf jmdn. s. **5.** ⟨itr./tr.⟩ (ugs.) *gesetzwidrige Geschäfte machen, auf dem schwarzen Markt mit etwas handeln:* mit Zigaretten, Kaffee s.; er hat nach dem Krieg geschoben. **sinnv.:** schmuggeln, Schwarzhandel treiben. **Zus.:** verschieben.

Schieds|rich|ter, der; -s, -: **1.** *unparteiischer Leiter eines Spieles bes. zwischen Mannschaften.* **sinnv.:** Kampfrichter, Mattenrichter, Pfeifenmann, Punktrichter, Referee, Ringrichter, Schiri, Unparteiischer. **2.** *Unparteiischer, der in einem [Rechts]streit zwischen den streitenden Parteien vermittelt.* **sinnv.:** Mittler, Vermittler.

schief ⟨Adj.⟩: **1.** *von der senkrechten oder waagerechten Lage abweichend, nicht gerade:* eine schiefe Mauer; den Hut s. auf den Kopf setzen. **sinnv.:** abfallend, geneigt, krumm, schräg. **Zus.:** windschief. **2.** *(in der Darstellung o. ä. betreffend) dem wahren Sachverhalt nur zum Teil entsprechend und daher einen falschen Eindruck vermittelnd:* ein schiefes Urteil.

schie|len ⟨itr.⟩: **1.** *durch die fehlerhafte Stellung eines oder beider Augen nicht geradeaus sehen können:* sie schielte auf dem linken Auge. **sinnv.:** einen Knick im Auge/in der Optik haben, einen Silberblick haben. **2.** (ugs.) *verstohlen (nach etwas) blicken:* er schielte nach rechts und nach links, ob man ihn beobachtet habe.

Schie|ne, die; -, -n: *auf einer Trasse verlegter Teil einer Gleisanlage, auf dem sich Schienenfahrzeuge fortbewegen:* Schienen für die Straßenbahn verlegen. **sinnv.:** Gleis. **Zus.:** Eisenbahn-, Straßenbahnschiene.

schie|ßen, schoß, hat/ist geschossen: **1. a)** ⟨itr.⟩ *einen Schuß, Schüsse abgeben:* er hatte [mit einer

Pistole] auf sie geschossen. **sinnv.:** abdrücken, abgeben, abschießen, ballern, feuern, losballern, losschießen. **b)** ⟨itr.⟩ *(an einer bestimmten Stelle mit einem Schuß treffen:* er hat ihn/ihm in di Wade geschossen. **Zus.:** nieder-, zusammen schießen. **c)** ⟨tr.⟩ *(Wild) mit einer Schußwaffe erle gen:* er hat einen Hasen geschossen. **sinnv.:** zu Strecke bringen, töten. **Zus.:** an-, krankschießer **2.** ⟨itr.⟩ *sich sehr schnell bewegen:* das Boot is durch das Wasser geschossen. **Zus.:** heraus-, her vor-, hochschießen. **3.** ⟨tr.⟩ *(beim Fußball) den Ba mit dem Fuß an eine bestimmte Stelle befördern:* e hatte den Ball ins Tor geschossen. **sinnv.:** bom ben, kicken, köpfen, schlagen.

Schiff, das; -[e]s, -e: **1.** *Wasserfahrzeug mit bau chigem Körper und unterschiedlichen Aufbauten:* mit einem S. fahren; zu S. den Ozean überque ren. **sinnv.:** Boot, Dampfer, Fähre, Frachter, Ga leere, Kahn, Kutter, Pott, Tanker. **Zus.:** Dampf Fähr-, Fang-, Fracht-, Handels-, Kriegs-, Mut ter-, Schul-, Segel-, Traumschiff. **2.** *langgestreck ter Innenraum bzw. Teil des Innenraums vo, christlichen Kirchen, der für die Gemeinde be stimmt ist:* die Kirche hat drei Schiffe. **sinnv.** Kirchenschiff. **Zus.:** Haupt-, Mittel-, Quer-, Sei tenschiff.

Schiffahrt, die; -: *Schiffsverkehr auf dem Was ser.* **sinnv.:** Seefahrt. **Zus.:** Binnen-, Handels schiffahrt.

Schi|ka|ne, die; -, -n: *[unter Ausnutzung seine besonderen Stellung] jmdm. böswillig bereite Schwierigkeit:* er war den Schikanen seines Vor gesetzten ausgeliefert. **sinnv.:** Bosheit.

Schild: I. der; -[e]s, -e: *aus einer meist runder leicht gekrümmten Platte mit einem Griff auf de Rückseite bestehende Schutzwaffe, die jmd. geger Angriffe von vorn vor seinen Oberkörper hält.* **II** das; -[e]s, -er: *meist rechteckige Tafel, Platte vor unterschiedlicher Größe und aus unterschiedlichem Material, die, beschriftet oder als Zeichen o. ä. ver sehen, auf etwas hinweist:* ein S. mit dem Zeicher der Firma. **sinnv.:** Etikett, Hinweistafel, Markie rung, Verkehrszeichen. **Zus.:** Hinweis-, Na mens-, Nummern-, Orts-, Stopp-, Straßen-, Tür Warnschild.

schil|dern ⟨tr.⟩: *ausführlich, anschaulich mi Worten wiedergeben, beschreiben:* jmdm. seine Eindrücke s. **sinnv.:** ausführen, ausmalen, berich ten, beschreiben, darlegen, darstellen, erzählen illustrieren, veranschaulichen, wiedergeben **Zus.:** ab-, ausschildern.

Schilf, das; -[e]s, -e: *hohes Sumpfgras, das bes an Ufern und in feuchten Gebieten wächst:* Matter aus S. **sinnv.:** Ried, Rohr, Röhricht, Schilfgras Schilfrohr, Teichrohr.

schil|lern ⟨itr.⟩: *in verschiedener Stärke, in wech selnden Farben spielen:* das auf dem Wasser schwimmende Öl schillert bunt. **sinnv.:** changie ren, irisieren.

Schim|mel, der; -s, -: **I.** ⟨ohne Plural⟩ *an feuch ten organischen Stoffen und Körpern sich bilden der, weißlich oder grünlicher, von Schimmelpil zen hervorgerufener Überzug:* etwas ist von/mit S. überzogen. **sinnv.:** Fäulnis, Schwamm. **II.** *weiße Pferd.* **Zus.:** Apfel-, Grauschimmel.

schim|meln, schimmelte, hat/ist geschimmelt ⟨itr.⟩: *Schimmel ansetzen:* der Käse hat/ist geschimmelt. **sinnv.:** faulen. **Zus.:** verschimmeln.

Schim|mer, der; -s: *mattes Leuchten, gedämpfter Glanz:* der S. des Goldes, des Haares.: Farbe, Schein. **Zus.:** Kerzen-, Sternenschimmer.

schim|mern ⟨itr.⟩: **a)** *einen matten, gedämpften Glanz haben:* das Kleid aus Seide schimmerte silbrig. **b)** *ein schwaches Licht aussenden, verbreiten:* der Stern schimmerte am Horizont.

schimp|fen: **1.** ⟨itr.⟩ **a)** *seinem Unwillen (über jmdn./etwas) in heftigen Worten Ausdruck geben:* auf jmdn. s.; er schimpfte über das Essen. **sinnv.:** schelten. **b)** *(bes. ein Kind) mit heftigen Worten zurechtweisen:* die Mutter schimpfte mit den Kindern. **sinnv.:** ausschimpfen. **2.** ⟨tr.⟩ *im Zorn (als etwas Bestimmtes, Schimpfliches) bezeichnen:* er schimpfte ihn einen Esel. **sinnv.:** bezeichnen. **Zus.:** beschimpfen.

Schimpf|wort, das; -[e]s, Schimpfwörter und -e: *beleidigender, meist derber Ausdruck, mit dem man im Zorn jmdn. oder etwas belegt:* ein grobes S. gebrauchen.

Schin|ken, der; -s, -: **1.** *geräucherte hintere Keule vom Schwein (siehe Bild „Schwein"):* roher, gekochter S. **sinnv.:** Bündner Fleisch, Rauchfleisch. **Zus.:** Lachs-, Nuß-, Rollschinken. **2.** (ugs.) **a)** *großes, dickes Buch.* **b)** *großes [nicht besonders wertvolles] Gemälde.*

Schip|pe, die; -, -n (landsch.): ↑*Schaufel.*

schip|pen ⟨tr.⟩ (landsch.): *mit einer Schaufel wegschaffen:* Kartoffeln in den Keller s. **sinnv.:** schaufeln.

Schirm, der; -[e]s, -e: *aus einem mit Stoff bespannten, zusammenklappbaren Gestell bestehender [tragbarer] Gegenstand, der aufgespannt als halbrundes Dach Schutz gegen Regen bzw. gegen Sonne bietet:* den S. aufspannen, über sich halten. **Zus.:** Regen-, Sonnen-, Taschenschirm.

Schlacht, die; -, -en: *schwerer, lang andauernder Kampf zwischen größeren feindlichen Truppenverbänden (im Krieg):* eine S. verlieren. **Zus.:** Material-, Saal-, Schneeball-, Straßen-, Wahlschlacht.

schlach|ten, schlachtete, hat geschlachtet ⟨tr.⟩: *(Vieh, Geflügel) fachgerecht töten und zerlegen, um Fleisch für die menschliche Nahrung zu gewinnen:* ein Schwein s. **sinnv.:** abstechen, schächten. **Zus.:** ab-, haus-, not-, schwarzschlachten.

Schlach|ter, Schläch|ter, der; -s, - (nordd.): ↑*Fleischer.*

Schlaf, der; -[e]s: **a)** *Zustand der Ruhe, in dem die körperlichen Funktionen herabgesetzt sind und das Bewußtsein ausgeschaltet ist:* in S. fallen; aus dem S. erwachen. **sinnv.:** Dämmerzustand, Nachtruhe, Ruhe, Schläfchen, Schlummer. **Zus.:** Halb-, Heil-, Nacht-, Winterschlaf. **b)** *vorübergehendes Schlafen:* einen kurzen S. halten; versäumten S. nachholen. **sinnv.:** Schläfchen. **Zus.:** Mittagsschlaf.

Schlaf|an|zug, der; -[e]s, Schlafanzüge: *(aus Jacke und Hose bestehendes) Wäschestück, das im Bett getragen wird.* **sinnv.:** Nachthemd, Nachtwäsche, Pyjama. **Zus.:** Damen-, Herren-, Kinderschlafanzug.

Schlä|fe, die; -, -n: *Stelle an der Seite des Kopfes, zwischen Auge und Ohr.*

schla|fen, schläft, schlief, hat geschlafen ⟨itr.⟩: **1.** *sich im Zustand des Schlafes befinden:* im Bett liegen und s.; s. gehen; sich s. legen. **sinnv.:** dachen, dösen, filzen, knacken, koksen, nicken, ein

Nickerchen machen, pennen, pofen, ratzen, ruhen, ein Schläfchen machen, schlummern. **Zus.:** durch-, ein-, ver-, vor-, weiterschlafen. **2.** *(an einem bestimmten Ort, in bestimmter Weise) übernachten:* sie haben im Zelt geschlafen; du kannst bei uns s. **3.** *Geschlechtsverkehr haben:* mit jmdm./miteinander s. **4.** *(in ärgerlicher Weise) bei etwas nicht mit der nötigen Wachheit, Aufmerksamkeit bei der Sache sein:* während der Konkurrenz schlief, hat er sein Geschäft ausweiten können. **sinnv.:** abwesend sein, mit offenen Augen schlafen, ganz in Gedanken/geistig weggetreten/nicht bei der Sache/unaufmerksam sein.

schlaff ⟨Adj.⟩: **a)** *locker hängend (aus Mangel an Straffheit, festem Gespanntsein oder Ausgefülltsein):* ein schlaffes Segel. **sinnv.:** lasch, locker, lose, schlapp. **b)** ↑*kraftlos:* mit schlaffen Knien ging er zur Tür.

schläf|rig ⟨Adj.⟩: *von Müdigkeit befallen, schon halb schlafend und nicht mehr aufnahmefähig:* um 9 Uhr wurde er s. und ging zu Bett. **sinnv.:** müde.

schlaf|trun|ken ⟨Adj.⟩: *vom Schlaf noch ganz benommen, noch nicht ganz wach:* jmdn. s. ansehen. **sinnv.:** müde.

Schlag, der; -[e]s, Schläge: **1. a)** *ein hartes [schmerzhaftes] Auftreffen bewirkende (einmalige) Handlung des Schlagens (mit der Hand, mit einem Gegenstand):* ein S. auf den Kopf, mit der Faust; jmdm. einen S. versetzen. **sinnv.:** Stoß. **Zus.:** Faust-, Stock-, Trommelschlag. **b)** ⟨Plural⟩ *aus wiederholten Schlägen auf den Körper bestehende Züchtigung:* Schläge kriegen, bekommen. **sinnv.:** Prügel. **2.** *regelmäßige, rhythmisch erfolgende (mit einem bestimmten Geräusch oder Ton verbundene) Bewegung:* der S. des Pulses. **Zus.:** Herz-, Pendel-, Pulsschlag. **3.** *durch einen heftigen Aufprall o. ä. hervorgerufenes, lautes [einem Knall ähnliches] Geräusch:* man hörte einen S. **sinnv.:** Knall. **Zus.:** Donner-, Kanonenschlag. **4.** *(bei bestimmten Uhren) durch ein Schlagwerk hervorgebrachter Ton (als akustische Zeitanzeige):* der S. der Turmuhr. **Zus.:** Glocken-, Stundenschlag. **5.** *trauriges, einschneidendes Ereignis, das jmdn. sehr hart trifft:* die Scheidungsabsicht ihres Mannes war für sie ein schwerer S. **sinnv.:** Schock; Unglück. **Zus.:** Schicksalsschlag.

schlag|ar|tig ⟨Adj.⟩: *schnell und heftig (einsetzend):* nach seiner Beschwerde hörte der Lärm s. auf. **sinnv.:** plötzlich.

schla|gen, schlägt, schlug, hat geschlagen: **1. a)** ⟨tr.⟩ *jmdm./einem Tier einen Schlag, mehrere Schläge versetzen:* er hatte ihn [mit dem Stock ins Gesicht] geschlagen. **sinnv.:** boxen, jmdm. ein Ding verpassen, das Fell gerben, den Frack vollhauen s. jmdm. geben, hauen, knuffen, ohrfeigen, peitschen, prügeln. **b)** ⟨tr.⟩ *durch einen Schlag o. ä. verursachen:* er hatte dem Klassenkameraden ein Loch in den Kopf geschlagen. **c)** ⟨sich s.⟩ *eine Schlägerei austragen:* er hat sich mit seinem Nachbarn geschlagen. **sinnv.:** sich balgen, sich raufen. **2.** ⟨tr.⟩ *mit Hilfe eines Schlagwerkzeugs o. ä. (in etwas) hineintreiben:* er hatte einen Nagel in die Wand geschlagen. **sinnv.:** einschlagen; rammen. **3.** ⟨tr.⟩ *durch einen Schlag irgendwohin befördern:* er hat den Ball genau in die Ecke des Feldes geschlagen. **sinnv.:** schießen. **4. a)** ⟨sich s.⟩ *sich in einem [Wett]kampf o. ä. in bestimmter Weise bewähren:* er hat sich [in der Diskussion] gut

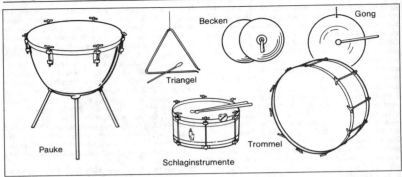

Becken · Gong · Triangel · Pauke · Trommel · Schlaginstrumente

geschlagen. **sinnv.:** kämpfen. **b)** ⟨tr.⟩ *in einem [Wett]kampf besiegen:* sie haben ihre Feinde geschlagen. **sinnv.:** besiegen. **5.** ⟨itr.⟩ **a)** *(die Flügel) heftig und rasch auf und nieder bewegen:* der Vogel hat mit den Flügeln geschlagen. **b)** *(bei einem Sturz o. ä.) mit Heftigkeit gegen etwas fallen:* er ist mit dem Kopf gegen die Tür geschlagen. **sinnv.:** anstoßen, fallen. **c)** *einen Schlag, eine Folge von Schlägen hervorbringen (und damit etwas Bestimmtes anzeigen):* die Uhr hat neun geschlagen. **6.** ⟨tr.⟩ *(auf einem Schlag- oder Saiteninstrument) spielen:* sie hat die Harfe geschlagen. **sinnv.:** spielen. **7.** ⟨tr.⟩ /in verblaßter Bedeutung/: er hat mit dem Zirkel einen Kreis geschlagen *(ausgeführt);* ein Stück Papier um etwas s. *(wickeln);* ein Bein über das andere s. *(legen).* **8.** ⟨itr.⟩ *in Art, Wesen und/oder Aussehen einem anderen Familienmitglied (einer vorausgegangenen Generation) ähnlich sein:* das älteste Kind ist ganz nach meinem Bruder geschlagen. **sinnv.:** ähneln.

Schla|ger, der; -s, -: **a)** *(zur Unterhaltungsmusik gehörendes) meist für eine bestimmte Zeit sehr beliebtes Lied.* **Zus.:** Karnevalsschlager. **b)** *etwas, was zugkräftig ist, was großen Erfolg hat:* dieses Theaterstück ist der S. der Saison; diese Ware ist ein S. **sinnv.:** Knüller, Publikumserfolg, Reißer, Renner, Spitzenreiter · Attraktion. **Zus.:** Export-, Kassen-, Messe-, Verkaufsschlager.

Schlä|ger, der; -s, -: **1.** *(bei verschiedenen Sportarten verwendetes) Gerät, mit dem ein Ball oder eine Kugel in eine bestimmte Richtung geschlagen wird.* **Zus.:** [Eis]hockey-, Golf-, [Tisch]tennisschläger. **2.** *jmd., der sich gerne an einer Schlägerei beteiligt:* paß auf, daß du dich mit diesem S. nicht in einen Streit einläßt! **sinnv.:** Raufbold.

Schlä|ge|rei, die; -, -en: *heftige, oft brutale tätliche Auseinandersetzung zwischen zwei oder mehreren Personen:* in eine S. verwickelt werden. **sinnv.:** Balgerei, Handgemenge, Keilerei, Prügelei, Tätlichkeiten.

schlag|fer|tig ⟨Adj.⟩: *die Gabe besitzend, blitzschnell, gescheit, witzig o. ä. mit einer Gegenrede auf die Äußerung eines anderen zu reagieren:* eine schlagfertige Antwort. **sinnv.:** geistreich.

Schlag|in|stru|ment, das; -[e]s, -e: *Musikinstrument, bei dem die Töne durch Anschlagen hervorgebracht werden (siehe Bildleiste).*

Schlamm, der; -[e]s: *(durch Regen, Wasser) in* eine breiige Masse verwandelte Erde: die Straßen waren nach der Überschwemmung voller S. **sinnv.:** Matsch, Morast, Schlick, Schmutz, Sumpf. **Zus.:** Faul-, Klär-, Straßenschlamm.

schlam|pig ⟨Adj.⟩ (ugs.): *in auffälliger Weise unordentlich; überaus nachlässig:* eine schlampige Alte öffnete die Tür; der Mechaniker hat s. gearbeitet. **sinnv.:** nachlässig.

Schlan|ge, die; -, -n: **1.** *(zu den Reptilien gehörendes) Tier mit langgestrecktem, beinlosem Körper, das sich in Windungen kriechend fortbewegt.* **sinnv.:** Natter, Otter, Viper. **Zus.:** Gift-, Riesen-, Seeschlange. **2. a)** *Anzahl wartender Menschen, die sich in einer Reihe hintereinander aufgestellt haben:* eine lange S. steht vor der Theaterkasse. **sinnv.:** Reihe, Schwanz. **Zus.:** Menschen-, Warteschlange. **b)** *größere Anzahl in einem Stau stehender oder sich nur langsam vorwärtsbewegender Autos:* nach dem Unfall bildete sich eine kilometerlange S. **Zus.:** Auto-, Fahrzeugschlange.

schlän|geln, sich: **a)** *sich in Windungen hinziehen, in einer Schlangenlinie verlaufen:* der Bach schlängelte sich durch das Wiesental. **sinnv.:** winden. **Zus.:** sich dahinschlängeln. **b)** *sich (Hindernissen geschickt ausweichend) vorwärts bewegen:* er schlängelte sich durch die parkenden Autos. **sinnv.:** sich drängen/drücken/hindurchzwängen/schieben. **Zus.:** sich durch-, hindurchschlängeln.

schlank ⟨Adj.⟩: *groß oder hoch und zugleich schmal:* eine schlanke Gestalt; schlanke Pappeln, Säulen. **sinnv.:** dünn [wie eine Bohnenstange/wie ein Hering/wie ein Strich (in der Landschaft)], dürr, grazil, hager, knochig, mager, rank, schlaksig, schlankwüchsig, schmächtig, schmal. **Zus.:** gerten-, über-, vollschlank.

schlapp ⟨Adj.⟩: *sich kraftlos, schwach und matt fühlend:* die Erkältung, das Fieber hat ihn ganz s. gemacht. **sinnv.:** kraftlos.

schlau ⟨Adj.⟩: *die Fähigkeit besitzend, seine Absichten mit geeigneten Mitteln zu erreichen:* er ist ein schlauer Fuchs. **sinnv.:** ausgebufft, ausgekocht, clever, findig, gerissen, gewieft, gewitzt, listig, pfiffig, raffiniert, verschmitzt; klug. **Zus.:** bauern-, ober-, überschlau.

Schlauch, der; -[e]s, Schläuche: **a)** *etwas [aus Gummi], was röhrenförmig und biegsam ist, durch das Flüssigkeiten oder Gase geleitet werden:* ein S.

zum Sprengen des Rasens. **Zus.:** Garten-, Gummi-, Wasserschlauch. **b)** *kreisförmig geschlossener, röhrenartiger Teil von Fahr- oder Autoreifen, der mit Luft gefüllt wird.*

Schlau|fe, die; -, -n: **a)** *an etwas befestigtes, ringförmig zusammengefaßtes Band aus Leder, Kunststoff o. ä., das als Griff dient:* den Schirm an der S. halten. **sinnv.:** Schlinge. **b)** *angenähter Streifen aus Stoff, der den Gürtel o. ä. hält.* **Zus.:** Gürtelschlaufe.

schlecht ⟨Adj.⟩: **1.** *so beschaffen, daß es als minderwertig, unzureichend o. ä. angesehen wird* /Ggs. gut/: das Material ist sehr s.; eine schlechte Ernte. **sinnv.:** elend, erbärmlich, unter aller Kanone, kläglich, kümmerlich, mies, minderwertig, miserabel, übel, ungenießbar. **2.** *ungünstig, nachteilig für etwas* /Ggs. gut/: schlechte Voraussetzungen, schlechtes Wetter haben. **sinnv.:** lausig; unerfreulich. **3.** *als unangenehm, störend o. ä. empfunden, beurteilt:* ein schlechter Geruch. **sinnv.:** unerfreulich; unangenehm. **4.** *(in bezug auf jmds. körperliches Befinden) unwohl:* nach dem Essen wurde ihm ganz s. **sinnv.:** blümerant, speiübel, übel. **5.** (ugs.) *(von Speisen o. ä.) verdorben und nicht mehr genießbar:* das Kompott ist s. [geworden] **sinnv.:** sauer. **6.** *vom Sprecher als charakterlich, moralisch nicht einwandfrei angesehen* /Ggs. gut/: wenn er das tut, handelt er s. **sinnv.:** lasterhaft; unanständig.

schlecht|ma|chen, machte schlecht, hat schlechtgemacht ⟨tr.⟩ (ugs.): *Nachteiliges, Herabsetzendes über jmdn./etwas sagen:* er versuchte seinen Kollegen bei jeder Gelegenheit schlechtzumachen. **sinnv.:** abqualifizieren, etwas andichten/anhängen, anschwärzen, diffamieren, diskreditieren, diskriminieren, die Ehre abschneiden, entwürdigen, mit dem Finger zeigen, nichts Gutes sagen, kein gutes Haar lassen, herabsetzen, herabwürdigen, herfallen, hergehen, heruntermachen, herziehen, in ein schlechtes Licht setzen, madig machen, ein Maul anhängen, miesmachen, mit Schmutz bewerfen, in den Schmutz ziehen, verleumden, verteufeln.

schlei|chen, schlich, hat/ist geschlichen ⟨itr.⟩: **a)** *(in der Absicht, unbemerkt zu bleiben) sich leise auftretend und langsam fortbewegen:* er war auf Zehenspitzen geschlichen, um die Kinder nicht zu wecken. **sinnv.:** sich fortbewegen. **b)** *sich heimlich und unbemerkt an einen bestimmten Ort begeben oder sich entfernen:* am Abend war er aus dem Haus geschlichen; ⟨auch: sich s.⟩ ich hatte mich aus dem Haus geschlichen. **sinnv.:** sich fortbewegen. **c)** (ugs.) *langsam und mit schleppenden Schritten gehen:* sie waren erschöpft nach Hause geschlichen. **sinnv.:** sich fortbewegen.

Schlei|er, der; -s, -: *(den Kopf und das Gesicht oder auch darüber hinaus den ganzen Oberkörper verhüllendes) feines, zumeist durchsichtiges Tuch:* einen S. tragen. **Zus.:** Braut-, Spitzen-, Tüll-, Witwenschleier.

Schlei|fe, die; -, -n: **1.** *in bestimmter Weise geschlungene Verknüpfung der Enden einer Schnur, eines Bandes o. ä.:* eine S. ins Haar binden. **sinnv.:** Schlaufe, Schlinge. **Zus.:** Haar-, Kranzschleife. **2.** *starke Biegung eines Wasserlaufs, einer Straße o. ä., die fast entgegengesetzt zur ursprünglichen Richtung verläuft:* die Straße macht eine S. **sinnv.:** Kurve. **Zus.:** Warteschleife.

schlei|fen: **I.** schleifen, schliff, hat geschliffen ⟨tr.⟩: **1.** *(die Schneide[n] von etwas) mit einem dafür vorgesehenen Werkzeug o. ä. schärfen:* ein Messer s. **sinnv.:** schärfen. **2.** *(von bestimmten harten Werkstoffen) mit einer Schleifmaschine o. ä. bearbeiten und ihnen dadurch eine bestimmte Form geben:* Glas, Diamanten s. **sinnv.:** polieren. **Zus.:** ab-, glatt-, nach-, wegschleifen. **3.** (ugs.) *(von Rekruten) übermäßig hartem Drill unterziehen:* die Soldaten wurden geschliffen. **sinnv.:** drillen. **II.** schleifen, schleifte, hat geschleift: **1. a)** ⟨tr.⟩ *(bes. einen schweren Gegenstand o. ä.) – ohne ihn von seiner Unterlage aufzuheben – durch Ziehen fortbewegen:* er schleifte den Sack [aus dem Hof]. **sinnv.:** ziehen. **Zus.:** an-, mit-, nachschleifen. **b)** ⟨itr.⟩ *durch Unachtsamkeit des Trägers [bei dessen Fortbewegung] über den Boden gleiten:* das Kleid schleifte durch den Staub. **2.** ⟨tr.⟩ *(der Befestigung dienende Bauten) niederreißen, dem Erdboden gleichmachen:* die Feinde schleiften die Mauern der Stadt. **sinnv.:** abreißen.

Schleim, der; -[e]s: *(bei Menschen und bestimmten Tieren) im Körperinnern von bestimmten Drüsen produzierte, zähflüssige Absonderung.* **sinnv.:** Speichel. **Zus.:** Nasen-, Urschleim.

schlen|dern, schlenderte, ist geschlendert ⟨itr.⟩: *lässig und gemächlich gehen [ohne ein festes Ziel zu haben]:* er schlenderte durch die Straßen. **sinnv.:** sich fortbewegen, spazierengehen.

schlen|kern ⟨tr.⟩: *(etwas) nachlässig hin und her schwingen; (etwas) locker hin und her bewegen:* er schlenkerte seine Arme, ⟨auch itr.⟩ mit den baumelnden Beinen hin und her s. **sinnv.:** schwingen.

schlep|pen: **1.** ⟨tr.⟩ **a)** *(etwas Schweres) unter Aufbietung seiner ganzen Kraft [an einen bestimmten Ort] tragen:* er schleppte seinen Koffer [zum Bahnhof]. **sinnv.:** tragen. **Zus.:** an-, herbei-, herum-, mit-, wegschleppen. **b)** (emotional) *tragen:* ich mußte ihm auch noch die Bücher nach Hause s. **c)** *(bes. von Fahrzeugen) etwas von großem Gewicht hinter sich herziehen, durch Zugkraft fortbewegen:* ein Dampfschiff schleppt die Kähne stromaufwärts. **sinnv.:** ziehen. **Zus.:** abschleppen. **2.** ⟨sich s.⟩ *sich (in einem Zustand von Schwäche, Krankheit o. ä.) mit großer Anstrengung (und nur langsam) an einen bestimmten Ort begeben:* der Kranke schleppte sich zum Bett. **sinnv.:** schleichen, schlurfen; sich fortbewegen. **3.** ⟨tr.⟩ (ugs.) *(jmdn. gegen seine eigentliche Absicht oder Neigung) mittels Überredung an einen bestimmten Ort bringen oder mitnehmen:* jmdn. mit nach Hause, ins Kino s. **sinnv.:** mitnehmen; mit hochziehen. **sinnv.:** ab-, an-, mitschleppen.

schleu|dern, schleuderte, hat/ist geschleudert: **1.** ⟨tr.⟩ **a)** *mit kräftigem Schwung und mit Wucht werfen:* er hat das Buch in die Ecke geschleudert. **sinnv.:** werfen. **Zus.:** herunter-, wegschleudern. **b)** *in einer Zentrifuge von anderen Stoffen o. ä. trennen:* er hat Honig geschleudert. **sinnv.:** zentrifugieren. **2.** ⟨itr.⟩ *(von Fahrzeugen im Fahren) bes. auf glatter Fahrbahn durch zu schnelles Fahren in einem Schwung nach beiden Seiten hin rutschend aus der Spur geraten:* das Auto ist geschleudert. **sinnv.:** ausbrechen, aus der Kurve getragen werden, ins Schleudern geraten, schwimmen, ins Schwimmen kommen.

Schleu|se, die; -, -n: *Anlage, die bes. in Flüssen und Kanälen den durch Stau o. ä. unterschiedli-*

chen Wasserstand vorübergehend ausgleicht, um Schiffen die Weiterfahrt zu ermöglichen.

schlicht ⟨Adj.⟩: **1. a)** *unauffällig, ohne Schmuck oder Verzierung:* ein schlichtes Kleid. **sinnv.:** einfach, primitiv. **b)** *(in bezug auf Personen, ihr Verhalten) einfach, ungekünstelt und bescheiden:* sie ist von schlichter Herzlichkeit. **sinnv.:** bescheiden. **2.** *nichts weiter als:* das sind schlichte Tatsachen. **sinnv.:** bloß, rein.

schlich|ten, schlichtete, hat geschlichtet ⟨tr.⟩: *(als unbeteiligter Dritter) in einem Streit o. ä. vermitteln und eine Einigung herbeiführen:* diese Angelegenheit ist von einem Schiedsrichter geschlichtet worden. **sinnv.:** bereinigen, eingreifen.

schlie|ßen, schloß, hat geschlossen: **1.** ⟨tr.⟩ *machen, daß etwas nicht mehr offensteht, offen ist* /Ggs. öffnen/: das Fenster s. **sinnv.:** dichtmachen, einklinken, verschließen, zuklappen, zuklinken, zuknallen, zumachen, zuschlagen, zustoßen, zuwerfen, zuziehen. **Zus.:** ab-, auf-, ver-, zuschließen. **2. a)** ⟨tr.⟩ *machen, daß etwas [vorübergehend, für eine bestimmte Zeit] nicht mehr offen, für einen bestimmten Personenkreis geöffnet, ihm zugänglich ist:* das Geschäft s. **sinnv.:** dichtmachen, zumachen. **b)** ⟨itr.⟩ *nicht mehr für die Öffentlichkeit, für einen bestimmten Personenkreis offen, geöffnet sein:* das Geschäft schließt um 18 Uhr. **sinnv.:** geschlossen werden, zumachen. **3. a)** ⟨sich s.⟩ *in einen Zustand des Geschlossenseins gelangen:* die Tür des Aufzugs schließt sich. **sinnv.:** zugehen. **b)** ⟨itr.⟩ *sich in bestimmter Weise schließen* (3 a): die Tür schließt automatisch. **sinnv.:** zugehen. **4.** ⟨itr.⟩ *mit einem Schlüssel eine Drehbewegung machen, so daß etwas für andere zugänglich bzw. unzugänglich ist:* du mußt zweimal s. **Zus.:** ab-, auf-, ver-, zuschließen. **5.** ⟨tr.⟩ **a)** *machen, daß etwas/jmd. in etwas gelangt, das dann abgeschlossen, verschlossen wird:* den Schmuck in eine Kassette s. **Zus.:** ein-, verschließen. **b)** *mit Hilfe eines Schlosses verbinden:* das Fahrrad an den Fahrradständer s. **Zus.:** anschließen. **6.** ⟨tr.⟩ *etwas Ganzes, Zusammenhängendes bilden:* die Reihen, einen Stromkreis s. **sinnv.:** verbinden. **7.** ⟨tr.⟩ *erklären, daß etwas zu Ende ist:* ich schließe die Sitzung. **sinnv.:** beenden. **8. a)** ⟨itr.⟩ *aufhören mit etwas, das den Schluß bildet:* der Brief schließt mit folgenden Worten ... **sinnv.:** enden. **Zus.:** abschließen. **b)** ⟨tr.⟩ *für etwas Bestimmtes als Schluß wählen:* er schloß seine Rede mit einem Zitat von Schiller. **sinnv.:** ausgehen lassen, beenden. **Zus.:** ab-, beschließen. **9.** ⟨tr.⟩ *in sich bergen:* dieses Argument schließt einen Widerspruch in sich. **sinnv.:** einschließen. **10.** ⟨itr.⟩ **a)** *als Folge [logisch] aus etwas ableiten:* ich schließe aus deiner Bemerkung, daß ... **sinnv.:** folgern. **b)** *auf Grund von etwas annehmen:* der Richter schließt [auf Grund der Ermittlungen] auf Mord. **sinnv.:** meinen, vermuten. **Zus.:** rückschließen. **11.** ⟨sich s.⟩ *sich wie ein Ring um etwas legen:* seine Hände schlossen sich um den Hals seines Opfers. **sinnv.:** sich legen um, umfassen. **Zus.:** umschließen. **12.** ⟨Funktionsverb⟩ *in bezug auf eine Übereinkunft/:* einen Vertrag s. *(sich verbünden)/* Freundschaft s. *(sich anfreunden)*.

schließ|lich ⟨Adverb⟩: **1.** */bezeichnet einen Endpunkt nach einer Phase des In-der-Schwebe-Seins/ nach längerem Zögern; zum Schluß/:* s. gab er nach. **sinnv.:** am Ende, endlich, letztlich, am

Schluß, zuletzt. **2.** */verstärkt eine Begründung/ immerhin:* s. ist er doch noch immer sein Vater.

schlimm ⟨Adj.⟩: **1.** *schwerwiegend und üble Folgen habend:* ein schlimmes Ende nehmen. **sinnv.:** beängstigend, bedenklich, besorgniserregend, fatal, schrecklich, übel, verflucht, verhängnisvoll. **2.** *in hohem Maße unangenehm, unerfreulich o. ä.:* eine schlimme Nachricht. **sinnv.:** arg, grimmig, unangenehm, unerfreulich. **3.** *(in moralischer Hinsicht) verwerflich, böse:* eine schlimme Tat. **sinnv.:** böse.

Schlin|ge, die; -, -n: **1.** *in bestimmter Weise ineinandergeschlungene Schnur o. ä., die zusammengezogen werden kann.* **sinnv.:** Schlaufe, Schleife. **2.** *(von Wilderern verwendetes) Gerät zum Fangen von Tieren:* ein Hase hat sich in der S. gefangen. **sinnv.:** Falle.

schlin|gen, schlang, hat geschlungen: **1. a)** ⟨tr.⟩ *etwas um etwas legen bzw. um etwas herumwickeln:* sie hatte ein Tuch lose um den Hals geschlungen. **sinnv.:** binden, knüpfen; wickeln. **b)** ⟨sich s.⟩ *sich um etwas [herum]winden:* die Pflanze schlingt sich um die Stäbe des Geländers. **sinnv.:** sich ranken/ringeln/schlängeln um. **Zus.:** umschlingen. **2.** ⟨tr./itr.⟩ *gierig und hastig essen:* er schlang seine Suppe. **sinnv.:** essen. **Zus.:** herunter-, hinein-, verschlingen.

Schlit|ten, der; -s, -: *Fahrzeug mit Kufen an Stelle der Räder, das (als Transportmittel im Schnee) von Pferden oder Hunden gezogen oder in kleiner Form von Kindern zum Fahren im Schnee verwendet wird.* **sinnv.:** Bob, Rennrodel, Rodel. **Zus.:** Hunde-, Pferde-, Renn-, Rodelschlitten.

schlit|tern, schlitterte, hat/ist geschlittert ⟨itr.⟩: *auf den Schuhen über das Eis gleiten.* **sinnv.:** rutschen.

Schlitt|schuh, der; -[e]s, -e: *unter dem Schuh befestigte oder zu befestigende schmale Kufe aus Stahl, die es ermöglicht, sich auf dem Eis gleitend fortzubewegen:* wir sind/haben [früher viel] S. gelaufen.

Schlitz, der; -es, -e: *längliche, schmale Öffnung in etwas [durch die etwas hindurchgesteckt werden kann]:* er schob den Brief durch den S. des Briefkastens. **sinnv.:** Einschnitt, Fuge, Ritze, Spalt, Zwischenraum. **Zus.:** Hosen-, Seh-, Türschlitz.

Schloß, das; Schlosses, Schlösser: **I.** *Vorrichtung zum Verschließen (an Türen und an bestimmten, verschließbaren Behältern):* den Schlüssel ins S. stecken. **Zus.:** Sicherheits-, Tür-, Vorhängeschloß. **II.** *meist prächtig ausgestattetes Wohngebäude fürstlicher Herrschaften:* auf/in einem S. wohnen. **sinnv.:** Palast. **Zus.:** Fürsten-, Jagd-, Königs-, Luft-, Wasserschloß.

schlot|tern ⟨itr.⟩: **1.** *(vor Kälte oder durch eine Gemütsbewegung verursacht) heftig zittern:* sie schlotterten vor Kälte, vor Angst. **sinnv.:** frieren. **2.** *(ugs.) (von Kleidungsstücken) lose, schlaff am Körper herabhängen:* die Kleider schlotterten ihm um den Leib, schlotterten um seinen Körper. **sinnv.:** baumeln, am Leibe hängen, schlappen, schlenkern.

Schlucht, die; -, -en: *tief eingeschnittenes, enges Tal mit steil aufragenden Wänden.* **Zus.:** Berg-, Felsen-, Gebirgs-, Straßen-, Talschlucht.

Schluck, der; -[e]s, Schlucke, seltener: Schlükke: *soviel (Flüssigkeit), wie man mit einem Mal schlucken kann:* er hat nicht mehr als zwei oder rei Schlucke von dem Kaffee getrunken. **sinnv.**: :ug. **Zus.**: Probeschluck.

chlücken: 1. a) ⟨tr.⟩ *(durch Bewegungen be-timmter Muskeln) vom Mund in die Speiseröhre efördern:* er schluckte eine Tablette. **Zus.**: her-nter-, hinunter-, verschlucken. **b)** ⟨itr.⟩ *Schluck-ewegungen machen:* vor Schmerzen im Hals onnte er kaum s. **sinnv.**: essen, hinunterwürgen, :hlingen, trinken. **2.** ⟨tr.⟩ (ugs.) *etwas Unange-ehmes, ohne aufzubegehren, hinnehmen:* er hat en Tadel geschluckt. **sinnv.**: aushalten.

chlund, der; -[e]s, Schlünde: *hinter der Mund-öhle und dem Kehlkopf liegender Raum, der in ie Speiseröhre übergeht.* **sinnv.**: Rachen. **Zus.**: ↑öllenschlund.

chlüpfen, schlüpfte, ist geschlüpft ⟨itr.⟩: **1.** *ich schnell und geschmeidig [durch eine enge Öff-ung, einen engen Raum] hindurchbewegen:* das √iesel ist durch den Maschendraht geschlüpft. **nnv.**: sich hindurchdrängen, -zwängen. **Zus.**: urch-, hindurchschlüpfen. **2.** *(in bezug auf ein √äsche-, Kleidungsstück) ohne Mühe, mit einer :hnellen Bewegung anziehen:* sie schlüpfte in den ↑antel. **sinnv.**: anziehen. **Zus.**: hineinschlüpfen. *(von den aus abgelegten Eiern hervorgehenden ungen bestimmter Tiere) aus dem Ei hervorkom-en:* die Küken sind geschlüpft. **sinnv.**: auskrie-en. **Zus.**: ausschlüpfen.

chlüpfer, der; -s, -: *(von Frauen und Kindern etragener) Teil der Unterkleidung, der den unte-n Teil des Rumpfes bedeckt.* **sinnv.**: Höschen, ↑iebestöter, Minislip, Slip, Tanga, Unausssprech-:he, Unterhose.

chlurfen, schlurfte, ist geschlurft ⟨itr.⟩: *gehen, dem man die Schuhe hörbar über den Boden :hleifen läßt.* **sinnv.**: sich fortbewegen, latschen. **us.**: an-, herum-, hinaus-, umherschlurfen.

chlürfen ⟨tr./itr.⟩: *(eine Flüssigkeit) geräusch-oll, mit Genuß, in kleinen Schlucken trinken:* er :hlürfte genußvoll [seinen Kaffee]. **sinnv.**: trin-en.

chluß, der; Schlusses, Schlüsse: **1. a)** (ohne tural) *Zeitpunkt, an dem etwas aufhört, zu Ende eht:* um 10 Uhr ist S. **sinnv.**: Ende. **Zus.**: Dienst-, insende-, Laden-, Melde-, Schul-, Semester-, endeschluß. **b)** *letzter Abschnitt, Teil o. ä. von et-as:* der S. des Briefes, des Buches. **2.** *Folgerung ls Ergebnis einer Überlegung:* das ist kein zwin-ender S. **sinnv.**: Kombination. **Zus.**: Fehl-, ↑ück-, Trugschluß.

chlüssel, der; -s, -: **1.** *Gegenstand zum Öffnen nd Schließen eines Schlosses:* den S. ins Schloß ↑ecken. **sinnv.**: Dietrich, Passepartout. **Zus.**: Au-↑-, Ersatz-, Haupt-, Haus-, Haustür-, Keller-, offer-, Nach-, Tür-, Wohnungs-, Zündschlüs-↑l. **2.** *Umstand, Sachverhalt o. ä., der die Erklä-ung für etwas sonst nicht Verständliches oder `urchschaubares liefert:* dieser Brief war der S. `m Verständnis seines Verhaltens. **sinnv.**: Auf-↑hluß, Lösung. **3.** *Anweisung mit deren Hilfe man ntschlüsseln eines Geheimcodes o. ä.:* ein gehei-es Schreiben mit/nach einem S. entziffern. **sinnv.**: Chiffrenschlüssel.

chlußfolgerung, die; -, -en: *logische Folge-ung, die man aus etwas Gegebenem zieht:* aus den orgängen hatte er die S. gezogen, daß man auf ↑ine Mitarbeit wohl keinen Wert legte. **sinnv.**: ↑ombination.

Schmach, die; -: *etwas, was als schwere Krän-kung, Schande oder Demütigung empfunden wird:* jmdm. eine S. antun. **sinnv.**: Blamage.

schmächtig ⟨Adj.⟩: *schmal und dabei zart, schwächlich wirkend:* er war klein und s. **sinnv.**: schlank, schmalbrüstig.

schmackhaft ⟨Adj.⟩: *gut schmeckend:* das Es-sen hier ist immer sehr s. **sinnv.**: appetitlich.

schmählich ⟨Adj.⟩ (geh.): *so geartet, daß es ei-nen Schimpf, eine Schmähung darstellt, Verach-tung ausdrückt:* ein schmählicher Verrat; jmdn. s. im Stich lassen. **sinnv.**: gemein, unrühmlich.

schmal, schmaler/schmäler, schmalste/selte-ner: schmälste ⟨Adj.⟩: **1. a)** *von geringer Ausdeh-nung in seitlicher Richtung* /Ggs. breit/: der Fluß ist an dieser Stelle sehr s. **sinnv.**: beengt, begrenzt, eingeengt, eng, zusammengepreßt. **b)** *(in bezug auf die menschliche Gestalt oder einzelne Körper-teile) auffallend schlank, zart wirkend:* ihre Hände sind sehr s.; ein schmales Gesicht. **sinnv.**: schlank, zart. **2.** *(in bezug auf Menge, Anzahl o. ä. gering, knapp:* er hat nur ein schmales Einkom-men; die Erträge werden immer schmaler. **sinnv.**: minimal.

schmälern ⟨tr.⟩: *geringer werden lassen:* diese Ausgaben schmälern den Gewinn; ich will deine Verdienste nicht s. **sinnv.**: verkleinern, verrin-gern.

Schmalz, das; -es: *durch Auslassen von fettem Fleisch (z. B. von Schwein oder Gans) gewonnenes, leicht streichbares Fett.* **sinnv.**: Fett. **Zus.**: Gänse-, Grieben-, Schweineschmalz.

schmatzen ⟨itr.⟩: *beim Essen einen Laut hervor-bringen (der durch das Öffnen des vollen Mundes entsteht).*

schmecken: a) ⟨itr.⟩ *einen bestimmten Ge-schmack haben:* etwas schmeckt süß, sauer, bit-ter. **b)** ⟨itr.⟩ *jmds. Vorlieben (bezüglich des Ge-schmacks o. ä. einer Speise) in bestimmter Weise entsprechen:* das schmeckt [mir] gut, nicht. **sinnv.**: munden. **c)** ⟨tr.⟩ *als Geschmack bei etwas beson-ders hervortreten:* man schmeckte den Knob-lauch im Salat kaum. **Zus.**: heraus-, vorschmek-ken.

Schmeichelei, die; -, -en (meist Plural): *Wor-te, die jmdn. angenehm berühren sollen, indem sie seine Vorzüge hervorheben oder ihn in übertriebe-ner Weise loben:* jmdm. Schmeicheleien sagen. **sinnv.**: Kompliment.

schmeicheln ⟨itr.⟩: **a)** *(jmdn.) in übertriebener Weise loben, ihm nicht wirklich ehrlich gemeinte Komplimente machen (um ihn für sich einzuneh-men):* er schmeichelte ihr, sie sei eine große Künstlerin. **sinnv.**: jmdm. um den Bart gehen, jmdm. Brei um den Mund/ums Maul schmieren, jmdm. zu Gefallen reden, Süßholz raspeln. **Zus.**: ein-, umschmeicheln. **b)** *jmds. Selbstbewußtsein heben:* dieses Lob schmeichelte ihm. **sinnv.**: ge-fallen. **c)** ⟨sich s.⟩ *sich etwas zugute halten:* ich schmeichle mir, die Sache richtig eingeschätzt zu haben. **sinnv.**: sich einbilden.

schmeißen, schmiß, hat geschmissen (ugs.): **1. a)** ⟨tr.⟩ *[mit Vehemenz, im Zorn o. ä.] an eine be-stimmte Stelle werfen:* er hatte ihm den Schlüssel vor die Füße geschmissen. **sinnv.**: werfen. **Zus.**: ein-, hin-, hinaus-, kaputt-, ran-, raus-, runter-, weg-, zuschmeißen. **b)** ⟨itr.⟩ *mit etwas werfen:* mit Steinen s. **2.** ⟨tr.⟩ (ugs.) *eine bestimmte Arbeit, Aufgabe o. ä. (in einer bewundernswerten Weise, mit Elan, mühelos) bewältigen: er schmeißt den Laden hier. **sinnv.**: bewerkstelligen. **3.** ⟨tr.⟩ (Jargon) durch Ungeschick o. ä. verpatzen, mißlingen lassen: durch einen Versprecher hätte er beinahe die Szene geschmissen. **sinnv.**: verderben.

schmel|zen, schmilzt, schmolz, hat/ist geschmolzen: **1.** ⟨itr.⟩ unter Einfluß von Wärme flüssig werden: das Eis ist [an/in der Sonne] geschmolzen. **sinnv.**: sich auflösen, fließen, tauen, zerfließen, zergehen, zerlaufen, zerrinnen. **2.** ⟨tr.⟩ durch Wärme flüssig machen: man hatte Metall geschmolzen. **sinnv.**: auflösen, flüssig machen, verflüssigen, zerlassen; auftauen.

Schmerz, der; -es, -en: **1.** (durch eine Verletzung, durch Krankheit o. ä. ausgelöste) sehr unangenehme, peinigende körperliche Empfindung: er fühlte einen stechenden S. im Kopf. **sinnv.**: Leiden, Martyrium, Qual · Beißen, Brennen · Reißen, Ziehen · Stechen, Stich. **Zus.**: Bauch-, Hals-, Kopf-, Rücken-, Zahnschmerz[en]. **2.** ⟨Plural selten⟩ großer Kummer, Leid (das bes. durch den Tod eines nahestehenden Menschen verursacht wird): der S. über den Tod des Kindes. **sinnv.**: Leid. **Zus.**: Abschieds-, Weltschmerz.

schmer|zen ⟨itr.⟩: **a)** körperliche Schmerzen bereiten, verursachen: der Rücken schmerzte ihn/ ihm. **sinnv.**: peinigen. **b)** jmdn. mit Kummer, mit seelischem Schmerz erfüllen: sein schroffes Verhalten schmerzte mich. **sinnv.**: kränken. **Zus.**: verschmerzen.

Schmet|ter|ling, der; -s, -e: Insekt mit zwei farbig gezeichneten Flügelpaaren. **sinnv.**: Falter, Motte, Nacht-, Tagfalter.

schmet|tern: **1.** ⟨tr.⟩ heftig und mit lautem Knall werfen, schlagen o. ä.: er schmetterte die Tür ins Schloß. **sinnv.**: werfen. **Zus.**: nieder-, zer-, zuschmettern. **2. a)** ⟨itr.⟩ laute, hallende Töne hervorbringen: die Trompeten schmetterten. **sinnv.**: schallen. **Zus.**: heraus-, hinaus-, losschmettern. **b)** ⟨tr./itr.⟩ unbekümmert laut singen: ein Lied s. **sinnv.**: singen.

schmie|den, schmiedete, hat geschmiedet ⟨tr.⟩: aus glühendem Metall, bes. Eisen, mit einem Hammer formen, herstellen: Waffen, eine Klinge s.

schmie|gen ⟨tr.⟩: sich, einen Körperteil (aus einem Bedürfnis nach Nähe, Zärtlichkeit oder Schutz) eng an jmds Körper drücken: sich an die Mutter s. **sinnv.**: sich anschmiegen.

schmie|ren: **1.** ⟨tr./itr.⟩ mit einem bestimmten Fett oder Öl leicht gleitend machen: eine Achse s. **sinnv.**: abschmieren. **2.** ⟨tr.⟩ **a)** (etwas von weicher Konsistenz) auf etwas streichen: Butter auf das Brot s. **sinnv.**: auftragen, bestreichen. **Zus.**: einschmieren. **b)** (mit einem Brotaufstrich) versehen, bestreichen: ein Brötchen [mit Marmelade] s. **3. a)** ⟨tr./itr.⟩ undeutlich, unsauber schreiben, zeichnen: etwas in das Heft s.; der Schüler hat geschmiert. **Zus.**: be-, verschmieren. **b)** ⟨itr.⟩ (in bezug auf ein Schreib-, Malgerät o. ä.) Flecken, unsaubere Striche hervorbringen: der Pinsel schmiert. **sinnv.**: kleckern.

Schmin|ke, die; -, -n: kosmetisches Mittel (in Form von getönten Cremes, Puder o. ä.), das dazu dient, das Gesicht zu verschönern bzw. bei Schauspielern zu verwandeln: S. auftragen. **sinnv.**: Make-up.

schmin|ken ⟨tr.⟩: jmdm., sich (auf einer be-

stimmten Gesichtspartie) Schminke auftragen: de Schauspieler für die Vorstellung s.; sie hat sich ihr Gesicht stark geschminkt. **sinnv.**: sich anma len/anschmieren/bemalen, Schminke auflege auftragen, sich zurechtmachen. **Zus.**: ab-, über wegschminken.

schmis|sig ⟨Adj.⟩ (emotional): (bes. in bezug a bestimmte Musik) Schwung habend: die Kapel spielte schmissige Musik. **sinnv.**: beschwingt, fe zig, flott, schwungvoll.

schmol|len ⟨itr.⟩: seine Enttäuschung üb jmdn./etwas durch gekränktes Schweigen zu Ausdruck bringen: wenn sie nicht bekommt, w. sie haben will, schmollt sie [mit uns]. **sinnv.**: b. leidigt sein, den Beleidigten spielen, mit jmdn böse sein, einen Flunsch ziehen, ein Gesicht m. ziehen/ziehen, grollen, die beleidigte Leberwur. spielen, einen Schmollmund machen, sich in de Schmollwinkel zurückziehen.

schmo|ren ⟨tr./itr.⟩: kurz anbraten und anschli ßend im eigenen Saft garen lassen: Fleisch s.; de Braten muß noch eine halbe Stunde s. **sinnv.**: br. ten, dämpfen.

Schmuck, der; -[e]s s: [aus edlem Metall, Ede steinen hergestellter] schmückender, sichtbar a Körper getragener Gegenstand: sie trug kostbare S. auf dem Fest. **sinnv.**: Geschmeide, Juwe Kleinod, Schmucksachen, Schmuckstück. **Zus** Familien-, Gold-, Modeschmuck. **b)** schmücke. des Beiwerk an, bei etwas: Blumengesteste sta den als S. auf dem Tisch. **sinnv.**: Dekoration.

schmücken ⟨tr.⟩: etwas/jmdn. (aus besonder Anlaß) mit Schmuck versehen: den Weihnacht baum s. **sinnv.**: ausschmücken, dekorieren, dr. pieren, garnieren, (sich) schönmachen, versch nern, verzieren, zieren.

schmug|geln ⟨tr./itr.⟩: heimlich über die Gren bringen, um den Zoll oder ein Verbot zu umgehe Diamanten, Waffen s. **sinnv.**: schieben, Schleic! handel/Schwarzhandel treiben.

schmun|zeln ⟨itr.⟩: mit geschlossenem, leic. breitgezogenem Mund lächeln (als Ausdruck d. Zufriedenheit, des Belustigtseins): er schmunzel über meine Bemerkung. **sinnv.**: lachen.

schmu|sen ⟨itr.⟩ (ugs.): zärtlich sein: er hat m. ihr geschmust. **sinnv.**: liebkosen.

Schmutz, der; -es: etwas, was sich an/auf/in e was als Verunreinigung befindet: den S. [von de Schuhen] kratzen. **sinnv.**: Dreck, Kot, Sauere. Schlamm, Schmiere, Schweinerei, Staub, Unra Unreinigkeit.

schmut|zig ⟨Adj.⟩: **a)** mit Schmutz behafte schmutzige Hände haben. **sinnv.**: angeschmutz. angestaubt, dreckig, fleckig, kotig, misti schmierig, schmuddelig, schmutzstarrend, spe. kig, staubig, trübe, unansehnlich, unrein, unsa. ber, verdreckt, verfleckt, versaut, verschmutzt. l. ↑unanständig: schmutzige Witze. **sinnv.**: gemei.

Schna|bel, der; -s, Schnäbel: spitz auslaufe. der, von einer Hornschicht überzogener Fortsa am Kopf des Vogels, mit dem er die Nahrung au nimmt: die jungen Vögel sperrten die Schnäb. auf. **sinnv.**: Mund. **Zus.**: Enten-, Geierschnabe. Grünschnabel · Schiffsschnabel.

Schnal|le, die; -, -n: Vorrichtung zum Schließ. von Gürteln, Taschen u. a. **sinnv.**: Koppelschlo. Schließe. **Zus.**: Gürtel-, Schuhschnalle.

schnap|pen ⟨tr.⟩ (ugs.): **a)** einen Dieb, einen Ve

recher [unmittelbar] nach der Tat ergreifen, fest-
ehmen: man hat den Bankräuber geschnappt.
nnv.: ergreifen. **b)** schnell ergreifen: er schnapp-
e seine Mappe und rannte die Treppe hinunter;
uch itr.:) der Hund schnappte nach meiner
land. **sinnv.:** nehmen; packen.

chnaps, der; -es, Schnäpse: scharf gebranntes
lkoholisches Getränk. **sinnv.:** Branntwein. **Zus.:**
.irsch-, Pflaumen-, Reißschnaps.

chnar|chen ⟨itr.⟩: im Schlaf beim Atmen mit
'eicht] geöffnetem Mund rasselnde, röchelnde
.aute hervorbringen. **sinnv.:** schlafen.

chnau|fen ⟨itr.⟩: schwer und hörbar atmen:
eim Treppensteigen schnaufte er stark. **sinnv.:**
usten.

chnęcke, die; -, -n: kriechendes (Weich)tier mit
inglichem Körper, oft mit einem spiralartig ge-
ormten Gehäuse (aus Kalk). **Zus.:** Purpur-,
Veinbergschnecke.

chnee, der; -s: Niederschlag (aus gefrorenem
Vasser] in Form weißer Flocken. **sinnv.:** Schnee-
all, Schneeflocke, Schneegestöber, Schneeregen,
chneesturm, Schneetreiben. **Zus.:** Neu-, Pulver-
chnee.

chnei|de, die; -, -n: die scharfe Seite eines Ge-
enstandes, mit dem man schneidet: die S. eines
lessers. **sinnv.:** Klinge.

chnei|den, schnitt, hat geschnitten: **1. a)** ⟨tr.⟩
nit dem Messer] zerteilen oder abtrennen: Brot s.;
weige vom Baum s. **sinnv.:** mähen, sägen, schro-
en; abschneiden. **b)** ⟨itr.⟩ in bestimmter Weise
charf sein: die Schere schneidet schlecht. **2.** ⟨tr.⟩
uf eine gewünschte Länge] kürzen, stutzen:
träucher s.; sich die Haare s. lassen. **sinnv.:** be-
chneiden. **3.** ⟨tr.⟩ einen bestimmten Schnitt geben:
in weit geschnittener Mantel. **4.** ⟨tr./itr.⟩ jmdn./
ich mit einem Messer oder ähnlich scharfem Ge-
enstand verletzen: ich habe mir, mich in die
land geschnitten. **sinnv.:** verletzen. **5.** ⟨sich s.⟩
ich kreuzen: die beiden Straßen schneiden sich.
, ⟨tr.⟩ bewußt nicht beachten: jmdn. [bei einer Zu-
ammenkunft] s. **sinnv.:** ignorieren.

chnei|dig ⟨Adj.⟩: kraftvoll-forsch: ein schneidi-
er Offizier. **sinnv.:** draufgängerisch, forsch;
chwungvoll, soldatisch.

chnei|en, schneite, hat/ist geschneit ⟨itr.⟩: **1.**
ls Schnee vom Himmel fallen: es hat die ganze
lacht geschneit. **sinnv.:** Frau Holle schüttelt die
etten, es gibt Schnee. **Zus.:** ein-, zuschneien. **2.**
nerwartet, überraschend an einen bestimmten
Irt, zu jmdm. kommen: die ganze Familie ist mir
estern ins Haus geschneit. **sinnv.:** besuchen;
ommen.

chnei|se, die; -, -n: waldfreier Streifen Land in
inem Wald, der u. a. für den Abtransport von Holz
ngelegt ist. **sinnv.:** Kahlschlag, Lichtung.

chnell ⟨Adj.⟩: **a)** mit großer Geschwindigkeit
Ggs. langsam/: er ist zu s. gefahren. **sinnv.:** mit
inem Affenzahn/-tempo, a tempo, behende, wie
er Blitz, wie ein geölter Blitz, in [größter/höch-
ter/fliegender/rasender] Eile, eilends, eilig, fix,
link, forsch, geschwind, mit fliegender Hast, ha-
tig, hurtig, mit Karacho, pfeilgeschwind, ra-
nid[e], rasant, rasch, mit -zig/achtzig Sachen, im
chweinsgalopp, spritzig, stürmisch, im Sturm-
chritt, wie der Wind, zügig. **Zus.:** blitz-, spurt-
chnell. **b)** in kurzer Zeit, bald: wir müssen s. eine
intscheidung treffen. **sinnv.:** blitzartig, flugs, ge-

schwind, im Handumdrehen, kurz, kurzfristig,
im Nu, in Null Komma nichts, rasch, Schlag auf
Schlag, schleunig[st], auf die schnelle, schnell-
stens, auf dem schnellsten Wege. **Zus.:** reak-
tions-, vorschnell.

schneu|zen, sich: sich [durch kräftiges Aussto-
ßen von Luft] die Nase putzen. **sinnv.:** sich aus-
schnauben, rotzen, [sich] schnauben, trompeten.

schnip|peln ⟨itr.⟩ (ugs.): ↑ schnipseln.

schnip|pisch ⟨Adj.⟩: kurz angebunden und et-
was frech: ein schnippisches Mädchen; er gab ei-
ne schnippische Antwort. **sinnv.:** frech, spöttisch.

schnip|seln ⟨itr.⟩: in kleine Stücke, Schnipsel
schneiden, reißen. **sinnv.:** zerlegen.

Schnitt, der; -[e]s, -e: **1. a)** das Schneiden: das
Geschwür mit einem S. öffnen. **Zus.:** Kaiser-,
Luftröhrenschnitt. **b)** das Ergebnis des Schnei-
dens: ein tiefer S. war zu sehen. **sinnv.:** Ein-
schnitt, Kerbe. **2.** Ernte, die durch Schneiden ge-
wonnen wird: der S. des Grases. **Zus.:** Getreide-,
Grasschnitt. **3.** Bearbeitung eines Films durch das
Herausschneiden unerwünschter Stellen: den S.
dis Filmes besorgte H. Maier. **4.** Art, wie etwas ge-
schnitten wird/ist: der S. dieses Kleides gefällt
mir. **sinnv.:** Form, Machart. **5.** ↑Durchschnitt: er
fuhr im S. 100 km in der Stunde.

Schnitt|lauch, der; -[e]s: Pflanze mit dünnen,
röhrenartigen Blättern, die kleingeschnitten beson-
ders als Salatwürze verwendet werden.

Schnit|zel, das; -s, -: gebratene [panierte] Schei-
be Fleisch vom Kalb oder Schwein: ein Wiener S.
sinnv.: Kotelett. **Zus.:** Jäger-, Kalbs-, Schwei-
neschnitzel.

schnit|zen ⟨tr./itr.⟩: durch Schneiden aus Holz
formen: eine Figur, ein Reh s.; er schnitzt gut.

schnö|de ⟨Adj.⟩: **1.** in Verachtung ausdrückender
Weise: jmdn. s. behandeln, abweisen. **sinnv.:** ge-
mein. **2.** als schändlich, erbärmlich empfunden:
ein schnöder Gewinn; ein schnöder Geiz. **sinnv.:**
gewöhnlich.

Schnör|kel, der; -s, -: gewundene Linie, die als
Verzierung dienen soll: er schrieb seinen Namen
mit einem großen S.

schnüf|feln ⟨itr.⟩: **1.** die Luft hörbar durch die
Nase ziehen [um etwas riechen zu können]: der
Hund schnüffelt an der Tasche. **sinnv.:** schnup-
pern; riechen; atmen. **2.** [aus Neugier] herumsu-
chen, nachspüren, spionieren: du sollst nicht in
meinen Sachen s. **sinnv.:** spionieren.

Schnup|fen, der; -s, -: mit der Absonderung ei-
ner schleimigen Flüssigkeit verbundene Entzün-
dung der Nasenschleimhäute: den S. haben; ich
habe mir einen S. geholt. **sinnv.:** Erkältung. **Zus.:**
Heuschnupfen.

schnup|pern ⟨itr.⟩: durch kurzes stärkeres Ein-
ziehen von Luft etwas riechen wollen: der Hund
schnuppert an meiner Tasche. **sinnv.:** riechen,
schnüffeln.

Schnur, die; -, Schnüre: aus dünneren Fäden
oder Fasern gedrehter Bindfaden: etwas mit einer
S. festbinden. **sinnv.:** Band, Bändel, Bindfaden,
Kordel, Seil, Spagat, Strippe. **Zus.:** Angel-, Gar-
dinen-, Perlen-, Verlängerungsschnur.

schnü|ren ⟨tr.⟩: fest mit einer Schnur [zusam-
men]binden: ein Paket, die Schuhe s.; einen
Strick um etwas s. **sinnv.:** binden.

Schnurr|bart, der; -[e]s, Schnurrbärte: Bart
oberhalb des Mundes: ein Mann mit einem S.

schnur|ren ⟨itr.⟩: *ein brummendes, summendes Geräusch von sich geben:* die Katze, die Maschine schnurrt. **sinnv.**: surren.

Schock, der; -[e]s, -s: *starke seelische Erschütterung durch ein plötzliches Ereignis:* einen S. erleiden. **sinnv.**: Schlag, Trauma. **Zus.**: Nervenschock.

schocken ⟨tr.⟩ (ugs.): *aufs höchste betroffen machen, durch etwas Unerwartetes erschrecken:* durch ihre Absage war er geschockt.

schockie|ren ⟨tr.⟩: *[durch etwas, was in provozierender Weise von der Norm abweicht] jmdm. einen Schock versetzen, ihn fassungslos, entrüstet machen:* sie liefen nackt durch den Park und schockierten damit die Spaziergänger.

Scho|ko|la|de, die; -, -n: **1.** *Süßigkeit aus Kakao, Milch und Zucker:* eine Tafel S. **Zus.**: Nuß-, Vollmilchschokolade. **2.** *Getränk aus geschmolzener, in Milch aufgekochter Schokolade:* eine [Tasse] heiße S. trinken. **sinnv.**: Kakao.

schon: I. ⟨Adverb⟩ **1. a)** */drückt aus, daß etwas früher, schneller als erwartet, geplant, vorauszusehen eintritt, geschieht oder eingetreten, geschehen ist/:* er kommt s. heute; sag bloß, du gehst s. **sinnv.**: bereits, längst, vorher. **b)** */drückt aus, daß kurz nach dem Eintreten eines Vorgangs ein anderer Vorgang so schnell, plötzlich folgt, daß man den Zeitunterschied kaum feststellen, nachvollziehen kann/:* kaum hatte er den Rücken gewandt, s. ging der Krach los. **c)** */drückt aus, daß vor dem eigentlichen Beginn eines Vorgangs etwas geschieht, geschehen soll, was damit zusammenhängt/:* ich komme später, du kannst ja s. [mal] die Koffer packen. **2. a)** */drückt [Erstaunen oder Unbehagen darüber] aus, daß das Genannte mehr an Zahl, Menge, Ausmaß darstellt, weiter fortgeschritten ist, als geschätzt, vermutet, gewünscht/:* er ist tatsächlich s. 90 Jahre; wir sind s. zu dritt. **b)** */drückt aus, daß zur Erreichung eines bestimmten Ziels, zur Erlangung einer bestimmten Sache weniger an Zahl, Menge, Ausmaß notwendig ist, als geschätzt, vermutet, gewünscht/:* ein wenig Gift kann s. tödlich sein; Eintrittskarten s. für 5 DM. **3. a)** /(in Verbindung mit einer Angabe, seit wann etwas existiert, bekannt ist, gemacht wird) *betont, daß etwas keine neue Erscheinung, kein neuer Zustand, Vorgang ist, sondern lange zuvor entstanden ist/:* s. als Kinder/als Kinder s. hatten wir eine Vorliebe für sie. **b)** */drückt aus, daß eine Erscheinung, ein Ereignis, Vorgang nicht zum ersten Mal stattfindet, sondern zu einem früheren Zeitpunkt in vergleichbarer Weise stattgefunden hat/:* ich kenne das s.; das hatten wir s. einmal. **4.** */betont, daß, von allem anderen, oft Wichtigerem abgesehen, allein das Genannte genügt, um eine Handlung, einen Zustand, Vorgang zu erklären o. ä./:* [allein] s. der Gedanke daran ist schrecklich. **sinnv.**: allein. **II.** ⟨Partikel⟩ **1.** ⟨meist unbetont⟩ */verstärkt [emotional] eine Aussage, Feststellung/:* es ist s. ein Elend!; du wirst s. sehen! **2.** ⟨unbetont⟩ */drückt in Aufforderungssätzen Ungeduld o. ä. aus/:* mach, komm s.! **3.** ⟨unbetont⟩ */drückt aus, daß [vom Sprecher] im Falle der Realisierung einer Absicht o. ä. eine bestimmte Konsequenz erwartet wird/:* wenn ich das s. mache, dann [aber] zu meinen Bedingungen. **4.** ⟨unbetont⟩ */unterstreicht die Wahrscheinlichkeit einer Aussage [in zuversichtlichem Ton als Reaktion auf bestehende Zweifel]/:* es

wird s. [gut] gehen. **5.** ⟨meist betont⟩ */schränkt ei ne [zustimmende] Antwort, Aussage ein, drückt e ne nur zögernde Zustimmung aus/:* Lust hätte ic s.; s. gut, ich gebe dir das Geld. **6.** ⟨betont⟩ */drüc aus, daß eine Aussage nur bedingt richtig ist, da eine andere Schlußfolgerung möglich ist/:* das eher; er ist mit dem neuen Chef gar nicht zufrie den, aber ich s. **7.** ⟨unbetont⟩ */gibt einer Aussag Frage einen einschränkenden, oft geringschätzige Unterton/:* was nützt das s.?; was ist s. Geld?

schön ⟨Adj.⟩: **1.** *sehr angenehm, ästhetisch au die Sinne wirkend; von vollendeter Gestalt, so da es Anerkennung, Gefallen, Bewunderung finde* eine schöne Frau; eine schöne Stimme habe **sinnv.**: ansehnlich, ansprechend, apart, ästhe tisch, entzückend, gefällig, herrlich, hübsch prächtig, prachtvoll, wohlgestalt[et], wundervoll **Zus.**: bild-, form-, wunderschön. **2.** *nicht getrüb angenehm, herrlich:* es war eine schöne Zeit; da Wetter war s. **sinnv.**: angenehm, gut, herrlich köstlich, prächtig, vortrefflich. **3.** *in einer Zustim mung und Zufriedenheit in bezug auf etwas hervo rufenden Weise:* das war [nicht] s. von dir; das i ein schöner Zug an ihm. **4.** *in einer als beträchtlic empfundenen Weise:* das kostet eine schöne Sum me Geld. **sinnv.**: gehörig. **5.** (iron.) *in einer a schlecht, unangenehm empfundenen Weise:* d bist mir ein schöner Freund! **6.** ⟨verstärkend be Adjektiven und Verben⟩ *a) sehr:* er ist s. dumm wenn er das macht. **b)** (ugs.) *wie es sein soll, sic gehört* /in Aufforderungen und Ermahnungen/ immer s. warten!

scho|nen: a) ⟨tr.⟩ *sorgfältig, vorsichtig behan deln, gebrauchen:* seine Kleider, das Auto s **sinnv.**: sorgsam behandeln, behüten, sorgsan umgehen mit. **b)** ⟨sich s.⟩ *Rücksicht auf seine Ge sundheit nehmen:* nach der Krankheit mußte e sich noch längere Zeit s.

schöp|fen ⟨tr.⟩: *(Flüssigkeit) mit einem Schöp löffel o. ä. oder mit der hohlen Hand aus einem Ge fäß o. ä. herausholen:* Wasser aus einem Fluß **Zus.**: aus-, erschöpfen.

schöp|fe|risch ⟨Adj.⟩: *etwas Bedeutendes scha fend, hervorbringend, gestaltend:* s. tätig sein **sinnv.**: einfallsreich, erfinderisch, gestalterisch kreativ, künstlerisch, musisch, phantasievoll produktiv. **Zus.**: sprach-, wortschöpferisch.

Schorn|stein, der; -[e]s, -e: *über das Dach hin ausragender oder auch freistehend senkrecht hoch geführter Abzugsschacht für die Rauchgase eine Feuerungsanlage.* **sinnv.**: Esse, Kamin, Rauch fang, Schlot.

Schoß, der; -es, Schöße: *Vertiefung, die sic beim Sitzen zwischen Oberkörper und Beinen bi det:* das Kind wollte auf den S. der Mutter.

Scho|te, die; -, -n: *längliche Kapselfrucht be stimmter Pflanzen, die mehrere Samen enthält:* di trockene S. springt auf; die Erbsen aus den Scho ten lösen. **sinnv.**: Schale. **Zus.**: Erbsen-, Paprika Vanilleschote.

schräg ⟨Adj.⟩: *von einer [gedachten] senkrechte oder waagerechten Linie in einem spitzen oder stumpfen Winkel abweichend:* der Mast steht s.; e geht s. über die Straße; er wohnt s. gegenüber **sinnv.**: absteigend, aufsteigend, diagonal, schief steil. **Zus.**: halbschräg.

Schram|me, die; -, -n: *von einem spitzen ode rauhen Gegenstand durch Abschürfen hervorgeru* *ene, als längliche Aufritzung sichtbare Hautverletung oder Beschädigung einer glatten Oberfläche:* as Auto hatte schon eine S. **sinnv.:** Kratzer, Ritz, erletzung.

chrank, der; -[e]s, Schränke: *höheres, kastenrtiges, mit Türen versehenes, meist verschließbaes Möbelstück zur Aufbewahrung von Kleidungstücken oder anderen Dingen:* Kleider in den S. ängen. **sinnv.:** Kasten, Spind. **Zus.:** Akten-, Büner-, Einbau-, Geld-, Geschirr-, Hänge-, Kleier-, Küchen-, Kühl-, Panzer-, Schuh-, Wand-, Vohnzimmerschrank.

chran|ke, die; -, -n: *in einer Vorrichtung (im* *alle der Absperrung) waagerecht liegende größee, dickere Stange:* die S. wird heruntergelassen, eht hoch. **Zus.:** Bahn-, Halb-, Weg-, Zollschrane.

chrau|be, die; -, -n: *mit Gewinde und Kopf verehener [Metall]bolzens, der in etwas eingedreht* *ird und zum Befestigen oder Verbinden von etwas ient:* eine S. anziehen, lösen. **sinnv.:** Nagel.

chrau|ben ⟨tr.⟩: *mit einer Schraube, mit Schrauen (in, an, auf etwas) befestigen:* die Kotflügel an ie Karosserie s.; sein Namensschild auf die Tür s.

chreck, der; -[e]s, -e, **Schrecken,** der; -s, -: *eftige Erschütterung des Gemüts, die meist durch* *as plötzliche Erkennen einer Gefahr oder Bedroung ausgelöst wird:* jmdm. einen gewaltigen S. njagen; sich von dem S. erholen. **sinnv.:** Entseten.

chreck|lich ⟨Adj.⟩: **1.** *durch seine Art, sein Ausaß Schrecken, Entsetzen auslösend:* eine hreckliche Krankheit; der Anblick war s. **nnv.:** beängstigend, bestürzend, entsetzlich, erhreckend, furchtbar, fürchterlich, furchterreend, gräßlich, grauenhaft, grauenvoll, grausig, rrend, katastrophal, makaber, schauderhaft, hauerlich, schaurig, scheußlich, schlimm. **2.** ̨gs.) *unangenehm stark, sehr groß:* zur Zeit errscht eine schreckliche Hitze. **sinnv.:** arg, beialisch, furchtbar, fürchterlich, schlimm, uneräglich. **3.** ⟨verstärkend bei Adjektiven und Veren⟩ (ugs.) *sehr:* es war ihm s. peinlich; sich s. ufregen.

chrei, der; -[e]s, -e: *meist aus Angst ausgestoßeer, unartikulierter Laut eines Lebewesens:* er höre einen markerschütternden, langgezogenen S. **nnv.:** Ausruf. **Zus.:** Angst-, Freuden-, Hilfe-, Juel-, Schmerzens-, Schreckens-, Wut-, Zorneschrei.

chrei|ben, schrieb, hat geschrieben: **1.** ⟨itr./tr.⟩ *uchstaben, Zahlen, Noten in bestimmter Reihenɔlge mit einem Schreibgerät auf einer Unterlage, ̨eist auf Papier, hervorbringen:* s. lernen; schön, auber s.; etwas auf einen Zettel s. **sinnv.:** zur Feer greifen, schriftlich festhalten, kritzeln, hmieren. **Zus.:** maschine-, probeschreiben. **2.** ̨r./tr.⟩ *sich schriftlich an jmdn. wenden;[etwas] in hriftlicher Form senden, schicken:* seinem Vater/ n seinem Vater [eine Karte, einen Gruß] s. **sinnv.:** nschreiben, schriftlich herantreten an. **3.** ⟨tr./ ̨r.⟩ *schreibend, schriftlich formulieren, gestalten;* *on etwas der Autor, Verfasser sein:* er schreibt eien Roman/an einem Roman; er schreibt *(ist* *chriftsteller);* er schreibt schon zwei Stunden an ieser Beschwerde. **sinnv.:** formulieren, verfasen. **4.** ⟨itr.⟩ *schriftlich mitteilen, berichten:* die Zeiung schrieb ausführlich über das Unglück. **5.**

⟨itr.⟩ *zum Thema einer [wissenschaftlichen] Abhandlung machen:* er schreibt über den Marxismus, über die Kirche, über den Staat. **6.** ⟨itr.⟩ *einen bestimmten Stil haben:* lebendig, interessant s. **7.** ⟨sich s.⟩ *mit jmdm. brieflich in Verbindung stehen:* wir schreiben uns regelmäßig. **sinnv.:** korrespondieren. **8.** ⟨tr.⟩ *jmdm. schriftlich einen bestimmten Gesundheitszustand bescheinigen:* der Arzt schrieb ihn gesund, krank.

Schrei|ben, das; -s, -: *offizielle oder sachliche schriftliche Mitteilung:* er richtete ein S. an den Bürgermeister. **sinnv.:** Botschaft, Brief, Mitteilung, Postkarte, Schrieb, Schriftstück, Zeilen, Zuschrift. **Zus.:** Antwort-, Begleit-, Bewerbungs-, Empfehlungs-, Rundschreiben.

Schreib|ma|schi|ne, die; -, -n: *Maschine, mit der man durch Niederdrücken von Tasten Buchstaben- oder Ziffernzeichen mittels eines Farbbandes auf ein eingespanntes Blatt Papier schreibt:* S. schreiben; etwas auf/mit der S. schreiben. **Zus.:** Blinden-, Reiseschreibmaschine.

Schreib|tisch, der; -[e]s, -e: *einem Tisch ähnliches Möbelstück, das meist an einer oder an beiden Seiten Schubfächer zum Aufbewahren von Schriftstücken, Akten o. ä. hat und an dem Schreibarbeiten verrichtet werden:* am, hinter dem S. sitzen. **sinnv.:** Sekretär.

schrei|en, schrie, hat geschrie[e]n: **1.** ⟨itr.⟩ *einen Schrei, Schreie ausstoßen:* vor Angst, Schmerz, Freude s. **sinnv.:** aufbrüllen, blöken, brüllen, grölen, johlen, kreischen, plärren, rufen. **2.** ⟨tr./itr.⟩ *übermäßig laut sprechen:* er schrie [seinen Namen] so laut, daß ihn jeder verstand. **Zus.:** an-, durcheinander-, heraus-, herum-, niederschreien.

Schrei|ner, der; -s, -, **Schrei|ne|rin,** die; -, -nen: ↑ Tischler.

schrei|ten, schreitet, schritt, ist geschritten ⟨itr.⟩ (geh.): **1.** *[gemessenen Schrittes, langsam und feierlich] gehen:* er schritt durch die Halle, zum Ausgang. **sinnv.:** fort fortbewegen. **Zus.:** dahin-, voran-, weiterschreiten. **2.** *(mit etwas) beginnen, etwas in Angriff nehmen:* zur Wahl s. **sinnv.:** unternehmen.

Schrift, die; -, -en: **1.** *System von Zeichen, mit denen die gesprochene Sprache festgehalten, lesbar gemacht wird:* lateinische S. **Zus.:** Blinden-, Geheim-, Keil-, Kurz-, Laut-, Noten-, Runenschrift. **2.** *für einen Menschen charakteristische Handschrift:* eine schöne, leserliche S. **sinnv.:** Handschrift. **3.** *meist im Druck erschienener längerer Text:* das hat verschiedene Schriften philosophischen Inhalts verfaßt, veröffentlicht. **sinnv.:** Abhandlung, Buch. **Zus.:** Anklage-, Fest-, Streit-, Zeitschrift.

schrift|lich ⟨Adj.⟩: *in geschriebener Form* /Ggs. mündlich/: etwas s. mitteilen. **sinnv.:** brieflich, schwarz auf weiß. **Zus.:** hand-, maschinen-, urschriftlich.

Schrift|stel|ler, der; -s, -, **Schrift|stel|le|rin,** die; -, -nen: *männliche bzw. weibliche Person, die literarische Werke verfaßt.* **sinnv.:** Autor, Dichter, Dramatiker, Erzähler, Essayist, Feuilletonist, Ghostwriter, Literat, Lyriker, Poet, Prosaist, Publizist, Romancier, Schreiber, Stückeschreiber, Texter, Verfasser. **Zus.:** Heimat-, Jugend-, Lieblings-, Prosa-, Reise-, Roman-, Unterhaltungsschriftsteller.

schrill ⟨Adj.⟩: *unangenehm hell, scharf und*

durchdringend [klingend]: ein schriller Ton; die Glocke klingt sehr s. **sinnv.:** laut.
Schritt, der; -[e]s, -e: **1.** *das Vorsetzen eines Fußes vor den andern beim Gehen:* er macht kleine, große Schritte; das Geschäft ist nur wenige Schritte *(nicht weit)* von hier entfernt. **Zus.:** Eil-, Schlender-, Trippel-, Wechselschritt. **2.** ⟨ohne Plural⟩ *Art und Weise, wie jmd. geht.:* jmdn. an seinem S. erkennen; er hat einen schweren S.; aus dem S. kommen *(mit anderen nicht im gleichen Schritt bleiben)*; im S. *(sehr langsam)* fahren. **sinnv.:** Gang. **Zus.:** Gleich-, Lauf-, Trabschritt. **3.** *einem ganz bestimmten Zweck dienende, vorgeplante Maßnahme:* ein bedeutsamer, unüberlegter S.; sich gerichtliche Schritte vorbehalten. **sinnv.:** Aktion.
schroff ⟨Adj.⟩: **1.** *sehr stark, nahezu senkrecht abfallend oder ansteigend und zerklüftet:* schroffe Felsen. **sinnv.:** steil. **2.** *durch eine abweisende und unhöfliche Haltung ohne viel Worte seine Ablehnung zum Ausdruck bringend:* etwas s. zurückweisen. **sinnv.:** barsch. **3.** *plötzlich und unvermittelt:* ein schroffer Übergang. **sinnv.:** plötzlich, rauh.
Schrott, der; -[e]s: *unbrauchbare Abfälle oder [alte] unbrauchbar gewordene Gegenstände aus Metall o. ä.:* mit S. handeln. **sinnv.:** Alteisen, -metall.
schrumplfen, schrumpfte, ist geschrumpft ⟨itr.⟩: *sich zusammenziehen und dabei kleiner oder leichter werden [und eine faltige, runzlige Oberfläche bekommen]:* die Äpfel schrumpfen bei langem Lagern. **Zus.:** ein-, zusammenschrumpfen.
Schublalde, die; -, -n: *herausziehbarer, offener Kasten, herausziehbares Fach in einem Möbelstück, wie Kommode, Schrank o. ä.:* ein Schreibtisch mit seitlichen Schubladen. **sinnv.:** Fach. **Zus.:** Kommoden-, Nachttisch-, Schreibtischschublade.
Schubs, der; -es, -e (ugs.): *leichter Stoß:* unversehens bekam ich von hinten einen S.
schublsen ⟨tr.⟩ (ugs.): *jmdm. oder einer Sache einen Schubs geben; durch plötzliches Anstoßen in eine bestimmte Richtung in Bewegung versetzen:* jmdn. ins Wasser, zur Seite s.; ⟨auch itr.⟩ sie drängelten und schubsten. **sinnv.:** stoßen. **Zus.:** herum-, wegschubsen.
schüchltern ⟨Adj.⟩: *scheu und zurückhaltend, anderen gegenüber gehemmt:* der Junge ist noch sehr s. **sinnv.:** ängstlich.
Schuft, der; -[e]s, -e (ugs.): *als gemein, niederträchtig geltender Mensch:* ein elender, gemeiner S. **sinnv.:** Betrüger, Bösewicht, Halunke, Lump, Schurke.
Schuh, der; -[e]s, -e: *Fußbekleidung aus einer festen Sohle [mit Absatz] und einem Oberteil meist aus weicherem Leder:* der rechte S.; die Schuhe sind [mir] zu klein. **sinnv.:** Galosche, Holzpantine, Latschen, Mokassin, Pantine, Pantoffel, Pumps, Sandale, Sandalette, Slipper, Stiefel, Trotteur. **Zus.:** Arbeits-, Bade-, Ballett-, Bund-, Damen-, Fußball-, Halb-, Haus-, Herren-, Holz-, Hütten-, Kinder-, Lack-, Leinen-, Schnallen-, Schnür-, Ski-, Sommer-, Spangen-, Sport-, Stökkel-, Stoff-, Straßen-, Turn-, Wander-, Winterschuh.
Schuhlmalcher, der; -s, -: ↑Schuster.
schuld: ⟨in den Verbindungen⟩ **[an etwas] s. haben/sein:** *der Schuldige sein, [für etwas] die Schuld*

tragen: er ist/hat s. [an dem ganzen Unheil] **jmdm./einer Sache s. geben:** *jmdm./einer Sache die Schuld zuschieben:* er gibt dem schlechte Wetter s., daß so viele Leute krank sind.
Schuld, die; -, -en: **1.** ⟨ohne Plural⟩ *das Veran wortlichsein für einen unheilvollen, strafwürdige bestimmten Geboten o. ä. zuwiderlaufenden Vo gang, Tatbestand:* er trägt die S. am wirtschaftl chen Zusammenbruch. **sinnv.:** Alleinverantwo tung, Haftung. **Zus.:** Allein-, Haupt-, Kollektiv schuld. **2.** ⟨meist Plural⟩ *Geldbetrag, den jmd. e nem anderen schuldet; Verpflichtung zur Rückgab von Geld oder zur Bezahlung von etwas:* sein Schulden bezahlen, loswerden. **sinnv.:** Anleih Defizit, Obligation, Rückstand, Schuldverschre bung, Verbindlichkeit, Verpflichtung. **Zus.** Spiel-, Steuer-, Zechschuld[en].
schulden, schuldete, hat geschuldet ⟨tr.⟩: *(zu Begleichung von Schulden oder als Entgelt o. ä.) zahlen haben:* ich schulde ihm hundert Mark.
schulldig ⟨Adj.⟩: **1.** *(an etwas) die Schuld tre gend, in bezug auf jmdn./etwas Schuld auf sich ge laden habend:* der Angeklagte war s. **sinnv.:** be lastet, schuldbeladen, schuldhaft, selbstverschul det. **2. a)** *[als materielle Gegenleistung] zu geb verpflichtet:* jmdm. [noch] Geld s. sein; der Be weis hierfür bin ich mir noch s. **b)** *(aus Gründe des Respekts o. ä.) geboten, erforderlich:* jmdn die schuldige Achtung nicht versagen. **sinnv.:** ge ziemend. **Zus.:** pflichtschuldig.
Schulle, die; -, -n: **1.** *öffentliche oder private Ein richtung, in der Kindern und Jugendlichen dur planmäßigen Unterricht Wissen, Bildung vermitte wird:* in die S./zur S. gehen; eine S. für Lernbe hinderte. **sinnv.:** Bildungsanstalt, Gymnasiun Internat, Lehranstalt, Lyzeum, Penne. **Zus.** Abend-, Berufs-, Blinden-, Dorf-, Einheits Fach-, Gemeinschafts-, Gesamt-, Grund-, Han dels-, Haupt-, Haushalts-, Heim-, Hoch-, Inge nieur-, Kloster-, Knaben-, Konfessions-, Land Mädchen-, Mittel-, Musik-, Privat-, Real-, Son der-, Volks-, Zwergschule. **2.** ⟨ohne Plural⟩ ↑Un terricht: heute haben wir keine S. **3.** *Gebäude, i dem eine Schule (1) untergebracht ist:* eine neue S bauen. **4.** ⟨ohne Plural⟩ *Ausbildung, durch d jmds. Fähigkeiten auf einem bestimmten Gebiet z voller Entfaltung gekommen sind:* sein Spiel ve rät eine gute S.; bei jmdm. in die S. gehen *(ausge bildet werden).*
schullen ⟨tr.⟩: **a)** *(in einem bestimmten Beruf, Tä tigkeitsfeld) für eine spezielle Aufgabe, Funktio intensiv ausbilden:* die Mitarbeiter für neue Auf gaben s. **sinnv.:** erziehen. **b)** *durch systematisch Übung besonders geeignet, leistungsfähig macher vervollkommnen:* das Auge s. **sinnv.:** abrichter anleiten.
Schüller, der; -s, -, **Schüllelrin,** die; -, -nen: **a** *Junge bzw. Mädchen, der/das eine Schule besuch* **sinnv.:** Abc-Schütze, Eleve, Gymnasiast, Pennä ler, Schulkind, Zögling. **Zus.:** Berufs-, Durch schnitts-, Fahr-, Haupt-, Kloster-, Mit-, Muster Ober-, Real-, Volksschüler. **b)** *männliche bzw weibliche Person, die in einem bestimmten wissen schaftlichen oder künstlerischen Gebiet von eine Kapazität ausgebildet wird und deren Lehre o. ä vertritt:* ein Schüler Raffaels. **sinnv.:** Anhänge **Zus.:** Meisterschüler.
Schullter, die; -, -n: *Teil des Rumpfes zwische*

Hals und Armkugel: jmdm. auf die S. klopfen; S. an S. *(dichtgedrängt)* stehen. **sinnv.:** Achsel.

Schund, der; -[e]s: *etwas, was als wertlos, minderwertig angesehen wird:* er wollte uns lauter S. verkaufen. **sinnv.:** Ausschuß.

Schup|pe, die; -, -n: a) *den Körper bestimmter Tiere in großer Zahl bedeckendes Gebilde (in Form eines Plättchens) aus unterschiedlicher Substanz:* die Forelle hat silbrige Schuppen. **Zus.:** Fisch-, Hornschuppe. b) *sehr kleines Hautteilchen, das von der Kopfhaut abgestoßen wird:* ein Haarwasser gegen Schuppen. **sinnv.:** Schorf. **Zus.:** Haar-, Haut-, Kopfschuppe.

Schup|pen, der; -s, -: *einfacher Bau [aus Holz] zum Unterstellen von Geräten, Wagen o. ä.:* ein S. für die Gartengeräte. **Zus.:** Blech-, Geräte-, Güter-, Holz-, Lager-, Wagenschuppen.

schü|ren ⟨tr.⟩: 1. *(ein Feuer) durch Stochern mit einem Feuerhaken o. ä. anfachen, zum Aufflammen bringen:* das Feuer s. 2. *anstacheln, entfachen, entfesseln [und steigern]:* den Haß s. **sinnv.:** anheizen.

Schur|ke, der; -n, -n: ↑ *Schuft.*

Schür|ze, die; -, -n: *(über der Kleidung getragenes) vor allem die Vorderseite des Körpers [teilweise] bedeckendes Teil aus Stoff o. ä., das besonders zum Schutz der Kleidung bei bestimmten Arbeiten dient:* sich eine S. umbinden. **sinnv.:** Kittel, Schurz, Vortuch. **Zus.:** Cocktail-, Gummi-, Kittel-, Küchen-, Leder-, Leinen-, Träger-, Wickelschürze.

Schuß, der; Schusses, Schüsse: 1. a) *das Abfeuern eines Geschosses:* der S. aus einer Pistole. **Zus.:** Fang-, Kanonen-, Pistolen-, Warnschuß. b) *abgefeuertes Geschoß:* ein S. hatte ihn ins Bein getroffen. c) ⟨Plural: Schuß⟩ *für einen Schuß* (1 a) *ausreichende Menge Munition, Schießpulver:* er hat noch drei S. im Magazin. d) *das scharfe, kräftige Werfen, Treten, Schlagen eines Balles o. ä.:* der S. ging neben das Tor. **Zus.:** Dreh-, Fern-, Flach-, Torschuß. 2. ⟨ohne Plural⟩ *kleine Menge einer Flüssigkeit:* Tee mit einem S. Rum.

Schüs|sel, die; -, -n: *gewöhnlich tieferes, oben offenes Gefäß, besonders zum Anrichten und Auftragen von Speisen:* eine S. voll Kartoffelbrei, mit Gemüse. **sinnv.:** Becken, Napf, Schale, Terrine. **Zus.:** Blech-, Futter-, Kristall-, Salat-, Spül-, Suppen-, Waschschüssel.

Schuß|waf|fe, die; -, -n: *Waffe, mit der man schießen kann* (siehe Bildleiste): er trug eine S. bei sich. **sinnv.:** Bogen, Feuerwaffe, Flinte, Gewehr, Karabiner, Pistole, Revolver, Terzerol.

Schu|ster, der; -s, -: *Handwerker, der Schuhe repariert und auch anfertigt.* **sinnv.:** Schuhmacher. **Zus.:** Flickschuster.

Schutt, der; -[e]s: *Anhäufung von Geröll oder Trümmerstücken, die durch den Abriß oder die*

Zerstörung eines Bauwerks entstanden sind: nach dem Erdbeben blieb von dem Dorf nur S. übrig. **sinnv.:** Geröll, Trümmer. **Zus.:** Bau-, Ziegelschutt.

schüt|teln: a) ⟨tr./itr./sich s.⟩: *jmdn./etwas [anfassen und] kräftig, schnell hin und her bewegen:* die Flasche vor Gebrauch s.; den Kopf, mit dem Kopf s.; ich schüttelte mich vor Lachen *(mußte sehr lachen).* **sinnv.:** hin und her bewegen, rütteln, schaukeln. **Zus.:** auf-, durch[einander]schütteln. b) ⟨tr.⟩ *schüttelnd* (a) *von etwas lösen, entfernen:* Nüsse [vom Baum] s. **Zus.:** ab-, aus-, heraus-, herunterschütteln.

schüt|ten, schüttete, hat geschüttet: 1. ⟨tr.⟩ *(von flüssigen, körnigen o. ä. Stoffen) in, auf, aus etwas fließen, gleiten lassen:* Wasser in einen Kessel s.; den Zucker in die Dose s. **sinnv.:** ausgießen, auskippen, ausleeren, ausschenken, einschenken, gießen. **Zus.:** aus-, daneben-, hinein-, weg-, zusammenschütten. 2. ⟨itr.⟩ (ugs.) *in Strömen regnen:* es schüttet.

Schutz, der; -es: *etwas, was eine Gefährdung abhält oder einen Schaden abwehrt:* jmdm. S. gewähren; ein Mittel zum S. gegen/vor Erkältungen. **sinnv.:** Abschirmung, Deckung, Geborgenheit, Geleit, Obhut, Pflege, Sicherheit, Sicherung. **Zus.:** Daten-, Denkmal-, Frost-, Grenz-, Jugend-, Kündigungs-, Natur-, Pflanzen-, Polizei-, Rechts-, Regen-, Selbst-, Sonnen-, Strahlen-, Tier-, Umwelt-, Unfall-, Wind-, Zivilschutz.

Schüt|ze, der; -n, -n, **Schüt|zin,** die; -, -nen: *männliche bzw. weibliche Person, die mit einer Schußwaffe schießt:* er ist ein guter, sicherer, zuverlässiger Schütze. **Zus.:** Meister-, Scharf-, Sportschütze.

schüt|zen ⟨tr./itr.⟩: *jmdm., einer Sache Schutz gewähren, einen Schutz [ver]schaffen:* jmdn. vor Gefahr, vor Strafe s.; ⟨auch sich s.⟩ sich vor Krankheit, Regen s. **sinnv.:** behüten, immunisieren, sichern, wahren. **Zus.:** beschützen.

Schüt|zin: vgl. Schütze.

schwach, schwächer, schwächste ⟨Adj.⟩ /Ggs. stark/: 1. a) *(in körperlicher Hinsicht) über nur geringe Kraft besitzend:* er ist schon alt und s. **sinnv.:** hinfällig, kraftlos. b) *(in bezug auf seine Funktion) nicht sehr leistungsfähig:* er hat ein schwaches Herz. **sinnv.:** anfällig. **Zus.:** geistes-, willensschwach. 2. *keine große Belastung aushaltend:* eine schwache Mauer. **sinnv.:** dünn, leicht. 3. *nur wenig ausgeprägt; in nur geringem Maße vorhanden, wirkend o. ä.:* schwacher Beifall; die Leistungen des Schülers sind s. **sinnv.:** mäßig. **Zus.:** ausdrucksschwach. 4. *nicht sehr zahlreich:* die Ausstellung war nur s. besucht. **sinnv.:** karg, spärlich. 5. *keine gute Qualität aufweisend, wenig gehaltvoll:* ein schwacher Kaffee; das war ein schwaches Spiel. **sinnv.:** minderwertig.

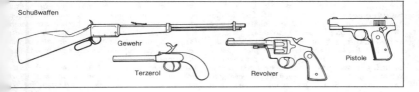

Schußwaffen

Gewehr

Terzerol

Revolver

Pistole

-schwach ⟨adjektivisches Suffixoid⟩: *das im Basiswort Genannte (meist etwas Positives) nur in geringem Maße besitzend, aufweisend, beherrschend, könnend:* charakter-, einkommens-, leistungs-, lern-, lese-, verkehrs-, zahlungsschwach. **sinnv.:** -arm, -leer, -los.

Schwä|che, die; -, -n: **1.** ⟨ohne Plural⟩ *fehlende körperliche Kraft; [plötzlich auftretende] Kraftlosigkeit:* die S. der Augen; vor S. zusammenbrechen. **sinnv.:** Entkräftung, Mattheit, Ohnmacht, Schlappheit. **Zus.:** Alters-, Augen-, Gedächtnis-, Konditions-, Wachstumsschwäche. **2.** *charakterliche, moralische Unvollkommenheit, Unzulänglichkeit; nachteilige menschliche Eigenschaft:* keine Schwächen zeigen. **sinnv.:** Unentschlossenheit, Verführbarkeit, Weichheit, Willenlosigkeit. **Zus.:** Charakter-, Willensschwäche. **3.** ⟨ohne Plural⟩ *besondere Vorliebe, die jmd. für jmdn./etwas hat, große Neigung zu jmdm./etwas:* eine S. für Schokolade haben. **sinnv.:** Zuneigung. **4.** ⟨S. + Attribut⟩ *etwas, was bei einer Sache als Mangel empfunden wird; nachteilige Eigenschaft:* es ist eine S. dieses Buches, daß es keine Bilder hat. **sinnv.:** Mangel.

Schwach|sinn, der; -[e]s: **1.** *[angeborener] geistiger Defekt, Mangel an Intelligenz:* hochgradiger S. **2.** (ugs.) *etwas, was als dumm, unsinnig empfunden wird:* diese Sendung war ja S. **sinnv.:** Irrsinn, Unsinn.

schwach|sin|nig ⟨Adj.⟩: *an Schwachsinn (1) leidend:* das Kind ist s. **sinnv.:** geistesgestört.

Schwa|ger, der; -s, Schwäger: *Ehemann der Schwester, Ehemann der Schwester des Ehepartners oder Bruder des Ehepartners.* **sinnv.:** Schwäher.

Schwä|ge|rin, die; -, -nen: *Ehefrau des Bruders, Ehefrau des Bruders des Ehepartners oder Schwester des Ehepartners.* **Zus.:** Schwippschwägerin.

Schwal|be, die; -, -n: *schnell und gewandt fliegender Singvogel mit braunem oder schwarzweißem Gefieder, langen, schmalen, spitzen Flügeln und gegabeltem Schwanz.* **Zus.:** Haus-, Mehl-, Rauch-, See-, Uferschwalbe.

Schwamm, der; -[e]s, Schwämme: *(aus natürlichem oder künstlichem Material bestehender) weicher, elastischer Gegenstand von großer Saugfähigkeit, der besonders zum Waschen und Reinigen verwendet wird:* er hat die Tafel mit einem S. abgewischt. **Zus.:** Bade-, Gummi-, Tafelschwamm.

schwam|mig ⟨Adj.⟩: *weich und porös wie ein Schwamm:* etwas fühlt sich s. an.

Schwan, der; -[e]s, Schwäne: *großer Schwimmvogel mit sehr langem Hals, weißem Gefieder, einem breiten Schnabel und Schwimmfüßen (siehe Bildleiste „Gans").*

schwan|ger ⟨Adj.⟩: *ein Kind erwartend:* eine schwangere Frau. **sinnv.:** gravid, gesegneten Leibes; trächtig, tragend.

Schwan|ger|schaft, die; -, -en: *Zustand des Schwangerseins, Zeit zwischen Empfängnis und Geburt eines Kindes.* **sinnv.:** Gravidität.

schwan|ken, schwankte, hat/ist geschwankt ⟨itr.⟩: **1.** *sich schwingend hin und her oder auf und nieder bewegen:* die Brücke hat unter der Last der Fahrzeuge geschwankt. **sinnv.:** schwingen. **2.** *sich schwankend fortbewegen, irgendwohin bewegen:* er ist über die Straße geschwankt. **sinnv.:** tau-

meln, torkeln, wanken. **3.** *unsicher sein bei der Entscheidung zwischen zwei oder mehreren Möglichkeiten:* er hat zwischen diesen beiden Möglichkeiten geschwankt. **sinnv.:** zögern.

Schwanz, der; -es, Schwänze: *bei fast allen Wirbeltieren beweglicher Fortsatz der Wirbelsäule über den Rumpf hinaus:* der Hund zog den S. ein. **sinnv.:** Lunte, Rute, Schweif, Steiß, Sterz. **Zus.:** Fuchs-, Ochsen-, Pferde-, Ringel-, Stummelschwanz.

schwän|zen ⟨tr./itr.⟩ (ugs.): *(an etwas) nicht teilnehmen, weil man keine Lust hat:* den Unterricht s.; er hat heute schon wieder geschwänzt. **sinnv.:** fernbleiben.

Schwarm, der; -[e]s, Schwärme: **1.** *größere Anzahl sich [ungeordnet, durcheinanderwimmelnd] zusammen fortbewegender gleichartiger Tiere, Menschen:* ein S. Bienen, Fische; ein S. von Kindern. **sinnv.:** Herde. **Zus.:** Bienen-, Fisch-, Vogelschwarm. **2.** *jmd., für den man schwärmt, begeistert ist:* dieses Mädchen ist sein S. **sinnv.:** Idol, Liebhaberei.

schwär|men, schwärmte, hat/ist geschwärmt ⟨itr.⟩: **I. a)** *von jmdm./etwas hingerissen sein:* sie hat für diesen Künstler, für diese Musik geschwärmt. **sinnv.:** anbeten, sich begeistern, träumen. **b)** *begeistert von jmdm./etwas reden:* sie hat wieder von Italien geschwärmt. **sinnv.:** loben. **II.** *als Schwarm (1) auftreten, sich im Schwarm bewegen:* die Bienen schwärmen; sie sind die ganze Nacht durch die Stadt geschwärmt. **sinnv.:** ausschwärmen. **Zus.:** herum-, umherschwärmen.

schwarz, schwärzer, schwärzeste ⟨Adj.⟩: **1.** *in, von der Farbe der Kohle oder des Rußes* /Ggs. weiß/: ein schwarzer Anzug; etwas s. färben. **sinnv.:** nachtfarben, schwärzlich. **Zus.:** ebenholz-, kohl[raben]-, pech-, tiefschwarz. **2.** *von sehr dunklem Aussehen:* schwarze Kirschen; schwarze Augen haben. **sinnv.:** dunkel. **Zus.:** blau-, braun-, grau-, nachtschwarz. **3.** *(emotional) sehr schmutzig:* die Wäsche ist s.; schwarze Hände von der Arbeit haben. **4.** (ugs.) *ohne behördliche Genehmigung:* etwas auf dem schwarzen Markt kaufen; s. über die Grenze gehen. **sinnv.:** heimlich, illegal, unerlaubt. **5.** *unheilvoll und traurig:* heute war für mich ein schwarzer Tag. **sinnv.:** erfolglos, glücklos, pessimistisch.

schwarz-, Schwarz- ⟨Präfixoid⟩: *illegal, verboten, ohne behördliche Erlaubnis in bezug auf das im Basiswort Genannte:* **a)** ⟨substantivisch⟩ Schwarzarbeit, -brennerei, -fahrer, -handel -markt, -sender. **sinnv.:** Piraten-, Raub-. **b)** ⟨verbal⟩ schwarzarbeiten, -fahren, -schlachten.

schwat|zen, schwätzen ⟨itr./tr.⟩: **1.** *zwanglo mit Bekannten über oft belanglose Dinge sprechen* sie kam, um mit ihnen zu s. **sinnv.:** sich unterhalten. **2. a)** *sich wortreich über oft belanglose Dinge auslassen:* von einem Ereignis s. **sinnv.:** schwadronieren. **b)** *sich während des Unterrichts mit seinem Nachbarn heimlich und leise unterhalten:* w schwatzt denn da fortwährend? **sinnv.:** quasseln. **3.** *aus innerem Redebedürfnis heraus Dinge weitererzählen, über die man hätte schweigen sollen:* da muß wieder einer geschwatzt haben! **sinnv.:** ausplaudern.

schwe|ben, schwebte, hat/ist geschwebt ⟨itr.⟩ *sich langsam und in ruhiger Haltung in der Luf fortbewegen oder bewegungslos verharren:* der Ad

ler schwebt hoch in der Luft. **sinnv.:** fliegen.
Zus.: nieder-, vorüberschweben.

schweigen, schwieg, hat geschwiegen ⟨itr.⟩: **1.**
nichts sagen, keine Antwort geben: der Angeklagte
schweigt; die Regierung schwieg lange zu den
Vorwürfen. **sinnv.:** für sich behalten, dichthalten,
geheimhalten, die Klappe/den Mund halten, ruhig sein, sich in Schweigen hüllen, kein Sterbenswort/Sterbenswörtchen sagen, stillhalten, still/
stumm sein, verbergen, verhehlen, verheimlichen, nichts verraten, verschwiegen sein, verstummen. **Zus.:** sich ausschweigen, verschweigen. **2.** *aufgehört haben, Klänge, Geräusche hervorzubringen:* die Musik schweigt; die Waffen
schweigen [seit heute]. **sinnv.:** verklungen sein,
verstummt sein.

schweigsam ⟨Adj.⟩: *wenig redend; nicht gesprächig:* er ist von Natur aus ein schweigsamer
Mensch. **sinnv.:** wortkarg.

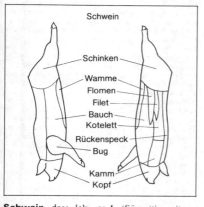

Schwein

Schinken

Wamme

Flomen

Filet

Bauch

Kotelett

Rückenspeck

Bug

Kamm

Kopf

Schwein, das; -[e]s, -e: **1.** *(Säuge)tier mit gedrungenem Körper, rüsselartig verlängerter
Schnauze und meist rosafarbener, mit Borsten bedeckter Haut (siehe Bild):* ein S. schlachten.
sinnv.: Bache, Borstentier, -vieh, Eber, Ferkel,
Frischling, Keiler, Sau, Wildsau, Wutz. **Zus.:**
Glücks-, Haus-, Marzipan-, Mast-, Mutter-,
Spar-, Stachel-, Wild-, Zuchtschwein. **2.** /als
Schimpfwort/ (derb) **a)** *jmd., dessen Verhalten
man als anstößig o. ä. empfindet:* dieses S. muß
seine dreckigen Witze immer in Gegenwart von
Kindern erzählen. **sinnv.:** Schmutzfink. **b)** *jmd.,
der in einer Ärger hervorrufenden Weise schmutzig
und ungepflegt ist:* wie kannst du nur mit diesen
schmutzigen Händen zum Essen gehen, du S.
sinnv.: Sau, Schmutzfink. **Zus.:** Dreckschwein. **c)**
*jmd., dessen Verhalten als gemein o. ä. empfunden
wird:* das S. hat uns bei der Abrechnung übers
Ohr gehauen. **sinnv.:** Schuft. **Zus.:** Etappen-, Kameradenschwein. **3.** *Mensch, den man bedauern
muß:* das arme S. muß schon wieder ins Krankenhaus. **sinnv.:** Pechvogel, Unglücksmensch,
Unglücksrabe, Unglücksvogel.

Schweinerei, die; -, -en (ugs.): **1.** *als abstoßend empfundener, unordentlicher, schmutziger
Zustand:* wer hat diese S. angerichtet? **sinnv.:**

Schmutz. **2.** *etwas, was unangenehm, schlimm ist,
worüber man sich ärgert:* es ist eine S., daß die
Versicherung nicht zahlen will. **3.** *als anstößig
empfundene Äußerung oder Handlung:* er erzählt
immer gerne Schweinereien. **sinnv.:** Unflat, Zote.

Schweiß, der; -es: *bes. bei Hitze oder größerer
Anstrengung aus den Poren der Haut austretende
wäßrige Absonderung:* ihm steht der S. auf der
Stirn. **sinnv.:** Schweißabsonderung, Transpiration, Wasser. **Zus.:** Angst-, Fußschweiß.

schweißen ⟨tr./itr.⟩: *mit Hilfe von Wärme oder
Druck Teile aus Metall oder Kunststoff fest miteinander verbinden:* Rohre s. **sinnv.:** löten. **Zus.:**
ein-, kalt-, zusammenschweißen.

schwelgen ⟨itr.⟩ (geh.): **1.** *von gutem und in großer Menge vorhandenem Essen und Trinken mit
großem Behagen genießen:* bei dem Fest wurde
geschwelgt und geprasst. **sinnv.:** essen. **2.** *sich voll
Genuß (einer Sache) hingeben:* in Erinnerungen s.

Schwelle, die; -, -n: **1.** *(am Boden) in den Türrahmen eingepaßter, etwas erhöht liegender Balken:* er stolperte an der/über die S. **Zus.:** Eingangs-, Türschwelle. **2.** *Balken oder entsprechend
geformter Träger aus Beton oder Stahl, auf dem
die Eisenbahnschienen befestigt sind:* neue
Schwellen aus Spannbeton verlegen. **Zus.:** Eisenbahn-, Holz-, Stahlschwelle.

schwellen schwillt, schwoll, ist geschwollen
⟨itr.⟩: *(von einem Organ oder Körperteil) sich durch
Ansammlung von Wasser oder Blut im Gewebe vergrößern, dicker werden:* seine Mandeln sind geschwollen; geschwollene Beine. **sinnv.:** anschwellen. **Zus.:** ab-, aufschwellen.

Schwellung, die; -, -en: **a)** ⟨ohne Plural⟩ *das
Geschwollensein:* der Arzt stellte eine S. der Leber
fest. **sinnv.:** Geschwulst. **Zus.:** Drüsen-, Leber-,
Milzschwellung. **b)** *geschwollene Stelle:* eine S.
unter dem linken Auge. **sinnv.:** Beule, Schwiele.

-schwemme, die; -, -n ⟨Suffixoid⟩ (emotional): *besonders großes, zu großes Angebot an ...,
sehr viel, zuviel von dem/den im substantivischen
Basiswort Genannten:* Akademiker-, Butter-,
Lehrer-, Milchschwemme. **sinnv.:** -berg, -lawine.

schwenken, schwenkte, hat/ist geschwenkt: **1.**
⟨tr.⟩ *[mit ausgestrecktem Arm über seinen Kopf]
schwingend und ab, hin und her bewegen:* er
hat den Hut geschwenkt. **sinnv.:** schwingen. **2.**
⟨tr.⟩ *im Wasser leicht hin und her bewegen und ausspülen:* sie hat die Gläser geschwenkt. **sinnv.:**
spülen. **3.** ⟨itr.⟩ *die Richtung (in der eine Fortbewegung stattfindet) ändern, in eine andere Richtung
bringen:* die Kolonne ist nach links geschwenkt.
sinnv.: abbiegen.

schwer ⟨Adj.⟩: **1. a)** *viel Gewicht habend, nicht
leicht [zu tragen]* /Ggs. leicht/: ein schwerer Koffer. **sinnv.:** bleiern, gewichtig, massig, wuchtig.
Zus.: blei-, zentnerschwer. **b)** *ein bestimmtes Gewicht habend:* ein 5 Kilo schwerer Goldklumpen.
c) *viel Kraft, Gewalt, hohe Leistung habend:* er
fährt ein schweres Motorrad. **sinnv.:** kräftig, leistungsstark, PS-stark, wuchtig. **d)** *(in bezug auf einen Duft) sehr intensiv und süßlich:* ein schweres
Parfüm. **2.** *einen hohen Schwierigkeitsgrad aufweisend und daher große körperliche und/oder geistige
Anstrengung verlangend:* eine schwere Aufgabe;
s. arbeiten müssen. **sinnv.:** beschwerlich, mühevoll; schwierig. **Zus.:** folgen-, inhalts-, schicksalsschwer. **3.** *sehr stark ausgeprägt, von sehr gro-*

ßem Ausmaß: eine schwere Verletzung; eine schwere Strafe erhalten. **sinnv.:** gewaltig, massiv, schwerwiegend. **4. a)** *nicht bekömmlich (weil es den Magen belastet):* schwere Speisen. **sinnv.:** belastend, schwerverdaulich, unverträglich. **b)** *auf jmdm. lastend, jmdm. Sorge bereitend:* schwere Sorgen lasteten auf ihm. **sinnv.:** bedrückend, belastend, quälend. **Zus.:** sorgenschwer. **5.** *von hohem geistigem Anspruch, nicht zur bloßen Unterhaltung geeignet:* schwere Lektüre. **sinnv.:** anspruchsvoll, niveauvoll, nicht leicht zugänglich. **6.** ⟨verstärkend bei Adjektiven und Verben⟩ (ugs.) ↑*sehr:* er ist s. reich; hier muß man s. aufpassen. **-schwer** ⟨adjektivisches Suffixoid⟩: *schwer von/ an ...:* **a)** *viel von dem im Basiswort Genannten enthaltend, aufweisend, davon wie mit einer Last angefüllt:* bedeutungs-, inhalts-, kalorienschwer. **sinnv.:** -intensiv, -reich, -stark, -voll. **b)** *viel von dem im Basiswort Genannten besitzend:* dollar-, millionenschwer.

schwer|fal|len, fällt schwer, fiel schwer, ist schwergefallen ⟨itr.⟩: *große Mühe, Schwierigkeiten machen:* nach seiner Krankheit fällt ihm das Arbeiten noch schwer; Mathematik ist ihm schon immer schwergefallen. **sinnv.:** Mühe machen, nicht zu Rande kommen mit, sich schwertun mit, Schwierigkeiten haben mit, nicht zurechtkommen mit; sich abmühen.

schwer|fäl|lig ⟨Adj.⟩: *(in bezug auf die körperliche und geistige Beweglichkeit) viel Zeit benötigend und jegliche Leichtigkeit vermissen lassend:* s. laufen. **sinnv.:** langsam.

schwer|hö|rig ⟨Adj.⟩: *in seiner Hörfähigkeit beeinträchtigt; nicht gut hörend.* **sinnv.:** hörbehindert, hörgeschädigt; taub.

schwer|lich ⟨Adverb⟩: *vermutlich nicht:* das kann s. so gewesen sein; das wird s. möglich sein. **sinnv.:** kaum, wahrscheinlich/wohl nicht.

Schwert, das; -[e]s, -er: *Hieb- und Stichwaffe* (siehe Bildleiste /„Waffen"/). **sinnv.:** Säbel.

schwer|wie|gend ⟨Adj.⟩: **a)** *von großer Bedeutung und daher sehr ernst zu nehmen:* er erhob schwerwiegende Bedenken gegen diesen Plan. **sinnv.:** ernsthaft, gravierend; gewaltig. **b)** *für die Zukunft entscheidend:* schwerwiegende Entscheidungen treffen. **sinnv.:** wichtig.

Schwe|ster, die; -, -n: **1.** *weibliche Person im Verhältnis zu einer anderen, die von denselben Eltern abstammt* /Ggs. Bruder/. **sinnv.:** Geschwister. **Zus.:** Adoptiv-, Halb-, Stiefschwester. **2.** ↑*Krankenschwester.* **Zus.:** Gemeinde-, Kinder-, Nachtschwester, OP-Schwester, Rotkreuz-, Stationsschwester.

schwie|rig ⟨Adj.⟩: **a)** *für jmdn. nicht einfach zu bewältigen, Mühe, Anstrengung verlangend:* eine schwierige Aufgabe; es ist s., mit ihm zusammenzuarbeiten. **sinnv.:** anstrengend, beschwerlich, gefährlich, nicht leicht, mühevoll, mühsam, schwer. **b)** *mit Problemen verbunden:* die Verhältnisse in diesem Land sind s. geworden. **sinnv.:** delikat, diffizil, haarig, heikel, kitzlig, knifflig, komplex, kompliziert, prekär, problematisch, subtil, verfänglich, vertrackt, verwickelt, verzwickt. **c)** *schwer zu behandeln:* ein schwieriger Mensch. **sinnv.:** nicht anpassungsfähig, eigenbrötlerisch, schwer zugänglich.

Schwie|rig|keit, die; -, -en: **a)** *etwas, was für jmdn. schwierig (a) ist:* die Durchführung des Bauvorhabens stellte uns vor große Schwierigkeiten. **sinnv.:** Dilemma, Frage, Haken, Kalamität, Klemme, Komplikation, Problem. **Zus.:** Anfangs-, Haupt-, Start-, Versorgungs-, Verständigungsschwierigkeit. **b)** ⟨Plural⟩ *etwas, was für jmdn. unangenehm ist, unangenehme Folgen haben kann:* in finanziellen Schwierigkeiten sein. **sinnv.:** Unannehmlichkeit. **Zus.:** Geld-, Zahlungsschwierigkeiten.

schwim|men, schwamm, hat/ist geschwommen: **1. a)** ⟨itr.⟩ *sich im Wasser aus eigener Kraft (durch bestimmte Bewegungen der Schwimmflossen, Arme und Beine) fortbewegen:* er hat/ist zwei Stunden geschwommen; wir sind zur Insel geschwommen; ⟨auch tr.⟩ sie hat einen neuen Rekord geschwommen. **sinnv.:** baden, kraulen, paddeln, planschen. **Zus.:** brust-, hinaus-, vorbei-, weiterschwimmen. **b)** ⟨tr.⟩ *eine bestimmte Strecke schwimmend* (1 a) *zurücklegen:* ich bin heute schon drei Bahnen geschwommen. **2.** ⟨itr.⟩ *ganz oder teilweise in einer Flüssigkeit liegen und von ihr getragen werden:* ein Brett ist/hat auf dem Wasser geschwommen. **sinnv.:** driften, fließen, treiben. **Zus.:** heran-, vorbeischwimmen. **3.** ⟨itr.⟩ (ugs.) *(beim Vortragen eines Textes, beim Reden o. ä.) unsicher werden und daher in seinen Ausführungen, Angaben o. ä. unpräzise werden, keine einheitliche Gedankenführung mehr erkennen lassen:* der Prüfling hat zum Schluß ganz schön geschwommen.

Schwin|del, der; -s: **1.** *Zustand der Benommenheit, bei dem man das Gefühl hat, alles drehe sich um einen.* **sinnv.:** Benommenheit, Betäubtheit, Taumel. **2.** (ugs.) *Darstellung eines Sachverhalts, Handlungsweise, die darauf abzielt, jmdn. bewußt zu täuschen:* auf jmds. S. hereinfallen. **sinnv.:** Betrug, Lüge. **Zus.:** Börsen-, Etiketten-, Heiratsschwindel.

schwin|deln ⟨itr.⟩: **1.** *von Schwindel* (1) *befallen werden:* mir schwindelt, es schwindelt mir [vor den Augen]. **2.** (ugs.) *nicht die [volle] Wahrheit sagen, eine vom wirklichen Sachverhalt [ein wenig] abweichende Darstellung geben.* **sinnv.:** lügen. **Zus.:** anschwindeln.

schwin|den, schwand, ist geschwunden ⟨itr.⟩ (geh.): *immer mehr zurückgehen, an Stärke verlieren, zu Ende gehen:* die Vorräte schwanden immer schneller; die Kräfte des Patienten schwinden. **sinnv.:** abnehmen, sich abschwächen, alle werden, ausgehen, aussterben, fallen, nachgeben, nachlassen, zur Neige gehen, sich neigen, sinken, sich vermindern, sich verringern.

schwind|lig ⟨Adj.⟩: *von Schwindel* (1) *befallen:* mir ist vom Tanzen s. **sinnv.:** benommen.

schwin|gen, schwang, hat geschwungen: **1. a)** ⟨itr.⟩ *von einem bestimmten Befestigungspunkt aus sich (auf einer Bahn) hin und her bewegen:* das Pendel schwang immer langsamer. **sinnv.:** baumeln, pendeln, schaukeln, schwanken, wanken, wedeln, wippen. **Zus.:** empor-, hinauf-, hochschwingen. **b)** ⟨tr.⟩ *in einem Bogen hin und her, auf und ab bewegen:* eine Fahne s. **sinnv.:** schlenkern, schleudern, schwenken. **2.** ⟨sich s.⟩; *mit näherer Bestimmung) sich mit einem kräftigen Sprung, mit Schwung irgendwohin bewegen:* ich schwang mich in den Sattel. **sinnv.:** springen.

schwit|zen ⟨itr.⟩: *Schweiß absondern:* er schwitzte stark, vor Anstrengung, Aufregung.

333

sehen

sinnv.: naß sein, schweißgebadet/schweißnaß sein, transpirieren. **Zus.:** aus-, durch-, verschwitzen.

schwö|ren, schwor, hat geschworen: **a)** ⟨tr.⟩ *(vor einer Behörde, Institution o. ä.) feierlich, nachdrücklich bekräftigen:* einen Eid, den Diensteid s. **b)** ⟨itr.⟩ *mit, in einem Schwur, Eid nachdrücklich bekräftigen:* sie hat falsch geschworen. **sinnv.:** beschwören. **c)** ⟨tr.⟩ *feierlich, nachdrücklich [unter Verwendung von Beteuerungsformeln] versichern:* sie schworen Rache; sie schworen einander ewige Treue. **sinnv.:** versprechen.

schwul ⟨Adj.⟩ (ugs.): *(von Männern) in ihren sexuellen Empfindungen zum gleichen Geschlecht hinneigend.* **sinnv.:** homosexuell.

schwül ⟨Adj.⟩: *durch als unangenehm empfundene feuchte Wärme oder Hitze gekennzeichnet:* ein schwüler Tag. **sinnv.:** drückend, feuchtwarm, föhnig, gewittrig, schwülwarm, wie im Treibhaus, tropisch, warm.

Schwulst, der; -[e]s: *etwas, was in der Gestaltung, Ausdrucksweise o. ä. überladen, bombastisch wirkt:* ich mag den S. mancher Barockkirchen nicht. **sinnv.:** Bombast, Geschraubtheit, Pathos, Schwülstigkeit, Theatralik. **Zus.:** Redeschwulst.

schwül|stig ⟨Adj.⟩: *in der Ausdrucksweise, Gestaltung durch Schwulst gekennzeichnet:* ein schwülstiger Stil; s. reden. **sinnv.:** hochtrabend.

Schwung, der; -[e]s, Schwünge: **1. a)** *kraftvolle, rasche, schwingend (1 a) ausgeführte Bewegung:* er sprang mit elegantem S. über den Graben. **b)** *⟨ohne Plural⟩ kraftvolle, rasche Bewegung, in der sich jmd./etwas befindet:* er fuhr mit S. den Berg hinauf. **sinnv.:** Antrieb, Geschwindigkeit, Schnelligkeit, Tempo. **2.** ⟨ohne Plural⟩ *mitreißende Kraft, inneres Feuer, das jmdm./einer Sache innewohnt und auf andere überspringt:* diese Musik hat [keinen] S. **sinnv.:** Begeisterung, Dynamik, Schmiß, Temperament.

schwung|voll ⟨Adj.⟩: **a)** *viel Schwung, innere Kraft o. ä. habend, zeigend:* eine schwungvolle Inszenierung. **sinnv.:** beschwingt, dynamisch, flott, forsch, lebhaft, schmissig, schneidig, schnittig, temperamentvoll, zackig. **b)** *mit viel Schwung, Elan, kraftvoller Bewegung ausgeführt:* schwungvolle Gesten. **sinnv.:** dynamisch, kraftvoll.

Schwur, der; -[e]s, Schwüre: **a)** *[feierliches] Versprechen:* einen S. brechen. **sinnv.:** Beteuerung, Gelöbnis, Versicherung. **Zus.:** Rache-, Treueschwur. **b)** *feierliche Beteuerung der Wahrheit einer Aussage (vor einer Behörde o. ä.):* die Hand zum S. erheben. **sinnv.:** Eid.

sechst ⟨Kardinalzahl⟩: 6: s. Personen.

sechst... ⟨Ordinalzahl⟩: 6.: der sechste Mann.

sech|zig ⟨Kardinalzahl⟩: 60: s. Personen.

See: **I.** der; -s, Seen: *eine größere Fläche einnehmendes stehendes Gewässer auf dem Festland:* der S. ist zugefroren. **sinnv.:** Gewässer, Teich, Tümpel, Weiher. **Zus.:** Bagger-, Berg-, Gebirgs-, Stausee. **II.** die; -: ↑*Meer:* an die S. fahren. **Zus.:** Grund-, Tiefsee.

See|le, die; -, -n: **a)** *substanz- und körperloser Teil des Menschen, der in religiöser Vorstellung als unsterblich angesehen wird:* für die Seelen der Verstorbenen beten. **b)** *Gesamtheit, gesamter Bereich dessen, was das Fühlen, Empfinden, Denken eines Menschen ausmacht:* sich in tiefster S. verletzt fühlen. **sinnv.:** Gefühl, Gefühlsleben, Gemüt, Herz, Inneres, Innerstes, Psyche, Seelenleben. **Zus.:** Volksseele.

see|lisch ⟨Adj.⟩: *die Seele (b) eines Menschen betreffend:* aus dem seelischen Gleichgewicht geraten. **sinnv.:** psychisch.

Se|gel, das; -s, -: *großflächiges, starkes Tuch, das am Mast eines Wasserfahrzeugs ausgespannt wird, damit der Wind sich darin fängt und so dem Fahrzeug Fahrt gibt:* die Segel hissen, setzen. **Zus.:** Groß-, Sonnen-, Toppsegel.

Se|gel|boot, das; -[e]s, -e: *Boot, das sich mit Hilfe von Segeln fortbewegt* (siehe Bild). **sinnv.:** Jolle, Segeljacht.

Segelboot, Verklicker, Mast, Großsegel, Vorsegel, Großschot, Heck, Ruder, Schwert, Bug

se|geln, segelte, hat/ist gesegelt ⟨itr.⟩: **1. a)** *sich mit Hilfe eines Segels (und der Kraft des Windes) vorwärtsbewegen:* das Schiff ist gegen den Wind gesegelt. **sinnv.:** surfen. **b)** *mit einem Segelboot fahren:* er hat heute fünf Stunden gesegelt; er ist über den See gesegelt. **sinnv.:** sich fortbewegen. **2.** *sich in der Luft schwebend fortbewegen:* der Adler ist hoch in der Luft gesegelt. **sinnv.:** fliegen.

Se|gen, der; -s: **1.** *durch Gebete, Gebärden o. ä. erbetene göttliche Gnade, gewünschtes Gedeihen bzw. die betreffenden Gebetsworte selbst:* um den S. bitten; der päpstliche S. **sinnv.:** Heil. **Zus.:** Ehe-, Eltern-, Haus-, Wettersegen. **2.** *Gedeihen und Erfolg:* jmdm. Glück und S. wünschen. **sinnv.:** Glück.

seg|nen, segnete, hat gesegnet ⟨tr.⟩: *mit einer entsprechenden Gebärde den Segen (1) erteilen:* der Pfarrer segnet die Kinder. **Zus.:** aus-, einsegnen.

se|hen, sieht, sah, hat gesehen/(nach vorangehendem Infinitiv auch) hat ... sehen: **1. a)** ⟨itr.⟩ *mit dem Auge wahrnehmen, erfassen:* gut s.; er sieht nur noch auf/mit einem Auge. **sinnv.:** einen Blick werfen, blicken, blinzeln, glotzen, gucken, kucken, schauen, starren. **b)** ⟨tr.⟩ *als vorhanden feststellen:* man hat ihn zum letzten Mal in der Bahn gesehen. **sinnv.:** ansichtig werden, aufnehmen, ausmachen, bemerken, entdecken, erblicken, erkennen, erspähen, zu Gesicht bekommen, gewahr werden, gewahren, sichten, unterscheiden. **c)** ⟨tr.⟩ *sich mit Interesse, Aufmerksamkeit betrachten, ansehen:* haben Sie den Film schon gesehen? **sinnv.:** betrachten. **Zus.:** hin-, nach-, weg-, zusehen. **2.** ⟨itr.⟩ *ein bestimmtes Verhalten o. ä. [bei jmdm.] wahrnehmen, erkennen:* noch nie haben wir eine so große Begeisterung gesehen. **3.** ⟨tr.; mit näherer Bestimmung⟩ *(in bestimmter Weise) beurteilen:* du mußt die Verhältnisse nüchtern s. **sinnv.:** beurteilen. **4.** ⟨itr.; mit Raumangabe⟩ *den Blick auf einen bestimmten Punkt, in eine bestimmte Richtung o. ä. lenken:* aus dem Fenster s.; zum Himmel s. **sinnv.:** blicken. **5.** ⟨itr.⟩ *als Ergebnis, Tatsache o. ä. feststellen:* wie ich sehe, ist hier alles in Ordnung. **sinnv.:** bemerken, erkennen. **6.** ⟨itr.⟩ *nach Möglichkeiten suchen, festzustellen suchen:* ich will s., was sich machen läßt. **sinnv.:** erwägen, überlegen. **7.** ⟨tr.⟩ *richtig einschätzen und im Zusammenhang erfassen:* das Wesen, den Kern einer Sache s. **sinnv.:** erkennen, verstehen. **8.** ⟨itr.⟩ *sich sorgend jmds./einer Sache annehmen:* nach den Kindern, dem Kranken s. **sinnv.:** sich kümmern.

Seh|ne, die; -, -n: **1.** *aus einem Bündel von Fasern bestehender Verbindungsstrang zwischen Muskel und Knochen:* die S. am Fuß ist gerissen. **2.** *an den beiden Enden eines Bogens festgemachte Schnur o. ä. zum Spannen des Bogens:* der Pfeil schnellt von der S. **3.** *(in der Geometrie) Gerade, die zwei Punkte einer Kurve verbindet.*

seh|nen, sich: *starkes, innig und schmerzlich empfundenes Verlangen haben nach etwas:* sich nach Ruhe s. **sinnv.:** streben, verlangen, wünschen. **Zus.:** er-, herbeisehnen.

Sehn|sucht, die; -: *das Sichsehnen (nach jmdm./etwas):* S. empfinden. **sinnv.:** Fernweh, Heimweh, Nostalgie, Wunsch. **Zus.:** Freiheits-, Friedenssehnsucht.

sehr ⟨Adverb⟩: *in großem, hohem Maße:* er ist s. reich; [ich] danke [Ihnen] s.! **sinnv.:** ausgesprochen, ausnehmend, außergewöhnlich, außerordentlich, äußerst, bemerkenswert, besonders, beträchtlich, denkbar, enorm, erheblich, ganz, gehörig, grenzenlos, haushoch, heillos, hochgradig, höchst, kolossal, maßlos, noch und noch, noch und nöcher, reichlich, riesig, tierisch, total, überaus, übermäßig, unaussprechlich, unbändig, unbeschreiblich, unendlich, unermeßlich, ungeheuer, ungemein, unglaublich, unmäßig, unsagbar, unsäglich, viel, zutiefst; erz-, stink-, stock-.

Sei|de, die; -, -n: **1.** *aus dem Gespinst des Seidenspinners (dem Kokon) gewonnene Faser:* ein Faden aus echter S. **2.** *Stoff aus Seide (1):* ein Kleid aus reiner S. **sinnv.:** Brokat, Crêpe de Chine, Crêpe Georgette, Taft. **Zus.:** Atlas-, Natur-, Rohseide.

Sei|fe, die; -: *zum Waschen zu verwendendes, meist aus fester Substanz bestehendes Mittel, besonders von der Form eines runden, ovalen oder quaderförmigen Stücks:* sich die Hände mit S. waschen. **Zus.:** Baby-, Kern-, Rasier-, Toilettenseife.

Seil, das; -[e]s, -e: *aus Fasern oder Drähten hergestellte starke Schnur:* etwas mit Seilen hochziehen. **sinnv.:** Leine, Reep, Strick, Tau, Trosse. **Zus.:** Abschlepp-, Draht-, Sprungseil.

sein: **I.** ist, war, ist gewesen ⟨itr.⟩: **1. a)** ⟨sein + Artangabe⟩ *sich in einem bestimmten Zustand befinden; eine bestimmte Eigenschaft haben:* das Wetter ist schlecht. **sinnv.:** beschaffen/geartet sein, sich verhalten. **b)** ⟨sein + Artangabe; un persönlich⟩ *ein bestimmtes Befinden haben:* mi ist [es] übel, unwohl. **sinnv.:** sich fühlen. **c** ** jmdm. ist, als ob ... (jmd. hat das unbestimmt Gefühl, daß/als ob ...):* mir ist, als ob ich ein Ge räusch im Keller gehört hätte. **sinnv.:** meinen. **d** ** jmdm. ist nach etwas (jmd. hat im Augenblick Lust zu etwas):* mir ist nicht nach Feiern. **2** ⟨sein + Substantiv im Nominativ⟩ */drückt da Verhältnis der Identität oder der Zuordnung aus das zwischen dem Subjekt und dem darauf sich be ziehenden Substantiv besteht/:* er ist Bäcker; Kar ist Künstler. **sinnv.:** abgeben, auftreten, sich be nehmen, darstellen, sich geben. **3. a)** ⟨sein + Zeit angabe; unpersönlich⟩ */dient der Angabe einer be stimmten Zeit/:* es ist 12 Uhr. **b)** ⟨sein + Rauman gabe⟩ *sich an einer bestimmten Stelle, einem be stimmten Ort befinden, sich dort aufhalten; von ei nem bestimmten Ort stammen, herkommen:* er ist in Frankfurt; er ist aus reichem Hause. **sinnv.:** sich aufhalten, sich befinden, stammen, weilen. **Zus.:** beieinander-, da-, dabei-, weg-, zurücksein. **4.** *vor sich gehen; getan werden:* was s. muß, muß s. **sinnv.:** geschehen. **5.** *sich an einem bestimmten Ort, zu einer bestimmten Zeit, unter bestimmten Umständen ereignen:* das Konzert ist morgen. **sinnv.:** stattfinden, vonstatten gehen. **6.** *in der Wirklichkeit bestehen:* was nicht ist, kann noch werden. **sinnv.:** existieren. **7. a)** ⟨als Hilfsverb + zu + Inf.⟩ */entspricht einem mit „können" verbundenen Passiv/ ... werden können:* et was ist nicht mit Geld zu bezahlen (kann nich mit Geld bezahlt werden). **b)** ⟨als Hilfsverb + zu + Inf.⟩ */entspricht einem mit „müssen" verbundenen Passiv/ ... werden müssen:* am Eingang ist der Ausweis vorzulegen (muß der Ausweis vorgelegt werden). **8.** ⟨als Funktionsverb⟩ */drückt einen Zustand aus, der andauert/:* in Be wegung s. (sich bewegen); in Ordnung s. (richtig sein). **9.** */dient als Hilfsverb in der Verbindung mit dem 2. Partizip der Perfektumschreibung/:* sie ist gerannt. **II.** ⟨Possessivpronomen⟩ */bezeichnet ein Besitz- oder Zugehörigkeitsverhältnis einer Person oder Sache/:* s. Hut ist mir zu groß; alles, was s. eigen ist.

seit: **I.** ⟨Präp. mit Dativ⟩ *von einem bestimmten Zeitpunkt, Ereignis an:* s. meinem Besuch sind wir Freunde; s. wann bist du hier? **II.** ⟨Konj.⟩ ↑seitdem: er fährt kein Auto mehr, s. er den Unfall hatte.

seit|dem: **I.** ⟨Konj.⟩ *von einem bestimmten Zeit punkt an:* s. ich weiß, wie er wirklich denkt, traue ich ihm nicht mehr. **sinnv.:** seit. **II.** ⟨Adverb⟩ *von diesem, jenem (vorher genannten) Ereignis, Augen blick an:* ich habe ihn s. nicht mehr gesehen. **sinnv.:** seither.

Sei|te, die; -, -n: **1. a)** *Fläche, Linie, Region o. ä., die einen Körper, einen Bereich o. ä. begrenzt, einen begrenzenden Teil davon bildet:* die hintere S. eines Hauses; die rechte, die linke S. eines Schrankes. **sinnv.:** Ansicht, Bestandteil, Fläche, Flanke. **Zus.:** Außen-, Kehr-, Sonnen-, Stirn-, Vorderseite. **b)** *eine der beiden Flächen eines Blat tes (von einem Druckerzeugnis o. ä.), eines flachen Gegenstandes:* die zweite S. einer Schallplatte; das Buch hat 500 Seiten. **sinnv.:** Blatt, Bogen, Pa gina. **Zus.:** Buch-, Schreibmaschinen-, Sportsei te. **2.** *eine von mehreren möglichen Richtungen:* die Zuschauer kamen von allen Seiten. **3.** *eine von mehreren Verhaltensweisen, Eigenschaften, Eigenarten, die jmd. zum Ausdruck bringen kann, durch die jmd./etwas geprägt ist:* auch die guten Seiten an jmdm. sehen; etwas von der juristischen S. beurteilen. **sinnv:** Angewohnheit, Gesichtspunkt. **Zus.:** Glanz-, Kehr-, Schatten-, Schokoladenseite. **4.** *eine von zwei oder mehreren Personen, Personengruppen, die eine bestimmte Funktion hat oder einen bestimmten Standpunkt vertritt:* beide Seiten sind an Verhandlungen interessiert; von offizieller S. **sinnv.:** Fraktion, Gegner, Kreise, Partei.

seit|her ⟨Adverb⟩: *von einer gewissen (vorher genannten) Zeit an:* ich habe ihn im April gesprochen, s. habe ich keine Verbindung mehr mit ihm. **sinnv.:** seit damals, seit dem Zeitpunkt, seitdem, von dem Zeitpunkt an.

seit|lich: I. ⟨Adj.⟩ **a)** *an, auf der Seite:* das Schild ist s. angebracht. **sinnv.:** seitwärts. **b)** *zur Seite [hin], nach der Seite:* etwas hat sich s. verschoben. **sinnv.:** seitwärts. **c)** *von der Seite:* bei seitlichem Wind begann der Wagen zu schlingern. **sinnv.:** seitwärts. II. ⟨Präp. mit Gen.⟩ *an der Seite von:* das Haus liegt s. der Bahn. **sinnv.:** neben, seitwärts.

seit|wärts ⟨Adverb⟩: **a)** *nach der Seite:* den Schrank etwas s. schieben. **sinnv.:** seitlich. **b)** *an der Seite:* s. stehen die Angeklagten. **sinnv.:** seitlich.

Se|kre|tä|rin, die; -, -nen: *Angestellte, die für eine leitende Persönlichkeit die Korrespondenz abwickelt, organisatorische Aufgaben erledigt o. ä.* **sinnv.:** Vorzimmerdame; Stenotypistin. **Zus.:** Chef-, Direktions-, Privatsekretärin.

Sekt, der; -[e]s: *aus Wein hergestelltes, Kohlensäure enthaltendes Getränk.* **sinnv.:** Champagner, Perlwein, Schampus, Schaumwein. **Zus.:** Erdbeer-, Krimsekt.

Sek|te, die; -, -n: *kleinere Glaubensgemeinschaft, die sich von einer größeren Religionsgemeinschaft abgespalten hat.* **sinnv.:** Glaubensgemeinschaft, Religionsgemeinschaft.

Se|kun|de, die; -, -n: *sechzigster Teil einer Minute als Einheit für die Bestimmung der Zeit.* **Zus.:** Atom-, Schrecksekunde.

selbst: I. ⟨indeklinables Demonstrativpronomen⟩ *in eigener Person (und nicht ein anderer):* sich s. um etwas kümmern. **sinnv.:** in Person, in persona, persönlich. **Zus.:** dort-, hier-, höchstselbst. II. ⟨Adverb⟩ ↑ *sogar:* s. mit Geld war er nicht dafür zu gewinnen. **sinnv.:** auch.

Selbst- ⟨Bestimmungswort⟩: **1.** ⟨substantivisches Basiswort, dem ein reflexives Verb zugrunde liegt⟩ *sich selbst ...:* **a)** ⟨mit auf -ung, -er abgeleiteten Substantiven⟩ Selbstakzeptierung *(das Sich-selbst-Akzeptieren),* -bedienung, -bestätigung, -beteiligung, -darstellung, -verwaltung. **b)** Selbstanalyse *(das Sich-selbst-Analysieren),* -aufgabe, -betrug, -kritik. **sinnv.:** Eigen-. **2.** ⟨substantivisches Basiswort, dem ein transitives Verb zugrunde liegt⟩ *selber ...:* Selbstabholung *(das Selbstabholen),* -einsicht, -entdeckung, -zahler *(jmd., der selber zahlt).* **3.** ⟨das Basiswort ist von einem intransitiven Verb abgeleitet⟩ Selbstbräuner *(Mittel, das selbst, d. h. ohne Sonne, bräunt),* -fahrer *(jmd., der ein gemietetes Fahrzeug selbst fährt).* **4.** /mit präpositionaler Auflösung/:

Selbstanspruch *(Anspruch, den man an sich selbst stellt),* Selbstbild *(Bild von sich selbst),* -disziplin, -mitleid, -zufriedenheit.

selb|stän|dig ⟨Adj.⟩: **a)** *ohne Hilfe, Anleitung auskommend, aus eigener Fähigkeit, Initiative handelnd:* er ist für sein Alter schon sehr s. **sinnv.:** eigenhändig, eigenständig, sebsttätig. **b)** *nicht von außen gesteuert; nicht von anderen beeinflußt; in seinen Handlungen frei:* eine selbständige Tätigkeit haben; er hat sich s. gemacht. **sinnv.:** für sich allein, eigenständig, eigenverantwortlich, emanzipiert, frei, schrankenlos, souverän, unbehindert, unbeschränkt, uneingeschränkt, unkontrolliert, unumschränkt.

selbst|be|wußt ⟨Adj.⟩: *von sich, von seinen Fähigkeiten, vom eigenen Wert überzeugt:* er trat sehr s. auf. **sinnv.:** erhobenen Hauptes, optimistisch, selbstsicher, sicher, siegesbewußt, siegesgewiß, siegessicher, souverän, stolz.

selbst|los ⟨Adj.⟩: *die eigenen Bedürfnisse, Belange vernachlässigend, hintanstellend:* jmdn. in selbstloser Weise unterstützen. **sinnv.:** altruistisch, aufopfernd, edelmütig, großherzig, gut, idealistisch, uneigennützig.

Selbst|mord, der; -[e]s, -e: *das vorsätzliche Sich-selbst-Töten.* **sinnv.:** Freitod, Harakiri, Selbstentleibung, Selbsttötung, Selbstverbrennung, Suizid.

selbst|si|cher ⟨Adj.⟩: *in selbstbewußter Weise von der Richtigkeit seines Verhaltens, seines Tuns überzeugt:* ein selbstsicheres Auftreten. **sinnv.:** selbstbewußt.

selbst|süch|tig ⟨Adj.⟩: *(im Urteil des Sprechers) nur auf das eigene Wohl und den eigenen Vorteil bedacht:* er handelt meist nur aus selbstsüchtigen Motiven. **sinnv.:** berechnend, egoistisch.

selbst|ver|ständ|lich: I. ⟨Adj.⟩: *aus sich verständlich und keiner besonderen Begründung bedürfend:* eine selbstverständliche Hilfsbereitschaft. II. ⟨Adverb⟩ *ohne Frage:* er hat s. recht; s. käme ich gerne. **sinnv.:** bestimmt, wie zu erwarten, erwartungsgemäß, auf jeden Fall, ja, sicherlich, zweifellos.

se|lig ⟨Adj.⟩: *zutiefst beglückt und zufrieden:* er war s., daß er die Prüfung bestanden hatte. **sinnv.:** glücklich. **Zus.:** unselig.

-se|lig ⟨adjektivisches Suffixoid⟩: *(weil der Betreffende es gern hat, tut, sich gern so verhält) in dem im Basiswort Genannten [zu sehr] schwelgend, von dem damit verbundenen oder dadurch ausgelösten Gefühl freudig, angenehm erfüllt* /leicht ironisch oder gutmütig-nachsichtig/: bier-, operetten-, red-, tränen-, weinselig. **sinnv.:** -freudig, -froh.

Se|lig|keit, die; -, -en: **1.** ⟨ohne Plural⟩ *Zustand des inneren Friedens, des großen, anhaltenden Glücks.* **sinnv.:** Glück. **2.** *tiefes Glücksgefühl:* nach diesem Erlebnis ging sie voll S. nach Hause. **sinnv.:** Freude. **Zus.:** Glück-, Hold-, Rührseligkeit.

sel|ten ⟨Adj.⟩: **1.** *in kleiner Zahl vorkommend, vorhanden; nicht häufig [vorkommend]* /Ggs. oft/: ein seltenes Tier; seine Besuche bei uns sind s. geworden. **sinnv.:** beschränkt, dünngesät, knapp, fast nie, nicht oft, rar, singulär, spärlich, sporadisch, vereinzelt, verstreut. **2.** ⟨verstärkend bei Adjektiven⟩ ↑ *besonders* (c): ein s. schönes Tier. **sinnv.:** sehr.

Sel|ten|heit, die; -, -en: **a)** ⟨ohne Plural⟩ *seltenes Vorkommen:* wegen ihrer S. darf diese Pflanze nicht ausgegraben werden. **b)** *etwas, was es nur ganz selten gibt, worauf man nur ganz selten stößt:* ein solches Exemplar ist heute schon eine S. **sinnv.:** Rarität.

selt|sam ⟨Adj.⟩: *vom Üblichen abweichend und nicht recht begreiflich:* das kommt mir s. vor. **sinnv.:** barock, bizarr, eigenartig, eigentümlich, kauzig, komisch, kurios, merkwürdig, schrullig, sonderbar, verschroben, verwunderlich.

Se|me|ster, das; -s, -: *Studienhalbjahr an einer Universität, Hochschule:* er ist im dritten S. **Zus.:** Sommer-, Studien-, Wintersemester.

sen|den ⟨tr.⟩: **I.** sandte/sendete, hat gesandt/gesendet (geh.): ↑*schicken* (b): einen Brief mit der Post s. **Zus.:** ab-, ein-, ent-, hin-, zu-, zurücksenden. **II.** sendete, hat gesendet: *eine Rundfunkbzw. Fernsehsendung über einen Sender verbreiten:* wir senden eine Zusammenfassung der heutigen Spiele um 22.30 Uhr. **sinnv.:** ausstrahlen, übertragen.

Sen|der, der; -s, -: *technische Anlage, die Signale, Informationen u. a. in elektromagnetische Wellen umwandelt und in dieser Form abstrahlt.* **Zus.:** Fernseh-, Geheim-, Kurzwellen-, Piraten-, Rundfunk-, Schwarzsender.

Sen|dung, die; -, -en: **1.** *gesandte Menge (von Waren):* eine neue S. von Apfelsinen ist eingetroffen. **sinnv.:** Post. **Zus.:** Geschenk-, Paket-, Post[wurf]-, Warensendung. **2.** ⟨ohne Plural⟩ *Auftrag, zu dem sich jmd. berufen fühlt; das Bestimmtsein (zu etwas):* er glaubte an seine S. als Helfer der Menschen. **sinnv.:** Berufung. **3.** *etwas, was durch Rundfunk oder Fernsehen übertragen, gesendet wird:* er hört viele politische Sendungen im Rundfunk. **sinnv.:** Aufnahme, Aufzeichnung, Ausstrahlung, Direktübertragung, Erstausstrahlung, Mitschnitt, Originalübertragung, Übertragung. **Zus.:** Fernseh-, Gedenk-, Nachrichten-, Radio-, Sport-, Unterhaltungssendung.

Senf, der; -[e]s: *aus dem gemahlenen Samen der gleichnamigen Pflanze hergestellte gelbliche, breiige, scharf schmeckende Paste.* **sinnv.:** Mostrich.

sen|gen ⟨itr.⟩: *sehr heiß scheinen:* die Sonne sengt; eine sengende Hitze lag über der Stadt. **sinnv.:** brennen. **Zus.:** versengen.

Se|ni|or, Se|ni|o|rin, die; -, -nen: **1.** *Vater bzw. Mutter (im Verhältnis zum Sohn, zur Tochter)* /Ggs. Junior (1)/: das Geschäft ist vom Senior auf den Junior übergegangen. **sinnv.:** Vater; Nestor. **2.** *Sportler bzw. Sportlerin einer bestimmten Altersklasse:* er darf jetzt bei den Senioren starten. **3.** *älterer Mann bzw. ältere Frau (im Rentenalter):* verbilligte Fahrten für Senioren.

Sen|ke, die; -, -n: *[größere, flache] Vertiefung im Gelände:* in der S. ist der Boden sehr feucht. **sinnv.:** Grube. **Zus.:** Boden-, Talsenke.

sen|ken: 1. a) ⟨itr.⟩ *abwärts bewegen; sinken lassen:* er senkte den Kopf, den Blick. **sinnv.:** neigen, niederschlagen. **Zus.:** ab-, herab-, herniedersenken. **b)** ⟨sich s.⟩ *abwärts, nach unten bewegt werden, sinken:* die Schranke senkt sich. **2.** ⟨tr.⟩ *nach unten in eine bestimmte Lage bringen, hinabgleiten lassen:* sie senkten den Sarg in die Erde; die Taucherglocke ins Wasser s. **sinnv.:** eintauchen, herunterlassen, hinablassen, sinken lassen.

Zus.: hinab-, versenken. **3. a)** ⟨tr.⟩ *bewirken, daß etwas niedriger wird:* man senkte den Wasserspiegel. **b)** ⟨sich s.⟩ *allmählich niedriger werden, in die Tiefe gehen:* der Boden hat sich gesenkt. **sinnv.:** absinken. **Zus.:** sich herab-, hinabsenken. **4.** ⟨tr.⟩ *bewirken, daß etwas geringer, weniger wird:* das Fieber, die Zahl der Arbeitslosen s. **sinnv.:** abbauen, ermäßigen.

senk|recht ⟨Adj.⟩: *gerade von oben nach unten oder von unten nach oben führend; mit einer waagerechten Fläche oder Linie einen Winkel von 90° bildend* /Ggs. waagerecht/: der Rauch stieg s. in die Höhe. **sinnv.:** lotrecht, vertikal.

Sen|sa|ti|on, die; -, -en: *ungewöhnliches, großes Aufsehen erregendes, oft unerwartetes Ereignis:* der Sieg des unbekannten Sportlers war eine große S. **sinnv.:** Aufsehen. **Zus.:** Riesen-, Weltsensation.

sen|sa|tio|nell ⟨Adj.⟩: *[unerwartet und] großes Aufsehen erregend:* sein Erfolg war s. **sinnv.:** außergewöhnlich.

Sen|se, die; -, -n: *Gerät zum Mähen von Gras oder Getreide (siehe Bildleiste).* **sinnv.:** Sichel.

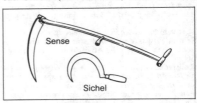

Sense

Sichel

sen|si|bel ⟨Adj.⟩: *von besonderer Feinfühligkeit, Empfindsamkeit:* sie ist so s. und nimmt sich alles gleich zu Herzen. **sinnv.:** empfindlich, feinfühlig. **Zus.:** über-, unsensibel.

sen|ti|men|tal ⟨Adj.⟩: *übertrieben gefühlvoll:* sie sangen sentimentale Lieder. **sinnv.:** rührselig.

Sep|tem|ber, der; -[s]: *neunter Monat des Jahres.* **sinnv.:** Herbstmonat, Herbstmond, Scheiding.

Se|rie, die; -, -n: **1.** *bestimmte Anzahl, Reihe gleichartiger [zueinander passender, eine zusammenhängende Folge darstellender] Dinge:* eine neue S. von Briefmarken. **sinnv.:** Garnitur; Zyklus. **Zus.:** Artikel-, Gewinn-, Romanserie. **2.** ⟨S. + Attribut⟩ *Aufeinanderfolge gleicher, ähnlicher Geschehnisse, Erscheinungen:* eine S. von Erfolgen; eine S. schwerer Unfälle. **Zus.:** Mord-, Siegesserie.

se|ri|ös ⟨Adj.⟩: **a)** *vertrauenerweckend und solide:* eine seriöse Firma; er macht einen seriösen Eindruck. **sinnv.:** anständig. **b)** *ernstgemeint; ernst zu nehmen:* ein seriöser Beruf; die Anzeige ist nicht s. **sinnv.:** ernsthaft.

ser|vie|ren ⟨tr./itr.⟩: *(als Kellner, Bedienung) die [bestellten] Speisen zum Essen auf den Tisch bringen:* er serviert nicht an diesem Tisch; Sie können die Nachspeise s. **sinnv.:** auffahren, auftischen, auftragen, bedienen, als Bedienung arbeiten, bewirten, kellnern, kredenzen, reichen, vorsetzen.

Ser|vi|et|te, die; -, -n: *meist quadratisches Tuch aus Stoff oder Papier, das beim Essen zum Schutz der Kleidung und zum Abwischen des Mundes be-*

nutzt wird: die S. entfalten. **sinnv.**: Latz, Lätzchen, Mundtuch. **Zus.**: Papier-, Stoffserviette.

Ses|sel, der; -s, -: *weich gepolstertes, bequemes Sitzmöbel mit Rückenlehne und meist auch mit Armlehnen (für eine Person)* (siehe Bildleiste „Sitzmöbel"): er saß im S., ließ sich in den S. fallen. **sinnv.**: Fauteuil, Lehnstuhl, Schaukelstuhl, Stuhl, Thron. **Zus.**: Klub-, Korb-, Leder-, Ohren-, Rokoko-, Thronsessel.

set|zen, setzte, hat/ist gesetzt: **1.** ⟨sich s.⟩ *eine sitzende Stellung einnehmen:* setzt euch an den Tisch!; sie hat sich in den Schatten gesetzt. **sinnv.**: sich hocken, sich kauern, sich niederlassen, Platz nehmen, seinen Platz einnehmen. **Zus.**: sich dazu-, hin-, nebeneinander-, niedersetzen. **2.** ⟨tr.⟩ *jmdm. oder einer Sache einen bestimmten Platz geben:* sie setzte das Kind auf ihren Schoß; er hat seine Mütze auf den Kopf gesetzt. **sinnv.**: stellen, tun. **Zus.**: ab-, auf-, hin-, umsetzen. **3.** ⟨sich s.⟩ *(in einer Flüssigkeit) langsam zu Boden sinken:* die weißen Flöckchen in der Lösung haben sich gesetzt. **sinnv.**: ab-, niedersinken, sich senken. **Zus.**: ab-, an-, niedersetzen. **4.** ⟨tr.⟩ *(eine Pflanze) mit den Wurzeln in die Erde senken:* sie haben Kartoffeln gesetzt. **sinnv.**: pflanzen. **Zus.**: aus-, umsetzen. **5.** ⟨itr.⟩ *sich über etwas (mit einem Hilfsmittel, in Sprüngen o. ä.) hinwegbegeben:* die Römer sind/haben über den Rhein gesetzt. **sinnv.**: überqueren. **Zus.**: hinweg-, nach-, übersetzen. **6.** ⟨tr.⟩ *die Vorlage für den Druck herstellen:* sie haben das Manuskript bereits gesetzt. **7.** ⟨als Funktionsverb⟩ etwas in Brand s. *(etwas anzünden);* sich zur Wehr s. *(sich wehren);* einer Sache Grenzen, Schranken s. *(Einhalt gebieten);* sich ein Ziel s. *(sich etwas zum Ziel, zur Aufgabe machen).*

Seu|che, die; -, -n: *gefährliche ansteckende Krankheit, die sich schnell ausbreitet:* in dem Land wütete eine S., an der viele Menschen starben. **sinnv.**: Epidemie, Krankheit.

seuf|zen ⟨itr.⟩: *(als Ausdruck von Kummer, Traurigkeit o. ä.) schwer und hörbar ein- und ausatmen:* sie seufzte, als sie an den Abschied dachte. **sinnv.**: stöhnen. **Zus.**: aufseufzen.

Sex, der; -[es]: **a)** ↑*Sexualität:* heute spricht man viel von S. **b)** *geschlechtliche Anziehungskraft:* sie hat viel S. **sinnv.**: Sex-Appeal. **c)** *sexuelle Betätigung:* S. während der Schwangerschaft. **sinnv.**: Geschlechtsverkehr, Liebe, Liebesspiel, Petting. **Zus.**: Alters-, Telefonsex.

Se|xua|li|tät, die; -: *Gesamtheit der im Geschlechtstrieb begründeten Lebensäußerungen, Verhaltensweisen, Empfindungen:* Fragen der S. **sinnv.**: Eros, Erotik, Geschlechtsleben, Minne, Sex, Sexus. **Zus.**: Bi-, Hetero-, Homosexualität.

se|xu|ell ⟨Adj.⟩: *die Sexualität betreffend:* das sexuelle Verhalten der Bevölkerung; die Kinder s. aufklären. **sinnv.**: erotisch, geschlechtlich, intim. **Zus.**: bi-, hetero-, homosexuell.

Sham|poo [ʃɛm'pu:, auch: ʃam'pu:, 'ʃampu, ʃam'po:, 'ʃampo], **Sham|poon** [ʃɛm'pu:n, auch: ʃam'po:n], das; -s, -s: *flüssiges Haarwaschmittel.*

Shorts [ʃɔrts], die ⟨Plural⟩: *kurze sportliche Hose für Damen oder Herren.* **sinnv.**: Bermudas, Hot pants.

Show [ʃoʊ], die; -, -s: *aus einem großen, bunten Unterhaltungsprogramm bestehende Vorstellung, besonders als Fernsehsendung:* am nächsten Samstag wird im Fernsehen eine neue S. gestar-

tet. **sinnv.**: Darbietung, Revue. **Zus.**: Laser-, Live-, Peep-, Talk-Show.

sich ⟨Reflexivpronomen der 3. Person Singular und Plural im Dativ und Akkusativ⟩: **1.** /weist auf ein Substantiv oder Pronomen, meist das Subjekt des Satzes, zurück/: s. freuen, schämen, wundern; er hat dich und s. [selbst] getäuscht; damit hat er dir und auch s. geschadet; er nahm die Schuld auf s. **2.** ⟨Plural⟩ *einer dem/den andern:* die Mädchen frisierten sich [gegenseitig]; sie prügeln sich oft. **sinnv.**: einander, sich gegenseitig, wechselseitig.

Si|chel, die; -, -n: *Gerät mit stark gebogener Klinge zum Schneiden von Gras o. ä.* (siehe Bildleiste „Sense").

si|cher: **I.** ⟨Adj.⟩: **1.** *nicht durch eine Gefahr bedroht:* sie wählte einen sicheren Weg; hier kannst du dich s. fühlen. **sinnv.**: geborgen, gefahrlos, geschützt, ungefährdet. **2.** *so geartet, daß man der betreffenden Person oder Sache Glauben schenken kann:* diese Nachrichten sind nicht s.; er hat ein sicheres Einkommen. **sinnv.**: authentisch, echt, garantiert, gesichert, glaubwürdig, verbürgt, verläßlich, zuverlässig. **Zus.**: bomben-, idioten-, narren-, todsicher. **3.** *so geartet, daß man sich auf die betreffende Person oder Sache verlassen, sich ihr anvertrauen kann:* er hat einen sicheren Geschmack. **sinnv.**: fachmännisch, meisterhaft, richtig, ruhig, treffend, zuverlässig. **4.** *keine Hemmungen erkennen lassend, zeigend:* er hat ein sicheres Auftreten. **sinnv.**: selbstbewußt. **Zus.**: selbst-, siegessicher. **5.** *ohne jeden Zweifel bestehend oder eintretend:* seine Niederlage ist s.; soviel ist s. **sinnv.**: gewiß. **Zus.**: bomben-, todsicher. **II.** ⟨Adverb⟩: *mit ziemlicher Sicherheit; ohne Zweifel:* er wird s. bald kommen. **sinnv.**: allemal, bestimmt, gewiß, da kannst du Gift drauf nehmen, höchstwahrscheinlich, zweifellos.

-si|cher ⟨adjektivisches Suffixoid⟩: **1.** *Gewähr für etwas/jmdn. bietend, zuverlässig im Hinblick auf das im Basiswort Genannte:* betriebs-, sieges-, treff-, zielsicher. **sinnv.**: -trächtig. **2.** *gegen das im substantivischen, selten verbalen Basiswort Genannte (was einen schädlichen Einfluß ausüben könnte, was vermieden werden sollte) geschützt, sicher vor schädlichen Folgen durch das im Basiswort Genannte:* abhör-, einbruchs-, kugel-, rutsch-, unfallsicher. **sinnv.**: -beständig, -fest, -frei, -resistent, unempfindlich. **3.** *sicher für ..., in bezug auf die im Basiswort genannte Person, Sache oder Tätigkeit geeignet, brauchbar:* kinder-, kurven-, narren-, stand-, werbesicher. **4.** *kann ohne Schaden, Schwierigkeiten ... werden:* wasch-, verlegesicher. **5.** *sicher, Sicherheit zeigend in ...:* die Sängerin erwies sich als koloratur- und höhensicher.

Si|cher|heit, die; -, -en: **1.** ⟨ohne Plural⟩ *das Sichersein vor Gefahr oder Schaden:* die Polizei sorgte für die S. der Besucher. **sinnv.**: Schutz. **2.** ⟨ohne Plural⟩ *sicheres, keinen Zweifel aufkommen lassendes Gefühl, Wissen:* bei diesem Stoff haben Sie die S., daß er sich gut waschen läßt. **sinnv.**: Bestimmtheit, Garantie, Gewähr, Gewißheit. **3.** ⟨ohne Plural⟩ *das Freisein von Fehlern oder Irrtümern:* die S. seines Urteils. **sinnv.**: Richtigkeit, Zuverlässigkeit. **Zus.**: Zielsicherheit. **4.** ⟨ohne Plural⟩ *sicheres, gewandtes Auftreten o. ä.:* sie bewegt sich mit großer S. auf dem diplomatischen

Parkett. **sinnv.**: Gewandtheit, Selbstbewußtsein, Souveränität. **Zus.**: Selbstsicherheit. **5.** *hinterlegtes Geld, Wertpapiere o. ä. als Pfand für einen Kredit:* eine Monatsmiete als S. hinterlegen. **sinnv.**: Bürgschaft, Deckung, Garantie, Haftung, Kaution, Pfand, Unterpfand.

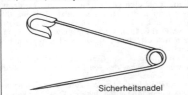

Sicherheitsnadel

Si|cher|heits|na|del, die; -, -n: *Nadel mit Verschluß, mit deren Hilfe etwas befestigt, zusammengehalten o. ä. werden kann* (siehe Bild): sie befestigte die Schleife am Kleid mit einer S.
si|cher|lich ⟨Adverb⟩: ↑ *sicher* (II): s. wird er morgen kommen. **sinnv.**: selbstverständlich.
si|chern: **1.** ⟨tr.⟩ *sicher machen, vor einer Gefahr o. ä. schützen:* er hat das Fahrrad durch ein Schloß [gegen Diebstahl] gesichert; das Gesetz soll die Rechte der Menschen s. **sinnv.**: schützen, sicherstellen. **Zus.**: ab-, ent-, versichern. **2.** ⟨itr.⟩ **a)** *in seinen Besitz bringen:* sein Fleiß sicherte ihm Anerkennung; er hat sich einen guten Platz gesichert. **sinnv.**: verschaffen. **Zus.**: zusichern. **b)** *am Tatort Beweismittel aufnehmen, registrieren, solange sie noch vorhanden, erkennbar sind:* Spuren s.
Si|che|rung, die; -, -en: **1.** ⟨ohne Plural⟩ *das Sichern, Schützen, Sicherstellen; etwas dem Schutz, der Sicherheit Dienendes:* die S. des Landes. **sinnv.**: Schutz. **Zus.**: Ab-, Friedens-, Grenzsicherung. **2.** *Vorrichtung zum Schutz oder zur Sicherheit:* die S. ist durchgebrannt.
Sicht, die; -: *Möglichkeit [in die Ferne] zu sehen:* bei diesem Wetter ist die S. gut; **sinnv.**: Aussicht. **Zus.**: Auf-, Durch-, Ein-, Fern-, Scharfsicht.
sicht|bar ⟨Adj.⟩: *mit den Augen wahrnehmbar, deutlich zu erkennen:* er hat sichtbare Fortschritte gemacht; der Fleck war deutlich s. **sinnv.**: kenntlich, sichtlich. **Zus.**: unsichtbar.
sicht|lich ⟨Adj.⟩: *deutlich erkennbar; in sichtbarem Maße:* er hatte sichtliche Schwierigkeiten; er war s. erfreut. **sinnv.**: merklich, sichtbar. **Zus.**: offensichtlich.
sickern, sickerte, ist gesickert ⟨itr.⟩: *(von Flüssigkeiten) allmählich, tröpfchenweise in etwas hinein-, durch etwas hindurchrinnen:* das Regenwasser sickert in den Boden. **sinnv.**: fließen. **Zus.**: durch-, versickern.
sie ⟨Personalpronomen⟩: /vertritt ein weibliches Substantiv im Singular oder ein Substantiv im Plural bzw. mehrere Substantive/: sie (die Mutter) ist krank; ich vergesse sie (die Pfeife) nicht; sie (die Studenten) protestieren.
Sie ⟨Personalpronomen⟩: /bezeichnet eine oder mehrere angeredete Personen, bei denen die Anrede „du" bzw. „ihr" nicht angebracht ist/: nehmen Sie bitte Platz, mein Herr, meine Damen!; er redete ihn mit Sie an.
Sieb, das; -[e]s, -e: *im ganzen oder am Boden aus einem gleichmäßig durchlöcherten Material oder*

aus einem gitterartigen [Draht]geflecht bestehendes Gerät, das dazu dient, Festes aus einer Flüssigkeit auszusondern oder größere Bestandteile einer [körnigen] Substanz von den kleineren zu trennen: Tee durch ein S. gießen; Sand auf das S. schippen. **sinnv.**: Filter, Reiter, Seiher. **Zus.**: Mehl-, Teesieb.
sie|ben: **I.** ⟨tr.⟩: *etwas durch ein Sieb schütten, um die größeren Bestandteile einer körnigen Substanz von den kleineren zu trennen:* das Mehl, den Sand s. **sinnv.**: filtern. **Zus.**: aus-, durch-, versieben. **II.** ⟨Kardinalzahl⟩: 7: s. Personen.
sie|bent... ⟨Ordinalzahl⟩: ↑ *siebt...*
siebt... ⟨Ordinalzahl⟩: 7.: die siebte Bitte des Vaterunsers.
sieb|zig ⟨Kardinalzahl⟩: 70: s. Personen.
sie|deln ⟨itr.⟩: *sich irgendwo ansässig machen; eine Siedlung gründen:* viele Bauern haben in der fruchtbaren Gegend gesiedelt. **sinnv.**: sich ansiedeln. **Zus.**: be-, über-, umsiedeln.
sie|den, sott/ siedete, hat gesotten/gesiedet: **1. a)** ⟨itr.⟩ (landsch.) ↑ *kochen* (2 b): die Milch fängt an zu s. **b)** ⟨tr.⟩ *zum Kochen bringen:* Wasser s. **2.** (landsch.) **a)** ⟨tr.⟩ *in kochendem Wasser gar machen:* sie hat die Eier gesotten/gesiedet; ⟨2. Partizip in attributiver Stellung nur stark⟩: gesottener Fisch. **sinnv.**: aufkochen, blanchieren, brühen, garen, kochen. **b)** ⟨itr.⟩ *zum Zweck des Garwerdens in kochendem Wasser liegen:* der Reis muß noch ein wenig s.
Sied|lung, die; -, -en: **a)** *Ort, an dem sich Menschen angesiedelt haben:* hier gab es schon in früher Zeit menschliche Siedlungen. **sinnv.**: Kolonie, Ort. **b)** *Name oder etwas außerhalb gelegener Teil eines Ortes, einer Stadt, der aus meist gleichartigen, zur gleichen Zeit erbauten Häusern besteht:* er wohnt in einer S. am Rande der Stadt. **sinnv.**: Ortsteil, Satellitenstadt, Schlafstadt, Trabantenstadt, Viertel. **Zus.**: Arbeiter-, Neubau-, Reihensiedlung.
Sieg, der; -[e]s, -e: *Erfolg, der darin besteht, sich in einer Auseinandersetzung, im Kampf, im Wettstreit o. ä. gegen einen Gegner durchgesetzt, ihn überwunden zu haben:* sie kämpften für einen S. ihrer Partei. **sinnv.**: Erfolg, Gewinn, Triumph. **Zus.**: Blitz-, Endsieg, K.-o. -Sieg.
sie|gen ⟨itr.⟩: *einen Sieg erringen:* unsere Mannschaft hat gesiegt; die Vernunft siegte bei ihm über das Gefühl. **sinnv.**: sich durchsetzen, gewinnen, triumphieren, übertreffen.
Sie|ger, der; -s, -, **Sie|ge|rin**, die; -, -nen: *männliche bzw. weibliche Person, die gesiegt hat:* die Sieger wurden mit Blumen begrüßt. **sinnv.**: Champion, Gewinner. **Zus.**: Etappen-, Olympia-, Pokal-, Punkt-, Turnier-, Überraschungssieger.
sie|zen ⟨tr.⟩: *mit „Sie" anreden* /Ggs. duzen/: siezt ihn; sie siezen sich. **sinnv.**: per Sie sein.
Si|gnal, das; -s, -e: *optisches oder akustisches Zeichen mit einer festen Bedeutung, das zur Verständigung, Warnung o. ä. dient:* bei dem Unglück hatte der Zugführer das S. nicht beachtet. **sinnv.**: Alarm, Blaulicht, Glockenton, Gong, Pfiff, Sirene. **Zus.**: Abfahrts-, Alarm-, Start-, Warnsignal.
Sil|be, die; -, -n: *kleinste, aus einem oder mehreren Lauten gebildete Einheit innerhalb eines Wortes:* das Wort „Haus" hat nur eine S. **sinnv.**:

Sprecheinheit. **Zus.:** Ableitungs-, End-, Nach-, Sprech-, Vorsilbe.

Sil|ber, das; -s: **1.** *weißglänzendes Edelmetall:* der Becher war aus S. **Zus.:** Fein-, Quecksilber. **2.** *Geschirr, Besteck o.ä. aus Silber:* das S. muß geputzt werden. **Zus.:** Tafelsilber.

sil|bern ⟨Adj.⟩: **1.** *aus Silber bestehend:* ein silberner Löffel. **2.** *von der Farbe des Silbers:* das silberne Licht des Mondes; **sinnv.:** hell, metallen, silbrig.

silb|rig ⟨Adj.⟩: *silbern schimmernd, dem Silber ähnlich:* das Kleid glänzte s. **sinnv.:** silbern.

Si|lo, der, auch: das; -s, -s: **a)** *großer Speicher für Getreide, Erz o.ä.* **sinnv.:** Getreidespeicher, Lagerhaus, Scheune. **Zus.:** Getreide-, Zementsilo. **b)** *Behälter, Grube o.ä. zur Einsäuerung von Futter.* **Zus.:** Futtersilo.

Sil|ve|ster, der und das; -s, -: *der letzte Tag des Jahres:* [an/zu] S. ausgehen. **sinnv.:** 31. Dezember, Jahresausklang, Jahresende, Jahreswechsel.

Sin|fo|nie, die; -, Sinfonien: *Musikwerk für Orchester in mehreren Sätzen.*

sin|gen, sang, hat gesungen: **a)** ⟨itr.⟩ *mit seiner Stimme eine Melodie hervorbringen:* er singt gut. **sinnv.:** jodeln, schmettern, summen, trällern, tremolieren, trillern. **Zus.:** ab-, herunter-, mit-, nach-, weiter-, zersingen. **b)** ⟨tr.⟩ *etwas singend* (a) *vortragen:* er singt Lieder von Schubert. **sinnv.:** zu Gehör bringen. **Zus.:** probe-, wettsingen.

sin|ken, sank, ist gesunken ⟨itr.⟩: **1.** *sich (in der Luft oder in einer Flüssigkeit) langsam abwärts bewegen:* der Fallschirm sinkt zur Erde; er sank vor Müdigkeit auf einen Stuhl. **sinnv.:** absacken, niedergehen, sich niederlassen, sacken, zurückfallen. **2.** *niedriger werden; an Höhe verlieren:* die Temperatur ist gesunken; der Wasserspiegel sank um 5 Meter. **sinnv.:** absacken, runtergehen. **3.** *an Wert verlieren; geringer werden:* die Preise sind gesunken; sein Einfluß sank sehr schnell. **sinnv.:** abflauen, abnehmen, fallen, schwinden, zurückgehen.

Sinn, der; -[e]s, -e: **1.** ⟨ohne Plural⟩ *geistiger Gehalt einer Sache:* er konnte den S. seiner Worte nicht verstehen. **sinnv.:** Bedeutung, Zweck. **Zus.:** Blöd-, Doppel-, Hinter-, Neben-, Schwach-, Unsinn. **2.** *die Fähigkeit der Wahrnehmung und Empfindung:* viele Tiere haben schärfere Sinne als der Mensch. **sinnv.:** Gefühl, Sinnesorgan. **Zus.:** Geruchs-, Geschmacks-, Gleichgewichts-, Orientierungs-, Tastsinn. **3.** ⟨ohne Plural⟩ *innere Beziehung zu etwas, Gefühl (für etwas):* sie hat viel S. für das Schöne. **sinnv.:** Gefühl. **Zus.:** Familien-, Gemeinschafts-, Geschäfts-, Ordnungs-, Realitätssinn.

Sin|nes|or|gan, das; -s, -e: *Organ (bei Menschen und Tieren), durch das Reize [aus der Umwelt] aufgenommen und weitergeleitet werden:* die Nase ist ein S.

sinn|los ⟨Adj.⟩: **1.** *ohne Sinn oder Zweck:* sinnloses Geschwätz; es ist s., noch länger zu warten. **sinnv.:** unsinnig. **2.** *als übermäßig und maßlos empfunden:* er war s. betrunken.

sinn|voll ⟨Adj.⟩: *Sinn und Zweck habend:* eine sinnvolle Arbeit. **sinnv.:** zweckmäßig.

Sip|pe, die; -, -n: *Gruppe von Menschen, die blutsverwandt sind oder eine gemeinsame Abstammung haben:* die ganze S. versammelte sich. **sinnv.:** Familie.

Si|re|ne, die; -, -n: *Gerät, das einen langanhaltenden, lauten [heulenden] Ton hervorbringt, der als Alarm- oder Warnsignal dient:* der Wagen ist mit Blaulicht und S. ausgerüstet. **Zus.:** Schiffs-, Werksirene.

Si|rup, der; -s, -e: **a)** *süße, dickflüssige, dunkle Masse, die bei der Gewinnung von Zucker entsteht:* aus Zuckerrüben S. herstellen. **sinnv.:** Marmelade. **b)** *durch Einkochen von Obstsaft mit Zucker hergestellter, dickflüssiger Fruchtsaft:* den Pudding mit S. servieren. **sinnv.:** Saft.

Sit|te, die; -, -n: **1.** *etwas, was in einer bestimmten Gemeinschaft in langer Zeit feste Gewohnheit geworden ist:* in den Dörfern kennt man noch viele alte Sitten. **sinnv.:** Brauch. **Zus.:** Bauern-, Landes-, Un-, Vätersitte. **2. a)** *Gesamtheit von Normen, Grundsätzen und Werten, die für eine Gesellschaft grundlegend sind:* er trat ein Verfall der Sitten ein. **sinnv.:** Form, Moral. **b)** ⟨Plural⟩ *der Sitte* (2 a) *angepaßte Verhaltensweisen:* er ist ein Mensch mit guten Sitten. **sinnv.:** Benehmen. **Zus.:** Tischsitten.

sitt|lich ⟨Adj.⟩: **1.** *die Sitte* (2 a) *betreffend:* die sittliche Natur des Menschen. **sinnv.:** ethisch, moralisch. **2.** *den Forderungen der Moral, der Sitte entsprechend:* ein sittlicher Lebenswandel. **sinnv.:** anständig, moralisch einwandfrei, gesittet, sittenstreng. **Zus.:** unsittlich.

Si|tu|a|ti|on, die; -, -en: *Verhältnisse, Umstände, in denen sich jmd. befindet:* in dieser S. konnte ich nicht anders handeln. **sinnv.:** Lage. **Zus.:** Ausgangs-, Verkehrssituation.

Sitz, der; -es, -e: **1.** *Fläche, Vorrichtung o.ä., auf der man sitzen kann:* der S. des Stuhles; die Zuschauer erhoben sich von ihren Sitzen. **sinnv.:** Platz, Sitzgelegenheit, Sitzplatz. **Zus.:** Auto-, Beifahrer-, Hoch-, Liege-, Not-, Rück-, Schleudersitz. **2.** *Ort, an dem sich eine Institution o.ä. dauernd befindet:* der S. der Firma ist [in] Berlin. **Zus.:** Bischofs-, Hauptsitz.

sit|zen, saß, hat /(südd., österr., schweiz.:) ist gesessen ⟨itr.⟩: **1.** *sich (auf einen Sitz) niedergelassen haben:* er saß auf einem Stuhl; in diesem Sessel sitzt man sehr bequem. **sinnv.:** hocken, kauern, thronen. **Zus.:** da-, gerade-, stillsitzen. **2.** *(an einer bestimmten Stelle) befinden; (an einer bestimmten Stelle) befestigt sein:* der Knopf sitzt an der falschen Stelle; er sitzt in einem kleinen Dorf. **sinnv.:** sich aufhalten, sich befinden, haften. **3.** (ugs.) *sich in Haft befinden:* er sitzt seit 3 Jahren [im Gefängnis]. **sinnv.:** abbrummen, abbüßen, Arrest/Knast schieben, brummen, hinter schwedischen Gardinen/hinter Schloß und Riegel/ hinter Gittern sitzen, im Gefängnis/in Haft sein, seine Strafe absitzen, Tüten kleben, verbüßen. **Zus.:** einsitzen. **4.** *(von Kleidungsstücken o.ä.) in Größe und Schnitt den Maßen, Körperformen des Trägers entsprechen:* der Anzug sitzt [gut, nicht]; das Kleid sitzt wie angegossen. **sinnv.:** passen.

Sitz|mö|bel, das; -s, - ⟨meist Plural⟩: *Möbelstück zum Daraufsitzen (siehe Bildleiste S. 340).* **sinnv.:** Hocker, Sessel, Sitzplatz, Stuhl.

Sitz|platz, der; -es, Sitzplätze: *etwas, z. ein Stuhl, Sessel in einem Verkehrsmittel, Zuschauerraum o.ä., worauf sich jmd. setzen kann:* jmdm. einen S. anbieten. **sinnv.:** Platz, Sitzgelegenheit, Sitzmöbel.

Sit|zung, die; -, -en: *Zusammenkunft, bei der die*

Sitzmöbel

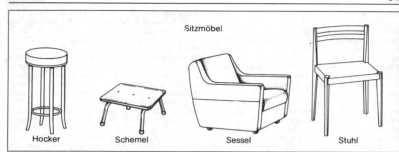

| Hocker | Schemel | Sessel | Stuhl |

Teilnehmer über etwas beraten, Beschlüsse fassen: es fand eine geheime S. statt. **sinnv.:** Tagung. **Zus.:** Abschluß-, Fraktions-, Routine-, Sondersitzung.

Ske|lẹtt, das; -[e]s, -e: *inneres, aus Knochen gebildetes, die Weichteile stützendes Gerüst /beim Menschen und bei bestimmten Tieren/:* das S. eines Pferdes. **sinnv.:** Gebein, Gerippe, Knochengerüst. **Zus.:** Mammut-, Tierskelett.

Ski, der; -s, -er, auch: -: *langes, schmales, biegsames, vorn in eine nach oben gebogene Spitze auslaufendes Brett aus Holz, Kunststoff oder Metall, mit dem man sich gleitend über den Schnee fortbewegen kann.* **sinnv.:** Bretter, Schi, Schneeschuh. **Zus.:** Kurz-, Langlauf-, Wasserski.

Skịz|ze, die; -, -n: 1. *mit wenigen Strichen ausgeführte, sich auf das Wesentliche beschränkende Zeichnung [die als Entwurf dient]:* er machte eine S. von dem Gebäude. **sinnv.:** Übersicht. **Zus.:** Bleistift-, Gelände-, Karten-, Tatortskizze. 2. *kurze, stichwortartige Aufzeichnung:* für den zweiten Teil seines Romans hatte er nur einige kurze Skizzen hinterlassen. **sinnv.:** Entwurf. **Zus.:** Reiseskizze.

skiz|zie|ren ⟨tr.⟩: 1. *eine Skizze (1) anfertigen:* unterwegs skizzierte er mehrere Gebäude. **sinnv.:** zeichnen. 2. a) *in großen Zügen umreißen:* er skizzierte den Inhalt des Buches. **sinnv.:** darlegen. b) *eine Skizze (2) anfertigen:* er skizzierte den Text für seine Ansprache. **sinnv.:** aufschreiben, entwerfen.

Skla|ve, der; -n, -n, **Skla|vin,** die; -, -nen: *männliche bzw. weibliche Person, die in völliger wirtschaftlicher Abhängigkeit von einem anderen Menschen ohne Rechte und ohne persönliche Freiheit lebt:* viele Neger wurden als Sklaven verkauft. **sinnv.:** Höriger, Kuli, Leibeigener.

Sla|lom, der; -s, -s: *Fahrt mit den Skiern oder mit einem Kanu auf einem durch Stangen markierten, kurvenreichen Kurs.* **sinnv.:** Torlauf. **Zus.:** Riesenslalom.

so: I. ⟨Adverb⟩ **a)** */alleinstehend; drückt als Antwort auf eine Ankündigung, Erklärung Erstaunen, Zweifel aus oder signalisiert, daß eine Handlung, Rede o. ä. abgeschlossen ist bzw. als abgeschlossen erachtet wird/:* „Ich werde nächste Woche verreisen." – „So?"; so, diese Arbeit wäre geschafft. **b)** */bezeichnet eine durch Kontext oder Situation näher bestimmte Art und Weise eines Vorgangs, Zustands o. ä./ auf diese, solche Weise; in, von dieser, solcher Art:* so ist es nicht gewesen; recht so!;

so kannst du das nicht machen. **sinnv.:** derart, hiermit. **c)** */bezeichnet ein durch Kontext oder Situation näher bestimmtes [verstärktes] Maß o. ä., in dem eine Eigenschaft, ein Zustand o. ä. vorhanden, gegeben ist/ in solchem Maße, Grade:* die Arbeit war nicht so schwer; einen so heißen Sommer hatten wir schon lange nicht mehr. **sinnv.:** dermaßen, sehr. **d)** (ugs.) */relativiert die Genauigkeit der folgenden Zeit-, Maß- oder Mengenangabe/ etwa, schätzungsweise:* so um zwei Uhr; so an die 30 Leute waren da. **sinnv.:** ungefähr. **e)** */drückt in einleitender Stellung in Aufforderungssätzen eine gewisse Nachdrücklichkeit aus, oft in Verbindung mit „doch", „schon"/:* so hör doch endlich! **f)** (ugs.) *ohne den vorher genannten od. aus der Situation sich ergebenen Umstand, Gegenstand:* ich hatte meine Mitgliedskarte vergessen, da hat man mich so reingelassen; ich brauche kein Brot, ich esse die Wurst so. **II.** (ugs.) */in der Funktion eines Demonstrativpronomens;/ weist auf die besondere Beschaffenheit, Art einer Person oder Sache hin/ solch:* so ein Unglück. **III.** ⟨in bestimmten Verbindungen⟩: **1.** so ... wie */dient dem Vergleich/:* so schnell wie möglich; er ist so groß wie sein Bruder. **2.** so ... daß, so daß */drückt eine Folge aus/:* er kam so spät, daß der Zug schon fort war; er war sehr krank, so daß er nicht kommen konnte.

so|bald ⟨Konj.⟩: */drückt aus, daß etwas unmittelbar im Anschluß an etwas anderes geschieht/ sofort wenn; sogleich wenn:* er will anrufen, s. er zu Hause ist. **sinnv.:** sowie.

Sọcke, die; -, -n: *kurzer, bis an die Wade oder zur Mitte der Wade reichender Strumpf.* **sinnv.:** Söckchen, Strumpf. **Zus.:** Baumwoll-, Herren-, Tennissocke.

Sọckel, der; -s, -: **1.** *unterer abgesetzter Teil eines Gebäudes, einer Mauer, eines Möbelstücks o. ä.* **sinnv.:** Fundament, Fuß. **2.** *Block aus Stein o. ä. , auf dem eine Säule ruht, eine Statue o. ä. steht.* **sinnv.:** Piedestal, Postament. **Zus.:** Marmorsockel.

so|ẹben ⟨Adverb⟩: *in diesem Augenblick:* s. kam die Nachricht. **sinnv.:** jetzt.

Sọfa, das; -s, -s: *gepolstertes Sitzmöbel mit Arm- und Rückenlehne, auf der mehrere Personen sitzen können* (siehe Bildleiste „Liege"). **Zus.:** Biedermeier-, Küchen-, Ledersofa.

so|fẹrn ⟨Konj.⟩: *vorausgesetzt, daß:* wir werden kommen, s. es euch paßt. **sinnv.:** wenn.

so|fọrt ⟨Adverb⟩: *unverzüglich; auf der Stelle:*

der Arzt muß s. kommen. **sinnv.:** augenblicklich, gleich.

Sog, der; -[e]s, -e: *saugende Strömung in Wasser und Luft:* der S. riß das Boot fort. **sinnv.:** Anziehungskraft, Zugkraft.

so|gar ⟨Adverb⟩: /drückt Erstaunen über etwas Unerwartetes aus/ *was gar nicht zu erwarten war:* er hat uns s. mit dem Auto abgeholt; s. an Wochentagen findet man dort einen Parkplatz. **sinnv.:** auch, außerdem, selbst, überdies, unerwarteterweise.

so|ge|nannt ⟨Adj.⟩: *[zu Unrecht] allgemein so bezeichnet:* er ist ein sogenanntes Wunderkind. **sinnv.:** scheinbar.

so|gleich ⟨Adverb⟩: ↑*sofort:* als die Gäste ankamen, wurden sie s. in ihre Zimmer geführt.

Soh|le, die; -, -n: **1.** *untere Fläche des Fußes:* er hat Blasen an den Sohlen. **Zus.:** Fußsohle. **2.** *untere Fläche des Schuhs:* Sohlen aus Gummi. **Zus.:** Einlege-, Leder-, Schuhsohle.

Sohn, der; -[e]s, Söhne: *männliche Person im Hinblick auf ihre leibliche Abstammung von den Eltern; unmittelbarer männlicher Nachkomme:* die Familie hat 4 Söhne und zwei Töchter. **sinnv.:** Filius, Junior, Sprößling, Stammhalter. **Zus.:** Adoptiv-, Lieblings-, Schwieger-, Stiefsohn.

so|lang, so|lan|ge ⟨Konj.⟩: /drückt eine näher bestimmte Dauer aus/ **a)** *für die Dauer der Zeit, während deren ...:* s. du Fieber hast, mußt du im Bett bleiben; er blieb, s. das Lokal geöffnet war. **b)** */nur vereint mit konditionaler Nebenbedeutung/:* s. du nicht gesund bist, darfst du nicht schwimmen gehen.

solch: ↑solcher, solche, solches.

sol|cher, solche, solches (solch) ⟨Demonstrativpronomen⟩: /weist nachdrücklich auf eine Beschaffenheit, einen Grad hin/: ich habe solchen Hunger; solches [herrliche]/solch herrliches Wetter; solche prachtvollen /(auch:) prachtvolle Bauten; auf Grund solcher großen/ (auch:) großer Vorbereitungen; alle solche Anweisungen. **sinnv.:** derartig, dergleichen, derlei. **Zus.:** ebensolcher.

Sol|dat, der; -en, -en, **Sol|da|tin,** die; -, -nen: *Angehöriger bzw. Angehörige der Streitkräfte eines Landes:* die Soldaten bekamen Urlaub. **sinnv.:** Bürger/Staatsbürger in Uniform, Krieger, Landser, Militär, Söldner, Uniformträger, Wehrpflichtiger. **Zus.:** Berufs-, Grenz-, Zeit-, Zinnsoldat.

so|li|de ⟨Adj.⟩: **1.** *in bezug auf das Material so beschaffen, daß es fest, massiv, haltbar ist:* ein solides Blockhaus; die Schuhe sind s. gearbeitet. **sinnv.:** gediegen. **2. a)** *gut fundiert:* ein solides Wissen; eine solide Firma. **sinnv.:** gediegen. **b)** *maßvoll (in seiner Lebensweise):* er lebt sehr s.; **sinnv.:** rechtschaffen.

Soll, das; -[s], -[s]: *geforderte Arbeitsleistung, festgelegte Menge:* sein S. erfüllen; ein S. von 500 Autos pro Tag. **sinnv.:** Leistung, Pensum, Pflicht. **Zus.:** Plan-, Tages-, Übersoll.

sol|len, sollte, hat gesollt, /(nach vorangehendem Infinitiv) hat ... sollen ⟨itr.⟩: **1.** ⟨mit Infinitiv als Modalverb⟩ hat ... sollen **a)** *die Aufforderung, Anweisung, den Auftrag haben, etwas Bestimmtes zu tun:* er soll sofort kommen; hattest du nicht bei ihm anrufen sollen? **b)** /drückt einen Wunsch, eine Absicht, ein Vorhaben des Sprechers aus/ *mögen:* du sollst alles haben, was du brauchst;

sie sollen wissen, daß ...; was soll denn das heißen? ⟨mit Ellipse des Verbs:⟩ soll er doch (ugs.; *meinetwegen*)! **c)** ⟨fragend oder verneint⟩/ *drückt ein Ratlossein aus/:* was soll das nur geben?; er wußte nicht, wie er aus der Situation herauskommen sollte. **d)** */drückt eine Notwendigkeit aus/:* man soll die Angelegenheit sofort erledigen. **e)** ⟨häufig im 2. Konjunktiv⟩ /drückt aus, daß etwas Bestimmtes eigentlich zu erwarten wäre/: das sollte er längst gemacht haben. **f)** ⟨häufig im 2. Konjunktiv⟩ /drückt aus, daß etwas Bestimmtes wünschenswert, richtig, vorteilhaft o. ä. wäre/: man sollte das nächstens anders machen; dieses Buch sollte man gelesen haben. **g)** /drückt etwas (vom betreffenden damaligen Zeitpunkt aus gesehen) in der Zukunft Liegendes durch eine Form der Vergangenheit aus/ *jmdm. beschieden sein:* er sollte seine Heimat nicht wiedersehen; es hat nicht sein sollen/hat nicht sollen sein. **h)** ⟨im 2. Konjunktiv⟩ *für den Fall, daß:* sollte es regnen, [dann] bleiben wir zu Hause. **i)** ⟨im Präsens⟩ /drückt aus, daß der Sprecher sich für die Wahrheit dessen, was er als Nachricht, Information o. ä. weitergibt, nicht verbürgt/: er soll gekündigt haben. **j)** ⟨im 2. Konjunktiv⟩ *dient in Fragen dem Ausdruck des Zweifels, den der Sprecher an etwas Bestimmtem hegt/:* sollte das Ihr Ernst sein? **2.** ⟨Vollverb⟩ hat gesollt) **a)** *(zu etwas Bestimmtem, Vorgenanntem) aufgefordert, beauftragt sein; angehalten sein, etwas Bestimmtes [gleich] zu tun:* gerade das hätte er nicht gesollt; was soll sie dort? **b)** ⟨in Fragesätzen⟩ *bedeuten, bewirken, nützen:* was soll denn das?

so|mit ⟨Adverb⟩: *wie daraus zu schließen, zu folgern ist:* er war bei dem Vorfall nicht anwesend, s. konnte er nicht darüber berichten. **sinnv.:** also.

Som|mer, der; -s, -: *Jahreszeit zwischen Frühling und Herbst:* ein heißer S.

som|mer|lich ⟨Adj.⟩: *dem Sommer gemäß:* sommerliches Wetter; sie trug ein sommerliches Kleid. **sinnv.:** warm.

Son|der- ⟨Präfixoid⟩: *das im Basiswort Genannte ist etwas, was nicht dem Üblichen entspricht, was zusätzlich und/oder für einen speziellen Zweck bestimmt ist:* Sonderabteil, -aktion, -anfertigung, -angebot, -genehmigung, -schule, -zug, -zuteilung. **sinnv.:** Einzel-, Extra-, Spezial-.

son|der|bar ⟨Adj.⟩: *so beschaffen, daß es Verwunderung hervorruft:* er ist ein sonderbarer Mensch; sein Benehmen war s. **sinnv.:** seltsam.

son|der|lich ⟨Adj.⟩: verneint gebraucht) **a)** *besonders groß:* diese Arbeit macht ihm keine sonderliche Freude. **b)** ⟨verstärkend bei Adjektiven und Verben⟩ *sehr:* er hat sich nicht s. gefreut.

Son|der|ling, der; -s, -e: *jmd., der durch sein sonderbares Wesen, durch ausgeprägte Eigenarten auffällt.* **sinnv.:** Außenseiter.

son|dern ⟨Konj.; steht nach einem verneinten Satzglied⟩: /drückt aus, daß etwas anders verhält, als zuvor angenommen wurde/ *vielmehr:* er kommt nicht heute, s. morgen; nicht nur die Kinder, s. (dazu, außerdem) auch die Eltern waren krank geworden. **sinnv.:** aber, dagegen, doch, im Gegenteil, jedoch.

Sonn|abend, der; -s, -e (bes. nordd.): ↑*Samstag.*

Son|ne, die; -: **1.** *als gelb bis glutrot leuchtende Scheibe am Himmel erscheinender, der Erde Licht* *und Wärme spendender Himmelskörper:* die S. war hinter den Wolken verborgen; die S. ist aufgegangen. **sinnv.:** Helios, Sol, Tagesgestirn. **Zus.:** Abend-, Herbst-, Juli-, Mittags-, Morgensonne. **2.** *Licht und Wärme der Sonne* (1): in der prallen, grellen S. sitzen; diese Pflanzen brauchen viel S. **sinnv.:** Sonnenlicht, Sonnenschein, Sonnenstrahlen.

son|nen, sich: *sich von der Sonne bescheinen lassen; ein Sonnenbad nehmen:* er setzte sich auf den Balkon und sonnte sich. **sinnv.:** in der Sonne bräunen, sich [in der Sonne/von der Sonne] bräunen lassen, sich in die Sonne legen, in der Sonne liegen, ein Sonnenbad nehmen, sonnenbaden.

Son|nen|brand, der; -[e]s: *durch zu starke Einwirkung der Sonne hervorgerufene Entzündung der Haut:* er hat einen S.

son|nig ⟨Adj.⟩: *von Sonnenschein erfüllt; mit Sonnenschein:* ein sonniges Zimmer; ein sonniger Tag; das Wetter war s. **sinnv.:** heiter, hell.

Sonn|tag, der; -[e]s, -e: *siebter Tag der mit Montag beginnenden Woche.* **sinnv.:** Ruhetag. **Zus.:** Advents-, Oster-, Palm-, Pfingst-, Totensonntag.

sonn|täg|lich ⟨Adj.⟩: **a)** *so, wie es an Sonntagen üblich ist:* s. gekleidet sein. **sinnv.:** festlich. **b)** *an jedem Sonntag stattfindend:* der sonntägliche Kirchgang.

Sonn|tags- ⟨Präfixoid⟩: /enthält die Vorstellung, daß etwas – wie ein Sonntag – einerseits nicht so häufig ist oder vorkommt und andererseits etwas Feierliches, Besonderes o. ä. ist/: **a)** /nicht so oft, daher gut/: Sonntagsanzug, -braten, -essen, -staat. **b)** (ironisch) *nur ab und zu einmal, weniger regelmäßig, nur gelegentlich, als Hobby betrieben [und wegen der fehlenden Übung nicht so gut]:* Sonntagschrist, -dichter, -fahrer, -jäger, -maler, -raucher. **c)** (ironisch) *in nur äußerlicher, zur Schau gestellter Weise feierlich, freundlich, liebenswürdig:* Sonntagsgesicht, -lächeln, -rede. **d)** /kennzeichnet den vom Glück Begünstigten/: Sonntagsjunge, -kind.

sonst ⟨Adverb⟩: **a)** *im anderen Falle:* er bat um Hilfe, weil er fürchtete, s. nicht rechtzeitig fertig zu werden. **sinnv.:** anderenfalls, anders. **b)** *darüber hinaus:* haben Sie s. noch eine Frage?; s. niemand. **sinnv.:** ansonsten, außerdem. **c)** *in anderen Fällen, bei anderen Gelegenheiten:* er hat sich s. immer bei uns verabschiedet. **sinnv.:** [für] gewöhnlich, zu anderer Zeit.

sons|tig ⟨Adj.⟩: *(nicht näher bestimmte[s]) andere[s]:* Bücher und sonstiges Eigentum; das Ausnutzung sonstiger arbeitsfreier/(auch:) arbeitsfreien Tage; mit sonstigem unveröffentlichtem/(auch:) unveröffentlichten Material; sonstiges überflüssiges Gepäck. **sinnv.:** weiter...

so|oft ⟨Konj.⟩: *immer wenn:* du kannst kommen, s. du willst.

Sor|ge, die; -, -n: **1.** *bedrückendes Gefühl der Unruhe und Angst:* wir machten uns Sorgen um unseren Freund. **sinnv.:** Besorgnis, Leid. **Zus.:** Alltags-, Existenz-, Geld-, Hauptsorge. **2.** ⟨ohne Plural⟩ *das Sorgen für jmdn., das Bemühen um jmdn. Wohlergehen:* die S. für ihre Familie forderte alle ihre Kräfte. **sinnv.:** Fürsorge. **Zus.:** Nach-, Seel-, Vorsorge.

sor|gen: 1. ⟨sich s.⟩ *in Sorge* (1) *sein:* Mutter sorgt sich wegen jeder Kleinigkeit. **sinnv.:** in tausend Ängsten schweben, sich ängstigen, bangen,

bekümmert/besorgt/ betrübt sein, sich beunruhigen, sich fürchten, sich Gedanken/Kopfschmerzen/Sorgen machen, um den Schlaf bringen/ den Schlaf rauben. **Zus.:** aussorgen. **2.** ⟨itr.⟩ a) *jmdn./etwas) betreuen:* sie sorgt gut für ihre Familie. **sinnv.:** bedienen, sich kümmern, pflegen. **Zus.:** be-, um-, versorgen, vorsorgen. **b)** *sich darum bemühen, daß etwas Bestimmtes vorhanden ist, erreicht wird o. ä.:* für Ruhe s. **sinnv.:** betreiben. **Zus.:** be-, um-, ver-, vorsorgen.

Sorg|falt, die; -: *große Achtsamkeit und Genauigkeit:* er behandelte die Bücher mit S. **sinnv.:** Akkuratesse, Akribie, Behutsamkeit, Exaktheit, Genauigkeit, Gewissenhaftigkeit, Präzision.

sorg|fäl|tig ⟨Adj.⟩: *mit großer Sorgfalt:* sie legten die Kleidungsstücke s. in den Schrank. **sinnv.:** behutsam, gewissenhaft, präzise.

sorg|los ⟨Adj.⟩: **a)** *ohne Sorgfalt:* er geht sehr s. mit den kostbaren Gegenständen um. **sinnv.:** unachtsam. **b)** *sich keine Sorgen machend:* er hat genug Geld, um ein sorgloses Leben führen zu können. **sinnv.:** glücklich, ruhig, sorgenlos, unbekümmert, unbeschwert.

sorg|sam ⟨Adj.⟩: *sorgfältig und mit Behutsamkeit:* seine Sachen s. behandeln; eine sorgsame Betreuung des Kranken. **sinnv.:** behutsam, gewissenhaft.

Sor|te, die; -, -n: *Art, Qualität (einer Ware, Züchtung, Rasse o. ä.), die sich durch bestimmte Merkmale oder Eigenschaften von anderen Exemplaren oder Gruppen der gleichen Gattung unterscheidet:* viele Sorten Äpfel; eine milde S. von Zigaretten; diese S. Mensch findet man überall. **sinnv.:** Art. **Zus.:** Getreide-, Kaffee-, Käse-, Obst-, Textsorte.

sor|tie|ren ⟨tr.⟩: *(Dinge) nach bestimmten Merkmalen ordnen:* sie sortierte die Wäsche und legte sie in den Schrank. **Zus.:** aus-, ein-, vorsortieren.

so|sehr ⟨Konj.⟩: *wie sehr auch:* s. er sich auch bemühte, er kam zu spät.

so|so I. ⟨Interj.⟩ **a)** /drückt Ironie oder Zweifel aus/: s., du warst also gestern krank. **sinnv.:** sieh mal einer an. **b)** /drückt aus, daß man dem Gesagten relativ gleichgültig gegenübersteht/: „Ich habe heute Frau Meyer getroffen." – „S., das ist nett." **II.** ⟨Adverb⟩ (ugs.) *weder gut noch schlecht; mittelmäßig:* mir geht es zur Zeit s. **sinnv.:** nicht besonders, durchwachsen, einigermaßen, erträglich, so lala, mäßig, mittelprächtig; teils, teils.

So|ße, die; -, -n: *aromatische, meist dickflüssige Beigabe zu Gerichten und Nachspeisen, zum Anmachen von Salaten o. ä.:* zu Braten und Klößen gab es eine herrliche S. **sinnv.:** Marinade; Tunke. **Zus.:** Braten-, Himbeer-, Jäger-, Rahm-, Salat-, Schokoladen-, Tomaten-, Vanillesoße.

Sound [saʊnd], der; -s, -s: *charakteristischer Klang, charakteristische Klangfarbe:* der unnachahmliche S. von Glenn Miller. **Zus.:** Country-, Disko-, Philly-, Westcoastsound.

Sou|ve|nir [zuvəˈniːɐ̯], das; -s, -s: *Gegenstand, den man als Erinnerung von einer Reise mitbringt:* er brachte sich einen Aschenbecher als S. mit. **sinnv.:** Andenken, Erinnerungsstück. **Zus.:** Reisesouvenir.

so|viel I. ⟨Konj.⟩ **a)** *in welch hohem Maße auch immer; wieviel auch immer:* s. ich auch arbeitete, ich wurde nie fertig. **b)** *nach dem, was:* s. ich sehe, wird es eine gute Ernte geben. **sinnv.:** soweit. **II.**

⟨Adverb⟩ *in demselben großen Maße; ebensoviel:* ich habe s. gearbeitet wie du.
so|weit: I. ⟨Konj.⟩ a) *nach dem, was:* s. ich weiß, ist er verreist. **sinnv.:** soviel. b) *in dem Maße, wie:* s. ich es beurteilen kann, geht es ihr gut. II. ⟨Adverb⟩ /drückt eine Einschränkung aus/ *im großen und ganzen; im allgemeinen:* es geht ihm s. gut.
so|wie ⟨Konj.⟩: 1. /dient der Verknüpfung von Gliedern einer Aufzählung/ *und [außerdem], und auch:* Flaggen und Fahnen s. Kerzen schmückten den Saal. 2. /drückt aus, daß sich ein Geschehen unmittelbar nach oder fast gleichzeitig mit einem anderen vollzieht/ *in dem Augenblick, da:* s. sie ihn erblickte, lief sie davon. **sinnv.:** sobald.
so|wie|so ⟨Adverb⟩: *auch ohne den vorher genannten Umstand:* mach langsam, wir kommen s. zu spät. **sinnv.:** ohnehin.
so|wohl: ⟨in der Verbindung⟩ sowohl ... als/wie [auch] /betont nachdrücklicher als „und" das gleichzeitige Vorhandensein, Tun o. ä./: er spricht s. Englisch als/wie [auch] Französisch.
so|zi|al ⟨Adj.⟩: a) *die menschliche Gesellschaft betreffend; auf die menschliche Gesellschaft bezogen:* er fordert soziale Gerechtigkeit. **Zus.:** asozial. b) *die Zugehörigkeit des Menschen zu einer der verschiedenen Gruppen innerhalb der Gesellschaft betreffend:* Frauen sind s. benachteiligt; das soziale Ansehen dieses Berufes ist gering. **sinnv.:** soziologisch c) *der Allgemeinheit dienend; auf das Wohl der Allgemeinheit bedacht:* sie will einen sozialen Beruf ergreifen; das Netz der sozialen Sicherungen. **sinnv.:** gemeinnützig, menschlich. **Zus.:** unsozial.
so|zu|sa|gen ⟨Adverb⟩: *man könnte es so nennen; wenn man so sagen will:* unsere Verlobung ist s. offiziell. **sinnv.:** gewissermaßen.
Spa|gat, der und das; -[e]s, -e: *Figur, bei der die gespreizten Beine eine Linie bilden.*
Spa|ghet|ti, die ⟨Plural⟩: *lange, dünne, schnurartige Nudeln:* mit Gabel und Löffel S. essen. **sinnv.:** Teigware.
spä|hen ⟨itr.⟩: *forschend ausschauen:* die Kinder spähten aus dem Fenster, um zu sehen, was auf der Straße geschah. **sinnv.:** blicken. **Zus.:** aus-, er-, hinaus-, hinüber-, umherspähen.
Spalt, der; -[e]s, -e: *schmale, längliche Öffnung; schmaler Zwischenraum:* er guckte durch einen S. in der Tür. **sinnv.:** Kerbe, Kluft, Riß. **Zus.:** Tür-, Zwiespalt.
Spal|te, die; -, -n: 1. *längerer Riß in einem festen Material:* in den Mauern waren tiefe Spalten zu erkennen. **sinnv.:** Riß. **Zus.:** Fels-, Gletscher-, Lidspalte. 2. *blockartiger Teil gleichlanger, untereinandergesetzter Textzeilen:* die Seiten des Lexikons haben drei Spalten. **sinnv.:** Kolumne; Rubrik. **Zus.:** Druck-, Klatschspalte.
spal|ten, spaltete, hat gespalten und gespaltet: 1. ⟨tr.⟩ a) *in zwei oder mehrere Teile zerteilen:* er spaltet Holz; ein vom Blitz gespaltener Baum. **sinnv.:** aufsplittern, entzweihacken, entzweihauen, entzweischneiden, zerhacken, zerhauen. **Zus.:** auf-, zerspalten. b) *bewirken, daß die Einheit von etwas nicht mehr besteht:* der Bürgerkrieg hat das Land in zwei Lager gespalten. 2. ⟨sich s.⟩ a) *sich teilen, [zer]trennen:* ihre Fingernägel spalten sich. b) *die Einheit verlieren:* die Partei hat sich in zwei Gruppen gespalten. **sinnv.:** sich teilen. **Zus.:** sich aufspalten.

Span, der; -[e]s, Späne: *beim Bearbeiten von Holz, Metall o. ä. entstehender kleiner Splitter:* auf dem Boden der Werkstatt lagen viele Späne. **sinnv.:** Schnitzel, Splitter, Spreißel. **Zus.:** Grün-, Holz-, Kien-, Metall-, Sägespan.
Span|ge, die; -, -n: *aus festem Material bestehender [als Schmuck dienender] Gegenstand, mit dem etwas mit Hilfe eines Dorns eingeklemmt oder zusammengehalten wird.* **sinnv.:** Brosche, Haarnadel. **Zus.:** Haar-, Schuh-, Zahnspange.
Span|ne, die; -, -n: 1. *kürzerer Zeitraum zwischen zwei Zeitpunkten:* es blieb ihm nur eine kurze S. des Glückes. **sinnv.:** Frist, Weile. **Zus.:** Zeitspanne. 2. *Abstand, Unterschied (in bezug auf Preise, Gewinn o. ä.):* die S. zwischen den Preisen ist sehr groß. **Zus.:** Gewinn-, Handels-, Verdienstspanne.
span|nen: 1. ⟨tr.⟩ *zwischen zwei oder mehreren Punkten so befestigen, daß es straff, glatt ist:* sie spannten ein Seil zwischen zwei Pfosten. **sinnv.:** anbringen, befestigen, straffen. **Zus.:** aufspannen. 2. ⟨tr.⟩ *ein Zugtier vor einen Wagen o. ä. festmachen:* er spannte die Pferde vor den Wagen. **sinnv.:** anschirren, einjochen. **Zus.:** an-, ein-, vorspannen. 3. ⟨tr.⟩ *etwas so dehnen, ziehen, daß es straff, glatt ist:* die Saiten einer Geige s. **sinnv.:** anziehen, dehnen, strecken. **Zus.:** an-, entspannen. 4. ⟨itr.⟩ *zu eng sein, zu straff [über etwas] sitzen:* das Gummiband spannt. 5. ⟨sich s.⟩ *über etwas hinwegführen:* eine Brücke spannt sich über den Fluß. **sinnv.:** sich erstrecken, sich wölben.
span|nend ⟨Adj.⟩: *große Spannung erregend:* eine spannende Geschichte. **sinnv.:** interessant.
Span|nung, die; -, -en: 1. ⟨ohne Plural⟩ a) *gespannte Erwartung auf etwas Zukünftiges; Ungeduld:* die S. unter den Zuschauern wuchs. b) *innere Erregung, nervöse Unausgeglichenheit:* er befand sich in einem Zustand der S. 2. *Unstimmigkeit; Zustand der Gereiztheit oder der Uneinigkeit:* in der Partei herrschten große Spannungen. **sinnv.:** Streit.
spa|ren: 1. a) ⟨tr./itr.⟩ *Geld (für einen bestimmten Zweck) zurücklegen, auf ein Konto zahlen:* ich habe einen kleinen Betrag s. können. **sinnv.:** beiseite legen, Ersparnisse machen, auf die hohe Kante/ auf die Seite legen, zurücklegen. **Zus.:** bau-, er-, zusammensparen. b) ⟨itr.⟩ *sparsam sein; haushälterisch mit etwas umgehen:* sie spart am Fett beim Kochen. **sinnv.:** bescheiden leben, sich einschränken, geizen, das Geld zusammenhalten, haushalten, kargen, knapsen, knausern, Konsumverzicht leisten, maßhalten. **Zus.:** einsparen. 2. ⟨sich s.⟩ a) *unterlassen, weil es unnötig, überflüssig ist:* spar dir deine Bemerkung. b) *(etwas Unangenehmes) von sich fernhalten, vermeiden:* den Ärger, die Mühe hättest du dir s. können. **sinnv.:** ersparen.
spär|lich ⟨Adj.⟩: *nur in geringem Maße [vorhanden]; knapp bemessen:* eine spärliche Mahlzeit; sie waren s. bekleidet. **sinnv.:** dünn, karg, schütter, schwach, selten.
spar|sam ⟨Adj.⟩: a) *wenig verbrauchend; mit wenig auskommend:* eine sparsame Hausfrau. **sinnv.:** geizig, ökonomisch, rationell. b) ↑*spärlich:* sparsamer Beifall.
Spar|te, die; -, -n: *spezieller Bereich, Abteilung eines Fachgebiets:* verschiedene Sparten der Wirtschaft. **sinnv.:** Abteilung, Bereich.

Spaß, der; -es, Späße: **1.** *ausgelassen-scherzhaf-te, lustige Äußerung, Handlung o.ä., die auf Hei-terkeit abzielt:* die Kinder lachten über die Späße des Clowns. **sinnv.:** Freude, Hallo, Scherz. **Zus.:** Heiden-, Mords-, Riesenspaß. **2.** ⟨ohne Plural⟩ *Vergnügen, Freude, die man bei einem bestimmten Tun empfindet:* diese Arbeit macht ihm keinen S. **sinnv.:** Lust.

spa|ßig ⟨Adj.⟩: **a)** *Vergnügen bereitend, zum La-chen reizend:* eine spaßige Geschichte. **sinnv.:** burlesk, drollig, komisch, lustig, neckisch, pos-sierlich, scherzhaft, ulkig, urkomisch, witzig. **b)** *gern scherzend, humorvoll:* der Komiker ist auch privat sehr s. **sinnv.:** komisch, lustig, putzig, ul-kig, urkomisch, witzig.

spät ⟨Adj.⟩: **1.** *in der Zeit ziemlich weit fortge-schritten, am Ende liegend:* am späten Abend; die späten Werke des Malers. **sinnv.:** zu vorgerückter Stunde. **2.** *nach einem bestimmten üblichen, ange-nommenen Zeitpunkt liegend:* zur Reue ist es jetzt zu s.; ein später Sommer. **sinnv.:** endlich, schließ-lich, überfällig, verspätet, zuletzt.

Spal|ten, der; -s, -: *Gerät zum Umgraben, Aushe-ben von Erde o.ä.* (siehe Bild „Schaufel") **sinnv.:** Schaufel.

spä|ter: **I.** ⟨Adj.⟩ *nach einer bestimmten oder un-bestimmten Zeit eintretend:* spätere Generatio-nen; in späteren Jahren. **sinnv.:** ferner, kom-mend, künftig, zukünftig. **II.** ⟨Adverb⟩ **a)** *zu einem in der Zukunft liegenden Zeitpunkt:* s. wollen sie sich ein Haus bauen. **sinnv.:** bald, in Bälde, dem-nächst, dereinst, einmal, einst, einstmals, über kurz oder lang, nachher, nächstens, stündlich, in absehbarer/kurzer/nächster Zeit, in Zukunft. **b)** ⟨in Verbindung mit einer Zeitangabe⟩ *danach:* drei Jahre s. war sie tot. **sinnv.:** hinterher, nach-her.

spä|te|stens ⟨Adverb⟩: *nicht nach (einem be-stimmten Zeitpunkt); nicht später als* /Ggs. frühe-stens/: er muß s. um 12 Uhr zu Hause sein. **sinnv.:** längstens.

Spatz, der; -en und -es, -en: ↑*Sperling:* Spatzen lärmen vor dem Fenster. **Zus.:** Rohrspatz.

spa|zie|ren, spazierte, ist spaziert ⟨itr.⟩: *lang-sam, ohne Eile [und ohne ein bestimmtes Ziel zu haben] gehen:* er spazierte gemächlich durch die Straßen. **sinnv.:** spazierengehen.

spa|zie|ren|ge|hen, ging spazieren, ist spazie-rengegangen ⟨itr.⟩: *sich zu seiner Erholung im Frei-en bewegen; einen Spaziergang machen:* er geht jeden Tag spazieren. **sinnv.:** sich die Beine/Füße vertreten, einen Bummel machen, bummeln, sich ergehen, flanieren, an die Luft gehen, frische Luft schnappen gehen, lustwandeln, promenie-ren, schlendern, ein paar Schritte gehen, spazie-ren, wandern, eine Wanderung machen.

Spa|zier|gang, der; -[e]s, Spaziergänge: *Gang im Freien (den man zu seiner Erholung unter-nimmt):* einen weiten S. machen. **sinnv.:** Bummel, Gang, Marsch, Promenade, Tour, Wanderung. **Zus.:** Abend-, Morgen-, Verdauungsspaziergang.

Speck, der; -[e]s: **a)** *(bes. beim Schwein vorkom-mendes) viel Fett enthaltendes Gewebe, das als dik-ke Schicht unter der Haut sitzt.* **sinnv.:** Kummer-speck. **b)** *aus dem Fettgewebe bes. des Schweines gewonnenes Nahrungsmittel:* es gab Kartoffeln mit S. **sinnv.:** Fett. **Zus.:** Räucher-, Schinken-, Schweinespeck.

Speer, der; -[e]s, -e: **a)** *Waffe zum Stoßen oder Werfen in Form eines langen, dünnen, zugespitzten oder mit einer [Metall]spitze versehenen Stabes* (siehe Bildleiste „Waffen"): die Eingeborenen töteten das Tier mit dem S. **sinnv.:** Ger, Harpune, Lanze, Pike, Spieß, Wurfspieß. **Zus.:** Aal-, Wurf-speer. **b)** *zum Werfen benutztes Sportgerät von der Form eines Speers* (a).

Spei|che, die; -, -n: *strebenartiger Teil des Ra-des, der mit anderen zusammen strahlenförmig von der Nabe ausgeht und die Felge stützt.* **sinnv.:** Radfelge.

Spei|chel, der; -s: *Absonderung bestimmter Drü-sen im Mund.* **sinnv.:** Geifer, Sabber, Spucke.

Spei|cher, der; -s, -: **1.** *Gebäude, das zur Lage-rung von Vorräten dient:* die S. waren mit Korn gefüllt. **sinnv.:** Depot. **Zus.:** Getreide-, Wärme-, Wasserspeicher. **2.** (bes. südd.) *Raum unter dem Dach, der zum Abstellen dient:* die alten Möbel auf den S. stellen. **sinnv.:** Dachboden. **3.** *Vorrich-tung an elektronischen Rechenanlagen zum Spei-chern von Informationen:* Daten in den S. einge-ben. **Zus.:** Arbeits-, Kernspeicher.

spei|chern ⟨tr.⟩: **1.** *[Vorräte in einem Lager] an-sammeln und aufbewahren:* in dem großen Bek-ken wird Wasser gespeichert. **sinnv.:** anstauen; horten. **2.** *(Daten) in einem elektronischen Speicher aufbewahren:* Daten [auf Magnetband] s.

spei|en, spie, hat gespie[e]n ⟨itr.⟩: ↑*spucken.*

Spei|se, die; -, -n: *zubereitete Nahrung, Gericht:* in diesem Lokal gibt es gute Speisen. **sinnv.:** Es-sen; Nahrung. **Zus.:** Eier-, Götter-, Haupt-, Lieb-lings-, Mehl-, Süß-, Vorspeise.

Spei|se|kar|te, die; -, -n: *Verzeichnis der Spei-sen, die in einem Lokal angeboten werden:* der Ober brachte die S. **sinnv.:** Karte, Menükarte, Speisezettel.

spen|da|bel ⟨Adj.⟩: ↑*freigebig:* unser Onkel war diesmal recht s.

Spen|de, die; -, -n: *in Geld o.ä. bestehende Ga-be:* man bat ihn um eine S. für die Verunglück-ten. **sinnv.:** Beitrag; Kollekte. **Zus.:** Blumen-, Geld-, Kranz-, Sachspende.

spen|den, spendete, hat gespendet: **1.** ⟨tr.⟩ *(für einen wohltätigen Zweck) geben, schenken:* viele Menschen spendeten Kleider und Geld für die Opfer des Erdbebens. **sinnv.:** opfern, stiften; ge-ben; spendieren. **2.** ⟨als Funktionsverb⟩ /bringt zum Ausdruck, daß jmdm. etwas Bestimmtes ge-geben wird/: Trost s. *(trösten);* Wärme s. *(wär-men).* **sinnv.:** ausstrahlen.

spen|die|ren ⟨tr.⟩: *(für einen anderen) bezahlen; (jmdm.) zu etwas einladen:* er spendierte seinen Freunden einen Kasten Bier. **sinnv.:** einen ausge-ben, jmdn. (zum Essen o.ä.) einladen, jmdn. frei-halten, im Geberlaune/im Spendierlaune sein, (Geld) lockermachen, die Spendierhosen anha-ben, etwas springen lassen, seinen sozialen Tag haben; spenden.

Sper|ling, der; -s, -e: *kleiner Vogel mit graubrau-nem Gefieder.* **sinnv.:** Spatz.

Sper|re, die; -, -n: **1.** *Vorrichtung, die etwas ab-sperrt, die verhindert, daß sich jmd./etwas vorwärts bewegt:* die S. wurde geöffnet, damit das Wasser durchfließen konnte. **sinnv.:** Behinderung, Blok-kierung; Absperrung, Barriere, Hindernis, Rie-gel. **Zus.:** Ausgangs-, Einstellungs-, Nachrich-ten-, Straßen-, Talsperre. **2. a)** *Verbot, eine be-*

stimmte *Ware zu importieren:* über die Einfuhr von Geflügel wurde eine S. verhängt. **sinnv.:** Beschränkung, Einfuhr-/Ausfuhrverbot, Embargo. **Zus.:** Ausfuhr-, Einfuhr-, Importsperre. **b)** *Verbot, weiterhin an sportlichen Wettkämpfen teilzunehmen:* bei diesem Boxer wurde die S. wieder aufgehoben. **sinnv.:** Ausschluß, Sperrfrist, Startverbot.

sper|ren: **1.** ⟨tr.⟩: **a)** *den Zugang oder den Aufenthalt (an einem bestimmten Ort) verbieten; unzugänglich machen:* das ganze Gebiet, die Straße wurde gesperrt. **sinnv.:** abriegeln, absperren, blockieren, verbarrikadieren. **b)** *(den Gebrauch von etwas) unmöglich machen, unterbinden:* den Strom, das Konto s. **sinnv.:** blockieren. **2.** ⟨itr.⟩ *in einen bestimmten Raum bringen und dort gefangenhalten:* die Tiere wurden in einen Käfig gesperrt. **sinnv.:** einsperren, festsetzen. **3.** ⟨sich s.⟩ *(für etwas) nicht zugänglich sein; sich (einer Sache gegenüber) verschließen:* er sperrte sich gegen alle Vorschläge. **sinnv.:** sich dagegenstellen/-stemmen, einen Dickkopf haben/aufsetzen, sich entgegenstellen, sich auf die Hinterbeine stellen, opponieren, Paroli bieten, sich querlegen, einen dicken/harten Schädel haben, wider den Stachel löcken, die Stirn bieten, sich sträuben, gegen den Strom schwimmen, stur wie ein Bock/wie ein Panzer sein, trotzen, sich weigern, sich widersetzen, Widerstand leisten/bieten/entgegensetzen, widerstehen.

Spe|sen, die ⟨Plural⟩: *Ausgaben im Dienst o. ä., die ersetzt werden:* seine S. waren nicht sehr hoch. **sinnv.:** Aufwandsentschädigung, Diäten, Entschädigung, Reisekostenvergütung, Tagegeld. **Zus.:** Geschäfts-, Reise-, Telefonspesen.

spe|zia|li|sie|ren, sich: *sich auf ein bestimmtes Fachgebiet o. ä. festlegen:* diese Buchhandlung hat sich auf Kinder- und Jugendliteratur spezialisiert.

Spe|zia|list, der; -en, -en, **Spe|zia|li|stin,** die; -, -nen: *männliche bzw. weibliche Person, die in einem bestimmten Fach genaue Kenntnisse hat, die auf einem Gebiet spezielle Fähigkeiten erworben hat:* er ist ein Spezialist für Finanzfragen. **sinnv.:** Fachmann. **Zus.:** Langlauf-, Raumfahrtspezialist.

spe|zi|ell ⟨Adj.⟩: *von besonderer, eigener Art; in besonderem Maße auf einen bestimmten Zusammenhang o. ä. ausgerichtet, bezogen:* er hat spezielle Kenntnisse auf diesem Gebiet; s. an diesen Büchern war er interessiert. **sinnv.:** individuell; eigens.

Spie|gel, der; -s, -: *Gegenstand aus Glas oder Metall, dessen glatte Fläche das Bild von Personen oder Dingen, die sich vor ihm befinden, wiedergibt:* sie nahm einen S. aus ihrer Tasche, um sich darin zu betrachten. **Zus.:** Garderoben-, Hand-, Rasier-, Rück-, Taschen-, Toiletten-, Wandspiegel. **2.** *(glatte) Oberfläche eines Gewässers.* **Zus.:** Grundwasser-, Meeres-, Wasserspiegel.

spie|geln: a) ⟨itr.⟩ *glänzen (so daß es wie ein Spiegel wirkt):* der Fußboden in allen Zimmern spiegelte; die spiegelnde Fläche des Sees. **sinnv.:** reflektieren, widerspiegeln, zurückstrahlen, zurückwerfen. **b)** ⟨sich s.⟩ *auf einer glänzenden, glatten Fläche als Spiegelbild erscheinen:* die Sonne spiegelte sich in den Fenstern. **sinnv.:** widerscheinen, sich widerspiegeln. **c)** ⟨tr.⟩ *erkennen lassen,*

zeigen, wiedergeben: seine Bücher s. die Not des Krieges.

Spiel, das; -[e]s, -e: **1.** *Beschäftigung zur Unterhaltung, zum Zeitvertreib; Tätigkeit ohne besonderen Sinn, ohne größere Anstrengung:* Spiele für Kinder und Erwachsene. **Zus.:** Frage-und-Antwort-Spiel, Geduld[s]-, Geschicklichkeits-, Gesellschafts-, Karten-, Kinder-, Liebes-, Pfänder-, Ratespiel. **2.** ↑*Glücksspiel:* sein Geld bei Spielen verlieren. **Zus.:** Lotterie-, Lotto-, Roulette-, Vabanquespiel. **3.** *sportliche Veranstaltung; Kampf von Mannschaften:* mehrere Spiele gegen ausländische Vereine austragen; alle Spiele gewinnen. **sinnv.:** Kampf, Match, Partie, Wettkampf, Wettspiel. **Zus.:** Ausscheidungs-, Ball-, Benefiz-, Defensiv-, End-, Entscheidungs-, Freundschafts-, Fußball-, Hin-, Länder-, Mannschafts-, Meisterschafts-, Pokal-, Punkt-, Qualifikations-, Rück-, Wettspiel. **4. a)** ⟨ohne Plural⟩ *künstlerischer Vortrag, musikalische Darbietung:* der Pianist begeisterte mit seinem S. das Publikum. **sinnv.:** Darbietung. **Zus.:** Ensemble-, Gitarren-, Klavier-, Orgelspiel. **b)** *einfaches Schauspiel [aus alter Zeit]:* ein mittelalterliches S.; geistliche Spiele. **sinnv.:** Schauspiel. **Zus.:** Fastnachts-, Fernseh-, Hör-, Krippen-, Lust-, Nach-, Passions-, Puppen-, Schatten-, Schau-, Sing-, Trauer-, Vor-, Weihnachts-, Zwischenspiel. **5.** *unverbindliches, leichtfertiges Tun:* es war alles nur [ein] S. **Zus.:** Doppel-, Gaukel-, Intrigen-, Kräfte-, Ränkespiel. **6.** ⟨ohne Plural⟩ *unregelmäßige, nicht durch einen Zweck bestimmte Bewegung:* das S. der Blätter im Wind. **Zus.:** Farben-, Mienen-, Wechsel-, Widerspiel.

spie|len: 1. ⟨itr.⟩ **a)** *sich zum Zeitvertreib mit einem unterhaltenden Spiel beschäftigen:* die Kinder spielen auf der Straße; Karten s. **b)** *sich mit dem Glücksspiel beschäftigen:* im Lotto s.; er spielt *(er gibt sich aus Leidenschaft dem Glücksspiel hin).* **sinnv.:** pokern, würfeln, zocken. **2.** ⟨itr.⟩ **a)** *sich in bestimmter Weise sportlich betätigen:* Fußball, Tennis s.; er spielt [als] Stürmer. **b)** *ein sportliches Spiel, einen Wettkampf austragen:* die deutsche Mannschaft spielt gegen die Schweiz. **sinnv.:** antreten. **3.** ⟨tr./itr.⟩ *sich musikalisch betätigen:* eine Sonate für Cello s. **sinnv.:** musizieren. **4. a)** ⟨tr.⟩ ↑*aufführen:* Theater s.; das Ensemble spielte ein modernes Stück. **b)** ⟨tr.⟩ *als Schauspieler in einer bestimmten Rolle agieren:* er spielt den Hamlet. **sinnv.:** auftreten/erscheinen als, darstellen, verkörpern. **c)** ⟨itr.⟩ *auftreten:* bei den Festspielen werden berühmte Solisten s. **sinnv.:** agieren. **5.** ⟨tr.⟩ ↑*vortäuschen:* er spielte den reichen Mann. **6.** ⟨itr.⟩ *sich an einem bestimmten Ort, zu einer bestimmten Zeit ereignen:* die Oper spielt in Italien. **7.** ⟨itr.⟩ *[sich] ohne bestimmten Zweck, Sinn bewegen:* der Wind spielt in den Zweigen. **8.** ⟨itr.⟩ **a)** *zeigen, einsetzen [um etwas zu erreichen]:* sie ließ ihren ganzen Charme s. **sinnv.:** anwenden. **b)** *sich nicht ernst (mit jmdm./etwas) befassen, sich nicht engagieren:* er spielt nur mit ihren Gefühlen.

spie|lend ⟨Adj.⟩: *mit Leichtigkeit, ohne Mühe, Anstrengung:* er bewältigte die Aufgabe s.; der Apparat ist s. leicht zu handhaben. **sinnv.:** mühelos.

Spie|ler, der; -s, -, **Spie|le|rin,** die; -, -nen: **1.** *Sportler bzw. Sportlerin, der/die aktiv an sportli-*

Spielkarten

Karo | Herz | Pik | Kreuz

Bube — Dame — König — As

chen Veranstaltungen teilnimmt, der/die in einer Mannschaft spielt: er ist ein fairer Spieler. **Zus.:** Abwehr-, Angriffs-, Ersatz-, Fußball-, Nachwuchs-, National-, Schach-, Vertragsspieler. **2.** männliche bzw. weibliche Person, die dem Glücksspiel verfallen ist: er ist als Spieler bekannt. **sinnv.:** Glücksspieler, Hasardeur.

spie|le|risch ⟨Adj.⟩: **a)** sich wie bei einem Spiel verhaltend; eine große Leichtigkeit, keinerlei Verkrampfung (bei etwas) zeigend: fast s. betätigte er den Hebel. **b)** ⟨nicht prädikativ⟩ die Technik des Spiels betreffend /bes. beim Sport/: ein s. hervorragender Gegner.

Spiel|feld, das; -[e]s, -er: abgegrenzte Fläche für sportliche Spiele: die Zuschauer liefen auf das S. **sinnv.:** Feld, Fußballplatz, Platz, (grüner) Rasen, Sportfeld, Sportplatz, Sportstadion, Stadion, Wettkampfplatz.

Spiel|kar|te, die; -, -n: einzelne Karte eines Kartenspiels (siehe Bildleiste). **sinnv.:** Blatt, Karte.

Spiel|platz, der; -es, Spielplätze: [öffentlicher] für Kinder eingerichteter Platz zum Spielen. **sinnv.:** Sandkasten, Sandplatz, Spielwiese, Tummelplatz. **Zus.:** Kinderspielplatz.

Spiel|raum, der; -[e]s, Spielräume: **a)** Zwischenraum, übriger Platz [der leichte Abweichungen vom üblichen Verlauf einer Bewegung zuläßt]: die festen Teile der Maschine brauchen einen größeren S. **sinnv.:** Abstand, Lücke, Raum, Zwischenraum. **b)** Möglichkeit, sich frei zu bewegen, sich in seiner Tätigkeit frei zu entfalten: jmdm. einen möglichst großen S. gewähren. **sinnv.:** Bewegungsfreiheit, Ellenbogenfreiheit, Freizügigkeit, Unabhängigkeit.

Spiel|wa|ren, die ⟨Plural⟩: als Spielzeug für Kinder angebotene Waren: die S. finden Sie in der vierten Etage. **sinnv.:** Spielzeug.

Spiel|zeug, das; -[e]s, -e: **a)** ⟨ohne Plural⟩ zum Spielen verwendete Gegenstände: das S. aufräumen. **sinnv.:** Kinderspielzeug, Spielsachen, Spielwaren. **Zus.:** Holzspielzeug. **b)** einzelner zum Spielen verwendeter Gegenstand: dem Kind zum Geburtstag ein S. kaufen.

Spieß, der; -es, -e: Stab mit einem spitzen Ende zum [Durch]stechen (siehe Bildleiste „Waffen"): Fleisch am S. braten. **sinnv.:** Speer.

spie|ßen ⟨tr.⟩: **a)** (auf einen spitzen Gegenstand) stecken: die Kartoffel auf die Gabel s. **sinnv.:** aufspießen. **b)** (mit einem spitzen Gegenstand) befesti-

gen: das Bild mit einer Nadel auf das Brett s. **sinnv.:** befestigen.

Spie|ßer, der; -s, -, **Spie|ße|rin,** die; -, -nen (ugs.): (im Urteil des Sprechers) kleinlich denkende männliche bzw. weibliche Person mit einem äußerst engen Horizont. **sinnv.:** Spießbürger.

Spin|ne, die; -, -n: (zu den Gliederfüßern gehörendes) Tier mit einem in Kopf-Brust-Stück und Hinterleib gegliederten Körper und vier Beinpaaren. **Zus.:** Kreuz-, Vogelspinne.

spin|nen, spann, hat gesponnen: **1.** ⟨tr.⟩ **a)** mit dem Spinnrad oder der Spinnmaschine Fasern zu einem Faden drehen: Garn, Wolle s. **b)** (von Spinnen und bestimmten Raupen) Fäden erzeugen: die Spinne spann einen Faden, an dem sie sich herunterließ. **2.** ⟨itr.⟩ (ugs.) verrückte Ideen haben: den darfst du nicht ernst nehmen, der spinnt. **sinnv.:** nicht alle beisammenhaben, einen Dachschaden haben, nicht ganz dicht sein, von allen guten Geistern verlassen sein, nicht ganz gescheit sein, einen Haschmich/einen Hau/einen Knacks/einen Knall/eine Macke/einen kleinen Mann im Ohr/eine Meise haben, meschugge sein, bei jmdm. piept es, plemplem sein, einen Rappel haben, bei jmdm. rappelt es, nicht ganz richtig [im Oberstübchen] sein, bei jmdm. ist eine Schraube locker, nicht bei Sinnen sein, spintisieren, einen Sprung in der Schüssel/einen Stich/ nicht alle Tassen im Schrank/einen Tick haben, nicht bei Trost/verrückt sein, einen Vogel haben.

Spi|on, der; -s, -e, **Spio|nin,** die; -, -nen: männliche bzw. weibliche Person, die Spionage treibt: er wurde als Spion entlarvt. **sinnv.:** Agent, Auskundschafter, Kundschafter, Lauscher, Schnüffler, Späher, Spitzel, Verbindungsmann, V-Mann.

Spio|na|ge [ʃpioˈnaːʒə], die; -: das Ermitteln von Staatsgeheimnissen, geheimen Informationen im Auftrag einer ausländischen Macht: jmdn. unter dem Verdacht der S. verhaften. **sinnv.:** Agententätigkeit. **Zus.:** Werk[s]-, Wirtschaftsspionage.

spio|nie|ren ⟨itr.⟩: **a)** als Spion arbeiten; Spionage treiben: er hat für eine ausländische Macht spioniert. **sinnv.:** abhören, anzapfen, auskundschaften, nachforschen, schnüffeln. **b)** aus Neugier überall herumsuchen, nachforschen: er spioniert im ganzen Betrieb. **sinnv.:** herumschnüffeln, nachforschen, nachschnüffeln, nachspionieren, schnüffeln.

Spi|ra|le, die; -, -n: Kurve, die sich um eine Achse

hoch- oder mit wachsendem Abstand um einen Punkt windet. **sinnv.:** Schneckenlinie, Schraubenlinie, Wendel. **Zus.:** Heizspirale, Lohn-Preis-Spirale.

spitz 〈Adj.〉: **1.** 〈nicht adverbial〉 **a)** *zu einem Punkt zusammenlaufend und dadurch so scharf, daß es sticht:* spitze Nadeln. **sinnv.:** angespitzt, zugespitzt; scharf. **Zus.:** nadelspitz. **b)** *eine Spitze bildend:* der Turm hat ein spitzes Dach; spitze Schuhe tragen. **sinnv.:** eckig, kantig. **2.** (ugs.) ↑*boshaft:* spitze Bemerkungen machen.

spit|ze 〈Adj.; indeklinabel〉 (ugs.): ↑*klasse:* ein s. Hallenbad haben die hier; die Musik ist s. **sinnv.:** vortrefflich.

Spit|ze, die; -, -n: **1. a)** *das in einem Punkt spitz zusammenlaufende Ende von etwas:* die S. des Bleistifts ist abgebrochen; auf der S. des Berges. **sinnv.:** Dorn, Gipfel, Wipfel, Zipfel. **Zus.:** Bleistift-, Finger-, Fuß-, Kirchturm-, Nadel-, Nasen-, Pfeil-, Speer-, Zehenspitze. **b)** *vorderster, anführender Teil; führende Position (bes. in bezug auf Leistung, Erfolg, Qualität):* an der S. des Konzerns, des Staates stehen; die Mannschaft liegt an der S. der Tabelle. **sinnv.:** Führung, Spitzenposition, erste Stelle. **Zus.:** Firmen-, Heeres-, Tabellen-, Truppenspitze. **2.** (ugs.) *höchste Leistung, Geschwindigkeit o. ä.; höchstes Maß:* der Wagen fährt 220 km/h S.; die absolute S. waren 2 Millionen verkaufte Exemplare. **sinnv.:** Gipfel, Höchstleistung, Höchstmaß, Höchstwert, Spitzenleistung. **Zus.:** Produktions-, Saison-, Verkehrsspitze. **3.** *ironische, boshafte Bemerkung:* seine Rede enthielt einige Spitzen gegen die Regierung. **sinnv.:** Anspielung, Anzüglichkeit, Bissigkeit, Einwurf, Seitenhieb, Stich, Stichelei, Zweideutigkeit. **4.** 〈ohne Plural〉 (ugs.) ↑*spitze:* dein neues T-Shirt ist S. **sinnv.:** vortrefflich. **5.** *feines, durchbrochenes Gewebe:* eine Bluse aus echter Spitze.

spit|zen 〈tr.〉 *mit einer Spitze versehen, spitz machen:* den Bleistift s. **sinnv.:** schärfen. **Zus.:** an-, zuspitzen.

Spit|zen- 〈Präfixoid〉: **1.** (emotional) **a)** *jmd., der als die im Basiswort genannte Person besonders gut, erstklassig ist, zur Spitze gehört:* Spitzendarsteller, -kraft, -mannschaft, -sportler. **b)** *etwas, was qualitativ o. ä. mit an oberster Stelle steht:* Spitzenbetrieb, -erzeugnis, -hotel, -klasse, -leistung, -produkt, -wein. **sinnv.:** Bomben-, Chef-, General-, Haupt-, Klasse-, Meister-, Ober-, Sonder-, Spezial-, Super-, Top-. **2.** *etwas/jmd., das/der als die im Basiswort genannte Sache oder Person eine hohe Position hat, von hohem Rang, Einfluß ist:* Spitzenagent, -gespräch, -kandidat, -politiker. **3.** /kennzeichnet das im Basiswort Genannte als etwas, was den Höchstwert, das Höchstmaß davon darstellt/: Spitzenbedarf, -belastung, -einkommen, -geschwindigkeit, -qualität. **sinnv.:** Höchst-.

spitz|fin|dig 〈Adj.〉: *in einer oft als ärgerlich empfundenen Art und Weise übertrieben scharfe Unterscheidungen treffend:* spitzfindige Unterschiede machen. **sinnv.:** haarspalterisch, kleinlich, rabulistisch, sophistisch, wortklauberisch.

Split|ter, der; -s, -: *spitzes, dünnes Teilchen, Bruchstück von einem spröden Material:* überall lagen Splitter des zersprungenen Fensters. **sinnv.:** Scherbe; Span. **Zus.:** Glas-, Holz-, Knochen-, Lacksplitter.

split|tern, splitterte, hat/ist gesplittert 〈itr.〉: **a)** *so beschaffen sein, daß sich am Rand Splitter ablösen:* das Holz hat gesplittert. **Zus.:** ab-, aufsplittern. **b)** *in der Weise zerbrechen, daß Splitter entstehen:* der Balken ist gesplittert. **Zus.:** auseinander-, zersplittern.

spon|tan 〈Adj.〉: *ohne lange Überlegung, aus einem plötzlichen Antrieb, Impuls heraus:* s. seine Hilfe anbieten; nach dieser Bemerkung des Redners verließen die Zuhörer s. den Saal. **sinnv.:** freiwillig.

Sport, der; -[e]s: **1.** *nach bestimmten festen Regeln [im Wettkampf mit anderen] ausgeübte körperliche Betätigung (aus Freude an Bewegung und Spiel und/oder zur körperlichen Ertüchtigung):* S. treiben. **sinnv.:** Gymnastik, Körperertüchtigung, Körpererziehung, Leibeserziehung, Leibesübungen, Turnen; Spiel. **Zus.:** Angel-, Breiten-, Früh-, Hochleistungs-, Kampf-, Kraft-, Motor-, Leistungs-, Pferde-, Rasen-, Reit-, Schul-, Schwimm-, Segel-, Spitzen-, Versehrten-, Volks-, Wasser-, Wintersport. **2.** *bestimmte Art sportlicher Betätigung:* Golfspielen ist ein teurer S.; welchen S. kann man hier treiben? **sinnv.:** sportliche Disziplin, Sportart.

Sport|ler, der; -s, -, **Sport|le|rin,** die; -, -nen: *männliche bzw. weibliche Person, die aktiv Sport treibt.* **sinnv.:** Athlet, Kämpfer, Olympionike, Sport[s]kanone, Sportsmann, Wettkämpfer. **Zus.:** Amateur-, Berufs-, Leistungs-, Spitzensportler.

sport|lich 〈Adj.〉: **1. a)** *den Sport betreffend:* seine sportliche Laufbahn beenden; sich s. betätigen. **b)** *wie vom Sporttreiben geprägt und daher elastisch-schlank:* er hat eine sportliche Figur; ein sportlicher Typ. **sinnv.:** athletisch, behende, drahtig, durchtrainiert, gut gebaut/gewachsen, kräftig, muskulös, rank, schlank, sehnig. **2.** *in seinem Schnitt einfach, zweckmäßig und zugleich flott:* ein sportliches Kostüm. **sinnv.:** fesch, flott, lässig.

Spott, der; -[e]s: *Äußerung, mit der man sich über jmdn. oder etwas lustig macht, bei der man Schadenfreude, auch Verachtung empfindet:* er sprach mit S. von seinen Gegnern. **sinnv.:** Humor.

spot|ten, spottete, hat gespottet 〈itr.〉: *Spott äußern:* über jmdn./jmds. Kleidung s. **sinnv.:** aufziehen; sticheln; verspotten. **Zus.:** aus-, be-, verspotten.

spöt|tisch 〈Adj.〉: **a)** *zum Spotten neigend.* **sinnv.:** boshaft, ironisch, sarkastisch, zynisch. **b)** *Spott ausdrückend:* ein spöttisches Lächeln; etwas s. bemerken. **sinnv.:** beißend, bissig, boshaft, gallig, höhnisch, ironisch, kalt, sarkastisch, satirisch, scharf, schnippisch, schnoddrig, spitz, zynisch.

Spra|che, die; -, -n: **1.** 〈ohne Plural〉 *das Sprechen; die Fähigkeit zu sprechen:* durch den Schock verlor er die S. **Zus.:** Ab-, An-, Aus-, Für-, Rück-, Vor-, Zu-, Zwiesprache. **2.** *System von Zeichen und Lauten, das von Angehörigen einer bestimmten sozialen Gemeinschaft (z. B. von einem Volk) in gesprochener und geschriebener Form als Mittel zur Verständigung benutzt wird:* die englische, russische S.; er beherrscht mehrere Sprachen. **sinnv.:** Eskimo-, Gauner-, Indianer-, Mutter-, Welt-, Welthilfs-, Zeichen-, Zigeunersprache. **3.** *Art zu sprechen, zu formulieren:* seine S. ist sehr lebendig; die S. Goethes. **sinnv.**: Ausdrucksweise, Jargon, Mundart. **Zus.**: Bühnen-, Dichter-, Fach-, Hoch-, Jugend-, Seemanns-, Soldaten-, Standard-, Volks-, Vulgärsprache.

sprach|lich ⟨Adj.⟩: *die Sprache betreffend, auf sie bezogen:* der Aufsatz ist s. gut; eine sprachliche Eigentümlichkeit.

sprach|los ⟨Adj.⟩: *so in Erstaunen versetzt, daß man nichts sagen kann:* er war s. [vor Entsetzen, Schrecken] **sinnv.**: erstaunt, staunend, stumm, überrascht, verblüfft, verdutzt.

Spray [spreɪ], der und das; -s, -s: *Flüssigkeit, die aus einer speziellen Dose fein zerstäubt wird:* ein S. gegen Insekten. **sinnv.**: Deodorant, Sprühflüssigkeit, Sprühmittel. **Zus.**: Deo-, Haar-, Intim-, Körper-, Raumspray.

spre|chen, spricht, sprach, hat gesprochen: **1.** ⟨itr.⟩ **a)** *Laute, Wörter bilden:* das Kind lernt s. **sinnv.**: artikulieren, herausbringen, hervorbringen. **Zus.**: aus-, mit-, nachsprechen. **b)** *sich in bestimmter Weise ausdrücken:* laut, mit Akzent, in ernstem Ton s. **sinnv.**: sich ausdrücken, faseln, flöten, flüstern, lallen, nuscheln, plappern, predigen, salbadern, säuseln, schnarren, schnattern, schreien, schwadronieren, schwafeln, stammeln. **2.** ⟨tr.⟩ *eine Sprache beherrschen:* er spricht mehrere Sprachen. **3.** ⟨itr.⟩ *eine Meinung darlegen; urteilen:* gut, schlecht über jmdn./etwas, von jmdm./ etwas s. **sinnv.**: anmerken, sich äußern, bemerken, sagen. **4. a)** ⟨itr.⟩ *Worte wechseln:* die Frauen s. schon seit einer halben Stunde [miteinander]. **sinnv.**: palavern, quasseln, quatschen, reden. **b)** ⟨tr.⟩ *jmdn. treffen, erreichen und mit ihm ins Gespräch kommen:* kann ich Herrn Meyer sprechen? **5.** ⟨itr.⟩ *von etwas in Kenntnis setzen, darüber berichten:* er spricht von seiner Reise nach Amerika. **sinnv.**: mitteilen, reden. **6.** ⟨tr.⟩ *über etwas diskutieren, sich besprechen:* darüber müssen wir noch s. **sinnv.**: erörtern. **7.** ⟨itr.⟩ *eine Rede, Ansprache o. ä. halten:* der Professor spricht heute abend [im Rundfunk].

Spre|cher, der; -s, -, **Spre|che|rin,** die; -, -nen: **a)** *männliche bzw. weibliche Person, die (im Rundfunk oder Fernsehen) als Ansager bzw. als Ansagerin arbeitet, Nachrichten o. ä. liest:* er ist Sprecher beim Rundfunk, Fernsehen. **sinnv.**: Ansager. **Zus.**: Fernseh-, Nachrichten-, Rundfunksprecher. **b)** *männliche bzw. weibliche Person, die im Namen einer bestimmten Gruppe o. ä. spricht, deren Interessen in der Öffentlichkeit vertritt:* der Sprecher der Bürgerinitiative. **sinnv.**: Beauftragter, Speaker, Wortführer. **Zus.**: Fraktions-, Klassen-, Presse-, Regierungs-, Vorstandssprecher.

sprei|zen: 1. ⟨tr.⟩ *soweit als möglich auseinanderstrecken, (von etwas) wegstrecken:* die Beine, Finger s. **sinnv.**: ausstrecken, grätschen. **2.** ⟨sich s.⟩ **a)** *sich unnötig lange bitten lassen, etwas Bestimmtes zu tun:* sie spreizte sich erst eine Weile, dann machte sie schließlich auch mit. **sinnv.**: sich sträuben, sich zieren. **b)** *sich besonders eitel und eingebildet gebärden:* er spreizte sich wie ein Pfau in seinem neuen Anzug. **sinnv.**: prahlen.

spren|gen: I. a) ⟨tr./itr.⟩ *mit Hilfe von Sprengstoff zum Bersten bringen, zerstören:* eine Brücke, Felsen s. **b)** ⟨tr.⟩ *mit Gewalt auseinanderreißen, öffnen, zertrümmern:* Ketten s.; das Wasser sprengte das Eis. **sinnv.**: aufbrechen. **II.** ⟨tr.⟩ *naß machen, indem man Wasser mit einem Schlauch*

o. ä. in dünnem Strahl darüber verteilt: den Rasen s.; die Wäsche vor dem Bügeln s. **sinnv.**: anfeuchten, befeuchten, begießen, benetzen, beregnen, berieseln, besprengen, bespritzen, besprühen, bewässern, einspritzen, gießen, netzen, spritzen, sprühen, wässern. **Zus.**: be-, einsprengen.

sprie|ßen, sproß, ist gesprossen ⟨itr.⟩: *zu wachsen beginnen:* die Blumen sprießen, seit es so warm geworden ist. **sinnv.**: aufgehen, aufkeimen, ausschlagen, austreiben, grün werden, grünen, hervorwachsen; sich entwickeln; keimen; wuchern. **Zus.**: auf-, empor-, hervorsprießen.

sprin|gen, sprang, hat/ist gesprungen ⟨itr.⟩: **1. a)** *sich kräftig mit den Beinen vom Boden abstoßend in die Höhe und/oder in eine bestimmte Richtung bewegen:* er ist durch das Fenster gesprungen. **sinnv.**: hechten, hoppeln, hopsen, hüpfen, schnellen; sich schwingen. **Zus.**: ab-, auf-, empor-, herunter-, hinab-, hinauf-, hinein-, hoch-, vor-, weg-, zurückspringen. **b)** *sich springend bewegen:* das Kind ist über die Straße gesprungen. **sinnv.**: sich fortbewegen. **c)** *mit einem Sprung (als sportlicher Diziplin) eine bestimmte Distanz in Höhe oder Weite überwinden:* er ist 7,48 m [weit], 2,20 m [hoch] gesprungen; er ist/hat noch nicht gesprungen; ⟨auch tr.⟩ sie hat einen neuen Rekord gesprungen. **2.** (geh.) *spritzend, sprudelnd, sprühend (aus etwas) hervortreten:* Funken sind aus dem Holzstoß gesprungen. **sinnv.**: sprühen. **3.** *(von bestimmtem, sprödem Material) einen Sprung, Sprünge bekommen:* das Porzellan ist gesprungen. **sinnv.**: zerbrechen. **Zus.**: auf-, zerspringen.

sprin|ten, sprintete, hat/ist gesprintet ⟨itr.⟩: *eine kurze Strecke mit größtmöglicher Geschwindigkeit zurücklegen:* gestern hat/ist unser Läufer besonders gut gesprintet. **b)** (ugs.) *schnell [irgendwohin] laufen:* er ist über den Hof gesprintet. **sinnv.**: sich fortbewegen.

Sprit|ze, die; -, -n: **1.** *meist mit einer motorgetriebenen Pumpe arbeitendes Gerät (der Feuerwehr) zum Löschen von Bränden mit Hilfe von Wasser o. ä.:* die Feuerwehr löschte mit fünf Spritzen. **Zus.**: Feuer-, Motor-, Wasserspritze. **2. a)** *medizinisches Gerät, mit dem ein Medikament o. ä. in flüssiger Form in den Körper eingespritzt wird:* eine S. aufziehen. **Zus.**: Injektionsspritze. **b)** *das Hineinspritzen eines Medikamentes in flüssiger Form in den Körper:* jmdm. Spritzen geben. **sinnv.**: Injektion. **c)** *in den Körper gespritztes Medikament in flüssiger Form:* die Spritzen wirkte schnell. **sinnv.**: Impfstoff, Medikament, Serum.

sprit|zen, spritzte, hat/ist gespritzt: **1. a)** ⟨tr.⟩ *Flüssigkeit in Form von Tropfen oder Strahlen irgendwohin gelangen lassen:* die Feuerwehr hat Wasser und Schaum in das Feuer gespritzt. **sinnv.**: sprengen. **Zus.**: be-, naß-, vollspritzen. ⟨tr.⟩ *über jmdn./etwas gießen, sprühen:* der Bauer hat die Bäume [gegen Schädlinge] gespritzt; er hat sein Auto neu gespritzt. **sinnv.**: sprayen, sprengen, sprühen, übersprühen. **Zus.**: auf-, über-, umspritzen. **c)** ⟨itr.⟩ *plötzlich in einem Strahl hervorschießen; in Tropfen auseinandersprühen:* Wasser ist aus der defekten Leitung gespritzt; das heiße Fett hat gespritzt. **sinnv.**: sprühen; stieben. **2.** ⟨itr.⟩ (ugs.) *sehr schnell laufen, sich eilen:* wenn der Chef rief, ist er sofort gespritzt. **sinnv.**: sich fortbewegen. **3.** ⟨tr./itr.⟩ *mit Hilfe einer Sprit-*

ze (2 a) *in den Körper gelangen lassen:* die Schwester hat ihr ein Beruhigungsmittel gespritzt; er ist Diabetiker und muß sich täglich s. **sinnv.:** fixen, injizieren, eine Spritze geben. **Zus.:** ein-, hineinspritzen.

Sprit|zer, der; -s, -: a) *in Form von Tropfen oder in einem kurzen Strahl weggeschleuderte Flüssigkeit:* einige Spritzer trafen seinen Anzug. **Zus.:** Wasserspritzer. b) *kleiner, durch das Spritzen einer Flüssigkeit hervorgerufener Fleck:* auf seinem Gesicht waren Spritzer von roter Farbe. **Zus.:** Blut-, Farb-, Tintenspritzer.

sprö|de 〈Adj.〉: a) *(in bezug auf einen harten Stoff) leicht brechend oder reißend:* sprödes Material; Holz ist für diese Arbeit zu s. **sinnv.:** nicht geschmeidig, starr, steif, unelastisch. b) *(bes. von weiblichen Personen) abweisend und daher nicht anziehend wirkend:* sie ist in ihrem Wesen sehr s. **sinnv.:** unzugänglich.

Sproß, der; Sprosses, Sprosse: *[junger] Trieb (einer Pflanze):* junge Sprosse. **sinnv.:** Ableger, Schößling, Setzling, Steckling.

Spruch, der; -[e]s, Sprüche: **1.** *kurzer, einprägsamer Satz, der eine allgemeine Regel oder Weisheit zum Inhalt hat:* ein alter, frommer S.; Sprüche [aus der Bibel]. **sinnv.:** Ausspruch. **Zus.:** Kalender-, Leit-, Merk-, Trink-, Wahl-, Werbe-, Zauberspruch. **2.** *[verkündete] Entscheidung einer rechtsprechenden Institution o. ä.* **sinnv.:** Urteil. **Zus.:** Frei-, Richter-, Schieds-, Schuld-, Urteilsspruch.

Spru|del, der; -s, -: *stark kohlensäurehaltiges Mineralwasser.*

spru|deln, sprudelte, hat/ist gesprudelt 〈itr.〉: **1.** *wallend und schäumend hervorströmen, sich irgendwohin ergießen:* der Bach sprudelt über das Geröll; eine Quelle ist aus dem Felsen gesprudelt. **sinnv.:** fließen. **Zus.:** heraus-, hervorsprudeln. **2.** *in heftiger, wallender Bewegung sein und Blasen aufsteigen lassen:* das kochende Wasser sprudelte im Topf; die Lösung hat im Reagenzglas gesprudelt. **sinnv.:** brodeln. **Zus.:** auf-, übersprudeln.

sprü|hen, sprühte, hat/ist gesprüht: a) 〈tr.〉 *in kleinen Teilchen von sich schleudern, irgendwohin fliegen lassen:* das Feuer hat Funken gesprüht. **sinnv.:** ausstoßen, auswerfen. **Zus.:** aus-, versprühen. b) 〈itr.〉 *(in Form von kleinen Teilchen) durch die Luft fliegen:* die Funken sind nach allen Seiten gesprüht. **sinnv.:** stieben. c) *in vielen kleinen Tropfen, in zerstäubter Form irgendwohin gelangen lassen:* sie hat Wasser auf die Blätter gesprüht. **sinnv.:** zerstäuben.

Sprung, der; -[e]s, Sprünge: **1.** *Bewegung, bei der man sich mit einem Fuß oder mit beiden Füßen abstößt und möglichst weit oder hoch zu kommen sucht:* der Sportler kam bei beiden Sprüngen über 8 m; er machte einen S. über den Graben. **sinnv.:** Hecht, Hopser, Hüpfer, Salto, Satz. **Zus.:** Ab-, Bock-, Dreh-, Drei-, Grätsch-, Hecht-, Hoch-, Kopf-, Luft-, Schluß-, Spreiz-, Stabhoch-, Weitsprung. **2.** 〈ohne Plural〉 *kurze Entfernung; kurzer Zeitraum:* bis zur Wohnung meines Freundes ist es nur ein S. **Zus.:** Katzensprung. **3.** *kleiner Spalt, Stelle, an der etwas [leicht] eingerissen ist:* das Glas, die Scheibe hat einen S. **sinnv.:** Riß.

spucken: a) 〈itr.〉 *Speichel mit Druck aus dem*

Mund *[irgendwohin] ausstoßen:* auf die Straße, jmdm. ins Gesicht s. **sinnv.:** geifern, rotzen, sabbern, speicheln, speien. **Zus.:** an-, aus-, be-, vollspucken. b) 〈tr.〉 *durch Spucken (a), spuckend (a) von sich geben:* spuck doch die Kirschkerne nicht einfach aus dem Fenster.

spu|ken, die; -, -n: a) *Gegenstand, um dessen mittleren zylindrischen Teil etwas gewickelt wird oder ist:* Zwirn auf die S. wickeln; die leere S. auf einem Tonbandgerät. b) *um einen zylindrischen Gegenstand Gewickeltes (Garn, [Ton]band, Draht o. ä.):* eine S. weißen Zwirn kaufen.

spü|len, die; -, -n: a) *Gegenstand, um dessen mittleren zylindrischen Teil etwas gewickelt wird oder ist:* Zwirn auf die S. wickeln; die leere S. auf einem Tonbandgerät. b) *um einen zylindrischen Gegenstand Gewickeltes (Garn, [Ton]band, Draht o. ä.):* eine S. weißen Zwirn kaufen.

spü|len, die; -, -n: **1.** *[durch Handbewegungen] in einer Flüssigkeit reinigen, von Rückständen o. ä. befreien:* das Geschirr, die Wäsche s. **sinnv.:** abwaschen, säubern, schwemmen, schwenken. **Zus.:** ab-, aus-, durchspülen. **2.** *mitreißen, mit sich führen und irgendwohin gelangen lassen:* das Meer spülte Trümmer eines Bootes an den Strand. **sinnv.:** antreiben. **Zus.:** an-, fort-, hinunter-, wegspülen.

Spur, die; -, -en: **1.** a) *Abdruck von etwas in weichen Boden, im Schnee o. ä.:* die Spuren eines Schlittens im Schnee. **sinnv.:** Fährte, Fußabdruck, Fuß[s]tapfe[n], Geläuf, Tapfe[n], Tritt. **Zus.:** Brems-, Fuß-, Rad-, Reifen-, Schleif-, Wagenspur. b) *von einer äußeren Einwirkung zeugende [sichtbare] Veränderung, verbliebenes Zeichen:* der Einbrecher hinterließ keine S. **sinnv.:** Anzeichen, Merkmal, Überrest. **Zus.:** Blut-, Kratz-, Ölspur. **2.** *sehr kleine Menge von etwas:* im Wasser fanden sich Spuren eines Giftes. **sinnv.:** Anflug, Nuance. **3.** *abgegrenzter Streifen einer Fahrbahn auf einer Straße [für den Verkehr in einer bestimmten Richtung]:* er fährt auf der linken, falschen S.; die S. wechseln. **Zus.:** Abbiege-, Kriech-, Stand-, Überholspur.

spü|ren, spürte, hat gespürt/(nach vorangehendem Infinitiv auch) hat ... spüren 〈tr.〉: a) *mit den Sinnen wahrnehmen:* er spürte ihre Hand auf seiner Schulter. **sinnv.:** bemerken. b) *seelisch empfinden:* er spürte Erleichterung. **sinnv.:** fühlen.

spur|ten, spurtete, hat/ist gespurtet 〈itr.〉: **1.** *einen Spurt einlegen:* 100 m vor dem Ziel begann er zu s.; er hat/ist zu früh gespurtet und wurde kurz vor dem Ziel überholt. **2.** *schnell [irgendwohin] laufen:* er ist über den Hof gespurtet. **sinnv.:** rennen, sprinten. **Zus.:** davon-, losspurten.

Staat, der; -[e]s, -en: *Gesamtheit der Institutionen, deren Zusammenwirken das dauerhafte und geordnete Zusammenleben der in einem bestimmten abgegrenzten Staatsgebiet lebenden Menschen gewährleisten soll:* ein demokratischer S. **sinnv.:** Föderation, Gemeinwesen, Großmacht, Imperium, Land, Macht, Nation, Reich, Staatenbund, Staatswesen, Weltreich. **Zus.:** Bundes-, Glied-, Polizei-, Puffer-, Satelliten-, Vasallen-, Wohlfahrtsstaat.

staat|lich 〈Adj.〉: *den Staat betreffend; dem Staat gehörend:* ein staatliches Museum; dieser Betrieb ist s. subventioniert. **sinnv.:** national. **Zus.:** bundes-, eigen-, halb-, inner-, national-, rechts-, über-, zwischenstaatlich.

Staats|an|ge|hö|rig|keit, die; -, -en: *Zugehörigkeit zu einem Staat:* er besitzt die deutsche S. **sinnv.:** Nationalität.

Stab, der; -[e]s, Stäbe: **1. a)** *meist runder, verhältnismäßig dünner und meist nicht sehr langer, einem Stock ähnlicher Gegenstand aus unterschiedlichem hartem Material (z. B. Holz, Metall):* die Stäbe eines Gitters. **sinnv.:** Stange, Stock. **Zus.:** Bischofs-, Eisen-, Gitter-, Hirten-, Holz-, Krumm-, Marschall-, Meß-, Metall-, Pilger-, Quer-, Rechen-, Rund-, Staffel-, Zauberstab. **b)** *beim Stabhochsprung verwendete lange, runde, elastische Stange.* **Zus.:** Glasfiberstab. **2.** *Gruppe von verantwortlichen Mitarbeitern [die eine leitende Persönlichkeit umgeben oder begleiten]:* der General kam mit seinem ganzen S. **sinnv.:** Team.

sta|bil ⟨Adj.⟩: **1.** *so beschaffen, daß es sicher steht und einer bestimmten Belastung standhält:* ein stabiler Schrank; das Haus ist s. gebaut. **sinnv.:** solide, strapazierfähig, tragfähig. **2.** *so sicher, daß es nicht so leicht durch etwas gefährdet ist:* eine stabile Regierung, Währung. **sinnv.:** beständig. **3.** *gekräftigt und daher nicht anfällig:* eine stabile Gesundheit. **sinnv.:** gesund; widerstandsfähig.

Sta|chel, der; -s, -n: **a)** *(bei bestimmten Pflanzen) spitzes, hartes Gebilde an Zweigen [und Blättern]:* die Stacheln der Rose. **sinnv.:** Dorn. **b)** *(bei bestimmten Tieren) in oder auf der Haut, auf dem Panzer o. ä. sitzendes hartes, spitzes Gebilde aus Horn, Chitin o. ä.:* die Stacheln des Igels. **sinnv.:** Borste. **Zus.:** Bienen-, Gift-, Igel-, Wespenstachel.

Sta|chel|bee|re, die; -, -n: **a)** *(bes. in Gärten gezogener) Strauch mit einzeln wachsenden, dickschaligen, oft behaarten, grünlichen bis gelblichen Beeren mit süßlich-herbem Geschmack.* **b)** ⟨meist Plural⟩ *Beere der Stachelbeere (a).*

stach|lig ⟨Adj.⟩: *voll Stacheln:* ein stachliger Zweig. **sinnv.:** borstig, dornig, kratzig, stoppelig.

Sta|di|on, das; -s, Stadien: *große Anlage für sportliche Wettkämpfe mit Rängen und Tribünen für die Zuschauer.* **sinnv.:** Spielfeld. **Zus.:** Fußball-, Olympia-, Schwimm-, Sportstadion.

Sta|di|um, das; -s, Stadien: *Abschnitt innerhalb einer Entwicklung.* **sinnv.:** Lage.

Stadt, die; -, Städte: **1. a)** *größere, geschlossene Siedlung, die mit bestimmten Rechten ausgestattet ist und den verwaltungsmäßigen, wirtschaftlichen und kulturellen Mittelpunkt eines Gebietes darstellt:* die S. Wien; die Einwohner einer S.; am Rande, im Zentrum einer S. wohnen; in der S. leben. **sinnv.:** City, Hauptstadt, Kapitale, Kommune, Metropole. **Zus.:** Alt-, Bezirks-, Film-, Geister-, Grenz-, Groß-, Hafen-, Handels-, Hanse-, Industrie-, Innen-, Klein-, Kongreß-, Kreis-, Land-, Messe-, Millionen-, Mittel-, Ober-, Olympia-, Provinz-, Satelliten-, Schlaf-, Trabanten-, Universitäts-, Unter-, Vater-, Vor-, Welt-, Wohnstadt. **b)** ⟨ohne Plural⟩ *Gesamtheit der Einwohner einer Stadt (1 a):* die ganze S. empörte sich über den Theaterskandal. **2.** *Verwaltung einer Stadt:* er ist bei der S. angestellt.

städ|tisch ⟨Adj.⟩: **a)** *wie in der Stadt üblich; nicht ländlich:* städtische Wohnverhältnisse. **Zus.:** kleinstädtisch. **b)** *die [Verwaltung einer] Stadt betreffend:* die städtischen Beamten.

Staf|fel, die; -, -n: *Gruppe von Sportlern, deren Leistung bei einem Wettkampf gemeinsam gewer-*

---

tet wird: im Schwimmen siegte die deutsche S. **sinnv.:** Mannschaft. **Zus.:** Kraul-, Lagen-, Schwimmstaffel, 4mal-100-Meter-Staffel.

Stahl, der; -[e]s, Stähle: *Eisen in einer Legierung, die auf Grund ihrer Festigkeit, Elastizität und ihrer besonderen chemischen Beschaffenheit besonders gut geschmiedet und gehärtet werden kann.*

Stall, der; -[e]s, Ställe: *geschlossener Raum, Gebäude[teil], in dem bes. Nutztiere untergebracht sind, gehalten werden.* **sinnv.:** Hühnerhaus, Koben, Pferch, Stallung, Taubenschlag. **Zus.:** Hühner-, Kuh-, Pferde-, Rinder-, Sau-, Schaf-, Schweine-, Vieh-, Ziegenstall.

Stamm, der; -[e]s, Stämme: **1.** *fester, verholzter Teil des Baumes, der in die verästelte Krone übergeht:* der S. der Eiche. **sinnv.:** Halm, Rohr, Schaft, Stengel, Stiel, Strunk, Stumpf. **Zus.:** Baum-, Halb-, Hochstamm. **2.** *Gruppe von Menschen mit gemeinsamer Abstammung, Sprache, Kultur und gemeinsamem Siedlungsgebiet:* die deutschen Stämme. **sinnv.:** Volk. **Zus.:** Hirten-, Jäger-, Nomaden-, Volksstamm. **3.** ⟨ohne Plural⟩ *Gruppe von Personen als fester Bestandteil von etwas:* der Spieler gehört zum S. der Mannschaft. **sinnv.:** Kader, Kern. **Zus.:** Abonnenten-, Besucher-, Gäste-, Kundenstamm.

stam|meln ⟨tr.⟩: *(in einer bestimmten Situation, durch Angst, Aufregung o. ä. verursacht) Laute oder Wörter nicht richtig hervorbringen können; stockend sprechen:* er stammelte einige Worte der Entschuldigung; ⟨auch itr.⟩ vor Verlegenheit begann er zu s. **sinnv.:** stottern.

stam|men ⟨itr.⟩: **a)** *seinen Ursprung in einem bestimmten räumlichen Bereich haben:* die Früchte stammen aus Italien; er stammt aus Saarbrücken. **sinnv.:** geboren sein, herkommen, hersein, kommen (aus), sein. **b)** *seine Herkunft, seinen Ursprung in einem bestimmten zeitlichen Bereich haben:* diese Urkunde stammt aus dem Mittelalter. **sinnv.:** datieren. **c)** *seine Herkunft, seinen Ursprung in einem bestimmten Bereich, in einer bestimmten Gegebenheit, einem bestimmten Umstand haben:* aus einfachen Verhältnissen s.; Wort stammt aus dem Lateinischen; der Schmuck stammt von ihrer Mutter. **sinnv.:** entspringen, herkommen, hervorgehen, rühren, sein. **Zus.:** ab-, ent-, herstammen. **d)** *auf jmdn., auf jmds. Arbeit, Tätigkeit, Betätigung zurückgehen:* der Satz stammt aus der Bibel; die Plastik stammt von seiner Hand. **sinnv.:** ausgehen, basieren, beruhen, sich ergeben aus, fußen auf, sich herleiten, herrühren, resultieren aus, seinen Ursprung haben, zurückzuführen sein, zurückgehen.

stamp|fen stampfte, hat/ist gestampft: **1.** ⟨itr.⟩ **a)** *(mit dem Fuß) heftig und laut auftreten:* er hat vor Zorn [mit dem Fuß] auf den Boden gestampft. **sinnv.:** stoßen, trampeln, treten. **Zus.:** aufstampfen. **b)** *mit regelmäßigen harten Stößen laufen, in Betrieb sein:* die Maschine hat laut gestampft. **sinnv.:** bocken, rütteln, schlagen. **c)** *stampfend (1 a) [irgendwohin] gehen:* er ist durchs Zimmer gestampft. **sinnv.:** gehen. **Zus.:** herein-, los-, wegstampfen. **2.** ⟨tr.⟩ *mit einem bestimmten Gerät stoßen:* Sand für die Kartoffeln gestampft. **sinnv.:** pürieren, zerkleinern, zerquetschen. **Zus.:** zerstampfen.

Stand, der; -[e]s, Stände: **1.** ⟨ohne Plural⟩ *das aufrechte Stehen; Art des Stehens:* einen sicheren

S. haben. **sinnv.**: Standfestigkeit, Stehvermögen. **Zus.**: Hand-, Kopf-, Schulterstand. **2.** ⟨ohne Plural⟩ *zu einem bestimmten Zeitpunkt erreichte Stufe der Entwicklung (im Ablauf von etwas):* der S. der Wissenschaft; das Spiel wurde beim S. von 2:0 abgebrochen. **sinnv.**: Verfassung, Zustand. **Zus.**: Bildungs-, End-, Entwicklungs-, Gleich-, Höchst-, Kenntnis-, Leistungs-, Rück-, Still-, Tief-, Übergangs-, Wissensstand. **3.** *Gruppe von Menschen mit gleichem Beruf oder gleicher sozialer Stellung (innerhalb einer Gesellschaft):* der geistliche S.; der S. der Arbeiter, der Bauern, der Gelehrten. **sinnv.**: Kaste, Klasse, Kreis, Personenkreis, Schicht. **Zus.**: Berufs-, Mittelstand. **4.** *Gestell, Tisch eines Händlers (auf dem Markt) oder Koje eines Unternehmens in einer Messehalle:* an vielen Ständen wird Obst angeboten. **sinnv.**: Bude, Kiosk. **Zus.**: Markt-, Messe-, Verkaufsstand.

stand|haft ⟨Adj.⟩: *trotz Versuchungen, Hindernissen o. ä. fest zu seinem Entschluß stehend; beharrlich im Erdulden o. ä.:* er weigerte sich s., die Namen seiner Freunde zu nennen. **sinnv.**: aufrecht, ehern, eisern, fest, konsequent, unbeugsam, unerschütterlich.

stand|hal|ten, hält stand, hielt stand, hat standgehalten ⟨itr.⟩: **1. a)** *trotz Belastung nicht brechen, nicht nachgeben:* die Tür hat dem Anprall nicht standgehalten. **sinnv.**: aushalten, widerstehen. **2.** *bestehen können (vor etwas):* seine Behauptung hielt einer genauen Prüfung nicht stand. **sinnv.**: sich behaupten.

stän|dig ⟨Adj.⟩: **a)** *sich oft wiederholend:* er hat s. an ihm etwas auszusetzen. **sinnv.**: dauernd, immer. **b)** *regelmäßig wiederkehrend, sich steigernd o. ä.:* der Verkehr auf den Straßen nimmt s. zu. **sinnv.**: unaufhörlich.

Stand|punkt, der; -[e]s, -e: *bestimmte Einstellung, Art und Weise, wie jmd. einen bestimmten Sachverhalt sieht, beurteilt:* ein vernünftiger S.; ich habe darin einen anderen S. als du.

Stan|ge, die; -, -n: *langer und im Verhältnis zur Länge dünner Gegenstand aus Holz, Metall o. ä. (mit rundem Querschnitt):* etwas mit einer S. aus dem Wasser fischen. **sinnv.**: Latte, Stab, Stock. **Zus.**: Bohnen-, Brech-, Eisen-, Fahnen-, Gardinen-, Geweih-, Hopfen-, Käse-, Kletter-, Kolben-, Lenk-, Quer-, Reck-, Salz-, Teppichstange. **Sta|pel,** der; -s, -: *[ordentlich] aufgeschichtete, übereinandergelegte Menge gleicher Dinge:* ein S. Bücher, Holz. **sinnv.**: Haufen, Stoß, Turm. **Zus.**: Akten-, Bücher-, Holz-, Wäschestapel.

sta|peln: 1. ⟨tr.⟩ *zu einem Stapel (1) aufschichten:* Bücher, Waren im Lager s. **sinnv.**: anhäufen, aufeinanderlegen, aufhäufen, lagern, türmen. **Zus.**: aufeinander-, hoch-, vollstapeln. **2.** ⟨sich s.⟩ *sich in größerer Menge [unerledigt] anhäufen:* die Briefe stapeln sich auf dem Schreibtisch. **sinnv.**: sich auftürmen/häufen/türmen.

stap|fen, stapfte, ist gestapft ⟨itr.⟩: *mit schweren Schritten gehen:* sie stapfen durch den Schnee. **sinnv.**: sich fortbewegen.

Star: **I.** der; -[e]s, -e: *größerer Singvogel mit grünlichblau schillerndem schwarzem Gefieder.* **II.** [sta:r, auch: ʃta:r] der; -s, -s: *männliche oder weibliche Person aus Showgeschäft, Sport o. ä., die sehr bekannt ist:* ein Film mit vielen Stars. **sinnv.**: Berühmtheit, Diva, Filmheld.

stark, stärker, stärkste ⟨Adj.⟩ /Ggs. schwach/: **1.**

a) *viel körperliche Kraft besitzend:* für diese Arbeit brauchen wir einen starken Mann; der Junge ist groß und s. geworden. **sinnv.**: kräftig, sehnig. **Zus.**: bären-, baumstark. **b)** *(in bezug auf seine Funktion im menschlichen Körper) sehr leistungsfähig, Belastungen gewachsen:* für diesen Beruf braucht man starke Nerven. **sinnv.**: belastbar, robust, widerstandsfähig. **Zus.**: nerven-, stimmstark. **2. a)** *(von Materialien o. ä.) dick, fest, massiv o. ä. und daher Belastungen aushaltend:* starke Bohlen, Bretter. **sinnv.**: belastbar, belastungsfähig, dick, fest, massiv, stabil. **b)** *(verhüllend) (in bezug auf die Figur oder auch auf einzelne Körperteile) dick:* sie haben einen etwas starken Bauch. **c)** *zahlenmäßig groß:* ein starkes Aufgebot an Polizeikräften. **sinnv.**: gewaltig, zahlreich. **3.** *einen hohen Gehalt eines bestimmten Inhaltsstoffes aufweisend:* starker Kaffee; das Bier ist mir zu s. **4.** *hohe Leistung bringend:* ein starker Motor. **sinnv.**: kräftig, leistungsfähig. **Zus.**: leistungsstark, PS-stark. **5.** *in hohem Maße vorhanden; sehr ausgeprägt:* starker Frost. **sinnv.**: extrem, gewaltig, heftig; viel. **6.** (ugs.) */drückt aus, daß der Sprecher etwas gut findet, daß jmd./etwas Bestimmtes ihm gefällt, seine volle Zustimmung hat/:* die Party war echt s.; ein starker Typ. **sinnv.**: dufte, klasse, phantastisch, spitze, toll.

-stark ⟨adjektivisches Suffixoid⟩: **1. a)** *das im Basiswort Genannte (was meist als etwas Positives angesehen wird) in hohem Maße habend, aufweisend:* ausdrucks-, charakter-, leistungs-, willensstark. **sinnv.**: -fest, -intensiv, -kräftig, -reich, -trächtig, -tüchtig, -voll. **b)** *viel, eine hohe Zahl, Menge von dem im Basiswort Genannten habend:* finanz-, geburtenstark. **2.** *in dem im Basiswort Genannten besonders gut, darin besondere Qualitäten habend:* kampf-, spiel-, spurtstark.

Stär|ke: **I.** die; -, -n: **1.** ⟨ohne Plural⟩ *körperliche Kraft (die jmdn. zu bestimmten Leistungen befähigt):* er besiegte die Gegner durch seine S. **sinnv.**: Körperkraft, Kraft. **Zus.**: Körper-, Muskelstärke. **2.** *besondere Fähigkeit auf einem bestimmten Gebiet, durch die jmd. eine außergewöhnliche, hohe Leistung erbringt:* Mathematik war schon immer ihre S. **sinnv.**: Begabung. **3.** ⟨ohne Plural⟩ *Grad der Intensität von etwas:* die S. der Empfindung; die S. des Lichts. **sinnv.**: Ausmaß. **4.** *Umfang, Ausmaß, zahlenmäßige Größe o. ä., in der etwas Bestimmtes vorhanden und zugleich wirksam ist:* die militärische S. eines Landes. **sinnv.**: Macht. **5.** *Stabilität, Festigkeit kennzeichnende Dicke:* Bretter, Platten von unterschiedlicher S. **sinnv.**: Durchmesser, Umfang. **Zus.**: Nadel-, Wandstärke. **II.** die; -: *aus verschiedenen Pflanzen gewonnene, weiße, pulvrige Substanz, die u. a. in der Nahrungsmittelindustrie und zum Stärken von Wäsche verwendet wird.* **sinnv.**: Appretur; Sago, Tapioka. **Zus.**: Kartoffel-, Mais-, Reis-, Wäschestärke.

starr ⟨Adj.⟩: **1.** *vollkommen unbeweglich, steif:* die Finger sind s. vor Kälte. **2.** *(von den Augen) weit geöffnet aber ohne Lebendigkeit und Ausdruck:* ein starrer Blick. **sinnv.**: stier, unbewegt.

star|ren ⟨itr.⟩: **1.** *unentwegt, starr (2) in eine Richtung sehen:* sie starrte auf den Fremden. **sinnv.**: blicken. **2.** *(emotional) ganz, völlig bedeckt sein mit etwas:* seine Kleider starren vor Schmutz.

Start, der; -[e]s, -s: **1. a)** *Beginn eines Wettlaufs, eines Rennens o. ä.:* das Zeichen zum S. geben. **sinnv.:** Abmarsch, Anfang, Anpfiff. **Zus.:** Fehl-, Früh-, Tiefstart. **b)** *Stelle, an der beim Wettkampf der Lauf oder die Fahrt beginnt:* die Läufer versammeln sich am S. **sinnv.:** Startlinie, Startpunkt. **2.** *1Abflug:* der S. des Flugzeugs. **Zus.:** Blind-, Raketen-, Senkrechtstart. **3.** *das Sich-in-Bewegung-Setzen, das Anlaufen einer Unternehmung, einer Entwicklung o. ä.:* der S. einer Unternehmung. **sinnv.:** Anfang, Aufbruch.

star|ten, startete, hat/ist gestartet: **1.** ⟨itr.⟩ **a)** *(bei einem Wettkampf) den Lauf, die Fahrt beginnen:* er ist sehr schnell gestartet. **sinnv.:** anfahren. **b)** *(an einem Wettkampf) aktiv teilnehmen:* er startet bei allen großen Rennen; er ist für unseren Verein gestartet. **2.** ⟨itr.⟩ *(den Flughafen) fliegend verlassen* /Ggs. landen/: das Flugzeug ist um 9 Uhr gestartet. **sinnv.:** abheben. **3.** ⟨tr.⟩ **a)** *in Gang setzen:* er hat das Auto gestartet. **sinnv.:** anlassen. **b)** *beginnen lassen:* er hat das Autorennen gestartet. **c)** *dafür sorgen, daß etwas in Bewegung gesetzt wird, seinen Anfang und Fortgang nimmt:* er hat eine große Aktion gegen den Hunger gestartet. **sinnv.:** beginnen lassen, unternehmen.

Sta|ti|on, die; -, -en: **1.** *Haltestelle oder Bahnhof an einer Eisenbahn-, U-Bahn- oder S-Bahnstrecke:* an, bei der nächsten S. müssen wir aussteigen. **sinnv.:** Haltestelle. **Zus.:** Bahn-, Durchgangs-, Tal-, Umsteige-, Verlade-, Zwischenstation. **2.** *bestimmter Punkt, Abschnitt in einem Vorgang, einer Entwicklung:* die wichtigsten Stationen seines Lebens. **3.** *Abteilung eines Krankenhauses:* die chirurgische S. **Zus.:** Entbindungs-, Intensivstation.

statt: ↑ *anstatt.*

statt|fin|den, fand statt, hat stattgefunden ⟨itr.⟩: *(von einer Veranstaltung o. ä.) ablaufen:* das Gastspiel findet Ende Mai statt. **sinnv.:** geschehen.

Stau, der -[e]s, -s und -e: *(auf einer Straße, auf der Autobahn) zum Stillstand gekommene, mehr oder weniger große Zahl von Fahrzeugen, die durch eine den Verkehrsfluß blockierende Ursache an der Weiterfahrt gehindert sind:* in einen S. geraten; auf der Autobahn hat sich ein S. gebildet. **sinnv.:** Autoschlange, Schlange, Stauung, Stokkung. **Zus.:** Rück-, Verkehrsstau.

Staub, der; -[e]s, -e und Stäube: *Gesamtheit feinster Teilchen (z. B. von Sand), die auf dem Boden liegen, an der Oberfläche von etwas haftenbleiben oder vom Wind durch die Luft getragen werden:* die Möbel waren mit S. bedeckt; der Wind wirbelte den S. auf. **sinnv.:** Schmutz.

stau|ben ⟨itr.⟩: **a)** *Staub absondern, von sich geben:* die Straße, der Teppich staubt; auf der Straße staubt es. **b)** *Staub aufwirbeln:* du sollst beim Wischen nicht so s.

stäu|ben: a) ⟨itr.⟩ *in kleinen Teilchen [umher]wirbeln:* der Schnee stäubt von den Zweigen. **sinnv.:** stieben, zerstieben. **b)** ⟨tr.⟩ *kleine Teilchen (von etwas) fein verteilen:* Puder auf die Nase s. **sinnv.:** zerstäuben.

stau|big ⟨Adj.⟩: *voll Staub, mit Staub bedeckt:* staubige Straßen; die Schuhe sind s. **sinnv.:** schmutzig.

stau|en: 1. ⟨tr.⟩ *durch eine Absperrung am Weiterfließen hindern:* einen Fluß s. **2.** ⟨sich.⟩ *wegen eines Hindernisses o. ä. an der Weiterbewegung gehindert sein, sich an einer Stelle in größerer Zahl, Menge sammeln:* der Verkehr staute sich in den engen Gäßchen.

stau|nen ⟨itr.⟩: *über etwas, was man nicht erwartet hat, beeindruckt, verwundert sein:* ich staune, was du alles kannst. **sinnv.:** bestaunen, erstaunt sein, überrascht sein, sich wundern.

ste|chen, sticht, stach, hat gestochen: **1.** ⟨tr./itr.⟩ *mit einem Stachel oder einem spitzen Gegenstand in etwas eindringen:* die Biene hat mich gestochen; jmdm. mit dem Dolch in den Rücken s. **sinnv.:** piken, piksen, stoßen. **Zus.:** durch-, ein-, nieder-, tot-, zustechen. **2.** ⟨itr.⟩ *(von bestimmten Insekten) einen Stachel oder Stechrüssel besitzen:* Schnaken, Bienen stechen. **3.** ⟨itr.⟩ *in einer Weise schmerzen, die ähnlich wie Nadelstiche wirkt:* es sticht mich im Rücken; stechende Schmerzen. **sinnv.:** beißen, jucken.

stecken: I. ⟨tr.⟩ **a)** *(etwas mit einer Spitze Versehenes) so in etwas fügen, daß es haftenbleibt:* die Nadel in den Stoff s. **sinnv.:** heften. **Zus.:** an-, auf-, ein-, feststecken. **b)** *(durch eine Öffnung o. ä.) hindurchführen und an eine bestimmte Stelle gelangen lassen:* die Hände in die Taschen, Geld ins Portemonnaie s.; den Schlüssel ins Schloß s.; den Brief in den Kasten s. **sinnv.:** drücken, hineindrücken, hineinschieben, hineinstoßen, stopfen. **Zus.:** hinein-, reinstecken. **II.** steckte/stak, hat gesteckt ⟨itr.⟩: *an einer bestimmten [dafür vorgesehenen] Stelle eingepaßt, auf etwas aufgesteckt, an etwas festgesteckt o. ä. sein:* der Schlüssel steckt [im Schloß]; ein Ring steckte/stak an ihrem Finger.

Stecker, der; -s, -: *Vorrichtung am Ende eines Kabels, mit der ein elektrisches Gerät an den Strom angeschlossen werden kann.* **Zus.:** Bananen-, Doppel-, Netz-, Schukostecker.

Steg, der; -[e]s, -e: **1.** *schmale, nur für Fußgänger bestimmte Brücke.* **2.** *vom Ufer aus ein Stück weit ins Wasser hinaus gebaute schmale Brücke, an der Schiffe anlegen, über die Passagiere aus- und einsteigen können:* sie machten das Boot am S. fest. **Zus.:** Anlege-, Boots-, Bretter-, Landungs-, Laufsteg.

ste|hen, stand, hat/(südd., österr., schweiz.:) ist gestanden ⟨itr.⟩: **1.** *in aufrechter Haltung [an einem bestimmten Ort] sein, aufgerichtet sein und mit seinem Körpergewicht auf den Füßen ruhen:* das Kind kann noch nicht alleine s.; die Menschen standen dicht gedrängt; auf einem Bein s. **sinnv.:** sich befinden. **Zus.:** ab-, an-, auf-, davor-, gegenüber-, gerade-, herum-, kopf-, rum-, strammstehen. **2.** *sich in Ruhe befinden, nicht [mehr] in Bewegung sein:* die Maschine, die Uhr steht. **sinnv.:** aussetzen, stocken. **Zus.:** stillstehen. **3.** *sich (als Gegenstand) [in einer bestimmten Art und Weise] in senkrechter Lage auf einer Grundfläche befinden:* die Flasche steht im Schrank. **Zus.:** hervor-, hoch-, über-, vorstehen. **4.** *(von Kleidungsstücken) kleiden, zu jmdm. passen:* das Kleid steht dir gut. **sinnv.:** kleiden. **5.** ⟨als Funktionsverb⟩ /drückt einen Zustand aus, in dem sich etwas gerade jetzt befindet/: in voller Blüte s. *(blühen).*

ste|hen|blei|ben, blieb stehen, ist stehengeblieben ⟨itr.⟩: **1.** *in der Fortbewegung innehalten, nicht weitergehen:* ihr sollt nicht am Eingang s.

aufhören, in Funktion zu sein: die Uhr ist stehengeblieben. **sinnv.**: anhalten, aussetzen.
ste|hen|las|sen, läßt stehen, ließ stehen, hat stehen[ge]lassen ⟨tr.⟩: **a)** *etwas/jmdn. dort [zurück]lassen, wo es/er sich gerade befindet:* das Fahrrad vor der Tür s. **sinnv.**: liegenlassen. **b)** *etwas unabsichtlich zurücklassen:* den Schirm im Wartezimmer s. **sinnv.**: liegenlassen, vergessen.
steh|len, stiehlt, stahl, hat gestohlen: **I.** ⟨tr.⟩ *etwas, was einem anderen gehört, unerlaubterweise [heimlich] an sich nehmen:* er hat [ihm] seine Uhr gestohlen. **sinnv.**: abstauben, klauen, mausen, rauben, wegnehmen. **II.** ⟨sich s.⟩ *heimlich, unbemerkt von einem bestimmten Ort weggehen, sich an einen bestimmten Ort begeben:* er stahl sich aus dem Haus, in die Wohnung. **sinnv.**: weggehen.
steif ⟨Adj.⟩: **1. a)** *so beschaffen, daß es nicht leicht gebogen werden kann:* steifes Papier. **sinnv.**: fest, hart, nicht schlaff, starr, nicht weich. **b)** *(bes. von Gelenken, Gliedmaßen) von verminderter oder nicht mehr bestehender Beweglichkeit:* ein steifer Hals; ein steifes Bein. **sinnv.**: eingerostet, klamm, starr, ungelenkig. **Zus.**: bock-, frost-, stocksteif. **2. a)** *verkrampft und unbeholfen; nicht graziös:* er machte eine steife Verbeugung. **sinnv.**: linkisch. **b)** *förmlich und unpersönlich:* bei dem Empfang ging es sehr s. zu. **sinnv.**: formell.
stei|gen, stieg, ist gestiegen ⟨itr.⟩: **1.** *sich nach oben, nach unten oder über etwas fortbewegen:* auf den Berg s.; in eine Grube s.; aus dem Bett s.; über den Zaun s. **sinnv.**: erklettern, ersteigen, hinaufgehen/-klettern/-steigen, hochklettern/-steigen, klettern/klimmen/kraxeln auf. **2.** *sich in die Höhe bewegen:* der Ballon, das Flugzeug steigt. **sinnv.**: aufsteigen. **3.** *stärker, größer, höher werden:* die Temperatur, der Umsatz, die Spannung steigt; die Preise steigen. **sinnv.**: anschwellen; aufschlagen.
stei|gern: 1. ⟨tr.⟩ **a)** *verstärken, vergrößern:* das Tempo, die Leistung s. **sinnv.**: erhöhen, heben, in die Höhe treiben, vermehren. **b)** *(auf eine höhere Summe) heraufsetzen:* die Mieten, Preise s. **sinnv.**: anheben, raufsetzen. **2.** ⟨sich s.⟩ **a)** *zu immer höherer Leistung, Erregung o. ä. gelangen:* die Mannschaft steigerte sich in den letzten Minuten des Spiels. **b)** *stärker werden:* die Schmerzen steigerten sich. **sinnv.**: zunehmen.
steil ⟨Adj.⟩: *stark ansteigend; fast senkrecht:* ein steiler Abhang; die Straße führt s. bergauf. **sinnv.**: abschüssig, jäh, schräg, schroff.
Stein, der; -[e]s, -e: **1.** *[mineralisch] harter, fester Körper:* auf dem Weg lagen große Steine; der Boden ist aus S. **2.** ↑*Edelstein:* ein Ring mit einem glitzernden S. **3.** *Kern (beim Steinobst):* die Aprikose hat einen flachen S. **4.** *Figur beim Brettspiel.* **sinnv.**: Brett-, Domino-, Spielstein.
stein- ⟨adjektivisches Präfixoid; auch das Basiswort wird betont⟩ (emotional verstärkend): *sehr:* steinalt, -hart- -reich.
Stein|zeit, die; -: *Zeitalter in der Geschichte der Menschheit, in dem (für Werkzeuge, Waffen) vorwiegend Steine verwendet wurden:* wertvolle Funde aus der S.
Stel|le, die; -, -n: **1.** *bestimmter, genau angegebener Ort, Platz [an dem etwas geschieht oder ereignet]:* an dieser S. geschah der Unfall; sie suchten eine S. zum Lagern. **sinnv.**: Ecke, Ort, Örtlichkeit, Punkt, Stätte, Winkel. **Zus.**: Bau-, Bruch-,

Druck-, Feuer-, Fund-, Sammel-, Zapfstelle. **2.** *berufliche Stellung:* er tritt eine neue S. an. **sinnv.**: Anstellung; Beruf. **Zus.**: Arbeits-, Assistenten-, Lehr-, Planstelle. **3.** *(für Bestimmtes zuständige) Behörde o. ä.:* sich an die zuständige S. wenden. **sinnv.**: Amt. **Zus.**: Dienst-, Geschäfts-, Tank-, Zweigstelle.
stel|len: 1. ⟨tr.⟩ **a)** *so an einen Platz bringen, daß es steht:* die Flasche auf den Tisch s. **sinnv.**: legen, plazieren, setzen, tun. **b)** *in eine bestimmte Lage bringen:* die Uhr, die Weichen s. **2.** ⟨sich s.⟩ **a)** *sich an einen Platz, eine bestimmte Stelle begeben und dort stehenbleiben:* er stellte sich an die Tür. **sinnv.**: treten. **b)** *eine Herausforderung annehmen, einer Auseinandersetzung nicht ausweichen:* er stellte sich der Diskussion. **sinnv.**: sich ausliefern, sich melden. **c)** *bereit sein (für jmdn.):* der Politiker stellte sich der Presse. **sinnv.**: treten vor. **3.** ⟨sich s.⟩ *sich in einer bestimmten Weise verstellen:* er stellte sich dumm, taub. **sinnv.**: vortäuschen. **Zus.**: sich totstellen. **4.** ⟨als Funktionsverb⟩ *eine Frage s. (fragen);* eine Aufgabe s. *(etwas aufgeben);* einen Antrag s. *(beantragen).* **Zus.**: anheim-, bereit-, fertig-, fest-, frei-, glatt-, gleich-, klar-, richtig-, ruhig-, sicher-, zufriedenstellen.
Stel|lung, die; -, -en: **1.** *Art, wie jmd./etwas steht:* in aufrechter S.; er saß zwei Stunden in derselben S. **sinnv.**: Attitüde, Haltung, Pose, Positur · Lage, Position, Richtung, Stand. **Zus.**: Hilfe-, Ruhe-, Weichen-, Wortstellung. **2.** *Posten, den jmd. als Angestellter in einer Firma innehat:* er hat eine interessante S. als Fachmann für Werbung. **sinnv.**: Anstellung; Beruf. **Zus.**: Aushilfs-, Dauer-, Dienst-, Halbtags-, Lebens-, Vertrauensstellung. **3.** *Grad des Ansehens, der Wichtigkeit in der Gesellschaft; Rang:* die gesellschaftliche, soziale S. **sinnv.**: Ansehen. **Zus.**: Macht-, Schlüssel-, Sonder-, Spitzen-, Vormacht-, Vorrangstellung. **4.** *befestigte Anlage:* die feindlichen Stellungen angreifen. **sinnv.**: Deckung, Graben, Schützengraben, Unterstand.
stel|zen, stelzte, ist gestelzt ⟨itr.⟩ (scherzh.): *mit steifen Beinen gehen:* er stelzte über den Hof. **sinnv.**: gehen, staksen.
stem|men: 1. ⟨tr.⟩ *durch starkes Dagegendrücken (etwas) zu bewegen, aufzuhalten o. ä. versuchen:* ein Gewicht in die Höhe s. **sinnv.**: drücken, heben, stoßen, wuchten. **2.** ⟨sich s.⟩ *seinen Körper mit aller Kraft gegen etwas drücken, um etwas zu bewegen, aufzuhalten o. ä.:* er stemmte sich gegen die Tür und drückte sie ein. **3.** ⟨sich s.⟩ *einer Entwicklung o. ä. energischen Widerstand entgegensetzen:* sie stemmten sich gegen die geplanten Änderungen. **sinnv.**: protestieren; sich wehren.
Stem|pel, der; -s, -: **a)** *Gerät mit Buchstaben oder Zeichen aus Gummi, das auf etwas aufgedrückt werden kann:* er hat einen S. mit seiner Adresse. **Zus.**: Hand-, Nummern-, Prägestempel. **b)** *Zeichen, Buchstaben usw., die manuell auf etwas gedruckt werden können:* den Brief mit S. und Unterschrift versehen. **sinnv.**: Siegel. **Zus.**: Bibliotheks-, Datums-, Dienst-, Eingangs-, Firmen-, Namen[s]-, Post-, Rund-, Sonder-, Tagesstempel.
Sten|gel, der; -s, -: *langer, dünner Teil der Pflanze zwischen Wurzel und Blüte.* **sinnv.**: Stamm.
Step|pe, die; -, -n: *trockene, mit Gras und Stau-*

den, aber nicht mit Bäumen bewachsene Ebene. **sinnv.**: Pampa, Savanne, Tundra. **Zus.**: Gras-, Salz-, Wüstensteppe.

ster|ben, stirbt, starb, ist gestorben ⟨itr.⟩: *aufhören zu leben:* er ist plötzlich gestorben; er ist an Krebs gestorben; er ist einen qualvollen Tod gestorben. **sinnv.**: [in die Ewigkeit] abberufen werden, abkratzen, die Augen zumachen/für immer schließen, von der Bühne/vom Schauplatz abtreten, draufgehen, eingehen, einschlafen, entschlafen, (seinen Verletzungen o. ä.) erliegen, erlöst werden, [für immer] von jmdm. gehen, den/seinen Geist aufgeben, dran glauben müssen, ins Gras beißen, in die Grube fahren, heimgehen, krepieren, sein Leben/Dasein vollenden, jmdm. passiert etwas, umkommen, verdursten, verhungern.

sterb|lich ⟨Adj.⟩: *nicht ewig lebend:* der Mensch ist ein sterbliches Wesen.

Stern, der; -[e]s, -e: **1.** *am Nachthimmel leuchtender Himmelskörper:* die Sterne funkeln, leuchten. **sinnv.**: Himmelskörper. **Zus.**: Abend-, Doppel-, Fix-, Glücks-, Hunds-, Leit-, Morgen-, Polar-, Schweif-, Unglücks-, Wandelstern. **2.** *Figur, Gegenstand mit kreis-, bzw. strahlenförmig angeordneten Zacken:* Sterne aus buntem Papier. **sinnv.**: Drudenfuß, Pentagramm. **Zus.**: Blumen-, Blüten-, Ordens-, Schnee-, See-, Stroh-, Weihnachtsstern.

Stern|war|te, die; -, -n: *wissenschaftliches Institut, in dem Sterne beobachtet werden.* **sinnv.**: Observatorium, Planetarium.

ste|tig ⟨Adj.⟩: *über eine relativ lange Zeit gleichmäßig, ohne Unterbrechung sich fortsetzend:* eine stetige Entwicklung. **sinnv.**: unaufhörlich.

stets ⟨Adverb⟩: *in immer gleichbleibender Weise; jedesmal:* er hat mir s. geholfen, wenn ich ihn gebraucht habe. **sinnv.**: immer.

Steu|er: **I.** das; -s, -: *Vorrichtung an Fahrzeugen, mit der man die Richtung der Fahrt regelt:* das S. eines Schiffes; am S. sitzen *(Auto fahren).* **sinnv.**: Lenkrad, Steuerrad, Volant · Lenker, Lenkstange · Knüppel, Steuerhebel, Steuerknüppel. **Zus.**: Höhensteuer. **II.** die; -, -n: *gesetzlich festgelegter Teil der Einnahmen, den man an den Staat zahlen muß:* Steuern zahlen. **sinnv.**: Abgabe, Lasten, Maut, Zoll. **Zus.**: Einkommen[s]-, Kraftfahrzeug-, Lohn-, Mehrwert-, Umsatz-, Vermögen[s]steuer.

Steu|er|bord, das; -[e]s, -e: *rechte Seite eines Schiffes* /Ggs. Backbord/.

Steu|er|mann, der; -[e]s, Steuermänner und Steuerleute: *Seemann, dessen Aufgabe es ist, das Schiff zu steuern.*

steu|ern: **1.** ⟨tr.⟩ *(einem Fahrzeug) mit einem Steuer eine bestimmte Richtung geben:* das Schiff, Auto s. **sinnv.**: chauffieren, fahren, kutschieren, lenken, manövrieren. **2.** ⟨itr.; mit Dativ⟩ (geh.) *(einer Sache, Entwicklung o. ä.) entgegenwirken, sie einzudämmen suchen:* dem Hunger, der Not s. **sinnv.**: abhelfen, Abhilfe schaffen, für Abhilfe sorgen, einer Sache begegnen.

Stich, der; -[e]s, -e: **1.** *das Stechen eines spitzen Gegenstands (in etwas):* der S. der Biene; ein S. mit einem Dolch in den Rücken. **sinnv.**: Stoß; Verletzung. **Zus.**: Messer-, Mücken-, Nadel-, Wespenstich. **2.** *plötzlicher stechender Schmerz:* er spürte einen S. im Arm. **sinnv.**: Schmerz. **Zus.**:

Herzstich. **3.** *Art, wie man beim Nähen, Sticken die Nadel in den Stoff einsticht:* das Kleid mit großen Stichen heften. **Zus.**: Hexen-, Kreuz-, Platt-, Stepp-, Zierstich.

sti|cken ⟨tr./itr.⟩: *durch bestimmte Stiche mit einer Nadel und [farbigem] Garn auf Geweben Muster o. ä. herstellen:* sie stickte ihren Namen in das Tuch; eine gestickte Decke.

stie|ben, stob, ist gestoben (geh.): *in kleinsten Teilchen wegfliegen:* Funken stoben aus dem brennenden Holzstoß. **sinnv.**: fliegen, wirbeln.

Stie|fel, der; -s, -: a) *Schuh, der bis über die Knöchel reicht:* wenn du in den Wald gehst, mußt du deine Stiefel anziehen. **sinnv.**: Schuh. **Zus.**: Berg-, Fußball-, Skistiefel. b) *Schuh mit hohem Schaft, der bis zu den Knien reicht:* er watete in hohen Stiefeln durchs Wasser. **sinnv.**: Knobelbecher. **Zus.**: Gummi-, Halb-, Leder-, Pelz-, Reit-, Schaft-, Siebenmeilen-, Stulp[en]-, Wasserstiefel.

Stief|mut|ter, die; -, Stiefmütter: *Frau des Vaters, die nicht die leibliche Mutter des Kindes ist.* **sinnv.**: zweite Mutter, Pflegemutter, Ziehmutter.

Stief|müt|ter|chen, das; -s, -: *kleine Pflanze mit dunkelgrünen, gezähnten Blättern und zahlreichen, in ihrer Form dem Veilchen ähnlichen Blüten.*

Stief|va|ter, der; -s, Stiefväter: *Mann der Mutter, der nicht leiblicher Vater des Kindes ist:* die Kinder haben einen Stiefvater. **sinnv.**: Pflegevater, zweiter Vater, Ziehvater.

Stie|ge, die; -, -n: **1.** *einfache, schmale Treppe [aus Holz]:* über eine steile S. gelangte er in den Keller. **sinnv.**: Treppe. **Zus.**: Holz-, Hühnerstiege. **2.** (südd., österr.) *Treppe.*

Stiel, der; -[e]s, -e: a) *[ziemlich langer] fester Griff an einem [Haushalts]gerät:* der S. des Besens, der Pfanne. **sinnv.**: Griff. **Zus.**: Besen-, Hammer-, Löffel-, Pfannenstiel. b) *Stengel einer Blume:* eine Rose mit einem langen S. **Zus.**: Blatt-, Kirschenstiel.

Stier, der; -[e]s, -e: *zur Fortpflanzung fähiges männliches Rind: Bulle.* **sinnv.**: Ochse. **Zus.**: Zuchtstier.

stie|ren ⟨itr.⟩: *starr, ohne Ausdruck in den Augen blicken:* er saß im Wirtshaus und stierte auf sein Glas. **sinnv.**: starren.

Stift, der; -[e]s, -e: **1.** *dünneres, längliches, an einem Ende zugespitztes Stück aus Metall oder Holz, das zum Verbinden von etwas in etwas hineingetrieben wird:* ein S. aus Metall; etwas mit einem S. befestigen. **sinnv.**: Nagel. **2.** *Schreib-, Zeichen-, Malstift:* mit einem roten S. schreiben. **sinnv.**: Blei, Feder, Federhalter, Filzschreiber, Füller, Füll[feder]halter, Griffel, Kugelschreiber, Kuli. **Zus.**: Blei-, Bunt-, Farb-, Filz-, Kohle-, Kopier-, Lippen-, Pastell-, Silber-, Tintenstift.

Stil, der; -[e]s, -e: a) *Art der Formen, in der etwas gestaltet wird:* der S. eines Gebäudes, Romans; er schreibt einen guten S. **sinnv.**: Ausdrucksweise, Manier. **Zus.**: Arbeits-, Brief-, Lebens-, Sprachstil. b) *Art, in der die [Kunst]werke einer Epoche oder eines Künstlers in ihrer Gesamtheit gestaltet sind und die durch bestimmte Merkmale gekennzeichnet ist:* die Kirche ist in barockem S. erbaut. **Zus.**: Bau-, Jugend-, Kolonialstil.

sti|li|stisch ⟨Adj.⟩: *den Stil betreffend:* sein Aufsatz ist s. einwandfrei.

still ⟨Adj.⟩: **1.** *ohne ein Geräusch [zu verursachen]; ohne einen Laut [von sich zu geben]:* im Wald war es ganz s. **sinnv.**: leise, ruhig. **Zus.**: mäuschen-, mucksmäuschen-, totenstill. **2.** *ruhig und zurückhaltend in seinem Wesen; nicht viel redend:* er ist ein stiller und bescheidener Kamerad. **sinnv.**: ruhig.

Stil|le, die; -: *Zustand, bei dem kaum ein Laut zu hören ist:* die S. der Nacht. **sinnv.**: Friede[n], Geräuschlosigkeit, Lautlosigkeit, Ruhe, Schweigen, Stillschweigen. **Zus.**: Abend-, Grabes-, Mittags-, Todesstille.

stille|gen, legte still, hat stillgelegt ⟨tr.⟩: *(den Betrieb von etwas) einstellen:* ein Bergwerk, eine Fabrik s. **sinnv.**: beenden.

stil|len ⟨tr.⟩: **1.** *(ein Kind) an der Brust trinken lassen:* die Mutter stillt ihr Kind. **sinnv.**: die Brust geben, nähren, säugen. **2.** *(ein bestimmtes Bedürfnis) befriedigen:* das Verlangen s.; den Hunger s. *(essen, um satt zu werden);* das Blut s. *(verhindern, daß es weiter fließt).*

Still|stand, der; -[e]s: *Zustand ohne Fortschritt:* in der Entwicklung der Firma ist ein S. eingetreten. **sinnv.**: Rückgang.

still|ste|hen, stand still, hat stillgestanden ⟨itr.⟩: *in seiner Tätigkeit, seinem Verlauf unterbrochen sein:* die Räder stehen still. **sinnv.**: aussetzen.

Stim|me, die; -, -n: **1.** *das, was (von Menschen, Tieren) mit einer bestimmten [charakteristischen] Klangfarbe an Lauten, Tönen erzeugt wird:* eine dunkle, laute S.; sie hat eine schöne S. *(Singstimme).* **sinnv.**: Organ, Röhre. **Zus.**: Brumm-, Brust-, Engels-, Fistel-, Kinder-, Knaben-, Redner-, Zeterstimme. **2.** *in einer bestimmten Tonlage gespielte oder gesungene Melodie, die mit anderen zusammen ein Musikstück ergibt:* er singt die zweite S. des Liedes; die Stimmen aus der Partitur abschreiben. **sinnv.**: Melodie. **Zus.**: Alt-, Chor-, Geigen-, Ober-, Tenorstimme. **3.** *jmds. auf dem Wahlzettel o. ä. kundzugebende bzw. kundgegebene Willensäußerung bei einer Abstimmung, Wahl o. ä.:* seine S. bei der Wahl abgeben. **sinnv.**: Urteil. **Zus.**: Gegen-, Ja-, Wählerstimme.

stim|men: 1. ⟨itr.⟩ *den Tatsachen entsprechen, keinen Anlaß zu Beanstandungen geben:* die Rechnung stimmt nicht; stimmt es, daß du übersiedeln willst? **sinnv.**: hinkommen, richtig/zutreffend sein, zutreffen. **2.** ⟨tr.⟩ *einem Instrument die richtige Tonhöhe geben:* das Orchester stimmt die Instrumente. **3.** ⟨tr.⟩ *in eine bestimmte Stimmung versetzen:* das stimmt mich traurig. **sinnv.**: animieren, geneigt machen, in eine Stimmung versetzen. **Zus.**: um-, verstimmen.

Stim|mung, die; -, -en: *Zustand, Verfassung des Gemüts; Art, wie das Gemüt, die Seele auf Eindrücke reagiert:* es herrschte eine fröhliche S.; er war in schlechter S. *(Laune).* **sinnv.**: Atmosphäre, Gefühl, Laune, Verfassung. **Zus.**: Abschieds-, Hoch-, Miß-, Sieges-, Weihnachtsstimmung.

stink- ⟨adjektivisches Präfixoid; auch das Basiswort wird betont⟩ /bes. als Kennzeichnung von Personen/ ⟨ugs., emotional verstärkend⟩: *sehr, ganz besonders, in fast extremer Weise:* stinkbeoffen, -faul, -langweilig, -normal. **sinnv.**: stock-, ur-.

stin|ken, stank, hat gestunken ⟨itr.⟩: *einen (im Urteil des Sprechers) üblen Geruch von sich geben:* die Abwässer der Fabrik s.; draußen stinkt es nach Jauche. **sinnv.**: riechen.

Stirn, die; -, -en: *[sich vorwölbender] Teil des Ge-* sichtes über den Augen und zwischen den Schläfen: er wischte sich den Schweiß von der S. **Zus.**: Denker-, Runzel-, Sorgenstirn.

stö|bern ⟨itr.⟩: *[wühlend] nach etwas suchen [und dabei Unruhe verursachen]:* in der Bibliothek s. **sinnv.**: suchen. **Zus.**: auf-, durch-, umherstöbern.

sto|chern ⟨itr.⟩: *mit einem spitzen Gegenstand wiederholt bohren, (in etwas) hineinstechen:* in der Glut s. **sinnv.**: bohren, klauben, pulen, stechen.

Stock: I. der; -[e]s, Stöcke: *von einem Baum oder Strauch abgeschnittener, meist gerade gewachsener dünner Ast[teil], der bes. als Stütze beim Gehen, zum Schlagen o. ä. benutzt wird:* der alte Mann stützte sich auf seinen S. **sinnv.**: Gerte, Knüppel, spanisches Rohr, Rute, Stab, Stange. **Zus.**: Billard-, Eis-, Krück-, Schlag-, Ski-, Spazier-, Takt-, Zollstock. II. der; -[e]s, -: *Etage, die höher liegt als das Erdgeschoß:* er wohnt im dritten S. **sinnv.**: Geschoß. **Zus.**: Zwischenstock.

stock- ⟨adjektivisches Präfixoid; auch das Basiswort wird betont⟩ ⟨ugs., verstärkend⟩: *ganz und gar, durch und durch, völlig* /vor allem in Verbindung mit Eigenschaften o. ä., die in dem Textzusammenhang nicht erwartet, nicht als positiv angesehen werden, bes. als Kennzeichnung von Personen/: stockbesoffen, -dunkel, -katholisch, -konservativ, -reaktionär, -sauer, -steif, -taub. **sinnv.**: erz-, scheiß-, stink-, ur-.

stocken ⟨itr.⟩: *in seinem normalen Ablauf zeitweise behindert, unterbrochen sein:* die Produktion stockt; sein Puls stockte. **sinnv.**: erlahmen, stagnieren, steckenbleiben, stehen, versanden, versickern, versiegen.

Stoff, der; -[e]s, -e: **1.** ↑*Material:* weiche, harte Stoffe; ein künstlicher, natürlicher S. **Zus.**: Brenn-, Farb-, Gift-, Kleb-, Kraft-, Kunst-, Roh-, Spreng-, Stock-, Süß-, Wasser-, Zellstoff. **2.** *aus natürlichen und/oder synthetischen Fasern in breiten Bahnen hergestelltes Gewebe, das bes. für Kleidung und Wäsche verarbeitet wird:* er trug einen Mantel aus grobem S. **sinnv.**: Gewebe, Textilien, Tuch. **Zus.**: Brokat-, Dekorations-, Kleider-, Loden-, Seidenstoff. **3.** *etwas, was die thematische Grundlage für eine künstlerische Gestaltung, eine wissenschaftliche Abhandlung bildet:* er sammelte S. für einen neuen Roman. **sinnv.**: Gegenstand, Handlung, Materie, Thema. **Zus.**: Gesprächs-, Lehr-, Unterrichts-, Wissensstoff.

stöh|nen ⟨itr.⟩: *mit einem tiefen, langgezogenen Laut schwer ausatmen:* leise, wohlig, vor Schmerz s.; der Kranke stöhnte laut. **sinnv.**: ächzen, seufzen. **Zus.**: aufstöhnen.

stol|pern, stolperte, ist gestolpert ⟨itr.⟩: *beim Gehen mit dem Fuß an einer Unebenheit o. ä. hängenbleiben und zu fallen drohen:* er ist über einen Stein gestolpert. **sinnv.**: hängenbleiben, straucheln, umknicken.

stolz ⟨Adj.⟩: **1. a)** *mit Selbstbewußtsein und Freude über einen Besitz, eine [eigene] Leistung erfüllt:* die stolze Mutter; er ist s. auf seinen Freund. **sinnv.**: selbstbewußt. **Zus.**: besitzstolz. **b)** *eingebildet, überheblich und abweisend:* er war zu s., um sich helfen zu lassen. **sinnv.**: dünkelhaft. **Zus.**: dummstolz. **2.** *so geartet, daß es imponiert:* eine stolze Leistung. **sinnv.**: ausgezeichnet, toll, trefflich.

Stolz, der; -es: **1.** *ausgeprägtes, vom Sprecher als übersteigert angesehenes Selbstwertgefühl [das*

sich in Überheblichkeit, Eingebildetheit o. ä. äu-
ßert]: ihr S. hat sie unbeliebt gemacht. **sinnv.:**
Selbstbewußtsein, Überheblichkeit. **Zus.:** Natio-
nalstolz. **2.** *berechtigte, selbstbewußte Freude (bes.*
über etwas, was man als besondere Leistung o. ä.
ansieht): voller S. berichtete er über seine Erfol-
ge. **sinnv.:** Freude. **Zus.:** Sieger-, Vaterstolz.

stop|fen: **1.** ⟨tr.⟩ *etwas [ohne besondere Sorgfalt]*
schiebend in etwas hineinstecken und darin ver-
schwinden lassen, bis nichts mehr hineingeht: die
Kleider in den Koffer s. **Zus.:** aus-, hinein-, voll-
stopfen. **2.** ⟨tr.⟩ *mit Nadel und Faden und mit be-*
stimmten Stichen ausbessern: Strümpfe s. **sinnv.:**
nähen, reparieren. **Zus.:** kunst-, zustopfen. **3.**
⟨itr.⟩ *für die Verdauung hemmend sein:* Schokola-
de stopft.

Stop|pel, die; -, -n: **a)** *nach dem Mähen stehen-*
gebliebener Teil des [Getreide]halms: die Stoppeln
auf dem Feld. **b)** *kurzes, stechendes Haar bes. des*
unrasierten Bartes: sein Gesicht ist rauh von den
Stoppeln. **Zus.:** Bartstoppel.

stop|pen (ugs.): **1. a** ⟨tr.⟩ *(eine Bewegung oder ei-*
nen Vorgang) zum Stillstand bringen: er stoppte
seinen Lauf; die Produktion s. **sinnv.:** anhalten.
b) ⟨itr.⟩ *in einer Vorwärtsbewegung innehalten; sei-*
ne Fahrt o. ä. unterbrechen: der Wagen stoppte
abrupt. **sinnv.:** anhalten. **2.** ⟨tr.⟩ *bei einem*
[Wett]lauf oder Rennen (die benötigte Zeit) mit der
Stoppuhr ermitteln: den 100-m-Lauf s. **sinnv.:** ab-
stoppen, die Zeit nehmen.

Stöp|sel, der; -s, -: *kleiner Gegenstand, der dazu*
dient, die Öffnung eines Gefäßes zu verschließen:
den S. aus dem Waschbecken ziehen. **sinnv.:**
Kork, [Kron]korken, Pfropf[en], Stopfen, Ver-
schluß, Zapfen. **Zus.:** Glas-, Gummistöpsel.

Storch, der; -[e]s, Störche: *größerer, schwarz*
und weiß gefiederter Stelzvogel mit langem Hals,
sehr langem, rotem Schnabel und langen, roten
Beinen.

stö|ren ⟨tr.⟩: *(jmdn. bei etwas) belästigen, (von et-*
was) ablenken; einen Vorgang, ein Vorhaben hem-
men, ärgerlicherweise aufhalten: störe ihn nicht
bei der Arbeit! **sinnv.:** aufhalten, beeinträchtigen,
behindern.

stör|risch ⟨Adj.⟩: *sich eigensinnig, starrsinnig wi-*
dersetzend oder eine entsprechende Haltung erken-
nen lassend: ein störrisches Kind. **sinnv.:** bock-
beinig, bockig, rechthaberisch, trotzig, unzu-
gänglich, widerspenstig.

Stoß, der; -es, Stöße: **1. a)** *das Stoßen, heftiger*
Ruck: er gab, versetzte ihm einen S., daß er um-
fiel. **sinnv.:** Fußtritt, Hieb, Klaps, Puff, Ruck,
Schlag, Schubs, Stups. **b)** *ruckartige Bewegung:*
die Stöße eines Erdbebens. **sinnv.:** Erschütte-
rung. **Zus.:** Erdstoß. **2.** ↑*Stapel:* ein S. Zeitungen.
Zus.: Bretter-, Bücher-, Holz-, Zeitungsstoß.

sto|ßen, stößt, stieß, hat/ist gestoßen: **1.** ⟨tr.⟩ **a)**
mit einer in gerader Richtung geführten heftigen
Bewegung treffen, von sich wegschieben: er hat ihn
so heftig vor die Brust gestoßen, daß er hinfiel.
sinnv.: puffen, rempeln, schubsen, stumpen,
stupsen, treten. **Zus.:** herab-, hinaus-, hinein-,
hinunter-, umstoßen. **b)** ⟨mit näherer Bestim-
mung⟩ *mit kurzer, heftiger Bewegung eindringen*
lassen, in etwas hineintreiben: er hat ihm das Mes-
ser in den Rücken gestoßen. **sinnv.:** einrammen,
hineinstechen, hineintreiben. **Zus.:** durch-, ein-,
hineinstoßen. **2.** ⟨itr.; mit näherer Bestimmung⟩

in einer schnellen Bewegung unbeabsichtigt kur
und heftig auf jmdn./etwas auftreffen: er ist mi
dem Fuß an einen Stein gestoßen. **sinnv.:** mi
jmdm./etwas kollidieren, [aufeinander]pralle
Zus.: an-, dran-, drauf-, zusammenstoßen. **3**
⟨sich s.⟩ *(durch Ungeschick) an etwas heftig ansto*
ßen [und sich dabei verletzen]: er hat sich am Kni
gestoßen.

stot|tern ⟨itr.⟩: *stockend und unter häufige*
krampfartiger Wiederholung einzelner Laute un
Silben sprechen: er stottert; [vor Aufregung] s
sinnv.: lallen, stammeln, sich verhaspeln/verhed
dern/versprechen.

straf|bar ⟨Adj.⟩: *gegen das Gesetz verstoßen*
und unter Strafe gestellt: eine strafbare Hand
lung. **sinnv.:** gesetzeswidrig.

Stra|fe, die; -, -n: *etwas, womit jmd. bestraf*
wird, was jmdm. zur Vergeltung, zur Sühne für ei
begangenes Unrecht, eine unüberlegte Tat aufer
legt wird: eine schwere S.; zur S. durfte er nich
ins Kino gehen. **sinnv.:** Bestrafung, Buße, Denk
zettel, Sanktion, Sühne, Vergeltung. **Zus.:** Ar
rest-, Freiheits-, Gefängnis-, Geld-, Haft-, Ju
gend-, Ordnungs-, Prügel-, Todes-, Vor-, Zusatz
strafe.

stra|fen ⟨tr./itr.⟩: *eine Strafe auferlegen:* jmdn
hart, schwer s.; er straft zu oft; sie sah ihn stra
fend an. **sinnv.:** bestrafen.

straff ⟨Adj.⟩: **1.** *glatt, fest gespannt oder gedehnt*
ein straffes Seil. **sinnv.:** fest, stramm. **2.** *[gu*
durchorganisiert und] keinen Raum für Nachläs
sigkeiten, Abschweifungen, Überflüssiges usw. las
send: eine straffe Leitung, Organisation. **sinnv.**
streng.

Strahl, der; -[e]s, -en: **1.** *aus enger Öffnung her*
vorschießende Flüssigkeit: ein S. kam aus den
Rohr. **Zus.:** Dampf-, Feuer-, Wasserstrahl. **2.** *vo*
einer Lichtquelle ausgehendes Licht, das dem Aug
als schmaler Streifen erscheint: die Strahlen de
Sonne **Zus.:** Laser-, Licht-, Sonnenstrahl. **3.** ⟨Plu
ral⟩ *sich in gerader Linie fortbewegende kleinst*
Teilchen, elektromagnetische Wellen o. ä.: sich vo
Strahlen schützen. **Zus.:** Elektronen-, Gamma-
Infrarot-, Radar-, Röntgen-, Wärmestrahlen.

strah|len ⟨itr.⟩: **1.** *Lichtstrahlen aussenden, groß*
Helligkeit verbreiten: die Lichter strahlen; ein
strahlender *(sonniger)* Tag. **sinnv.:** leuchten
prunken, scheinen. **Zus.:** über-, zurückstrahlen
2. *froh, glücklich aussehen:* der Kleine strahlte
als er gelobt wurde. **sinnv.:** sich freuen, [über da
ganze Gesicht] lachen.

Sträh|ne, die; -, -n: *meist größere Anzahl glatter*
streifenähnlich liegender oder hängender Haare
eine S. seiner blonden Haare. **Zus.:** Haarsträhne

stramm ⟨Adj.⟩: **1.** *etwas, bes. den Körper, fes*
umschließend: die Hose sitzt [zu] s. **sinnv.:** eng
fest, prall, straff. **2. a)** *kräftig gebaut und gesun*
kraftvoll aussehend: ein strammer Bursche
sinnv.: athletisch. **b)** *mit kraftvoll angespannte*
Muskeln gerade aufgerichtet: eine stramme Hal
tung; s. gehen, grüßen. **sinnv.:** aufrecht, gerade

stram|peln ⟨itr.⟩: *(von Babys) mit den Beine*
heftige, zappelnde Bewegungen machen: der Klei
ne hat vor Vergnügen mit den Beinen gestram
pelt. **sinnv.:** zappeln. **Zus.:** bloßstrampeln.

Strand, der; -[e]s, Strände: *flacher sandiger ode*
steiniger Küstenstreifen (bes. am Meer): sie lage
am S. und sonnten sich. **sinnv.:** Küste, Meeres

ufer, [See]ufer. **Zus.:** Bade-, Meeres-, Nackt-, Sandstrand.

Strand|korb, der; -[e]s, Strandkörbe: *(an Ba-
deständen aufgestellter) großer, mit Segeltuch
o.ä. ausgeschlagener Korbstuhl mit meist bewegli-
chem Rückenteil (der Schutz bietet gegen Wind und
Sonne).*

Strang, der; -[e]s, Stränge: *starker Strick:* die
Glocke wird noch mit einem S. geläutet. **sinnv.:**
Seil. **Zus.:** Glockenstrang.

Stra|pa|ze, die; -, -n: *große [körperliche], über ei-
nige Zeit sich erstreckende Anstrengung:* große
Strapazen aushalten.

stra|pa|zie|ren: 1. ⟨tr.⟩ *stark in Anspruch neh-
men, (bei der Benutzung) nicht schonen:* die Klei-
der s. **sinnv.:** beanspruchen. **2.** ⟨sich s.⟩ *seine Kräf-
te rücksichtslos einsetzen; sich körperlich nicht
schonen:* er hat sich so sehr strapaziert, daß sein
Herz Schaden gelitten hat. **sinnv.:** sich anstren-
gen. **Zus.:** überstrapazieren.

Stra|ße, die; -, -n: *(in Ortschaften gewöhnlich
aus Fahrbahn und zwei Gehsteigen bestehender)
befestigter Verkehrsweg für Fahrzeuge und (bes. in
Ortschaften) Fußgänger:* auf der S. zwischen
Stuttgart und München; die Straßen der Stadt.
sinnv.: Allee, Autobahn, Chaussee, Damm, Fahr-
bahn, Gasse, Landweg, Promenade, Sackgasse,
Weg. **Zus.:** Asphalt-, Auto-, Dorf-, Einbahn-,
Fahr-, Fern[verkehrs]-, Geschäfts-, Hoch-, La-
den-, Land-, Parallel-, Paß-, Pracht-, Quer-,
Ring-, Schnell-, Seiten-, Spiel-, Umgehungs-,
Verbindungs-, Vorfahrts-, Zoll-, Zufahrtsstraße.

Stra|ßen|bahn, die; -, -en: *schienengebundenes,
mit elektrischer Energie betriebenes Verkehrsmittel
für den Stadtverkehr:* er fährt täglich mit der S.
zur Schule. **sinnv.:** Bahn, Elektrische, Tram[way],
Zug.

sträu|ben, sich: **1.** *(von Fell, Gefieder o.ä.) sich
aufrichten, aufstellen:* das Fell der Katze sträubt
sich. **2.** *sich [einer Sache] widersetzen, sich [gegen
etwas] wehren:* er sträubte sich mit allen Mitteln
dagegen. **sinnv.:** sich sperren.

Strauch, der; -[e]s, Sträucher: *Pflanze mit meh-
reren an der Wurzel beginnenden holzigen Stengeln
und vielen Zweigen.* **sinnv.:** Busch. **Zus.:** Flieder-,
Haselnuß-, Holunder-, Rosen-, Tee-, Zier-
strauch.

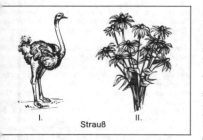

I.   II.
Strauß

Strauß: I. der; -es, -e: *großer, flugunfähiger
Laufvogel mit schwarzweißem bis graubraunem
Gefieder (siehe Bild).* **II.** der; -es, Sträuße: *Blu-
men, Zweige (in unterschiedlicher Zahl), die zu ei-
nem Ganzen zusammengefaßt oder zusammenge-*

bunden in eine Vase gestellt werden (siehe Bild).
Zus.: Geburtstags-, Hochzeitsstrauß.

stre|ben, strebte, hat/ist gestrebt ⟨itr.⟩: **1.** *sich
unter Anstrengung aller Kräfte, unbeirrt um etwas
bemühen:* er hat immer nach Ruhm, Geld ge-
strebt. **sinnv.:** brennen auf/nach, dürsten nach,
erstreben, ringen um, trachten nach, verlangen/
sich zerreißen nach, zustreben. **2.** *sich zielbewußt,
unbeirrt auf möglichst kurzem Weg an einen be-
stimmten Ort begeben:* wir sind gleich nach
Hause, ins nächste Lokal gestrebt. **Zus.:** fort-,
vorwärts-, wegstreben.

Stre|ber, der; -s, -: *jmd., der sich (im Urteil des
Sprechers) sehr ehrgeizig und in egoistischer Weise
bemüht, in der Schule oder im Beruf vorwärtszu-
kommen:* er ist ein ehrgeiziger S. **sinnv.:** Opportu-
nist, Radfahrer.

Strecke, die; -, -n: *bestimmte [von zwei Punkten
begrenzte] Entfernung:* eine lange, weite, kleine,
kurze S.; eine S. fliegen, fahren; er schwimmt nur
die kurzen Strecken. **sinnv.:** Linie. **Zus.:** Bahn-,
Fahr-, Renn-, Test-, Versuchs-, Wegstrecke.

strecken: 1. a) ⟨tr.⟩ *in eine gerade, ausgestreckte
Haltung, Stellung bringen; ausgestreckt irgendwo-
hin halten:* er streckte die Beine; den Kopf aus
dem Fenster s. **sinnv.:** ausstrecken, recken. **b)**
⟨sich s.⟩ *sich irgendwo ausgestreckt hinlegen, Kör-
per und Glieder dehnen:* sich aufs Sofa, ins Gras s.
sinnv.: sich recken. **2.** ⟨tr.⟩ **a)** *durch Verdünnen,
Vermischen mit Zutaten in der Menge ergiebiger
machen:* die Soße s. **sinnv.:** verdünnen. **b)** *durch
Rationieren, Einteilen länger ausreichen lassen:*
die Vorräte ein wenig s.

Streich, der; -[e]s, -e: *etwas [Unerlaubtes], was
zum Spaß aus Übermut, Mutwillen angestellt wird:*
die Jungen verübten viele lustige Streiche. **sinnv.:**
Scherz, Unsinn.

strei|cheln ⟨tr.⟩: *liebkosend berühren, mit sanf-
ten Bewegungen über etwas streichen:* er streichel-
te ihr Gesicht; eine Katze s. **sinnv.:** liebkosen.

strei|chen, strich, hat/ist gestrichen: **1.** ⟨tr.⟩ **a)**
*mit gleitender Bewegung als dünne Schicht auftra-
gen:* er hat Butter aufs Brot gestrichen. **b)** *durch
Streichen (1 a) mit einem Aufstrich versehen:* sie
hat dem Sohn ein Brot gestrichen. **sinnv.:** bestrei-
chen. **2.** ⟨tr.⟩ *mit Hilfe eines Pinsels mit einem An-
strich, mit Farbe versehen:* er hat die Tür gestri-
chen. **sinnv.:** anmalen, anstreichen, ausmalen,
kalken, lackieren, spritzen, tünchen, weißeln,
weißen. **3.** ⟨itr.⟩ **a)** *die Oberfläche von etwas glei-
tend berühren; mit einer gleitenden Bewegung über
etwas hinfahren:* jmdm. liebevoll durch die Haare
s.; er hat mit dem Bogen über die Saiten gestri-
chen. **b)** *mit einer gleitenden, glättenden o.ä. Be-
wegung irgendwohin befördern:* er hat den Kitt in
die Fugen gestrichen. **4.** ⟨itr.⟩ **a)** *ohne erkennbares
Ziel irgendwo umhergehen:* er ist um ihr Haus ge-
strichen. **sinnv.:** sich herumtreiben **b)** *sich in ruhi-
gem Flug und meist dicht über einer Fläche bewe-
gen:* der Vogel ist über den See gestrichen. **5.** ⟨tr.⟩
*(etwas Geschriebenes, Gedrucktes o.ä.) durch ei-
nen oder mehrere Striche ungültig machen, tilgen:*
er hat einen Satz gestrichen. **sinnv.:** ausstreichen.

Streich|in|stru|ment, das; -[e]s, -e: *Musikin-
strument, dessen Saiten durch Streichen mit einem
Bogen zum Erklingen gebracht werden (siehe Bild-
leiste S. 358).*

strei|fen, streifte, hat/ist gestreift: **1.** ⟨tr.⟩ *im Ver-*

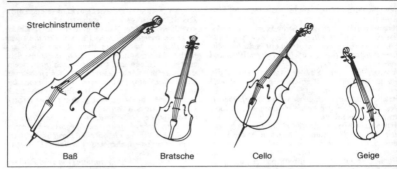

Streichinstrumente

Baß — Bratsche — Cello — Geige

lauf einer [schnellen] Bewegung etwas leicht berüh-
ren, über die Oberfläche von etwas streichen: er hat
mit seinem Auto den Baum gestreift. **sinnv.:** be-
rühren. **2.** ⟨tr.⟩ nur oberflächlich, nebenbei behan-
deln: die geschichtlichen Aspekte hat er nur ge-
streift. **3.** ⟨tr.⟩ (Kleidungsstücke o. ä.) mit einer
leichten, gleitenden Bewegung irgendwohin brin-
gen, über etwas ziehen, von etwas herunterziehen:
sie hat den Ärmel nach oben, den nassen Bade-
anzug vom Körper gestreift. **4.** ⟨itr.⟩ [ohne festes
Ziel] einige Zeit (durch eine Gegend) wandern, zie-
hen: er ist durch den Wald gestreift. **sinnv.:** sich
herumtreiben.
Streifen, der; -s, -: **a)** langes, schmales Stück
von etwas: ein S. Tuch. **Zus.:** Grenz-, Grün-, Kü-
sten-, Waldstreifen. **b)** in der Art eines Bandes ver-
laufender langer, schmaler Abschnitt einer Fläche,
der sich durch eine andere Farbe von der Umge-
bung abhebt: das Kleid hat blaue Streifen. **Zus.:**
Brust-, Farb-, Längs-, Nadel-, Quer-, Silber-, Ze-
brastreifen.
Streik, der; -[e]s, -s: gemeinsames, meist gewerk-
schaftlich organisiertes Einstellen der Arbeit (durch
Arbeitnehmer) zur Durchsetzung bestimmter For-
derungen gegenüber den Arbeitgebern: die Ge-
werkschaft rief zu einem S. auf. **sinnv.:** Arbeits-
kampf, Arbeitsniederlegung, Ausstand, Dienst
nach Vorschrift, Go-slow, Kampfmaßnahmen.
Zus.: Bummel-, General-, Sitz-, Solidaritäts-,
Warnstreik.
streiken ⟨itr.⟩: **1.** einen Streik durchführen, sich
im Streik befinden: die Arbeiter streiken für hö-
here Löhne. **sinnv.:** die Arbeit niederlegen, in den
Ausstand/in [den] Streik treten, bestreiken. **2.**
(ugs.) plötzlich nicht mehr funktionieren: der Mo-
tor streikt. **sinnv.:** ausfallen; aussetzen.
Streit, der; -[e]s, -e: heftiges Zanken, Sichauseinan-
andersetzen mit jmdm. in oft erregten Erörterun-
gen, hitzigen Wortwechseln, oft auch in Handgreif-
lichkeiten: ein heftiger S. entsteht, bricht aus; ei-
nen S. anzetteln, austragen; im S. liegen, leben.
sinnv.: Aggression, Auseinandersetzung, Disput,
Dissens, Gezänk, Gezanke, Hader, Händel,
Handgemenge, Handgreiflichkeit, Hickhack,
Knatsch, Knies, Konflikt, Kontroverse, Krach,
Krawall, Meinungsverschiedenheit, Reiberei,
Spannung, Strauß, Streiterei, Streitigkeit, Stunk,
Szene, Tätlichkeit, Uneinigkeit, Unfrieden, Un-
stimmigkeit, Wortgefecht, Wortwechsel, Zank,

Zankerei, Zerwürfnis, Zusammenstoß, Zwie
tracht, Zwist. **Zus.:** Ehe-, Glaubens-, Rechts-
Wettstreit.
streiten, stritt, hat gestritten ⟨itr./sich s.⟩: (m
jmdm.) in Streit sein, Streit haben, sich heftig, o
auch handgreiflich auseinandersetzen: sie stritte
lange über diese Frage; er stritt sich mit den
Händler über den Preis. **sinnv.:** anbändeln, an
einandergeraten, sich anlegen mit, einen Auftrit
haben mit, sich in den Haaren liegen, sich kab
beln, kämpfen, sich in der Wolle haben, [sich
zanken, zusammenstoßen.
streng ⟨Adj.⟩: **1. a)** nicht durch Freundlichkei
Milde, Nachsichtigkeit gekennzeichnet; nicht be
reit, irgendwelche Abweichungen von einer Nor
oder Vorschrift zu gestatten oder zu dulden, son
dern ein höchstes Maß an Konsequenz, Exakthe
u. ä. verlangend: ein strenger Lehrer; streng
Strafen; jmdn. s. beurteilen, bestrafen; **sinnv.**
disziplinarisch, drakonisch, drastisch, energisch
entschieden, grausam, hart, herb, massiv, rigoro
rücksichtslos, scharf, straff, strikt. **b)** in der Aus
führung, Bearbeitung o. ä. ein Prinzip genau, kon
sequent befolgend: der strenge Aufbau eines Dra
mas; ein s. geschnittenes Kleid. **sinnv.:** planmä
ßig. **2.** nicht weich, anmutig, lieblich, sondern vo
einer gewissen Härte, Verschlossenheit zeugend
strenge Züge. **sinnv.:** unzugänglich. **3.** herb un
scharf, durchdringend im Geruch, im Geschmack
ein strenger Geruch. **sinnv.:** herb, penetrant. **4**
durch niedrige Temperaturen gekennzeichnet un
dabei als recht unangenehm empfunden: strenge
Frost. **sinnv.:** hart, rauh.
Streß, der; Stresses, Stresse: erhöhte körperlich
oder seelische Anspannung, Belastung, die be
stimmte Reaktionen hervorruft und zu Schädigun
gen der Gesundheit führen kann: im S. sein; unte
S. stehen.
streuen ⟨tr.⟩: **a)** meist mit leichtem Schwung wer
fen oder fallen lassen und dabei einigermaße
gleichmäßig über eine Fläche verteilen: Torf s. **b**
bei Glatteis wegen bestehender Rutschgefahr mi
Sand o. ä. bestreuen: die Straßen [mit Salz] s.
Strich, der; -[e]s, -e: **1.** mit einem Bleistift o. ä
gezogene, meist gerade verlaufende, nicht allz
lange Linie: ein dicker S.; einen S. ziehen. **sinnv.**
Linie. **Zus.:** Ab-, Auf-, Feder-, Gedanken-
Schluß-, Trennungsstrich. **2.** ⟨ohne Plural⟩ A
und Weise der Führung des Zeichenstiftes, Pinse

...ä.: mit feinem S. zeichnen. **Zus.**: Pinselstrich.
4. *in einem Text durch Weglassen bestimmter Passagen erreichte Kürzung:* im Drehbuch einige Striche vornehmen. **4.** *das Streichen* (3 a): der weiche S. des Geigers. **5.** ⟨ohne Plural⟩ *Richtung, in der die Haare liegen, die Fasern verlaufen:* die Haare, das Fell gegen den S. bürsten.

Strick, der; -[e]s, -e: *kurzes, starkes Seil; dicke Schnur, bes. zum Anbinden, Festbinden von etwas:* der S. hält, reißt. **Zus.**: Bast-, Hanfstrick.

stricken ⟨tr.⟩: *mit Hilfe von Nadeln oder einer Maschine aus Wolle herstellen:* einen Pullover s.; auch itr.⟩ sie sitzt am Fenster und strickt.

Strie|men, der; -s, -: *Streifen auf der Haut, der durch Schläge mit einer Rute, Peitsche o. ä. entstanden ist:* er hatte blutige Striemen auf dem Rücken.

strikt ⟨Adj.⟩: *(in bezug auf die Ausführung oder Befolgung von etwas) sehr genau, streng; keine Abweichung zulassend:* eine Anordnung s. befolgen.

strit|tig ⟨Adj.⟩: *noch nicht geklärt, noch nicht entschieden; verschieden deutbar:* eine strittige Angelegenheit; dieser Punkt ist s. **sinnv.**: ungewiß.

Stroh, das; -[e]s: *trockene Halme von gedroschenem Getreide:* in einer Scheune auf S. schlafen. **Zus.**: Hafer-, Reisstroh.

Strom, der; -[e]s, Ströme: **I. 1.** *großer, breiter Fluß:* ein mächtiger S. **2.** ⟨S. + Attribut⟩ **a)** *viel, eine größere Menge (in bezug auf Flüssigkeiten, die aus etwas herausfließen, -strömen):* ein S. von Tränen; ein S. von Wasser ergoß sich über den Fußboden. **Zus.**: Blut-, Lava-, Licht-, Luftstrom. **b)** *größere, sich langsam in einer Richtung vorwärtsbewegende Menge:* ein S. von Menschen. **Zus.**: Besucher-, Verkehrsstrom. **II.** *in einer Richtung sich bewegende elektrische Ladung, fließende Elektrizität:* den S. abschalten; das Gerät steht unter S. **Zus.**: Dreh-, Gleich-, Nacht-, Schwach-, Stark-, Wechselstrom.

strö|men, strömte, ist geströmt ⟨itr.⟩: **a)** *sich in großer, gleichmäßiger Geschwindigkeit in großen Mengen fließend dahinbewegen:* der Fluß strömt breit und ruhig durch das Land. **sinnv.**: fließen. **b)** *(von Flüssigkeiten oder Gasen) sich von einem Punkt her oder in eine bestimmte Richtung [gleichmäßig] fort-, hinbewegen:* das Blut strömt zum Herzen; Gas strömte aus der Leitung. **c)** *sich in Massen in eine bestimmte Richtung fortbewegen:* die Leute strömten zum Sportplatz.

strö|mung, die; -, -en: **1.** *das Strömen; strömende, fließende Bewegung:* der Fluß hat eine starke S. **Zus.**: Meeres-, Windströmung. **2.** *in einer bestimmten Richtung verlaufende Tendenz, Entwicklung, geistige Bewegung:* politische Strömungen. **sinnv.**: Neigung. **Zus.**: Geistes-, Zeitströmung.

tro|phe, die; -, -n: *[in gleicher Form sich wiederholender] Abschnitt eines Liedes oder Gedichts, der aus mehreren rhythmisch gegliederten und oft sich reimenden Versen besteht:* dieses Lied hat zehn Strophen. **Zus.**: Anfangs-, Lied-, Schlußstrophe.

trumpf, der; -[e]s, Strümpfe: *den Fuß und das ein oder einen Teil des Beines bedeckendes Kleidungsstück.* **sinnv.**: Söckchen, Socke, Stutzen. **Zus.**: Damen-, Knie-, Netz-, Seiden-, Sport-, Vollstrumpf.

trunk, der; -[e]s, Strünke: *kurzer, dicker fleischiger Stamm oder Stengel bestimmter Pflanzen*

[der als Rest übriggeblieben ist]. **sinnv.**: Stamm. **Zus.**: Kohl-, Salatstrunk.

strup|pig ⟨Adj.⟩: *zerzaust, unordentlich [nach allen Seiten abstehend]:* struppige Haare; ein struppiger Hund. **sinnv.**: strubbelig.

Stu|be, die; -, -n: ↑Zimmer. **sinnv.**: Raum. **Zus.**: Amts-, Dach-, Imbiß-, Puppen-, Schul-, Wein-, Wohnstube.

Stück, das; -[e]s, -e: **1. a)** *[abgeschnittener, abgetrennter] Teil eines Ganzen:* ein S. Stoff, Papier; ein S. Kuchen. **Zus.**: Kuchen-, Lenden-, Rasen-, Rippen-, Torten-, Versatzstück. **b)** *Teil einer Gattung oder einer Art; einzelnes Individuum aus einer größeren Menge von Gleichartigem:* das ist das wertvollste S. dieser Sammlung; die Gegenstände wurden S. für S. numeriert; ⟨als Mengenangabe⟩ vier S. Zucker. **sinnv.**: Exemplar, Teil. **Zus.**: Ausstellungs-, Beweis-, Einzel-, Erb-, Geld-, Gepäck-, Gold-, Kleidungs-, Möbel-, Schrift-, Wäsche-, Werkstück. **2. a)** ↑*Theaterstück.* **sinnv.**: Schauspiel. **Zus.**: Bühnen-, Lehr-, Volksstück. **b)** *musikalische Komposition:* ein S. von Mozart. **Zus.**: Gesangs-, Klavier-, Musikstück.

Stu|dent, der; -en, -en, **Stu|den|tin,** die; -, -nen: *männliche bzw. weibliche Person, die an einer Hochschule studiert.* **sinnv.**: Hochschüler, Hörer, Studierender, Studiker, Studiosus. **Zus.**: Austausch-, Kunst-, Werkstudent.

stu|die|ren: 1. a) ⟨itr.⟩ *eine Hochschule besuchen, Student sein:* er studiert in Berlin. **b)** ⟨tr.⟩ *an einer Hochschule wissenschaftlich (in etwas) ausgebildet werden:* er studiert Medizin. **sinnv.**: forschen, lernen. **2.** ⟨tr.⟩ *sich (mit etwas) eingehend befassen, (etwas) genau untersuchen, beobachten, prüfend durchsehen o. ä.:* die Verhältnisse eines Landes s. **sinnv.**: betrachten.

Stu|di|um, das; -s, Studien: **1.** ⟨ohne Plural⟩ *das Studieren; Ausbildung in einem Fach, einer Wissenschaft an einer Hochschule:* das medizinische S.; das S. der Theologie. **Zus.**: Fach-, Fern-, Germanistik-, Hochschul-, Universitätsstudium. **2.** *genaues, prüfendes Untersuchen, Beobachten o. ä. von etwas; eingehende Beschäftigung mit etwas:* Studien [über etwas] treiben, anstellen; sich dem S. antiker Münzen widmen; er ist beim S. der Akten. **Zus.**: Akten-, Quellen-, Rollenstudium.

Stu|fe, die; -, -n: **1.** *abgesetzter Teil oder Abschnitt einer an- oder absteigenden Fläche, bes. als Trittfläche einer Treppe:* zwei Stufen auf einmal nehmen; Stufen ins Eis schlagen. **sinnv.**: Sprosse, Tritt, Trittbrett. **Zus.**: Altar-, Treppenstufe. **2.** *Rang, Grad, Stadium, Etappe einer Entwicklung o. ä.:* auf einer hohen kulturellen S. stehen; er strebt beruflich die nächsthöhere S. an. **sinnv.**: Dienstgrad, Rang. **Zus.**: Alters-, Bildungs-, Entwicklungs-, Kultur-, Ober-, Rang-, Zwischenstufe.

Stuhl, der; -[e]s, Stühle: *mit vier Beinen, einer Rückenlehne und gelegentlich mit Armlehnen versehenes Möbel, auf dem eine Person sitzen kann* (siehe Bildleiste „Sitzmöbel"): sich auf einen S. setzen; auf einem S. sitzen. **sinnv.**: Bank, Hocker, Klappsitz, Liegestuhl, Schemel, Sessel. **Zus.**: Arm-, Dreh-, Garten-, Holz-, Kinder-, Klapp-, Klavier-, Lehn-, Liege-, Roll-, Schaukel-, Sorgenstuhl.

stül|pen ⟨tr.⟩: **a)** *(etwas Hohles, Umschließendes) auf, über etwas decken:* ich stülpte [mir] den Hut auf den Kopf. **b)** *das Innere von etwas nach außen wenden, kehren:* die Taschen nach außen s.

stumm ⟨Adj.⟩: **1.** *nicht fähig, Laute hervorzubringen, zu sprechen:* er ist von Geburt an s. **2.** *sich nicht mit Worten, Lauten äußernd:* ein stummer Zuhörer; alle blieben s. **sinnv.:** wortlos.

Stum|mel, der; -s, - (ugs.): *übriggebliebenes kurzes Stück (von einem kleineren länglichen Gegenstand):* der S. einer Zigarre. **Zus.:** Bleistift-, Kerzen-, Zigarettenstummel.

stumpf ⟨Adj.⟩: **1. a)** *nicht spitz, nicht scharf, nicht [mehr] gut schneidend:* eine stumpfe Nadel; das Messer ist s. **sinnv.:** abgebrochen, unangespitzt, ungeschärft. **b)** *an einem Ende abgestumpft, ohne Spitze:* ein stumpfer Kegel. **c)** *ohne Glanz, nicht glatt oder glänzend:* stumpfe Seide; stumpfe Farben. **sinnv.:** matt. **2.** *ohne Lebendigkeit, geistige Aktivität; von Teilnahmslosigkeit zeugend:* ein stumpfer Blick. **sinnv.:** passiv, träge.

Stumpf, der; -[e]s, Stümpfe: *kurzes Stück, das von etwas (seiner Form nach Langgestrecktem) übriggeblieben ist:* der S. einer Kerze. **Zus.:** Baumstumpf.

stumpf|sin|nig ⟨Adj.⟩: **1.** *geistig träge, dumpf im Gemüt:* er starrte mich s. an. **sinnv.:** beschränkt, borniert, einfältig, engstirnig, stupid, vernagelt, zurückgeblieben. **2.** *(im Urteil des Sprechers) stupide und monoton:* die Arbeit in der Fabrik ist s. **sinnv.:** langweilig.

Stun|de, die; -, -n: **1. a)** *Zeitraum von 60 Minuten:* er mußte zwei Stunden warten; in einer dreiviertel S. **b)** *Zeitraum von kürzerer Dauer (in dem etwas Bestimmtes geschieht):* eine gemütliche S.; die S. *(der Zeitpunkt, Augenblick)* der Bewährung. **Zus.:** Abend-, Abschieds-, Feier-, Geburts-, Morgen-, Stern-, Todesstunde. **2.** *Unterricht von etwa einer Stunde:* er gab fünf Stunden Englisch in der Woche. **sinnv.:** Unterricht. **Zus.:** Bibel-, Deutsch-, Klavier-, Nachhilfe-, Tanz-, Vertretungs-, Wochen-, Zwischenstunde.

Stun|den|plan, der; -[e]s, Stundenpläne: *festgelegte Abfolge, Aufstellung über die Reihenfolge von Arbeits-, Unterrichtsstunden.*

stünd|lich ⟨Adj.⟩: **a)** *zu jeder Stunde einmal [vorkommend], alle Stunde:* im Radio werden s. Nachrichten gesendet. **b)** *in der allernächsten Zeit, jeden Augenblick; in einer der kommenden Stunden:* wir erwarten s. seine Ankunft. **sinnv.:** später. **Zus.:** halb-, viertelstündlich.

Stups, der; -es, -e (ugs.): *leichter Stoß [um auf etwas aufmerksam zu machen]:* er gab mir einen S. **sinnv.:** Puff, Stoß.

stup|sen ⟨tr.⟩: *jmdm. einen Stups geben:* er stupste ihn mit der Hand. **sinnv.:** stoßen.

stur ⟨Adj.⟩: *auf andere in ärgerlicher Weise als höchst eigensinnig, unnachgiebig wirkend; unnachgiebig und hartnäckig an etwas festhaltend:* seine sture Haltung; er arbeitet s. nach Vorschrift. **sinnv.:** rechthaberisch, unzugänglich, verbissen, zielstrebig.

Sturm, der; -[e]s, Stürme: **1.** *heftiger, starker Wind:* der S. hat viele Bäume umgeworfen. **sinnv.:** Herbst-, Schnee-, Wirbelsturm. **2.** *heftiger, schnell vorgetragener [den Gegner überrumpelnder] Angriff:* den Befehl zum S. geben. **3.** *heftiger Andrang.* **4.** *Gesamtheit der Stürmer einer Mannschaft:* der S. hat versagt.

stür|men stürmte, hat/ist gestürmt: **1.** ⟨itr.⟩ *(vom Wind)* *mit großer Heftigkeit wehen:* es hat gestürmt und geschneit. **sinnv.:** auffrischen, blasen, brausen, pfeifen, wehen. **2.** ⟨tr.⟩ *im Sturm erobern, besetzen:* die Soldaten haben die feindlichen Stellungen gestürmt. **sinnv.:** erobern. **3.** ⟨itr.⟩ *(von einer Menge) sehr schnell und ohne sich durch irgendwelche Hindernisse beirren zu lassen, von einem Ort weg- oder auf ein Ziel zulaufen:* er ist aus dem Haus gestürmt. **4.** ⟨itr.⟩ **a)** *(bes. im Fußball) offensiv, auf Angriff spielen und versuchen, Tore zu erzielen:* unsere Mannschaft hat unverdrossen gestürmt. **b)** *als Stürmer spielen:* er hat am linken Flügel gestürmt.

Stür|mer, der; -s, -: *Spieler beim Fußball o.ä., der bes. angreifen und Tore schießen soll:* er spielt als S. **Zus.:** Außen-, Mittelstürmer.

stür|misch ⟨Adj.⟩: **1.** *sehr windig, vom Sturm bewegt:* ein stürmischer Tag; das Meer war sehr s. **sinnv.:** rauh. **2. a)** *voller Leidenschaft, Begeisterung, Vehemenz; mit ungezügelter Gefühlsäußerung, ohne Zurückhaltung:* stürmischer Beifall; die Debatte war, verlief s. **sinnv.:** tumultuarisch, übermütig. **b)** *sehr schnell vor sich gehend, sich vollziehend:* die stürmische Entwicklung der modernen Wissenschaft. **sinnv.:** rapid, schnell.

Sturz, der; -es, Stürze: **1.** *das Fallen, Stürzen mit großer Wucht:* das Kind überlebte den S. aus dem 3. Stock. **sinnv.:** Fall. **Zus.:** Massen-, Todessturz. **2.** *erzwungenes Abtreten einer Regierung, eines Ministers o.ä.; gewaltsame Absetzung:* nach dem S. der Regierung fanden Wahlen statt. **sinnv.:** Entlassung. **Zus.:** Umsturz.

stür|zen, stürzte, hat/ist gestürzt: **1.** ⟨itr.⟩ **a)** *aus einer gewissen Höhe, jäh in die Tiefe fallen:* er ist vom Dach gestürzt. **b)** *zu Boden fallen, mit Wucht hinfallen:* er ist schwer, unglücklich, nach hinten gestürzt. **2.** ⟨itr.⟩; *mit näherer Bestimmung* **a)** *plötzlich sehr schnell, mit großen Sätzen (auf etwas zu oder von etwas weg) laufen:* er war ans Fenster gestürzt. **b)** *mit Wucht, Vehemenz hervorbrechen, hinaus-, irgendwohin fließen:* der Regen ist vom Himmel gestürzt. **3.** ⟨tr.⟩ *gewaltsam absetzen, aus dem Amt entfernen, zu Fall bringen:* man hatte den König gestürzt. **sinnv.:** entlassen. **4.** ⟨sich s.⟩ *wild, ungestüm über jmdn. herfallen, ihn anfallen:* der Löwe hat sich auf das Zebra gestürzt. **sinnv.:** angreifen. **5.** *(jmdn., sich) aus einer gewissen Höhe in die Tiefe fallen lassen, hinunterstürzen:* er hat ihn von der Brücke gestürzt. **6.** ⟨sich s.⟩ *sich mit Eifer, Leidenschaft einer Sache annehmen, sich ihr widmen:* er hat sich in die Arbeit gestürzt. **7.** ⟨tr.⟩ *(ein Gefäß) umkippen, so daß der Inhalt sich herauslöst, herausfällt:* sie hat die Kuchenform gestürzt.

Stu|te, die; -, -n: *weibliches Tier von Pferd, Esel, Kamel, Zebra.*

Stüt|ze, die; -, -n: **1.** *Gegenstand, der jmdn./etwas stützt, der gegen oder an etwas gestellt wird, damit es in der vorgesehenen Lage bleibt:* der Baum braucht eine S. **Zus.:** Baum-, Buch-, Fuß-, Kopfstütze. **2.** *für, bei einem andern hilft, ihm unterstützt:* an jmdm. eine wertvolle S. haben. **sinnv.:** Beistand, Halt, Rückhalt.

stut|zen: **I.** ⟨itr.⟩ *bei einer Tätigkeit o.ä. plötzlich verwundert, irritiert o.ä. einhalten, aufmerken:* einen Augenblick lang s. **sinnv.:** argwöhnisch/stutzig werden, Verdacht fassen/schöpfen. **II.** ⟨tr.⟩ *kürzer schneiden [und in eine bestimmte Form bringen]* *en]:* du mußt dir den Bart s. **sinnv.**: abschneiden, ‣eschneiden.

stüt|zen: 1. ⟨tr.⟩ *(jmdm./einer Sache) durch eine ‣tütze, durch Festhalten o. ä. Halt geben:* ein bauälliges Haus s.; der Kranke mußte gestützt werlen. **sinnv.**: abstützen, anlehnen. **2.** ⟨tr./sich s.⟩ *ein Gewicht, das Gewicht von etwas auf etwas veragern, um für sich, für etwas festen Halt zu gewinnen:* er stützte sich auf seinen Stock; er stützte ‣en Kopf in die Hände. **sinnv.**: aufstützen. **3.** *‹sich s.⟩ etwas als Grundlage haben, als Beweis, ‣rgument o. ä. verwenden:* das Urteil stützt sich ‣uf Indizien. **sinnv.**: sich berufen auf; beruhen.

sub|tra|hie|ren ⟨tr.⟩: *eine Zahl von einer anderen ‣n einem rechnerischen Vorgang wegnehmen* /Ggs. ‣ddieren/: zwei von drei s. **sinnv.**: abziehen.

Su|che, die; -: *das Suchen; Vorgang, Tätigkeit ‣es Suchens:* die S. nach dem vermißten Kind; er ‣st auf der S. nach einer Wohnung. **Zus.**: Ar‣eits-, Futter-, Stellungs-, Wohnungssuche.

‣u|chen ⟨itr.⟩ *sich bemühen, etwas Verlorenes, ‣erstecktes, etwas, was gebraucht wird, zu finden, ‣u entdecken oder zu erreichen:* er sucht den verlo‣enen Schlüssel; die Polizei sucht noch nach ‣puren. **sinnv.**: absuchen, ausblicken/auslugen/ ‣usschauen/ausspähen nach, Ausschau halten, ‣urchsuchen, fahnden, das Haus auf den Kopf ‣ellen, kramen, stöbern, auf der Suche sein. **2.** ‣tr.; oft in verblaßter Bedeutung⟩ *bemüht, be‣rebt sein, eine Absicht zu verwirklichen, die Reali‣ierung, Erfüllung von etwas zu erreichen:* jmds. ‣at, Schutz s.; jmds. Gesellschaft, Nähe s. **3.** ‣. + zu + Inf.⟩ *(um etwas) bemüht sein:* etwas zu ‣ergessen s. **sinnv.**: trachten, versuchen.

‣ucht, die; -: **1.** *maßlos oder krankhaft überstei‣ertes Verlangen nach etwas:* die S. nach dem ‣eld. **sinnv.**: Neigung. **2.** *krankhaftes Abhängig‣ein von einem bestimmten Genuß- oder Rausch‣ittel o. ä.:* die S. nach Alkohol; eine S. bekämp‣en. **sinnv.**: Abhängigkeit, Gewöhnung. **Zus.**: Al‣ohol-, Freß-, Rauschgift-, Trunksucht.

‣üch|tig ⟨Adj.⟩: *von einer krankhaften Sucht ‣ach etwas befallen, an einer Sucht leidend.* **sinnv.**: ‣bhängig. **Zus.**: eifer-, eigen-, freß-, gefall-, gel‣nges-, genuß-, herrsch-, prunk-, rach-, selbst-, ‣treit-, trunk-, vergnügungssüchtig.

‣üch|tig ⟨adjektivisches Suffixoid⟩: *einen über‣äßig starken Hang nach dem im Basiswort Ge‣annten habend, darauf ausgehend, darauf verses‣en:* eroberungs-, fernseh-, fortschritts-, profit-, ‣aketen-, reklame-, sex-, spott-, todes-, trostsüch‣g. **sinnv.**: -bewegt, -durstig, -freudig-, -geil.

‣ü|den, der; -s: **1.** *(meist ohne Artikel) gewöhn‣ch in Verbindung mit einer Präposition) dem ‣orden entgegengesetzte Himmelsrichtung, in der ‣ie Sonne am höchsten steht:* die Straße führt ‣ach S. **sinnv.**: Süd. **2. a)** *im Süden (1) gelegener ‣ereich, Teil eines Landes:* im S. Frankreichs. **b)** ‣üdlicher Bereich der Erde; Gebiet der südlichen ‣änder:* sie fahren in den S.

‣üd|lich: I. ⟨Adj.; attributiv⟩ **1.** *im Süden lie‣end:* der südliche Teil des Landes. **2.** *nach Sü‣en gerichtet:* in südlicher Richtung fahren. **II.** ‣Präp. mit Gen.⟩: *im Süden von:* die Straße ver‣äuft s. des Waldes. **III.** ⟨Adverb; in Verbindung ‣it von⟩: s. von München.

‣üh|ne, die; -: *etwas, was jmd. als Ausgleich für ‣ine Schuld oder für ein Verbrechen auf sich nimmt*

oder auf sich nehmen muß: er wollte freiwillig S. leisten für seine Tat. **sinnv.**: Buße, Genugtuung, Reue, Strafe, Wiedergutmachung.

Sum|me, die; -, -n: **1.** *Ergebnis beim Addieren:* die S. von 10 plus 4 ist/beträgt 14; die S. zweier Zahlen ausrechnen. **sinnv.**: Endbetrag, Gesamtbetrag. **Zus.**: End-, Gesamt-, Quersumme. **2.** *Geldbetrag in bestimmter, meist nicht näher angegebener Höhe:* er hat eine größere S., eine S. von tausend Mark gespendet; der Bau der Brücke kostete riesige Summen. **sinnv.**: Beitrag; Betrag. **Zus.**: Abstands-, Darlehns-, Geld-, Kauf-, Millionen-, Rest, Un-, Versicherungssumme.

sum|men: 1. ⟨itr.⟩ *einen leisen, brummenden, gleichmäßig vibrierenden Ton von sich geben:* die Bienen summen; die Kamera summte. **sinnv.**: surren, zirpen. **2.** ⟨tr.⟩ *(Töne, eine Melodie) mit geschlossenem Mund, ohne Worte zu artikulieren, singen:* er summte ein Lied; ⟨auch itr.⟩ er summte leise vor sich hin. **sinnv.**: singen.

Sumpf, der; -[e]s, Sümpfe: *ständig nasses, weiches Gelände (bes. an Ufern von Flüssen und Seen):* auf der Wanderung ist er in einen S. geraten. **sinnv.**: Bruch, Fenn, Moor, Morast, Ried, Schlamm, Sumpfland.

Sün|de, die; -, -n: *Übertretung eines göttlichen Gebotes:* eine S. begehen, beichten. **sinnv.**: Laster; Verstoß. **Zus.**: Erb-, Tod-, Unterlassungssünde.

sün|di|gen ⟨itr.⟩: *ein Gebot Gottes übertreten, gegen die Gebote Gottes verstoßen:* er hat [gegen Gott] gesündigt. **sinnv.**: fehlen, einen Fehltritt/eine Sünde begehen, freveln, sich vergehen, sich versündigen.

super ⟨Adj.; indeklinabel⟩ (ugs.): *überragend, Begeisterung hervorrufend:* eine s. Schau; sie tanzt s. **sinnv.**: dufte, klasse/Klasse, spitze/Spitze, vortrefflich.

su|per-, Su|per- ⟨Präfix⟩ (emotional verstärkend) /im Unterschied zu *hyper-* überwiegend als positive Kennzeichnung; drückt das Überschreiten einer Norm bzw. einen besonders hohen Steigerungsgrad aus/: **1.** ⟨adjektivisch⟩ *sehr, äußerst, höchst-:* superaktuell, -bequem, -blond, -elegant, -haltbar, -hart, -lässig, -leicht, -männlich, -modern, -nervös, -schmal, -weich; /auch kritischironisch oder ablehnend/: *übertrieben, zu ..., über das akzeptierte Maß hinaus:* superbürokratisch *(zu bürokratisch),* -deutsch, -fein, -klug, -kurz, -schlau. **sinnv.**: erz-, hyper-, supra-, über-, ultra-. **2.** ⟨substantivisch⟩ *sehr groß, gut, schön; überaus beachtlich, beeindruckend, Vergleichbares überragend:* Superauto, -chance, -disko, -erfolg, -essen, -figur, -film, -frau, -hit, -hotel, -idee, -talent, -wetter; /auch kritisch-ablehnend/: Supergescheiter, -imperialismus, -kriegsverbrechen, -stuß. **sinnv.**: Erz-, Mammut-, Monster-, Riesen-, Supra-, Top-.

Su|per|markt, der; -[e]s, Supermärkte: *groß ausgebauter Selbstbedienungsladen mit reichhaltigem Sortiment und oft etwas niedrigeren Preisen:* in einem S. einkaufen. **sinnv.**: Drugstore, Selbstbedienungsladen.

Sup|pe, die; -, -n: *warme oder auch kalte flüssige Speise, die mit dem Löffel gegessen wird:* eine klare S.; eine S. mit Einlage. **sinnv.**: Bouillon, Brühe, Eintopf, Fleischbrühe, Kraftbrühe. **Zus.**: Bohnen-, Erbsen- Fisch-, Gemüse-, Gulasch-, Hühner-, Kartoffel-, Linsen-, Milch-, Nudel-, Ochsenschwanz-, Rindfleisch-, Tages-, Wurst-, Zwiebelsuppe.

sur|fen ['sɔːfn̩] ⟨itr.⟩: *einen Wassersport betreiben, bei dem sich der Sportler auf einem dafür konstruierten, im wesentlichen aus einem stromlinienförmigen Brett bestehenden Gerät stehend von den Wellen [der Brandung] tragen bzw. vom Wind treiben läßt.* **sinnv.:** rudern.

sur|ren ⟨itr.⟩: *ein durch eine sehr schnelle, gleichmäßige Bewegung hervorgerufenes, dunkel tönendes, summendes Geräusch von sich geben, vernehmen lassen:* die Räder surren; das Surren der Kamera. **sinnv.:** brummen, sausen, schnurren, summen.

süß ⟨Adj.⟩: **1.** *den Geschmack von Zucker, Honig o. ä. habend:* süße Trauben; die Kirschen schmecken s. **sinnv.:** gesüßt, süßlich, süß-sauer. **Zus.:** bitter-, honig-, zuckersüß. **2.** *(emotional) niedlich, lieblich, hübsch o. ä. und dabei Entzücken hervorrufend:* ein süßes Mädchen; das Kleid ist s. **sinnv.:** hübsch.

Süßig|keit, die; -, -en: *etwas Süßes in Form von Bonbons, Pralinen, Schokolade o. ä.:* gerne Süßigkeiten essen. **sinnv.:** Leckerei, Näscherei, Naschwerk, Schleckerei, Süßwaren.

Sym|bol, das; -s, -e: *Gegenstand o. ä., der für einen abstrakten Sachverhalt steht:* der Ring ist ein S. der Liebe. **Zus.:** Friedens-, Statussymbol.

sym|bo|lisch ⟨Adj.⟩: *als Zeichen, Symbol für etwas anderes stehend:* als symbolisches Geschenk wurden dem Gast die Schlüssel der Stadt überreicht. **sinnv.:** bildlich.

sym|me|trisch ⟨Adj.⟩: *in bezug auf eine Achse spiegelbildlich gleich, ein Spiegelbild ergebend.* **sinnv.:** spiegelbildlich, spiegelgleich, spiegelungsgleich.

Sym|pa|thie, die; -, Sympathien: *Zuneigung,*

positive gefühlsmäßige Einstellung zu jmdm./etwas /Ggs. Antipathie/: seine S. gehört der Opposition. **sinnv.:** Zuneigung.

sym|pa|thisch ⟨Adj.⟩: *auf andere angenehm wirkend; das persönliche Vertrauen und Wohlwollen anderer gewinnend; Sympathie erweckend:* ein sympathischer Mensch; er sieht sehr s. aus. **sinnv.:** angenehm, anziehend, einnehmend, gewinnend, lieb, liebenswert, liebenswürdig, nett.

Sy|stem, das; -s, -e: **1.** *Ordnung, nach der etwas organisiert, aufgebaut wird; Plan, der als Richtlinie für etwas dient:* die Maschine ist nach einem neuen S. gebaut worden; S. in eine Sache bringen. **sinnv.:** Verfahren. **Zus.:** Baukasten-, Dezimal-, Koordinaten-, Maß-, Nerven-, Ordnungs-, Planeten-, Punkt-, Röhren-, Verdauungssystem. **2.** *Form der staatlichen, wirtschaftlichen und gesellschaftlichen Organisation:* das demokratische S. **sinnv.:** Regierungsform, Regime. **Zus.:** Gesellschafts-, Schul-, Wahl-, Währungs-, Wirtschaftssystem.

Sze|ne, die; -, -n: **1.** *kurzer, abgeschlossener, bes. durch das Auf- oder Abtreten von Personen begrenzter Teil eines Theaterstückes, Films o. ä.:* erster Akt, fünfte S.; die S. spielt im Garten. **sinnv.:** Aufzug. **Zus.:** Abschieds-, Film-, Liebes-, Massen-, Schluß-, Spiel-, Sterbe-, Traumszene. **2. a)** *Vorgang, Anblick, der jmdm. bemerkenswert oder eigenartig erscheint:* bei der Begrüßung gab es stürmische Szenen. **b)** *heftige Vorwürfe, die jmdm. im Rahmen einer Auseinandersetzung gemacht werden:* jmdm. eine S., Szenen machen. **sinnv.:** Streit. **3.** *charakteristischer Bereich, Ort für bestimmte Aktivitäten, Lebensformen, für ein bestimmtes Milieu:* die literarische, politische S.; die S. der Hausbesetzer. **sinnv.:** Ort der Handlung, Schauplatz.

T

Ta|bak, der; -s, -e: *aus den getrockneten Blättern der Tabakpflanze gewonnenes Produkt zum Rauchen:* er stopfte seine Pfeife mit meinem T. **sinnv.:** Feinschnitt, Grobschnitt, Knaster, Kraut. **Zus.:** Kau-, Orient-, Pfeifen-, Rauch-, Schnupf-, Virginia-, Zigarettentabak.

Ta|bel|le, die; -, -n: *Zusammenstellung, Aufstellung von Zahlen u. ä., die übersichtlich in Spalten eingeteilt ist:* die Ergebnisse wurden in einer T. dargestellt. **sinnv.:** Verzeichnis. **Zus.:** Berechnungs-, Gewichts-, Preis-, Zahlentabelle.

Ta|blett, das; -[e]s, -s: *Platte, Brett mit erhöhtem Rand zum Auf- oder Abtragen von Speisen, Geschirr o. ä.:* ein T. mit Tellern und Tassen hereinbringen. **sinnv.:** Auftragebrett, Servierbrett, Speisenbrett.

Ta|blet|te, die; -, -n: *Medikament von der Form eines kleinen, flachen Scheibchens:* eine T. einnehmen. **sinnv.:** Pastille; Medikament. **Zus.:** Kopfschmerz-, Schlaf-, Schmerz-, Vitamintablette.

ta|bu: ⟨in der Verbindung⟩ t. sein: *so beschaffen*

sein, daß bestimmte mit der Sache zusammenhängende Dinge nicht getan werden dürfen, daß nich darüber geredet werden darf, sie einem Verbot un terliegen: dieses Thema war für ihn t.

Ta|del, der; -s, -: *in meist scharfer Weise vorge brachte, mißbilligende Worte, die sich auf jmds Tun, Verhalten beziehen* /Ggs. Lob/: er erhielt ei nen T. **sinnv.:** Anpfiff, Anschiß, Maßregelung Rüge, Zurechtweisung.

ta|deln ⟨tr.⟩: *sich mißbilligend (über jmdn./etwas äußern, in scharfer Weise sein Mißfallen zum Aus druck bringen* /Ggs. loben/: er tadelte sie weger ihres Leichtsinns. **sinnv.:** beanstanden, brand marken; schelten.

Ta|fel, die; -, -n: **1.** *Platte, größeres Brett [an de Wand] zum Beschreiben, Beschriften, Anbringe von Bestellungen o. ä.:* der Lehrer schreibt ein Formel an die T. **Zus.:** Gedenk-, Holz-, Marmor Schau-, Schiefer-, Wandtafel. **2.** *flaches, platten förmiges Stück bes. einer eßbaren Ware:* eine T Schokolade. **Zus.:** Schokoladen-, Wachstafel.

esondere Seite für Abbildungen u. ä.; ganzseitige
ʾlustration (bes. in Büchern): das Werk enthält
ıhlreiche Tafeln. **Zus.**: Ahnen-, Bild-, Falt-,
arb-, Logarithmen-, Zahlentafel. **4. a)** großer,
ʾestlich] gedeckter Tisch: die T. war festlich ge-
ʾhmückt. **Zus.**: Fest-, Frühstücks-, Hochzeits-,
affee-, Mittagstafel.
ag, der; -[e]s, -e: **1.** Zeitraum von 24 Stunden,
ɔn Mitternacht bis Mitternacht: die sieben Tage
ɛr Woche; welchen T. haben wir heute? **Zus.**:
breise-, All-, Arbeits-, Besuchs-, Buß-, Ehren-,
ɛier-, Ferien-, Frühlings-, Geburts-, Gedenk-,
ʾlücks-, Hochzeits-, Jahres-, Markt-, Namens-,
ʾikolaus-, Obst-, Partei-, Regen-, Ruhe-, Son-
ɛn-, Todes-, Urlaubs-, Vor-, Wasch-, Wochen-,
ahltag. **2.** Zeit der Helligkeit zwischen Aufgang
nd Untergang der Sonne: es wird T.; die Tage
ɛrden kürzer. **sinnv.**: Tageslicht.
ıgen ⟨itr.⟩: eine Tagung oder Sitzung abhalten:
ɛr Verband tagt alle zwei Jahre. **sinnv.**: konferie-
n, sich zusammensetzen, zusammentreten.
ıglich ⟨Adj.; nicht prädikativ⟩: an jedem Tag
ʾiederkehrend, vorkommend]: die tägliche Ar-
ɛit; wir sehen uns t. **Zus.**: all-, halb-, mit-, sonn-
glich.
ıgs|über ⟨Adverb⟩: am Tage, während des Ta-
ɛs: t. ist er nicht zu Hause.
ıgung, die; -, -en: größere Versammlung, ein-
er mehrtägige Zusammenkunft von Fachleuten,
ʾissenschaftlern o. ä.: eine T. veranstalten, besu-
ıen. **sinnv.**: Konferenz, Kongreß, Konvent, Sit-
ıng, Symposion, Versammlung. **Zus.**: Arbeits-,
ɛrzte-, Fach-, Jahres-, Klausur-, Präsidiumsta-
ıng.
ail|le ['taljə], die; -, -n: (beim Menschen) Stelle
ɛs Rumpfes zwischen Brustkorb und Hüfte: der
ʾürtel betont die T.; jmdn. um die T. fassen.
ınv.: Gürtellinie, Mitte. **Zus.**: Wespentaille.
akt: I. der; -[e]s, -e: **1. a)** (ohne Plural) den mu-
kalischen, bes. den rhythmischen Ablauf in glei-
ɛe Einheiten gliedernde Einteilung eines Musik-
ücks: den T. angeben, schlagen. **b)** (durch Takt-
riche begrenzte) kleinste festgelegte Einheit im
ufbau eines Musikstücks: wir spielen jetzt die
akte 24 bis 80. **Zus.**: Auftakt. **2.** (ohne Plural)
ʾitliche Aufeinanderfolge, Ablauf von Tönen, Be-
ɛgungen o. ä. nach einem bestimmten Zeitmaß:
ɛr T. der Räder; im T. bleiben, rudern. **II.** der;
ɛ]s: Gefühl für Anstand und Höflichkeit: er hat
e Angelegenheit mit viel T. behandelt. **sinnv.**:
nstand, Artigkeit, Aufmerksamkeit, Feingefühl,
öflichkeit, Ritterlichkeit, Taktgefühl, Zartge-
hl, Zuvorkommenheit.
akt|tik, die; -, -en: im Hinblick auf Zweckmäßig-
ɛit, Erfolg festgelegtes, planmäßiges Vorgehen
ʾer Verhalten: mit dieser T. hatte er viel Erfolg.
ınv.: Strategie. **Zus.**: Verhandlungs-, Ver-
hleierungs-, Wahltaktik.
akt|los ⟨Adj.⟩: kein Gefühl für Anstand haben,
hne Takt: eine taktlose Bemerkung machen.
ınv.: abgeschmackt, deplaziert, geschmacklos,
nangebracht, unpassend.
akt|voll ⟨Adj.⟩: viel Gefühl für Anstand, Takt ha-
ɛnd; auf die Gefühle eines anderen Rücksicht neh-
ɛnd: sie übersah t. den Fehler. **sinnv.**: dezent,
öflich; rücksichtsvoll.
al, das; -[e]s, Täler: langgestreckter Einschnitt in
ɛr Erdoberfläche; tiefer liegendes Gelände, bes.

zwischen Bergen: ein enges, weites T. **sinnv.**:
Kluft. **Zus.**: Fluß-, Gebirgs-, Seiten-, Wiesental.
Ta|lẹnt, das; -[e]s, -e: **1.** besondere Begabung auf
einem bestimmten, oft künstlerischen Gebiet: mu-
sikalisches, mathematisches T.; er besaß großes
Talent zum/im Malen. **sinnv.**: Begabung. **Zus.**:
Mal-, Organisations-, Sprach-, Zeichentalent. **2.**
jmd., der Begabung (1) besitzt: der Regisseur
sucht junge Talente. **sinnv.**: Genie, Phänomen.
Zus.: Organisations-, Redner-, Schauspieler-,
Sprachtalent.
Tan|gẹn|te, die; -, -n: **1.** Gerade, die eine Kurve
nur in einem Punkt berührt (siehe Bildleiste „geo-
metrische Figuren", S. 175): eine T. ziehen. **2.**
Verkehrsstraße, die am Rande eines Ortes vorbei-
führt: die T. im Süden soll den Verkehr im Zen-
trum entlasten. **Zus.**: Süd-, Westtangente.
Tạnk, der; -s, -s, seltener: -e: größerer Behälter
für Flüssigkeiten, bes. für Benzin u. ä.: er ließ sei-
nen T. füllen. **sinnv.**: Gefäß. **Zus.**: Benzin-, Re-
serve-, Wassertank.
tan|ken ⟨tr./itr.⟩: Treibstoff o. ä. in einen Tank
füllen [lassen]: Benzin, Öl t.; ich muß heute noch
t. **sinnv.**: auftanken, nachfüllen, vollschütten; fül-
len.
Tạnk|stel|le, die; -, -n: Einrichtung, bei der sich
Kraftfahrzeuge gegen entsprechende Bezahlung
(an Zapfsäulen) mit Treibstoff und Öl versorgen
können: die T. war geschlossen.
Tạn|ne, die; -, -n: hoher Nadelbaum mit dunkel-
grünen Nadeln und aufrecht stehenden Zapfen
(siehe Bildleiste „Nadelbäume"). **Zus.**: Blau-,
Douglas-, Edel-, Rottanne.
Tạn|te, die; -, -n: **a)** Schwester oder Schwägerin
der Mutter oder des Vaters. **sinnv.**: Base, Muhme.
Zus.: Erb-, Groß-, Patentante. **b)** (aus der Sicht
von Kindern oder im Umgang mit Kindern) [be-
kannte] weibliche Erwachsene: sag der T. guten
Tag! **Zus.**: Briefkasten-, Nenntante.
Tạnz, der; -es, Tänze: **1.** zum Vergnügen, als Aus-
druck bestimmter Vorstellungen o. ä. nach einem
bestimmten, meist durch Musik hervorgebrachten
Rhythmus ausgeführte Abfolge von Bewegungen
des Körpers: kultische Tänze; jmdn. um einen T.
bitten. **sinnv.**: Ballett. **Zus.**: Ausdrucks-, Bauch-,
Gesellschafts-, Mode-, Reihen-, Schau-, Spitzen-,
Standard-, Turnier-, Volkstanz. **2.** Musikstück, zu
dem getanzt werden kann oder das in ähnlicher Art
komponiert ist: einen T. komponieren. **3.** Veran-
staltung, auf der getanzt wird: zum T. gehen.
sinnv.: Schwof, Tanzabend, Tanzerei, Tanztee,
Tanzvergnügen; Ball.
tạn|zen, tanzte, hat/ist getanzt: **1.** ⟨itr.⟩ **a)** sich im
Tanz bewegen: er hat ausgezeichnet getanzt.
sinnv.: schwofen, eine kesse Sohle aufs Parkett
legen, das Tanzbein schwingen, ein Tänzchen
wagen. **b)** sich tanzend oder mit hüpfenden Schrit-
ten irgendwohin bewegen: wir sind durch den
ganzen Saal getanzt. **2.** ⟨tr.⟩ (einen Tanz) ausfüh-
ren, vorführen; tänzerisch darstellen: [einen] Wal-
zer t.; sie hat Ballett, klassische Rollen getanzt.
Tän|zer, der; -s, -, **Tän|ze|rin,** die; -, -nen: **1.**
männliche bzw. weibliche Person, die tanzt, beim
Tanzen jmds. Partner bzw. Partnerin ist: das Mäd-
chen fand keinen Tänzer. **2.** männliche bzw. weib-
liche Person, die den künstlerischen Tanz ausübt:
sie will Tänzerin werden. **sinnv.**: Ballerina · Girl,
Go-go-Girl, Stripperin, Tanzgirl. **Zus.**: Ballettän-

zer[in], Bauchtänzerin, Eintänzer, Nackttänzer[in], Solotänzer[in], Steptänzer[in], Stripteasetänzerin.

Ta|pe|te, die; -, -n: *Papier oder Gewebe [mit farbigen Mustern], mit dem die Wände von Zimmern beklebt werden, um ihnen ein schöneres Aussehen zu geben:* eine einfache T.; wir brauchen neue Tapeten. **Zus.:** Rauhfaser-, Seiden-, Stoff-, Strukturtapete.

ta|pe|zie|ren ⟨tr.⟩: *mit Tapete verkleiden, ausstatten:* eine Wand, ein Zimmer t.

tap|fer ⟨Adj.⟩: *beherrscht und ohne Furcht gegen Gefahren und Schwierigkeiten kämpfend:* er hat sich t. gewehrt; Schmerzen t. ertragen. **sinnv.:** mutig.

tap|pen, tappte, ist getappt ⟨itr.⟩: *mit leisen Schritten [ungeschickt oder unsicher] gehen:* er tappte auf bloßen Füßen durch das Zimmer. **sinnv.:** gehen.

Ta|rif, der; -s, -e: **1.** *festgesetzter Preis, Gebühr für bestimmte Dinge:* die Tarife der Bahn, der Post. **2.** *ausgehandelte und vertraglich festgesetzte Höhe, Staffelung, festgelegtes System von Löhnen, Gebühren u. ä.:* der Arbeiter wird nach, über T. bezahlt. **sinnv.:** Lohn-, Manteltarif.

tar|nen ⟨tr.⟩: *[durch Verhüllen] unkenntlich machen, der Umgebung angleichen:* das Geschütz war gut getarnt; er hat sich geschickt getarnt. **sinnv.:** sich verkleiden; verstecken.

Ta|sche, die; -, -n: **1.** *ein- oder aufgenähtes Teil in einem Kleidungsstück, in das kleinere Dinge hineingesteckt werden können:* er steckte den Ausweis in die T. **Zus.:** Brust-, Hosen-, Innen-, Mantel-, Seitentasche. **2.** *[flacher] Behälter aus Leder, Stoff o. ä. mit einem oder zwei Henkeln oder einem Tragegriff, der zum Unterbringen von Dingen bestimmt ist, die jmd. bei sich tragen möchte:* hilfst du mir die T. tragen? **sinnv.:** Beutel; Tüte. **Zus.:** Akten-, Brief-, Bücher-, Damen-, Einkaufs-, Leder-, Reise-, Sattel-, Trage-, Umhängetasche.

Tas|se, die; -, -n: *kleineres Gefäß unterschiedlicher Form aus Porzellan o. ä. mit einem Henkel an der Seite, das zum Trinken dient* (siehe Bildleiste „Trinkgefäße"): sie trank eine T. starken Kaffee/ (geh.:) starken Kaffees; eine T. voll Reis. **sinnv.:** Gefäß. **Zus.:** Kaffee-, Mokka-, Tee-, Untertasse.

Ta|ste, die; -, -n: *Teil an Geräten oder Instrumenten, der zum Auslösen bestimmter Funktionen mit dem Finger heruntergedrückt wird:* die Tasten eines Telefons drücken; er setzt sich ans Klavier und greift in die Tasten. **Zus.:** Druck-, Klaviertaste.

ta|sten, tastete, hat getastet: **1.** ⟨itr.⟩ *(bes. mit den ausgestreckten Händen) vorsichtig fühlende, suchende Bewegungen machen, vorsichtig oder suchend greifen:* er tastete nach dem Lichtschalter. **sinnv.:** befühlen, berühren, fühlen. **2.** ⟨sich t.⟩ *sich tastend (1) irgendwohin bewegen, mit Hilfe des Tastsinns einen Weg suchen:* der Blinde tastete sich zur Tür.

Tat, die; -, -en: *das Tun, Handeln; Ausführung eines Vorhabens; etwas, was jmd. getan hat:* er bereut seine T. **sinnv.:** Akt, Aktion, Handlung. **Zus.:** Blut-, Frevel-, Gewalt-, Helden-, Misse-, Schand-, Straf-, Wundertat.

Tä|ter, der; -s, -, **Tä|te|rin,** die, -, -nen: *männliche bzw. weibliche Person, die eine Straftat begangen hat:* wer ist der Täter? **sinnv.:** Attentäter; Ver-

brecher. **Zus.:** Gewalt-, Misse-, Mit-, Stra Übel-, Wohl-, Wundertäter.

-tä|ter, der; -s, - ⟨Suffixoid⟩: *jmd., der etw Strafbares getan hat, wobei das Basiswort die de Tun zugrundeliegende Art oder Situation kenn zeichnet:* Einzeltäter, Ersttäter, Gewalt-, Nac ahmungs-, Rückfall-, Sexual-, Spontan-, Trieb Überzeugungs-, Wiederholungstäter.

Tä|te|rin: vgl. Täter.

tä|tig ⟨Adj.⟩: **1. a)** *sich betätigend, eifrig ha delnd:* er ist noch in der Küche t. **sinnv.:** akti fleißig. **b)** *beruflich arbeitend:* er ist bei der G meinde, für eine ausländische Firma t. **sinnv.:** b rufstätig. **Zus.:** erwerbs-, werktätig. **2.** *sich in T ten, Handlungen zeigend, darin wirksam werden* tätige Mithilfe, Anteilnahme. **Zus.:** gewal mild-, selbst-, wohl-, wundertätig.

tä|ti|gen ⟨Funktionsverb⟩: einen Kauf t. *(etw kaufen);* einen Einkauf t. *(etwas einkaufen);* nen Abschluß t. *([ein Geschäft o. ä.] abschließe*

Tä|tig|keit, die; -, -en: **a)** *das Tätigsein, Sich schäftigen mit etwas:* er entfaltete eine fieberhaf T. **sinnv.:** Arbeit. **Zus.:** Gewalt-, Mild-, Wohlt tigkeit. **b)** *berufliches Tätigsein; Ausübung ein Berufs:* eine interessante, gut bezahlte T.; was f eine T. haben Sie früher ausgeübt? **sinnv.:** Ber Zus.: Amts-, Dienst-, Lehr-, Nebentätigkeit.

Tat|kraft, die; -: *Fähigkeit, etwas zu leisten, vollbringen:* er besaß, entwickelte eine große **sinnv.:** Aktivität, Energie, Initiative, Leistungs höhe, Spannkraft, Willenskraft; Temperamen

tat|kräf|tig ⟨Adj.⟩: *mit Tatkraft handelnd; T kraft erkennen lassend:* tatkräftige Hilfe; er h mir t. geholfen. **sinnv.:** aktiv; zielstrebig.

Tat|sa|che, die; -, -n: *etwas, was geschehen od vorhanden ist, gegebener Umstand:* du mußt di mit den Tatsachen abfinden. **sinnv.:** Fakt, Fa tum, Gegebenheit, Realität, Sachlage, Sachve halt, Tatbestand, Umstand, Wirklichkeit. **Zu** Erfahrungs-, Grundtatsache.

tat|säch|lich [auch: tatsächlich]: **I.** ⟨Adj.⟩ *d Tatsachen, der Wirklichkeit entsprechend; als T sache bestehend, vorhanden:* das ist der tatsäch che Grund für diese Entwicklung. **sinnv.:** ree wahr. **II.** ⟨Adverb⟩ */dient der Bestätigung ein Vermutung, Erwartung; bekräftigt die Richtigk einer Aussage, Behauptung/:* ist das t. wahr? er es t.!; da habe ich mich doch t. geirrt. **sinn** auch; gewiß; wahrhaftig, wirklich.

tät|scheln ⟨tr.⟩: *als eine Art Liebkosung mit d Hand leicht und zärtlich (auf etwas) schlagen:* tätschelte den Hals seines Pferdes. **sinnv.:** liebk sen.

Tat|ze, die; -n: *Pfote großer Raubtiere:* der B hob seine Tatzen. **sinnv.:** Pfote. **Zus.:** Bärentatz

Tau: I. der; -[e]s: *Feuchtigkeit, die sich meist den frühen Morgenstunden in Form von Tröpfch auf dem Boden, an Pflanzen u. a. niederschläg* am Morgen lag T. auf den Wiesen. **sinnv.:** Re **Zus.:** Morgen-, Nachttau. **II.** das; -[e]s, -e: *stark Seil (bes. auf Schiffen):* ein dickes T.; ein T. au werfen. **sinnv.:** Seil. **Zus.:** Halte-, Schiffs Schlepp-, Stahltau.

taub ⟨Adj.⟩: **1.** *nicht [mehr] hören könnend:* d alte Dame ist völlig t. **sinnv.:** gehörlos, schwerh rig, taubstumm. **2.** *(von Körperteilen) ohne Emp findung, wie abgestorben:* die Finger waren v der Kälte t. **sinnv.:** gefühllos. **3.** *eine bestimm* *igentlich* charakteristische Eigenschaft nicht ha-*end*, *ohne den nutzbaren Inhalt:* eine taube Nuß; *laubes (kein Erz enthaltendes)* Gestein.

'au|be, die; -, -n: *mittelgroßer Vogel mit gedrun-*enem Körper, leicht gekrümmtem Schnabel und *läufig blaugrauem Gefieder.* **Zus.:** Brief-, Frie-**lens-,** Lach-, Turtel-, Wildtaube.

au|chen, tauchte, hat/ist getaucht: **1.** ⟨itr.⟩ *unter lie Wasseroberfläche gehen [und dort zu einem be-timmten Zweck eine Weile bleiben]:* wir haben/ *lind mehrmals getaucht; das U-Boot ist [auf den 5rund des Meeres] getaucht; er ist/hat nach ei-*ver Münze getaucht. **sinnv.:** schwimmen. **2.** ⟨tr.⟩ *n eine Flüssigkeit senken, hineinhalten:* er hat den *'insel in die Farbe getaucht.* **sinnv.:** einstippen, intauchen, eintunken, stippen, tunken.

au|en, taute, hat/ist getaut: **a)** ⟨itr.⟩ *(von Gefro-*enem) durch Einwirkung von Wärme zu Wasser *verden:* das Eis ist getaut; es hat getaut *(es war 'auwetter).* **sinnv.:** auftauen, schmelzen. **b)** ⟨tr.⟩ *etwas Gefrorenes) weich, zu Wasser werden las-*en: die Sonne hat den Schnee getaut. **sinnv.:** auf-*auen.*

au|fe, die; -, -n: *Sakrament der Aufnahme in die hristliche Kirche (bei dem der Geistliche den Täuf-ng mit Wasser benetzt oder auch in Wasser unter-aucht).* **Zus.:** Äquator-, Erwachsenen-, Feuer-, *ind-,* Kinder-, Not-, Wiedertaufe.

au|fen ⟨tr.⟩: **1.** *(an jmdm.) die Taufe vollziehen:* er Pfarrer hat das Kind getauft. **2.** *(jmdm./einer 'ache) [in einem feierlichen Akt] einen Namen ge-*en: ein Schiff, ein Flugzeug t.

au|gen ⟨itr.⟩: *für einen bestimmten Zweck geeig-*et, brauchbar sein; einen bestimmten Wert, Nut-*en haben* /meist verneint oder fragend ge-raucht/: das Messer taugt nichts; ob der Film *vohl etwas taugt?*

aug|lich ⟨Adj.⟩: *bestimmten Anforderungen ge-ügend, für bestimmte Aufgaben taugend, geeig-*et: er ist für die Arbeit, zu dieser Sache nicht t. **innv.:** imstande; nutzbar; nützlich; zweckmäßig.

au|meln, taumelte, hat/ist getaumelt ⟨itr.⟩: **a)** *nsicher hin und her schwanken [und zu fallen dro-en]:* er hat/ist vor Müdigkeit getaumelt. **sinnv.:** *chwanken.* **b)** *sich schwankend irgendwohin be-*egen: er ist über den Flur getaumelt. **sinnv.:** *tolpern.*

ausch, der; -[e]s, e: *das Tauschen:* einen guten, *chlechten* T. machen. **sinnv.:** Austausch. **Zus.:** *riefmarken-,* Ein-, Ring-, Rück-, Studienplatz-, Jm-, Wohnungstausch.

au|schen: a) ⟨tr.⟩ *etwas geben, um etwas ande-*es dafür zu bekommen: mit jmdm. Briefmarken t. **innv.:** austauschen, eintauschen, umtauschen, *vechseln.* **b)** ⟨itr.⟩ *im Hinblick auf etwas Bestimm-*es einen Wechsel, Tausch vornehmen: sie haben *iit den Plätzen getauscht.*

äu|schen: 1. a) ⟨tr.⟩ *[durch falsche Angaben ›. ä.] absichtlich einen falschen Eindruck vermit-*eln: er hat mich mit seinen Behauptungen ge-*äuscht.* **sinnv.:** betrügen; irreführen. **b)** ⟨itr.⟩ *ei-en falschen Eindruck entstehen lassen:* der Turm *st nicht so hoch, das täuscht.* **2.** ⟨sich t.⟩ *einem rrtum, einer Täuschung unterliegen:* wenn ich *iich nicht täusche, kommt er dort vorne.*

äu|schung, die; -, -en: **1.** *das Täuschen:* auf ei-e T. hereinfallen. **sinnv.:** leerer Dunst, Erdich-*ing,* Finte, Spekulation, Theorie. **2.** *das Sichtäu-*

schen, Getäuschtsein: einer T. erliegen; eine opti-sche T. **sinnv.:** Bild, Blendwerk, Chimäre, Einbil-dung, Fata Morgana, Fiktion, Gaukelei, Gaukel-spiel, Halluzination, Hirngespinst, Illusion, Ima-gination, Luftschloß, Phantom, Seifenblase, Trugbild, Unwirklichkeit, Utopie, Vision, Vor-stellung, Wahn, Wolkenkuckucksheim, Wunsch-traum. **Zus.:** Selbst-, Sinnestäuschung.

tau|send ⟨Kardinalzahl⟩: 1 000:t. Personen.

tau|sendst... ⟨Ordinalzahl⟩: 1 000.: *der tau-sendste Besucher der Ausstellung.*

Ta|xe, die; -, -n: **I.** ↑Taxi. **II.** *festgesetzte Gebühr, Abgabe:* die T. kassieren. **sinnv.:** Gebühr. **Zus.:** Kur-, Nachttaxe.

Ta|xi, das; -s, -s: *Personenkraftwagen, dessen Fahrer gegen Bezahlung Fahrgäste befördert:* ein T. bestellen, nehmen. **sinnv.:** Autodroschke, Kraftdroschke, Taxe. **Zus.:** Funk-, Gütertaxi.

Team [ti:m], das; -s, -s: *Gruppe von Personen, die gemeinsam an etwas arbeiten:* ein T. von Fachleu-ten bilden; wir sind ein junges T. **sinnv.:** Arbeits-gruppe, Kollektiv, die Mitarbeiter, Stab; Besat-zung; Gespann; Mannschaft. **Zus.:** Arbeits-, Ärzte-, Fußballteam.

Tech|nik, die; -, -en: **1.** ⟨ohne Plural⟩ *alle Mittel und Verfahren, die dazu dienen, die Kräfte der Na-tur für den Menschen nutzbar zu machen:* die T. unserer Zeit. **sinnv.:** Technologie. **Zus.:** Bau-, Chemo-, Fernmelde-, Fernseh-, Fernsprech-, Fertigungs-, Flug-, Funk-, Hochfrequenz-, Hoch-spannungs-, Kälte-, Kern-, Klima-, Kraftfahr-zeug-, Nachrichten-, Pyro-, Radio-, Raketen-, Raumfahrt-, Regel[ungs]-, Rundfunk-, Textil-, Ton-, Wärmetechnik. **2.** *besondere Art, Methode des Vorgehens, der Ausführung von etwas:* künst-lerische Techniken; die T. des Speerwerfens. **sinnv.:** Arbeitsweise, Fertigkeit, Methode, Sy-stem, Verfahren, Weg.

tech|nisch ⟨Adj.⟩: *die Technik betreffend, zur Technik gehörend:* technischer Unterricht; er ist t. begabt.

-tech|nisch ⟨adjektivisches Suffixoid⟩: *hinsicht-lich des im Basiswort Genannten, seine Planung, seinen Ablauf o.ä. betreffend, sich darauf bezie-hend; was ... betrifft:* betriebs-, produktions-, si-cherheits-, verfahrens-, verwaltungs-, werbetech-nisch. **sinnv.:** -bezogen, -mäßig, -politisch.

Tech|no|lo|gie, die; -, Technologien: *[Wissen-schaften von der] Produktionstechnik; Gesamtheit der Kenntnisse, Fähigkeiten und Möglichkeiten auf dem Gebiet der Produktionstechnik.* **sinnv.:** Technik. **Zus.:** Bio-, Weltraumtechnologie.

Tee, der; -s, -s: **1.** *getrocknete Blätter eines asiati-schen Strauches (aus denen Tee* (2) *zubereitet wird):* schwarzer T. **2.** *aus Tee* (1) *zubereitetes Ge-tränk:* heißen T. trinken. **Zus.:** Kamillen-, Pfef-ferminztee. **3.** *gesellige Zusammenkunft [am Nachmittag], bei der Tee [und Gebäck] gereicht wird:* jmdn. zum T. einladen. **sinnv.:** Essen. **Zus.:** Damen-, Fünfuhr-, Tanztee.

Teen|ager ['ti:neɪdʒə], der; -s, -: *Junge oder Mädchen im Alter zwischen 13 und 19 Jahren.* **sinnv.:** Junge; Mädchen.

Teer, der; -[e]s: *aus Kohle, Holz o.ä. hergestellte flüssige, schwarze Masse:* die Bretter riechen nach T. **Zus.:** Braunkohlen-, Holz-, Steinkohlen-teer.

Teich, der; -[e]s, -e: *kleineres stehendes Gewäs-*

ser: in diesem T. gibt es viele Fische. **sinnv.:** See. **Zus.:** Enten-, Fisch-, Karpfen-, Löschteich.

Teig, der; -[e]s, -e: *zähe, breiige Masse aus Mehl und weiteren Zutaten, die gebacken werden soll:* den T. kneten, rühren. **Zus.:** Biskuit-, Blätter-, Brot-, Hefe-, Kuchen-, Mürbe-, Nudel-, Rühr-, Sauerteig.

Teig|wa|re, die; -, -n ⟨meist Plural⟩: *aus Teig hergestelltes Nahrungsmittel als Einlage für Suppen, Beilage zu Speisen usw.* **sinnv.:** Mehlspeise.

Teil: 1. der, (auch:) das; -[e]s, -e: *Glied oder Abschnitt eines Ganzen:* der vordere T. des Gartens. **sinnv.:** Anteil, Ausschnitt, Bestandteil, Brocken, Glied, Hälfte, Partie, Portion, Ration, Stück, Zuteilung. **Zus.:** Alten-, Bestand-, Bruch-, Eltern-, Erb-, Erd-, Gebäude-, Geschlechts-, Groß-, Haupt-, Hinter-, Körper-, Ober-, Orts-, Satz-, Schluß-, Stadt-, Truppen-, Unter-, Welt-, Wirtschaftsteil; Gegen-, Nach-, Vorteil. 2. das; -[e]s, -e: *einzelnes [kleines] Stück:* er prüfte jedes T. sorgfältig. **sinnv.:** Element. **Zus.:** Bau-, Einzel-, Ersatz-, Fertig-, Metall-, Verschluß-, Zubehör-, Zusatzteil.

tei|len ⟨tr.⟩: 1. *(ein Ganzes oder eine Menge) in Teile zerlegen:* einen Kuchen t.; ⟨auch itr.⟩ er teilt nicht gern; ⟨auch sich t.⟩ der Weg teilt sich; **sinnv.:** aufschlüsseln, aufteilen, durchschneiden, einteilen, sortieren, spalten, verteilen · fifty-fifty/ halbe-halbe/ halbpart machen; halbieren; unterteilen. **Zus.:** drei-, vier-, zweiteilen. 2. ↑*dividieren:* eine Zahl durch eine andere t.

teil|ha|ben, hat teil, hatte teil, hat teilgehabt ⟨itr.⟩: *Anteil haben (an etwas); (mit etwas) eng verbunden sein:* an der Macht, an der Regierung t.; an einem Geheimnis t. **sinnv.:** teilnehmen.

Teil|nah|me, die; -: 1. *das Teilnehmen:* die T. an diesem Lehrgang ist freiwillig. **sinnv.:** Beteiligung, Mitmachen. 2. *innere Beteiligung, Interesse:* ehrliche T. an etwas zeigen. **sinnv.:** Engagement; Offenheit.

teil|nahms|los ⟨Adj.⟩: *kein Interesse, keine Teilnahme zeigend:* er saß t. an unserem Tisch. **sinnv.:** apathisch, gleichgültig; passiv; träge.

teil|neh|men, nimmt teil, nahm teil, hat teilgenommen ⟨itr.⟩: 1. *sich beteiligen, (etwas) mitmachen:* an einer Versammlung t. **sinnv.:** sich anschließen, beiwohnen, sich beteiligen, beteiligt sein, dabeisein, dazugehören, sich einlassen auf, mitarbeiten, mithalten, mitmachen, mitspielen, mittun, mitwirken, mitziehen, mit von der Partie sein, sich solidarisch erklären, teilhaben. 2. *Teilnahme, Interesse zeigen:* er nahm an meiner Freude teil. **sinnv.:** mitfühlen.

Teil|neh|mer, der; -s, -, **Teil|neh|me|rin,** die; -, -nen: *männliche bzw. weibliche Person, die an etwas teilnimmt:* für den Wettkampf haben sich 200 Teilnehmer gemeldet. **sinnv.:** Beteiligter, Mitwirkender; Publikum; Angehöriger. **Zus.:** Diskussions-, Konferenz-, Kongreß-, Kriegs-, Olympia-, Rundfunk-, Wettkampfteilnehmer.

teils: ⟨in der Verbindung⟩ teils... teils: teils... teils: *zum Teil ... zum Teil; halb ... halb:* seine Kinder leben t. in Köln, t. in Berlin **sinnv.:** bald ... bald; teilweise. **Zus.:** eines-, größten-, meistenteils.

Tei|lung, die; -, -en: *das Teilen:* die T. Deutschlands. **sinnv.:** Spaltung, Trennung. **Zus.:** Arbeits-, Gewalten-, Zellteilung.

teil|wei|se ⟨Adverb⟩: *zum Teil; in einigen Fäl-*

len: das Haus wurde t. zerstört; ich habe t. gar keine Antwort bekommen. **sinnv.:** partiell, zum Teil, teils ... teils.

-tel: ⟨Suffix; ergibt mit einer Zahl als Basiswort eine entsprechende Bruchzahl⟩: a) ⟨adjektivisch⟩ achtel, neuntel, zehntel. b) ⟨substantivisch⟩ das; -s, -: ein Achtel, Fünftel, Neuntel; /mit Fugen-s/: ein Hundertstel, ein Tausendstel.

Te|le|fon, das; -s, -e: *Apparat /mit Wählscheibe oder Drucktasten), der über eine Drahtleitung oder drahtlos Gespräche über beliebige Distanzen möglich macht.* **sinnv.:** Apparat, Fernsprecher. **Zus.:** Auto-, Bild-, Dienst-, Tastentelefon.

te|le|fo|nie|ren ⟨itr.⟩: *durch das Telefon (mit jmdm.) sprechen:* ich habe mit ihm telefoniert. **sinnv.:** anklingeln, anläuten, anrufen, antelefonieren.

Te|le|gramm, das; -s, -e: *[kurze] Nachricht, die auf drahtlosem Wege durch bestimmte Zeichen übermittelt wird:* ein T. aufgeben, schicken. **sinnv.:** Depesche, Fernschreiben, Funkspruch, Telex. **Zus.:** Antwort-, Beileids-, Bild-, Brief-, Glückwunsch-, Gruß-, Schmuckblatteletgramm.

Te|le|phon, telephonieren; vgl. Telefon, telefonieren.

Tel|ler, der; -s, -: *flaches Geschirr, von dem gegessen wird:* er hat nur einen T. [voll] Suppe gegessen. **sinnv.:** Untertasse. **Zus.:** Gaben-, Kuchen-, Porzellan-, Suppen-, Unter-, Wand-, Zinnteller.

Tem|pel, der; -s, -: *Gebäude, das der Verehrung von Göttern oder eines nichtchristlichen Gottes dient:* ein prächtiger, verfallener T. **sinnv.:** Kirche. **Zus.:** Musen-, Ruhmes-, Zeustempel.

Tem|pe|ra|ment, das; -[e]s, -e: 1. ⟨ohne Plural⟩ *lebhafte Art des Denkens und Handelns:* sein T. riß uns alle mit. **sinnv.:** Biß, Elan, Feuer, Lebhaftigkeit, Munterkeit, Pep, Schwung, Spannkraft, Verve, Vitalität; Begeisterung. 2. *individuelle Eigenart (des Menschen), schnell oder langsam, stark oder schwach auf Reize zu reagieren:* die vier Temperamente. **sinnv.:** Wesen.

tem|pe|ra|ment|voll ⟨Adj.⟩: *voll Temperament, [sehr] lebhaft; lebendig, schwungvoll:* er dirigierte sehr t.; er hielt eine temperamentvolle Rede. **sinnv.:** lebhaft, schwungvoll.

Tem|pe|ra|tur, die; -, -en: *meßbare Wärme der Luft oder eines Körpers:* hohe, niedrige T. haben. **Zus.:** Außen-, Boden-, Höchst-, Körper-, Überwasser-, Zimmertemperatur.

Tem|po, das; -s, -s: *Geschwindigkeit:* das T. erhöhen. **sinnv.:** Geschwindigkeit, Schwung. **Zus.:** Affen-, Arbeits-, Eil-, Höllen-, Schnecken-, Schritt-, Zeitlupentempo.

Ten|denz, die; -, -en: *erkennbare Absicht oder Neigung:* er verfolgt damit eine bestimmte T. **sinnv.:** Neigung. **Zus.:** Entwicklungs-, Grund-, Preis-, Zeittendenz.

Ten|nis, das; -: *Ballspiel, bei dem ein kleiner Ball von zwei Spielern (oder Paaren von Spielern) nach bestimmten Regeln über ein Netz hin- und zurückgeschlagen wird:* T. spielen. **Zus.:** Hallen-, Rasen-, Tischtennis.

Te|nor: 1. **Te|nor,** der; -s, Tenöre: a) *Stimme in hoher Lage /vom Sänger/:* er hat einen kräftigen T. b) *Sänger mit einer Stimme in hoher Lage:* dieser Chor hat zu wenig Tenöre. **sinnv.:** Tenorsänger. **Zus.:** Helden-, Operetten-, Operntenor. II

Tenor, der; -s: *grundsätzliche Einstellung (die aus etwas erkennbar wird):* der T. seines Buches ist die Absage an jeden Radikalismus. **sinnv.:** Bedeutung. **Zus.:** Grund-, Haupttenor.

Tep|pich, der; -s, -e: *etwas Gewebtes oder Geknüpftes, was auf den Boden gelegt wird, womit der Fußboden bedeckt wird:* er besitzt wertvolle alte Teppiche. **sinnv.:** Bettumrandung, Bettvorleger, Brücke, Läufer, Matte, Vorleger. **Zus.:** Flicken-, Gebets-, Orient-, Perser-, Velours-, Wandteppich · Blumen-, Bomben-, Moos-, Ölteppich.

Ter|min, der; -s, -e: *festgelegter Zeitpunkt; Tag, an dem etwas geschehen muß:* einen T. bestimmen, ausmachen. **sinnv.:** Frist. **Zus.:** Einsende-, Liefer-, Sende-, Zahlungstermin.

Ter|ras|se, die; -, -n: **1.** *waagerechte Stufe an einem Hang:* auf den Terrassen des Südhanges wurde Wein gebaut. **Zus.:** Fels[en]terrasse. **2.** *[überdachter] abgegrenzter freier Platz an einem Haus für den Aufenthalt im Freien:* wir sitzen abends auf der T. **sinnv.:** Veranda. **Zus.:** Dach-, Garten-, Hotelterrasse.

Ter|ror, der; -s: **1.** *gewalttätiges, rücksichtsloses Vorgehen, das jmdm. Angst einjagen soll:* er kann sich nur durch T. an der Macht halten. **sinnv.:** Ausschreitungen; Zwang. **Zus.:** Bomben-, Polizeiterror. **2.** *Zwang, Druck [durch Gewaltanwendung]:* T. verbreiten; wegen jeder Kleinigkeit T. machen. **sinnv.:** Zwang.

ter|ro|ri|sie|ren ⟨tr.⟩: *durch Terror einschüchtern und unterdrücken:* die Gangster terrorisierten die ganze Stadt. **sinnv.:** bedrohen; unterdrücken.

Test, der; -[e]s, -s und -e: *[wissenschaftlicher oder technischer] Versuch zur Feststellung bestimmter Eigenschaften, Leistungen o. ä.:* jmdn./eine Maschine einem T. unterziehen. **Zus.:** Alkohol-, Atom-, Eignungs-, Intelligenz-, Kernwaffen-, Warentest.

te|sten, testete, hat getestet ⟨tr.⟩: *durch einen Test prüfen:* das neue Modell muß noch getestet werden. **sinnv.:** checken, prüfen.

teu|er ⟨Adj.⟩: **1. a)** *einen hohen Preis habend* /Ggs. billig/: dieses Buch ist [mir] zu t.; diese Reise war ein teurer Spaß. **sinnv.:** aufwendig, nicht zu bezahlen, gepfeffert, gesalzen, kostspielig, überteuert, unbezahlbar, unerschwinglich. **b)** *große Ausgaben verursachend:* ein teures Restaurant; es sind teure Zeiten. **2.** (geh.) *sehr geschätzt, lieb, wert:* mein teurer Freund; dieser Ring war mir sehr t. **sinnv.:** lieb.

Teu|fel, der; -s, -: /Gestalt, die das Böse verkörpert/: er ist schwarz wie der T. **sinnv.:** Antichrist, Beelzebub, der Böse, Diabolus, Erbfeind, Fürst dieser Welt, Gehörnter, Gottseibeiuns, Höllenfürst, Leibhaftiger, Luzifer, Mephisto[pheles], Satan[as], Versucher, Widersacher. **Zus.:** Druckfehler-, Eifersuchts-, Feuer-, Putz-, Spielteufel.

Text, der; -[e]s, -e: **a)** *[schriftlich fixierte] im Wortlaut festgelegte, inhaltlich zusammenhängende Folge von Aussagen:* der T. des Vertrages bleibt geheim. **sinnv.:** Manuskript; Kontext, Wortlaut, Zusammenhang. **Zus.:** Begleit-, Bibel-, Gesetzes-, Klappen-, Original-, Schreibmaschinen-, Übungs-, Unterrichts-, Ur-, Vertrags-, Werbe-, Zwischentext. **b)** *zu einem Musikstück gehörende Worte:* er hat den T. zu einer Oper verfaßt. **Zus.:** Lied[er]-, Opern-, Schlagertext.

Thea|ter, das; -s, -: **1.** *Gebäude, in dem Schau-*

spiele u. ä. aufgeführt werden. **Zus.:** Amphi-, Freilicht-, Keller-, Zimmertheater. **2.** *Unternehmen, das Schauspiele u. ä. aufführt:* wir haben hier ein gutes T. **sinnv.:** die Bretter, die die Welt bedeuten, Bühne, Schaubude, Schaubühne, Schmiere, Studio; Kabarett. **Zus.:** Bauern-, Jugend-, Kinder-, Provinz-, Studententheater. **3.** ⟨ohne Plural⟩ *Vorstellung, Aufführung:* nach dem T. trafen wir uns in einem Café. **Zus.:** Kasperle-, Marionetten-, Musik-, Puppen-, Schattentheater. **4.** ⟨ohne Plural⟩ *Unruhe, Verwirrung, Aufregung:* es gab viel T. wegen dieses Vorfalls. **sinnv.:** Getue; Unannehmlichkeit.

Thea|ter|stück, das; -[e]s, -e: *für die Bühne geschriebene Dichtung:* ein T. aufführen. **sinnv.:** Schauspiel.

The|ke, die; -, -n: *eine Art hoher, nach einer Seite abgeschlossener Tisch, an dem Gäste oder Kunden bedient werden:* er trank ein Glas Bier an der T. **sinnv.:** Ladentisch, Tresen, Verkaufstisch; Schanktisch. **Zus.:** Bar-, Bier-, Ladentheke.

The|ma, das; -s, Themen: **1.** *Gegenstand oder leitender Gedanke einer Untersuchung, eines Gesprächs o. ä.:* über ein T. sprechen. **sinnv.:** Frage; Gegenstand; Stoff. **Zus.:** Aufsatz-, Diskussions-, Gesprächs-, Haupt-, Lieblings-, Prüfungs-, Verhandlungs-, Zentralthema. **2.** *Folge von Tönen, die einer Komposition zugrunde liegt:* ein T. variieren. **sinnv.:** Melodie. **Zus.:** Fugen-, Seiten-, Sonatenthema.

Theo|lo|gie, die; -, Theologien: *Wissenschaft von Gott und der [christlichen] Religion.* **sinnv.:** Glaubenslehre, Gottesgelehrtheit, Religionslehre, Religionsphilosophie, Religionswissenschaft. **Zus.:** Befreiungstheologie.

theo|re|tisch ⟨Adj.⟩: *die Theorie betreffend; [nur] gedanklich; nicht praktisch:* eine theoretische Ausbildung erhalten; was du sagst, ist t. richtig, aber die Wirklichkeit ist anders. **sinnv.:** ohne Praxis, praxisfern, in der Theorie, vom grünen Tisch aus, wissenschaftlich; akademisch; gedanklich.

Theo|rie, die; -, Theorien: *System wissenschaftlich begründeter Aussagen zur Erklärung bestimmter Tatsachen oder Erscheinungen und der ihnen zugrundeliegenden Gesetzmäßigkeiten:* eine T. aufstellen, beweisen; etwas in der T. beherrschen. **sinnv.:** Lehre. **Zus.:** Quanten-, Relativitätstheorie.

The|ra|pie, die; -, Therapien: *Verfahren, Methode zur Heilung einer Krankheit:* er wurde nach einer neuen T. behandelt. **sinnv.:** Heilung. **Zus.:** Bewegungs-, Chemo-, Frischzellen-, Gruppen-, Ultraschalltherapie.

Ther|mo|me|ter, das; -s, -: *Gerät zum Messen der Wärme:* das T. steigt (es wird wärmer). **sinnv.:** Temperatur-, Wärmemesser; Barometer. **Zus.:** Bade-, Fieber-, Zimmerthermometer.

Thron, der; -[e]s, -e: *erhöhter Sitz eines Fürsten.* **sinnv.:** Sessel. **Zus.:** Fürsten-, Kaiser-, Königsthron.

Tick, der; -[e]s, -s: *lächerlich oder befremdlich wirkende Eigenheit, Angewohnheit:* er hatte den T., sich nach jedem Händedruck die Hände zu waschen. **sinnv.:** Spleen.

ticken ⟨itr.⟩: *ein gleichmäßiges leises Klopfen hören lassen:* die Uhr tickt. **sinnv.:**

Ticket, das; -s, -s: *Fahrschein (bes. für eine*

Schiffs- oder Flugreise): er bestellte zwei Tickets nach Rom. **sinnv.:** Fahrkarte. **Zus.:** Flugticket.

tief ⟨Adj.⟩: **1. a)** *weit nach unten ausgedehnt oder gerichtet:* ein tiefes Tal; der Brunnen ist t. **sinnv.:** bodenlos, grundlos. **Zus.:** abgrundtief. **b)** *weit in das Innere von etwas hineinreichend, sich im Inneren befindend:* eine tiefe Wunde; die Bühne ist sehr t. **c)** *in niedriger Lage:* das Haus liegt tiefer als die Straße. **2.** ⟨in Verbindung mit Angaben von Maßen⟩ *eine bestimmte Tiefe habend:* der Stich ist 2 cm t. **Zus.:** knöchel-, spaten-, zentimetertief. **3.** *durch eine niedrige Zahl von Schwingungen dunkel klingend* /Ggs. hoch/: ein tiefer Ton. **4.** *bedeutend, tiefgründig:* tiefe Gedanken; das hat einen tiefen Sinn. **5.** *sehr groß oder stark:* ein tiefer Schmerz; t. erschüttert sein.

tief- ⟨adjektivisches Präfixoid, auch das Basiswort ist betont⟩ (emotional verstärkend): **a)** *äußerst, zutiefst, in ganz besonderer Weise, ganz durchdrungen von der im Basiswort genannten Empfindung o. ä.:* tiefbetroffen, -bewegt, -erschüttert, -religiös, -traurig. **sinnv.:** grund-, hoch-, hyper-, super-. **b)** *besonders intensiv, dunkel* /Basiswort ist eine meist dunkle Farbe/: tiefblau, -schwarz. **sinnv.:** dunkel-. **c)** *ganz und gar [von etwas bedeckt]:* tiefverschleiert, -verschneit.

Tie|fe, die; -, -n: **1.** *Ausdehnung oder Richtung nach unten oder innen:* die T. eines Schachtes messen; in die T. stürzen. **Zus.:** Bild-, Meeres-, Untiefe. **2.** *tief gelegene Stelle:* dieser Fisch lebt in großen Tiefen des Meeres. **sinnv.:** Kluft. **3.** ⟨ohne Plural⟩ *Größe, Bedeutung:* Gedanken von großer T. **sinnv.:** Gedankenfülle, Tiefgang, Tiefsinn, Tiefsinnigkeit. **Zus.:** Gedanken-, Gefühls-, Gemütstiefe.

tief|sin|nig ⟨Adj.⟩: *von gründlichem Nachdenken zeugend; gehaltvoll:* er machte eine tiefsinnige Bemerkung. **sinnv.:** tiefgehend, tiefgründig.

Tier, das; -[e]s, -e: *Lebewesen, das sich vom Menschen durch die stärkere Ausbildung der Sinne und Instinkte und durch das Fehlen von Vernunft und Sprache unterscheidet.* **sinnv.:** Bestie; Biest, Untier. **Zus.:** Fabel-, Faul-, Grau-, Haus-, Herden-, Huf-, Jung-, Kerb-, Klein-, Kriech-, Last-, Maul-, Nage-, Raub-, Säuge-, Stink-, Stoff-, Wappen-, Weich-, Zucht-, Zugtier.

Ti|ger, der; -s, -: *(in Asien heimisches, zu den Großkatzen gehörendes) Raubtier von blaß rötlichgelber bis rotbrauner Färbung mit schwarzen Querstreifen.* **Zus.:** Königstiger.

til|gen ⟨tr.⟩: **a)** *endgültig beseitigen, löschen:* die Spuren eines Verbrechens t.; eine Erinnerung aus seinem Gedächtnis t. **b)** *durch Zurückzahlen aufheben:* eine Schuld t. **sinnv.:** abwaschen, ausstreichen, löschen.

Tin|te, die; -, -n: *schwarze oder andersfarbige Flüssigkeit, die zum Schreiben dient:* er schreibt mit grüner T. **sinnv.:** Tusche. **Zus.:** Füllhalter-, Geheimtinte.

Tip, der; -s, -s: *Hinweis, Wink, nützlicher Rat:* jmdm. einen T. geben. **sinnv.:** Hinweis; Vorschlag. **Zus.:** Geheimtip.

tip|peln, tippelte, ist getippelt ⟨itr.⟩: *(eine weitere Strecke) zu Fuß zurücklegen (was als mühevoll, anstrengend empfunden wird):* wir mußten bis zur nächsten Bahnstation t. **sinnv.:** sich fortbewegen.

tip|pen: 1. a) ⟨itr.⟩ *(etwas/jmdn.) irgendwo leicht berühren:* er hat mir/mich auf die Schulter ge-

tippt. **sinnv.:** klopfen, schlagen, tupfen. **b)** ⟨tr.⟩ (ugs.) *auf der Maschine schreiben:* er hat den Brief [selbst] getippt. **sinnv.:** maschineschreiben. **2.** ⟨itr.⟩ **a)** (ugs.) *etwas voraussagen oder vermuten:* ich tippe [darauf], daß er morgen kommt. **sinnv.:** vermuten. **b)** *im Toto oder Lotto wetten:* er tippt jede Woche.

Tisch, der; -[e]s, -e: *Möbelstück, das aus einer waagerechten Platte besteht, die auf einem Fuß oder für gewöhnlich vier Beinen ruht:* er sitzt am T. **sinnv.:** Anrichte, Tafel. **Zus.:** Auszieh-, Billard-, Camping-, Couch-, Eck-, Eß-, Frisier-, Holz-, Katzen-, Klapp-, Küchen-, Labor-, Laden-, Marmor-, Mittags-, Nachbar-, Nacht-, Neben-, Operations-, Quer-, Schreib-, Servier-, Spiel-, Stamm-, Verkaufs-, Wasch-, Wühl-, Zuschneidetisch.

Tisch|ler, der; -s, -, **Tisch|le|rin,** die; -, -nen: *Handwerker bzw. Handwerkerin, der/die Holz (und auch Kunststoff) verarbeitet, bestimmte Gegenstände, bes. Möbel, daraus herstellt oder bearbeitet, einbaut o. ä.* **sinnv.:** Möbelmacher, Schreiner. **Zus.:** Bau-, Kunst-, Möbeltischler.

Ti|tel, der; -s, -: **1.** *Name, den die Amtsbezeichnung, den akademischen Rang o. ä. einer Person angibt bzw. der für besondere Verdienste verliehen wird:* den T. eines Professors haben. **sinnv.:** Anrede, Rang, Standesbezeichnung. **Zus.:** Adels-, Doktor-, Ehren-, Meister-, Professoren-, Siegertitel. **2.** *Name eines Buches, eines Kunstwerks o. ä.:* der Roman hat den T. „Der Idiot"; ein Film mit dem T. „Bambi". **sinnv.:** Überschrift. **Zus.:** Arbeits-, Buch-, Film-, Untertitel.

to|ben, tobte, hat/ist getobt ⟨itr.⟩: **1.** *in wilder Bewegung [und von zerstörerischer Wirkung] sein:* der Sturm hat getobt. **sinnv.:** wüten. **Zus.:** durchlostoben. **2.** *(von Kindern) wild und ausgelassen lärmend herumtollen:* die Kinder haben den ganzen Tag, sind durch den Garten getobt. **sinnv.:** sich austoben/austollen, [herum]tollen, lärmen. **Zus.:** [he]rumtoben, umhertoben. **3.** *sich wild, wie wahnsinnig gebärden, außer sich sein:* er hat vor Wut getobt. **sinnv.:** sich aufregen, ausrasten, rasen.

Toch|ter, die; -, Töchter: *unmittelbarer weiblicher Nachkomme:* das Ehepaar hat zwei Töchter. **sinnv.:** Filia, Juniorin, Mädchen. **Zus.:** Adoptiv-, Enkel-, Lieblings-, Pflege-, Schwieger-, Stief-, Ziehtochter.

Tod, der; -[e]s, -e: *das Sterben (eines Lebewesens, eines einzelnen Individuums):* T. durch Ertrinken; der Mörder wurde zum Tode verurteilt. **sinnv.:** Abberufung, Ableben, Entschlafen, Erlösung, Euthanasie, Exitus, Heimgang, Hinscheiden, Verscheiden. **Zus.:** Atom-, Feuer-, Frei-, Helden-, Herz-, Märtyrer-, Unfalltod.

tod- ⟨adjektivisches Präfixoid; auch das Basiswort wird betont⟩ (emotional verstärkend): *sehr, ganz, äußerst:* todernst, -langweilig, -schick, -sicher, -traurig, -unglücklich. **sinnv.:** erz-, stink-, stock-.

töd|lich ⟨Adj.⟩: **1. a)** *den Tod herbeiführend:* eine tödliche Verletzung. **sinnv.:** todbringend, verderbenbringend, zerstörerisch. **b)** *das Leben bedrohend:* eine tödliche Gefahr. **sinnv.:** gefährlich. **2.** (emotional) **a)** *nur in Verbindung mit bestimmten negativen Empfindungen: sehr groß:* tödlicher Ernst; mit tödlicher Sicherheit. **b)** ⟨verstärkend bei Verben⟩ ↑ *sehr:* er hat sich t. gelangweilt, war t. beleidigt.

Toi|let|te [tŏa'lɛtə], die; -, -n: **I.** *meist kleinerer Raum mit einem Becken zur Aufnahme und zum Wegspülen bes. der Ausscheidungen des Menschen [und Waschgelegenheit]:* auf die T. gehen. **sinnv.:** Abort, Abtritt, sanitäre Anlagen, Bedürfnisanstalt, Donnerbalken, Häuschen, Klo[sett], Latrine, Lokus, Nummer Null, 00, Pinkelbude, Pissoir, Plumpsklo[sett], Retirade, Scheißhaus, Topf, WC. **Zus.:** Damen-, Gäste-, Herrentoilette. **II.** ⟨ohne Plural⟩ *das Sichankleiden, Sichzurechtmachen:* T. machen. **Zus.:** Abendtoilette.

to|le|rant ⟨Adj.⟩: *großzügig gegenüber Andersdenkenden; andere Meinungen, Verhaltensweisen gelten lassend:* er war t. gegenüber fremden Meinungen. **sinnv.:** aufgeschlossen, duldsam, einsichtig, freizügig, geduldig, gütig, gütlich, menschlich, nachsichtig, versöhnlich, verständnisvoll, weitherzig.

toll ⟨Adj.⟩ (emotional): *(in den Augen des Sprechers) sehr schön, begeisternd, aufregend o. ä.:* er fährt einen tollen Wagen; das Fest war einfach t. **sinnv.:** anziehend, vortrefflich.

tol|len, tollte, hat/ist getollt ⟨itr.⟩: *beim Spielen wild und lärmend umherjagen:* die Kinder haben fröhlich getollt, sind durch den Garten getollt. **sinnv.:** toben. **Zus.:** [he]rumtollen, umhertollen.

To|ma|te, die; -, -n: *als Gemüsepflanze angebaute Pflanze mit runden [orange]roten, fleischigen Früchten.* **Zus.:** Fleisch-, Grill-, Treibhaustomate.

Ton: **I.** der; -[e]s, -e: *bes. zur Herstellung von Töpferwaren verwendetes, lockeres, feinkörniges weiches Gestein von gelblicher bis grauer Farbe:* eine Vase aus T. **sinnv.:** Erde. **Zus.:** Edel-, Töpferton. **II.** der; -[e]s, Töne: **1.** *auf das Gehör wirkende gleichmäßige Schwingung der Luft:* leise, tiefe Töne. **sinnv.:** Geräusch, Klang. **Zus.:** Dauer-, Flöten-, Glocken-, Halb-, Kammer-, Miß-, Orgel-, Zwischenton. **2.** ⟨ohne Plural⟩ ↑ *Betonung:* die erste Silbe trägt den T. **3.** ⟨ohne Plural⟩ *Art und Weise des [Miteinander]redens und Schreibens:* er ermahnte uns in freundlichem T.; bei uns herrscht ein rauher T. **sinnv.:** Akzent, Tonfall. **Zus.:** Befehls-, Feldwebel-, Umgangs-, Unterton. **4.** *Farbton von bestimmter Intensität:* ein Gemälde in blauen, satten Tönen. **sinnv.:** Farbe. **Zus.:** Grau-, Licht-, Pastellton.

Ton|band, das; -[e]s, Tonbänder: *schmales, auf einer Spule aufgewickeltes, mit einer magnetisierbaren Schicht versehenes Kunststoffband, das zur magnetischen Speicherung. von Sprache und Musik dient.* **sinnv.:** Band, Diskette, Floppy disk, [Tonband]kassette, Video[band].

tö|nen: 1. ⟨itr.⟩ *als Ton oder Schall hörbar sein:* Musik tönte aus dem Lokal. **sinnv.:** schallen. **Zus.:** er-, fort-, über-, weitertönen. **2.** ⟨tr.⟩ *in der Farbe verändern, mit einer Nuance versehen:* sie hat ihr Haar dunkel getönt. **sinnv.:** anmalen, bleichen. **Zus.:** abtönen.

Ton|ne, die; -, -n: **1.** *großer, zylindrischer, einem Faß ähnlicher Behälter (zum Aufnehmen, Transportieren bes. von flüssigen Stoffen).* **sinnv.:** Behälter. **Zus.:** Benzin-, Blech-, Müll-, Regentonne. **2.** *Maßeinheit von tausend Kilogramm.* **sinnv.:** Gewicht. **Zus.:** [Brutto]register-, Kilo-, Megatonne.

top-, Top- ⟨Präfixoid; besonders in der Journalistensprache⟩: **I.** ⟨substantivisch⟩ **a)** *Höchst-,*

Best-: Topausbildung, -form, -job, -karriere, -leistung. **b)** *an der Spitze stehend, in seiner Art herausragend:* Topangebot, -ereignis, -fahrzeug, -form, -hit, -qualität, -veranstaltung. **c)** *(in bezug auf Personen) zur Spitze gehörend, von höchstem Rang, in führender Stellung:* Topagent, -athlet, -favorit, -frau, -gitarrist, -manager, -modell, -star, -verkäufer. **sinnv.:** Bomben-, Chef-, Klasse-, Meister-, Riesen-, Spitzen-, Super-. **II.** ⟨adjektivisch⟩ *in höchstem Maße, sehr, in unübertrefflich schöner o. ä. Weise:* topaktuell, -fit, -modisch.

Topf, der; -[e]s, Töpfe: **1.** *(aus feuerfestem Material bestehendes) zylindrisches Gefäß [mit Deckel], in dem Speisen gekocht werden:* einen T. auf den Herd setzen. **sinnv.:** Gefäß, Hafen, Kochtopf. **Zus.:** Emaille-, Fleisch-, Henkel-, Ziertopf. **2.** *zylindrisches Gefäß aus unterschiedlichem Material:* ein T. aus Porzellan für Milch; Töpfe mit Blumen. **sinnv.:** Gefäß. **Zus.:** Blumen-, Milch-, Nachttopf.

Tor: **I.** das; -[e]s, -e: **1. a)** *zum Hindurchgehen, Hindurchfahren bestimmte große Öffnung in einem Gebäude, in der Einfriedung eines Grundstückes, die durch ein Tor (1 b) verschlossen wird:* der Hof hat zwei Tore. **sinnv.:** Ausfahrt, Durchlaß, Einfahrt, Eingang, Pforte, Portal. **b)** *[ein- oder zweiflügelige] Vorrichtung aus Holz, Metall o. ä., die [in Angeln drehbar] ein Tor (1 a) verschließt:* das T. schließen. **sinnv.:** Tür. **Zus.:** Garagen-, Garten-, Hof-, Park-, Scheunen-, Stadttor. **2. a)** *(bes. bei Ballspielen) durch zwei Pfosten und eine sie verbindende Querlatte markiertes Ziel, in das der Ball zu spielen ist:* er steht heute im T. **sinnv.:** Gehäuse, Goal, Kasten, Netz. **Zus.:** Eishockey-, Fußball-, Handballtor. **b)** *Treffer mit dem Ball in das Tor:* ein T. schießen; die Mannschaft siegte mit 4:2 Toren. **sinnv.:** Abstauber, Treffer. **Zus.:** Abseits-, Ausgleichs-, Eigen-, Gegen-, Siegestor. **II.** der; -en, -en: *Mensch, dessen Handlungsweise als unklug angesehen wird:* was war er für ein T.! **sinnv.:** Kindskopf, Narr.

tor|keln, torkelte, hat/ist getorkelt ⟨itr.⟩: *(durch Trunkenheit oder durch einen Schwächezustand verursacht) schwankend, taumelnd gehen:* der Betrunkene hat getorkelt, ist auf die Straße getorkelt. **sinnv.:** schwanken. **Zus.:** heraus-, herumtorkeln.

Tor|te, die; -, -n: *runder, aus mehreren Schichten bestehender, feiner Kuchen mit Glasuren und Füllungen verschiedenster Art.* **Zus.:** Buttercreme-, Obst-, Schokoladentorte.

to|sen ⟨itr.⟩: *in heftiger, wilder Bewegung sein und dabei ein brausendes Geräusch hervorbringen:* der Sturm, der Wasserfall tost; tosender Beifall. **sinnv.:** rauschen.

tot ⟨Adj.⟩: *gestorben, nicht mehr am Leben:* seine Eltern sind t. **sinnv.:** dahin, entseelt, ex, heimgegangen, hingeschieden, hin[über], hops, krepiert, leblos, unbelebt, verblichen, verschieden. **Zus.:** halb-, mause-, scheintot.

to|tal ⟨Adj.⟩: *so beschaffen, daß es in einem bestimmten Bereich, Gebiet, Zustand o. ä. ohne Ausnahme alles umfaßt:* totale Zerstörung; ich bin t. erschöpft. **sinnv.:** ganz, sehr.

tö|ten, tötete, hat getötet ⟨tr.⟩: *den Tod eines Lebewesens herbeiführen, verschulden:* einen Menschen, ein Tier [mit Gift, durch einen Schuß] t. **sinnv.:** abmurksen, beseitigen, um die Ecke bringen, unter die Erde bringen, erledigen, ermorden, exekutieren, fertigmachen, hinmorden, kaltmachen, killen, über die Klinge springen lassen, ums Leben bringen, liquidieren, massakrieren, meucheln, morden, umbringen, umlegen, vernichten.

Tour [tu:r], die; -, -en: 1. *Ausflug, Fahrt, Wanderung (meist von kürzerer Dauer):* eine T. ins Gebirge machen. **sinnv.**: Reise. **Zus.**: Berg-, Rad-. Sauf-, Spritz-, Tagestour. 2. (ugs.) *Art und Weise, mit Tricks, Täuschungsmanövern o. ä. etwas zu erreichen:* die T. zieht bei mir nicht; er macht es auf die dumme T. **sinnv.**: Trick. 3. ⟨Plural⟩ *Umdrehungen, Umläufe eines rotierenden Körpers, bes. einer Welle:* der Motor läuft auf vollen Touren. **sinnv.**: Drehung, Rotation.

Tou|ris|mus [tu'rɪsmʊs], der; -: *das Reisen, der Reiseverkehr [in organisierter Form] zum Kennenlernen fremder Orte und Länder und zur Erholung.* **sinnv.**: Fremdenverkehr[swesen], Reiseverkehr[swesen]. **Zus.**: Auto-, Massentourismus.

Tou|rist [tu'rɪst], der; -en, -en, **Tou|ri|stin**, die; -, -nen: *männliche bzw. weibliche Person, die reist, um fremde Orte und Länder kennenzulernen:* dieses Land wird von vielen Touristen besucht. **sinnv.**: Fremder, [Urlaubs]reisender. **Zus.**: Auto-, Bahn-, Schlafsacktourist.

Tour|nee [tʊr'ne:], die; -, -s und Tourneen ⟨...⟩: *Gastspielreise von Sängern, Schauspielern o. ä.:* eine T. machen. **Zus.**: Auslands-, Europa-, Konzerttournee.

Trab, der; -[e]s: *beschleunigter Gang des Pferdes:* er reitet im T. **sinnv.**: Gang.

tra|ben, trabte, hat/ist getrabt ⟨itr.⟩: 1. *im Trab laufen oder reiten:* er hat/ist lange getrabt; er ist über die Wiese getrabt. **sinnv.**: reiten. **Zus.**: davon-, heran-, los-, vortraben. 2. (ugs.) *gemächlich gehen:* der Junge ist nach Hause getrabt. **sinnv.**: sich fortbewegen.

Tracht, die; -, -en: *besondere Kleidung, die in bestimmten Landschaften oder von Angehörigen bestimmter Berufe getragen wird:* bunte, Tiroler Trachten. **sinnv.**: Kleidung. **Zus.**: Amts-, Bauern-, Landes-, Ordens-, Schwestern-, Vereins-, Volkstracht.

-trächtig ⟨adjektivisches Suffixoid⟩: *in beachtlichem Maße mit dem im Basiswort Genannten erfüllt, es als Möglichkeit, Wahrscheinlichkeit in sich bergend, tragend:* fehler-, konflikt-, profit-, publicity-, schicksals-, skandal-, symbol-, zukunftsträchtig. **sinnv.**: -reich, -schwanger, -schwer, -sicher, -verdächtig, -voll.

Tra|di|ti|on, die; -, -en: *das, was im Hinblick auf Verhaltensweisen, Ideen, Kultur o. ä. in der Geschichte, von Generation zu Generation entwickelt und weitergegeben wird:* alte Traditionen pflegen. **sinnv.**: Brauch, Geschichte, Kultur, Überlieferung. **Zus.**: Bau-, Familien-, Kulturtradition.

trä|ge ⟨Adj.⟩: *lustlos und ohne Schwung, sich nur ungern bewegend:* die Hitze macht mich ganz t. **sinnv.**: apathisch, bequem, desinteressiert, gleichgültig, langsam, leidenschaftslos, lethargisch, phlegmatisch, stumpf[sinnig], teilnahmslos, unbeteiligt.

tra|gen, trägt, trug, hat getragen 1. ⟨tr.⟩ *mit/in der Hand, in den Händen halten und mit sich nehmen, irgendwohin bringen:* einen Koffer [zum Bahnhof] t.; ⟨auch itr.⟩ wir hatten schwer zu t.

sinnv.: asten, befördern, schleppen, transportieren. **Zus.**: herein-, hinauf-, hoch-, vorbei-, zusammentragen. 2. ⟨tr.⟩ *(ein bestimmtes Kleidungsstück) anhaben, (mit etwas Bestimmtem) bekleidet sein:* Schmuck, eine Brille t. **sinnv.**: anhaben, aufhaben. **Zus.**: auftragen. 3. **a)** ⟨tr.⟩ *haben* (1): einen Namen t.; die Verantwortung für etwas t. **b)** ⟨tr.⟩ *sich (mit einem Vorhaben o. ä. im Geiste) beschäftigen; in Erwägung ziehen:* sich mit dem Gedanken, Plan t., aufs Land zu ziehen. **sinnv.**: sich befassen mit. 4. ⟨tr.⟩ *[in bestimmter Weise] ertragen:* sie trägt ihr Schicksal tapfer. **sinnv.**: aushalten.

Trä|ger, der; -s, -: 1. *jmd., der Lasten trägt:* für die Expedition wurden einheimische Träger gesucht. **sinnv.**: Dienstmann, Kuli, Schlepper. **Zus.**: Brief-, Fackel-, Fahnen-, Gepäck-, Koffer-, Möbel-, Wasser-, Zeitungsträger. 2. *tragender Teil einer technischen Konstruktion:* die Decke ruht auf eisernen Trägern. **sinnv.**: Brett. **Zus.**: Brücken-, Decken-, Stahlträger.

-trä|ger, der; -s, - ⟨Suffixoid⟩: 1. */besagt, daß das im Basiswort Genannte/ **a)** /wesentlich in dem Bezugswort enthalten ist/:* Bedeutungs-, Energie-, Geheimnis-, Tonträger. **b)** */in der Vorstellung mit dem im Bezugswort Genannten verbunden wird/:* Hoffnungsträger; Sympathieträger. 2. */als zusammenfassende Bezeichnung für bestimmte für etwas zuständige Personen, Institutionen, Einrichtungen/:* Kosten-, Krankenhaus-, Kultur-, Leistungs-, Schul-, Versicherungs-, Werbeträger.

Tra|gik, die; -: *schweres, schicksalhaftes, von Trauer und Mitempfinden begleitetes Leid:* die T. [seines Lebens, in seinem Leben] lag darin, daß ... **sinnv.**: Schicksal, Unglück.

tra|gisch ⟨Adj.⟩: *von großer Tragik und daher menschliche Erschütterung auslösend:* auf tragische Weise ums Leben kommen. **sinnv.**: erschütternd, schicksalhaft, verhängnisvoll.

Tra|gö|die, die; -, -n: 1. *dramatisches Stück, in dem menschliches Leid und menschliche Konflikte mit tragischem Ausgang geschildert werden.* **sinnv.**: Drama, Schauspiel, Trauerspiel. 2. *tragisches Geschehen, schrecklicher Vorfall:* in diesem Hause hat sich eine furchtbare T. abgespielt. **sinnv.**: Unglück. **Zus.**: Ehe-, Eifersuchts-, Familientragödie.

trai|nie|ren [trɛ'ni:rən]: 1. ⟨tr.⟩ *durch systematisches Training auf sportliche Wettkämpfe vorbereiten:* er hat die Mannschaft trainiert. **sinnv.**: abrichten, erziehen. **Zus.**: durchtrainieren. 2. ⟨itr.⟩ *Training betreiben:* der Sportler trainiert täglich. **sinnv.**: lernen, trimmen, üben.

Trai|ning [trɛ:nɪŋ], das; -s, -s: *planmäßige Durchführung eines Programms von vielfältigen Übungen zur Steigerung der Leistungsfähigkeit:* er nimmt am T. teil. **sinnv.**: Übung. **Zus.**: Fußball-, Konditions-, Leichtathletik-, Spezialtraining.

Trak|tor, der; -s, Traktoren ⟨...⟩: *(bes. in der Landwirtschaft verwendete) Zugmaschine.* **sinnv.**: Bulldozer, Schlepper, Trecker, Zugmaschine.

tram|peln, trampelte, hat/ist getrampelt ⟨itr.⟩: **a)** *mit den Füßen wiederholt stampfen:* er hat sich den Schnee von den Schuhen getrampelt. **b)** *stampfend gehen:* die Kinder sind durch das Gras getrampelt. **sinnv.**: stampfen. **Zus.**: heraus-, herein-, nieder-, tot-, zertrampeln.

tram|pen ['trɛmpən], trampte, ist getrampt ⟨itr.⟩:

reisen, indem man Autos anhält und sich mitnehmen läßt: da sie wenig Geld haben, trampen sie meistens; er ist nach Hamburg getrampt. **sinnv.:** per Anhalter fahren, hitchhiken; reisen.

Träine, die; -, -n: *(bei starker Gemütsbewegung oder durch äußeren Reiz) im Auge entstehende und als Tropfen heraustretende klare Flüssigkeit:* Tränen rollen über ihre Wangen. **sinnv.:** Augenwasser, Zähre. **Zus.:** Abschieds-, Freuden-, Krokodils-, Rührungsträne.

Trans|pa|rẹnt, das; -[e]s, -e: *breites Band aus Stoff, Papier o. ä., auf dem [politische] Forderungen, Parolen o. ä. stehen:* bei der Demonstration wurden mehrere Transparente mitgeführt. **sinnv.:** Plakat.

Trans|pọrt, der; -[e]s, -e: 1. *das Transportieren von Dingen oder Lebewesen:* die Wagen wurden beim/auf dem T. beschädigt. **sinnv.:** Beförderung, Spedition. **Zus.:** Ab-, Bahn-, Flüchtlings-, Güter-, Kranken-, Schwer[last]-, Tier-, Verwundetentransport. 2. *zur Beförderung zusammengestellte Menge, Anzahl von Waren oder Lebewesen:* ein T. Autos; ein T. mit Lebensmitteln. **sinnv.:** Ladung. **Zus.:** Möbel-, Sammel-, Waffentransport.

trans|por|tie|ren: a) ⟨tr.⟩ ↑ *befördern:* Waren auf Lastwagen, per Schiff mit der Bahn t. b) ⟨tr./itr.⟩ *weiterbefördern, -bewegen:* der Fotoapparat transportiert [den Film] nicht mehr.

Tra|pẹz, das; -es, -e: 1. *Viereck mit zwei parallelen, aber ungleich langen Seiten* (siehe Bildleiste „geometrische Figuren", S.175). **sinnv.:** Viereck. 2. *an zwei freihängenden Seilen befestigte kurze Holzstange für turnerische, artistische Schwungübungen:* Vorführungen am, auf dem T. **sinnv.:** Schaukel.

trat|schen ⟨itr.⟩ *(ugs. emotional): viel und nicht sehr freundlich über andere Leute reden:* sie tratscht den ganzen Tag. **sinnv.:** klatschen. **Zus.:** herum-, weitertratschen.

Trau|be, die; -, -n: a) *Beeren, die in einer bestimmten Weise um einen Stiel angeordnet sind:* die Trauben eines Weinstocks, der Johannisbeere. **sinnv.:** Dolde, Henkel, Rispe. **Zus.:** Blütentraube. b) *Weintraube:* ein Pfund Trauben kaufen.

trau|en: I. a) ⟨itr.⟩ *(zu jmdm./einer Sache) Vertrauen haben; jmdm./einer Sache Glauben schenken:* du kannst ihm, seinen Angaben t. **sinnv.:** glauben. **Zus.:** miß-, vertrauen. b) ⟨sich t.⟩ *den Mut haben, etwas Bestimmtes zu tun:* ich traute mich nicht, ins Wasser zu springen. **sinnv.:** sich wagen. **Zus.:** her-, hinein-, zu-, zurücktrauen. II. ⟨tr.⟩ *in einer staatlichen oder kirchlichen Zeremonie ehelich verbinden:* dieser Pfarrer hat uns getraut. **sinnv.:** verheiraten. **Zus.:** an-, ferntrauen.

Trau|er, die; -: 1. *seelischer Schmerz über ein Unglück oder einen Verlust:* in T. um einen Verstorbenen sein. **sinnv.:** Bedrücktheit, Bekümmertheit, Betrübnis, Depression, Deprimiertheit, Freudlosigkeit, Gedrücktheit, Melancholie, Mutlosigkeit, Niedergeschlagenheit, Schwermut, Schwermütigkeit, Traurigkeit, Trübsal, Trübsinn[igkeit], Verzagtheit, Wehmut. **Zus.:** Landes-, Staatstrauer. 2. *die zum Zeichen der Trauer getragene Kleidung:* T. anlegen, tragen. **sinnv.:** etwas Schwarzes, Trauerkleidung.

trau|ern ⟨itr.⟩: *seelischen Schmerz (über etwas)*

empfinden: er trauert um seine Mutter, über den Tod seiner Frau. **sinnv.:** sich bekümmern, sich betrüben, sich grämen, traurig sein, weinen um. **Zus.:** nachtrauern.

Traum, der; -[e]s, Träume: 1. *während des Schlafens auftretende Bilder und Vorstellungen:* etwas im T. erleben, sehen. **sinnv.:** Alpdruck, Dämmerzustand, Fata Morgana, Fieberwahn, Halluzination, Hypnose, Trance. **Zus.:** Alp-, Angst-, Fieber-, Tag-, Wachtraum. 2. *sehnlicher, unerfüllter Wunsch:* es war immer sein T., ein Haus zu besitzen. **sinnv.:** Luftschloß, Wunsch. **Zus.:** Jugend-, Jungmädchen-, Kindheits-, Menschheits-, Zukunftstraum.

träu|men ⟨itr.⟩: 1. *einen Traum haben:* ich habe heute nacht [schlecht] geträumt. **sinnv.:** eine Erscheinung haben, phantasieren. 2. a) *seine Gedanken schweifen lassen:* du träumst zuviel bei der Arbeit. **sinnv.:** dösen, sinnieren. **Zus.:** verträumen. b) *ohne Bezug auf die Wirklichkeit (auf etwas) hoffen:* er träumt von einer großen Zukunft. **sinnv.:** schwärmen. **Zus.:** erträumen.

traum|haft ⟨Adj.⟩: a) *wie in einem Traum:* er ging seinen Weg mit traumhafter Sicherheit. **sinnv.:** irreal, unbewußt, unwirklich, visionär. b) *(emotional) überaus schön:* eine traumhafte Landschaft; das Kleid ist t. [schön]. **sinnv.:** hübsch.

trau|rig ⟨Adj.⟩: 1. *von Trauer erfüllt:* sie war t. über den Verlust ihres Ringes. **sinnv.:** bekümmert, am Boden zerstört, elegisch, enttäuscht, fassungslos, fertig, getroffen, schmerzlich berührt, schockiert, schwermütig unglücklich, wehmütig. **Zus.:** tief-, todtraurig. 2. a) *Trauer, Kummer, Betrübnis hervorrufend, verursachend:* dieser Brief macht mich ganz t.; traurige Zustände. **sinnv.:** bedauerlich, freudlos, trist, trostlos. b) ⟨nur attributiv⟩ *als erbärmlich, kümmerlich empfunden:* es war nur noch ein trauriger Rest vorhanden. **sinnv.:** armselig.

Trẹff, der; -s, -s ⟨ugs.⟩: a) *Zusammenkunft, Treffen:* einen T. vereinbaren. **sinnv.:** Begegnung. b) ↑ *Treffpunkt.* **Zus.:** Jugend-, Künstlertreff.

trẹf|fen, trifft, traf, hat/ist getroffen: 1. ⟨tr.⟩ *(von einem Geschoß, einem Schuß, Schlag o. ä.) jmdn., etwas erreichen (und verletzen, beschädigen o. ä.):* der Schuß hat ihn in den Rücken getroffen; ⟨auch itr.⟩ der erste Schuß traf [nicht]. b) *(mit einem Schlag, Stoß, Wurf, Schuß) erreichen (und verletzen, beschädigen o. ä.):* er hat [das Ziel] getroffen. **Zus.:** daneben-, vorbeitreffen. 2. ⟨itr.⟩ a) *jmdm., den man kennt, zufällig begegnen:* er hat einen Kollegen unterwegs getroffen. **sinnv.:** begegnen. **Zus.:** an-, aufeinander-, wieder-, zusammentreffen. b) *mit jmdm. ein Treffen haben, auf Grund einer Verabredung zusammenkommen:* er hat seine Freunde zu einem gemeinsamen Mittagessen getroffen; ⟨sich t.⟩ ich treffe mich mit meinen Freunden. **sinnv.:** sich versammeln. 3. ⟨itr.⟩ *unvermutet an einem bestimmten Ort, einer bestimmten Stelle antreffen:* sie ist auf merkwürdige Dinge getroffen. **sinnv.:** finden, vorfinden. 4. ⟨itr.⟩ *(bei einem Wettkampf) jmdn. als Gegner [zu erwarten] haben:* im Finale ist die deutsche Mannschaft auf Italien getroffen. 5. ⟨tr.⟩ *(in bezug auf etwas, wofür man Kenntnisse oder einen sicheren Instinkt o. ä. braucht) [heraus]finden:* mit dem Geschenk hast du seinen Geschmack [nicht] ge

troffen. **sinnv.:** erfassen, erkennen, erraten. **Zus.:**
zutreffen. **6.** ⟨tr.⟩ *(im Innersten) verletzen:* die To-
desnachricht hat ihn furchtbar getroffen. **sinnv.:**
erschüttern. **7.** ⟨tr.⟩ *jmdm./einer Sache [bewußt,
absichtlich] Schaden zufügen:* mit dem Boykott
hat man die Wirtschaft des Landes empfindlich
getroffen. **sinnv.:** schaden. **8.** ⟨itr.⟩ *sich in bestimmter
Weise vorfinden:* sie haben es mit dem Wetter be-
stens getroffen. **9.** ⟨itr./sich t.⟩ *sich in bestimmter
Weise fügen:* es hat sich gut getroffen, daß ... **10.**
⟨als Funktionsverb meist in Verbindung mit ei-
nem Verbalsubstantiv⟩ */bringt zum Ausdruck, daß
das im Substantiv Genannte ausgeführt wird/:* er
hat Anordnungen getroffen; eine Absprache t.
Tref|fen, das; -s, -: *geplante Zusammenkunft,
Begegnung:* ein T. der besten Sportler. **sinnv.:** Be-
gegnung, Kampf, Meeting, Rendezvous. **Zus.:**
Familien-, Gipfel-, Klassen-, Vergleichstreffen.
tref|fend ⟨Adj.⟩: *der Sache völlig angemessen,
entsprechend:* ein treffender Vergleich; etwas t.
charakterisieren. **sinnv.:** genau, klar, prägnant,
schlagend, treffsicher. **Zus.:** [un]zutreffend.
Tref|fer, der; -s -: **1.** *Schlag, Wurf o. ä., der trifft:*
auf 10 Schüsse 8 Treffer haben. **sinnv.:** Einschuß.
b) ↑*Tor:* einen T. erzielen. **2.** *Gewinn (in einer Lot-
terie o. ä.):* auf viele Nieten kommt ein T. **sinnv.:**
Gewinn, Hauptgewinn, Großes Los, erster Preis.
Zus.: Haupt-, Volltreffer.
Treff|punkt, der; -[e]s, -e: *Ort, an dem man sich
(einer Vereinbarung, Verabredung folgend) trifft:*
einen T. ausmachen. **sinnv.:** Treff, Versamm-
lungsort.
trei|ben, trieb, hat/ist getrieben: **1. a)** ⟨tr.⟩ *(durch
Antreiben, Vorsichhertreiben o. ä.) dazu bringen,
sich in eine bestimmte Richtung zu bewegen, an ei-
nen bestimmten Ort zu begeben:* er hat Kühe auf
die Weide getrieben; **sinnv.:** vertreiben. **Zus.:**
an-, davon-, fort-, hinein-, weitertreiben. **b)** ⟨tr.⟩
*(durch sein Verhalten o. ä.) [ungeduldig] dazubrin-
gen, etwas Bestimmtes zu tun, sich in bestimmter
Weise zu bewegen:* dieser Schüler hat ihn zur Ver-
zweiflung getrieben. **sinnv.:** anstacheln, veranlas-
sen. **Zus.:** an-, hintreiben. **c)** ⟨tr.⟩ *laufen lassen, in
Gang halten:* das Wasser hat das Rad getrieben.
Zus.: an-, betreiben. **d)** ⟨tr.⟩ *durch Bohrung o. ä. ir-
gendwo herstellen, schaffen:* sie haben einen Tunnel
durch den Berg getrieben. **sinnv.:** rammen. **Zus.:**
durch-, hineintreiben. **e)** ⟨tr.⟩ *(zu Platten dünn
ausgewalztes Metall) in kaltem Zustand mit dem
Hammer o. ä. formen, gestalten:* er hat das Messing
getrieben. **f)** ⟨tr.⟩ *(von Pflanzen) hervorbringen:*
der Baum hat Blüten getrieben. **Zus.:** austreiben.
2. a) ⟨tr.⟩ *sich mit etwas beschäftigen:* sie haben
viel Sport getrieben. **sinnv.:** übertreiben. **b)** ⟨itr.⟩;
in Verbindung mit „es"⟩: *etwas in einem Kritik
herausfordernden Übermaß tun:* er hat es gar zu
arg getrieben. **Zus.:** hinter-, quer-, übertreiben.
c) (ugs.) ⟨itr.; in Verbindung mit „es"⟩ *mit jmdm.
Geschlechtsverkehr haben:* er, sie hat es mit vielen
getrieben. **sinnv.:** koitieren. **3. a)** ⟨tr.⟩ *von einer
Strömung fortbewegt werden:* die Flut hat Strand-
gut an die Küste getrieben; das Eis ist auf dem
Fluß getrieben. **sinnv.:** antreiben, schwimmen,
spülen. **b)** ⟨itr.⟩ *in eine bestimmte Richtung bewegt
werden:* der Ballon ist landeinwärts getrieben. **4.**
⟨tr.⟩ **a)** *sich mit etwas zum Zwecke des Erwerbs be-
fassen:* früher hat er Viehzucht getrieben. **sinnv.:**
ausüben. **Zus.:** betreiben. **b)** /in verblaßter Be-

deutung in Verbindung mit Substantiven/ *drückt
aus, daß etwas mit bestimmter Konsequenz betrie-
ben, verfolgt wird:* der Minister hat mit seinem
Amt Mißbrauch getrieben. **sinnv.:** ausüben.
Trend, der; -s, -s: *erkennbare Richtung einer Ent-
wicklung:* der T. im Automobilbau geht zu spar-
samen Modellen. **sinnv.:** Neigung. **Zus.:** Ab-
wärts-, Modetrend.
tren|nen: 1. ⟨tr.⟩ *(durch Zerschneiden der verbin-
denden Teile) von etwas lösen:* das Futter aus der
Jacke t. **sinnv.:** abtrennen, auftrennen, durch-
schneiden. **2.** ⟨tr.⟩ *(jmdn./etwas) in eine räumli-
che Distanz voneinander bringen, auseinanderrei-
ßen, ihre Verbindung aufheben:* Mutter und Kind
voneinander t.; die männlichen Tiere wurden von
den weiblichen getrennt. **sinnv.:** absondern, iso-
lieren, scheiden. **3.** ⟨sich t.⟩ **a)** *von einer bestimm-
ten Stelle an einen gemeinsamen Weg o. ä. nicht
weiter fortsetzen:* sie trennten sich vor der Haus-
tür. **sinnv.:** sich aufspalten, auseinandergehen, sich
empfehlen, sich losreißen, sich verabschieden,
verlassen, weggehen. **b)** *eine Gemeinschaft, Part-
nerschaft auflösen, aufgeben:* das Paar hat sich
getrennt; sie hat sich von ihrem Mann getrennt.
sinnv.: sich scheiden. **c)** *etwas hergeben, nicht län-
ger behalten (obgleich es einem schwerfällt):* sich
von Erinnerungsstücken nicht t. können. **sinnv.:**
aussondern, aussortieren, wegwerfen. **4.** ⟨tr.⟩ *zwi-
schen einzelnen Personen oder Gruppen eine Kluft
bilden:* die verschiedene Herkunft trennte sie.
sinnv.: auseinanderhalten, unterscheiden. **5.** ⟨tr.⟩
*sich zwischen verschiedenen Bereichen o. ä. befin-
den; etwas gegen etwas abgrenzen:* der Kanal
trennt England vom Kontinent. **sinnv.:** teilen.
Trep|pe, die; -, -n: *aus mehreren Stufen beste-
hender Aufgang, der unterschiedlich hoch liegende
Ebenen verbindet:* eine T. hinaufsteigen. **sinnv.:**
Fallreep, Gangway, Laufsteg, Leiter, Stiege.
Zus.: Frei-, Keller-, Roll-, Stein-, Wendeltreppe.
Tre|sor, der; -s, -e: *gegen Feuer und Diebstahl
gesicherter größerer Raum oder sicheres Fach.*
sinnv.: Bankfach, Geldschrank, Panzerschrank,
Safe, Schließfach, Sicherheitsfach.
tre|ten, tritt, trat, hat/ist getreten: **1.** ⟨itr.⟩ *einen
Schritt, ein paar Schritte in eine bestimmte Rich-
tung machen; sich mit einem Schritt, einigen
Schritten an eine bestimmte Stelle bewegen:* nach
hinten t.; treten Sie näher!; ans Fenster t. **sinnv.:**
sich aufstellen, betreten, stampfen, stellen. **Zus.:**
darauf-, drauf- ein-, hervor-, hinaus-, hinein-, nä-
her-, vor-, weg-, zurücktreten. **2.** ⟨tr.⟩ *jmdm./ei-
nem Tier/einer Sache einen Tritt versetzen:* den
Hund t.; er hat ihm/(seltener:) ihn ans, gegen das
Schienbein getreten. **sinnv.:** stoßen. **Zus.:** tot-, zu-
treten. **3.** ⟨tr.⟩ *durch Tritte, durch wiederholtes Be-
treten (in etwas) bahnen:* sie haben einen Pfad
[durch den Schnee] getreten. **Zus.:** breit-, fest-,
nieder-, schieftreten. **4.** ⟨tr.⟩ /verblaßt in Verbin-
dung mit Substantiven/ *drückt den Beginn einer
Handlung o. ä. aus:* in jmds. Dienste t.; in Ver-
handlungen t.
treu ⟨Adj.⟩: *beständig in seiner Gesinnung; fest zu
etwas stehend:* ein treuer Freund; treue Liebe.
sinnv.: anhänglich, beständig, brav, ergeben, ge-
treu, loyal, zuverlässig.
-treu ⟨adjektivisches Suffixoid⟩: **1.** *getreu dem im
Basiswort Genannten, ihm (als Vorbild) genau ent-
sprechend:* linien-, phasen-, prinzipien-, text-,

vertrags-, wirklichkeits-, worttreu. **sinnv.**: -echt, -fest, -gemäß, -gerecht, -getreu, -richtig. **2.** *an der engen Bindung zu dem im Basiswort Genannten zuverlässig festhaltend, darin beständig, ihm treu:* **a)** /auf Personen bezogen/ kaiser-, moskau-, regierungstreu. **b)** form-, mischungstreu.

Treue, die; -: *das Treusein:* jmdm. T. schwören. **sinnv.**: Anhänglichkeit, Beständigkeit. **Zus.**: Gesinnungs-, Heimattreue.

Tri|bü|ne, die; -, -n: *[überdachte] Anlage mit ansteigenden Sitzreihen für Zuschauer (von unter freiem Himmel stattfindenden Veranstaltungen).* **sinnv.**: Galerie. **Zus.**: Ehren-, Presse-, Zuschauertribüne.

Trich|ter, der; -s, -: *oben weites Gefäß zum Füllen von Flaschen o. ä., das sich nach unten verengt und in ein kurzes Rohr übergeht:* Motoröl mit einem T. einfüllen. **Zus.**: Ansaug-, Einfülltrichter.

Trick, der; -s, -s: **a)** *einfache, aber wirksame Methode, mit der man sich eine Arbeit erleichtert:* einen T. anwenden. **sinnv.**: Dreh, Kniff, Masche, Methode, Praktik, Raffinesse. **Zus.**: Filmtrick. **b)** *listig ausgedachtes, geschicktes Vorgehen, mit dem jmd. getäuscht wird:* er ist auf den T. eines Betrügers hereingefallen. **sinnv.**: Betrug, Doppelspiel, Falschheit, Hinterhältigkeit, List, Tour, Unaufrichtigkeit. **Zus.**: Gauner-, Reklame-, Taschenspieler-, Zaubertrick.

Trieb, der; -[e]s, -e: **1.** *[vom Instinkt gesteuerter] innerer Antrieb, der auf die Befriedigung starker, oft lebensnotwendiger Bedürfnisse abzielt:* er folgte einem inneren T. **sinnv.**: Leidenschaft, Neigung. **Zus.**: Freiheits-, Geschlechts-, Spiel-, Tätigkeits-, Wissenstrieb. **2.** *Teil einer Pflanze, der neu hervorgewachsen, noch nicht verholzt ist:* die Bäume zeigen frische Triebe. **sinnv.**: Ableger, Schößling. **Zus.**: Blatt-, Johannis-, Mai-, Wurzeltrieb.

trie|fen, triefte, hat/ist getrieft ⟨itr.⟩: **a)** *in großen Tropfen von etwas herabfließen:* der Schweiß ist ihm von der Stirn getrieft. **sinnv.**: fließen. **b)** *triefend naß sein:* mein Hut hat vom Regen getrieft.

Tri|kot [tri'ko:; auch: 'triko], das; -s, -s: *meist eng anliegendes Kleidungsstück aus dehnbarem, gewirktem Stoff, bes. für Sportler.* **sinnv.**: Jersey, Leibchen, Sporthemd, Turnhemd. **Zus.**: Fußball-, Turnertrikot.

trin|ken, trank, hat getrunken: **1. a)** ⟨tr.⟩ *ein bestimmtes Getränk zu sich nehmen:* Milch t. **b)** ⟨itr.⟩ *Flüssigkeit zu sich nehmen:* schnell t.; sie trinkt aus der Flasche. **sinnv.**: einflößen, nippen, saufen, schlucken, schlürfen, sich stärken. **Zus.**: aus-, durcheinander-, weg-, zutrinken. **2.** ⟨itr.⟩ *[viel] Alkohol zu sich nehmen:* der Kraftfahrer hatte getrunken; ihr Mann trinkt. **sinnv.**: Alkoholiker/Trinker sein, bechern, sich betrinken, sich einen hinter die Binde gießen, einen heben/zwitschern, picheln, saufen, schlucken, zechen. **Zus.**: sich tot-, volltrinken.

Trink|ge|fäß, das; -es, -e: *Gefäß, aus dem man trinken kann* (siehe Bildleiste).

trip|peln, trippelte, ist getrippelt ⟨itr.⟩: *mit kleinen Schritten laufen:* das Kind trippelt durch das Zimmer.

Tritt, der; -[e]s, -e: **a)** ⟨ohne Plural⟩ *Art und Weise, wie jmd. seine Schritte setzt:* einen festen T. haben. **sinnv.**: Gang. **b)** *Stoß mit dem Fuß:* jmdm. einen T. geben. **Zus.**: Fuß-, Huftritt.

Trinkgefäße

Becher   Glas   Pokal   Tasse

Tri|umph, der; -[e]s, -e: **a)** *großer, mit großer Genugtuung erlebter Erfolg:* die Sängerin feiert Triumphe. **sinnv.**: Sieg. **b)** ⟨ohne Plural⟩ *große Genugtuung, Freude über einen errungenen Erfolg:* der Wahlsieg war für ihn ein großer T.

tri|um|phie|ren ⟨itr.⟩: **a)** *(über einen Gegner [in einem Wettkampf]) einen Sieg davontragen:* er triumphierte über seine Gegner. **sinnv.**: siegen. **b)** *seiner Freude über einen Erfolg (einen als übertrieben, hämisch o. ä. gewerteten) Ausdruck geben:* ein triumphierendes Lächeln. **sinnv.**: sich freuen.

trocken ⟨Adj.⟩: **1.** *frei von Feuchtigkeit:* trockenes Wetter; die Wäsche ist t. **sinnv.**: ausgetrocknet, dürr, entwässert, saftlos, unfruchtbar. **Zus.**: knochen-, rappel-, staub-, strohtrocken. **2. a)** *sehr nüchtern, allzu sachlich, ohne Ausschmückung, Phantasie:* ein trockener Vortrag. **sinnv.**: akademisch, langweilig. **b)** *in seiner Sachlichkeit und zugleich Unverblümtheit erheiternd, witzig wirkend:* trockener Humor. **sinnv.**: sachlich. **3.** *(von Weinen o. ä.) wenig unvergorenen Zucker enthaltend:* ein trockener Sekt. **sinnv.**: herb. **Zus.**: halbtrocken. **4.** ⟨Jargon⟩ *nicht mehr alkoholabhängig:* er ist seit einiger Zeit t. **sinnv.**: clean.

trock|nen, trocknete, hat/ist getrocknet: **1.** ⟨tr.⟩ *trocken machen, trocken werden lassen:* er hat sich seine Haare getrocknet. **sinnv.**: abtrocknen, fönen, trockenlegen, -reiben. **2.** ⟨itr.⟩ *trocken werden (als erwünschtes Ergebnis in bezug auf etwas, was üblicherweise nicht naß, feucht ist):* die Wäsche ist schnell getrocknet. **sinnv.**: dorren, dörren, vertrocknen, welken.

trö|deln ⟨itr.⟩ (emotional): *nicht zügig vorankommen, Zeit verschwenden:* bei der Arbeit, auf dem Nachhauseweg t. **sinnv.**: bummeln, nölen, zotteln. **Zus.**: herum-, vertrödeln.

Trog, der; -[e]s, Tröge: *großes, meist längliches, offenes [Stein-, Holz]gefäß:* die Schweine fressen aus dem T. **Zus.**: Back-, Futter-, Holz-, Schweine-, Stein-, Wasch-, Wassertrog.

Trom|mel, die; -, -n: *Schlaginstrument mit zylindrischem, an beiden Seiten mit [Kalb]fell bespanntem Resonanzkörper* (siehe Bildleiste „Schlaginstrumente").

trom|meln ⟨itr.⟩: **a)** *die Trommel schlagen.* **b)** *fortgesetzt und schnell auf einen Gegenstand schlagen, klopfen:* der Regen trommelte auf das Dach. **sinnv.**: pochen.

Trom|pe|te, die; -, -n: *Blechblasinstrument mit oval gebogenem Rohr und drei Ventilen* (siehe Bildleiste „Blechblasinstrumente").

trop|fen, tropfte, hat/ist getropft ⟨itr.⟩: **a)** *in einzelnen Tropfen herabfallen:* das Blut ist aus der Wunde getropft. **sinnv.**: fließen, träufeln. **Zus.**: herabtropfen. **b)** *einzelne Tropfen herabfallen lassen:* der Wasserhahn hat getropft.

Trop|fen, der; -s, -: **1.** *kleine Flüssigkeitsmenge von kugeliger oder länglichrunder Form:* ein T. Blut; es regnet in großen Tropfen. **Zus.:** Regen-, Schweiß-, Wassertropfen. **2.** ⟨Plural⟩ *Medizin (die in Tropfen genommen wird):* hast du deine Tropfen schon genommen? **Zus.:** Augen-, Baldrian-, Nasentropfen.

Trost, der; -es: *etwas, was jmdn. in seinem Leid, seiner Niedergeschlagenheit aufmuntert, tröstet:* ihre Worte waren nur ein [schwacher] T. für die Geschädigten. **sinnv.:** Hilfe, Linderung, Wohltat, Zuspruch.

trö|sten, tröstete, hat getröstet: **a)** ⟨tr.⟩ *Trost zusprechen, wieder zuversichtlich machen:* die Mutter tröstet das Kind; dieser Gedanke tröstet ihn. **sinnv.:** aufrichten. **Zus.:** hinweg-, vertrösten. **b)** ⟨sich t.⟩ *(etwas Unangenehmes, Bedrückendes) überwinden:* er tröstete sich schnell über den Verlust. **sinnv.:** sich mit etwas abfinden, sich beruhigen, über etwas hinwegkommen.

trotz ⟨Präp. mit Gen.; bes. südd., österr. und schweiz. auch mit Dat.⟩: *ungeachtet (eines Faktums, das dem in Rede Stehenden entgegensteht oder das das in Rede Stehende eigentlich hätte unmöglich machen müssen); ohne Rücksicht auf etwas/jmdn.:* t. allen Fleißes; t. strömenden Regens; t. aller Versuche; t. schwachem Verkehr; t. einigem Abstand; ⟨starke Substantive bleiben im Singular ungebeugt, wenn sie ohne Artikel und ohne adjektivisches Attribut stehen; im Plural stehen sie dann im Dativ⟩ t. Geschäftsumbau; t. Erlassen. **sinnv.:** ungeachtet.

Trotz, der; -es: *hartnäckiger [eigensinniger] Widerstand gegen eine Autorität:* er tut es aus lauter T. **sinnv.:** Eigensinn.

trotz|dem ⟨Adverb⟩: *trotz hindernder Umstände:* t. habe ich mich erholt; ich habe es t. getan. **sinnv.:** dennoch.

trot|zig ⟨Adj.⟩: *(bes. von Kindern) hartnäckig bestrebt, seinen eigenen Willen durchzusetzen:* eine trotzige Antwort geben, Haltung einnehmen. **sinnv.:** rebellisch, rechthaberisch, störrisch, unzugänglich.

trü|be ⟨Adj.⟩: **1. a)** *(bes. von etwas Flüssigem) [verschmutzt und] undurchsichtig wirkend:* trüber Apfelsaft; trübes Glas. **sinnv.:** milchig, schmutzig, undurchsichtig. **b)** *matt leuchtend, kein helles Licht von sich gebend:* eine trübe Wintersonne. **sinnv.:** dunkel. **2.** *von traurigen oder düsteren Gedanken erfüllt, auf solche hindeutend:* eine trübe Stimmung. **sinnv.:** bekümmert, trübselig, trübsinnig.

trü|ben ⟨tr.⟩: **1.** *trübe, undurchsichtig machen:* die Abwässer haben das Wasser getrübt. **2.** *eine gute Gemütsverfassung, einen guten Zustand o. ä. beeinträchtigen:* dein Kummer hat mir die Freude getrübt. **sinnv.:** behindern. **Zus.:** betrüben.

Tru|he, die; -, -n: *Möbelstück in Form eines Kastens mit einem Deckel zum Aufklappen.* **sinnv.:** Lade, Sarg, Schrein. **Zus.:** Gefrier-, Holz-, Kühl-, Musik-, Schatz-, Wäschetruhe.

Trüm|mer, die ⟨Plural⟩: *Bruchstücke, Überreste eines zerstörten größeren Ganzen:* die T. eines Hauses. **sinnv.:** Ruine, Schutt, Torso, Überbleibsel, Wrack.

Trupp, der; -s, -s: *kleine [in Bewegung befindliche] geschlossene Gruppe von Menschen (die in einem gemeinsamen Tun begriffen sind):* ein T. mar-

schierender/(seltener:) marschierende Bauarbeiter. **sinnv.:** Abteilung. **Zus.:** Stoß-, Vortrupp.

Trup|pe, die; -; -n: **1.** *zusammen auftretende Gruppe von Schauspielern, Artisten o. ä.:* eine T. von Artisten. **sinnv.:** Ensemble, Mannschaft. **Zus.:** Artisten-, Balletttruppe. **2. a)** *militärischer Verband:* Truppen zusammenziehen. **sinnv.:** Armee. **Zus.:** Besatzungs-, Pioniertruppe. **b)** ⟨ohne Plural⟩ *im Kampf stehende Truppe* (2 a): zur T. versetzt werden. **sinnv.:** Armee, Militär.

Trut|hahn, der; -[e]s, Truthähne, **Trut|hen|ne**, die; -, -n: *dem Huhn ähnlicher, aber größerer männlicher bzw. weiblicher Vogel mit meist dunklem Gefieder und rötlich-violettem nacktem Kopf und Hals, der besonders wegen seines Fleisches als Haustier gehalten wird.*

T-Shirt ['tiːʃøːɐt] das; -s, -s: *kurzärmeliges Hemd aus Trikot ohne Kragen.* **sinnv.:** Bluse, Pullover.

Tu|be, die; -, -n: *kleinerer röhrenartiger Gegenstand aus weichem Material (Metall, Kunststoff), dessen Inhalt durch eine Öffnung am oberen Ende herausgedrückt wird:* eine T. Senf.

Tuch, das; -[e]s, Tücher und Tuche: **1.** ⟨Plural: Tücher⟩ *viereckiges, gesäumtes Stück Stoff für bestimmte, unterschiedliche Zwecke:* sich ein T. um den Kopf binden; ein T. zum Abstauben. **Zus.:** Bettuch, Hals-, Hand-, Kopf-, Staub-, Taschen-, Tisch-, Wolltuch. **2.** ⟨Plural: Tuche⟩ *(für Kleidungsstücke verwendetes) glattes Gewebe mit leicht filziger Oberfläche:* ein Anzug aus feinem T. **sinnv.:** Stoff, Textilien.

tüch|tig ⟨Adj.⟩: **1. a)** *(in bezug auf einen Menschen) gute Arbeit leistend:* ein tüchtiger Kaufmann. **sinnv.:** befähigt, begabt, fähig, patent, qualifiziert. **b)** *(in bezug auf eine Arbeit, Leistung) in anerkennenswerter Weise gut:* eine tüchtige Leistung. **sinnv.:** anständig. **2.** (ugs.) **a)** *eine bestimmte Qualität darstellend, sehr groß:* einen tüchtigen Schluck nehmen. **sinnv.:** gehörig. **b)** ⟨intensivierend bei Verben⟩ *sehr, in hohem Maß:* er hat t. gefroren.

-tüch|tig ⟨adjektivisches Suffixoid⟩: **1.** *in bezug auf das im Basiswort Genannte [gut] brauchbar und die damit verbundenen Aufgaben gut erfüllend, in bezug darauf leistungsfähig, einsatzbereit:* fahr-, flug-, verkehrstüchtig; /elliptisch:/ einsatztüchtiges Schiff (Schiff, das zur Fahrt auf dem Meer geeignet ist); /passivisch:/ gebrauchstüchtiger Anzug. **sinnv.:** -fähig. **2.** *in dem im Basiswort Genannten durch entsprechende Aktivitäten erfolgreich:* geschäfts-, lebenstüchtig.

tückisch ⟨Adj.⟩ (emotional): **a)** *durch versteckte Bosheit, Hinterhältigkeit gefährlich:* ein tückischer Gegner, Plan. **sinnv.:** gefährlich, unaufrichtig. **Zus.:** heimtückisch. **b)** *eine verborgene Gefahr in sich bergend:* eine tückische Krankheit.

Tu|gend, die; -, -en: **a)** ⟨ohne Plural⟩ *sittlich-moralische Untadeligkeit, vorbildliche Haltung eines Menschen:* er, sie ist ein Mensch von unangefochtener T. **sinnv.:** Anstand, Sittenstrenge, Sittsamkeit, Tugendhaftigkeit, Züchtigkeit. **b)** *bestimmte sittlich wertvolle Eigenschaft:* demokratische Tugenden; die T. der Geduld. **sinnv.:** Eigenschaft. **Zus.:** Haupt-, Untugend.

Tul|pe, die; -, -n: *(im Frühjahr blühende, aus einer Zwiebel hervorwachsende) Pflanze mit einer auf einem hohen Stengel sitzenden, großen Blüte.*

-tum, das; -s ⟨Suffix⟩: **1.** */bezeichnet die Art de

Verhaltens von Personen, die durch das im Basiswort Genannte – meist ein Maskulinum – charakterisiert wird/: Denunziantentum, Heldentum, Virtuosentum, Witwentum. **2.** */bezeichnet eine Personengruppe, eine Gesamtheit in bezug auf das im Basiswort Genannte/:* Bürgertum, Christentum, Patriziertum. **sinnv.:** -schaft.

tum|meln, sich: *(von Kindern) spielen und dabei in lebhafter Bewegung sein:* die Kinder tummeln sich im Garten, im Wasser.

Tu|mult, der; -[e]s, -e: *von Menschen, einer Menschenansammlung ausgehendes lärmendes, aufgeregtes Durcheinander:* als er die Tribüne betrat, entstand ein T. **sinnv.:** Aufruhr, Lärm.

tun, tat, hat getan: **I. 1. a)** ⟨tr.⟩ *eine Handlung ausführen; sich mit etwas beschäftigen:* etwas ungern, freiwillig t.; so etwas tut er nicht; er hat viel Gutes getan; ich weiß nicht, was ich t. soll *(wie ich mich verhalten soll);* er hat sein möglichstes, Bestes getan *(sich nach Kräften bemüht);* tu, was du willst! *(es ist mir gleichgültig, wie du handelst, dich verhältst);* was tust du hier? *(was willst du hier, warum bist du hier?);* kann ich etwas für dich t. *(dir helfen)?;* dagegen muß man etwas, kann man nichts t. *(dagegen muß man, kann man nicht angehen);* ⟨auch itr.:⟩ was t.? *(was soll man in dieser Situation tun?).* **b)** ⟨tr.⟩ *(etwas Bestimmtes) verrichten, erledigen, vollbringen:* er tut seine Arbeit, Pflicht; wer hat das getan? *(wer ist der Schuldige?);* der Tischler hat viel zu t. *(viele Aufträge);* ich muß noch etwas [für die Schule] t. *(arbeiten);* ⟨auch itr.:⟩ ich habe zu t. *(muß arbeiten).* **sinnv.:** machen. **c)** ⟨tr./itr.⟩ */nimmt die Aussage eines vorher im Kontext gebrauchten Verbs auf/:* ich riet ihm zu verschwinden, was er auch schleunigst tat. **sinnv.:** machen. **d)** /als Funktionsverb, bes. in Verbindung mit Verbalsubstantiven/ *ausführen, machen:* einen Sprung t.; einer Sache Erwähnung t. **e)** ⟨tr./itr.⟩ *zustande bringen, bewirken:* ein Wunder t.; (verblaßt:) seine Wirkung t. *(wirken).* **sinnv.:** machen. **f)** ⟨tr.⟩ *zuteil werden lassen; zufügen, antun:* jmdm. einen Gefallen t.; der Hund tut nichts *(beißt nicht).* **sinnv.:** anrichten. **2.** ⟨tr.⟩ (ugs.) *irgendwohin bringen, befördern:* Salz an, in die Suppe t. **sinnv.:** legen, packen, schieben, setzen, stellen. **3.** ⟨itr.⟩ *durch sein Verhalten einen bestimmten Anschein erwecken:* freundlich, vornehm, geheimnisvoll t.; er tut [so], als ob/als wenn er nichts wüßte, als wüßte er nichts; ⟨elliptisch:⟩ tu doch nicht so! *(verstell dich doch nicht so!).* **sinnv.:** sich geben, sich verhalten. **4.** ⟨t. + sich⟩ *geschehen; im Gange sein:* im Lande tut sich etwas, einiges. **sinnv.:** sich ereignen, sich wandeln. **II.** ⟨Hilfsverb⟩ **a)** ⟨mit vorangestelltem betontem Infinitiv am Satzanfang⟩ */betont das im Infinitiv genannte Tun, Geschehen/:* stricken tut sie nicht gern *(sie strickt nicht gern).* **b)** ⟨mit nachgestelltem Infinitiv⟩ (ugs.): ich tu' bloß noch den Garten sprengen *(ich sprenge bloß noch den Garten).* **c)** ⟨täte + Infinitiv⟩ (ugs.) */umschreibt den Konjunktiv/:* er tät' dir helfen, wenn er Zeit hätte *(er würde dir helfen, wenn ...).*

tün|chen ⟨tr.⟩: *mit Kalk- oder Leimfarbe streichen:* die Wände t. **sinnv.:** anmalen, streichen.

Tun|nel, der; -s, - und -s: *unter der Erde verlaufender bzw. durch einen Berg hindurchgeführter Verkehrsweg:* die Bahn fährt durch mehrere Tunnel[s]. **sinnv.:** Tunell, Unterführung.

tup|fen ⟨tr.⟩: *unter einer leichten Berührung auftragen oder entfernen:* Salbe auf eine Wunde t. **sinnv.:** streichen.

Tür, die; -, -en: **1. a)** *Öffnung von bestimmter Breite und Höhe in einer Wand, Mauer o. ä., die den Zugang zu einem Raum, Gebäude o. ä. ermöglicht:* die T. öffnen, schließen: durch eine T. gehen. **sinnv.:** Ausfahrt, Ausgang, Ausstieg, Einfahrt, Eingang, Einstieg, Hauseingang, Tor, Zugang. **Zus.:** Haus-, Hinter-, Wohnungs-, Zimmertür. **b)** *aus Holz oder anderem Material bestehender, beweglich in den Türrahmen eingepaßter Teil, mit dem die Tür (1 a) verschlossen werden kann.* **sinnv.:** Pforte, Portal, Tor. **Zus.:** Dreh-, Fall-, Flügel-, Pendel-, Schiebe-, Tapetentür. **2.** *Teil an kastenförmigen Möbelstücken, an Kraftfahrzeugen o. ä. (mittels dessen sie geöffnet bzw. geschlossen werden).* **Zus.:** Auto-, Schranktür.

Turm, der; -[e]s, Türme: **1.** *freistehendes oder als Teil eines Gebäudes existierendes, hoch aufragendes Bauwerk, bei dem besonders der obere Teil bestimmten Zwecken dient:* der T. der Kirche; einen T. besteigen. **sinnv.:** Bergfried, Campanile, Minarett, Tower. **Zus.:** Aussichts-, Funk-, Glocken-, Kirch-, Leucht-, Wasser-, Zwiebelturm. **2.** *Figur im Schachspiel, die beliebig weit gerade zieht.* **sinnv.:** Schachfigur.

tur|nen ⟨itr.⟩: *Übungen an bestimmten Sportgeräten bzw. gymnastische Übungen ausführen:* er turnt an den Ringen.

Tur|nier, das; -s, -e: *sportlicher Wettkampf, der aus mehreren einzelnen Wettkämpfen besteht:* an einem T. teilnehmen. **sinnv.:** Meisterschaft. **Zus.:** Fußball-, Reit-, Tennisturnier.

Tusch, der; -[e]s, -e: *von einer Kapelle [mit Blasinstrumenten] schmetternd gespielte kurze Tonfolge (mit der eine Gratulation o. ä. begleitet wird):* die Kapelle spielte einen T.

Tu|sche, die; -, -n: *zum Zeichnen, Malen oder Beschriften verwendete, der Tinte ähnliche, meist gefärbte (bes. schwarze) Flüssigkeit:* eine Zeichnung in T. ausführen.

Tü|te, die; -, -n: *etwas, was meist aus stärkerem Papier hergestellt ist, in das man z. B. Waren (beim Einkaufen) hineintut, packt:* eine T. [voll, mit] Kirschen. **sinnv.:** Beutel, Tasche, Tragtasche. **Zus.:** Papier-, Plastik-, Schultüte.

Typ, der; -s, -en: **1.** *[technisches] Modell:* die Firma bringt einen neuen T. auf den Markt. **sinnv.:** Modell, Muster. **Zus.:** Auto-, Flugzeug-, Proto-, Schiffstyp. **2.** *Sache oder Person, die auf Grund ihrer Eigenschaften einer bestimmten Kategorie zuzuordnen ist, diese besonders deutlich erkennen läßt:* er ist der T. eines Kaufmanns; sie ist nicht mein T. *(gefällt mir nicht).* **Zus.:** Ideal-, Menschentyp. **3.** ⟨ugs. auch mit schwachen Formen:⟩ des Typen⟩ *bestimmte [junge] männliche Person (die der Sprecher als in irgendeiner Weise durch etwas charakterisiert findet):* einen T./Typen kennenlernen.

ty|pisch ⟨Adj.⟩: **a)** *einen bestimmten Typ verkörpernd, dessen charakteristische Merkmale in ausgeprägter Form aufweisend:* er ist ein typischer Seemann. **sinnv.:** ausgesprochen, echt, klassisch, unverkennbar, unverwechselbar, wahr. **Zus.:** arche-, untypisch. **b)** *für eine bestimmte Person oder Sache charakteristisch:* es war t. für ihn, daß er zu spät kam. **sinnv.:** kennzeichnend.

U

übel ⟨Adj.⟩: **1.** *moralisch schlecht, fragwürdig:* eine üble Gesellschaft; einen üblen Ruf haben. **sinnv.:** böse, gemein. **2. a)** *(in bezug auf eine Situation, gegebene Umstände o. ä.) sehr ungünstig, unerfreulich:* er befindet sich in einer üblen Lage. **sinnv.:** schlecht, schlimm. **b)** *(in seiner Wirkung auf die Sinnesorgane, bes. Geruch, Geschmack) sehr unangenehm, Widerwillen auslösend:* ein übler Geruch. **sinnv.:** unangenehm. **3.** * **jmdm. ist/wird ü.** *(jmd. fühlt sich nicht wohl, muß sich übergeben).*

übel|neh|men, nimmt übel, nahm übel, hat übelgenommen ⟨tr.⟩: *jmds. Verhalten übel vermerken, davon gekränkt oder beleidigt sein [und dies erkennen lassen]:* sie hat ihm seine Unhöflichkeit übelgenommen. **sinnv.:** ankreiden, anlasten, krummnehmen, nachtragen, verärgern, verdenken, verübeln.

üben: 1. ⟨itr./tr.⟩ *sich bemühen, etwas durch wiederholtes Ausführen zu erlernen, Fertigkeit darin zu erlangen:* sie übt täglich eine Stunde [auf dem] Klavier; bestimmte Handgriffe, Tanzschritte ü. **sinnv.:** trainieren. **2.** ⟨als Funktionsverb⟩ */bringt ein bestimmtes Verhalten zum Ausdruck/:* Kritik an jmdm./etwas ü. *(jmdn./etwas kritisieren).*

über: I. ⟨Präp. mit Dativ und Akk.⟩ **1.** /räumlich/ **a)** ⟨mit Dativ⟩ */kennzeichnet die Lage oberhalb von jmdm./etwas als in bestimmter Höhe darunter Befindlichem/:* die Lampe hängt ü. dem Tisch; sie wohnt ü. uns *(ein Stockwerk höher).* **b)** ⟨mit Akk.⟩ */drückt aus, daß etwas an einen höherliegenden Platz gebracht werden soll oder gebracht wurde ist/:* das Bild ü. das Sofa hängen. **c)** ⟨mit Dativ⟩ */drückt aus, daß sich etwas unmittelbar über etwas befindet und es ganz oder teilweise bedeckt/:* Nebel liegt ü. der Wiese. **d)** ⟨mit Akk.⟩ */drückt aus, daß etwas direkt auf etwas zu liegen kommt und bedeckend, verdeckend wirkt/:* eine Decke ü. den Tisch breiten. **e)** ⟨mit Akk.⟩ */kennzeichnet eine Stelle, die von jmdm. oder etwas überquert wird/:* ü. die Straße gehen; ein Flug ü. die Alpen. **f)** ⟨mit Akk.⟩ */kennzeichnet eine Stelle, über die sich etwas in unmittelbarer Berührung bewegt/:* seine Hand strich ü. ihr Haar. **g)** ⟨mit Dativ⟩ */kennzeichnet eine Lage auf der andern Seite von etwas/:* sie wohnen ü. der Straße. **h)** ⟨mit Akk.⟩ */kennzeichnet eine Erstreckung, Ausdehnung von unten nach oben oder von oben nach unten, zu einem bestimmten höher- bzw. tiefergelegenen Punkt, der dabei überschritten wird/:* bis ü. die Knöchel im Schlamm versinken. **i)** ⟨mit Akk.⟩ */bezeichnet eine Fortbewegung in horizontaler Richtung, wobei eine bestimmte Stelle überschritten wird, über sie hinausgegangen, -gefahren wird/:* unser Spaziergang führte uns ü. die Altstadt hinaus. **j)** ⟨mit Akk.⟩ */drückt aus, daß ein bestimmter Ort, Bereich passiert wird, um irgendwohin zu gelangen/:* dieser Zug fährt nicht ü. Mannheim. **2.** /zeitlich/ **a)** ⟨mit Akk.⟩ */drückt eine Zeitdauer, eine zeitliche Erstreckung aus/ während:* er kommt ü. Mittag

nach Hause. **b)** ⟨mit Dativ⟩ */drückt aus, daß etwas während eines anderen Vorgangs erfolgt/ bei:* sie ist ü. der Arbeit eingeschlafen. **c)** ⟨mit Akk.⟩ */drückt aus, daß eine bestimmte zeitliche Grenze überschritten ist/:* es ist zwei Stunden ü. die Zeit. **3. a)** ⟨mit Dativ⟩ */zur Angabe einer Reihen- oder Rangfolge/:* mit seiner Leistung ü. dem Durchschnitt liegen. **b)** ⟨mit Dativ⟩ */bezeichnet einen Wert o. ä., der überschritten wird/:* eine Temperatur ü. Null; ü. dem Mittelwert liegen. **c)** ⟨mit Akk.⟩ */drückt die höchste Stufe einer Rangordnung o. ä. aus/:* Musik geht ihm ü. alles. **4.** ⟨mit Akk.⟩ /in Verbindung mit zwei gleichen Substantiven als Ausdruck einer Häufung des im Substantiv Genannten/: Schulden ü. Schulden; Fehler ü. Fehler. **5.** ⟨mit Dativ⟩ */drückt eine Folge von etwas aus/ infolge:* die Kinder sind ü. dem Lärm aufgewacht. **6.** ⟨mit Akk.⟩ */drückt aus, daß das Ausmaß von etwas eine bestimmte Grenze überschreitet/:* etwas geht ü. jmds. Kraft, Verstand. **7.** ⟨mit Akk.⟩ */bezeichnet Inhalt oder Thema einer mündlichen oder schriftlichen Äußerung/:* ein Essay ü. Schiller. **8.** ⟨mit Akk.⟩ */bezeichnet die Höhe eines Betrages, einen Wert/ in Höhe von, im Wert von:* eine Rechnung ü. 50 DM. **9.** ⟨mit Akk.⟩ */bezeichnet das Mittel, die Mittelsperson o. ä. bei der Durchführung von etwas/:* einen Aufruf ü. alle Sender bringen; er bekam die Anschrift ü. einen Freund. **10.** ⟨mit Akk.⟩ */in Abhängigkeit von bestimmten Verben/:* ü. etwas weinen, lachen; sich ü. etwas freuen; sich ü. etwas einigen. **11.** ⟨Akk.⟩ /kennzeichnet in Verbindung mit Kardinalzahlen das Überschreiten einer bestimmten Anzahl/ von mehr als: Kinder ü. 10 Jahre. **II. 1.** /in Verbindung mit einem Personalpronomen in Konkurrenz zu darüber; bezogen auf eine Sache (ugs.)/: „Hast du etwas gehört über den Ausgang?" – „Nein, ich habe nichts gehört ü. ihn (statt: darüber)." **2.** /in Verbindung mit „was" in Konkurrenz zu worüber; bezogen auf eine Sache (ugs.)/ **a)** /in Fragen/: ü. was (besser: worüber) hast du gearbeitet? **b)** /in relativer Verbindung/: ich weiß nicht, ü. was (besser: worüber) er sich ärgert. **III.** ⟨Adverb⟩ **1.** /bezeichnet das Überschreiten einer Quantität, Qualität, Intensität o. ä./ mehr als: ü. 18 Jahre [alt] sein; Gemeinden von ü. 10 000 Einwohnern; die ü. Siebzigjährigen; ü. eine Woche [lang] dauern. **2.** /drückt aus, daß etwas über etwas gelegt, genommen o. ä. wird/: Gewehr ü.! **3.** /mit vorangestelltem Akk.⟩ /drückt eine zeitliche Erstreckung aus/ durch ... hindurch; während: den ganzen Tag ü. fleißig lernen. **IV.** ⟨Adj.⟩ (ugs.) **1.** übrig: vier Mark sind ü. **2. a)** überlegen: kräftemäßig ist er mir ü. **b)** zuviel, so daß jmd. der betreffenden Sache überdrüssig ist: es ist mir jetzt ü., ihm immer wieder darum zu bitten.

über- I. 1. ⟨adjektivisches Präfixoid⟩ **1. a)** *mehr als üblich, nötig, zuviel in bezug auf das im Basiswort Genannte:* überaktiv, -dimensional, -eifrig, -empfindlich, -groß, -nervös, -proportional, -reif; /oft

in Verbindung mit dem 2. Partizip/: überbelegt, -beschäftigt, -besetzt. **b)** *in besonderem/hohem Maße, sehr, überaus:* überängstlich, -deutlich, -glücklich, -vorsichtig. **sinnv.:** hyper-, super-, supra-. **2.** *über das im Basiswort Genannte hinausgehend, mehr als nur ...:* überbetrieblich, -durchschnittlich, -natürlich, -regional. **sinnv.:** inter-. **II.** ⟨verbales Präfix; wenn betont, dann wird getrennt; wenn unbetont, dann nicht trennbar⟩ **1.** ⟨betont, trennbar⟩ **a)** *darüber hin/hinaus/hinweg ... /besagt, daß das im Basiswort genannte Tun sich über etwas hin erstreckt/:* überdecken (er deckt die Decke über/deckte über/hat übergedeckt/um sie überzudecken), überfluten (der Fluß ist übergeflutet), übergehen (das Geschäft ist in andere Hände übergegangen). **sinnv.:** be-. **b)** *hinüber:* übersiedeln (er siedelt nach Berlin über/ siedelte über/ist übergesiedelt/um überzusiedeln), überspringen (das Feuer ist auf die Scheune übergesprungen). **2.** ⟨unbetont, wird nicht getrennt⟩ **a)** *das im Basiswort Genannte zuviel tun:* überdüngen (er überdüngt/überdüngte/ hat überdüngt; um es nicht zu überdüngen), überwürzen. **b)** *darüber hin/hinweg/hinaus/ räumlich und zeitlich/:* überarbeiten (er überarbeitet den Aufsatz/ überarbeitete/hat überarbeitet/um ihn zu überarbeiten), übergehen (er wurde bei der Beförderung übergangen), überlegen, überpudern; /gebildet nach dem Muster: über + Substantiv + en/: über/brück/en, über/dach/en, übertrumpf/en. **3.** */besagt, daß das im Basiswort genannte Tun, Geschehen o. ä. zu stark, zuviel ist, daß das übliche Maß überschritten ist, was meist als negativ gewertet wird/* **a)** ⟨betont; aber im Präsens und Präteritum nicht getrennt⟩ überbeanspruchen (er überbeansprucht/überbeanspruchte/hat überbeansprucht/um es nicht überzubeanspruchen), -betonen, -bewerten (Ggs. unterbewerten), -erfüllen, -interpretieren, -versichern (Ggs. unterversichern). **b)** ⟨unbetont, nicht trennbar⟩ überfordern (er überfordert/überforderte ihn/hat ihn überfordert/um ihn nicht zu überfordern); /partizipiale Bildungen/: überaltert, ich bin überfragt. **c)** ⟨betont, trennbar⟩ *zuviel (als Überdruß):* überbekommen (er bekommt die Arbeit über/bekam über/hat überbekommen/um sie nicht überzubekommen), übersehen (ich habe mir das übergesehen). **4.** ⟨unbetont, nicht trennbar⟩ *hinüber...:* übersiedeln (er übersiedelt nach Berlin/übersiedelte/ist übersiedelt/um zu übersiedeln).
Über-: **I.** ⟨Präfixoid⟩ **1.** */kennzeichnet ein Zuviel an dem im Basiswort Genannten/:* Überangebot, -dosis, -eifer, -gewicht, -länge, -produktion, -versicherung. **2. a)** */etwas, was [im Rang, in der Stufenfolge qualitativ] mehr ist als das im Basiswort Genannte; etwas, was einer anderen Sache übergeordnet ist/:* Über-Ich, Überkapazität, -mensch, -name, -vater. **b)** (Jargon) */kennzeichnet eine Steigerung des im Basiswort Genannten, die je nach dem Inhalt positiv oder negativ sein kann/:* Überfahrzeug (Luxusauto), -schulze (ganz große Schulze). **sinnv.:** Super-. **II.** ⟨Präfix /kennzeichnet die räumliche Bedeckung/* Überrock, -strumpf.
über|all [auch: überall] ⟨Adverb⟩: **a)** *an allen Orten, an jeder Stelle /*Ggs. nirgends/: sie haben ihn ü. gesucht. **sinnv.:** allenthalben, allerorten, allerwärts, da und dort, an allen Ecken und Enden,

rings, ringsum, weit und breit. **b)** *bei jeder Gelegenheit:* er drängt sich ü. vor. **sinnv.:** allgemein, durchgängig, durchweg.
über|aus [auch: überaus] ⟨Adverb⟩: *in einem ungewöhnlich hohen Grade:* er ist ü. geschickt. **sinnv.:** enorm, sehr.
Über|blick, der; -[e]s, -e: **a)** */in einer Zusammenfassung vermittelte/ Kenntnisse über ein bestimmtes Gebiet:* ein Ü. über die neuesten Forschungen. **sinnv.:** Abriß, Extrakt, Querschnitt, Resumee, Synopse, Übersicht, Zusammenfassung. **b)** ⟨ohne Plural⟩ *Fähigkeit, ein bestimmtes Gebiet zu überschauen, in seinen Zusammenhängen zu erkennen:* es fehlt ihm an Ü. **sinnv.:** Erfahrung, Kontrolle, Ruhe, Souveränität, Verständnis.
über|blicken ⟨tr.⟩: **1.** *(von einem erhöhten Standort aus) mit den Augen ganz erfassen können:* von hier kann man die Stadt ü. **sinnv.:** überschauen, übersehen. **2.** *einen Überblick über etwas haben:* er hatte die Lage sofort überblickt. **sinnv.:** ermessen, übersehen.
über|dies ⟨Adverb⟩: *über dies alles hinaus:* sie hatte keinen Platz für weitere Gäste, ü. war sie ohne Hilfe im Haushalt. **sinnv.:** auch, außerdem, obendrein, sogar, überhaupt.
Über|druß, der; Überdrusses: *Widerwille, Abneigung gegen etwas (nach zu langer Beschäftigung damit):* er scheint einen gewissen Ü. an seiner Arbeit zu haben; bis zum Ü. **sinnv.:** Abscheu, Ekel, Übersättigung, Unlust. **Zus.:** Lebensüberdruß.
über|ein|an|der ⟨Adverb⟩: **1. a)** *einer über den anderen:* die Bücher ü. legen, nicht stellen. **sinnv.:** aufeinander. **b)** *einer über dem anderen:* die Bücher sollen nicht ü. liegen. **2.** *über sich (gegenseitig):* sie haben ü. gesprochen.
über|ein|kom|men, kam überein, ist übereingekommen ⟨itr.⟩: *eine bestimmte Abmachung mit jmdm. treffen:* er kam mit ihr/sie kamen überein, daß sie ihren Urlaub im Gebirge verbringen wollten. **sinnv.:** abmachen, absprechen, sich abstimmen, sich arrangieren, aushandeln, ausmachen, sich beraten, sich besprechen, sich einig werden, sich einigen, eine Einigung erzielen, handelseinig sein/werden, klarkommen, zu einer Übereinkunft/ ein Übereinkommen treffen, sich verabreden/ vereinbaren/vergleichen/verständigen, sich auf halbem Weg entgegenkommen.
über|ein|stim|men, stimmte überein, hat übereingestimmt ⟨itr.⟩: **1.** *(in einer bestimmten Angelegenheit) mit jmdm./miteinander einer Meinung sein:* wir stimmen darin [nicht] überein. **sinnv.:** billigen. **2.** *miteinander in Einklang stehen:* die Aussagen stimmten nicht überein. **sinnv.:** sich entsprechen/decken/gleichen, harmonieren, zusammenfallen, -passen, -stimmen.
über|fah|ren, überfährt, überfuhr, hat überfahren ⟨tr.⟩: **1.** *mit einem Fahrzeug (über jmdn./ein Tier) hinwegfahren und ihn/es dabei [tödlich] verletzen:* er hat eine alte Frau überfahren. **sinnv.:** über den Haufen fahren, überrollen, umfahren, zusammenfahren; anfahren. **2. a)** *(als Fahrer eines Kraftfahrzeugs o. ä.) unachtsam an etwas vorbeifahren und dabei etwas übersehen:* er hat ein Signal überfahren. **sinnv.:** nicht beachten, mißachten, übersehen. **b)** ↑passieren: wir haben gerade die Grenze des Bundeslandes überfahren. **3.** (ugs.) *jmdn. bei etwas keine Zeit zum Überlegen*

bzw. zu einer Entscheidung o. ä. lassen und ihm so seine eigenen Vorstellungen, seinen eigenen Willen aufzwingen: er hat sie mit seiner Einladung überfahren. **sinnv.:** überrumpeln, übertölpeln.

Über|fall, der; -[e]s, Überfälle: **a)** *überraschender Angriff auf eine Person, Einrichtung o. ä., bei dem der oder die Täter mit [Waffen]gewalt auf jmdn. eindringen, sich seiner bzw. bestimmter Werte zu bemächtigen suchen:* die Zeitungen berichteten ausführlich über den Ü. auf die Bank. **sinnv.:** Anschlag, Attentat, Gewaltstreich, Handstreich, Raubzug. **Zus.:** Raubüberfall. **b)** *(von Militär ausgeführter) überraschender Angriff, Einfall in fremdes Territorium:* ein feindlicher Ü. **sinnv.:** Invasion. **Zus.:** Feuerüberfall.

über|fal|len, überfällt, überfiel, hat überfallen: **1.** ⟨tr.⟩ *auf jmdn./etwas einen Überfall (a) machen:* der Kassierer wurde auf dem Weg zur Bank überfallen. **2. a)** ⟨itr.⟩ *(von Gedanken, Gefühlen, körperlichen Zuständen) überkommen:* jmdn. überfällt eine Ahnung, Müdigkeit. **sinnv.:** befallen. **b)** ⟨tr.⟩ *heftig bedrängen:* die Kinder überfielen ihn mit tausend Fragen. **sinnv.:** bestürmen.

Über|fluß, der; Überflusses: *große, über den eigentlichen Bedarf hinausgehende Menge:* einen Ü. an Nahrungsmitteln haben. **sinnv.:** Luxus, Reichtum, Überangebot, Überfülle, Übermaß, Überschuß.

über|flüs|sig ⟨Adj.⟩: *[über den Bedarf hinausgehend] überzählig oder unnötig, so daß es nicht gebraucht wird:* Maschinen machen die menschliche Arbeitskraft ü. **sinnv.:** abkömmlich, auf dem Abstellgleis, altes Eisen, entbehrlich, gegenstandslos, müßig, überschüssig, überzählig, übrig, das fünfte Rad am Wagen, zuviel.

über|for|dern ⟨tr.⟩: *von jmdm. mehr verlangen, als er (körperlich oder von seinem Wissensstand o. ä. her) leisten kann:* du überforderst ihn mit dieser Aufgabe. **sinnv.:** strapazieren, überbeanspruchen, den Bogen überspannen, zu viel verlangen.

über|füh|ren: I. **überführen/überführen** über/überführte, hat übergeführt/überführt ⟨tr.⟩: *(an einen anderen Ort) bringen:* der Patient wurde in eine Klinik übergeführt/überführt. **sinnv.:** befördern. II. **überführen,** überführte, hat überführt ⟨tr.⟩: *(jmdm. eine Schuld oder Verfehlung) nachweisen:* der Angeklagte wurde [des Verbrechens] überführt.

über|füllt ⟨Adj.⟩: *mit zu vielen Menschen besetzt:* zu Weihnachten waren die Züge ü. **sinnv.:** zum Bersten/bis auf den letzten Platz/gerammelt/gestopft voll, überlaufen.

Über|gang, der; -[e]s, Übergänge: **1. a)** *das Hinübergehen, das Überqueren (von einem Bereich):* der Ü. der Truppen über den Rhein. **b)** *Stelle, an der ein Bereich überquert werden kann:* ein Ü. für Fußgänger. **sinnv.:** Brücke. **2.** *das Fortschreiten und Hinüberwechseln zu etwas anderem, Neuem:* der Ü. vom Schlafen zum Wachen. **3.** *Zeit zwischen zwei Entwicklungsphasen, Epochen o. ä.:* für den Ü. genügt ihm das.

über|ge|ben, übergibt, übergab, hat übergeben: **1.** ⟨tr.⟩ **a)** *(jmdm. etwas) aushändigen und damit in den Besitz von etwas setzen:* der Brief muß [ihm] persönlich übergeben werden. **sinnv.:** aushändigen, ausliefern, geben, herausgeben, liefern. **b)** *als Eigentum geben:* er hat das Geschäft

seinem Sohn übergeben. **sinnv.:** hinterlassen, überschreiben. **2.** ⟨tr.⟩ *(jmdm. eine Aufgabe) übertragen, (die Weiterführung einer bestimmten Arbeit, die weitere Beschäftigung mit jmdm./etwas) überlassen:* der Verbrecher wurde der Polizei übergeben; das Museum der Öffentlichkeit ü. **sinnv.:** überantworten, übertragen. **3.** ⟨tr.⟩ *dem Feind ausliefern:* die Stadt wurde nach schweren Kämpfen übergeben. **sinnv.:** ausliefern. **4.** ⟨ü. + sich⟩ †erbrechen: sie mußte sich mehrmals ü. **sinnv.:** brechen, die Fische füttern, kotzen, Neptun opfern, reihern, speien, spucken.

über|ge|hen: I. **übergehen,** ging über, ist übergegangen ⟨itr.⟩: **1.** *mit etwas aufhören und sich etwas anderem zuwenden:* zu einem andern Thema ü. **sinnv.:** sich mit etwas anderem befassen, überleiten, überspringen, überwechseln, sich anderem zuwenden. **2.** *allmählich (zu etwas anderem) werden:* die Unterhaltung ging in lautes Schreien über. II. **übergehen,** überging, hat übergangen ⟨tr.⟩: **a)** *über jmdn./etwas hinweggehen, jmdn./etwas absichtlich nicht beachten o. ä.:* eine Frage ü.; jmdn. in seinem Testament ü. **sinnv.:** auslassen, mißachten. **b)** *(bestimmte körperliche Bedürfnisse) für eine gewisse Zeit unterdrücken:* den Schlaf ü. **sinnv.:** mißachten.

Über|griff, der; -[e]s, -e: *Handlung, mit der man die Rechte, den Bereich eines anderen verletzt, bestimmte Grenzen überschreitet:* feindliche Übergriffe. **sinnv.:** Angriff, Eigenmächtigkeit, Eingriff, Einmischung, Intervention.

über|ha|ben, hat über, hatte über, hat übergehabt ⟨itr.⟩ (ugs.): **1.** *(als Rest) übrig haben:* er hat von seinem Geld nichts mehr über. **sinnv.:** übrigbehalten. **2.** *(jmds./einer Sache) überdrüssig sein:* ich habe sein ewiges Nörgeln über.

über|hand|neh|men, nimmt überhand, nahm überhand, hat überhandgenommen ⟨itr.⟩: *(von bestimmten negativ bewerteten Dingen o. ä.) zu häufig vorkommen, ein erträgliches Maß übersteigen:* das Ungeziefer nimmt überhand. **sinnv.:** anschwellen, ausarten, sich ausweiten, sich breitmachen, jmdm. zu bunt werden, sich einbürgern, sich häufen, zu einer Landplage werden, strotzen, überwuchern, wimmeln.

über|häu|fen ⟨tr.⟩: *(jmdm.) zuviel von etwas, etwas im Übermaß zukommen, zuteil werden lassen:* man überhäufte sie mit Angeboten, Geschenken. **sinnv.:** eindecken, überschütten.

über|haupt: I. ⟨Adverb⟩: **1.** *aufs Ganze gesehen:* er hat ü. wenig Verständnis dafür. **sinnv.:** genau betrachtet, insgesamt. **2.** *(in Verbindung mit einer Negation) ganz und gar:* davon kann ü. keine Rede sein. **3.** *abgesehen davon:* ich kann dir diesen Vorwurf nicht ersparen, ü., wir müssen uns noch über vieles unterhalten. **sinnv.:** auch, sowieso, überdies. II. ⟨Partikel⟩ /verstärkt eine Frage, bringt Ungeduld oder Ärger des Sprechers zum Ausdruck/ *eigentlich:* was willst du ü.? **sinnv.:** denn.

über|heb|lich ⟨Adj.⟩: *sich selbst überschätzend, in anmaßender Weise auf andere herabsehend.* **sinnv.:** dünkelhaft.

über|ho|len ⟨tr.⟩: **1.** *durch größere Geschwindigkeit einholen und vorbeifahren, -laufen, -gehen o. ä.:* mehrere Autos ü.; ⟨auch itr.⟩ man darf nur links ü. **sinnv.:** hinter sich lassen, überwinden, vorbeifahren, vorbeilaufen. **2.** *durch bessere Lei-*

stungen andere übertreffen, über ihren Leistungsstand hinausgelangen: er hat alle seine Mitschüler überholt. **sinnv.:** übertreffen. **3.** *bes. auf technische Mängel hin überprüfen und instand setzen:* er hat seinen Wagen ü. lassen. **sinnv.:** reparieren.

über|kọm|men, überkam, hat überkommen ⟨itr.⟩: *(von einem Gefühl, einer Gemütsbewegung) ergreifen:* bei diesem Anblick überkam sie Mitleid, Zorn, Angst. **sinnv.:** anrühren, aufsteigen, befallen, erfassen, packen, überfallen, überlaufen, übermannen, überwältigen.

über|lạs|sen, überläßt, überließ, hat überlassen: **1.** ⟨tr.⟩ *jmdm. etwas [gegen Bezahlung] ganz oder zeitweise zur Verfügung stellen:* er hat uns seine Wohnung überlassen. **sinnv.:** abgeben, geben. **2.** ⟨tr.⟩ *jmds. Obhut anvertrauen:* sie überläßt den Hund oft den Nachbarn. **sinnv.:** anvertrauen; befehlen. **3.** ⟨tr.⟩ *jmdn. etwas zumischen, tun lassen, ohne sich einzumischen o.ä.:* die Wahl überlasse ich dir. **sinnv.:** anheimgeben, anheimstellen, selbst entscheiden lassen, freistellen. **4. a)** ⟨sich ü.⟩ *sich einer Empfindung, einem bestimmten seelischen Zustand o.ä. ganz hingeben:* sich seinem Schmerz ü. **sinnv.:** sich befassen. **b)** ⟨tr.⟩ *jmdm. in einer schwierigen Situation (in der er Hilfe o.ä. braucht) nicht zur Seite stehen, ihn allein lassen:* du darfst ihn jetzt nicht sich selbst/seinem Schicksal ü. **sinnv.:** sitzenlassen, im Stich lassen. **5.** ⟨tr.⟩ *nicht selbst tun (wie es eigentlich zu erwarten wäre), sondern einem andern zu tun übriglassen, zuschieben:* ihm wurde die Ausführung des Planes überlassen.

über|lau|fen: I. überlaufen, läuft über, lief über, ist übergelaufen ⟨itr.⟩: **1. a)** *über den Rand eines Gefäßes fließen:* die Milch läuft über. **sinnv.:** überfließen. **b)** *(in bezug auf ein Gefäß) die enthaltene Flüssigkeit nicht mehr fassen, so daß sie über den Rand fließt:* der Topf ist übergelaufen. **sinnv.:** überfließen. **2.** *(als Soldat) auf die Seite des Gegners überwechseln:* er ist [zum Feind] übergelaufen. **sinnv.:** desertieren. **II. überlaufen,** überläuft, überlief, hat überlaufen ⟨itr.⟩: *als unangenehme, bedrohliche Empfindung über jmdn. kommen:* ein Schauder überlief mich. **sinnv.:** überkommen. **III. überlaufen** ⟨Adj.⟩: *von zu vielen Menschen aufgesucht, in Anspruch genommen o.ä.:* der Park ist am Sonntag ü. **sinnv.:** ausgebucht, überfüllt.

über|le|ben: 1. ⟨tr.⟩ *(eine Gefahrensituation) lebend überstehen:* nur die Hälfte der Einwohner hat die Katastrophe überlebt. **sinnv.:** aushalten. **2.** ⟨itr.⟩ *über den Tod eines nahestehenden Menschen hinaus am Leben sein:* er hat seine Frau [um zwei Jahre] überlebt. **sinnv.:** überdauern. **3.** ⟨sich ü.⟩ *nicht mehr in die Zeit passen, veraltet sein:* diese Mode hat sich schnell überlebt. **sinnv.:** außer Gebrauch/aus der Mode kommen, unmodern/unüblich werden, veralten.

über|le|gen: I. ⟨itr.⟩ *sich in Gedanken mit etwas beschäftigen, um zu einer bestimmten Entscheidung zu kommen:* überlege dir alles genau. **sinnv.:** abwägen, bedenken, durchdenken, nachdenken, sehen, überdenken, verarbeiten. **II.** ⟨Adj.⟩ **a)** *einem anderen, andere in bestimmter Hinsicht, an bestimmten Fähigkeiten o.ä. übertreffend:* er ist ihm an Kraft [weit] ü. **sinnv.:** erhaben. **b)** *Überheblichkeit, Herablassung zum Ausdruck bringend:* eine überlegene Miene ü. **sinnv.:** dünkelhaft.

Über|le|gung, die; -, -en: **a)** ⟨ohne Plural⟩ *das Überlegen (vor einer bestimmten Entscheidung):* nach sorgfältiger Ü. sagte er zu. **sinnv.:** Abwägung, Besinnung, Betrachtung, Grübeln, Kopfzerbrechen, Reflexion, Sinnen. **b)** ⟨meist Plural⟩ *Folge von Gedanken, durch die man sich vor einer Entscheidung über etwas klarzuwerden versucht:* Überlegungen anstellen. **sinnv.:** Berechnung, Kalkül, Planung. **Zus.:** Vorüberlegung.

über|lie|fern ⟨tr.⟩: *(etwas, was einen kulturellen Wert darstellt) einer späteren Generation weitergeben:* ein Werk der Nachwelt ü.; überlieferte Bräuche. **sinnv.:** tradieren, vererben, weiterführen.

über|li|sten, überlistete, hat überlistet ⟨tr.⟩: *eine List (gegen jmdn.) anwenden und sich auf diese Weise einen Vorteil verschaffen:* seine Verfolger ü. **sinnv.:** betrügen.

Über|macht, die; -: *große, bes. in militärischer Stärke sich darstellende Überlegenheit:* ein Kampf gegen feindliche Ü. **sinnv.:** Dominanz, Majorität, Mehrheit, Primat, führende Rolle, Superiorität, Übergewicht, Überlegenheit, Vorherrschaft, Vorrangstellung.

über|mit|teln ⟨tr.⟩: **a)** *schriftlich, telegrafisch oder telefonisch mitteilen:* eine Nachricht ü.; jmdm. telegrafisch Glückwünsche ü. **sinnv.:** schicken. **b)** *als Mittler überbringen:* der Bürgermeister übermittelte der Versammlung die Grüße der Stadt. **sinnv.:** ausrichten, bestellen, sagen.

über|mor|gen ⟨Adverb⟩: *an dem Tag, der dem morgigen Tag folgt:* bis morgen ü. zurück.

Über|mut, der; -[e]s: *ausgelassene Fröhlichkeit, die kein Maß kennt:* das hat er aus lauter Ü. getan. **sinnv.:** Leichtsinn.

über|mü|tig ⟨Adj.⟩: *ausgelassen fröhlich, voller Übermut:* übermütige Kinder. **sinnv.:** ausgelassen, außer Rand und Band, stürmisch, toll, unbändig, ungebärdig, ungestüm, wild.

über|nächst... ⟨Adj.⟩: *dem nächsten folgend:* ich verreise im übernächsten Monat. **sinnv.:** folgend, künftig, nächst...

über|nach|ten, übernachtete, hat übernachtet ⟨itr.⟩: *über Nacht an einem bestimmten Ort bleiben und dort schlafen:* bei Freunden ü. **sinnv.:** bleiben, kampieren, sein Lager aufschlagen, logieren, die Nacht verbringen, sich für die Nacht einrichten, nächtigen, Quartier nehmen, schlafen, seine Zelte aufschlagen; absteigen.

Über|nah|me, die; -: *das Übernehmen:* die Ü. eines Amtes. **sinnv.:** Inbesitznahme.

über|neh|men, übernimmt, übernahm, hat übernommen: **1.** ⟨tr.⟩ **a)** *(etwas, was einem übergeben wird oder auf einen übergeht) in Besitz nehmen:* sein Sohn hat das Geschäft übernommen. **sinnv.:** in Besitz nehmen, nachfolgen, weiterführen. **b)** *von einem andern nehmen und für eigene Zwecke verwenden:* der Westdeutsche Rundfunk hat die Sendung übernommen. **sinnv.:** Anleihe. **2. a)** ⟨tr.⟩ *(etwas, was einem übertragen wird) annehmen und sich bereit erklären, die damit verbundenen Aufgaben zu erfüllen:* einen Auftrag ü. **b)** ⟨als Funktionsverb⟩ *die Verantwortung ü. (etwas verantworten);* die Bürgschaft ü. *(für etwas bürgen).* **3.** ⟨sich ü.⟩ *sich etwas vornehmen, dem man seinen (körperlichen, geistigen, finanziellen o.ä.) Kräften nach nicht gewachsen ist:* mit dieser Aufgabe hat er sich übernommen. **sinnv.:** sich überschätzen. **b)** *so viel von sich selbst verlangen, daß die Kräfte versagen:* sie hat sich beim Umzug übernommen. **sinnv.:** sich zuviel zumuten.

über|que|ren ⟨tr.⟩: *sich in Querrichtung über eine Fläche hinwegbewegen:* eine Straße ü. **sinnv.:** passieren, überschreiten.

über|ra|gen ⟨tr.⟩: **1.** *durch seine Größe über jmdn./etwas hinausragen:* er überragte seinen Vater um Haupteslänge. **sinnv.:** größer/höher sein, hinausragen. **2.** *weit übertreffen:* er überragte alle an Mut, Geist. **sinnv.:** übertreffen.

über|ra|schen ⟨tr.⟩: **a)** *als etwas Unerwartetes, mit etwas Unerwartetem in Erstaunen versetzen:* ich war von seiner Leistung überrascht. **sinnv.:** erstaunen. **b)** *bei einem heimlichen oder verbotenen Tun (für den Betroffenen unerwartet) antreffen:* man überraschte ihn beim Diebstahl. **sinnv.:** ertappen, erwischen, überführen; ergreifen.

über|re|den überredete, hat überredet ⟨tr.⟩: *(jmdn.) durch eindringliches Zureden, mit vielen Worten, die ihn überzeugen sollen, dazu bringen, etwas zu tun, was er ursprünglich nicht vorhatte:* er ließ sich ü., mit uns zu kommen. **sinnv.:** bearbeiten, beeinflussen, begeistern, bekehren, belatschern, bereden, beschwatzen, breitschlagen, drängen, erweichen, herumkriegen, interessieren, nötigen, überzeugen, umstimmen, werben.

über|rei|chen ⟨tr.⟩: *(etwas, was jmdm. zum Geschenk gemacht wird, in feierlicher Form) übergeben:* der Preis wurde im Rahmen einer Feier überreicht. **sinnv.:** abgeben, verleihen.

über|schät|zen ⟨Ggs. unterschätzen⟩: **a)** ⟨tr.⟩ *zu hoch einschätzen:* seine Kräfte ü. **sinnv.:** überbewerten. **b)** ⟨sich ü.⟩ *sich nicht richtig einschätzen und sich dadurch mehr zutrauen bzw. mehr zumuten, als man leisten kann:* er neigt dazu, sich zu ü. **sinnv.:** sich einbilden.

über|schau|en ⟨tr.⟩: **1.** *(von einem erhöhten Standort aus) als Ganzes sehen, mit dem Auge erfassen können:* von hier aus überschaut man die Stadt sehr gut. **sinnv.:** überblicken. **2.** *sich ein Bild (von etwas) machen und es (als Ganzes) richtig einschätzen, beurteilen können:* ich überschaue noch nicht ganz, was wir an Material nötig haben. **sinnv.:** erkennen.

über|schla|gen, überschlägt, überschlug, hat überschlagen: **1.** ⟨tr.⟩ *etwas, was Teil einer Abfolge o. ä. ist, auslassen, überspringen:* ein Kapitel ü. **sinnv.:** auslassen. **2.** ⟨tr.⟩ *(die ungefähre Größe einer Summe oder Anzahl) durch kurzes Nachrechnen abschätzen:* die Kosten ü. **sinnv.:** schätzen. **3.** ⟨sich ü.⟩ *nach vorne oder hinten überkippen und sich um die eigene Querachse drehen:* das Auto überschlug sich mehrmals. **sinnv.:** kopfüber stürzen, ein Rad schlagen, einen Salto machen/schlagen, sich überkugeln. **4.** ⟨sich ü.⟩ *(von der Stimme) plötzlich sehr hoch und schrill klingen:* seine Stimme überschlug sich im Zorn.

über|schnei|den, sich; überschnitt sich, hat sich überschnitten: **1.** *sich in einem oder mehreren Punkten schneiden:* die beiden Linien überschneiden sich. **sinnv.:** sich kreuzen, zusammenfallen, zusammentreffen. **2. a)** *zeitlich zusammenfallen:* die Vorlesungen überschneiden sich. **sinnv.:** kollidieren. **b)** *bestimmte Bereiche gemeinsam haben:* die Arbeitsgebiete der beiden Wissenschaftler überschneiden sich. **sinnv.:** sich überlappen.

über|schrei|ten, überschritt, hat überschritten ⟨tr.⟩: **1.** *über etwas hinübergehen:* eine Grenze ü. **sinnv.:** hinüberwechseln, passieren, überqueren, übersteigen. **2.** *(eine Vorschrift) nicht beachten sich nicht (an ein bestimmtes Maß) halten:* seine Befugnisse ü. **sinnv.:** verstoßen.

Über|schrift, die; -, -en *: das, was zur Kennzeichnung des Inhalts über einem Text geschrieben steht:* er hatte in der Zeitung nur die Überschriften gelesen. **sinnv.:** Headline; Aufschrift; Schlagzeile; Titel. **Zus.:** Balken-, Kapitelüberschrift.

Über|schuß, der; Überschusses, Überschüsse: **a)** *Ertrag vor etwas nach Abzug der Unkosten:* durch die billigere Herstellung erzielten sie hohe Überschüsse. **sinnv.:** Ertrag, Plus, Reingewinn. **b)** *eine über den notwendigen Bedarf, über ein bestimmtes Maß hinausgehende Menge:* der Ü. an Frauen wird zurückgehen. **sinnv.:** -explosion, -schwemme, Überfluß.

über|schüt|ten, überschüttete, hat überschüttet ⟨tr.⟩: *(jmdm. etwas) besonders reichlich oder in allzu großem Maße zuteil werden lassen:* jmdn. mit Lob ü. **sinnv.:** eindecken, überhäufen.

Über|schwang, der; -[e]s: *ungewöhnlich großes Maß an Gefühl:* der Ü. der Freude. **sinnv.:** Begeisterung. **Zus.:** Gefühlsüberschwang.

über|schweng|lich ⟨Adj.⟩: *in Gefühlsäußerungen übersteigert [und übertrieben]:* er wurde ü. gelobt. **sinnv.:** begeistert; übertrieben.

über|se|hen: I. übersehen, sieht über, sah über, hat übergesehen ⟨sich ü.⟩ (ugs.): *(etwas) nicht mehr sehen mögen, weil man es schon so häufig gesehen hat:* ich habe mir die Farbe übergesehen. **sinnv.:** eine Sache leid sein/satt haben, einer Sache überdrüssig sein, etwas ist jmdm. über. **II. übersehen,** übersieht, übersah, hat übersehen ⟨tr.⟩: **1.** *(von einem erhöhten Standort aus) einen weiten Blick (über etwas) haben:* von seinem Fenster konnte er den ganzen Platz ü. **sinnv.:** überblicken. **2.** *sich aus verschiedenen Vorgängen im Bild von etwas machen und darüber Bescheid wissen:* die Lage läßt sich jetzt ungefähr ü. **sinnv.:** überblicken. **3.** *unbeabsichtigt oder absichtlich nicht sehen:* er hatte einige Fehler übersehen. **sinnv.:** außer acht lassen, nicht bemerken, etwas entgeht jmdm., ignorieren.

über|set|zen: I. übersetzen, setzte über, hat/ist übergesetzt: **1.** ⟨tr.⟩ *ans andere Ufer befördern:* der Fährmann hat sie übergesetzt. **sinnv.:** hinüberbefördern/-bringen/-fahren. **2.** ⟨itr.⟩ *ans andere Ufer fahren:* wir haben/sind ans andere Ufer übergesetzt. **sinnv.:** hinüberfahren. **II. übersetzen,** übersetzte, hat übersetzt ⟨tr.⟩: *schriftlich oder mündlich in einer anderen Sprache wiedergeben:* einen Text ü. **sinnv.:** dolmetschen, übertragen, verdeutschen, verdolmetschen.

Über|set|zung, die; -, -en: **a)** ⟨ohne Plural⟩ *das Übersetzen:* die Ü. des Textes ist schwierig. **b)** *übersetzte Rede, übersetzter Text:* die Ü. ist zu frei. **sinnv.:** Übertragung, Verdeutschung. **Zus.:** Bibel-, Lehn-, Rohübersetzung.

Über|sicht, die; -, -en: **1.** ⟨ohne Plural⟩ *Fähigkeit, ein bestimmtes Gebiet oder größere Zusammenhänge zu übersehen:* er hat die Ü. verloren. **sinnv.:** Umsicht. **2.** *kurze Tabelle, die ein Verzeichnis enthält:* eine Ü. der unregelmäßigen Verben. **sinnv.:** Beschreibung, Querschnitt, Überblick, Überschau, Zusammenfassung, Zusammenstellung · Diagramm, Graphik, Schaubild, Schautafel, Skizze.

über|sicht|lich ⟨Adj.⟩: *sich leicht überblicken lassend, so daß man die Anlage gut erkennen kann:* die Arbeit war ü. gegliedert. **sinnv.:** übersehbar.

über|spitzt ⟨Adj.⟩: *übertrieben scharf ausgesprochen, unterscheidend; zu genau, zu fein:* einzelne Formulierungen des Redners waren ü. **sinnv.:** übertrieben; überspannt.

über|ste|hen, überstand, hat überstanden ⟨tr.⟩: *(etwas, was mit Schwierigkeiten, Anstrengungen, Schmerzen o. ä. verbunden ist) hinter sich bringen:* eine Krise ü.; er hat die schwere Krankheit überstanden. **sinnv.:** aushalten; durchkommen.

über|stei|gen, überstieg, hat überstiegen: 1. ⟨tr.⟩ *(über etwas) steigen, klettern:* eine Mauer ü. **sinnv.:** überschreiten. 2. ⟨itr.⟩ *über eine gewisse Grenze, die man in Gedanken gezogen hatte, hinausgehen:* das übersteigt unsere Erwartungen. **sinnv.:** übertreffen.

über|stei|gern ⟨tr./sich ü.⟩: *(etwas/sich) zu sehr steigern und über das normale Maß hinausgehen lassen:* die Forderungen dürfen nicht übersteigert werden; ein übersteigertes Selbstbewußtsein. **sinnv.:** übertreffen; übertreiben; steigern.

über|stür|zen: 1. ⟨tr.⟩ *zu hastig tun, ohne sich Zeit für die nötige Überlegung zu nehmen:* er hat seine Reise überstürzt; eine überstürzte Flucht. **sinnv.:** übereilen. 2. ⟨sich ü.⟩ *zu rasch aufeinanderfolgen:* seine Worte überstürzten sich.

über|tra|gen, überträgt, übertrug, hat übertragen: 1. ⟨tr.⟩ a) *von/aus etwas in/auf etwas schreiben oder zeichnen:* die Zwischensumme auf die nächste Seite ü. b) *auf einen anderen Tonträger bringen:* eine Schallplattenaufnahme auf ein Tonband ü. 2. ⟨tr.⟩ ↑*übersetzen:* einen Text aus dem Englischen ins Deutsche ü. 3. ⟨tr.⟩ *auf etwas anderes anwenden, so daß die betreffende Sache auch dort Geltung und Bedeutung hat:* die Gesetze der Malerei dürfen nicht auf die Graphik übertragen werden. **sinnv.:** anwenden. 4. ⟨tr.⟩ *(eine Aufgabe, ein Recht) anvertrauen, (jmdn. mit etwas) beauftragen:* jmdm. eine Arbeit ü. **sinnv.:** abgeben, delegieren, übergeben, weitergeben, zedieren, zuschieben; anvertrauen; beauftragen; ermächtigen. 5. a) ⟨tr.⟩ *(eine Krankheit o. ä.) weitergeben:* die Krankheit kann direkt übertragen werden. b) ⟨sich ü.⟩ *(jmdn.) befallen:* die Krankheit überträgt sich auf Menschen. 6. ⟨tr.⟩ ↑*senden:* der Rundfunk überträgt das Fußballspiel aus London.

über|tref|fen, übertrifft, übertraf, hat übertroffen ⟨tr.⟩: a) *(über die Leistungen anderer auf dem gleichen Gebiet) hinauskommen:* jmds. Leistung ü. **sinnv.:** ausstechen, besser sein, hinter sich lassen, den Rang ablaufen, in den Schatten stellen, in die Tasche/in den Sack stecken, überbieten, überflügeln, überholen, [haushoch/turmhoch] überlegen sein, übergangen, überrunden, übertrumpfen. b) *(über dem eigentlich Erwarteten) liegen; besser sein (als vermutet):* das Ergebnis übertraf die kühnsten Hoffnungen. **sinnv.:** hinausgehen über, überschreiten, übersteigen, übertreffen.

über|trei|ben, übertrieb, hat übertrieben ⟨tr.⟩: 1. *größer, wichtiger oder schlimmer darstellen, als die betreffende Sache wirklich ist* /Ggs. untertreiben/: er hatte die Wirkung etwas übertrieben ⟨auch itr.⟩ er übertrieb maßlos. **sinnv.:** aufbau-

schen, Aufheben[s] machen von, dick auftragen, sich hineinsteigern in, hochspielen, aus einer Mücke einen Elefanten machen, eine Staatsaktion machen, viel Trara machen, überziehen. 2. *(etwas an sich Positives, Vernünftiges o. ä.) zu weit treiben, in übersteigertem Maße tun:* die Sparsamkeit ü.; ⟨auch itr.⟩ es mit der Sparsamkeit ü. **sinnv.:** zu weit gehen.

Über|trei|bung, die; -, -en: 1. a) *das Übertreiben* (1). **sinnv.:** Angabe, Angeberei, Aufschneiderei, Effekthascherei, Großkotzigkeit, Großmannssucht, Großmäuligkeit, Großsprecherei, Großspurigkeit, Imponiergehabe, Prahlerei, Sensationsmache. b) *das Übertreiben* (2). **sinnv.:** Übersteigerung. 2. a) *übertreibende Äußerung.* b) *Handlung, mit der man etwas übertreibt.* **sinnv.:** Auswüchse.

über|tre|ten: I. übertreten, tritt über, trat über, hat/ist übergetreten ⟨itr.⟩: 1. *im Anlauf über die zum Abspringen o. ä. festgelegte Stelle treten:* sein Sprung ist ungültig, weil er übergetreten hat/ist. 2. *seine religiösen, politischen o. ä. Anschauungen ändern und einer anderen Gemeinschaft beitreten:* er ist zur evangelischen Kirche übergetreten. **sinnv.:** sich bekehren, den Glauben/die Konfession wechseln, konvertieren, überwechseln. II. übertreten, übertritt, übertrat, hat übertreten ⟨tr.⟩: *(eine Vorschrift oder ein Gesetz) verletzen, nicht beachten:* ein Verbot ü. **sinnv.:** verstoßen.

über|trie|ben ⟨Adj.⟩: a) *durch Übertreibungen gekennzeichnet:* eine übertriebene Schilderung. **sinnv.:** überspitzt; überschwenglich; überspannt. b) *zu weit gehend, zu stark:* übertriebene Forderungen; er ist ü. ehrgeizig. **sinnv.:** ohne Maß und Ziel, maßlos, nicht mehr normal; sehr.

über|wäl|ti|gen ⟨tr.⟩: 1. *dafür sorgen, daß sich jmd. nicht mehr wehren kann:* der Verbrecher wurde von Passanten überwältigt. **sinnv.:** besiegen. 2. *mit solcher Intensität ergreifen, daß die betreffende Person sich der Wirkung nicht entziehen kann:* die Erinnerung überwältigte ihn. **sinnv.:** befallen.

über|wei|sen, überwies, hat überwiesen ⟨tr.⟩: 1. *auf jmds. Konto einzahlen:* einen Betrag durch die Bank ü. **sinnv.:** anweisen. 2. *zur weiteren Behandlung mit einem entsprechenden Schreiben zu einem anderen Arzt schicken:* der Arzt hat ihn in die Klinik überwiesen.

über|wie|gen, überwog, hat überwogen ⟨itr.⟩: a) *das Übergewicht haben, vorherrschen und das Bild von etwas bestimmen:* in dieser Gesellschaft überwiegt die Toleranz. **sinnv.:** dominieren, das Feld beherrschen, herrschen, stärker sein, vorherrschen, vorwalten, vorwiegen. b) *stärker sein (als etwas):* die Neugier überwog seine Ehrfurcht.

über|win|den, überwand, hat überwunden: a) ⟨tr.⟩ *(einen starken äußeren oder inneren Widerstand) besiegen:* alle Schwierigkeiten ü.; seine Angst ü. **sinnv.:** [hin[weg]kommen, sich hinwegsetzen, verdauen, verkraften, verschmerzen, verwinden; aushalten; bewältigen. b) ⟨tr.⟩ *an einer als falsch erkannten Haltung oder Einstellung nicht festhalten:* diesen Standpunkt hat man heute längst überwunden. **sinnv.:** Abstand nehmen, aufgeben, fallenlassen, sich nicht an etwas klammern. c) ⟨sich ü.⟩ *nach anfänglichem Zögern doch etwas tun, was einem schwerfällt:* er hat sich schließlich überwunden, ihm einen Besuch zu machen. **sinnv.:** sich aufraffen, sich aufrappeln, sich aufschwingen, es über sich bringen, sich ermannen, es übers Herz bringen, sich ein Herz fassen, seinem Herzen einen Stoß geben, sich einen Ruck geben, über seinen eigenen Schatten springen, sich zwingen.

über|zeu|gen ⟨tr./sich ü.⟩: *(jmdm./sich) durch Argumente oder eigene Prüfung Gewißheit über etwas verschaffen; (jmdm./sich) durch Argumente oder eigene Prüfung dahin bringen, daß er/man etwas für wahr oder notwendig hält:* jmdn./sich von der Schuld eines andern ü. **sinnv.:** argumentieren, bekehren, belehren, missionieren.

Über|zeu|gung, die; -, -en: *im: durch jmdn. oder durch eigene Prüfung oder Erfahrung gewonnene Gewißheit:* er war nicht von seiner Ü. abzubringen. **sinnv.:** Ansicht; Glaube.

über|zie|hen: I. überziehen, zog über, hat übergezogen ⟨tr.⟩: *(ein Kleidungsstück) über den Körper oder einen Körperteil ziehen:* ich zog mir einen Pullover über. **sinnv.:** anziehen. II. überziehen, überzog, hat überzogen ⟨tr.⟩: 1. *mit einem Überzug (aus etwas) versehen:* einen Deckel mit Stoff ü. **sinnv.:** bedecken; beziehen. 2. *einen das Guthaben übersteigenden Betrag (von seinem Konto) abheben:* er hatte sein Konto überzogen. 3. *zu weit treiben:* man sollte seine Kritik nicht ü. **sinnv.:** übertreiben.

Über|zug, der; -[e]s, Überzüge: a) *Schicht, mit der etwas überzogen ist:* ein Ü. aus Schokolade. **sinnv.:** Belag. **Zus.:** Gold-, Kunststoff-, Schokoladenüberzug. b) *auswechselbare Hülle:* einen Ü. für einen Sessel nähen. **sinnv.:** Bezug; Schoner. **Zus.:** Kissen-, Schutzüberzug.

üb|lich ⟨Adj.⟩: *den allgemeinen Gewohnheiten, Bräuchen entsprechend, immer wieder vorkommend:* die übliche Begrüßung. **sinnv.:** nicht abwegig, alltäglich, bevorzugt, eingewurzelt, gängig, gang und gäbe, gebräuchlich, gewöhnlich, gewohnt, herkömmlich, landläufig, normal, regelmäßig, regulär, verbreitet, tief verwurzelt, weitverbreitet; gültig. **Zus.:** bank-, branchen-, handels-, landes-, orts-, sprachüblich.

üb|rig ⟨Adj.⟩: *[als Rest] noch vorhanden:* drei Äpfel waren ü. **sinnv.:** restlich, überschüssig, verbleibend, weiter...

üb|ri|gens ⟨Adverb⟩: *um noch etwas hinzuzufügen, nebenbei bemerkt:* ü. könntest du mir noch einen Gefallen tun. **sinnv.:** apropos, nebenbei [bemerkt], notabene, was ich noch sagen wollte, im übrigen; außerdem.

Übung, die; -, -en: 1. ⟨ohne Plural⟩ *das Üben; regelmäßig Wiederholung von etwas, um Fertigkeit darin zu erlangen:* ein Stück zur Ü. spielen; ihm fehlt die Ü. **sinnv.:** Training. 2. a) *[zum Training häufig wiederholte] Folge bestimmter Bewegungen:* eine Ü. am Barren. **sinnv.:** Gymnastik, Kür, Training. **Zus.:** Boden-, Lockerungs-, Pflicht-, Reck-, Turnübung. b) *etwas, was in bestimmter Form zur Erlangung einer guten Technik ausgeführt wird:* er spielt heute nur Übungen [auf dem Klavier]. **Zus.:** Finger-, Klavier-, Schreib-, Stilübung. 3. *Unterrichtsstunde an der Hochschule, bei der die Studenten aktiv mitarbeiten; Seminar.* **Zus.:** Seminarübung. 4. *probeweise durchgeführte Veranstaltung oder Unternehmung, um für den Ernstfall geschult zu sein:* die Feuerwehr rückt

zur Ü. aus. **sinnv.:** Manöver. **Zus.:** Gelände-, Reservisten-, Truppen-, Wehrübung.

Ufer, das; -s, -: *Begrenzung eines Gewässers durch das Festland:* der Fluß ist über die Ufer getreten. **sinnv.:** Gestade, Haff, Kliff, Küste, Strand. **Zus.:** Fluß-, Hoch-, Steilufer.

Uhr, die; -, -en: 1. *Gerät, das die Zeit mißt:* die U. aufziehen, stellen. **sinnv.:** Chronometer, Pendüle, Stundenglas, Wecker, Zeitmesser. **Zus.:** Bahnhofs-, Damen-, Eier-, Kirchen-, Kontroll-, Küchen-, Kuckucks-, Normal-, Pendel-, Quarz-, Sonnen-, Spiel-, Stand-, Stech-, Stopp-, Turm-, Weltzeit-, Zähluhr. 2. ⟨ohne Plural⟩ *bestimmte Stunde der Uhrzeit:* wieviel U. ist es?; Sprechstunde von 16 bis 19 U.

Ulk, der; -[e]s: *Spaß, lustiger Unfug in einer Gruppe:* U. machen. **sinnv.:** Scherz. **Zus.:** Bier-, Studentenulk.

ul|kig ⟨Adj.⟩: *belustigend und komisch wirkend:* ulkige Masken. **sinnv.:** spaßig.

Ul|me, die; -, -n: *Laubbaum mit eiförmigen, gesägten Blättern und büschelig angeordneten Blüten und Früchten* (siehe Bildleiste „Blätter"). **sinnv.:** Rüster.

um: I. ⟨Präp. mit Akk.⟩ 1. *⟨räumlich⟩ (jmdn./etwas) im Kreis umgebend, einschließend:* um das Dorf lagen die Felder. 2. ⟨zeitlich⟩ a) *genau zu einer bestimmten Zeit:* um 12 Uhr. b) *ungefähr zu einer Zeit:* um Ostern [herum]. 3. */stellt in Abhängigkeit von bestimmten Wörtern eine Beziehung zu einem Objekt her/:* er kämpft um sie; sich um etwas sorgen. 4. */kennzeichnet einen Zweck/:* um Hilfe rufen. 5. a) */kennzeichnet einen regelmäßigen Wechsel/:* sie besuchten sich einen um den anderen Tag. b) */kennzeichnet eine ununterbrochene Reihenfolge/:* er zahlte Runde um Runde. 6. *betreffend:* ein Roman um Freud und die Psychoanalyse. 7. */kennzeichnet einen Unterschied bei Maßangaben/:* der Rock wurde um 5 cm gekürzt. 8. */in bestimmten Verbindungen/:* ich würde ihn um alles in der Welt nicht besuchen; er hat mich um mein ganzes Vermögen gebracht. II. 1. /in Verbindung mit einem Personalpronomen in Konkurrenz zu *darum;* bezogen auf eine Sache (ugs.)/: er machte einen guten Vorschlag. Um ihn (statt: darum) geht es. 2. /in Verbindung mit „was" in Konkurrenz zu *worum;* bezogen auf eine Sache)/ a) /in Fragen/: um was (besser: worum) handelt es sich? b) /in relativer Verbindung/: ich weiß, um was (besser: worum) es sich handelt. III. ⟨Adverb⟩ *ungefähr:* ich brauche so um 100 Mark [herum]. IV. ⟨in bestimmten Verbindungen⟩ 1. a) **um so:** wir fahren schon früh am Nachmittag zurück, um so *(desto)* eher sind wir zu Hause. b) **je ... um so:** je früher wir mit der Arbeit anfangen, um so eher sind wir fertig. 2. **um zu** ⟨Konj. beim Inf.⟩ /kennzeichnet einen Zweck/: sie schaltete das Radio ein, um Musik zu hören. **sinnv.:** damit.

um- ⟨verbales Präfix; wenn betont, dann wird getrennt; wenn unbetont, dann nicht trennbar⟩: 1. a) ⟨nicht trennbar⟩ *im Kreis, Bogen, von allen Seiten um etwas/jmdn. herum:* umarmen (er umarmt/umarmte ihn/hat ihn umarmt/um ihn zu umarmen), umfassen, umlagern, umzäunen. b) ⟨wird getrennt⟩ *um einen Körperteil herum:* umbehalten (er behält/behielt die Schürze um/hat die Schürze umbehalten/um sie umzubehalten), umhaben, umhängen. **2.** ⟨wird getrennt⟩ /Richtungsänderung/ **a)** *nach allen Seiten, ringsherum:* sich umblicken (er blickt/blickte sich um/hat sich umgeblickt/um sich umzublicken). **b)** *in eine andere Richtung, Lage:* umbiegen (er biegt/bog um/hat umgebogen/um es umzubiegen). **c)** *auf die andere Seite:* umblättern (sie blättert/blätterte um/hat umgeblättert/um umzublättern). **d)** *um 180 Grad:* sich umdrehen (sie dreht/drehte sich um/hat sich umgedreht/um sich umzudrehen). **3.** ⟨wird getrennt⟩ **a)** *von innen nach außen:* umkrempeln (er krempelt/krempelte den Ärmel um/hat ihn umgekrempelt/um ihn umzukrempeln). **b)** *von unten nach oben:* umgraben (er gräbt/grub um/hat umgegraben/um umzugraben). **4.** ⟨wird getrennt⟩ *von der vertikalen in die horizontale Lage, zu Boden:* umballern (er ballert/ballerte ihn um/hat ihn umgeballert/um ihn umzuballern). **5.** ⟨wird getrennt⟩ **a)** *von einer Stelle, einem Ort an einen anderen, woandershin:* umbetten (man bettet/bettete den Toten um/hat ihn umgebettet/um ihn umzubetten). **b)** *aus einem Behältnis o. ä./von einem Fahrzeug o. ä. in bzw. auf ein anderes:* umfüllen (er füllt/füllte die Milch um/hat sie umgefüllt/um sie umzufüllen). **6.** ⟨wird getrennt⟩ *im Aussehen o. ä. verändern, anders machen:* umarbeiten (er arbeitet/arbeitete um/hat umgearbeitet/um umzuarbeiten). **7.** ⟨wird getrennt⟩ *vorüber /temporal/:* umbringen (er bringt/brachte die Zeit mit Lesen um/hat sie umgebracht/um sie umzubringen). **8.** ⟨wird getrennt⟩ /verstärkend/: umtauschen (er tauscht/tauschte die Krawatte um/hat sie umgetauscht/um sie umzutauschen).

um|ar|men ⟨tr.⟩: *die Arme (um jmdn.) legen:* die Mutter umarmte ihr Kind; sie umarmten sich/einander. **sinnv.:** umfassen.

Um|bau, der; -[e]s, -ten: **1.** ⟨ohne Plural⟩ *bauliche Veränderung von Gebäuden, Räumen o. ä.:* der U. des Hauses kostete viel Geld. **sinnv.:** Ausbau, Neugestaltung, Renovierung, Restaurierung. **2.** *umgebautes Gebäude:* im U. wurde eine Klimaanlage installiert.

um|bie|gen, bog um, hat/ist umgebogen: **1.** ⟨tr.⟩ *auf die Seite, in eine andere Richtung biegen:* er hat den Draht umgebogen. **sinnv.:** falten. **2.** ⟨itr.⟩ *in die entgegengesetzte Richtung gehen oder fahren:* an dieser Stelle sind wir umgebogen.

um|bin|den, band um, hat umgebunden ⟨tr./itr.⟩: *durch Binden am Körper befestigen:* sie band dem Kind, sich eine Schürze um. **sinnv.:** anziehen.

um|blät|tern, blätterte um, hat umgeblättert ⟨itr./tr.⟩: *ein Blatt in einem Buch o. ä. auf die andere Seite wenden:* schneller u.; die Zeitung u. **sinnv.:** umschlagen, umwenden.

um|brin|gen, brachte um, hat umgebracht ⟨tr.⟩: *gewaltsam ums Leben bringen:* jmdn. mit Gift u.; (auch: sich u.) es ist anzunehmen, daß er sich umgebracht hat. **sinnv.:** ermorden, erschießen, erschlagen, erstechen, erwürgen, liquidieren, morden, töten, vergiften; sich entleiben, sich erhängen, sich erschießen, den Freitod wählen, Hand an sich legen, sich das Leben nehmen, freiwillig aus dem Leben scheiden, Selbstmord/Suizid begehen/verüben, sich vergiften, ins Wasser gehen.

um|dre|hen, drehte um, hat umgedreht: **a)** ⟨tr.⟩ *auf die entgegengesetzte Seite drehen:* ein Blatt Papier, den Schlüssel im Schloß u. **sinnv.:** umkehren, umklappen, umschlagen, umstülpen, umwenden, wenden. **b)** ⟨sich u.⟩ *den Kopf so drehen, daß man jmdn./etwas hinter sich sehen kann:* er drehte sich nach ihr um. **sinnv.:** sich umsehen, sich umwenden.

um|fal|len, fällt um, fiel um, ist umgefallen ⟨itr.⟩: **1. a)** *auf die Seite fallen:* die Lampe fiel um. **sinnv.:** kippen, umfliegen, umkippen, umstürzen. **b)** *infolge eines Schwächeanfalls sich nicht mehr aufrecht halten können und [ohnmächtig] zu Boden fallen:* es war so heiß, daß einige Teilnehmer der Kundgebung umfielen. **sinnv.:** bewußtlos werden, das Bewußtsein verlieren, zu Boden gehen/sinken, ohnmächtig werden, schlappmachen, umkippen, umsinken. **2.** (ugs.) *(in einer Art und Weise, die den Betreffenden als unzuverlässig, wortbrüchig o. ä. erscheinen läßt) seinen bisher vertretenen Standpunkt aufgeben:* bei der Abstimmung ist er dann doch noch umgefallen. **sinnv.:** schwach werden, umkippen, umschwenken, weich werden.

Um|fang, der; -[e]s: **1.** *Länge einer die äußere Begrenzung bildenden, zum Ausgangspunkt zurücklaufenden Linie:* den U. des Kreises berechnen. **sinnv.:** Ausmaß. **Zus.:** Brust-, Erd-, Kreis-, Leibesumfang. **2.** *[räumliche] Ausdehnung, Weite eines Körpers, einer Fläche; Gesamtheit dessen, was etwas umfaßt:* der U. des Buches beträgt ca. 500 Seiten; man muß das Problem in seinem vollen U. sehen. **sinnv.:** Ausmaß. **Zus.:** Bedeutungs-, Buch-, Stimmumfang.

um|fas|sen, umfaßt, umfaßte, hat umfaßt: **1.** ⟨tr.⟩ *die Hände (um etwas) legen:* jmds. Hände u. **sinnv.:** umarmen, umfangen, umschließen, umschlingen. **2.** ⟨itr.⟩ *zum Inhalt haben:* die neue Ausgabe umfaßt Gedichte und Prosa. **sinnv.:** einschließen.

Um|fra|ge, die; -, -n: *[systematisches] Befragen einer [größeren] Anzahl von Personen nach ihrer Meinung zu einem Problem o. ä.:* eine U. unter der Bevölkerung hat dies ergeben. **sinnv.:** Befragung, Erhebung, Interview, Publikumsbefragung, Repräsentativerhebung, Volksbefragung. **Zus.:** Blitz-, Hörer-, Verbraucher-, Wähler-, Zuschauerumfrage.

Um|gang, der; -[e]s: *das Befreundetsein, gesellschaftlicher Verkehr (mit jmdm.):* außer mit Bernd hatte er keinen U. **sinnv.:** Freundschaft, Gesellschaft.

Um|ge|bung, die; -, -en: **a)** *das, was als Landschaft, Häuser o. ä. in der Nähe eines Ortes, Hauses o. ä. liegt:* das Haus hat eine schöne U. **sinnv.:** Nachbarschaft, Umgegend, Umkreis. **b)** *Kreis von Menschen oder Bereich, in dem jmd. lebt:* seine nähere U. versuchte alles zu verheimlichen. **sinnv.:** Umwelt.

um|ge|hen: **I.** umgehen, ging um, ist umgegangen ⟨itr.⟩: **1. a)** *im Umlauf sein; sich von einem zum andern ausbreiten:* ein Gerücht, die Grippe geht um. **sinnv.:** kursieren. **b)** *als Gespenst erscheinen:* der Geist soll noch im Schloß u. **sinnv.:** spuken. **2.** *auf bestimmte Weise behandeln:* er geht immer ordentlich mit seinen Sachen um. **sinnv.:** anfassen, begegnen, behandeln, halten, umspringen mit, verfahren mit. **II.** umgehen, umging, hat umgangen ⟨tr.⟩: *(etwas, was eigentlich geschehen müßte) nicht tun oder nicht zustande kommen las-*

sen, weil es unangenehm wäre: ein Thema zu u. versuchen. **sinnv.:** sich entziehen.

um|ge|hend ⟨Adj.⟩: *sofort, bei der ersten Gelegenheit:* die Bestellung wurde u. ausgeführt. **sinnv.:** gleich.

um|ge|kehrt ⟨Adj.⟩: *in genau entgegengesetzter Reihenfolge, genau das Gegenteil darstellend:* in umgekehrter Reihenfolge; die Sache verhält sich genau u. **sinnv.:** andersherum, entgegengesetzt, gegenteilig, konträr.

Um|hang, der; -[e]s, Umhänge: *lose über den Schultern hängendes Kleidungsstück ohne Ärmel.* **sinnv.:** Cape, Pelerine, Plaid, Poncho, Regencape. **Zus.:** Frisier-, Regen-, Spitzenumhang.

um|her ⟨Adverb⟩: *ringsum, nach allen Seiten; bald hier[hin], bald dort[hin].*

um|her- ⟨trennbares, betontes verbales Präfix⟩: **1.** *nach allen Seiten:* umherblicken. **2.** *herum-:* umherlaufen.

Um|kehr, die; -: *das Zurückgehen, das Umkehren:* das schlechte Wetter zwang die Bergsteiger zur U.; U. zum Leben.

um|keh|ren, kehrte um, hat/ist umgekehrt: **1.** ⟨itr.⟩ *nicht in einer bestimmten Richtung weitergehen, sondern sich umwenden und zurückgehen oder -fahren:* er ist umgekehrt, weil der Weg versperrt war. **sinnv.:** drehen, kehrtmachen, umdrehen, wenden. **2.** ⟨tr.⟩ *in die entgegengesetzte Richtung bringen, so daß dabei das Innere nach außen, das Vordere nach hinten kommt o. ä.:* er hat die Taschen seines Mantels umgekehrt. **sinnv.:** umschlagen.

um|kom|men, kam um, ist umgekommen ⟨itr.⟩: **1.** *bei einem Unglück den Tod finden:* in den Flammen u. **sinnv.:** sterben. **2.** *nicht verbraucht werden, sondern so lange liegenbleiben, bis es schlecht geworden ist:* sie läßt nichts u. **sinnv.:** faulen.

um|le|gen, legte um, hat umgelegt ⟨tr.⟩: **1.** *um den Hals, die Schultern, den Körper, einen Körperteil legen:* jmdm./sich eine Kette, einen Pelz u.; einen Verband u. **sinnv.:** anziehen. **2.** *der Länge nach auf den Boden legen:* einen Mast u. **sinnv.:** niederdrücken, umklappen, umknicken. **3.** (ugs.) *kaltblütig erschießen:* die Verbrecher haben den Polizisten einfach umgelegt. **sinnv.:** töten. **4.** *(die Zahlung von etwas) gleichmäßig verteilen:* die Kosten wurden auf die einzelnen Mitglieder umgelegt.

um|lei|ten, leitete um, hat umgeleitet ⟨tr.⟩: *vom bisherigen [direkten] auf einen anderen Weg bringen:* den Verkehr u.; die Post wurde umgeleitet.

um|lie|gend ⟨Adj.⟩: *in der näheren Umgebung, im Umkreis von etwas liegend:* die umliegenden Dörfer. **sinnv.:** nahe.

um|rei|ßen: I. um|reißen, riß um, hat umgerissen ⟨tr.⟩: *mit einer heftigen Bewegung erfassen, so daß die betreffende Person oder Sache umfällt:* das Auto riß mehrere Fußgänger um. **sinnv.:** zu Fall bringen, umfahren, umlaufen, umrennen, umstoßen, umwerfen. **II. um|reißen,** umriß, hat umrissen ⟨tr.⟩: *in großen Zügen, knapp darstellen; das Wesentliche (von etwas) mitteilen:* die Situation in wenigen Worten u. **sinnv.:** entwerfen.

um|rin|gen ⟨tr.⟩: *dicht (um jmdn./etwas) herumstehen:* sie umringten ihn, um die Neuigkeit zu erfahren. **sinnv.:** bedrängen, belagern, sich drängen um, einkreisen, einschließen, umgeben, umschließen, umstellen, umzingeln.

Um|riß, der; Umrisses, Umrisse: *äußere Linie eines Körpers, die sich von dem Hintergrund abhebt:* der U. einer Figur. **sinnv.:** Schattenriß, Silhouette.

Um|satz, der; -es, Umsätze: *Wert oder Menge aller Waren, die in einem bestimmten Zeitraum verkauft wurden:* den U. steigern. **sinnv.:** Absatz.

Um|schlag, der; -[e]s, Umschläge: **1. a)** *etwas, womit etwas, bes. ein Buch, eingeschlagen, eingebunden ist:* einen U. um ein Buch legen. **sinnv.:** Buchhülle, Cover, Einband, Hülle, Schuber, Umhüllung. **Zus.:** Buch-, Schutzumschlag. **b)** *zuklebbare Hülle aus Papier, in der Briefe verschickt werden:* den U. zukleben. **sinnv.:** Briefhülle, Briefkuvert, Kuvert. **Zus.:** Brief-, Frei-, Rückumschlag. **2.** *feuchtes Tuch, das zu Heilzwecken um einen Körperteil gelegt wird:* einen kalten, warmen U. machen. **sinnv.:** Wickel. **3.** *umgeschlagener Rand einer Hose:* eine Hose mit, ohne U. **sinnv.:** Aufschlag. **4.** ⟨ohne Plural⟩ *das Umschlagen (5):* der U. des Wetters, der Stimmung. **sinnv.:** Umschwung, Veränderung; Wetteränderung, Wettersturz, Wetterwechsel. **Zus.:** Meinungs-, Stimmungs-, Wetter-, Witterungsumschlag. **5.** ⟨ohne Plural⟩ *das Umschlagen (3):* in diesem Hafen findet der U. von den Schiffen auf die Eisenbahn statt. **sinnv.:** Einschiffung, Umladung, Verladung. **Zus.:** Güter-, Warenumschlag.

um|schla|gen, schlägt um, schlug um, hat/ist umgeschlagen: **1.** ⟨tr.⟩ *(etwas oder den Rand von etwas) so biegen oder wenden, daß das Innere nach außen kommt:* er hat die Hose umgeschlagen; eine Seite im Buch u. **sinnv.:** umdrehen, umkehren, umkrempeln, umlegen, umstülpen. **2.** ⟨tr.⟩ *durch Schlagen zum Umstürzen bringen:* sie haben Bäume umgeschlagen. **sinnv.:** roden. **3.** ⟨tr.⟩ *(in größeren Mengen und regelmäßig) von einem Fahrzeug, bes. einem Schiff, auf ein anderes Fahrzeug laden:* sie haben im Hafen Güter umgeschlagen. **sinnv.:** umladen, verladen, verschiffen. **4.** ⟨itr.⟩ *sich plötzlich (in seiner ganzen Länge oder Breite) zur Seite neigen und umstürzen:* der Kahn, das Boot ist umgeschlagen. **sinnv.:** umkippen. **5.** ⟨itr.⟩ *plötzlich anders werden, sich ins Gegenteil verwandeln:* das Wetter, die Stimmung ist umgeschlagen. **sinnv.:** sich wandeln.

um|schrei|ben: I. um|schreiben, schrieb um, hat umgeschrieben ⟨tr.⟩: *neu, anders [und besser] schreiben, neu bearbeiten:* einen Aufsatz u. **sinnv.:** ändern. **II. um|schreiben,** umschrieb, hat umschrieben ⟨tr.⟩: **a)** *in großen Zügen ab-, umgrenzend darlegen:* eine Aufgabe mit wenigen Worten u. **sinnv.:** entwerfen. **b)** *nicht mit den zutreffenden, sondern mit anderen, oft verhüllenden Worten ausdrücken:* er suchte nach Worten, mit denen er den Sachverhalt u. konnte.

Um|schwung, der; -[e]s, Umschwünge: *das Sichverändern ins Gegenteil:* der U. der öffentlichen Meinung; der plötzliche U. der Stimmung. **sinnv.:** Umschlag, Veränderung. **Zus.:** Meinungs-, Wetterumschwung.

um|se|hen, sich; sieht sich um, sah sich um, hat sich umgesehen: *sich umwenden, umdrehen, um (jmdn./etwas) zu sehen:* er hat sich noch mehrmals nach ihr umgesehen. **sinnv.:** sich umblicken, sich umgucken, sich umschauen, zurückblicken, zurückschauen, zurücksehen.

um|sonst ⟨Adverb⟩: **1.** *ohne die erwartete oder*

erhoffte Wirkung: sie haben u. gewartet; nicht u. *(nicht ohne Grund)* hielt er sich verborgen. **sinnv.:** für nichts und wieder nichts, vergebens, vergeblich. **2.** *ohne Bezahlung:* er hat die Arbeit u. gemacht; wir durften u. mitfahren. **sinnv.:** kostenlos.

Um|stand, der; -[e]s, Umstände: **1.** *besondere Einzelheit, die für ein Geschehen wichtig ist und es mit bestimmt:* ein unvorhergesehener, entscheidender U.; unter allen Umständen *(unbedingt).* **sinnv.:** Bedingung, Begleiterscheinung, Faktor, Moment, Tatsache. **2.** ⟨Plural⟩ *in überflüssiger Weise zeitraubende, die Ausführung von etwas [Wichtigem] unnötig verzögernde Handlung, Verrichtung o. ä.:* mach doch nicht immer so viele Umstände [mit ihm]. **sinnv.:** Aufwand, Brimborium, Getue.

um|ständ|lich ⟨Adj.⟩: **a)** *nicht gewandt, mehr Zeit als sonst üblich benötigend:* ein umständlicher Mensch; u. nahm er jedes einzelne Buch aus dem Regal. **sinnv.:** unbeholfen, langsam. **b)** *unnötig und daher zeitraubend:* umständliche Vorbereitungen. **sinnv.:** ausführlich.

um|stei|gen, stieg um, ist umgestiegen ⟨itr.⟩: *aus einem Fahrzeug in ein anderes steigen:* Sie müssen in Hannover u.; in die Linie 10 u.

um|stel|len: I. **umstellen,** stellte um, hat umgestellt: **1.** ⟨tr.⟩ *an einen anderen Platz stellen:* Bücher, Möbel u. **sinnv.:** verrücken. **2.** ⟨tr.⟩ *(einen Betrieb) bestimmten Erfordernissen entsprechend verändern:* sie haben ihre Fabrik auf die Herstellung von Kunststoffen umgestellt. **sinnv.:** anpassen, modernisieren. **3.** ⟨sich u.⟩ *sich auf veränderte Verhältnisse einstellen:* ich konnte mich nur schwer auf das andere Klima u. **sinnv.:** sich anpassen. II. **umstellen,** umstellte, hat umstellt ⟨tr.⟩: *sich auf allen Seiten (um jmdn./etwas) aufstellen, so daß niemand entkommen kann:* die Polizei umstellte das Haus. **sinnv.:** umringen.

um|strit|ten ⟨Adj.⟩: *in seiner Gültigkeit, seinem Wert o. ä. nicht völlig geklärt:* eine umstrittene Theorie. **sinnv.:** ungewiß.

Um|sturz, der; -es, Umstürze: *gewaltsame grundlegende Änderung der bisherigen politischen Ordnung:* einen U. planen, vorbereiten. **sinnv.:** Putsch.

um|tau|schen, tauschte um, hat umgetauscht ⟨tr.⟩: *(etwas, was den Wünschen nicht entspricht) zurückgeben und etwas anderes dafür erhalten:* ein Geschenk u. **sinnv.:** eintauschen, tauschen.

Um|weg, der; -[e]s, -e: *Weg, der länger ist als der direkte Weg:* einen U. machen; sein Ziel nur auf Umwegen erreichen.

Um|welt, die; -: **a)** *alles das, was einen Menschen umgibt, auf ihn einwirkt und seine Lebensbedingungen beeinflußt:* die geistige U.; die Verschmutzung der U. **sinnv.:** Atmosphäre, Klima, Lebensbedingungen, Natur. **b)** *Kreis von Menschen, in dem jmd. lebt, mit dem jmd. Kontakt hat, in Beziehung steht:* er fühlt sich von seiner U. mißverstanden. **sinnv.:** Ambiente, Gesellschaft, Lebensbereich, Milieu, soziales Umfeld, Umgebung.

um|zie|hen, zog um, hat/ist umgezogen: **1.** ⟨itr.⟩ *aus einer Wohnung in eine andere ziehen:* er ist in eine größere Wohnung, nach München umgezogen. **sinnv.:** übersiedeln. **2.** ⟨sich u.⟩ *die Kleidung wechseln:* hast du dich zum Essen, fürs Theater

umgezogen? **sinnv.:** sich anders anziehen, sich umkleiden.

um|zin|geln, umzingelte, hat umzingelt ⟨tr.⟩: *(einen Feind oder Fliehenden) auf allen Seiten umgeben und ein Entweichen verhindern:* die Feinde u. **sinnv.:** umringen.

Um|zug, der; -[e]s, Umzüge: **1.** *das Umziehen in eine andere Wohnung:* er hat sich für den U. Urlaub genommen. **sinnv.:** Übersiedelung, Wegzug, Wohnungswechsel. **2.** *Veranstaltung, bei der sich eine größere Gruppe aus bestimmtem Anlaß durch die Straßen bewegt:* politische Umzüge. **sinnv.:** Demonstration. **Zus.:** Karnevalsumzug.

un- ⟨adjektivisches Präfix⟩: /*verneint das im Basiswort Genannte;* enthält im Unterschied zu „nicht" oft eine emotionale Wertung, z. B. nichtchristliche Religion – unchristliche Handlungsweise/: unangepaßt, unappetitlich, unaufmerksam, unausgeglichen, unbedeutend, unbegründet, unbekannt, unbelebt, unbürokratisch, unehelich, unerwünscht, unfair, ungerade, ungeschickt, ungesund, unhöflich, unhygienisch, unpopulär, unrein, unsportlich, unübersehbar, unverbindlich, unzumutbar, unzusammenhängend. **sinnv.:** a- (z. B. amoralisch), außer-, dis-, -frei, in- (bzw. il-, im-, ir-), -leer, -los (z. B. treulos, waffenlos), nicht-, pseudo-, -widrig.

Un- ⟨Präfix⟩: **1. a)** /*drückt die bloße Verneinung aus/:* Unabhängigkeit, Unaufmerksamkeit, Unordnung, Untiefe *(nicht tiefe, flache Stelle),* Unvermögen. **b)** /*drückt aus, daß die als Basiswort genannte Bezeichnung für den Betreffenden/das Betreffende gar nicht zutrifft, daß man ihn/es gar nicht [mehr] als solchen/solches bezeichnen kann/:* Unperson, Untoter (für: Vampir). **c)** /*in Verbindung mit einem wertneutralen oder positiv bewerteten Basiswort, wodurch etwas als vom Üblichen in negativer Weise – zum Falschen, Verkehrten, Schlimmen, Schlechten – Abweichendes charakterisiert wird/:* Unding, Ungeist, Unkultur, Unmensch, Unsitte, Untat *(unmenschliche Tat),* Untier, Unzeit. **sinnv.:** Anti-, Fehl-, Miß-. **2.** ⟨verstärkend; bei Mengenbezeichnungen⟩ *sehr groß, stark:* Unkosten, Unmenge, Unsumme, Untiefe *(sehr große Tiefe),* Unzahl.

un|ab|än|der|lich ⟨Adj.⟩: *nicht mehr zu ändern oder rückgängig zu machen:* eine unabänderliche Entscheidung. **sinnv.:** allemal, definitiv, ein für allemal, endgültig, unumstößlich, unwiderruflich, verbindlich.

un|acht|sam ⟨Adj.⟩: *nachlässigerweise nicht auf etwas achtend:* sie ließ u. eine Tasse fallen. **sinnv.:** achtlos, gedankenlos, gleichgültig, leichtsinnig, nachlässig, sorglos, unachtsam.

un|an|ge|nehm ⟨Adj.⟩: *peinliche Verwicklungen heraufbeschwörend oder Widerwärtigkeiten mit sich bringend:* eine unangenehme Geschichte; es war u. berührt *(ärgerlich, beleidigt),* als sie das hörte; ein unangenehmer *(schlechter)* Geruch. **sinnv.:** abträglich, ärgerlich, beschissen, blamabel, blöd, böse, dumm, fatal, lästig, lausig, leidig, mißlich, mulmig, nachteilig, negativ, peinlich, schlecht, schlimm, störend, übel, unbequem, unerfreulich, unerquicklich, ungemütlich, ungünstig, ungut, unliebsam.

Un|an|nehm|lich|keit, die; -, -en: *unangenehme Sache, die Verdruß bereitet:* wenn Sie sich genau an die Vorschrift halten, können Sie sich Unannehmlichkeiten ersparen. **sinnv.**: Ärger, Ärgernis, Krach, Mißstimmung, Problem, Schererei, Schlamassel, Schweinerei, Schwierigkeit, Tanz, Theater, Unbilden, Unbill, Unstimmigkeiten, Verdrießlichkeit, Verdruß, Widerwärtigkeit, Widrigkeit, Zores.

un|an|sehn|lich ⟨Adj.⟩: *durch seine Ärmlichkeit, Ungepflegtheit oder durch häufigen Gebrauch nicht [mehr] gut aussehend:* das Buch war u. geworden.

un|an|stän|dig ⟨Adj.⟩: *den gesellschaftlichen Anstand verletzend:* eine unanständige Bemerkung; er hat sich u. benommen. **sinnv.**: anstößig, ausschweifend, derb, frivol, lasterhaft, lasziv, liederlich, obszön, pikant, pornographisch, ruchlos, nicht salonfähig, schamlos, schlecht, schlüpfrig, schmutzig, schweinisch, sittenlos, nicht stubenrein, unflätig, ungebührlich, ungehörig, unmoralisch, unschicklich, unsittlich, unsolide, unzüchtig, verderbt, verdorben, verludert, verrucht, verworfen, wüst, zotig, zuchtlos, zweideutig.

un|ar|tig ⟨Adj.⟩: *sich nicht so aufführend, wie es die Erwachsenen von einem Kind erwarten:* die Kinder waren heute sehr u. **sinnv.**: frech.

un|auf|fäl|lig ⟨Adj.⟩: *in keiner Weise hervortretend oder Aufmerksamkeit auf sich lenkend:* ein unauffälliges Aussehen. **sinnv.**: unscheinbar.

un|auf|halt|sam [auch: ụn...] ⟨Adj.⟩: *sich nicht aufhalten lassend, sondern stetig mit der Zeit fortschreitend:* die technische Entwicklung schreitet u. voran. **sinnv.**: unaufhörlich.

un|auf|hör|lich [auch: ụn...] ⟨Adj.⟩: *längere Zeit dauernd, obwohl eigentlich ein Ende erwartet wird:* ein unaufhörliches Geräusch; es regnete u. **sinnv.**: allerwege, alleweil, allezeit, allweil, allzeit, seit alters, von alters her, andauernd, anhaltend, am laufenden Band, beharrlich, beständig, dauernd, seit/wie eh und je, ohne Ende, endlos, ewig, fest, in einem fort, fortdauernd, fortgesetzt, fortwährend, immer, immer schon/noch/wieder, schon/noch immer, immerfort, immerwährend, immerzu, ad infinitum, jahraus, jahrein, jederzeit, seit je[her], von jeher, jeweils, konstant, kontinuierlich, laufend, nach wie vor, alle nase[n]lang/naslang, ohne Pause, pausenlos, permanent, ständig, stet, stetig, stets, tagaus, tagein, Tag und Nacht, in einer Tour, uferlos, rund um die Uhr, unablässig, unausgesetzt, unentwegt, ohne Unterbrechung, ohne Unterlaß, ununterbrochen, zeitlebens.

un|auf|rich|tig ⟨Adj.⟩: *nicht frei und offen seine Überzeugung äußernd, nicht ehrlich in seinen Äußerungen und Handlungen:* ein unaufrichtiger Mensch. **sinnv.**: arglistig, doppelzüngig, falsch, heimtückisch, hinterfotzig, hinterhältig, hinterlistig, link, verlogen, verschlagen.

un|aus|ge|gli|chen ⟨Adj.⟩: *nicht ausgeglichen, sondern von seinen Stimmungen, Launen abhängig:* ein unausgeglichener Mensch. **sinnv.**: sprunghaft, unbeständig, wechselhaft, wetterwendisch.

un|aus|steh|lich [auch: ụn...] ⟨Adj.⟩: *in seinem Wesen nicht auszustehen:* eine unausstehliche Person. **sinnv.**: böse, unerträglich, ungenießbar.

un|barm|her|zig ⟨Adj.⟩: *kein Mitleid habend und seine Hilfe verweigernd:* ein unbarmherziger Mensch. **sinnv.**: brutal, entmenscht, erbarmungslos, gefühllos, gnadenlos, grausam, hart, harther-

zig, herzlos, inhuman, kalt, kaltblütig, krude, lieblos, mitleid[s]los, rabiat, roh, rücksichtslos, schonungslos, unmenschlich, unsozial, verroht, zynisch.

un|be|dacht ⟨Adj.⟩: *nicht genügend überlegt, voreilig:* eine unbedachte Äußerung. **sinnv.**: leichtsinnig, unachtsam.

un|be|deu|tend ⟨Adj.⟩: a) *wenig Bedeutung oder Einfluß habend:* ein unbedeutender Mensch; eine unbedeutende Stellung. **sinnv.**: dumm, flach, unbekannt, unwichtig. b) *sehr klein, sehr wenig, gering:* der Schaden war zum Glück u. **sinnv.**: klein, lausig, lumpig, minimal.

un|be|dingt [auch: unbedịngt] ⟨Adj.⟩: a) ⟨nur attributiv⟩ *uneingeschränkt:* für diese Stellung wird unbedingte Zuverlässigkeit verlangt. **sinnv.**: absolut. b) ⟨nur adverbial⟩ *ohne Rücksicht auf Hindernisse oder Schwierigkeiten; unter allen Umständen:* du mußt u. zum Arzt gehen. **sinnv.**: absolut, auf Biegen oder Brechen, durchaus, auf jeden Fall, mit [aller] Gewalt, koste es, was es wolle, partout, um jeden Preis, auf Teufel komm raus, unter allen Umständen.

un|be|fan|gen ⟨Adj.⟩: *sich in seiner Meinung oder seinem Handeln nicht durch andere gehemmt fühlend:* jmdn. u. ansehen, etwas fragen. **sinnv.**: ungezwungen.

un|be|greif|lich [auch: ụn...] ⟨Adj.⟩: *nicht zu begreifen, zu verstehen:* es ist mir u., wie das kommen konnte; eine unbegreifliche Dummheit. **sinnv.**: rätselhaft, unfaßbar, unklar.

un|be|grenzt ⟨Adj.⟩: *nicht durch etwas begrenzt oder eingeschränkt:* er hat unbegrenzte Vollmacht. **sinnv.**: unendlich.

un|be|grün|det ⟨Adj.⟩: *ohne stichhaltigen Grund; nicht begründet:* dein Mißtrauen ist völlig u. **sinnv.**: grundlos.

un|be|hag|lich ⟨Adj.⟩: a) *ein unangenehmes Gefühl empfindend oder verbreitend:* er fühlte sich u. in seiner Situation. b) ↑*ungemütlich:* ein unbehagliches Zimmer.

un|be|hel|ligt [auch: ụn...] ⟨Adj.⟩: *ohne jede Behinderung, Belästigung:* die Posten ließen ihn u. passieren; er blieb u.

un|be|herrscht ⟨Adj.⟩: *zügellos sich einer Empfindung überlassend oder davon zeugend:* er ist oft u.; eine unbeherrschte Äußerung. **sinnv.**: aufbrausend, auffahrend, cholerisch, heftig, hitzig, hitzköpfig, jähzornig.

un|be|hol|fen ⟨Adj.⟩: *ungeschickt [und sich nicht recht zu helfen wissend], nicht gewandt:* eine unbeholfene Bewegung. **sinnv.**: umständlich, unpraktisch.

un|be|irrt [auch: ụn...] ⟨Adj.⟩: *nicht beirrt, nicht beeinflußt von Hindernissen:* er ist u. seinen Weg gegangen. **sinnv.**: beharrlich, zielstrebig.

un|be|kannt ⟨Adj.⟩: *nicht bekannt; dem eigenen Erfahrungsbereich nicht angehörend; dem Wissen verborgen:* eine unbekannte Gegend; diese Zusammenhänge waren mir u. **sinnv.**: fremd, obskur, unbedeutend.

un|be|küm|mert ⟨Adj.⟩: *keine Sorgen um irgendwelche möglichen Schwierigkeiten erkennen lassend:* ein unbekümmertes Wesen; ihr Lachen klang völlig u. **sinnv.**: sorglos; unbesorgt.

un|be|liebt ⟨Adj.⟩: *nicht beliebt; allgemein nicht gern gesehen:* ein unbeliebter Lehrer; er machte sich durch diese Maßnahme bei allen u. **sinnv.**:

bestgehaßt, mißliebig, unerträglich, unsympathisch, verhaßt, zuwider.

un|be|mannt ⟨Adj.⟩: *mit keiner Besatzung, Mannschaft versehen:* ein unbemanntes Raumschiff.

un|be|merkt ⟨Adj.⟩: *von niemandem bemerkt, beachtet:* der Einbrecher ist u. entkommen. **sinnv.:** diskret, im geheimen, heimlich [still und leise], insgeheim, klammheimlich, in aller Stille, unauffällig, unbeachtet, unbeobachtet, ungesehen, unterderhand, verstohlen.

un|be|quem ⟨Adj.⟩: **1.** *für den Gebrauch nicht bequem:* unbequeme Schuhe; der Stuhl ist u. **2.** *störend, lästig, beunruhigend:* ein unbequemer Politiker. **sinnv.:** unangenehm.

un|be|re|chen|bar [auch: *un...*] ⟨Adj.⟩: *so beschaffen, daß man seine Reaktionen und Handlungen nicht voraussehen kann:* ein unberechenbarer Mensch. **sinnv.:** launenhaft, launisch.

un|be|schrankt ⟨Adj.⟩: *nicht mit Schranken versehen:* ein unbeschrankter Bahnübergang.

un|be|schränkt ⟨Adj.⟩: *nicht durch etwas eingeschränkt:* ein unbeschränkter Kredit; ich besitze sein unbeschränktes (volles, unbegrenztes) Vertrauen. **sinnv.:** selbständig, unendlich.

un|be|schreib|lich [auch: *un...*] ⟨Adj.⟩: **a)** *alles sonst Übliche übertreffend [so daß man keine Worte dafür findet]:* das Durcheinander war u. **sinnv.:** unsagbar. **b)** ⟨verstärkend bei Adjektiven und Verben⟩ *sehr:* sie war u. schön.

un|be|schwert ⟨Adj.⟩: *frei von Sorgen; nicht von etwas bedrückt:* ein unbeschwertes Gemüt. **sinnv.:** sorglos, unbesorgt.

un|be|stän|dig ⟨Adj.⟩: **a)** *seine Absichten oder Meinungen ständig ändernd; in seinen Neigungen oft wechselnd:* ein unbeständiger Charakter. **sinnv.:** unausgeglichen, untreu, unzuverlässig. **b)** *wechselhaft, nicht beständig oder gleichbleibend:* das Wetter ist sehr u. **sinnv.:** veränderlich.

un|be|stech|lich [auch: *un...*] ⟨Adj.⟩: *nicht zu bestechen; sich in seinem Urteil durch nichts beeinflussen lassend:* ein unbestechlicher Mann. **sinnv.:** rechtschaffen.

un|be|wußt ⟨Adj.⟩: *ohne sich über die betreffende Sache eigentlich klar zu sein:* eine unbewußte Angst; er hat u. (instinktiv) das Richtige getan. **sinnv.:** unterbewußt, im Unterbewußtsein [vorhanden], unterschwellig.

un|blu|tig ⟨Adj.⟩: *nicht mit Verletzten oder Toten verbunden; ohne daß Blut vergossen wurde:* ein unblutiger Putsch.

un|brauch|bar ⟨Adj.⟩: *[für eine weitere Verwendung] nicht geeignet, nicht [mehr] zu gebrauchen:* durch falsche Lagerung ist die Waren u. geworden.

und ⟨Konj.⟩: **a)** *drückt aus, daß jmd./etwas zu jmdm./etwas hinzukommt oder hinzugefügt wird/:* arme u. reiche Leute; es ging ihm besser, u. er konnte wieder arbeiten; (bei Additionen zwischen zwei Kardinalzahlen:) drei u. (plus) vier ist sieben. **sinnv.:** samt, sowie, wie, zugleich, zusätzlich, zuzüglich. **b)** *dient der Steigerung und Verstärkung, indem es gleiche Wörter verbindet/:* nach u. nach; er überlegte u. überlegte. **c)** /drückt einen Gegensatz aus/ *aber:* alle verreisen, u. er allein soll zu Hause bleiben? **d)** ⟨in Konditionalsätzen⟩ *selbst wenn:* man muß u. versuchen, u. wäre es noch so schwer. **e)** /elliptisch: verknüpft,

meist ironisch, zweifelnd, abwehrend o. ä., Gegensätzliches, unvereinbar Scheinendes/: ich u. singen?

un|durch|dring|lich [auch: *un...*] ⟨Adj.⟩: **a)** *nicht zu durchdringen, sehr dicht:* der Wald war u. **sinnv.:** dicht, unwegsam, unzugänglich, weglos. **b)** *nicht zu durchschauen oder in seinem eigentlichen Wesen zu erkennen:* eine undurchdringliche Miene. **sinnv.:** verschlossen.

un|echt ⟨Adj.⟩: *künstlich [hergestellt]* /Ggs. echt/: sie trägt unechten Schmuck. **sinnv.:** apokryph, falsch, gefälscht, imitiert, künstlich, nachgebildet, nachgemacht, untergeschoben.

un|ehe|lich ⟨Adj.⟩: *nicht ehelich, nicht aus einer Ehe hervorgegangen* /Ggs. ehelich/: ein uneheliches Kind. **sinnv.:** außerehelich, illegitim, vorehelich.

un|ein|ge|schränkt ⟨Adj.⟩: *ohne Einschränkung geltend, voll:* er verdient uneingeschränktes Lob. **sinnv.:** ausschließlich; bedingungslos.

un|ei|nig ⟨Adj.⟩: *nicht gleicher Meinung seiend:* eine uneinige Partei; sie waren u. [darüber], wie man am besten vorgehen solle. **sinnv.:** entzwei, uneins, verfeindet, zerfallen, zerstritten.

un|end|lich ⟨Adj.⟩: **a)** *unabsehbar groß:* unendliche Wälder; es kostete ihn unendliche Mühe. **sinnv.:** ohne Ende, endlos, grenzenlos, unbegrenzt, unbeschränkt, unermeßlich, ungezählt, unübersehbar, zahllos. **b)** ⟨verstärkend bei Adjektiven und Verben⟩ *sehr:* sie war u. froh; der Kranke hat sich u. über den Besuch gefreut.

un|ent|gelt|lich [auch: *un...*] ⟨Adj.⟩: *umsonst, ohne daß dafür bezahlt zu werden braucht:* sie hat diese Arbeiten u. ausgeführt. **sinnv.:** kostenlos.

un|ent|schie|den ⟨Adj.⟩: **1.** *nicht entschieden:* es ist noch u., ob er das Haus verkauft. **sinnv.:** ungewiß. **2.** ↑unentschlossen: ein unentschiedener Mensch. **3.** *so, daß beide sich gegenüberstehende Mannschaften/Spieler die gleiche Anzahl von Punkten/Toren erzielt haben und kein Sieger oder Verlierer feststeht:* das Spiel, der Kampf endete u. **sinnv.:** remis.

un|ent|schlos|sen ⟨Adj.⟩: *sich nicht entschließen könnend* /Ggs. entschlossen/: ein unentschlossener Mann; sie waren noch u. **sinnv.:** entschlußlos, schwankend, unschlüssig, zaudernd, zögernd.

un|ent|wegt [auch: *un...*] ⟨Adj.⟩: **a)** *stetig, mit großer Geduld und gleichmäßiger Ausdauer [sein Ziel verfolgend]:* u. begann er jedesmal von neuem. **sinnv.:** beharrlich. **b)** ↑unaufhörlich: das Telefon klingelte u.

un|er|bitt|lich [auch: *un...*] ⟨Adj.⟩: *nicht bereit, von seinen Anschauungen oder Absichten abzugehen:* er blieb u. bei seinen Forderungen. **sinnv.:** herrisch, unzugänglich.

un|er|fah|ren ⟨Adj.⟩: *[noch] nicht die nötige Erfahrung besitzend, nicht erfahren:* in der Liebe war sie noch ziemlich u. **sinnv.:** unschuldig, unwissend.

un|er|freu|lich ⟨Adj.⟩: *Ärger oder Unbehagen bereitend:* eine unerfreuliche Angelegenheit. **sinnv.:** ärgerlich, beschissen, blamabel, blöd[e], böse, dumm, fatal, gemein, häßlich, leidig, mißlich, mulmig, nachteilig, negativ, peinlich, schädlich, schlecht, schlimm, unangebracht, unangenehm, unerquicklich, ersprießlich, unerwünscht, ungut, unliebsam, unwillkommen, verdrießlich,

un|er|füll|bar [auch: ụn...] ⟨Adj.⟩: *nicht zu erfüllen:* ihre Wünsche waren u.

un|er|gründ|lich [auch: ụn...] ⟨Adj.⟩: *nicht zu ergründen, unerklärlich:* aus unergründlichen Motiven verstieß er immer wieder gegen die Gesetze. **sinnv.:** unfaßbar.

ụn|er|heb|lich ⟨Adj.⟩: *nicht erheblich, unbedeutend:* an dem Fahrzeug entstand bei dem Unfall nur [ein] unerheblicher Schaden. **sinnv.:** klein, unwichtig.

un|er|hört ⟨Adj.⟩: **I.** ụnerhört: *empörend, unglaublich:* eine unerhörte Frechheit. **sinnv.:** beispiellos, bodenlos, empörend, haarsträubend, hanebüchen, kriminell, pervers, schreiend, skandalös, ungeheuerlich, unglaublich. **II.** ụnerhört: *nicht erfüllt:* die Bitte blieb u.

un|er|klär|lich [auch: ụn...] ⟨Adj.⟩: *mit dem Verstand nicht zu erklären, nicht verständlich:* es ist mir u., wie das geschehen konnte. **sinnv.:** geheimnisvoll, unergründlich, unfaßbar, unklar.

un|er|läß|lich [auch ụn...] ⟨Adj.⟩: *unbedingt nötig:* ein abgeschlossenes Studium ist für diesen Posten u. **sinnv.:** nötig.

un|er|meß|lich [auch: ụn...] ⟨Adj.⟩: *in einem kaum vorstellbaren Maße groß; überaus viel:* er ist u. reich. **sinnv.:** unendlich.

un|er|müd|lich [auch: ụn...] ⟨Adj.⟩: *unentwegt und ausdauernd; mit Ausdauer und Fleiß ein Ziel anstrebend:* unermüdlicher Eifer. **sinnv.:** fleißig, rastlos.

un|er|sätt|lich [auch: ụn...] ⟨Adj.⟩: *nicht zu befriedigen; ungeheuer groß:* unersättliche Neugier. **sinnv.:** ausschweifend, maßlos, unmäßig, unstillbar.

un|er|schöpf|lich [auch: ụn...] ⟨Adj.⟩: *so groß, daß es nicht zu Ende, zur Neige geht:* seine Mittel scheinen u. zu sein.

un|er|schrocken ⟨Adj.⟩: *ohne Furcht:* er trat u. für die gerechte Sache ein. **sinnv.:** mutig.

un|er|schüt|ter|lich [auch: ụn...] ⟨Adj.⟩: *durch nichts aus der Ruhe zu bringen:* mit unerschütterlicher Ruhe ließ er ihre Vorwürfe über sich ergehen. **sinnv.:** beherrscht, standhaft.

un|er|träg|lich ⟨Adj.⟩: **1.** *so stark auftretend, daß man es kaum ertragen kann:* er litt unerträgliche Schmerzen. **sinnv.:** schrecklich. **2.** *unsympathisch; den Mitmenschen lästig seiend:* ein unerträglicher Kerl. **sinnv.:** unausstehlich, unbeliebt.

ụn|fä|hig ⟨Adj.; nicht adverbial⟩: **a)** *nicht die körperlichen Voraussetzungen, die nötige Kraft (für etwas) habend:* er ist seit seinem Unfall u. zu arbeiten. **sinnv.:** ungeeignet, untauglich. **Zus.:** arbeits-, beschluß-, erwerbs-, haft-, kampf-, manövrier-, zahlungs-, zeugungsunfähig. **b)** *seinen Aufgaben nicht gewachsen:* der unfähige Mitarbeiter wurde versetzt.

un|fair ['ʊnfɛːɐ̯] ⟨Adj.⟩: *einem anderen gegenüber einen Vorteil in nicht feiner Weise ausnutzend und ihn dadurch benachteiligend:* der unfaire Spieler wurde vom Platz gewiesen. **sinnv.:** gemein, unkameradschaftlich, unredlich, unschön, unsportlich.

Ụn|fall, der; -[e]s, Unfälle: *Ereignis, bei dem jmd. verletzt oder getötet wird oder materieller Schaden entsteht:* in der Fabrik wurden Maßnahmen ergriffen, um Unfälle zu verhüten. **sinnv.:** Störfall; Unglück. **Zus.:** Arbeits-, Auto-, Reaktor-, Sport-, Verkehrsunfall.

un|faß|bar ⟨Adj.⟩: **a)** *so, daß man es nicht begreifen kann:* ein unfaßbares Wunder. **sinnv.:** geheimnisumwittert, geheimnisvoll, mysteriös, mystisch, rätselhaft, schleierhaft, unbegreiflich, undurchschaubar, unergründlich, unerklärlich, unfaßlich, unklar, unverständlich. **b)** *so, daß man es kaum wiedergeben kann:* unfaßbare Armut. **sinnv.:** unglaublich.

ụn|freund|lich ⟨Adj.⟩: **a)** *ohne Freundlichkeit, ohne Entgegenkommen:* er machte eine unfreundliche Miene; eine unfreundliche Antwort. **sinnv.:** unhöflich; lieblos. **b)** *kalt und regnerisch /vom Wetter/:* am Sonntag war unfreundliches und kaltes Wetter. **sinnv.:** schlecht; unangenehm.

Ụn|fug, der; -[e]s: **1.** *andere belästigendes, störendes Benehmen, Treiben [durch das Schaden entsteht]:* das Beschmieren des Denkmals war in grober U. **sinnv.:** Ungebührlichkeit, Ungehörigkeit, Unwesen. **2.** *etwas Dummes, Törichtes:* rede keinen U.! **sinnv.:** Unsinn.

-ung/-heit, die; -, -en: /*das Suffix* -ung *substantiviert vor allem transitive Verben und bezeichnet die entsprechende Tätigkeit, den entsprechenden Vorgang oder das Ergebnis davon, während* -heit *in Verbindung mit einem Adjektiv oder Partizip des Perfekts die Art und Weise, das Wesen, die Beschaffenheit, Eigenschaft bezeichnet;* oft finden sich beide Bildungen nebeneinander mit den genannten inhaltlichen Unterschieden; im Plural werden diese Wörter gebraucht, wenn einzelne Handlungen oder Zustände gemeint sind; vgl. auch -igkeit, -keit/: Beklemmung/Beklommenheit, Belebung/Belebtheit, Bemühung/Bemühtheit, Beschränkung/Beschränktheit, Erregung/Erregtheit, Isolierung/Isoliertheit, Schließung/Geschlossenheit, Verantwortung/Verantwortlichkeit. **sinnv.:** -ation.

ụn|ge|ach|tet ⟨Präp. mit Gen.⟩: *ohne Rücksicht (auf etwas):* u. wiederholter Mahnungen/wiederholter Mahnungen u. besserte er sich nicht. **sinnv.:** trotz.

ụn|ge|bil|det ⟨Adj.⟩: *von geringer Bildung, geringem Wissen zeugend /Ggs. gebildet/:* sie ist mit einem ungebildeten Flegel verheiratet. **sinnv.:** dumm, primitiv.

Ụn|ge|duld, die; -: *fehlende Geduld, Mangel an innerer Ruhe /Ggs. Geduld/:* voller U. ging er auf und ab. **sinnv.:** Ärger, Drängelei, Heftigkeit, Quengelei, Unleidlichkeit, Unrast.

ụn|ge|fähr: **I.** ⟨Adverb⟩ *nicht ganz genau; möglicherweise etwas mehr oder weniger als:* ich komme u. um 5 Uhr; es waren u. 20 Personen. **sinnv.:** an [die], annähernd, über den Daumen gepeilt, etwa, in etwa, gegen, rund, schätzungsweise, so, überschlägig, vielleicht, wohl, zirka. **II.** ⟨Adj.⟩ *nur ungenau [bestimmt]:* er konnte nur eine ungefähre Zahl nennen. **sinnv.:** annähernd, über den Daumen gepeilt, pauschal, überschlägig.

ụn|ge|fähr|lich ⟨Adj.⟩: *mit keiner Gefahr verbunden, keine Gefahr bringend /Ggs. gefährlich/:* die Kurve ist verhältnismäßig u. **sinnv.:** gefahrlos, harmlos; gutartig, unschädlich, unverfänglich.

ụn|ge|heu|er ⟨Adj.⟩: **a)** *sehr groß, stark:* ein Wald von ungeheurer Ausdehnung. **sinnv.:** astronomisch, gewaltig, übermäßig. **b)** ⟨verstärkend bei Adjektiven und Verben⟩ ↑*sehr:* die Aufgabe ist u. schwer; er war u. erregt.

Ųn|ge|heu|er, das; -s, -: *großes, wildes, furchterregendes Tier* /bes. in Märchen, Sagen o. ä./: in dieser Höhle lebte ein schreckliches U. **sinnv.:** Drache, Lindwurm, Moloch, Monster, Monstrum, Scheusal, Ungetier, Ungetüm, Untier.

ųn|ge|heu|er|lich [auch: ...heu...] ⟨Adj.⟩: *als empörend, skandalös empfunden:* diese Behauptung ist u. **sinnv.:** unerhört.

ųn|ge|hö|rig ⟨Adj.⟩: *die Regeln des Anstands, der guten Sitten verletzend:* er ist schon einige Male durch seine ungehörigen Antworten aufgefallen. **sinnv.:** frech, lasterhaft, unanständig, ungebührlich, unpassend.

ųn|ge|hor|sam ⟨Adj.⟩: *sich dem Willen, den Anordnungen einer Autoritätsperson widersetzend:* die Eltern hatten Mühe mit ihr, sie war frech und u. **sinnv.:** aufmüpfig, aufrührerisch, aufsässig, rebellisch, renitent, unfolgsam.

ųn|ge|mein ⟨Adj.⟩: a) *sehr groß, stark:* er hat ungemeine Fortschritte gemacht. b) ⟨verstärkend bei Adjektiven und Verben⟩ ↑*sehr:* er ist u. fleißig; dein Besuch hat ihn u. gefreut.

ųn|ge|müt|lich ⟨Adj.⟩: *eine unangenehme, unbehaglich-kalte Atmosphäre verbreitend:* ein ungemütlicher Raum; hier ist es u. und kalt. **sinnv.:** rauh, unangenehm, unbehaglich, unbequem.

ųn|ge|nieß|bar [auch: ...nieß...] ⟨Adj.⟩: a) *zum Essen, Trinken ungeeignet:* dieser Pilz ist u. **sinnv.:** alt, faul, faulig, gärig, giftig, madig, ranzig, sauer, schimmelig, schlecht, unschmackhaft, verdorben, verfault, versalzen, wurmstichig. b) (ugs.) *(im Urteil des Sprechers) unerträglich:* der Film war u. **sinnv.:** schlecht gelaunt, schlecht, übellaunig, unausstehlich.

ųn|ge|nü|gend ⟨Adj.⟩: *deutliche Mängel aufweisend, in keinem ausreichenden Maß [vorhanden]:* er hatte seinen Vortrag u. vorbereitet. **sinnv.:** unzulänglich.

ųn|ge|ra|de ⟨Adj.⟩: *(von Zahlen) durch zwei nur mit einem verbleibenden Rest teilbar:* die u. Zahl 31.

ųn|ge|rührt ⟨Adj.⟩: *keine innere Beteiligung zeigend:* er sah u. zu, als das Tier geschlachtet wurde. **sinnv.:** gleichgültig, kalt, kaltschnäuzig, unbarmherzig, unbeeindruckt, unbeteiligt.

ųn|ge|schickt ⟨Adj.⟩: a) *(im Benehmen o. ä.) linkisch und unbeholfen:* ich bin zu u., um das zu reparieren. b) *(in Ausdrucksweise o. ä.) unsicher und unbeholfen:* ich hatte mich wohl zu u. ausgedrückt, denn sie verstanden mich nicht. **sinnv.:** hilflos, umständlich, unverständlich.

ųn|ge|stüm ⟨Adj.⟩: *ohne jede Zurückhaltung seinem Temperament, seiner Erregung Ausdruck gebend:* mit einer ungestümen Umarmung begrüßte er mich; er sprang u. auf. **sinnv.:** übermütig, vehement.

ųn|ge|wiß ⟨Adj.⟩: *(in bezug auf etwas, was kommen wird) unbestimmt, unsicher* /Ggs. gewiß/: es ist noch u., ob er heute kommt. **sinnv.:** fraglich, offen, unbestimmt, unentschieden, ungeklärt, unsicher, windig, zweifelhaft, zwiespältig.

ųn|ge|wöhn|lich ⟨Adj.⟩: 1. *vom Gewohnten, Üblichen, Erwarteten abweichend:* das Denkmal sieht u. aus. **sinnv.:** ausgefallen, außergewöhnlich, fremd. 2. a) *das gewohnte Maß übersteigend:* schon in jungen Jahren hatte sie ungewöhnliche Erfolge. **sinnv.:** außergewöhnlich, beachtlich. b) ⟨verstärkend bei Adjektiven und Verben⟩ ↑ *sehr:*

eine u. schöne Frau; die Schauspielerin ist u. vielseitig.

Ųn|ge|zie|fer, das; -s: *bestimmte [schmarotzende] tierische Schädlinge* /bes. Insekten/: das Haus war voller U.; ein Mittel gegen U. aller Art.

ųn|ge|zo|gen ⟨Adj.⟩: *(bes. von Kindern) im Verhalten, Benehmen anderen gegenüber frech und ungebührlich:* sie hat ungezogene Kinder; deine Antwort war sehr u. **sinnv.:** frech, keck, pampig, patzig, vorlaut.

ųn|ge|zwun|gen ⟨Adj.⟩: *natürlich, frei und ohne Hemmungen (in seinem Verhalten):* ihr ungezwungenes Wesen machte sie bei allen beliebt. **sinnv.:** aufgelockert, burschikos, entspannt, formlos, gelockert, gelöst, hemdsärmelig, hemmungslos, lässig, leger, locker, natürlich, nonchalant, salopp, unbefangen, ungehemmt, ungekünstelt, ungezwungen, zwanglos.

ųn|gläu|big ⟨Adj.⟩: 1. *nicht an Gott glaubend* /Ggs. gläubig/: er versuchte die ungläubigen Menschen zu bekehren. **sinnv.:** atheistisch, gottesleugnerisch, gottlos, heidnisch. 2. *Zweifel [an der Richtigkeit von etwas] erkennen lassend:* als er ihr die Geschichte erzählt hatte, lächelte sie u. **sinnv.:** argwöhnisch, zweifelnd.

ųn|glaub|lich ⟨Adj.⟩: 1. *so unwahrscheinlich, daß man es nicht glauben kann:* es ist u., was sie in so kurzer Zeit geleistet hat. 2. (ugs.) a) *sehr groß, stark:* sie legte ein unglaubliches Tempo vor. b) ⟨verstärkend bei Adjektiven und Verben⟩ ↑*sehr:* er ist u. frech; er hat u. geprahlt.

Ųn|glück, das; -[e]s, -e: 1. *plötzlich hereinbrechendes, einen oder viele Menschen treffendes, unheilvolles, trauriges Ereignis oder Geschehen:* der Pilot konnte ein U. gerade noch verhindern. **sinnv.:** Katastrophe, Panne, Unfall, Unglücksfall, Untergang. Zus.: Auto-, Gruben-, Zugunglück. 2. ⟨ohne Plural⟩ *[persönliches] Mißgeschick:* Glück im U. haben. **sinnv.:** Desaster, Leid, Malheur, Mißgeschick, Pech, Pechsträhne, Schlag, Schreknis, Tragik, Tragödie, Übel, Ungemach, Unheil, Unstern.

ųn|glück|lich ⟨Adj.⟩: 1. *traurig und bedrückt:* er war sehr u. über diesen Verlust. **sinnv.:** bekümmert. Zus.: kreuz-, sterbens-, todunglücklich. 2. *sich äußerst ungünstig auswirkend:* sein Sturz war so u., daß er sich ein Bein brach. **sinnv.:** unglückselig, unheilvoll, verhängnisvoll, widrig.

ųn|gnä|dig ⟨Adj.⟩: *gereizt und unfreundlich:* sie reagierte u. auf seine Frage. **sinnv.:** schlecht gelaunt, mißmutig, übellaunig.

ųn|gül|tig ⟨Adj.⟩: *keine Gültigkeit [mehr] habend:* eine ungültige Fahrkarte. **sinnv.:** abgelaufen, verfallen.

ųn|gün|stig ⟨Adj.⟩: *eine nachteilige, negative Wirkung habend:* ungünstiges Klima; die Sache ist u. für ihn ausgegangen. **sinnv.:** unangenehm, unvorteilhaft.

ųn|gut ⟨Adj.⟩: *[von vagen Befürchtungen begleitet und daher] unbehaglich:* er hatte ein ungutes Gefühl bei dieser Sache. **sinnv.:** unangenehm, unerfreulich.

ųn|halt|bar [auch: ...halt...] ⟨Adj.⟩: a) *Besserung erfordernd; dringend der Änderung bedürfend:* in dieser Firma herrschen unhaltbare Zustände. **sinnv.:** indiskutabel, unerträglich, unmöglich, untragbar, unzumutbar. b) *in seiner derzeitigen Form, Beschaffenheit nicht [mehr] gültig, gerecht-*

fertigt: unhaltbare Theorien. **sinnv.:** ungerechtfertigt, unzutreffend.

un|hand|lich ⟨Adj.⟩: *wegen seiner Größe, seines Gewichts o. ä. schwer zu handhaben:* ein unhandlicher Koffer. **sinnv.:** sperrig, unpraktisch.

Un|heil, das; -[e]s: *verhängnisvolles, schreckliches Geschehen, das einem oder vielen Menschen großes Leid, großen Schaden zufügt:* das U. des Krieges. **sinnv.:** Unglück.

un|heil|bar [auch: un...] ⟨Adj.⟩: *so geartet, daß keine Heilung möglich ist:* eine unheilbare Krankheit. **sinnv.:** unrettbar, verloren.

un|heil|voll ⟨Adj.⟩: *Unheil mit sich bringend:* die unheilvolle Entwicklung der Politik eines Landes. **sinnv.:** bedrohlich, unglücklich.

un|heim|lich [auch: ...heim...] ⟨Adj.⟩: **1.** *ein unbestimmtes Gefühl der Angst, des Grauens hervorrufend:* in dem einsamen Haus war es ihr u. [zumute]. **sinnv.:** anrüchig, beklemmend, dämonisch, finster, gespenstisch, gruselig, makaber, schauerlich, schaurig. **2.** (ugs.) **a)** *sehr groß, stark:* ein unheimliches Durcheinander. **b)** ⟨verstärkend bei Adjektiven und Verben⟩ ↑*sehr:* sie hat sich über die Blumen u. gefreut.

un|höf|lich ⟨Adj.⟩: *gegen Takt und Umgangsformen verstoßend:* ich hatte nach dem Weg gefragt, bekam aber nur eine unhöfliche Antwort. **sinnv.:** abweisend, bärbeißig, barsch, brüsk, derb, flegelhaft, plump, rauh, rüde, rüpelhaft, ruppig, saugrob, unfreundlich, ungehobelt.

Uni|form [auch: Uni...] die; -, -en: *in Material, Form und Farbe einheitlich gestaltete Kleidung, die bei Militär, Polizei, Post o. ä. im Dienst getragen wird:* die Polizisten tragen eine grüne U. **sinnv.:** Dienstkleidung, Livree. **Zus.:** Ausgangs-, Ausgeh-, Gala-, Polizeiuniform.

Uni|on, die; -, -en: *Bund, Zusammenschluß (bes. von Staaten):* die Staaten schlossen sich zu einer U. zusammen. **sinnv.:** Vereinigung. **Zus.:** Personal-, Sowjet-, Währungs-, Zollunion.

Uni|ver|si|tät, die; -, -en: *in mehrere Fakultäten gegliederte Anstalt für wissenschaftliche Ausbildung und Forschung.* **sinnv.:** Hochschule. **Zus.:** Abend-, Fern-, Sommeruniversität.

Uni|ver|sum, das; -s: ↑Weltall.

un|kennt|lich ⟨Adj.⟩: *so verändert, entstellt, daß jmd. oder etwas nicht mehr zu erkennen ist:* die Schminke hatte sein Gesicht [völlig] u. gemacht.

Un|kennt|nis, die; -: *das Nichtwissen; mangelnde Kenntnis:* aus U. etwas falsch machen. **sinnv.:** Ahnungslosigkeit, Bildungslücke, Dummheit, Engstirnigkeit, Ignoranz, Kurzsichtigkeit, Unerfahrenheit, Uninformiertheit, Unwissenheit, Wissenslücke.

un|klar ⟨Adj.⟩: **1. a)** *nur unbestimmt und vage:* unklare Vorstellungen von/über etwas haben. **sinnv.:** allgemein, diffus, dumpf, dunkel, nebelhaft, unbestimmt, ungenau, unverbindlich, vage, verschwommen. **b)** *nur undeutlich zu erkennen:* einen Gegenstand in der Ferne nur u. erkennen. **sinnv.:** schemenhaft, undeutlich, ungenau, unscharf, vage, verschwommen. **2.** *so beschaffen, daß man es kaum verstehen, begreifen kann:* er drückt sich zu u. aus. **sinnv.:** diffus, undeutlich, ungenau, unverständlich, vage, verschwommen, verworren.

un|klug ⟨Adj.⟩: *taktisch, psychologisch ungeschickt:* es war sehr u. von mir, ihm das zu sagen.

sinnv.: dumm, undiplomatisch, unvernünftig, un vorsichtig.

Un|ko|sten, die ⟨Plural⟩: **a)** *[unvorhergesehene Kosten, die neben den normalen Ausgaben entste hen:* durch seinen Umzug nach München sin ihm diesen Monat große U. entstanden. **b)** (ugs. *finanzielle Ausgaben:* hatten Sie U.? **sinnv.:** Auf wand, Aufwendungen, Ausgaben, Auslagen, Ko sten, Kostenaufwand, Leistungen. **Zus.:** Rei seunkosten.

Un|kraut, das; -[e]s: *Gesamtheit der Pflanzer die für den Menschen in störender, unerwünschte Weise zwischen angebauten Pflanzen wild wach sen.*

Un|lust, die; -: *Mangel an Lust, an innerem An trieb:* er ging mit U. an die Arbeit. **sinnv.:** Bitter keit, Bitternis, Mißbehagen, Mißfallen, Mißmut Überdruß, Unbehagen, Unzufriedenheit, Verbit terung, Verdrossenheit, Verstimmung, Widerwil le. **Zus.:** Arbeitsunlust.

un|mä|ßig ⟨Adj.⟩: **a)** *(im Urteil des Sprechers kein Maß einhaltend:* er ist u. in seinen Forderun gen. **sinnv.:** maßlos, unersättlich, unstillbar. **b** *sehr groß, stark:* er hatte ein unmäßiges Verlan gen nach dieser Speise. **c)** ⟨verstärkend bei Ad jektiven⟩ ↑*sehr:* sein Hunger war u. groß.

Un|men|ge, die; -, -n: *überaus große Menge:* ma hat heute eine U. Äpfel gegessen; eine U. an/vo Büchern.

Un|mensch, der; -en, -en: *jmd., der (im Urtei des Sprechers) unmenschlich ist:* wer seine Kinde so sehr verprügelt, ist ein U. **sinnv.:** Barbar, Leu teschinder, Menschenschinder, Rohling, Un hold.

un|mensch|lich [auch: unmẹnschlich] ⟨Adj.⟩: **1.** *roh und brutal gegen Menschen oder Tiere; ohne menschliches Mitgefühl (im Urteil des Sprechers)* / Ggs. menschlich/: die Gefangenen wurden u. behandelt. **sinnv.:** unbarmherzig. **2. a)** *sehr groß, stark:* sie mußten unmenschliche Schmerzen ertragen. **b)** ⟨verstärkend bei Adjektiven und Verben⟩ ↑ *sehr:* es ist u. kalt.

un|miß|ver|ständ|lich ⟨Adj.⟩: *klar und eindeutig; keinen Zweifel aufkommen lassend:* er hat eine unmißverständliche Absage erhalten; seine Meinung u. sagen. **sinnv.:** nachdrücklich.

un|mit|tel|bar ⟨Adj.⟩: *ohne räumlichen oder zeitlichen Abstand, ohne vermittelndes Glied:* in unmittelbarer Nähe des Hauses; u. nach dir; sich u. an den Chef wenden. **sinnv.:** dicht, direkt, gleich, live, mitten. **Zus.:** reichsunmittelbar.

un|mo|dern ⟨Adj.⟩: *dem Geschmack, dem Stil, den Gegebenheiten der Gegenwart entgegenstehend:* ein unmoderner Hut; diese Ansichten sind ziemlich u. **sinnv.:** altmodisch, konservativ, rückständig.

un|mög|lich [auch: unmög...]: **I.** ⟨Adj.⟩ **1.** *so beschaffen, daß es nicht durchzuführen, nicht denkbar ist:* es ist [uns] u., die Ware heute schon zu liefern. **sinnv.:** indiskutabel, undenkbar, undurchführbar, unhaltbar. **2.** (emotional) *in als unangenehm empfundener Weise von der Erwartungsnorm abweichend; sehr unpassend:* sie trug einen unmöglichen Hut; du hast dich u. benommen. **sinnv.:** indiskutabel, ungehörig. **II.** ⟨Adverb⟩ *keinesfalls, unter keinen Umständen:* das geht u. **sinnv.:** nein.

un|mo|ra|lisch ⟨Adj.⟩: *gegen Sitte und Moral*

erstoßend: ein unmoralisches Leben führen. **nnv.**: lasterhaft, unanständig.

Un|mut, der; -[e]s: *durch Enttäuschung, Unzuriedenheit o. ä. hervorgerufene Verstimmtheit:* sie onnte ihren U. über sein schlechtes Benehmen icht verbergen. **sinnv.**: Ärger, Verstimmung.

n|nach|ahm|lich [auch: ...ahm...] ⟨Adj.⟩: *in eier Art, die als einzigartig, unvergleichlich empfunen wird:* er hat eine unnachahmliche Gabe, Ge:hichten zu erzählen. **sinnv.**: einzigartig, unverleichlich, unverwechselbar, vorbildlich.

n|nah|bar [auch: un...] ⟨Adj.⟩: *jeden Versuch eier Annäherung mit kühler Zurückhaltung beantortend:* er wagte nicht, sie anzusprechen, weil e ihm immer so u. erschienen war. **sinnv.**: abeisend, unzugänglich.

n|na|tür|lich ⟨Adj.⟩: **a)** *zu einem als natürlich ngesehenen Verhalten, Aussehen o. ä. im Widerpruch stehend:* ihr Gesicht hatte eine unnatürlihe Blässe. **sinnv.**: anormal. **b)** *unecht wirkend:* :ine Fröhlichkeit war u. **sinnv.**: affektiert, geünstelt, künstlich.

n|nütz ⟨Adj.⟩: *zu nichts taugend; keinen Nutzen, Gewinn bringend:* mach dir keine unnützen Geanken darüber; es ist u., darüber zu streiten. **nnv.**: nutzlos.

In|ord|nung, die; -: *durch das Fehlen von Ordung gekennzeichneter Zustand:* in seinem Zimner herrschte große U. **sinnv.**: Liederlichkeit, chlamperei, Wirrwarr, Wirtschaft; Durcheinaner.

n|par|tei|isch ⟨Adj.⟩: *(in seinem Urteil) von keier Seite beeinflußt; keine Partei ergreifend:* er beühte sich, bei diesem Streit u. zu sein. **sinnv.**: erecht, neutral, sachlich, unbefangen, unvoreinenommen, wertfrei, wertneutral.

n|pas|send ⟨Adj.⟩: *(in Anstoß oder Mißfallen rregender Weise) unangebracht, unangemessen:* ne unpassende Bemerkung machen. **sinnv.**: delaziert, peinlich, fehl am Platz, ungeeignet, unchicklich, verfehlt.

n|per|sön|lich ⟨Adj.⟩: *kein individuelles, perönliches Gepräge aufweisend; alles Persönliche, Emotionale vermeidend, unterdrückend:* der Brief var in sehr unpersönlichem Stil geschrieben. **nnv.**: formell, sachlich.

In|rast, die; -: *innere Unruhe, die jmdn. dazu reibt, sich ständig zu betätigen:* seine U. ließ ihn icht zur Ruhe kommen. **sinnv.**: Getriebensein, Lampenfieber, Nervosität, Ruhelosigkeit, Umergetriebensein, Ungeduld, Unruhe.

In|recht, das; -[e]s: **a)** *dem Recht entgegengeetztes Prinzip:* gegen das U. ankämpfen. **sinnv.**: Gesetzwidrigkeit, Ungerechtigkeit, Ungesetzlicheit, Unrechtmäßigkeit. **b)** *als falsch, verwerflich empfundene Tat:* sie hat damit ein großes U. beangen. **sinnv.**: Schuld, Verstoß.

n|red|lich ⟨Adj.⟩ (geh.): *(im Urteil des Sprehers) keine Rechtschaffenheit und Aufrichtigkeit erkennen lassend:* ein unredlicher Kaufmann. **innv.**: betrügerisch, falsch, gleisnerisch, illoyal, ügenhaft, lügnerisch, scheinheilig, unaufrichtig, unfair, unlauter, unlauter, unsolide, verlogen.

Jn|ru|he, die; -, -n: **1.** ⟨ohne Plural⟩ *Mangel an Ruhe; durch Lärm, ständige Bewegung o. ä. herorgerufene Störung:* er konnte die U., die in dem Raum herrschte, nicht länger ertragen. **sinnv.**: Lärm. **2.** ⟨ohne Plural⟩ **a)** *durch Angst und Sorge*

gekennzeichnete Stimmung: als die Kinder nicht kamen, wuchs ihre U. **sinnv.**: Anspannung, Besorgnis, Beunruhigung, Nervosität. **b)** *unter einer größeren Anzahl von Menschen herrschende, von Unmut, Unzufriedenheit oder Empörung gekennzeichnete Stimmung:* nach diesen Verordnungen wuchs die U. im Volk. **3.** ⟨Plural⟩ *meist politisch motivierte, die öffentliche Ruhe, den inneren Frieden störende, gewalttätige, in der Öffentlichkeit ausgetragene Auseinandersetzungen:* bei den Unruhen wurden mehrere Menschen verletzt. **sinnv.**: Aufruhr. **Zus.**: Arbeiter-, Rassen-, Studentenunruhen.

un|ru|hig ⟨Adj.⟩: **1. a)** *ständig in Bewegung befindlich:* die Tiere liefen u. in ihrem Käfig auf und ab. **sinnv.**: ruhelos. **b)** *durch Unruhe (1) gekennzeichnet:* er wohnt in einer unruhigen Gegend. **sinnv.**: laut. **2.** *von Unruhe (2 a) erfüllt:* sie wartete u. auf die Rückkehr der Kinder. **sinnv.**: fahrig, hektisch, nervös.

un|schäd|lich ⟨Adj.⟩ *keine schädliche Wirkung habend; keinen Schaden bringend:* unschädliche Insekten; dieses Mittel ist völlig u. **sinnv.**: ungefährlich.

un|schein|bar ⟨Adj.⟩: *keinen besonderen Eindruck machend; ohne charakteristische, einprägsame Merkmale:* der Angeklagte ist klein und u. **sinnv.**: einfach, unauffällig.

un|schön ⟨Adj.⟩: *eine menschlich unerfreuliche Haltung erkennen lassend:* es war sehr u. von dir, ihn so zu behandeln. **sinnv.**: häßlich, unanständig, unfair, unfreundlich.

Un|schuld, die; -: **1.** *das Freisein von Schuld:* er konnte seine U. nicht beweisen. **sinnv.**: Schuldlosigkeit. **2.** *sittliche Reinheit:* ein Ausdruck von U. lag auf ihrem Gesicht.

un|schul|dig ⟨Adj.⟩: **1.** *frei von Schuld:* er ist an dem Unfall nicht ganz u. **sinnv.**: schuldlos, unverschuldet. **2. a)** *sittlich rein:* ein junges, unschuldiges Mädchen. **sinnv.**: anständig. **b)** *nichts Schlechtes, Böses ahnend, vorhabend, darstellend:* laß ihm doch sein unschuldiges Vergnügen! **sinnv.**: arglos, unerfahren.

un|ser ⟨Possessivpronomen⟩ /bezeichnet ein Besitz- oder Zugehörigkeitsverhältnis einer die eigene Person einschließenden Gruppe/: unser Haus ist größer als eures; unsere Waschmaschine ist kaputt.

un|si|cher ⟨Adj.⟩: **1.** *durch eine Gefahr bedroht; keine Sicherheit bietend:* einen unsicheren Weg gehen. **sinnv.**: gefährdet, gefährlich, schutzlos, unbehütet, ungeborgen, ungeschützt, wehrlos. **2.** *das Risiko eines Mißerfolgs in sich bergend; keine Gewißheit, keine [ausreichenden] Garantien bietend:* auf diese unsichere Sache würde ich mich nicht einlassen. **sinnv.**: ungewiß. **3.** *innerlich ungefestigt; Hemmungen habend:* sein unsicheres Auftreten verwunderte alle.

Un|sinn, der; -[e]s: **1.** *als unsinnig empfundenes Reden und Handeln:* er redet viel U.; was du hier tust, ist reiner U. **sinnv.**: Blech, Blödsinn, Bockmist, Dummheit, Idiotie, Irrsinn, kalter Kaffee, Kappes, Kohl, Kokolores, Krampf, Mist, Mumpitz, Nonsens, Quark, Quatsch, Scheiße, Schnickschnack, Schrott, Schwachsinn, Sperenzchen, Stuß, Torheit, [dummes] Zeug. **2.** *Benehmen o. ä., das als ungehörig und unsinnig (1) empfunden wird:* sie machten, trieben den ganzen Tag U.

sinnv.: Blödsinn, Dummheiten, Faxen, Fez, Firlefanz, Flausen, Heckmeck, Mätzchen, Quatsch, Sperenzchen, Streich, Unfug, Zimt.

un|sin|nig ⟨Adj.⟩: **1.** *keinen Sinn, Zweck habend:* es ist u., so große Forderungen zu stellen. **sinnv.**: abstrus, absurd, abwegig, blöd[e], blödsinnig, hirnrissig, hirnverbrannt, ohne Sinn und Verstand, sinnlos. **2.** (ugs.) **a)** *sehr groß, stark:* ich habe unsinnigen Durst. **b)** ⟨verstärkend bei Adjektiven und Verben⟩ ↑*sehr:* er hat u. hohe Forderungen gestellt.

un|sterb|lich ⟨Adj.⟩: **1.** *unvergänglich; im Gedenken der Menschen fortlebend:* die unsterblichen Werke Beethovens. **sinnv.**: ewig. **2.** ⟨verstärkend bei bestimmten Verben⟩ (ugs.) ↑*sehr:* sie hat sich u. blamiert; er war u. verliebt.

Un|stim|mig|keit, die; -, -en: **1.** *etwas, was sich in einem bestimmten Zusammenhang als Widerspruch, als nicht ganz richtig erweist:* bei der Überprüfung der Rechnung fand sich eine U. **sinnv.**: Fehler. **2.** ⟨meist Plural⟩ *(in bezug auf eine bestimmte Meinung) unterschiedliche Auffassung:* bei der Verhandlung kam es zu Unstimmigkeiten zwischen den Parteien. **sinnv.**: Meinungsverschiedenheit, Streit.

Un|sum|me, die; -, -n: *sehr große, übermäßig große Summe:* das Haus hat eine U./hat Unsummen gekostet.

un|ta|del|lig, un|tad|lig [auch: untad...] ⟨Adj.⟩: *keinerlei Anlaß zu einem Tadel bietend:* untadeliges Benehmen; er war u. gekleidet. **sinnv.**: rechtschaffen, vollkommen.

Un|tat, die; -, -en: *Abscheu, Entsetzen erregende Tat:* für seine Untaten büßen. **sinnv.**: Greuel.

un|tä|tig ⟨Adj.⟩: *ohne zu handeln, ohne etwas zu tun:* er sah dem Streit u. zu. **sinnv.**: faul, passiv.

un|ten ⟨Adverb⟩ /Ggs. oben/: **1. a)** *an einer (vom Sprecher aus betrachtet) tiefer gelegenen Stelle:* die Schüsseln stehen u. im Schrank; weiter u. [im Tal] ist die Luft viel schlechter. **b)** *am unteren Ende, an der Unterseite von etwas:* die Kiste ist u. isoliert. **c)** *einer Unterlage o. ä. zugekehrt:* die matte Seite des Stoffs ist u. **2.** *am unteren Ende einer Hierarchie, einer Rangordnung:* er hat sich von u. hochgearbeitet.

un|ter: **I.** ⟨Präp. mit Dativ und Akk.⟩ **1.** /räumlich/ **a)** ⟨mit Dativ⟩ */kennzeichnet einen Abstand in vertikaler Richtung und bezeichnet die tiefere Lage im Verhältnis zu einem anderen Genannten/:* u. einem Baum sitzen; u. jmdm. wohnen. **b)** ⟨mit Akk.⟩ *(in Verbindung mit Verben der Bewegung) /kennzeichnet eine Bewegung an einen Ort, Stelle unterhalb eines anderen Genannten/:* sich u. die Dusche stellen. **c)** ⟨mit Dativ⟩ */kennzeichnet ein Abgesunkensein, bei dem ein bestimmter Wert, Rang o. ä. unterschritten wird/:* u. dem Durchschnitt sein; etwas u. Preis verkaufen; die Temperatur liegt u. dem Gefrierpunkt. **d)** ⟨mit Akk.⟩ */kennzeichnet ein Absinken, bei dem ein bestimmter Wert, Rang o. ä. unterschritten wird/:* u. Null sinken. **e)** ⟨mit Dativ⟩ */kennzeichnet das Unterschreiten einer bestimmten Zahl/ von weniger als:* Kinder u. 10 Jahren. **2.** ⟨mit Dativ⟩ **a)** */kennzeichnet einen Begleitumstand/:* u. Tränen, Schmerzen. **b)** */kennzeichnet die Art und Weise, in der etwas geschieht/ mit:* u. Zwang; u. Lebensgefahr. **c)** */kennzeichnet eine Bedingung o. ä./:* u. der Voraussetzung, Bedingung; u. dem Vorbehalt, daß ...

3. ⟨mit Dativ⟩ */kennzeichnet die Gleichzeitigkeit e*nes durch ein Verbalsubstantiv ausgedrückten Vo*gangs/:* etwas geschieht u. Ausnutzung, Verwe*dung von etwas anderem. **4.** ⟨mit Dativ und Akk*/kennzeichnet eine Abhängigkeit, Unterordnun*o. ä./:* u. Aufsicht; u. jmds. Leitung. **5. a)** ⟨mit Da*tiv und Akk.⟩ */kennzeichnet eine Zuordnung/:* u. was u. ein Thema stellen. **b)** ⟨mit Dativ⟩ /ken*zeichnet eine Zugehörigkeit/:* u. falschem Name* **6.** ⟨mit Dativ⟩ **a)** */kennzeichnet ein Vorhande* bzw. Anwesendsein inmitten von, zwischen a*deren Sachen bzw. Personen/ inmitten von; be* zwischen:* er saß u. den Zuschauern. **b)** ⟨mit Akk*/kennzeichnet das Sichhineinbegeben in ein* Menge, Gruppe o. ä./:* er mischte sich u. die Gä* ste. **7.** ⟨mit Dativ⟩ /kennzeichnet einen einzelne* oder eine Anzahl, die sich aus einer Meng* Gruppe in irgendeiner Weise heraushebt o. ä* von:* einer u. vierzig Bewerbern. **8.** ⟨mit Dativ* /kennzeichnet eine Wechselbeziehung/ zwischer* es gab Streit u. den Erben. **9. a)** ⟨mit Dativ⟩ /ken* zeichnet einen Zustand, in dem sich etwas befi* det/:* die Leitung steht u. Strom. **b)** ⟨mit Akk* /kennzeichnet einen Zustand, in den etwas g* bracht wird/:* etwas u. Strom setzen. **10.** (kausa* ⟨mit Dativ⟩ */kennzeichnet die Ursache des im Ve* Genannten/:* sie stöhnte u. der Hitze. **II.** /: *Verbindung mit einem Personalpronomen* Konkurrenz zu darunter; bezogen auf eine Sach* (ugs.)/:* ich las den Artikel zu Ende. Unter in* (statt: darunter) standen Name und Anschrift d* Autors. **2.** /in Verbindung mit "was" in Konku* renz zu worunter; bezogen auf eine Sache (ugs* **a)** /in Fragen/:* u. was (besser: worunter) liegt d* Schlüssel? **b)** /in relativer Verbindung/:* ich we* nicht, u. was (besser: worunter) er sich versteck* hielt. **III.** ⟨Adverb⟩ weniger als:* ein Kind von u* Jahren; die Bewerber waren u. 30 [Jahre alt].

un|ter... ⟨Adj.; nur attributiv⟩: **1.** *(räumlich gese* hen) sich [weiter] unten befindend; tiefer gelegen* in einem der unteren Stockwerke. **2.** *dem Ran* nach unter anderem, anderen stehend:* die untere* Klassen, Schichten der Bevölkerung.

un|ter-: **I.** (adjektivisches Präfixoid) weniger a* üblich, nötig, zuwenig in bezug auf das im Basi* wort Genannte: unterdurchschnittlich, unterge* wichtig; /oft in Verbindung mit dem 2. Partizip* unterbelegt, -bezahlt. **sinnv.**: hypo-, sub-. **II.** ⟨ve* bales Präfix; wenn betont, dann wird getrennt* wenn unbetont, dann nicht trennbar⟩ **1. a)** /(nich* trennbar) von unten her:* unterbauen (er unter* baut/unterbaute/hat unterbaut/um zu unterbau* en). **b)** ⟨wird getrennt⟩ von oben nach unten, unt* etwas:* unterfassen (er faßt/faßte sie unter/hat si* untergefaßt/um sie unterzufassen). **2. a)** ⟨nich* trennbar⟩ darunter, unter etwas:* unterschreibe* (sie unterschreibt/unterschrieb/hat unterschrie* ben/um zu unterschreiben). **b)** ⟨wird getrennt* sich unterstellen (er stellt/stellte sich unter/ha* sich untergestellt/um sich unterzustellen). **3. a** ⟨betont; aber im Präsens und Präteritum nicht ge* trennt; vgl. vor- (2 a)) /besagt, daß das im Basi* wort genannte Tun, Geschehen o. ä. zu schwach* zuwenig ist, daß es der Person oder Sache nicht g* recht wird, daß es unter dem üblichen Maß lieg* was oft als negativ gewertet wird/:* unterbewerte* (er unterbewertet/unterbewertete ihre Leistung* hat unterbewertet/um sie nicht unterzubewerten*

/partizipiale Bildungen/ unterernährt, unterversorgt. **b)** 〈nicht trennbar〉 *unter einer angenommenen Grenze, einem Maß:* unterbieten (er unterbietet/unterbot ihn/hat ihn unterboten/um ihn zu unterbieten). **4.** 〈nicht trennbar〉 *aufgliedernd:* unterteilen (er unterteilt/unterteilte/hat unterteilt/um zu unterteilen).

Ụn|ter-: **I.** 〈Präfixoid〉 **1.** */kennzeichnet ein Zuwenig an dem im Basiswort Genannten/:* Unterfunktion, Untergewicht **2.** *etwas, was [im Rang, in der Stufenfolge qualitativ] weniger ist als das im Basiswort Genannte; etwas, was einer anderen Sache untergeordnet ist:* Unterausschuß, Unteroffizier. **II.** 〈Präfix〉 */darunter, unter etwas anderem befindlich;* räumlich:) */unterhalb der Oberfläche/ verdeckt durch etwas, was sich darüber befindet:* Unterhose, Unterwäsche. **b)** */vertikal darunter/* Unterkiefer, Unterlippe.

un|ter|bie|ten, unterbot, hat unterboten 〈tr.〉: **a)** *für eine Ware, eine Arbeit o. ä. weniger Geld fordern als ein anderer:* jmds. Preise u. **b)** *im sportlichen Wettkampf, beim Laufen, Schwimmen o. ä. weniger Zeit benötigen als ein anderer:* er hat den Rekord seines Rivalen unterboten.

un|ter|blei|ben, unterblieb, ist unterblieben 〈itr.〉: *ungeschehen bleiben, nicht stattfinden:* eine Untersuchung der Vorfälle ist leider unterblieben.

un|ter|bre|chen, unterbricht, unterbrach, hat unterbrochen 〈tr.〉: **1.** *vorübergehend einstellen; für kürzere oder längere Zeit (mit etwas) aufhören:* er unterbrach seine Arbeit, um zu frühstücken. **sinnv.:** absetzen, beenden, einhalten, innehalten, eine Pause einlegen, pausieren. **2.** *am Fortführen einer Tätigkeit hindern:* er unterbrach den Redner mit einer Frage. **sinnv.:** behindern.

Un|ter|bre|chung, die; -, -en: **1.** *das Unterbrechen* (1): nach einer kurzen U. geht es gleich weiter im Programm. **sinnv.:** Aufenthalt, Einschnitt, Pause. **Zus.:** Fahrt-, Schwangerschaftsunterbrechung. **2.** *das Unterbrochenwerden* (2): durch die vielen Unterbrechungen kam ich nicht weiter in meiner Arbeit. **sinnv.:** Störung.

un|ter|brin|gen, brachte unter, hat untergebracht 〈tr.〉: **1.** *(für jmdn./etwas) Platz finden:* er konnte das ganze Gepäck im Wagen u. **sinnv.:** verpacken verstauen. **2. a)** *(jmdm.) eine Unterkunft beschaffen:* er brachte seine Gäste in einem Hotel unter. **sinnv.:** beherbergen. **b)** *(jmdm.) eine Stellung, einen Posten verschaffen:* er brachte seinen Sohn bei einer großen Firma unter.

un|ter|des|sen 〈Adverb〉: */drückt aus, daß etwas in der abgelaufenen Zeit geschehen ist oder gleichzeitig mit etwas anderem geschieht/ in der Zwischenzeit:* ich gehe einkaufen, du paßt u. auf die Kinder auf. **sinnv.:** inzwischen.

un|ter|drücken 〈tr.〉: **1. a)** *Gefühlsäußerungen, Laute o. ä. zurückhalten:* er konnte seine Erregung mit Mühe u. **sinnv.:** abtöten, abwürgen, disziplinieren, dressieren, ersticken, niederhalten, unter den Teppich kehren, sich etwas verbeißen, verdrängen, sich etwas verkneifen. **b)** *nicht zulassen, daß etwas bekannt wird:* Nachrichten, Informationen u. **2.** *mit Gewalt [und Terror] niederhalten:* einen Aufstand u. **sinnv.:** bedrängen, bedrücken, drangsalieren, knebeln, knechten, jmdm. das Rückgrat brechen, terrorisieren.

un|ter|ein|an|der 〈Adverb〉: **1.** *eines unter das*

andere; *eines unter dem anderen:* die Bilder u. aufhängen. **2.** *(in einem engeren Kreis von Personen) einer mit [dem] anderen, mehrere mit [einem] anderen:* das müßt ihr u. ausmachen. **sinnv.:** miteinander.

un|ter|fas|sen, faßt unter, faßte unter, hat unterfaßt 〈tr.〉: *unter den Arm fassen [und so stützen], (mit jmdm.) Arm in Arm gehen:* er hatte die ältere Dame untergefaßt. **sinnv.:** einhaken, einhängen, sich einhenkeln/einhenken, unterhaken.

Un|ter|gang, der; -[e]s, Untergänge: *das Zugrundegehen:* der U. dieses Reiches. **sinnv.:** Abstieg, Ende, Katastrophe, Ruin, Sturz, Verfall, Zerfall, Zusammenbruch. **Zus.:** Schiffs-, Weltuntergang.

un|ter|ge|hen, ging unter, ist untergegangen 〈itr.〉: **1.** *im Wasser versinken:* das Boot kippte um und ging sofort unter. **sinnv.:** absacken, absaufen, absinken, sinken, versacken, versinken, wegsacken. **2.** *hinter dem Horizont verschwinden:* die Sonne geht unter. **3.** *vernichtet, zerstört werden; zugrunde gehen:* dieses Volk ist vor tausend Jahren untergegangen. **sinnv.:** aufhören zu existieren, sich auflösen, aussterben, verfallen, zerfallen, zusammenbrechen.

Un|ter|grund, der; -[e]s: **1. a)** *unter der Erdoberfläche liegende Bodenschicht:* den U. lockern. **b)** *Bodenschicht als Grundlage für einen Bau:* steiniger U. **sinnv.:** Grund. **c)** *unterste Farbschicht /von Gemälden, o. ä./:* eine schwarze Zeichnung auf rotem U. **2.** *Bereich außerhalb der Gesellschaft, der Legalität:* die verbotene Partei ging in den U. **sinnv.:** Anonymität, Illegalität, Milieu, Scene, Subkultur, Szene.

un|ter|halb /Ggs. oberhalb/: **I.** 〈Präp. mit Gen.〉: *tiefer (gelegen, stehend o. ä.) als:* die Wiese liegt u. des Weges. **sinnv.:** unter. **II.** 〈Adverb〉: in Verbindung mit „von") *unter etwas [gelegen]:* die Altstadt liegt u. vom Schloß. **sinnv.:** darunter, drunten, in der Tiefe, unten.

un|ter|hal|ten, unterhält, unterhielt, hat unterhalten: **1.** 〈tr.〉 **a)** *für jmds. Lebensunterhalt aufkommen:* er muß neben seiner Familie noch verschiedene Verwandte u. **sinnv.:** ernähren. **b)** *für das Instandsein (von etwas) sorgen:* Anlagen u. **sinnv.:** warten. **c)** *[als Besitzer] etwas halten, einrichten, betreiben und dafür aufkommen:* einen Reitstall, ein Geschäft u. **sinnv.:** führen. **d)** *über etwas (Beziehungen, Kontakte o. ä.) verfügen:* gute Beziehungen zu seinen Nachbarn u. **sinnv.:** haben, pflegen. **2. a)** 〈tr.〉 *für Zerstreuung, Zeitvertreib sorgen; jmdm. auf Vergnügen bereitende Weise die Zeit vertreiben:* er unterhielt seine Gäste mit Musik. **b)** 〈sich u.〉 *sich auf angenehme Weise die Zeit vertreiben:* er hat sich im Theater gut unterhalten. **sinnv.:** sich vergnügen. **3.** 〈sich u.〉 *ein Gespräch führen:* sie unterhielten sich über den neuesten Film. **sinnv.:** klönen, Konversation machen, plaudern, plauschen, schwatzen, Zwiesprache halten.

un|ter|halt|sam 〈Adj.〉: *unterhaltend* (2 a), *Unterhaltung* (1) *bietend:* in dieser lustigen Gesellschaft verbrachten wir manchen unterhaltsamen Abend. **sinnv.:** amüsant, vergnüglich.

Un|ter|hal|tung, die; -, -en: **1.** *das Unterhalten* (2 a), *Sichunterhalten* (2 b): die U. der Gäste war nicht einfach. **sinnv.:** Ablenkung, Abwechslung, Amüsement, Belustigung, Gaudi, Gaudium,

Kurzweil, Vergnügen, Zeitvertreib, Zerstreuung. **Zus.**: Fernsehunterhaltung. **2.** *das Sichunterhalten* (3): es kam keine vernünftige U. zustande. **sinnv.**: Gespräch.

un|ter|ir|disch ⟨Adj.⟩: *unter der Erde [befindlich]*: unterirdische Höhlen; die Bahn fährt u.

un|ter|jo|chen ⟨tr.⟩: *unter seine Herrschaft, Gewalt bringen und unterdrücken* (2): die Eroberer unterjochten die einheimische Bevölkerung. **sinnv.**: besiegen; disziplinieren.

Un|ter|kunft, die; -, Unterkünfte: *Raum, der jmdm. [vorübergehend] zum Wohnen dient; eine U. für eine Nacht suchen.* **sinnv.**: Absteige[quartier], Asyl, Bleibe, Heim, Herberge, Lager, Logis, Obdach, Quartier, Schlafstelle, Unterschlupf. **Zus.**: Massen-, Not-, Truppenunterkunft.

un|ter|las|sen, unterläßt, unterließ, hat unterlassen ⟨tr.⟩: *darauf verzichten, etwas zu tun, zu sagen o. ä.; mit etwas aufhören:* es wird gebeten, das Rauchen zu u.; unterlaß bitte diese Bemerkungen! **sinnv.**: bleibenlassen, sich enthalten, sich ersparen, lassen, seinlassen, verabsäumen, vermeiden.

un|ter|le|gen: I. ⟨tr.⟩ **unterlegen,** legte unter, hat untergelegt: a) *etwas unter jmdn./etwas legen:* sie legte dem Kind ein Kissen unter. **sinnv.**: unterlegen. b) *Worte, Texte o. ä. abweichend von ihrer Intention auslegen:* er hat meinen Worten einen anderen Sinn untergelegt. **sinnv.**: unterschieben. II. ⟨tr.⟩ **unterlegen,** unterlegte, hat unterlegt: a) *die Unterseite von etwas mit etwas aus einem anderen Material versehen:* er hat die Glasplatte mit Filz unterlegt; mit Seide unterlegte Spitzen. b) *etwas nachträglich mit Musik, mit einem [anderen] Text versehen:* einer Melodie einen Text u. III. **unterlegen** ⟨Adj.⟩ *schwächer als ein anderer:* er ist seiner Frau geistig u.

un|ter|lie|gen, unterlag, ist unterlegen ⟨itr.⟩: **1.** *besiegt werden, bezwungen werden:* er ist im Kampf. **sinnv.**: verlieren. **2.** *einer Sache ausgesetzt sein, preisgegeben sein:* die Mode unterliegt dem Wechsel der Zeit.

un|ter|neh|men, unternimmt, unternahm, hat unternommen: a) ⟨tr.⟩ *etwas in die Tat umsetzen, ins Werk setzen; Maßnahmen ergreifen:* wir unternahmen einen letzten Versuch, sie umzustimmen; etwas gegen die Mißstände u. **sinnv.**: agieren, sich bewegen, etwas in die Hand nehmen, handeln, initiativ werden, die Initiative ergreifen, etwas machen, schalten [und walten], zur Tat schreiten, etwas tun, veranstalten. b) ⟨itr.⟩ *sich irgendwohin begeben und etwas tun, was Spaß macht:* was unternehmen wir heute abend? **sinnv.**: sich vergnügen.

Un|ter|neh|men, das; -s, -: *etwas, was unternommen* (a) *wird:* dieser Flug ist ein gewagtes U. **sinnv.**: Aktion, Tat, Unterfangen. **Zus.**: Forschungs-, Raumfahrtunternehmen. **2.** *oft aus mehreren Werken, Fabriken, Filialen bestehender Betrieb (im Hinblick auf seine wirtschaftliche Einheit):* dieses große U. wurde erst nach dem Kriege gegründet. **sinnv.**: Betrieb, Dachgesellschaft, Dachorganisation, Gesellschaft, Handelsgesellschaft, Holding[gesellschaft], Konzern, Trust, Unternehmung. **Zus.**: Handels-, Monopol-, Transport-, Weltunternehmen.

Un|ter|neh|mer, der; -s, -, **Un|ter|neh|me|rin,** die; -, -nen: *Eigentümer bzw. Eigentümerin*

eines Unternehmens. **sinnv.**: Arbeitgeber, Ausbeuter, Erzeuger, Fabrikant, Fabrikbesitzer, Fabrikdirektor, Fabrikherr, Hersteller, Industrieller, Kapitalist, Manager, Produzent, Schlotbaron. **Zus.**: Bau-, Fuhr-, Groß-, Privatunternehmer.

un|ter|ord|nen, ordnete unter, hat untergeordnet: a) ⟨tr.⟩ *zugunsten einer anderen Sache zurückstellen:* er ordnete seine eigenen Pläne denen seines Bruders unter. **sinnv.**: hintanstellen, zurückstecken, zurückstellen. b) ⟨sich u.⟩ *sich in eine bestimmte Ordnung einfügen und sich nach dem Willen, den Anweisungen eines anderen oder den Erfordernissen, Gegebenheiten richten:* es fällt ihm nicht leicht, sich [anderen] unterzuordnen. **sinnv.**: sich anpassen, nachgeben.

Un|ter|re|dung, die; -, -en: *wichtiges, meist förmliches, offizielles Gespräch, bei dem bestimmte Fragen besprochen, verhandelt werden:* eine wichtige U. vereinbaren; die U. ist beendet. **sinnv.**: Gespräch.

Un|ter|richt, der; -[e]s: *planmäßiges, regelmäßiges Vermitteln von Kenntnissen, Fertigkeiten durch einen Lehrenden:* U. in Englisch erteilen. **sinnv.**: Anleitung, Fernstudium, Kolleg, Kurs[us], Lehrgang, Lektion, Proseminar, Seminar, Stunde, Übung, Unterrichtsstunde, Unterweisung, Vorlesung. **Zus.**: Einzel-, Gesangs-, Gitarren-, Klavier-, Konfirmanden-, Nachhilfe-, Schauspiel-, Zeichenunterricht.

un|ter|rich|ten, unterrichtete, hat unterrichtet: **1.** ⟨tr./itr.⟩ *(als Lehrer) Unterricht erteilen:* er unterrichtet [diese Klasse] schon seit drei Jahren. **sinnv.**: anleiten, lehren. **2.** a) ⟨tr.⟩ *von etwas in Kenntnis setzen:* er hat ihn über seine Abreise/ von dem Vorgang unterrichtet. **sinnv.**: aufklären, mitteilen. b) ⟨sich u.⟩ *sich Kenntnisse, Informationen über etwas verschaffen:* er hat sich über die Vorgänge genau unterrichtet. **sinnv.**: sich orientieren.

un|ter|schät|zen ⟨tr.⟩: *zu gering einschätzen:* eine Entfernung u. **sinnv.**: bagatellisieren, nicht ernst nehmen, auf die leichte Schulter nehmen, sich täuschen, unterbewerten.

un|ter|schei|den, unterschied, hat unterschieden: **1.** ⟨tr.⟩ *etwas unter, zwischen etwas anderem, vielem anderen in seinen Einzelheiten optisch oder akustisch wahrnehmen:* am Horizont unterschied er deutlich die beiden Schiffe. **sinnv.**: sehen. **2.** a) ⟨tr.⟩ *einen Unterschied machen (zwischen jmdm./etwas); die Verschiedenheit (von jmdm./etwas) erkennen:* kannst du die beiden Pflanzen voneinander u.?; sein Fleiß unterscheidet ihn von den anderen Schülern. **sinnv.**: auseinanderhalten, differenzieren, scheiden, sondern, trennen. b) ⟨tr./itr.⟩ *eine bestimmte Einteilung vornehmen; etwas von etwas anderem trennen:* wir müssen bei dieser Entwicklung drei Phasen u. **sinnv.**: auseinanderhalten, erkennen, feststellen. **3.** ⟨sich u.⟩ *im Hinblick auf bestimmte Merkmale, Eigenschaften o. ä. anders sein (als jmd./etwas):* er unterscheidet sich kaum von seinem Bruder. **sinnv.**: abweichen, kontrastieren.

un|ter|schie|ben ⟨tr.⟩ I. **unterschieben,** schob unter, hat untergeschoben: *unter jmdn./etwas schieben:* sie schob dem Kranken ein Kissen unter. **sinnv.**: darunterschieben. II. **unterschieben** /(auch:) unterschieben, unterschob/ (auch) chob unter, hat unterschoben/ (auch:) hat untereschoben: in ungerechtfertigter Weise jmdm. et*as Negatives zuschreiben:* diese Äußerung habe :h nie getan, man hat sie mir unterschoben. **innv.:** unterlegen, unterstellen.

∎n|ter|schied, der; -[e]s, -e: *das, worin zwei der mehrere Dinge voneinander abweichen, verchieden, anders sind:* ein U. in der Qualität. **innv.:** Abweichung, Differenz, Diskrepanz, ontrast, Verschiedenheit. **Zus.:** Alters-, Bedeuings-, Meinungs-, Preis-, Zeitunterschied.

∎n|ter|schied|lich ⟨Adj.⟩: *einen Unterschied, /nterschiede aufweisend:* zwei Häuser von unterchiedlicher Größe. **sinnv.:** verschieden.

∎n|ter|schla|gen, unterschlägt, unterschlug, at unterschlagen ⟨tr.⟩: **a)** *sich unrechtmäßig Geler, Werte o. ä., die einem anvertraut sind, aneigen:* er hat große Summen unterschlagen. **sinnv.:** interziehen, veruntreuen. **b)** *etwas (im Urteil des prechers) Wichtiges unerwähnt lassen, verheimlihen:* warum hast du mir diese Neuigkeit unterchlagen? **sinnv.:** schweigen.

∎n|ter|schrei|ben, unterschrieb, hat unterchrieben ⟨tr./itr.⟩: *[zum Zeichen des Einverständisses o. ä.] seinen Namen (unter etwas) schreiben:* inen Vertrag u.; er wollte nicht u. **sinnv.:** abeichnen, beglaubigen, seinen [Friedrich] Wilelm d[a]runtersetzen, gegenzeichnen, paraphieen, quittieren, seinen Servus d[a]runtersetzen, sinieren, unterzeichnen.

∎n|ter|schrift, die; -, -en: *mit der Hand gechriebener Name einer Person unter einem chriftstück o. ä.:* seine U. kann man nicht lesen. **nnv.:** Autogramm, Namenszeichen, Namensug, Signatur, Signum. **Zus.:** Brief-, Vertragsunrschrift.

∎n|ter|setzt ⟨Adj.⟩: *(von erwachsenen Personen) lein und von gedrungenem Körperbau.* **sinnv.:** ullig, dick, kompakt, pyknisch, stämmig.

∎n|terst... ⟨Adj.; Superlativ von *unter...;* nur atibutiv⟩: **1.** *sich (räumlich gesehen) ganz unten, an er tiefsten Stelle befindend* /Ggs. oberst.../: die bteilung für Lebensmittel ist in der untersten tage. **2.** *dem Rang nach am niedrigster Stelle steend:* die untersten Schichten der Bevölkerung. **∎n|ter|ste|hen,** understand, hat understanden: , ⟨itr.⟩ *einem Vorgesetzten, einer vorgesetzten Initution unterstellt sein; unter jmds. Kontrolle, ufsicht stehen:* er untersteht einer staatlichen ehörde. **2.** ⟨sich u.⟩ *sich herausnehmen, etwas zu in, zu sagen o. ä.:* wie konntest du dich u., ihm u widersprechen! **sinnv.:** sich anmaßen, sich icht entblöden, sich erdreisten, sich erfrechen, ch erkühnen, sich erlauben, sich vermessen, agen.

∎n|ter|stel|len: I. ∎nterstellen, stellte unter, hat ntergestellt: **1.** ⟨tr.⟩ *zur Aufbewahrung abstellen:* r hat sein Fahrrad bei ihnen untergestellt. **2.** ich u.⟩ *sich zum Schutz vor Regen o. ä. in, unter twas stellen:* sie stellten sich während des Reens [in einer Hütte] unter. **sinnv.:** sich flüchten i/unter, Schutz/Zuflucht suchen in/unter. **II. nterstellen,** unterstellte, hat unterstellt ⟨tr.⟩: **1. a)** mdm.) *die Leitung, Aufsicht (von etwas) übertraen:* er hat dem neuen Mitarbeiter eine Abteiung unterstellt. **b)** *unter jmds. Leitung, Aufsicht tellen:* man hat ihn einem neuen Chef untertellt. **2. a)** *etwas [vorläufig] als möglich anneh*

men: wir wollen einmal u., daß seine Angaben richtig sind /die Richtigkeit seiner Angaben u. **sinnv.:** behaupten. **b)** †unterschieben: er hat mir diese Tat unterstellt.

un|ter|strei|chen, unterstrich, hat unterstrichen ⟨tr.⟩: **a)** *zur Hervorhebung einen Strich (unter etwas Geschriebenes, Gedrucktes) ziehen:* auf einer Seite waren einige Wörter unterstrichen. **b)** *nachdrücklich hervorheben, betonen:* in seiner Rede unterstrich er besonders die Verdienste der Partei. **sinnv.:** betonen.

un|ter|stüt|zen, ⟨tr.⟩: *(jmdm.) [durch Zuwendungen] Beistand, Hilfe gewähren:* sein Onkel unterstützte ihn mit Geld; solchen Eifer muß man u. **sinnv.:** fördern, helfen.

un|ter|su|chen ⟨tr.⟩: *etwas mit Hilfe bestimmter Methoden festzustellen, zu erkennen suchen:* der Arzt untersuchte den Kranken gründlich; er wird diesen Fall genau u. **sinnv.:** analysieren, nachforschen.

un|ter|tau|chen, tauchte unter, hat/ist untergetaucht: **1. a)** ⟨itr.⟩ *ganz im Wasser versinken; völlig unter der Oberfläche des Wassers verschwinden:* er ist mehrmals im See untergetaucht. **b)** ⟨tr.⟩ *jmdn. unter Wasser drücken:* er hatte seinen Freund beim Schwimmen aus Spaß untergetaucht. **2.** ⟨itr.⟩ *sich irgendwo hineinbegeben (in eine Menschenmenge, eine Stadt o. ä.) und sich dadurch den Blicken anderer, dem Zugriff der Behörden o. ä. entziehen:* der Verbrecher ist in Amerika untergetaucht. **sinnv.:** fliehen, sich aus dem Staub machen, verschwinden.

un|ter|tei|len ⟨tr.⟩: *etwas Ganzes in mehrere Teile aufteilen, gliedern:* einen Schrank in mehrere Fächer u. **sinnv.:** einteilen, teilen, untergliedern.

un|ter|wegs ⟨Adverb⟩: *sich auf dem Weg irgendwohin befindend; auf, während der Fahrt, Reise:* u. viel Neues sehen; er ist den ganzen Tag u. **sinnv.:** auf Achse, fort, on the road, auf Reisen, weg, auf dem Wege.

un|ter|wer|fen, unterwirft, unterwarf, hat unterworfen: **1.** ⟨tr.⟩ *mit Gewalt unter seine Herrschaft bringen und von sich abhängig machen:* ein Volk, ein Land u. **sinnv.:** besiegen. **2.** ⟨sich u.⟩ *sich unter jmds. Herrschaft stellen; sich jmds. Willen, Anordnungen o. ä. unterordnen:* sich jmds. Urteil u.; die Feinde waren bereit, sich bedingungslos zu u. **sinnv.:** nachgeben.

un|ter|zeich|nen, unterzeichnete, hat unterzeichnet ⟨tr./itr.⟩: *dienstlich, in amtlichem Auftrag unterschreiben; mit seiner Unterschrift den Inhalt eines Schriftstücks bestätigen:* einen Vertrag u. **sinnv.:** unterschreiben.

un|ter|zie|hen, unterzog, hat unterzogen: **a)** ⟨sich u.⟩ *etwas, dessen Erledigung o. ä. mit gewissen Mühen verbunden ist, auf sich nehmen:* er mußte sich einer Kur u. **b)** ⟨als Funktionsverb⟩ *etwas einer genauen Prüfung* u. *(prüfen):* das Gebäude wurde einer gründlichen Reinigung unterzogen (wurde gründlich gereinigt).

Un|tie|fe, die; -, -n: **1.** *flache, seichte Stelle in einem Gewässer:* das Schiff war in eine U. geraten. **2.** *sehr große Tiefe in einem Gewässer:* der Schwimmer hatte die gefährlichen Untiefen unterschätzt.

un|treu ⟨Adj.⟩: *einem Versprechen oder einer Verpflichtung zuwiderhandelnd:* ein untreuer Ehemann. **sinnv.:** abtrünnig, flatterhaft, treubrüchig, treulos, unbeständig, ungetreu, verräterisch, wortbrüchig.

un|über|legt ⟨Adj.⟩: *ohne genügend nachzudenken:* sein unüberlegtes Handeln hat ihm schon oft geschadet. **sinnv.:** leichtsinnig, planlos, unvernünftig, voreilig, vorschnell, willkürlich.

un|ver|än|der|lich [auch: ụn...] ⟨Adj.⟩: *keine Veränderung zeigend, gleichbleibend:* die unveränderlichen Gesetze der Natur. **sinnv.:** dauerhaft, ewig.

un|ver|ant|wort|lich [auch: ụn...] ⟨Adj.⟩: *so geartet, daß es nicht zu verantworten ist; ohne Verantwortungsgefühl:* es war u. von ihm, so schnell zu fahren. **sinnv.:** leichtsinnig, unverzeihlich.

un|ver|bes|ser|lich [auch: ụn...] ⟨Adj.⟩: *nicht zu ändern; nicht bereit, sich zu bessern:* er ist ein unverbesserlicher Optimist. **sinnv.:** eingefleischt.

un|ver|bind|lich [auch: ...bịnd...] ⟨Adj.⟩: **1.** *keinerlei bindende Verpflichtung aufweisend:* eine unverbindliche Auskunft; in diesem Geschäft kann man sich alles u. ansehen. **2.** *ohne freundliches Entgegenkommen:* ihre Antwort war kurz und u. **sinnv.:** unhöflich.

un|ver|fro|ren [auch: ...frọ...] ⟨Adj.⟩ (emotional): *auf eine ungehörige und rücksichtslose Art dreist und skrupellos:* er reizte seine Lehrer immer wieder durch seine unverfrorenen Antworten. **sinnv.:** frech.

un|ver|geß|lich [auch: ụn...] ⟨Adj.⟩: *in der Zukunft als Erinnerung immer lebendig:* dieser Mann wird uns immer u. bleiben. **sinnv.:** denkwürdig, unauslöschlich.

un|ver|gleich|lich [auch: ụn...] ⟨Adj.⟩: **a)** *(in seiner Schönheit, Güte, Großartigkeit o. ä.) mit nichts Ähnlichem zu vergleichen:* die untergehende Sonne bot einen unvergleichlichen Anblick. **sinnv.:** ausgefallen, außergewöhnlich, beispiellos, unnachahmlich. **b)** ⟨verstärkend bei Adjektiven⟩ *sehr [viel]:* eine u. schöne Frau; es geht ihm heute u. besser als gestern.

un|ver|hofft ⟨Adj.⟩: /drückt meist aus, daß etwas Erfreuliches, Positives eintrifft/ *überraschend eintretend:* das unverhoffte Wiedersehen mit seinem alten Freund. **sinnv.:** plötzlich.

un|ver|hoh|len [auch: ...họ...] ⟨Adj.⟩ (emotional): *ganz offen gezeigt:* mit unverhohlener Neugier betrachtete sie ihre Nachbarin. **sinnv.:** aufrichtig, rundheraus, ungeschminkt.

un|ver|kenn|bar [auch: ụn...] ⟨Adj.⟩: *eindeutig erkennbar:* das ist u. sein Stil. **sinnv.:** kennzeichnend, typisch.

un|ver|meid|lich [auch: ụn...] ⟨Adj.⟩: *nicht zu verhindern, zu vermeiden; sich notwendig ergebend:* eine Verzögerung war u. **sinnv.:** nötig.

un|ver|min|dert ⟨Adj.⟩: *in gleichbleibender Stärke weiterwirkend:* der Sturm dauerte mit unverminderter Stärke an.

Un|ver|mö|gen, das; -s: *Mangel an Können oder Fähigkeit (für etwas):* sein U., sich einer Situation schnell anzupassen, hat ihm schon manchmal geschadet. **sinnv.:** Ohnmacht, Unfähigkeit, Untauglichkeit.

Un|ver|nunft, die; -: *Mangel an Vernunft und Einsicht:* es ist reine U., bei diesem Sturm mit dem Boot aufs Meer hinauszufahren. **sinnv.:** Irrsinn, Torheit, Unverstand.

un|ver|nünf|tig ⟨Adj.⟩: *Unvernunft zeigend:* es ist sehr u., bei dieser Kälte schwimmen zu gehen.

sinnv.: gedankenlos, sträflich, unklug, unüberlegt.

un|ver|schämt ⟨Adj.⟩: *mit aufreizender Respektlosigkeit sich frech über die Grenzen des Taktes und des Anstands hinwegsetzend:* dieser unverschämter Bursche nannte mich eine alte Schlampe. **sinnv.:** frech.

un|ver|se|hens [auch: ...sẹ...] ⟨Adverb⟩: *überraschend, ohne daß man es voraussehen konnte:* er kam u. ins Zimmer. **sinnv.:** plötzlich.

un|ver|söhn|lich [auch: ...sọ̈hn...] ⟨Adj.⟩: **a)** *zu keinerlei Versöhnung bereit:* er blieb u. trotz aller Bitten. **sinnv.:** unzugänglich. **b)** *keinen Ausgleich zulassend:* ein unversöhnlicher Gegensatz. **sinnv.:** extrem.

Un|ver|stand, der; -[e]s: *Verhaltensweise, die einen erheblichen Mangel an Verstand und Einsicht erkennen läßt:* in seinem U. hat er große Fehler gemacht. **sinnv.:** Unvernunft.

un|ver|ständ|lich ⟨Adj.⟩: **a)** *so leise, undeutlich o. ä., daß etwas nicht [genau] zu verstehen ist:* er murmelte unverständliche Worte. **sinnv.:** unklar. **b)** *nicht zu begreifen:* es ist mir u., wie so etwas passieren konnte. **sinnv.:** abstrus, unfaßbar.

Un|ver|ständ|nis, das; -ses: *mangelndes, fehlendes Verständnis:* mit seinen Ausführungen stieß er allgemein auf U.

un|ver|wech|sel|bar [auch: ...wẹchsel...] ⟨Adj.⟩: *so eindeutig zu erkennen, daß es mit nichts zu verwechseln ist:* er hat einen unverwechselbaren Stil. **sinnv.:** typisch, unnachahmlich.

un|ver|wüst|lich [auch: ụn...] ⟨Adj.⟩: *auch dauernden starken Belastungen standhaltend:* dieser Stoff ist u.; ein unverwüstlicher Optimist **sinnv.:** beharrlich, haltbar.

un|ver|zeih|lich [auch: ụn...] ⟨Adj.⟩: *so geartet, daß etwas nicht zu entschuldigen ist:* ein unverzeihlicher Leichtsinn. **sinnv.:** leichtsinnig, sträflich, unentschuldbar, unverantwortlich, verantwortungslos.

un|ver|züg|lich [auch: ụn...] ⟨Adj.⟩: *sofort [geschehend]; ohne Zeit zu verlieren:* er schrieb u. an seinen Vater; unverzügliche Hilfe. **sinnv.:** augenblicklich, eilends, gleich.

un|voll|en|det [auch: ...ẹn...] ⟨Adj.⟩: *nicht abgeschlossen, nicht ganz fertig:* ein unvollendetes Gedicht. **sinnv.:** bruchstückhaft, fragmentarisch, halb[fertig], lückenhaft, unbeendet, unfertig, unvollkommen, unvollständig.

un|voll|kom|men [auch: ...kọm...] ⟨Adj.⟩: *mit Schwächen, Fehlern oder Mängeln behaftet:* er hat nur unvollkommene Kenntnisse im Englischen. **sinnv.:** unvollendet.

un|vor|her|ge|se|hen ⟨Adj.⟩: *überraschend eintretend, ohne daß man es hätte vorhersehen können:* es traten unvorhergesehene Schwierigkeiten auf. **sinnv.:** plötzlich.

un|vor|sich|tig ⟨Adj.⟩: *wenig klug und zu impulsiv, ohne an die nachteilige Folgen zu denken ohne Vorsicht:* es war sehr u. von dir, ihm deine Schlüssel zu geben. **sinnv.:** fahrlässig, gedankenlos, leichtsinnig, unachtsam, unbedacht, unbesonnen, unklug.

un|vor|stell|bar [auch: ụn...] ⟨Adj.⟩ (emotional): *das menschliche Vorstellungsvermögen übersteigend:* eine unvorstellbare Entfernung; es ist mir u., daß ... **sinnv.:** astronomisch, undenkbar unwahrscheinlich.

un|wahr ⟨Adj.⟩: *so geartet, daß etwas der Wahrheit nicht entspricht:* eine unwahre Behauptung. **sinnv.:** falsch.

un|wahr|schein|lich ⟨Adj.⟩: **1.** *aller Wahrscheinlichkeit nach kaum anzunehmen, kaum möglich:* es ist u., daß er so spät noch kommt. **sinnv.:** fraglich, undenkbar, unmöglich. **b)** *kaum der Wirklichkeit entsprechend:* seine Geschichte klingt sehr u. **sinnv.:** abenteuerlich, außergewöhnlich, falsch, unglaubhaft, unglaublich, unglaubwürdig, unvorstellbar. **2.** (ugs.) **a)** *sehr groß, stark:* du hast unwahrscheinliches Glück gehabt. **sinnv.:** außergewöhnlich. **b)** ⟨verstärkend bei Adjektiven und Verben⟩ ↑*sehr:* der Wagen fährt u. schnell; sie hat sich u. gefreut.

un|weit: I. ⟨Präp. mit Gen.⟩ *in der Nähe (von jmdm./etwas):* das Haus liegt u. des Flusses. **sinnv.:** nahe. **II.** ⟨Adverb⟩ *nicht weit [entfernt]:* u. vom Berg liegt ein kleines Dorf.

Un|we|sen, das; -s: *übles Treiben:* eine Bande von Dieben treibt in der Gegend ihr U. **sinnv.:** Unfug. **Zus.:** Dirnen-, Verbrecherunwesen.

un|we|sent|lich ⟨Adj.⟩: *für das Wesen, den Kern einer Sache ohne Bedeutung seiend:* wir müssen nur einige unwesentliche Änderungen vornehmen. **sinnv.:** unwichtig.

Un|wet|ter, das; -s, -: *sehr schlechtes, stürmisches, meist von starkem Niederschlag [und Gewitter] begleitetes Wetter:* Überschwemmungen und Unwetter zerstörten die Ernte. **sinnv.:** Blitz und Donner, Gewitter, Hagel, Hurrikan, Mistwetter, Sauwetter, Sturm, Taifun, Tornado, Wirbelsturm, Wirbelwind, Zyklon.

un|wich|tig ⟨Adj.⟩: *keine oder nur geringe Bedeutung habend:* diese Frage ist vorläufig u. **sinnv.:** akzidentell, bedeutungslos, belanglos, gleichgültig, irrelevant, nebensächlich, nichtig, sekundär, unbedeutend, unerheblich, unmaßgeblich, untergeordnet, unwesentlich, zufällig, zweitrangig.

un|wi|der|steh|lich [auch: un...] ⟨Adj.⟩: **a)** *so ausgeprägt o. ä., daß man kaum widerstehen kann:* ein unwiderstehlicher Drang. **b)** ⟨einen großen Zauber ausübend⟩ sein Charme ist u.

Un|wil|le, der; -ns: *Mißfallen, das sich in Gereiztheit, unfreundlicher oder ablehnender Haltung äußert:* sein angeberisches Benehmen erregte Unwillen. **sinnv.:** Ärger, Entrüstung, Verstimmung.

un|will|kür|lich [auch: ...kür...] ⟨Adj.⟩: *ganz von selbst geschehend, ohne daß man es will:* als er die Stimme hörte, drehte er sich u. um. **sinnv.:** automatisch, unabsichtlich.

Un|wis|sen|heit, die; -: **a)** *fehlende Kenntnis von einer Sache:* er hat es aus U. falsch gemacht. **sinnv.:** Unkenntnis. **b)** *Mangel an [wissenschaftlicher] Bildung:* in vielen Ländern der Erde herrscht noch große U.

un|wür|dig ⟨Adj.⟩: **a)** *Würde vermissen lassend:* er ist des hohen Lobes u. **b)** *jmds. Rang, Würde widersprechend, im Gegensatz dazu stehen:* er wurde in unwürdiger Weise beschimpft. **sinnv.:** würdelos. **Zus.:** menschenunwürdig.

Un|zahl, die; -: *sehr große [unübersehbare] Anzahl:* eine U. von Briefen traf bei der Redaktion ein. **sinnv.:** Lawine.

un|zer|trenn|lich [auch: un...] ⟨Adj.⟩: *eng miteinander verbunden:* unzertrennliche Freunde.

sinnv.: fest, ein Herz und eine Seele, wie Kletten, wie Pech und Schwefel, untrennbar.

un|zu|frie|den ⟨Adj.⟩: **a)** *an jmdm./einer Sache etwas auszusetzen habend:* der Lehrer ist mit seinen Schülern u. **sinnv.:** enttäuscht, frustriert, unbefriedigt. **b)** *Unzufriedensein ausdrückend:* er macht ein unzufriedenes Gesicht. **sinnv.:** abgehärmt, mißmutig, verbittert, verhärmt.

un|zu|gäng|lich ⟨Adj.⟩: **a)** *schwer oder überhaupt nicht zu betreten, zu befahren:* ein unzugängliches Gelände. **sinnv.:** undurchdringlich. **b)** *dem näheren Kontakt mit anderen Menschen abgeneigt:* er ist ein Stubenhocker und sehr u. **sinnv.:** eisig, finster, frostig, herb, introvertiert, kalt, kompromißlos, kontaktarm, kontaktscheu, kontaktunfähig, kratzbürstig, menschenfeindlich, menschenscheu, reserviert, spröde, ungesellig, unnahbar, unterkühlt, verhalten, verkniffen, verschlossen, zugeknöpft.

un|zu|läng|lich ⟨Adj.⟩: *den gestellten Anforderungen, den bestehenden Bedürfnissen nur in einem vollkommen unzureichendem Maße Genüge tuend:* die Versorgung der Bevölkerung mit Lebensmitteln war u. **sinnv.:** dilettantisch, mangelhaft, stiefmütterlich, unbefriedigend, ungenügend, unzureichend.

un|zu|ver|läs|sig ⟨Adj.⟩: **a)** *so geartet, daß man sich auf die betreffende Person oder Sache nicht verlassen kann:* seine Angaben sind u. **sinnv.:** unbeständig, vergeßlich. **b)** *so geartet, daß man der betreffenden Person oder Sache kein Vertrauen schenken kann:* er ist politisch u. **sinnv.:** windig.

üp|pig ⟨Adj.⟩: **a)** *in großer Fülle [vorhanden]:* eine üppige Blütenpracht. **sinnv.:** feudal, fürstlich, großzügig, kulinarisch, lukullisch, luxuriös, opulent, reich, reichhaltig, überreich, überreichlich, verschwenderisch. **b)** (ugs.) *von rundlichen, vollen Formen:* Rubens' üppige Frauengestalten. **sinnv.:** dick.

ur-, Ur- ⟨Präfix⟩: **I.** ⟨adjektivisch⟩ **1. a)** (emotional verstärkend) *sehr, ganz, äußerst* /kennzeichnet den hohen Grad des im Basiswort Genannten/: uralt, -gemütlich, -gesund, -komisch, -plötzlich. **sinnv.:** erz-, grund-, hoch-. **b)** *durch und durch* /in bezug auf Ursprünglichkeit, Eigenart/: uramerikanisch, -deutsch. **sinnv.:** alt-. **2.** /entsprechend der Bedeutung von II, 1 a/: urchristlich, urverwandt. **II.** ⟨substantivisch⟩ **1. a)** /kennzeichnet das im Basiswort Genannte als etwas, was der Ausgangspunkt, die Grundlage ist, als weit zurückliegend, am Anfang liegend, ursprünglich/: Urabstimmung, -einwohner, -instinkt, -vertrauen, -wald, -zustand. **sinnv.:** Grund-, Haupt-, Original-, Stamm-. **b)** /kennzeichnet das im Basiswort Genannte als erstes/: Uraufführung, -fassung, -version. **2.** /kennzeichnet den im Basiswort genannten Verwandtschaftsgrad als zeitlich vorher oder nachher; dritte Generation/: Urenkel, -großmutter, -großvater. **3.** (verstärkend) /weist die im Basiswort genannte Person als jmdn. aus, der auf eine lange Zeit in bezug auf etwas zurückblicken kann/: Urberliner, -mitglied.

Ur|he|ber, der; -s, -, **Ur|he|be|rin,** die; -, -nen: *männliche bzw. weibliche Person, die etwas bewirkt oder veranlaßt hat:* er ist der geistige Urheber dieser neuen Bewegung. **sinnv.:** Gründer.

Urin, der; -s, -e: *von den Nieren abgesonderte [bereits aus dem Körper ausgeschiedene] Flüssigkeit.*

sinnv.: Ausscheidung, Harn, Pipi, Pisse, Wasser. **Zus.:** Pferdeurin.

Ur|kun|de, die; -, -n: *[amtliches] Schriftstück, durch das etwas beglaubigt oder bestätigt wird:* er erhielt eine U. über die Verleihung des Preises. **sinnv.:** Akte, Diplom, Dokument, Schriftstück. **Zus.:** Abdankungs-, Ernennungs-, Geburts-, Heirats-, Sterbeurkunde.

Ur|laub, der; -[e]s, -e: *dienst-, arbeitsfreie Zeit zum Zweck der Erholung:* er verbrachte seinen U. in der Schweiz; der Soldat kam auf U. nach Hause. **sinnv.:** Ferien, Ferienzeit, Kurlaub, Reise, Sommerfrische. **Zus.:** Erholungs-, Heimat-, Jahres-, Kurz-, Sommer-, Sonder-, Winterurlaub.

Ur|lau|ber, der; -s, -, **Ur|lau|be|rin,** die; -, -nen: *männliche bzw. weibliche Person, die gerade Urlaub macht, ihn an einem Urlaubsort verbringt:* die Urlauber sonnten sich am Strand. **sinnv.:** Ausflügler, Erholungssuchender, Feriengast, Fremder, Kurgast, Kurlauber, Reisender, Sommerfrischler, Tourist. **Zus.:** Kurz-, Wochenendurlauber.

Ur|ne, die; -, -n: **a)** *bauchiges, meist verziertes Gefäß zum Aufnehmen der Asche eines Toten.* **sinnv.:** Sarg. **b)** *Gefäß, in dem sich die Lose befinden, die gezogen werden sollen:* der Sportler trat an die U. und zog Startplatz 9. **sinnv.:** Lostrommel. **c)** *kastenförmiger [Holz]behälter mit einem schmalen Schlitz an der Oberseite zum Einwerfen des Stimmzettels bei Wahlen:* den Stimmzettel in die U. einwerfen. **Zus.:** Wahlurne.

Ur|sa|che, die; -, -n: *etwas, was eine Erscheinung, Handlung oder einen Zustand bewirkt, veranlaßt:* die U. des Brandes ist noch nicht geklärt. **sinnv.:** Anlaß, Quelle. **Zus.:** Krankheits-, Schadens-, Todes-, Unfallursache.

Ur|sprung, der; -[e]s, Ursprünge: *Ort oder Zeitraum, in dem der Anfang von etwas liegt, von dem etwas ausgegangen ist:* der Brauch hat seinen U. im 16. Jahrhundert. **sinnv.:** Anfang, Ausgangspunkt, Quelle.

ur|sprüng|lich ⟨Adj.⟩: *so, wie es am Anfang war; zuerst [vorhanden]:* der ursprüngliche Plan ist geändert worden; u. wollte er Lehrer werden. **sinnv.:** eigentlich, von Haus aus, original, originär, primär, zunächst.

Ur|teil, das; -s, -e: **1.** *richterliche Entscheidung, die den [vorläufigen] Abschluß eines gerichtlichen Verfahrens bildet:* der Richter fällte ein mildes U. **sinnv.:** Entscheidung, Spruch. **Zus.:** Gerichts-, Todesurteil. **2.** *sorgfältig abgewogene Meinung, Entscheidung:* ich kann mir kein U. darüber bilden. **sinnv.:** Ansicht, Einschätzung, Erkenntnis, Votum. **Zus.:** Gesamt-, Pauschal-, Vorurteil.

ur|tei|len ⟨itr.⟩: **1.** *ein Urteil (2) über jmdn./etwas abgeben:* er urteilte sehr hart über sie. **sinnv.:** beurteilen. **Zus.:** ab-, verurteilen. **2.** *sich ein Urteil (2) bilden:* nach dem ersten Eindruck u. **sinnv.:** denken.

Ur|wald, der; -[e]s, Urwälder: *ursprünglicher, unkultivierter Wald mit reicher Fauna (bes. in den Tropen).* **sinnv.:** Busch, Dickicht, Dschungel, Monsunwald, Regenwald, Wildnis, Wirrnis.

Uten|sil, das; -s, -ien (meist Plural): *Gegenstand, den man zu einem bestimmten Zweck braucht:* er packte seine Utensilien zusammen und fuhr ins Bad. **sinnv.:** Zubehör. **Zus.:** Mal-, Reise-, Waschutensil.

uto|pisch ⟨Adj.⟩: *nur in der Vorstellung, Phantasie möglich; mit der Wirklichkeit unvereinbar:* diese kühnen Pläne wurden vielfach als u. angesehen.

V

Va|ga|bund, der; -en, -en: *jmd., der sich herumtreibt.* **sinnv.:** Berber, Bettler, Clochard, Gammler, Hausierer, Herumtreiber, Hobo, Landfahrer, Landstreicher, Nichtseßhafter, Obdachloser, Pennbruder, Penner, Rumtreiber, Stadtstreicher, Tippelbruder, Tramp, Trebegänger, Zigeuner.

va|ge ⟨Adj.⟩: *unbestimmt und ungenau; nur flüchtig angedeutet:* eine vage Vorstellung, Hoffnung. **sinnv.:** unklar.

Va|gi|na, die; -, Vaginen: *von der Gebärmutter nach außen führender Teil der weiblichen Geschlechtsorgane.* **sinnv.:** Scheide.

Va|ku|um, das; -s, Vakua und Vakuen: **1.** *fast luftleerer Raum; Raum mit ganz geringem Druck:* in der Pumpe wird ein V. hergestellt. **sinnv.:** Hohlraum. **2.** *Bereich, der unausgefüllt ist, der jedem Einfluß offensteht:* nach dem Krieg war in Mitteleuropa ein politisches V. entstanden. **sinnv.:** Leere.

Vam|pir [auch: ...pir] der; -s, -e: *(im Volksglauben) Verstorbener, der nachts seinem Sarg ent-* steigt, um insbesondere jungen Mädchen Blut auszusaugen. **sinnv.:** Blutsauger, Dracula, Nosferatu, Untoter, Zombie.

Va|nil|le [va'nil(j)ə], die; -: **a)** *zu den Orchideen gehörende Pflanze mit oft gelblichweißen, duften den Blüten und langen, schotenähnlichen Früch ten.* **b)** *aus den Früchten der Vanille (a) gewonne ner Stoff mit besonderem Aroma.*

va|ri|a|bel ⟨Adj.⟩: *so, daß man es ändern kann:* variable Größen; etwas v. gestalten. **sinnv.:** anpassungsfähig, beweglich, flexibel, formbar, schwankend, veränderbar, veränderlich, wandelbar.

va|ri|ie|ren: a) ⟨tr.⟩ *(ein Thema, einen Gedanken) umgestalten [und dabei erweitern]:* seit den letzten Jahren variierte er immer dasselbe Thema in sei ner Malerei. **sinnv.:** abwandeln. **b)** ⟨itr.⟩ *in ver schiedenen Abstufungen voneinander abweichen, unterschiedlich sein:* das Klima variiert sehr star in den einzelnen Landschaften. **sinnv.:** abwei chen.

'a|se, die; -, -n: *aus Glas, Ton oder Porzellan ge-
ertigtes Gefäß für Blumen o. ä.* **sinnv.:** Gefäß.
us.: Blumen-, Boden-, Kristallvase.
'a|ter, der; -s, Väter: **a)** *Mann, der ein oder meh-
ere Kinder gezeugt hat.* **sinnv.:** Alter, Daddy, Er-
euger, Familienoberhaupt, Hausherr, Alter
lerr, Papa, Papi, Paps, Senior. **Zus.:** Braut-,
iroß-, Raben-, Schwieger-, Stammvater. **b)**
*Mann, der in der Rolle eines Vaters ein oder mehre-
e Kinder versorgt, erzieht:* bei seinem neuen V.
ing es ihm schlecht. **Zus.:** Pflege-, Stief-, Zieh-
ater.
ä|ter|lich ⟨Adj.⟩: **1.** ⟨nur attributiv⟩ *dem Vater
igehörend, vom Vater kommend:* das väterliche
·eschäft übernehmen. **2.** *sich einem anderen ge-
enüber fürsorglich und wohlwollend wie ein Vater
erhaltend:* ein väterlicher Freund.
e|ge|ta|risch ⟨Adj.⟩: *überwiegend auf pflanzli-
·hen Stoffen beruhend, sich von pflanzlichen Stof-
·n ernährend:* vegetarische Kost; v. leben, essen.
nnv.: fleischlos.
e|ge|tie|ren ⟨itr.⟩: *sehr kärglich, kümmerlich le-
·en, sein Leben fristen:* sie vegetieren seit Jahren
·n Lagern. **sinnv.:** dahinleben, darben. **Zus.:** da-
invegetieren.
e|he|ment ⟨Adj.⟩: *seiner Erregung o. ä. tempe-
·amentvoll Ausdruck gebend:* eine vehemente Äu-
erung; v. sprang er auf und verließ das Zimmer.
sinnv.: lebhaft, ungestüm.
eil|chen, das; -s, -: *Pflanze mit kleinen violet-
·n, stark duftenden Blüten.* **Zus.:** Alpen-,
·unds-, Usambaraveilchen.
en|til, das; -s, -e: *Vorrichtung, durch die das
·ustreten von flüssigen oder gasförmigen Stoffen
·esteuert werden kann.* **Zus.:** Druck-, Fahrrad-,
·ugel-, Überdruck-, Überlaufventil.
er- ⟨Präfix⟩ /Basiswörter sind Substantive oder
·djektive, z. B. ver-netz-en, ver-schul(e)-en/: **I.**
·erbal⟩ **1.** (Ggs. ent-) *zu dem im Basiswort Ge-
·annten im Laufe der Zeit werden:* verarmen, ver-
·ummen, verspießern. **2.** *zu dem im Basiswort Ge-
·annten machen, in den im Basiswort genannten
·ustand versetzen:* vereinheitlichen, verharmlo-
·n, verkitschen, vertexten, verunsichern. **3.**
·anz und gar⟩ *mit dem im Basiswort Genannten
·ersehen:* verdrahten, verkabeln. **4.** *in das im Ba-
·swort Genannte bringen, umsetzen:* verdaten,
·errenten. **5.** *ganz und gar mit dem im Basiswort
·enannten versehen sein:* verrunzeln, verschor-
·n. **6.** *durch das im Basiswort Genannte beseitigt,
·erbraucht, aufgelöst werden:* verausgaben, ver-
·üipsen verplanen, vertelefonieren. **7.** *durch das
·n Basiswort genannte Tun o. ä. versäumt werden:*
·erpennen, verschnarchen. **8.** *die im Basiswort ge-
·annte Tätigkeit verkehrt, falsch tun:* verinszenie-
·n, verretuschieren. **9.** *verstärkend/:* verbessern,
·rbleiben, vermelden, vermerken, vermessen,
·rmischen, verspüren. **II.** (adjektivisch) **a)** *ganz
·nd gar von dem im Basiswort genannten Inhalt
·ekennzeichnet:* verkrebst, vermufft, verwissen-
·haftlicht. **b)** *ganz und gar mit dem im Basiswort
·ersehen:* verkackt, verkotet.
er|ab|re|den, verabredete, hat verabredet: **1.**
·r.⟩ *eine bestimmte Abmachung mit jmdm. treffen,
·nen gemeinsamen Plan, eine bestimmte Vorgehens-
·eise festlegen:* ich habe mit ihm verabredet, daß
·ir uns morgen treffen; ein Erkennungszeichen
·· **sinnv.:** übereinkommen. **2.** ⟨sich v.⟩ *eine Zu-

sammenkunft mit jmdm. verabreden* (1): sich auf
ein Glas Wein v.
ver|ab|scheu|en ⟨tr.⟩: *Abscheu (gegenüber
jmdm./einer Sache) empfinden:* er verabscheute
jede Art von Schmeichelei. **sinnv.:** abscheulich /
ekelhaft / unerträglich / verabscheuenswert / ver-
abscheuenswürdig / widerwärtig finden, Ab-
scheu / Ekel / Widerwillen empfinden; ekeln;
hassen.
ver|ab|schie|den, verabschiedete, hat verab-
schiedet: **1.** ⟨sich v.⟩ *beim Aufbruch einige [formel-
hafte] Worte, einen Gruß o. ä. an den/die Bleiben-
den richten:* er verabschiedete sich mit Hand-
schlag. **sinnv.:** sich trennen. **2.** ⟨tr.⟩ *an jmdn. an-
läßlich seines Ausscheidens aus dem Dienst in
förmlich-feierlicher Weise Worte des Dankes, der
Anerkennung o. ä. richten:* einen hohen Beamten
v. **sinnv.:** entlassen. **3.** ⟨tr.⟩ *(ein Gesetz o. ä., nach-
dem darüber verhandelt wurde) annehmen, be-
schließen:* nach heftigen Diskussionen wurde das
Gesetz vom Parlament verabschiedet.
ver|ach|ten, verachtete, hat verachtet: *eine
Person oder Sache für schlecht, für geringfügig hal-
ten und deswegen auf sie herabsehen:* er hat den
Tod stets verachtet. **sinnv.:** geringachten, gering-
schätzen, ignorieren, verschmähen.
ver|ächt|lich ⟨Adj.⟩: **1.** *Verachtung ausdrük-
kend:* ein verächtliches Lachen. **sinnv.:** abschät-
zig. **2.** *wegen der moralischen Minderwertigkeit
Verachtung verdienend:* eine verächtliche Gesin-
nung. **sinnv.:** gemein, jämmerlich, verachtens-
wert.
Ver|ach|tung, die; -: *das Verachten, starke Ge-
ringschätzung:* jmdn. voll V. anblicken; jmdn.
mit V. strafen. **sinnv.:** Abfälligkeit, Abschätzig-
keit, Achselzucken, Despektierlichkeit, Entwür-
digung, Geringschätzigkeit, Häme, Herabset-
zung, Herabwürdigung, Herzlosigkeit, Kälte,
Mißachtung, Naserümpfen, Respektlosigkeit,
Verächtlichmachung, Zynismus. **Zus.:** Men-
schen-, Todesverachtung.
ver|all|ge|mei|nern ⟨tr.⟩: *etwas, was als Erfah-
rung, Erkenntnis aus einem oder mehreren Fällen
gewonnen worden ist, auf andere Fälle ganz allge-
mein anwenden, übertragen:* du darfst diese Fest-
stellung nicht v. **sinnv.:** generalisieren, verabsolu-
tieren.
Ve|ran|da, die; -, Veranden: *kleiner Vorbau an
Wohnhäusern [mit Wänden aus Glas]:* sie saßen
auf, in der V. und tranken Kaffee. **sinnv.:** Aus-
tritt, Balkon, Dachgarten, Erker, Loggia, Söller,
Terrasse, Wintergarten. **Zus.:** Glas-, Holzveran-
da.
ver|än|dern: **1.** ⟨tr.⟩ *(jmdm./einer Sache) ein an-
deres Aussehen oder Wesen geben:* einen Raum v.;
die Erlebnisse der letzten Zeit haben ihn sehr ver-
ändert. **sinnv.:** abwandeln, ändern, verwandeln,
wandeln. **2.** ⟨sich v.⟩ **a)** *ein anderes Aussehen oder
Wesen bekommen; anders werden:* bei uns hat
sich vieles verändert. **sinnv.:** sich wandeln. **b)** *die
berufliche Stellung wechseln:* nach zehn Jahren in
demselben Betrieb wollte er sich v. **sinnv.:** umsat-
teln.
Ver|än|de|rung, die; -, -en: *das [Sich]verän-
dern.* **sinnv.:** Abwandlung, Abwechslung, Ände-
rung, Fluktuation, Mutation, Stellungswechsel,
Übergang, Übertritt, Umbruch, Umschlag, Um-
schwung, Umsturz, Wandel, Wandlung, Wech-

sel, Wende; Verwandlung. **Zus.**: Klima-, Luft-, Standort-, Struktur-, Umweltveränderung.

ver|an|lagt ⟨Adj.⟩: *von Natur aus bestimmte Fähigkeiten oder Eigenschaften habend:* ein musikalisch veranlagtes Kind. **sinnv.**: geartet, vorbelastet.

Ver|an|la|gung, die; -, -en: *Art und Weise, in der jmd. veranlagt ist:* die künstlerischen Fähigkeiten sind im allgemeinen eine Sache der V. **sinnv.**: Anlage, Begabung, Gepräge.

ver|an|las|sen, veranlaßt, veranlaßte, hat veranlaßt ⟨tr.⟩: *auf irgendeine Weise dahin wirken, daß etwas Bestimmtes geschieht oder daß jmd. etwas Bestimmtes tut:* er veranlaßte eine genaue Prüfung des Vorfalls. **sinnv.**: anhalten, anleiern, anregen, beauftragen, bewegen, nötigen, treiben, verursachen.

ver|an|schla|gen ⟨tr.⟩: *auf Grund einer Schätzung, einer vorläufigen Berechnung als voraussichtliche Anzahl, Summe o. ä. annehmen:* die Kosten für den Bau wurden mit 50 Millionen veranschlagt. **sinnv.**: schätzen.

ver|an|stal|ten, veranstaltete hat veranstaltet ⟨tr.⟩: **1.** *als Verantwortlicher und Organisator stattfinden lassen, durchführen [lassen]:* ein Fest v.; eine Umfrage v. **sinnv.**: abhalten, arrangieren, aufziehen, ausrichten, austragen, durchführen, geben, halten, inszenieren, organisieren, unternehmen. **2.** (ugs.) *(etwas meist negativ Bewertetes) machen, vollführen:* Lärm v.

ver|ant|wor|ten, verantwortete, hat verantwortet: **a)** ⟨tr.⟩ *es auf sich nehmen, für die eventuell aus etwas sich ergebenden Folgen einzustehen:* eine Maßnahme v. **sinnv.**: einstehen, vertreten. **b)** ⟨sich v.⟩ *sein Verhalten oder seine Absicht einer Anklage oder einem Vorwurf gegenüber rechtfertigen:* er hatte sich wegen seiner Äußerung vor Gericht zu v. **sinnv.**: sich wehren.

ver|ant|wort|lich ⟨Adj.⟩: **a)** *die Verantwortung tragend:* der verantwortliche Herausgeber einer Zeitschrift. **sinnv.**: befugt, haftbar. **Zus.**: allein-, eigen-, haupt-, mit-, unverantwortlich. **b)** *mit Verantwortung verbunden, Verantwortung mit sich bringend:* eine verantwortliche Stellung. **sinnv.**: verantwortungsvoll.

ver|ar|bei|ten, verarbeitete, hat verarbeitet ⟨tr.⟩: **1.** *in einem Herstellungsprozeß (einen Rohstoff, ein Material) zu etwas Bestimmten gestalten, machen:* Gold zu Schmuck v. **2.** *geistig bewältigen:* viele neue Eindrücke v. **sinnv.**: überlegen.

ver|är|gern ⟨tr.⟩: *durch bestimmte Äußerungen, Verhaltensweisen in üble Laune, in gereizte Stimmung o. ä. bringen:* mit euren Bemerkungen habt ihr ihn verärgert. **sinnv.**: ärgern.

ver|äu|ßern ⟨tr.⟩: *(etwas, was jmd. als Eigentum besitzt, worauf jmd. einen Anspruch hat) jmdm. übereignen, verkaufen, es an jmdn. abtreten:* sie war gezwungen, ihren Schmuck zu v. **sinnv.**: verkaufen. **Zus.**: weiterveräußern.

Ver|band, der; -[e]s, Verbände: **I.** *zum Schutz einer Wunde o. ä., zur Ruhigstellung dienende, in mehreren Lagen um einen Körperteil gewickelte Binde o. ä.:* die Krankenschwester legte ihm einen V. an. **sinnv.**: Bandage, Binde. **Zus.**: Gips-, Schutz-, Streck-, Wundverband. **II. 1.** *größere Vereinigung, die (zur Durchsetzung gemeinsamer Interessen) durch Zusammenschluß von Vereinen oder Gruppen entsteht:* politische Verbände.

sinnv.: Genossenschaft. **Zus.**: Fach-, Journali sten-, Sport-, Zweckverband. **2.** *Zusammenschlu mehrerer kleinerer, militärischer Einheiten:* motc risierte Verbände. **sinnv.**: Abteilung. **Zus.**: Flo ten-, Truppenverband.

ver|ban|nen ⟨tr.⟩: *(als Strafe) aus dem Land we sen, an einen fernen Ort schicken und zwinger dort zu bleiben:* jmdn. auf eine Insel v. **sinnv.** ausweisen.

ver|ber|gen, verbirgt, verbarg, hat verborge ⟨tr.⟩: **1.** *für eine gewisse Zeit fremden [suchender Blicken entziehen:* etwas unter seinem Mantel v. er suchte seine Tränen zu v.; der Flüchtling ver barg sich im Wald. **sinnv.**: verstecken. **2.** *(jmdn aus irgendeinem Grund nicht wissen lassen; der Wissen, der Kenntnis anderer entziehen:* er ha nichts zu v. **sinnv.**: schweigen.

ver|bes|sern: 1. ⟨tr.⟩ *verändern und dadurc besser machen:* eine Erfindung v. **sinnv.**: anhe ben, aufbessern, aufpolieren, ausbauen, besserr erneuern, kultivieren, reformieren, revolutionie ren, sanieren, verfeinern. **b)** ⟨tr.⟩ *von Fehlerr Mängeln befreien:* jmds. Stil v. **sinnv.**: bericht gen. **c)** ⟨tr.⟩ *(einen Fehler o. ä.) beseitigen:* eine Druckfehler v. **sinnv.**: berichtigen. **d)** ⟨sich v.⟩ *bes ser, vollkommener werden:* die Verhältnisse habe sich entscheidend verbessert. **sinnv.**: aufwärtsge hen, sich bessern. **2.** ⟨sich v.⟩ *in eine bessere wir schaftliche Lage kommen; sich eine bessere Ste lung verschaffen:* er wollte sich v. **sinnv.**: sich vo arbeiten. **3.** ⟨tr.⟩ *(bei jmdm., sich) eine als unzutre fend, fehlerhaft o. ä. erkannte Äußerung richtig stellen, berichtigen:* ich muß mich v. **sinnv.**: be richtigen.

ver|beu|gen, sich: *(vor jmdm.) zum Gruß, zu Zeichen seiner Dankbarkeit o. ä. Kopf und Ober körper nach vorn neigen:* sich tief v. **sinnv.**: sich verneigen.

Ver|beu|gung, die; -, -en: *das Sichverbeugen* eine V. machen. **sinnv.**: Bückling, Diener, Kom pliment, Verneigung.

ver|bie|gen, verbog, hat verbogen: **a)** ⟨tr.⟩ *durc Biegen aus der Form bringen:* einen Nagel v. **b** ⟨sich v.⟩ *durch Sichbiegen aus der Form geraten* die Schienen haben sich verbogen.

ver|bie|ten, verbot, hat verboten: **1.** ⟨tr.⟩ *fü nicht erlaubt, für unzulässig erklären:* er hat ihm verboten, sie zu besuchen; Betreten verboten **sinnv.**: indizieren, untersagen, versagen, verweh ren. **2.** ⟨sich v.⟩ *nicht in Betracht kommen, ausge schlossen sein:* so etwas verbietet sich [von selbst

ver|bin|den, verband, hat verbunden: **1.** ⟨tr.⟩ *m einer Binde oder einem Verband versehen:* jmdm die Augen v.; eine Wunde v. **sinnv.**: bandagierer einbinden, umwickeln. **2. a)** ⟨tr.⟩ *untereinander i Berührung, Kontakt bringen, zusammenbringen zusammenfügen:* zwei Drähte [durch Löten] mi einander v. **b)** ⟨sich v.⟩ *mit etwas zusammen-, i Kontakt kommen und dabei etwas Neues ergeben* Natrium und Chlor verbinden sich zu Kochsal **3.** ⟨tr.⟩ *(durch etwas zwei Dinge oder Teile) in enge re Beziehung zueinander setzen:* zwei Stadtteil mit einer Brücke v. **4.** ⟨tr.⟩ *(jmdm.) ein Telefonge spräch vermitteln:* verbinden Sie mich bitte mi meinem Büro. **5. a)** ⟨tr.⟩ *(zwei Dinge, die nicht no wendig zusammengehören) zugleich haben ode tun:* sie verbindet immer das Praktische mit der Schönen. **sinnv.**: verknüpfen. **b)** ⟨sich v.⟩ *mit e* *vas zusammenkommen, zusammen auftreten:* bei hm verbinden sich Ruhe und Besonnenheit. **innv.:** sich vereinen. **6.** ⟨tr.⟩ *eine Beziehung zwichen Personen herstellen und aufrechterhalten, lie Grundlage einer Beziehung zu jmdm. sein:* mit hm verbinden mich/uns verbinden gemeinsame nteressen. **7.** ⟨sich v.⟩ *sich (zu einem Bündnis, einer Partnerschaft o. ä.) zusammentun:* sich mit mdm. ehelich v. **sinnv.:** sich liieren; sich verbünlen. **8. a)** ⟨tr.⟩ *in einen [assoziativen] Zusammenang (mit etwas) bringen:* ich verbinde mit diesem Bild etwas anderes als du. **sinnv.:** verknüpfen. **b)** sich v.) *(mit etwas) in einem [assoziativen] Zusammenhang stehen:* mit dieser Melodie verbinden ich [für mich] schöne Erinnerungen.

er|bind|lich ⟨Adj.⟩: **1.** *persönliches, freundliches Entgegenkommen zeigend, spüren lassend:* er lähelte v. **sinnv.:** freundlich. **2.** *durch eine bindende Zusage, Erklärung festgelegt:* eine verbindliche Zusage; das Abkommen wurde für v. erklärt. **innv.:** bindend, definitiv, endgültig, feststehend, bligatorisch, unabänderlich, unwiderruflich, erpflichtend.

er|bis|sen ⟨Adj.⟩: **1. a)** *allzu hartnäckig und äh, nicht bereit nachzugeben, aufzugeben:* ein erbissener Gegner. **sinnv.:** beharrlich. **b)** *von inerer Verkrampftheit, Angespanntheit zeugend:* in verbissenes Gesicht. **sinnv.:** stur, unfrei, verrampft, verspannt. **2.** (ugs.) *nicht großzügig und olerant, sondern unfrei und kleinlich, pedantisch:* as darf man alles nicht so v. nehmen. **sinnv.:** ngherzig.

er|blüf|fen ⟨tr.⟩: *(jmdn.) so überraschen, daß er prachlos ist, die Sache gar nicht richtig beurteilen ann:* ihre Antwort verblüffte uns; sich durch etas v. lassen; eine verblüffende Ähnlichkeit. **nnv.:** erstaunen.

er|blü|hen, verblühte, ist verblüht ⟨itr.⟩: *zu blüen aufhören und zu welken beginnen:* die Blumen erblühen schon.

er|blu|ten, verblutete, ist verblutet ⟨itr.⟩: *durch tarken Blutverlust sterben:* er ist an der Unfallelle verblutet.

er|bot, das; -[e]s, -e: *von einer dazu befugten telle oder Person ausgehende Anordnung, die etas zu tun verbietet, etwas für unzulässig, für nicht rlaubt erklärt:* ein strenges V.; ein V. übertreten; · verstieß gegen das V. **sinnv.:** Interdikt, Tabu, intersagung. **Zus.:** Alkohol-, Berufs-, Halte-, Iaus-, Schreib-, Start-, Überholverbot.

er|brauch, der; -[e]s: **a)** *das Verbrauchen:* eife ist sparsam im V. **sinnv.:** Konsum, Konsuation, Verschleiß, Verzehr. **Zus.:** Energie-, rom-, Tagesverbrauch. **b)** *verbrauchte Menge, nzahl von etwas:* der V. an Butter ist gestiegen.

er|brau|chen: 1. ⟨tr.⟩ **a)** *[regelmäßig] (eine geisse Menge von etwas) nehmen und für einen bestimmten Zweck verwenden:* sie haben viel Strom erbraucht. **sinnv.:** brauchen. **b)** *allmählich, nach nd nach aufzehren:* sie hatten ihre Vorräte verraucht. **sinnv.:** aufbrauchen, aufzehren, durchringen, erschöpfen, konsumieren, vergeuden, erkonsumieren. **2.** ⟨tr.⟩ *durch häufiges Gebrauhen, Anwenden, Verwenden [bis zur Unbraucharkeit] abnutzen, verschleißen o. ä.:* das Material t nach einer gewissen Zeit verbraucht und brünig. **sinnv.:** abnutzen, abschreiben. **3.** ⟨sich v.⟩ *zine Kräfte erschöpfen; sich abarbeiten und nicht*

mehr leistungsfähig sein: sich in der Arbeit völlig v. **sinnv.:** entkräften.

Ver|brau|cher, der; -s, -, **Ver|brau|che|rin,** die; -, -nen: *männliche bzw. weibliche Person, die Waren kauft und verbraucht.* **sinnv.:** Käufer, Konsument, Kunde. **Zus.:** End-, Groß-, Normalverbraucher.

Ver|bre|chen, das; -s, -: **a)** *Handlung, die so schwer gegen das Gesetz verstößt, daß sie sehr hoch bestraft wird:* ein schweres, grauenvolles V. **sinnv.:** Bluttat, Delikt, Gewalttat, Greuel, Laster, Straftat, Verstoß. **Zus.:** Gewalt-, Kapital-, Kriegs-, Sexualverbrechen. **b)** *verabscheuenswürdige, verantwortungslose Handlung:* Kriege sind ein V. an der Menschheit.

Ver|bre|cher, der; -s, -, **Ver|bre|che|rin,** die; -, -nen: *männliche bzw. weibliche Person, die ein Verbrechen begangen hat:* der Verbrecher konnte gefaßt werden. **sinnv.:** Attentäter, Bandit, Delinquent, Element, Frevler, Gangster, Ganove, Gewalttäter, Krimineller, Mafioso, Missetäter, Mörder, Sittenstrolch, Unhold. **Zus.:** Berufs-, Gewalt-, Gewohnheits-, Kriegs-, Schwer-, Sittlichkeitsverbrecher.

ver|brei|ten, verbreitete, hat verbreitet: **1. a)** ⟨tr.⟩ *etwas an viele Leute weitergeben, so daß es bald in einem weiten Umkreis bekannt ist:* ein Gerücht v. **sinnv.:** aufbringen, ausposaunen, aussprengen, ausstreuen, breittreten, an die große Glocke hängen, herumerzählen, herumtragen, unter die Leute bringen, in Umlauf bringen, in die Welt setzen. **b)** ⟨sich v.⟩ *in einem weiten Umkreis bekannt werden, in Umlauf kommen:* die Nachricht verbreitete sich durch die Presse. **2. a)** ⟨tr.⟩ *in einem weiten Umkreis gelangen lassen:* die Tiere verbreiteten Krankheiten. **sinnv.:** übertragen. **b)** ⟨sich v.⟩ *sich in einem weiten Umkreis ausdehnen, ausbreiten, um sich greifen:* ein übler Geruch verbreitete sich im ganzen Haus. **sinnv.:** sich ausbreiten. **3.** ⟨tr.⟩ *durch sich selbst seiner Umgebung mitteilen; von sich ausgehen lassen:* sie verbreiteten Angst und Schrecken. **sinnv.:** ausstrahlen. **4.** ⟨sich v.⟩ *(über etwas) ausführlich, weitschweifig schreiben oder sprechen:* in seiner Einleitung verbreitete er sich über die historischen Voraussetzungen. **sinnv.:** sich äußern.

ver|bren|nen, verbrannte, hat/ist verbrannt: **1.** ⟨itr.⟩: **a)** *vom Feuer verzehrt, vernichtet, getötet werden:* bei dem Feuer ist ihre Einrichtung verbrannt. **b)** *(beim Braten o. ä.) durch zu große Hitze verderben, unbrauchbar, ungenießbar werden:* der Braten ist total verbrannt. **2.** ⟨itr.⟩ *unter der sengenden Sonne völlig ausdorren:* die Vegetation ist [von der glühenden Hitze] völlig verbrannt. **3.** ⟨tr.⟩ *vom Feuer verzehren, vernichten lassen:* er hat Holz verbrannt. **sinnv.:** abbrennen, einäschern, in Flammen aufgehen lassen, niederbrennen, in Schutt und Asche legen. **4. a)** ⟨itr.⟩ *durch übermäßige Hitze beschädigen, verletzen:* ich habe mir die Hand verbrannt. **b)** ⟨sich v.⟩ *sich eine Brandwunde zuziehen:* er hat sich an dem heißen Metall verbrannt.

ver|brin|gen, verbrachte, hat verbracht ⟨itr.⟩: *sich (eine bestimmte Zeit an einem bestimmten Ort) aufhalten oder (die Zeit in einer bestimmten Weise) vergehen lassen:* sie verbringen ihren Urlaub an der See. **sinnv.:** sich aufhalten, herumkriegen.

ver|bün|den, sich; verbündete sich, hat sich verbündet: *sich zu einem [militärischen] Bündnis zusammenschließen:* er hat sich mit ihm gegen uns verbündet. **sinnv.:** sich alliieren, sich anschließen, sich assoziieren, fusionieren, sich integrieren, koalieren, eine Koalition eingehen, sich verbinden, sich vereinigen, mit jmdm. zusammengehen, sich zusammenrotten, sich zusammentun.

Ver|dacht, der; -[e]s: 1. *argwöhnische, dahin gehende Vermutung, daß jmd. eine heimliche [böse] Absicht verfolge oder in einer bestimmten Angelegenheit der Schuldige sei:* V. schöpfen; er hatte einen bestimmten V.; der V. richtete sich nicht gegen ihn. **sinnv.:** Argwohn, Skrupel, Zweifel. **Zus.:** Flucht-, Mord-, Tatverdacht. **2. *V. auf** *(die Befürchtung, Annahme, begründete Vermutung auf):* V. auf Krebs.

ver|däch|tig ⟨Adj.⟩: *durch seine Erscheinung oder sein Tun zu einem bestimmten Verdacht Anlaß gebend, in einer bestimmten Hinsicht fragwürdig, nicht geheuer:* eine verdächtige Person; die Sache ist mir v. **sinnv.:** anrüchig, lichtscheu. **Zus.:** flucht-, mord-, tatverdächtig.

-ver|däch|tig (adjektivisches Suffixoid): 1. *auf Grund der Gegebenheiten mit dem im Basiswort Genannten rechnen könnend, (die Aussicht habend, das im Basiswort Genannte zu werden, zu bekommen:* bestseller-, hit- (ein hitverdächtiger Song = ein Song, der vielleicht ein Hit wird), medaillen-, olympia- *(in der sportlichen Leistung besonders gut [so gut, daß die Teilnahme an der Olympiade möglich scheint]),* rekordverdächtig. **sinnv.:** -schwanger, -trächtig. **2.** *eine bestimmte, im Basiswort genannte Vermutung, Befürchtung, einen Verdacht in bezug auf jmdn./etwas nahelegend:* anarcho-, links-, plagiat-, pleite-, putschverdächtig.

ver|däch|ti|gen ⟨tr.⟩: *(von jmdm.) annehmen, ihn verfolge eine bestimmte böse Absicht oder habe sich einer bestimmten unerlaubten Handlung schuldig gemacht:* man verdächtigte ihn des Diebstahls. **sinnv.:** anklagen, anschuldigen, belasten, beschuldigen, bezichtigen, jmdm. etwas zur Last legen, jmdm. etwas unterjubeln/unterschieben/unterstellen, jmdn. für etwas verantwortlich machen, zeihen.

ver|dam|men ⟨tr.⟩: *mit Nachdruck für schlecht, verwerflich oder strafwürdig erklären, vollständig verurteilen, verwerfen:* ich will niemanden v. **sinnv.:** brandmarken.

ver|dan|ken ⟨tr.⟩: *(jmdn./etwas) [dankbar] als Urheber, Bewirker o.ä. von etwas anerkennen; (jmdm. für etwas) Dank schulden:* wir verdanken ihm unsere Rettung. **sinnv.:** jmdm. zu Dank verpflichtet sein, jmdm. etwas danken/zu danken haben, jmdm. etwas schulden.

ver|dau|en ⟨tr.⟩: *(aufgenommene Nahrung) im Körper auflösen und in verwertbare Stoffe verwandeln:* Erbsen sind schwer zu v.

ver|decken ⟨tr.⟩: a) *sich vor etwas befinden und dadurch verhindern, daß man es sieht:* die Bäume verdecken das Haus. b) *so bedecken, zudecken o.ä., daß es nicht mehr sichtbar ist:* er verdeckte die Karte mit der Hand. **sinnv.:** bedecken, verstecken.

ver|der|ben, verdirbt, verdarb, hat/ist verdorben: **1.** a) ⟨itr.⟩ *durch Aufbewahren über die Dauer der Haltbarkeit hinaus schlecht, ungenießbar wer-*

den: das ganze Obst war verdorben. **sinnv.:** fau len. b) ⟨tr.⟩ *durch falsche Behandlung o.ä. un brauchbar, zunichte machen:* mit diesem Wasch mittel hast du das Kleid verdorben. **sinnv.** schmecken, verbocken, verfälschen, verkorksen vermasseln, vermurksen, verpatzen, verpfusche versauen. **2.** ⟨sich v.⟩ *sich (an einem Körperteil, O gan o.ä.) einen Schaden, eine Schädigung zuzie hen:* ich habe mir den Magen verdorben. **3.** ⟨tr zunichte machen; durch sein Verhalten dafür sor gen, daß aus einer Sache nichts wird:* er hat ih alles, die gute Laune verdorben. **4.** ⟨tr.⟩ *(au jmdn.) einen schlechten Einfluß ausüben, ihn (be in sittlich- moralischer Hinsicht) negativ beeinflu sen:* diese Leute haben ihn verdorben.

ver|deut|li|chen ⟨tr.⟩ *durch Anschaulichmache besser verständlich, deutlicher machen:* seine Standpunkt an einem Beispiel v. **sinnv.:** präzisie ren.

ver|die|nen: **1.** ⟨tr.⟩ *(eine bestimmte Summe) a entsprechenden Lohn für eine bestimmte Leistun oder für eine bestimmte Tätigkeit erhalten, als Ge winn erzielen:* in diesem Beruf verdient man vi Geld. **sinnv.:** absahnen, bekommen, beziehe einnehmen, erhalten, erlösen, erwerben, Gel machen, kriegen, scheffeln. **2.** ⟨itr.⟩ *zu Recht b kommen; seiner Beschaffenheit, seinem Hande o.ä. gemäß einer bestimmten Einschätzung wü dig, wert sein:* seine Tat verdient Anerkennung dieses Schicksal hat er nicht verdient; er verdie kein Vertrauen.

Ver|dienst: I. der; -[e]s: *durch Arbeit erworbene Geld, Einkommen:* er hat einen hohen V. **sinnv** Bezahlung, Gehalt, Lohn. **Zus.:** Arbeits-, Brutto Jahres-, Nebenverdienst. **II.** das; -[e]s, -e: *Ta Leistung, durch die sich jmd. verdient macht un sich Anspruch auf Anerkennung erwirbt:* das V. f diese Erfindung gebührt ihm allein. **sinnv.:** Gro tat, Leistung, Meriten.

ver|dop|peln: a) *auf die doppelte Anzah Menge, Größe o.ä. bringen, um dasselbe Maß o. vermehren:* den Einsatz v. b) ⟨sich v.⟩ *doppelt groß werden wie bisher:* der Ertrag hat sich me als verdoppelt.

ver|drän|gen ⟨tr.⟩: **1.** *(von einer Stelle) dränge nicht mehr (an seinem Platz) lassen:* er woll mich aus meiner Stellung v. **sinnv.:** abdränge ausbooten, ausstechen, beiseite schieben/stoße entmachten, aus dem Feld schlagen, zur Seit drängen, jmdn. an die Wand spielen. **2.** *(etwa Unangenehmes Bedrängendes) annehmen und de Bewußtsein ausschieben:* ein Erlebnis v. **sinn** unterdrücken.

ver|dre|hen ⟨tr.⟩: **1.** *[durch Drehen] aus seine natürlichen Stellung, Haltung in eine ungewohn Stellung bringen:* die Augen v.; er verdrehte ih den Arm. **2.** *den Sinn (von etwas) entstellen, u richtig wiedergeben; falsch auslegen:* er hat jem Worte ganz verdreht. **sinnv.:** verfälschen.

ver|dün|nen ⟨tr.⟩: *(etwas Flüssiges) durch Hinz fügen von Wasser o.ä. dünnflüssig, weniger sta machen:* Wein, eine Medizin v. **sinnv.:** pansche strecken, verlängern, verwässern.

ver|dun|sten, verdunstete, ist verdunstet ⟨itr in eine gasförmige Zustand, bes. in Wasse dampf übergehen:* das Wasser ist verdunste **sinnv.:** verdampfen, verfliegen, sich verflücht gen.

ver|dur|sten, verdurstete, ist verdurstet ⟨itr.⟩: *aus Mangel an trinkbarer Flüssigkeit sterben, zugrunde gehen:* sie sind in der Wüste verdurstet.

ver|dutzt ⟨Adj.⟩ (ugs.): *von etwas Unerwartetem verwirrt, irritiert, so daß man nicht recht begreift, was vorgeht:* er war ganz v. **sinnv.:** sprachlos.

ver|eh|ren ⟨tr.⟩: **1. a)** *jmdn. sehr hoch schätzen, bewundern und ihm mit Ehrerbietung begegnen:* er verehrte seinen Lehrer. **sinnv.:** achten, anbeten, anhimmeln, aufblicken/aufschauen/aufsehen zu, zu Füßen liegen, hochachten, hochschätzen, vergöttern. **b)** *als göttliches Wesen ansehen und ihm einen Kult weihen:* die Griechen verehrten viele Götter. **sinnv.:** anbeten, heiligen. **2.** (scherzh.) *jmdn. etwas schenken, als freundliche Geste überreichen:* er verehrte der Gastgeberin einen Blumenstrauß.

Ver|ein, der; -[e]s, -e: *Organisation, in der sich Personen mit bestimmten gemeinsamen Interessen, Zielen zu gemeinsamem Tun zusammengeschlossen haben:* einen V. gründen; in einen V. eintreten. **sinnv.:** Vereinigung. **Zus.:** Kunst-, Musik-, Sport-, Turn-, Wohltätigkeitsverein.

ver|ein|ba|ren ⟨tr.⟩: *durch gemeinsamen Beschluß festlegen:* ein Treffen v. **sinnv.:** abmachen, abschließen, absprechen, ausmachen, festlegen, übereinkommen, verabreden.

ver|ei|ni|gen: 1. a) ⟨tr.⟩ *zu einer Einheit zusammenfassen:* verschiedene Unternehmen v. **sinnv.:** einen, integrieren, organisieren, paaren, vereinen, versammeln, verschmelzen, zusammenschließen. **b)** ⟨sich v.⟩ *sich zu einem größeren Ganzen verbinden:* aus wirtschaftlichen Gründen vereinigten sich zwei kleinere zu einem großen Orchester. **sinnv.:** sich verbünden. **2.** ⟨tr.⟩ *in Übereinstimmung bringen:* sein Handeln läßt sich mit seinen politischen Ansichten nicht v. **sinnv.:** vereinen.

Ver|ei|ni|gung, die; -, -en: **1.** *das Vereinigen:* die V. der beiden Unternehmen. **2.** ↑*Verein:* eine V. der Freunde klassischer Musik. **sinnv.:** Block, Bund, Klub, Liga, Organisation, Partei, Ring, Union, Verband, Verbindung, Zusammenschluß.

ver|ein|zelt ⟨Adj.⟩: *nur in geringer Zahl, einzeln vorkommend oder auftretend:* abweichende Merkmale lassen sich nur v. feststellen. **sinnv.:** selten.

ver|en|den, verendete, ist verendet ⟨itr.⟩: *(von Tieren) [langsam und qualvoll] sterben:* das Reh war in der Schlinge verendet. **sinnv.:** eingehen, fallen, krepieren, sterben.

ver|er|ben: 1. ⟨tr.⟩ *(jmdm. etwas) als Erbe hinterlassen:* er hat den Neffen sein ganzes Vermögen vererbt. **2. a)** ⟨tr.⟩ *als Veranlagung (auf die Nachkommen) übertragen:* eine Begabung v. **b)** ⟨sich v.⟩ *(von Eigenschaften, Anlagen o. ä.) sich auf die Nachkommen übertragen:* die musikalische Begabung hat sich seit Generationen vererbt.

ver|fah|ren: I. verfahren, verfährt, verfuhr, hat/ ist verfahren: **1.** ⟨itr.⟩ *in bestimmter Weise, nach einer bestimmten Methode vorgehen:* er ist sehr eigenmächtig verfahren. **sinnv.:** agieren, handeln, vorgehen. **2.** ⟨itr.⟩ *(mit jmdn.) in bestimmter, meist negativ beurteilter Weise umgehen:* er war grausam mit ihm verfahren. **3.** ⟨tr.⟩ *durch Fahren, für bestimmte Fahrten verbrauchen:* wir haben in der letzten Zeit viel Geld verfahren. **4.** ⟨sich v.⟩ *in eine falsche Richtung fahren:* sie hatten sich verfahren. **sinnv.:** sich verirren. **II.** ⟨Adj.⟩ *falsch in Angriff genommen und in eine Sackgasse geraten:* die Situation war völlig v. **sinnv.:** aussichtslos.

Ver|fah|ren, das; -s, -: **1.** *bestimmte Art und Weise, nach der jmd. bei seiner Arbeit vorgeht:* ein neues V. entwickeln, anwenden. **sinnv.:** Methode, Praktik, Prinzip, Strategie, System, Taktik, Technik, Vorgehen, Weg. **Zus.:** Produktions-, Spezialverfahren. **2.** *(von Behörden bzw. Gerichten vorgenommene) Untersuchung zur Klärung eines rechtlich relevanten Sachverhalts:* ein V. gegen jmdn. einleiten, eröffnen. **Zus.:** Diziplinar-, Gerichts-, Haupt-, Strafverfahren.

Ver|fall, der; -[e]s: **a)** *das allmähliche Verfallen, Baufälligwerden:* der V. des Hauses. **sinnv.:** Auflösung, Verwesung, Zerfall, Zersetzung. **b)** *Verschlechterung des körperlichen, geistigen, seelischen Zustandes eines Menschen:* der V. des Körpers; geistiger V. **c)** *allmählicher Niedergang:* der kulturelle V. einer Epoche. **sinnv.:** Dekadenz.

ver|fal|len, verfällt, verfiel, ist verfallen ⟨itr.⟩: **1. a)** *allmählich in sich zusammenfallen, baufällig werden:* sie ließen das Gebäude v. **sinnv.:** einstürzen, herunterkommen, in Trümmer fallen, verkommen, verwahrlosen, zusammenbrechen, -fallen, -stürzen. **b)** *körperlich [und geistig] zunehmend hinfällig werden:* der Kranke verfiel zusehends. **sinnv.:** hinfällig. **c)** *eine Epoche des Niedergangs erleben:* die Sitten verfielen in dieser Zeit. **sinnv.:** untergehen. **2.** *nach einer bestimmten Zeit wertlos oder ungültig werden:* die Eintrittskarten waren inzwischen verfallen. **sinnv.:** ablaufen. **3.** *(unwillkürlich) in einen bestimmten Zustand, eine bestimmte Verhaltensweise o. ä. geraten:* er verfiel wieder in den alten Fehler. **sinnv.:** kommen. **4.** *plötzlich von einem bestimmten Gedanken o. ä. eingenommen sein:* er verfiel auf die Idee, alles noch einmal von vorne zu beginnen. **5.** *in einen Zustand der physischen oder psychischen Abhängigkeit von jmdm., einer Sache geraten:* einem Mann, einer Frau, dem Alkohol v. **sinnv.:** erliegen.

ver|fäl|schen ⟨tr.⟩: **1.** *(etwas zu seinem Nachteil verändern, schlechter machen:* sie hatten den Wein durch Zusätze verfälscht. **sinnv.:** verderben. **2.** *bewußt falsch darstellen:* einen Text v. **sinnv.:** entstellen, verdrehen, vergewaltigen, verschleiern, verzeichnen, verzerren.

ver|fas|sen, verfaßt, verfaßte, hat verfaßt ⟨tr.⟩: *(einen bestimmten Text) gedanklich ausarbeiten und in eine schriftliche Form bringen:* einen Brief, eine Rede v. **sinnv.:** aufschreiben.

Ver|fas|ser, der; -s, -, **Ver|fas|se|rin,** die; -, -nen: *männliche bzw. weibliche Person, die etwas Schriftliches, im literarischen Werk o. ä. verfaßt hat:* der Verfasser eines Dramas. **sinnv.:** Schriftsteller.

Ver|fas|sung, die; -, -en: **1.** ⟨ohne Plural⟩ *Zustand, in dem sich jmd. geistig-seelisch oder körperlich befindet:* in bester gesundheitlicher V. sein. **sinnv.:** Befinden, Ergehen, Gesundheitszustand, Konstitution, Lage, Stimmung. **Zus.:** Geistes-, Gemüts-, Seelenverfassung. **2.** *Grundsätze, in denen die Form eines Staates und die Rechte und Pflichten seiner Bürger festgelegt sind:* die V. ändern. **sinnv.:** Grundgesetz, Regierungsform, Staatsordnung.

ver|fau|len, verfaulte, ist verfault ⟨itr.⟩: *in Fäulnis übergehen (und sich zersetzen):* das Obst war bereits verfault.

ver|feh|len ⟨tr.⟩: **1.** *jmdn. an dem Ort, an dem man ihn zu treffen hofft, nicht bemerken, nicht finden:* ich habe ihn, wir haben einander, uns [gegenseitig] verfehlt. **sinnv.:** verpassen. **2.** *(ein angestrebtes Ziel o. ä.) nicht treffen oder erreichen:* er hat das Ziel, den Zweck, den Ausgang verfehlt.

ver|fil|men ⟨tr.⟩: *(einen vorgegebenen Stoff) als Film gestalten:* einen Roman v. **sinnv.:** filmisch darstellen/gestalten/umsetzen, einen Film drehen/machen über, auf die Leinwand bringen, ein Remake machen.

ver|flie|gen, verflog, hat/ist verflogen: **1.** ⟨sich v.⟩ *sich beim Fliegen verirren:* der Pilot hat sich verflogen. **sinnv.:** sich verirren. **2.** ⟨itr.⟩ ⟨geh.⟩ *rasch vergehen, vorübergehen:* die Stunden sind im Nu verflogen. **3.** ⟨itr.⟩ *(bes. von gasförmigen Stoffen) sich in der Luft verteilen und dadurch verschwinden:* ein Duft ist schnell verflogen. **sinnv.:** ausrauchen, verdampfen, verdunsten, sich verflüchtigen, verschwinden.

ver|flu|chen ⟨tr.⟩: a) *den Zorn Gottes (auf jmdn.) herabwünschen:* der Vater hatte seinen Sohn verflucht. **sinnv.:** die Pest an den Hals wünschen, zum Teufel schicken/wünschen. b) *seinen Ärger (über etwas) mit Heftigkeit äußern und wünschen, daß es nicht geschehen wäre:* er hat schon oft verflucht, daß er damals mitgemacht hat.

ver|flüch|ti|gen, sich: a) *in einen gasförmigen Zustand übergehen:* Alkohol verflüchtigt sich leicht. **sinnv.:** verdunsten, verfliegen. b) *sich (in der Luft) auflösen und verschwinden:* der Nebel hat sich verflüchtigt. **sinnv.:** verschwinden, weggehen.

ver|fol|gen ⟨tr.⟩: **1.** a) *durch Hinterhergehen, -laufen o. ä. einzuholen [und zufangen] suchen:* einen Verbrecher v. **sinnv.:** zu fangen suchen, auf den Fersen bleiben, hinter jmdm. hersein, hetzen, jagen, nachjagen, nachlaufen, nachrennen, nachsetzen, nachsteigen, nachstellen, sich in jmds. Sohlen heften. b) *(einer Spur o. ä.) nachgehen, folgen:* die Polizei verfolgte die falsche Fährte. **2.** *(mit etwas) hartnäckig, unablässig bedrängen:* jmdn. mit Bitten v. **sinnv.:** bedrängen, schikanieren. **3.** *durch konsequentes Bemühen zu erreichen oder zu verwirklichen suchen:* ein Ziel, einen Plan v. **sinnv.:** ansteuern, anstreben, darauf ausgehen, auf etwas aussein, erstreben, zielen auf. **4.** *die Entwicklung (von etwas) genau beobachten:* eine Angelegenheit, die politischen Ereignisse v. **sinnv.:** beobachten. **5.** *(aus politischen, religiösen, rassischen Gründen) in seinen Freiheiten beschränken, seiner Existenzgrundlage berauben:* Minderheiten wurden überall verfolgt.

ver|fü|gen: **1.** ⟨tr.⟩ *[behördlich] anordnen, bestimmen:* das Gesundheitsamt verfügt die Schließung des Lokals. **sinnv.:** anordnen, befinden über. **2.** ⟨itr.⟩ a) *besitzen und ungehindert gebrauchen können:* er verfügt über gute Beziehungen. **sinnv.:** haben. b) *bestimmen, was mit jmdm./etwas geschehen soll:* er kann noch nicht selbst über sein Geld v. **3.** ⟨sich v.⟩ *sich (ungern, widerwillig o. ä.) an einen bestimmten Ort begeben:* er hat sich schließlich ins Bett verfügt. **sinnv.:** fahren, gehen, reisen, ziehen.

ver|füh|ren ⟨tr.⟩: a) *(jmdn.) so beeinflussen, daß er etwas Unkluges, Unerlaubtes o. ä. gegen seine eigentliche Absicht tut:* er hat ihn zum Trinken verführt. **sinnv.:** verleiten. b) *zum Geschlechtsverkehr verleiten:* er hat das Mädchen verführt.

Ver|gan|gen|heit, die; -: a) *Zeit, die zurückliegt:* die jüngste V.; sich in die V. zurückversetzen. **sinnv.:** Geschichte, das Gestern. b) *(jmds.) Leben in der vergangenen Zeit bis zum gegenwärtigen Zeitpunkt:* seine V. war dunkel. **sinnv.:** Vorleben, Werdegang.

ver|gäng|lich ⟨Adj.⟩: *ohne Bestand in der Zeit, nicht dauerhaft, vom Vergehen bedroht:* vergänglicher Besitz. **sinnv.:** begrenzt, endlich, flüchtig, sterblich, veränderlich, zeitlich.

ver|ge|ben, vergibt, vergab, hat vergeben ⟨tr.⟩: **1.** ⟨geh.⟩ ↑*verzeihen:* er hat ihm die Kränkung vergeben; (auch itr.) vergib mir. **2.** *jmdm. eine Aufgabe o. ä. übertragen, jmdm. etwas geben:* eine Arbeit v.; der erste Preis wurde an einen Amerikaner vergeben. **sinnv.:** austeilen, geben, übertragen, zuteilen.

ver|ge|bens ⟨Adverb⟩: *ohne Erfolg, ohne sein Ziel zu erreichen:* er hat v. gewartet; alles war v. **sinnv.:** umsonst.

ver|geb|lich ⟨Adj.⟩: *ohne die erhoffte Wirkung:* eine vergebliche Anstrengung. **sinnv.:** umsonst.

ver|ge|hen, verging, hat/ist vergangen: **1.** ⟨itr.⟩ a) *(in bezug auf die Zeit, eine bestimmte Zeitspanne) vorübergehen, dahinschwinden und Vergangenheit werden:* die Zeit ist vergangen; im vergangenen (letzten) Jahr. **sinnv.:** dahingehen, dahinschwinden, enteilen, entfliehen, entschwinden, hingehen, hinschwinden, ins Land gehen/ziehen, verfliegen, verfließen, verrauchen, verrauschen, verstreichen, vorbeigehen, zerrinnen. b) *(von einer Empfindung, einem bestimmten Gefühl o. ä.) langsam schwinden und schließlich aufhören zu bestehen, nicht mehr vorhanden sein:* die Lust an ihm ist vergangen; die Schmerzen vergingen. **sinnv.:** aufhören. c) *(von einem bestimmten [Körper]gefühl) sehr heftig empfinden:* er ist vor Scham [fast] vergangen. **2.** ⟨itr.⟩ ⟨geh.⟩ *(als vergängliches Wesen) sterben:* die Generationen sind gekommen und vergangen. **sinnv.:** aussterben, sterben. **3.** ⟨sich v.⟩ *durch sein Handeln gegen Gesetz und Sitte, gegen die menschliche Ordnung verstoßen:* er hat sich gegen das Gesetz vergangen. **sinnv.:** sündigen, verstoßen. **4.** ⟨sich v.⟩ *jmdn. geschlechtlich mißbrauchen:* er hat sich an ihr vergangen. **sinnv.:** vergewaltigen.

Ver|ge|hen, das; -s, -: *gegen Bestimmungen, Vorschriften oder Gesetze verstoßende strafbare Handlung:* ein leichtes, schweres V. **sinnv.:** Verstoß. **Zus.:** Amts-, Wirtschaftsvergehen.

ver|gel|ten, vergilt, vergalt, hat vergolten ⟨tr.⟩: *(auf etwas, was einem von jmdm. widerfahren ist) mit einem bestimmten (freundlichen oder feindlichen) Verhalten reagieren:* man soll mit Böses mit Bösem v. **sinnv.:** belohnen, bestrafen.

ver|ges|sen, vergißt, vergaß, hat vergessen: **1.** ⟨tr.⟩ a) *aus dem Gedächtnis verlieren, nicht behalten können:* eine Telefonnummer v. **sinnv.:** entfallen, entschwinden, etwas nicht [im Gedächtnis/im Kopf] behalten, verlernen. b) *(an jmdn./etwas) nicht mehr denken:* den Schlüssel v.; vergiß es. **sinnv.:** sich nicht erinnern können, keine Erinnerung [mehr] an jmdn./etwas haben, verbummeln, verschusseln, verschwitzen, versieben. **2.** ⟨sich v.⟩ *die Beherrschung verlieren:* in seinem Zorn vergaß er sich völlig. **sinnv.:** sich aufregen, in Fahrt/Harnisch/Wut geraten, wütend/zornig werden.

ver|geß|lich ⟨Adj.⟩: *leicht und immer wieder etwas vergessend:* er ist sehr v. **sinnv.:** gedächtnisschwach, gedankenlos, kopflos, nachlässig, schusselig, unzuverlässig, zerstreut.

ver|geu|den, vergeudete, hat vergeudet ⟨tr.⟩: *mit etwas [Kostbarem] auf eine leichtsinnige, gedankenlose Art verschwenderisch umgehen, es verbrauchen:* sein Geld, seine Kräfte v. **sinnv.:** durchbringen, verbrauchen.

ver|ge|wal|ti|gen ⟨tr.⟩: **a)** *jmdn., bes. eine Frau, mit Gewalt zum Geschlechtsverkehr zwingen:* das Mädchen wurde vergewaltigt. **sinnv.:** entehren, jmdn. Gewalt antun, mißbrauchen, Notzucht verüben, notzüchtigen, schänden, schwächen, sich vergreifen/vergreifen an jmdm. **b)** *mit Gewalt oder Terror unterdrücken:* ein Volk v. **c)** *verfälschen, indem man einer Sache etwas aufzwingt, was ihr nicht gemäß ist:* das Recht, die Sprache v. **sinnv.:** verfälschen.

ver|gif|ten, vergiftete, hat vergiftet: **1.** ⟨tr.⟩ *mit Gift vermischen, giftig machen:* Speisen v. **sinnv.:** verseuchen. **2.** ⟨sich v.⟩ *seine Gesundheit durch Gift schädigen:* sie hatten sich an Pilzen, mit Fisch vergiftet. **3.** ⟨tr.⟩ *durch Gift töten:* Ratten v.; sie hat sich, ihren Mann vergiftet. **sinnv.:** Gift nehmen, töten, umbringen.

Ver|gleich, der; -[e]s, -e: **1.** *Betrachtung oder Überlegung, in der Personen/Sachen mit anderen Personen/Sachen verglichen werden:* ein treffender V.; im V. zu ihm *(verglichen mit ihm).* **sinnv.:** Gegenüberstellung, Nebeneinanderstellung, Konfrontation, Konfrontierung, Parallele. **Zus.:** Preisvergleich. **2.** *gütlicher Ausgleich in einem Streitfall:* einen V. suchen; der Streit wurde durch einen V. beendet. **sinnv.:** Ausgleich **Zus.:** Prozeßvergleich.

ver|glei|chen, verglich, hat verglichen ⟨tr.⟩: *prüfend nebeneinanderhalten oder gegeneinander abwägen, um Unterschiede oder Übereinstimmungen festzustellen:* Bilder, Preise v. **sinnv.:** abwägen, messen, nebeneinanderhalten, -stellen, zum Vergleich heranziehen.

ver|gnü|gen, sich: *sich mit etwas, was unterhaltsam ist, was Spaß macht, die Zeit vertreiben:* sich auf einem Fest v. **sinnv.:** sich amüsieren/unterhalten, etwas unternehmen, sich verlustieren, sich zerstreuen.

Ver|gnü|gen, das; -s: *Befriedigung, Freude, die jmdm. die Beschäftigung oder der Anblick von etwas [Schönem o. ä.] bereitet:* es ist ein V., ihm zuzuhören; [ich wünsche euch] viel V. **sinnv.:** Lust, Unterhaltung.

ver|gnügt ⟨Adj.⟩: **a)** *fröhlich, heiter und zufrieden:* er ist immer v. **sinnv.:** froh, glücklich. **Zus.:** quietsch-, stillvergnügt. **b)** *jmdm. Vergnügen bereitend:* es war ein vergnügter Abend. **sinnv.:** lustig.

ver|gra|ben, vergräbt, vergrub, hat vergraben ⟨tr.⟩: *[in der Absicht, es zu verstecken] in ein gegrabenes Loch legen und dieses wieder mit Erde bedecken:* das tote Tier, die Beute wurde [in der Erde] vergraben. **sinnv.:** einbuddeln, eingraben, verbuddeln, verscharren.

ver|grif|fen ⟨Adj.⟩: *(bes. von Büchern) nicht mehr lieferbar:* das Buch ist v. **sinnv.:** aus, ausgebucht, ausverkauft, nicht mehr zu haben, nicht mehr am Lager.

ver|grö|ßern: 1. ⟨tr.⟩ **a)** *(in bezug auf seine räumliche Ausdehnung) größer machen:* einen Raum, ein Geschäft v. **sinnv.:** anbauen, aufstocken, ausbauen, erweitern. **b)** *(im Hinblick auf Menge oder Ausmaß) vermehren:* sein Kapital v.; das Übel noch v. **sinnv.:** aufstocken, mehren, vervielfachen. **c)** *eine größere Reproduktion (von etwas) herstellen:* eine Fotografie v. **2.** ⟨sich v.⟩ *(im Hinblick auf Umfang, Ausdehnung, Menge o. ä.) größer werden, zunehmen:* der Betrieb, die Zahl der Mitarbeiter hat sich wesentlich vergrößert.

Ver|gün|sti|gung, die; -, -en: *[finanzieller] Vorteil, den jmd. auf Grund bestimmter Voraussetzungen genießt:* die Eisenbahn gewährt bedeutende Vergünstigungen. **sinnv.:** Privileg, Vorrecht.

ver|gü|ten, vergütete, hat vergütet ⟨tr.⟩: **a)** *(jmdn.) für Unkosten oder finanzielle Nachteile entschädigen:* jmdm. seine Auslagen v. **sinnv.:** entschädigen. **b)** *(jmds. Leistungen) bezahlen:* eine Arbeit v. **sinnv.:** besolden.

ver|haf|ten, verhaftete, hat verhaftet ⟨tr.⟩: *auf Grund einer gerichtlichen Anordnung, eines Haftbefehls festnehmen:* die Polizei hat den Täter verhaftet. **sinnv.:** abführen, arretieren, dingfest machen, einlochen, einsperren, ergreifen, erwischen, fassen, festnehmen, festsetzen, gefangennehmen, in Gewahrsam/Haft nehmen, holen, inhaftieren, hinter Schloß und Riegel bringen, schnappen.

ver|hal|ten, sich; verhält sich, verhielt sich, hat sich verhalten: **1. a)** *eine bestimmte Art der Reaktion zeigen:* still, ruhig, korrekt v. **sinnv.:** sich benehmen. **b)** *in bestimmter Weise geartet sein:* die Sache verhält sich ganz anders. **sinnv.:** sein. **2.** *(zu etwas) in einem bestimmten [zahlenmäßig auszudrückenden] Verhältnis stehen:* die Gewichte verhalten sich zueinander wie 1 zu 2.

Ver|hal|ten, das; -s: *das Reagieren, Sicheinstellen jmdm. oder einer Situation gegenüber:* ein tadelloses V. **sinnv.:** Benehmen. **Zus.:** Fehlverhalten.

-ver|hal|ten, das; -s ⟨Suffixoid⟩: **a)** *bestimmte Art des Verhaltens in bezug auf das im Basiswort Genannte:* Arbeits-, Fahr-, Sexual-, Trink-, Wahlverhalten; /auch bezogen auf Sachen/: das Kurvenverhalten des Wagens. **b)** *bestimmte Art des Verhaltens der im Basiswort genannten Personengruppen:* Verbraucher-, Wählerverhalten.

Ver|hält|nis, das; -ses, -se: **1.** *Beziehung, in der [zwei] Dinge, Begriffe o. ä. zueinander stehen:* sie teilten im V. 2 zu 1; der Lohn steht in keinem V. zur Arbeit. **sinnv.:** Relation. **Zus.:** Größen-, Kräfte-, Mißverhältnis. **2.** *persönliche Beziehung, durch die man jmdn./etwas gut kennt:* in einem freundschaftlichen V. zu jmdm. stehen; er hat ein V. *(eine feste, intime Freundschaft).* **sinnv.:** Bezug, Interaktion, Wechselbeziehung. **Zus.:** Abhängigkeits-, Liebes-, Vertrauensverhältnis. **3.** ⟨Plural⟩ *durch die Zeit oder das Milieu geschaffene Umstände, in denen jmd. lebt:* er ist ein Opfer der politischen Verhältnisse; aus kleinen Verhältnissen kommen. **sinnv.:** Abhängigkeiten, Bedingungen, Gegebenheiten, Lage, Lebenslage, Lebensumstände, Zustand. **Zus.**: Besitz-, Eigentums-, Einkommens-, Vermögensverhältnisse.

ver|hält|nis|mä|ßig ⟨Adverb⟩: *im Verhältnis zu etwas anderem; verglichen mit anderem:* diese Arbeit geht v. schnell; es waren v. viele Leute gekommen. **sinnv.**: gegenüber, gemessen an, relativ, im Vergleich zu, vergleichsweise. **Zus.**: unverhältnismäßig.

ver|han|deln ⟨itr.⟩: *(über etwas) eingehend sprechen, Verhandlungen führen, um zu einer Klärung, Einigung o. ä. zu kommen:* die Vertreter verhandelten [mit uns] über die Verkaufsbedingungen; ⟨auch tr.⟩ einen Plan v. **sinnv.**: besprechen, erörtern.

ver|hän|gen ⟨tr.⟩: **1.** *(etwas) vor etwas hängen, um es zu verdecken:* ein Fenster mit einem Tuch v. **sinnv.**: bedecken, zuhängen. **2.** *als Strafe oder als notwendige und unangenehme Maßnahme anordnen:* eine Sperre über jmdn. v. **sinnv.**: anordnen.

Ver|häng|nis, das; -ses, -se: *etwas Unheilvolles (das wie von einer höheren Macht verhängt ist), dem jmd. nicht entgehen kann:* seine Leidenschaft wurde ihm zum V. **sinnv.**: Fluch, Übel.

ver|häng|nis|voll ⟨Adj.⟩: *so geartet, daß es unheilvolle Folgen nach sich zieht:* die Entscheidung wirkte sich v. aus. **sinnv.**: schlimm, tragisch, unglücklich.

ver|här|ten, verhärtete, hat verhärtet: **1.** ⟨tr.⟩ *hart, unempfindlich machen (für die Leiden anderer Menschen):* sein Schicksal hat ihn verhärtet. **sinnv.**: abstumpfen, versteinern. **2.** ⟨sich v.⟩ *sich (gegen jmdn./etwas) verschließen:* du verhärtest dich gegen deine Mitmenschen; sein Herz ist verhärtet. **sinnv.**: sich abkapseln/abschließen.

ver|haßt ⟨Adj.⟩: *großen Widerwillen in jmdm. erregend:* diese Arbeit war mir v. **sinnv.**: unbeliebt.

ver|hee|rend ⟨Adj.⟩: *(von etwas Unheilvollem) sehr schlimm, furchtbar in seinem Ausmaß:* ein verheerender Wirbelsturm.

ver|hei|len ⟨itr.⟩: *(von Wunden) wieder heilen, zuheilen:* eine schlecht verheilte Wunde. **sinnv.**: abheilen, heilen, heil werden, vernarben, verschorfen, verwachsen.

ver|heim|li|chen ⟨tr.⟩: *(jmdn.) bewußt (von etwas) nicht in Kenntnis setzen; vor jmdm. verbergen:* man verheimlichte ihm seinen Zustand. **sinnv.**: schweigen; vertuschen.

ver|hei|ra|ten, verheiratete, hat verheiratet: **a)** ⟨sich v.⟩ *eine Ehe eingehen, die Ehe mit jmdm. schließen:* er hat sich [mit ihr] verheiratet. **sinnv.**: heiraten. **b)** ⟨tr.⟩ *(jmdn.) zur Ehe geben:* die Prinzessin wurde mit einem Herzog verheiratet. **sinnv.**: antrauen, zur Frau geben, kopulieren, verkuppeln.

ver|hei|ßungs|voll ⟨Adj.⟩: *zu großen Erwartungen berechtigend:* seine Worte klangen sehr v. **sinnv.**: aussichtsreich, chancenreich, hoffnungsvoll, vielversprechend, zukunftsträchtig.

ver|hin|dern ⟨tr.⟩: *(durch bestimmte Maßnahmen o. ä.) bewirken, daß etwas nicht geschieht bzw. getan, ausgeführt werden kann:* einen Diebstahl v. **sinnv.**: abbiegen, abblocken, abstellen, abwehren, abwenden, in den Arm fallen, aufhalten, aufräumen, ausschalten, ausschließen, blockieren, boykottieren, durchkreuzen, Einhalt gebieten, sich entgegenstellen, entgegentreten, zu Fall bringen, das Handwerk legen, hindern, hintertreiben, im Keim ersticken, einen Riegel vor-

schieben, sabotieren, einen Strich durch die Rechnung machen, die Tour vermasseln, unmöglich machen, unterbinden, vereiteln, verhüten, zunichte machen.

ver|hö|ren: I. ⟨tr.⟩ *richterlich oder polizeilich eingehend befragen:* den Angeklagten v. **sinnv.**: fragen, vernehmen. **II.** ⟨sich v.⟩ *eine Äußerung mißverstehen in dem Sinne, daß man etwas falsch hört, versteht:* du mußt dich verhört haben, ich sagte „morgen" und nicht „übermorgen" gesagt. **sinnv.**: mißverstehen.

ver|hül|len ⟨tr.⟩: **1. a)** *mit etwas bedecken, in etwas einhüllen in der Absicht, es zu verbergen, den Blicken zu entziehen:* sie verhüllte ihr Gesicht mit einem Schleier. **sinnv.**: verstecken. **b)** *(als Sache) durch sein Vorhandensein etwas verbergen, den Blicken entziehen:* eine Wolke verhüllte die Bergspitze. **sinnv.**: ein-, umhüllen. **2.** *(etwas) so darstellen oder ausdrücken, daß es weniger unangenehm oder schockierend wirkt:* mit seinen Worten versuchte er, die Wahrheit zu v. **sinnv.**: verstecken.

ver|hun|gern, verhungerte, ist verhungert ⟨itr.⟩: *aus Mangel an Nahrung sterben:* täglich verhungern Menschen. **sinnv.**: Hungers/an Hunger sterben, den Hungertod sterben.

ver|hü|ten, verhütete, hat verhütet ⟨tr.⟩: *das Eintreten (von etwas) durch vorbeugende Maßnahmen verhindern und jmdn./sich davor bewahren:* eine Katastrophe v. **sinnv.**: verhindern, vorbeugen.

ver|ir|ren, sich: **a)** *(in einem bestimmten Bereich, in dem man unterwegs ist) die Orientierung verlieren und bald in diese, bald in jene Richtung gehen, ohne an sein Ziel zu gelangen:* sie hatten sich im Wald verirrt. **sinnv.**: abirren, fehlgehen, in die Irre gehen, sich verfahren/verlaufen, den Weg verfehlen, vom Wege abkommen. **b)** *(auf seinem Weg) irgendwohin gelangen, wohin man nicht wollte:* sie hatten sich in eine abgelegene Gegend verirrt. **sinnv.**: kommen.

ver|ja|gen ⟨tr.⟩: *(jmdn./ein Tier) dazu bringen, seinen Aufenthaltsort eiligst zu verlassen:* sie wurden von Haus und Hof verjagt. **sinnv.**: vertreiben.

ver|jün|gen: 1. a) ⟨tr.⟩ *(jmdm.) ein jüngeres Aussehen verleihen:* der neue Haarschnitt hat ihn um Jahre verjüngt. **sinnv.**: jünger werden, eine Verjüngungskur machen. **b)** ⟨sich v.⟩ *jünger wirken als vorher:* du hast dich verjüngt. **2.** ⟨sich v.⟩ *nach oben, nach einem Ende hin schmaler, dünner werden:* die Säule verjüngt sich nach oben.

Ver|kauf, der; -[e]s, Verkäufe: *das Verkaufen:* der V. von Gebrauchtwagen; das Haus steht zum V. **sinnv.**: Veräußerung; Absatz. **Zus.**: Aus-, Direkt-, Fabrik-, Schluß-, Straßen-, Vor-, Weiterverkauf.

ver|kau|fen ⟨tr.⟩: *[als Händler Ware] zu einem bestimmten Preis, gegen Bezahlung an jmdn. abgeben:* er hat sein Auto einem Kollegen/an einen Kollegen verkauft. **sinnv.**: abgeben, absetzen, abstoßen, andrehen, aufschwatzen, feilbieten, feilhalten, zu Geld machen, handeln, zum Kauf anbieten, loswerden, machen in, an den Mann bringen, auf den Markt werfen, in klingende Münze umsetzen, umsetzen, veräußern, verhökern, vermarkten, verramschen, verschachern, verscherbeln, verscheuern, versteigern, vertreiben. **Zus.**: weiterverkaufen.

Ver|kehr, der; -s, selten: -e: **1.** *Beförderung oder Bewegung von Personen, Sachen, Fahrzeugen,*

Nachrichten auf dafür vorgesehenen Wegen: der V. auf Schiene und Straße. **Zus.:** Ausflugs-, Auto-, Berufs-, Brief-, Fern-, Flug-, Fremden-, Funk-, Gegen-, Güter-, Luft-, Nah-, Stoß-, Straßenverkehr. **2.** *gesellschaftlicher Kontakt zwischen Personen, der in privatem, geselligem Umgang miteinander besteht:* den V. mit jmdm. abbrechen. **sinnv.:** Beziehung, Verbindung. **3.** *Geschlechtsverkehr:* V. [mit jmdm.] haben. **sinnv.:** Koitus. **Zus.:** Anal-, Mundverkehr.

ver|keh|ren, verkehrte, hat/ist verkehrt: **1.** ⟨itr.⟩ *(als öffentliches Verkehrsmittel) regelmäßig auf einer Strecke fahren:* dieser Zug ist/hat nicht an Sonn- und Feiertagen, auf dieser Strecke verkehrt. **sinnv.:** eingesetzt sein, fahren. **2.** ⟨itr.⟩ *(mit jmdm.) Kontakt pflegen, sich regelmäßig (mit jmdm.) treffen, schreiben o. ä.:* die beiden Kollegen haben auch privat miteinander verkehrt. **sinnv.:** besuchen, bei jmdm. ein- und ausgehen, mit jmdm. Kontakt haben/pflegen, mit jmdm. Umgang haben, in Verbindung stehen. **b)** *regelmäßig (ein Lokal) besuchen:* in diesem Restaurant haben besonders Künstler verkehrt. **sinnv.:** sich aufhalten, regelmäßig besuchen, einkehren. **3. a)** ⟨tr.⟩ *in etwas Bestimmtes (Gegenteiliges) wenden:* damit hast du Recht in Unrecht verkehrt. **sinnv.:** verfälschen. **b)** ⟨sich v.⟩ *sich in sein Gegenteil verwandeln:* seine Unfreundlichkeit hatte sich plötzlich in große Liebenswürdigkeit verkehrt. **sinnv.:** verwandeln. **4.** ⟨itr.⟩ *mit jmdm. Geschlechtsverkehr haben:* sie hatte mit mehreren Männern verkehrt. **sinnv.:** koitieren.

ver|kehrt ⟨Adj.⟩: *dem Richtigen, Zutreffenden, Sinngemäßen entgegengesetzt:* du hast eine verkehrte Einstellung zu dieser Sache; er macht alles v. **sinnv.:** anormal; falsch. **Zus.:** grund-, seiten-, spiegelverkehrt.

ver|kla|gen ⟨tr.⟩: *eine Klage (gegen jmdn.) vor Gericht erheben:* er wurde [wegen Körperverletzung] verklagt. **sinnv.:** belangen.

ver|klei|den, verkleidete, hat verkleidet: **1.** ⟨sich v.⟩ *(bes. zu Fastnacht) sein Äußeres durch Kleidung, Schminke o. ä. verändern, um als ein anderer zu erscheinen, nicht erkannt zu werden:* ich verkleide mich als Harlekin. **sinnv.:** sich kostümieren, sich maskieren; tarnen, sich vermummen. **2.** ⟨tr.⟩ *(bes. Wände, Decken o. ä. zum Schutz oder in schmückender Absicht) über die ganze Fläche mit etwas bedecken:* Wände mit Holz v. **sinnv.:** auskleiden.

ver|klei|nern: 1. ⟨tr.⟩ **a)** *(in bezug auf eine räumliche Ausdehnung) kleiner machen:* einen Raum v. **sinnv.:** verringern. **b)** *geringer erscheinen lassen, schmälern:* er versuchte, ihre Leistungen zu v. **sinnv.:** bagatellisieren. **c)** *eine kleinere Reproduktion (von etwas) herstellen:* ein Bild v. **2.** ⟨sich v.⟩ **a)** *(an Umfang, Ausdehnung, Kapazität o. ä.) kleiner werden:* dadurch, daß sie einige Räume als Büro benutzen, hat sich ihre Wohnung verkleinert. **b)** *(in seinem Ausmaß o. ä.) geringer werden:* durch diese Umstände verkleinert sich seine Schuld nicht. **sinnv.:** abnehmen, sich reduzieren, schrumpfen, schwinden, weniger werden; zusammenschrumpfen.

ver|knüp|fen ⟨tr.⟩: **1.** *durch Knoten miteinander verbinden:* die Enden der Kordel [miteinander] v. **sinnv.:** verknoten. **2. a)** *ein Vorhaben o. ä. mit einem anderen verbinden, es in dessen zeitlichen Ab-*

lauf einbauen, mit ausführen o. ä.: er verknüpfte die Urlaubsreise mit einem Besuch bei seinen Eltern. **sinnv.:** koordinieren, verzahnen. **b)** *[in einen gedanklichen, logischen] Zusammenhang bringen:* zwei Gedanken logisch v. **sinnv.:** assoziieren, eine Beziehung herstellen, koordinieren, verbinden, eine Verbindung herstellen, verquicken.

ver|kom|men, verkam, ist verkommen ⟨itr.⟩: **a)** *(in einem Zustand von Elend, innerer Haltlosigkeit o. ä.) zunehmend verwahrlosen:* er trinkt und verkommt seitdem immer mehr. **sinnv.:** verwahrlosen. **b)** *(in einer vom Sprecher als negativ, als Abstieg o. ä. angesehenen Entwicklung) zu etwas (Ungutem) werden:* das ursprünglich so freiheitliche Land ist zu einer Diktatur verkommen. **sinnv.:** absteigen, sich entwickeln, herunterkommen. **c)** *(von Lebensmitteln, die nicht rechtzeitig verbraucht werden) verderben, ungenießbar werden:* zentnerweise ist hier das Obst verkommen. **sinnv.:** faulen. **d)** *(von Sachen) nicht erhalten, gepflegt werden und dadurch nach und nach verfallen o. ä.:* sie lassen ihren Besitz v. **sinnv.:** verfallen.

ver|kör|pern ⟨tr.⟩: **a)** *(eine bestimmte Gestalt) auf der Bühne o. ä. darstellen:* die Schauspielerin verkörperte die Iphigenie. **sinnv.:** spielen. **b)** *(etwas) durch sein Wesen vollkommen zur Anschauung bringen, fast damit gleichzusetzen sein:* er verkörpert die höchsten Tugenden seines Volkes. **sinnv.:** personifizieren, veranschaulichen.

ver|kraf|ten, verkraftete, hat verkraftet ⟨tr.⟩: *in der Lage sein, etwas Bestimmtes seelisch bzw. in materieller Hinsicht zu bewältigen:* es ist fraglich, ob er diese [seelischen] Belastungen überhaupt v. wird. **sinnv.:** aushalten, einstecken, hart im Nehmen sein.

ver|krie|chen, sich; verkroch sich, hat sich verkrochen: **a)** *in, unter etwas kriechen, um sich zu verstecken:* das Tier hat sich im Gebüsch verkrochen. **sinnv.:** sich verstecken. **b)** *sich scheu von der Umwelt zurückziehen:* er verkriecht sich meist in seiner Wohnung. **sinnv.:** sich abkapseln.

ver|kün|den, verkündete, hat verkündet ⟨tr.⟩: **a)** *(Wichtiges, allgemein Interessierendes) öffentlich bekanntgeben:* ein Urteil v. **sinnv.:** mitteilen. **b)** *(emotional) andere wissen lassen, ihnen mitteilen:* er verkündete stolz, daß er gewonnen habe. **sinnv.:** ausrufen, erklären.

ver|kür|zen ⟨tr.⟩: **1.** *die Dauer von etwas verringern:* die Arbeitszeit soll verkürzt werden. **sinnv.:** verringern. **2.** *kürzer machen, in seiner Länge reduzieren:* ein Seil um einen Meter v. **sinnv.:** kürzen.

Ver|lag, der; -[e]s, -e: *Unternehmen, das Manuskripte von Autoren erwirbt, diese als Bücher o. ä. veröffentlicht und über den Buchhandel verkauft.* **sinnv.:** Verlagsanstalt, Verlagshaus. **Zus.:** Buch-, Kunst-, Selbst-, Zeitungsverlag.

ver|lan|gen: 1. ⟨tr.⟩ **a)** *(etwas) nachdrücklich fordern:* mehr Rechte v.; eine Antwort v. **sinnv.:** auffordern, sich etwas ausbedingen/ausbitten, beanspruchen, begehren, bestehen auf, bitten, erheischen, erpressen, fordern, eine Forderung anmelden/aufstellen/erheben, geltend machen, heischen, pochen auf, reklamieren, wollen, wünschen. **Zus.:** ab-, zurückverlangen. **b)** *(als Gegenleistung) fordern, haben wollen:* für seine Arbeit 500 Mark v. **sinnv.:** abnehmen. **2.** ⟨tr.⟩ *(jmdn.) zu sprechen wünschen:* Sie werden am Telefon ver-*

langt; ⟨auch itr.⟩ der Chef hat nach ihm verlangt. **sinnv.:** auffordern. **3.** ⟨tr.⟩ *als notwendige Voraussetzung haben:* diese Arbeit verlangt viel Geduld. **sinnv.:** erfordern. **Zus.:** abverlangen. **4.** ⟨itr.⟩ (geh.) *sich (nach etwas) sehnen:* er verlangte/ihn verlangte [es] danach, seine Familie wiederzusehen. **sinnv.:** sich sehnen.

Ver|lan|gen, das; -s: **1.** *ausgeprägter Wunsch; starkes inneres Bedürfnis:* er hatte ein großes V. danach, sie wiederzusehen. **sinnv.:** Bedürfnis, Begehren, Sehnsucht; Lust. **2.** *nachdrückliche Bitte:* jmdm. auf V. etwas zusenden. **sinnv.:** Bitte.

ver|län|gern: a) ⟨tr.⟩ *länger machen:* ein Kleid v. **b)** ⟨tr.⟩ *länger dauern lassen als vorgesehen:* seinen Paß v. lassen. **sinnv.:** ausdehnen; stunden. **c)** ⟨sich v.⟩ *länger gültig, in Kraft bleiben als vorgesehen:* der Vertrag verlängert sich um ein Jahr.

ver|las|sen, verläßt, verließ, hat verlassen: **1.** ⟨tr.⟩ *(von jmdm./von einem Ort) weggehen:* um 10 Uhr hatte er das Haus verlassen. **sinnv.:** weggehen. **2.** ⟨sich v.⟩ *(mit jmdm./etwas) fest rechnen; (auf jmdn./etwas) vertrauen:* ich kann mich auf meine Freunde v. **sinnv.:** bauen auf, jmdm. glauben, vertrauen. **3.** ⟨tr.⟩ *sich von jmdm., dem man einmal nahegestanden hat, trennen, von ihm fortgehen:* er hat seine Frau verlassen. **sinnv.:** trennen.

Ver|lauf, der; -[e]s, Verläufe: **1.** *die Abfolge der einzelnen Stadien eines Vorgangs vom Anfang bis zum Ende:* der V. der Krankheit war normal. **sinnv.:** Ablauf, Entwicklung, Gang, Hergang, Prozeß. **Zus.:** Krankheits-, Prozeß-, Tagesverlauf. **2.** *Richtung, in der etwas verläuft:* den V. der Straße festlegen. **sinnv.:** Erstreckung.

ver|lau|fen, verläuft, verlief, hat/ist verlaufen: **1.** ⟨sich v.⟩ *(als Wanderer, Fußgänger) vom richtigen Weg abkommen und in die Irre gehen:* die Kinder hatten sich verlaufen. **sinnv.:** sich verirren. **2.** ⟨sich v.⟩ *(in bezug auf eine Menschenansammlung) sich zerstreuen, auflösen:* die Menge hat sich schnell verlaufen. **sinnv.:** sich auflösen. **3.** ⟨itr.⟩ *einen bestimmten Verlauf nehmen:* die Sache ist gut verlaufen. **sinnv.:** abgehen, geschehen, unter einem günstigen/ungünstigen Stern stehen. **4.** ⟨itr.⟩ *sich in einer bestimmten Richtung erstrecken:* die Straße ist früher hier verlaufen. **sinnv.:** sich erstrecken. **5.** ⟨itr.⟩ *(in bezug auf flüssige Farbe o. ä.) auseinanderlaufen:* die Farbe ist verlaufen.

ver|le|gen: **I.** verlegte, hat verlegt ⟨tr.⟩: **1. a)** *von seinem bisherigen an einen anderen Platz, Ort legen:* die Haltestelle wurde vorübergehend verlegt. **sinnv.:** verlagern. **b)** *auf einen späteren Zeitpunkt legen, verschieben:* die Veranstaltung ist [auf die nächste Woche] verlegt worden. **sinnv.:** verschieben. **Zus.:** vorverlegen. **c)** *an einen Platz legen, an dem man es nicht wiederfindet:* seine Brille v. **sinnv.:** verlieren. **d)** *(von Leitungen, Rohren o. ä.) an der vorgesehenen Stelle befestigen, montieren o. ä.:* sie verlegten Rohre. **sinnv.:** anbringen, befestigen, festmachen, festschrauben, legen. **2.** *(als Verlag) ein Druckwerk herausbringen:* dieser Verlag verlegt Zeitungen. **sinnv.:** auflegen, drucken, edieren, herausgeben, machen, publizieren. **II.** ⟨Adj.⟩ *in eine peinliche Lage versetzt und dabei befangen, verwirrt:* er fühlte sich durchschaut und lachte v. **sinnv.:** befangen, beschämt, betreten, schamhaft, verschämt; prüde.

ver|lei|den, verleidete, hat verleidet ⟨tr.⟩: *bewirken, daß jmd. an etwas keine Freude mehr hat:* das schlechte Zimmer hat mir den ganzen Urlaub verleidet. **sinnv.:** die Freude verderben, die Lust nehmen, madig machen, miesmachen, die Suppe versalzen, vergällen, vermiesen.

ver|lei|hen, verlieh, hat verliehen ⟨tr.⟩: **a)** *(etwas aus seinem Besitz) einem anderen für eine begrenzte Zeit zur Verfügung stellen:* er hat seinen Schirm [an einen Bekannten] verliehen. **sinnv.:** geben, leihen, überlassen. **b)** *(jmdm.) als Auszeichnung überreichen:* ihm wurde ein hoher Orden verliehen. **sinnv.:** geben, übergeben, zuteil werden lassen. **c)** (geh.) *zuteil werden lassen:* dieses Make-up verleiht dem Gesicht ein frisches Aussehen. **sinnv.:** beilegen.

ver|lei|ten, verleitete, hat verleitet ⟨tr.⟩: *(jmdn.) dazu bringen, etwas zu tun, was er eigentlich für unklug oder unerlaubt hält:* er verleitete mich zu einer unvorsichtigen Äußerung. **sinnv.:** zu etwas bringen, hinreißen, verführen, verlocken, in Versuchung bringen.

ver|ler|nen ⟨tr.⟩: *(einmal Gelerntes, eine Fertigkeit, die man brachliegen läßt o. ä.) nach einer gewissen Zeit nicht mehr beherrschen:* sie hat ihre guten Englischkenntnisse wieder völlig verlernt; Radfahren verlernt man nicht. **sinnv.:** vergessen.

ver|let|zen ⟨tr.⟩: **1.** *(jmdm.) eine Wunde beibringen:* ich habe ihm/mich/mir die Hand verletzt. **sinnv.:** aufreißen, blessieren, lädieren, versehren, verwunden, zurichten. **2.** *(jmdn.) in seinem Stolz treffen, ihn kränken:* seine Bemerkung hatte ihn sehr verletzt. **sinnv.:** antasten; kränken.

Ver|let|zung, die; -, -en: **1.** *verletzte Stelle:* er wurde nach dem Unfall mit schweren Verletzungen ins Krankenhaus gebracht. **sinnv.:** Läsion, Riß, Schaden, Schramme, Verwundung, Wunde. **Zus.:** Kopf-, Körper-, Kriegsverletzung. **2.** *das Nichtbeachten, Übertreten (einer Vorschrift, eines Gesetzes):* ihm wurde eine V. der Aufsichtspflicht vorgeworfen. **sinnv.:** Mißachtung, Nichtbeachtung, Nichteinhaltung, Zuwiderhandlung. **Zus.:** Grenz-, Menschenrechts-, Rechtsverletzung.

ver|lie|ben, sich: *von Liebe (zu jmdm.) ergriffen werden:* sie hatten sich ineinander verliebt. **sinnv.:** ein Auge auf jmdn. werfen, jmdm. zu tief in die Augen sehen, Feuer fangen, auf jmdn. fliegen, sein Herz verlieren, sich für jmdn. interessieren, eine Neigung/Zuneigung zu jmdm. fassen, sich vergaffen/vergucken/verknallen.

ver|lie|ren, verlor, hat verloren: **1.** ⟨tr.⟩ *(etwas, was man gehabt, besessen, bei sich getragen hat o. ä.) [plötzlich] nicht mehr haben:* er hat seinen Schlüssel verloren. **sinnv.:** abhanden kommen, einbüßen, nicht mehr finden, um etwas kommen, verbumfiedeln, verbummeln, verlegen, verlustig gehen, versaubeuteln, verschlampen, verschwinden. **2.** ⟨itr.⟩ **a)** *(in einer Menschenmenge) von einem anderen, voneinander getrennt werden:* auf einmal hatten sich die beiden, hatten die Kinder im Gedränge ihre Begleiter verloren. **b)** *(einen Menschen) durch Trennung oder durch Tod plötzlich nicht mehr haben:* er hat seine Frau verloren. **sinnv.:** hergeben müssen. **3.** ⟨itr.⟩ *durch bestimmte Umstände einbüßen:* bei dem Unfall verlor er ein Bein. **sinnv.:** einbüßen. **4.** ⟨itr.⟩ *(an Schönheit, Reiz o. ä.) einbüßen:* durch den Weggang einiger Schauspieler hat das Theater sehr verloren.

sinnv.: nachlassen. **5.** ⟨tr.⟩ *(in einem Kampf, Wettstreit o. ä.) der Unterlegene sein* /Ggs. gewinnen/: er hat das Match verloren; ⟨auch itr.⟩ er hat verloren. **sinnv.:** besiegt/ bezwungen werden, eine Niederlage einstecken müssen/erleiden, eine Schlappe erleiden, unterliegen.

ver|lo|ben, sich: *(öffentlich) die Absicht kundgeben, jmdn./einander zu heiraten:* wir haben uns verlobt (Ggs. entlobt); er verlobte sich mit der Tochter des Nachbarn. **sinnv.:** jmdm. die Ehe/die Heirat versprechen, sich versprechen.

ver|lo|cken ⟨tr.⟩ (geh.): *(auf jmdn.) einen großen Reiz ausüben, so daß er kaum widerstehen kann:* der blaue See verlockte sie zum Baden. **sinnv.:** anreizen, reizen, verleiten.

Ver|lust, der; -[e]s, -e: *das Verlieren, Abhandenkommen:* der V. seiner Brieftasche. **sinnv.:** Defizit, Einbuße, Schaden. **Zus.:** Blut-, Gesichts-, Gewichts-, Prestige-, Stimmenverlust.

ver|meh|ren: 1. a) ⟨tr.⟩ *an Menge, Anzahl o. ä. größer machen* /Ggs. vermindern/: er vermehrt sein Vermögen in jedem Jahr um eine Million. **sinnv.:** aufschwellen, aufstocken, ausbauen, mehren, steigern, verstärken, vervielfachen. **b)** ⟨sich v.⟩ *an Menge, Anzahl o. ä. größer werden:* die Bevölkerung der Erde vermehrt sich sehr schnell. **sinnv.:** zunehmen. **2.** ⟨sich v.⟩ *sich ↑fortpflanzen:* Schnecken vermehren sich in der Regel durch Eier.

ver|mei|den, vermied, hat vermieden ⟨tr.⟩: *(etwas, was man nicht für gut, vorteilhaft o. ä. hält) umgehen, es nicht tun oder geschehen lassen:* man sollte diese heiklen Fragen v. **sinnv.:** sich entziehen, sich ersparen; unterlassen.

ver|mie|ten, vermietete, hat vermietet ⟨tr.⟩: *(bes. Räumlichkeiten, eine Wohnung) gegen Bezahlung für eine bestimmte Zeit zur [Be]nutzung überlassen* /Ggs. mieten/: [jmdm./an jmdn.] eine Wohnung, ein Auto v. **sinnv.:** abgeben, verleihen, verpachten. **Zus.:** untervermieten.

ver|min|dern: a) ⟨tr.⟩ *geringer machen, abschwächen* /Ggs. vermehren/: die Gefahr eines Krieges wurde vermindert. **sinnv.:** begrenzen, beschränken; verringern. **b)** ⟨sich v.⟩ *geringer, schwächer werden, abnehmen* /Ggs. vermehren/: sein Einfluß verminderte sich. **sinnv.:** schwinden.

ver|mi|schen: 1. a) ⟨tr.⟩ *(verschiedene Stoffe) zusammenbringen und durch Schütteln, Kneten, Rühren o. ä. bewirken, daß eine einheitliche Masse daraus entsteht:* die Zutaten müssen gut vermischt werden. **sinnv.:** mischen; versetzen mit. **b)** ⟨sich v.⟩ *sich mit etwas, miteinander verbinden, eine Mischung entstehen lassen:* Öl vermischt sich nicht mit Wasser. **2.** ⟨tr.⟩ *(Sachverhalte o. ä.) zu Unrecht miteinander verquicken:* er vermischt in seinen Erzählungen Traum und Wirklichkeit. **sinnv.:** verquicken.

ver|mit|teln: 1. ⟨tr.⟩ *(als Vermittler) (jmdm.) zu etwas verhelfen:* jmdm. eine Wohnung v. **sinnv.:** besorgen, verschaffen. **2.** ⟨itr.⟩ *bei einem Streit als Schiedsrichter tätig sein:* er vermittelte zwischen den beiden streitenden Parteien. **sinnv.:** eingreifen, sich einschalten, ein Wort einlegen für.

Ver|mö|gen, das; -s, -: **1.** ⟨ohne Plural⟩ *Kraft, Fähigkeit, etwas Bestimmtes zu tun:* sein V., die Menschen mitzureißen, ist groß. **sinnv.:** Fähigkeit. **Zus.:** Erinnerungs-, Reaktions-, Seh-, Steh-, Vorstellungsvermögen. **2.** *Besitz, der einen mate-*

riellen Wert darstellt: ein großes V. besitzen. **sinnv.:** Besitz, Einkünfte, Finanzen, Kapital, Reichtum, Werte. **Zus.:** Bar-, Millionen-, Privatvermögen.

ver|mu|ten, vermutete, hat vermutet ⟨tr.⟩: *auf Grund bestimmter Anzeichen annehmen, mutmaßen:* ich vermute, daß er kommt; ich vermute ihn in der Bibliothek. **sinnv.:** annehmen, sich ausrechnen, denken, erwarten, kalkulieren, raten, rätseln, schätzen, schließen, schwanen, tippen, unterstellen, wittern, sich zusammenreimen.

ver|nach|läs|si|gen ⟨tr.⟩: **1.** *verwahrlosen lassen; sich nicht genügend (um jmdn./etwas) kümmern:* er vernachlässigt seine Arbeit, seine Familie. **sinnv.:** verwahrlosen. **2.** *bewußt unberücksichtigt, außer acht lassen:* die Stellen hinter dem Komma kann man v.

ver|nei|nen ⟨tr.⟩: *(zu etwas) nein sagen:* er verneinte die Frage heftig. **sinnv.:** bestreiten.

ver|nich|ten ⟨tr.⟩: *völlig zerstören, gänzlich zunichte machen:* die Stadt wurde vernichtet; seine Feinde v. **sinnv.:** ausrotten; besiegen.

Ver|nunft, die; -: *Fähigkeit des Menschen, Einsichten zu gewinnen, sich ein Urteil zu bilden, die Zusammenhänge und die Ordnung des Wahrgenommenen zu erkennen und sich in seinem Handeln danach zu richten:* das ist gegen alle V. **sinnv.:** Denkvermögen, Einsicht, Erkenntnis, Geist, Grips, Grütze, Hirn, Intellekt, Klugheit, Köpfchen, Logik, Scharfsinn, Verstand.

ver|nünf|tig ⟨Adj.⟩: **1. a)** *von Vernunft geleitet; Vernunft, Einsicht und Besonnenheit besitzend:* v. denken, handeln. **sinnv.:** klug; rational. **b)** *von Einsicht und Vernunft zeugend und daher angemessen, einleuchtend:* ein vernünftiger Rat. **sinnv.:** einleuchtend; zweckmäßig. **2.** (ugs.) *der Vorstellung von etwas, den Erwartungen entsprechend:* endlich ist wieder vernünftiges Wetter. **sinnv.:** geeignet.

ver|öf|fent|li|chen ⟨tr.⟩: *in gedruckter o. ä. Form der Öffentlichkeit zugänglich machen:* einen Roman v. **sinnv.:** abdrucken, bekanntmachen, bringen, herausbringen, herausgeben, kundmachen, unter die Leute bringen, publizieren.

ver|ord|nen ⟨tr.⟩: **1.** *(als Arzt) festlegen, was zur Heilung eingenommen oder getan werden soll:* der Arzt hat [ihm] ein Medikament verordnet. **sinnv.:** verschreiben. **2.** *von öffentlicher, amtlicher Seite anordnen:* es wird hiermit verordnet, daß von 2 bis 4 Uhr keine Autos fahren dürfen. **sinnv.:** anordnen.

ver|pas|sen, verpaßt, verpaßte, hat verpaßt ⟨tr.⟩ (ugs.): **1.** *↑versäumen:* den Zug v.; eine Chance v. **2.** *jmdm. etwas, ohne deren Wünsche zu berücksichtigen, zuteil werden lassen:* jmdm. eine Spritze v.; wer hat dir denn diesen Haarschnitt verpaßt? **sinnv.:** geben; verabreichen.

ver|pflich|ten, verpflichtete, hat verpflichtet: **1. a)** ⟨tr.⟩ *(jmdn. an etwas) vertraglich o. ä. binden, für eine bestimmte, bes. eine künstlerische Tätigkeit unter Vertrag nehmen:* er ist als Schauspieler nach München verpflichtet worden. **sinnv.:** gewinnen. **b)** ⟨sich v.⟩ *sich für eine bestimmte, bes. eine künstlerische Tätigkeit vertraglich binden:* er hat sich für drei Jahre verpflichtet. **2. a)** ⟨tr.⟩ *(jmdn.) verbindlich (auf etwas) festlegen, (von jmdm.) ein bestimmtes Verhalten, eine bestimmte Handlungsweise verlangen:* jmdn. zu einer Zahlung v. **sinnv.**: binden. **b)** ⟨sich v.⟩ *versprechen, fest zusagen, etwas Bestimmtes zu tun:* ich habe mich verpflichtet, diese Aufgabe zu übernehmen. **sinnv.**: versprechen.

Ver|rat, der; -[e]s: **1.** *das Weitersagen von etwas, was geheim bleiben sollte:* der V. militärischer Geheimnisse. **Zus.**: Hoch-, Landes-, Vaterlandsverrat. **2.** *Bruch der Treue, eines Vertrauensverhältnisses durch Täuschung, Hintergehen, Betrügen o. ä.:* der V. an seinen Freunden. **sinnv.**: List.

ver|ra|ten, verrät, verriet, hat verraten: **1. a)** ⟨tr.⟩ *(etwas, was geheim bleiben sollte) weitersagen:* einen Plan v.; er hat [ihm] verraten, wo das Treffen stattfinden soll. **sinnv.**: ausplaudern, hinterbringen, petzen, preisgeben, verpetzen, verpfeifen. **b)** ⟨sich v.⟩ *durch eine Äußerung, Handlung etwas ungewollt preisgeben, mitteilen:* mit diesem Wort hat er sich verraten. **2.** ⟨tr.⟩ *(jmdn.) durch Weitersagen von etwas Geheimem an einen anderen ausliefern; Verrat (2) an jmdn./etwas begehen:* er hat seinen Freund, die gemeinsame Sache verraten. **sinnv.**: betrügen. **3.** ⟨itr.⟩ *erkennen lassen; offenbar werden lassen:* seine Miene verriet tiefe Bestürzung. **sinnv.**: zeigen.

ver|rech|nen: 1. ⟨tr.⟩ *Forderungen, die auf zwei Seiten bestehen, miteinander ausgleichen:* der Kaufmann verrechnete die Forderung seines Kunden mit seiner eigenen. **sinnv.**: anrechnen; berücksichtigen. **2.** ⟨sich v.⟩ **a)** *falsch rechnen; beim Rechnen einen Fehler machen:* du hast dich bei dieser Aufgabe verrechnet. **sinnv.**: einen Rechenfehler machen, sich verzählen. **b)** (ugs.) *jmdn./etwas falsch einschätzen:* er hatte sich in diesem Menschen sehr verrechnet. **sinnv.**: sich irren.

ver|rei|sen, verreiste, ist verreist ⟨itr.⟩: *für eine bestimmte Zeit seinen Wohnort verlassen, an einen anderen Ort fahren und dort bleiben:* er ist für drei Wochen verreist. **sinnv.**: fortfahren; reisen.

ver|rin|gern ⟨tr.⟩ *kleiner, geringer machen, werden lassen:* den Abstand v. **sinnv.**: abmindern, abschwächen, Abstriche machen, begrenzen, beschneiden, beschränken, dezimieren, drosseln, drücken, einschränken, entwerten, gesundschrumpfen, herabdrücken, herabmindern, herabsetzen, heruntergehen in, herunterschrauben, kürzen, mindern, reduzieren, schmälern, streichen, verkleinern, verkürzen, verlangsamen, vermindern. **b)** ⟨sich v.⟩ *kleiner, geringer werden:* die Kosten haben sich in diesem Jahr nicht verringert. **sinnv.**: schwinden.

ver|rückt ⟨Adj.⟩ (ugs.): **1.** *krankhaft, wirr im Denken und Handeln; seines Verstandes beraubt:* seit ihrem Unfall ist sie v. **sinnv.**: behämmert, bekloppt, beknackt, bescheuert, deppert, hirnverbrannt; geistesgestört. **2.** *auf absonderliche, auffällige Weise ungewöhnlich, nicht alltäglich:* er hat eine verrückte Idee. **sinnv.**: überspannt.

Vers, der; -es, -e: *rhythmische [durch Reim begrenzte] Einheit, Zeile eines Gedichts, einer Dichtung in gebundener Rede:* etwas in Versen schreiben. **sinnv.**: Gedicht. **Zus.**: Abzähl-, Blank-, Kinder-, Knittel-, Spottvers.

ver|sa|gen: 1. a) ⟨tr.⟩ *(etwas Erwartetes, Gewünschtes o. ä.) nicht gewähren, nicht zubilligen:* er versagte ihnen den Gehorsam, ihre Bitte. **sinnv.**: ablehnen. **b)** ⟨sich etwas v.⟩ *auf etwas verzichten, es sich nicht gönnen:* er versagte sich al-

les. **sinnv.**: aufgeben. **c)** ⟨sich v.⟩ (geh.) *sich für jmdn./etwas nicht zur Verfügung stellen:* er versagte sich ihrem Wunsch. **2.** ⟨itr.⟩ **a)** *nicht das Erwartete leisten können, etwas nicht erreichen:* er hat im Examen versagt. **sinnv.**: durchfallen, durchfliegen, durchplumpsen, durchrasseln, durchsausen, patzen, die Prüfung nicht bestehen, scheitern. **b)** *nicht mehr funktionieren:* plötzlich versagten die Bremsen.

ver|sam|meln: a) ⟨tr.⟩ *(mehrere Menschen) veranlassen, sich zu einer Zusammenkunft für einige Zeit an einem bestimmten Ort zu begeben:* er versammelte seine Familie um sich. **sinnv.**: um sich sammeln, um sich vereinigen, zusammenkommen lassen, zusammenrufen. **b)** ⟨sich v.⟩ *sich an einen bestimmten Ort begeben, um dort für einige Zeit mit anderen zusammenzusein:* die Schüler versammelten sich vor der Schule. **sinnv.**: sich sammeln, sich scharen, sich treffen, zusammenkommen, zusammentreffen.

ver|säu|men ⟨tr.⟩: *(die Möglichkeit zu etwas) ungenutzt vorübergehen lassen, nicht nutzen; (etwas Beabsichtigtes, Erforderliches) nicht tun, nicht erreichen:* versäume nicht, dieses Buch zu lesen; es wird der Zug versäumen. **sinnv.**: auslassen, sich etwas entgehen lassen, etwas durch die Lappen gehen lassen, verbummeln, verfehlen, verpassen, verschlafen.

ver|schaf|fen ⟨tr.⟩: *dafür sorgen, daß jmdm. etwas zuteil wird (was nicht ohne weiteres erreichbar ist):* er hat uns Informationen verschafft; er verschaffte sich Geld. **sinnv.**: beschaffen.

ver|schen|ken: 1. ⟨tr.⟩ *schenkend austeilen, als Geschenk weggeben:* er hat seine Bücher verschenkt. **sinnv.**: austeilen; schenken. **2.** ⟨sich v.⟩ *sich jmdm. [der dessen nicht würdig ist] hingeben:* sie hat sich an den Falschen verschenkt.

ver|schie|ben, verschob, hat verschoben: **1. a)** ⟨tr.⟩ *in eine andere Stellung, an eine andere Stelle schieben:* wir mußten den Schrank [um einige Zentimeter] v. **sinnv.**: schieben. **b)** ⟨sich v.⟩ *in eine andere Stellung, an eine andere Stelle geschoben werden, sich bewegen:* der Tisch hatte sich durch die Erschütterung verschoben. **2. a)** ⟨tr.⟩ *von einem bestimmten vorgesehenen Zeitpunkt auf einen späteren verlegen:* seine Reise ist auf nächste Woche verschoben worden. **sinnv.**: aufschieben, auf die lange Bank schieben, einmotten, auf Eis legen, hinausschieben, hinausziehen, hinauszögern, verlegen, verschleppen, vertagen, verzögern, zurückstellen. **b)** ⟨sich v.⟩ *von einem bestimmten vorgesehenen Zeitpunkt auf einen späteren gelegt, aufgeschoben werden:* der Termin hat sich verschoben. **sinnv.**: sich hinausziehen, sich hinauszögern, sich verzögern.

ver|schie|den: I. ⟨Indefinitpronomen und unbestimmtes Zahlwort⟩: **1. verschiedene** (Plural) *einige, mehrere, manche:* verschiedene Punkte der Tagesordnung; der Einspruch verschiedener Delegierter/(auch:) Delegierte. **sinnv.**: einig... **2. verschiedenes** ⟨Singular⟩ *dieses und jenes; manches, einiges:* verschiedenes war noch zu besprechen. **II.** ⟨Adj.⟩ *nicht gleich; in wesentlichen oder allen Merkmalen voneinander abweichend:* die beiden Brüder sind ganz v. **sinnv.**: abweichend, anders, andersartig, divergent, unterschiedlich, verschiedenartig. **Zus.**: grund-, wesensverschieden.

ver|schla|fen: I. verschläft, verschlief, hat verschlafen: **1.** ⟨tr.⟩ **a)** *schlafend verbringen:* er hat den ganzen Tag verschlafen. **b)** (ugs.) *aus Vergeßlichkeit o.ä. versäumen:* eine Verabredung v. **sinnv.:** versäumen. **2.** ⟨itr.⟩ *zu lange schlafen, nicht pünktlich genug aufwachen:* ich habe verschlafen. **sinnv.:** sich verspäten. **II.** ⟨Adj.⟩ *noch nicht ganz wach; noch vom Schlaf benommen:* v. öffnete er die Tür. **sinnv.:** müde.

ver|schlech|tern: a) ⟨tr.⟩ *schlechter werden lassen, machen:* der Fieberanfall hat den Zustand des Kranken sehr verschlechtert. **sinnv.:** Öl ins Feuer gießen, verschärfen, verschlimmern, verstärken. **b)** ⟨sich v.⟩ *schlechter, schlimmer werden:* ihre Gesundheit hat sich verschlechtert. **sinnv.:** abwärtsgehen, rückwärtsgehen, sich verschlimmern.

ver|schlie|ßen, verschloß, hat verschlossen: **1.** ⟨tr.⟩ **a)** *mit einem Schloß o. ä. zumachen, schließen, sichern:* er verschloß alle Zimmer; die Fenster waren verschlossen. **sinnv.:** abriegeln, abschließen, schließen, verriegeln, versperren, zumachen, zuriegeln, zuschließen, zusperren. **b)** *in etwas hineinlegen und es abschließen:* er verschloß das Geld in seinem/(auch:) seinen Schreibtisch. **sinnv.:** einschließen, schließen ein. **c)** *mit Hilfe eines Gegenstandes, einer Vorrichtung o.ä. bewirken, daß etwas nach außen hin fest zu ist:* die Flasche mit einem Korken v. **2. a)** ⟨tr.⟩ *(für sich) behalten, niemandem mitteilen, nicht offenbaren:* seine Gedanken in seinem Herzen v. **b)** ⟨sich v.⟩ *(jmdm., der Meinung eines anderen o. ä.) nicht zugänglich sein:* er verschloß sich ihren Argumenten. **sinnv.:** ablehnen. **c)** ⟨sich v.⟩ *sein Wesen, seine Gefühle nicht zu erkennen geben:* eine Stadt, die sich dem Fremden verschließt.

ver|schlucken: 1. ⟨tr.⟩ *hinunterschlucken; durch Schlucken in den Magen bringen:* er hat aus Versehen den Kirschkern verschluckt. **2.** ⟨sich v.⟩ *etwas in die Luftröhre bekommen:* ich habe mich [an der Suppe, beim Essen] verschluckt.

Ver|schluß, der; Verschlusses, Verschlüsse: *Vorrichtung zum Verschließen von etwas:* der V. einer Kette; er öffnete den V. der Flasche. **sinnv.:** Deckel, Kappe, Klappe, Stöpsel. **Zus.:** Magnet-, Reiß-, Ring-, Schraub-, Ventilverschluß.

ver|schmie|ren ⟨tr.⟩: **1.** *(einen Hohlraum) mit etwas ausfüllen und die Oberfläche glätten:* ein Loch in der Wand v. **2.** *durch häßliches, unsauberes Schreiben, Zeichnen o.ä. verunstalten:* er hat sein Heft verschmiert. **3.** *(etwas auf etwas) streichen, schmieren und es dadurch schmutzig, unsauber machen:* Farbe, Marmelade auf dem Tisch v.; sein Gesicht ist ganz verschmiert. **sinnv.:** beschmutzen.

ver|schmut|zen, verschmutzte hat/ist verschmutzt: **1.** ⟨tr.⟩ *ganz schmutzig machen:* du hast mit den Straßenschuhen den Teppich verschmutzt. **sinnv.:** beschmutzen. **2.** ⟨itr.⟩ *schmutzig werden:* die Wäsche ist sehr schnell verschmutzt.

ver|schnau|fen ⟨itr./sich v.⟩: *eine Pause machen, um wieder zu Atem zu kommen oder um Atem zu schöpfen:* oben auf dem Berg verschnaufte er ein wenig; ich muß mich erst v. **sinnv.:** ruhen.

ver|schol|len ⟨Adj.⟩: *für längere Zeit abwesend und nicht auffindbar, für verloren gehalten oder als tot betrachtet:* er ist seit zehn Jahren v.; das Flug

zeug war v. **sinnv.:** abgängig, überfällig, unauffindbar, vermißt.

ver|scho|nen ⟨tr.⟩: *(jmdm.) nichts Übles, Unangenehmes tun; davon absehen, (jmdm.) etwas Schlimmes anzutun; einer Sache keinen Schaden zufügen:* die Sieger hatten die Gefangenen verschont; der Sturm hat kein Haus verschont. **sinnv.:** begnadigen.

ver|schrei|ben, verschrieb, hat verschrieben: **1.** ⟨tr.⟩ *(als Arzt) schriftlich verordnen:* der Arzt hat ihm mehrere Medikamente verschrieben. **sinnv.:** verordnen. **2.** ⟨sich v.⟩ *beim Schreiben einen Fehler machen:* ich habe mich verschrieben. **3.** ⟨tr.⟩ *beim Schreiben verbrauchen:* er hat den ganzen Block verschrieben. **4.** ⟨sich v.⟩ *sich (einer Sache) widmen; (in einer Sache) ganz aufgehen:* er hat sich völlig seinem Beruf verschrieben. **sinnv.:** sich befassen. **5.** ⟨tr.⟩ *(jmdm.) den Besitz von etwas urkundlich zusichern:* er hat dem Hof seiner Tochter verschrieben. **sinnv.:** hinterlassen.

ver|schul|den, verschuldete, hat/ist verschuldet: **1.** ⟨tr.⟩ *in schuldhafter Weise bewirken, die Schuld für etwas tragen:* er hat ein großes Unglück verschuldet. **sinnv.:** verursachen. **2.** ⟨itr.⟩ *in Schulden geraten:* durch seinen Lebensstil ist er immer mehr verschuldet. **b)** ⟨sich v.⟩ *Schulden machen:* ich habe mich hoch v. müssen.

ver|schwei|gen, verschwieg, hat verschwiegen ⟨tr.⟩: *(etwas) bewußt nicht erzählen, sondern es verheimlichen:* er hat mir diese Nachricht verschwiegen. **sinnv.:** vertuschen.

ver|schwen|den, verschwendete, hat verschwendet ⟨tr.⟩: *in allzu reichlichem Maße und ohne entsprechenden Nutzen leichtsinnig ausgeben, verbrauchen:* sein Geld, seine Zeit v. **sinnv.:** ausgeben, durchbringen.

ver|schwen|de|risch ⟨Adj.⟩: *leichtsinnig und allzu großzügig im Ausgeben oder Verbrauchen von Geld o.ä.:* er führt ein verschwenderisches Leben. **sinnv.:** freigebig.

ver|schwie|gen ⟨Adj.⟩: **1.** *zuverlässig im Bewahren eines Geheimnisses, nicht geschwätzig:* er ist v. **sinnv.:** dezent. **2.** *still und einsam, nur von wenigen Menschen aufgesucht:* eine verschwiegene Bucht.

ver|schwin|den, verschwand, ist verschwunden ⟨itr.⟩: **a)** *wegfahren, weggehen, sich entfernen o.ä. und nicht mehr zu sehen sein:* der Zug verschwand in der Ferne. **sinnv.:** entschwinden, untertauchen, weggehen. **b)** *verlorengehen, gestohlen werden, nicht zu finden sein:* seine Brieftasche war verschwunden.

ver|schwom|men ⟨Adj.⟩: **1.** *in den Umrissen nicht deutlich erkennbar:* man konnte den Gipfel des Berges nur ganz v. sehen. **sinnv.:** unklar. **2.** *nicht fest umrissen; nicht eindeutig festgelegt:* er drückt sich immer so v. aus. **sinnv.:** unklar.

Ver|schwö|rung, die; -, -en: *gemeinsame Planung eines Unternehmens, das gegen jmdn./etwas (bes. gegen die staatliche Ordnung) gerichtet ist.* **sinnv.:** Aufruhr, Aufstand, Gewaltakt, Komplott, Konspiration, Meuterei, Pogrom, Putsch, Rebellion, Staatsstreich, Subversion, Umtriebe, Unterwanderung.

ver|se|hen, versieht, versah, hat versehen: **1.** ⟨tr.⟩ *dafür sorgen, daß jmd. etwas bekommt, daß etwas mit etwas ausgestattet wird:* jmdn., sich für die Reise mit Proviant v.; einen Text mit Anmerkungen v. **sinnv.**: ausstatten, geben. **2.** ⟨tr.⟩ *(eine Aufgabe, einen Dienst o. ä.) ausüben, erfüllen:* seinen Dienst gewissenhaft v. **3.** ⟨sich v.⟩ *irrtümlich, aus Unachtsamkeit einen Fehler machen:* da habe ich mich wohl versehen. **sinnv.**: irren.

Ver|se|hen, das; -s, -: *etwas, was irrtümlich, aus Unachtsamkeit falsch gemacht wurde:* ihm ist ein V. unterlaufen; das geschah aus V. *(nicht mit Absicht).* **sinnv.**: Fehler.

ver|sen|ken: 1. ⟨tr.⟩ *bewirken, daß etwas im Wasser untergeht:* ein Schiff v. **2.** ⟨tr.⟩ *bewirken, daß etwas in etwas, unter der Oberfläche von etwas verschwindet:* der Behälter wird in die Erde versenkt. **sinnv.**: eintauchen. **3.** ⟨sich v.⟩ *sich ganz fest und ohne sich ablenken zu lassen (in etwas) vertiefen:* ich versenkte mich in den Anblick des Bildes. **sinnv.**: sich konzentrieren, meditieren, sich sammeln, sich vergraben, sich vertiefen.

ver|set|zen: 1. ⟨tr.⟩ **a)** *an eine andere Stelle, einen anderen Ort bringen, setzen:* Bäume v. **b)** *an eine andere Dienststelle (in einem anderen Ort) beordern:* er ist nach Frankfurt versetzt worden. **c)** *(einen Schüler) in die nächste Klasse aufnehmen:* er konnte gerade noch versetzt werden. **sinnv.**: das Klassenziel erreichen. **2.** ⟨tr.⟩ *[ver]mischen [und dadurch in der Qualität mindern]:* der Wein ist mit Wasser versetzt. **3.** ⟨itr.⟩ *mit einer gewissen Entschiedenheit, energisch antworten:* auf meine Frage versetzte er, er sei nicht meiner Ansicht. **4.** ⟨tr.⟩ (ugs.) *vergeblich warten lassen:* wir waren heute verabredet, doch sie hat mich versetzt. **sinnv.**: sitzenlassen. **5.** ⟨tr.⟩ (ugs.) *[aus einer gewissen Not heraus] verkaufen, verpfänden, um zu Geld zu kommen:* er mußte seine Uhr v. **sinnv.**: ins Leihhaus/Pfandhaus bringen, verpfänden. **6.** (als Funktionsverb) **a)** */drückt aus, daß jmdm. etwas unversehens geschehen, beigebracht wird/:* jmdm. einen Stoß v. *(jmdn. stoßen).* **b)** */drückt aus, daß jmd./etwas in einen bestimmten Zustand gebracht wird/:* jmdn. in Angst v. *(bewirken, daß jmd. Angst hat).* **7.** ⟨sich v.⟩ *sich in jmds./etwas hineindenken; sich vorstellen, daß man sich in einer bestimmten Lage befände:* versetze dich doch einmal in seine Lage! **sinnv.**: sich einfühlen.

ver|si|chern: 1. ⟨tr.⟩ *(etwas) als sicher oder gewiß hinstellen, als den Tatsachen entsprechend bezeichnen:* ich versichere ihm das Gegenteil. **sinnv.**: beglaubigen, beschwören. **2. a)** ⟨itr.⟩ *jmdm. Gewißheit über etwas geben, ihm zusagen, daß er mit Gewißheit auf etwas zählen kann:* jmdn. seines Vertrauens v. **b)** ⟨sich v.⟩ *sich [über jmdn./etwas] Sicherheit oder Gewißheit verschaffen:* ich wollte mich seiner Hilfe v. **sinnv.**: kontrollieren. **3.** ⟨tr./sich v.⟩ *mit einer entsprechenden Institution einen Vertrag abschließen, nach dem diese gegen regelmäßige Zahlung eines bestimmten Betrages bestimmte Schäden ersetzt:* ich habe mich, mein Gepäck gegen Diebstahl versichert.

ver|söh|nen: a) ⟨tr.⟩ *(zwischen Streitenden) Frieden stiften, einen Streit beilegen:* sie hat ihn mit seiner Mutter versöhnt. **sinnv.**: bereinigen. **b)** ⟨sich v.⟩ *(mit jmdm.) Frieden schließen, sich wieder vertragen:* ich habe mich mit meinem Gegner versöhnt.

ver|sor|gen ⟨tr.⟩: **a)** *(jmdm. etwas Fehlendes, notwendig Gebrauchtes) [in ausreichender Menge] überlassen, zukommen lassen:* jmdn. mit Lebensmitteln, Informationen v. **sinnv.**: eindecken, ge-

ben, kaufen. **b)** *für jmds. Unterhalt, für alles Nötige sorgen, was jmd./etwas braucht:* er hat *(un jmdn./etwas) kümmern:* drei Jahre lang versorgte sie ihre kranke Mutter und deren Haus. **sinnv.**: bedienen.

ver|spä|ten, sich; verspätete sich, hat sich verspätet: *später als geplant, gewünscht, gewöhnlich kommen, eintreffen:* die meisten Gäste verspäteten sich an diesem Abend. **sinnv.**: zu spät kommen, verschlafen.

ver|spot|ten, verspottete, hat verspottet ⟨tr.⟩ *(jmdn./etwas) zum Gegenstand seines Spottes machen:* er verspottete seine politischen Gegner. **sinnv.**: sich amüsieren/lachen/sich mokieren/ spotten über, auslachen, verhöhnen, verlachen.

ver|spre|chen, versprich, versprach, hat versprochen: **1. a)** ⟨tr.⟩ *(jmdm.) verbindlich erklären, daß etwas getan wird, geschehen wird; zusichern:* der Vater hatte ihm Geld versprochen. **sinnv.**: beeiden, beeidigen, beschwören, beteuern, sein Ehrenwort geben, einen Eid leisten, auf seinen Eid nehmen, geloben, die Hand darauf/sein Wort geben, schwören, sich verpflichten, versichern, sein Wort verpfänden, zusagen, zusichern. **b)** ⟨itr.⟩ *erwarten lassen:* der Junge verspricht etwas zu werden; hiervon verspreche ich mir wenig. **2.** ⟨sich v.⟩ *beim Reden einzelne Laute oder Wörter verwechseln, falsch aussprechen o. ä.:* der Vortragende versprach sich ständig. **sinnv.**: stottern, sich verheddern.

Ver|spre|chen, das; -s, -: *verbindliche Erklärung, daß etwas Bestimmtes getan werden wird, geschehen wird; Zusage:* er hat sein V. nicht gehalten. **sinnv.**: Beteuerung, Ehrenwort, Gelöbnis, Gelübde, Verheißung, Versprechungen, Vorsage, Zusicherung. **Zus.**: Ehe-, Heirats-, Treueversprechen.

Ver|stand, der; -[e]s: *Kraft des Menschen, das Wahrgenommene sinngemäß aufzufassen und es zu begreifen; Fähigkeit, mit Begriffen umzugehen:* der menschliche V.; er hat einen scharfen V. **sinnv.**: Vernunft. **Zus.**: Kunst-, Menschen-, Sachverstand.

ver|stän|dig ⟨Adj.⟩: **a)** *voller Verständnis, verständnisvoll, einsichtig:* er fand einen verständigen Chef. **b)** *mit Verstand begabt:* der Kleine ist für sein Alter schon sehr v. **sinnv.**: klug. **Zus.**: kunst-, sachverständig.

ver|stän|di|gen: 1. ⟨tr.⟩ *(jmdm. etwas) mitteilen, (jmdn. von etwas) in Kenntnis setzen; (jmdn. über etwas) informieren:* er verständigte die Polizei über diesen Vorfall. **2.** ⟨sich v.⟩ **a)** *(jmdm.) deutlich machen, was man sagen will:* ich konnte mich mit dem Engländer gut v. **b)** *einig werden, sich einigen:* ich konnte mich mit ihm über alle strittigen Punkte v. **sinnv.**: übereinkommen.

ver|ständ|lich ⟨Adj.⟩: **a)** *so beschaffen, daß es gut zu hören ist:* der Vortragende sprach mit leiser, doch verständlicher Stimme. **sinnv.**: artikuliert, deutlich, klar, wohlartikuliert. **b)** *so beschaffen, daß es leicht zu begreifen ist:* die Abhandlung ist v. geschrieben. **sinnv.**: anschaulich, deutlich, klar. **Zus.**: allgemein-, schwer-, selbstverständlich. **c)** *so beschaffen, daß man die Gründe und Ursachen einsieht:* sein Verhalten ist durchaus v. **sinnv.**: ersichtlich.

Ver|ständ|nis, das; -ses: *Vermögen des Menschen, sich in jmdn. hineinzuversetzen, sich in et-*

was hineinzudenken: er hat kein V. für die Jugend. **sinnv.:** Einfühlungsgabe, -vermögen, Verstehen. **Zus.:** Kunst-, Miß-, Sach-, Sprachverständnis.

ver|stär|ken: a) ⟨tr.⟩ *an Zahl, dem Grad nach o. ä. größer machen, stärker machen:* die Wachen vor dem Schloß v.; eine Mauer v. *(dicker machen).* **sinnv.:** beschleunigen, Dampf/Druck dahinter machen, forcieren, fördern, intensivieren, nachhelfen, potenzieren, auf die Tube drücken, vermehren, verschärfen, verschlechtern, vertiefen, vorantreiben. **b)** ⟨sich v.⟩ *dem Grad nach o. ä. größer werden, stärker werden; wachsen:* meine Zweifel haben sich verstärkt. **sinnv.:** zunehmen.

ver|stau|chen ⟨itr.⟩: *sich durch eine unglückliche Bewegung eine Verzerrung an einem Gelenk zuziehen:* ich habe mir den Arm verstaucht. **sinnv.:** sich auskugeln/ausrenken, sich etwas verknacksen/verrenken.

ver|stau|en ⟨tr.⟩ (ugs.): *auf relativ engem, gerade noch ausreichendem Raum unterbringen:* er verstaute seine Koffer im Auto. **sinnv.:** unterbringen.

Ver|steck, das; -[e]s, -e: *geheimer, anderen nicht bekannter Ort; Ort, an dem man jmdn./etwas verstecken kann:* ein V. für sein Geld suchen. **sinnv.:** Hinterhalt, Zuflucht.

ver|stecken: 1. ⟨tr.⟩ *(jmdn./etwas) heimlich an einem unbekannten Ort unterbringen, so daß die Person/Sache nicht gesehen wird:* das Geld im Schreibtisch v. **sinnv.:** tarnen, verbergen, verdekken, verhüllen. 2. ⟨sich v.⟩ *an eine Stelle gehen, so man nicht gesehen/gefunden wird:* sich vor jmdm. hinter einem Baum v. **sinnv.:** sich tarnen/verbergen; sich verkriechen.

ver|ste|hen, verstand, hat verstanden: 1. ⟨tr.⟩ *deutlich hören, klar vernehmen:* der Vortragende sprach so laut, daß alle ihn gut v. konnten. 2. a) ⟨tr.⟩ *Sinn und Bedeutung (von etwas) verstandesmäßig erfassen:* ich habe seine Argumente verstanden. **sinnv.:** begreifen, checken, durchblikken, sich durchfinden, jmdm. einleuchten, erfassen, erkennen, fassen, [geistig] folgen können, fressen, intus kriegen, kapieren, mitbekommen, mitkriegen, nachvollziehen, realisieren, schalten, schnallen. b) ⟨tr.⟩ *aus einem gewissen Einfühlungsvermögen heraus richtig beurteilen und einschätzen können:* erst jetzt verstehe ich sein sonderbares Verhalten. c) ⟨tr.⟩ *Verständnis für jmdn./etwas haben:* nur seine engsten Freunde verstanden ihn; [keinen] Spaß v. d) ⟨sich v.⟩ *gleicher Meinung sein, gleiche Ansichten haben:* in dieser Frage verstehe ich mich mit ihm [gut]. 3. ⟨itr.⟩ *gut kennen, können; gelernt haben:* sein Handwerk v. **sinnv.:** sich auskennen.

ver|stei|gern ⟨tr.⟩: *mehreren Interessenten anbieten und an den verkaufen, der das meiste Geld dafür bietet:* eine alte Handschrift v.

Ver|stei|ge|rung, die; -, -en: *Veranstaltung, bei der etwas versteigert wird.* **sinnv.:** Auktion. **Zus.:** Zwangsversteigerung.

ver|stel|len: 1. ⟨tr.⟩ *durch etwas in den Weg Gestelltes versperren:* die Tür [mit Kisten] v. **sinnv.:** besetzen, blockieren, verbarrikadieren; versperren. 2. ⟨tr.⟩ a) *an einen anderen, an einen falschen Platz stellen:* beim Putzen sind die Bücher verstellt worden. b) *so einstellen, wie man es braucht:* den Liegestuhl kann man v. 3. a) ⟨tr.⟩ *absichtlich*

ändern, um zu täuschen: seine Stimme v. **b)** ⟨sich v.⟩ *sich anders geben, als man ist:* er verstellte sich und tat, als ob er schliefe. **sinnv.:** heucheln, vortäuschen.

ver|stim|men ⟨tr.⟩: *ärgerlich machen; [ver]ärgern:* diese Absage hatte ihn sehr verstimmt; verstimmt verließ er das Zimmer. **sinnv.:** ärgern.

Ver|stim|mung, die; -, -en: *das Verstimmtsein, das Verärgertsein.* **sinnv.:** Ärger, Gereiztheit, Groll, schlechte Laune, Launen, Mißgestimmtheit, gereizte Stimmung, Unmut, Unwille, Verärgerung.

ver|stoh|len ⟨Adj.⟩: *heimlich, auf zurückhaltende Weise, so daß es nicht bemerkt wird:* jmdn. v. mustern. **sinnv.:** unbemerkt.

Ver|stor|be|ne, der und die; -n, -n ⟨aber: [ein] Verstorbener, Plural: [viele] Verstorbene⟩: *männliche bzw. weibliche Person, die gestorben ist.* **sinnv.:** Toter.

ver|stört ⟨Adj.⟩: *völlig verwirrt; zutiefst erschüttert:* sie war durch den Tod ihres Mannes ganz v. **sinnv.:** betroffen.

Ver|stoß, der; -es, Verstöße: *das Verstoßen gegen ein Gesetz o.ä.; Verletzung eines Gesetzes o.ä.:* ein V. gegen alle Regeln des Anstands. **sinnv.:** Delikt, Frevel, Missetat, Sakrileg, Straftat, Übertretung, Unrecht, Untat, Verbrechen, Verfehlung, Vergehen, Zuwiderhandlung. **Zus.:** Devisen-, Gesetzes-, Preisverstoß.

ver|sto|ßen, verstößt, verstieß, hat verstoßen: 1. ⟨tr.⟩ *(einen Angehörigen) zwingen, das Haus und die Familie zu verlassen, weil man nicht mehr mit ihm zusammen wohnen und leben will:* er hat seine Tochter verstoßen. **sinnv.:** ächten, ausschließen. 2. ⟨itr.⟩ *(gegen ein Gesetz) handeln; (ein Gesetz o.ä.) verletzen:* er hat mit dieser Tat gegen das Gesetz verstoßen. **sinnv.:** sich hinwegsetzen über, mißachten, sich richten gegen, überschreiten, übertreten, untergraben, unterlaufen, sich vergehen gegen, etwas verletzen, zuwiderhandeln.

ver|stüm|meln ⟨tr.⟩: *schwer verletzen, wobei eines oder mehrere Glieder abgetrennt werden:* der Mörder hatte sein Opfer verstümmelt. **sinnv.:** verunstalten.

ver|stum|men, verstummte, ist verstummt ⟨itr.⟩: *zu sprechen, singen, schreien o.ä. aufhören:* vor Entsetzen v.; die Glocken verstummten (hörten auf zu läuten). **sinnv.:** schweigen.

Ver|such, der; -[e]s, -e: a) *Verfahren, mit dem man etwas erforschen, untersuchen will:* ein physikalischer V. **sinnv.:** Experiment. **Zus.:** Atom-, Labor-, Tierversuch. b) *Bemühung, Unternehmen, durch das man etwas zu verwirklichen sucht:* es war ein gewagter V. **sinnv.:** Aktion, Anlauf, Anstrengung, Experiment, Feldzug, Kampagne, Vorstoß; Wagnis. **Zus.:** Ausbruchs-, Flucht-, Geh-, Selbstmord-, Wiederbelebungsversuch.

ver|su|chen: 1. a) ⟨tr.⟩ *(etwas) in Angriff nehmen, unternehmen; prüfen, ob es möglich ist, und wagen; (etwas) zu verwirklichen suchen:* er versuchte zu entfliehen; er hatte versucht, Klavier spielen zu lernen; ⟨auch itr.⟩ wir werden es mit ihm v. **sinnv.:** ausprobieren, die Probe machen, probieren, einen Versuch machen. b) ⟨sich v.⟩ *sich noch ohne Erfahrung auf einem bestimmten Gebiet betätigen:* er versuchte sich auch an einem Roman. 2. ⟨tr.⟩ *(eine Speise, ein Getränk) probieren:* er versuchte den Wein. **sinnv.:** kosten.

ver|ta|gen ⟨tr.⟩: *auf einen späteren Zeitpunkt legen; aufschieben:* die Verhandlung wurde vertagt; *(auch sich v.)* der Landtag hat sich vertagt *(hat beschlossen, seine Tagung zu einem späteren Zeitpunkt fortzusetzen).* **sinnv.:** verschieben.

ver|tau|schen ⟨tr.⟩: *aus Versehen, irrtümlich (etwas Falsches) statt des Richtigen nehmen:* die Schirme, Mäntel wurden vertauscht. **sinnv.:** verwechseln.

ver|tei|di|gen ⟨tr./sich v.⟩: **1.** *Angriffe (auf jmdn./etwas) abwehren; vor Angriffen schützen:* eine Stadt v. **sinnv.:** abwehren, behüten; sich wehren, Widerstand leisten. **2.** *vor Gericht vertreten:* der Angeklagte wird von einem sehr bekannten Anwalt verteidigt.

ver|tei|len: a) ⟨tr.⟩ *in meist gleicher Menge [ab]geben, bis der Vorrat erschöpft ist:* er verteilte Schokolade unter die Kinder. **sinnv.:** austeilen, austragen. b) ⟨tr.⟩ *aufteilen und in gleicher Menge oder Anzahl an verschiedene Stellen bringen:* die Salbe gleichmäßig auf der/(auch:) auf die Wunde v. **sinnv.:** verstreuen. c) ⟨sich v.⟩ *ein bestimmtes Gebiet einnehmen; sich über eine Fläche hin verstreuen:* die Polizisten verteilten sich über den Platz.

ver|tie|fen: a) ⟨tr.⟩ *tiefer machen:* einen Graben v. b) ⟨sich v.⟩ *tiefer werden:* die Falten in ihrem Gesicht haben sich vertieft. c) ⟨tr.⟩ *bewirken, daß etwas größer, intensiver wird:* die Musik des Films vertiefte noch die Wirkung der Bilder. **sinnv.:** verinnerlichen, verstärken.

ver|ti|kal ⟨Adj.⟩: *sich in einer senkrechten Linie erstreckend /Ggs. horizontal/:* die vertikale Startrichtung der Rakete.

ver|to|nen ⟨tr.⟩: *(einen Text) in Musik setzen, (zu einem Text) eine Musik schreiben:* dieses Gedicht ist von Schubert vertont worden. **sinnv.:** arrangieren, instrumentieren, komponieren.

Ver|trag, der; -[e]s, Verträge: *[schriftliche] rechtlich gültige Vereinbarung zweier oder mehrerer Partner, in der die gegenseitigen Verbindlichkeiten und Rechte festgelegt sind:* einen V. schließen. **sinnv.:** Vereinbarung. **Zus.:** Arbeits-, Ausbildungs-, Friedens-, Geheim-, Kauf-, Miet-, Tarif-, Zeitvertrag.

ver|tra|gen, verträgt, vertrug, hat vertragen: **1.** ⟨tr.⟩ *widerstandsfähig genug (gegen etwas) sein:* er kann die Hitze gut v.; (ugs.) er kann viel v. *(viel Alkohol trinken, ohne betrunken zu werden).* **sinnv.:** aushalten. **2.** ⟨sich v.⟩ *ohne Streit, in Frieden und Eintracht (mit jmdm.) auskommen:* er verträgt sich mit seiner Schwester. **sinnv.:** in Frieden leben, übereinkommen, sich nicht zanken.

ver|träg|lich ⟨Adj.⟩: **1.** *so beschaffen, daß man es gut verträgt:* verträgliche Speisen. **sinnv.:** bekömmlich, leicht. **2.** *nicht leicht streitend oder in Streit geratend:* er ist ein verträglicher Mensch. **sinnv.:** friedfertig, friedlich, umgänglich.

ver|trau|en ⟨itr.⟩: *sicher sein, daß man sich auf jmdn./etwas verlassen kann:* er vertraute seinen Freunden; fest auf Gott v. **sinnv.:** glauben, sich verlassen auf, zählen auf.

Ver|trau|en, das; -s: *sichere Erwartung, fester Glauben daran, daß man sich auf jmdn./etwas verlassen kann:* V. zueinander haben, füreinander aufbringen; er schenkte ihm sein V. **sinnv.:** Hoffnung. **Zus.:** Gott-, Selbstvertrauen.

ver|trau|lich ⟨Adj.⟩: a) *nur für einige besondere*

Personen bestimmt; geheim: eine vertrauliche Mitteilung. **sinnv.:** inoffiziell, intern, im Vertrauen [gesagt]. b) *(auf Vertrauen gegründet und daher) freundschaftlich:* er sah sie in einem vertraulichen Gespräch mit einem Herrn. **sinnv.:** persönlich, privat.

ver|traut ⟨Adj.⟩: a) *freundschaftlich verbunden; eng befreundet:* etwas in einem vertrauten Kreis aussprechen. **sinnv.:** familiär, intim, privat, ungezwungen. b) *bekannt und daher in keiner Weise fremd:* er fühlte sich wohl in der vertrauten (gewohnten) Umgebung. **sinnv.:** alltäglich, geläufig, gewohnt, wohlbekannt. **Zus.:** altvertraut. c) * *mit etwas v. sein (etwas genau kennen; sich gut in etwas auskennen); sich mit etwas v. machen (sich in etwas einarbeiten).*

ver|trei|ben, vertrieb, hat vertrieben ⟨tr.⟩: **1.** *veranlassen oder zwingen, einen Ort zu verlassen:* jmdn. aus seiner Heimat v. **sinnv.:** aufscheuchen, ausräuchern, austreiben, ausweisen, fortjagen, jagen aus/von, scheuchen, treiben aus/von, verjagen, verscheuchen, wegjagen. **2.** *im großen verkaufen; (mit etwas) handeln:* er vertreibt seine Waren in verschiedenen Ländern. **sinnv.:** verkaufen.

ver|tre|ten, vertritt, vertrat, hat vertreten ⟨tr.⟩: a) *vorübergehend jmds. Stelle einnehmen und dessen Aufgaben übernehmen:* er vertritt seinen kranken Kollegen. **sinnv.:** aushelfen, in die Bresche springen, einspringen, eintreten für, Vertretung machen. b) *jmds. Interessen wahrnehmen; für jmdn. sprechen:* ein bekannter Anwalt vertritt ihn vor Gericht. c) *(für eine bestimmte Institution o. ä.) auftreten; (eine bestimmte Institution o. ä.) repräsentieren:* er vertritt auf dieser Tagung den hiesigen Sportverein. d) *(für eine Firma) Waren vertreiben:* er vertritt eine andere Firma. e) *sich (zu etwas) bekennen; (für etwas) einstehen, eintreten:* er vertritt diesen Standpunkt ganz entschieden. **sinnv.:** verantworten.

Ver|tre|ter, der; -s, -: a) *jmd., der vorübergehend jmds. Stelle einnimmt:* bei Erkrankung ist er sein V. **sinnv.:** Stellvertreter. b) *jmd., der jmds. Interessen vertritt:* er ist vor Gericht sein V. **sinnv.:** Anwalt, Bevollmächtigter, Sachwalter, Verwalter. **Zus.:** Anklage-, Rechtsvertreter. c) ⟨V. + Attribut⟩ *jmd., der eine bestimmte Institution o. ä. vertritt:* ein gewählter V. des Volkes *(ein Abgeordneter).* **sinnv.:** Repräsentant. **Zus.:** Presse-, Regierungs-, Volksvertreter. d) *jmd., der beruflich für eine Firma Waren vertreibt:* er ist V. in Tabakwaren. **sinnv.:** Agent, Handlungsreisender, Reisender. **Zus.:** Handels-, Versicherungsvertreter. e) ⟨V. + Attribut⟩ *jmd., der einen bestimmten Standpunkt o. ä. vertritt:* er ist ein V. dieser Ideologie. **sinnv.:** Anhänger, Exponent.

Ver|tre|te|rin, die; -, -nen: vgl. *Vertreter* (a, b, c).

ver|trock|nen, vertrocknete, ist vertrocknet ⟨itr.⟩: *völlig trocken werden [und zusammenschrumpfen]:* vertrocknetes Gras. **sinnv.:** eingehen, trocknen.

ver|tu|schen ⟨tr.⟩: *weil man nicht möchte, daß etwas Peinliches o. ä. bekannt wird, sich bemühen, alles, was darauf hindeutet, vor anderen zu verbergen:* er will das Verbrechen v. **sinnv.:** bemänteln, kaschieren, über etwas nicht [mehr] sprechen, verheimlichen, verschleiern, verschweigen, zudecken.

ver|un|glücken, verunglückte, ist verunglückt ⟨itr.⟩: *bei einem Unfall verletzt oder getötet werden; einen Unfall haben, erleiden:* er ist mit dem Auto, in der Fabrik verunglückt.

ver|ur|sa|chen ⟨tr.⟩: *die Ursache, der Urheber (von etwas nicht Beabsichtigtem, Unerwünschtem) sein:* seine unvorsichtige Bemerkung verursachte große Aufregung bei seinen Kollegen. **sinnv.:** anrichten, aufführen, auslösen, bedingen, bewirken, entfachen, entfesseln, erwecken, erzeugen, evozieren, zur Folge haben, in Gang setzen, heraufbeschwören, herbeiführen, hervorrufen, machen, provozieren, stiften, veranlassen, verschulden, wecken, zeitigen.

ver|ur|tei|len ⟨tr.⟩: **1.** *durch ein Urteil für schuldig erklären und bestrafen:* er wurde zu einem Jahr Gefängnis verurteilt. **sinnv.:** aburteilen, schuldig sprechen, das Urteil fällen, ein Urteil aussprechen/ergehen lassen/sprechen, verdonnern, verknacken. **2.** *(über jmdn./etwas) eine scharfe Kritik aussprechen; heftig ablehnen:* er verurteilte ihr Benehmen entschieden. **sinnv.:** brandmarken.

ver|viel|fäl|ti|gen ⟨tr.⟩: *(von etwas) eine größere Menge Kopien machen:* einen Artikel, ein Bild v. **sinnv.:** einen Abdruck/eine Ablichtung/eine Abschrift/einen Abzug/einen Durchschlag/eine Fotokopie/eine Kopie machen, ablichten, abziehen, durchpausen, fotokopieren, hektographieren, klischieren, kopieren, pausen, reproduzieren.

ver|voll|komm|nen, vervollkommnete, hat vervollkommnet ⟨tr.⟩: *vollkommen machen; verbessern:* das Verfahren zur Herstellung dieses Produktes ist vervollkommnet worden. **sinnv.:** vervollständigen.

ver|wahr|lo|sen, verwahrloste, ist verwahrlost ⟨itr.⟩: **a)** *ungepflegt und unordentlich werden:* der Garten ist verwahrlost. **sinnv.:** verfallen. **b)** *in moralischer Hinsicht in einen schlechten Zustand geraten:* die Kinder verwahrlosen immer mehr. **sinnv.:** abrutschen, auf Abwege geraten/kommen, abwirtschaften, herunterkommen, unter die Räder kommen, verbummeln, verkommen, verlottern, verlumpen, verrohen, verschlampen, verwildern.

ver|wal|ten, verwaltete, hat verwaltet ⟨tr.⟩: *(für etwas) verantwortlich sein und die damit verbundenen Geschäfte führen, Angelegenheiten regeln o. ä.:* ein Vermögen, ein Amt v. **sinnv.:** führen, regieren.

Ver|wal|tung, die; -, -en: **1.** ⟨Plural selten⟩ *das Verwalten:* in eigener, staatlicher V. sein; unter staatlicher V. stehen. **sinnv.:** Administration, Führung, Leitung, Regie. **Zus.:** Finanz-, Grundstücks-, Mit-, Selbst-, Zwangsverwaltung. **2.** *verwaltende Stelle (eines Unternehmens o. ä.):* er arbeitet in der V. des Krankenhauses. **sinnv.:** Amt. **Zus.:** Kur-, Schul-, Stadt-, Zivilverwaltung.

ver|wan|deln: a) ⟨tr.⟩ *völlig anders machen; völlig [ver]ändern:* der Schnee hatte die ganze Landschaft verwandelt. **sinnv.:** ändern, verändern. **b)** ⟨sich v.⟩ *völlig anders werden; sich völlig [ver]ändern:* nach dem Tod ihres Vaters hat sie sich sehr verwandelt. **sinnv.:** sich verkehren in, sich wandeln.

ver|wandt ⟨Adj.⟩: **1.** *von gleicher Abstammung:* die beiden sind miteinander v. **sinnv.:** angeheiratet, blutsverwandt, verschwägert, verschwistert,

versippt. **Zus.:** art-, stammesverwandt. **2.** *in wichtigen Merkmalen gleich:* ihn bewegten verwandte Gedanken. **sinnv.:** ähnlich. **Zus.:** geistes-, sinn-, sprach-, wesensverwandt.

Ver|wand|te, der und die; -n, -n ⟨aber: [ein] Verwandter, Plural: [viele] Verwandte⟩: *männliche bzw. weibliche Person, die die gleiche Abstammung hat:* alle Verwandten waren eingeladen. **sinnv.:** Ahn, Angehöriger, Familienmitglied. **Zus.:** Bluts-, Stammesverwandte.

Ver|wandt|schaft, die; -, -en: **a)** *gleiche Abstammung; das Verwandtsein:* die V. zwischen ihnen bindet sie eng aneinander. **b)** *alle Verwandten von jmdm.:* die ganze V. war eingeladen. **sinnv.:** Familie.

ver|war|nen ⟨tr.⟩: *zurechtweisen und für den Fall einer Wiederholung des Vergehens eine Bestrafung androhen:* der unfaire Spieler wurde vom Schiedsrichter verwarnt. **sinnv.:** ermahnen.

ver|wech|seln ⟨tr.⟩: *irrtümlich eines für das andere halten, nehmen:* er hatte die Mäntel verwechselt; ich habe dich mit deinem Bruder verwechselt. **sinnv.:** durcheinanderbringen, durcheinanderwerfen, vertauschen.

ver|we|gen ⟨Adj.⟩: *sich unerschrocken, oft in Überschätzung der eigenen Kräfte in eine Gefahr begebend; überaus kühn:* ein verwegener Reiter; ein verwegener Plan. **sinnv.:** mutig.

ver|wei|gern ⟨tr.⟩: *(etwas Erwartetes, Gewünschtes o. ä.) nicht tun; (jmdm.) nicht gewähren:* Sie können die Aussage v.; er verweigerte ihm jede Hilfe. **sinnv.:** ablehnen.

Ver|weis, der; -es, -e: **1.** *(in einem Text) Hinweis, daß an einer anderen Stelle eine bestimmte Information zu finden ist:* einen V. anbringen. **2.** *in scharfer Weise vorgebrachte mißbilligende Äußerung, mit der man jmds. Tun oder Verhalten als falsch, schlecht o. ä. rügt:* ein milder, strenger V.; jmdm. einen V. erteilen; **sinnv.:** Vorwurf.

ver|wei|sen, verwies, hat verwiesen ⟨tr.⟩: **1. a)** *aufmerksam machen:* den Leser auf eine frühere Stelle des Buches v.; ein Schild verwies auf den Tagungsraum. **sinnv.:** hinweisen. **b)** *(jmdm.) empfehlen, sich an eine bestimmte zuständige Person zu wenden:* man hat mich an den Inhaber verwiesen. **2.** *(jmdm.) das weitere Bleiben (in einer Schule o. ä.) verbieten:* man verwies ihn von der Schule; der Spieler wurde des Feldes/vom Feld verwiesen. **sinnv.:** ausschließen.

ver|wel|ken, verwelkte, ist verwelkt ⟨itr.⟩: *welk werden:* die Blumen verwelken schon. **sinnv.:** welken.

ver|wen|den, verwandte/verwendete, hat verwandt/verwendet: **1.** ⟨tr.⟩ *(für einen bestimmten Zweck) anwenden:* er verwendet das Buch im Unterricht; er hat viel Fleiß auf diese Arbeit verwandt. **sinnv.:** gebrauchen. **Zus.:** weiter-, wiederverwenden. **2.** ⟨sich v.⟩ *seinen Einfluß geltend machen und sich (für jmdn./etwas) einsetzen:* ich werde mich bei seinem Chef für ihn v. **sinnv.:** eintreten, fördern.

ver|wer|ten, verwertete, hat verwertet ⟨tr.⟩: *Nutzen (aus etwas) ziehen:* eine Erfindung v.; Müll v. **sinnv.:** auswerten.

ver|we|sen, verweste, ist verwest ⟨itr.⟩: *in Fäulnis übergehen:* die Leichen waren schon stark verwest. **sinnv.:** faulen.

ver|wirk|li|chen: a) ⟨tr.⟩ *in die Wirklichkeit um-*

setzen; Wirklichkeit werden lassen: einen Plan v. **sinnv.:** abwickeln, ausführen, auf die Beine stellen, durchführen, durchziehen, einrichten, erfüllen, erledigen, fertigbekommen, -bringen, -kriegen, hinbekommen, -bringen, -kriegen, inszenieren, machen, organisieren, realisieren, in die Tat umsetzen, tätigen, verrichten, vollziehen, wahr machen, zustande/zuwege bringen. **b)** ⟨sich v.⟩ *Wirklichkeit werden:* seine Hoffnungen haben sich nicht verwirklicht. **sinnv.:** eintreffen.

ver|wir|ren: 1. a) ⟨tr.⟩ *in Unordnung bringen:* beim Stricken die Wolle v.; der Wind verwirrte ihre Haare. **b)** ⟨sich v.⟩ *in Unordnung geraten:* das Garn hat sich verwirrt. **2.** ⟨tr.⟩ *jmdn. in seinem klaren Denken beeinträchtigen und dadurch unsicher machen:* seine Frage verwirrte mich. **sinnv.:** beirren, beunruhigen, durcheinanderbringen, irre machen, irritieren, aus dem Konzept bringen, verunsichern.

ver|wi|schen: ⟨tr.⟩ *durch Wischen undeutlich, unkenntlich machen:* das Meer verwischte die Spuren im Sand. **sinnv.:** auswischen, beseitigen, verschmieren. **2.** ⟨sich v.⟩ *undeutlich werden:* die Erinnerungen an jene Zeit haben sich verwischt. **sinnv.:** unklar werden, verschwimmen.

ver|wöh|nen ⟨tr.⟩: **a)** *zu nachgiebig, mit zu großer Fürsorge behandeln und dadurch daran gewöhnen, daß jeder Wunsch erfüllt wird:* sie hat ihre Kinder sehr verwöhnt. **sinnv.:** hätscheln, verhätscheln, verweichlichen, verzärteln, verziehen. **b)** *besondere Aufmerksamkeit, Zuwendung schenken und jeden Wunsch erfüllen:* er verwöhnte seine Frau mit Geschenken. **sinnv.:** auf Händen tragen, auf Rosen betten.

ver|wor|ren ⟨Adj.⟩: *nicht klar zu ersehen, unübersichtlich und nicht ohne Schwierigkeiten zu verstehen:* die ganze Angelegenheit ist ziemlich v. **sinnv.:** abstrus, dunkel, konfus, kraus, kryptisch, unklar, wirr.

ver|wun|den, verwundete, hat verwundet ⟨tr.⟩: *(jmdm. bes. im Krieg durch Waffen) eine Wunde , Wunden beibringen:* der Schuß verwundete ihn am Arm; er wurde im Krieg schwer verwundet. **sinnv.:** verletzen.

ver|wun|dern: a) ⟨itr.⟩ *bewirken, daß jmd. (über etwas) erstaunt ist:* es verwunderte mich, daß er gar nichts dazu sagte. **b)** ⟨sich v.⟩ *in Erstaunen (über etwas) geraten:* wir hatten uns sehr über dein Benehmen verwundert. **sinnv.:** erstaunt sein, überrascht sein, sich wundern.

ver|wü|sten, verwüstete, hat verwüstet ⟨tr.⟩: *durch Zerstörung in einen unbewohnbaren Zustand versetzen:* der Sturm hat das Land verwüstet. **sinnv.:** zerstören.

ver|zäh|len, sich: *beim Zählen einen Fehler machen:* du mußt dich verzählt haben. **sinnv.:** sich verrechnen.

ver|zeh|ren ⟨tr.⟩: *[in einer Gaststätte] eine Mahlzeit [und/oder ein Getränk] zu sich nehmen:* habt ihr gestern in diesem Lokal viel verzehrt? **sinnv.:** aufessen, essen.

ver|zeich|nen, verzeichnete, hat verzeichnet ⟨tr.⟩: *(in einem Verzeichnis) schriftlich festhalten:* die Namen sind alle in der Liste verzeichnet. **sinnv.:** aufschreiben; buchen.

Ver|zeich|nis, das; -ses, -se: *das listenmäßige Aufführen von Namen, Titeln o. ä. in einer bestimmten Reihenfolge:* ein alphabetisches V. der Namen anlegen. **sinnv.:** Aufstellung, Index, Kartei, Katalog, Liste, Matrikel, Register, Sachweiser, Tabelle, Zusammenstellung. **Zus.:** Bücher-, Inhalts-, Literatur-, Namens-, Orts-, Personen-, Vorlesungs-, Wörterverzeichnis.

ver|zei|hen, verzieh, hat verziehen ⟨tr.⟩: *(ein Unrecht, eine Kränkung o. ä.) nicht zum Anlaß für eine heftige Reaktion, eine Vergeltungsmaßnahme nehmen, sondern mit Nachsicht und Großzügigkeit reagieren:* diese Äußerung wird sie mir nie v.; ⟨auch itr.⟩ verzeihen Sie bitte! **sinnv.:** durchgehen lassen, entschuldigen, nachsehen, Nachsicht üben/zeigen, vergeben.

ver|zer|ren ⟨tr.⟩: **1.** *aus seiner normalen Form bringen und dadurch entstellen:* der Schmerz verzerrte sein Gesicht; die Stimmen auf dem Tonband klangen sehr verzerrt. **sinnv.:** verunstalten. **2.** *falsch, entstellt darstellen:* er verzerrte in seinem Artikel die Vorgänge völlig. **sinnv.:** verfälschen.

Ver|zicht, der; -[e]s, -e: *das Verzichten; Aufgabe eines Anspruchs, eines Vorhabens o. ä.:* der V. auf diese Reise fiel ihm sehr schwer; V. leisten. **sinnv.:** Enthaltsamkeit.

ver|zich|ten, verzichtete, hat verzichtet ⟨itr.⟩: *(etwas) nicht [länger] beanspruchen; nicht (auf einer Sache) bestehen; (einen Anspruch) nicht länger geltend machen:* er verzichtete auf das Geld, das ihm zustand; es fiel ihm schwer, auf dieses Amt zu v. **sinnv.:** aufgeben, enthalten, sich einer Sache begeben.

ver|zie|hen, verzog, hat/ist verzogen: **1. a)** ⟨tr.⟩ *aus seiner normalen Form bringen:* du hast den Pullover verzogen; er verzog das Gesicht zu einer Grimasse. **sinnv.:** verunstalten. **b)** ⟨sich v.⟩ *seine normale Form verlieren:* das Kleid hat sich verzogen. **sinnv.:** sich werfen. **2. a)** ⟨itr.⟩ *an einen anderen Ort, in eine andere Wohnung ziehen:* die Familie ist [nach München] verzogen. **sinnv.:** übersiedeln. **b)** ⟨sich v.⟩ *allmählich verschwinden, wegziehen:* der Nebel, das Gewitter hat sich verzogen. **sinnv.:** weggehen. **c)** ⟨sich v.⟩ (ugs.) *sich [unauffällig] entfernen, zurückziehen:* als die Gäste kamen, hatte er sich bereits verzogen. **sinnv.:** weggehen. **3.** ⟨tr.⟩ *durch übertriebene Nachsicht falsch erziehen:* sie hat ihre Kinder verzogen. **sinnv.:** verwöhnen.

ver|zö|gern: a) ⟨tr.⟩ *langsamer geschehen, ablaufen lassen; in seinem Ablauf, Fortgang hemmen:* das schlechte Wetter verzögerte die Ernte. **sinnv.:** behindern, verschieben. **b)** ⟨sich v.⟩ *später geschehen, eintreten als vorgesehen:* seine Ankunft hat sich verzögert. **sinnv.:** sich verschieben.

ver|zwei|feln, verzweifelte, ist verzweifelt ⟨itr.⟩: *(in einer schwierigen Situation) jede Hoffnung, Zuversicht verlieren:* der Kranke wollte schon v., als ihm schließlich dieses Mittel doch noch half; man könnte über so viel Unverstand v. **sinnv.:** verzagen.

ver|zwei|felt ⟨Adj.⟩: **1.** *sehr schwierig und keine Hoffnung auf Besserung bietend:* er war in einer verzweifelten Lage. **sinnv.:** ausweglos, hoffnungslos. **2.** *[wegen drohender Gefahr o. ä.] unter Aufbietung aller Kräfte, mit äußerster Anstrengung [durchgeführt]:* er machte verzweifelte Anstrengungen, sich zu befreien.

Vet|ter, der; -s, -n: *Sohn eines Onkels oder einer Tante.* **sinnv.:** Cousin. **Zus.:** Namensvetter.

Vi|deo, das; -s, -s: *auf ein Videoband aufgenommene, kurzfilmartige Darbietung bes. eines Musiktitels.* **sinnv.:** Clip, Videoclip.

Vi|deo- ⟨als erster Wortbestandteil⟩: /bezeichnet Gegenstände usw. im Zusammenhang mit den Möglichkeiten der Bildübertragung über den Fernsehschirm/ *zum Fernsehen gehörend:* Videoband, -clip, -gerät, -recorder.

Vieh, das; -[e]s: **a)** *Tiere, die zu einem bäuerlichen Betrieb gehören (wie Rinder, Schweine, Schafe o. ä.).* **sinnv.:** Viehbestand. **Zus.:** Groß-, Horn-, Jung-, Klein-, Schlacht-, Zuchtvieh. **b)** *Bestand an Rindern:* das V. auf die Weide treiben. **sinnv.:** Bulle, Kalb, Kuh, Ochse, Rind, Stier. **Zus.:** Rindvieh.

viel, mehr, meiste ⟨Indefinitpronomen und unbestimmtes Zahlwort⟩: **1. a) vieler, viele, vieles;** /unflektiert/ viel ⟨Singular⟩: *eine große Menge (von etwas):* viel[er] schöner Schmuck; viel[e] Übung gehört dazu; trotz vielem Angenehmen; es begegnete ihm vieles Unbekannte/ v. Unbekanntes; er hat v. Arbeit; er hat auf seiner Reise viel[es] gesehen; du hast v. gegessen. **sinnv.:** reichlich. **b) viele;** /unflektiert/ viel ⟨Plural⟩ *eine große Anzahl (einzelner Personen oder Sachen):* viel[e] hohe Häuser; das Ergebnis vieler genauer Untersuchungen; es waren viele Reisende unterwegs; die Bedenken vieler verantwortungsbewußter Bürger wurden von den Politikern nicht ernst genommen. **sinnv.:** Dutzende von, zu Dutzenden, einige, ein Haufen, eine ganze Reihe. **2.** ⟨verstärkend bei Adjektiven im Komparativ oder vor *zu* + Adjektiv⟩ *in hohem Maß, weitaus:* sein Haus ist v. kleiner als deines; die Schuhe sind mir v. zu klein; es wäre mir v. lieber, wenn du hierbliebest. **sinnv.:** sehr; stark.

vie|ler|lei ⟨unbestimmtes Zahlwort⟩: *viele unterschiedliche Dinge, Arten o. ä. umfassend:* v. neue Angebote; auf dem Tisch lagen v. Dinge; v. zu erzählen haben; im Urlaub haben wir v. Neues gesehen. **sinnv.:** allerhand, allerlei, mancherlei.

viel|fach ⟨unbestimmtes Zahlwort⟩: *viele Male [sich wiederholend]; ziemlich häufig [vorkommend]:* ein vielfacher Meister im Tennis; das Konzert wird auf vielfachen Wunsch wiederholt; sein Name wurde in diesem Zusammenhang genannt. **sinnv.:** oft.

viel|fäl|tig ⟨Adj.⟩: *in vielen Arten, Formen o. ä. vorkommend:* vielfältige Farben; er erhielt vielfältige Anregungen. **sinnv.:** mannigfach.

viel|leicht: **I.** ⟨Adverb⟩ **1.** /gibt an, daß etwas ungewiß ist/ *es könnte sein, daß ...:* v. kommt er morgen; v. habe ich mich geirrt. **sinnv.:** allenfalls, es ist denkbar, eventuell, gegebenenfalls, wenn es geht, es ist möglich, möglicherweise, unter Umständen, womöglich. **2.** /relativiert die Genauigkeit der folgenden Maß- oder Mengenangabe/ *schätzungsweise:* ein Mann von v. fünfzig Jahren. **sinnv.:** etwa, ungefähr. **II.** ⟨Partikel⟩ **a)** /weist im Ausrufesatz emotional auf das hohe Maß hin, in dem der gesamte Sachverhalt zutrifft/ *wirklich sehr:* ich war v. aufgeregt! **b)** /verleiht einer Aufforderung einen unwilligen bis drohenden Unterton/ *ich bitte, mahne dich dringend, daß ...:* v. wartest du, bis du an der Reihe bist!

viel|mals ⟨Adverb; in bestimmten Verwendungen⟩: *sehr:* ich bitte v. um Entschuldigung; ich danke Ihnen v.

viel|mehr ⟨Adverb⟩: *im Gegenteil; genauer, richtiger gesagt:* man sollte ihn nicht verurteilen, v. sollte man ihm helfen; ich kann dir darin nicht zustimmen, v. bin ich/bin ich v. der Meinung, daß ... **sinnv.:** dagegen, eher, lieber, mehr.

viel|sei|tig ⟨Adj.⟩: **a)** *an vielen Dingen interessiert; auf vielen Gebieten bewandert:* er ist ein sehr vielseitiger Mensch. **sinnv.:** aufgeschlossen, aufgeweckt, aufnahmefähig, empfänglich, geneigt, geweckt, zugänglich. **b)** *viele Gebiete betreffend, beinhaltend:* seine Ausbildung war sehr v. **sinnv.:** umfassend.

vier ⟨Kardinalzahl⟩: 4: v. Personen.

Vier|eck, das; -[e]s, -e: *geometrische Figur, deren vier Ecken durch die vier kürzesten der möglichen Linien verbunden sind* (siehe Bildleiste „geometrische Figuren", S. 175). **sinnv.:** Drachen, Geviert, Karo, Karree, Parallelogramm, Quadrat, Raute, Rechteck, Rhombus, Trapez.

viert- ⟨Ordinalzahl⟩: 4.: das vierte Kind.

Vier|tel ['fɪrtl], das; -s, -: **1.** *der vierte Teil von einem Ganzen.* **2.** *Teil eines Ortes, einer Stadt; bestimmte Gegend in einer Stadt:* sie wohnen in einem sehr ruhigen V. **sinnv.:** Siedlung. **Zus.:** Alt-stadt-, Arbeiter-, Armen-, Ausländer-, Bahnhofs-, Banken-, Elends-, Geschäfts-, Hafen-, Handwerker-, Regierungs-, Stadt-, Vergnügungs-, Villen-, Wohnviertel.

Vier|tel|jahr, das; -[e]s, -e: *Zeitraum von drei Monaten:* er bestellte die Zeitung für ein V. **sinnv.:** Quartal.

Vier|tel|stun|de, die; -, -n: *Zeitraum von fünfzehn Minuten:* er ist eine V. zu spät gekommen.

vier|zig ['fɪrtsɪç] ⟨Kardinalzahl⟩: 40: v. Personen.

Vil|la, die; -, Villen: *größeres, komfortables, in einem Garten oder Park [am Stadtrand] liegendes Einfamilienhaus:* eine V. aus dem 19. Jh. **sinnv.:** Haus. **Zus.:** Luxus-, Prunkvilla.

vio|lett ⟨Adj.⟩: *(in der Färbung) zwischen Rot und Blau liegend:* Veilchen sind v. **sinnv.:** aubergine, bischofslila, fliederfarben, lavendel[blau], lila, malvenfarben, mauve, veilchenfarben. **Zus.:** blaß-, blau-, dunkel-, hell-, rot-, tiefviolett.

Vio|li|ne, die; -, -n: *Geige:* ein Konzert für V. und Orchester (siehe Bildleiste „Streichinstrumente").

Vi|rus, das, (nichtfachsprachlich auch:) der; -, Viren: *kleinster, aus lebendem Gewebe gedeihender Krankheitserreger:* Grippe wird durch Viren hervorgerufen, übertragen. **sinnv.:** Bakterie.

Vi|sum, das; -s, Visa: *Vermerk in einem Paß, der jmdm. gestattet, die Grenze eines Landes zu überschreiten:* mein V. ist abgelaufen; ein V. beantragen. **sinnv.:** Ausreisegenehmigung, Einreisegenehmigung, Sichtvermerk. **Zus.:** Ausreise-, Einreise-, Touristen-, Transitvisum.

Vit|amin, das; -s, -e: *für den Körper wichtiger Stoff, der vorwiegend in Pflanzen gebildet und dem Körper durch die Nahrung zugeführt wird:* Orangen enthalten viel Vitamin C.

Vi|ze- [fiːtsə-] ⟨Präfixoid⟩ /mit einer Personenbezeichnung als Basiswort, das ein Amt, einen gesellschaftlichen Status, eine Verwaltungsfunktion o. ä. nennt/: **1.** *jmd., der Stellvertreter des im Basiswort Genannten ist:* Vizekanzler, -konsul, -präsident. **2. a)** *jmd., der sich an zweiter Stelle neben jmdm. befindet, der den zweiten Platz [bei einer Meisterschaft] belegt:* Vizeweltmeister. **b)** (ugs.)

jmd., der neben einem im Basiswort genannten anderen als zweiter mit der gleichen Funktion steht: Vizemutti.

Vo|gel, der; -s, Vögel: **1.** *zweibeiniges, gefiedertes (Wirbel)tier unterschiedlicher Größe mit einem Schnabel und zwei Flügeln, das im allgemeinen fliegen, oft auch schwimmen kann:* der V. fliegt auf den Baum, schägt mit den Flügeln. **sinnv.:** Piepmatz. **Zus.:** Enten-, Greif-, Hühner-, Jung-, Kanarien-, Lauf-, Lock-, Nacht-, Paradies-, Raben-, Raub-, Schwimm-, See-, Sing-, Stand-, Strich-, Stuben-, Toten-, Ur-, Wald-, Wasser-, Zugvogel. **2.** *jmd., der durch seine Art, sein [als belustigend empfundenes] Auftreten auffällt:* dein Freund ist ein lustiger V. **sinnv.:** Mensch, Nummer, Type. **Zus.:** Galgen-, Pech-, Spaß-, Unglücks-, Wandervogel.

Vo|ka|bel, die; -, -n: *einzelnes fremdsprachiges Wort:* Vokabeln lernen. **sinnv.:** Begriff, Wort.

Volk, das, -[e]s, Völker: **1.** *Gemeinschaft von Menschen, die nach Sprache, Kultur und Geschichte zusammengehören:* das deutsche V.; die Völker Europas. **sinnv.:** Bevölkerung, Bewohner, Nation, Nationalität, Stamm, Völkerschaft, Volksgemeinschaft, Volksstamm. **Zus.:** Berg-, Bruder-, Gast-, Hirten-, Insel-, Kultur-, Küsten-, Misch-, Nachbar-, Natur-, Nomaden-, See-, Seefahrer-, Staats-, Turk-, Zwergvolk. **2.** ⟨ohne Plural⟩ *[mittlere und] untere Schichten der Bevölkerung:* ein Mann aus dem V. **sinnv.:** Masse. **3.** ⟨ohne Plural⟩ *größere Anzahl von Menschen (die irgendwo zusammengekommen sind):* das V. drängte sich auf dem Platz; unter den Teilnehmern war auch viel junges V. **sinnv.:** Menge. **Zus.:** Bauern-, Weibervolk.

voll ⟨Adj.⟩: **1. a)** *in einem solchen Zustand, daß nichts, niemand mehr oder kaum noch etwas hineingeht, -paßt, darin Platz hat* /Ggs. leer/: ein voller Eimer; ein voller Bus; der Koffer ist nur halb v.; der Saal ist brechend, gestopft, gerammelt v.; ein Gesicht v./voller Pickel; die Straßen lagen v./ voller Schnee; einen Teller v. [Suppe] essen; ein Korb v./voller frischer Eier; ein Korb v. [mit] frischen Eiern. **sinnv.:** angefüllt, bedeckt, besetzt, dichtgedrängt, [ganz] gefüllt, überfüllt, übersät. **Zus.:** halb-, knall-, knüppel-, prall-, proppen-, rand-, übervoll. **b)** *erfüllt, durchdrungen von ...:* ein Herz v. Liebe; du hast den Kopf v./voller Unsinn. **2.** *völlig, vollständig und ohne jede Einschränkung o. ä.:* ein volles Jahr; die volle Summe; er hat sich v. für diesen Plan eingesetzt. **sinnv.:** ganz, in voller Höhe, uneingeschränkt, vorbehaltlos. **3.** *rundliche Körperformen aufweisend:* er hat ein volles Gesicht; sie ist etwas voller geworden. **sinnv.:** dick.

voll-, Voll-: **I.** ⟨Präfixoid⟩ **a)** ⟨adjektivisch⟩ *ganz und gar, vollständig, in vollem Umfang:* vollautomatisch, -beschäftigt, -klimatisiert. **b)** ⟨substantivisch⟩ /kennzeichnet den höchsten erreichbaren Stand o. ä. in bezug auf das im Basiswort Genannte/: -automatik, -bad, -bremsung, -versammlung. **II.** ⟨trennbares, betontes verbales Präfix⟩ /besagt, daß durch das im Basiswort genannte verbale Geschehen etwas ganz und gar angefüllt, bedeckt o. ä. wird/: vollaufen, vollkleckern, -kritzeln, -schreiben.

-voll: **1.** ⟨adjektivisches Suffixoid⟩ *mit [viel] ...* /Basiswort ist in der Regel ein Abstraktum; Ggs.

-los/: anspruchs-, gefahr-, geschmack-, humor-, wertvoll. **sinnv.:** -haft, -ig, -isch, -reich, -schwer, -selig, -stark, -trächtig. **2.** ⟨adjektivisches Grundwort⟩ *voll, erfüllt von ...* /Ggs. -leer/: früchte-, menschen-, schätzevoll.

Voll|bart, der; -[e]s, Vollbärte: *dichter Bart, der die Hälfe des Gesichts bedeckt* (siehe Bildleiste „Bärte").

voll|en|det ⟨Adj.⟩: *ohne jeden Fehler und nahezu unübertrefflich:* er hat das Konzert v. gespielt. **sinnv.:** vollkommen.

Voll|ley|ball ['vɔli...], der; -[e]s, Volleybälle: **1.** ⟨ohne Plural⟩ *Spiel zwischen zwei Mannschaften, bei dem ein Ball mit den Händen über ein Netz [zurück]geschlagen werden muß und nicht den Boden berühren darf.* **2.** *beim Volleyball* (1) *verwendeter Ball.*

völ|lig ⟨Adj.⟩: /kennzeichnet den höchsten Grad von etwas/ *gänzlich, vollständig:* er ließ ihm völlige Freiheit; das ist v. ausgeschlossen. **sinnv.:** ganz.

voll|jäh|rig ⟨Adj.⟩: *nach Erreichung eines bestimmten Alters gesetzlich zur Vornahme von Rechtshandlungen berechtigt* /Ggs. minderjährig/: er braucht die Erlaubnis seiner Eltern, weil er noch nicht v. ist. **sinnv.:** großjährig, mündig.

voll|kom|men [auch: vɔll...] ⟨Adj.⟩: **1.** *ohne jeden Fehler und keiner Verbesserung oder Ergänzung bedürfend:* ein Bild von vollkommener Schönheit; das Spiel des Pianisten war v. **sinnv.:** absolut, einwandfrei, fehlerlos, hervorragend, ideal, klassisch makellos, meisterhaft, mustergültig, perfekt, reif, tadellos, untadelig, unübertrefflich, vollendet. **2.** (ugs.) *völlig, gänzlich:* eine vollkommene Niederlage; du hast v. recht; das genügt v. **sinnv.:** ganz.

voll|stän|dig ⟨Adj.⟩: **1.** *mit allen dazugehörenden Teilen, Stücken vorhanden; keine Lücken, Mängel aufweisend:* das Service ist nicht mehr v. **sinnv.:** komplett. **2.** (ugs.) *völlig, gänzlich:* die Stadt hat sich v. verändert. **sinnv.:** ganz.

voll|zäh|lig ⟨Adj.⟩ *die vorgeschriebene, gewünschte Anzahl aufweisend; alle ohne Ausnahme:* eine vollzählige Versammlung; die Familie war v. versammelt. **sinnv.:** komplett.

vom (Verschmelzung von *von + dem*).

von: **I.** ⟨Präp. mit Dativ⟩ **1. a)** */gibt einen räumlichen Ausgangspunkt an/:* der Zug kommt v. Berlin; v. Norden nach Süden; sie kommt gerade vom Arzt. **b)** */gibt einen zeitlichen Ausgangspunkt an/:* v. heute an wird sich das ändern; v. morgens bis abends; v. 10 bis 12 Uhr. **c)** */gibt eine Person oder Sache als Urheber oder Grund an/:* ein Roman v. Goethe; grüße ihn v. mir; die Stadt wurde v. einem Erdbeben zerstört; er ist müde vom Laufen. **2.** */dient der Angabe bestimmter Eigenschaften, Maße o. ä./:* eine Frau v. dreißig Jahren; eine Stadt v. 100000 Einwohnern; ein Tuch v. zwei Meter Länge. **3.** */steht bei der Bezeichnung des Teils eines Ganzen oder einer Gesamtheit/:* er aß nur die Hälfte v. dem Apfel; einer v. meinen Freunden. **4.** */in Abhängigkeit von bestimmten Wörtern/:* er ist nicht frei v. Schuld; er stand unterhalb v. mir auf einem Felsvorsprung. **5.** */als Adelsprädikat/:* Otto v. Bismarck. **6.** */drückt in Verbindung mit „ein" aus, daß jmd./etwas in seiner Qualität, Beschaffenheit mit jmdm./etwas gleichgesetzt wird/:* er ist ein Hüne v. Mann. **II.** **1.**

/in Verbindung mit einem Personalpronomen in Konkurrenz zu *davon/:* **a)** /bezogen auf eine Sache (ugs.)/: sie besaß drei Häuser und hat eins v. ihnen (statt: davon) verkauft. **b)** /bezogen auf eine Person/: wir haben viele gute Spieler in der Mannschaft, aber nur zwei von ihnen (auch: davon) sind gut genug für die Nationalmannschaft. **2.** /in Verbindung mit „was" in Konkurrenz zu *wovon;*bezogen auf eine Sache (ugs.)/: **a)** /in Fragen/: v. was (besser: wovon) hast du gesprochen? **b)** /in relativer Verbindung/: ich weiß nicht, v. was (besser: wovon) sie ihre vier Kinder ernährt. **vor:** **I.** ⟨Präp. mit Dativ und Akk.⟩: **1.** /räumlich/ **a)** ⟨mit Dativ; auf die Frage: wo?⟩ *an der vorderen Seite:* der Baum steht v. dem Haus; zwei Kilometer v. der Stadt. **b)** ⟨mit Akk.; auf die Frage: wohin?⟩ *an die vordere Seite:* er stellte das Auto v. das Haus; er trat v. die Tür. **2.** ⟨mit Dativ⟩/zeitlich/ *früher als:* einen Tag v. seiner Abreise; v. vielen Jahren. **3.** ⟨mit Dativ⟩ /gibt den Grund, die Ursache an/ *aus; bewirkt durch:* er zitterte v. Angst; sie weinte v. Freude. **4.** ⟨mit Dativ⟩ /in Abhängigkeit von bestimmten Wörtern/: sich v. der Kälte schützen. **II. 1.** /in Verbindung mit einem Personalpronomen in Konkurrenz zu *davor;* bezogen auf eine Sache (ugs.)/: ich sah den Wagen am Straßenrand stehen und den Verletzten v. ihm (statt: davor) liegen. **2.** /in Verbindung mit „was" in Konkurrenz zu *wovor;* bezogen auf eine Sache (ugs.)/: **a)** /in Fragen/: v. was (besser: wovor) hast du Angst? **b)** /in relativer Verbindung/: ich habe nichts falsch gemacht und weiß deshalb auch nicht, v. was (besser: wovor) ich mich fürchten soll.

vor-, Vor-: **I.** ⟨sowohl trennbares, betontes verbales als auch substantivisches Präfix⟩ **1.** ⟨räumlich⟩ **a)** *nach vorn, voraus:* sich vorbeugen, vorfahren, sich vorwagen, vorziehen (einen Stuhl). **b)** *davor:* vorziehen; /sich davor befindend/: Vorhof, Vorraum, Vorzimmer. **c)** *hervor:* vorgucken, vorstehen. **2.** ⟨zeitlich⟩ **a)** *im voraus:* vorkochen, vorsorgen, /verstärkend/ vorprogrammieren; ⟨bei fremdsprachlichen Basiswörtern oder bei Basiswörtern mit Präfix im Präsens und Präteritum nicht getrennt; vgl. unter- 3 a⟩ vorfabrizieren, vorfinanzieren, vorverurteilen; /davorliegend/ Vorabend, Voralarm. **b)** /bezeichnet ein Geschehen, das ein nachfolgendes mit vorbereitet/ *vorausschickend:* vorformen, vorstreichen, vorverhandeln; /dem im Basiswort Genannten als Gleichartiges vorausgehend/: Vorfreude, Vorvertrag, Vorwäsche, Vorwissen. **c)** *nach vorn:* vordatieren (Ggs. nachdatieren), vorverlegen. **3.** /besagt, daß das im Basiswort genannte Tun anderen gezeigt, [als Schau] vorgeführt wird/: vordeklamieren, jmdm. etwas voressen/vorflunkern/vorheulen. **4.** /besagt, daß das im Basiswort genannte Tun in seiner Art über anderes dominiert/: vorschmecken (die Zwiebel schmeckt stark vor), vorwiegen. **5.** /besagt, daß das im Basiswort genannte Tun anderen zeigt, wie etwas ist, gemacht o. ä. wird/: vorbeten, vorexerzieren; Vordenker, Vorturner. **II.** ⟨adjektivisches und substantivisches Präfix⟩ **a)** ⟨adjektivisch⟩ /zeitlich vor dem im Basiswort Genannten/ vormilitärisch, vorösterlich, vorpubertär, vorschulisch. **sinnv.:** prä-. **b)** ⟨substantivisch⟩ *unmittelbar davorliegend:* Vorfrühling, Vorjahr, Vormonat, Vorsaison.

vor|an ⟨Adverb⟩: *vorne, an der Spitze:* der Sohn v., der Vater hinterdrein; ⟨oft zusammengesetzt mit Verben⟩ vorangehen, voranlaufen.

vor|an|ge|hen, ging voran, ist vorangegangen ⟨itr.⟩: **1.** *vor jmdm./etwas hergehen:* dem Festzug ging ein Mann mit einer Fahne voran. **2.** *Fortschritte machen:* die Arbeiten gehen gut, zügig voran. **sinnv.:** sich gut anlassen, sich [gut] entwickeln, vorankommen, vorwärtsgehen, vorwärtskommen, weiterkommen.

vor|aus ⟨Adverb⟩: *vor den anderen, an der Spitze:* der Schnellste war den anderen weit v.

vor|aus|se|hen, sah voraus, hat vorausgesehen ⟨tr.⟩: *(etwas, bes. den Ausgang eines Geschehens) ahnen, erwarten:* eine Entwicklung v.; es war vorauszusehen, daß er mit seinem Plan scheitern würde. **sinnv.:** absehen.

vor|aus|set|zen, setzte voraus, hat vorausgesetzt ⟨tr.⟩: *als vorhanden, als gegeben, als selbstverständlich annehmen:* diese genauen Kenntnisse kann man bei ihm nicht v.; ich komme gegen Abend zu dir, vorausgesetzt, du bist um diese Zeit zu Hause. **sinnv.:** annehmen, ausgehen von, bedingen, erfordern.

vor|aus|sicht|lich ⟨Adj.⟩: *mit ziemlicher Gewißheit zu erwarten:* er kommt v. erst morgen. **sinnv.:** anscheinend.

vor|be|hal|ten, behält vor, behielt vor, hat vorbehalten ⟨itr.⟩: *sich die Möglichkeit offenlassen, gegebenenfalls anders zu entscheiden:* die letzte Entscheidung in dieser Frage hast du dir hoffentlich vorbehalten. **sinnv.:** ausbedingen, sich ausbitten, dahingestellt sein lassen, verlangen.

vor|bei ⟨Adverb⟩: **1.** ⟨räumlich⟩ *neben jmdm./etwas, an etwas entlang und weiter fort:* der Wagen kam sehr schnell angefahren und war im Nu an uns v. vorüber. **2.** ⟨zeitlich⟩ *vergangen, zu Ende:* der Sommer ist v.

vor|be|rei|ten, bereitete vor, hat vorbereitet ⟨tr./sich v.⟩: *(für etwas) im voraus bestimmte Arbeiten erledigen:* eine Veranstaltung, ein Fest v.; er hat sich für die Prüfung gut vorbereitet. **sinnv.:** sich präparieren.

vor|beu|gen, beugte vor, hat vorgebeugt: **1.** ⟨sich v.⟩ *sich nach vorn beugen:* er beugte sich so weit vor, daß er fast aus dem Fenster gefallen wäre. **sinnv.:** sich hinauslehnen. **2.** ⟨itr.⟩ *durch bestimmtes Verhalten oder bestimmte Maßnahmen (etwas) zu verhindern suchen:* einer Gefahr, einer Krankheit v. **sinnv.:** verhüten, vorbauen, vorsorgen.

Vor|bild, das; -[e]s, -er: *Person oder Sache, die als [mustergültiges] Beispiel dient:* er war ein V. für seine Brüder. **sinnv.:** Aushängeschild, Beispiel, Ideal[typ], Identifikationsfigur, Idol, Integrationsfigur, Muster, Musterbild.

vor|bild|lich ⟨Adj.⟩: *so hervorragend, daß jmd./ etwas jederzeit als Vorbild dienen kann:* er, sein Verhalten ist v. **sinnv.:** beispielgebend, beispielhaft, beispiellos, einwandfrei, exemplarisch, fehlerlos, ideal, makellos, mustergültig, musterhaft, nachahmenswert, perfekt, richtungweisend, vollkommen.

vor|brin|gen, brachte vor, hat vorgebracht ⟨tr.⟩: *[an zuständiger Stelle] als Wunsch, Meinung oder Einwand vortragen, zur Sprache bringen:* ein Anliegen, eine Frage v.; dagegen läßt sich manches v. **sinnv.:** anbringen, anführen, äußern.

vor|der... ⟨Adj.⟩: *sich vorn befindend:* sie saßen in den vorderen Reihen; der vordere Teil.

Vor|der|grund, der; -[e]s: *vorderer, unmittelbar im Blickfeld stehender Bereich (eines Raumes, Bildes o. ä.)* /Ggs. Hintergrund/: im V. des Bildes stehen einige Figuren.

Vor|der|mann, der; -[e]s, Vordermänner : *jmd., der sich (in einer Reihe, Gruppe o. ä.) vor einem anderen befindet* /Ggs. Hintermann/: er klopfte seinem V. auf die Schulter. **sinnv.:** Nachbar.

vor|ei|lig ⟨Adj.⟩: *zu schnell und unbedacht:* eine voreilige Entscheidung treffen. **sinnv.:** unüberlegt, vorschnell.

vor|erst ⟨Adverb⟩: *zunächst einmal, fürs erste:* ich möchte v. nichts unternehmen. **sinnv.:** einstweilen.

Vor|fahr, der; -en, -en, **Vor|fah|re,** der; -n, -n, **Vor|fah|rin,** die; -, -nen: *Angehörige[r] einer früheren Generation [der Familie]:* unsere Vorfahren stammen aus Frankreich. **sinnv.:** Ahn, die Altvorderen, Urväter, Väter.

Vor|fahrt, die; -: *Recht, an einer Kreuzung o. ä. zuerst zu fahren:* welcher Wagen hat hier die V.?; er hat die V. nicht beachtet. **sinnv.:** Vorrang, Vortritt.

Vor|fall, der; -[e]s, Vorfälle: *plötzlich eintretendes Ereignis, Geschehen (das für die Beteiligten meist unangenehm ist):* er wollte sich für den peinlichen V. entschuldigen. **sinnv.:** Angelegenheit, Ereignis.

vor|fal|len, fällt vor, fiel vor, ist vorgefallen ⟨itr.⟩: *sich [als etwas Unangenehmes] plötzlich ereignen:* er wollte wissen, was vorgefallen war. **sinnv.:** geschehen.

vor|fin|den, fand vor, hat vorgefunden ⟨tr.⟩: *an einem bestimmten Ort [in einem bestimmten Zustand] antreffen:* als er nach Hause kam, fand er die Kinder in schlechtem gesundheitlichem Zustand vor. **sinnv.:** finden, treffen.

vor|füh|ren, führte vor, hat vorgeführt ⟨tr.⟩: **a)** *zur Untersuchung o. ä. (vor jmdn.) bringen:* einen Kranken dem Arzt, einen Dieb dem Haftrichter v. **sinnv.:** konfrontieren. **b)** *jmdn. mit jmdm./etwas bekannt machen:* der Verkäufer führte dem Kunden verschiedene Geräte vor; einen Film v. **sinnv.:** aufführen.

Vor|gang, der; -[e]s, Vorgänge: **1.** *etwas, was vor sich geht, abläuft, sich entwickelt:* jmdn. über interne Vorgänge unterrichten. **sinnv.:** Ereignis, Prozeß. **Zus.:** Arbeits-, Denk-, Verbrennungs-, Wachstumsvorgang. **2.** *Gesamtheit der Akten, die über eine bestimmte Person, Sache angelegt sind:* mehrere Vorgänge in Sachen Umweltverschmutzung. **sinnv.:** Akt, Dossier, Verschlußsache. **Zus.:** Ermittlungs-, Verwaltungsvorgang.

Vor|gän|ger, der; -s, -, **Vor|gän|ge|rin,** die; -, -nen: *männliche bzw. weibliche Person, die vor einer anderen deren Stelle, Amt o. ä. innehatte* /Ggs. Nachfolger/: er wurde von seinem V. in sein Amt eingeführt. **Zus.:** Amtsvorgänger.

vor|ge|ben, gibt vor, gab vor, hat vorgegeben ⟨tr.⟩: *etwas, was nicht den Tatsachen entspricht, als Grund für etwas angeben:* er gab vor, durch Krankheit verhindert gewesen zu sein. **sinnv.:** lügen, vortäuschen.

vor|ge|hen, ging vor, ist vorgegangen ⟨itr.⟩: **1.** *vor einem anderen, früher als ein anderer gehen:* ich gehe schon vor, ihr könnt nachkommen. **sinnv.:** vorangehen, vorausgehen. **2.** *in einer bestimmten Situation vor sich gehen, sich zutragen:* er weiß nicht, was in der Welt vorgeht; sie zeigte nicht, was in ihr vorging. **sinnv.:** geschehen. **3.** *etwas unternehmen, bestimmte Maßnahmen ergreifen:* gegen diese Mißstände muß man energisch v. **sinnv.:** bei etwas eingreifen, verfahren. **4.** *als wichtiger, dringender erachtet oder behandelt werden (als etwas anderes):* diese Arbeit geht jetzt vor. **sinnv.:** Vorrang haben. **5.** *(von Meßgeräten o. ä.) zuviel, zu früh anzeigen, zu schnell gehen:* deine Uhr geht vor.

Vor|ge|setz|te, der und die; -n, -n ⟨aber: [ein] Vorgesetzter, Plural: [viele] Vorgesetzte⟩: *männliche bzw. weibliche Person, die anderen in ihrer beruflichen Stellung übergeordnet und berechtigt ist, Weisungen zu geben:* er wurde zu seinem Vorgesetzten zitiert. **sinnv.:** Leiter. **Zus.:** Dienstvorgesetzter.

vor|ge|stern ⟨Adverb⟩: *einen Tag vor dem vorangegangenen Tag:* ich habe ihn v. getroffen.

vor|ha|ben, hat vor, hatte vor, hat vorgehabt ⟨itr.⟩: *die Absicht haben, etwas Bestimmtes zu tun:* er hat eine Reise vor/hat vor, eine größere Reise zu machen. **sinnv.:** die Absicht haben, es auf etwas anlegen, ins Auge fassen, etwas in Aussicht nehmen, beabsichtigen, denken, erwägen, gedenken, sich mit dem Gedanken tragen, in petto haben, auf der Pfanne haben, im Sinn haben, tendieren, sich vornehmen, ein Ziel verfolgen.

vor|hal|ten, hält vor, hielt vor, hat vorgehalten ⟨tr.⟩: *jmdm. gegenüber kritisch-vorwurfsvolle Äußerungen in bezug auf etwas machen:* sie hielt ihm immer wieder sein Benehmen vor/hielt ihm vor, daß er zuviel Geld für Zigaretten ausgebe. **sinnv.:** schelten.

vor|han|den ⟨Adj.⟩: *zur Verfügung stehend; als existierend feststellbar:* alle vorhandenen Tücher waren gebraucht; es müßte noch etwas Mehl v. sein.

Vor|hang, der; -[e]s, Vorhänge: *größere Stoffbahn, die vor Öffnungen wie Fenster, Türen, Bühnen o. ä. gehängt wird, um sie zu verdecken, abzuschließen:* sie zog die Vorhänge [an den Fenstern] zu, damit die Sonne nicht eindringen konnte; der V. im Theater ging langsam auf. **sinnv.:** Gardine. **Zus.:** Fenster-, Samt-, Theater-, Türvorhang.

vor|her ⟨Adverb⟩: *vor einem bestimmten Zeitpunkt, vor einem anderen Geschehen:* warum hast du mir das nicht v. gesagt?; kurz, am Abend, einige Tage v. **sinnv.:** davor, vordem, im Vorfeld, im vorhinein, zuvor.

vor|her|sa|gen, sagte vorher, hat vorhergesagt ⟨tr.⟩: *im voraus sagen, wie etwas verlaufen, ausgehen wird:* es ist schwierig, das Wetter für längere Zeit vorherzusagen. **sinnv.:** weissagen.

vor|her|se|hen, sieht vorher, sah vorher, hat vorhergesehen ⟨tr.⟩: *im voraus erkennen, wie etwas verlaufen, ausgehen wird:* daß sich die Sache so entwickeln würde, war nicht vorherzusehen. **sinnv.:** weissagen.

vor|hin [auch: ...hín] ⟨Adverb⟩: *gerade eben; vor wenigen Augenblicken, Minuten oder Stunden:* v. hatte ich das Buch noch in der Hand, und jetzt finde ich es nicht mehr. **sinnv.:** kürzlich.

vo|rig... ⟨Adj.⟩: *dem Genannten unmittelbar vorausgegangen:* in der vorigen Woche. **sinnv.:** letzt..., vergangen, verflossen.

vor|kom|men, kam vor, ist vorgekommen ⟨itr⟩:
1. *als eine Art (oft unangenehmer) Überraschung
sich ereignen:* solche Verbrechen kommen immer
wieder vor; so etwas darf nicht wieder v. **sinnv.:**
auftreten, erscheinen, zu finden sein, auf den
Plan treten. **2.** *(irgendwo) vorhanden sein:* diese
Pflanzen kommen nur im Gebirge vor. **sinnv.:**
existieren. **3.** *(auf jmdn.) einen bestimmten Ein-
druck machen:* dieses Bild kommt mir sehr be-
kannt vor; es kam ihm vor *(er hatte das Gefühl),*
als hätte er sie schon einmal gesehen. **sinnv.:** an-
muten. **4. a)** *nach vorn kommen:* der Schüler
mußte [an die Tafel] v. **sinnv.:** vortreten. **b)** *zum
Vorschein kommen:* hinter dem Vorhang v. **sinnv.:**
herauskommen, heraustreten, hervorkommen,
hervortreten.
Vor|komm|nis, das; -ses, -se: ↑*Vorfall:* nach
diesem V. verließ er die Stadt für immer. **sinnv.:**
Ereignis.
Vor|la|ge, die; -, -n: **1.** *das Vorlegen zur Ansicht,
Begutachtung o. ä.:* eine Bescheinigung zur V.
beim Finanzamt. **2.** *etwas, was bei der Anfertigung
von etwas als Grundlage, Modell o. ä. dient:* das
Bild war nach einer V. gemalt. **sinnv.:** Muster,
Schablone, Schema. **Zus.:** Arbeits-, Bastel-,
Druckvorlage.
vor|las|sen, läßt vor, ließ vor, hat vorgelassen
⟨tr.⟩: *(jmdm.) Zutritt gewähren; in einer amtlichen
Angelegenheit empfangen:* er wurde beim Mini-
ster nicht vorgelassen.
Vor|läu|fer, der; -s, -, **Vor|läu|fe|rin,** die; -,
-nen: *männliche bzw. weibliche Person, die einer
Idee, einem Ereignis o. ä. vorausgeht und bereits
wichtige Merkmale dafür erkennen läßt:* dieser
Dichter ist ein Vorläufer des Expressionismus.
sinnv.: Avantgardist.
vor|läu|fig ⟨Adj.⟩: *noch nicht endgültig, aber bis
auf weiteres so verlaufend, seiend:* das ist nur eine
vorläufige Regelung; v. wohnt er noch im Hotel.
sinnv.: einstweilen.
vor|laut ⟨Adj.⟩: *(bes. von Kindern) sich ohne Zu-
rückhaltung in einer Weise äußernd, daß es als un-
angemessen o. ä. empfunden wird:* er ist ein vor-
lauter kleiner Junge. **sinnv.:** frech.
vor|le|gen, legte vor, hat vorgelegt: **1.** ⟨tr.⟩ **a)**
*(vor jmdn.) zur Ansicht, Kontrolle, Begutachtung
o. ä. hinlegen:* seinen Ausweis v.; er legte ihm den
Brief [zur Unterschrift] vor. **b)** *übergeben, einrei-
chen, damit es behandelt, diskutiert werden kann
oder damit darüber ein Beschluß gefaßt wird:* ei-
nen Plan, Entwurf v.; (verblaßt) jmdm. eine Fra-
ge v. *(jmdn. fragen).* **sinnv.:** einreichen, präsentie-
ren, überreichen; vorschlagen. **c)** *der Öffentlich-
keit vorweisen, präsentieren:* der Autor hat ein
neues Buch vorgelegt. **2.** ⟨tr.⟩ *zur Sicherung, Befe-
stigung vor etwas legen, anbringen:* eine Kette, ei-
nen Riegel v. **3.** ⟨tr./itr.⟩ *(jmdm. die Speisen) auf
den Teller legen:* der Kellner legte ihm [das
Fleisch] vor. **sinnv.:** auftun. **4.** ⟨tr.⟩ *(für jmdn.) vor-
läufig bezahlen:* eine Summe v.; kannst du mir
5 Mark v.? **sinnv.:** auslegen.
vor|le|sen, liest vor, las vor, hat vorgelesen ⟨tr./
itr.⟩: *laut lesen, um (jmdn.) zu unterhalten, um
(jmdm. etwas) mitzuteilen:* den Kindern [Ge-
schichten] v. **sinnv.:** vortragen.
Vor|lie|be, die; -, -n: *besonderes Interesse, spe-
zielle Neigung für etwas:* seine V. gilt der alten
Musik; er ißt mit V. die Haut. **sinnv.:** Neigung.

vor|lie|gen, lag, vor, hat vorgelegen ⟨itr.⟩: **a)** *zur
genaueren Prüfung, Untersuchung, Bearbeitung,
Beobachtung o. ä. vor jmdm. liegen, sich in jmds.
Händen befinden:* der Antrag liegt dem Anwalt
bereits vor. **b)** *als zu berücksichtigende Tatsache
bestehen:* es liegt ein Verschulden des Fahrers
vor.
vor|ma|chen, machte vor, hat vorgemacht ⟨tr.⟩:
1. *(etwas) tun, um (jmdm.) zu zeigen, wie etwas ge-
macht wird; jmdm. mit einer bestimmten Fertigkeit
vertraut machen:* jmdm. jeden Handgriff v. müs-
sen. **sinnv.:** lehren. **2.** *(mit etwas) absichtlich einen
falschen Eindruck, ein falsches Bild (bei jmdm.) er-
wecken, um ihn dadurch täuschen oder belügen zu
können:* so leicht kann er mir nichts v.; da wollen
wir einander, uns [gegenseitig] doch nichts v.
sinnv.: belügen.
vor|mit|tag ⟨Adverb; in Verbindung mit der
Angabe eines bestimmten Tages⟩: *am Vormittag:*
heute v. fährt er in die Stadt.
Vor|mit|tag, der; -s, -e: *Zeit vom Morgen bis
zum Mittag:* den V. verbrachte sie meist im Bett.
sinnv.: Morgen. **Zus.:** Dienstagvormittag.
vor|mit|tags ⟨Adverb⟩: *am Vormittag; jeden
Vormittag:* v. ist er nie zu Hause. **sinnv.:** morgens.
vorn: ↑vorne.
Vor|na|me, der; -ns, -n: *persönlicher Name, der
jmdm. zu seinem Familiennamen gegeben wurde:*
sie hat drei Vornamen; jmdn. beim Vornamen ru-
fen, mit dem Vornamen anreden. **sinnv.:** Name,
Rufname, Taufname.
vor|ne ⟨Adverb⟩ /Ggs. hinten/: **1.** *(von einem be-
stimmten Punkt, einer bestimmten Stelle aus be-
trachtet) auf der nahe gelegenen, der zugewandten
Seite, im nahe gelegenen Teil:* der Schrank steht
gleich v. an der Tür. **2.** *an erster oder an einer der
ersten Stellen [einer Reihe]; vor den anderen; an
der Spitze:* bei den Wanderungen marschiert er
immer v.
vor|nehm ⟨Adj.⟩: **1.** *sich durch untadeliges Be-
nehmen, durch Zurückhaltung und Feinheit des
Benehmens und der Denkart auszeichnend:* ein
vornehmer Mensch; eine vornehme Gesinnung;
er denkt und handelt sehr v. **sinnv.:** distinguiert,
fein, feinfühlig, feinsinnig, nobel. **2.** *in meist un-
aufdringlicher Weise geschmackvoll, elegant, qua-
litativ hochwertig:* sie waren sehr v. gekleidet.
sinnv.: geschmackvoll; gewählt.
vor|neh|men, nimmt vor, nahm vor, hat vorge-
nommen: **1.** ⟨sich v.⟩ *den Entschluß (zu etwas) fas-
sen:* er hat sich vorgenommen, in Zukunft darauf
zu verzichten; ich habe mir einiges vorgenom-
men für diesen Tag. **sinnv.:** vorhaben. **2.** ⟨als
Funktionsverb⟩ eine Änderung v. *(ändern);* eine
Prüfung v. *(prüfen);* eine Untersuchung v. *(unter-
suchen).*
vorn|her|ein [auch: ...herein]: ⟨in der Fügung⟩
von v.: *gleich von Anfang an:* er hat den Plan von
v. abgelehnt. **sinnv.:** gleich.
Vor|rat, der; -[e]s, Vorräte: *etwas, was in mehr
oder weniger großer Menge oder Anzahl zum spä-
teren Gebrauch beschafft, gesammelt, angehäuft
wurde:* Vorräte anlegen; sie hat in ihrem Schrank
einen großen V. von/an Lebensmitteln. **sinnv.:**
Arsenal, Bestand, Fonds, Fundus, Lager, Materi-
al, Menge, Potential, Reserve, Rücklage, Topf ·
Repertoire. **Zus.:** Brot-, Holz-, Mehl-, Nah-
rungs-, Wärme-, Wasser-, Wintervorrat.

Vor|rich|tung, die; -, -en: *Gegenstand oder Teil eines Gegenstandes, der einen bestimmten Zweck erfüllt, [als Hilfsmittel] eine bestimmte Funktion hat:* eine V. zum Belüften, Kippen. **sinnv.:** Apparat. **Zus.:** Absperr-, Aufhänge-, Brems-, Halte-, Kipp-, Schutz-, Stützvorrichtung.

vor|rücken, rückte vor, hat/ist vorgerückt: **1.** ⟨tr.⟩ **a)** *nach vorn schieben, rücken:* er hat den Stuhl etwas vorgerückt, um in die Sonne zu sitzen. **sinnv.:** vorschieben, vorziehen. **b)** *(vor etwas) schieben, rücken:* weil du den Schrank vorgerückt hast, kann niemand die Tür öffnen. **2.** ⟨itr.⟩ **a)** *sich (mit etwas, was gerückt, geschoben werden soll oder muß) ein Stück nach vorn bewegen:* wenn du mit deinem Stuhl etwas vorrückst, haben wir auch noch Platz. **b)** *sich auf Grund militärischer Erfolge vorwärts bewegen:* die Truppen sind vorgerückt. **sinnv.:** angreifen, vorgehen, vormarschieren. **c)** *(bes. im sportlichen Bereich) in der Bewertung einen besseren Platz als früher einnehmen:* unser Verein ist auf den zweiten Platz vorgerückt. **d)** *unaufhaltsam auf einen späteren Zeitpunkt zugehen, sich einer bestimmten, späten Tageszeit nähern:* der Abend ist schon vorgerückt.

vor|sa|gen, sagte vor, hat vorgesagt: **1.** ⟨tr./itr.⟩ *(einem anderen, der etwas nicht weiß) sagen, zuflüstern, was er sagen, schreiben soll:* er mußte ihm jeden Satz v. **sinnv.:** einblasen, einsagen, zuflüstern. **2.** ⟨sich v.⟩ *[leise] vor sich hin sprechen, um es sich einzuprägen und im Gedächtnis zu behalten:* ich sagte mir den Satz ein paarmal vor.

Vor|satz, der; -es, Vorsätze: *etwas, was sich jmd. fest vorgenommen hat:* einen V. fassen, fallenlassen; gute Vorsätze haben. **sinnv.:** Absicht.

vor|sätz|lich ⟨Adj.⟩: *ganz bewußt und absichtlich:* eine vorsätzliche Beleidigung; jmdn. v. töten. **sinnv.:** absichtlich.

Vor|schlag, der; -[e]s, Vorschläge: *Äußerung, Erklärung, mit der jmd. jmdm. eine bestimmte Möglichkeit zeigt, ihm etwas Bestimmtes empfiehlt oder anbietet; Empfehlung eines Plans:* er lehnte den V. des Architekten ab; er machte ihr den V., mit ihm eine Reise um die Welt zu unternehmen. **sinnv.:** Angebot, Anregung, Antrag, Empfehlung. **Zus.:** Abänderungs-, Ergänzungs-, Gegen-, Kompromiß-, Reform-, Verbesserungs-, Wahlvorschlag.

vor|schla|gen, schlägt vor, schlug vor, hat vorgeschlagen ⟨tr.⟩: **a)** *eine bestimmte Möglichkeit nennen; einen Vorschlag machen:* ich schlage vor, wir gehen jetzt nach Hause; ich schlage Ihnen dieses Hotel vor. **sinnv.:** anbieten, anempfehlen, ein Angebot machen, anraten, anregen, eine Anregung geben, antragen, beibringen, empfehlen, ans Herz legen, nahelegen, einen Plan unterbreiten, einen Rat geben, raten. **b)** *(jmdn.) für etwas als in Frage kommend nennen:* jmdn. als Kandidaten, für ein Amt v.

vor|schrei|ben, schrieb vor, hat vorgeschrieben ⟨tr.⟩: *durch eine bestimmte Anweisung, einen Befehl o. ä. ein bestimmtes Verhalten, Handeln fordern:* ich lasse mir von ihm nicht v., wann ich gehen soll; das Gesetz schreibt vor, daß ... **sinnv.:** fordern, verlangen.

Vor|schrift, die; -, -en: *Anweisung, deren Befolgung erwartet wird und die ein bestimmtes Verhalten, Handeln fordert:* er hat die Vorschriften nicht befolgt; der Beamte erklärte, er müsse sich an seine Vorschriften halten. **sinnv.:** Weisung. **Zus.:** Bau-, Dienst-, Sicherheits-, Verkehrs-, Zollvorschrift.

vor|se|hen, sieht vor, sah vor, hat vorgesehen: **1.** ⟨tr.⟩ **a)** *zu tun beabsichtigen:* man sah vor, einige Bestimmungen zu ändern; der vorgesehene Punkt enthielt fiel aus. **sinnv.:** planen. **b)** *in Aussicht nehmen:* den größten Raum sah er für seine Bibliothek vor; das Gesetz sieht für diese Tat eine hohe Strafe vor. **sinnv.:** ansetzen. **c)** *zu einem bestimmten Zweck einsetzen, verwenden wollen:* wir haben das Geld für etwas anderes vorgesehen. **sinnv.:** bestimmen, denken. **2.** ⟨sich v.⟩ *sich in acht nehmen:* du mußt dich v., daß du dich nicht erkältest. **sinnv.:** aufpassen, auf der Hut/Wacht sein, sich hüten, vorsichtig sein.

Vor|sicht, die; -: *gesteigerte Aufmerksamkeit, Besonnenheit bei Gefahr oder in bestimmten kritischen Situationen:* bei dieser gefährlichen Arbeit ist große V. nötig; bei diesem Geschäft rate ich dir zur V. **sinnv.:** Aufmerksamkeit.

vor|sich|tig ⟨Adj.⟩: *behutsam, besonnen, mit Vorsicht [handelnd, vorgehend]:* er ist ein vorsichtiger Mensch; bei ihm muß man sich v. ausdrücken; sei v., sonst fällst du! **sinnv.:** behutsam, umsichtig. **Zus.:** übervorsichtig.

vor|sor|gen, sorgte vor, hat vorgesorgt ⟨itr.⟩: *im Hinblick auf die Zukunft im voraus etwas unternehmen, (für etwas) sorgen:* sie hat für schlechtere Zeiten vorgesorgt. **sinnv.:** vorbauen; vorbeugen, Vorsorge treffen.

vor|spre|chen, spricht vor, sprach vor, hat vorgesprochen: **1.** ⟨tr.⟩ **a)** *(jmdm. gegenüber) deutlich sprechen, damit er es sofort richtig wiederholen kann:* er sprach ihm das schwierige Wort immer wieder vor. **sinnv.:** soufflieren, vorsagen, zuflüstern. **2.** ⟨tr./itr.⟩ *zur Beurteilung bes. der schauspielerischen Fähigkeiten o. ä. vor jmdm. etwas vortragen:* er sprach die Rede des Antonius vor; vor dem Engagement muß jeder junge Schauspieler v. **sinnv.:** vortragen. **3.** ⟨itr.⟩ *(jmdn.) in einer besonderen Angelegenheit, mit einer Bitte, einem Anliegen o. ä. aufsuchen:* ich habe bei ihm [wegen der auftretenden Schwierigkeiten] vorgesprochen. **sinnv.:** aufsuchen.

Vor|sprung, der; -[e]s, Vorsprünge: **1.** *vorspringender Teil (von etwas):* der V. eines Felsens. **2.** *Abstand, um den jmd. einem anderen voraus ist:* der erste der Läufer hatte einen V. von drei Metern; **3.** *überlegene Position, Überlegenheit:* ein V. an technischer Entwicklung.

vor|stel|len, stellte vor, hat vorgestellt: **1. a)** ⟨tr./sich v.⟩ *durch Nennen des Namens (jmdn./sich mit einem anderen) bekannt machen:* er stellte ihn seiner Frau vor; nachdem er sich ihnen vorgestellt hatte, nahm er Platz. **b)** ⟨sich v.⟩ *(bei der Bewerbung um eine Stelle, bei einer Wahl o. ä.) einen ersten Besuch machen, sich zeigen und bekannt machen:* der Kandidat stellt sich den Wählern vor; heute stellt sich ein junger Mann vor, der bei uns arbeiten will. **sinnv.:** sich präsentieren. **2.** ⟨sich v.⟩ *sich (von jmdm./etwas) ein Bild, einen Begriff machen:* ich kann ihn mir nicht als Politiker v.; ich hatte mir den Verkehr schlimmer vorgestellt; ich kann mir das alte Haus noch gut v. **sinnv.:** sich vor Augen führen, an seinem geistigen Auge vorüberziehen lassen, sich ausdenken/

ausmalen, sich denken, sich eine Vorstellung machen.

Vor|stel|lung, die; -, -en: **1.** *Aufführung, das Aufführen (eines Stückes, eines Films o. ä.):* nach der V. gingen wir nach Hause. **sinnv.:** Darbietung. **Zus.:** Abend-, Abschieds-, Gala-, Gast-, Kinder-, Nacht-, Spätvorstellung. **2.** *Bild, das sich jmd. in seinen Gedanken von etwas macht:* er hat seltsame Vorstellungen von diesem Ereignis; das entspricht nicht meinen Vorstellungen. **sinnv.:** Ansicht, Bild, Gedanke. **Zus.:** Ideal-, Klischee-, Neben-, Wahn-, Wert-, Ziel-, Zukunfts-, Zwangsvorstellung.

Vor|stra|fe, die; -, -n: *zurückliegende Strafe auf Grund einer früheren gerichtlichen Verurteilung:* wegen der vielen Vorstrafen kann er kein mildes Urteil erwarten.

vor|täu|schen, täuschte vor, hat vorgetäuscht ⟨tr.⟩: *(von etwas) ein falsches Bild geben, den Anschein von etwas erwecken:* eine Krankheit v. **sinnv.:** sich den Anstrich geben/ausgeben als, fingieren, heucheln, Komödie/Theater spielen, markieren, mimen, schauspielern, sich stellen [als ob], so tun als ob, einen Türken bauen, sich verstellen, vorgaukeln, vorgeben, vormachen, vorschützen, vorspiegeln.

Vor|teil, der; -s, -e: *etwas (Umstand, Lage, Eigenschaft o. ä.), was jmdm. [gegenüber anderen] Nutzen, Gewinn bringt, sich für ihn günstig auswirkt:* finanzielle Vorteile; die Sache hat den einen V., daß...; auf seinen eigenen V. bedacht sein. **sinnv.:** Nutzen, Plus.

vor|teil|haft ⟨Adj.⟩: *jmdm. Vorteile, Gewinn, Nutzen bringend:* er hat ihm ein sehr vorteilhaftes Angebot gemacht. **sinnv.:** günstig.

Vor|trag, der; -[e]s, Vorträge: *ausführliche mündliche Darlegung, Rede über ein bestimmtes, oft wissenschaftliches Thema:* der V. war sehr interessant. **sinnv.:** Rede. **Zus.:** Dia-, Einführungs-, Fest-, Lichtbilder-, Schlußvortrag.

vor|tra|gen, trägt vor, trug vor, hat vorgetragen ⟨tr.⟩: **1.** *künstlerisch vorsprechen oder vorsingen:* sie trug Lieder von Schubert vor. **sinnv.:** aufsagen, etwas zum besten geben, deklamieren, etwas zu Gehör bringen, hersagen, herunterleiern, herunterschnurren, interpretieren, lesen, rezitieren, verlesen, vorlesen, vorsingen, vorspielen, vorsprechen. **2.** *in förmlichen Worten zur Kenntnis bringen:* er trug dem Minister sein Anliegen vor. **sinnv.:** mitteilen.

vor|treff|lich ⟨Adj.⟩: *sehr gut, sich durch seine Qualität, Begabung, sein Können o. ä. auszeichnend:* er ist ein vortrefflicher Koch; ein vortrefflicher Einfall; der Kuchen schmeckt v. **sinnv.:** ausgezeichnet, bärig, bestens, dufte, erstklassig, exzellent, famos, fein, gut, herrlich, hervorragend, klasse/Klasse, köstlich, pfundig, prima, spitze/Spitze, stark, super, toll, trefflich, unübertrefflich, vorzüglich.

vor|über ⟨Adverb⟩: *vorbei.*

vor|über|ge|hend ⟨Adj.⟩: *nur eine gewisse Zeit, nicht lange dauernd; für kurze Zeit:* vorübergehende Beschwerden. **sinnv.:** augenblicklich, flüchtig, kurz, kurzfristig, temporär, zeitweilig, zeitweise.

Vor|wand, der; -[e]s, Vorwände: *nicht zutreffender, nur vorgegebener, als Ausrede benutzter Grund:* er ist unter einem V. verreist; etwas zum

V. nehmen. **sinnv.:** Ausflucht, Ausrede, Entschuldigung, Finte, Mittel.

vor|wärts ⟨Adverb⟩: *nach vorn* /Ggs. rückwärts/: du mußt den Wagen noch ein kleines Stück v. fahren. **sinnv.:** weiter.

vor|wärts|kom|men, kam vorwärts, ist vorwärtsgekommen ⟨itr.⟩: *Erfolge haben; Fortschritte machen:* sie sind heute mit ihrer Arbeit gut vorwärtsgekommen. **sinnv.:** aufsteigen, emporkommen, vorangehen.

vor|weg|neh|men, nimmt vorweg, nahm vorweg, hat vorweggenommen ⟨tr.⟩: *(etwas) sagen, tun, bevor es an der Reihe wäre, bevor es andere sagen, tun:* das Ergebnis gleich v. **sinnv.:** vorgreifen, zuvorkommen.

vor|wer|fen, wirft vor, warf vor, hat vorgeworfen ⟨tr.⟩: *jmds. Handlungsweise heftig kritisieren, sie ihm heftig tadelnd vor Augen führen:* jmdm. Faulheit v. **sinnv.:** jmdm. etwas hindrücken/hinreiben/unter die Nase reiben/vorhalten, jmdm. Vorhaltungen/Vorwürfe machen.

vor|wie|gend ⟨Adj.⟩: *in erster Linie, ganz besonders; zum größten Teil:* in diesem Sommer herrschte v. trockenes Wetter. **sinnv.:** besonders, oft.

vor|wit|zig ⟨Adj.⟩: *neugierig, vorlaut und sich oft ungehörig vordrängend:* ein vorwitziger kleiner Kerl. **sinnv.:** frech.

Vor|wort, das; -[e]s, Vorworte: *einem Buch vorangestellte Bemerkung* /Ggs. Nachwort/. **sinnv.:** Einleitung.

Vor|wurf, der; -[e]s, Vorwürfe: *Äußerung, mit der jmd. jmdm. etwas vorwirft, sein Handeln, Verhalten rügt:* ein leiser, schwerer V. **sinnv.:** Anpfiff, Anschiß, Anschnauzer, Anwurf, Rüffel, Rüge, Tadel, Verweis, Vorhaltung, Zigarre.

Vor|zei|chen, das; -s, -: *Anzeichen, das auf etwas Kommendes hinweist:* diese Vorzeichen deuten auf einen strengen Winter. **sinnv.:** Anzeichen.

vor|zei|gen, zeigte vor, hat vorgezeigt ⟨tr.⟩: *zum Betrachten, Prüfen, Begutachten o. ä. zeigen:* den Ausweis, Paß, die Fahrkarte v. **sinnv.:** vorweisen, zeigen.

vor|zei|tig ⟨Adj.⟩: *früher als vorgesehen, erwartet:* eine vorzeitige Abreise. **sinnv.:** früh.

vor|zie|hen, zog vor, hat vorgezogen ⟨tr.⟩: **1.** *(etwas für später Vorgesehenes) früher ansetzen, beginnen, erledigen o. ä.:* einen Termin [um eine Stunde] v. **sinnv.:** vorverlegen. **2. a)** *lieber mögen; eine größere Vorliebe für etwas haben:* ich ziehe eine Verständigung dem ständigen Streit vor. **sinnv.:** bevorzugen. **b)** *besser behandeln (als andere):* der Lehrer zieht diesen Schüler [den anderen] vor. **sinnv.:** fördern.

Vor|zug, der; -[e]s, Vorzüge: **1.** *einer Person oder Sache eingeräumter Vorrang:* ich gebe seinen Ideen den V. **sinnv.:** Vorrang. **2.** *gute Eigenschaft, die eine Person oder Sache (im Vergleich zu entsprechenden anderen) hervorhebt, auszeichnet:* dieses Material hat alle Vorzüge.

vor|züg|lich ⟨Adj.⟩: ↑ *vortrefflich:* er ist ein vorzüglicher Redner; der Kuchen schmeckt v.

vul|gär ⟨Adj.⟩: *auf abstoßende Weise gewöhnlich, derb und ordinär:* vulgäre Ausdrücke. **sinnv.:** derb, gewöhnlich.

Vul|kan, der; -s, -e: *Berg, aus dessen Innerem glühende Massen von Gestein o. ä. geschleudert werden.* **sinnv.:** feuerspeiender Berg.

W

Waa|ge, die; -, -n: *Gerät zum Feststellen des Gewichtes:* sich auf einer W. wiegen. **sinnv.:** Schweremesser. **Zus.:** Apotheker-, Brief-, Dezimal-, Feder-, Gold-, Küchen-, Münz-, Personen-, Zugfederwaage.

waa|ge|recht, waag|recht ⟨Adj.⟩: *im rechten Winkel zu einer senkrechten Fläche oder Linie verlaufend* /Ggs. senkrecht/: etwas w. legen. **sinnv.:** flach, horizontal.

wach ⟨Adj.⟩: **a)** *nicht mehr schlafend, nicht mehr schläfrig:* um 7 Uhr wurde er w. *(erwachte er)* **sinnv:** ausgeschlafen, munter. **Zus.:** halb-, hellwach. **b)** *von großer Aufmerksamkeit, Aufgeschlossenheit zeugend:* ein wacher Geist; etwas mit wachem Bewußtsein tun. **sinnv.:** geistreich, klug, rege. **Zus.:** hell-, überwach.

Wa|che, die; -, -n: **a)** *Person oder Gruppe von Personen, die etwas bewacht:* die W. hatte von dem Einbruch nichts bemerkt. **sinnv.:** Posten. **Zus.:** Ehren-, Leib-, Torwache. **b)** ⟨ohne Plural⟩ *das Bewachen, Sichern bestimmter Einrichtungen, Anlagen, Örtlichkeiten o. ä.:* die W. von jmdm. übernehmen. **sinnv.:** Aufsicht, Beobachtung. **Zus.:** Brand-, Nacht-, Totenwache. **c)** *Räumlichkeit, in der die Wache (a) stationiert ist:* der Betrunkene wurde auf die W. gebracht. **sinnv.:** Revier. **Zus.:** Feuer-, Polizeiwache.

wa|chen ⟨itr.⟩: **1.** *wach sein, nicht schlafen:* sie wachte, bis ihr Mann nach Hause kam. **sinnv.:** kein Auge zutun können, keinen Schlaf finden, wach liegen. **Zus.:** auf-, durch-, erwachen. **2.** *wach bleiben und auf jmdn./etwas aufpassen, achtgeben:* er wacht [streng] darüber, daß die Vorschriften eingehalten werden. **sinnv.:** aufbleiben, beobachten, Wache halten. **Zus.:** be-, überwachen.

Wachs, das; -es: *[von Bienen gebildete] fettähnliche Masse, die bei höheren Temperaturen schmilzt:* Kerzen aus echtem W. **Zus.:** Auto-, Bienen-, Bohner-, Kerzen-, Skiwachs.

wach|sam ⟨Adj.⟩: *vorsichtig, gespannt mit wachen Sinnen etwas beobachtend, verfolgend:* wachsame Hunde. **sinnv.:** achtsam, aufmerksam, hellhörig.

wach|sen: **I.** wachste, hat gewachst ⟨tr.⟩: *mit Wachs einreiben, glätten:* die Skier w. **sinnv.:** polieren. **Zus.:** einwachsen. **II.** wächst, wuchs, ist gewachsen ⟨itr.⟩ **a)** *größer, stärker werden; an Umfang, Ausdehnung zunehmen:* der Junge ist sehr gewachsen; er ließ sich die Haare lang w.; die Erregung im Volk wuchs; ständig wachsende Ausgaben. **sinnv.:** aufblühen, in die Höhe schießen, im Wachstum begriffen sein, wuchern. **Zus.:** auf-, fest-, heran-, weiter-, zusammenwachsen. **b)** *(von Pflanzen) sich entwickeln [können], gedeihen, vorkommen:* überall wächst Unkraut. **sinnv.:** sich entwickeln, florieren, sprießen. **Zus.:** fest-, weiterwachsen.

Wachs|tum, das; -s: *das Wachsen:* das W. der Pflanzen wird durch viel Licht gefördert. **sinnv.:** Entwicklung, Steigerung, Zunahme. **Zus.:** Längen-, Wirtschaftswachstum.

Wäch|ter, der; -s, -, **Wäch|te|rin,** die; -, -nen: *männliche bzw. weibliche Person, die jmdn./etwas bewacht.* **sinnv.:** Aufseher, Aufsicht, Garde, Hüter, Posten, Wärter. **Zus.:** Harems-, Leib-, Nachtwächter.

wacke|lig ⟨Adj.⟩: ↑wacklig.

wackeln ⟨itr.⟩: *nicht feststehen, nicht festsitzen; locker sein und sich daher etwas hin und her bewegen:* der Tisch, Stuhl wackelt. **sinnv.:** schwingen, wanken.

wack|lig ⟨Adj.⟩: *wackelnd; nicht festgefügt, nicht[mehr] stabil:* die Leiter steht sehr w.; ich fühle mich noch etwas w. *(schwach).* **sinnv.:** instabil, kipp[e]lig, schwankend, wankend.

Wa|de, die; -, -n: *Bündel von Muskeln am hinteren Unterschenkel:* kräftige Waden haben.

Waf|fe, die; -, -n: *Gerät, Mittel o. ä. zum Kämpfen, zum Angriff oder zur Verteidigung* (siehe Bildleiste): eine W. bei sich tragen. **Zus.:** Angriffs-, Feuer-, Geheim-, Hieb-, Kern-, Mord-, Schuß-, Stich-, Tatwaffe.

Waf|fel, die; -, -n: *süßes, flaches Gebäck, das auf beiden Seiten mit einem wabenförmigen Muster versehen ist.* **Zus.:** Eis-, Schokoladenwaffel.

wa|ge|mu|tig ⟨Adj.⟩: *Mut zum Risiko besitzend:* ein wagemutiger Forscher; eine wagemutige Tat. **sinnv.:** mutig.

wa|gen: **1.** ⟨tr.⟩ *ohne die Gefahr, das Risiko zu scheuen, etwas tun, dessen Ausgang ungewiß ist:* viel, sein Leben w. **sinnv.:** sich getrauen, hasardieren, alles auf eine Karte setzen, etwas aufs Spiel setzen, sich trauen. **2. a)** ⟨tr.⟩ *trotz der Möglichkeit eines Fehlschlages, Nachteils o. ä., des Heraufbeschwörens einer Gefahr den Mut zu etwas haben:* einen Versuch w.; niemand wagte [es] *(traute sich),* ihm zu widersprechen. **sinnv:** sich anmaßen/erdreisten/erkühnen/getrauen/trauen, unterstehen. **b)** ⟨sich w.⟩ *den Mut haben, sich nicht scheuen, irgendwohin zu gehen:* sie wagt sich nicht mehr aus dem Haus. **Zus.:** sich heran-, hinaus-, vorwagen.

Wa|gen, der; -s, -: **a)** *Fahrzeug mit Rädern zum Transport von Personen und Lasten, das gezogen oder geschoben wird:* Pferde an den W. spannen; an den Zug wurden noch zwei Wagen angehängt. **sinnv.:** Anhänger, Gefährt, Gespann, Karre, Kutsche, Waggon. **Zus.:** Aussichts-, Camping-, Eisenbahn-, Ernte-, Gepäck-, Großraum-, Kurs-, Leiter-, Liege-, Personen-, Plan-, Post-, Schlaf-, Speise-, Sonder-, Tee-, Trieb-, Viehwagen. **b)** ↑Auto: er hat seinen W. auf der Straße geparkt. **Zus.:** Dienst-, Gebraucht-, Klein-, Lastkraft-, Liefer-, Miet-, Möbel-, Renn-, Rettungs-, Sport-, Streifen-, Überfallwagen.

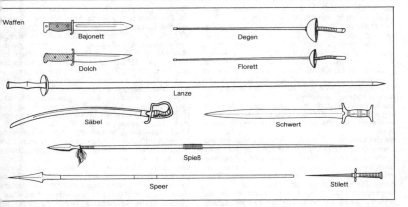

Waffen

Bajonett

Degen

Dolch

Florett

Lanze

Säbel

Schwert

Spieß

Speer

Stilett

Vag|gon [va'gɔŋ], der; -s, -s: *Wagen bes. bei Ei-enbahn oder Straßenbahn.* **Zus.**: Eisenbahn-, 'iehwaggon.

Vag|nis, das; -ses, -se: *kühnes Unternehmen, efährliches Vorhaben:* sich auf kein W. einlas-en. **sinnv.**: Abenteuer, Risiko, Vabanquespiel, 'ersuch.

Vahl, die; -, -en: a) ⟨ohne Plural⟩ *das Sicht-entscheiden für eine von mehreren Möglichkeiten:* die V. fällt mir schwer; eine gute W. treffen. **sinnv.**: Auswahl, Entscheidung, Kür. **Zus.**: Berufs-, Da-nen-, Orts-, Wortwahl. b) *Abgabe der Stimme* eim Wählen von Abgeordneten u. a.: freie, gehei-ne Wahlen; zur W. gehen. **sinnv.**: Abstimmung, Jrnengang. **Zus.**: Betriebsrats-, Brief-, Bundes-ags-, Kommunal-, Landtags-, Neu-, Stich-, Vor-tandswahl.

väh|len: 1. ⟨tr./itr.⟩ *sich für eine von mehreren Möglichkeiten entscheiden:* er konnte zwischen wei Möglichkeiten w.; er wählte die Freiheit. **sinnv.**: abstimmen, annehmen, aussuchen, plä-ieren. **Zus.**: aus-, erwählen. **2. a)** ⟨tr.⟩ *sich durch Abgeben seiner Stimme bei einer Wahl für jmdn./ etwas entscheiden; durch Wahl bestimmen:* einen 'räsidenten w.; jmdn. zum Vorsitzenden w. **sinnv.**: benennen. **Zus.**: wiederwäh-en. b)** ⟨itr.⟩ *bei einer Wahl seine Stimme abgeben:* noch nicht w. dürfen. **sinnv.**: abstimmen, kumu-ieren, optieren, panaschieren, stimmen, votie-en. **3.** ⟨tr./itr.⟩ *beim Telefon durch Drehen der Vählscheibe bzw. Drücken der Tasten mit den Zif-ern die Telefonnummer eines anderen Teilnehmers :usammensetzen, um eine Verbindung herzustel-en:* die Nummer 36 63 w.; den Hörer abnehmen und w. **Zus.**: an-, durch-, verwählen.

väh|le|risch ⟨Adj.⟩: *besondere Ansprüche stel-end, nur schwer zufriedenzustellen:* er ist im Es-en sehr w. **sinnv.**: anspruchsvoll, empfindlich, ıeikel, kritisch, mäkelig, verwöhnt.

vahl|los ⟨Adj.⟩: *in oft gedankenloser, unüberleg-er Weise ohne bestimmte Ordnung, Reihenfolge, Auswahl o. ä. verfahrend, nicht nach einem durch-lachten Prinzip vorgehend:* etwas w. herausgrei-en; er trank alles w. durcheinander. **sinnv.**: ıichtsinnig, unbesonnen, willkürlich.

Wahn|sinn, der; -[e]s: **1.** *krankhafte Verwirrtheit im Denken und Handeln:* er verfiel dem W., in W. **sinnv.**: Geistesgestörtheit, Geisteskrankheit, Idiotie, Irresein, Schwachsinn, Stumpfsinn, Ver-blödung. **2.** (ugs.) *sehr unvernünftiges, unsinniges Denken, Verhalten, Handeln:* es ist W., bei diesem Wetter eine Bergtour zu unternehmen. **sinnv.**: Unsinn, Unvernunft.

wahn|sin|nig ⟨Adj.⟩: **1.** *an Wahnsinn (1) lei-dend; von Wahnsinn zeugend:* ein wahnsinniges Lachen. **sinnv.**: geistesgestört. **Zus.**: größen-wahnsinnig. **2.** (ugs.) a) *ganz töricht, unvernünf-tig:* ein wahnsinniger Plan; bist du w.? **sinnv.**: un-sinnig. b) *übermäßig groß:* einen wahnsinnigen Schreck bekommen. **c)** ⟨verstärkend bei Adjekti-ven und Verben⟩ *sehr:* sich w. freuen.

Wahn|sinns- ⟨Präfixoid⟩ (emotional verstär-kend): /kennzeichnet die Empfindung, Beurtei-lung – sowohl Bewunderung als auch Kritik – in bezug auf das im Basiswort Genannte/ *in seiner Art kaum glaublich, schier unfaßbar [groß]* : Wahnsinnsanordnung, -arbeit, -befehl, -erfolg, -höhe, -idee, -karriere, -maschine, -miete, -preise, -problem, -typ.

wahr ⟨Adj.⟩: **1.** *der Wahrheit, der Wirklichkeit, den Tatsachen entsprechend:* eine wahre Ge-schichte. **sinnv.**: aufrichtig, gewiß, glaubhaft, glaubwürdig, richtig, unleugbar, unwiderleglich, zutreffend, zuverlässig. **2.** ⟨nur attributiv⟩ *echt, recht, richtig, wirklich:* das ist wahre Kunst; es ist ein wahres Wunder. **sinnv.**: regelrecht, typisch.

wah|ren ⟨tr.⟩: *etwas, bes. einen bestimmten Zu-stand, ein bestimmtes Verhalten o. ä., aufrechter-halten, nicht verändern:* seine Interessen w. **sinnv.**: erhalten, schützen, verteidigen.

wäh|rend: I. ⟨Präp. mit Gen.⟩ /bezeichnet eine Zeitdauer, in deren Verlauf etwas stattfindet o. ä./ *im [Verlauf von]:* w. des Krieges; ⟨veraltet oder ugs. auch mit Dativ:⟩ w. dem Konzert; in der Vergangenheit, w. deren ...; ⟨mit Dativ, wenn bei einem stark gebeugten Substantiv im Plural der Gen. formal nicht zu erkennen ist oder wenn ein weiteres stark gebeugtes Substantiv (Genitiv-attribut) zwischen „während" und das von ihm abhängende Substantiv tritt:⟩ w. fünf Jahren; w.

des Ministers aufschlußreichem Vortrag. **sinnv.:**
bei, binnen, in, innerhalb. **II.** ⟨Konj.⟩**1.** (zeitlich)
/leitet einen Gliedsatz ein, der die Gleichzeitig-
keit mit dem im Hauptsatz beschriebenen Vor-
gang bezeichnet/ *in der Zeit als:* w. sie verreist
waren, hat man bei ihnen eingebrochen. **sinnv.:**
als, da, derweil, unterdessen, währenddessen. **2.**
(adversativ) /drückt die Gegensätzlichkeit zweier
Vorgänge aus/ *indes; wohingegen:* w. die einen
sich freuten, waren die anderen eher enttäuscht.
sinnv.: indem, indessen.

wahr|haf|tig ⟨Adverb⟩: *in der Tat, wirklich:* um
ihn brauchst du dich w. nicht zu sorgen. **sinnv.:**
bestimmt, fürwahr, gar, gewiß, tatsächlich, unge-
logen.

Wahr|heit, die; -: *der Wirklichkeit entsprechende
Darstellung, Schilderung; Übereinstimmung zwi-
schen Gesagtem und Geschehenem oder Bestehen-
dem, zwischen Gesagtem und Gedachtem:* die W.
erfahren; die W. sagen *(nicht lügen).* **Zus.:** Glau-
bens-, Halb-, Teilwahrheit.

wahr|neh|men, nimmt wahr, nahm wahr, hat
wahrgenommen ⟨tr.⟩: **1.** *mit den Sinnen aufneh-
men, erfassen:* eine Gestalt w.; einen unangeneh-
men Geruch w. **sinnv.:** ansichtig werden, aufneh-
men, bemerken, erkennen, gewahr werden, hö-
ren, innewerden. **2. a)** *etwas, was sich (als Mög-
lichkeit o.ä.) anbietet, nutzen:* seinen Vorteil w.
sinnv.: ausnutzen, merken, sehen. **b)** *berücksich-
tigen, vertreten:* die Interessen seiner Firma w.

wahr|sa|gen, wahrsagte /sagte wahr, hat ge-
wahrsagt/ wahrgesagt ⟨itr./tr.⟩: *mit Hilfe bestimm-
ter (auf Aberglauben oder Schwindel beruhender)
Praktiken Vorhersagen machen:* die Zigeunerin
wahrsagte ihm [aus den Handlinien] die Zukunft.
sinnv.: hellsehen, prophezeien, vorausahnen,
weissagen.

wahr|schein|lich: I. ⟨Adj.⟩ *mit ziemlicher Si-
cherheit anzunehmen, in Betracht kommend:* der
wahrscheinliche Täter; dies ist nicht w. **sinnv.:**
mutmaßlich, voraussichtlich. **II.** ⟨Adverb⟩ *mit
ziemlicher Sicherheit:* er wird w. verreisen. **sinnv.:**
anscheinend.

Wai|se, die; -, -n: *minderjähriges Kind, das einen
Elternteil oder beide verloren hat.* **sinnv.:** Findel-
kind, Findling, Waisenkind. **Zus.:** Halb-, Voll-
waise.

Wald, der; -[e]s, Wälder: *größeres Stück Gelän-
de, das dicht mit Bäumen bewachsen ist.* **sinnv.:**
Forst, Gehölz, Hain, Schonung. **Zus.:** Buchen-,
Fichten-, Hoch-, Kiefern-, Laub-, Misch-, Na-
del-, Regen-, Winterwald.

Wall, der; -[e]s, Wälle: *mehr oder weniger hohe
Aufschüttung aus Erde, Steinen o.ä., mit der ein
Bereich schützend umgeben oder abgeschirmt
wird:* die Burg ist durch W. und Graben ge-
schützt. **sinnv.:** Hürde, Mauer. **Zus.:** Burg-, Erd-,
Festungs-, Schutz-, Steinwall.

Wal|ze, die; -, -n: **1.** *länglicher Körper, dessen
Querschnitt die Form eines Kreises hat.* **sinnv.:**
Rolle, Trommel, Zylinder. **Zus.:** Dampf-, Motor-, Straßenwalze.

wäl|zen: 1. ⟨tr.⟩ *langsam rollend auf dem Boden
fortbewegen an eine bestimmte Stelle schaf-
fen:* den Stein zur Seite w. **Zus.:** um-, wegwälzen.
2. ⟨sich w.⟩ *sich liegend hin und her drehen, hin und
her werfen:* ich wälzte mich die ganze Nacht im
Bett. **sinnv.:** rollen. **Zus.:** herumwälzen.

Wal|zer, der; -s, -: *Tanz im ³/₄-Takt, bei dem sich
die Paare um sich selbst drehend bewegen:* [einen]
Wiener W. tanzen.

Wand, die; -, Wände: *im allgemeinen senkrecht
aufgeführter Bauteil als seitliche Begrenzung eines
Raumes, Gebäudes o.ä.:* an der W. hängt ein
Bild. **sinnv.:** Hürde, Mauer, Paravent, Raumtei-
ler, Wandschirm. **Zus.:** Außen-, Bretter-, Innen-,
Nord-, Rück-, Schiffs-, Schrank-, Seiten-, Spie-
gel-, Stirn-, Ziegel-, Zwischenwand.

wan|deln, wandelte, hat/ist gewandelt: **1.** ⟨itr.⟩
(geh.) *gemächlich und gemessen gehen:* sie sind
im Schatten gewandelt. **sinnv.:** sich fortbewegen.
Zus.: lust-, traum-, umherwandeln. **2.** ⟨sich w.⟩
sich [grundlegend] verändern: seine Ansichten ha-
ben sich im Laufe der Zeit gewandelt. **sinnv.:** än-
dern, sich tun, umschlagen, umspringen, umsto-
ßen, sich verwandeln.

wan|dern, wanderte, ist gewandert ⟨itr.⟩: **1.** *eine
größere Strecke über Land gehen, durch die Natur
zu Fuß gehen:* er ist durch den Wald gewandert.
sinnv.: sich fortbewegen, spazierengehen. **Zus.:**
durch-, umherwandern. **2.** (ugs.) *zu einem be-
stimmten Zweck an einen bestimmten Ort ge-
schafft, gebracht werden:* der Ball wandert von
Mann zu Mann; der Brief wanderte in den Pa-
pierkorb. **sinnv.:** gelangen, landen, sich wieder-
finden.

Wan|ge, die; -, -n (geh.): ↑*Backe.*

wan|ken, wankte, hat/ist gewankt ⟨itr.⟩: **a)** *sich
schwankend bewegen und umzufallen drohen:* er
ist durch die Straßen gewankt. **sinnv.:** schwan-
ken. **Zus.:** hinauswanken. **b)** *sich unsicher hin und
her bewegen; schwankend stehen:* der Mast hat im
Sturm gewankt. **sinnv.:** schwingen, wackeln.

wann ⟨Adverb⟩: **1.** (zeitlich) *zu welchem Zeit-
punkt, zu welcher Zeit* **a)** ⟨interrogativ⟩: w.
kommst du?; w. bist du geboren? **b)** ⟨relativisch⟩:
du kannst kommen, w. du Lust hast. **2.** ⟨kondi-
tional⟩ *unter welchen Bedingungen:* ich weiß
nie genau, w. man rechts überholen darf [und w.
nicht].

Wan|ne, die; -, -n: *größeres, tieferes, längliches,
offenes Gefäß, bes. zum Baden.* **sinnv.:** Gefäß.
Zus.: Bade-, Mörtel-, Öl-, Zinkwanne.

Wap|pen, das; -s, -: *graphisch besonders gestal-
tetes Abzeichen als Kennzeichen einer Person, Fa-
milie oder Körperschaft:* eine Fahne mit dem W.
der Stadt. **Zus.:** Familien-, Landes-, Staats-,
Stadt-, Zunftwappen.

Wa|re, die; -, -n: *etwas, was gehandelt, verkauft
oder getauscht wird:* die bestellten Waren sind
noch nicht gekommen. **sinnv.:** Artikel, Erzeugnis,
Fabrikat, [Handels]gut, Handelsobjekt, Konsum-
gut, Produkt. **Zus.:** Alt-, Auslege-, Back-, Eisen-,
Eß-, Export-, Fertig-, Fleisch-, Gemischt-, Glas-,
Handels-, Haushalts-, Kolonial-, Konsum-,
Kurz-, Leder-, Luxus-, Mangel-, Papier-, Rauch-,
Süß-, Tabak-, Teig-, Textil-, Wurst-, Zucker-
ware[n].

warm, wärmer, wärmste ⟨Adj.⟩: **1. a)** *eine mäßig
hohe und als angenehm empfundene Temperatur
habend* /Ggs. kalt/: warmes Wasser; der Kaffee
ist noch w.; mir ist w. *(ich friere nicht).* **sinnv.:** an-
gewärmt, behaglich, lau, mollig, schwül, tempe-
riert, überschlagen. **Zus.:** feucht-, körper-, kuh-,
lau-, ofen-, zimmerwarm. **b)** *den Körper warm
haltend; gegen Kälte schützend:* eine warme Dek-

ke; sich w. anziehen. **sinnv.**: isolierend, schützend, wärmehaltend. **Zus.**: fußwarm. **2.** *herzliches Gefühl, Empfinden zeigend:* warme Worte finden. **sinnv.**: einfühlsam, freundlich, gefühlsbetont, gütig, mitempfindend.

Wär|me, die; -: **a)** *mäßig hohe Temperatur, die noch nicht als heiß empfunden wird:* eine angenehme W.; 30° W. **sinnv.**: Glut, Hitze, Schwüle. **Zus.**: Fern-, Körper-, Nest-, Verbrennungs-, Wasserwärme. **b)** *aufrichtige Freundlichkeit, Herzlichkeit:* mit großer W. von jmdm. sprechen. **sinnv.**: Innigkeit, Mitempfinden, Warmherzigkeit. **Zus.**: Gefühls-, Herzenswärme.

wär|men: a) ⟨tr./sich w.⟩ *[wieder] warm machen:* das Essen w.; ich habe mich, mir die Hände am Ofen gewärmt. **sinnv.**: aufwärmen, erwärmen. **b)** ⟨itr.⟩ *Wärme geben; warm halten:* Wolle wärmt.

war|nen ⟨tr.⟩: **a)** *mit aller Deutlichkeit auf eine Gefahr, eine Schwierigkeit aufmerksam machen:* die Bevölkerung vor einem Betrüger w.; ⟨auch itr.⟩ die Polizei warnt vor diesen Lebensmitteln. **sinnv.**: abraten, alarmieren. **b)** *jmdm. drohen, um ihn an etwas zu hindern:* ich warne dich [mir zu nahe zu kommen]! **sinnv.**: entmutigen.

war|ten, wartete, hat gewartet: **I. 1.** ⟨itr.⟩ *(jmdn./etwas) erwarten und deshalb an demselben Ort bleiben, bis er kommt oder etwas eintrifft:* ich habe schon eine Stunde [auf dich] gewartet. **sinnv.**: abwarten, anstehen, sich gedulden, harren, lauern, verharren. **2.** ⟨itr.⟩ *(eine Sache) [mit Ungeduld] erwarten:* auf das Ergebnis der Untersuchung w. **sinnv.**: entgegensehen. **II.** ⟨tr.⟩ *(an etwas) Arbeiten ausführen, die zur Erhaltung der Funktionsfähigkeit von Zeit zu Zeit notwendig sind:* die Maschine, das Auto regelmäßig w. [lassen] **sinnv.**: betreuen, kontrollieren, pflegen, unterhalten.

Wär|ter, der; -s, -, **Wär|te|rin,** die; -, -nen: *männliche bzw. weibliche Person, die jmdn. betreut, auf jmdn./etwas aufpaßt:* der Wärter im Gefängnis. **sinnv.**: Pfleger, Wächter. **Zus.**: Bahn-, Gefangenen-, Kranken-, Leuchtturm-, Tierwärter.

war|um ⟨Adverb⟩: **1.** ⟨interrogativ⟩ *aus welchem Grund?:* w. hast du das getan?; ich weiß nicht, w. er abgesagt hat. **sinnv.**: weshalb, weswegen, wieso, wofür, wozu. **2.** ⟨relativ⟩ *aus welchem Grund:* der Beweggrund, w. er so entschied, blieb verborgen. **sinnv.**: weshalb, wieso.

War|ze, die; -, -n: *kleine, rundliche Wucherung der Haut:* er hat eine W. an der Hand. **Zus.**: Brustwarze.

was: I. ⟨Interrogativpronomen⟩ *fragt nach etwas, dessen Nennung oder Bezeichnung erwartet oder gefordert wird:* w. ist das?; ⟨Gen.:⟩ weißt du, wessen man ihn beschuldigt?; ⟨ugs. in Verbindung mit Präp.:⟩ für w. *(wofür)* ist das gut?; um w. *(worum)* geht es?; zu w. *(wozu)* kann man das gebrauchen?; ⟨in Ausrufesätzen:⟩ w. es [nicht] alles gibt! **II.** ⟨Relativpronomen⟩ **1.** *bezeichnet in Relativsätzen, die sich nicht auf Personen beziehen, dasjenige, worüber im Relativsatz etwas ausgesagt ist:* das habe [alles] mitgenommen, w. nicht nietund nagelfest war; ⟨Gen.:⟩ [das,] wessen er sich rühmt, ist kein besonderes Verdienst; ⟨ugs. in Verbindung mit Präp.:⟩ das ist das einzige, zu w. *(wozu)* er taugt; ⟨w. + „auch", „immer", „auch immer":⟩ w. er auch [immer] *(alles, was er)* anfing, wurde ein Erfolg. **2.** *wer:* w. ein richtiger

Kerl ist, [der] wehrt sich. **III.** ⟨Indefinitpronomen⟩ ⟨ugs.⟩ *[irgend] etwas:* das ist ja ganz w. anderes!; ist w.? *(ist etwas geschehen?);* tu doch w.!; weißt du w.? Ich lade dich ein! **IV.** ⟨Adverb⟩ ⟨ugs.⟩ **1.** *warum* (1): w. regst du dich so auf?; ⟨in Ausrufesätzen:⟩ w. mußtest du ihn auch so provozieren! **2.** *wie [sehr]:* lauf, w. *(so schnell wie)* du kannst!; ⟨meist in Ausrufesätzen:⟩ w. hast du dich verändert! **3.** *wie [beschaffen], in welchem Zustand:* weißt du, w. du bist? W. /als saloppe [unhöfliche] Nachfrage/: w.? **sinnv.**: bitte.

Wä|sche, die; -: **1.** *Teile der Bekleidung, die man unmittelbar auf dem Körper und unter der Kleidung trägt:* die W. wechseln. **sinnv.**: Unterwäsche. **Zus.**: Herren-, Leib-, Reiz-, Winterwäsche. **2. a)** *alle Dinge des täglichen Lebens, die aus Stoff bestehen und die gewaschen werden müssen:* W. bügeln. **Zus.**: Bett-, Bunt-, Fein-, Koch-, Tischwäsche. **b)** *das Waschen; Vorgang des Waschens:* der Pullover ist bei der W. eingelaufen.

wa|schen, wäscht, wusch, hat gewaschen ⟨tr./sich w.⟩: *(mit Wasser und Seife o. ä.) von anhaftendem Schmutz oder sonstigen unerwünschten Stoffen befreien:* Wäsche, Strümpfe w.; ich wasche mich morgens und abends. **sinnv.**: säubern. **Zus.**: ab-, auf-, aus-, durch-, vorwaschen.

Was|ser, das; -s, - und Wässer: **1.** *natürliche, durchsichtige, weitgehend farb-, geruch- und geschmacklose Flüssigkeit:* W. verdunstet, gefriert; das W. kocht, siedet. **sinnv.**: das feuchte/nasse Element, Gänsewein, Naß. **Zus.**: Ab-, Bade-, Berg-, Brack-, Brauch-, Grund-, Kaffee-, Kartoffel-, Kiel-, Leitungs-, Meer-, Mineral-, Quell-, Regen-, Salz-, Selters-, Süß-, Tee-, Trink-, Waschwasser; Duft-, Feuer-, Gesichts-, Haar-, Heil-, Kirsch-, Mund-, Rasier-, Zahnwasser. **2.** ⟨ohne Plural⟩ ↑ *Gewässer:* am W. liegen und sich sonnen. **Zus.**: Fahr-, Fisch-, Wildwasser.

Was|ser|hahn, der; -[e]s, Wasserhähne: *Vorrichtung zum Öffnen und Schließen von Wasserleitungen.* **sinnv.**: Mischbatterie, Zapfstelle. **Zus.**: Kalt-, Warmwasserhahn.

wäß|rig ⟨Adj.⟩: *zu viel Wasser enthaltend:* wäßriger Wein. **sinnv.**: fade, verwässert.

wa|ten, watete, ist gewatet ⟨itr.⟩: *im Wasser oder auf nachgiebigem Untergrund einsinkend langsam gehen:* durch den Bach, Schlamm w.; wir sind bis an die Knöchel im Schmutz gewatet. **sinnv.**: sich fortbewegen.

Wat|te, die; -, -n: *aus weichen Fasern hergestelltes Material, das bes. für Verbandszwecke, zur Polsterung o. ä. dient:* sich W. in die Ohren stopfen. **Zus.**: Glas-, Schnee-, Verbandwatte.

WC [ve:'tse:], das; -[s], -[s]: *Toilette mit Wasserspülung.*

we|ben ⟨tr./itr.⟩: *durch kreuzweises Verbinden von Längs- und Querfäden ein Gewebe herstellen:* mit der Hand gewebte Teppiche. **sinnv.**: stricken, wirken.

Wech|sel, der; -s, -: **1.** ⟨ohne Plural⟩ *[Ver]änderung, [Aus]tausch, das Wechseln:* in der Führung der Partei vollzog sich ein W.; der W. von einem Betrieb zum andern. **Zus.**: Ball-, Berufs-, Brief-, Jahres-, Klima-, Kurs-, Öl-, Orts-, Regierungs-, Reifen-, Schrift-, Schul-, Schuß-, Seiten-, Stoff-, Szenen-, Takt-, Tapeten-, Tempo-, Wohnungs-, Wortwechsel. **2.** *schriftliche Verpflichtung zur Zahlung in einem bestimmten Zeitraum:* mit einem W. bezahlen. **sinnv.**: Scheck. **Zus.**: Monatswechsel.

wech|seln: 1. ⟨tr.⟩ *aus einem bestimmten Grund etwas durch etwas Neues derselben Art ersetzen, eine Person (an einer bestimmten Stelle) durch eine andere (in der gleichen Funktion) austauschen:* die Wäsche w.; er hat den Chauffeur gewechselt. **sinnv.**: austauschen. **Zus.**: auswechseln. 2. ⟨itr.⟩ *sich ändern; sich ins Gegenteil verkehren:* seine Stimmung wechselt schnell. **sinnv.**: ändern, umsatteln. **Zus.**: abwechseln. 3. ⟨tr./itr.⟩ *für einen größeren Betrag, meist einen Geldschein, mehrere kleinere Münzen oder Scheine im gleichen Wert geben:* jmdm. hundert Mark w. **sinnv.**: tauschen. **Zus.**: einwechseln.

wecken ⟨tr.⟩: 1. *wach machen:* wecke mich um sechs Uhr! **sinnv.**: aufwecken. 2. *etwas [in jmdm.] entstehen lassen:* schlummernde Kräfte, Interesse w.; alte Erinnerungen w. *(wieder ins Bewußtsein rufen).* **sinnv.**: anreizen, aufrühren, aufrütteln, verursachen, wachrufen.

Wecker, der; -s, -: *Uhr, die zu einer gewünschten Zeit ein Klingelzeichen ertönen läßt:* der W. rasselte. **Zus.**: Reisewecker.

we|deln ⟨itr.⟩: *(etwas Leichtes) hin und her bewegen:* mit einem Tuch w.; der Hund wedelte mit dem Schwanz. **sinnv.**: fächeln, schlenkern, schwänzeln.

weder: ⟨nur in der Verbindung⟩ weder .... noch */betont nachdrücklich, daß von den [zwei] genannten Möglichkeiten oder Personen keine eine Wirkung hat/:* dafür habe ich w. Zeit noch Geld [noch Lust]; w. er noch sie wußte/(auch:) wußten Bescheid.

weg ⟨Adverb⟩: a) */bezeichnet ein [Sich]entfernen von einem bestimmten Ort, Platz/ von diesem an einen anderen Ort, Platz, von dieser an eine andere Stelle:* w. da!; w. mit euch, damit!; Finger w. [von den Möbeln]! **Zus.**: durch-, reine-, vorneweg. b) */bezeichnet das Ergebnis des [Sich]entfernens/ an einem bestimmten Ort, Platz nicht mehr vorhanden, zu finden:* zur Tür hinaus und w. war sie; die Schmerzen sind w. **sinnv.**: abwesend, unterwegs.

weg- ⟨trennbares, betontes verbales Präfix⟩: **1.** **a)** */besagt, daß durch die im Verb genannte Tätigkeit, durch den genannten Vorgang oder Zustand etwas/jmd. nicht dort bleibt, wo es oder er sich vorher befunden hat, daß etwas/jmd. an einer bestimmten Stelle nicht [mehr] ist/:* sich wegbegeben, -bleiben, -bringen, -drängen; -fangen, -fließen, -halten, -räumen, -rennen, -sein, -tauchen, -treten, -wollen. **sinnv.**: fort-, hinweg-, woandershin. **b)** */besagt in Verbindung mit dem Dativ der Person, daß etwas, was jmd. für sich hätte nehmen wollen, nicht mehr vorhanden ist, weil es ein anderer nimmt/:* jmdm. etwas wegangeln, -essen, -schnappen. **c)** */besagt, daß durch die im Verb genannte Tätigkeit etwas einem anderen nicht mehr zugänglich, ihm verborgen ist/:* wegsperren, -schließen, -stecken. **d)** */besagt, daß sich etwas von einem festen Ausgangspunkt in eine Richtung erstreckt/:* wegstehen (Haare). **2. a)** */besagt, daß mit der im Verb genannten Tätigkeit das Ziel verfolgt wird, etwas zu beseitigen, nicht existieren zu lassen/:* wegarbeiten, -ätzen, -brechen, -diskutieren, -gießen, -kratzen, -operieren, -rasieren, -retuschieren, -waschen, -wischen. **sinnv.**: -los. **b)**

/besagt, daß durch die im Verb genannte Tätigkeit, durch den genannten Vorgang als Ergebnis etwas/ jmd. nicht mehr vorhanden ist, nicht mehr existiert/: (Widersprüche) wegdefinieren, (eine Packung Zigaretten) wegqualmen; wegsterben. **c)** */besagt, daß sich eine nicht gewünschte, nicht beabsichtigte Beseitigung von etwas als Folge der im Verb genannten Maßnahme ergibt; als Folge des ... beseitigt werden, aufhören zu bestehen, vorhanden zu sein/:* wegadministrieren, -rationalisieren, -sich selbst wegaktivieren.

Weg, der; -[e]s, -e: **1.** *oft nicht ausgebaute Strecke, die zum Gehen und zum Fahren dient:* ein steiler W. **sinnv.**: Bahn, Pfad, Route, Straße. **Zus.**: Fahr-, Feld-, Fuß-, Geh-, Hohl-, Privat-, Rad-, Verkehrs-, Wald-, Wander-, Zufahrtsweg. **2.** *Richtung, die einzuschlagen ist, Strecke, die zurückzulegen ist, um an ein bestimmtes Ziel zu kommen:* jmdm. den W. [zum Bahnhof] zeigen; einen weiten W. zur Schule haben. **Zus.**: Anfahrts-, Flucht-, Heim-, Nachhause-, Rück-, Schul-, Um-, Zickzackweg. **3.** *Gang, Fahrt mit einem bestimmten Ziel oder irgendwohin, um etwas zu besorgen, zu erledigen:* ich habe noch einige Wege zu erledigen; er ist auf dem W. nach Berlin. **4.** *Art und Weise, in der man vorgeht, um ein bestimmtes Ziel zu erreichen:* ich sehe nur diesen einen W.; etwas auf schriftlichen Weg[e] regeln. **sinnv.**: Methode, Möglichkeit. **Zus.**: Amts-, Aus-, Bildungs-, Dienst-, Instanzen-, Irr-, Rechtsweg.

wegen ⟨Präp. mit Gen.: alleinstehende vor Substantive können im Singular auch ungebeugt bleiben bzw. im Plural im Dativ stehen⟩: **a)** */stellt ein ursächliches Verhältnis her/ auf Grund von:* w. des schlechten Wetters/(geh.:) des schlechten Wetters w.; w. Umbau[s] geschlossen; w. Geschäften war er drei Tage verreist; die wesentlichen Anliegen, w. deren sie bei uns anrufen. **sinnv.**: aus, dank, infolge, kraft, um ... willen. **b)** */drückt einen Bezug aus/ bezüglich:* w. dieser Angelegenheit müssen Sie sich an den Vorstand wenden. **sinnv.**: angesichts, anläßlich. **c)** */bezeichnet den beabsichtigten Zweck eines bestimmten Tuns, den Beweggrund für ein bestimmtes Tun/ um ... willen:* er hat es w. des Geldes/(geh.:) des Geldes w. getan; w. (ugs.:) mir/ (veraltet, noch landsch.:) meiner *(meinetwegen).* **sinnv.**: halber, um ... willen, zu, zwecks. **Zus.**: deinet-, dere[n]t-, des-, dessent-, euret-, ihret-, meinet-, seinet-, unsret-, weswegen.

weg|fal|len, fällt weg, fiel weg, ist weggefallen ⟨itr.⟩: *fortfallen, nicht mehr in Betracht kommen:* dieser Grund fällt jetzt weg. **sinnv.**: ausfallen, ausscheiden, entfallen, flachfallen.

weg|ge|hen, ging weg, ist weggegangen ⟨itr.⟩: *sich von einem Ort, von jmdm. entfernen:* er ist vor einer halben Stunde weggegangen; die Karten gingen rasend weg *(waren sehr schnell verkauft);* der Fleck auf der Hose geht nicht mehr weg *(läßt sich nicht mehr entfernen).* **sinnv.**: abhauen, abmarschieren, abrücken, abschieben, abschwirren, sich absentieren, sich absetzen, abtreten, abziehen, abzischen, abzittern, aufbrechen, sich aufmachen, ausreißen, ausziehen, davonlaufen, sich davonmachen, sich dünnmachen, durchbrennen, sich empfehlen, enteilen, sich entfernen, fliehen, sich fortbegeben, sich fortbewegen, fortfahren, fortgehen, sich fortschleichen, hinausgehen, losziehen, sich scheren, sich stehlen, stiftengehen, sich trollen, türmen, sich verdrükken, sich verflüchtigen, sich verkrümeln, verlassen, sich verziehen, sich wegbegeben, weglaufen, wegstehlen, das Weite suchen.

weg|neh|men, nimmt weg, nahm weg, hat weggenommen ⟨tr.⟩: **a)** *von einer Stelle nehmen:* das oberste Buch w. **sinnv.**: abziehen, entfernen, entnehmen. **b)** *(etwas, was ein anderer hat) an sich nehmen:* der Vater nahm dem Kind den Ball weg. **sinnv.**: abnehmen, sich aneignen, ausräumen, bestehlen, einstecken, enteignen, entreißen, entwenden, entziehen, erbeuten, filzen, klauen, krallen, mitgehen lassen, stehlen, stibitzen, sich vergreifen, veruntreuen. **c)** *(durch sein Vorhandensein) bewirken, daß etwas nicht mehr vorhanden, verfügbar ist:* der Schrank nimmt viel Platz weg. **sinnv.**: beanspruchen, einnehmen.

Weg|wei|ser, der; -s, -: *[pfeilförmiges] Schild, auf dem angegeben wird, wohin der jeweilige Weg, die jeweilige Straße führt:* auf den W. achten. **sinnv.**: Hinweisschild, Piktogramm, Richtungsanzeiger, Schild, [Weg]markierung.

weg|zie|hen, zog weg, hat/ist weggezogen: **1.** ⟨tr.⟩ *zur Seite ziehen, durch Ziehen von einer Stelle entfernen:* sie haben den Karren von der Einfahrt weggezogen. **2.** ⟨itr.⟩ *an einen anderen Ort [um]ziehen:* sie sind [aus München] weggezogen. **sinnv.**: abziehen, übersiedeln.

weh ⟨Adj.⟩: **1.** (ugs.) *schmerzend:* -e Füße haben; ⟨meist in Verbindung mit „tun":⟩ mein/der Kopf tut [mir] w. *(ich habe Kopfschmerzen);* wo tut es [dir] denn w.? *(wo hast du Schmerzen?);* ich habe mir [an der scharfen Kante] w. getan *(habe mich [daran] gestoßen, geritzt o. ä.).* **2.** (geh.) *von seelischem Schmerz, Leid erfüllt, geprägt; schmerzlich:* ein -es Gefühl.

we|hen: **a)** ⟨itr.⟩ *durch Luftströmung bewegt werden:* die Fahnen wehen im Wind. **sinnv.**: flattern, knattern. **b)** ⟨itr.⟩ *als spürbare Luftströmung in Erscheinung treten:* heute weht ein kalter Wind. **sinnv.**: auffrischen, säuseln, stürmen. **Zus.**: hinüber-, um-, wegwehen. **c)** ⟨tr.⟩ *wehend von etwas entfernen, in eine bestimmte Richtung, an eine bestimmte Stelle treiben:* der Wind wehte mir den Sand ins Gesicht. **sinnv.**: blasen, pusten.

Weh|mut, die; -: *verhaltene Trauer, stiller Schmerz (bei der Erinnerung an etwas Vergangenes, Verlorenes):* mit W. dachte sie an vergangene Zeiten. **sinnv.**: Trauer.

weh|ren: **1.** ⟨sich w.⟩ *etwas nicht einfach hinnehmen, sondern dagegen angehen, [körperlich] Widerstand leisten:* sich heftig gegen die Vorwürfe w. **sinnv.**: abwehren, sich stemmen, sich verantworten, sich verteidigen. **2.** ⟨itr.⟩ (geh.) *jmdm./einer Sache entgegenwirken:* wehret den Anfängen! **sinnv.**: abwehren.

wehr|los ⟨Adj.⟩: *nicht fähig, sich zu wehren, sich zu verteidigen:* eine wehrlose Frau.

weib|lich ⟨Adj.⟩: **1.** (nicht adverbial) *dem gebärenden Geschlecht angehörend /Ggs. männlich/:* die weiblichen Mitglieder der Familie. **sinnv.**: feminin. **2.** *für eine Frau charakteristisch:* eine typisch weibliche Eigenschaft; eine sehr weibliche (die weiblichen Formen betonende) Mode. **sinnv.**: feminin, frauenhaft, fraulich.

weich ⟨Adj.⟩: **1.** *einem Druck leicht nachgebend, sich schmiegsam, zart o. ä. anfühlend:* ein weiches

Polster; ein weicher Stoff; die Früchte sind sehr w. **sinnv.**: breiig, labberig, matschig, mürbe, quabbelig, samtig, schwabbelig, schwammig, seidig, teigig, unfest. **Zus.**: butter-, flaum-, samt-, seiden-, wachs-, windelweich. **2.** *leicht zu rühren; empfindsam und voller Mitgefühl:* er hat ein weiches Gemüt. **sinnv.**: sanft, willensschwach.

wei|chen: I. wich, ist gewichen ⟨itr.⟩: **a)** *sich von jmdm./etwas entfernen:* sie wich nicht von dem Bett des Kranken. **sinnv.**: weggehen. **Zus.**: ab-, entweichen. **b)** *(bes. einer Übermacht o. ä.) Platz machen, das Feld räumen:* der Gewalt, dem Feind w.; von dem Auto mußten sie zur Seite w. **sinnv.**: nachgeben. **Zus.**: aus-, zurückweichen. **II.** weichte, ist geweicht ⟨itr.⟩: *[durch Liegen in Flüssigkeit o. ä.] weich werden:* die Erbsen sind im Wasser geweicht. **Zus.**: auf-, durch-, erweichen.

Wei|de, die; -, -n: *grasbewachsenes Stück Land, auf dem das Vieh weiden kann:* Kühe grasen auf der W. **sinnv.**: Wiese. **Zus.**: Berg-, Sommer-, Vieheweide.

wei|den, weidete, hat geweidet: **1. a)** ⟨itr.⟩ *auf der Weide Nahrung suchen und fressen; grasen:* Kühe weideten auf der Wiese. **sinnv.**: fressen. **b)** ⟨tr.⟩ *(Tiere) grasen lassen [und dabei beaufsichtigen]:* der Junge weidete die Ziegen. **2.** ⟨sich w.⟩ **a)** *sich (an etwas) freuen, ergötzen:* er weidete sich an dem schönen Anblick. **sinnv.**: sich freuen. **b)** *(etwas) mitleidlos, schadenfroh betrachten:* er weidete sich an ihrer Unsicherheit.

wei|gern, sich: *ablehnen (etwas Bestimmtes zu tun):* er weigerte sich, den Befehl auszuführen. **sinnv.**: sich sperren.

wei|hen: 1. ⟨tr.⟩ *nach einem bestimmten religiösen Zeremoniell segnen:* der Bischof weihte die neuen Glocken. **sinnv.**: einsegnen, heiligen, salben, segnen. **Zus.**: ein-, umweihen. **2.** ⟨tr./sich w.⟩ (geh.) *uneigennützig zur Gänze widmen:* du hast dein Leben, dich der Arbeit geweiht.

Wei|her, der; -s, -: *kleiner Teich:* das Dorf hat einen W. **sinnv.**: See. **Zus.**: Fischweiher.

Weih|nach|ten, das; -, - ⟨meist ohne Artikel; landschaftlich und in bestimmten Wunschformeln und Fügungen auch als Plural⟩: *Fest der Geburt Christi:* er will uns [(bes. nordd.:) zu/(bes. südd.:) an] W. besuchen; [fröhliche Weihnachten! **sinnv.**: Christfest, Heiligabend, Heilige Nacht, Jul[fest], Weihnachtsabend, Weihnachtstage.

weih|nacht|lich ⟨Adj.⟩: *Weihnachten betreffend, für Weihnachten bestimmt:* weihnachtliche Stimmung; -e Räume sind w. geschmückt.

Weih|nachts|baum, der; -[e]s, Weihnachtsbäume: *[kleine] Tanne, Fichte, Kiefer, die man zu Weihnachten bes. im Zimmer aufstellt und mit Kerzen, Kugeln, Lametta o. ä. schmückt.* **sinnv.**: Christ-, Lichter-, Tannenbaum.

weil ⟨Konj.⟩: **1.** */leitet begründende Gliedsätze ein, deren Inhalt neu oder besonders gewichtig ist und nachdrücklich hervorgehoben werden soll/:* er ist [deshalb] so traurig, w. sein Vater krank ist; w. er eine Panne hatte, kam er zu spät; ⟨auch vor verkürzten Gliedsätzen, die begründenden Attributen o. ä.:⟩ er ist – w. Fachmann – auf diesem Gebiet versiert. **2. a)** */auf dem begründenden Gliedsatz liegt kein besonderer Nachdruck/ da:* er hat gute Zensuren, w. er fleißig ist; w. ich werde nochmals anrufen, w. er sich nicht gemeldet hat. **b)** */mit bekräftigender Partikel/;* der im Gliedsatz angeführte Grund wird als bekannt vorausgesetzt/ *da:* ich konnte nicht kommen, w. ja gestern meine Prüfung war. 3. /*leitet die Antwort auf eine direkte Frage nach dem Grund von etwas ein/:* „Warum kommst du jetzt erst?" – „Weil der Bus Verspätung hatte." 4. /*mit zeitlichem Nebensinn/ jetzt, da:* w. wir gerade davon sprechen, möchte ich auch meinen Standpunkt erläutern. **Zus.:** alldie-, alle-, derweil.

Wei|le, die; -: /*[kürzere] Zeitspanne von unbestimmter Dauer:* nachdem er angeklopft hatte, dauerte es eine W., bis die Tür geöffnet wurde. **sinnv.:** Augenblick, Dauer, Spanne. **Zus.:** Langeweile.

Wein, der; -[e]s, -e: **a)** *alkoholisches Getränk aus Weintrauben o.ä.:* sie tranken W. **sinnv.:** Federweißer, Gewächs, Heuriger, Most, Rebensaft. **Zus.:** Apfel-, Glüh-, Land-, Mosel-, Nahe-, Obst-, Rhein-, Rot-, Schaumwein. **b)** ⟨ohne Plural⟩ *Weintrauben:* W. anbauen, lesen, keltern.

wei|nen ⟨itr.⟩: *(als Ausdruck von Schmerz, von starker innerer Erregung) Tränen vergießen [und dabei in kurzen, hörbaren Zügen einatmen und klagende Laute von sich geben]:* vor Freude, Angst w.; sie weinte über den Tod ihres Kindes; ⟨auch tr.⟩ das Kind weinte bittere Tränen *(sehr heftig).* **sinnv.:** brüllen, flennen, heulen, plärren, wimmern; nahe/dicht ans (auch: am) Wasser gebaut haben. **Zus.:** aus-, be-, los-, nach-, vollweinen.

Wein|re|be, die; -, -nen: *rankende Pflanze mit gelappten oder gefiederten Blättern und in Trauben wachsenden Beerenfrüchten (aus deren Saft Wein hergestellt wird).*

Wein|trau|be, die; -, -n: *Frucht der Weinrebe.* **sinnv.:** Weinbeere.

wei|se ⟨Adj.⟩: *von Weisheit zeugend:* er hat sehr w. gehandelt. **sinnv.:** abgeklärt, gereift, klug, lebenserfahren, philosophisch, reif, salomonisch, überlegen, wissend. **Zus.:** altersweise.

-wei|se ⟨Suffix⟩: 1. ⟨adverbial⟩ *in der im Basiswort genannten Art und Weise* **a)** ⟨mit adjektivischem oder partizipialem Basiswort + Fugenzeichen -er-⟩ *was ... ist, wie es ... ist:* begreiflicher-, bezeichnender-, dankenswerter-, dummerweise. **sinnv.:** -maßen. **b)** ⟨mit partizipialem Basiswort + Fugenzeichen -er-⟩ *durch das im Basiswort Genannte /bei dem im Basiswort Genannten:* kniender-, lesender-, radfahrender-, schreibenderweise. 2. ⟨adverbial, aber auch adjektivisch vor einem Substantiv, das ein Geschehen kennzeichnet⟩ **a)** ⟨mit substantivischem Basiswort⟩ *in Form von ..., als ...:* andeutungs-, gesprächs-, probe-, ruck-, versuchs-, zwangsweise /adjektivisch/ probeweise Anstellung. **b)** ⟨mit substantivischem Basiswort, das eine Einheit (z.B. Menge, Maß) angibt⟩ *in jeweils der als Basiswort genannten Mengen-, Maßeinheit:* bündel-, dutzend-, eimer-, schluck-, stoß-, ⟨adjektivisch/ schrittweise Annäherung *(eine Annäherung Schritt für Schritt).* 3. ⟨adverbial⟩ ⟨selten⟩ ⟨mit verbalem Basiswort⟩ *in der Form des im Basiswort Genannten:* leihweise geben, mietweise anbieten.

Wei|se, die; -, -n: I. *Form, Art (in der etwas geschieht oder getan wird):* er ist auf geheimnisvolle W. verschwunden. **sinnv.:** Form, Stil. **Zus.:** Arbeits-, Ausdrucks-, Bau-, Ernährungs-, Fahr-, Lebens-, Schreibweise. II. *Vertonung eines Liedes;*

anspruchsloses Musikstück: die Kapelle spielte flotte Weisen. **sinnv.:** Melodie. **Zus.:** Volksweise.

wei|sen, wies, hat gewiesen: 1. **a)** ⟨tr.⟩ ↑ *zeigen:* er wies dem Fremden den Weg. **b)** ⟨itr.⟩ *(auf etwas) zeigen, deuten:* er wies mit der Hand auf ein Haus, das in der Ferne zu sehen war. **Zus.:** auf-, hin-, hinaus-, ver-, vorwärtsweisen. 2. ⟨tr.⟩ *(den weiteren Verbleib an einem bestimmten Ort untersagen:* der Schüler wurde von der Schule gewiesen; er hat den Vorschlag [weit] von sich gewiesen. **sinnv.:** abwehren. **Zus.:** ab-, an-, ein-, über-, unter-, weg-, zurecht-, zurückweisen.

Weis|heit, die; -, -en: 1. ⟨ohne Plural⟩ *durch Lebenserfahrung, Abgeklärtheit gewonnene innere Reife:* er ist ein Mensch von großer W. **Zus.:** Alters-, Lebensweisheit. 2. *durch Erfahrung gewonnene Lehre:* diese Sprüche enthalten viele Weisheiten. **sinnv.:** Erkenntnis, Moral. **Zus.:** Bauern-, Binsen-, Bücher-, Katheder-, Schul-, Spruch-, Volksweisheit.

weiß ⟨Adj.⟩: *von der Farbe des Schnees* /Ggs. schwarz/: die Blüten des Kirschbaumes sind w. **Zus.:** blüten-, fahl-, feder-, gelblich-, grau-, grell-, kalk-, käse-, kreide-, lilien-, marmor-, matt-, milch-, perl-, porzellan-, rahm-, schloh-, schmutzig-, schnee-, schwanen-, schwarz-, silber-, wachs-, zartweiß.

Wei|sung, die; -, -en: ↑ *Anordnung:* sie folgten den Weisungen des Chefs. **sinnv.:** Aufruf, Auftrag, Befehl, Dekret, Direktive, Gebot, Geheiß, Kommando, Order, Reglement. **Zus.:** Ab-, An-, Ein-, Er-, Gegen-, Unter-, Ver-, Zurechtweisung.

weit ⟨Adj.⟩: 1. **a)** *von großer räumlicher Ausdehnung:* eine weite Ebene; der Himmel über dem Meer war unermeßlich w. **sinnv.:** geräumig. **b)** *räumlich oder zeitlich ausgedehnt, entfernt:* er hatte einen weiten Weg zur Schule; bis zum nächsten Dorf war es sehr w. **sinnv.:** fern. **Zus.:** ebenso-, kilometer-, meilen-, sperrangel-, stundenweit. 2. *nicht fest anliegend* /Ggs. eng/: ein weiter Rock; die Schuhe sind ihm zu w. 3. ⟨verstärkend bei Verben und Adjektiven im Komparativ⟩ *weitaus:* er hat ihn darin w. übertroffen; sein Haus ist w. schöner als das seines Bruders. **sinnv.:** sehr.

weit|aus ⟨Adverb⟩: **a)** ⟨in Verbindung mit einem Komparativ⟩ *sehr viel:* er sang w. besser als die anderen. **b)** ⟨in Verbindung mit einem Superlativ⟩ *alles andere, alle anderen weit übertreffend:* sein Spiel war w. am besten.

Wei|te, die; -, -n: 1. *große räumliche Ausdehnung:* die W. des Landes, des Meeres. **sinnv.:** Raum. **Zus.:** Hör-, Ruf-, Seh-, Sichtweite. 2. *Umfang, Größe:* der Rock muß in der W. geändert werden; die Öffnung des Gefäßes hat eine geringe W. 3. *(bei einem Sprung, Wurf o.ä.) erreichte Entfernung:* er beim ersten Sprung erreichte eine W. von 7,50 m. **sinnv.:** Entfernung. **Zus.:** Reich-, Rekord-, Spannweite.

wei|ter ⟨Adverb⟩: 1. *darüber hinaus, sonst:* er sagte, daß er w. nichts wisse. **sinnv.:** außerdem. 2. *im weiteren Verlauf:* er versprach, w. für sie zu sorgen. **sinnv.:** weiterhin. 3. */bezeichnet die Fortsetzung, Fortdauer einer Bewegung, einer Handlung/:* halt, nicht w.! **sinnv.:** voran, vorwärts.

wei|ter... ⟨Adj.; nur attributiv⟩: *(anschließend, hinzukommend; sich als Fortsetzung ergebend:* haben Sie noch weitere Fragen? **sinnv.:** neu, sonstig, übrig, zusätzlich.

wei|ter|fah|ren, fährt weiter, fuhr weiter, ist weitergefahren ⟨itr.⟩: *eine begonnene Fahrt fortsetzen:* der Zug fährt weiter; er ist mit der Straßenbahn, nach Wien weitergefahren.

wei|ter|hin ⟨Adverb⟩: **1.** *auch in der folgenden Zeit, in Zukunft:* sie lebten w. im Hause ihrer Eltern. **sinnv.:** fortdauernd, weiter. **2.** *darüber hinaus:* w. forderte er, daß man sofort mit der Arbeit beginnen solle. **sinnv.:** außerdem.

wei|ter|ge|hend, weiter gehend/weitergehender, weitestgehend/weitgehendst ⟨Adj.; nicht prädikativ⟩: *fast vollständig, vieles umfassend:* er hatte weitgehende Freiheit in seiner Arbeit; die Zustände hatten sich w. *(sehr)* gebessert. **sinnv.:** generell.

weit|sich|tig ⟨Adj.⟩ /Ggs. kurzsichtig/: **a)** *nur entfernte Dinge gut sehend:* der Arzt hat festgestellt, daß ich w. bin. **b)** *an die Folgen o.ä. in der Zukunft denkend, sie mit bedenkend:* er hat sehr w. gehandelt. **sinnv.:** klug, umsichtig, vorausblickend, vorausschauend, voraussehend, weitblickend.

Wei|zen, der; -s: *Getreideart mit langem Halm [und Grannen], deren Frucht bes. zu weißem Mehl für Brot und feines Backwerk verarbeitet wird* (siehe Bildleiste „Getreide").

wel|cher, welche, welches: **I.** ⟨Interrogativpronomen⟩ **1.** */fragt nach einem Einzelwesen, -ding usw. aus einer Gesamtheit, Gruppe, Gattung o.ä./:* welcher Mantel gehört dir?; welcher [der/von den/von beiden] ist besser?; welches/(seltener:) welcher ist dein Hut?; welches/welchen Kindes Spielzeug ist das? ⟨in indirekten Fragesätzen:⟩ er fragte mich, welcher [Teilnehmer] das gesagt habe; ⟨in anderen abhängigen Sätzen:⟩ es ist gleichgültig, welcher [von beiden] es getan hat; ⟨in Verbindung mit „auch [immer]", „immer":⟩ welches [auch] immer deine Gründe waren, du hättest es nicht tun dürfen. **2.** (geh.)/drückt einen besonderen Grad, eine besondere Ausmaß aus/ *was für ein[er]:* welch schöner Tag ist das heute!; ⟨oft unflektiert:⟩ welch ein Glück! **II.** ⟨Relativpronomen; ohne Gen.⟩: *der, die das:* Personen, für welche (besser: für die) das gilt; die, welche die beste Arbeit geleistet hatten. **III.** ⟨Indefinitpronomen⟩ /steht bes. stellvertretend für ein vorher genanntes Substantiv; bezeichnet eine unbestimmte Menge, Anzahl/: ich habe keine Zigaretten, hast du welche?; ⟨ugs. auch auf Personen bezogen:⟩ sind schon welche [von uns] zurückgekommen?

welk ⟨Adj.⟩: *(durch einen Mangel an Feuchtigkeit) nicht mehr frisch; schlaff geworden:* eine welke Haut; die Blumen sind w. geworden.

wel|ken, welkte, ist gewelkt ⟨itr.⟩: *welk, schlaff werden:* die Blumen welkten, weil er vergessen hatte, sie zu gießen. **sinnv.:** abblühen, eingehen, trocknen, verblühen, vertrocknen, verwelken.

Wel|le, die; -, -n: **1.** *durch den Wind hervorgerufene Bewegung der Wasseroberfläche:* eine W. warf das Boot um. **sinnv.:** Brandung, Brecher, Dünung, Seegang, Woge. **Zus.:** Brandungs-, Flut-, Gezeiten-, Meeres-, Sturzwelle. **2.** ⟨W. + Attribut⟩ *etwas, was in großem Ausmaß bzw. in mehr oder weniger dichter Folge in Erscheinung tritt [und sich ausbreitet, steigert]:* eine W. wütender Proteste. **sinnv.:** Flut, Menge. **3.** *Haare, die in geschwungener Form liegen:* sie ließ das Haar in Wellen legen. **sinnv.:** Locken, Lockenfrisur, Wellenfrisur. **Zus.:** Dauer-, Fön-, Kalt-, Wasserwelle.

-wel|le, die; -, -n ⟨Suffixoid⟩: *eine plötzlich in stärkerem Maße auftretende, akute, wie eine Welle herandringende Entwicklung, Erscheinung in bezug auf das im Basiswort Genannte:* Bio-, Freß-, Gesundheits-, Grippe-, Hitze-, Kälte-, Protestwelle.

Welt, die; -, -en: **1.** ⟨ohne Plural⟩ *(der Planet) Erde (als Lebensraum des Menschen):* eine Reise um die W.; dieser Künstler ist überall in der W. bekannt. **sinnv.:** Erde, Erdenrund, Erdkreis. **2.** ⟨ohne Plural⟩ ↑*Weltall:* Theorien über die Entstehung der W. **3.** ⟨ohne Plural⟩ **a)** *alle Menschen:* die W. hofft auf den Frieden. **b)** *größerer Kreis von Menschen, die durch bestimmte Gemeinsamkeiten verbunden sind, bes. gesellschaftliche Schicht, Gruppe:* die gelehrte W. konnte sich mit Einsteins Theorien nicht gleich anfreunden. **Zus.:** Männer-, Nach-, Verbrecherwelt. **4.** *[Lebens]bereich, Sphäre:* die W. des Kindes; die W. der Technik, der Träume. **Zus.:** Arbeits-, Außen-, Innen-, Märchen-, Pflanzen-, Phantasie-, Sagen-, Schein-, Tier-, Traum-, Um-, Unter-, Vogel-, Vorstellungs-, Wunder-, Zauber-, Zirkuswelt. **5.** ⟨W. + Attribut⟩ *(als bedrohlich empfundene) große Anzahl von Menschen:* eine W. von Feinden umgab ihn.

Welt|all, das; -s: *der unendliche Raum, der alle Himmelskörper umschließt:* die Menschen beginnen das W. zu erobern. **sinnv.:** All, Galaxis, Kosmos, Raum, Universum, Welt, Weltenraum, Weltraum.

Welt|raum, der; -[e]s: *Raum außerhalb der Erdatmosphäre:* die Astronauten sind aus dem W. zurückgekehrt. **sinnv.:** Weltall.

Welt|raum|fahrt, die; -: *Gebiet, das sich mit der Fortbewegung im Weltraum mit Hilfe von Raketen o.ä. befaßt:* die W. brachte der Wissenschaft auf vielen Gebieten neue Erkenntnisse. **sinnv.:** Astronautik, Kosmonautik, Raumfahrt.

wem: Dativ von wer (↑ wer I, II).

wen: Akk. von wer (↑ wer I-III).

wen|den: I. wendete, hat gewendet: **a)** ⟨tr.⟩ *in eine andere Lage bringen:* sie wendete den Braten im Topf. **sinnv.:** umdrehen. **Zus.:** umwenden. **b)** ⟨itr.⟩ *in die entgegengesetzte Richtung bringen:* er konnte in der engen Straße [mit dem Wagen] nicht w. **sinnv.:** umkehren. **Zus.:** herum-, um-, zurückwenden. **II.** wendete/wandte, hat gewendet/gewandt: **1.** ⟨itr.⟩ *(in eine bestimmte Richtung) drehen:* den Kopf zur Seite w.; ⟨auch sich w.:⟩ als es klopfte, wandten sich ihre Augen zur Tür. **Zus.:** ab-, hin-, weg-, zuwenden. **2.** ⟨sich w.⟩ *(an jmdn.) eine Frage, eine Bitte richten:* sich vertrauensvoll, hilfesuchend an jmdn. wenden; er hat sich schriftlich ans Konsulat gewandt/gewendet. **sinnv.:** ansprechen.

Wen|dung, die; -, -en: **1.** *das [Sich]wenden:* durch eine schnelle W. nach der Seite entging der Fahrer dem Hindernis. **sinnv.:** Änderung, Drehung, Richtungsänderung. **Zus.:** Ab-, Hin-, Kehrtwendung. **2.** *aus mehreren Wörtern bestehende sprachliche Einheit:* sie gebrauchte in ihrem Brief eine W., die viele nicht kannten. **sinnv.:** Redewendung.

we|nig ⟨Indefinitpronomen und unbestimmtes Zahlwort⟩: **1. a)** weniger, wenige, weniges; /unflektiert/ wenig ⟨Singular⟩: *eine geringe Menge* *(von etwas); nicht viel;* mit sehr w. Geld auskommen; weniger, aber echter Schmuck; er hat heute w. Zeit; in dem Geschäft gefiel mir nur weniges. **Zus.:** bitter-, spottwenig. **b) wenige;** /unflektiert/ **wenig** ⟨Plural⟩: *eine geringe Anzahl (einzelner Personen oder Sachen):* die Arbeit weniger Menschen; es sind nur wenige mitgegangen; er hat es mit wenig[en] Worten erklärt. **sinnv.:** einige, ein paar. **2.** ⟨unflektiert; vor einem Adjektiv⟩ *nicht sehr:* diese Handlung war w. schön.

we|nig|stens ⟨Adverb⟩: *zumindest, immerhin:* er sollte sich w. entschuldigen; gut, daß es w. nicht regnet. **sinnv.:** mindestens, zumindest.

wenn ⟨Konj.⟩: **1.** ⟨konditional⟩ *für den Fall, daß:* w. nötig, komme ich sofort. **sinnv.:** unter der Bedingung, daß..., falls, insofern, insoweit, sofern, vorausgesetzt, daß..., unter der Voraussetzung, daß... **2.** ⟨temporal⟩ **a)** *sobald:* sag bitte Bescheid, w. du fertig bist!; w. die Ferien anfangen, [dann] werden wir gleich losfahren. **b)** /drückt mehrfache [regelmäßige] Wiederholung aus/ *sooft:* jedesmal, w. wir kommen, ist er nicht zu Hause. **3.** ⟨konzessiv in Verbindung mit „auch", „schon" u. a.⟩ *obwohl, obgleich:* w. es auch anstrengend war, Spaß hat es doch gemacht; ⟨mit kausalem Nebensinn:⟩ w. er schon nichts weiß, sollte er [wenigstens] den Mund halten. **4.** /in Verbindung mit „doch" oder „nur"; leitet einen Wunschsatz ein/: w. er doch endlich käme! **5.** /in Verbindung mit „als" oder „wie"; leitet eine irreale vergleichende Aussage ein/: es ist, wie w. sich alles gegen uns verschworen hätte.

wenn|gleich ⟨Konj.⟩: ↑*obwohl:* er gab sich große Mühe, w. ihm die Arbeit wenig Freude machte. **sinnv.:** ↑obgleich.

wer: **I.** ⟨Interrogativpronomen⟩ **a)** /fragt nach männlichen oder weiblichen Personen/ ⟨Nom.:⟩ w. war das?; w. kommt mit?; ⟨Gen.:⟩ wessen erinnerst du dich?; wessen Buch ist das?; ⟨Dativ:⟩ wem hast du das Buch gegeben?; mit wem spreche ich?; ⟨Akk.:⟩ wen stört das?; für wen ist der Pullover? **b)** /kennzeichnet eine rhetorische Frage/: w. anders als du kann das getan haben!; das hat w. weiß wieviel Geld gekostet. **II.** ⟨Relativpronomen⟩ *derjenige, welcher:* ⟨Nom.:⟩ w. das tut, hat die Folgen zu tragen; ⟨Gen.:⟩ wessen er sich erbarmte, der wurde verschont; ⟨Dativ:⟩ wem es nicht gefällt, der soll es bleibenlassen; ⟨Akk.:⟩ wen man in seine Wohnung läßt, dem muß man auch vertrauen können. **III.** ⟨Indefinitpronomen⟩ (ugs.) **a)** *irgend jemand:* ist da w.? **b)** *jemand, der es zu etwas gebracht hat und der allgemein geachtet wird:* in seiner Firma ist er w.

wer|ben, wirbt, warb, hat geworben: **a)** ⟨tr.⟩ *jmdn. (für jmdn./etwas) zu interessieren, einzunehmen suchen, indem man die Vorzüge o. ä. der betreffenden Person oder Sache hervorhebt:* für eine Zeitung, eine Partei w. **sinnv.:** sich einsetzen, propagieren, Reklame/Werbung machen. **b)** ⟨tr.⟩ *(jmdn.) durch Werben* (1) *zu interessieren, zu überzeugen versuchen:* neue Kunden, Abonnenten w.; die Partei will jetzt verstärkt Mitglieder w. **sinnv.:** gewinnen. **Zus.:** ab-, anwerben. **c)** ⟨itr.⟩ (geh.) *sich bemühen (um jmdn./etwas):* die Stadt wirbt um Besucher; er warb vergebens um sie. **sinnv.:** anhalten um (jmdn./jmds. Hand), freien, den Hof machen, hofieren, sich um jmdn. ranmachen, umschmeicheln. **Zus.:** be-, umwerben.

Wer|bung, die; -, -en: **1.** **a)** ⟨ohne Plural⟩ *Ge samtheit aller werbenden* (a) *Maßnahmen:* die W für unsere Produkte muß verbessert werder **sinnv.:** Marketing, Öffentlichkeitsarbeit, PR, Pr paganda, Publicity, Public Relations, Reklame Sales-promotion, Slogan, Spot, Verkaufsförde rung, Werbefeldzug, Werbekampagne. **Zus.** Banden-, Fernseh-, Kunden-, Rundfunk Schleich-, Sicht-, Trikot-, Zeitungswerbung. **b** *Abteilung eines Betriebes o. ä., die für die Werbun,* (1 a) *zuständig ist:* sie arbeitet in der W. **sinnv.** PR-Abteilung, Propagandaabteilung. **2.** *das Wer ben* (b): die W. neuer Kunden. **Zus.:** An-, Abwer bung. **3.** (geh.) *Bemühen, jmds. Gunst, das. d. Liebe einer Frau zu gewinnen:* sie schlug seine W aus.

wer|den, wird, wurde, ist geworden /(nach vo angehendem 2. Partizip) ist ... worden/ ⟨itr.⟩: **1. a)** ⟨w. + Artangabe⟩ *in einen bestimmten Z stand kommen; eine bestimmte Eigenschaft be kommmen:* er wird alt, müde; meine Mutter i gestern 70 [Jahre alt] geworden; das Wetter wir wieder besser; morgen soll es sehr heiß w. **b)** ⟨w + Artangabe; unpersönlich⟩ *das Gefühl (von e was) bekommen:* plötzlich wurde [es] ihm übe schwindlig. **2. a)** ⟨w. + Substantiv im Nominativ /drückt ein Verhältnis (Identität oder Zuordnun aus, das zwischen dem Subjekt und dem zweite Substantiv entsteht/:* er wird Bäcker; sie wurd seine Frau; er ist gestern Vater geworden. **b)** ⟨w + zu + Substantiv im Dativ⟩ *sich (zu etwas) en wickeln:* das Wasser ist zu Eis geworden. **c)** ⟨w. + aus + Substantiv im Dativ⟩ *sich (aus etwas) en wickeln:* aus diesem Plan wird nichts; was wir aus ihm bloß w.! **d)** ⟨w. + von + Substantiv i Dativ⟩ *sich (von/aus etwas zu etwas) entwickel* das Buch wurde im Laufe der Zeit vom kleine Hilfswörterbuch zum unentbehrlichen Nach schlagewerk. **3. a)** ⟨w. + Zeitangabe⟩ *unperso lich⟩ sich einem bestimmten Zeitpunkt nähern:* e wird Abend; es wird gleich 12 Uhr. **b)** (ugs.) *sic so im Ergebnis zeigen, darstellen, wie es auch bea sichtigt war:* die Zeichnung ist nichts geworder **II. 1.** ⟨w. + Infinitiv⟩ /zur Bildung des Futurs/: e wird [bald] regnen; wir werden nächste Woche i Urlaub fahren. **b)** /kennzeichnet ein vermutete Geschehen/:* sie werden bei dem schönen Wette im Garten sein. **2.** ⟨w. + 2. Partizip⟩ /zur Bildun des Passivs/:* du wirst gerufen; der Künstler wur de um eine Zugabe gebeten; ⟨unpers. oft statt e ner aktivischen Ausdrucksweise mit „man"⟩: e wurde gemunkelt, daß ...; jetzt wird aber geschla fen! (energische Aufforderung). **3.** ⟨Konjunkti „würde" + Infinitiv⟩ /zur Umschreibung de Konjunktivs, bes. bei Verben, die keine eigenen un terscheidbaren Formen des Konjunktivs bilde können; drückt vor allem konditionale oder irrea Verhältnisse aus/:* ich würde kommen/gekom men sein, wenn das Wetter besser wäre/gewese wäre; würdest du das bitte erledigen?

wer|fen, wirft, warf, hat geworfen: **1. a)** ⟨tr.⟩ *m einem Schwung durch die Luft fliegen lassen:* e hat den Ball 50 Meter weit geworfen; er warf al Kleider von sich; ⟨auch itr.⟩ er wirft gut. **sinnv** katapultieren, schleudern, schmeißen, schme tern. **Zus.:** ab-, an-, auf-, be-, durcheinander ein-, fort-, heraus-, herüber-, herunter-, hinab hinaus-, hinterher-, hinunter-, los-, nach-, übe einander-, vorbei-, zu-, zusammenwerfen. **b)** ⟨itr.⟩ *mit Schwung irgendwohin befördern; fallen lassen:* er hat das Papier einfach auf den Boden geworfen. **sinnv.:** feuern, knallen, schmeißen. **2.** ⟨itr.⟩ *(durch bestimmte Vorgänge) hervorbringen:* der Baum wirft gegen Abend einen langen Schatten. **3.** ⟨sich w.⟩ *sich unvermittelt, mit Wucht irgendwohin fallen lassen:* sie warf sich aufs Bett. **4.** ⟨tr./ itr.⟩ *(von bestimmten Säugetieren) gebären:* die Katze hat 3 Junge geworfen.

Werft, die; -, -en: *Anlage zum Bauen und Ausbessern von Schiffen:* das Schiff kommt zur Reparatur in die W. **sinnv.:** Dock, Helling. **Zus.:** Boots-, Schiffswerft.

Werk, das; -[e]s, -e: **I. a)** *(einer bestimmten Aufgabe dienendes) Handeln, Tätigsein, angestrengtes Arbeiten:* ein mühevolles W.; ein W. der Barmherzigkeit; die Helfer haben ihr W. beendet. **sinnv.:** Arbeit. **Zus.:** Flick-, Hand-, Meister-, Pionier-, Stück-, Tage-, Zerstörungswerk. **b)** *etwas, was durch [künstlerische] Arbeit hervorgebracht wurde oder wird:* ein großes W. der Malerei; er kennt alle Werke dieses Dichters; ein großes W. schaffen. **sinnv.:** Arbeit, Œuvre, Opus, Schöpfung. **Zus.:** Alters-, Bau-, Bild-, Bühnen-, Chor-, Dicht-, Druck-, Erstlings-, Haupt-, Jugend-, Kunst-, Lebens-, Mach-, Spät-, Standard-, Teufels-, Vertrags-, Wunderwerk. **II.** *großer Industriebetrieb:* in diesem W. werden bestimmte Flugzeugteile hergestellt. **sinnv.:** Fabrik. **Zus.:** Atomkraft-, Berg-, Elektrizitäts-, Gas-, Kraft-, Stahl-, Walz-, Wasser-, Zementwerk. **III.** *Getriebe eines Apparates, einer Maschine o. ä.:* das W. der Uhr mußte durch ein neues ersetzt werden. **Zus.:** Fahr-, Läute-, Leit-, Mahl-, Räder-, Rühr-, Schlag-, Trieb-, Uhr-, Zählwerk.

-werk, das; -[e]s ⟨Suffixoid⟩: */bezeichnet eine Gesamtheit von Sachen in bezug auf das im Basiswort Genannte, mehrere entsprechend zusammengehörende oder gleichartige Dinge/:* Busch-, Karten-, Mauer-, Räder-, Schuh-, Trieb-, Vertrags-, Wurzel-, Zähl-, Zuckerwerk. **sinnv.:** Ge- (z. B. Geäst, Gebüsch), -material, -zeug.

wer|ken ⟨itr.⟩: *(handwerklich) arbeiten:* er werkt von früh bis spät. **sinnv.:** arbeiten.

Werk|statt, die; -, Werkstätten: *Arbeitsraum eines Handwerkers:* der Schreiner arbeitet in seiner W. **sinnv.:** Atelier, Studio, Werkstätte. **Zus.:** Auto-, Lehr-, Reparatur-, Schneider-, Schreiner-, Schuhmacher-, Tischler-, Vertragswerkstatt.

Werk|tag, der; -[e]s, -e: *jeder Tag einer Woche mit Ausnahme des Sonntags:* der Bus verkehrt nur an Werktagen. **sinnv.:** Alltag, Arbeitstag.

werk|tags ⟨Adverb⟩: *an Werktagen:* w. hat er wenig Zeit zum Lesen. **sinnv.:** alltags, in/unter der Woche, wochentags.

Werk|zeug, das; -[e]s, -e: **a)** *einzelner, je nach Verwendungszweck unterschiedlich geformter Gegenstand, mit dessen Hilfe etwas bearbeitet oder hergestellt wird:* der Hammer ist ein W. **sinnv.:** Gerät, Gerätschaft, Instrument. **b)** ⟨ohne Plural⟩ *alle Geräte, die jmd. für seine Arbeit braucht:* die Handwerker haben ihr W. mitgebracht.

wert: ⟨in der Verbindung⟩ **w. sein:** **a)** *einen bestimmten Wert haben:* der Schmuck war eine Million Mark w.; diese Maschine ist nichts w. **b)** ⟨mit vorangehendem Genitivobjekt⟩ *würdig sein, verdienen:* die Umbaukosten sind nicht der Rede

w.; das ist nicht der Mühe w. **Zus.:** achtens-, anerkennens-, beachtens-, bedauerns-, begehrens-, begrüßens-, beklagens-, bemerkens-, bemitleidens-, beneidens-, bewunderns-, ehren-, empfehlens-, liebens-, lobens-, nennens-, sehens-, verabscheuens-, wünschenswert.

-wert ⟨adjektivisches Suffixoid⟩: *verdient, ... zu werden; sollte ... werden, sollte man ... /Basiswort* ist ein Nomen, meist in Form eines substantivierten transitiven Verbs; das so Bezeichnete wird überwiegend als positiv empfunden/: anerkennens-, bedauerns-, begehrens-, beneidens-, empfehlens-, erstrebens-, liebens-, sehenswert. **sinnv.:** -bar, -lich, -würdig.

Wert, der; -[e]s, -e: **1. a)** *[in Geld ausgedrücktes] Äquivalent einer Sache (im Hinblick auf ihren Verkauf o. ä.):* das Haus hat einen W. von 200 000 Mark; der des Schmuckes ist gering. **Zus.:** Anschaffungs-, Erinnerungs-, Neu-, Nutz-, Sach-, Seltenheitswert. **b)** ⟨Plural⟩ *Gegenstände oder Besitz, der sehr wertvoll ist:* der Krieg hat viele Werte zerstört. **sinnv.:** Vermögen. **Zus.:** Sach-, Vermögenswerte. **2.** ⟨ohne Plural⟩ *Bedeutung, die einer Sache zukommt; [an einem bestimmten Maßstab gemessene] Wichtigkeit:* der künstlerische W. des Bildes; seine Hilfe war uns von großem W. **sinnv.:** Qualität. **Zus.:** Aussage-, Gebrauchs-, Seltenheitswert. **3.** *in Zahlen oder Zeichen ausgedrücktes Ergebnis einer Messung oder Untersuchung o. ä.:* die Werte von einer Skala, einem Meßgerät ablesen. **sinnv.:** Zahl. **Zus.:** Annäherungs-, Durchschnitts-, Erfahrungs-, Grenz-, Höchst-, Mittel-, Richt-, Stellenwert.

wer|ten, wertete, hat gewertet ⟨tr.⟩: *einen bestimmten Wert zuerkennen, im Hinblick auf einen bestimmten Wert[maßstab] betrachten:* der schlechteste Sprung eines Skispringers wird nicht gewertet; ⟨auch itr.:⟩ die Schiedsrichter haben sehr unterschiedlich gewertet. **sinnv.:** begutachten.

We|sen, das; -s, -: **1.** ⟨ohne Plural⟩ *das Besondere, Kennzeichnende einer Sache, Erscheinung, wodurch sie sich von anderem unterscheidet:* das ist nicht das W. der Sache; das liegt im W. der Kunst. **sinnv.:** Besonderheit, Merkmal. **2.** ⟨ohne Plural⟩ *Summe der geistigen Eigenschaften, die einen Menschen auf bestimmte Weise in seinem Verhalten, in seiner Lebensweise, seiner Art, zu denken und zu fühlen und sich zu äußern, charakterisieren:* ihr W. blieb ihm fremd; sein ganzes W. strahlt Zuversicht aus; ein freundliches, einnehmendes W. haben. **sinnv.:** Anlage, Art, Charakter, Eigenart, Gemütsart, Natur, Naturell, Temperament, Typ, Wesensart. **3. a)** *etwas, was in bestimmter Gestalt, auf bestimmte Weise (oft nur gedacht, vorgestellt) existiert, in Erscheinung tritt:* weit und breit war kein menschliches W. zu sehen; ein höheres W. **Zus.:** Fabel-, Phantasie-, Zwitterwesen. **b)** *Mensch (als Lebewesen):* sie ist ein freundliches, stilles W.; das arme W. wußte sich nicht zu helfen. **sinnv.:** Geschöpf. **Zus.:** Einzel-, Menschenwesen.

-we|sen, das; -s ⟨Suffixoid; besonders in der Verwaltungssprache⟩: *alles, was zu dem im Basiswort Genannten gehört:* Bildungs-, Erziehungs-, Rechnungs-, Steuer-, Versicherungswesen.

we|sent|lich ⟨Adj.⟩: **a)** *den Kern einer Sache ausmachend und daher von entscheidender Bedeu-*

tung: zwischen den beiden Methoden besteht ein wesentlicher Unterschied. **sinnv.:** bedeutsam, wichtig. **b)** ⟨verstärkend bei Adjektiven im Komparativ und bei Verben⟩ *vieles; in hohem Grad:* er ist w. größer als sein Bruder; er hat sich nicht w. verändert.

wes|halb ⟨Adverb⟩: **1.** ⟨interrogativ⟩ *aus welchem Grund:* w. willst du nach Hause gehen? **sinnv.:** warum. **2.** ⟨relativisch⟩ *aus welchem Grund:* der Beweggrund, w. er sich so entschieden hatte, blieb verborgen. **sinnv.:** warum.

Wes|pe, die; -, -n: *einer Biene ähnliches Insekt mit schlankem, nicht behaartem Körper und schwarzgelb gezeichnetem Hinterleib* (siehe Bildleiste „Insekten").

We|ste, die; -, -n: *bis zur Taille reichendes, ärmelloses, vorne meist durchgeknöpftes Kleidungsstück, das über dem Oberhemd oder über einer Bluse getragen wird.* **Zus.:** Schwimm-, Strickweste.

We|sten, der; -s: **1.** ⟨meist ohne Artikel; gewöhnlich in Verbindung mit einer Präposition⟩ *Himmelsrichtung, in der die Sonne untergeht:* von, nach, im W. **sinnv.:** West. **2. a)** *im Westen (1) gelegener Bereich, Teil eines Landes:* wir fahren im Urlaub in den W. Frankreichs. **b)** *Westeuropa, Kanada und die USA im Hinblick auf ihre politische, weltanschauliche o. ä. Gemeinsamkeit:* der W. befürwortet die Weltraumrüstung.

west|lich: I. ⟨Adj.⟩: **1.** *im Westen liegend:* der westliche Teil des Landes. **2.** *nach Westen gerichtet:* das Schiff steuert westlichen Kurs. **II.** ⟨Präp. mit Gen.⟩ *im Westen (von etwas):* die Autobahn verläuft w. der Stadt. **III.** ⟨Adverb; in Verbindung mit *von*⟩: w. von Mannheim.

Wet|te, die; -, -n: **1.** *Vereinbarung zwischen zwei oder mehreren Personen, nach der derjenige, der in einer fraglichen Sache recht behält, einen vorher bestimmten Preis bekommt:* die W. ging um 100 Mark. **2.** *mit dem Einsatz von Geld verbundene, schriftlich festgehaltene Vorhersage (des Gewinners) bei einem sportlichen Wettkampf, von Zahlen bei Lotteriespielen o. ä., die bei Richtigkeit einen Gewinn bringt.* **sinnv.:** Tip.

wett|ei|fern ⟨itr.⟩: *sich zugleich mit einem oder mehreren anderen um etwas bemühen, etwas Bestimmtes zu erreichen suchen:* die beiden Hotels wetteiferten um die Gunst der Touristen. **sinnv.:** rivalisieren.

wet|ten, wettete, hat gewettet ⟨itr.⟩: **1. a)** *eine Wette (1) abschließen:* er wettete um einen Kasten Bier, daß diese Mannschaft gewinnen werde; ich wette *(bin überzeugt),* er kommt heute nicht. **b)** *als Preis für eine Wette (1) einsetzen:* ich wette einen Kasten Bier, 100 Mark, daß diese Mannschaft nicht gewinnt. **2.** *eine Wette (2) abschließen.* **sinnv.:** im Lotto spielen, tippen.

Wet|ter, das; -s: *wechselnde Erscheinungen von Sonne, Regen, Wind, Kälte, Wärme o. ä. auf der Erde:* heute ist sonniges W.; das W. ändert sich, ist beständig, schlägt um; wir bekommen anderes W. **sinnv.:** Klima, Temperatur, Wetterlage, Witterung. **Zus.:** April-, Bade-, Föhn-, Frost-, Frühlings-, Herbst-, Hunde-, Regen-, Reise-, Tau-, Urlaubswetter.

wich|tig ⟨Adj.⟩: *von wesentlicher Bedeutung:* eine wichtige Mitteilung; er hielt die Sache für sehr w. **sinnv.:** bedeutend, bedeutsam, von [besonderer/großer] Bedeutung, bedeutungsvoll, ernst,

von [großem] Gewicht, gewichtig, primär, w‹ sentlich, von Wichtigkeit. **Zus.:** hoch-, höchst lebens-, unwichtig.

wickeln ⟨tr.⟩: **1.** *durch eine drehende Bewegu‹ der Hand so umeinanderlegen, daß es in eine [be‹ meist runde] Form gebracht wird:* Garn, Wolle [z‹ einem Knäuel] w.; Schnur auf eine Rolle w **sinnv.:** schlingen. **2. a)** *(als Umhüllung) um sic‹ jmdn./etwas legen:* ein Geschenk, Buch in Papi‹ w.; sich [fest] in seinen Mantel w. **sinnv.:** einpa‹ ken. **Zus.:** ein-, zuwickeln. **b)** *(einem Säugling) e‹ ne Windel umlegen:* das Baby w. **sinnv.:** trocke‹ legen. **c)** *mit einem Verband, einer Bandage vers‹ hen:* das Bein muß gewickelt werden. **3.** *aus ein‹ Umhüllung, Verpackung o. ä. lösen:* das Buch a‹ dem Papier w. **sinnv.:** auspacken. **Zus.:** auswi‹ keln.

wi|der ⟨Präp. mit Akk.⟩ (geh.): /bezeichnet eine‹ Gegensatz, Widerstand, eine Abneigung/ *geger‹ das geschah w. meinen Willen; er handelte w‹ besseres Wissen.* **sinnv.:** entgegen.

wi|der|fah|ren, widerfährt, widerfuhr, ist w‹ derfahren ⟨itr.⟩ (geh.): *(wie etwas Schicksalhafte‹ zuteil werden, (von jmdm.) erlebt, erfahren werde‹ es ist ihm viel Leid in seinem Leben widerfahre‹ **sinnv.:** begegnen, geschehen, zukommen (auf‹ zustoßen.

Wi|der|hall, der; -[e]s, -e: *Hall, der (von ein‹ Wand o. ä.) zurückgeworfen wird.* **sinnv.:** Ech‹ Nachhall, Resonanz.

wi|der|le|gen ⟨tr.⟩: *nachweisen, daß etwas nic‹ zutrifft:* es war nicht schwer, seine Behauptung‹ zu w. **sinnv.:** entkräften, entwaffnen, ad absu‹ dum führen, etwas Lügen strafen.

wi|der|lich ⟨Adj.⟩: **a)** *Widerwillen, Ekel err‹ gend:* ein widerlicher Geruch; diese Insekte‹ sind w. **sinnv.:** ekelhaft, gräßlich. **b)** *in hohem M‹ ße abstoßend:* ich fühlte mich von dem widerli‹ chen Typ bedroht. **sinnv.:** unbeliebt, unpopulä‹ unsympathisch.

Wi|der|re|de, die; -, -n: *Äußerung, mit der ein‹ anderen Äußerung widersprochen wird:* der Vate‹ duldete keine W. **sinnv.:** Widerspruch.

wi|der|set|zen, sich: *sich heftig weigern (etw‹ Bestimmtes zu tun), sich gegen jmdn./etwas aufle‹ nen:* er widersetzte sich der Aufforderung, seine‹ Ausweis vorzuzeigen. **sinnv.:** protestieren, sic‹ sperren.

wi|der|spen|stig ⟨Adj.⟩: *sich gegen jmds. Wi‹ len, Absicht sträubend; sich jmds. Anweisung m‹ trotziger Hartnäckigkeit widersetzend:* ein wide‹ spenstiges Kind; das Pferd ist sehr w. **sinnv.:** stö‹ risch, trotzig.

wi|der|spie|geln, spiegelt wider, hat widerg‹ spiegelt: **a)** ⟨tr.⟩ *erkennbar werden lassen, zu‹ Ausdruck bringen:* sein Gesicht spiegelt sein‹ Zorn wider. **sinnv.:** spiegeln. **b)** ⟨sich w.⟩ *erken‹ bar werden:* in dieser Dichtung spiegeln sich d‹ politischen Verhältnisse der Zeit wider. **sinnv‹ sich abmalen/niederschlagen/spiegeln.

wi|der|spre|chen, widerspricht, widersprach hat widersprochen: **a)** ⟨itr.⟩ *der Meinung, Äuß‹ rung eines anderen entgegentreten; jmds. Äuß‹ rung für unrichtig erklären:* er widersprach de‹ Redner heftig. **b)** ⟨sich w.⟩ *sich entgegengesetzt z‹ seiner eigenen, vorher gemachten Aussage äußer‹ sich selbst widerlegen:* du widersprichst dir j‹ ständig selbst. **c)** ⟨itr.⟩ *etwas/sich ausschließen; i‹

Gegensatz zu etwas stehen: die Darstellungen widersprechen einander. **sinnv.:** entgegenstehen.

Wi|der|spruch, der; -[e]s, Widersprüche: **1.** *Äußerung, durch die man einer anderen Meinung o.ä. entgegentritt:* sein W. war berechtigt; er verträgt keinen W. **sinnv.:** Widerrede. **2.** *das Sichausschließen; fehlende Übereinstimmung zweier oder mehrerer Aussagen, Erscheinungen o.ä.:* zwischen seinem Reden und Handeln besteht ein W. **sinnv.:** Gegensätzlichkeit, Inkonsequenz, Widersinn.

Wi|der|stand, der; -[e]s, Widerstände: **1.** *das Sichwidersetzen, Sichentgegenstellen:* der W. der Bevölkerung gegen das Regime. **sinnv.:** Abwehr, Protest. **2.** *etwas, was jmdm./einer Sache entgegenwirkt:* sie schaffte es allen Widerständen zum Trotz. **sinnv.:** Hindernis. **Zus.:** Luft-, Reibungswiderstand.

wi|der|stands|fä|hig ⟨Adj.⟩: *gegen Belastungen, schädliche Einflüsse, Krankheitserreger u.ä. unempfindlich:* der Aufenthalt an der See hat die Kinder sehr w. gemacht. **sinnv.:** abgehärtet, beständig, gefeit, gestählt, haltbar, immun, resistent, robust, stabil.

wi|der|stands|los ⟨Adj.⟩: *ohne Widerstand zu leisten:* der Dieb ließ sich w. verhaften. **sinnv.:** ohne Gegenwehr, kampflos.

wi|der|ste|hen, widerstand, hat widerstanden ⟨itr.⟩: **1. a)** *etwas [ohne Schaden zu nehmen] aushalten:* die Bäume widerstanden dem heftigen Sturm. **sinnv.:** standhalten. **b)** *der Versuchung, etwas Bestimmtes zu tun, standhalten:* er widerstand tapfer dem Alkohol. **sinnv.:** sich sperren, standhaft bleiben. **2.** *bei jmdm. Widerwillen, Abneigung, Ekel hervorrufen:* dieses Fett widersteht mir.

wi|der|stre|ben ⟨itr.⟩: *eine innerliche Abneigung, ein heftiges innerliches Sichsträuben hervorrufen:* es widerstrebte ihm, über diese Angelegenheit zu sprechen. **sinnv.:** sich sperren.

wi|der|wär|tig ⟨Adj.⟩: *(im Urteil des Sprechers) höchst unangenehm, heftigen Ekel erregend:* der schmutzige Raum bot einen widerwärtigen Anblick; die Angelegenheit war ihm w. **sinnv.:** ekelhaft, häßlich.

Wi|der|wil|le, der; -ns: *heftige Abneigung:* er hat einen Widerwillen gegen fettes Fleisch. **sinnv.:** Abneigung, Unlust.

wi|der|wil|lig ⟨Adj.⟩: **a)** *Unmut, Widerwillen ausdrückend:* sie gab nur w. Antwort. **sinnv.:** lustlos, unwillig. **b)** *sehr ungern:* er macht diese Arbeit nur w. **sinnv.:** lustlos, ungern, unwillig, widerstrebend.

wid|men, widmete, hat gewidmet: **1.** ⟨tr.⟩ *(als Zeichen der Verehrung o.ä.) ein eigenes künstlerisches, wissenschaftliches Werk für einen anderen bestimmen:* er widmete seine Sinfonien dem König. **sinnv.:** zueignen. **2. a)** ⟨tr.⟩ *ausschließlich für jmdn. oder zu einem gewissen Zweck bestimmen, verwenden:* er widmete seine freie Zeit der Malerei. **b)** ⟨sich w.⟩ *sich (jmds./einer Sache) annehmen; sich eingehend (mit jmdm./einer Sache) beschäftigen:* sie widmet sich ganz ihrem Haushalt; du mußt dich den Gästen w. **sinnv.:** sich befassen.

Wid|mung, die; -, -en: *für jmdn. ganz persönlich bestimmte Worte, die in ein Buch o.ä. geschrieben werden:* Autogramm, in dem Buch

stand eine W. des Verfassers. **sinnv.:** Dedikation, Zueignung.

wid|rig ⟨Adj.⟩: *so gegen jmdn./eine Sache gerichtet, daß es sich äußerst ungünstig, behindernd auswirkt:* widrige Umstände. **sinnv.:** unglücklich.

-wid|rig ⟨adjektivisches Suffixoid⟩: *dem im substantivischen Basiswort Genannten zuwiderlaufend, dagegen gerichtet, ihm nicht entsprechend, es hemmend* /Ggs. -gemäß/: entzündungswidrig, norm-, ordnungs-, rechts-, regelwidrig.

wie: **I.** ⟨Adverb⟩: **1. a)** *auf welche Art und Weise:* w. soll ich das machen? **b)** *in welchem Maße:* w. warm war es heute? **2.** ⟨relativisch⟩ **a)** *auf welche Art und Weise:* mich stört die Art, w. er es macht. **b)** *in welchem Maße:* der Preise steigen in dem Maße, w. die Löhne erhöht werden. **3.** /drückt als Ausruf Erstaunen, Freude, Bedauern o.ä. aus/: w. dumm, daß du keine Zeit hast!; w. schön!; ⟨auch alleinstehend⟩ /drückt Erstaunen, Entrüstung u.ä. aus/: w., du willst nicht mitgehen?; /bestätigt und verstärkt in Verbindung mit ,und' das vorher Gesagte/: ist es kalt draußen? Und w.! **II.** ⟨Konj.⟩ **1.** ⟨Vergleichspartikel⟩ **a)** /schließt ein Satzglied oder ein Attribut an/: er ist so groß w. ich; eine Frau w. sie; w. immer. **b)** /in Vergleichssätzen/: Wolfgang ist ebenso groß, w. sein Bruder im gleichen Alter war. **c)** /schließt Beispiele an, die einen vorher genannten Begriff veranschaulichen/: sie haben viele Tiere, w. Pferde, Schweine, Hühner usw. **2.** /verknüpft die Glieder einer Aufzählung/: Männer w. Frauen nahmen daran teil; das Haus innen w. außen renovieren. **sinnv.:** und. **3.** /leitet einen Objektsatz ein/: ich sah, w. er davonlief.

wie|der ⟨Adverb⟩: **1.** *ein weiters Mal; wie früher schon einmal:* er ist in diesem Jahr w. nach Prag gefahren; er hat w. nach dir gefragt. **sinnv.:** abermals, noch einmal, erneut, aufs neue, von neuem, neuerlich, nochmals, wiederum, zum x-tenmal. **2.** /drückt die Rückkehr in den früheren Zustand o.ä. aus/: der junge Mann wurde w. freigelassen; der umgefallene Stuhl wurde w. aufgestellt; er hob den Bleistift w. auf.

wie|der|er|ken|nen, erkannte wieder, hat wiedererkannt ⟨tr.⟩: *eine Person oder Sache, die man schon einmal gesehen hat, der man schon einmal begegnet ist, als bekannt erkennen:* nach den vielen Jahren hatte ich sie kaum wiedererkannt.

wie|der|fin|den, fand wieder, hat wiedergefunden ⟨tr.⟩: *(etwas Verlorenes) wieder finden:* ich habe die Schere wiedergefunden.

wie|der|ge|ben, gibt wieder, gab wieder, hat wiedergegeben ⟨tr.⟩: **1.** *(dem Eigentümer) zurückgeben:* gib dem Kind sein Spielzeug wieder! **sinnv.:** herausgeben. **2. a)** *mit Worten darstellen, berichten:* er versuchte seine Eindrücke wiederzugeben. **sinnv.:** schildern. **b)** *vortragen, darbieten:* er hat die Lieder vollendet wiedergegeben.

wie|der|ho|len: **I.** w̲i̲e̲derholen, holte wieder, hat wiedergeholt ⟨tr.⟩: *wieder an den alten Platz, zu sich holen:* er wird [sich] sein Buch morgen w. **sinnv.:** zurückholen. **II.** wiederh̲o̲len, wiederholte, hat wiederholt. **1.** ⟨tr.⟩ *noch einmal sagen oder tun:* er wiederholte seine Worte; die Untersuchung mußte wiederholt werden. **sinnv.:** nachmachen, rekapitulieren, repetieren. **2.** ⟨sich w.⟩ *ein weiteres Mal, immer wieder von neuem geschehen oder eintreten:* diese seltsame Szene wiederholte sich mehrmals; diese Katastrophe darf sich niemals w. **sinnv.**: wiederkehren, wiederkommen. **3.** ⟨tr.⟩*(Lernstoff o. ä.) nochmals durchgehen, sich von neuem einprägen:* die Schüler wiederholten die Vokabeln. **sinnv.**: repetieren.

wie|der|holt ⟨Adj.⟩: *mehrmals, immer wieder [erfolgend]:* er wurde w. aufgefordert, sich zu melden. **sinnv.**: oft. **Zus.**: unwiederholt.

Wie|der|ho|lung, die; -, -en: **a)** *das [Sich]wiederholen, das nochmalige Ausführen einer Handlung o. ä.:* es gibt für diese Prüfung nicht die Möglichkeit der W. **b)** *Sendung, Film, der im Rundfunk oder Fernsehen erneut ausgestrahlt wird:* während der Sommermonate gibt es viele Wiederholungen im Fernsehen.

wie|der|kom|men, kam wieder, ist wiedergekommen ⟨itr.⟩: *sich an der Ausgangsstelle erneut einfinden, sie wieder aufsuchen:* er wollte in einer Woche w. **sinnv.**: zurückkommen.

wie|der|se|hen, sieht wieder, sah wieder, hat wiedergesehen ⟨tr.⟩: *(nach einer Trennung) erneut sehen, wieder einmal begegnen:* die Freunde sahen sich nach vielen Jahren wieder.

Wie|der|se|hen, das; -s, -: **a)** *das [Sich]wiedersehen:* als Kinder wieder zu Hause waren, gab es ein fröhliches W. **sinnv.**: Begegnung. **Zus.**: Nimmerwiedersehen. **b)** *(in der Fügung) auf W.!* /Abschiedsformel/. **sinnv.**: ade, adieu, bis bald/gleich, bye-bye, ciao, ich empfehle mich, mach's gut, gute Nacht, tschüs.

Wie|ge, die; -, -n: *(auf Kufen stehendes) kleines Bett für einen Säugling, das in schaukelnde Bewegung gebracht werden kann.* **sinnv.**: Babywippe, Stubenwagen. **Zus.**: Holz-, Kinder-, Puppenwiege.

wie|gen: I. wog, hat gewogen. **1.** ⟨tr.⟩ *das Gewicht (von jmdm./einer Sache) mit einer Waage feststellen:* sie wog die Äpfel; er hat sich heute gewogen und festgestellt, daß er zugenommen hat. **sinnv.**: abwiegen. **Zus.**: aus-, nachwiegen. **2.** ⟨itr.⟩ *ein bestimmtes Gewicht haben:* er wiegt 60 kg. **sinnv.**: leicht/schwer sein, auf die Waage bringen. **II.** wiegte, hat gewiegt: **a)** ⟨tr.⟩ *[in einer Wiege] sanft schwingend hin und her bewegen:* das kleine Mädchen wiegt seine Puppe. **sinnv.**: schaukeln. **b)** ⟨itr./sich w.⟩ *langsam, nachdenklich hin und her bewegen:* er wiegte sorgenvoll den Kopf.

wie|hern ⟨itr.⟩: *(bes. von Pferden) laute, helle, durchdringende Laute von sich geben.*

Wie|se, die; -, -n: *mit Gras bewachsene, wenig oder nicht bearbeitete Fläche:* Kühe weideten auf der W. **sinnv.**: Alm, Anger, Gras, Koppel, Matte, Rasen, Trift, Weide. **Zus.**: Berg-, Fest-, Liege-, Spielwiese.

wie|so ⟨Adverb⟩: **1.** ⟨interrogativ⟩ *aus welchem Grund:* w. muß ich denn immer diese Arbeiten machen? **sinnv.**: warum. **2.** ⟨relativisch⟩ *aus welchem Grund:* der Grund, w. er das gesagt hat, ist mir unbekannt. **sinnv.**: warum.

wie|viel [auch: wie...] ⟨Adverb⟩: **1.** ⟨interrogativ⟩ *welche Menge, welches Maß, welche Anzahl:* w. Mehl braucht man für diesen Kuchen?; w. Kinder haben Sie? **2.** ⟨relativisch⟩ *welche Menge, welche Anzahl:* ich weiß es nicht, w. er verdient.

wie|weit ⟨Adverb⟩: *bis zu welchem Maß, Grad* /nur relativisch/; interrogativ getrennt geschrieben/: ich bin im Zweifel darüber, w. ich mich darauf verlassen kann.

wild ⟨Adj.⟩: **1.** *in der freien Natur lebend ode wachsend; nicht gezüchtet oder angebaut:* wild Kaninchen; diese Pflanzen kommen nur w. voı **sinnv.**: nicht domestiziert/kultiviert, wildleben wildwachsend. **2.** *auf niedriger Kulturstufe ste hend:* wilde Völker. **sinnv.**: primitiv. **3. a)** *unge stüm, sehr lebhaft, stürmisch:* die Kinder sin sehr w. **sinnv.**: übermütig. **b)** *sehr zornig; heftig erregt:* der Gefangene schlug w. um sich. **sinnv.** rabiat.

Wild, das; -[e]s: *wildlebende Tiere, die gejagt wer den dürfen.* **Zus.**: Dam-, Hoch-, Rot-, Schwarz wild.

Wild|nis, die; -, -se: *unbewohntes, unwegsames nicht kultiviertes oder bebautes Land:* eine tierrei che W. **sinnv.**: Urwald.

Wild|schwein, das; -[e]s, -e: *wildlebende Schwein mit braunschwarzem bis hellgrauem, bon stigem Fell, großem Kopf und starken Eckzähnen die seitlich aus der Schnauze hervorstehen.* **sinnv.** Wildsau; Schwein.

Wil|le, der; -ns, -n ⟨Plural selten⟩: *das Wollen Fähigkeit des Menschen, sich für bestimmte Hand lungen zu entscheiden:* er hat einen starken Wil len; er hatte den festen Willen, sich zu bessern **sinnv.**: Absicht, Initiative. **Zus.**: Lebens-, Mut Un-, Widerwille.

wil|len: ⟨nur in Verbindung mit *um⟩* **um ... w** ⟨Präp. mit Gen.⟩: *jmdm./einer Sache zuliebe; m Rücksicht auf jmdn./eine Sache; im Interesse eine Person/Sache:* um ihrer Kinder w. haben sie au vieles verzichtet. **sinnv.**: wegen.

wil|lig ⟨Adj.⟩: *gerne bereit zu tun, was geforder wird; guten Willen zeigend:* die Arbeiter zeigte sich sehr w. **sinnv.**: gehorsam. **Zus.**: arbeits-, be reit-, bös-, eigen-, frei-, gut-, mut-, un-, widerwil lig.

-willig ⟨adjektivisches Suffixoid⟩: **1.** /aktivisch bereit, das im Basiswort Genannte zu tun, auszu führen:* ausreise-, auswanderungs-, bau-, lern opfer-, verständigungs-, zahlungswillig. **sinnv.** -bereit. **2.** /passivisch/ *bereit, das im Basiswor Genannte mit sich geschehen zu lassen:* therapie williger Drogenabhängiger. **3.** /passivisch/ (sel ten) *so beschaffen, daß das im Basiswort Genannt gut/leicht mit dem Bezugswort gemacht werde kann:* drehwillige Palette *(die sich leicht/gu dreht),* frisierwilliges Haar *(das sich leicht/gut fr sieren läßt).*

will|kom|men ⟨Adj.⟩: *sehr passend und er wünscht:* ein willkommener Gast; eine willkom mene Nachricht; du bist uns immer w. **sinnv.**: er wünscht, gelegen, lieb.

Will|kür, die; -: *Verhaltensweise, die ohne Rück sicht auf andere nur den eigenen Wünschen und In teressen folgt:* sie waren der W. eines launische Vorgesetzten ausgeliefert. **sinnv.**: Gewalt. **Zus.** Beamten-, Unternehmerwillkür.

will|kür|lich ⟨Adj.⟩: **a)** *vom Willen oder Bewußt sein gesteuert:* man unterscheidet willkürlich und unwillkürliche Bewegungen. **sinnv.**: bewuß gewollt. **Zus.**: unwillkürlich. **b)** *durch Willkür ge kennzeichnet:* den willkürlichen Anordnunge des Vorgesetzten gehorchen müssen. **sinnv.**: ei genmächtig, totalitär. **c)** *unsystematisch und au Zufall beruhend:* eine willkürliche Auswahl tref fen; etwas ganz w. festlegen. **sinnv.**: unüberleg wahllos.

wim|meln ⟨itr.⟩: *voll, erfüllt sein von einer sich rasch, lebhaft durcheinanderbewegenden Menge:* die Straße wimmelte von Menschen.

wim|mern ⟨itr.⟩: *leise, klagend weinen:* das kranke Kind wimmerte. **sinnv.:** weinen.

Wim|pel, der, -s, -: *kleine dreieckige, auch trapezförmige Fahne* (siehe Bildleiste „Fahnen"). **sinnv.:** Fahne. **Zus.:** Ehrenwimpel.

Wim|per, die; -, -n: *meist leicht gebogenes Haar, das mit anderen zusammen am vorderen Rand des Augenlids sitzt:* lange, seidige Wimpern.

Wind, der; -[e]s, -e: *spürbar stärker bewegte Luft:* auf den Bergen wehte ein heftiger W.; der W. kommt von Osten. **sinnv.:** Bö, Brise, Lüftchen, Luftzug, Orkan, Sturm. **Zus.:** Abend-, Auf-, Gegen-, Monsun-, Nord-, Ost-, Passat-, Rücken-, Seiten-, Süd-, West-, Wirbelwind.

win|den, sich; wand sich, hat sich gewunden: **1.** *sich (vor Schmerzen) krümmen, sich hin und her werfen:* der Verletzte wand sich vor Schmerzen. **Zus.:** über-, verwinden. **2.** *durch ausweichende Reden eine klare Antwort oder Entscheidung zu umgehen suchen:* er wand sich in seinen Reden, um die unangenehme Sache zu verbergen. **sinnv.:** sich herausreden.

win|dig ⟨Adj.⟩: *mit viel Wind:* windiges Wetter; heute ist es sehr w. draußen. **sinnv.:** luftig, rauh.

Wind|müh|le, die; -, -n: *Mühle, die durch die Kraft des Windes mit Hilfe von großen Flügeln angetrieben wird* (siehe Bild).

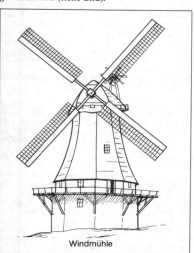

Windmühle

Win|dung, die; -, -en: *Krümmung in Form eines Bogens:* der Bach fließt in vielen Windungen durch das Tal. **sinnv.:** Kurve. **Zus.:** Fluß-, Hirnwindung.

Win|kel, der; -s, -: **1.** *geometrisches Gebilde aus zwei Geraden, die von einem Punkt ausgehen:* die beiden Linien bilden einen W. von 60°. **Zus.:** Blick-, Einfalls-, Neigungswinkel. **2.** *Gerät zum Zeichnen, Messen von Winkeln* (1) *in Form eines rechtwinkligen Dreiecks.* **sinnv.:** Geodreieck, Winkelmaß. **3.** *Ecke, die von zwei Wänden gebildet wird:* in einem W. des Zimmers stand ein Sessel. **sinnv.:** Ecke. **Zus.:** Augen-, Mundwinkel. **4.** *meist abgelegene, etwas verborgene Gegend, Stelle:* wir wohnen in einem ganz abgelegenen W. der Stadt. **sinnv.:** Stelle. **Zus.:** Erden-, Schlupf-, Schmollwinkel.

win|ken ⟨itr.⟩: **1.** *eine Hand oder einen Gegenstand hoch erheben hin und her bewegen, um jmdn. zu grüßen, jmdm. ein Zeichen zu geben o. ä.:* die Kinder standen auf dem Bahnsteig und winkten, als die Mutter abreiste; der Gast winkte dem Kellner. **sinnv.:** sich bemerkbar machen, ein Zeichen geben. **Zus.:** ab-, herbei-, zu-, zurückwinken. **2.** *für jmdn. in Aussicht stehen:* dem Finder winkte eine Belohnung.

win|seln ⟨itr.⟩: *(von einem Hund) in leisem Ton klagende, jammernde Laute hervorbringen.* **sinnv.:** bellen.

Win|ter, der, -s, -: *Jahreszeit zwischen Herbst und Frühling als kälteste Zeit des Jahres.*

win|ter|lich ⟨Adj.⟩: *dem Winter entsprechend, wie im Winter:* winterliches Wetter; winterliche Kleidung. **sinnv.:** kalt.

Win|ter|sport, der; -[e]s: *auf Eis oder Schnee besonders während der Wintermonate betriebener Sport.*

Win|zer, der; -s, -: *jmd., der Wein anbaut.* **sinnv.:** Weinbauer.

win|zig ⟨Adj.⟩: *sehr klein:* das Haus hat winzige Fenster. **sinnv.:** klein, minimal.

Wip|fel, der; -s, -: *oberer Teil, Spitze eines meist hohen Baumes.* **sinnv.:** Baumkrone, Krone, Spitze. **Zus.:** Baumwipfel.

Wip|pe, die; -, -n: *langes, stabiles Brett o. ä., das in der Mitte auf einem Ständer angebracht ist und auf dessen Enden sitzend man auf und ab schwingt* (siehe Bild). **sinnv.:** Schaukel.

Wippe

wir ⟨Personalpronomen⟩: */bezeichnet eine die eigene Person einschließende Gruppe/:* wir arbeiten heute länger; wir Deutsche/Deutschen.

Wir|bel, der; -s, -: **1.** *schnelle, um einen Mittelpunkt kreisende Bewegung von Wasser, Luft o. ä.:* in dem Strom sind starke Wirbel. **sinnv.:** Strudel. **Zus.:** Luft-, Sand-, Wasser-, Windwirbel. **2.** *Knochen der Wirbelsäule.* **Zus.:** Knochen-, Schwanzwirbel. **3.** *schnelle Aufeinanderfolge kurzer, harter Schläge auf einen Gegenstand, bes. eine Trommel:* die Trommler empfingen den Minister mit einem W. **Zus.:** Trommelwirbel. **4.** *großes Aufsehen, große Aufregung, die um jmdn./eine Sache entsteht:* viel W. machen. **sinnv.:** Getue; Hast.

wir|ken: 1. ⟨itr.⟩ *in seinem Beruf, Bereich, an einem Ort mit gewisser Einflußnahme tätig sein:* er hat hier als Arzt lange gewirkt. **sinnv.:** arbeiten, walten. **Zus.:** mit-, weiterwirken. **2.** ⟨tr.⟩ (geh.) *etwas hervorbringen, schaffen, vollbringen:* er hat viel Gutes gewirkt. **Zus.:** aus-, be-, er-, hinwirken. **3.** ⟨itr.⟩ *durch eine innewohnende Kraft, auf Grund seiner Beschaffenheit eine bestimmte Wirkung haben:* die Tabletten wirken [schnell]. **sinnv.:** anschlagen, sich auswirken, einwirken, fruchten, verfangen, wirksam sein. **4.** ⟨itr.⟩ **a)** *einen bestimmten Eindruck hervorrufen:* die Arbeit wirkt primitiv. **sinnv.:** sich anhören, anmuten, aussehen, erscheinen. **b)** *zur Geltung kommen:* das Bild, die Farbe wirkt in diesem Raum nicht. **sinnv.:** beeindrucken, hermachen.

wirk|lich: I. ⟨Adj.⟩ *in Wirklichkeit vorhanden; der Wirklichkeit entsprechend:* Szenen aus dem wirklichen Leben. **sinnv.:** effektiv, existent, faktisch, gegenständlich, konkret, leibhaftig, live, praktisch, real, reell, richtig, tatsächlich. **Zus.:** unwirklich. **II.** ⟨Adverb⟩ *in der Tat* /dient der Bekräftigung, Verstärkung/: er kommt w.; ich weiß w. nicht, wo er ist. **sinnv.:** auch, echt.

Wirk|lich|keit, die; -: *Bereich dessen, was als Gegebenheit, Erscheinung wahrnehmbar ist:* was er sagte, war von der W. weit entfernt. **sinnv.:** Tatsache. **Zus.:** Berufs-, Schul-, Unwirklichkeit.

wirk|sam ⟨Adj.⟩: *die beabsichtigte Wirkung erzielend, mit Erfolg wirkend:* ein wirksames Mittel gegen Husten. **sinnv.:** bewährt, effektiv, erprobt, nützlich, probat. **Zus.:** unwirksam.

-wirk|sam (adjektivisches Suffixoid): **a)** *in bezug auf das im Basiswort Genannte Wirkung habend, erzielend, darauf einwirkend:* publikumswirksam (ein publikumswirksamer Auftritt). **b)** *für das im Basiswort Genannte (als wirkungsvoll) geeignet:* bühnenwirksam. **c)** *das im Basiswort Genannte bewirkend, fördernd:* vermögens- (vermögenswirksame Leistungen), werbewirksam.

Wir|kung, die; -, -en: *durch eine verursachende Kraft bewirkte Veränderung, bewirktes Ergebnis:* eine schnelle W. erkennen lassen; zwischen Ursache und W. unterscheiden; ohne W. bleiben. **sinnv.:** Erfolg, Reaktion. **Zus.:** Aus-, Breiten-, Gegen-, Mit-, Nach-, Neben-, Schock-, Wechselwirkung.

wirr ⟨Adj.⟩: **a)** *durcheinandergebracht, ungeordnet:* die Haare hingen ihr w. ins Gesicht. **sinnv.:** durcheinander. **b)** *unklar, verworren (und deshalb schwer zu verstehen, durchschauen):* wirres Zeug reden. **sinnv.:** kraus, undurchschaubar, unübersichtlich, verfahren, verwickelt, verworren.

Wirt|schaft, die; -, -en: **1.** ⟨ohne Plural⟩ *Gesamtheit der Einrichtungen, Maßnahmen und Vorgänge, die mit der Produktion, dem Handel und dem Konsum von Waren, Gütern in Zusammenhang stehen.* **sinnv.:** Handel, Industrie, Produktion. **Zus.:** Bau-, Betriebs-, Finanz-, Land-, Markt-, Volks-, Weltwirtschaft. **2.** *einfachere Gaststätte.* **sinnv.:** Gaststätte. **Zus.:** Bahnhofs-, Gast-, Schank-, Schenk-, Straßwirtschaft. **3.** (ugs.) *unordentlicher Zustand, unordentliche Art, Arbeitsweise:* was ist denn das für eine W.! **sinnv.:** Unordnung, Chaos. **Zus.:** Mißwirtschaft.

wi|schen ⟨tr.⟩: **a)** *durch Streichen, Gleiten über eine Oberfläche entfernen:* ich wischte mir den Schweiß von der Stirn; den Staub von den Bü-

chern w. **Zus.:** ab-, aus-, fort-, wegwischen. **b)** *m feuchtem Lappen säubern:* den Fußboden w. dem Einräumen der Möbel kurz w. **sinnv.:** säu bern. **Zus.:** aufwischen.

wis|sen, weiß, wußte, hat gewußt ⟨itr.⟩: **1.** *durc eigene Erfahrung oder Mitteilung anderer Kennt nis von einer Sache, einer Person haben, die betre fende Sache im Bewußtsein, im Gedächtnis habe (und wiedergeben können):* er weiß viel; ich wei weder seinen Namen noch seine Adresse. **sinnv** im Bilde sein, eingeweiht/informiert sein, ken nen, auf dem laufenden sein. **Zus.:** weiterwisse **2.** *sich (über etwas) im klaren sein; sich (einer S che) sicher sein:* er weiß nicht, was er will; ic weiß wohl, welche Folgen dieser Entschluß ft mich hat. **3.** *in der Lage sein, etwas zu tun /m Inf. mit „zu"/:* er weiß sich zu helfen; sie wei deine Hilfe zu schätzen.

Wis|sen, das; -s: *Gesamtheit der Kenntnisse, d jmd. [auf einem bestimmten Gebiet] hat:* er hat ei enormes W. **sinnv.:** Bildung, Erfahrung, Erkenn nis. **Zus.:** Allgemein-, Grund-, Nicht-, Spezial Unwissen.

Wis|sen|schaft, die; -, -en: *Wissen hervorbri gende forschende Tätigkeit in einem bestimmte Bereich.* **sinnv.:** Forschung. **Zus.:** Literatur-, M sik-, Naturwissenschaft.

wis|sen|schaft|lich ⟨Adj.⟩: *der Wissenscha entsprechend, zur Wissenschaft gehörend:* ein wi senschaftliches Buch; w. arbeiten, forsche **sinnv.:** akademisch, gelehrt, theoretisch.

Wit|te|rung, die; -, -en: *Art des Wetters:* warm feuchte W. **sinnv.:** Wetter. **Zus.:** Verwitterung.

Witz, der; -es, -e: *kurze, prägnante Geschich mit einer Pointe am Schluß, die zum Lachen reiz* ein guter, politischer W. **sinnv.:** Gag, Kalaue Schnurre, Zote; Scherz. **Zus.:** Häschen-, Ostfrie sen-, Schottenwitz.

wit|zig ⟨Adj.⟩: *einfallsreich und lustig:* eine witz ge Bemerkung. **sinnv.:** geistreich, spaßig. **Zus.** vor-, wahnwitzig.

wo ⟨Adverb⟩: **1.** ⟨interrogativ⟩ *an welchem Ort, a welcher Stelle:* wo liegt das Buch? **2.** ⟨relativisch **a)** ⟨lokal⟩ *an welchem Ort, an welcher Stelle:* di Stelle, wo das Unglück passierte; die Stadt, w ich geboren wurde. **b)** ⟨temporal⟩ *zu welcher Zei* an den Tagen, wo kein Unterricht ist, sind di Omnibusse leerer. **3.** ⟨indefinit⟩ (ugs.) *irgendwo* das Buch muß doch wo liegen.

Wo|che, die; -, -n: *Zeitraum von sieben Tage (der als Kalenderwoche mit dem Montag beginn und mit dem Sonntag endet).*

Wo|chen|tag, der; -[e]s, -e: *Tag der Woche au ßer Sonntag:* das Geschäft ist an allen Wochenta gen geöffnet. **sinnv.:** Werktag.

wö|chent|lich ⟨Adj.⟩: *in jeder Woche [gesche hend, fällig o. ä.]:* wir treffen uns w. zweima zweimal w. **sinnv.:** all-, halb-, vierwöchentlich.

wo|durch (Pronominaladverb): *durch welch Sache, durch welchen Umstand:* **1.** [nachdrücklic auch: wodurch] ⟨interrogativ⟩: w. wurde der Un fall verursacht? **2.** ⟨relativisch⟩: durch was. **3.** ⟨relati visch⟩: Überschwemmungen, w. der Verkeh lahmgelegt wurde. **sinnv.:** so daß.

wo|für (Pronominaladverb): *für welche Sache für welchen Zweck:* **1.** [nachdrücklich auch: w für] ⟨interrogativ⟩: w. brauchst du das Geld **sinnv.:** warum. **2.** ⟨relativisch⟩: ich habe ihr einig neue Kleider gekauft, w. sie mir sehr dankbar war.

Wo|ge, die; -, -n (geh.): *große, mächtige Welle:* die Wogen schlugen über dem Schiff zusammen. **sinnv.:** Welle. **Zus.:** Meeres-, Menschenwoge.

wo|her ⟨Adverb⟩: *von welcher Stelle; aus welchem Ort:* **1.** ⟨interrogativ⟩: w. kommst du? **2.** ⟨relativisch⟩: er soll wieder dorthin gehen, w. er gekommen ist.

wo|hin ⟨Adverb⟩: *in welche Richtung; an welchen Ort:* **1.** ⟨interrogativ⟩: w. gehen wir?; **2.** ⟨relativisch⟩: nirgends fanden wir Unterstützung, w. wir uns auch wandten.

wohl ⟨Adverb⟩: **1. a)** *in angenehm-behaglichem Zustand befindlich:* sich w. fühlen. **sinnv.:** behaglich, wohlig. **Zus.:** pudel-, sauwohl. **b)** *in einem guten körperlichen [und seelischen] Zustand befindlich:* jmdm. ist nicht w. **sinnv.:** gesund. **Zus.:** unwohl. **2. a)** /unbetont; drückt eine Annahme aus/: *vermutlich:* das ist w. das Beste, was man tun kann; er wird w. noch kommen. **sinnv.:** anscheinend. **b)** /unbetont; bezeichnet ein ungefähres Maß/ *etwa:* es wird w. ein Jahr hersein, daß ich dort war. **sinnv.:** ungefähr. **3.** /drückt eine Einschränkung aus/ *zwar:* w. nimmt er an der Veranstaltung teil, doch hat er im Grunde kein besonderes Interesse daran. **sinnv.:** immerhin.

woh|nen ⟨itr.⟩: **a)** *seine Wohnung, seinen ständigen Wohnsitz haben:* er wohnt in Mannheim; der Mieter, der über/unter mir wohnt. **sinnv.:** ansässig sein; bewohnen, das Zimmer teilen. **Zus.:** zusammenwohnen. **b)** *vorübergehend eine Unterkunft haben:* ich wohne im Hotel. **sinnv.:** absteigen, sich aufhalten, sich einquartieren, übernachten. **Zus.:** bei-, innewohnen.

wohn|haft ⟨Adj.⟩ (Amtsspr.): *irgendwo wohnend, seinen Wohnsitz habend:* er ist hier w. **sinnv.:** einheimisch.

Wohn|sitz, der; -es, -e: *Wohnung an einem bestimmten Ort, die jmdm. zum ständigen Aufenthalt dient:* er ist ohne festen W.; sein zweiter W. ist Wien. **sinnv.:** Aufenthalt[sort], Behausung, Domizil, Heim, Zuhause.

Woh|nung, die; -, -en: *Einheit von mehreren Räumen als ständige Unterkunft für eine oder mehrere Personen.* **sinnv.:** Apartment, Appartement, Maison[n]ette, Mansarde, Penthaus. **Zus.:** Dach-, Eigentums-, Miet-, Neubau-, Sozial-, Stadt-, Zweit-, Zweizimmerwohnung.

wöl|ben, sich: *sich (über etwas) ausspannen:* der Himmel wölbt sich über uns. **sinnv.:** sich runden, sich spannen. **Zus.:** vorwölben.

Wolf, der; -[e]s, Wölfe: *einem Schäferhund ähnliches, häufig in Rudeln lebendes Raubtier.* **sinnv.:** Isegrim. **Zus.:** Steppenwolf.

Wol|ke, die; -, -n: *in der Luft schwebende Ansammlung von Wassertröpfchen oder Eiskristallen.* **sinnv.:** Bewölkung. **Zus.:** Dampf-, Duft-, Dunst-, Rauch-, Staubwolke.

wol|kig ⟨Adj.⟩: *(vom Himmel) zum größeren Teil mit Wolken bedeckt:* es ist w. **sinnv.:** bedeckt, bewölkt, bezogen, grau, verhangen.

Wol|le, die; -, -n: **1.** *Haar von bestimmten Säugetieren, bes. vom Schaf, das durch Scheren der Tiere gewonnen und zu Garn versponnen wird.* **sinnv.:** Haare, Locken, Pelz. **Zus.:** Alpaka-, Angora-, Baum-, Kaschmir-, Lamm-, Merino-, Mohair-, Schaf-, Schur-, Shetland-, Zellwolle. **2.** *aus Wolle*

(1) *gesponnenes Garn:* ein Pullover aus feiner W. **sinnv.:** Garn, Strickgarn; Faden.

wol|len, will, wollte, hat gewollt /(nach vorangehendem Infinitiv) hat ... wollen ⟨itr.⟩: **1.** ⟨mit Infinitiv als Modalverb; hat ... wollen⟩ **a)** *die Absicht, den Wunsch, den Willen haben, etwas Bestimmtes zu tun:* er will uns morgen besuchen; das Buch habe ich schon immer lesen w.; willst (möchtest) du mitfahren? **sinnv.:** beabsichtigen, erstreben, mögen, vorhaben, wünschen. **b)** ⟨Präteritum⟩ /dient der Umschreibung einer Bitte, eines Wunsches/: ich wollte Sie bitten, fragen, ob ... **sinnv.:** mögen. **c)** ⟨Konjunktiv Präsens⟩ (veraltend) /drückt einen Wunsch, eine höfliche, aber zugleich bestimmte Aufforderung aus/: wenn Sie bitte Platz nehmen wollen; man wolle bitte darauf achten, daß ...; ⟨ohne Inversion⟩ /als einem Befehl ähnliche Aufforderung/: Sie wollen sich bitte sofort melden. **d)** /drückt aus, daß der Sprecher die von ihm wiedergegebene Behauptung eines anderen mit Skepsis betrachtet, für fraglich hält/: er will es [nicht] gewußt, gesehen haben (behauptet, es [nicht] gewußt, gesehen zu haben). **e)** /meist verneint; drückt aus, daß etwas [nicht] in der im Verb genannten Weise funktioniert, geschieht, abläuft o. ä./: die Wunde will [und will] nicht heilen; der Motor wollte nicht anspringen; verblaßt: das will nichts heißen; das will ich hoffen, meinen. **f)** ⟨in Verbindung mit einem 2. Partizip und „sein" oder „werden"⟩ /drückt aus, daß etwas eine bestimmte Bemühung, Anstrengung o. ä. verlangt/ *müssen:* dieser Schritt will gut überlegt werden. **g)** *einen bestimmten Zweck haben; einem bestimmten Zweck dienen:* die Aktion will über die Lage der religiösen Minderheiten in Asien aufklären. **2.** ⟨Vollverb; hat gewollt⟩ **a)** *die Absicht, den Wunsch haben, etwas Bestimmtes zu tun:* das habe ich nicht gewollt; sie wollen ans Meer, ins Gebirge (ugs.; wollen dorthin fahren). **b)** *zu haben, zu bekommen wünschen:* er hat alles bekommen, was er wollte. **sinnv.:** verlangen. **c)** ⟨Konjunktiv Präteritum⟩ /drückt einen irrealen Wunsch aus/: ich wollte (wünschte), es wäre alles vorüber. **d)** (ugs.) /drückt – meist verneint – aus, daß etwas nicht funktioniert, nicht in der gewünschten Weise abläuft o. ä./: seine Beine wollten nicht mehr (versagten ihm den Dienst). **e)** (ugs.) *für sein Gedeihen o. ä. brauchen:* diese Blume will Sonne; Tiere wollen ihre Pflege. **sinnv.:** haben müssen, verlangen.

wo|mit ⟨Pronominaladverb⟩: **1.** [nachdrücklich auch: womit] ⟨interrogativ⟩ *mit welcher Sache?; auf welche Weise?:* w. kann ich dir helfen? **sinnv.:** mit was. **2.** ⟨relativisch⟩ *mit welcher (eben erwähnten) Sache, mit welchen (eben erwähnten) Worten u. ä.:* das Seil, w. er gefesselt war. **sinnv.:** mit dem/der.

wo|mög|lich ⟨Adverb⟩: **a)** *wenn es möglich ist:* ich möchte w. schon heute abreisen. **sinnv.:** wenn es geht/sich machen läßt, möglichst. **b)** *vielleicht [sogar]:* er ist w. schon da. **sinnv.:** möglicherweise, vielleicht.

wo|nach ⟨Pronominaladverb⟩: **1.** [nachdrücklich auch: wonach] ⟨interrogativ⟩ *nach welcher Sache?:* w. suchst du? **sinnv.:** nach was. **2.** ⟨relativisch⟩ **a)** *nach welcher (eben erwähnten) Sache:* das Buch, w. du fragst. **b)** *nach dessen/deren Wortlaut:* der Bericht, wonach er verunglückt ist, trifft nicht zu. **sinnv.:** demzufolge, nach dem zu urteilen.

wor|an ⟨Pronominaladverb⟩: **1.** [nachdrücklich auch: woran] ⟨interrogativ⟩ **a)** *an welcher Sache?:* w. erkennst du ihn?: ich frage mich, w. das liegt *(warum das so ist).* **sinnv.:** an was. **b)** *an welche Sache?:* w. denkst du? **sinnv.:** an was. **2.** ⟨relativisch⟩ **a)** *an welcher (eben erwähnten) Sache:* das Bild, w. er arbeitet. **sinnv.:** an dem. **b)** *an welche (eben erwähnte) Sache:* das ist alles, w. ich mich erinnern kann. **sinnv.:** an das.

wor|auf ⟨Pronominaladverb⟩: **1.** [nachdrücklich auch: worauf] ⟨interrogativ⟩ **a)** *auf welche Sache?:* w. kommt es hier an? **sinnv.:** auf was. **b)** *auf welcher Sache?:* w. liegst du? **sinnv.:** auf was. **2.** ⟨relativisch⟩ **a)** *auf welche (eben erwähnte) Sache:* das Geld, w. ich warte. **sinnv.:** auf das. **b)** *auf welcher (eben erwähnte) Sache folgend:* der Stuhl, w. er sitzt. **sinnv.:** auf dem. **c)** *auf welchen (eben erwähnten) Vorgang folgend:* ich gab ihm den Brief, w. er das Zimmer verließ.

wor|aus ⟨Pronominaladverb⟩: **1.** [nachdrücklich auch: woraus] ⟨interrogativ⟩ *aus welcher Sache?; aus welchen Teilen?:* w. besteht dein Frühstück? **sinnv.:** aus was. **2.** ⟨relativisch⟩ *aus welcher (eben erwähnte) Sache:* das Glas, w. er trinkt; er war bereit, w. ich schließe, daß er Bescheid wußte. **sinnv.:** aus dem.

wor|in ⟨Pronominaladverb⟩: **1.** [nachdrücklich auch: worin] ⟨interrogativ⟩ *in welcher Sache?:* w. besteht der Vorteil? **sinnv.:** in was. **2.** ⟨relativisch⟩ *in welcher (eben erwähnten) Sache:* er las den Brief, w. die Anordnung stand. **sinnv.:** in dem.

Wort, das; -[e]s, Wörter und Worte: **1.** ⟨Plural: Wörter, selten Worte⟩ *kleinste, selbständige sprachliche Einheit, die eigene Bedeutung oder Funktion hat:* ein mehrsilbiges W.; etwas in Worten ausdrücken; ein Satz von zehn Wörtern. **sinnv.:** Ausdruck, Begriff, Bezeichnung, Terminus, Vokabel. **Zus.:** Binde-, Eigenschafts-, Fach-, Fremd-, Haupt-, Mode-, Stich-, Umstands-, Verhältnis-, Zahl-, Zeitwort. **b)** ⟨Plural Worte⟩ *Wort* (1 a) *als Träger eines Sinnes:* die Worte „Frieden" und „Freiheit". **Zus.:** Reizwort. **2.** ⟨Plural: Worte⟩ *von jmdm. gemachte Äußerung, ausgesprochener Gedanke:* ein W. von Goethe; das war ein mutiges W.; tröstende Worte. **sinnv.:** Ausspruch. **Zus.:** Abschieds-, Dankes-, Geleit-, Gruß-, Macht-, Schlag-, Schluß-, Schlüssel-, Trostwort.

wört|lich ⟨Adj.⟩: *(dem Text, der Äußerung, auf die Bezug genommen wird) im Wortlaut genau entsprechend:* eine wörtliche Übersetzung; so hat er w. gesagt. **sinnv.:** buchstäblich, Wort für Wort, wortgetreu, wortwörtlich.

Wort|schatz, der; -es, Wortschätze: **a)** *alle zu einer Sprache gehörenden Wörter.* **sinnv.:** Lexik, Lexikon, Vokabular. **Zus.:** Fach-, Grund-, Spezialwortschatz. **b)** *Gesamtheit der Wörter, die jmd. beherrscht und verwendet:* sein W. ist nicht sehr groß. **sinnv.:** Sprachschatz.

wor|über ⟨Pronominaladverb⟩: **1.** [nachdrücklich auch: worüber] ⟨interrogativ⟩ **a)** *über welche Sache?:* w. freust du dich so? **sinnv.:** über was. **b)** *über welcher Sache?:* w. war er eingeschlafen? **2.** ⟨relativisch⟩ **a)** *über welche (eben erwähnte) Sache:* das Thema, w. er spricht. **sinnv.:** über das. **b)** *über welcher (eben erwähnten) Sache:* das Problem, w. er schon wochenlang brütet. **sinnv.:** über dem.

wor|um ⟨Pronominaladverb⟩: **1.** [nachdrücklich auch: worum] ⟨interrogativ⟩ *um welche Sache?* w. handelt es sich denn? **sinnv.:** um was. **2.** ⟨relativisch⟩ *um welche (eben erwähnte) Sache:* es gibt vieles, w. ich dich bitten könnte. **sinnv.:** um was.

wor|un|ter ⟨Pronominaladverb⟩: **1.** [nachdrücklich auch: worunter] ⟨interrogativ⟩ **a)** *unter welche Sache?:* w. hatte er sich zu beugen? **sinnv.:** unter was. **b)** *unter welcher Sache?:* w. hat er zu leiden? **sinnv.:** unter das. **2.** ⟨relativisch⟩ *unter welche (eben erwähnten) Sache:* Erklärungen, w. vieles zu verstehen ist. **sinnv.** unter dem/denen/der.

wo|von ⟨Pronominaladverb⟩: **1.** [nachdrücklich auch: wovon] ⟨interrogativ⟩ *von welcher Sache?:* w. sprichst du? **sinnv.:** von was. **2.** ⟨relativisch⟩ *von welcher (eben erwähnte) Sache:* er erwähnte etwas, w. ich schon gehört hatte. **sinnv.:** von dem/denen/der.

wo|vor ⟨Pronominaladverb⟩: **1.** [nachdrücklich auch: wovor] ⟨interrogativ⟩ **a)** *vor welche Sache?:* w. hatte er sich gestellt? **sinnv.:** vor was. **b)** *vor welcher Sache?:* w. hat das Kind Angst? **sinnv.:** vor was. **2.** ⟨relativisch⟩ **a)** *vor welche (eben erwähnte) Sache:* die Tür, w. er den Korb gestellt hatte. **sinnv.:** vor das/dem/die. **b)** *vor welcher (eben erwähnten) Sache:* er sagte nicht, w. er sich fürchtete. **sinnv.:** vor was.

wo|zu ⟨Pronominaladverb⟩: **1.** [nachdrücklich auch: wozu] ⟨interrogativ⟩ **a)** *zu welchem Zweck?:* w. brauchst du das? **sinnv.:** zu was; warum. **b)** *zu welcher Sache?:* w. gehört dieses Bild? **2.** ⟨relativisch⟩ *zu welche (eben genannten) Sache:* ich muß noch Briefe schreiben, w. ich gestern keine Zeit hatte.

Wrack, das; -[e]s, -s: *[durch Zerstörung] unbrauchbar gewordenes [nur noch in Bruchstücken vorhandenes] Schiff, Flugzeug o. ä.:* ein W. liegt am Strand. **sinnv.:** Trümmer. **Zus.:** Auto-, Flugzeug-, Schiffswrack.

Wuchs, der; -es: **a)** *das Wachsen:* Pflanzen mit/ von üppigem W. **Zus.:** Bart-, Baum-, Haar-, Wild-, Zwergwuchs. **b)** *Art, wie jmd./etwas gewachsen ist:* ein Baum, ein Mädchen von schlankem W. **sinnv.:** Gestalt.

Wucht, die; -: *(bes. durch sein Gewicht erzeuge) Heftigkeit, mit der etwas auf jmdn./etwas auftrifft:* der Stein traf ihn mit voller W. **sinnv.:** Gewalt.

wühl|en: a) ⟨itr.⟩ *(in etwas) mit beiden Händen oder mit den Pfoten graben:* sie wühlte in ihrem Koffer. **sinnv.:** stöbern, suchen. **Zus.:** auf-, zerwühlen. **b)** ⟨tr.⟩ *grabend, wühlend* ⟨a⟩ *hervorbringen:* ein Loch w. **sinnv.:** graben.

wund ⟨Adj.⟩: *(in bezug auf die Haut einer Körperstelle o. ä.) durch Reibung o. ä. verletzt:* wunde Füße; sich w. laufen, reiten. **sinnv.:** aufgescheuert, offen.

Wun|de, die; -, -n: *(durch Unfall oder beabsichtigten Eingriff entstandene) offene Stelle in der Haut [und dem darunterliegenden Gewebe]:* eine klaffende, eiternde W.; die W. blutet, heilt. **sinnv.:** Blessur, Hautabschürfung, Trauma, Verletzung, Verwundung. **Zus.:** Brand-, Platz-, Schnitt-, Schuß-, Stichwunde.

Wun|der, das; -s, -: **a)** *außerordentlicher, staunenerregender, der Erfahrung oder den Naturegesetzen zuwiderlaufender Vorgang:* nur ein W. kann sie retten; die Geschichte klingt wie ein W.; sie hofften auf ein W. **sinnv.:** Mirakel, Mysterium, Spektakulum, Unerforschliches. **b)** ⟨W. + Attribut⟩ *etwas, was in seiner Art, durch sein Maß an Vollkommenheit das Gewohnte, Übliche weit übertrifft und Staunen erregt:* diese Brücke ist ein W. der Technik. **sinnv.:** Wunderwerk. **Zus.:** Natur-, Weltwunder.

wun|der|bar ⟨Adj.⟩: **1. a)** *vom Sprecher als überaus schön, gut o. ä. angesehen, sein Entzücken hervorrufend:* ein wunderbarer Abend; sie singt w. **sinnv.:** großartig, märchenhaft. **b)** ⟨verstärkend bei Adjektiven und Verben⟩ *sehr gut, sehr schön:* ein w. bequemer Sessel; sie haben sich w. entwickelt. **sinnv.:** sehr. **2.** *wie ein Wunder* (a) *erscheinend:* seine wunderbare Errettung. **sinnv.:** mirakulös, wundersam.

wun|dern: 1. ⟨itr.⟩ *jmds. Erwartungen nicht entsprechen, ihn darum erstaunen, befremden:* es wundert mich, daß er nicht kommt. **sinnv.:** erstaunen. **Zus.:** verwundern. **2.** (sich w.) *(über etwas Unerwartetes) überrascht, erstaunt oder befremdet sein:* ich wunderte mich über seine merkwürdigen Ansichten. **sinnv.:** staunen, verwundern.

Wunsch, der; -[e]s, Wünsche: **1.** *etwas, was sich jmd. wünscht, was er haben, erreichen o. ä. möchte [und was er als Bitte anderen, einem anderen gegenüber vorbringt]:* er hat den W., Arzt zu werden; einen W. aussprechen; er ist auf seinen [ausdrücklichen] W. [hin] versetzt worden; jmdm. einen W. erfüllen. **sinnv.:** Begehr[en], Sehnsucht, Traum, Verlangen. **Zus.:** Berufs-, Herzens-, Sonderwunsch. **2.** ↑*Glückwunsch:* mit den besten Wünschen für das neue Jahr.

wün|schen ⟨tr.⟩: **a)** *etwas (für sich oder andere) gern haben wollen:* ich wünsche dir gutes Wetter für den Urlaub; sie wünschen sich ein Baby; ich wünschte, es wäre schon Sommer. **sinnv.:** begehren, erbitten, erhoffen, erträumen, sich sehnen, verlangen, den Wunsch haben. **Zus.:** verwünschen. **b)** ⟨w. + zu + Inf.⟩ *gern etwas tun wollen; einen Wunsch, ein Verlangen aussprechen:* er wünscht, um 6 Uhr geweckt zu werden. **sinnv.:** mögen, wollen. **Zus.:** herbei-, weg-, zurückwünschen.

Wür|de, die; -, -n: **1.** ⟨ohne Plural⟩ **a)** *dem Menschen innewohnender Wert und innerer Rang:* jmdn. in seiner W. verletzen. **sinnv.:** Ansehen. **Zus.:** Menschenwürde. **b)** *Haltung, die durch das Bewußtsein vom eigenen Wert oder von einer geachteten Stellung bestimmt wird:* er hat alles mit W. ertragen. **sinnv.:** Fassung, Haltung. **2.** *mit bestimmten Ehren, hohem Ansehen verbundenes Amt, verbundene Stellung:* er hat die höchsten Würden erreicht. **sinnv.:** Amt.

wür|dig ⟨Adj.⟩: *Würde besitzend, ausstrahlend, zeigend:* eine würdige Haltung. **sinnv.:** erhaben; feierlich.

-wür|dig (adjektivisches Suffixoid): **a)** *so, daß das im Basiswort Genannte getan werden sollte/könnte; das im Basiswort Genannte verdient habend, erfordernd* /meist mit einem Basiswort positiven Inhalts/: anerkennungs-, bewunderungs-, sehenswürdig. **sinnv.:** -wert. **b)** *die Voraussetzungen für das im Basiswort Genannte habend:* abbau-, vertrauenswürdig. **sinnv.:** -fähig.

wür|di|gen ⟨tr.⟩: **1.** *jmds. Leistung, Verdienst, den Wert einer Sache anerkennen [und mit Worten kundtun]:* ich weiß deine Hilfe zu w. (zu schät-

zen). **sinnv.:** begutachten, loben. **2.** *eines bestimmten Verhaltens für wert erachten:* er würdigte mich keines Blickes.

Wurf, der; -[e]s, Würfe: *das Werfen:* zum W. ausholen. **Zus.:** Hammer-, Speer-, Stein-, Weitwurf.

Wür|fel, der; -s, -: **1.** /eine geometrische Figur/ (siehe Bildleiste „geometrische Figuren", S. 175). **sinnv.:** Hexaeder, Kubus, Sechsflächner. **2.** *(zum Würfeln verwendeter) kleiner Gegenstand von der Form eines Würfels* (1), *dessen sechs Seiten Punkte tragen* (von 1 bis 6).

wür|feln: a) ⟨itr.⟩ *mit Würfeln (um etwas) spielen:* sie würfelten darum, wer anfangen sollte; es wurde um Geld gewürfelt. **b)** ⟨tr.⟩ *mit dem Würfel* (2) *eine bestimmte Zahl werfen:* eine Sechs w. **sinnv.:** knobeln, trudeln, Würfel spielen; spielen.

wür|gen: 1. ⟨tr.⟩ *(jmdn.) an der Kehle fassen und ihm die Luft abdrücken [in der Absicht, ihn zu ersticken]:* er hatte sein Opfer gewürgt. **sinnv.:** erdrosseln, erwürgen, jmdm. die Kehle zudrücken, strangulieren. **2.** ⟨itr.⟩ *einen starken Brechreiz haben:* er mußte heftig w.

Wurm, der; -[e]s, Würmer: *Tier mit langgestrecktem Körper ohne Gliedmaßen:* die Amsel frißt Würmer. **Zus.:** Band-, Faden-, Regen-, Spulwurm.

Wurst, die; -, Würste: *Masse aus feingehacktem Fleisch, Speck, Gewürzen o. ä., die, in natürliche oder künstliche Därme gefüllt (geräuchert, gebraten) kalt oder warm gegessen wird:* eine Scheibe W. **sinnv.:** Würstchen. **Zus.:** Brat-, Brüh-, Dauer-, Extra-, Fleisch-, Leber-, Mett-, Streichwurst.

Wur|zel, die; -, -n: **1.** *Teil der Pflanzen, mit dem sie sich in der Erde festhalten und über die sie ihre Nahrung aus dem Boden aufnehmen:* Wurzeln ausbilden, schlagen. **sinnv.:** Rhizom, Wurzelstock. **Zus.:** Luft-, Pfahlwurzel. **2.** *im Kiefer sitzender Teil des Zahnes:* der Zahnarzt muß die W. behandeln. **Zus.:** Zahnwurzel.

wur|zeln ⟨itr.⟩ *(von einer Pflanze) mit den Wurzeln im Boden festsitzen:* die Bäume wurzeln tief im Boden.

wür|zig ⟨Adj.⟩: *kräftig schmeckend oder duftend:* eine würzige Speise; würzige Luft. **sinnv.:** aromatisch, parfümiert.

wüst ⟨Adj.⟩: **1.** *öde und verlassen:* eine wüste Gegend. **sinnv.:** trist, trostlos, unwirtlich. **2.** *in höchstem Maße unordentlich, unsauber o. ä.:* in seinem Zimmer sieht es w. aus. **sinnv.:** chaotisch, drunter und drüber, durcheinander, wirr.

Wü|ste, die; -, -n: *trockenes, meist heißes Gebiet der Erde, das ganz von Sand bedeckt ist.* **Zus.:** Eis-, Sand-, Stein-, Wasserwüste.

Wut, die; -: *(sich in heftigen, zornigen Worten und/oder unbeherrschten Handlungen äußernder) Zustand äußerster Erregung:* W. auf jmdn. haben; in W. geraten; was W. heulen; vor W. schäumen; voller W. sein. **sinnv.:** Ärger.

wü|ten, wütete, hat gewütet ⟨itr.⟩: **a)** *in einem Zustand von Wut o. ä. gewalttätig, zerstörerisch agieren:* die Soldaten hatten in der Stadt gewütet. **sinnv.:** Amok laufen, rasen, toben. **b)** *von zerstörender, vernichtender Wirkung sein:* draußen wütete der Sturm. **sinnv.:** rasen, toben, tosen.

wü|tend ⟨Adj.⟩: *von Wut erfüllt, voller Wut:* er kam w. ins Zimmer; w. auf/über jmdn. sein. **sinnv.:** ärgerlich, mißmutig.

Z

Zacke, die; -, -n: *(eine von meist mehreren neben-einander angeordneten) Spitzen an einem Gegen-stand:* die Zacken einer Krone, des Sägeblatts. **sinnv.:** Zacken, Zahn, Zinke. **Zus.:** Eis-, Felsen-, Gabel-, Sternzacke.

Zacken, der; -s, -: *einzelne, an einer bestimmten Stelle hervortretende Spitze:* hier ragt ein Z. her-vor. **sinnv.:** Zacke.

zag|haft ⟨Adj.⟩: *unsicher, ängstlich und zugleich unentschlossen, zögernd in seinem Handeln:* z. klopfte er an die Tür.

zäh ⟨Adj.⟩: **1.** (abwertend) *schwer zu zerkleinern oder zu kauen:* das Fleisch ist sehr z. **2. a)** *körper-lich ausdauernd, widerstandsfähig:* ein zäher Bur-sche. **sinnv.:** stark. **b)** *beharrlich, mit Ausdauer ein bestimmtes Ziel verfolgend:* durch zähen Fleiß er-reichte er sein Ziel.

Zahl, die; -, -en: **1.** *Angabe einer Menge, Größe:* die Z. 1 000; zwei Zahlen addieren; eine gerade *(durch zwei teilbare)* Z. **sinnv.:** Bruch, Chiffre, Zahlzeichen, Ziffer. **Zus.:** Bruch-, Dezimal-, Grund-, Kardinal-, Mehr-, Ordinal-, Ordnungs-, Un-, Vielzahl. **2.** *Anzahl von Personen, Dingen o. ä.:* die Z. der Mitglieder steigt; die ungefähre Z. der Teilnehmer. **sinnv.:** Menge.

zah|len ⟨tr./itr.⟩: **a)** *(einen Geldbetrag) als Gegen-leistung geben, bezahlen:* eine hohe Summe an jmdn. z.; wieviel hast du dafür gezahlt?; etwas in Raten/mit Scheck, per Überweisung z. **sinnv.:** aufwenden, auslegen, bezahlen, erlegen, erstat-ten, honorieren, vorlegen. **Zus.:** ab-, an-, dazu-, drauf-, ein-, nach-, rück-, voraus-, zu-, zurück-zahlen. **b)** *eine bestehende Geldschuld tilgen:* Mie-te, Steuern z. **sinnv.:** abstottern, abtragen, abzah-len, begleichen.

zäh|len: 1. ⟨itr.⟩ *Zahlen der Reihe nach nennen:* von 1 bis 100 z. **2.** ⟨tr.⟩ *die Anzahl von etwas fest-stellen:* die Äpfel z.; er zählte, wieviel Leute an-wesend waren. **sinnv.:** abzählen, addieren, zu-sammenzählen. **3.** ⟨itr.⟩ *sich (auf jmdn./etwas) ver-lassen:* du kannst auf mich, auf meine Hilfe z. **sinnv.:** bauen/vertrauen auf. **4.** ⟨itr.⟩ *von Bedeu-tung sein:* hier zählt nur die Leistung. **sinnv.:** gel-ten. **5.** ⟨itr.⟩ *zu etwas/jmdm. gehören:* er zählt fast schon zu unserer Familie; er zählt zum Adel. **sinnv.:** angehören. **6.** ⟨tr.⟩ *für etwas Bestimmtes halten, als etwas Bestimmtes ansehen:* ich zähle ihn zu den größten Politikern. **sinnv.:** ansehen als, beurteilen.

zahl|reich ⟨Adj.⟩: **a)** *viele:* er hat zahlreiche Briefe bekommen. **sinnv.:** einig... **b)** *aus vielen Mitgliedern, Teilnehmern bestehend:* eine zahlrei-che Familie, Versammlung. **sinnv.:** groß.

zahm ⟨Adj.⟩: *(von bestimmten wildlebenden Tie-ren) an den Menschen gewöhnt:* eine zahme Krä-he, Dohle. **sinnv.:** domestiziert, fromm, gebän-digt, lammfromm. **Zus.:** handzahm.

zäh|men ⟨tr.⟩: *(von wildlebenden Tieren) an den*

Menschen gewöhnen, zahm machen: einen Löwen z. **sinnv.:** bändigen. **Zus.:** bezähmen.

Zahn, der; -[e]s, Zähne: **1.** *in einem der beiden Kiefer wurzelndes, in die Mundhöhle ragendes, knochenähnliches Gebilde, das zur Zerkleinerung der Nahrung dient:* die Zähne putzen; jmdm. ei-nen Z. ziehen; die Nahrung mit den Zähnen zer-mahlen. **sinnv.:** Beißerchen, Hauer, Kauwerkzeu-ge. **Zus.:** Augen-, Back-, Backen-, Eck-, Gift-, Milch-, Reiß-, Schneide-, Stift-, Weisheitszahn. **2.** *Zacke am Rand eines Gegenstandes innerhalb einer längeren Reihe:* die Zähne der Briefmarke.

Zan|ge, die; -, -n: *bes. zum Greifen, Halten, Durchtrennen o. ä. dienendes Werkzeug:* mit der Z. einen Draht abkneifen. **Zus.:** Beiß-, Greif-, Kneif-, Loch-, Zuckerzange.

zap|fen ⟨tr.⟩: *(aus einem Faß Flüssigkeit, bes. Bier) durch einen Spund entnehmen, in Gläser fül-len:* Bier z. **sinnv.:** ausschenken.

zap|peln ⟨itr.⟩: *(vor Unruhe o. ä.) heftige, unkon-trollierte Bewegungen mit den Gliedmaßen, mit dem ganzen Körper ausführen:* vor Ungeduld z.; der Fisch zappelte an der Angel. **sinnv.:** hampeln, nicht stillsitzen können, strampeln. **Zus.:** sich ab-, herumzappeln.

zart ⟨Adj.⟩: **1.** *verletzlich, zerbrechlich wirkend (und daher eine besonders behutsame, pflegliche Behandlung verlangend):* ein zartes Gebilde, Ge-schöpf; die Pflänzchen sind noch sehr z. **sinnv.:** ätherisch, durchsichtig, mimosenhaft, sensibel, zerbrechlich. **Zus.:** überzart. **2.** *(von bestimmten Speisen) angenehm weich, mürbe, im Mund zerge-hend:* zartes Fleisch; das Gebäck ist sehr z. **sinnv.:** butterweich, locker, mürbe, leicht zerfal-lend. **Zus.:** butterzart. **3.** *(in seiner Intensität) auf eine angenehme Weise sanft, leise, unaufdringlich:* eine zarte Farbe; der Duft, der Klang des Instru-ments ist sehr z. **sinnv.:** fein.

zärt|lich ⟨Adj.⟩: *(in seinem Verhalten einem ande-ren gegenüber) große Zuneigung und Fürsorge ausdrückend, von ihr zeugend:* er ist ein sehr zärt-licher Vater, Ehemann. **sinnv.:** empfindsam, hin-gebend, hingebungsvoll, innig, lieb, liebend, lie-bevoll, rührend.

Zau|ber, der; -s: **1.** *Handlung des Zauberns; ma-gische Handlung:* einen Z. über jmdn., etwas aus-sprechen; etwas ist wie durch einen Z. ver-schwunden. **sinnv.:** Hexenwerk, Hexerei, Hokus-pokus, Schwarze Kunst, Magie, Taschenspieler-kunst, Teufelskunst, Teufelswerk, Zauberei, Zau-berkunst. **Zus.:** Abwehr-, Fruchtbarkeits-, Liebes-, Regenzauber. **2.** *Faszination, geheimnisvol-ler Reiz, der von einer Person oder Sache ausgeht:* der Z. der Jugend; jmds. Z. erliegen; ein großer Z. geht von jmdm., einer Sache aus. **sinnv.:** An-mut, Reiz.

Zau|be|rei, die; -, -en: **1.** ⟨ohne Plural⟩ *das Zau-bern:* das zu machen ist doch keine Z. **sinnv.:**

Zauber. 2. *(von einem Zauberkünstler vorgeführtes) Zauberkunststück:* Zaubereien vorführen. **sinnv.:** Zauber.

zau|bern: 1. ⟨itr./tr.⟩ *durch magische Kräfte, durch Zauberei hervorbringen:* die Hexe konnte z.; die Fee zauberte ein Schloß auf die Wiese. **sinnv.:** beschwören, besprechen, hexen, Zauberei betreiben, den Zauberstab schwingen. **Zus.:** an-, be-, ent-, herbei-, ver-, wegzaubern. **2.** ⟨itr./tr.⟩ *Zauberkunststücke vorführen:* der Zauberer zauberte ein Kaninchen aus seinem Hut. **3.** ⟨tr.⟩ *mit großem Können, mit Geschicklichkeit hervorbringen, schaffen:* sie hatte ein köstliches Essen gezaubert; der Maler zauberte eine Landschaft auf das Papier. **sinnv.:** hervorbringen.

zau|dern ⟨itr.⟩: *aus Angst, Unentschlossenheit o. ä. immer wieder mit, bei etwas zögern:* er tat es, ohne zu z.; er hatte lange gezaudert, bevor er zusagte. **sinnv.:** zögern.

Zaun, der; -[e]s, Zäune: *aus Metall- oder Holzstäben oder aus Drahtgeflecht bestehende Vorrichtung, durch die ein Grundstück begrenzt wird:* einen Z. ziehen; über den Z. klettern; durch den Z. schlüpfen, kriechen. **sinnv.:** Drahtverhau, Einzäunung, Gatter, Gitter, Hag, Hecke, Umzäunung. **Zus.:** Bau-, Bretter-, Elektro-, Garten-, Latten-, Staketen-, Weidezaun.

Zeh, der; -s, -en, **Ze|he,** die; -, -n: *bewegliches Glied am Fuß:* auf den Zehen durchs Zimmer schleichen.

zehn ⟨Kardinalzahl⟩: 10: z. Personen.

zehnt... ⟨Ordinalzahl⟩: 10.: der zehnte Mann.

Zei|chen, das; -s, -: **1. a)** *etwas Sichtbares, Hörbares (bes. eine Geste, Gebärde, ein Laut o. ä.), das als Hinweis dient, mit dem jmd. auf etwas aufmerksam gemacht, zu etwas veranlaßt o. ä. wird:* jmdm. ein Z. geben; sie machte ein Z., er solle sich entfernen; zum Z./als Z. ihrer Versöhnung umarmten sie sich. **sinnv.:** Ausdruck, Botschaft, Gebärde. **b)** *der Kenntlichmachung von etwas, dem Hinweis auf etwas dienende Kennzeichnung, Markierung als solche dienender Gegenstand:* ein kreisförmiges Z.; mach dir ein Z. auf die Seite. **sinnv.:** Kennzeichen, Kennziffer, Markierung. **Zus.:** Glücks-, Sturm-, Unglücks-, Vorzeichen. **c)** *festgelegte, mit einer bestimmten Bedeutung verknüpfte, eine ganz bestimmte Information vermittelnde graphische Einheit:* gedruckte, mathematische, chemische Zeichen: **sinnv.:** Chiffre, Sinnbild, Symbol. **Zus.:** Ausrufe-, Frage-, Pausen-, Satz-, Schrift-, Vortragszeichen. **2.** *etwas (Sichtbares, Spürbares, bes. eine Verhaltensweise, Erscheinung, ein Geschehen, Vorgang, Ereignis o. ä.), das jmdm. etwas zeigt, für jmdn. ein Anzeichen, Symptom, Vorzeichen darstellt:* das ist ein Z. dafür, daß er ein schlechtes Gewissen hat; wenn nicht alle Zeichen trügen, wird es besser. **sinnv.:** Anzeichen. **Zus.:** Krankheitszeichen.

zeich|nen, zeichnete, hat gezeichnet: **1.** ⟨tr./itr.⟩ **a)** *mit einem Bleistift o. ä. in Linien, Strichen [künstlerisch] gestalten; mit zeichnerischen Mitteln herstellen:* ein Porträt, eine Skizze z. **sinnv.:** malen, schraffieren. **Zus.:** ab-, nachzeichnen. **b)** *zeichnend (1 a) ein Bild von jmdm., einer Sache herstellen:* einen Baum z.; nach der Natur z. **sinnv.:** aufzeichnen, darstellen, illustrieren, malen, porträtieren, skizzieren. **Zus.:** ab-, nachzeichnen. **2.** ⟨tr.⟩ *zu einem bestimmten Zweck mit*

einem Zeichen versehen: die Wäsche, einen Baum z. **sinnv.:** kennzeichnen, markieren.

Zeich|nung, die; -, -en: *etwas in Linien, Strichen Gezeichnetes:* Zeichnungen berühmter Künstler; die Z. für einen Neubau anfertigen. **sinnv.:** Bild, Cartoon, Graphik, Karikatur, Radierung, Skizze. **Zus.:** Aufriß-, Bau-, Bleistift-, Feder-, Hand-, Tuschzeichnung.

zei|gen: 1. ⟨itr.⟩ *durch eine Geste, Bewegung [mit der Hand] (auf jmdn./etwas) aufmerksam machen, deuten:* er zeigte [mit dem Finger] auf das Haus; in eine bestimmte Richtung, nach Norden z. **sinnv.:** deuten auf, hinweisen, weisen auf. **2.** ⟨tr.⟩ *(jmdn.) etwas ansehen, betrachten lassen:* er hat uns ein neues Haus gezeigt; er zeigte seine Bücher. **sinnv.:** vorzeigen. **Zus.:** auf-, her-, herumzeigen. **3.** ⟨tr.⟩ *mit Erläuterungen, Worten o. ä. erklären, deutlich machen:* der Meister zeigte dem Lehrling, wie die Maschine funktioniert. **sinnv.:** erläutern, vormachen. **4.** ⟨tr.⟩ *(ein Gefühl, die Einstellung zu jmd. anderem o. ä.) erkennen lassen:* er hat mir seinen Unwillen deutlich gezeigt. **sinnv.:** beweisen, offenbar werden lassen, verraten. **Zus.:** an-, bezeigen. **5.** ⟨sich z.⟩ *deutlich werden, klar werden:* es zeigte sich, daß seine Berechnung falsch war. **sinnv.:** sich herausstellen, sichtbar werden, zutage treten. **Zus.:** anzeigen. **6.** ⟨sich z.⟩ *(an einer bestimmten Stelle) zum Vorschein kommen, sichtbar werden:* es zeigen sich die ersten Knospen. **sinnv.:** auftauchen, auftreten, sich präsentieren. **7.** ⟨als Funktionsverb⟩ *drückt eine Eigenschaft, Fähigkeit oder ein Gefühl aus, das an jmdm. zu erkennen ist/:* Begabung, Fleiß z.; Interesse z.

Zei|ger, der; -s, -: *beweglicher Teil an Meßgeräten, bes. an Uhren, der die Zeit oder den gemessenen Wert (durch seine jeweilige Stellung auf einer Skala bzw. auf dem Zifferblatt) anzeigt:* der Z. steht auf zwölf. **Zus.:** Minuten-, Sekunden-, Stunden-, Uhrzeiger.

Zei|le, die; -, -n: **a)** *(geschriebene, gedruckte) Reihe nebeneinanderstehender Wörter eines Textes:* auf der letzten Seite stehen nur drei Zeilen. **sinnv.:** Schreiben. **Zus.:** Druck-, Gedicht-, Schlag-, Verszeile. **b)** *Reihe gleichartiger, nebeneinanderstehender Dinge (bes. Gebäude, Bäume):* eine Z. von Häusern, Bäumen. **sinnv.:** Reihe. **Zus.:** Häuser-, Straßenzeile.

Zeit, die; -, -en: **1.** ⟨ohne Plural⟩ *Ablauf, Nacheinander, Aufeinanderfolge der Augenblicke, Stunden, Tage, Wochen, Jahre:* die Z. vergeht, scheint stillzustehen; im Laufe der Z. **sinnv.:** Dauer. **Zus.:** Jahres-, Tageszeit. **2. a)** *[eng] begrenzter Zeitraum (in bezug auf eine Stelle im Zeitablauf):* feste Zeiten; die Z. der Ernte; außer der Z./außerhalb der üblichen Z.; vor der Z.; zu jeder Z. *(jederzeit, immer).* **sinnv.:** Augenblick. **Zus.:** Essens-, Schlafens-, Tisch-, Uhrzeit. **b)** *von einem Zeitmesser, der Uhr angegebene Stunde:* welche Z. ist es?; hast du [die] genaue Z.? **sinnv.:** Uhrzeit. **Zus.:** Normal-, Orts-, Radio-, Weltzeit. **3. a)** *Zeitraum (in seiner Ausdehnung, Erstreckung, in seinem Verlauf):* die Z. des Studiums; es verging einige, viel Z., bis ...; er hat Zeiten, in denen er sehr reizbar ist; kurze Z. warten; eine kurze Z. lang; für einige Z. verreist sein; ein Vertrag auf Z. *(auf befristete Zeit);* für alle Z. *(für immer);* in kurzer Z. fertig sein; in der nächsten/in nächster Z.

(bald); seit einiger Z.; vor einiger, langer Z.; zu allen Zeiten *(immer, allezeit).* **sinnv.:** Zeitabschnitt, Zeitspanne. **Zus.:** Anfangs-, Friedens-, Kriegs-, Vorkriegszeit. **b)** *verfügbarer Teil des Nacheinanders, der Abfolge von Augenblicken, Stunden, Tagen usw.:* jmdm. bleibt noch Z.; es ist noch Z. genug, das zu erledigen; jmdm. wird die Z. lang; die Z. drängt *(wird knapp, etwas erfordert Eile);* [keine, wenig, eine Stunde] Z. [für jmdn./ für etwas] haben; seine Z. einteilen, nützen; viel Z. [und Mühe] an etwas wenden; etwas braucht, kostet, erfordert [viel] Z., dauert seine Z.; wir dürfen jetzt keine Z. verlieren *(müssen uns beeilen).* **sinnv.:** Muße. **Zus.:** Frei-, Ruhe-, Urlaubszeit. **c)** *für eine Leistung, bes. zum Zurücklegen einer Strecke benötigter Zeitraum:* eine gute Z. laufen, fahren; die Z. stoppen, nehmen. **4.** *Zeitabschnitt des Lebens, der Geschichte, Naturgeschichte usw. (einschließlich der herrschenden Verhältnisse):* eine vergangene Z.; kommende, künftige Zeiten; die Z. Goethes, des Barocks; in jüngster Z.; in früheren Zeiten; das war in seinen besten Zeiten *(als es ihm noch sehr gut ging);* in Zeiten der Not; mit der Z. gehen *(sich der Entwicklung, den jeweiligen Verhältnissen anpassen);* zu keiner Z. *(niemals).* **sinnv.:** Zeitraum.
Zeit|al|ter, das; -s, -: *Abschnitt, Epoche der Geschichte (mit besonderer Prägung):* das Z. der Technik; vergangene Zeitalter. **sinnv.:** Äon, Ära, Epoche, Jahrhundert, Jahrtausend, Säkulum, Zeit, Zeitabschnitt, Zeitraum. **Zus.:** Atom-, Erdzeitalter.
Zeit|lang: ⟨in der Fügung⟩ eine Z.: *[für] eine gewisse Zeit:* er ist eine Z. im Ausland gewesen. **sinnv.:** vorübergehend.
zeit|lich ⟨Adj.⟩: *die Zeit betreffend; im Hinblick auf die zur Verfügung stehende Zeit:* der Besuch des Museums war z. nicht mehr möglich. **Zus.:** jahres-, neu-, zwischenzeitlich.
zeit|los ⟨Adj.⟩: *nicht von der augenblicklichen Mode o. ä. abhängig; in jede Zeit passend:* zeitlose Möbel. **sinnv.:** ewig.
Zeit|punkt, der; -[e]s, -e: *bestimmte kurze Zeitspanne, Augenblick in einem zeitlichen Ablauf:* der Z., zu dem /in dem/ wo/da die Sache bekannt wurde; zum jetzigen Z. läßt sich nichts machen. **sinnv.:** Augenblick, Frist.
Zeit|raum, der; -[e]s, Zeiträume: *Zeit, Zeitabschnitt von meist längerer Dauer [in dem etwas besteht oder geschieht]:* riesige Zeiträume; ein Z. von drei Monaten. **sinnv.:** Abschnitt, Ära, Epoche, Periode, Phase, Zeitalter, Zeitspanne.
Zeit|schrift, die; -, -en: *geheftete, broschierte Druckschrift mit verschiedenen Beiträgen, Artikeln o. ä., die meist regelmäßig (wöchentlich, monatlich oder vierteljährlich) erscheint:* eine Z. abonnieren, herausgeben. **sinnv.:** Fachorgan, Illustrierte, Magazin, Monatsschrift, Periodikum, Vierteljahresschrift, Wochenmagazin, Wochenschrift. **Zus.:** Fach-, Fernseh-, Frauen-, Literatur-, Mode-, Wochenzeitschrift.
Zei|tung, die; -, -en: *täglich oder wöchentlich erscheinendes Erzeugnis der Presse, das besonders neueste [politische] Nachrichten, Kommentare unterschiedlicher Art enthält:* die Z. brachte die Meldung auf der ersten Seite; er hat seine Stelle durch/über die Z. gefunden. **sinnv.:** Blatt, Blättchen, Gazette, Journal, Organ, Nachtausgabe.

Zus.: Abend-, Fernseh-, Provinz-, Sonntags-, Sport-, Tages-, Wochenzeitung.
zeit|wei|se ⟨Adverb⟩: *von Zeit zu Zeit für eine kürzere Dauer:* die Straße war z. gesperrt; sie hilft z. im Geschäft ihrer Eltern aus. **sinnv.:** vorübergehend.
Zel|le, die; -, -n: **1.** *(bes. in Klöstern und Strafanstalten) enger und sehr einfach, nur mit dem Nötigsten ausgestatteter Raum (in dem Personen abgeschieden bzw. von anderen abgetrennt leben):* eine Z. bewohnen. **Zus.:** Einzel-, Gefängnis-, Mönchszelle. **2.** *kleinster stofflicher Baustein, aus dem pflanzliche und tierische Organismen aufgebaut sind:* die Zellen wachsen, sterben ab. **Zus.:** Ei-, Keim-, Urzelle.
Zelt, das; -[e]s, -e: *aus bestimmtem Stoff oder aus Fellen mit Hilfe von Stangen hergestellte und abzubauende Behausung:* ein Z. aufschlagen. **sinnv.:** Jurte, Wigwam. **Zus.:** Beduinen-, Fest-, Zirkuszelt.
zel|ten, zeltete, hat gezeltet ⟨itr.⟩: *in einem Zelt wohnen, schlafen:* im Urlaub z. **sinnv.:** campen, Camping machen.
Ze|ment, der; -[e]s, -e: *Baustoff aus Kalk, Ton und anderen Bestandteilen, der (mit Wasser vermengt) erhärtet:* Z. mischen. **sinnv.:** Beton, Mörtel, Speis.
zen|sie|ren ⟨tr.⟩: **a)** *(eine schulische Leistung) mit einer Zensur (1) bewerten:* Aufsätze, die Leistungen des Schülers [in Deutsch] z. **sinnv.:** benoten, beurteilen, bewerten, eine Note/Zensur geben. **b)** *(im Hinblick auf Unerlaubtes, Unerwünschtes) der Zensur (2) unterwerfen:* die Zeitungen werden in diesem Land zensiert. **sinnv.:** kontrollieren, überwachen.
Zen|sur, die; -, -en: **1.** ↑*Note:* der Schüler erhielt eine schlechte Z. für den Aufsatz. **sinnv.:** Benotung, Bewertung, Note, Prädikat, Zeugnisnote. **Zus.:** Schul-, Zeugniszensur. **2.** *[vom Staat angeordnete] Kontrolle von Druckwerken, Filmen, Briefen o. ä. im Hinblick auf Unerlaubtes oder Unerwünschtes:* das Buch, der Film wurde von der Z. verboten. **sinnv.:** Kontrolle. **Zus.:** Brief-, Film-, Pressezensur.
Zen|ti|me|ter, der, auch: das; -s, -: *hundertster Teil eines Meters:* 50 Z. Stoff reicht/reichen für das Tuch.
Zent|ner, der; -s, -: *Gewicht von 50 Kilogramm* (in Deutschland), *von 100 Kilogramm* (in Österreich und in der Schweiz): ein Z. Kartoffeln kostet/kosten 15 Mark. **Zus.:** Doppelzentner.
Zen|trum, das; -s, Zentren: **1.** *Mitte, Mittelpunkt von etwas:* im Z. des Platzes steht ein Denkmal. **sinnv.:** Dreh- und Angelpunkt, Mittelpunkt. **2.** ↑*Innenstadt:* er wohnt im Z. **Zus.:** Einkaufs-, Stadtzentrum. **3.** *Gruppe von Menschen, Institution o. ä., die bei etwas führend ist, von der etwas ausgeht:* das geistige Z. eines Landes. **Zus.:** Forschungs-, Presse-, Rechen-, Sportzentrum.
zer- ⟨verbales Präfix⟩: *durch das im Basiswort genannte Tun, Geschehen machen, daß etwas ein Ganzes, eine glatte Fläche) beschädigt, aufgelöst, zerstört, getrennt wird (auseinander-, entzwei-) bzw. machen, daß etwas im substantivischen oder adjektivischen Basiswort Genanntes wird:* -fallen, -fasern, -fleischen, -kleinern, -legen, -malmen, -martern, -schmettern, -setzen, -teilen, -trümmern, /verstärkend/: zerbrechen,

-reißen, -spalten, -springen, -trennen. **sinnv.**: ab-, dis-, durch-.

zer|knirscht ⟨Adj.⟩: *einer Schuld bewußt und daher voller Reue:* z. hörte er die Vorwürfe an. **sinnv.**: reumütig.

zer|las|sen, zerläßt, zerließ, hat zerlassen ⟨tr.⟩: *(Fett) zergehen, schmelzen, sich auflösen lassen:* Margarine in der Pfanne z. **sinnv.**: auslassen, flüssig machen, schmelzen, verflüssigen.

zer|le|gen ⟨tr.⟩: a) *ein zusammengesetztes Ganzes auseinandernehmen, in seine [Einzel]teile auflösen:* die Uhr, einen Motor [in seine Bestandteile] z. **sinnv.**: auflockern, auflösen, demontieren, zergliedern. b) *in Teile schneiden:* ein Huhn z. **sinnv.**: aufschneiden, durchreißen, schnipseln, schnitzeln, tranchieren, zerfleischen, zerkleinern, zerstückeln.

zer|lumpt ⟨Adj.⟩: *mit Lumpen bekleidet:* ein zerlumpter Bettler. **sinnv.**: verlottert.

zer|mal|men ⟨tr.⟩: *vollständig zerdrücken, zerquetschen:* sein Körper wurde von den Rädern des Zuges zermalmt. **sinnv.**: zu Brei machen, breitdrücken, breitquetschen, breitwalzen.

zer|mür|ben ⟨tr.⟩: *jmdn. durch längere Beeinflussung nachgiebig, mürbe machen; jmds. Widerstandskraft brechen:* der Gefangene wurde durch die ständigen Verhöre zermürbt. **sinnv.**: demoralisieren, ermüden, erschöpfen, fertigmachen, kleinkriegen, weichmachen, zerrütten.

zer|ren ⟨tr.⟩: *mit Gewalt ziehen:* er zerrte ihn ins Zimmer; ⟨auch itr.⟩ der Hund zerrt an der Leine. **sinnv.**: reißen, rupfen, ziehen, zupfen. **Zus.**: fort-, heraus-, hinterher-, wegzerren.

zer|rin|nen, zerrann, ist zerronnen ⟨itr.⟩: *allmählich flüssig werden [und sich auflösen]:* das Eis ist in der Sonne zerronnen. **sinnv.**: auflösen, schmelzen.

Zer|rung, die; -, -en: *Verletzung, die durch zu starke Dehnung eines Muskels, einer Sehne o.ä. entstanden ist:* er mußte wegen einer Z. ausscheiden. **sinnv.**: Überdehnung. **Zus.**: Muskel-, Sehnenzerrung.

zer|rüt|tet ⟨Adj.⟩: *[durch zu große Aufregung, Anstrengung, Belastung] (körperlich, seelisch) in Unordnung geraten, sehr erschöpft:* eine zerrüttete Gesundheit, Ehe; er hat zerrüttete Nerven. **sinnv.**: brüchig, defekt, am Ende, erledigt, gebrochen, kaputt, ruiniert.

zer|schel|len, zerschellte, ist zerschellt ⟨itr.⟩: *(gegen etwas) prallen und auseinanderbrechen:* das Schiff ist an den Klippen zerschellt. **sinnv.**: bersten, brechen, zersplittern, zerspringen.

zer|schla|gen, zerschlägt, zerschlug, hat zerschlagen: 1. ⟨tr.⟩ *durch Hinwerfen oder Fallenlassen zerbrechen:* er hat einen Teller zerschlagen. **sinnv.**: brechen, zerstören. 2. ⟨sich z.⟩ *sich nicht erfüllen; nicht zustande kommen:* der Plan hat sich zerschlagen. **sinnv.**: scheitern.

zer|set|zen: 1. ⟨tr./sich z.⟩ *in seine Bestandteile auflösen; im Gefüge locker werden; durch chemische Einwirkung o.ä. zerstört werden:* die Säure zersetzt das Metall; der Körper zersetzt sich nach dem Tod. **sinnv.**: sich auflösen, faulen, zerfallen. 2. ⟨tr.⟩ *auf etwas so einwirken, daß die Einheit, Disziplin o.ä. gestört wird, eine bestehende Ordnung angezweifelt wird:* die ständige Propaganda zersetzt den Staat, die Gesinnung der Bürger. **sinnv.**: untergraben, zerstören.

zer|stö|ren ⟨tr.⟩: *so stark beschädigen, daß es nicht mehr brauchbar ist, daß davon nur noch Trümmer übrig sind:* bei dem Erdbeben wurden viele Häuser zerstört. **sinnv.**: beschädigen, brechen, demolieren, kaputtmachen, kleinkriegen, ruinieren, vernichten, verwüsten, zerbrechen, zerschlagen, zerschmeißen, zerschmettern, zerstampfen, zerteppern, zertrampeln, zertrümmern, zusammenschlagen.

zer|streu|en: 1. ⟨tr.⟩ *weit auseinanderstreuen:* der Wind zerstreut die Blätter. **sinnv.**: verstreuen. 2. ⟨tr.⟩ *auseinandertreiben, trennen:* die Polizei versuchte, die Demonstranten zu z. **sinnv.**: auflockern. 3. ⟨sich z.⟩ *nach verschiedenen Richtungen auseinandergehen:* die Zuschauer zerstreuten sich nach der Vorstellung. **sinnv.**: sich auflösen. 4. ⟨sich z.⟩ *zur Entspannung, Erholung ablenken:* er geht ins Kino, um sich zu z. **sinnv.**: sich entspannen, erheitern, sich vergnügen. 5. ⟨tr.⟩ *(etwas) durch Argumente, Zureden beseitigen:* jmds. Zweifel z.

zer|streut ⟨Adj.⟩: 1. *abwesend und ganz unkonzentriert:* er vergißt alles und ist oft z. **sinnv.**: abwesend, unaufmerksam, vergeßlich. 2. *einzeln und weit voneinander entfernt liegend oder wohnend:* z. liegende Häuser.

ze|tern ⟨itr.⟩ (emotional): *vor Wut, Zorn o.ä. mit lauter, schriller Stimme schimpfen, jammern:* er zetert wegen des verlorenen Schlüssels. **sinnv.**: schelten.

Zet|tel, der; -s, -: *kleines loses Blatt Papier:* etwas auf einen Z. notieren; einen Z. [mit einer Nachricht] an die Tür kleben. **sinnv.**: Fetzen [Papier], [Papier]schnipsel, [Papier]schnitzel, Stück Papier. **Zus.**: Beipack-, Bestell-, Kassen-, Küchen-, Notiz-, Speise-, Stimm-, Tipp-, Wahl-, Wunschzettel.

Zeug, das; -[e]s, -e: 1. ⟨ohne Plural⟩ a) *etwas, dem man keinen besonderen Wert beimißt, was man für mehr oder weniger unbrauchbar hält und das man deshalb nicht mit seiner eigentlichen Bezeichnung benennt:* im Gasthaus bekam ich ein furchtbares Z. zu trinken; das alte Z. kauft dir doch niemand ab. **sinnv.**: Plunder. **Zus.**: Dreck-, Grün-, Teufelszeug. b) *etwas Gesprochenes, Gelesenes o.ä., was wenig wert, unsinnig ist:* er träumte wirres Z.; sinnloses Z. **sinnv.**: Unsinn. 2. a) ⟨ohne Plural⟩ (ugs.) *Bekleidung, die jmd. besitzt:* er hielt sein Z. in Ordnung. **sinnv.**: Kleidung. **Zus.**: Arbeits-, Bade-, Leder-, Winterzeug. b) *Tuch, Stoff, Gewebe:* er trug einen Mantel aus dicktem Z. **sinnv.**: Material. **Zus.**: Leinen-, Weißzeug. 3. ⟨in bestimmten Verwendungen; ohne Plural⟩ *die nötigen Voraussetzungen, Fähigkeiten:* er hatte/besaß das Z. zu einem guten Arzt.

Zeu|ge, der; -n, -n, **Zeu|gin**, die; -, -nen: *männliche bzw. weibliche Person, die bei einem Ereignis anwesend war und darüber berichten kann:* er war Zeuge des Unfalls; er sagte als Zeuge vor Gericht aus. **sinnv.**: Beobachter, Betrachter, Zuschauer. **Zus.**: Augen-, Entlastungs-, Haupt-, Kron-, Tat-, Tauf-, Trau-, Unfallzeuge.

zeu|gen: I. ⟨tr.⟩ *(in bezug auf den Mann) durch Geschlechtsverkehr, Befruchtung ein Lebewesen entstehen lassen:* ein Kind z. **sinnv.**: befruchten. **Zus.**: erzeugen. II. ⟨itr.⟩ *als Zeuge aussagen:* er hat vor Gericht gegen ihn gezeugt. **sinnv.**: aussagen, Zeugnis ablegen. **Zus.**: bezeugen.

Zeu|gin: vgl. Zeuge.

Zeug|nis, das; -ses, -se: 1. *Schriftstück, in dem die Leistungen in der Schule oder bei einer Prüfung bestätigt sind:* er hat nur gute Noten im Z. **Zus.:** Abgangs-, Abschluß-, Führungs-, Gesundheits-, Reife-, Schul-, Semesterzeugnis. 2. (geh.) *beweiskräftige Aussage vor Gericht:* er legte vor Gericht ein Z. ab. **sinnv.:** Aussage. 3. *etwas, was für etwas als Beweis oder Beispiel gilt:* die alten Burgen sind wichtige Zeugnisse der Vergangenheit. **Zus.:** Armuts-, Leumunds-, Selbst-, Sprachzeugnis.

Zie|ge, die; -, -n: *mittelgroßes Säugetier mit [kurzhaarigem] rauhem, weißem bis braunschwarzem Fell und großen, nach hinten gekrümmten Hörnern beim männlichen bzw. kleinen, wenig gekrümmten Hörnern beim weiblichen Tier.* **sinnv.:** Geiß, Hippe, Zicke, Zicklein. **Zus.:** Angora-, Berg-, Zwergziege.

Zie|gel, der; -s, -: a) *[roter bis bräunlicher] Stein aus gebranntem Ton zum Bauen.* **sinnv.:** Backstein, Klinker[stein]. **Zus.:** Hohl-, Lehm-, Tonziegel. b) *Stein aus gebranntem Ton zum Dachdecken:* ein Dach mit Ziegeln decken. **sinnv.:** Dachziegel. **Zus.:** First-, Flachziegel.

zie|hen, zog, hat/ist gezogen. 1. ⟨tr.⟩ a) *[unter Anwendung von Kraft] hinter sich her bewegen:* das Pferd hat den Wagen gezogen. **sinnv.:** abschleppen, schleifen, schleppen, ins Schlepptau nehmen. **Zus.:** an-, fort-, heraus-, hervor-, nach-, wegziehen. b) *(etwas) unter Anwendung von Kraft in, aus oder auf etwas in Richtung zu sich selbst bewegen:* er hat das Boot aus dem Wasser gezogen. **Zus.:** herein-, hoch-, zurückziehen. **sinnv.:** zerren. c) *(einen Zug auf etwas ausüben und es dadurch) aus, von etwas entfernen, es von einer bestimmten Stelle wegbewegen:* er hat ihm/sich einen Splitter aus dem Fuß gezogen. **Zus.:** heraus-, hervorziehen. 2. ⟨itr.⟩ a) *sich irgendwohin begeben; irgendwohin unterwegs sein:* die Demonstranten sind zum Rathaus gezogen. **Zus.:** fort-, vorbei-, wegziehen. b) *seinen Wohnsitz (an einen anderen Ort) verlegen:* die Familie ist in eine andere Stadt gezogen. **Zus.:** um-, wegziehen. 3. ⟨tr.⟩ ↑*züchten:* früher hatten sie Schweine, Hühner gezogen. **Zus.:** er-, groß-, heranziehen. 4. ⟨sich z.⟩ a) *sich [auf irgendeine Weise] irgendwohin erstrecken, bis irgendwohin verlaufen:* die Straße hat sich in vielen Kurven auf den Berg gezogen. b) *sehr lange dauern; kein Ende zu nehmen scheinen:* die Feier hat sich [in die Länge] gezogen. **sinnv.:** andauern. **Zus.:** sich hin[aus]ziehen. 5. ⟨itr.; unpersönlich⟩ *als Luftzug in Erscheinung treten, unangenehm zu verspüren sein:* es hat im Zimmer stark gezogen. 6. ⟨als Funktionsverb⟩ sie hat einen Vergleich gezogen *(sie hat verglichen); jmdn. zur Verantwortung z. (jmdn. verantwortlich machen).*

Ziel, das; -[e]s, -e: 1. *Punkt, Ort, den man erreichen will:* das Z. seiner Reise ist Paris; der Läufer ist am Z. angelangt. **sinnv.:** Bestimmungsort, Endstation, Zielort. **Zus.:** Ausflugs-, End-, Wanderziel. 2. *etwas, worauf jmds. Handeln, Tun o. ä. ganz bewußt gerichtet ist, was man als Sinn und Zweck, angestrebtes Ergebnis seines Handelns, Tuns zu erreichen sucht:* das war das Z. seiner Politik. **sinnv.:** Absicht, Gegenstand, Zweck. **Zus.:** Berufs-, Fern-, Klassen-, Verhandlungs-, Wettbewerbsziel.

zie|len ⟨itr.⟩: 1. *(etwas, womit man schießt oder wirft) genau auf ein Ziel richten, um treffen zu können:* der Jäger zielt auf den Hasen. **sinnv.:** anlegen, schießen. 2. *ein bestimmtes Ziel, einen bestimmten Zweck verfolgen:* worauf zielte seine Frage? **sinnv.:** bezwecken, vorhaben. **Zus.:** ab-, er-, hinzielen.

ziem|lich: I. ⟨Adj.; nur attributiv⟩: *von großem, aber nicht übermäßig großem Ausmaß:* er hat ein ziemliches Vermögen. **sinnv.:** gewiß. II. ⟨Adverb⟩ a) *sehr, aber nicht übermäßig:* es ist z. kalt. **sinnv.:** recht. b) *annähernd, fast:* er ist z. fertig; das ist z. gleich. **sinnv.:** beinahe.

zier|lich ⟨Adj.⟩: *(auf anmutige, ansprechende Weise) klein und fein [gestaltet]:* ein zierlicher Körper; eine zierliche Schrift. **sinnv.:** zart.

Zif|fer, die; -, -n: *schriftliches Zeichen für eine Zahl:* die Zahl 52 hat zwei Ziffern. **sinnv.:** Zahl. **Zus.:** Kennziffer.

Zif|fer|blatt, das; -[e]s, Zifferblätter: *mit Ziffern oder Zeichen versehene Scheibe der Uhr, auf der sich die Zeiger drehen:* ein Z. mit römischen Zahlen.

Zi|ga|ret|te, die; -, -n: *Rauchware in Form eines etwa fingerlangen Stäbchens, das in einer Hülle von Papier feingeschnittenen Tabak enthält:* eine Z. rauchen. **sinnv.:** Giftnudel, Glimmstengel, Joint, Kippe, Sargnagel, Selbstgedrehte, Stäbchen, Stummel. **Zus.:** Filter-, Haschischzigarette.

Zi|gar|re, die; -, -n: *Rauchware in Form einer dickeren, an beiden Enden sich leicht verjüngenden Rolle aus zusammengedrücktem, grobgeschnittenem Tabak, der mit einem Tabakblatt umhüllt ist:* eine Z. rauchen. **sinnv.:** Lötkolben, Stumpen, Zigarillo.

Zi|geu|ner, der; -s, -, **Zi|geu|ne|rin,** die; -, -nen: *Angehöriger bzw. Angehörige eines über viele Länder verstreut lebenden, meist nicht seßhaften und mit dem Wohnwagen o. ä. umherziehenden Volkes.* **sinnv.:** Rom, Sinto.

Zim|mer, das; -s, -: *Raum in einer Wohnung oder einem Haus:* ein Z. mieten; eine Wohnung mit 3 Zimmern. **sinnv.:** Raum. **Zus.:** Arbeits-, Bade-, Beratungs-, Doppel-, Eck-, Einzel-, Empfangs-, Erker-, Eß-, Fremden-, Herren-, Hotel-, Kinder-, Klassen-, Konferenz-, Kranken-, Lehrer-, Schlaf-, Sprech-, Vereins-, Vor-, Warte-, Wohn-, Zweibettzimmer.

Zim|mer|mann, der; -[e]s, Zimmerleute: *Handwerker, der bei Bauten die Teile aus Holz (bes. den Dachstuhl) herstellt.*

zim|per|lich ⟨Adj.⟩: *(im Urteil des Sprechers) übertrieben empfindlich:* sei nicht so z. **sinnv.:** wehleidig.

Zimt, der; -[e]s: *braunes, süßlich schmeckendes Gewürz in Form von gemahlenem Pulver oder länglichen dünnen Stangen:* Reisbrei mit Zucker und Z.

Zins, der; -es, -en: *im Prozenten ausgedrückter Betrag, den jmd. von der Bank für seine Einlagen erhält oder den er für zeitweilig ausgeliehenes Geld bezahlen muß:* er muß für sein Darlehen 6 Prozent Zinsen zahlen. **sinnv.:** Ertrag. **Zus.:** Bank-, Haben-, Hypotheken-, Pacht-, Soll-, Verzugs-, Zinseszins[en].

Zip|fel, der; -s, -: *spitz zulaufendes, unregelmäßiges Ende (bes. von etwas aus Stoff Bestehendem):* der Z. der Schürze. **sinnv.:** Ecke, Eckstück, Ende,

Spitze. **Zus.**: Bett-, Rock-, Schürzen-, Wurstzipfel.

Zir|kel, der; -s, -: **1.** *Gerät, mit dem man einen Kreis zeichnen kann (siehe Bild):* mit dem Z. einen Kreis ziehen, schlagen. **Zus.**: Stechzirkel. **2.** *Gruppe von Personen mit bestimmten gemeinsamen Interessen:* die Künstler bildeten einen Z. **Zus.**: Lese-, Literatur-, Musik-, Studenten-, Theaterzirkel.

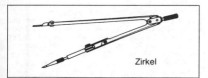

Zirkel

Zir|kus, der; -ses, -se: *Unternehmen, das Vorführungen mit Tieren, Artisten, Clowns o. ä. in einem großen Zelt zeigt:* er ist Dompteur beim Z. **Zus.**: Floh-, Wanderzirkus.

zi|schen ⟨itr.⟩: *einen scharfen Laut hervorbringen, wie er beim Aussprechen eines S-Lautes entsteht:* die Schlange zischt; das Publikum zischte. **sinnv.**: fauchen, flüstern.

Zi|ther, die; -, -n: *Zupfinstrument mit einem flachen, mit Saiten bespannten Resonanzkörper (siehe Bildleiste „Zupfinstrumente").*

zi|tie|ren ⟨itr.⟩: *eine Stelle aus einem Text unter Berufung auf die Quelle wörtlich wiedergeben:* er zitiert oft Goethe.

Zi|tro|ne, die; -, -n: *gelbe, länglichrunde Zitrusfrucht mit saftigem, sauer schmeckendem Fruchtfleisch:* eine Z. auspressen. **sinnv.**: Limone.

zit|tern ⟨itr.⟩: *sich in ganz kurzen, schnellen und unwillkürlichen Schwingungen hin und her bewegen:* er zitterte vor Angst; das Laub zittert im Wind. **sinnv.**: beben, bibbern, vibrieren, zucken. **Zus.**: durch-, erzittern.

zitt|rig ⟨Adj.⟩: *(wegen eines körperlichen Gebrechens, aus Erregung o. ä.) zitternd:* mit vor Aufregung zittrigen Fingern; er antwortete mit zittriger Stimme.

Zi|vi|li|sa|ti|on die; -: *Gesamtheit der durch Technik und Wissenschaft gestalteten und verbesserten sozialen und materiellen Lebensbedingungen:* das Land hat eine alte Kultur, aber nur geringe Z. **sinnv.**: Kultur.

zö|gern ⟨itr.⟩: *mit einer Handlung oder Entscheidung unschlüssig warten, sie hinausschieben:* er zögerte mit der Antwort; ohne zu z. **sinnv.**: fackeln, säumen, schwanken, zagen, zaudern. **Zus.**: hinaus-, verzögern.

Zoll, der; -[e]s, Zölle: **1.** *Abgabe, die für bestimmte Waren beim Überschreiten der Grenze zu zahlen ist:* wir mußten für den Kaffee Z. bezahlen; auf dieser Ware liegt kein, ein hoher Z. **sinnv.**: Steuer. **Zus.**: Ausfuhr-, Binnen-, Schutzzoll. **2.** ⟨ohne Plural⟩ *Behörde, die den Zoll (1) erhebt:* er ist beim Z. beschäftigt.

Zo|ne, die; -, -n: **a)** *nach bestimmten Gesichtspunkten abgegrenztes Gebiet:* das Land wurde in vier Zonen eingeteilt. **Zus.**: Besatzungs-, Fußgänger-, Gefahren-, Sperrzone. **b)** *Gebiet mit bestimmten Merkmalen, geographischen, klimatischen o. ä. Eigenschaften:* das Klima der gemä-

ßigten Z. **Zus.**: Hochdruck-, Klima-, Uferzone.

Zoo, der; -s, -s: *große Anlage, in der exotische und heimische Tiere gehalten werden und von Besuchern betrachtet werden können:* den Z. besuchen; in den Z. gehen. **sinnv.**: Tierpark.

Zopf, der; -[e]s, Zöpfe: *aus mehreren, meist drei Teilen geflochtene Haarsträhne:* das Mädchen hat lange Zöpfe. **Zus.**: Haar-, Mozartzopf.

Zorn, der; -[e]s: *heftiger, leidenschaftlicher Unwille über etwas als Unrecht Empfundenes, dem eigenen Willen Zuwiderlaufendes:* er hatte einen furchtbaren Z. auf ihn; er gerät leicht in Z. **sinnv.**: Ärger. **Zus.**: Jäh-, Volkszorn.

zor|nig ⟨Adj.⟩: *voll Zorn:* er schimpfte z. **sinnv.**: ärgerlich, rabiat.

zu: **I.** ⟨Präp. mit Dativ⟩ **1.** */räumlich/* **a)** */drückt eine Bewegung bis an ein Ziel hin aus/:* er kommt morgen zu mir. **b)** */drückt aus, daß etwas zu etwas anderem hinzukommt, hinzugefügt, -gegeben o. ä. wird/:* zu dem Essen gab es einen herben Wein; da kommt Geld zu Geld. **c)** */kennzeichnet den Ort, die Lage des Sichbefindens, Sichabspielens o. ä. von etwas/:* zu ebener Erde; er ist zu Hause (in seiner Wohnung); in Namen von Gaststätten: Gasthaus zu den drei Eichen. **2.** */zeitlich/ kennzeichnet den Zeitpunkt einer Handlung, eines Geschehens, die Zeitspanne, in der sich etwas abspielt, ereignet o. ä./:* zu Anfang des Jahres; zu gegebener Zeit. **3.** **a)** */kennzeichnet die Art u. Weise, in der etwas geschieht, sich abspielt, sich darbietet o. ä./:* er erledigte alles zu meiner Zufriedenheit; zu deutsch (übersetzt, in deutscher Sprache ausgedrückt). **b)** */kennzeichnet die Art und Weise einer Fortbewegung/:* wir gehen zu Fuß. **4.** **a)** */kennzeichnet, meist in Verbindung mit Mengen- oder Zahlenangaben, die Menge, Anzahl, Häufigkeit o. ä. von etwas/:* zu Dutzenden. **b)** */kennzeichnet ein in Zahlen ausgedrücktes Verhältnis/:* drei zu eins; das Spiel endete 2 zu 1 (mit Zeichen: 2:1). **c)** */steht in Verbindung mit Zahlenangaben, die den Preis von etwas nennen/:* fünf Briefmarken zu fünfzig [Pfennig]. **sinnv.**: für. **d)** */steht in Verbindung mit Zahlenangaben, die ein Maß, Gewicht o. ä. von etwas nennen/:* ein Faß zu zehn Litern. **sinnv.**: von. **5.** */drückt Zweck, Grund, Ziel, Ergebnis einer Handlung, Tätigkeit aus/:* jmdm. etwas zu Weihnachten schenken; es kam zu einem Eklat. **sinnv.**: anläßlich. **6.** */kennzeichnet das Ergebnis eines Vorgangs, einer Handlung, die Folge einer Veränderung, Wandlung, Entwicklung o. ä./:* das Eis wird wieder zu Wasser. **7.** */kennzeichnet in Abhängigkeit von anderen Wörtern verschiedener Wortart eine Beziehung/:* zu diesem Thema wollte er sich nicht äußern; freundlich zu jmdm. sein. **II.** **1.** */in Verbindung mit einem Personalpronomen in Konkurrenz zu dazu;* bezogen auf eine Sache (ugs.)/: er macht seine Arbeit, aber er hat kein Verhältnis zu ihr (statt: dazu). **2.** */in Verbindung mit „was" in Konkurrenz zu wozu;* bezogen auf eine Sache (ugs.)/: **a)** /in Fragen/: zu was (besser: wozu) soll das gut sein? **b)** /in relativer Verbindung/: man sah, zu was (besser: wozu) er fähig war. **III.** ⟨Adverb⟩ **1.** */kennzeichnet ein (hohes oder geringes) Maß, das nicht mehr angemessen oder akzeptabel erscheint/:* das Kleid ist zu teuer; er ist zu alt. **2.** */kennzeichnet die Bewegungsrichtung auf einen bestimmten Punkt, ein Ziel hin/:* gegen die Grenze zu, zur Grenze zu vermehrten sich die Kontrollen. **3.** (ugs.) **a)** /drückt als Aufforderung aus, daß etwas geschlossen werden, bleiben soll/: Tür zu!; Augen zu! **b)** /drückt aus, daß etwas geschlossen ist/: die Flasche stand, noch fest zu, auf dem Tisch. **4.** (ugs.) /drückt als Aufforderung aus, daß mit etwas begonnen, etwas weitergeführt werden soll/: na, dann zu! **IV.** ⟨Konj.⟩ **1.** /in Verbindung mit dem Inf. und abhängig von Wörtern verschiedener Wortart, bes. von Verben/: er bat ihn zu helfen; er ist heute nicht zu sprechen; er kam, um sich zu vergewissern. **2.** /drückt in Verbindung mit einem 1. Partizip eine Möglichkeit, Erwartung, Notwendigkeit, ein Können, Sollen oder Müssen aus/: der zu erwartende Protest.

zu- ⟨trennbares, betontes verbales Präfix⟩: **1.** /kennzeichnet die Richtung auf ein Ziel hin/: auf jmdn. zugehen, jmdm. zulächeln, zuschicken. **2.** /von auswärts/woanders hierher, an eine bestimmte Stelle o. ä./: zufächeln, zuziehen (er ist hier zugezogen). **3. a)** /dazu-, hinzu-/: zufügen, zukaufen, zuschalten, zuverdienen. **sinnv.:** bei-. **b)** /für jmdn./etwas bestimmt/: zuerkennen, zuordnen, zuweisen. **4.** /kennzeichnet das Schließen, Bedekken; besagt, daß etwas nicht zugänglich ist/: zubetonieren, zubinden, zudecken, zudrehen, zuhalten, zumachen, zunähen, zupappen. **sinnv.:** be-. **5.** /in eine vorgesehene Form bringen/: zufeilen, zuschneiden. **6.** /die im Basiswort genannte Tätigkeit schnell in Richtung auf jmdn./etwas tun/: zubeißen, zupacken, zustechen.

zu|be|rei|ten, bereitete zu, hat zubereitet ⟨tr.⟩: (von Speisen o. ä.) aus einzelnen Bestandteilen herstellen, zum Gebrauch fertigmachen: das Essen z.; eine Arznei z. **sinnv.:** anfertigen, anrichten, ansetzen, kochen.

zu|bin|den, band zu, hat zugebunden ⟨tr.⟩: durch Binden mit einem Band, einer Schnur verschließen: er bindet den Sack zu. **sinnv.:** ver-, zuschnüren.

zu|brin|gen, brachte zu, hat zugebracht ⟨tr.⟩: **1.** (eine Zeitspanne irgendwo) unter oft ungünstigen Umständen verbringen: er brachte die ganzen Ferien auf dem Land zu. **sinnv.:** sich aufhalten. **2.** (ugs.). (nur mit Mühe) schließen können: die Tür, den Koffer nicht z.

Zucht, die; -: **1.** das Züchten: die Z. von Pferden, von Rosen. **Zus.:** Bienen-, Fisch-, Hunde-, Viehzucht. **2.** straffe Unterordnung unter eine Autorität oder Regel; das Gewohntsein an strenge Ordnung: in der Klasse herrscht keine Z. **sinnv.:** Bildung; Disziplin.

züch|ten, züchtete, hat gezüchtet ⟨tr.⟩: durch Auswahl, Kreuzung von Arten oder Rassen mit besonderen, erwünschten Merkmalen und Eigenschaften für die Vermehrung und Verbesserung von Pflanzen- oder Tierarten sorgen: hier werden besonders Pferde gezüchtet; Rosen z. **sinnv.:** kreuzen, okulieren, paaren, pfropfen, veredeln, ziehen.

zucken ⟨itr.⟩: eine plötzliche, oft unwillkürliche, ruckartige Bewegung machen: seine Lippen zuckten; er zuckte mit der Hand.

zücken ⟨tr.⟩: rasch hervorholen, hervorziehen: den Bleistift z.

Zucker, der; -s, -: meist in Form einer weißen, feinkörnigen Substanz verwendetes Nahrungsmittel zum Süßen von Speisen: er trinkt den Kaffee

ohne Z. **Zus.:** Blut-, Kandis-, Kristall-, Puder-, Rüben-, Staub-, Trauben-, Vanille-, Würfelzucker.

zuckern ⟨tr.⟩: mit Zucker süßen: den Brei z. **sinnv.:** kandieren, süßen.

zu|decken, deckte zu, hat zugedeckt ⟨tr.⟩: (mit etwas Schützendem, Verhüllendem) bedecken: die Mutter deckte das Kind mit einer Decke zu.

zu|dem ⟨Adverb⟩: †außerdem: es war sehr kalt, z. regnete es.

zu|dre|hen, drehte zu, hat zugedreht **1.** ⟨tr.⟩ durch Drehen eines Hahnes o. ä. verschließen: die Heizung z. **2.** ⟨tr./sich z.⟩ in einer drehenden Bewegung zu jmdm. wenden: er drehte sich mir zu; er dreht mir den Rücken zu. **sinnv.:** zuwenden.

zu|erst ⟨Adverb⟩: **a)** als erster, erste, erstes: z. kam mein Bruder, dann mein Vater. **b)** am Anfang: z. dachte ich, es würde mißlingen. **sinnv.:** zunächst.

Zu|fall, der; -[e]s, Zufälle: etwas, wofür keine Ursache, kein Zusammenhang, keine Gesetzmäßigkeit erkennbar ist: es war ein Z., daß wir uns in Paris trafen; durch Z. erfuhr ich von seiner Heirat. **sinnv.:** Glückssache.

zu|fäl|lig ⟨Adj.⟩: durch Zufall; auf einem Zufall beruhend: ein zufälliges Zusammentreffen; er hat das Buch z. in einem Schaufenster gesehen. **sinnv.:** unabsichtlich.

Zu|flucht, die; -, Zuflüchte: jmd., Ort, den jmd. in der Not aufgesucht, um Schutz, Hilfe zu bekommen: der Flüchtling fand in Amerika eine Z. **sinnv.:** Asyl, Fluchtburg, Freistatt, Refugium, Unterschlupf, Versteck.

zu|fol|ge ⟨Präp.; nachgestellt mit Dativ, seltener vorangestellt mit Gen.⟩: als Folge, auf Grund: z. seines Wunsches/seinem Wunsch z. fuhren wir einen Tag später. **sinnv.:** gemäß.

zu|frie|den ⟨Adj.⟩: **a)** innerlich ausgeglichen, mit den Gegebenheiten in Einklang befindend und keine Veränderung der Umstände wünschend: ein zufriedener Mensch; er dachte z. an die vergangenen Tage. **sinnv.:** befriedigt, bescheiden, genügsam, wunschlos [glücklich]. **b)** mit den gegebenen Verhältnissen, Leistungen o. ä. einverstanden; nichts auszusetzen habend: er ist mit der neuen Stellung z.

zu|frie|den|stel|len, stellte zufrieden, hat zufriedengestellt ⟨tr.⟩: jmds. Wünsche, Erwartungen, Ansprüche erfüllen und so zufrieden machen: seine Gäste z.; seine Leistungen sind nicht zufriedenstellend. **sinnv.:** befriedigen.

zu|fü|gen, fügte zu, hat zugefügt ⟨itr.⟩: (etwas) tun, was für jmdn. unangenehm, von Nachteil ist, ihm schadet: jmdm. ein Leid, Schaden z. **sinnv.:** schaden.

Zug, der; -[e]s, Züge: **1.** Lokomotive oder Triebwagen mit den dazugehörenden Wagen (der Eisenbahn, Straßenbahn o. ä.): er fuhr mit dem letzten Z. nach Hause. **sinnv.:** Eisenbahn, Straßenbahn. Zus.: Bummelzug, D-Zug, Eisenbahn-, Nahverkehrs-, Schnellzug. **2.** sich fortbewegende Schar, Kolonne, Gruppe: der Z. der Flüchtlinge nahm kein Ende. **sinnv.:** Abteilung. Zus.: Fakkel-, Fest-, Rosenmontagszug. **3.** das Ziehen, Wandern, Sichfortbewegen [in einer Gruppe]: der Z. der Vögel in den Süden. **Zus.:** Auf-, Aus-, Ein-, Feld-, Rück-, Streif-, Vogelzug. **4. a)** das Ziehen, ziehende Kraft, die auf etwas einwirkt: ein starker

Z. nach unten. **Zus.**: Klimmzug. **b)** *Vorrichtung (wie Hebel, Griff, Band o. ä.) zum Ziehen:* der Z. am Rolladen. **Zus.**: Klingel-, Registerzug. **5. a)** *das zügige Trinken, Hinunterschlucken einer meist größeren Menge eines Getränkes:* er leerte das Glas in einem Z. **b)** *das Einatmen der Luft, das Einziehen des Rauches:* er atmete in tiefen Zügen. **Zus.**: Atem-, Lungenzug. **6.** *als unangenehm empfundener Luftzug:* hier herrscht ein ständiger Z. **Zus.**: Durchzug. **7.** *charakterliche Eigenart:* das ist ein sympathischer Z. an ihm. **Zus.**: Charakter-, Grund-, Wesenszug. **8.** *typische Linie des Gesichts:* jugendliche, hagere Züge. **Zus.**: Gesichts-, Schmerzenszug. **9.** *das Bewegen, Weiterrücken einer Figur beim Spiel:* matt in drei Zügen. **Zus.**: Schachzug.

Zu|gang, der; -[e]s, Zugänge: **a)** *Stelle, Ort, von dem aus ein Weg in einen Raum, Ort hineinführt:* ein unterirdischer Z. zum Schloß **sinnv.**: Rampe, Tür. **b)** *das Betreten, Hineingehen:* der Z. zum Garten ist verboten.

zu|gäng|lich ⟨Adj.⟩: **1. a)** *Zugang bietend und so betretbar, erreichbar:* ein schwer zugängliches Dorf im Gebirge. **b)** *für die Benutzung o. ä. zur Verfügung stehend:* die Bücher sind für jeden z. **2.** *gegenüber anderen Menschen, für Eindrücke, Ideen o. ä. aufgeschlossen:* er ist vernünftigen Vorschlägen immer z. **sinnv.**: kontaktfreudig.

zu|ge|ben, gibt zu, gab zu, hat zugegeben ⟨tr.⟩: **1. a)** *[nach längerem Zögern oder Leugnen] gestehen:* der Junge hat die Tat zugegeben. **sinnv.**: gestehen. **b)** *als zutreffend anerkennen:* du wirst z. müssen, daß es nur so geht. **2.** *seine Zustimmung (zu etwas) geben /*meist verneint oder fragend/: der Vater wird nie z., daß sie diese Reise allein unternimmt. **sinnv.**: billigen.

zu|ge|hen, ging zu, ist zugegangen ⟨itr.⟩: **1.** *in Richtung auf jmdn./etwas gehen:* er ging auf das Haus zu. **sinnv.**: sich nähern. **2.** (ugs.) *geschlossen werden, sich schließen [lassen]:* der Koffer geht nicht zu. **3.** *jmdm. zugestellt, überbracht werden:* der Brief geht Ihnen mit der Post zu. **sinnv.**: schicken. **4.** *in bestimmter Weise vor sich gehen, sich ereignen:* wie ist das zugegangen? **sinnv.**: geschehen.

Zü|gel, der; -s, -: *Riemen, mit dem ein Reit- oder Zugtier gelenkt, geführt wird:* die Zügel anziehen. **sinnv.**: Zaum, Zaumzeug.

zü|geln: **1.** ⟨tr.⟩ *durch Anziehen, Straffen des Zügels zur Ruhe bringen, zurückhalten:* sein Pferd z. **2.** ⟨tr./sich z.⟩ *zurückhalten, beherrschen:* er konnte sich kaum noch z.; sein Temperament z. **sinnv.**: bändigen.

Zu|ge|ständ|nis, das; -ses, -se: *Entgegenkommen in einer bestimmten Angelegenheit, wobei bestimmte Wünsche, Bedürfnisse der anderen Seite berücksichtigt werden:* Zugeständnisse verlangen, machen. **sinnv.**: Entgegenkommen, Konzession.

zu|ge|ste|hen, gestand zu, hat zugestanden ⟨tr.⟩: **a)** *jmds. berechtigtem Anspruch auf etwas stattgeben, ihn berücksichtigen:* jmdm. ein Recht z. **sinnv.**: billigen, gewähren. **b)** *die Korrektheit o. ä. von jmds. Verhalten eingestehen:* ich muß ihm z., daß er korrekt gehandelt hat. **sinnv.**: einräumen, gestehen.

zu|gig ⟨Adj.⟩: *der Zugluft ausgesetzt:* ein zugiger Korridor.

zü|gig ⟨Adj.⟩: *schnell und stetig; in einem Zuge:* die Arbeiten gehen z. voran. **sinnv.**: schnell.

zu|gleich ⟨Adverb⟩: **a)** *im selben Augenblick, zur gleichen Zeit:* sie griffen beide z. nach dem Buch. **sinnv.**: gleichzeitig. **b)** *in gleicher Weise; gleichzeitig:* er wollte mich loben und z. ermahnen; er ist Dichter und Maler z. **sinnv.**: und.

zu|grei|fen, griff zu, hat zugegriffen ⟨itr.⟩: **1.** *nach etwas greifen und es festhalten, an sich nehmen:* bitte greifen Sie zu! *(nehmen Sie sich von dem Angebotenen!)* **sinnv.**: sich bedienen; essen. **2.** *tüchtig arbeiten, irgendwo mithelfen:* sie hat im Haushalt ordentlich zugegriffen. **sinnv.**: arbeiten; helfen.

zu|hö|ren, hörte zu, hat zugehört ⟨itr.⟩: *mit Aufmerksamkeit hören, hörend in sich aufnehmen:* höflich, interessiert, nur mit halbem Ohr z.; einem Redner z. **sinnv.**: anhören, aufpassen, folgen, hinhören, horchen, an jmds. Lippen hängen, mitgehen, die Ohren aufsperren/spitzen, ganz Ohr sein.

Zu|hö|rer, der; -s, -, **Zu|hö|re|rin,** die; -, -nen: *männliche bzw. weibliche Person, die jmdm., einer Sache zuhört.* **sinnv.**: Publikum.

zu|kom|men, kam zu, ist zugekommen ⟨itr.⟩: **1.** *sich (jmdm./einer Sache) nähern, auch (auf jmdn./ etwas zu) bewegen:* er kam mit schnellen Schritten auf mich zu. **2.** (geh.) **a)** *(jmdm./einer Sache) zuteil werden:* ihm ist eine Erbschaft zugekommen; sie hat ihm schon öfter Geld z. lassen. **b)** *übermittelt, zugestellt werden:* jmdm. eine Botschaft z. lassen. **3. a)** *sich (für jmdn.) gehören; (zu etwas) berechtigt sein:* es kommt ihm nicht zu, Kritik zu üben. **sinnv.**: zustehen. **b)** *(für jmdn.) auf Grund seiner Fähigkeiten o. ä. angemessen sein:* ihm kommt eine Führungsstellung zu. **4.** *(einer Sache) beizumessen sein:* dieser Entscheidung kommt eine erhöhte Bedeutung zu.

Zu|kunft, die; -, (selten:) Zukünfte: *die Zeit, die noch bevorsteht, noch nicht da ist, noch vor jmdm. liegt:* die Z. des Landes, der Menschen; ängstlich in die Z. schauen; an eine Z. denken. ***in** Z. *(künftig, von jetzt an):* ich will in Z. benachrichtigt werden.

zu|las|sen, läßt zu, ließ zu, hat zugelassen ⟨tr.⟩: **1.** *(etwas) geschehen lassen, nichts unternehmen, es zu verhindern:* ich kann [es] nicht z., daß er übergangen wird. **sinnv.**: billigen. **2.** *(jmdm.) zur Ausübung, zu einem bestimmten Zweck, für eine bestimmte Betätigung o. ä. die [amtliche] Erlaubnis erteilen:* einen Rechtsanwalt bei Gericht z.; der Kraftwagen ist noch nicht [zum Verkehr] zugelassen. **3.** *(als Sache) die Möglichkeit zu etwas geben:* die Formulierung läßt mehrere Auslegungen zu. **sinnv.**: erlauben. **4.** (ugs.) *geschlossen lassen, nicht öffnen:* die Fenster, die Schublade z.

zu|läs|sig ⟨Adj.⟩: *(meist von einer amtlichen o. ä. Stelle) zugelassen, erlaubt:* die zulässige Geschwindigkeit. **Zus.**: höchst-, unzulässig.

zu|letzt ⟨Adverb⟩: **a)** *als letzter, letzte, letztes:* meine Schwester kam z. **sinnv.**: spät. **b)** *schließlich, zum Schluß:* wir mußten z. doch umkehren; er arbeitete z. **sinnv.**: schließlich.

zum ⟨Verschmelzung von zu + dem⟩: **1.** *zu dem:* **a)** /die Verschmelzung kann aufgelöst werden/: sie lief z. Telefon. **b)** /die Verschmelzung kann nicht aufgelöst werden/: z. Glück; z. Schluß; z.

Beispiel. **2.** ⟨in Verbindung mit einem substantivierten Inf.⟩ /die Verschmelzung kann nicht aufgelöst werden/: das Wasser z. Kochen bringen.

zu|ma|chen, machte zu, hat zugemacht /Ggs. aufmachen/: **1. a)** ⟨tr.⟩ ↑*schließen:* die Tür z. **sinnv.:** verschließen. **b)** ⟨itr.⟩ *geschlossen werden (so daß kein Verkauf von Waren mehr stattfindet):* die Läden machen um 18 Uhr zu. **sinnv.:** schließen. **2.** ⟨tr.⟩ *(in bezug auf ein Unternehmen o.ä.) aufgeben:* sie hat ihre Boutique zugemacht. **sinnv.:** dichtmachen.

zu|mal: I. ⟨Adverb⟩ *besonders, vor allem:* unsere Straße wird z. gegen Abend viel von Autos befahren; ⟨häufig in Verbindung mit *da* und *wenn*⟩ sie nimmt die Einladung gern an, z. da sie nichts vorhat. **II.** ⟨Konj.⟩ *besonders da, weil:* sie nimmt die Einladung gerne an, z. sie nichts vorhat.

zu|min|dest ⟨Adverb⟩: *als wenigstes, auf jeden Fall:* ich kann z. verlangen, daß er mich anhört. **sinnv.:** wenigstens.

zu|mu|ten, mutete zu, hat zugemutet ⟨tr.⟩: *von jmdm./sich selbst etwas verlangen, was er/man nicht oder nur schwer leisten oder ertragen kann:* er mutete uns zu, zwei Stunden zu stehen. **sinnv.:** abverlangen.

zu|nächst ⟨Adverb⟩: **a)** *am Anfang; als erstes:* er ging z. nach Hause, dann ins Theater. **sinnv.:** anfangs, erst, ursprünglich, zuerst. **b)** *vorerst, in diesem Augenblick:* daran denke ich z. noch nicht. **sinnv.:** einstweilen.

Zu|nah|me, die; -, -n: *das Zunehmen:* die Z. des Gewichtes. **sinnv.:** Anstieg, Ausweitung, Erhöhung, Eskalation, Eskalierung, Fortschreiten, Intensivierung, Progression, Vergrößerung, Vermehrung, Verstärkung, Wachstum, Zuwachs. **Zus.:** Bevölkerungs-, Bewölkungs-, Geschwindigkeits-, Gewichtszunahme.

Zu|na|me, der; -ns, -n: *zum Vornamen hinzutretender Name, der die Zugehörigkeit zu einer bestimmten Familie ausdrückt.* **sinnv.:** Familienname, Nachname.

zün|den, zündete, hat gezündet: **1.** ⟨tr.⟩ *in Brand setzen, zur Explosion bringen:* eine Mine z. **Zus.:** an-, entzünden. **2.** ⟨itr.⟩ *Stimmung, Begeisterung hervorrufen:* dieser Vorschlag zündete sofort. **sinnv.:** begeistern.

zu|neh|men, nimmt zu, nahm zu, hat zugenommen ⟨itr.⟩ /Ggs. abnehmen/: **a)** *größer, stärker, mehr werden:* die Kälte nimmt zu; sein Einfluß hat zugenommen. **sinnv.:** anschwellen, ansteigen, anwachsen, ausweiten, sich breitmachen, eskalieren, sich vergrößern/vermehren/verstärken/vervielfachen. **b)** *sein Gewicht vergrößern:* ich habe [3 Pfund] zugenommen. **sinnv.:** auseinandergehen, dicker/schwerer werden, zulegen.

Zu|nei|gung, die; -, -en: *herzliches Gefühl des Wohlwollens; liebevolle Empfindung für jmdn.* /Ggs. Abneigung/: sie faßte schnell Z. zu ihm. **sinnv.:** Anhänglichkeit, Faible, Freundlichkeit, Gefallen, Liebe, Neigung, Schwäche, Sympathie, Wohlgefallen.

Zun|ge, die; -, -n: *bewegliches, mit Schleimhaut bedecktes, muskulöses Organ im Mund der meisten Wirbeltiere und des Menschen, das bes. bei der Nahrungsaufnahme beteiligt ist:* sich auf die Z. beißen. **Zus.:** Kalbs-, Katzen-, Läster-, Rinder-, Seezunge.

zu|oberst ⟨Adverb⟩: *ganz oben* /Ggs. zuunterst/: die Hemden lagen im Koffer z.

zup|fen: 1. ⟨tr./itr.⟩: *vorsichtig und mit einem leichten Ruck an etwas ziehen:* jmdn. am Ärmel z. **sinnv.:** zerren. **Zus.:** ab-, aus-, glatt-, heraus-, zurechtzupfen. **2.** ⟨tr.⟩ *(bei einem Zupfinstrument) die Saiten mit den Fingerspitzen oder mit einem Plättchen anreißen und sie so zum Klingen bringen:* die Saiten der Gitarre z.

Zupf|in|stru|ment, das; -[e]s, -e: *Saiteninstrument, dessen Saiten durch Zupfen (2) zum Klingen gebracht werden* (siehe Bildleiste).

Zither

Gitarre   Laute   Mandoline

Zupfinstrumente

zur ⟨Verschmelzung von *zu* + *der: zu der*⟩ **a)** /die Verschmelzung kann aufgelöst werden/: sie geht noch z. Post. **b)** /die Verschmelzung kann nicht aufgelöst werden/: z. Ruhe kommen.

zu|recht|fin|den, sich; fand sich zurecht, hat sich zurechtgefunden: *die räumlichen, zeitlichen o.ä. Zusammenhänge, die gegebenen Verhältnisse, Umstände erkennen, sie richtig einschätzen, damit fertig werden:* er fand sich in der Stadt schnell zurecht.

zu|recht|kom|men, kam zurecht, ist zurechtgekommen ⟨itr.⟩: **1.** *(mit etwas) fertig werden; (mit jmdm./etwas) richtig umgehen können:* ich komme mit der Maschine, mit meinem Kollegen nicht zurecht. **2.** *zur rechten Zeit kommen:* er kam gerade noch zurecht, ehe der Zug abfuhr.

zu|re|den, redete zu, hat zugeredet ⟨itr.⟩: *(jmdn.) durch Worte veranlassen wollen, etwas Bestimmtes zu tun:* wir haben ihm gut zugeredet, sich hinzulegen. **sinnv.:** mahnen, zuraten.

zu|rück ⟨Adverb⟩: *wieder an den Ausgangspunkt, in umgekehrter Richtung:* wir wollen hin und z. mit der Bahn fahren. **sinnv.:** rückwärts.

zu|rück- ⟨trennbares verbales Präfix⟩: **1. a)** */wieder zum Ausgangspunkt hin, in den Ausgangszustand/:* jmdn. zurückbegleiten, zurückgehen, zurücklaufen, zurückwollen. **sinnv.:** rück-. **b)** */wieder in den Besitz gelangen/* zurückbekommen, zurückerobern. **2.** */hinten, hinter jmdn./etwas/:* zurückbehalten, zurückbleiben. **3.** *nach hinten:* zurückbeugen, zurückblicken. **4.** */besagt, daß man mit dem im Basiswort genannten Tun auf gleiche Art reagiert, daß dieses Tun eine gleichartige Erwiderung ist/:* zurückschießen, zurückschlagen, zurückschreiben.

zu|rück|fah|ren, fährt zurück, fuhr zurück, hat/ist zurückgefahren: **1.** ⟨itr.⟩ *wieder an den, in Richtung auf den Ausgangspunkt fahren:* er ist gestern früh mit dem Zug nach Hamburg zurückgefahren. **2.** ⟨tr.⟩ *(mit einem Fahrzeug) wieder an den Ausgangspunkt befördern:* er hat seine Eltern nach Hause zurückgefahren. **3.** ⟨itr.⟩ *(aus Angst, vor Schreck) sich plötzlich nach hinten bewegen:* bei dem Knall bin ich erschrocken zurückgefahren. **sinnv.:** zurückprallen, zurückschrecken, zurückweichen, zusammenfahren, -schrecken, -zucken.

zu|rück|fal|len, fällt zurück, fiel zurück, ist zurückgefallen ⟨itr.⟩: **1.** *nach hinten fallen:* er ließ sich in den Sessel z. **sinnv.:** sinken. **2.** *in Rückstand geraten; auf ein niedriges Leistungsniveau sinken:* im Ziel war der Läufer weit zurückgefallen. **sinnv.:** abfallen. **3.** *zu einer alten [schlechten] Gewohnheit o. ä. zurückkehren:* sie ist [wieder] in ihren alten Fehler zurückgefallen. **4.** *(jmdm.) angelastet, als Schuld, Fehler angerechnet werden:* seine schlechte Erziehung fällt auf seine Eltern zurück. **sinnv.:** ein schlechtes Licht werfen auf, sich rächen.

zu|rück|ge|hen, ging zurück, ist zurückgegangen ⟨itr.⟩: **1. a)** *wieder an den, in Richtung auf den Ausgangspunkt gehen:* ins Haus z.; fünf Schritte z. **b)** *seinen Ursprung (in jmdm./etwas) haben:* diese Verordnung geht noch auf Napoleon zurück. **sinnv.:** stammen. **2.** *abnehmen, geringer werden:* das Fieber ist in den letzten Tagen zurückgegangen. **sinnv.:** nachlassen, sinken.

zu|rück|hal|ten, hielt zurück, hielt zurück, hat zurückgehalten: **1. a)** ⟨tr.⟩ *am Weglaufen hindern:* er konnte das Kind gerade noch z. **sinnv.:** festhalten. **b)** ⟨tr./itr.⟩ *(Gefühle, Meinungen, o. ä.) nicht merken lassen:* er hielt seinen/mit seinem Ärger zurück. **sinnv.:** beherrschen, mäßigen. **2.** ⟨sich z.⟩ **a)** *sich (beim Gebrauch o. ä. von etwas) mäßigen:* sich beim Trinken z. **sinnv.:** sich beherrschen, sich zusammennehmen. **b)** *sich (gegenüber anderen) im Hintergrund halten, sich nicht stark bei etwas beteiligen:* er hält sich bei solchen Auseinandersetzungen immer sehr zurück. **sinnv.:** Abstand wahren, reserviert sein.

zu|rück|kom|men, kam zurück, ist zurückgekommen ⟨itr.⟩: **1.** *wieder an den Ausgangspunkt kommen:* sie kommt am Montag aus dem Urlaub zurück. **sinnv.:** heimkehren, heimkommen, wiederkehren, wiederkommen, zurückfinden, zurückkehren. **2.** *einen Gedanken o. ä. wieder aufgreifen:* ich komme auf mein Angebot zurück.

zu|rück|las|sen, läßt zurück, ließ zurück, hat zurückgelassen ⟨tr.⟩: **1.** *etwas an dem Ort, von dem man sich entfernt, lassen, nicht mitnehmen:* als wir flohen, mußten wir fast unseren ganzen Besitz z.

sinnv.: liegenlassen, im Stich lassen. **2.** *hinter sich lassen, übertreffen, überholen:* er hat seine Konkurrenten weit [hinter sich] zurückgelassen.

zu|rück|schrecken, schreckte/schrak zurück, ist zurückgeschreckt ⟨itr.⟩: *(aus Angst vor unangenehmen Folgen) von etwas Abstand nehmen:* so brutal er ist, vor einem Mord schreckt er doch zurück. **sinnv.:** abschrecken, sich fürchten.

zu|rück|set|zen, setzte zurück, hat zurückgesetzt ⟨tr.⟩: **1.** *wieder an seinen [früheren] Platz setzen:* den Topf auf die Herdplatte z. **2.** *(gegenüber anderen, Gleichgestellten) in kränkender Weise benachteiligen:* du darfst sie gegenüber ihrem Bruder nicht so z. **sinnv.:** diskriminieren.

zu|rück|tre|ten, tritt zurück, trat zurück, ist zurückgetreten ⟨itr.⟩: **1.** *nach hinten treten:* einen Schritt z. **2.** *eine Stellung, ein Amt aufgeben:* der Minister ist zurückgetreten. **sinnv.:** ausscheiden.

zu|rück|wei|chen, wich zurück, ist zurückgewichen ⟨itr.⟩: *einige Schritte zurücktreten, nach hinten ausweichen:* die Menge wich ehrfürchtig zurück; der Feind wich zurück. **sinnv.:** zurückfahren.

zu|rück|wei|sen, wies zurück, hat zurückgewiesen ⟨tr.⟩: *[schroff, entschieden] ablehnen, abweisen:* er wies mein Angebot zurück. **sinnv.:** ablehnen, abstreiten, abweisen, bestreiten.

zu|rück|zie|hen, zog zurück, hat zurückgezogen: **1.** ⟨tr.⟩ **a)** *zur Seite, nach hinten, wieder an den Ausgangspunkt ziehen:* den Vorhang z. **sinnv.:** abziehen. **b)** *(etwas) rückgängig machen, (auf etwas) verzichten:* einen Antrag, Auftrag z. **sinnv.:** widerrufen, zurückstellen. **2.** ⟨sich z.⟩ **a)** *sich (aus einer Gesellschaft, einer Menge o. ä.) entfernen, sich absondern:* er zog sich in sein Zimmer zurück. **b)** *eine Arbeit o. ä. aufgeben:* er zog sich von den Geschäften, aus der Politik zurück. **sinnv.:** aufhören, aussteigen, sich zur Ruhe setzen, in den Ruhestand treten. **c)** *den Kontakt (mit jmdm.) aufgeben:* nach diesem Krach habe ich mich [von ihm] zurückgezogen. **sinnv.:** abbrechen, abrücken von, brechen, sich distanzieren, sich innerlich entfernen von, die Freundschaft einschlafen lassen, mit jmdm. nichts mehr zu schaffen/zu tun haben wollen.

zu|ru|fen, rief zu, hat zugerufen ⟨tr.⟩: *rufend mitteilen:* er rief mir zu, alles sei in Ordnung; jmdm. einen Gruß z.

zu|sa|gen, sagte zu, hat zugesagt. **1. a)** ⟨tr.⟩ *jmdm. zusichern, sich in einer bestimmten Angelegenheit seinen Wünschen entsprechend zu verhalten, ihm etwas zuteil werden zu lassen:* er hat mir schnelle Hilfe zugesagt. **sinnv.:** versprechen. **b)** ⟨itr.⟩ *versichern, daß man einer Einladung folgen will* /Ggs. absagen/: komm du doch auch, dein Bruder hat schon zugesagt. **2.** ⟨itr.⟩ *jmds. Vorstellungen entsprechen:* diese Wohnung sagte mir zu. **sinnv.:** gefallen.

zu|sam|men ⟨Adverb⟩: **a)** *einer mit anderen oder etwas mit etwas anderem:* die Bände werden nur z. verkauft. **sinnv.:** gemeinsam. **b)** *als Einheit gerechnet, miteinander addiert:* alles z. kostet 10 Mark. **sinnv.:** insgesamt.

zu|sam|men- ⟨trennbares verbales Präfix⟩: **1.** (ugs.) *so stark, brutal, viel in der im Basiswort genannten Weise auf jmdn./etwas einwirken, daß er/es stark beeinträchtigt, herabgemindert ist, daß nur noch wenig an eigentlicher Substanz übrigbleibt:*

zusammenschießen, -schlagen, -streichen (Haushaltsmittel), -treten. **2.** (abwertend) *viel, aber ohne System und Plan das im Basiswort Genannte tun:* zusammenfotografieren, -phantasieren, -schwatzen.

Zu|sạm|men|ar|beit, die; -: *gemeinsames Arbeiten, Wirken an der gleichen Sache, auf dem gleichen Gebiet:* Z. in der Forschung und Entwicklung. **sinnv.:** Kooperation.

zu|sạm|men|bei|ßen, biß zusammen, hat zusammengebissen ⟨tr.⟩: *(die Zähne, die Lippen) kräftig gegeneinanderpressen:* er biß vor Schmerz die Zähne zusammen.

zu|sạm|men|bre|chen, bricht zusammen, brach zusammen, ist zusammengebrochen ⟨itr.⟩: **a)** *zum Einsturz kommen, in Trümmer gehen:* die Brücke brach zusammen. **sinnv.:** auseinanderbrechen, einstürzen, verfallen, zerfallen. **b)** *einen Schwächeanfall erleiden; ohnmächtig werden o.ä.:* der Mann war [ohnmächtig] zusammengebrochen. **sinnv.:** zusammenklappen, -sakken, -sinken. **c)** *zum Erliegen kommen:* der Verkehr brach zusammen.

Zu|sạm|men|bruch, der; -[e]s, Zusammenbrüche: **a)** *das Zusammenbrechen* (a): der wirtschaftliche Z. **sinnv.:** Untergang. **b)** *das Zusammenbrechen* (b): die Aufregungen führten bei ihm zu einem totalen Z. **Zus.:** Nervenzusammenbruch.

zu|sạm|men|fal|len, fällt zusammen, fiel zusammen, ist zusammengefallen ⟨itr.⟩: **1.** *den Zusammenhalt verlieren und auf einen Haufen fallen:* die schön aufgebaute Dekoration fiel durch den starken Wind zusammen. **sinnv.:** einstürzen, verfallen. **2.** *zur gleichen Zeit stattfinden:* ihre Geburtstage fallen zusammen. **sinnv.:** übereinstimmen, sich überschneiden. **3.** *körperlich zunehmend schwächer werden:* er fällt immer mehr zusammen. **sinnv.:** abmagern, hinfällig werden, verfallen.

zu|sạm|men|fas|sen, faßte zusammen, hat zusammengefaßt ⟨tr.⟩: **1.** *in, zu einem größeren Ganzen vereinigen:* man hat alle Gruppen in diesem Verband zusammengefaßt. **sinnv.:** bündeln. **2.** *auf eine kurze Form bringen, als Resümee formulieren:* seine Gedanken in wenigen Sätzen z.; zusammenfassend kann man sagen, daß ... **sinnv.:** das Fazit ziehen, resümieren.

zu|sạm|men|ge|hö|rig ⟨Adj.⟩: *zueinander gehörend:* alle zusammengehörigen Teile ordnen.

Zu|sạm|men|halt, der; -[e]s: *innere Verbundenheit, fest innere Bindung:* die Mannschaft hat keinen Z. **sinnv.:** Gemeinsamkeit, Kameradschaftsgeist, Kooperation, Solidarität.

zu|sạm|men|hal|ten, hält zusammen, hielt zusammen, hat zusammengehalten: **1.** ⟨itr.⟩ *einander beistehen, fest zueinanderstehen:* wir wollen immer z. **2.** ⟨tr.⟩ *Geld o.ä. nicht ausgeben, sondern zurückbehalten, zurücklegen:* er hielt sein Vermögen nach Kräften z. **sinnv.:** sparen. **3.** ⟨tr.⟩ *beieinanderhalten, am Auseinanderstreben hindern:* der Lehrer konnte die Schüler bei dem Ausflug nur schwer z.

Zu|sạm|men|hang, der; -[e]s, Zusammenhänge: *innere Beziehung, Verbindung (zwischen Vorgängen, Sachverhalten o.ä.):* dieser Satz ist aus dem Z. gerissen; zwischen diesen beiden Vorgängen besteht kein Z. **Zus.:** Satz-, Sinn-, Textzusammenhang.

zu|sạm|men|hän|gen, hing zusammen, hat zusammengehangen ⟨itr.⟩: **a)** *mit etwas, miteinander fest verbunden sein:* die beiden Teile hängen nur lose zusammen. **b)** *in Zusammenhang, Beziehung stehen:* wir werden die damit zusammenhängenden Fragen erörtern. **sinnv.:** betreffen.

zu|sạm|men|kom|men, kam zusammen, ist zusammengekommen ⟨itr.⟩: *sich treffen, sich versammeln:* wir werden im nächsten Monat wieder z. **sinnv.:** sich versammeln.

Zu|sạm|men|kunft, die; -, Zusammenkünfte: *Treffen, Versammlung; Sitzung:* der Termin für die nächste Z. liegt noch nicht fest. **sinnv.:** Begegnung.

zu|sạm|men|le|ben, lebte zusammen, hat zusammengelebt ⟨itr.⟩: *(mit jmdm.) in Gemeinschaft leben:* sie leben schon fünf Jahre zusammen. **sinnv.:** in wilder Ehe leben, einen gemeinsamen Haushalt führen, zusammenwohnen.

zu|sạm|men|le|gen, legte zusammen, hat zusammengelegt: **1.** ⟨tr.⟩ *(einer Sache) durch Falten, durch Übereinanderlegen, Übereinanderklappen ein kleineres Format geben:* Decken z. **sinnv.:** zusammenfalten. **2.** ⟨tr.⟩ *verschiedene Gruppen, Bereiche, Teile o.ä. zu einem Ganzen, einer Einheit werden lassen:* verschiedene Ämter z.; Grundstücke z. **sinnv.:** zentralisieren. **3.** ⟨itr.⟩ *gemeinsam die für etwas erforderliche Geldsumme aufbringen:* wenn wir zusammenlegen, dürfte es reichen.

zu|sạm|men|neh|men, nimmt zusammen, nahm zusammen, hat zusammengenommen: **1.** ⟨tr.⟩ *(geistige, körperliche Kräfte) konzentriert verfügbar machen, einsetzen:* alle seine Gedanken z. **2.** ⟨sich z.⟩ *sich beherrschen, unter Kontrolle haben:* nimm dich doch zusammen! **sinnv.:** sich zurückhalten.

zu|sạm|men|pres|sen, preßte zusammen, hat zusammengepreßt ⟨tr.⟩: *mit Kraft zusammendrücken, gegeneinanderpressen:* sie preßte die Hände zusammen.

zu|sạm|men|rücken, rückte zusammen, hat/ist zusammengerückt: **1.** ⟨tr.⟩ *so schieben, daß etwas näher beisammensteht:* wir haben die Möbel zusammengerückt. **2.** ⟨itr.⟩ *sich enger nebeneinandersetzen:* sie sind auf der Bank zusammengerückt.

zu|sạm|men|schla|gen, schlägt zusammen, schlug zusammen, hat/ist zusammengeschlagen: **1. a)** ⟨tr.⟩ *[kräftig] gegeneinanderschlagen:* er hat die Hacken, Absätze zusammengeschlagen. **b)** ⟨itr.⟩ *jmdn./etwas von verschiedenen Seiten einschließen und [vorübergehend] unter sich begraben:* die Wellen sind über ihm zusammengeschlagen. **2.** ⟨tr.⟩ *falten, zusammenlegen:* er hat die Zeitung zusammengeschlagen. **sinnv.:** zusammenfalten. **3.** ⟨tr.⟩ **a)** *auf jmdn. so einschlagen, daß er zusammenbricht:* der Einbrecher hat ihn zusammengeschlagen. **sinnv.:** zusammentreten. **b)** *mit Gewalt entzweischlagen:* in seiner Wut schlug er alle Möbel zusammen. **sinnv.:** zerstören.

zu|sạm|men|schlie|ßen, sich; schloß sich zusammen, hat sich zusammengeschlossen: *sich mit jmdn. zu einem bestimmten Zweck verbinden:* die beiden Firmen haben sich zusammengeschlossen. **sinnv.:** sich vereinigen.

zu|sạm|men|set|zen, setzte zusammen, hat zusammengesetzt: **1.** ⟨tr.⟩ **a)** *[gleichartige Teile] aneinanderfügen:* Steine zu einem Mosaik z. **b)** *zu* *einem Ganzen fügen:* eine Wand aus Platten z.; *zusammengesetzte* Verben. **sinnv.:** zusammenflicken, -fügen, -heften, -stoppeln, -stückeln. **2.** ⟨sich z.⟩ **a)** *sich zueinander-, nebeneinandersetzen:* wir wollen uns im Kino z. **b)** *zusammenkommen, um gemeinsam zu beraten:* wir müssen uns unbedingt mal z. **sinnv.:** tagen. **3.** ⟨sich z.⟩ *als Ganzes aus verschiedenen Bestandteilen, Personen bestehen:* die Uhr setzt sich aus vielen Teilen zusammen. **sinnv.:** bestehen aus, gebildet werden von, sich rekrutieren aus.

Zu|sam|men|set|zung, die; -, -en: **1. a)** *zusammengesetzter Stoff:* eine explosive Z. **b)** *Art und Weise, wie etwas als Ganzes zusammengesetzt, in sich strukturiert ist:* die Z. dieses Mittels ist unbekannt. **sinnv.:** Organisation. **2.** *aus zwei oder mehreren Wörtern zusammengesetztes Wort:* „Eisenbahn" ist eine Z. aus „Eisen" und „Bahn". **sinnv.:** Kompositum.

zu|sam|men|stel|len, stellte zusammen, hat zusammengestellt ⟨tr.⟩: **a)** *an die gleiche Stelle zueinanderstellen, nebeneinanderstellen:* Stühle, Tische z. **sinnv.:** aufbauen, aufräumen. **b)** *etwas (was man unter einem bestimmten Aspekt ausgewählt hat) so anordnen, gestalten, daß etwas Einheitliches, Zusammenhängendes entsteht:* eine Ausstellung, eine Mannschaft z. **sinnv.:** ausrichten, formieren.

zu|sam|men|sto|ßen, stößt zusammen, stieß zusammen, ist zusammengestoßen ⟨itr.⟩: **a)** *mit Wucht gegeneinanderprallen:* die Straßenbahn ist mit dem Bus zusammengestoßen. **sinnv.:** anfahren, anstoßen, auffahren, aufprallen, aufschlagen, bumsen, kollidieren, krachen, prallen, rammen, rumsen, stoßen, zusammenprallen, -rauschen. **b)** *sich an einem Punkt treffen; eine gemeinsame Grenze haben:* die Linien stoßen in diesem Punkt zusammen. **sinnv.:** sich treffen. **c)** *eine Auseinandersetzung (mit jmdm.) haben:* ich bin heute heftig mit ihm zusammengestoßen. **sinnv.:** streiten.

zu|sam|men|tref|fen, trifft zusammen, traf zusammen, ist zusammengetroffen ⟨itr.⟩: **1.** *einander begegnen, sich treffen:* er ist mit Bekannten zusammengetroffen. **sinnv.:** sich versammeln. **2.** *gleichzeitig, sich ergänzend geschehen, stattfinden:* die beiden Ereignisse trafen zusammen. **sinnv.:** sich überschneiden.

zu|sam|men|tun, sich; tat sich zusammen, hat sich zusammengetan: *sich zu einem bestimmten Zweck mit jmdm. verbinden:* sich zu einem bestimmten Zweck, sich gegen jmdn. z. **sinnv.:** paktieren, sich verbünden.

zu|sam|men|zäh|len, zählte zusammen, hat zusammengezählt ⟨tr.⟩: *(von Zahlen, Dingen o. ä.) eins zum andern zählen:* die verschiedenen Beträge z. **sinnv.:** addieren.

zu|sam|men|zie|hen, zog zusammen, hat zusammengezogen: **a)** ⟨tr.⟩ *durch Ziehen verkleinern, enger machen, schließen o. ä.:* das Loch im Strumpf z. **b)** ⟨sich z.⟩ *sich verkleinern, enger werden, sich schließen:* bei Kälte ziehen sich alle Körper zusammen. **c)** ⟨itr.⟩ *eine gemeinsame Wohnung beziehen:* sie ist mit ihrer Freundin zusammengezogen.

Zu|satz, der; -es, Zusätze: **1.** ⟨ohne Plural⟩ *das Hinzufügen:* unter Z. von Wasser wird das Pulver verrührt. **2.** *[später] hinzugefügter Teil:* die Zusät-

ze zu dem Vertrag müssen beachtet werden. **sinnv.:** Anhang, Anmerkung.

zu|sätz|lich ⟨Adj.⟩: *zu etwas bereits Vorhandenem, Gegebenem als Ergänzung, Erweiterung o. ä. hinzukommend:* es entstehen keine zusätzlichen Kosten; er gab ihm z. einen Gutschein. **sinnv.:** außerdem, darüber hinaus, extra, noch, überdies.

zu|schau|en, schaute zu, hat zugeschaut ⟨itr.⟩: *(bei etwas) aufmerksam zusehen:* er schaut ihm bei der Arbeit zu. **sinnv.:** gaffen, glotzen, gucken, kiebitzen, zugucken, zusehen.

Zu|schau|er, der; -s, -, **Zu|schaue|rin,** die; -, -nen: *männliche bzw. weibliche Person, die einem Vorgang, bes. einer Aufführung, Vorführung o. ä. zuschaut:* die Zuschauer waren von dem Fußballspiel enttäuscht. **sinnv.:** Augenzeuge, Gaffer, Kiebitz, Neugieriger, Publikum, Schaulustiger. **Zus.:** Fernseh-, Theaterzuschauer.

zu|schla|gen, schlägt zu, schlug zu, hat/ist zugeschlagen: **1.** ⟨itr.⟩ *einen Schlag (mit der Faust, einem Stock o. ä.) gegen jmdn. führen:* er hatte sich auf ihn gestürzt und mit geballter Faust zugeschlagen. **2. a)** ⟨tr.⟩ *mit Schwung, Heftigkeit geräuschvoll zumachen, schließen:* er hatte das Fenster zugeschlagen; ein Buch wütend z. **b)** ⟨itr.⟩ *heftig mit einem lauten Knall zugehen, sich schließen:* die Tür ist zugeschlagen. **sinnv.:** zufallen, zugehen.

zu|schlie|ßen, schloß zu, hat zugeschlossen ⟨tr.⟩: *(mit einem Schlüssel) ab-, verschließen* /Ggs. aufschließen/: das Zimmer, den Koffer z. **sinnv.:** verschließen.

zu|schnei|den, schnitt zu, hat zugeschnitten ⟨tr.⟩: *(einen Stoff) in eine Form schneiden, wie man sie zum Nähen eines Kleidungsstückes braucht:* der Schneider schnitt den Stoff für den Anzug zu.

zu|se|hen, sieht zu, sah zu, hat zugesehen ⟨itr.⟩: **1.** *(einem Vorgang) mit den Augen folgen:* jmdm. bei der Arbeit z. **sinnv.:** zuschauen. **2.** *[ab]warten; mit einer Entscheidung zögern:* wir werden noch eine Weile zusehen, ehe wir eingreifen. **3.** *(für etwas) sorgen; (auf etwas) achtgeben:* ich werde z. (mich darum bemühen), daß ihr pünktlich seid. **sinnv.:** sich befleißigen.

zu|set|zen, setzte zu, hat zugesetzt: **1.** ⟨tr.⟩ *(etwas zu etwas) tun, mischen, hinzufügen:* dem Wein Wasser z. **sinnv.:** beifügen, beigeben, beimengen, einrühren, hinzufügen, hinzugeben, mengen/mischen/rühren unter, unterrühren, vermischen mit, zugeben. **2.** ⟨tr./itr.⟩ *(Geld) verlieren, einbüßen; mit Verlust arbeiten:* bei diesem Unternehmen hat er [viel Geld] zugesetzt. **sinnv.:** einbüßen; zuzahlen. **3.** ⟨itr.⟩ **a)** *(jmdn.) hartnäckig zu überreden versuchen, bedrängen, bestürmen:* er setzte mir so lange zu, bis ich versprach zu kommen. **sinnv.:** nicht aufhören/nachlassen zu, hart herannehmen, das Letzte aus jmdm. herausholen, in die Mangel/Zange nehmen. **b)** *in unangenehmer Weise, quälend, peinigend o. ä. auf jmdn. einwirken, ihn schwächen:* die Krankheit setzt ihm sehr zu. **sinnv.:** entkräften.

zu|si|chern, sicherte zu, hat zugesichert ⟨tr.⟩: *fest versprechen:* der Handwerker hat mir zugesichert, daß er heute kommen werde. **sinnv.:** versprechen.

zu|spie|len, spielte zu, hat zugespielt: **a)** ⟨tr./itr.⟩ *(den Ball o. ä. zu einem anderen Spieler) schießen, werfen o. ä.:* er spielte [den Ball] dem Spieler zu, der vor dem Tor stand. **sinnv.**: abgeben, abspielen. **b)** ⟨tr.⟩ *dafür sorgen, daß jmd. etwas bekommt; zukommen lassen:* er hatte dem Reporter die Nachricht von diesem Skandal zugespielt. **sinnv.**: heimlich geben, zuschanzen, zuschieben, zustecken.

zu|spre|chen, spricht zu, sprach zu, hat zugesprochen: **1.** ⟨itr.⟩ *(in bestimmter Weise zu jmdm.) sprechen, (auf jmdn.) einreden:* jmdm. beruhigend z.; ⟨auch tr.⟩ jmdm. Mut, Trost z. *(jmdm. trösten).* **2.** ⟨itr.⟩ *(etwas) reichlich und gern zu sich nehmen, genießen:* er sprach eifrig dem Bier zu. **sinnv.**: sich bedienen. **3.** ⟨tr.⟩ *erklären, daß etwas jmds. Eigentum sein soll* /Ggs. absprechen/: jmdm. das Erbe z. **sinnv.**: zuerkennen, zuerteilen.

Zu|stand, der; -[e]s, Zustände: *Beschaffenheit, Lage, in der sich jmd./etwas befindet; Verfassung:* sein körperlicher Z. war gut; das Haus war in einem verwahrlosten Z. **sinnv.**: Lage, Stand, Status, Verhältnis. **Zus.:** Aggregat-, Alarm-, Ausnahme-, Belagerungs-, Dämmer-, Dauer-, End-, Erschöpfungs-, Geistes-, Gemüts-, Gesundheits-, Gleichgewichts-, Ideal-, Kriegs-, Natur-, Roh-, Ruhe-, Seelen-, Straßen-, Trance-, Traum-, Ur-, Wachzustand.

zu|stan|de: **1.*** z. bringen *(erreichen, fertigbringen):* er hat nichts z. gebracht. **sinnv.**: verwirklichen. **2.*** z. kommen *(verwirklicht, erreicht werden; gelingen:)* es ist nicht viel z. gekommen. **sinnv.**: geschehen.

zu|stän|dig ⟨Adj.; nicht adverbial⟩: *(für ein bestimmtes Sachgebiet) verantwortlich:* er wurde an die zuständige Stelle verwiesen. **sinnv.**: befugt, kompetent.

zu|ste|hen, stand zu, hat zugestanden ⟨itr.⟩: *(jmdm.) mit Recht gehören, zukommen; (jmds.) Recht sein:* ihm stehen im Jahr 30 Tage Urlaub zu. **sinnv.**: gebühren, jmds. gutes Recht sein, zukommen.

zu|stel|len, stellte zu, hat zugestellt ⟨tr.⟩: *(jmdm. einen Brief o. ä.) [durch die Post] übergeben, aushändigen [lassen]; zuschicken, zugehen lassen:* seinen Kunden einen Katalog z. **sinnv.**: austragen; liefern.

zu|stim|men, stimmte zu, hat zugestimmt ⟨itr.⟩: *erklären, daß man die Meinung eines anderen teilt oder sein Vorhaben billigt:* er stimmte ihm, dem Plan zu. **sinnv.**: billigen.

zu|sto|ßen, stößt zu, stieß zu, hat/ist zugestoßen: **1.** ⟨itr.⟩ *einen Stoß (mit einem Messer o. ä.) gegen jmdn. führen:* er hatte mit dem Messer zweimal zugestoßen. **sinnv.**: zustechen. **2.** ⟨tr.⟩ *durch einen Stoß mit dem Arm oder Fuß schließen, zumachen* /Ggs. aufstoßen/: er hat die Tür zugestoßen. **sinnv.**: schließen. **3.** ⟨itr.⟩ *jmdm. geschehen, passieren:* ihm ist ein Unglück zugestoßen. **sinnv.**: begegnen; widerfahren.

zu|tei|len, teilte zu, hat zugeteilt ⟨tr.⟩: **a)** *(an jmdn.) vergeben; (jmdm.) übertragen:* jmdm. eine Arbeit, einen Auftrag z. **sinnv.**: anweisen; vergeben. **b)** *(jmdm.) den ihm zukommenden Teil geben:* er teilte [ihnen] die Geschenke zu. **sinnv.**: austeilen; verabreichen.

zu|tra|gen, trägt zu, trug zu, hat zugetragen: **1.** ⟨tr.⟩ *(jmdm. etwas) heimlich berichten:* sie trägt ihm alles zu, was sie hört. **sinnv.**: hinterbringen, weitererzählen, weitergeben, weitersagen, weitertragen. **2.** ⟨sich zu.⟩ *als etwas Bedeutsames, Rätsel-*

haftes eintreten, sich ereignen: es hatte sich etwas Seltsames zugetragen. **sinnv.**: geschehen.

zu|trau|en, traute zu, hat zugetraut ⟨tr.⟩: **a)** *glauben, daß jmd. bestimmte Fähigkeiten, Eigenschaften o. ä. hat:* ich traue ihm einen solchen Geschmack nicht zu. **sinnv.**: an jmdn./an jmds. Fähigkeiten glauben. **b)** *glauben, daß jmd. fähig, imstande ist, etwas Bestimmtes zu tun:* ich traue ihm nicht zu, daß er lügt.

Zu|trau|en, das; -s: *Vertrauen (bes. in die Verläßlichkeit einer Person):* ich habe kein Z. mehr zu ihm.

zu|trau|lich ⟨Adj.⟩: *ohne Scheu, Fremdheit und Ängstlichkeit; voll Vertrauen:* das Kind blickte ihn z. an.

zu|tref|fen, trifft zu, traf zu, hat zugetroffen ⟨itr.⟩: *richtig sein, stimmen; den Sachverhalt genau treffen, den Tatsachen entsprechen:* seine Beschreibung traf genau zu; eine zutreffende Bemerkung. **sinnv.**: sich bestätigen, stimmen.

Zu|tritt, der; -[e]s: **a)** *das Eintreten, das Hineingehen:* Z. verboten! **sinnv.**: Einlaß, Eintritt. **b)** *Berechtigung zum Eintreten, zum Hineingehen:* er hat hier jederzeit Z.

zu|un|terst ⟨Adverb⟩: *ganz unten* /Ggs. zuoberst/: das Buch liegt ganz z.

zu|ver|läs|sig ⟨Adj.⟩: *so beschaffen, daß man sich darauf verlassen kann; verläßlich, vertrauenswürdig:* er ist ein zuverlässiger Arbeiter; er hat diese Nachricht aus zuverlässiger *(glaubwürdiger)* Quelle. **sinnv.**: authentisch, verbürgt, verläßlich.

zu|ver|sicht|lich ⟨Adj.⟩: *mit festem Vertrauen (erfüllt); hoffnungsvoll:* er sprach sehr z. von der künftigen Entwicklung seiner Fabrik. **sinnv.**: fortschrittsgläubig, getrost, hoffnungsfroh, hoffnungsvoll, optimistisch, unverzagt, zukunftsgläubig.

zu|viel ⟨Indefinitpronomen⟩: *mehr als nötig, erwünscht; mehr als angemessen* /Ggs. zuwenig/: es ist z. Milch im Kaffee. **sinnv.**: überschüssig. **Zus.:** allzuviel.

zu|vor ⟨Adverb⟩: *zeitlich vorhergehend; davor; zuerst:* ich muß z. noch telefonieren; wir haben ihn nie z. gesehen. **sinnv.**: vorher.

zu|vor|kom|men, kam zuvor, ist zuvorgekommen ⟨itr.⟩: **a)** *schneller sein (als eine andere Person, die das gleiche tun wollte):* ich wollte das Bild kaufen, aber ein anderer kam mir zuvor. **b)** *handeln, bevor etwas Erwartetes, Vermutetes eintritt, geschieht:* allen Vorwürfen, einem Angriff z. **sinnv.**: vorwegnehmen.

zu|wei|len ⟨Adverb⟩: ↑*manchmal:* er besucht uns z.

zu|wen|den, wandte/wendete zu, hat zugewandt/zugewendet ⟨tr./sich z.⟩: **1.** *(in die Richtung von jmdm./etwas) wenden:* er hat ihm den Rücken zugewandt; ich habe mich der Sonne zugewendet. **sinnv.**: hinwenden, zudrehen. **2.** *zukommen lassen:* er hat ihr seine ganze Aufmerksamkeit zugewendet. **sinnv.**: geben.

zu|we|nig ⟨Indefinitpronomen⟩: *weniger als nötig, erwünscht; weniger als angemessen* /Ggs. zuviel/: er leistet z. **Zus.:** allzuwenig.

zu|wer|fen, wirft zu, warf zu, hat zugeworfen ⟨tr.⟩: **1. a)** *mit Schwung ins Schloß fallen lassen:* er warf die Tür zu. **sinnv.**: schließen. **b)** *Erde o. ä. (in etwas) schaufeln und so bis zum Rand füllen:* man

hat die Grube zugeworfen. **2.** *(in Richtung auf jmdn.) werfen:* er wirft ihm den Ball zu.
zu|wi|der, *: *jmdm.* **z. sein:** *jmdm. unangenehm, widerwärtig sein; jmdm. widerstreben:* dieses Essen war ihm schon immer z.; Arroganz ist ihr z. **sinnv.:** unbeliebt.
zu|win|ken, winkte zu, hat zugewinkt ⟨itr.⟩: *(in die Richtung von jmdm.) winken:* er hat ihm aus dem Auto zugewinkt. **sinnv.:** winken.
zu|zie|hen, zog zu, hat/ist zugezogen: **1.** ⟨tr.⟩ *durch Zusammenziehen schließen* /Ggs. aufziehen/: sie hat die Vorhänge zugezogen. **sinnv.:** schließen. **2.** ⟨tr.⟩ *als Helfer, Berater o. ä. hinzuziehen:* wir haben einen Arzt zugezogen. **sinnv.:** heranziehen. **3.** ⟨sich z.⟩ *[durch eigenes Verhalten, Verschulden] bekommen, auf sich ziehen:* er hat sich den Zorn des Chefs, die Kritik des Publikums zugezogen. **sinnv.:** sich etwas einhandeln. **4.** ⟨itr.⟩ *seinen Wohnsitz an einen bestimmten Ort verlegen:* sie sind erst vor kurzer Zeit zugezogen. **sinnv.:** einreisen, einwandern.
Zwang, der; -[e]s, Zwänge: **1.** *zwingende Notwendigkeit, Pflicht:* es besteht kein Z. zur Teilnahme; unter dem Z. der Verhältnisse verkaufte er das Haus. **sinnv.:** Dirigismus, Drohung, Druck, Einengung, Muß, Nötigung. **Zus.:** Erfolgs-, Gewissens-, Impf-, Kauf-, Sachzwang. **2.** *psychologischer Druck; seelische Belastung, Hemmung:* unter einem moralischen, inneren Z. stehen; sich, seinen Gefühlen keinen Z. antun, auferlegen *(sich frei und ungezwungen benehmen, verhalten).* **sinnv.:** Angst.
zwän|gen ⟨sich z./tr.⟩: *drücken, drängen, quetschen:* ich zwängte mich durch die Menge; er zwängte seinen Finger durch den Spalt. **sinnv.:** pressen, quetschen.
zwan|zig ⟨Kardinalzahl⟩: 20: z. Personen.
zwar ⟨Adverb⟩: **1.** (in Verbindung mit „aber") zwar ... aber */leitet eine allgemeine Feststellung ein, der aber sogleich eine Einschränkung folgt/:* z. war er dabei, aber angeblich hat er nichts gesehen. **sinnv.:** allerdings, gewiß, natürlich, sicher, wohl, zugegeben. **2.** (in Verbindung mit vorangestelltem „und") und z. */leitet eine genauere oder verstärkende Angabe zu dem zuvor Gesagten ein/:* rechne die Kosten aus, und z. genau.
Zweck, der; -[e]s, -e: *Ziel einer Handlung:* welchen Z. verfolgst du damit?; das hat seinen Z. erfüllt; das hat doch alles keinen Z. *(das ist doch sinnlos).* **sinnv.:** Absicht, Bestimmung, Sinn, Ziel. **Zus.:** Daseins-, End-, Haupt-, Lebens-, Selbst-, Verwendungszweck.
zweck|los ⟨Adj.⟩: *keinen Sinn, Zweck habend, keinen Erfolg versprechend:* alle Versuche, ihn von diesem Plan abzuhalten, sind z. **sinnv.:** wirkungslos.
zweck|mä|ßig ⟨Adj.⟩: *dem Zweck entsprechend, von ihm bestimmt:* eine zweckmäßige Einrichtung; die Ausstattung des Wagens ist z. **sinnv.:** angebracht, angemessen, angesagt, brauchbar, zu empfehlen, empfehlenswert, geeignet, gegeben, handlich, konstruktiv, nützlich, praktikabel, praktisch, sinnvoll, tauglich, vernünftig, zweckdienlich, zweckentsprechend.
zwecks ⟨Präp. mit Gen.⟩: */drückt einen bestimmten Zweck aus, der zu erreichen ist/:* er wurde z. gründlicher Untersuchung in ein Krankenhaus eingewiesen. **sinnv.:** wegen.

zwei ⟨Kardinalzahl⟩: 2: z. Personen; es mit zweien *(mit zwei Gegnern)* aufnehmen können. **sinnv.:** beide, zwo.
Zwei|fel, der; -s, -: *schwankende Ungewißheit darüber, ob man etwas glauben soll oder ob etwas richtig ist:* Zweifel an der Richtigkeit seiner Aussage haben; keinen Z. [aufkommen] lassen. **sinnv.:** Bedenken; Unglaube; Verdacht. **Zus.:** Glaubenszweifel.
zwei|feln ⟨itr.⟩: *Zweifel haben, bekommen; unsicher sein, werden (in bezug auf etwas Bestimmtes):* ich zweifle [noch], ob die Angaben stimmen; er zweifelt am Erfolg des Unternehmens. **sinnv.:** in Frage stellen, mißtrauen, in Zweifel ziehen. **Zus.:** an-, bezweifeln.
Zweig, der; -[e]s, -e: **1.** *[von einer Gabelung ausgehendes] einzelnes Laub oder Nadeln, Blüten und Früchte tragendes Teilstück eines Astes an Baum oder Strauch:* die Zweige des Baumes. **sinnv.:** Ast, Astwerk, Geäst, Gezweig, Sproß. **Zus.:** Mistel-, Öl-, Tannenzweig. **2.** *[Unter]abteilung, Sparte eines größeren Gebietes:* ein Z. der Naturwissenschaften. **sinnv.:** Art; Bereich. **Zus.:** Erwerbs-, Forschungs-, Wirtschafts-, Wissens-, Wissenschaftszweig.
zwei|mal ⟨Adverb⟩: *ein zweites Mal, einmal und noch einmal:* er hat schon z. angerufen. **sinnv.:** wiederholt.
zwei|spra|chig ⟨Adj.⟩: **a)** *in zwei verschiedenen Sprachen:* ein zweisprachiger Text; das Wörterbuch ist z. **b)** *[von Kind auf] zwei Sprachen sprechend:* ein zweisprachiges Kind; er wurde z. erzogen; ein zweisprachiges Gebiet *(Gebiet, in dem zwei Sprachen gesprochen werden).*
zweit... ⟨Ordinalzahl⟩: 2.: der zweite Tag der Woche.
Zwerch|fell, das; -[e]s, -e: *Scheidewand zwischen Brust- und Bauchhöhle (bei Mensch und Säugetier).*
Zwerg, der; -[e]s, -e: **1.** *kleines, meist hilfreiches Wesen des Volksglaubens* /Ggs. Riese/: Schneewittchen und die sieben Zwerge. **sinnv.:** Erdmännchen, Gnom, Heinzelmännchen, Kobold, Wicht, Wichtel, Wichtelmännchen. **Zus.:** Garten-, Wurzelzwerg. **2.** *Mensch von sehr kleinem Wuchs.* **sinnv.:** Däumling, Knirps, Liliputaner, Pygmäe, abgebrochener Riese, Stöpsel.
Zwet|sche, die; -, -n: *länglich-eiförmige, dunkelblaue Frucht mit gelbem Fruchtfleisch.* **sinnv.:** Pflaume, Zwetschge.
zwicken ⟨tr.⟩: *mit zwei Fingern o. ä. drücken, kneifen:* jmdm./jmdn. in die Wange z. **sinnv.:** kneifen. **2.** ⟨itr.⟩ *unangenehm beengen:* der Kragen zwickt [mich].
Zwie|back, der; -[e]s, Zwiebäcke und -e: *auf zwei Seiten gebackene Schnitte aus Hefeteig:* bei verdorbenem Magen empfiehlt sich Z. **sinnv.:** Gebäck. **Zus.:** Schiffszwieback.
Zwie|bel, die; -, -n: *als Gewürz verwendeter knolliger Pflanzensproß mit meist hellbrauner, dünner Schale und aromatisch riechendem, scharf schmeckendem Inneren.* **Zus.:** Brut-, Perlzwiebel.
Zwie|spalt, der; -[e]s, -e und Zwiespälte: *inneres Schwanken, Widersprüchlichkeit, Zerrissenheit (im Hinblick auf eine zu treffende Entscheidung o. ä.):* in einen Z. geraten; Z. zwischen Gefühl und Verstand. **sinnv.:** Konflikt, Widerspruch, Widerstreit.

Zwil|ling, der; -s, -e: *eines von zwei gleichzeitig im Mutterleib entwickelten Kindern:* die beiden Söhne sind Zwillinge. **sinnv.:** Geschwister.

zwin|gen, zwang, hat gezwungen ⟨tr.⟩: *durch Drohung, Zwang veranlassen, etwas Bestimmtes zu tun:* jmdn. zu einem Geständnis z.; es lagen zwingende *(schwerwiegende, wichtige)* Gründe vor; der Beweis ist nicht zwingend. **sinnv.:** nötigen; sich überwinden. **Zus.:** aufzwingen.

zwin|kern ⟨itr.⟩: *die Augenlider [wiederholt] schnell schließen und wieder öffnen:* er zwinkerte mehrmals mit den Augen. **sinnv.:** blinzeln.

zwi|schen: **I.** ⟨Präp. mit Dativ und Akk.⟩ **1.** ⟨Dativ⟩ /Lage/ *ungefähr in der Mitte von; mitten in, mitten unter:* der Garten liegt z. dem Haus und dem Wald; ich saß z. zwei Gästen. **sinnv.:** in. **2.** ⟨Akk.⟩ /Richtung/ *ungefähr in die Mitte von; mitten in, mitten hinein:* er stellte sich z. die beiden Damen; etwas z. die Bücher legen. **3.** ⟨Dativ⟩ /temporal/ *innerhalb eines bestimmten Zeitraumes, bestimmter Altersgrenzen:* das Buch ist für Kinder z. 10 und 12 Jahren geeignet; er will z. den Feiertagen Urlaub nehmen; z. neun und zehn Uhr. **4.** ⟨Dativ⟩ /kennzeichnet eine bestehende Beziehung/: es bestehen große Unterschiede z. den verschiedenen Entwürfen. **II. 1.** /in Verbindung mit einem Personalpronomen in Konkurrenz zu *dazwischen;* bezogen auf Sachen (ugs.)/: „Stand er z. den Bäumen?" – „Ja, er stand z. ihnen (statt: dazwischen)." **2.** /in Verbindung mit „was" in Konkurrenz zu *wozwischen;* bezogen auf Sachen (ugs.)/: **a)** /in Fragen/: z. was (besser: wozwischen) liegt es? **b)** /in relativischer Verbin-

dung/: er wußte nicht, z. was (besser: wozwischen) er eingeklemmt war. **III.** ⟨Adverb⟩ /gibt bei Alters- und Mengenangaben in Verbindung mit „und" eine unbestimmte Zahl innerhalb bestimmter Grenzen an/: die Bewerber waren z. 25 und 30 Jahre alt; er hat z. 90 und 100 Exemplare verkauft.

zwi|schen|durch ⟨Adverb⟩: *[gelegentlich] zwischen der einen und der nächsten Tätigkeit:* ich werde z. telefonieren. **sinnv.:** dazwischen.

Zwi|schen|fall, der; -[e]s, Zwischenfälle: *kurzer, überraschender Vorgang, der den bisherigen Gang der Dinge unangenehm stört:* bei der Veranstaltung kam es zu schweren Zwischenfällen. **sinnv.:** Ereignis. **Zus.:** Grenz-, Luftzwischenfall.

Zwi|schen|raum, der; -[e]s, Zwischenräume: *freier Raum zwischen zwei Dingen:* er will den Z. zwischen den Schränken für Regale ausnutzen. **sinnv.:** Lücke. **Zus.:** Zeilenzwischenraum.

Zwi|schen|zeit, die; -, -en: **1.** ⟨ohne Plural⟩ *Zeitraum zwischen zwei Vorgängen:* ich komme in einer Stunde wieder, in der Z. kannst du dich ausruhen. **sinnv.:** Abstand. **2.** *Zeit, die für das Zurücklegen einer Teilstrecke gestoppt wird:* diese Z. über 1 000 m läßt auf einen neuen Rekord über 1 500 m hoffen.

zwölf ⟨Kardinalzahl⟩: 12: z. Personen.

zwölft... ⟨Ordinalzahl⟩: 12.: der zwölfte Mann.

Zy|lin|der, der; -s, -: **1.** *röhrenförmiger Hohlkörper, in dem sich ein Kolben bewegt.* **sinnv.:** Rohr. **Zus.:** Acht-, Brems-, Meß-, Sechs-, Vier-, Zwölfzylinder. **2.** /eine geometrische Figur/ (siehe Bildleiste „geometrische Figuren", S. 175).

Übersicht über die im Wörterbuch verwendeten sprachwissenschaftlichen Fachausdrücke

Abstraktum: Substantiv, mit dem etwas Nichtgegenständliches bezeichnet wird, z. B. *Liebe, Hoffnung;* vgl. Konkretum.

Adjektiv: Wort, das eine Eigenschaft oder ein Merkmal bezeichnet, das ausdrückt, wie jemand oder etwas ist, wie etwas vor sich geht oder geschieht; Eigenschaftswort, z. B. ein *großes* Haus; das Haus ist *groß;* er läuft *schnell*.

adjektivisch: das Adjektiv betreffend, als Adjektiv gebraucht.

Adverb: Wort, das den Umstand des Ortes, der Zeit, der Art und Weise oder des Grundes näher bezeichnet, die räumlichen, zeitlichen usw. Beziehungen kennzeichnet; Umstandswort, z. B. ich komme *bald;* er läuft *sehr* schnell; das Buch *dort; hoffentlich* geht alles gut.

adverbial: (von Adjektiven) ein durch ein Verb ausgedrücktes Geschehen kennzeichnend; umstandswörtlich, z. B. die Rose blüht *schön*.

adversativ: einen Gegensatz kennzeichnend; entgegensetzend, z. B. er kommt nicht heute, *sondern* morgen.

Affixoid: Oberbegriff für Präfixoid/Suffixoid.

Akkusativ: der vierte Fall; Wenfall, z. B. ich grüße *den Lehrer;* ich lese *ein Buch*

Aktiv: Blickrichtung beim Verb, bei der ein Geschehen in Hinblick auf den Täter, Urheber gesehen wird (Gegensatz: Passiv); Tätigkeitsform, z. B. Fritz *streichelt* den Hund; die Rose *blüht;* sie *leidet*.

aktivisch: das Aktiv betreffend (er ist verhandlungsfähig = kann verhandeln; vgl. passivisch).

Artangabe: Umstandsergänzung oder freie Umstandsangabe, die die Art und Weise (Qualität, Quantität, Intensität usw.) angibt und mit „wie?" („wieviel?", „wie sehr?" usw.) erfragt wird; Umstandsbestimmung, adverbiale Bestimmung der Art und Weise, z. B. Karl singt *laut;* er peinigte mich *bis aufs Blut;* die Figur ist *aus Holz*.

Artikel: Wort, das Geschlecht, Fall und Zahl eines Substantivs angibt; **bestimmter Artikel** (der, die, das), **unbestimmter Artikel** (ein, eine).

attributiv: (von Adjektiven) als nähere Bestimmung bei einem Substantiv stehend; beifügend, z. B. eine *schöne* Rose.

außerpersönlich: nur in Verbindung mit der 3. Person in bezug auf Sachen, z. B. versanden (etwas versandet).

Basiswort: Wort, das die Basis für ein neues Wort bietet, das mit Hilfe eines Präfixes, Suffixes, Präfixoids oder Suffixoids gebildet wird, z. B.: das Substantiv *Beitrag* ist Basiswort in *beitragsfrei,* das Adjektiv *kalt* ist das Basiswort in *saukalt,* das Verb *tanzen* ist Basiswort in *ertanzen*.

Bestimmungswort: erster (am Anfang stehender) Bestandteil eines zusammengesetzten Wortes, der das Grundwort näher bestimmt, z. B. *Regen*schirm, *Regenschirm*ständer, *hand*gemalt.

Bezugswort: Wort, auf das sich ein anderes Wort bezieht, z. B. ist im folgenden Satz „Angebot" das Bezugswort zu „verhandlungsfähig": das Angebot ist verhandlungsfähig.

Dativ: der dritte Fall; Wemfall, z. B. das Buch gehört *mir*.

Demonstrativpronomen: Pronomen, das auf etwas Bekanntes [nachdrücklich] hinweist; hinweisendes Fürwort, z. B. *dieses* Buch gefällt mir besser.

elliptisch: eine Ellipse, d. h. eine Auslassung von Rede-, Satzteilen, enthaltend, z. B. Licht an (= anmachen)!; brieftaschenfreundliche Preise (= Preise, die das Geld in der Brieftasche schonen, nicht so stark beanspruchen und daher „freundlich" sind).

flektiert: je nach Fall, Geschlecht oder Zahl in der Wortform verändert; gebeugt (vgl. unflektiert).

final: den Zweck, eine Absicht kennzeichnend, z. B. er fährt zur Kur, *damit* er sich erholt.

Funktionsverb: Verb, das nur oder neben seinem Gebrauch als Vollverb in bestimmten Verbindungen mit Substantiven auftritt, in denen sein eigener Inhalt verblaßt ist und in denen es dann nur Teil eines festen Gefüges ist, z. B. zum Druck *gelangen* (gedruckt werden).

Genitiv: der zweite Fall; Wesfall, z. B. das Haus *des Vaters.*

Grundwort: zweiter (am Ende stehender) Bestandteil eines zusammengesetzten Wortes, nach dem sich Wortart, Geschlecht und Zahl des ganzen Wortes richten, z. B. der Bahn*hof*, Regen*schirm*, Regenschirm*ständer;* hand*gemalt* (Adjektiv).

Imperativ: Aussageweise des Verbs, die einen Befehl, eine Bitte, Aufforderung, Warnung o. ä. kennzeichnet; Befehlsform, z. B. *komm[e]* schnell!

Indefinitpronomen: Pronomen, das eine Person, Sache oder Zahl in ganz allgemeiner und unbestimmter Weise bezeichnet; unbestimmtes Fürwort, z. B. *alle* waren gekommen; er hat *etwas* mitgebracht.

indeklinabel: sich nicht deklinieren lassend, z. B. ein *rosa* Kleid.

Indikativ: Aussageweise (Modus) des Verbs, die ein Geschehen oder Sein als tatsächlich oder wirklich hinstellt; Wirlichkeitsform, z. B. er *kommt* morgen.

Infinitiv: Form des Verbs, die ein Sein oder Geschehen ohne Verbindung mit Person, Zahl usw. angibt; Nennform, z. B. kommen, laufen.

instrumental: das Mittel oder Werkzeug kennzeichnend, z. B. er öffnete das Paket, *indem* er die Schnur zerschnitt.

Interjektion: Wort, das eine Empfindung, ein Begehren, eine Aufforderung ausdrückt oder mit dem ein Laut nachgeahmt wird; Empfindungswort, Ausrufewort, z. B. *ach!, au!, hallo!*

Interrogativadverb: Adverb, das zur Kennzeichnung einer Frage verwendet wird; Frageumstandswort, z. B. *woher* kommst du?

Interrogativpronomen: Pronomen, das eine Frage kennzeichnet; Fragefürwort, z. B. *was* hast du gesagt?

intransitiv: zu einem persönlichen Passiv nicht fähig; nicht zielend, z. B. ich arbeite, ich bekomme ein Buch.

Jargon: ungezwungene, innerhalb einer Berufsgruppe oder einer sozialen Gruppe gebräuchliche Ausdrucksweise (für Eingeweihte), z. B. *Braut* für: junges Mädchen, Freundin.

Kardinalzahl: Zahlwort, das eine bestimmte Anzahl oder Menge bezeichnet; Grundzahl (vgl. Ordinalzahl), z. B. die Hand hat *fünf* Finger.

kausal: einen Grund oder eine Ursache kennzeichnend; begründend, z. B. ich konnte nicht kommen, *weil* ich krank war.

Komparativ: Vergleichsform des Adjektivs, die die Ungleichheit zweier (oder mehrerer) Wesen feststellt; 1. Steigerungsstufe, z. B. Tim ist *größer* als Karen.

konditional: die Bedingung kennzeichnend, unter der ein Geschehen eintritt; bedingend, z. B. ich komme, *wenn* ich Zeit habe.

Konjunktion: Wort, das zwischen Wörtern, Wortgruppen oder Sätzen eine (räumliche, zeitliche, kausale o. ä.) Beziehung kennzeichnet; Bindewort, z. B. er *und* sie; ich hoffe, *daß* es gelingt.

Konjunktiv: Aussageweise (Modus) des Verbs, die ein Geschehen oder

Sein nicht als wirklich, sondern als erwünscht, vorgestellt, von einem anderen gesagt, nur behauptet darstellt; Möglichkeitsform, z. B. er sagte, er *komme;* er *käme,* wenn er Zeit *hätte.*

Konkretum: Substantiv, mit dem etwas Gegenständliches bezeichnet wird, z. B. *Topf, Stuhl;* vgl. Abstraktum.

konsekutiv: eine Folge kennzeichnend; folgernd, z. B. er sprach so laut, *daß* ihn alle hörten.

konzessiv: einen Umstand kennzeichnend, der einem Geschehen eigentlich entgegenwirkt, es aber nicht verhindert; einräumend, z. B. er ging spazieren, *obwohl* es regnete.

lokal: einen Ort kennzeichnend; räumlich, z. B. die Stelle, *wo* das Unglück passierte.

männlich: Bezeichnung des Geschlechts, das bei Substantiven durch den Artikel „der", bei Pronomen durch die Form „er" gekennzeichnet ist, z. B. *der* Mann *(er)* ist berühmt.

modal: die Art und Weise kennzeichnend, z. B. er tat, *als ob* nichts geschehen wäre.

Nominativ: der erste Fall; Werfall, z. B. *der Vater* kommt nach Hause.

Ordinalzahl: Zahlwort, das angibt, an welchem Punkt einer Reihenfolge oder Rangordnung eine Person oder Sache steht; Ordnungszahl (vgl. Kardinalzahl), z. B. er wohnt im *zweiten* Stock.

Partikel: Wort, das nicht gebeugt werden kann (Adverb, Präposition, Konjunktion).

Partizip: Form des Verbs, die eine Mittelstellung zwischen Verb und Adjektiv einnimmt; Mittelwort. **1. Partizip** (Partizip Präsens, Mittelwort der Gegenwart), z. B. der *lobende* Lehrer. **2. Partizip** (Partizip Perfekt, Mittelwort der Vergangenheit), z. B. der *gelobte* Schüler.

Passiv: Blickrichtung beim Verb, bei der das Geschehen im Vordergrund steht und der Täter, Urheber nicht oder nur nebenbei genannt wird (Gegensatz: Aktiv); Leideform, z. B. der

Hund *wird gestreichelt;* es *wurde* viel *gelacht.*

passivisch: das Passiv betreffend (das Angebot ist verhandlungsfähig = darüber kann verhandelt werden; vgl. aktivisch).

persönlich: in Verbindung mit allen Formen des Personalpronomens, zumindest aber in der 3. Person, oder eines entsprechenden Substantivs möglich (Gegensatz: unpersönlich), z. B. ich laufe, du läufst, der Motor (er) läuft.

Personalpronomen: Pronomen, das angibt, von welcher Person oder Sache die Rede ist, von der Person, die spricht (ich, wir), von der Person, die angesprochen wird (du, ihr) oder von der Person oder Sache, über die gesprochen wird (er, sie, es; sie [Plural]); persönliches Fürwort, z. B. *ich* lese *es* (das Buch) *dir* vor.

Plural: Wortform, die das zwei- oder mehrmalige Vorkommen eines Wesens oder Dinges ausdrückt, die sich auf zwei oder mehrere Wesen oder Dinge bezieht (Gegensatz: Singular); Mehrzahl, z. B. die *Kinder* spielen.

Positiv: Vergleichsform des Adjektivs, die eine Eigenschaft einfach nennt oder die Gleichheit zweier (oder mehrerer) Wesen oder Dinge feststellt; Grundform, z. B. Tim ist *groß;* Tim ist so *groß* wie Karen.

Possessivpronomen: Pronomen, das ein Besitz- oder Zugehörigkeitsverhältnis ausdrückt; besitzanzeigendes Fürwort, z. B. das ist *mein* Buch; *sein* Vater.

Prädikat: Teil des Satzes (Verb), der einen Zustand oder ein Geschehen ausdrückt oder aussagt, was mit dem Subjekt geschieht; Satzaussage, z. B. die Rosen *blühen.*

prädikativ: (von Adjektiven) in Verbindung mit dem Verb „sein" stehend; aussagend, z. B. die Rose ist *schön.*

Präfix: sowohl nicht trennbarer Wortteil als auch trennbares Wort, das vor ein Wort gesetzt wird, wodurch ein neues Wort entsteht, z. B. be- (*bespielen*), er- (*erklatschen*), durch-

(*durch*kriechen), herein- (*herein*tragen).

Präfixoid: Wortbildungsmittel, das sich aus einem selbständigen Wort zu einer Art Präfix entwickelt hat und das sich von dem selbständigen Wort durch Reihenbildung (Analogiebildungen) unterscheidet; Halbpräfix, z. B. *Bilderbuch*- (= wie im Bilderbuch): Bilderbuchehe, -sommer; *Problem*- (= was problematisch ist): Problemfamilie, -kind, -schläfer.

Präposition: Wort, das in Verbindung mit einem anderen Wort, meist einem Substantiv, ein (räumliches, zeitliches, kausales o. ä.) Verhältnis kennzeichnet; Verhältniswort, z. B. er geht *in* das Zimmer; er tut es *aus* Liebe; er schlägt *mit* dem Hammer.

präpositional: mit einer Präposition gebildet, z. B. präpositionales Attribut (meine Freude *über den Sieg*), präpositionales Objekt (Maria denkt *an ihre Schwester*).

Pronomen: Wort, das in einem Satz statt eines Substantivs stehen kann; Fürwort, z. B. der Vater kam nach Hause. *Er* brachte mir ein Buch mit.

Pronominaladverb: Adverb, das statt einer Fügung Präposition + Pronomen steht und aus den Adverbien *da, hier* oder *wo* und einer Präposition besteht, z. B. *worüber* (= über was) lachst du?

Relationsadjektiv: s. Relativadjektiv.

relativ: einen Bezug zu einem Wort des übergeordneten Satzes herstellend; bezüglich, z. B. er soll wieder dorthin gehen, *woher* er gekommen ist; der Junge, *der* den Preis gewonnen hat.

Relativadjektiv: Adjektiv, das eine allgemeine Beziehung ausdrückt und in der Regel nicht steigerungsfähig ist, z. B. *gebietlich, die *väterliche* Haus (= das Haus des Vaters).

Relativpronomen: Pronomen, das den Bezug eines Gliedsatzes zu einem Substantiv oder Pronomen des übergeordneten Satzes herstellt; bezügliches Fürwort, z. B. das ist der Mann, *den* ich gestern gesehen habe.

sächlich: Bezeichnung des Geschlechts, das bei Substantiven durch den Artikel „das", bei Pronomen durch die Form „es" gekennzeichnet ist, z. B. *das* Kind *(es)* ist lebhaft.

Singular: Wortform, die das einmalige Vorkommen eines Wesens oder Dinges ausdrückt, die sich auf ein einziges Wesen oder Ding bezieht (Gegensatz: Plural); Einzahl, z. B. das *Kind* spielt.

Subjekt: Teil des Satzes, der etwas Seiendes, Vorhandenes benennt, über das im Satz etwas ausgesagt wird; Satzgegenstand, z. B. *die Rosen* blühen.

Substantiv: Wort, das ein Lebewesen, Ding oder einen Begriff u. ä. benennt; Nomen, Hauptwort, Dingwort, z. B. *Vater, Stuhl, Schönheit, Freude, Drehung.*

substantivisch: das Substantiv betreffend, als Substantiv gebraucht.

Suffix: Wortteil, der an ein Wort (Besitz-*tum*) oder an einen Wortstamm (vernachlässig-*bar*) angehängt werden kann, wodurch ein neues Wort gebildet wird, z. B. *-chen* (Türchen), *-in* (Verkäuferin); *-lich* (pflanzlich).

Suffixoid: Wortbildungsmittel, das sich aus einem selbständigen Wort zu einer Art Suffix entwickelt hat und das sich von dem selbständigen Wort durch Reihenbildung (Analogiebildungen) und Entkonkretisierung (durch übertragenen oder bildlichen Gebrauch) unterscheidet; Halbsuffix, z. B. *-müde* (ehemüde [= der Ehe müde], fernsehmüde [= des Fernsehens müde]; nicht aber: altersmüde [= vom Alter müde]); *-muffel* (Gurtmuffel, Sexmuffel; nicht aber: Morgenmuffel [= jmd., der am Morgen ein Muffel, mufflig ist]).

Superlativ: Vergleichsform des Adjektivs, die den höchsten Grad feststellt, der überhaupt oder innerhalb einer getroffenen Auswahl von zwei (oder mehreren) Wesen oder Dingen zu erreichen ist, z. B. Tim ist der *größte* unter den Schülern; der Betrieb arbeitet mit *modernsten* Maschinen.

temporal: eine Zeitangabe kennzeichnend; zeitlich, z. B. *als* er mich sah, kam er auf mich zu.

transitiv: ein Akkusativobjekt verlangend und zu einem persönlichen Passiv fähig; zielend, z. B. ich schreibe den Brief – der Brief wird von mir geschrieben.

unflektiert: in Fall, Geschlecht und Zahl nicht verändert; ungebeugt (Gegensatz: flektiert), z. B. *welch* kluger Mann (flektiert: *welcher* kluge Mann).

unpersönlich: in Verbindung mit „es" gebraucht (Gegensatz: persönlich), z. B. es schneit; es singen alle Vögel.

Verb: Wort, das ein Geschehen, einen Vorgang, Zustand oder eine Tätigkeit bezeichnet; Zeitwort, Tätigkeitswort, z. B. *gehen, liegen, sich verändern.*

verbal: das Verb betreffend, als Verb gebraucht.

Vergleichsform: Form (Positiv, Komparativ und Superlativ) des Adjektivs – manchmal auch des Adverbs – durch die Beziehungen und Verhältnisse bestimmter Art zwischen mindestens zwei Wesen oder Dingen gekennzeichnet werden.

weiblich: Bezeichnung des Geschlechts, das bei Substantiven durch den Artikel „die", bei Pronomen durch die Form „sie" gekennzeichnet ist, z. B. *die* Frau *(sie)* ist schön.

Zahlwort: Wort, das eine Zahl bezeichnet, etwas zahlenmäßig näher bestimmt; Numerale, **bestimmte Zahlwörter** (z. B. eins, drei), **unbestimmte Zahlwörter** (z. B. manche, mehrere, viele).

Langenscheidts Taschenwörterbücher

Fast alle Taschenwörterbücher wurden in den letzten Jahren völlig neu bearbeitet. Jede Neubearbeitung bringt Verbesserungen und neue Wörter.

Der Wortschatz von 75000–95000 Stichwörtern und Wendungen in beiden Teilen jeder Sprache ist sorgfältig ausgewählt. Neben der Umgangssprache werden viele Fachausdrücke aus den verschiedenen Wissensgebieten berücksichtigt.

Unentbehrliche Helfer – in 14 Sprachen

Arabisch
Arabisch-Deutsch, 624 Seiten (10060)
Deutsch-Arabisch, 456 Seiten (10065)
Beide Teile in einem Band (11060)

Dänisch
Dänisch-Deutsch, 557 Seiten (10100)
Deutsch-Dänisch, 548 Seiten (10105)
Beide Teile in einem Band (11100)

Englisch
Englisch-Deutsch, 672 Seiten (10121)
Deutsch-Englisch, 672 Seiten (10127)
Beide Teile in einem Band (11123)

Französisch
Französisch-Deutsch, 576 Seiten (10151)
Deutsch-Französisch, 640 Seiten (10156)
Beide Teile in einem Band (11151)

Neugriechisch
Neugriechisch-Deutsch, 552 Seiten (10210)
Deutsch-Neugriechisch, 556 Seiten (10216)
Beide Teile in einem Band (11211)

Italienisch
Italienisch-Deutsch, 640 Seiten (10181)
Deutsch-Italienisch, 606 Seiten (10186)
Beide Teile in einem Band (11181)

Niederländisch
Niederländisch-Deutsch, 527 Seiten (10231)
Deutsch-Niederländisch, 542 Seiten (10236)
Beide Teile in einem Band (11231)

Polnisch
Polnisch-Deutsch, 624 Seiten (10260)
Deutsch-Polnisch, 591 Seiten (10265)
Beide Teile in einem Band (11260)

Portugiesisch
Portugiesisch-Deutsch, 640 Seiten (10271)
Deutsch-Portugiesisch, 607 Seiten (10275)
Beide Teile in einem Band (11271)

Russisch
Russisch-Deutsch, 568 Seiten (10290)
Deutsch-Russisch, 604 Seiten (10295)
Beide Teile in einem Band (11290)

Schwedisch
Schwedisch-Deutsch, 552 Seiten (10301)
Deutsch-Schwedisch, 456 Seiten (10306)
Beide Teile in einem Band (11302)

Spanisch
Spanisch-Deutsch, 544 Seiten (10341)
Deutsch-Spanisch, 511 Seiten (10345)
Beide Teile in einem Band (11341)

Tschechisch
Tschechisch-Deutsch, 576 Seiten (10360)
Deutsch-Tschechisch, 478 Seiten (10365)
Beide Teile in einem Band (11360)

Türkisch
Türkisch-Deutsch, 552 Seiten (10370)
Deutsch-Türkisch, 616 Seiten (10375)
Beide Teile in einem Band (11370)

Postfach 40 11 20, D-8000 München 40

Langenscheidt